EDITION
KINDLERS
LITERATUR
LEXIKON

Hauptwerke der deutschen Literatur

Hauptwerke der deutschen Literatur

Darstellungen und Interpretationen

Herausgegeben von
Manfred Kluge und Rudolf Radler

verlegt bei Kindler

11. Auflage

Umschlaggestaltung: H. Numberger
Druck und Bindearbeit: Salzer-Ueberreuter, Wien
ISBN 3-463-00591-3
Printed in Austria
8-9-5-2-2

INHALTSÜBERSICHT

Vorwort

Mit dem vorliegenden Band folgen Herausgeber und Verlag zahlreichen Anregungen aus dem Kreis der Benutzer von Kindlers Literatur Lexikon, bestimmte Literaturbereiche aus der Enzyklopädie herauszulösen und in Form von Auswahlbänden für Lehrer und Schüler, Studenten und Dozenten der entsprechenden Fachbereiche sowie für literarisch interessierte Leser zur Verfügung zu stellen. Diesem Wunsch folgend, haben wir nun ein Nachschlage- und Handbuch zur deutschen Literatur zusammengestellt, das die Beiträge zu den wichtigsten Werken der deutschsprachigen Literatur aus Kindlers Literatur Lexikon vereinigt.
Es schien uns sinnvoll, die alphabetische Ordnung der Werktitel, die dem Gesamtlexikon zugrunde liegt, hier durch ein chronologisches Anordnungsprinzip zu ersetzen: Alle Beiträge zu den Werken eines bestimmten Autors sind, in alphabetischer Reihenfolge, jeweils unmittelbar aufeinanderfolgend angeordnet; diese Beitrags-Komplexe der einzelnen Autoren stehen – im Autorenalphabet – in dem jeweiligen literarhistorischen Epochenzusammenhang, in den sie gehören. Man findet also zum Beispiel die Beiträge zu den Werken von Fontane, Gotthelf, Grabbe und Grillparzer – jeweils in einem alphabetisch nach Titeln geordneten Komplex – in Abschnitt VI (*19. Jahrhundert*) unter den – wiederum alphabetisch geordneten – Namen der genannten Autoren. Beiträge zu anonymen Werken stehen – ebenfalls in alphabetischer Reihenfolge – innerhalb der einzelnen Abschnitte am Ende, also zum Beispiel die Anonyma der alt- und mittelhochdeutschen Literatur am Ende des ersten Abschnitts (*Von den Anfängen bis zum Ausgang des Mittelalters*). Zusätzlich findet der Leser am Ende des Bandes ein alphabetisches Register aller Autoren, deren Werke besprochen sind. Dieses in erster Linie chronologische, in zweiter Linie alphabetische Anordnungsschema entspricht dem angestrebten Zweck, ein leicht zugängliches Nachschlagewerk zu einem bestimmten Literaturbereich vorzulegen, sehr viel eher als eine durchgehend alphabetische Anordnung der Beiträge; denn auch die didaktische Vermittlung deutscher, englischer oder französischer Literatur folgt der geschichtlichen Entwicklung, so daß die Benutzbarkeit eines »Werklexikons« dieser Art zweifellos erhöht wird, wenn der literarhistorische Zusammenhang erhalten bleibt.

Unser Band verspricht Darstellungen und Interpretationen zu »Hauptwerken der deutschen Literatur«. Wir wissen, daß man die prekäre Frage nach den Gesichtspunkten der Auswahl, die selbst einem Unternehmen wie Kindlers Literatur Lexikon mit seinen weit mehr als 15 000 Einzelbeiträgen (zu Recht) gestellt worden ist, auch an diesen Band richten wird. Wir haben uns an den Bedürfnissen von Schule und Universität orientiert und die Lektürepläne und Leseempfehlungen als Richtlinien benutzt. Im übrigen war dieser Band nur innerhalb der Grenzen des genannten Literaturlexikons realisierbar: Es fehlen also einzelne lyrische Gedichte, wohl aber finden sich Gedichtzyklen (Rilkes *Duineser Elegien*); es fehlen vielfach einzelne erzählerische Texte, wohl aber sind Sammlungen aufgenommen worden (Stifters *Bunte Steine*).

Die Redaktion von Kindlers Literatur Lexikon hat schon in der Einführung zum ersten Band (1965) darauf hingewiesen, daß es sich bei der Vielzahl der Mitarbeiter als unmöglich erwiesen hat, eine »Vereinheitlichung der Betrachtungsweise« zu erreichen. Die Tatsache, daß dieses Lexikon »das Werk höchst unterschiedlicher Temperamente ist«, daß es »alle Darstellungsmöglichkeiten versammelt, die zwischen dem nüchternen Bericht des strengen Fachgelehrten und der souveränen Interpretation ebenso kenntnisreicher wie gewandter Essayisten vorstellbar ist«, wird bei diesem Band zur deutschen Literatur zweifellos noch deutlicher ins Auge fallen als in den acht Bänden des Grundwerks. Aber diese redaktionelle Toleranz, die den Autoren gewiß ungewöhnliche Freiheiten beließ, schlug dem Unternehmen letzten Endes doch zum Vorteil aus – wie seine Entwicklung zu einem inzwischen unbestrittenen Standardwerk der Literaturinformation bewiesen hat.

Ein Auswahlband mit Werkbeiträgen zur deutschen Literatur mußte – dies war die erste Überlegung bei Verlag und Herausgebern – vor allem preiswert hergestellt werden. Wir haben unter diesem Vorzeichen jegliche Überarbeitung, Verbesserung, Ergänzung oder Aktualisierung im Text und in den Bibliographien unterlassen müssen. Wir hoffen dennoch, daß dieses Zugeständnis durch die sachliche Substanz der Beiträge ausgeglichen wird und daß der Band seine selbstgestellte Aufgabe, über die wichtigsten Werke der deutschen Literatur zu informieren und womöglich zu ihrer erneuten Lektüre herauszufordern, erfüllen wird.

Die Herausgeber

I. Von den Anfängen bis zum Ausgang des Mittelalters. 8. bis 15. Jahrhundert

MEISTER ECKHART
(um 1260-1327)

PREDIGTEN (mhd.) von Meister ECKHART (um 1260–1327), gehalten in Straßburg und Köln etwa seit 1314. – Schwierig bleibt die Beurteilung der Authentizität der Texte, die nur als Nachschriften der Hörer vorliegen Doch kommt aufgrund sekundär überlieferter Nachrichten sowie nach äußeren und inhaltlichen Kriterien für eine ganze Reihe der hier gesammelten Abhandlungen nur Eckhart als Autor in Frage. Im Gegensatz zum *Opus tripartitum*, von dem nur wenige fragmentarische Manuskripte vorliegen, sind die *Predigten* in weit mehr als 200 Handschriften erhalten.

In den deutschsprachigen *Predigten* findet das mystische Denken Eckharts seinen stärksten und in der Folgezeit wirksamsten Ausdruck. Zentrales Thema, das bis zu »*großartiger Eintönigkeit*« (J. Quint) diese Texte beherrscht, ist die Vorstellung von der Gottesgeburt in der menschlichen Seele. Die Geburt des Sohnes aus dem Vater vollzieht sich in der erkennenden Seele, die damit zur himmlischen Wohnung des trinitarischen Gottes wird. »*Daß Gott eben Gott ist, des bin ich eine Ursache; wäre ich nicht, so wäre Gott nicht Gott.*« In dem Augenblick, in dem Gott »*das Wort in die Seele spricht und die Seele wieder spricht in dem lebenden Worte, da wird der Sohn lebendig in der Seele*«. Das geheimnisvolle Wie dieser Verbindung wenigstens annäherungsweise zu fassen, wird Antrieb zu unermüdlichen und kühnen Spekulationen. Den menschlichen Pol der *unio mystica* bildet das »*Seelenfünklein*«, »*oberste Vernunft*« und unaussprechbarer Kern der Seele, ebenso ungeschaffen wie das Wesen Gottes und von Eckhart mit den gleichen Namen umschrieben. Das Seelenfünklein, die alle Dinge bewegende »*Unbeweglichkeit*«, vermag Gott unmittelbar, »*unbedeckt*« und »*entblößt*« zu schauen, wenn der Mensch es erreicht, sich in einem mystischen »*Entwerden*« von der Mannigfaltigkeit der Welt zu lösen. Jedes Streben, Hoffen, jedes eigennützige Gebet, alles genießende Schauen des Göttlichen, alles Handeln aus Selbstzweck vereitelt die *unio*. An dieser Stelle schlägt die subtile Spekulation in Ethik um: »*Und wäre der Mensch in Verzückung wie St. Paulus und wüßte einen Kranken, der eines Süppleins bedürfe, ich hielte es für viel besser, du ließest aus Liebe die Verzückung fahren und dientest dem Bedürftigen in um so größerer Liebe.*«

In dem Bestreben, dem neuen Gedanken adäquaten Ausdruck zu geben, bediente sich Eckhart neuer Wortschöpfungen, tiefgründiger Gleichnisse, Antithesen und Paradoxien. Schon zu seinen Lebzeiten begann der Streit um das Verständnis seines Werks, der 1326 zum »*ersten und einzigen Inquisitionsprozeß gegen einen angesehenen Theologen und Ordensmann im Mittelalter*« (J. Koch in der *Eckhart-Festschrift*) überhaupt führte. Die erhaltenen Prozeßdokumente sind in der sogenannten *Rechtfertigungsschrift* gesammelt. Sie besteht aus zwei von insgesamt fünf Anklagelisten, die vermeintlich glaubenswidrige Sätze aus den lateinischen und vor allem aus den deutschen Werken Eckharts zitieren (weshalb diesen Dokumenten bei der Identifizierung umstrittener Predigten besondere Bedeutung zukommt). Die Stellungnahmen Eckharts zu diesen Sätzen bilden den Hauptteil der *Rechtfertigungsschrift*. Eckhart hält hier an seinen früheren Lehren unbeirrt fest und bemüht sich um den Nachweis seiner Rechtgläubigkeit. Obgleich er sich auch noch in Avignon vor einer päpstlichen Kommission verteidigte, verurteilte Papst Johannes XXII. durch die Bulle *In agro dominico* (27. 3. 1329), nachdem Eckhart bereits gestorben war, eine Reihe der von den Inquisitoren aufgeführten Sätze als häretisch oder zumindest mißverständlich. Unabhängig davon, daß dieses Urteil in den kommenden Jahrhunderten das Eckhart-Bild immer wieder verdunkelte, gaben die Eckhart-Schüler Heinrich SEUSE und Johannes TAULER die Lehren des Meisters in einfacherer und populärerer Form weiter. Deshalb waren auch deren Werke lange Zeit bekannter als die des Lehrers, dessen Wirkungsgeschichte sich bis zu Beginn des 19. Jh.s nur sporadisch erfassen läßt.

Die Wiederentdeckung des Mystikers Eckhart fällt in die Romantik, in der vor allem Franz von BAADER die Bedeutung des Dominikaners unterstrich. Als HEGEL und seine Schüler bei ihrem Versuch, Glaube und Wissen zu überbrücken, sich auch auf Eckhart beriefen, gerieten sie in Streit mit den Theologen, und als Folge davon trat neben die erbaulich-spekulative Beschäftigung allmählich die wissenschaftliche Erforschung des Lebens und der Werke Eckharts: Carl SCHMIDT veröffentlichte 1838 die erste Eckhart-Monographie, 1857 erschien die von Franz PFEIFFER besorgte Sammlung der *Predigten*. Charakteristisch für das Eckhart-Bild dieser Jahre war, daß man glaubte, in der deutschen Mystik absolute Originalität des Denkens, den Bruch mit der Scholastik, ein Vorspiel der Reformation und – in nationaler Emphase – die Morgenröte der deutschen Philosophie entdeckt zu haben. Dieses Eckhart-Bild zerstörte im Zuge der Neuscholastik der scharfzüngige Dominikaner Heinrich DENIFLE gründlich. Als glänzender Kenner der Scholastik und Mystik stellte er Eckhart, indem er auch dessen vergessene lateinische Schriften auswertete, in die scholastische Tradition, korrigierte die These vom Begründer der deutschen Philosophie und schrieb das, was die Forscher der ersten Hälfte des 19. Jh.s als Originalität des Denkens Eckharts enthüllt zu haben meinten, dessen unklarem Kopf und dessen schwer verständlicher Ausdrucksweise zu. Hatte dieses Urteil Denifles innerhalb der Eckhart-Forschung zunächst nur betretenes Schweigen zur Folge, so erschienen die deutschen Schriften des Meisters in den ersten Jahrzehnten des 20. Jh.s in auflagenstarken Volksausgaben. In neuromanti-

schen Gefühlen suchte ein breites Lesepublikum in Eckhart den Wegbereiter religiöser Erneuerung außerhalb der institutionalisierten Kirchen. Eckhart erschien als Held einer Reihe von Romanen (P. GURK, H. MUCH, L. FAHRENKROG, D. FABECK) und lyrischer Gedichte (E. BERTRAM, W. SCHWARZ) und wurde bald auch eine Domäne der deutschen Jugendbewegung. In seinen Werken entdeckte man plötzlich »arische Metaphysik« und »germanische Innerlichkeit«, Tendenzen, die A. ROSENBERG im *Mythus des 20. Jahrhunderts* (1930) »*mit tödlicher Konsequenz zu Ende dachte*« (I. Degenhardt).
Unabhängig von diesen Richtungen, die mit einem angemessenen Eckhart-Verständnis nichts mehr gemein hatten, wurde in den dreißiger Jahren eine kritische, auf weit mehr als zweihundert Handschriften basierende Gesamtausgabe in Angriff genommen. Sie erst bot die Möglichkeit, aufgrund eines weitgehend gesicherten Textes eine zuverlässige Interpretation der mit besonders schwierigen textkritischen Problemen und Echtheitsfragen verbundenen Predigttexte. Die philologische Aufgabe der modernen Eckhart-Forschung formulierte 1932 J. QUINT: »*Die sprachlich-stilistische Untersuchung der deutschen Predigten setzt nicht nur die textkritische Bereitung eines für sie tragfähigen textlichen Bodens, sondern auch bereits die philosophisch-theologisch-geisteswissenschaftliche Interpretation des gedanklichen Gehaltes voraus, auf daß die Stil- und Spracheigentümlichkeiten nicht nur als solche äußerlich festgestellt, sondern auch in ihrer funktionellen Bedingtheit im geistigen Gehalt erkannt und gedeutet werden können.*« Auch die theologisch-philosophisch orientierte Forschung der Gegenwart konzentriert sich vorwiegend auf eine differenzierende Bestandsaufnahme dessen, was Eckhart aus der Tradition verwendet, wie er es adaptiert und worin er darüber hinausgegangen ist. J. T. – KLL

AUSGABEN: Lpzg. 1857 (in *Meister Eckhart*, Hg. J. Pfeiffer; Deutsche Mystiker des 14. Jh.s, 2; krit.). – Lpzg./Jena 1909 (in *Schriften u. Predigten*, Hg. u. nhd. Übers. H. Büttner, 2 Bde., 1903–1909, 2; ern. Düsseldorf 1959). – Lpzg. 1927, Hg. u. nhd. Übers. F. Schulze-Maizier [Ausz.]. – Paderborn 1936 (*Deutsche Predigten u. Schriften*, Hg. u. nhd. Übers. G. Durstewitz; Ausw.). – Stg./Bln. 1936–1958 (in *Die deutschen u. lateinischen Werke*, Hg. u. nhd. Übers. J. Quint, 1936ff., Abt. 2, Bd. 1). – Mchn. 1955 (*Deutsche Predigten u. Traktate*, Hg. u. nhd. Übers. ders.; [2]1963).

ÜBERSETZUNGEN: *Ausgewählte Predigten u. Verwandtes*, Hg. u. Übers. W. Schöpff, Lpzg. 1896. – *Meister Eckharts mystische Schriften*, G. Landauer, Bln. 1903; ern. Bln. 1920, Hg. M. Buber. – *Deutsche Predigten u. Traktate*, F. Schulze-Maizier, Lpzg. 1927. – Dass., J. Quint, Mchn. 1955; [2]1963.

LITERATUR: H. S. Denifle, *Meister E.s lateinische Schriften u. die Grundanschauung seiner Lehre* (in Archiv f. Literatur u. Kirchengesch. des MAs, 2, 1886, S. 417–615). – M. Palmcke, *Untersuchungen zu den deutschen Predigten Meister E.s*, Halle 1905. – J. Mühlethaler, *Die Mystik bei Schopenhauer*, Bln. 1910. – J. Quint, *Die Überlieferung der deutschen Predigten Meister E.s*, Bonn 1932. – K. Oltmanns, *Meister E.*, Ffm. 1935; [2]1957. – W. Klein, *Meister E. Ein Gang durch die Predigten des deutschen Meisters*, Stg. 1940. – H. Ebeling, *Meister E.s Mystik*, Stg. 1941 [zugl. Diss. Rostock]. – J. Schneider, *Der Stil der deutschen Predigten bei Berthold von Regensburg u. Meister E.*, Diss. Mchn. 1942. – H. Piesch, *Meister E. Eine Einführung*, Wien 1946. – H. Nolz, *Die Erkenntnislehre Meister E.s u. ihre psychologischen u. metaphysischen Grundlagen*, Diss. Wien 1949. – Th. Steinbüchel, *Mensch u. Gott in Frömmigkeit u. Ethos der deutschen Mystik*, Düsseldorf 1952. – H. S. Denifle, *Die deutschen Mystiker des 14. Jh.s. Beitrag zur Deutung ihrer Lehre*, Hg. O. Spiess, Fribourg 1951 (vgl. dazu K. Ruh, in WW, 7, 1956/57). – *Meister E. Fs. zum E.-Gedenkjahr*, Hg. U. M. Nix u. R. Öchslin, Freiburg i. B./Basel/Wien 1960. – Sh. Ueda, *Die Gottesgeburt in der Seele u. der Durchbruch zur Gottheit. Die mystische Anthropologie Meister E.s u. ihre Konfrontation mit der Mystik des Zen-Buddhismus*, Gütersloh 1965. – L. Völker, *Die Terminologie der mystischen Bereitschaft in Meister E.s deutschen Predigten u. Traktaten*, Diss. Tübingen 1965. – I. Degenhardt, *Studien zum Wandel des Eckhartbildes*, Leiden 1967.

EIKE VON REPGOW
(1180/90 – nach 1233)

SACHSENSPIEGEL (nd.). Rechtsbuch von EIKE VON REPGOW (1180/1190 – nach 1233), entstanden um 1224. – Die erste Zusammenfassung des sächsischen Rechts wurde um 1220 von dem anhaltischen Schöffen Eike von Repgow in lateinischer Sprache konzipiert, dann aber noch vor 1224 auf Wunsch seines Lehnsherrn in die gültige niederdeutsche Sprachform übertragen, noch zu Eikes Lebzeiten von ihm überarbeitet und bald von anderen abgeschrieben und ergänzt, so daß uns das Werk in mehr als 200 Handschriften mit den Varianten vorliegt.
Der *Sachsenspiegel* umfaßt zwei Teile, das *Landrecht* und das *Lehnsrecht*. Das erstere ist eine Zusammenfassung des um 1220 geltenden sächsischen Gewohnheitsrechtes der freien Sachsen aller Stände, das zweite verzeichnet vor allem die besonderen Rechtsfragen des Adels. Eike von Repgow war kein Jurist, doch besaß er umfassende Kenntnisse des territorial und ständisch differenzierten deutschen Rechts, die auf der geltenden Rechtspraxis beruhten. Da es sich beim *Sachsenspiegel* um die erste Niederschrift von Rechtssätzen in deutscher Sprache handelt, fehlt eine systematische Gliederung nach dem Vorbild heutiger Rechtskodices. Das *Landrecht* ist in drei Bücher unterteilt und beginnt mit der in späteren Ausgaben als *Praefatio rhythmica* bezeichneten, in mittelhochdeutscher Dichtersprache verfaßten Vorrede in 280 Versen. Sie gibt eine allgemeine Einleitung und Auskünfte über das Entstehen des Werkes. Ihr folgt ein Prologus mit den üblichen Demuts- und Dankesformeln und mit dem Hinweis, das »*Got selve recht is*«. Eike leitet das Recht von Gott her und läßt alle Menschen vor dem Recht gleich sein. Das starke Rechtsethos und die Frömmigkeit des Verfassers spiegeln sich auch in den ersten drei Absätzen des eigentlichen Textes, denen sich dann in 71 Abschnitten die Grundlagen des Erbrechts, Fragen des Eherechts und solche verschiedener Rechtsverfahren anschließen. Das zweite Buch dieses ersten Teils umfaßt 72 Abschnitte, das dritte 91. In ihnen sind alle Fragen des Strafrechts und des privatrechtlichen Bereichs behandelt. Dabei ist aber immer berücksichtigt, daß das Werk zunächst die sächsischen Rechtszustände spiegeln sollte und nicht die Niederschrift eines Reichsrechts darstellt. – Abgesondert ist der Bereich des

Lehnsrechts, das in 80 Abschnitten aufgezeichnet ist. Andere Sonderrechte oder Rechtsnormen anderer Landschaften hat der Verfasser mehr oder weniger bewußt ausgeschieden, doch hat er sie gekannt. Vereinzelt gibt er Hinweise auf gültige Rechtsnormen der Schwaben und der Wenden.

Eike hatte als Gültigkeitsbereich etwa den im *Landrecht*, Buch 3, Art. 62, genannten Raum im Auge, der ganz Norddeutschland von der Oder bis zu den Grenzen Friesischer Rechtsbereiche umfaßte und im Süden bis an das fränkische Gebiet reichte. Darauf ist es zurückzuführen, daß einige Abschnitte seines Rechtsbuches durchaus den Charakter eines Reichsstaatsrechtes zeigen. Hierin liegt auch die schnelle und weitgreifende Ausbreitung des *Sachsenspiegels* begründet, der zum Vorbild des um 1275 aufgeschriebenen *Deutschenspiegels* (vgl. dort) und des *Schwabenspiegels* wurde. Auch in zahlreiche Stadtbücher und Rechtsbücher anderer Art haben einzelne Abschnitte Eingang gefunden. Nicht nur weite Teile des deutschen Reichs- und Sprachgebietes richteten sich nach den Rechtssatzungen des *Sachsenspiegels*, sondern auch Teile Polens, Ungarns und Rußlands. In einigen deutschen Landschaften hatte das Recht in dieser Form noch bis 1900 Gültigkeit.

Der *Sachsenspiegel* steht am Anfang einer bedeutenden Reihe juristischer Werke in niederdeutscher und in deutscher Sprache überhaupt. Er ist nicht im reinen, sich erst im Laufe des 14. Jh.s herausbildenden Mittelniederdeutsch abgefaßt, doch vermeidet der Verfasser im Hinblick auf eine weitere Verbreitung seines Buches bewußt eine zu enge Anlehnung an seinen Heimatdialekt. In den mittelhochdeutschen Vorreden dokumentiert er, daß er auch die gültige Dichtersprache seiner Zeit kannte. Doch da sein Werk der allgemeinen Rechtsbelehrung im norddeutschen Raum dienen sollte, bediente er sich allgemein der niederdeutschen Sprache, was der Breitenwirkung dieses ersten deutschen Rechtsbuches keinen Abbruch tat. Es wirkte sogar als Anregung, auch in anderen Landschaften Rechtssätze in volkssprachlicher Form aufzuzeichnen. Der Hang zu einer poetischen Sprachform zeigt das souveräne Sprachvermögen des Verfassers, dessen Werke form- und sprachgeschichtlich für die Entwicklung der deutschen Sprache und Literatur von großer Bedeutung wurden. W. L.

Ausgaben: Bln. [3]1861 (*Des Sachsenspiegels erster Teil oder das Sächsische Landrecht nach der Berlinischen Hs. von 1369*, Hg. C. G. Homeyer). – Bln. 1842 (*Des Sachsenspiegels zweiter Theil nebst den verwandten Rechtsbüchern*. Bd. 1: *Das Sächsische Lehnrecht und der Richtsteig Lehnrechts*). – Lpzg. 1902–1906 (*Die Dresdner Bilderhandschrift des Sachsenspiegels*, Hg. K. v. Amira, 2 Bde.). – Göttingen [2]1955/56 (*Sachsenspiegel. Landrecht. Lehnrecht*, Hg. K. A. Eckhardt, 2 Bde.; MGH, Fontes iuris Germ. antiqui, N. S. 1/1, 2). – Göttingen 1967 (*Landrecht in hochdeutscher Übertragung*, Hg. ders.). – Ffm. 1970 (*Die Heidelberger Bilderhandschrift des Sachenspiegels*; Faks.-Ausg. von Cod. Pal. Germ. 164 der Universitätsbibl. Heidelberg; Kommentarband: W. Koschorreck).

Literatur: C. G. Homeyer, *Die deutschen Rechtsbücher des MAs u. ihre Handschriften*, 2 Bde., Weimar 1931–1934. – W. Mahmens, *Die Handschriften des »Sachsenspiegels«*, Diss. Kiel 1933. – VL, 1, 1933, Sp. 516ff. u. 5, 1955, Sp. 175ff. – H. v. Voltelini, *Ein Beitrag zur Quellenkunde des »Sachsenspiegels« Landrecht* (in Zs. f. Rechtsgeschichte, 58, 1938). – G. Kisch, *»Sachsenspiegel« and Bible* (in Publications in Medieval Studies, 5, 1941). – R. Kötzschke, *Die Heimat der mittelalterlichen Bilderhandschriften des »Sachsenspiegels«*, Lpzg. 1943. – K. Bischoff, *Zur Sprache des »Sachsenspiegels« von E. v. R.* (in Zs. f. Mundartforschung, 19, 1943/44). – S. Gagner, *»Sachsenspiegel« u. »Speculum ecclesiae«* (in Niederdeutsche Mitt., Lund, 3, 1947). – G. Kisch, *Über Reimvorreden deutscher Rechtsbücher* (ebd., 6, 1950). – E. Wolf, *E. v. R.* (in E. W., *Große Rechtsdenker der deutschen Rechtsgeschichte*, Tübingen [4]1963). – K. Bischoff, *Land u. Leute, Haus u. Hof im »Sachsenspiegel«* (in NdJb, 91, 1968).

GOTTFRIED VON STRASSBURG
(um 1200)

TRISTAN (mhd.). Versroman von Gottfried von Strassburg (um 1200). – Der Autor nennt sich in seinem Fragment gebliebenen Werk (19548 Verse) nicht mit Namen, doch bezeugen die poetischen Nachfahren des 13. Jh.s die Verfasserschaft eines *»meister Gotfrit«* von Straßburg. Der Tod des Dichters, der ihn nach der Aussage der nachklassischen Fortsetzer des Torsos, Ulrichs von Türheim (um 1230) und Heinrichs von Freiberg (um 1290), an der Vollendung seines Lebenswerkes gehindert hat, fällt in die Jahre um 1210 – eine Datierung, die sich auf die »Literaturstelle« im *Tristan* und polemische Anspielungen bei Wolfram von Eschenbach stützt. Nicht eindeutig fixierbar wie die Lebensdaten ist Gottfrieds sozialer Status. Von ritterlichem Stand war er wohl nicht, da die *Manessische Liederhandschrift* ihm ein Wappen nicht zuweist. Vielleicht war er ein Kleriker, d. i. ein Mann mit der Grundausbildung eines Geistlichen, worauf die unter den deutschsprachigen Zeitgenossen einzigartige Bildung und der Titel *meister* (so nennt Wolfram von Eschenbach den *clerc* Chrétien de Troyes) hindeuten. Als Kleriker mag Gottfried im Dienst des Straßburger bischöflichen Hofes, des städtischen Adels gestanden haben – einen unbekannten (Graf?) Dieterich nennt das Akrostichon des Prologs, wohl den Gönner oder Auftraggeber.

Dieser Prolog, das stilistische Glanzstück des Romans, definiert Dichtung als »Andenken«, welches das Gute – ein ethischer und artistischer Wert – in der Welt unverfälscht zu tradieren hat. Ein solches Gutes ist der Tristan-Stoff, dessen einzig authentische Version Thomas d'Angleterre überliefert. Sie hat Gottfried sich zur Vorlage gewählt, an ihr vermag er den objektiven Sinn der Vita von Tristan und Isolt zu exemplifizieren, da er mit der eigenen Lebenskonzeption sich verschränkt: der dialektischen Identität von Freude und Leid, von Tod und Leben in der Minne. Diese Wahrheit ist vor allem dem esoterischen Publikum der *»edelen herzen«* (vgl. die *»edele sele«* der Mystiker) zugedacht, nicht den vielen, die ohne Leid, in der routinierten Festesfreude der ritterlich höfischen Gesellschaft leben wollen. In der Innerlichkeit dieser Herzen soll die in der Dichtung aufgehobene Historie der großen Liebenden nachvollzogen werden, wobei gerade ihr Tod – der Liebestod – in mythisch-liturgischer Aktualisierung Auferstehung feiert: *»Ir leben, ir tot sint unser brot. / sus (so) lebet ir leben, sus lebet ir tot. / sus lebent si noch und sint doch tot / und ist ir tot der lebenden brot.«* Die Analogie zur Eucharistie ist unüberhörbar. Gottfried verleiht damit der Minne seiner Protagonisten die Verbindlichkeit eines Absoluten, ihren Paradoxien die Weihe des Mysteriums.

Tristans Minnegeschick wird präfiguriert im Leben und Tod der Eltern, Riwalin und Blancheflur. Diese empfängt vom todwunden Geliebten das Kind. Wieder genesen, fällt er auf einem Kriegszug; auf diese Nachricht hin stirbt Blancheflur während der Geburtswehen. Gezeugt und geboren aus dem Tod, tritt Tristan als ein *tristis* (vom lat. *tristis*: traurig leitet die höfische Fassung den ursprünglich keltischen Namen her) ins Leben. Das Unglück bleibt ihm treu: Von Kaufleuten entführt, wird der vierzehnjährige Knabe am fremden Strand ausgesetzt. Auf dem Wege ins Landesinnere stößt der *ellende* (Unbehauste) auf eine Jagdgesellschaft. Ihr bringt er bei, wie man einen Hirsch à la mode zerlegt; er wird zum Jägermeister ernannt und im Triumph heimgeführt. Tristan, den die spielmännische Romanversion noch als mythischen Erfinder der Jagd kennt, erscheint hier umstilisiert ins Galant-Artifizielle.

Der König des Landes ist Marke, der Bruder seiner Mutter, im matrilinearen Verwandtschaftssystem, einem Rudiment der ältesten Stoffschicht, der nächste Verwandte. Der Heimatlose ist zum Ursprung zurückgekehrt und begründet seine Identität vollends, indem er – ein späterer Einschub – Herzog Morgan, den Mörder seines Vaters tötet. Die Schwertleite an Markes Hof hat ihn zu diesem Waffengang legitimiert.

Diese Schwertleite benutzt Gottfried nicht wie andere vor ihm zur ausgebreiteten Darstellung höfischen Dekors und Zeremoniells, sondern zur ersten »Literaturgeschichte« in deutscher Sprache. Aufgerufen werden als »Fürsten des Fests« die bedeutendsten zeitgenössischen Poeten, um dem Würdigsten unter ihnen die Dichterkrone zuzuerkennen. Den epischen Lorbeer erringt Hartmann von Aue, dessen luzide Sprache *(»siniu cristallinen wortelin«)* die erstrebte Einheit von Wort und Sinn am besten erreicht. Verdammt mit verletzender Polemik wird ein Ungenannter, zweifellos Wolfram von Eschenbach. Gottfried, dem lateinischer Schriftkultur verpflichteten *literatus*, der die eigene Dichtkunst vom antikischen Helikon und den neuplatonischen Musen der Himmelssphären herleitete, mußte Wolfram, der von sich provokativ behauptete, nicht lesen zu können, und in seinem *Parzival* an einem religiös-politischen Traumreich, einer wahren Laien-Mythologie, dichtete, als großer Antipode erscheinen.

Nach der Rache an Morgan tritt Tristan mit dem Moroltkampf in den Bannkreis Isolts. Er besiegt (vgl. EILHART VON OBERG *Tristrant*) den hünenhaften Eindringling von jenseits des Meers und muß, selbst giftwund, im feindlichen Irland Heilung suchen. Heilerin ist nun aber, im Gegensatz zum frühhöfischen Roman Eilharts, nicht Isolt, die spätere Geliebte, sondern deren gleichnamige Mutter. Damit hat die höfische Version das alte symbolische Bezugsfeld zerrissen zugunsten einer rationalistischen Konstruktion: Tristan steuert bewußt Irland an, wird dort von der Mutter geheilt und der Tochter als Erzieher zugeführt. Der junge Magister unterrichtet sie in *moraliteit*, einer Art Fürstenspiegel, und vor allem in Musik. Sie ist an Stelle materialischer Magie (Vergiftung, Heilung) das eher spirituelle Medium der Begegnung. Die musizierende Isolt wird denn auch mit einer Sirene auf dem Magnetberg verglichen, die das ankerlose Herzensschiff anzieht – metaphorische Anspielung auf Tristans Meerfahrt. Nach seiner Rückkehr feiert der »Neugeborene« die irländische Prinzessin als neue Helena, so daß Marke beschließt, um ihre Hand anzuhalten. Tristan bietet sich als Werber an.

Diese zweite Fahrt folgt im wesentlichen dem Handlungsgang des frühen Romans (Kampf mit dem Drachen, Erkennen im Bad, offizielle Versöhnung), nur daß das szenische Geschehen kausal motiviert und detailrealistisch ausziseliert wurde. Detailgerank in der Form minnepsychologischer Exkurse und allegorisierender Kommentare umrahmt auch die zentrale Szene, in der Tristan auf der Heimfahrt Isolt den fatalen Minnetrank reicht. Hier ist der Trank nicht mehr wie bei Eilhart äußerlich zwanghafter Zauber, sondern eher Zeichen der elementaren Verbundenheit der Liebenden, welche die offiziellen Normen der Gesellschaft in den Strudel einer dialektischen Umwertung reißt. Am Trank, dem ursprünglich tödlichen Gift und Garant neuen Lebens, kristallisiert sich die Leben-Tod-Thematik des Prologs. Mit nach innen genommenem Pathos spricht Tristan es aus: »*ez waere tot oder leben : / ez hat mir sanfte vergeben (es hat mich süß vergiftet) ... solte diu wunnecliche Isot / iemer alsus sin min tot / so wolte ich gerne werben / umb ein ewecliches sterben.*« Nach dieser Konfession, in der der christliche »ewige Tod« bedeutungsschwer mitschwingt, beginnt für Tristan und Isolt das gefährdete Dasein an Markes Hof. Dieses wird bestimmt durch den Gegensatz von Treue zur gemeinsamen Sache und Untreue gegen den Gefolgsherrn und Ehegatten, von Ehre aufgrund exemplarischer Verwirklichung des Ideals und Unehre, da Betrug und Heimlichkeit eine gesellschaftliche Repräsentation nicht zulassen. Nur für einen idyllischen Augenblick scheint diese Antinomie aufgehoben, als das Paar, von Marke ins Exil geschickt, in einer verwunschenen Wildnis Zuflucht findet. Vorausgegangen waren die aus den Vorstufen (vgl. BÉROUL, *Roman de Tristan*) bekannten, zum Teil variierten Betrugsmanöver, durch die der Gatte und seine Aufpasser immer wieder genarrt wurden. Endlich verweist der König, nachdem auch ein Gottesurteil zugunsten der Liebenden ausschlug, enerviert durch den ungreifbaren Skandal, Tristan und Isolt des Hofes. Sie werden entrückt in eine paradiesische, allegorisch erhöhte Natur. Dort wohnen sie in der Höhle eines Venusberges, lagern auf einem der »Göttin Minne« geweihten, kristallenen Bett, das in der Mitte der kuppelförmigen Grotte steht. Nach der materialen Abschilderung der Minnegrotte folgt die allegorische Exegese: Jedes Bauelement steht für eine bestimmte Tugend, etwa der grüne Marmorboden für die Treue, ein elfenbeinerner Türriegel für die Reinheit. Minne stellt sich demnach dar als Gerüst höfischer Tugenden, ein System von Universalien, das durch den idealen Minnenden jeweils aktualisiert wird. Das bestätigt Gottfrieds Exkurs, in den legendenhaft verkleidete Biographie eingegangen ist: Er habe, so der Dichter, schon mit elf Jahren die Grotte gekannt, habe auf dem grünen Marmor getanzt, das kristallene Lager freilich nicht bestiegen – und sei doch nie in Kornwall gewesen.

Es nimmt nicht wunder, daß die Grottenallegorese, die als strukturelles Zentrum des Werks und Schlüssel zur Minneauffassung begriffen wurde, der Forschung immer neue Rätsel aufgab. Sie wurde, und hier liegt der die Gottfried-Forschung durch die Jahrzehnte bestimmende Ansatz, in Analogie zur allegorischen Ausdeutung der christlichen Kathedrale gesetzt (Ranke), das kristallene Lager vom »Bett Salomos« aus dem *Hohenlied* hergeleitet, die Minnekonzeption an den Einflußbereich der Mystik BERNHARDS VON CLAIRVAUX angeschlossen (J. Schwietering). Die Analogie zum christlichen Kosmos wurde – radikale Umakzentuierung – in der Folge als bewußte Antithese interpretiert, die Tristanminne als antichristliche, dämonisch verstrickte Liebesreligion, die ihre Wurzeln in der neudualistischen, vor allem katharischen Häresie der Zeit hatte (G. Weber). Diese These blieb indessen ohne Echo, da der außerhalb des Werks und seines spezifisch literarischen Umkreises angelegte ideologische Richtpunkt im vieldeutig irisierenden Text selbst philologisch nicht dingfest zu machen war und zudem die Existenz französischer Grottenallegoresen mit frappanten Detailparallelen nachgewiesen werden konnte (H. Kolb). War auch deren Datierung nicht genau zu fixieren, so sprechen doch die Rezeptions- und Kommunikationsbedingungen der Epoche dafür, daß der Straßburger Meister auf einen derartigen Gattungstypus zurückgreifen konnte, so daß die Hypothese einer unmittelbaren Analogie zur christlichen Kathedrale dahinfällt. Eine vermittelte strukturelle Analogie wird ohnehin niemand leugnen, auch nicht Anspielungen auf religiöse Symbole und Rituale im Rahmen eines sich immer mehr verabsolutierenden Minnedienstes, wie sie auch der thematisch ähnlich gelagerte *Lancelot* des Chrétien von Troyes aufweist. Ihr präziser Stellenwert wird erst genau zu bestimmen sein, wenn die Person des Dichters, die Einflüsse (Auftraggeber, Publikum, Lektüre), überhaupt das geistige Klima, in dem er lebte, uns deutlicher werden. Bei Gottfried lassen uns die Quellen und Zeugnisse im Stich. So hat auch noch niemand das Diktum ergründet, *»daz der vil tugenthafte Crist wintschaffen alse ein ermel ist« (»...seinen Mantel nach dem Wind hängt«)*, als nach heil überstandenem Gottesgericht mit dem glühenden Eisen Isolt von Ehebruch und Meineid absolviert wurde. Ist es tragische Resignation über den Dualismus von Minne-Ethos und offizieller Moral, der auch Gott ins Zwielicht rückt? Spricht hier der skeptische Hofmann, der sich noch orthodox begreifende »wahre« Christ oder bereits der dezidierte Häretiker angesichts der Manipulation des göttlichen Willens durch die umstrittenen Gottesurteile und ihre Verwalter, die weltliche und geistliche Obrigkeit?

Mit dem Ende des Grottenlebens setzt eine neue Handlungsphase ein. Die Liebenden waren wieder an Markes Hof zurückgekehrt, nachdem der König, durch eine List getäuscht, sich hatte versöhnen lassen. Bald jedoch geraten sie wieder in Verdacht, und endlich ertappt der Gatte sie auf frischer Tat. Tristan muß fliehen. Eine Abschiedsklage, vorgetragen mit verzehrend intensiver Ausdrucksgebärde, sendet Isolt dem am Horizont des Meeres Entschwindenden nach. Der landet im Herzogtum Arundel und steht dem dortigen Fürsten im Krieg bei; zum Lohn dafür soll er die Hand der Tochter »Isolt Weißhand« erhalten. Im sinnverwirrenden Doppelspiel der Namen droht dem Exilierten die Identität der einzigen Geliebten zu verschwimmen – damit bricht der Roman ab. War es der Tod oder die Unlösbarkeit der Problematik, die einen Abschluß verhinderte? Fürs erstere spricht, daß der Prolog auf das durch die Tradition verbürgte Ende hin konzipiert ist, vor allem aber der Konservativismus des mittelalterlichen Poeten gegenüber seiner als »wahr« deklarierten Vorlage. Ihre rationalisierende und psychologisierende Tendenz hatte Gottfried weiter vorangetrieben und – ganz im Geist klassisch höfischer Minnetheorie – damit die Entmagisierung, Ethisierung und Verbegrifflichung der vorher zwanghaft materialischen Trankminne. Dennoch erscheint die den alten Tristanroman durchwaltende Dialektik von elementarem Trieb und Individuation aufgehoben, und zwar im Stil: Die rhetorisch beherrschte, bisweilen sentenziöse Sprache ist zugleich von betörend gleitender Musikalität. Der »bittersüße« Ton erwächst dieser Musik aus der Konsonanz von *»liep und leit, tot und leben«*. Die entwicklungslose Statik dieser Dialektik, die den psychologischen Tatbestand eines ritualisierten Masochismus erfüllt, mag wie im zeitgenössischen, ebenfalls fragmentarischen Minneroman *Titurel* Wolframs von Eschenbach das Ende einer Epoche signalisieren – in dem Sinn, daß die zwischen Realität und Fiktion changierende Lebensform der Minne gerade dann zur leidenseligen Verabsolutierung drängte, als aufgrund der Krise des Imperiums (Niedergang der kaiserlichen Zentralmacht), des Aufkommens der Territorialfürsten und bürgerlichen Städte (Geldwirtschaft) die Schicht der niederen und mittleren Ritter in eine soziale und ideologisch-kulturelle Krise geriet. WALTHER VON DER VOGELWEIDE *(Elegie)* und Wolfram von Eschenbach *(Parzival, Willehalm)* suchten sie durch eine Sakralisierung des eigenen Standes im Zeichen der – real bereits desavouierten – Kreuzzugsidee zu kompensieren, Gottfried von Straßburg, der Stadtbürger, doch ganz im Bann eines idealisierten aristokratischen Lebensstils, durch eine Leidens- und Todesmetaphysik der Minne.

G. Schi.

AUSGABEN: Bln. 1821, Hg. E. v. Groote. – Bln./Stg. 1823 (in *Werke*, 2 Bde.). – Lpzg. 1843, Hg. H. F. Massmann. – Lpzg. 1869, 2 Bde.; [5]1930. – Bln./Stg. 1889, Hg. W. Golter (DNL, 4). – Lpzg. 1912, Hg. K. Marold; [3]1969, Hg. W. Schröder. – Bln. 1930, Hg. F. Ranke (nur Bd. 1 ersch., [9]1965). – Darmstadt 1967, Hg. G. Weber, G. Utzmann u. W. Hoffmann.

ÜBERSETZUNGEN: *Tristan u. Isolde*, H. Kurz, Stg. 1844; [3]1877; ern. 1925, 2 Bde. – Dass., 2 Tle., K. Simrock, Lpzg. 1855.

LITERATUR: C. v. Kraus, *Wort u. Vers in G.s »Tristan«* (in ZfdA, 51, 1909). – W. Golter, *Tristan u. Isolde in der französischen u. deutschen Dichtung des MAs u. der Neuzeit*, Lpzg. 1926. – K. H. Halbach, *G. v. S. u. Konrad von Würzburg. Klassik u. Barock im 13. Jh.*, Stg. 1930. – H. de Boor, *Die Grundauffassung von G.s »Tristan«* (in DVLG, 18, 1940, S. 262–304). – J. Schwietering, *Der »Tristan« G.s v. S. u. die Bernhardische Mystik*, Bln. 1943. – M. Wehrli, *Der »Tristan« G.s v. S.* (in Trivium, 4, 1946, S. 81–117). – B. Mergell, *Tristan u. Isolde. Ursprung u. Entwicklung der Tristansage*, Mainz 1949. – G. Weber, *G. v. S.s »Tristan« u. die Krise des hochmittelalterlichen Weltbildes um 1200*, 2 Bde., Stg. 1953. – H. Fromm, *Zum gegenwärtigen Stand der G.forschung* (in DVLG, 28, 1954, S. 115–138). – W. Dilthey, *G. v. S.* (in *Von deutscher Dichtung u. Musik. Aus den Studien zur Geschichte des deutschen Geistes*, Göttingen [2]1957, S. 131–144). – H. Furstner, *Der Beginn der Liebe bei Tristan u. Isolde in G.s Epos* (in Neoph, 41, 1957, S. 25–38). – H. Kolb, *Der Minnen hus. Zur Allegorie der Minnegrotte in G.s »Tristan«* (in Euph, 56, 1962, S. 229–247). – F. Neumann, *Warum brach G. den Tristan ab?* (in

Fs. f. U. Pretzel, Bln. 1963, S. 205–215). – I. Hahn, *Raum u. Landschaft in G.s »Tristan«*, Mchn. 1963. – R. N. Combridge, *Das Recht im »Tristan« G.s v. S.*, Bln. ²1964. – H. Kuhn, *G. v. S. Dichter um 1200* (in NDB, Bd. 6, S. 672b–676b). – G. Hollandt, *Die Hauptgestalten in G.s »Tristan«. Wesenszüge, Handlungsfunktion, Motiv der List*, Bln. 1966. – L. Gnaedinger, *Musik u. Minne im »Tristan« G.s v. S.*, Düsseldorf 1967. – L. Gravigny, *Les interventions directes de G. de S. dans »Tristan«*, Paris 1968.

HARTMANN VON AUE
(um 1165–1215)

DER ARME HEINRICH (mhd.). Verslegende (1520 Verse) von HARTMANN VON AUE (um 1165 bis um 1215); die Datierung des Werkes – um 1195 – ist abhängig von der Beantwortung der Frage, an welchem Kreuzzug (1189 oder 1197) Hartmann teilgenommen hat. Der kurze Prolog (1–28) kennzeichnet das Werk als Trostgedicht für »schwere Stunden« und als Preis Gottes. – Der junge »*herre Heinrich*«, den Hartmann zu Beginn als Verkörperung ritterlich-höfischen Menschentums in den wärmsten Farben schildert – edel, schön, reich, angesehen und geliebt –, wird plötzlich von Aussatz befallen. Weltfreude und Wonneleben erweisen sich als nichtig und eitel. Aus dem weltfrohen, glücklichen Heinrich wird der mit Hiob verglichene (128ff.) »*arme Heinrich*«, der seinem Unglück fassungslos gegenübersteht. Noch ist Heinrich weit entfernt davon, seinen Sturz als gottgewollt zu verstehen. Er befragt Ärzte und bietet seinen ganzen Reichtum und Einfluß auf, bis er von einem berühmten Arzt in Salerno erfährt, daß die einzige rettende Arznei der Welt nicht für Geld zu haben ist: nur das »*herzebluot*« einer freigeborenen reinen Jungfrau, die sich freiwillig für ihn opfere, könne ihn heilen. Verzweifelt erkennt er seine Ohnmacht, kehrt heim und verschenkt Hab und Gut an Freunde, Arme und Klöster, um durch gute Werke wenigstens sein Seelenheil zu sichern. Immer noch fehlt ihm jede Schuldeinsicht. Resignierend zieht er sich, ohnehin von allen gemieden, aufs Land zurück. Sein Meier (heute etwa »Pächter«) nimmt ihn auf, und das Meierstöchterlein tröstet und pflegt ihn mit rührender Hingabe.
Im Laufe von drei Jahren gelangt Heinrich allmählich zur Einsicht, erkennt sein Leiden als eine Strafe für seine Weltverfallenheit, für seinen Hochmut; er hatte »*êre unde guot*« als Selbstverständlichkeit und eigenes Verdienst betrachtet und nicht als Gnadengeschenk Gottes. Aber noch überwiegt sein Selbstmitleid, noch ist er nicht fähig, sich ganz Gottes Willen anheimzugeben und zu büßen. Als nämlich das Meierstöchterlein von der Heilungsmöglichkeit hört, ist sie bereit, sich aus Liebe zu Heinrich zu opfern. Hartnäckig setzt sie ihren Willen bei den Eltern durch. Heinrich hält der Versuchung nicht stand und verfällt von neuem seiner Hybris. Er ist verblendet genug zu glauben, nicht sein, sondern eines anderen Opfer führe zur Heilung. Er erhofft Rettung von einem Menschen, statt von Gott. Erst im letzten Augenblick, als er das Mädchen nackt vor dem Arzt liegen sieht, ergreifen ihn sein Opfermut und seine Schönheit mit solcher Gewalt, daß sich ein Wandel in ihm vollzieht. Er verzichtet auf das Opfer und ist bereit, seine Krankheit als gottgewollt zu bejahen und von nun ab sein Leben als Buße auf sich zu nehmen. Und erst jetzt, da sich Heinrich vorbehaltlos in Gottes Willen schickt, wird Gottes Gnade wirksam. Dem Wunder der Bekehrung folgt das der Genesung.
Er heiratet das Meierstöchterlein, und beide leben nun zwar wieder *in* der Welt, aber gottbezogen. Die Rangordnung der Werte, die durch Heinrichs Verabsolutierung der ritterlich-höfischen Ideale mißachtet und gestört worden war, ist wiederhergestellt. Frohe Weltbejahung ist nicht schon von vorneherein – wie noch im *Gregorius* – Sünde und Abfall von Gott, sondern erst dann, wenn der Mensch vergißt, daß über allem Gott steht und seine Huld das *summum bonum* ist. Damit ist der augustinische Dualismus des *Gregorius* durch eine gradualistische Sicht überwunden (Bert Nagel). Im *Armen Heinrich* sucht Hartmann die Synthese zwischen seiner fast noch naiven optimistischen Weltbejahung im *Erec* und seiner augustinisch rigorosen Weltverneinung im *Gregorius*.
Der arme Heinrich steht einzigartig da in der mittelhochdeutschen Literatur. Jeder Versuch, ihn gattungsmäßig festzulegen, schlägt fehl, da Novellistisches, Legendenhaftes und Märchenhaftes auf völlig neue Weise unauflösbar verschmolzen sind. Märchenhaft ist der Schluß: »*Das treue Mädchen bekommt seinen Prinzen*« (de Boor). Diese Ehe zwischen dem freibäuerlichen Mädchen und dem adlig-freien Herrn ist überdies auch sozialhistorisch von Interesse. Legendenhaft ist die Geschichte des Mädchens, das die Märtyrerkrone erstrebt. Andererseits erweist gerade die Betrachtung des Opfermotivs, wie innig hier Geistliches und Weltliches verflochten sind. Die »Liebe« des Meierstöchterleins ist sowohl franziskanische *caritas* als personaler *amor*. So ist das Mädchen, das neben Enite *(Erec)* mit Recht zu den liebenswertesten Frauengestalten der höfischen Epik gezählt wird, die einzigartige Verkörperung fast heiliger Jungfräulichkeit und hingabebereiter Weiblichkeit in einem.
Novellistisch schließlich sind die durchgehaltene Spannung und die Ökonomie der zügig vorangetriebenen Handlung, die Beschränkung auf zwei Hauptgestalten und die durchsichtige Komposition, als deren auffallendstes Prinzip die Dreigliederung im großen wie im kleinen deutlich zu erkennen ist. Drei Jahre hält sich Heinrich bei den Meiersleuten auf, in drei Tagen reift des Mädchens Entschluß zum Opfer; in drei Schritten, die nach Arno SCHIROKAUER der Dreistufung des Sakraments der Buße in *contritio*, *confessio* und *satisfactio* entsprechen, vollzieht sich Heinrichs Entwicklung von Hochmut und Zweifel zur Demut. R. E.

AUSGABEN: Bln. 1815 (a. d. Straßburgischen u. Vatikanischen Hs, Hg. Brüder Grimm). – Lpzg. ⁴1934 (in *GA*, Hg. F. Bech, 3 Bde., 2; Dt. Klassiker d. MA, 5). – Heidelberg ²1925, Hg. E. Gierach (German. Bibl., 3; krit.). – Tübingen ¹²1961, Hg. H. Paul (Altdt. Textbibl., 3). – Jena 1939 [nhd. R. Fink]. – Stg. 1958 (in R. Borchardt, *Übertragungen;* nhd.). – Stg. 1959, Hg. F. Neumann (RUB, 456; Text u. nhd. Übertr. Br. Grimm).

LITERATUR: G. Riemer, *Reimverz. u. Wörterb. z. »Armen Heinr.«*, Göttingen 1913. – F. Jandebeur, *Reimwörterb.*, Mchn. 1926. – C. v. Kraus, *»D. arme Heinr.« Vers 225* (in ZfdA, 1948, S. 73–76). – F. Beyerle, *»D. arme Heinr.« H.s v. A. als Zeugnis ma. Ständerechts*, Freiburg i. B. 1948. – D. A. McKenzie, *H.s »D. arme Heinr.«* (in MLQ, 1950, S. 472–475). –

F. R. Schröder, *Zum »Armen Heinr.«* (in GRM, 1950/51, S. 78f). – A. Schirokauer, *D. Legende v. »Armen Heinr.«* (in GRM, 1951/52, S. 262–268). – Ders., *Zur Interpretation d. »Armen Heinr.«* (in ZfdA, 1951, S. 59–78). – B. Nagel, *»D. arme Heinr.« H.s v. A.*, Tübingen 1952. – W. Fechter, *Über d. »Armen Heinr.« H.s v. A.* (in Euph, 1955, S. 1–28). – F. Neumann, *»D. arme Heinr.« in H.s Werk* (in ZfdPh, 1956, S. 225–255). – H. B. Willson, *Symbol and Reality in »D. arme Heinr.«* (in MLR, 1958, S. 526–536). – J. Fourquet, *Z. Aufbau d. »Armen Heinr.«* (in WW, 3. Sonderheft, 1961, S. 12–24). – F. Neumann, *Lebensalter im »Armen Heinr.«* (in *Fs. L. Wolff*, Neumünster 1962, S. 217–234). – P. Wapnewski, *H. v. A.*, Stg. 1962. – De Boor, 2, S. 77-80.

EREC (mhd.). Höfisches Epos von HARTMANN VON AUE (um 1165–1215), bald nach 1180 verfaßt. – Das Werk ist nur in einer Handschrift des 16. Jh.s überliefert, der »Ambraser Handschrift« aus Schloß Ambras in Tirol, die in den Jahren 1502–1515 im Auftrage Kaiser Maximilians von Hans RIED geschrieben wurde. Dieses *»späteste Sammelbecken aller ritterlichen Dichtung«* (H. de Boor) ist literarisches Zeugnis für das Bestreben Kaiser Maximilians, des »letzten Ritters«, das höfische Rittertum der mittelalterlichen Blütezeit neu zu beleben. Wie an allen Werken der Handschrift nahm Hans Ried auch am Text des *Erec* zahlreiche »Verbesserungen« vor, so daß der originale Wortlaut der Dichtung kaum wiederherzustellen sein dürfte. Es fehlt zudem der Eingang des Werks; eine Lücke von 57 Versen konnte durch das 1898 aufgefundene sogenannte »Wolfenbütteler Fragment« geschlossen werden. Damit sind 10135 Verse des Originals erhalten. Die vom Dichter selbst angegebene Quelle des *Erec* ist der Roman *Érec et Énide* des CHRÉTIEN DE TROYES. Die freie Bearbeitung dieser altfranzösischen Dichtung durch Hartmann, die stofflichen und gedanklichen Abweichungen, lassen jedoch mit Sicherheit auf weitere Quellen schließen. – Hartmanns *Erec* ist der erste deutsche Artusroman. Lokaler und ideeller Bezugspunkt der Handlung ist der Hof des zur Sagengestalt gewordenen bretonischen Königs Artus und seine Tafelrunde auserwählter Ritter. Sie ist für Chrétien, den eigentlichen Begründer der Artus-Epik, die Verkörperung edelsten Rittertums, ihre Mitglieder sind die Helden seiner Versromane.

Das Handlungsschema des *Erec*, der nach dem französischen Vorbild in fast durchgängig vierhebigen Paarreimversen abgefaßt ist, stimmt mit dem der Vorlage überein. Erec, ein junger Königssohn und Ritter der Tafelrunde, wird im Beisein der Gemahlin König Artus' beleidigt und reitet aus, seine *»êre«* wiederherzustellen. Er rächt die ihm angetane *»schande«* und gewinnt zugleich Enîte, die Tochter eines verarmten Grafen, zur Frau. In sein Königreich zurückgekehrt, ist Erec durch seine Liebe zu Enîte so gefesselt, daß er sich *»verligt«* (in Trägheit versinkt, erschlafft, nämlich durch zu langes Liegen), die Pflichten eines Fürsten und Ritters vernachlässigt und so seine *»êre«* wiederum verliert. Als Enîte ihm durch ein von ihm belauschtes Selbstgespräch den Verlust seiner Ehre bewußt macht, bricht er sogleich zu einer neuen Kampffahrt auf. Enîte begleitet ihn, er zwingt sie voranzureiten und verbietet ihr bei Todesstrafe, mit ihm zu sprechen. In zahlreichen Kämpfen besiegt Erec gewaltige und hinterhältige Gegner mit Hilfe Enîtes, die, als erste die Gefahr erkennend, das Schweigegebot aus Liebe zu ihrem Mann immer wieder bricht. Als Erec die demütig-liebende Treue Enîtes erkennt, findet er versöhnt zu ihr zurück. Nach siegreichem Kampf gegen den mächtigen Ritter Mabonagrin im Garten »Joie de la cort« kehrt das Paar heim und herrscht in Glück und Harmonie über sein Königreich.

Hartmann, der *»Lernend-Aufnehmende«* und *»Lehrend-Weitergebende«* (P. Wapnewski), veranschaulicht an der Geschichte Erecs, in die er ständig kommentierend eingreift, die Lebensaufgabe, die einem Ritter gestellt ist: Es gilt, die beiden Pole ritterlichen Lebens, *»minne«* und *»êre«*, miteinander und mit der Welt, der Gesellschaft, in rechte Harmonie, die *»mâze«*, zu bringen. Die Ausschließlichkeit, mit der Erec zunächst der *»minne«* lebt, ist *»unmâze«*, Störung der harmonischen Lebensordnung. Sie schließt ihn ab von der Welt, in der sich die wahre Liebe »sozial« bewähren soll. In erneuter Einseitigkeit wendet er sich darauf einem Leben zu, das nur der Wiedererringung der *»êre«* gilt. Der völligen inneren Abkehr von der *»minne«* entspricht Erecs äußere Trennung von Enîte. *»Dieser Ausritt wird als eine auf die Welt bezogene Bußfahrt dargestellt.«* (H. de Boor) Er wird zum Wege der Läuterung. Mit jedem Kampf, den Erec zu bestehen hat, werden nicht nur die ritterlichen Eigenschaften Überlegenheit, Wagemut und Tapferkeit erprobt, sondern tritt die Bewährung der höchsten Tugend des Ritters, der Barmherzigkeit *(»erbermde«)* immer stärker in den Vordergrund. Nur mit der Wendung von der Ich-Befangenheit, die den Kampf zum Selbstzweck werden läßt, hin zum Mitmenschen gewinnt die ritterliche Tat ihren sittlichen Wert, bringt sie *»êre«*. Diese *»êre«* zu erringen aber bedarf es der wahren *»minne«*, die in *»nôt«* und *»arebeit«* (Mühsal) errungen sein will. Enîtes Leidensweg ist Prüfung ihrer Liebe, die sich *»über Befehl und Gesetz hinaus«* bewährt (P. Wapnewski), als Enîte, um Erec zu retten, das Schweigegebot mißachtet. Die sinnliche Liebe ist hier *»moralisch stärkende Kraft«* geworden (G. Ehrismann), sie verhilft Erec zum Sieg über seine Gegner und erweckt auch in ihm die wahre, *»den isolierten Raum selbstbefangener Ichhaftigkeit«* (P. Wapnewski) verlassende *»minne«*.

Hartmanns *Erec* zählt über dreitausend Verse mehr als seine französische Vorlage, eine Tatsache, die nicht allein mit der unterschiedlichen Struktur der beiden Sprachen, der Möglichkeit, im Französischen einen Sinnzusammenhang kürzer auszudrücken, zu erklären ist. Zudem weicht der Schluß des Gedichts wesentlich von Chrétiens Roman ab. Schon diese äußerlichen Merkmale deuten an, daß Hartmanns Dichtung, obgleich ihre Fabel weitgehend mit der des französischen Romans übereinstimmt, doch ein eigenständiges Werk ist. Diese Eigenständigkeit wird nicht nur durch die stofflichen Erweiterungen Hartmanns gegenüber der Vorlage deutlich, sondern auch aus dem – bei Chrétien nicht im selben Maße ausgebildeten – Grundgedanken des Werkes, der *»Haltung der seelischen Balance, die das Zentrum der ›höfischen‹ Gesittung ist«* (P. Wapnewski), der auch die im Vergleich zu dem französischen Roman gemäßigte, ja gedämpfte Stillage des Gedichts bestimmt.

R. E. – KLL

AUSGABEN: Lpzg. 1839, Hg. M. Haupt; [2]1871 [verb.]. – Lpzg. 1867 (in *GA*, Hg. F. Bech, 3 Bde.,

1867–1869, 1; Dt. Klassiker des MAs, 5; Nachdr. 1934). – Lpzg. 1898, Hg. O. v. Heinemann (in ZfdA, 42, 1898; Wolfenbütteler Frgm.). – Halle 1939, Hg. A. Leitzmann; Tübingen ³1963, besorgt v. L. Wolff (ATB, 39).

ÜBERSETZUNGEN: *Erek*, S. O. Fistes, Halle 1851. – Dass., R. Fink (in *Epische Dichtungen*, Jena o. J. [1939]).

LITERATUR: A. Witte, *H. v. A. und Kristian von Troyes* (in Beitr., 53, 1929, S. 65–192). – H. Drube, *H. und Chrétien*, Münster 1931. – H. Sparnaay, *H. v. A.*, 2 Bde., Halle 1933–1938. – E. Scheunemann, *Artushof und Abenteuer. Zeichnung höfischen Daseins in H.s »Erec«*, Breslau 1937. – B. Schwarz, Art. *H. v. A.* (in VL, 2, Sp. 202–216). – F. Neumann, Art. *H. v. A.* (ebd., 5, Sp. 322–331). – A. S. A. van der Lee, *Der Stil von H.s »Erec« verglichen mit dem der älteren Epik*, Diss. Utrecht 1950. – A. S. Matthias, *Der Entwicklungsgedanke in H.s Artusromanen*, Diss. Hbg. 1951. – F. Neumann, *Connelant in H.s »Erec«* (in Anzeiger f. dt. Altertum und dt. Literatur, 83, 1951/52, S. 271 bis 287). – C. Grisebach, *Zeitbegriff und Zeitgestaltg. in den Romanen Chrétiens de Troyes u. H.s v. A.*, Diss. Freiburg i. B. 1957. – R. S. Loomis, *A Common Source for »Erec« and »Gereint«* (in Medium Aevum, 27, 1958, S. 175–178). – H. B. Willson, *Sin and Redemption in H.'s »Erec«* (in GR, 33, 1958, S. 5–14). – H. Kuhn, *»Erec«* (in H. K., *Dichtg. u. Welt im MA*, Stg. 1959, S. 133–150; auch in *Fs. P. Kluckhohn-H. Schneider*, Tübingen 1948, S. 122–147). – P. Tilvis, *Über die unmittelbaren Vorlagen von H.s »Erec« und »Iwein«, Ulrichs »Lanzelet« und Wolframs »Parzival«* (in NphM, 60, 1959, S. 29–65; 130–144). – A. T. Hatto, *Enid's Best Dress. A Contribution to the Understanding of Chrétien's and H.'s »Erec« and the Welsh »Gereint«* (in Euph, 54, 1960, S. 437–441). – P. Salmon, *Ignorance and Awareness of Identity in H. and Wolfram: An Element of Dramatic Irony* (in Beitr, Tübingen, 82, 1960, S. 95–115). – S. Grosse, *Beginn und Ende der erzählenden Dichtungen H.s v. A.* (ebd., 83, 1961, S. 137–156). – P. W. Tax, *Studien zum Symbolischen in H.s »Erec«* (in ZfdPh, 82, 1963, S. 29–44). – A. Hrubý, *Die Problemstellg. in Chrétiens und H.s »Erec«* (in DVLG, 38, 1964, S. 337–360). – P. Wapnewski, *H. v. A.*, Stg. ²1964, S. 39–55 (Slg. Metzler, 17).

GREGORIUS (mhd.). Verslegende von HARTMANN VON AUE (um 1165–1215), entstanden 1187/89 oder zwischen 1190 und 1197. – Die Diskussion um die Chronologie der Werke Hartmanns ist noch nicht abgeschlossen. Die zeitliche Fixierung des *Gregorius* hängt davon ab, welchen Kreuzzug Hartmann mitgemacht hat; denn sowohl das Werk als auch der Entschluß zur Teilnahme am Kreuzzug haben ihre Ursache in demselben erschütternden Erlebnis Hartmanns, in dem Tod seines Herrn, über den jedoch sonst nichts bekannt ist. In Frage kommen zwei Kreuzzüge: der Barbarossas von 1189/90 und der Heinrichs VI. von 1197/98; eine endgültige Festlegung der Daten ist jedoch nicht möglich. – Das in vierhebigen Reimpaarversen abgefaßte Gedicht ist in sechs vollständigen und fünf fragmentarischen Handschriften des 13., 14. und 15. Jh.s verhältnismäßig reich überliefert. Als Quelle diente Hartmann die Ende des 12. Jh.s entstandene französische *Vie du pape Grégoire*, von deren überlieferten Handschriften aber keine die unmittelbare Vorlage des Dichters gewesen sein kann.

Der Erzählung von dem »*guoten sündære*« Gregorius stellt Hartmann einen 170 Verse umfassenden Prolog voraus, der, von Konrad ZWIERZINA das »*Schmerzenskind der Gregoriuskritik*« genannt, zu den verschiedensten Interpretationen sowohl seiner selbst wie des ganzen Gedichts, vor allem aber der Schuldfrage des Gregorius Anlaß gegeben hat. Hier spricht der Dichter von der »*süntlichen bürde*« des Menschen, deren dieser sich, sei sie auch noch so groß, entledigen kann, »*ob sie in von herzen riuwet / und sich niht wider niuwet*« (»*wenn er sie von ganzem Herzen bereut und nicht von neuem sündigt*«). Die Reue aber darf den Menschen nicht zum Zweifel an Gottes Gnade und damit in die Verzweiflung führen, sondern muß in ihm die Bereitschaft wecken, Buße zu tun. Mit einer Auslegung des Gleichnisses vom barmherzigen Samariter, das er mit der Parabel vom guten Hirten und der vom verlorenen Sohn vermengt, leitet Hartmann zum Gegenstand seiner Erzählung über.

In dem Lande Äquitanien wachsen zwei Herzogskinder in geschwisterlicher Liebe heran, die sich nach dem Tod der Eltern in Blutschande verkehrt. Der Bruder zieht büßend ins Heilige Land und stirbt an der Sehnsucht nach der Schwester; diese bringt fern von ihrem Land heimlich einen Knaben zur Welt und übergibt das Neugeborene in einem mit kostbarer Seide ausgelegten Tönnchen auf einer Barke dem Meer. Neben das Kind legt sie eine Tafel, auf der seine Herkunft und die Sünde seiner Eltern ohne Namensangabe verzeichnet sind. Dann zieht die Herzogin in ihr Land zurück und übernimmt dort die Regentschaft. Sie weiht ihr Leben Gott und weist alle Bewerber um ihre Hand ab. – Das ausgesetzte Knäblein wird nach drei Tagen von den Fischern eines auf einer Insel gelegenen Klosters gefunden. Der Abt tauft den Findling auf seinen eigenen Namen Gregorius, läßt ihn zunächst von einem der Fischer aufziehen und nimmt den Sechsjährigen dann in die Klosterschule auf, wo er an Klugheit und Kenntnissen bald alle Mitschüler überflügelt. Als Gregorius herangewachsen ist und erfährt, daß er ein Findelkind ist, hält es ihn nicht mehr im Kloster. Er will Ritter werden und seine Eltern suchen, und er läßt sich von diesem Vorhaben selbst dann nicht abbringen, als ihm der Abt das Geheimnis seiner Geburt enthüllt.

Ein neuer Lebensabschnitt beginnt mit Gregors Eintritt in die Welt des Rittertums, in der er sich vorbildlich bewährt. Er gelangt schließlich in die von Feinden belagerte Hauptstadt seiner Mutter und befreit sie. Mutter und Sohn erkennen einander nicht und heiraten; doch die Tafel, die der Abt Gregorius mitgegeben hat und die dieser in dem gemeinsamen Schlafgemach verbirgt, wird entdeckt und mit ihr die erneute Blutschande. In »*grôzem jâmer*« trennen sich die Ehegatten, um Buße zu tun. Gregorius läßt sich auf einem meerumspülten Felsen von einem Fischer in Beinschellen fesseln und verbringt dort, nur von dem Wasser lebend, das sich in einer Steinmulde ansammelt, siebzehn Jahre. Nach Ablauf dieser unsäglich harten Bußzeit wird ihm Gottes Gnade zuteil: Nach dem Tod des regierenden Papstes tut Gott zwei römischen Geistlichen das Schicksal Gregors kund und trägt ihnen auf, ihn zu retten und zum Papst zu berufen. Die Herren tun, wie ihnen geheißen, und drei Tage vor Gregors Einzug in Rom beginnen dort zum Zeichen seiner Heiligkeit alle Glocken von selbst zu läuten. (Mit diesem wunderbaren Ereignis beginnt Thomas

MANN seinen Gregorius-Roman *Der Erwählte*.) Als Papst begegnet er seiner Mutter wieder, die büßend nach Rom gekommen ist, und beide verbringen den Rest ihres Lebens im Dienst an Gott.

»*Den Gregorius einen ›Mittelalterlichen Ödipus‹ zu nennen, vereinfacht die Sache unzulässig*« (P. Wapnewski). Zwar war die Ödipus-Sage Hartmann wie dem ganzen Mittelalter bekannt, doch stimmt das Gedicht in Einzelzügen mehr mit anderen Erzählungen und Legenden desselben Grundtyps überein, vor allem mit der Geschichte von Darab im *Königsbuch* (*Šāh-nāme*, 10. Jh.) des persischen Epikers FERDOUSI. – Das Problem, das die Forschung im Zusammenhang mit Hartmanns *Gregorius* immer wieder beschäftigt, ist die Frage nach der Schuld des Helden. Da seine Geburt aus dem Inzest ihn zwar teilhaben läßt an der Todsünde der Eltern, ihn jedoch nach kirchlicher Lehre nicht schuldig macht und dies auch für die unwissentlich begangene Sünde des Inzests mit der Mutter gilt, glaubt man, zur Erklärung für die extreme Härte seiner Buße, Gregorius mit einer persönlichen Schuld belasten zu müssen. Man geht dabei von der Interpretation des Prologs aus und sieht in der dort ausgesprochenen Abwendung vom weltlichen Leben und dem Aufruf zur Buße den Schlüssel zur Schuld Gregors: seine Sünde sei, daß er das Mönchsleben um der Ritterschaft willen aufgebe, obgleich er von der Sünde der Eltern wisse; daß er nicht willens sei, stellvertretend die Buße für die Eltern zu übernehmen (so G. EHRISMANN, H. SPARNAAY, Hermann SCHNEIDER, G. SCHIEB, H. NOBEL u. a.). Nach Wolfgang DITTMANN ist diese Auffassung durch keinerlei Textbelege zu stützen. Erstens sei ein bis ins einzelne gehender innerer Zusammenhang zwischen Prolog und Erzählung bei mittelalterlicher Dichtung nicht zu erwarten und für dieses Werk erst zu beweisen; zweitens stelle Hartmann im *Gregorius* geistliches und Ritterleben gleichwertig nebeneinander, in beiden leiste Gregorius Vorbildliches, beiden werde der höchste Wert zugesprochen, nämlich daß sie zur *mâze*, zu innerer Harmonie, führen. Hält man sich an das im Text Gesagte, so stellt sich als Hartmanns Thema »*nicht Schuld und Sühne, nicht subjektive Verfehlung und persönliche Wiedergutmachung, nicht Sünde und Strafe ..., sondern unermeßliche Schuld und übergroße Gnade*« heraus, die eine dem Ausmaß der Schuld entsprechende »*übergroße Buße*« voraussetzt (W. Dittmann). Die Polarität von Schuld und Gnade steht im Mittelpunkt des Werks, sie spricht sich in dem zugleich vorbildlichen und schuldigen Helden aus und in dem Paradoxon seines Namens »*der guote sündære*«. KLL

AUSGABEN: Frauenfeld 1838 (in *Spicilegium vaticanum*, Hg. C. Greith; d. i. unkrit. Abdruck d. Hs. A). – Bln. 1838, Hg. K. Lachmann. – Lpzg. 1867 (in *GA*, Hg. F. Bech, 3 Bde., 1867–1869, 2). – Halle 1873, Hg. H. Paul. – Jena 1939 (in *Epische Dichtungen*, nhd. Übers. R. Fink). – Wiesbaden 1958, Hg. F. Neumann [m. Anm.]. – Ebenhausen 1959, Hg. B. Kippenberg [Nachw. H. Kuhn: *Der gute sünder – der erwählte ?*; m. nhd. Übers.]. – Tübingen [11]1966, Hg. L. Wolff [nach H. Paul].

LITERATUR: K. Zwierzina, *Überlieferung u. Kritik v. H.s »Gregorius«* (in ZfdA, 37, 1893, S. 129–217; 256–416). – H. Sparnaay, *H. v. A.*, 2 Bde., Halle 1933–1938. – G. Schieb, *Schuld u. Sühne in H.s »Gregorius«* (in Beitr., 72, 1950, S. 51–64). – H. W. J. Kroes, *Die Gregorlegende* (in Neoph, 38, 1954, S. 169–175; vgl. dazu H. Sparnaay, ebd., 39, 1955, S. 16–23). – G. Zuntz, *Ödipus und Gregorius. Tragödie u. Legende* (in Antike u. Abendland, 4, 1954, S. 191–203). – H. Nobel, *Schuld u. Sühne in H.s »Gregorius« u. in der frühscholastischen Theologie* (in ZfdPh, 76, 1957, S. 42–79). – W. Ohly, *Die heilsgeschichtliche Struktur d. Epen H.s v. A.*, Diss. Bln. 1958. – P. Wapnewski, *»Gregorius«* (in P. W., *H. v. A.*, Stg. [2]1964, S. 72–87; m. Bibliogr.; Slg. Metzler, 17). – A. Wolf, *Gregorius bei H. v. A. u. Th. Mann*, Mchn. 1964. – W. Dittmann, *H.s »Gregorius«. Untersuchungen z. Überlieferung, z. Aufbau u. Gehalt*, Bln./Bielefeld/Mchn. 1966 (m. Bibliogr.; Phil. Studien u. Quellen, 32). – Ch. Cormeau, *H. v. A.s »Armer Heinrich« u. »Gregorius«. Studien z. Interpretation m. d. Blick auf d. Theologie z. Zeit H.s*, Mchn. 1966 (Philol. Studien u. Quellen, 32).

IWEIN (mhd.). Versroman von HARTMANN VON AUE (um 1165–1215), wahrscheinlich beendet 1205, in 25 Handschriften aus einem Zeitraum von 300 Jahren erhalten. – Die Datierung des *Iwein* geht von der Annahme aus, daß dieser Roman Hartmanns letztes Werk war. Textkritische Erwägungen führen jedoch zu dem Schluß, daß die ersten tausend der insgesamt rund 8000 Verse des Romans bereits an dritter Stelle in der Chronologie der Hartmannschen Werke stehen, d. h. nach Vollendung des *Erec* (nach 1180) und des *Gregorius* (um 1195) gedichtet wurden; W. Schröder rückt diese Partie sogar an die zweite Stelle und so in unmittelbare Nähe von Hartmanns erstem Artusroman. Es wird angenommen, daß der Dichter nach dem Erfolg des *Erec* sogleich mit der Übersetzung eines weiteren Romans von Chrétien begann, dann nach dem Tod seines Herrn sich der geistlichen Dichtung und der Legendendichtung zuwandte (Kreuzzugslied, *Gregorius*, *Armer Heinrich*) und schließlich den begonnenen Roman, der vermutlich ein Auftragswerk war, fertigstellte.

Hartmann folgt Chrétien mit großer Genauigkeit. Obgleich der Umfang um ca. 1350 Verse erweitert worden ist, handelt es sich weit mehr als beim *Erec* um eine wirkliche Übersetzung: »*Es ist Hartmanns Zeitvertreib geworden, einem klassischen französischen Werk eine angemessene deutsche Nachformung zu geben*« (de Boor). Gleichwohl gibt es Unterschiede zur Vorlage; der *Iwein* ist versöhnlicher, er neigt zur Abschwächung von Schroffheiten und zur Ausgleichung von Gegensätzen. Laudines plötzlicher Stimmungswandel zugunsten des Mörders ihres Gatten wird von Hartmann nicht verurteilt. Weniger pessimistisch als Chrétien, vermag er von den Frauen nur Gutes zu reden: »*Ich wil in niuwan guotes jehn, allez guot müez in geschehn.*«

Sprache und Rhythmus werden vom Dichter überlegen gehandhabt; Ironie und Wortspiele, oft über Dutzende von Versen hinweg, zeigen die Distanz des Dichters: »*Alle Stilmittel der höfischen Kunst sind hier mit jener Selbstverständlichkeit beherrscht, die Mühe und Arbeit nicht mehr spüren läßt, und mit jenem Maßhalten verwendet, das scheinbar auf jede Wirkung verzichtet* (de Boor). So ist der *Iwein* in formal-ästhetischem Sinn das »*strahlendste Werk der höfischen Klassik*« (H. Kuhn) und Vorbild für alle Hartmann-Nachahmer. KLL

AUSGABEN: Wien 1786, Hg. K. J. Michaeler. – Bln. 1827, Hg. G. F. Benecke u. K. Lachmann. – Lpzg.

1869 (in *GA*, Hg. F. Bech, 3 Bde., 1867–1869. 3). – Köln/Graz 1965 (Faks. der Hs. B in Deutsche Texte in Handschriften, 2). – Bln. [7]1968, Hg. G. F. Benecke u. K. Lachmann; bearb. L. Wolff.

LITERATUR: G. F. Benecke, *Wörterbuch zu H.s »Iwein«*, Göttingen [2]1874; Nachdr. Wiesbaden 1966. – H. Sparnaay, *H. v. A.*, Halle 1933–1938, 2 Bde. – E. Scheunemann, *Artushof und Abenteuer*, Breslau 1937. – A. Neinhardt, *Die epische Szene in der höfischen Dichtung. Ein Vergleich von H.s »Iwein« und Wolframs »Parzival«*, Diss. Göttingen 1948. – H. Kuhn, *Die Klassik des Rittertums in der Stauferzeit* (in Annalen der deutschen Literatur, Hg. O. Burger, Stg. 1952). – P. Salmon, *Ignorance and Awareness of Identity in H. and Wolfram: An Element of Dramatic Irony* (in Beitr., Tübingen, 82, 1960). – H. Milnes, *The Play of Opposites in »Iwein«* (in GLL, 14, 1960/61, S. 241–256). – H. Sacker, *An Interpretation of H.'s »Iwein«* (in GR, 36, 1961, S. 5–26). – P. Salmon, *The Wild Man in »Iwein« and Mediaeval Descriptive Technique* (in MLR, 56, 1961, S. 520–528). – H. Sparnaay, *H.s »Iwein«* (in H. S., *Zur Sprache und Literatur des Mittelalters*, Groningen 1961, S. 216–230; vgl. dazu S. 115–128). – H. B. Willson, *The Role of the Keii in H.'s »Iwein«* (in Medium Aevum, 30, 1961, S. 145–158). – Ders., *Love and Charity in H.'s »Iwein«* (in MLR, 57, 1962 S. 216–227). – P. Wapnewski, *H. v. A.*, Stg. 1962; [2]1964 (Slg. Metzler, 17). – K. Ruh, *Zur Interpretation von H.s »Iwein«* (in *Philologia Deutsch*, Fs. für W. Henzen, Hg. W. Kohlschmidt u. P. Zinsli, Bern/Mchn. 1965, S. 39–51). – R. Endres, *Der Prolog von H.s »Iwein«* (in DVLG, 40, 1967, S. 509 bis 537). – L. Wolff, *Die »Iwein«-Handschriften in ihrem Verhältnis zueinander* (in L. W., *Kleinere Schriften zur altdeutschen Philologie*, 1967, S. 165 bis 184). – M. Wehrli, *Iweins Erwachen* (in M. W. *Formen mittelalterlicher Erzählungen. Aufsätze*, Zürich/Freiburg i. B. 1969, S. 177–193). – L. Pearce, *Relationships in H.'s »Iwein«* (in Seminar, 6, 1970, S. 15–30).

HEINRICH VON DEM TÜRLIN
(Anfang des 13. Jahrhunderts)

DER AVENTIURE CRÔNE (mhd.). Höfischer Roman von HEINRICH VON DEM TÜRLIN (Anfang des 13. Jh.), verfaßt nach HARTMANNS Tod (um 1215) und vor dem *Alexander* des RUDOLF VON EMS (um 1240). – Der Titel des 30041 Verse umfassenden Gawan-Romans ist dem Schluß der Dichtung entnommen: Heinrich vergleicht sein Werk mit einer Krone (ohne es jedoch direkt so zu nennen), mit der er die *»werden vrouwen«* krönen will, in deren Dienst er die Dichtung vollendet hat. Schon auf Rudolf von Ems geht die aus dem Werk nicht belegbare Deutung des Titels zurück, Heinrichs Werk sei *»aller âventiure krône«*, also die vollendetste Erscheinungsform aller höfischen Aventiure-Romane.

Der Leser dieses mammuthaften Romans ist von den vielfältig ineinander verschlungenen Abenteuern des Haupthelden Gawan, dessen Platz zuweilen Artus einnimmt, bald verwirrt: Da treten Feen und Unholde, Zwerge und Riesen, Fabeltiere, Zauberer, entführte Jungfrauen in schneller Folge auf; da gibt es Wunder verrichtende Becher, Mauern, Ringe, Gürtel und vieles der gleichen Art; da wirft eine unsichtbare Hand einen Menschen zu Boden, das Schwert fährt von selbst in die Scheide, Wein springt aus dem Becher, das Wasser steht still; da wird der Held von Unholden bedrängt, er erlöst gefesselte Jungfrauen aus der Gewalt von Drachen, wird von einer Riesin ergriffen, kämpft erfolgreich mit gewaltigen Tieren und Gespenstern. Auf ihn *»wird alles gehäuft, was es an Aventiurenhaftem gibt«* (de Boor). Aus der Flut der Abenteuer heben sich einige wenige, schärfer konturierte heraus: der Besuch des Helden auf der als Totenschloß gezeigten Gralsburg, wo er im Unterschied zu Parzival die erlösende Frage sofort stellt; die eigenartige Geschichte von Ginover und ihrem Liebhaber Gasozein, von Ginovers Entführung und späterer Rettung vor handgreiflicher Vergewaltigung; die Einkehr Gawans bei Frau Saelde, ein Höhepunkt des Werkes; die Keuschheitsprobe durch den Wunderbecher am Beginn des Romans.

Als Vorlage nennt Heinrich nur ein französisches *»exemplar«*, doch benutzte er daneben sicherlich noch andere französische Quellen. Auch die deutsche Tradition hat er sich ausgiebig dienstbar gemacht: Er hat WOLFRAM, HARTMANN, ULRICHS *Lanzelot*, WIRNT VON GRAFENBERG gekannt; den Stil der höfischen Kunstsprache und den Versbau der klassischen Epoche handhabt er mit beachtlicher Geschicklichkeit. Aber sein Werk unterscheidet sich von den Artus-Epen der Zeit um 1200 nicht nur durch seine größere Stofflichkeit und die Phantastik seiner Erfindungen bzw. Übernahmen; Heinrich kann vielmehr seinen Stoff nicht zu einer einheitlichen Gestalt ausformen, ihm fehlt das Maß, das ein höfischer Epiker wie Hartmann einzuhalten weiß, weil alle seine Âventiuren im Dienst einer Bewährung und Läuterung des Helden stehen. Eben dieses einheitliche Band einer übergreifenden Idee fehlt bei Heinrich, und dieser Mangel kann durch eine noch so große Mannigfaltigkeit und Phantastik der Motive nicht verdeckt werden.

Heinrichs »Krone« hat, wie wir an den spärlichen späteren Zeugnissen sehen können, keine nachhaltige Wirkung auf die Folgezeit geübt. Ein Urteil wie das Rudolfs von Ems (*Alexandreis*, V. 3219–3228,) der die Dichtung als meisterlich und entsprechend seiner eigenen Interpretation des angenommenen Titels als *»ein zil über elliu mære«* bezeichnet, steht in seiner Zeit isoliert. Mag manche Einzelschilderung eine gute Beobachtungsgabe und einen im Artus-Epos selten anzutreffenden Blick für Realistik verraten, mögen Einzelepisoden des Werkes gelungen sein, als Ganzes ist es ein typisches Werk der Epigonenzeit. Jeder Versuch, es als große Dichtung hinzustellen, ist von vornherein zum Scheitern verurteilt. H.B.

AUSGABE: Stg. 1852, Hg. A. H. F. Scholl (BLV, 27).

LITERATUR: G. Graber, *H. v. d. T. u. d. Sprachform seiner »Krône«* (in ZfdPh, 42, 1910, S. 154–188; S. 287–331). – E. Gülzow (in VL, 2, Sp. 352–355). – J. Klarmann, *H. v. d. T. »Diu Krône«*, Diss. Tübingen 1944. – W. Schoenebeck, *D. höf. Roman d. Spät-MA in d. Hand bürgerl. Dichter. Studien zur »Crône«, zum »Apollonius v. Tyrland«, zum »Reinfried v. Braunschweig« u. »Wilhelm v. Österreich«*, Diss. Bln. 1956. – De Boor, 2, S. 195–199.

HEINRICH VON VELDEKE
(auch Henric van Veldeken, 12./13. Jahrhundert)

ENEIDE (mhd.). Höfisches Epos von HEINRICH VON VELDEKE (auch Henric van Veldeken, Mitte 12. Jh. bis Anfang 13. Jh.), entstanden zwischen 1170 und 1190. – Veldekes Erzählung der Schicksale des Aeneas (Eneas) geht nicht unmittelbar auf VERGILS Epos zurück, obwohl er es sehr wahrscheinlich gekannt hat. Seine Vorlage war der anonym überlieferte französische *Roman d'Énéas* (entstanden um 1160). Diese Bearbeitung und Umformung des antiken Stoffs aus dem Geist des 12. Jh.s – sie wird im Epilog der *Eneide* als das »*welsche buc*« erwähnt – hat der mittelhochdeutsche Dichter durchaus selbständig übertragen. Ebenfalls im Epilog wird berichtet, daß er das noch nicht abgeschlossene Werk einer Gräfin von Cleve lieh. Bei einer Hochzeit, wahrscheinlich im Jahr 1174, wurde die Handschrift gestohlen und kam nach Thüringen. Erst nach neun Jahren erhielt Veldeke sie zurück und vollendete die Dichtung für den Pfalzgrafen und späteren Landgrafen Hermann von Thüringen und dessen Bruder Friedrich, seine Gönner.

Stofflich bestehen zwischen *Eneide* und *Roman d'Énéas* wenig Unterschiede; Aufbau und Gang der Handlung sind im wesentlichen gleich. Eneas, aus dem zerstörten Troja geflohen, wird nach mancherlei Irrfahrten und Abenteuern nach Karthago verschlagen und dort von der Königin Dido gastfreundlich aufgenommen. Dido verfällt einer maßlos-leidenschaftlichen Liebe zu Eneas, dieser jedoch gehorcht dem Befehl der Götter und verläßt sie. Verzweifelt bleibt sie zurück und nimmt sich das Leben. Es folgen Eneas' Fahrt in die Unterwelt, seine Landung an der Tibermündung, die sehr ausführlich geschilderten Kämpfe um Italien und, zum Teil damit verknüpft, die Geschichte der Liebe zwischen Eneas und Lavinia, der Tochter des Königs Latinus. Innere und äußere Schwierigkeiten stehen dieser Liebe entgegen, erst nach Prüfung und Bewährung kommt es zur Vereinigung der Liebenden. Ihre mit großer Pracht gefeierte Hochzeit ist ein Höhepunkt der Dichtung. Sie endet mit einem Ausblick auf die Gründung Roms und dessen künftige Herrschaft über die Welt.

Vergils *Aeneis* ist das große Epos des Römertums, dichterische Gestaltung und Verklärung des Ursprungs und der Begründung des Imperium Romanum durch den frommen, den Willen der Götter und des Schicksals befolgenden Aeneas. Der politisch-historische Gehalt war dem mittelalterlichen Dichter fremd geworden. Er übernahm den Stoff, deutete ihn aber um: die als exemplarisch empfundenen Gestalten und Begebenheiten dienen ihm zur Darstellung der Welt des Rittertums seiner Zeit. So verfuhr schon der Verfasser des *Roman d'Énéas*, und Veldeke ist auf diesem Weg weitergegangen. Die Themen seiner Dichtung sind der Kampf, der im Unterschied zu späteren höfischen Epen nicht »ritterliches Spiel«, sondern Kriegstat ist, vor allem aber die Minne, deren zwei Erscheinungsformen er deutlich – und auch eindeutig wertend – einander gegenüberstellt. Didos ungebändigte Leidenschaft ist zerstörerisch, ihre von Eneas nicht erwiderte Liebe erschüttert die Stellung der Königin und treibt sie schließlich in den Untergang. Die Liebe zwischen Eneas und Lavinia erfüllt sich trotz Verwirrung und Bedrohung, weil sie mit dem göttlichen Willen übereinstimmt; auch sie zerstört bestehende Ordnungen, aber sie führt zu Bindung und neuer, höherer Ordnung.

Die *Eneide* ist um mehr als dreitausend Verse umfangreicher als ihre französische Vorlage. Veldeke hat nicht nur manches weggelassen und anderes hinzugefügt, Widersprüche beseitigt und Umstellungen vorgenommen, sondern schreibt einen sehr viel breiteren Stil, schildert ausführlicher, geht stärker auf Einzelheiten ein. Im *Roman d'Énéas* wird dramatischer, unmittelbarer, auch farbiger erzählt, Veldekes Erzählweise ist episch-beschreibend, oft fast nüchtern-sachlich. (Seine Kampf- und Schlachtenschilderungen etwa sind ein »Handbuch der Kriegskunst« genannt worden.) Der Sprache fehlt rhetorischer Schmuck, sie ist einfach und noch recht formelreich. Die Reinheit des Reims wird bereits weitgehend erreicht, die Reimpaarverse wurden vermutlich schon vom Dichter selbst (und nicht erst von späteren Abschreibern) zu verschieden langen Abschnitten zusammengefaßt. Die Sprache des Originals war wohl maasländisch-altlimburgisch. Inhaltlich gibt Veldeke vielem einen anderen Charakter; über den *Roman d'Énéas* hinausgehend neigt er zu einer mehr höfisch-idealisierenden Darstellung. Die Selbständigkeit und Freiheit gegenüber seiner Vorlage ist am Schluß größer. Das gilt hauptsächlich für die auch beträchtlich erweiterte Eneas-Lavinia-Handlung. Hier hat er »*durch sein Interesse an der Liebespsychologie und seine Fähigkeit, Gefühle zu zergliedern und in Worte zu fassen und ihre Wirkungen auf den Menschen zu schildern, Besonderes geleistet ... Veldeke schafft nun auch unabhängig von der Vorlage Monologe und Dialoge mit hoher Kunst der Gefühlszergliederung. Er ist Meister der Gedankenrede, der reflektierenden Selbstbetrachtung.*« (G. Schieb) Nicht allein, doch ganz besonders als Dichtung der Minne hat die *Eneide* gewirkt. Sie hat die mittelhochdeutsche Klassik vorbereitet, GOTTFRIED VON STRASSBURG und WOLFRAM VON ESCHENBACH sahen in Veldeke den »*meister*« und »*wîsen man*«. KLL

AUSGABEN: Bln. 1783 (*Eneit*, in *Slg. deutscher Gedichte aus dem 12., 13. u. 14. Jh.*, Hg. C. H. Müller, Bd. 1). – Lpzg. 1852 (*Eneit*, Hg. L. Ettmüller). – Heilbronn 1882 (*Eneit*, Hg. O. Behaghel). – Bln. 1964/65 (*Eneide*, Hg. G. Schieb u. T. Frings; Bd. 1: Einl. u. Text, Bd. 2: *Untersuchungen*).

LITERATUR: C. Minis, *Der »Roman d'Énéas« und H. v. V.*, Diss. Lüttich 1946. – D. Teusink, *Das Verhältnis zw. V.s »Eneide« u. d. Alexanderlied*, Amsterdam 1946. – E. Comhaire, *D. Aufbau v. V.s »Eneit«*, Diss. Hbg. 1947. – T. Frings u. G. Schieb, *Die Vorlage d. »Eneide«* (in Beitr., 71, 1949, S. 483 bis 487). – Dies., *Drei V.-Studien*, Bln. 1949. – R. Zitzmann, *Die Didohandlung i. d. frühhöf. Eneasdichtg.* (in Euph, 46, 1952, S. 261–275). – J. Quint, *Der »Roman d'Énéas« u. V.s »Eneit« als frühhöf. Umgestaltungen d. »Aeneis« i. d. Renaissance d. 12. Jh.s* (in ZfdPh, 73, 1954, S. 241–267). – H. Sacher, *H. v. V.s Conception of the »Aeneid«* (in GLL, N.S., 10, 1956/57, S. 210–218). – W. Schröder, *Dido u. Lavine* (in ZfdA, 88, 1957/58, S. 161–195). – C. Minis, *Textkritische Studien über den »Roman d'Énéas« u. d. »Eneide« v. H. v. V.*, Groningen 1959. – G. Schieb, *Die hs. Überlieferung d. »Eneide« H.s v. V. u. d. Limburger Originals*, Bln. 1960. – Dies., *Auf den Spuren d. maasländ. »Eneide« H.s v. V.* (in Studia Germanica Gandensia, 3, 1961, S. 233–248). – Dies., *Z. Titel d. »Eneide« H.s v. V.* (in Beitr., Halle, 84, 1962, S. 373–375). – H. Brinkmann, *Wege der epischen Dichtung im Mittelalter* (in ASSL, 200, 1963/64, S. 401–435). – G. Schieb, *H. v. V.*, Stg. 1965 (Slg. Metzler, 42). – M. L. Dittrich, *Die »Eneide« H.s v. V.*, Wiesbaden 1965.

HROTSVITA GANDERSHEIMENSIS
(Hrotsvit von Gandersheim, genannt Roswitha, um 935–975)

ABRAHAM. Lapsus et conversio Mariae neptis Habrahae heremicolae (mlat.; *Abraham. Fehltritt und Bekehrung Marias, der Nichte des Eremiten Abraham)*. Drama von HROTSVITA GANDERSHEIMENSIS (Hrotsvit von Gandersheim, genannt Roswitha, um 935–975), das vierte ihrer sechs Dramen und das bedeutendste, wie die andern in einer zu dieser Zeit beliebten rhythmischen Reimprosa geschrieben. – »*Zugleich gelehrte Lesedramen und geistliche Dramen*« (Manitius) waren Hrotsvits Stücke nicht zur Aufführung bestimmt; ihre Lektüre sollte vielmehr die Kleriker, die der Heiligen Schrift und den Kirchenvätern die verführerische Sprache heidnischer Autoren vorzögen, erbauen und insbesondere den vielgelesenen TERENZ, dessen antike Frivolität über christliche Züchtigkeit zu triumphieren drohte, verdrängen. Allerdings klingt das Latein der ersten deutschen Dichterin nicht weniger drastisch, da sie das Laster, ehe es der Keuschheit unterliegt, ausführlich sich äußern läßt. Und so werden auch im *Abraham* »*Fehltritt und Bekehrung Marias, der Nichte des Eremiten Abraham*« dargestellt. Abraham erzählt seinem Freund Effrem, er werde die neunjährige Maria zur Einsiedlerin erziehen, damit sie gottgefällig lebe. Aber zwanzig Jahre später muß Effrem hören, daß alles fehlgeschlagen ist: ein angeblicher Mönch habe die Nichte zur Sünde verleitet, aus Verzweiflung sei sie entflohen und vollends lasterhaft geworden; Abraham lasse sie überall suchen, um sie zu sich und Christus zurückzuholen. Nach weiteren zwei Jahren erfährt Abraham, Maria sei in einem schlimmen Hause gesehen worden. Sofort reist er dorthin, tritt als Liebhaber auf und verlangt das schönste Mädchen für sich. Maria erscheint, führt ihn arglos in ihre Kammer und will ihm die Schuhriemen lösen. Als er ihr nun sagt, wer er wirklich ist, wird sie von Schuld und Reue überwältigt. Doch der Onkel zeigt christliches Verständnis: Sündigen sei menschlich, teuflisch nur Sündigbleiben; wenn sie ihm folge, wolle er ihre Vergehen auf sich nehmen. Da gelobt Maria lebenslangen Gottesdienst und kehrt heim, Abraham kann mit Effrem den guten und gesegneten Ausgang feiern. – »*In diesem Stück*«, urteilt Manitius, »*ist alles auf den richtigen Ton gestimmt, und die Reden der einzelnen Personen sind durchaus individuell und der Gemütsstimmung angemessen*«; es wirke auch heute noch. Wieweit es indessen spätere Dramatiker angeregt hat, ist schwer zu sagen; manche Forscher schließen zumindest indirekte Einflüsse Hrotsvits z. B. auf SHAKESPEARE nicht aus. Jedenfalls sind ihre Dramen, so fern sie der Bühne auch waren, ein wichtiges Traditionsglied zwischen antik-römischem Theater und mittelalterlich-kirchlichem Mirakel- und Mysterienspiel. J. Sch.

AUSGABEN: Nürnberg 1501, Hg. C. Celtis. – Bln. 1902, Hg. P. v. Winterfeld. – Lpzg. 1930, Hg. K. Strecker.

ÜBERSETZUNGEN: *Abraham*, W. v. Themar, o. O. 1503. – Dass., J. Bendixen (in *Die Comoedien der Nonne H. v. G.*, 2, Altona 1853). – Dass., O. Piltz u. F. Preißl, (in *Dramen*, Lpzg. 1942). – Dass., K. Langosch (in *Geistliche Spiele*, Darmstadt 1957).

LITERATUR: Manitius, Bd. 1. – A. Mayer, *D. Heilige u. d. Dirne, eine motivgeschichtl. Studie z. H.s »Abraham«* (in Bayer. Blätter f. d. Gymnasialschulwesen, 67, 1931). – M. Rigobon, *Il teatro e la latinità di H.*, Padua 1932. – M. M. Butler, *H., the Theatricality of Her Plays*, NY 1960. – K. Kronenberg, *R. v. G., Leben u. Werk*, Bad Gandersheim 1962.

PFAFFE KONRAD
(12. Jahrhundert)

KAISERCHRONIK (mhd.). Geschichtswerk in Versen von wahrscheinlich mehreren unbekannten Verfassern, entstanden um 1150 in Regensburg. – Das mehr als 17000 Verse umfassende Werk ist nach dem *Annolied* (zwischen 1080 und 1105) die zweite Geschichtsdichtung in deutscher Sprache. – Der Meinung, daß es nur einen Verfasser gab (G. Ehrismann, M. M. Helff u. a.), steht die Ansicht gegenüber, daß mehrere, mindestens aber zwei Verfasser am Werke waren (z. B. F. Debo, Edward Schröder). Letzteres scheint in Anbetracht des Textes selbst, der z. B. in Vers 10619 ff. auf einen ersten, inzwischen verstorbenen Verfasser hinweist, das wahrscheinlichere. Allerdings treffen sich die Vertreter beider Meinungen darin, daß sie auf Grund textkritischer Untersuchungen als den oder einen Verfasser den Pfaffen KONRAD annehmen, den Dichter des *Rolandsliedes* (um 1170). Da den Übereinstimmungen beider Denkmäler aber auch weitgehende Unterschiede gegenüberstehen, außerdem die Verfasserschaft Konrads eine frühere Datierung des *Rolandsliedes* voraussetzen würde, die durch nichts gerechtfertigt ist, ist wohl lediglich anzunehmen, daß der oder ein Verfasser der *Kaiserchronik* wie Konrad Geistlicher in Regensburg war und daß die Übereinstimmungen des jüngeren *Rolandsliedes* mit dieser Dichtung auf die gleiche Bildung und geistige Umgebung der Verfasser zurückzuführen sind, wohl auch, daß Konrad die *Kaiserchronik* gekannt hat (E. Scheunemann).

Die Chronik »*chundet von den bâbesen* [Päpsten] *unt den chunigen, / baidiu guoten unt ubelen, / die vor uns wâren / unt des Rômiscen rîches phlâgen / unze an diesen hiutegen tac*«. Das Werk gliedert sich in einen römischen und einen deutschen Teil. Der Gründung Roms folgt die Errichtung des heidnischen Kaisertums durch Julius Caesar. Die greuelvolle Geschichte Roms bis zur endgültigen Christianisierung durch Konstantin bildet den Inhalt dieses ersten Abschnitts. Dabei werden, gemäß dem Herrscherideal des Chronisten vom »*rex justus et pacificus*«, die Kaiser nach Augustinischem Maß in »gute« und »böse« geschieden, um den »Königen dieser Welt« als Beispiel oder Warnung zu dienen. So ragt Trajan unter den heidnischen Imperatoren durch seine Gerechtigkeit und Friedensliebe hervor, während Nero das Extrem des verworfenen Herrschers abgibt. – Konstantin eröffnet die Reihe der christlichen Kaiser. Er, der vom Aussatz Befallene, verzichtet auf die Heilung nach heidnischem Brauch, demzufolge das Blut unschuldiger Kinder vergossen werden müßte, und läßt sich von Papst Silvester taufen. Aus Dankbarkeit für seine darauf eintretende Genesung führt er das Christentum im ganzen Reich ein. Den größten Raum des römischen Teils, der verhältnismäßig wenige historische Tatsachen bringt und von den insgesamt 68 Kaisern der römischen Geschichte nur 32 verzeichnet, nehmen Erzählungen, Sagen und Legenden ein, wie z. B. die von der unschuldig verfolgten und schließlich nach großem Leid gerechtfertigten Crescentia. Daneben sind Streit- und Lehrgespräche häufig (Faustinian, Silvester), die im deutschen, historisch aktuelleren Teil ganz zurücktreten. Die Reihe der christlichen Imperatoren beschließen Zeno und Constantius. Der Erzählung von einem angeblichen Interregnum folgen dann die Biographien von achtzehn deutschen Kaisern.

Durch eine nächtliche Vision wird Karl der Große zu seinem Amt berufen. Als Schirmherr der *civitas Dei*, der Papst und Christenheit mit seinem Schwert beschützt und nie das Seelenheil vergißt, verkörpert er als »*der gotes dienstman*« den idealen Herrscher. Die Harmonie von Gottes- und Erdenstaat wird durch die aus der Legende stammende leibliche Bruderschaft von Karl und Papst Leo symbolisiert. In gedrängter Kürze, oft skizzenhaft, folgt dann die weitere Geschichte der deutschen Kaiser bis zu Konrad III. Mit dem Aufruf Bernhard von Clairvaux' zum Zweiten Kreuzzug (1147) bricht das Gedicht mitten im Satz ab.

Das Werk folgt in seiner Gesamtkonzeption der Tradition lateinisch-christlicher Geschichtsschreibung, die Geschichte als Kaisergeschichte darstellt. Gleichzeitig aber wird diese in den Heilsplan Gottes einbezogen und der Idee von der Verwirklichung des Gottesreichs untergeordnet, d. h., wird Kaisergeschichte Heilsgeschichte. Der Herstellung dieses religiösen Bezugs dienen die zahlreichen, den historischen Bericht unterbrechenden Erzählungen und Legenden, die über die Wirklichkeit der geschichtlichen Fakten hinaus auf eine höhere, d. h. die wesentliche Wirklichkeit des Gottesreichs, weisen. Ihm zu dienen ist oberstes Gesetz auch für den weltlichen Herrscher; in der Einordnung der *civitas terrena* in die *civitas Dei* ist das Ideal des Staats erreicht.

Die zahlreichen Quellen der *Kaiserchronik* sind nur zum Teil bekannt. Der Abschnitt von Caesar bis Augustus, in dem der Chronist immer wieder Beziehungen zur deutschen Geschichte herstellt und der das Traumgesicht von den Weltmonarchien enthält, ist teilweise unverändert aus dem *Annolied* übernommen. Die römische Kaisergeschichte von Nero bis Konstantin schöpft aus einer unbekannten, wahrscheinlich in Italien entstandenen Sammlung römischer Sagen. Weiterhin wurden Priester Arnolds *Von der Siebenzahl* (erste Hälfte des 12. Jh.s) und verschiedene lateinische Legenden benutzt. Für den deutschen Teil zog der Verfasser das *Chronicon Wirciburgense* und die *Weltchronik* Frutolfs von Michelsberg und Ekkehards von Aura (Ende des 10. Jh.s) heran. Außerdem sind verschiedene, ehemals selbständige Einzeldichtungen der Chronik eingefügt (z. B. die Crescentia-Legende), wie umgekehrt sich später bestimmte Partien zu selbständiger Existenz aus dem Gedicht herauslösten (Silvester). Sicherlich haben auch mündliche Tradition und Lokalannalistik eine Rolle gespielt.

Der Stil der *Kaiserchronik* ist schmucklos und unpathetisch, die an formelhaften Wendungen und Wiederholungen reiche Sprache oft hart und ungelenk. Die Vertrautheit mit der lateinischen Syntax ist häufig zu spüren. Unreinheit der Reime und große Freiheit in der Füllung des Viertaktverses kennzeichnen Reimkunst und Metrik. – Von der Beliebtheit der *Kaiserchronik* im Mittelalter, die die am weitesten verbreitete Dichtung des 12. Jh.s ist, geben die zahlreichen überlieferten Abschriften, Fortsetzungen und Prosaauflösungen ein lebendiges Zeugnis. Man unterscheidet drei verschiedene Fassungen, A, B und C. A, der älteste Text, ist in sieben Handschriften und neun Fragmenten erhalten, von denen die beiden vollständigen Handschriften aus Vorau (12. Jh.) und Heidelberg (13. Jh.) die wichtigsten sind. Der jüngere Text B (13. Jh.), eine bairisch-österreichische Überarbeitung von A, ist in drei vollständigen und neun fragmentarischen Handschriften überliefert, der jüngste Text C, eine zweimal fortgesetzte Überarbeitung von A aus der Mitte des 13. Jh.s, in drei Handschriften und fünf Bruchstücken. Im späten 13. Jh. hat der Verfasser des *Schwabenspiegels* seinem Werk eine Prosaauflösung der Fassung A als *Buoch der künege niuwer ê* (*Buch der Könige nach dem Neuen Testament*, also christlicher Könige) vorausgeschickt. Unabhängig davon wurden einzelne Abschnitte des Werks in mehreren Handschriften der *Sächsischen Weltchronik* Eikes von Repgow (Anfang des 13. Jh.s), ebenfalls in Prosa, verarbeitet. Noch bis ins 17. Jh. hinein hat die *Kaiserchronik* auf die bayrische Geschichtsschreibung eingewirkt.

I. F. W.

Ausgaben: Quedlinburg 1849–1854, 3 Bde. (*Der keiser u. der kunige buoch*, Hg. H. F. Maßmann; Bibl. der gesamten dt. Nationallit., 4). – Hannover 1892, Hg. E. Schröder (MGH, Dt. Chroniken, 1, Tl. 1; krit.). – Bln. ²1964, Hg. ders.

Übersetzungen: *Der Kaiser u. der Könige Buch oder Die sogenannte Kaiserchronik*, J. M. Mayer, Mchn. 1874. – *Die dt. Kaiserchronik*, W. Bulst, Jena 1926 (Dt. Volkheit, 18).

Literatur: F. Debo, *Über die Einheit der »Kaiserchronik«*, Diss. Graz 1877. – L. Huberti, *Der Gottesfriede in der »Kaiserchronik«* (in Zs. der Savigny-Stiftung f. Rechtsgesch., 13, 1892, S. 133–163). – C. Röhrscheidt, *Studien zur »Kaiserchronik«*, Diss. Erlangen 1907. – A. Jünemann, *Eine literargeschichtliche Untersuchung über die Fortsetzungen der »Kaiserchronik«*, Diss. Straßburg 1909. – Ehrismann, 2/1, S. 267–284. – M. M. Helff, *Studien zur »Kaiserchronik«*, Diss. Lpzg. 1930. – E. F. Ohly, *Sage u. Legende in der »Kaiserchronik«*, Münster 1940. – E. Scheunemann (in VL, 3, Sp. 732–746). – W. Mohr, *Lucretia in der »Kaiserchronik«* (in DVLG, 26, 1952, S. 433–446). – H. Naumann, *Das Reich in der »Kaiserchronik«*, Diss. Münster 1953. – B. Mergell, *»Annolied« u. »Kaiserchronik«* (in Beitr. [Halle], 77, 1955, S. 124–146). – E. Henschel, *»Anno« u. »Kaiserchronik«* (ebd., 80, 1958, S. 470–479). – E. E. Stengel, *Die Entstehung der »Kaiserchronik« u. der Aufgang der staufischen Zeit* (in DA, 14, 1958, S. 395 bis 417; auch in E. E. S., *Abhandlungen u. Untersuchungen zur mittelalt. Gesch.*, Köln 1960, S. 360 bis 392). – F. Urbanek, *Zur Datierung der »Kaiserchronik«. Entstehung, Auftraggeber, Chronologie* (in Euph, 53, 1959, S. 113–152). – F. Neumann, *Wann entstanden »Kaiserchronik« u. »Rolandslied«?* (in ZfdA, 91, 1961/62, S. 263–329). – R. Scherr, *Untersuchungen zur strophischen Form der »Kaiserchronik«*, Diss. Freiburg i. B. 1961. – E. Nellmann, *Formen der Reichsidee in der dt. Dichtung des 12. Jh.s. »Annolied«. »Kaiserchronik«. »Rolandslied«. »Eraclius«*, Bln. 1963. – G. Zink, *»Rolandslied« et »Kaiserchronik«* (in EG, 19, 1964, S. 1–8).

ROLANDSLIED (mhd.). Versepos in Reimpaarversen von dem Pfaffen KONRAD (um 1170). Der Dichter, der sich in Vers 9079 seines Gedichts selbst nennt *(»ich haize der phaffe Chunrat«)*, ist urkundlich nicht bezeugt. Mundart, Ortsnamen und Anspielungen auf die Heldensage sowie die bayerische Stammessage und -geschichte verweisen ihn nach Bayern, und zwar nach Regensburg. Nach Edward SCHRÖDER muß Konrad ein Hofbeamter der herzoglichen Kanzlei gewesen sein. Das *Rolandslied* ist sein einziges erhaltenes Werk. Es ist in einer vollständigen Handschrift aus Heidelberg (P) und drei Bruchstücken (S aus Schwerin, T aus Sondershausen und E aus Erfurt) überliefert. Ein weiteres Fragment (W) aus Stuttgart ist verschollen, ein fast die Hälfte des Gedichts enthaltendes anderes Bruchstück einer Straßburger Handschrift (A) verbrannt und nur aus einem Druck des 18. Jh.s bekannt. Während die Handschriften A, P und S wahrscheinlich unabhängig voneinander auf eine gemeinsame Vorlage X zurückgehen, scheinen E und T eher Bearbeitungen darzustellen. In X ist jedoch nicht das Original der Dichtung, sondern lediglich eine diesem nahestehende Abschrift zu sehen.

Eine länger als hundert Jahre währende wissenschaftliche Kontroverse löste die Datierungsfrage der Dichtung aus. In dem im Epilog als Mäzen genannten Herzog Heinrich sahen viele Forscher Heinrich den Stolzen und setzten die Entstehungszeit des *Rolandsliedes* unmittelbar nach 1131 an, d. h. in die Zeit nach Heinrichs Rückkehr aus Frankreich, von wo er die französische Vorlage des Gedichts mitbrachte. Für die frühe Entstehungszeit sprachen Darstellungs- und Sprachstil der Dichtung und die – inzwischen entkräftete – These, daß das *Rolandslied* die *Kaiserchronik* (um 1150) beeinflußt, also Priorität habe. Die Gegenseite war der Ansicht, daß es sich bei dem genannten Herzog um Heinrich den Löwen handle, und verlegte die Entstehungszeit des *Rolandsliedes* in die Zeit um 1170. Zuletzt hat Dieter KARTSCHOKE (1965) diese Datierung durch neue Tatsachennachweise erhärten können, so daß anzunehmen ist, daß das Gedicht um 1172 entstanden ist.

Das deutsche *Rolandslied* ist eine Übersetzung der altfranzösischen *Chanson de Roland* (um 1100). Es erzählt die Geschichte des Neffen Karls des Großen, der beim friedlichen Abzug des fränkischen Heers aus Spanien die Nachhut befehligt und mit seinen Männern im verräterisch von seinem Stiefvater Genelun angezettelten Kampf gegen die Sarazenen im Tal von Ronceval fällt (für die genauere Inhaltsangabe und die historische Grundlage des Liedes vgl. *La chanson de Roland*). Der französischen Vorlage fügte der deutsche Dichter einen Epilog sowie die ersten 360 Verse seines Gedichts hinzu, die eine allgemein gehaltene Vorgeschichte des Krieges zwischen Karl dem Großen und den Sarazenen enthalten. Aus ihr aber wird bereits deutlich, was die deutsche Dichtung grundlegend von der französischen Chanson unterscheidet: Während diese das politische Moment in den Vordergrund rückt und Roland als tollkühnen, tapferen, aber auch halsstarrigen und hoffärtigen Helden darstellt, sieht Konrad in dem Kriegszug Karls des Großen den religiösen Kampf der Christen gegen die Heiden, in Rolands Tod das Sterben eines Märtyrers. Nicht aus Trotz und falscher Einschätzung seiner Gegner weigert sich Roland, das Horn Olivant zu blasen, sondern weil er sich und die Seinen dem Märtyrertod anheimgeben will. Daß damit seine schließlich vollzogene Umkehr nur unzureichend motiviert werden kann – in der französischen Vorlage sieht er seine Schuld, seine *superbia*, ein und stirbt in Reue, im deutschen Gedicht ruft er mit Olivant lediglich den Kaiser zur Rache herbei –, bedeutete Konrad wohl nicht viel, solange der umfassende Kreuzzugsgedanke in jedem Augenblick der Dichtung deutlich blieb.

Sprache und Reimtechnik Konrads weisen noch ganz in frühmittelhochdeutsche Zeit. *riter* heißt bei ihm noch »Soldat«, »Mann«; als »Ritter« erscheint er erst bei HEINRICH VON VELDEKE, vor allem dann in HARTMANNS *Êrec* (J. Bumke). Die Plastizität, oft Drastik der Darstellung, das rasch fortschreitende, direkte Erzählen erinnern an den Stil der großen Heldenepen *Nibelungenlied* und *Kudrun*, die Konrad mit Sicherheit gekannt hat. Historische Belesenheit verraten seine Kenntnisse der Geschichte der bayerischen Stämme und die selbständige Einfügung lateinischer Namen.

Auf Konrads Quelle, die *Chanson de Roland*, die erste greifbare Bearbeitung des seit dem 8. Jh. sagenbildenden Roland-Stoffs, beruhen außer dem deutschen *Rolandslied* das lateinische *Carmen de proditione Guenonis* in Distichen (12. Jh.), die lateinischen *Gesta Caroli Magni* des PSEUDO-TURPIN (2. Hälfte des 12. Jh.s) und die altnordische *Karlamagnús saga* (1. Hälfte des 13. Jh.s). Durch Konrads Dichtung kam der Stoff nach Deutschland und wurde vor allem in der Bearbeitung des STRICKERS (1. Hälfte des 13. Jh.s) dort weit verbreitet. Auf ihn griff im 19. Jh. Karl IMMERMANN in seinem Trauerspiel *Das Tal von Ronceval* (1819) zurück, wahrscheinlich auch FOUQUÉ mit den *Romanzen vom Thale Ronceval* (1805). KLL

AUSGABEN: Göttingen 1838 (*Ruolandes Liet*, Hg. W. Grimm, 2 Bde.; m. Tafeln). – Quedlinburg/Lpzg. 1857, Hg. K. Bartsch (Bibl. der gesammten National-Lit., 35). – Bonn 1928, Hg. C. Wesle. – Lpzg. 1940 (zus. m. *Das Alexanderlied* des Pfaffen Lamprecht). – Tübingen 1967, Hg. C. Wesle (ATB, 69; Bearb. P. Wapnewski). – Ffm./Hbg. 1970, Hg. D. Kartschoke (FiBü, 6004).

LITERATUR: J. J. Amann, *Das Verhältnis von Strikkers »Karl« zum »Rolandslied« des Pfaffen Konrad mit Berücksichtigung des »Chanson de Roland«*, Wien/Lpzg. 1902. – F. Wilhelm, *Die Geschichte der handschriftlichen Überlieferung von Strickers »Karl dem Großen«*, Amberg 1904. – E. Färber, *Höfisches u. ›Spielmännisches‹ im »Rolandslied« des Pfaffen Konrad*, Erlangen 1934. – M. Ries, *Die geistlichen Elemente im »Rolandslied«*, Münster 1935. – G. Fliegner, *Geistliches u. weltliches Rittertum im »Rolandslied« des Pfaffen Konrad*, Breslau 1937. – A. Hämel, *Vom Herzog Naimes ›von Bayern‹, dem Pfaffen Konrad von Regensburg u. dem Pseudo-Turpin*, Mchn. 1955. – D. Kartschoke, *Die Datierung des deutschen »Rolandsliedes«*, Stg. 1965 (Germanistische Abh., 9; m. Vorw.). – H. Backes, *Bibel u. ars praedicandi im »Rolandslied« des Pfaffen Konrad*, Bln. 1966 (Phil. Studien u. Quellen, 36).

KONRAD VON WÜRZBURG
(um 1225–1287)

ALEXIUS. Verslegende von KONRAD VON WÜRZBURG (um 1225–1287). Sie entstand mit *Silvester* vor *Pantaleon* (zwei anderen Legendendichtungen Konrads) und wird auf Grund von erhaltenen Sterbeurkunden der beiden Auftraggeber des Werks, Johannes Bermeswil und Heinrich Isenlin, zweier Bürger aus Basel, die von Konrad selbst am Ende des Werks genannt werden, vor 1275 datiert. – Die Legende schildert das Leben des hl. Alexius, eines Römers der Spätantike, der 417 n. Chr. starb. – Alexius, der spätgeborene Sohn des vornehmen und reichen Patriziers Eufemian und seiner Gattin Agleis, entbrennt in frühester Jugend in reiner Gottesliebe. Am Tag seiner Hochzeit legt er zusammen mit seiner Frau ein Keuschheitsgelübde ab und begibt sich anschließend nach Edessa in Syrien, um im Münster der Stadt zehn Jahre als Betender und Büßer zu verbringen, in völliger Armut und von Almosen lebend. Das Marienbildnis der Kirche beginnt am Ende dieser zehn Jahre zu sprechen und macht die Gläubigen auf Alexius' Heiligkeit aufmerksam. Um der Bewunderung der Menge zu entgehen, will er sich nach Tarsus in Kilikien zurückziehen, sein Schiff wird aber von einem Wind nach Rom getrieben. Von Eltern und Gattin unerkannt, kehrt er in sein Vaterhaus zurück und verbringt dort weitere siebzehn Jahre als Almosenempfänger und Dulder, nur dem Gebet lebend, von Dienstboten und Kindern verspottet. Am Ende dieser Zeit erschallt in den Kirchen Roms eine Stimme und fordert zur Suche nach dem Heiligen auf, der in Eufemians Haus am Ostertag mit den eigenen Lebensaufzeichnungen in der Hand tot aufgefunden wird. Dem Papst gelingt es, die Blätter aus der Hand des Toten zu lösen, aus denen nun erst Eltern und Frau die Identität des Verlorengeglaubten erfahren. Nach Heilungen an der Bahre des Toten, die von den beiden römischen Kaisern selbst durch die Stadt getragen wird, erhält der Heilige ein würdiges Begräbnis. – Der Stoff geht auf die Legende zurück, die zuerst in Edessa, wo sich eine syrische Vita des Heiligen erhalten hatte, entstanden war. Sie nahm dann auf byzantinischem Boden neue Züge auf, wie etwa die Heimkehr in das Vaterhaus (in Anlehnung an die Lebensgeschichte des Johannes Kalyptia Constantinopolis, der im 5. Jh. lebte). In dieser Gestalt erscheint die Legende zuerst in dem griechischen Kanon eines Joseph, der in lateinischer Wiedergabe überliefert ist. In der Folgezeit tauchen Varianten auf: die Lebensaufzeichnungen werden dem Papst oder der jungfräulichen Gattin übergeben.

In Rom und im Abendland wurde Alexius erst nach 987 als Heiliger verehrt. In Rom entwickelte sich dann rasch ein Alexius-Kult. Die wichtigsten lateinischen Darstellungen der Legende in den folgenden Jahren sind die von LAURENTIUS SURIUS, JACOBUS DE VORAGINE, MOMBRITIUS und VINCENTIUS BELLOVACENSIS. Auch in den *Gesta Romanorum* wird über das Leben des Alexius berichtet. Die Legende gehörte bald zu den beliebtesten Stoffen des Mittelalters. Die älteste Bearbeitung in Frankreich ist *La chanson de Saint Alexis* von 1040, der weitere folgten. Auch in England, Italien und Spanien fand die Legende dichterische Gestaltung. In Deutschland haben den Stoff außer Konrad noch sieben Dichter aufgegriffen, u. a. verwandten ihn Jörg BREINING in einem Meisterlied und HERMANN VON FRITZLAR in seinen Heiligenleben in Prosabearbeitung. Sie folgen entweder der »bräutlichen« oder der »päpstlichen« Version. Konrad gibt die päpstliche. Inhaltlich folgt er der in die *Acta sanctorum* der Bollandisten aufgenommenen Vita (auf eine lateinische Vorlage weist er am Ende seiner Dichtung selbst hin) und gestaltet die Legende in der Form der Versnovelle, die in der bürgerlichen Nachblüte der klassischen, hochhöfischen Zeit besondere Verbreitung und in Konrad – neben RUDOLF VON EMS – einen ihrer größten Meister fand. Erst in dieser Zeit tritt die Legende als Kunstform stark hervor. Gegenstand ist nicht mehr der ritterliche, sondern der religiöse Mensch in seiner intensivsten Ausprägung, der weltflüchtige Dulder und Betende, wie ihn Alexius vorbildlich repräsentierte. Nicht *triuwe*, sondern Entsagung, nicht Weltbewältigung, sondern Zurückgezogenheit charakterisieren den eigentlichen, gottgewollten Menschen. Konrads *Alexius* bezeugt beispielhaft den mehr religiösen als ritterlichen Geist der Dichtung des späten 13. Jh.s. – Die Sprache des *Alexius* zeigt die für Konrad typische, an GOTTFRIED VON STRASSBURG geschulte, geglättete Form, gibt aber auch Beispiele des spät- und nachhöfischen »geblümten« Stils mit Häufungen, die z. B. in der wortreichen Beschreibung der Trauer der Eltern und der Gattin besonders deutlich werden. U. S.

AUSGABEN: Quedlinburg/Lpzg. 1843 (in H. Massmann, *S. Alexius Leben in acht gereimten mhd. Behandlungen*; Bibl. d. gesamten deutschen Nationalliteratur, 19). – Halle 1926 (in *Die Legenden*, Hg. P. Gereke, 2; Altdt. Textbibl., 20).

LITERATUR: M. Haupt, *Der hl. »Alexius« v. K. v. W.* (in ZfdA, 3, 1843, S. 534–576). – R. Hencynski, *Das Leben d. hl. »Alexius« v. K. v. W.*, Bln. 1898 (Acta Germanica, 6, 1). – M. Rösler, *Die Fassungen d. Alexiuslegende m. besond. Berücksicht. d. mittelengl. Versionen*, Wien 1905 (Wiener Beitr. z. engl. Philol., 21).

DER WELT LOHN (mhd.). Versnovelle in vierhebigen Reimpaarversen von KONRAD VON WÜRZBURG (um 1225–1287), entstanden um 1260. – Das nur 274 Verse umfassende kurze Gedicht, in neun Handschriften teils fragmentarisch, teils vollständig überliefert, beschreibt eine angebliche Begebenheit aus dem Leben des Dichters WIRNT VON GRAFENBERG, der 1202 den Artusroman *Wigalois* schrieb, ein Werk, das große Verbreitung erfuhr.

Der Ritter, ein Abbild guter Erziehung und feiner Lebensart, ein Herr, der sein Leben dem Minnedienst und dem Werben um die Gunst seiner Zeitgenossen geweiht hat, ist in seiner Kemenate mit dem Lesen eines Abenteuer- und Minneromans beschäftigt, als eine über alle Maßen schöne Frau in prachtvollen Kleidern sein Zimmer betritt. Sie ist schöner als Venus und Pallas Athene. Verwirrt fragt er nach ihrem Namen und Begehr, worauf sie sich als seine Herrin, Frau Welt, zu erkennen gibt, deren Dienst er zusammen mit Kaisern und Königen viele Jahre seines Lebens gewidmet habe, wofür ihm nun seine Belohnung zuteil werden solle. Damit dreht sie sich um und läßt ihn ihren Rücken schauen, der sich, mit Geschwüren und Gewürm bedeckt, im fortgeschrittenen Zustand der Verwesung befindet. Sie verabschiedet sich von dem Dichter, der erschüttert die Verderbtheit weltlicher Dinge erkennt, Weib und Kind verläßt und sein Leben dem Kreuzritterdienst im Heiligen Land verschreibt. Die Novelle schließt mit der Ermahnung Konrads an seine Leser, *»daz ir die werlt lâzet varn, / welt ir die sêle bewarn«.*

Das Bild der Welt, deren eine Seite glanzvoll, deren andere aber schwarz und verderbt ist, begegnet in der mittelhochdeutschen Literatur zuerst in dem Abschiedslied WALTHERS VON DER VOGELWEIDE *»Daz ich nu für min lachen weinen kiesen sol...«*, war aber schon früher in der Predigt geläufig. Walther sieht ebenfalls in der Kreuzfahrt die Erlösung von weltlicher Verworfenheit. Es ist möglich, daß Konrad dieses Lied kannte, doch während bei Walther ein tiefes persönliches Erlebnis hinter seiner Weltabkehr stand, war das bei Konrad wohl nicht der Fall, da er um dieselbe Zeit in seinem *Herzmære* Minne und Minnedienst in gleicher Intensität feiert, wie er hier alles Weltliche verwirft. Askese war Zeitthematik, und obwohl kein Auftraggeber für diese Novelle bekannt ist, kann man doch einen solchen voraussetzen, der zumindest für die Tendenz dieser kurzen Dichtung verantwortlich ist. Einen besonderen Reiz muß für Konrad die Schilderung des Kontrasts zwischen der atemberaubenden Schönheit und dem ekelerregenden Rücken der Frau Welt gehabt haben. In der Beschreibung dieses Gegensatzes scheut er nicht vor einem Realismus der Sprache zurück, der vor ihm in der höfischen Dichtung unvorstellbar gewesen wäre. Damit ist er, der sich als Nachfahr eben dieser höfischen Zeit empfand, doch das Kind einer neuen Epoche mit stark gewandeltem Lebens- und Kunstgefühl. *Der Welt Lohn* zeigt schon Konrads großes Formtalent, die Eleganz und Prägnanz seiner Sprache, die Glätte des Verses und die Kunst des ausgewogenen Aufbaus. U. S.

AUSGABEN: Bln. 1819 (in W. v. Gravenberch, *Wigalois*, Hg. G. F. Benecke). – Ffm. 1843, Hg. F. Roth. – Stg./Tübingen 1850 (in *Gesammtabenteuer*, Hg. F. H. v. d. Hagen, Bd. 1; ern. Darmstadt 1961). – Stg. 1895 (in P. Piper, *Höfische Epik*, 3; DNL, 4, Abt. 1, 3). – Halle 1925 (in F. Rostock, *Mhd. Dichterheldensage*). – Bln. ³1959 (in *Kleinere Dichtungen K.s v. W.*, 1, Hg. E. Schröder; Nachw. L. Wolff).

LITERATUR: W. Golther, *K. v. W.* (in ADB, 44, 1898, S. 356–363). – Ehrismann, 2, 2/2, S. 41/42. – E. Hartl (in VL, 2, Sp. 916/917). – H. Rosenfeld (ebd., 5, Sp. 568). – E. Rast, *Vergleich, Gleichnis, Metapher u. Allegorie bei K. v. W.*, Diss. Heidelberg 1936. – G. Kürmayr, *Reimwörterbuch zu K. v. W.s »Alexius«, »Der Welt Lohn«, »Herzmære« und zum »Peter v. Staufenberg«*, Diss. Wien 1947. – De Boor, 3/1, S. 41–43. – H. J. Gernentz, *K. v. W. Charakter und Bedeutung seiner Dichtung* (in ZDLG, 7, 1961, S. 27–45).

PFAFFE LAMPRECHT
(erste Hälfte des 12. Jahrhunderts)

ALEXANDERLIED (mhd.). Versroman, verfaßt von dem Pfaffen LAMPRECHT um 1120/1130, fortgesetzt von einem Unbekannten. – Überliefert sind drei Bearbeitungen: der *Vorauer Alexander* (1533 Verse), der *Straßburger Alexander* (7302 Verse) und die *Basler Handschrift* (4734 Verse). Lamprechts unmittelbare Quelle ist die altfranzösische *Alessandreide* des ALBERICH DE BESANÇON (auch Briançon oder Pisançon; um 1100), der den spätgriechischen *Alexanderroman* hauptsächlich aus den lateinischen Übersetzungen des IULIUS VALERIUS (s. Nr. 2) und des Archipresbyters LEO VON NEAPEL (s. Nr. 11a) kannte.
Der *Vorauer Alexander* steht Lamprechts Original am nächsten: eine künstlerisch unbedeutende, »*handwerksmäßige*« (Ehrismann) Übersetzung der französischen *Alessandreide*, literarhistorisch jedoch ein Zeugnis von größtem Wert. Erstmals, und bahnbrechend für Jahrhunderte, wählt ein Dichter – der zudem noch Geistlicher ist! – einen heidnisch-antiken Stoff für ein deutsches Epos; daß er den Stoff aus Alberichs Hand empfängt, zeigt zugleich den Beginn des französischen Einflusses auf die deutsche Kultur des hohen Mittelalters an. Die Wahl eines weltlichen Stoffs und eines Heiden als Held besagt jedoch noch nicht, daß Lamprecht nicht mehr dem Geist der cluniazensischen Zeit verhaftet war. Im Gegenteil: ehe das Leben Alexanders erzählt, seine Tapferkeit, Kriegskunst und Macht, sein Mut, Reichtum und seine Weisheit gewürdigt werden, ertönt in der Einleitung der Ruf *vanitas vanitatum*, mit dem Lamprecht aus christlich-asketischer Weltsicht bereits das Urteil über alles Streben nach irdischen Werten fällt. Entsprechend verweigert Lamprecht dem Helden Alexander – im Gegensatz zu Alberich – das Attribut »magnus« und heißt ihn statt dessen den »*wunderlichen Alexander*« (V. 45; 932), worin sich die Distanz zu seinem Helden ebenso deutlich ausdrückt wie in der Einstufung Alexanders (des Heiden!) »unter« Salomon.
In der zweiten Bearbeitung, dem *Straßburger Alexander*, fällt auf, daß nicht nur Alexander, sondern auch seine Feinde bereits »Ritter« sind, ausgestattet mit allen höfischen Tugenden (V. 3794ff.; 4516ff. u. a.). Alexander ist der ideale Ritter geworden, dessen »*milte*« (Freigebigkeit) und »*erbärmde*« (V. 3575) es zu rühmen gilt. Auch kündigen sich bereits – wenn auch nur vereinzelt – die für die hochhöfische Ritterdichtung wesentlichen Elemente an: Festesfreude und Minne (Prunkhochzeit mit Roxane; das Idyll mit den Blumenmädchen; der minnigliche Aufenthalt bei Candacis). Noch aber fehlt die Minne im Sinn der Veredelung und Vervollkommnung des Ritters; noch sind seine Kämpfe und Abenteuer nicht Minnedienst, sondern Selbstzweck (E. Grammel). Der geistliche Schluß dieser Fassung mit der weltverneinenden, demütigen Selbstbescheidung des Helden vor den Pforten des Paradieses (V. 6987ff.) enthüllt, wie weit der Weg noch ist bis zu den höfischen Alexanderepen, die RUDOLF VON EMS in seinem *Alexander* erwähnt, gar nicht zu reden von ULRICH VON ESCHENBACHS *Alexandreis*.
Die dritte Fassung, die *Basler Handschrift*, stammt aus dem Anfang des 15. Jh.s und erweitert Anfang und Schluß durch sagenhafte Zusätze (Nektanebus-Sage; Taucherglocke; Greifenfahrt u. a.). R. E.

AUSGABEN: Wien 1849 (in *Dt. Gedichte d. 11. u. 12. Jh.s*, Hg. E. Diemer). – Ffm. 1850, 2 Bde., Hg. H. Weismann [Urtext, Übers., Erl., Quellentexte]. – Stg. 1881 (*D. Basler Bearb. v. L.s »Alexander«*; BLV, 154). – Halle 1884 (*L.s »Alexander« nach d. drei Texten m. d. Fragm. d. Alberich v. Besançon u. d. lat. Quellen;* Hg. K. Kinzel, Germanist. Hdbibl., 6). – Lpzg. 1940, Hg. F. Maurer (DL, R. Geistl. Dichtg. d. MAs, 5; enth. auch *Rolandslied*).

LITERATUR: T. Hampe, *D. Quellen d. Straßburger Fassung v. L.s »Alexanderlied« u. deren Benutzung*, Bremen 1890. – Ehrismann, 2/1, S. 235ff. – H. de Boor, *Frühmhd. Studien. Zwei Untersuchungen*, Halle 1926. – E. Schröder, *D. dt. Alexanderdichtg. d. 12. Jh.s* (in NGG, 1928). – E. Grammel, *Studien ü. d. Wandel d. Alexanderbildes in d. dt. Dichtg. d. 12. u. 13. Jh.s*, Diss. Ffm. 1931. – C. Minis, *L.s Tobias u. Alexander* (in Neoph, 38, 1954). – De Boor, 1, S. 232–240.

OTFRID VON WEISSENBURG
(um 800-870)

EVANGELIENBUCH (ahd.). Reimdichtung von Otfrid von Weissenburg (um 800–870), abgeschlossen zwischen 863 und 871. – Otfrid war Mönch und wollte, wie er selbst in seinem lateinischen Sendschreiben an den Erzbischof Liutbert von Mainz sagt, mit seinem Werk dazu beitragen, die weltliche Dichtung zurückzudrängen. Er selbst bezeichnet es als *Liber Evangeliorum*, der erste Herausgeber nannte es *Krist*, in der Literaturgeschichte ist auch die Bezeichnung *Evangelienharmonie* gebräuchlich, weil alle vier *Evangelien* »harmonisiert«, zu einer einheitlichen Erzählung der Geschichte Jesu zusammengefügt sind. Die Auswahl aus den Evangelientexten lehnt sich an die im Gottesdienst verwandten Stücke an, ist aber durchaus selbständig; das *Johannes-Evangelium* wird bevorzugt.

Die Gestalt Christi steht für Otfrid im Mittelpunkt allen Geschehens von der Schöpfung bis zum Ende der Welt, das *Alte Testament* und die Ereignisse nach der Kreuzigung und Auferstehung werden nur in ihrem Bezug auf Jesus gesehen und gewertet. Das Werk gliedert sich in fünf Bücher. Im ersten werden vor allem die Geburt Christi und die Begebenheiten bis zu seiner Taufe, im zweiten und dritten die Lehren und Wunder und als bedeutsamstes Ereignis die Bergpredigt geschildert; Buch 4 erzählt die letzten Tage Christi und die Leidensgeschichte. Der dichterische Höhepunkt des Werkes ist die Darstellung von Auferstehung, Himmelfahrt und Jüngstem Gericht im fünften Buch. Otfrid beschränkt sich jedoch nicht darauf, das Leben Jesu nur zu erzählen. Er war Theologe, schrieb das Werk aber vor allem für Laien und versucht, ihnen auch die vielfältige Bedeutung der biblischen Vorgänge nahezubringen. Er fügt deshalb immer wieder lehrhafte, meist *spiritualiter*, *mystice* oder *moraliter* überschriebene Abschnitte oder selbständige Kapitel ein, in denen er – entsprechend der mittelalterlichen Praxis der mehrfachen Auslegung des Bibeltextes – das Erzählte erklärt, allegorisch deutet und die Lehre ausspricht, die sich daraus für Handeln und Verhalten des Christen ergibt. So wird z. B. die Heimkehr der drei Weisen aus dem Morgenland, die sie auf einem anderen Weg als die Hinreise zurücklegen, als Heimkehr in »*thaz lant thaz heizit paradis*« gedeutet; die Menschen sollen wieder aus der Welt in die verlorengegangene himmlische Heimat zurückfinden, müssen dazu aber den neuen Weg der Demut und Liebe beschreiten.

Der dichterische Wert des *Evangelienbuchs* ist verschieden beurteilt worden; zweifellos ist es künstlerisch uneinheitlich. Es enthält Stellen von hoher Sprachkunst, oft aber ist der Ausdruck schwerfällig und umständlich, und häufig gelingt es Otfrid nicht, seine Absicht zu verwirklichen und die stilistischen Möglichkeiten des Lateinischen im Deutschen nachzubilden. Dennoch ist sein Werk eine außerordentlich bedeutsame und in einer Hinsicht einzigartige formale Leistung: es ist die erste größere deutsche Dichtung, in der der überlieferte germanische Stabreimvers zugunsten des Endreimverses aufgegeben wird. Die paarweise gereimten Langzeilen bestehen aus je zwei vierhebigen, binnengereimten Halbzeilen. Nach vorherrschender Auffassung war Otfrids Vorbild der lateinische Hymnenvers. Gestalt und rhythmische Form seiner deutschen Reimverse sind indessen im wesentlichen von ihm geschaffen worden. Überliefert ist sein Werk so gut wie keine andere Dichtung aus der Frühzeit der deutschen Literatur: in einer von Otfrid selbst korrigierten Reinschrift und zwei wahrscheinlich unter seiner Aufsicht entstandenen Abschriften. Damit ist auch die Sprache des Dichters als südrheinfränkisch erwiesen. C. Ba.-KLL

Ausgaben: Basel 1571 (*Otfridi Evangeliorum liber*; Nach d. Abschrift des Achilles Pirminus Gascar; Vorrede von Matthias Flacius). – Königsberg 1831 (*Krist*, Hg. E. G. Graff). – Regensburg 1856–1881, Hg. J. Kelle, 3 Bde.; Nachdr. Aalen 1963. – Paderborn 1878–1884, Hg. P. Piper, 2 Bde.; Bd. 1: [2]1881. – Halle 1882, Hg. O. Erdmann (Germanist. Handbibl., 5). – Tübingen 1958 (in *Althochdeutsches Lesebuch*, Hg. W. Braune u. K. Helm; Ausz.; m. Bibliogr.). – Tübingen 1962, Hg. O. Erdmann, E. Schröder u. L. Wolff (ATB, 49).

Übersetzungen (nhd.): *Evangelienbuch*, G. Rapp, Stg. 1858. – *Christi Leben und Lehre*, J. Kelle, Prag 1870. – *Evangelienbuch*, R. Fromme, Bln. 1928.

Literatur: K. Lachmann, *O.* (in K. L., *Kleine Schriften*, Bd. 1, Bln. 1876, S. 449–490). – O. Erdmann, *Über die Wiener und Heidelberger Hs. des O.*, Bln. 1879 (APAW). – H. Bork, *Chronologische Studien zu O.s »Evangelienbuch«*, Lpzg. 1927 (Palaestra, 157). – H. de Boor, *Untersuchungen zur Sprachbehandlung O.s. Hiatus und Synaloephe*, Breslau 1928. – Ehrismann, 1, S. 178–203. – VL, Bd. 3, Sp. 653–658; Bd. 5, Sp. 830/831. – H. Göhler, *Das Christusbild in O.s »Evangelienbuch« und im »Heliand«* (in ZfdPh, 59, 1934, S. 1–52). – C. Soeteman, *Untersuchungen zur Übersetzungstechnik O.s*, Groningen 1939. – P. Hörmann, *Untersuchungen zur Verslehre O.s*, Diss. Freiburg i. B. 1939. – D. A. McKenzie, *O. v. W. Narrator or Commentator*, Stanford 1946. – W. Foerste, *O.s literarisches Verhältnis zum »Heliand«* (in NdJb, 71–73, 1948 bis 1950, S. 40–76). – H. Rupp, *Leid und Sünde im »Heliand« und in O.s »Evangelienbuch«*, Diss. Freiburg i. B. 1949. – H. Brinkmann, *Verwandlung und Dauer, O.s Endreimdichtung und ihr geschichtlicher Zusammenhang* (in WW, 2, 1951/52, S. 1–15). – U. Pretzel, *O. v. W. und der ahd. Reimvers* (in DPhA, 3, Sp. 2404–2408). – De Boor, 1, S. 77ff. – P. v. Polenz, *O.s Wortspiel mit Versbegriffen als literarisches Bekenntnis* (in *Fs. f. L. Wolff*, Neumünster 1962, S. 121–134). – W. Krogmann, *Zur Überlieferung von O.s »Evangelienbuch«* (in *Fs. f. U. Pretzel*, Bln. 1963, S. 13–21). – X. v. Ertzdorff, *Die Hochzeit zu Kana. Zur Bibelauslegung O.s v. W.* (in Beitr., Tübingen, 86, 1964, S. 62–82).

OTTOKAR VON STEIERMARK
(1260/65 - um 1320)

ÖSTERREICHISCHE REIMCHRONIK (mhd.). Historische Dichtung von Ottokar von Steiermark (zwischen 1260 und 1265 – um 1320), entstanden 1301–1319. – Der Chronist ist, Urkunden zufolge, mit dem Ritter und Fahrenden Ottokar aus der Geul identisch. Seine knapp 100000 Verse umfassende Reimchronik ist in keiner der acht vorhandenen Handschriften (vorwiegend 15. Jh.) vollständig überliefert. Wie der Verfasser in seiner Einleitung selbst sagt, schrieb er vor der Reimchronik eine Kaisergeschichte, die mit der assyrischen Gewaltherrschaft begann und mit dem Tod Kaiser Friedrichs II. (1246) endete. Die *Österreichische Reimchronik* ist als Fortsetzung dieses Werks anzusehen, das nicht mehr erhalten ist. Sie beginnt mit dem Interregnum und bricht beim Bericht über die Ereignisse des Jahres 1309 mitten im Satz ab. Das Hauptinteresse des Chronisten gilt Österreich, dessen Lokalgeschichte er aufgrund des habsburgischen Königtums mit der Reichsgeschichte verbinden kann. Die übrigen europäischen Länder werden – bis auf Frankreich, dem Ottokar einen relativ breiten Raum zugesteht und die ausführlich dargestellte Geschichte der Belagerung Akkons (1291) – nur kurz berücksichtigt. Das chronologische Einteilungsprinzip, um das sich der Verfasser im Anfang bemüht, muß er aus stofflichen und geographischen Gründen im Verlauf des Werks öfter durchbrechen. Ottokar schreibt seine Weltchronik nicht nach universalen Gesichtspunkten, sondern als Fürstengeschichte. Zwar sind auch für ihn Reich und Kirche die beiden Pole, in deren Spannungsfeld sich die Kämpfe um die Macht abspielen, doch sind Kaiser und Papst nicht mehr unantastbare Vertreter ihrer Institution, sondern in jene Kämpfe verwickelte und sich verwickelnde Personen, der Kritik wie dem Mitleid ausgesetzt.

Der historische Wert der *Österreichischen Reimchronik* ist zweifelhaft. Ottokar hat zwar viele und disparate Quellen benutzt, sie jedoch gelegentlich durch poetische Ausschmückungen verfälscht. Am zuverlässigsten scheint die Geschichte Österreichs dargestellt. – Mit ihren zahlreichen neuen Sprachformen ist die *Reimchronik* ein Werk der Übergangszeit zwischen Mittelhochdeutsch und Neuhochdeutsch. Der steirische Dialekt des Verfassers ist, trotz dessen Bemühungen um die Literatursprache höfischer Dichtung, in Wortschatz und Lautstand häufig nachweisbar. – Ottokar konzipierte seine Chronik als politische Dichtung, in der der Verfasser Partei nimmt, und so gewinnen die stilistisch gewandt erzählten Ereignisse durch eingestreute lobende und tadelnde Ausrufe, Beschimpfungen, Belehrungen, ironische Seitenhiebe und nicht zuletzt durch zahlreiche, wohl frei erfundene Reden Lebendigkeit. KLL

AUSGABEN: Mainz 1821 (in Th. Schacht, *Aus und über O.s v. Horneck Reimchronik oder Denkwürdigkeiten seiner Zeit*; Ausw.). – Hannover 1890–1893, Hg. J. Seemüller (MGH, Deutsche Chroniken, Bd. 5, 1 u. 2).

LITERATUR: A. Huber, *Die steirische Reimchronik und das österreichische Interregnum* (in MIÖG, 4, 1883, S. 41–74). – W. Heinemeyer, *O. v. S. und die höfische Kultur* (in ZfdA, 73, 1936). – M. Loehr, *Der steirische Reimchronist her Otacher ouz der Geul* (in MIÖG, 51, 1938). – E. Kranzmayer, *Die steirische Reimchronik O.s und ihre Sprache*, Wien 1950 (SWAW, phil.-hist. Kl., 226, Abh. 4). – M. Grillmayr, *Die Reimverhältnisse in O.s österreichischer Chronik (Vers 50000–60000)*, Diss. Wien 1951. – O. Mick, *Die Reimverhältnisse in O.s österreichischer Chronik (Vers 1–10000)*, Diss. Wien 1954.

RUDOLF VON EMS
(um 1200–1254)

ALEXANDER (mhd.). Versepos von RUDOLF VON EMS (um 1200–1254), entstanden zwischen 1230 und 1240, überliefert in zwei Handschriften, die beide nach über 21000 Versen mitten im sechsten Buch abbrechen. Vermutlich ist das Original selbst unvollendet geblieben: setzt man (mit DE BOOR, aber gegen JUNK und EHRISMANN) den Roman *Wilhelm von Orleans* vor dem *Alexander* an, so läßt sich der fragmentarische Charakter des Epos mit dem Rudolf von Konrad IV. erteilten Auftrag zur *Weltchronik* erklären. – Der Anfang des auf zehn Bücher berechneten Werks greift vor allem auf die lateinische Bearbeitung des spätgriechischen *Alexanderromans* durch den Archipresbyter LEO VON NEAPEL zurück (s. Nr. 11a), Hauptquelle ab Vers 5015 sind die *Historiae Alexandri Magni regis Macedonum* des Q. CURTIUS RUFUS; im Prolog zum vierten Buch (12941–13064) nennt Rudolf selbst eine stattliche Reihe von Gewährsmännern.

Was an Rudolfs Bearbeitung des Stoffs auffällt, ist das Nebeneinander und häufig genug auch das Gegeneinander zweier Tendenzen: in erster Linie will er den – bekanntlich recht trüben – Quellen treu folgen und die geschichtliche Wahrheit berichten; andererseits deutet er streckenweise den Bericht immer wieder ritterlich-höfisch und heilsgeschichtlich um. Das Ergebnis ist eine Uneinheitlichkeit, die sich vor allem in der Zeichnung des Helden Alexander auswirkt. Einmal ist Alexander der gewaltige, unnachsichtige, brutale und rachsüchtige Welteroberer; dann wieder erscheint er als Inbegriff des höfischen Ritters. Schon seine vorbildliche Erziehung nach Aristotelischen Maximen vermittelt ihm alle höfisch-ritterlichen Mannestugenden: Weisheit und gottesfürchtige Demut, Maßhalten und ausdauernde Beständigkeit, Mut und Tapferkeit, Gerechtigkeit, Freigebigkeit und Barmherzigkeit. Alle diese Qualitäten, dazu die vollkommene Beherrschung der adligen Künste (Reiten, Fechten, Falkenjagd, Schachspiel) und seine Schönheit und Kraft erheben ihn zum strahlenden Idealbild des staufischen Ritters. Rudolf geht sogar so weit, typisch höfische Begriffe wie »*vröude*« und »*hoher muot*« einzuführen und manche Grausamkeiten des Helden zu unterschlagen, dessen Heidentum in Vergessenheit gerät, wenn ihn Rudolf zum Streiter Gottes gegen die »*vorworhte heidenschaft*« (12895) avancieren läßt oder in ihm die »*Gotes geisel*« (10055), ein Werkzeug zur Verwirklichung des göttlichen Heilsplans, sieht (E. Grammel). Dagegen spielt die Minne – wie in den älteren Alexanderromanen – nur eine untergeordnete Rolle. Zwar erfährt Alexander ihre Macht und ihre Freuden (durch Roxane, seine spätere Gemahlin, und Talistria, die Amazonenkönigin); seine und seiner Mannen Waffentaten aber sind – im Unterschied zu ULRICH VON ESCHENBACHS *Alexandreis* – nicht Minnedienst im höfischen Sinn (7741 ff.):

> »*Sin rittertat, sin arbeit*
> *die er in mangem strite leit,*
> *geschach niht anders wan durch guot,*
> *durch werndez lop, durch hohen muot*
> *und vil selten durch diu wip.*«

Daß Rudolf sich stilistisch völlig in den von den Klassikern, vor allem von GOTTFRIED VON STRASSBURG, vorgezeichneten Bahnen bewegt, ist unübersehbar im ersten Buch und in den Prologen zu den übrigen Büchern; allein, Rudolf vermag zwar »*die Gottfriedschen Stilkünste und Sprachspiele nachzubilden, aber nicht seinen Stil, dieses eigentümliche Ineinander von Eleganz und Inbrunst*« (de Boor). Angemerkt sei noch, daß auch Rudolf (im Prolog

zum zweiten Buch) ein »Dichterverzeichnis« vorlegt, in dem er hauptsächlich vier *»meister«* preist (3105–3170): HEINRICH VON VELDEKE *»der wise man / der rehter rime alrerst began«*; HARTMANN VON AUE *»mit mangem süezen maere«*; WOLFRAM VON ESCHENBACH *»mit wilden aventiuren«* und schließlich GOTTFRIED VON STRASSBURG, das dritte Reis aus Veldekes Stamm: *»Wie suoze ez seit von minnen! / wie süezet es den herzen / der süezen minne smerzen!«*
R. E.

AUSGABE: Stg. 1928/29, 2 Bde., Hg. V. Junk (BLV 272 u. 274).

LITERATUR: V. Junk, *Ber. ü. d. Vorarb. z. ein. krit. Ausg. »Alexander«* (in AWA, 1924). – E. Grammel, *Studien ü.d. Wandel d. Alexanderbildes i. d.dt. Dichtg. d. 12. u. 13. Jh.s*, Diss. Ffm. 1931. – K. Nitzlader, *Reimwörterbuch z. »Alexander« d. R. v. E.*, Diss. Wien 1937. – A. Elsperger, *D. Weltbild R.s v. E. in seiner Alexander-Dichtg.*, Diss. Erlangen 1939. – M. Hühne, *D. Alexanderepen R.s v. E. u. Ulrichs v. Eschenbach*, Würzburg 1939. – C. v. Kraus, *Text u. Entstehung v. R.s »Alexander«* (in SBAW, phil.-hist. Abt., 1940, H. 8). – A. Hübner, *Alexander d. Gr. i. d. dt. Dichtg. d. MA* (in A. H., *Kleine Schr. z. dt. Philol.*, Bln. 1940). – R. Wisbey, *D. Alexanderbild R.s v. E.*, Diss. Ffm. 1956. – E. Trache, *D. Aufbau d. »Alexander« R.s v. E.*, Diss. Freiburg i. B. 1959.

DER GUTE GERHARD (mhd.) Versroman von RUDOLF VON EMS (um 1200–1254), entstanden um 1220/25. – Das fast 7000 Verse zählende Gedicht, dessen Hauptteil, die Geschichte des »guten Gerhard«, in eine Rahmenerzählung gefaßt ist, entstand auf Anregung des St. Gallischen Ministerialen Rudolf von Steinach, der bis 1227 urkundlich bezeugt ist. – Um seiner Sünden ledig zu sein, stiftet Kaiser Otto I. das Erzbistum Magdeburg. In hoffärtiger Überheblichkeit verlangt er bald darauf in einem Gebet, daß Gott ihm zeige, was ihm für diese Schenkung im Jenseits zuteil werden wird. Als Antwort warnt ihn Gottes Engel vor solcher Vermessenheit und hält ihm als Beispiel wahrer Demut den Kaufherrn Gerhard aus Köln vor. Otto reist nach Köln, um Gerhards Geschichte zu hören. Dieser weigert sich zunächst in gottesfürchtiger Bescheidenheit, dem Wunsche des Kaisers nachzukommen, begreift jedoch schließlich, daß er ein Gott wohlgefälliges Werk damit tun kann, und berichtet nun, wie er auf einer Orientfahrt eine norwegische Königstochter, die Braut des englischen Königs Willehalm, und ihr Gefolge mit seinem gesamten Gut von dem Heiden Stranmûr von Castelgunt losgekauft habe. Auf der Brautfahrt der Prinzessin von Norwegen nach England war ihr Schiff vom Sturm an die marokkanische Küste verschlagen worden, während Willehalm selbst vermißt ist und für tot gilt. Gerhard nimmt die Königstochter Irene in sein Haus auf, und als zwei Jahre vergehen, ohne daß über Willehalms Schicksal etwas bekannt wird, hält Gerhard für seinen Sohn um die Hand der Prinzessin an. Sie erbittet sich jedoch, wie in geheimer Ahnung, ein Jahr Bedenkzeit. Bei dem über Jahresfrist stattfindenden Hochzeitsfest zwischen Irene und dem jungen Gerhard lehnt an einer Säule ein fremder Pilger, in dem Irene bald Willehalm erkennt. Gerhard und sein Sohn treten von ihren Ansprüchen zurück, und Willehalm wird mit seiner Braut vermählt. Das junge Paar wird von Gerhard auf seinen Schiffen nach England gebracht, wo Willehalm das Land in Thronwirren vorfindet. Gerhard schlägt die ihm von Willehalm angetragene Königskrone aus und kehrt, nachdem er diesem den Thron gesichert hat, nach Köln zurück, ohne eine der gebotenen Belohnungen angenommen zu haben. Gerhard endet seinen Bericht mit den Worten: *»von disem selben mære / wart ich der guote genant«*, und der Kaiser erkennt in dem *»vil süezen* [heiligen] *man«* das Beispiel der wahren, auf Gott gerichteten Demut.

Diese Jugenddichtung Rudolfs, die jedoch, obgleich das früheste unter seinen erhaltenen Werken, nicht seine erste sein dürfte, hat nicht die Abenteuer eines Ritters zum Gegenstand, sondern – das ist das Ungewöhnliche – die Taten eines Kaufmanns, und zwar eines nicht nur wegen seines Reichtums, sondern auch wegen seiner Wehrhaftigkeit geachteten Mannes. Seine Demut gilt als Richtlinie für jeden ohne Ansehen des Standes, Gerhard wird *»zum Exemplum erhoben, d. h. in die Beleuchtung der Legende gerückt«* (H. de Boor). Der Kern der Erzählung (Freikauf einer gefangenen Jungfrau, Verheiratung mit dem Sohn des Befreiers, plötzliches Erscheinen des totgeglaubten früheren Verlobten und Verzicht des Sohnes auf die Braut) geht auf eine aus dem 11. Jh. stammende rabbinische Legende zurück, die dem NISSIM BEN JAKOB zugeschrieben wird. Der Dichter wird sie wahrscheinlich in einer lateinischen Fassung benutzt haben.

Stilistisches Vorbild Rudolfs ist GOTTFRIED VON STRASSBURG, wie im Prolog seines Gedichts oder bei einem Vers wie *»ein wîp ein man, ein man ein wîp«*, der sich wörtlich im *Tristan* (129) findet, deutlich wird. Mit WOLFRAM VON ESCHENBACH verbindet ihn *»die Forderung der Demut aus der Erkenntnis der eigenen Sündhaftigkeit«* (H. de Boor).
A. Hd.

AUSGABEN: Lpzg. 1840 (*Der gute Gerhard*, Hg. M. Haupt). – Ffm. 1847 (*Der gute Gerhard von Köln;* nhd. Übers. K. Simrock). – Bregenz 1959, Hg. E. Thurnher [nhd. Übers. K. Tober]. – Tübingen 1962 (*Der guote Gêrhart*, Hg. J. A. Asher; ATB, 56).

LITERATUR: A. Dobbertin, *»Der gute Gerhard« des R. von E. in seiner Bedeutung für die Sittengeschichte*, Diss. Rostock 1889. – R. Köhler, *Kleinere Schriften zur Märchenforschung. »Die dankbaren Toten« u. »Der gute Gerhard«*, Weimar 1898. – Ehrismann, 2, 2/2, S. 23ff. – G. Ehrismann, *Studien über R. von E., Beiträge zur Geschichte der Rhetorik und Ethik im MA* (in SAWH, 1919). – K. Bormann, *Die Metrik im »Guten Gerhard« des R. von E.*, Halle 1923. – E. Schröder, *R. von E. u. sein Literaturkreis* (in ZfdA, 67, 1930, S. 209–251). – G. Borck, *Wortwiederholung in R. von E.' »Der gute Gerhard« und »Barlaam u. Josaphat«*, Diss. Greifswald 1932. – L. W. Kahn, *R. von E.' »Der gute Gerhard«. Truth and Fiction in Medieval Epics* (in GR, 14, 1939, S. 208–214). – G. Ehrismann (in VL, 3, Sp. 1121 bis 1126; vgl. auch L. Wolff u. Hannemann ebd., 5, Sp. 1012–1016). – J. A. Asher, *»Der gute Gerhard« des R. v. E. in seinem Verhältnis zu Hartmann von Aue*, Diss. Basel 1948. – I. Dangl, *R. v. E. »Der gute Gerhard«. Reimtechnik u. metrische Untersuchungen in Verbindung mit einem Reimwörterbuch*, Diss. Wien 1949. – De Boor, 2, S. 176–187. – F. Sengle, *Die Patrizierdichtung »Der gute Gerhard«. Soziologische u. dichtungsgeschichtliche Studien zur Frühzeit R.s von E.* (in DVLG, 24, 1950, S. 53–82). – J. A. Asher, *Textkritische Probleme zum »Guoten Gêrhart«* (in DVLG, 38, 1964, S. 564–576).

WELTCHRONIK (mhd.). Geschichtswerk des Rudolf von Ems (um 1200–1254). Die *Weltchronik* heißt nach ihren Anfangsworten auch *Richter Gott herre-Chronik* im Unterschied zu der von ihr beeinflußten *Christ herre-Chronik*, der dem Landgrafen Heinrich von Thüringen gewidmeten *Thüringischen Weltchronik*. Die *Rudolfinische Weltchronik*, in den Handschriften meist *Bibel* genannt, umfaßt mit der ersten Fortsetzung 36338 Verse. In einem Nachruf auf Rudolf von Ems bemerkt der Fortsetzer, daß der Dichter »*starb an Salomone*« (33491), d. h. während der Arbeit am Salomon-Kapitel. – Das Werk entstand im Auftrag des Staufers Konrad IV. (1250–1254), dem König zugedacht als »*ein eweclih memorial*« (21697) und dem adligen Publikum, für »*wise man und werdú wip*« (21712), zu geziemender Unterhaltung. Dem jungen Stauferkönig zeigt die *Weltchronik* nicht nur Exempla vorbildlichen Herrschertums, sondern unterrichtet ihn zugleich über seine Stellung in der Weltgeschichte. Rudolfs Hymnus auf Konrad IV., den gewählten deutschen König (1237) und als Sohn Isabellas von Brienne zugleich König von Jerusalem »*der ouh von der hohsten hant, / dú Gotes zeswe ist genant, / noh wartet römeschir krone*« (21591ff.), steht am Beginn des mit David einsetzenden fünften Weltalters. Damit erscheint Konrad als Träger des David-Königtums, das nach spätstaufischer Herrschaftsideologie seine imperiale Vorrangstellung gegenüber Fürsten, Gegenkönig und Papst begründet. Der staufische Parteigänger Rudolf erwartet, daß dem König »*alle weltliche namin / durh fride sullen gehorsamen*« (21562f.). So ist die *Weltchronik* letzten Endes politische Dichtung, die der königliche Auftraggeber, Rudolfs »*libir herre*« (21656), verlangt, ein Beitrag zur eschatologisch verstandenen Auseinandersetzung zwischen Kaisertum und Papsttum in der Mitte des 13. Jh.s. Hatte die staufische Hofhistoriographie unter den Kaisern Friedrich I. (reg. 1152–1190) und Heinrich VI. (reg. 1190–1197) so bedeutende universalhistorische Werke wie die *Chronica sive Historia de duabus civitatibus* Ottos von Freising (1111/15 bis 1158) und das *Pantheon* Gottfrieds von Viterbo (um 1125–um 1192) hervorgebracht, so geht von Konrad IV. der Anstoß zur ersten Weltgeschichtsdichtung in deutscher Sprache aus.

Rudolf von Ems, der sich im Akrostichon des Prologs selbst nennt, plante eine gewaltige universalhistorische Darstellung von der Erschaffung der Welt bis zu seiner Zeit, »*wie dú dinc in dien landen / sint an úns her gestanden / mit manegis wundirs undirscheit*« (21701ff.). Den Geschichtsverlauf erzählt er, »*als úns mit rehter warheit / dú schrift der warheit hat geseit*« (1388f.). Diese und andere Angaben Rudolfs über seine Vorlagen beziehen sich fast ausschließlich auf das *Alte Testament* und die auf dem biblischen Bericht aufbauende *Historia scholastica* des Petrus Comestor († um 1179) mit ihren historischen und allegorischen Erklärungen, denen Rudolf die *bezeichenunge* (4329 u. ö.), den heilsgeschichtlich bedeutsamen Sinn der historischen Fakten, entnimmt. Neben diesen beiden Hauptquellen zieht Rudolf gelegentlich noch das *Pantheon* Gottfrieds von Viterbo heran und für den geographischen Exkurs über die Weltteile mit Ausnahme des Lobpreises der rheinischen Städte die *Imago mundi* des Honorius von Autun (um 1080 bis um 1137).

Die Gliederung des Werks erfolgt mit Hilfe der Lehre von den *Aetates mundi*, die in der Vorrede im Anschluß an die von Augustinus (354–430) begründete Tradition aufgeführt werden, nach der sich entsprechend den sechs Schöpfungstagen die Weltenwoche auf sechs Weltzeitalter erstreckt, deren jeweiliger Beginn mit Adam, Noe, Abraham, David, der Babylonischen Gefangenschaft und Christus einsetzt. Bei der Einteilung des Werks wird dieses Schema modifiziert, indem der Einschnitt der Babylonischen Gefangenschaft entfällt und die vierte Welt mit Moses beginnt. Rudolf begründet, »*wie und von welhin dingin / dú zit und undirscheit der frist / das ein welt geheizin ist*« (3827ff.) und definiert die *Aetas mundi* wie folgt: »*ein welt heizit an irn meren / (das wilich iuh beweren) / swenne al der welte schöpfer Got / und sin gotlich gebot / wolte mit núwin sachin / der welte ein núwes machin, / das ê vor dén ziten nie / geschah noh ê davor irgie: / daz hiez dú scrift ein welt iesa / und eine wandelunge*« (3830ff.). Die Weltzeitalter, in deren Zentrum die von Gott berufenen und auserwählten Gestalten des Alten Testaments mit ihren beispielhaften, auch für eine christliche Fürstenethik maßgeblichen Tugenden stehen, sind also nichts anderes als neue Gedanken Gottes, »*so Gotis kraft gedahte / ein núwis und das brahte / der welte das nie was geschehin*« (21528ff.). Heilsgeschichte, »*diu heilige maere*«, enthält Rudolfs *Weltchronik*, deren Erzählung »*der rehtin mere ban*« (3786) folgt. Gegenüber der biblischen Geschichte ist die synchron mit ihr aufgeführte Geschichte Asiens, Afrikas und Europas, sind die knappen Berichte über Nimrod und Semiramis, über die Pharaonen, Hercules, Odysseus und Aeneas auf die *biwege* (3782 u. ö.), den *nebinganc* (3117) der Darstellung beschränkt. In dieser Zweiteilung drückt sich die Augustinische Unterscheidung der *civitas Dei* und der *civitas terrena*, des Gottesstaates »*mit dên Gotis burgeren*« (3755) und des profanen Weltstaates aus. Der personale Charakter der mittelalterlichen Historiographie spricht aus Rudolfs Vorliebe für die *primi inventores*, die Erfinder bestimmter Einrichtungen und Sitten. So erfand Jubal die Musik, Lamech die Jagd, Enos den Gottesdienst, Nimrod die Gewaltherrschaft, Zoroaster die Zauberei und Nicostrata das lateinische Alphabet. Diese aus der Tradition der Heurematographie entstammenden Aufstellungen werden verknüpft mit dem Gedanken der *translatio artium*. Abraham bringt den Ägyptern die von Jonicus erfundene und von Atlas erneuerte Astronomie, Bachus Dionisius (10467) den Griechen den von ihm erfundenen Weinbau, Saturnus, von Jupiter aus Griechenland vertrieben, lehrt die kulturlos dahinlebenden Römer »*hoveliche site*« (20003): »*davon jah im dú tumbe diet / mit ganzir warheit ane spot, / Saturnus were der hohste got*« (20055ff.). Hier zeigt sich, daß dem gelehrten Rudolf die auf Euhemeros (3. Jh. v. Chr.) zurückgehende Mythenkritik der Patristik, nach der die heidnischen Götter nichts anderes als mächtige irdische Herrscher sind, vertraut ist.

Für die volkssprachliche Literatur des Mittelalters ungewöhnlich ist Rudolfs Gespür für die Andersartigkeit vergangener Sitten und Gebräuche. Die Ehe Isaaks mit seiner Base Rebecca war erlaubt: »*das wer nu ein missetat / und was doh billih do, wan Got / hate noh dekein gebot / dén lútin umbe die ê gegebin*« (5273ff.). Zur Zeit des Moses, als der größte Reichtum in den Viehherden lag, war es keine Schande, Schafe zu hüten. Früher galt das Recht des »*ouge umbe ouge, zan umbe zan ... nu hat únsir herre Got / úns gesenftirt wol das leben / unde úns der genaden zit gegeben*« (12890ff.). Der Gedanke einer historischen Entwicklung ist in solchen Ansätzen zu einer differenzierten Betrachtung der Geschichte freilich nicht enthalten. Er ist der gesamten mittelalterlichen Historiographie fremd. Ihrer für das moderne Verständnis ungeschichtlichen Betrachtungsweise entspricht bei Rudolf die Umstilisierung des Stoffes nach den Erzählmustern der zeitgenössischen Romane, in deren Mittelpunkt nicht das historisch Einmalige, Individuelle, sondern die zeitlose Verbindlichkeit des Exemplarischen steht. So ist Abraham wie der Richter Aod »*der degin wol geborn*« (4037, 17685), Minos wie Moses »*ein wisir wigant*« (20197, 9221), besitzen Pharao und Saul eine *riterschaft* (8469, 25016). Turniere gibt es bereits in Athen, »*swa mit hovelichin sitin / die jungherren nach prise striten*« (20210f.). Ebenso kämpft Jason um das Goldene Vlies »*uf ritterlichim prise*« (20276). Theseus, der auf Bitten Ariadnes den Minotaurus tötet, erhält Minnelohn: »*si wertin ze lone da / ir libis und ir minne. / nach dienstlichim gewinne / minte in das schone wip, / das er dem tievil nam den lip*« (20187ff.). Bei aller Nähe zum höfischen Roman bleibt Rudolfs Darstellungsstil mit Ausnahme der panegyrischen Einlagen schmucklos, gemessen auch an seinen eigenen, der *Weltchronik* vorausgehenden Werken wie dem *Guten Gerhard*, *Barlaam und Josaphat*, *Willehalm von Orlens* und dem *Alexander*. Diese Vereinfachung und Sachlichkeit der Erzählung gründet weniger in einem Altersstil des Dichters als vielmehr in der auch sonst belegbaren Überzeugung, daß der Wahrheit der Geschichte die Kunstlosigkeit der Rede angemessen ist, eine Auffassung, die bei der Prosaauflösung der mittelalterlichen Romane und Reimchroniken, auch der *Weltchronik* Rudolfs, von maßgeblicher Bedeutung war.

Die *Weltchronik*, ein Lieblingsbuch des Mittelalters, gehört zu den am meisten verbreiteten mittelhochdeutschen Werken. Ehrismann führt in seiner Ausgabe 76 Handschriften auf. Die Gesamtzahl der Textzeugen dürfte jedoch weit über hundert liegen. Auffallend ist die große Zahl der teilweise prachtvoll illuminierten Handschriften. Stammler zählt 28, Repräsentationsstücke in den Bibliotheken des Adels und der Patrizier, unter denen die reich geschmückte *Toggenburg-Bibel* aus dem frühen 15. Jahrhundert besonders hervorragt. Rudolfs *Weltchronik*, die wahrscheinlich schon im 13. Jh. mit der *Christ herre-Chronik* verbunden wurde, ist innerhalb der Überlieferung der *Sächsischen Weltchronik* und in zahlreichen Mischhandschriften der *Weltchronik* Jansen Enikels verarbeitet. Mit mehr als einem Drittel ihres Bestandes bildet sie eine der Hauptquellen der bis zu hunderttausend Verse umfassenden *Weltchronik* des Heinrich von München (1. Hälfte des 14. Jh.s). In Prosa aufgelöst ist sie die Grundlage für zahlreiche *Historienbibeln* des Spätmittelalters. In ihren mannigfaltigen Umbildungen, Überarbeitungen, Fortsetzungen, Kürzungen und Erweiterungen, über die die Forschung noch keine vollständige Übersicht besitzt, war die *Weltchronik* des Rudolf von Ems eine der entscheidenden Quellen für die populäre *Bibel-* und Geschichtskenntnis des Adels und des vermögenden Bürgertums. H. Her.

Ausgabe: Bln. 1915, Hg. G. Ehrismann; Nachdr. Dublin/Zürich 1967.

Literatur: O. Doberentz, *Die Erd- u. Völkerkunde in der Weltchronik des R.v. Hohen-Ems* (in ZfdPh, 12, 1881, S. 257–301; 387–454; 13, 1882, S. 29–57; 165–223). – E. Bandlow, *Der Stil R.s v. E. in seiner »Weltchronik«*, Diss. Greifswald 1911. – G. Ehrismann, *Studien über R. v. E. Beiträge zur Geschichte der Rhetorik u. Ethik im MA*, Heidelberg 1919. – D. J. C. Zeeman, *Stilistische Untersuchungen über R. v. E.' »Weltchronik« u. seine beiden Meister Gottfried u. Wolfram*, Amsterdam 1927. – G. Ehrismann (in VL, 3). – De Boor, 2. – L. Wolff (in VL, 5). – W. Stammler, *Epenillustration* (in *Reallex. z. dt. Kunstgeschichte*, Bd. 5, 1967). – R. Wisbey, *Das Alexanderbild R.s v. E.*, Bln. 1966. – X. v. Ertzdorff, *R. v. E. Untersuchungen zum höfischen Roman im 13. Jh.*, Mchn. 1967. – P. H. Salus, *An Uncollated Manuscript of the »Weltchronik«* (in *Studies in Germanic Languages and Literature*, NY 1967, S. 109–114). – H. Brackert, *R. v. E. Dichtung u. Geschichte*, Heidelberg 1968. – H. Frühmorgen-Voss, *Mittelhochdeutsche weltliche Literatur u. ihre Illustration. Ein Beitrag zur Überlieferungsgeschichte* (in DVLG, 43, 1969, S. 23–75). – F. Anzelewsky, *Toggenburg Weltchronik. Vierundzwanzig farbige Miniaturen aus einer Chronik vom Jahr 1411*, Aachen 1970. – K. Ruh, *Ein Fragment der »Weltchronik« R.s v. E.* (in ZfdA, 99, 1970, S. 82). – H. Herkommer, *Überlieferungsgeschichte der Sächsischen Weltchronik. Ein Beitrag zur deutschen Geschichtschreibung des MAs*, Mchn. 1972.

WERNHER DER GARTENAERE
(13. Jahrhundert)

MEIER HELMBRECHT (mhd.). Verserzählung in Reimpaaren von Wernher dem Gartenaere (13. Jh.), entstanden zwischen 1250 und 1282. – Die Dichtung ist in zwei Handschriften erhalten, dem sogenannten Ambraser Heldenbuch, das wahrscheinlich die bessere Überlieferung bietet, und einer Berliner Papierhandschrift (in Österreich entstanden), beide aus dem 16. Jh. Bis heute ist unentschieden, ob der Verfasser, der sich erst in den Schlußzeilen seines Gedichts vorstellt, Geistlicher war oder (was wahrscheinlicher ist) ein fahrender Sänger, ein »Spielmann«, der an den Höfen des Adels seine Kunst ausübte.

Die Handlung ist den Ortsnamen nach im oberen Innviertel, östlich der Salzach, angesiedelt, wo es noch heute den sogenannten »Helmbrechthof« gibt. In an Wolfram von Eschenbach geschultem Stil, in bairisch-österreichischer, mundartlich stark geprägter Sprache erzählt Wernher die Geschichte des hochfahrenden Bauernsohns Helmbrecht, dessen Geltungssucht und Eitelkeit ihn vom väterlichen Anwesen zu den Raubrittern treiben. Von Mutter und Schwester verhätschelt und mit für einen Bauernburschen viel zu kostbarer Kleidung ausgestattet, insbesondere mit einer reichbestickten *hûbe*, verläßt er eines Tages die Eltern, entgegen den Mahnungen des Vaters, seinen gottgewollten Stand und Platz in der Welt nicht aufzugeben. Der von Helmbrecht erstrebte vornehme Hof, an den er schließlich kommt, ist jedoch nur der eines Raubritters, dessen Beutezügen sich der Bursche anschließt. Nach einem Jahr kehrt er wieder nach Haus zurück, spricht ein mit vornehmen, aber nur halb verstandenen fremdsprachigen Brocken durchmischtes Kauderwelsch, benimmt sich seinen Eltern gegenüber hochmütig und herablassend und prahlt mit seinen Schandtaten, die ihm den Namen »Slintezgeu« (»Verschling das Land«) eingetragen haben und die er für ritterlich hält. Sein Vater aber wirft ihm vor, daß er nur von *liegen* (lügen), *triegen* (betrügen) und *hâhen* (aufhängen) zu berichten wisse, während doch einst die Ritter nach *triuwe* und *êre* strebten. Trotz nochmaliger Ermahnungen des Vaters zieht der Sohn wieder zu seinen raubritterlichen Spießgesellen, nachdem er vorher seine Schwester Gotelint zum Mitkommen verführt hat, die sogleich dem Kumpanen »Lemberslint« (»Lämmerschlund«) angetraut wird. Doch beim Hochzeitsfest kann ein *scherge* (Richter) die ganze Gesellschaft stellen. Neun Räuber werden aufgehängt, Helmbrecht – nach einer alten Sitte – als zehnter begnadigt, doch verstümmelt und geblendet, was ausdrücklich als Strafe für seine Überheblichkeit und seinen Ungehorsam gegen seine Eltern bezeichnet wird: »*von den sünden leit sîn lîp / dise maneger slahte nôt, / daz im tûsent stunt der tôt / lieber möhte sîn gewesen*«. (»*Dieser Sünden wegen mußte er so vielfache Not erdulden, daß ihm der Tod tausendmal lieber gewesen wäre.*«) Nun wird er vom Vater, obgleich dem dabei das Herz fast bricht, hart von der Tür gewiesen. Bald darauf erwischen ihn Bauern, die er früher geschädigt hat, zerfetzen seine schöne *hûbe* und hängen ihn auf. Erst am Ende spricht der Dichter, der sonst seine Lehre ganz in die Erzählung selbst einbettet, direkt die Warnung aus, dem Vorbild Helmbrechts nicht zu folgen.

Mit diesem Werk, dem einzigen unter seinem Namen überlieferten, steht Wernher der Gartenaere mitten im Leben seiner Zeit: Der Verfall des Rittertums, die Auflösung der Standesgrenzen und die Krise des mittelalterlichen gesellschaftlichen *Ordo*-Denkens spiegeln sich in seiner satirischen, doch bei aller Härte nie einseitig verurteilenden, bei aller belehrenden Intention nie trocken-didaktischen Dichtung wider. Das Werk muß in Zusammenhang mit der nachklassischen, »dörperlichen« Lyrik Neidharts von Reuental gesehen werden, aus dessen Liedern Wernher zwei Stellen wörtlich in seine Dichtung aufgenommen hat und den er als seinen Meister preist. Übrigens ist der Verfasser auch mit der höfischen Epik wohl vertraut, ebenso wie mit den Werken des Strickers und Freidanks. Aufs geschickteste weiß er den ideellen Kern des Geschehens, den Verstoß des Sohnes gegen das vierte Gebot und seine soziale Unbescheidenheit, in eine realistische Handlung einzubetten und ein Detail, wie die kostbare *hûbe*, zu einem Symbol zu erheben, »*an dem sich die Hybris des Helden wie sein Sturz und Untergang sinnlich eindrucksvoll erfüllen*« (F. Panzer). Ebenso sicher zeichnet er die Gestalt des alten Meiers, der – ideales Gegenstück zu seinem Sohn – seine Grenzen kennt und voller Selbstbewußtsein und Stolz seinen Stand achtet und ehrt. Zugleich bietet das Gedicht, fast beiläufig, ein anschauliches Kulturbild der Zeit.

J. Dr.

Ausgaben: Wien 1839, Hg. J. Bergmann. – Bln. 1844, Hg. M. Haupt (in ZfdA, 4). – Lpzg. 1872 (in *Abenteuer u. Schwänke*, Hg. H. Lambel; Dt. Classiker des MAs, 12; ²1883). – Halle 1902, Hg. F. Panzer; Tübingen ⁷1965, Hg. K. Ruh (ATB, 11).

Übersetzungen: *Meier Helmbrecht*, K. Schröder, Wien 1865. – Dass., K. Pannier, Cothen 1876. – Dass., L. Fulda, Halle 1890. – Dass., J. Ninck, Stg. 1961 (RUB, 1188). – Dass., F. Bergemann, Lpzg. ³1965 (Vorw. u. Anm. M. Lemmer; IB, 304).

Literatur: Ehrismann, 2, 2/2, S. 101–106. – H. Seidler, *Der »Meier Helmbrecht« als dt. Sprachkunstwerk* (in ZfdPh, 69, 1944/45, S. 3–35). – F. Neumann, *»Meier Helmbrecht«* (in WW, 2, 1951/52, S. 196–206; auch in WW, Sammelband 2, 1962, S. 240–250). – G. Nordmeyer, *Structure and Design in W.'s »Meier Helmbrecht«* (in PMLA, 67, 1952, S. 259–287). – A. Wallner (in VL, 4, Sp. 921–926). – H. Fischer, *Gestaltungsschichten im »Meier Helmbrecht«* (in Beitr. [Tübingen], 79, 1957, S. 85–109). – W. T. H. Jackson, *The Composition of »Meier Helmbrecht«* (in MLQ, 18, 1957, S. 44–58). – F. Tschirch, *W.s »Meier Helmbrecht« in der Nachfolge von Gottfrieds »Tristan«. Zu Stil u. Komposition der Novelle* (in Beitr. [Tübingen], 80, 1958, S. 292–314). – H. Kolb, *Der »Meier Helmbrecht« zwischen Epos u. Drama* (in ZfdPh, 81, 1962, S. 1–23). – F. G. Banta, *The Arch of Action in »Meier Helmbrecht«* (in JEGPh, 63, 1964, S. 696–711). – O. Kratins, *Ethical Absolutism in »Meier Helmbrecht«* (in Symposium, 18, 1964, S. 307–312). – B. Boesch, *Die Beispielerzählung von »Helmbrecht«* (in Der Deutschunterricht, 17, 1965, H. 2, S. 36–47).

WOLFRAM VON ESCHENBACH
(1170–1220)

PARZIVAL (mhd.). Versroman von Wolfram von Eschenbach (um 1170–1220). Von dem um 1200 begonnenen und bis etwa 1210 zuende geführten Werk, das in sechzehn Bücher eingeteilt ist und 24812 Verse zählt, existieren 84 Handschriften und Bruchstücke. Die Mundart Wolframs ist Fränkisch mit bairischen Einschlägen.

Der Roman vereint dem Stoff nach Märchen, Gralssage und Artussage. Der eigentlichen Erzählhandlung ist ein teils religiös, teils weltlich gefärbter, Persönliches und Allgemeines verbindender Prolog vorausgeschickt, in dem der Dichter in bildhaften Vergleichen Grundlegendes für das Verständnis seines Werkes sagt. Er versucht, die problematische Haltung seiner Zeit, die Unsicherheit der Laiengeneration, die selbständig denkt, zu veranschaulichen. Die in den Eingangsversen verwendeten, ins Religiös-Metaphysische weisenden Begriffe konnten bisher von der Forschung nicht widerspruchslos erklärt werden. Besonderes Interesse erweckte die für die gesamte Dichtung zentrale Vorstellung vom *zwîvel* (Schwanken), dem sich das menschliche Herz, wenn es ihm schon kaum entrinnen kann, ungebrochen entgegenstemmen soll, wenn es sich bewähren und so der *stæte* teilhaftig werden will. Die *tumben* vermögen das freilich nicht zu begreifen, aber auch die *wîsen* bedürfen der Lenkung, die sie in die Sinnmitte des Werks führt. Eine scharfe Absage erteilt er denen, die es lediglich mit der äußeren Form, mit dem Schein halten – Gottfried von Strassburg und seinesgleichen. Ein gewichtiges Wort gilt den Frauen, denen Gott die rechte *mâze* verleihen möge. Am inneren Werdegang des Helden teilzunehmen lädt Wolfram, der seine dichterische Leistung herausstreicht, die ein, die mehr wissen wollen.

Im Mittelpunkt der beiden ersten Bücher steht Gahmuret, Parzivals Vater, dessen *art* auf die Erbanlagen des Sohnes hinweist. Ihn treiben dämonischer Minnedrang und Tatenruhm, bei dessen Erwerb er die höchsten Anforderungen an sich stellt. Die Aufnahme als Landesherr und Gemahl der orientalischen Königin Belacane ist der erste Höhepunkt in seiner Laufbahn; der zweite ist die

Verbindung mit der abendländischen Fürstin Herzeloyde, einer jungfräulichen Witwe. Beide Frauen stürzt Gahmuret in Leid, indem er sie verläßt: die nichtsahnende Mohrin unter dem Vorwand, daß sie Heidin und so die Ehe rechtlich ungültig sei; die christliche Gattin, weil seine Pflicht ihn zu einer Beistandsfahrt für den Kalifen in den heidnischen Osten ruft, wo er fällt. Beide kommen nieder mit einem Sohn, Feirefiz und Parzival.

Zwischen Buch 2 und 3 schiebt Wolfram ein Selbstbekenntnis, das für sein Werk von funktionaler Bedeutung ist. Dieser Exkurs spricht von seinem Verhältnis zu den Frauen, vom Unterschied zwischen Buchgelehrsamkeit und seinem Dichten, das er als eigenständiges Schöpfertum deutet, und von seiner Berufung zu *»schildes ambet«* (zum Ritter).

Bei der Todesnachricht, die sie dem Wahnsinn nahebringt, regt sich in Herzeloyde zum erstenmal das neue Leben. Aus Sorge um ihr Kind, dem sie das Schicksal des Vaters ersparen will, zieht sie sich in die Abgeschiedenheit der Natur, in den Wald von Soltane, zurück. Zwei Geschehnisse sind dort für den jungen Parzival – der von Mutterseite mit dem Gralsgeschlecht, vom Vater her mit dem Artusgeschlecht verwandt und so einerseits von *triuwe* und *erbermde*, anderseits von Minnezwang geprägt ist – entscheidend: die Frage nach Gott und die Begegnung mit den Rittern, die er für Götter hält. Die Mutter, die die Frage nach Gott nur vordergründig beantworten kann und lediglich von der *triuwe* Gottes spricht, nicht aber von der *genâde*, kann den nach seiner Begegnung mit den Rittern aufwachenden, zwanghaft nach Ritterschaft drängenden und aus dem paradiesischen Idyll gewaltsam ausbrechenden Sohn nicht halten. Aus verständlichem Liebesegoismus, dem die Leidgeprüfte verfallen ist, greift sie in das unerbittliche Gesetz der Rastlosigkeit, unter das ihr Sohn gestellt ist, folgenschwer ein: Außer einem erbärmlichen Gaul und einem Narrenkleid empfängt der erst ins Leben Hineinwachsende, der seinen eigenen Namen nicht kennt, ihm noch nicht begreifbare, daher oberflächlich bleibende Ratschläge, deren wörtliche Befolgung anderen Leid bringt. Parzivals Aufbruch kostet Herzeloyde das Leben: Sie sinkt, dem Sohn nachblickend, tot zusammen; doch Parzival sieht sich nicht mehr um und weiß nichts vom Tod der Mutter.

Er begegnet zuerst der schlafenden Jeschute, der er Kuß und Brosche abtrotzt, den Rat der Mutter, stets um die Gunst schöner Frauen zu werben, mißverstehend. Er stürzt damit Jeschute in tiefes Elend, deren eifersüchtiger Gatte Orilus, falschen Verdacht hegend, seine Frau auf entbehrungsreiche Irr- und Bußfahrten schickt. Parzivals Weg führt ihn dann zu der ersten Begegnung mit seiner Base Sigune, die mit ihrem toten Geliebten in mystischer Gemeinschaft lebt. Zum erstenmal erfährt Parzival von unsagbarem Leid, das er jedoch nicht wirklich versteht. Sigune sagt ihm auch seinen Namen und seine Herkunft und steigert damit seinen Geltungsdrang. Auch in der ersten Berührung mit dem Artuskreis gibt er sich als der Törichte, dem es noch an Weltkenntnis mangelt, zu erkennen: Auf unritterliche Art tötet er Ither, den roten Ritter, und raubt ihm seine Rüstung, wodurch er seine Untauglichkeit für die Tafelrunde an den Tag legt.

Bei seinem Oheim Gurnemanz, der Parzival herzlich zugetan und vielleicht deshalb wie seine Mutter nicht von egoistischer Absicht frei ist, durchläuft dieser die Formschule von *mâze* und *zuht* bis zum vorbildhaften Rittertum. Von Gurnemanz aber kommt auch der Rat: *»irn sult niht vil gevrâgen« (»Ihr sollt nicht zu viele Fragen stellen«)*, dessen rein gesellschaftliche Relevanz Parzival mißversteht, und den er deshalb später auch dann befolgt, als von ihm in einer über die gesellschaftlich-höfischen Normen hinausgehenden Situation die Mitleidsfrage nach der Wunde des Gralskönigs Anfortas erwartet wird.

Auf einen zu Höchstem Berufenen weist Parzivals Liebe zu Condwiramurs, die er vor feindlicher Übermacht rettet. Doch *âventiuren* und der Wunsch, die noch lebend geglaubte Mutter wiederzusehen, treiben ihn von der Gattin. Er findet auf seinen Fahrten die Gralsburg Munsalvaesche, erlebt Erscheinung und Wirkung des Grals und die geheimnisvolle Zeremonie mit der Gralsträgerin Repanse de la Schoye (der Schwester seiner Mutter). Er sieht auch den Gralskönig Anfortas, der an einer geheimnisvollen Wunde dahinsiecht – aber er stellt die Frage nicht, die den König von diesem Leiden erlösen kann, und erweist sich so als ein (noch) nicht Würdiger. Er, der die Erlösung eines anderen und das Gralskönigtum sich selbst verscherzt hat, wird von Träumen geängstigt, die durch Sigune zur Wirklichkeit werden: Sie öffnet ihm die Augen und verwünscht ihn. Tiefste Verzweiflung aber überfällt Parzival, als die Gralsbotin Cundrie vor der Tafelrunde, zu der er zurückgekehrt ist, erscheint, das Schicksal Munsalvaesches beweint und ihn ebenfalls verflucht. Parzival, der sich in seinem Ansehen geschädigt fühlt und innerlich eine Schuld wohl ahnt, ohne sie wirklich zu erkennen, scheidet nach der öffentlichen Anklage aus der Artusrunde. Gleichzeitig sagt er sich von Gott los, den er als Lehnsherren begreift und nur innerhalb des ritterlichen Schemas Leistung–Lohn verstehen kann. Er ist sich nicht bewußt, gegen seinen »Dienstherren« verstoßen zu haben, und empfindet das von Gott über ihn verhängte Schicksal als ungerecht. Wolfram zeigt sich über Parzivals Gott-Absage tief erschüttert. Der von Gottes wahrer Liebe nichts wissende Parzival, der des Schutzes des Dichters bedarf, beginnt als Fremder seine einsame, vor den Augen des Lesers verborgene Suche nach dem Gral.

Die nun folgenden Bücher 7 und 8 wahren die Kontinuität der ritterlichen Handlung, an der Parzival, der in der Einsamkeit Suchende und Reifende, nur mittelbar beteiligt ist. Die Geschichte nimmt sich einer anderen eigengewichtigen Persönlichkeit an, des wie Parzival den Artuskreis verlassenden Ritters Gawan. Die Laufbahn dieses vollendeten Artusritters, der dem Gralsritter als Kontrast und Verdeutlichung gegenübergestellt ist, wird ebenso wie die des Haupthelden von Begegnungen bestimmt; auch er gelangt nur über schmerzliche, ihn auf Umwege abdrängende Erfahrungen zum Ziel.

Buch 9, geistiges Zentrum, Höhepunkt und Peripetie der Dichtung, bringt Parzivals Wiedergeburt: In einem Gespräch mit seinem Oheim, dem Einsiedler Trevrizent, erkennt er seine Schuld und findet zu dem barmherzigen Gott. Jetzt erfährt er auch das Geheimnis des Grals. Doch diesen Schritt macht Wolfram erst über vorbereitende Begegnungen, in denen auf die unterlassene Frage hingesteuert wird. Sigune, der Parzival sein Leid klagt, findet versöhnende Worte, da sie in ihm den Beginn eines inneren Wandels spürt. Sie eröffnet ihm sogar den Gralsweg. Doch er bleibt dem Trotzigen verschlossen, dessen Gottesferne sich in dem völligen Unverständnis ausspricht, mit dem er am Karfreitag einer Christi Tod mitleidenden Büßergruppe begegnet. Auf einem Gralspferd reitend, das er erwerben konnte, vertraut er sich Gottes Führung an, den er erproben will. Das Pferd trägt ihn zu Trevrizent. Das brüderliche Gespräch, auf das der von Nächstenliebe beseelte Trevrizent seinen Gast lenkt, lockert die innere Verkrampfung Parzivals, der die Schuld nicht mehr bei Gott, sondern bei sich selbst sucht. Die von Trevrizent ausgelöste Erkenntnis, daß jedes menschliche Verhalten notwendigerweise Schuld heraufbeschwört, macht Parzival zum reuigen Büßer, als er sich der (nicht zögernden) Gnade Gottes öffnet. Der durch die Überwindung des höfischen Gottesbildes zu sich selbst Findende sieht seine Verfehlungen ein: die Mitschuld am Tode der Mutter, die Kains-Tat an Ither, der sein Verwandter war, und das Unterlassen der Erlösungsfrage.

Die Suche nach dem Gral, die nach Trevrizent nicht von Erfolg gekrönt sein kann, setzt Parzival in demütigem Trotz fort. Um eine Lösung, die in der Verbindung von Berufung und Bewährung besteht, langsam heranreifen zu lassen, gestaltet der Dichter in epischer Breite Artus-Aventiuren. Mit einer Ausnahme erscheint Parzival bis zum Ende des dreizehnten Buches nicht. Die Bücher 10–13 schildern Gawans Werben um die schöne Orgeluse und seine Suche nach dem Schastel marveile, das er im elften Buch findet und von seinem Zauber erlöst.

Geschickt leitet Wolfram am Schluß von Buch 13 auf das nächste Buch über: Parzival und Gawan geraten in einen unbeabsichtigten Kampf, den Parzival, sich selbst bitter verfluchend, spontan abbricht, als er den Namen seines Gegenübers hört. Parzival, erneut als höchste Würdigung ritterlichen Seins mit der Aufnahme in die Tafelrunde ausgezeichnet, aus der er sich selbst verstoßen hatte, stiehlt sich wiederum heimlich fort aus der Artuswelt. Er, der ein anderer geworden ist, zieht einen Trennungsstrich zwischen sich und der auf erfüllbarer Freude gründenden höfischen Vereinigung, die er deswegen jedoch nicht verneint. Auf den »*vröudenflühtec man*« wartet eine letzte Prüfung: der gegen seinen schwarzweiß gefleckten Halbbruder Feirefiz gerichtete Kampf, in dem Gott – anders als im *Hildebrandslied* und *Nibelungenlied* nicht schweigt. Parzival kehrt mit seinem Bruder an den Artushof zurück, wo der Heide Feirefiz, dessen Verhalten fast das des Christen übertrifft und ihn damit gleichwertig an dessen Stelle treten läßt, als Exponent ritterlicher *zuht* in die überreligiöse Gemeinschaft der Tafelrunde aufgenommen wird. Wieder erscheint die Gralsbotin, doch diesmal mit der frohen Kunde, daß Parzival zum Gralskönig berufen sei. Parzival bricht mit Feirefiz zur Gralsburg auf und heilt dort mit der Mitleidsfrage »*œheim, waz wirret dir?*« (»*Oheim, was fehlt dir?*«) den Gralskönig Anfortas. Er findet Condwiramurs wieder und die Zwillingssöhne, die sie ihm inzwischen geboren hat. Der für Parzivals Nachfolge auserwählte Loherangrin bleibt auf der Gralsburg, Kardeiz, der andere Sohn, wird Herrscher über die weltlichen Länder seiner Eltern. Feirefiz, der erst nach der Taufe, die bei dem von christlichem Ethos Erfüllten nur ein Akt des äußeren Vollzugs ist, des Grals ansichtig wird, zieht mit Repanse, um deretwillen er Christ geworden ist, nach Indien, wo er das Christentum verbreiten läßt. Sein Sohn ist der legendäre Priesterkönig Johannes. Wolfram fügt diesem heilsgeschichtlichen Ausblick einen Epilog an, in dem er (nach den Büchern 8 und 9) zum drittenmal auf Kyot, seinen Gewährsmann hinweist, der die Geschichte von Parzival in der rechten Weise überliefert habe.

Hier läßt sich sogleich der Hinweis auf eines der wichtigsten Probleme, mit denen sich die Wolfram-Forschung beschäftigt, anknüpfen: der Hinweis auf die »Kyot-Frage«. Dieser von Wolfram als Provenzale bezeichnete Dichter, dessen Name ins Nordfranzösische weist und an den Guiots de Provins erinnert, ließ sich bisher nicht identifizieren und kann Fiktion sein. Wolfram zufolge hat Kyot in Toledo das Fundament seines Werkes in einer von dem Naturforscher Flegetanis verfaßten Schrift gefunden, für deren Lektüre nicht bloß das Arabische, sondern auch der christliche Glaube Voraussetzung gewesen sei.

Gesichert dagegen ist als Hauptquelle Wolframs der ihm vom Anfang des zweiten bis zur Mitte des dreizehnten Buches dienende, jedoch vom elften Buch an in größerer Distanz behandelte fragmentarische, 9234 Verse zählende *Conte du Graal* (1180) des Chrétien de Troyes. Offen bleibt also die Quellenfrage für fünfeinhalb Bücher. Für die Gahmuret-Geschichte lassen sich weitere französische Quellen heranziehen, die in den Fortsetzungen des *Conte du Graal* zu suchen sind. Keltische Quellen gaben Wolfram das, was er bei Chrétien nicht fand. Für die orientalischen Motive – die Gralsvorstellung wohl eingeschlossen – darf man orientalische Quellen vermuten. Spezialkenntnisse auf den Gebieten der Geographie, Stein- und Pflanzenkunde, Astronomie, Astrologie, Theologie und Bibelkunde gewann er aus lateinischen Handbüchern. Zahlreiche Anregungen verdankt er auch seinen Zeitgenossen, insbesondere Heinrich von Veldeke und Hartmann von Aue.

Nächst der Quellenfrage stellt Wolframs (im Hinblick auf ihre Vorbilder ungeklärte) Gralsvorstellung, in der sich christliche, orientalische und märchenhaft-magische Züge vereinen, die Forschung vor schwierige Probleme. Der Gral ist ein Edelstein von unbestimmter Form, als Märchen-, Zauber- oder Wunderding von geheimnisvoll enthüllend-verhüllender Vieldeutigkeit; er läßt an den *lapis philosophorum* (den Stein der Alchimisten) und an den Paradiesesstein der christlichen Alexandersage denken; durch die zum kirchlichen Kult bestehende Analogie deutete man ihn auch als Altarstein. Er hat bei Wolfram zwei auf französischen beziehungsweise lateinischen Ursprung weisende Namen: *grâl* und *lapsit exillîs* (das die einzelnen Handschriften unterschiedlich schreiben). Während das altfranzösische *graal* (das auch die von Chrétien unabhängige *L'estoire del Graal* des Robert de Boron erwähnt) als Sachname eine große, flache, Leuchtkraft besitzende Schüssel meint, in der man die Speisen am Tisch der Reichen auftrug, verbindet sich mit Wolframs Eigennamen nichts Näheres.

Mehr über den nur bei besonderen Anlässen gezeigten Gral verraten seine Wirkungen, die mit Profanem und Märchenhaftem gemischte christliche Qualitäten aufweisen. Mit dem Tischlein-deck-dich-Wunder stimmt überein seine Eigenschaft, Speisen und Getränke zu spenden. Sein Anblick schenkt Jugendfrische, und wer den Gral sieht, kann in der darauffolgenden Woche nicht sterben. Auch der Phönix erstrahlt durch die Kraft des Grals wieder in früherer Schönheit. Auf enge Beziehung des Grals mit der Unberührtheit deutet, daß nur eine Jungfrau ihn tragen kann. Seine Wunderkraft erhält der Gral durch eine *»kleine wîze oblât«*, die eine weiße Taube, Symbol des Heiligen Geistes und Wappen der Gralsritter, jährlich am Karfreitag vom Himmel bringt und auf den Stein legt. Die zum Gral Auserwählten nennt eine von Zeit zu Zeit erscheinende Schrift auf dem Gral.

Nach dem Fall Luzifers, dessen Krone der Gral schmückte, wurde das Kleinod von Engeln gehütet und später auf der Erde dem Titurel-Geschlecht anvertraut, das die Gralswelt mit ihrem Primat des Religiösen würdig vertritt. Durch Herkunft und Bezug offenbart sich der Gral, an dem eucharistische Legende und heidnische Sterndeutung teilhaben, als eine christlichen Verehrungsgegenständen nahestehende Reliquie, in der die von den Rittern erstrebte Harmonie von Gott und Mensch gefeiert wird. Die getrennten Welten des heidnischen Morgenlandes, das den Orient und Okzident erstmals einenden Gahmuret blendet, und des christlichen Abendlandes, das Feirefiz in seinen Bann schlägt, sind im geistlichen Gralskönigtum vereint – im Gegensatz zur *gesellschaft* der Artusrunde eine *bruoderschaft*.

Um den Gralstempel schart sich die Gralsgemeinde, mit der Wolfram eine neue Ordnung entwirft: Die *templeisen* (Laien), an den 1119 gestifteten Orden der Tempelherren gemahnend und so Kreuzzugserinnerungen evozierend, bilden eine auf der Gottverbundenheit durch den von christlichen und höfischen Idealen geprägten Geist gründende, ordensähnliche Ritterschaft, die den Gral gegen Unberufene verteidigt. Die schon als Kinder berufenen Gralshüter, deren oberster, der Gralskönig, als einziger eine Ehe führen darf, sind Ritter und Jungfrauen. Sie können als Herrscher in herrenlose Länder gesandt werden und dürfen dort heiraten (Loherangrin und die Herzogin von Brabant).

Ein einheitlicher Plan, der die verwirrende Zeit-, Orts- und Personenfülle in Einklang bringt, liegt der Dichtung von Beginn zugrunde. Der bewegten Seelenschilderung entspricht die abenteuerliche Buntheit der äußeren Handlung, die man in drei große Themenkreise einteilen kann: in die Gahmuret-Geschichte (Bücher 1 und 2), in das Seelendrama Parzivals (Bücher 3–6, 9, 14–16) und in die Aventiuren der Artusritter (Bücher 7, 8, 10–13). Die Gliederung in Dreißigerabschnitte taucht erst von Buch 5 an in fast allen Handschriften auf und hat sich wohl erst bei der Arbeit ergeben. Jeder Gliederungsversuch – auch die Bucheinteilung von Karl LACHMANN (1833) hat ihre Mängel – kann der wechselnden Schauplätze und Ereignisse, der Abschweifungen und retardierenden Momente nicht in befriedigendem Maße Herr werden. Die auf mehreren Ebenen spielende, von ritterlicher Artuswelt und religiöser Gralswelt geprägte Handlung ist ein lebendiger Organismus; sie soll das ganze Leben mit all seinen Spannungen erfassen.

Dem trägt auch die Sprache des Werks Rechnung. Wolframs eigenwillige dichterische und sprachschöpferische Kraft bringt Urwüchsig-Volkstümliches, durch ihre Kühnheit bestechende Bilder, ungewöhnliche Wendungen hervor; neben Schlichtem erscheint Gewolltes und Gesuchtes, das die Sprache in ihren Möglichkeiten bis zum Zerreißen spannt. Unkonventioneller Humor, temperamentvoller Schwung, Versponnenes und Skurriles finden sich in der Dichtung, aber auch philosophisch Tiefsinniges und mit Zartheit nur Angedeutetes. Die Forschung versucht, sich an das Geheimnis dieses Romans heranzutasten; letzte Ergebnisse wird sie nie liefern können. Das weitgespannte dichterische Werk, das von ungeheurer Wirkung war, läßt sich von text- und stoffgeschichtlichen, geistesgeschichtlichen, quellenvergleichenden und strukturanalytischen, religions- und ideengeschichtlichen Untersuchungen nur jeweils ausschnitthaft greifen und begreifen. A. Hd.

AUSGABEN: Bln. 1783/84 (*Parcival. Ein Rittergedicht aus dem dreizehnten Jh. von Wolfram von Eschilbach*, Hg. Ch. H. Myller, in *Samlung deutscher Gedichte aus dem XII., XIII. u. XIV. Jh.*, Bd. 1, Abt. 4). – Bln. 1833 (in K. Lachmann, *Wolfram von Eschenbach*; Bln./Lpzg. [6]1926; ern. Bln. 1965; [7]1952, bearb. v. E. Hartl). – Halle 1902/03, Hg. A. Leitzmann, 3 Hefte (ATB, 12–14; Tübingen [6–7]1961–1965, bearb. v. W. Deinert u. B. Horacek). – Lpzg. 1870/71, Hg. K. Bartsch, 3 Bde.; [4]1927 bis 1932 (zus. m. *Titurel*; Deutsche Classiker des MAs, 9–11). – Halle 1900–1903, Hg. E. Martin, 2 Bde. (Germ. Handbibl., 9).

ÜBERSETZUNGEN: *Der Parcival. Ein Gedicht in Wolframs von Eschilbach Denckart*, J. J. Bodmer, Zürich 1753. – *Parzival*, San Marte, Magdeburg 1836; Halle [3]1887, 2 Bde. – *Parcival u. Titurel*, K. Simrock, Stg. 1842; [3]1857. – *Parzival*, ders., Stg. [6]1883 u. ö. – Vgl. U. Pretzel, *Die Übersetzungen von Wolframs »Parzival«* (in Der Deutschunterricht, 6, 1954, H. 5, S. 41–64). – Darmstadt 1963, Hg. G. Weber [Nacherz.]

LITERATUR: J. L. Weston, *The Legend of Sir Perceval*, 2 Bde., Ldn. 1906–1909. – J. Meier, *W. v. E. u. einige seiner Zeitgenossen* (in *Fs. zur 49. Versammlung Deutscher Philologen u. Schulmänner in Basel im Jahr 1907*, Basel 1907, S. 507–520). – G. Ehrismann, *Dantes »Göttliche Komödie« u. W.s v. E. »Parzival«* (in *Fs. Voßler*, Heidelberg 1922, S. 174–193). – W. Golther, *Parzival u. der Gral in der Dichtung des MAs u. der Neuzeit*, Stg. 1925. – E. Karg-Gasterstädt, *Zur Entstehungsgeschichte des »Parzival«*, Halle 1925. – J. D. Bruce, *The Evolution of Arthurian Romance from the Beginnings down to the Year 1300*, 2 Bde., Göttingen/Baltimore [2]1928. – F. R. Schröder, *Die Parzivalfrage*, Mchn. 1928. – M. Paetzel, *W. v. E. u. Crestien von Troyes. »Parzival«, Buch 7–13 u. seine Quelle*, Diss. Bln. 1931. – G. Weber, *Der Gottesbegriff des »Parzival«*, Ffm. 1935. – K. Burdach, *Der Gral. Forschungen über seinen Ursprung u. seinen Zusammenhang mit der Longinuslegende*, Stg. 1938. – B. Mockenhaupt, *Die Frömmigkeit im »Parzival« W.s v. E.*, Bonn 1942. – B. Mergell, *W. v. E. u. seine französischen Quellen*, Tl. 2: *W.s »Parzival«*, Münster 1943. – F. Ranke, *Zur Symbolik des Grals bei W. v. E.* (in Trivium, 4, 1946, S. 20–30). – H. Adolf, *New Light on Oriental Sources for W.'s »Parzival« and Other Grail Romances* (in PMLA, 62, 1947, S. 306–324).
R. R. Bezzola, *Le sens de l'aventure et de l'amour*, Paris 1947 (dt.: *Liebe u. Abenteuer im höfischen Roman*, Reinbek 1961, S. 26–38; rde, 117/118). – H. Schneider, *»Parzival«-Studien*, Mchn. 1947 (SBAW, phil.-hist. Kl., 1944–1946, H. 4). – G. Weber, *»Parzival«. Ringen u. Vollendung. Eine dichtungs- u. religionsgeschichtliche Untersuchung*, Oberursel 1948. – W. Wolf, *Der Vogel Phönix u. der Gral* (in *Studien zur deutschen Philologie des MAs. F. Panzer zum 80. Geburtstag*, Heidelberg 1950,

S. 73–95). F. Maurer, *Leid*, Bern/Mchn. 1951, S. 115–167; [3]1964. – L.-I. Ringbom, *Graltempel u. Paradies. Beziehungen zwischen Iran u. Europa im MA*, Stockholm 1951. – A. T. Hatto, *Zur Entstehung des Eingangs u. der Bücher I u. II des »Parzival«* (in ZfdA, 84, 1952/53, S. 232–240). – H. Kuhn, *Soziale Realität u. dichterische Fiktion am Beispiel der höfischen Ritterdichtung Deutschlands* (in *Soziologie u. Leben*, Hg. C. Brinkmann, Tübingen 1952, S. 195–219; auch in H. K., *Dichtung u. Welt im MA*, Stg. 1959, S. 22–40). – B. Mergell, *Der Gral in W.s »Parzival«. Entstehung u. Ausbildung der Gralsage im Hochmittelalter*, Halle 1952. – W. J. Schröder, *Der Ritter zwischen Welt u. Gott*, Weimar 1952. – E. Hartl (in VL, 4, Sp. 1058 bis 1091). – H. Eggers, *Wolframforschung in der Krise? Ein Forschungsbericht* (in WW, 4, 1953/54, S. 274–290). – P. Wapnewski, *W.s »Parzival«. Studien zur Religiosität u. Form*, Heidelberg 1955. W. Wolf u. W. J. Schröder (in VL, 5, Sp. 1135 bis 1138). – J. Schwietering, *Die deutsche Dichtung des MAs*, Darmstadt [2]1957, S. 160–182. – R. Wisniewski, *W.s Gralstein u. eine Legende von Lucifer u. den Edelsteinen* (in Beitr., 79, 1957, S. 43–66). – W. J. Schröder, *Vindære wilder mære. Zum Literaturstreit zwischen Gottfried u. W.* (ebd., 80, 1958, S. 269–287). – H. Kuhn, *»Parzival«. Ein Versuch über Mythos, Glaube u. Dichtung im MA* (in H. K., *Dichtung u. Welt im MA*, Stg. 1959, S. 151–180). H.-J. Koppitz, *W.s Religiosität. Beobachtungen über das Verhältnis W.s v. E. zur religiösen Tradition des MAs*, Bonn 1959. – W. J. Schröder, *Kyot* (in GRM, 40, 1959, S. 329–350). – O. Springer, *W.s »Parzival«* (in *Arthurian Literature in the Middle Ages*, Hg. R. S. Loomis, Oxford 1959, S. 218–250). – H. Adolf, *Visio Pacis. Holy City and Grail. An Attempt at an Inner History of the Grail Legend*, Pennsylvania 1960. – H. Kolb, *Munsalvæsche. Studien zum Kyotproblem*, Mchn. 1963. R. S. Loomis, *The Grail. From Celtic Myth to Christian Symbol*, Cardiff/NY 1963. – H. Sacker, *An Introduction to W.'s »Parzival«*, Cambridge 1963. – H. de Boor, *Die höfische Literatur. Vorbereitung, Blüte, Ausklang 1170–1250*, Mchn. [6]1964, S. 90–127; 434–438. – A. M. Haas, *Laienfrömmigkeit im »Parzival« W.s v. E.* (in Geist u. Leben, 38, 1965, S. 117–135). – W. J. Schröder, *Die Parzivalgestalt W.s v. E.* (in *Das Menschenbild in der Dichtung*, Hg. A. Schaefer, Mchn. 1965, S. 83–102). – J. Bumke, *W. v. E.*, Stg. [2]1966 (Slg. Metzler, 36). - W. Mohr, *W.s Kyot u. Guiot de Provins* (in *Fs. de Boor*, Tübingen 1966, S. 48–70). – A. Wolf, *Die Klagen der Blancheflur. Zur Fehde zwischen W. v. E. u. Gottfried von Straßburg* (in ZfdPh, 85, 1966, S. 66–82). – J. Bumke, *Die romanisch-deutschen Literaturbeziehungen im MA*, Heidelberg 1967. – H. Hempel, *Die Ursprünge der Gralsage* (in ZfdA, 96, 1967, S. 109–149). – U. Pretzel u. W. Bachofer, *Bibliographie zu W. v. E.*, Bln. [2]1968.

TITUREL (mhd.). Verserzählung von WOLFRAM VON ESCHENBACH (um 1170–1220). – Die Erzählung, die man als legendenhafte Minnenovelle bezeichnen könnte, blieb Fragment. Überliefert sind die Bruchstücke – etwa 170 Strophen, die sich aus zwei unverbundenen Erzählabschnitten summieren – in zwei Handschriften des 13. Jh.s und im »Ambraser Heldenbuch« Kaiser Maximilians I. aus dem 16. Jh.; auch in den sogenannten *Jüngeren Titurel* (vgl. dort), ein Werk in der Nachfolge Wolframs, sind sie eingegangen. Entstanden ist der *Titurel* vor 1219, dem Todesjahr Hermanns von Thüringen, der den Dichter mit der Abfassung des *Willehalm* beauftragt hatte. Wahrscheinlich hat Wolfram neben der Arbeit an dem Auftragswerk an dieser »Gelegenheitsdichtung« von höchstem Rang geschrieben.

Der Titel des Werks knüpft rein äußerlich an den in der ersten Zeile auftauchenden Namen Titurel, einen Ahnherrn des Gralsgeschlechtes, an. Dessen Genealogie wird weitausholend entfaltet und hingelenkt auf Sigune, der bereits aus dem *Parzival* bekannten Protagonistin der Erzählung. Sie wächst, elternlos, mit Schionatulander, gleichfalls einer Waise, bei Parzivals Mutter Herzeloyde auf. In Versen, die zwischen rührend inszenierter Naivität und raffiniert durchgespieltem Ritual die Balance halten, bekennen die Kinder einander ihre Minne. Doch Schionatulander muß sich die Minne Sigunes erst verdienen und zieht deshalb getreu der Maxime »*minn twinget riter under helm*« (Minne zwingt Ritter unter den Helm) mit Gahmuret in den Orient. In parallel geschalteten Dialogen mit Herzeloyde bzw. Gahmuret geben die Getrennten ihrem Sehnsuchtsschmerz Ausdruck. Damit endet das erste Bruchstück.

Das zweite Bruchstück präsentiert eine völlig andere Situation: das Paar vereint im idyllischen Wald. Schionatulander hat gerade einen entlaufenen Jagdhund eingefangen und ihn Sigune übergeben. Auf sein kostbares Leitseil ist eine Botschaft gestickt. Sigune und der Leser erfährt den Namen des Bracken, Gardeviaz (Achte der Fährte), und daß die Königin Clauditte dem Duc Ehkunaht de Salvasch florien (»von der wilden Blume«) diesen Brief zugedacht hat. Doch kaum hat Sigune mit der Lektüre begonnen – sie hat erst das Halsband »gelesen«, noch nicht das Seil – reißt sich der Hund los. Sie, ganz launische Minneherrin, besteht darauf, die Geschichte zu Ende zu lesen, und verspricht Schionatulander die volle Hingabe, wenn er Bracken und Seil wiederbringt. Schionatulander folgt dem Hund in den Wald. Aus dem *Parzival* wissen wir, daß ihn Orilus erschlagen wird und Sigune, nun in der Rolle der Pietà, an der Leiche des Geliebten ein Leben lang trauern wird.

Unübersehbar ist die Analogie zu GOTTFRIEDS *Tristan*, dem ebenfalls fragmentarischen Spätwerk der klassischen ritterlichen Literatur. Auch im *Tristan* konstituiert die Minne das Geschehen und bestimmt dessen thematische Reflexion; auch hier eine Minne, in der Trennung und Einheit zur dialektischen Identität, deren absolute Realisierung der Tod ist, sich verschränken. Und doch stehen beide Werke zueinander in latenter Opposition. Leid und Entbehrung resultieren im *Tristan* aus der konfliktgeladenen Dreieckskonstellation zwischen dem Ehegatten (Marke) und den Liebenden (Tristan und Isolde), im *Titurel* aus der Minnebindung zwischen den Kindern und – wenn die aus dem *Parzival* bekannten Szenen ins Schlußbild des *Titurel* eingegangen wären – aus Sigunes Minne zum toten, als Leichnam präsenten Geliebten. Damit erreicht Wolfram, beim Stoff seiner eigensten Wahl, den gleichen, ja gesteigerten Effekt, ohne das Modell der nach christlicher Moral bedenklichen Troubadourliebe übernehmen zu müssen, jenes Modell, dem die alte keltische Ehebruchfabel des *Tristan* ohne Schwierigkeit angepaßt werden konnte. So kann Wolfram von »magtuomlicher« (jungfräulicher) Minne sprechen und unvermittelt die hermetische Minnewelt zum religiös definierten Kosmos öffnen: »*Diu minne hât begriffen / daz smal und daz breite. || minne hât ûf erde hûs: | (und) ze himel ist reine für got ir geleite || minne ist allenthalben wan ze helle.« (»Die Minne umfaßt das Schmale und Breite. Minne hat auf Erden ihr Haus, und im Himmel geleitet die Reinheit sie vor Gott. Minne ist überall außer in der Hölle.«)*

Wie die Stoffwahl trägt auch die Erzählform den Charakter des Experiments. Fungierte im höfischen Epos Chrétienscher Provenienz die *queste* (Suche) meist auf den Spuren einer entführten Dame oder eines wunderbaren Hirsches als Movens der Handlung, so hier die Queste nach der Geschichte, die zu Ende gelesen werden will. Der Doppelsinn von »Aventiure« – abenteuerliche Handlung und Erzählung – gewinnt in der Episode vom Brackenseil beinah allegorische Kontur. Das Moment allegorisierenden Erzählens, das auch bei Gottfried sich andeutet und im 13.Jh. sich weiter durchsetzt, wirkt verstärkt durch die gleichsam heraldische Zitation der Namen am Anfang, die ausgreifend verschnörkelte Figuration didaktischer Rede. Daneben stehen Passagen von lyrisch-sentimentalischem Schmelz, grotesk konkretem Witz (die niesenden Schilde) und Szenen elegisch beleuchteter Idyllik. All das bindet formal eine erstmals im höfischen Epos verwandte, kompliziert variierte und erweiterte Langzeilenstrophe, wie sie für den frühen Minnesang (Der Kürenberger) und die Heldenepik *(Nibelungenlied, Kudrun)* typisch ist – auch hier die für das Werk spezifische, historisch schwer bestimmbare Balance zwischen »altdeutscher« Naivität und sublimer, die Decadence streifender Artistik. G. Schi.

Ausgaben: Bln. 1833 (in K. Lachmann, *Wolfram von Eschenbach*; Lpzg./Bln. [6]1926; ern. Bln. 1965; [7]1952, bearb. v. E. Hartl). – Halle 1903, Hg. A. Leitzmann (ATB, 16; Tübingen [5]1963). – Lpzg. 1870/71, Hg. K. Bartsch, 3 Bde.; [4]1927–1932 zus. m. *Parzival*; Deutsche Klassiker des MAs, 9–11). – Halle 1900–1903, Hg. E. Martin, 2 Bde. (Germ. Handbibliothek 9).

Übersetzung: *Titurel u. Parcival*, K. Simrock, Stg. 1842; [3]1857.

Literatur: E. Franz, *Beiträge zur Titurelforschung*, Diss. Göttingen 1904. – L. Pohnert, *Kritik u. Metrik von W.s »Titurel«*, Prag 1908. – M. F. Richey, *Schionatulander and Sigune*, Ldn. 1927; Edinburgh 1960. – G. Gantscheff, *Das Verbum in W.s »Titurel«*, Halle 1937. – W. Kiefner, *W.s »Titurel«. Untersuchungen zur Metrik u. Stil*, Diss. Tübingen 1952. – B. Rahn, *W.s »Sigunendichtung«. Eine Interpretation der »Titurel« -fragmente*, Zürich 1958 [zugl. Diss. Zürich]. – D. Labusch, *Studien zu W.s »Sigune«*, Diss. Ffm. 1959. – B. Könneker, *Die Stellung der »Titurel« - fragmente im Gesamtwerk W.s v. E.* (in LJb, 6, 1965, S. 23–35).

WILLEHALM. (mhd.). Fragment gebliebene Dichtung von Wolfram von Eschenbach (1170–1220). Überliefert sind 467 Strophen zu je 30 Versen, in neun Bücher gegliedert. Das Werk ist in fränkischer Sprache mit bairischen Eigenheiten und eingeschobenen mundartlichen und französischen Wendungen geschrieben und entstand 1215–1218 (nach dem *Parzival* und vor oder gleichzeitig mit *Titurel*). Die Überlieferung ist reich: insgesamt 13 vollständige Hss. und 53 Bruchstücke. Die meisten stammen allerdings aus späterer Zeit, wodurch die Überlieferung nicht einheitlich ist. – Die Anregung zu dieser Dichtung gab der Landgraf Hermann von Thüringen, an dessen Hof sich Wolfram 1203/04 aufhielt. Die Quelle ist eine nicht erhaltene Fassung der französischen Chanson de geste *Bataille d'Aliscans* aus dem 12. Jh., eine historische Legende in breiter epischer Form: Graf Wilhelm (ahd. Willehalm) von Toulouse befreite Südfrankreich von den Sarazenen (Schlacht am Orbien, 793). Später half er Ludwig dem Frommen die spanische Mark erobern (801). Danach zog er sich ins Kloster zurück. Er wurde als Nationalheld verehrt.

Diese historische Grundlage wird von Wolfram übernommen und gelegentlich umgestaltet. In dem gebetartigen Eingang stellt Wolfram den Landgrafen Hermann als Helden und als Initiator dieser Dichtung vor. In der Vorgeschichte erzählt er von Willehalms Gefangenschaft bei dem Heidenkönig Tybald, seiner Befreiung durch dessen Gattin Arabele, ihrer gemeinsamen Flucht, dem Übertritt Arabeles zum Christentum (christlicher Name: Gyburg) und schließlich von ihrer Hochzeit. – Nach dieser Vorgeschichte kommt Tybald, der Sarazenenkönig, nach Südfrankreich, wo Willehalm und Gyburg leben, um sich an Willehalm zu rächen. Die Dichtung schildert zwei Schlachten auf Alischanz vor Orange. In der ersten Schlacht unterliegen die Christen Willehalms gegen die Heiden. Willehalm kann fliehen. Er überläßt Gyburg die Verteidigung von Orange und reitet an den Hof König Ludwigs in Laon, um dort um Hilfe zu bitten. Der König weigert sich zuerst, gibt ihm dann aber schließlich doch ein Heer. Dann beginnt die zweite Schlacht, die Wolfram ausführlich schildert (Buch 8 und 9). Sie endet siegreich für die Christen. Die Heiden fliehen oder sterben. Hervorgetan hat sich Rennewart, ein heidnischer Gefangener vom Hof König Ludwigs, dessen Herkunft unbekannt ist. Er wird nach dieser Schlacht vermißt, und Willehalm klagt um ihn. Mit dem Begräbnis der Toten und einem Geleit für die Führer der gefangenen Heiden endet bei Wolfram die Dichtung. In der Quelle kehrt Rennewart zurück, Gyburg erkennt in ihm ihren Bruder, er erzählt sein Leben, wird getauft, wird Ritter und heiratet Aelis (Alice), die Tochter König Ludwigs.

Stofflich ist Wolframs *Willehalm* ein Rückgriff auf die Dichtung des 12. Jh.s, auf die Zeit des *Rolandsliedes* und des Kreuzzugsgedankens. Neu an *Willehalm* ist, daß das Weltbild des christlichen Mittelalters (gekennzeichnet durch Dualismen wie z. B. Heiden – Christen; Teufelsreich – Gottesreich usw.) mit dem höfisch-humanen Weltbild der Stauferzeit verschmolzen wird. Die wichtigste Konsequenz dieser Wandlung ist der Gedanke der Toleranz: Auch die Heiden werden als Ritter ohne Makel dargestellt, auch sie kämpfen für Minne und für Gott wie die christlichen Ritter. Der Gegensatz heidnische – christliche Menschen wird aufgehoben, und alle Menschen werden als auf Gott bezogen betrachtet. Allerdings ist dadurch der Gegensatz zwischen Heidentum und Christentum nicht geleugnet, er hat sich vielmehr nur auf eine andere Ebene verlagert. Das Christentum bleibt für Wolfram natürlich die wahre Religion. Gyburg, die durch eigene Entscheidung Christin geworden ist, kämpft selbst gemeinsam mit Willehalm gegen das Heidentum, dem sie entstammt.

Leitmotive des Menschen sind Minne und Gott. Sowohl Gyburg als auch Aelis sind Christinnen, lieben aber vor allem ihre Gatten. In Gesprächen (Gyburg und ihr Vater über Religion: Buch 3) und Betrachtungen (zur Humanität: Buch 3; Toleranz:

Buch 9) werden die Ideen vorgetragen. Der Ritterstand wird kritisch geschildert; das bloß Höfische wird abschätzig dargestellt, so z. B. das Hofleben in Laon. Dabei nimmt Wolfram den Ritterstand sehr ernst. Die zweite Schlacht, die in der Quelle nur knapp behandelt worden ist, wird von ihm ausführlicher geschildert, wobei der Standort des Betrachters häufig wechselt. Auch die gesellschaftliche Seite des Rittertums, Festlichkeiten, Glanz und Reichtum, schätzt Wolfram hoch, wo sie als erfüllte Form des ritterlichen Daseins besteht. So schildert er ausführlich ein Fest in Orange, nachdem Willehalm mit dem Heer aus Laon angekommen ist. – Die Komposition ist streng, strenger als im *Parzival*. Der Stil ist dunkel, manieristisch, schwülstig, bizarr: jener Alterstil, der im 13. Jh. als sein Charakteristikum empfunden wurde.

ULRICH VON DEM TÜRLIN schrieb zum *Willehalm* eine Vorgeschichte desselben Titels (1261–1269), ULRICH VON TÜRHEIM führte die Dichtung weiter unter dem Titel *Der starke Rennewart* (1247–1250, 36 000 Verse). Im 15. Jh. schrieb ein Geistlicher nach diesen drei Werken ein Volksbuch in Prosa (erhalten in einer Papierhandschrift). Aus dem 13. und 14. Jh. sind hochdeutsche und nordmittelfränkische Bruchstücke gefunden worden, in denen in recht ungewandter Form von der Schlacht von Alischanz erzählt wird (700 Verse). E. Schl.

AUSGABEN: Bln. 1833, Hg. K. Lachmann; [6]1968 [nhd. Übers. D. Kartschoke]. – Tübingen 1958, Hg. A. Leitzmann, 5 Bde. (ATB, 12–16). – Darmstadt 1971, Hg. W. J. Schröder u. G. Hollandt [zus. m. *Titurel*].

LITERATUR: S. Singer, »*Willehalm*«, Bern 1918. – L. Wolff, *Der »Willehalm« Wolframs* (in DLVG, 12, 1934, S. 504–539). – B. Mergell, *W. v. E. u. seine französischen Quellen. I. Teil: Wolframs »Willehalm«*, Münster 1936. – R. Kienast, *Zur Tektonik von Wolframs »Willehalm«* (in *F. Panzer zum 80. Geburtstag*, Hg. ders., Heidelberg 1950, S. 96 bis 115). – J. Richter, *Zur ritterlichen Frömmigkeit der Stauferzeit. 1. Die Kreuzzugsidee in Wolframs »Willehalm«* (in Wolfram-Jb., 1956, S. 23–52). – J. Bumke, *Wolframs »Willehalm«. Studien zur Epenstruktur u. zum Heiligkeitsbegriff der ausgehenden Blütezeit*, Heidelberg 1959. – F. Ohly, *Wolframs Gebet an den Heiligen Geist im Eingang des »Willehalm«* (in ZfdA, 91, 1961/62, S. 1–37). – W. Schröder, *Zur Entwicklung des Helden in Wolframs »Willehalm«* (in *Fs. L. Wolff*, Neumünster 1962, S. 265 bis 276). – H. Schanze, *Die Überlieferung von Wolframs »Willehalm«*, Mchn. 1966 (Diss. Marburg 1963).

ANONYME WERKE

ANNOLIED (mhd.). Anonyme geistliche Geschichtsdichtung unter Einbeziehung der Legende vom Bischof Anno von Köln († 1075). Das Werk entstand wahrscheinlich kurz nach 1080 und ist ursprünglich wohl in mitteldeutsch von einem wahrscheinlich bayerischen Geistlichen im Kloster Siegburg geschrieben, heute nur bekannt in einem Druck, den Martin OPITZ 1639 veranlaßt hat. – Das Werk wendet sich einleitend gegen die üblichen Heldensagen weltlicher Art und stellt den 300 Versen über das eigentliche Leben des Erzbischofs Anno einen ebenso gewichtigen Teil von 576 Versen voran, in dem die Weltgeschichte einmal unter religiösem (Str. 1 bis 7) und einmal unter profanem Aspekt (Str. 8–33) gedeutet und nach geistlichen Kategorien definiert wird. – Das Gedicht beginnt mit einem Schöpfungsbericht, deutet als bekannt den Sündenfall, die Erlösung, die Verkündigung der Lehre Christi durch die Apostel und Heiligen an und kommt dann, in einer Art geistlicher Geschichtsklitterung, auf Anno zu sprechen, dessen Kanonisierung durch dieses Werk wohl unterstützt werden sollte. Danach spricht der Verfasser, halb zitierend, halb berichtend, von den Anfängen Kölns, dem Krieg, den Caesar mit Hilfe der Germanen gegen Pompeius führte, und den Eroberungen des Augustus, d. h. also von der progressiven Weltherrschaft als Voraussetzung zu einer geistlichen Weltherrschaft, einem »regnum Christi«, wobei nach der Darstellung des Autors Caesar sein Weltkaisertum der Hilfe der germanischen Stämme verdankt, deren Ursprünge auf Völker der Antike zurückdatiert werden. Er leitet dann über in die Geschichte der Erzbischöfe von Köln; hier schließt sich der zweite Bogen zur Darstellung von Annos Leben (Str. 34–49). Seine Austreibung aus Köln, seine Nachsicht mit der undankbaren Stadt, sein Tod und die Wunder, die er bewirkt hat, werden als eine *imitatio Christi* geschildert: »*Als ein Löwe saß er vor den Fürsten, als ein Lamm ging er unter Dürftigen*«, heißt es in Str. 35. – Auf diese Weise wird des Erzbischofs Leben gleichermaßen in die Weltgeschichte wie in die Heilsgeschichte eingeordnet; der Akzent auf dem Primat der letzteren unterstreicht den Anspruch der Kirche auch auf die weltliche Macht.

Die Sprache der Dichtung ist knapp und kraftvoll, mehr terminologisch und geistlich deutend als erzählend. Der Text gliedert sich in 49 strophenartige Abschnitte von 6–12 vierhebig zu lesenden Reimpaaren, die auch inhaltlich bis zu einem gewissen Grad in sich abgeschlossen sind. Sie werden nach dem frühmhd. Prinzip der Reihung aneinander gebunden, wobei manche Strophen, z. B. 8 und 34, als Gelenk- und Übergangsstellen fungieren. KLL

AUSGABEN: Danzig 1639, Hg. M. Opitz. – Hannover 1895 (in MGH; *Deutsche Chroniken*, 1/2, Hg. M. Roediger). – Offenbach 1924, Hg. R. Benz (Drucke der Pforte, 1; nhd.). – Heidelberg 1961, Hg. W. Bulst (Editiones Heidelbergenses, 2; nach d. Ausg. v. Opitz).

LITERATUR: G. Gigglberger, *Untersuchungen über das »Annolied«*, Diss. Würzburg 1954. – H. Kuhn, *Gestalten u. Lebenskräfte d. frühmhd. Dichtung*, (in H. K., *Dichtung u. Welt im MA*, Stg. 1959, S. 112–132). – M. S. Batts, *On the Form of the »Annolied«* (MDU, 52, 1960, S. 179–182). – H. Eggers, *D. »Annolied« – eine Exempeldichtung?* (in *Fs. f. L. Wolff*, Neumünster 1962, S. 161–172). – D. Knab, *D. »Annolied«. Probleme s. lit. Einordnung*, Tübingen 1962 (Hermaea, N. F. 2). – E. Nellmann, *D. Reichsidee in d. dt. Dichtungen d. Salier- u. d. früh. Stauferzeit. Annolied – Kaiserchronik – Rolandslied – Erachius*, Bln. 1963.

EZZOLIED (mhd.). Geistliches Lied des Kanonikers Ezzo (11. Jh.), entstanden zwischen 1057 und 1061 in Bamberg. – Eine ältere Fassung des Gedichts (S) ist in einer Straßburger Handschrift des 11. Jh.s als Fragment (7 Strophen) überliefert;

eine jüngere überarbeitete und erweiterte Fassung (V), erhalten in der großen Vorauer Sammelhandschrift aus dem 12. Jh., bietet 34 Strophen, doch zeigt auch S schon deutliche Eingriffe eines Bearbeiters. Während dort aber der Charakter des Hymnus gewahrt bleibt, wird bei V die Absicht des Bearbeiters deutlich, dem Heilsgesang einen belehrend-predigthaften Charakter zu geben. Die Mundart von S ist alemannisch, von V bairisch. Ein den Bearbeitungen S und V gemeinsam zugrunde liegendes Original ist nicht nachgewiesen. – Die erste Strophe von V nennt neben dem Namen des Verfassers als seinen Auftraggeber den »*biscof Guntere von Bâbenberch*«, in dem mit großer Sicherheit der von 1057 bis 1065 amtierende Bischof Gunther von Bamberg zu sehen ist. Das Gedicht wurde wahrscheinlich zur Feier der Regularisierung der Bamberger Chorherren geschrieben. V gibt außerdem den Namen des Vertoners an – »*Wille vant die wîse*« –, der von der Forschung mit dem Abt Wille von Michelsberg (1082–1085) in Zusammenhang gebracht wird. – Die strophische Form des Liedes ist in beiden Bearbeitungen gewahrt. Die fast durchweg regelmäßigen vierhebigen Reimpaarverse zeigen neben häufigem reinem Reim die für die frühmittelhochdeutsche Dichtung charakteristischen Assonanzen und Endsilbenreime.

Das *Ezzolied* ist ein Hymnus auf Christus, auf den Mensch gewordenen Sohn Gottes mit seinen in den Evangelien verkündeten Wundertaten, seiner Passion und Auferstehung, und auf den Gott-Sohn der Trinität. Wie für das *Johannes-Evangelium* ist auch bei Ezzo der Logos Träger der Schöpfung. An den Beginn seines Hymnus stellt der Autor das Wort: »*In principio erat verbum.*« Als »*lux in tenebris*« ist der Gottessohn »*in die Uranfänge gestellt, Teilhaber und Anstoß des ›anegenge‹, der Schöpfung der Welt und des Menschen*« (H. de Boor). Von Anfang an ist er Gnadenbringer der Menschheit, die er am Ende der Zeiten als himmlischer König in sein Reich führen wird. Souverän beschränkt sich Ezzo auf die wesentlichen Züge: den Schöpfungsakt, den Sündenfall, Abel, Enoch, Noah, Abraham und David als Sterne in der Nacht der dem Teufel verfallenen Menschheit, Johannes den Täufer als Morgenstern, »*der zeigôte uns daz wâre lieht*«, und die Vollendung des göttlichen Heilsplanes durch die Menschwerdung Gottes und den Kreuzestod. Den Schluß der Bearbeitung V (S bricht vor Johannes dem Täufer ab) bildet ein Preis des Kreuzes und der Trinität.

Stil und Sprachrhythmus des Werkes sind feierlich und würdevoll, ohne Pathos, »*die großen Gedanken sind in knappe Worte gefaßt*« (G. Ehrismann). Das *Ezzolied* steht am Anfang der frühmittelhochdeutschen Dichtung. Es ist ein literaturgeschichtlich und künstlerisch bedeutendes Zeugnis der wiederauflebenden Dichtung in deutscher Sprache nach den fast zweihundert Jahren, die seit OTFRID VON WEISSENBURGS *Evangelienbuch* (um 868) vergangen waren. R. E. – C. Ba.

AUSGABEN: Wien 1849 (in *Deutsche Gedichte des XI. und XII. Jh.s*, Hg. J. Diemer; Vorauer Hs.). – 1879 (*Althochdeutsche Funde*, Hg. A. Barack in ZfdA, 23; Straßburger Hs.). – Straßburg 1879 (*Ezzos Gesang von den Wundern Christi und Notkers Memento*; Faks. der Straßburger Hs.). – Bln. [3]1892 (in K. Müllenhoff u. W. Scherer, *Denkmäler Deutscher Poesie und Prosa aus dem VIII.–XII. Jh.*, Hg. E. Steinmeyer, 2 Bde.). – Halle [2]1916 (in *Kleinere Deutsche Gedichte des XI. und XII. Jh.s*, Hg. A. Waag; ATB, 10; Straßburger u. Vorauer Fassg.). – Tübingen [13]1958 (in *Althochdeutsches Lesebuch*, Hg. W. Braune u. K. Helm; m. Bibliogr.; Straßburger u. Vorauer Fassg.). – Tübingen 1963 (in *Die kleinen Denkmäler der Vorauer Handschrift*, Hg. E. Henschel u. U. Pretzel).

ÜBERSETZUNG: in K. Wolfskehl u. F. v. d. Leyen, *Älteste deutsche Dichtungen*, Lpzg. 1909.

LITERATUR: W. Mettin, *Die Komposition des Ezzoleichs*, Diss. Halle 1892. – Kelle, *Die Quelle von »Ezzos Gesang«* (in SWAW, 129, 1893, Nr. 1). – Ehrismann, 2/1, S. 40–53. – H. Steinger (in VL, 1, Sp. 595–598). – C. Erdmann, *Fabulae curiales, Neues zum Spielmannsgesang u. zum Ezzolied* (in ZfdA, 73, 1936, S. 87ff.). – H. Menhardt (ebd., 80, 1944, S. 7f.). – B. Merkel, *Ezzos Gesang* (in Beitr., Halle, 76, 1954, S. 199–216). – G. Schweikle, *Ezzos Gesang u. Memento Mori*, Diss. Tübingen 1956. – De Boor, 1, S. 145ff. – H. Rupp, *Dt. relig. Dichtungen d. 11. u. 12. Jh.*, Freiburg i. B. 1958. – H. Kuhn, *Dichtung u. Welt im MA*, Stg. 1959, S. 112–132. – H. Neumann, *Schiffsallegorie im Ezzolied*, Göttingen 1960. – R. Schützeichel, *Ezzos Cantilena de miraculis Christi. Versuch einer Rekonstruktion* (in Euph, 54, 1960, S. 121–134). – F. Maurer, *Der Bestand des alten Ezzoliedes* (in *Festgabe f. L. L. Hammerich*, Kopenhagen 1962, S. 169–179).

GEORGSLIED (ahd.). Älteste erhaltene Legendendichtung in deutscher Sprache von unbekanntem Verfasser. Datierung und Lokalisierung sind bis heute ungesichert; allgemein gilt die zweite Hälfte des 9. Jh.s als Entstehungszeit. Vermutlich war die Translation der Georgsreliquie in die Georgskirche auf der Reichenau (896) Anlaß zur Abfassung des Gedichts. Als Entstehungsort werden St. Gallen, Weißenburg oder die Insel Reichenau genannt. Der Dialekt des in vierhebigen Reimversen geschriebenen Gedichts ist alemannisch; seine Überlieferung ist unvollständig. Der Abschreiber des Originals scheiterte an der offensichtlich äußerst kunstvollen Orthographie des Gedichts und brach seine Arbeit mit einem resignierten »*nequeo Vuisolf*« *(»ich kann nicht mehr, Wisolf«)* vorzeitig ab. Seine fehlerhafte Aufzeichnung macht eine exakte Textherstellung geradezu unmöglich. – Das Gedicht ist eine Vita des hl. Georg, der hier allerdings noch nicht der ritterliche Drachenkämpfer ist, sondern Wundertäter und Märtyrer. Quelle des Lieds war wahrscheinlich eine lateinische, in zwei Handschriften überlieferte *Passio sancti Georgii*, doch lassen verschiedene Abweichungen des Gedichts von diesen Handschriften darauf schließen, daß sie nicht direkte Vorlagen waren.

Graf Georg tritt zum Christentum über. Die Versuche des heidnischen Königs, ihn zur Rückkehr zum alten Glauben zu bewegen, scheitern, und so wird er in den Kerker geworfen. Dort verleiht Gott ihm die Kraft, Wunder zu tun: er heilt kranke Frauen, Stumme, Taube, Blinde und Lahme. Im Zorn über den vermeintlichen Zauberer läßt einer der heidnischen Herrscher, der König Tacian, ihn mit dem Schwert erschlagen. Georg aber ersteht wieder vom Tode und predigt gegen die Heiden. Tacian läßt ihn binden, auf ein Rad flechten und in zehn Stücke zerschlagen. Abermals ersteht Georg und fährt fort zu predigen. Noch einmal wird er gebunden, gefoltert, zermahlen und schließlich zu Asche verbrannt. Doch mit Gottes Hilfe überwindet

Georg zum drittenmal den Tod. Wieder tut er Wunder, erweckt einen Toten und bekehrt ihn zum Christentum, predigt der Gemahlin Tacians und bekehrt auch sie. Mit dem Sturz des Teufels Abollin bricht das Gedicht ab.

Der Stoff der Legende geht auf die Gestalt des Georgios von Kappadokien zurück, der um die Mitte des 4. Jh.s arianischer Bischof in Alexandrien war und von seinen religiösen Gegnern verfolgt und getötet wurde. Die älteste Georgslegende entstand in Ägypten, die erste literarische Fassung ist in griechischer Sprache geschrieben und stammt aus dem 5. Jh. In Rußland und Osteuropa wurde Georg zum Volksheiligen, wie auch in Frankreich Stiftungen des 6. Jh.s von seiner frühen Verehrung zeugen. In Deutschland behandelt nach dem *Georgslied* eine mittelhochdeutsche Ritterlegende REINBOTS VON DURNE im 13. Jh. das Leben des Heiligen. Mit den Kreuzzügen war der ursprünglich nicht zu dieser Gestalt gehörende Typus des ritterlichen Drachenkämpfers aus der byzantinischen Legende ins Abendland eingedrungen. Seit dem 13. Jh. gilt Georg als Patron des Rittertums.

Das Gedicht ist in einzelne Strophen von ungleicher Verslänge gegliedert, von denen je zwei durch Refrain verbunden sind. Es ist das einzige deutsche Beispiel für einen Heiligenhymnus und steht stilistisch ganz in der lateinischen Tradition. Sprachliche und metrische Anklänge an OTFRID sind unverkennbar, vor allem geht wohl die gereimte Langzeile auf ihn zurück. Das *Georgslied* hat liturgischen Charakter, ist hymnisches Gemeinschaftslied und Lobpreis Gottes. Die Vita des Heiligen wird als bekannt vorausgesetzt, seine sittliche Bewährung auf Erden und seine durch Gottes Gnade möglichen Wundertaten sind das Thema. Die Ereignisse folgen rasch aufeinander, die Erzählung ist in Einzelepisoden aufgelöst, die in knappen Worten berichtet werden. Wie Otfrids *Evangelienbuch* sollte auch das *Georgslied* die weltlichen Heldenlieder der Germanen verdrängen. An die Stelle des fatalistischen Schicksalsgedankens der germanischen Dichtungen sollte die Hoffnung auf die Gnade Gottes treten, die dem gläubigen Menschen zuteil wird und ihn ins Himmelreich führt.

I. F. W.

AUSGABEN: Kopenhagen 1783 (in B. C. Sandvig, *Lectionum theodiscarum specimen*). – Bln. 1892 (in *Denkmäler deutscher Poesie und Prosa aus dem VIII.–XII. Jh.*, Hg. K. Müllenhoff, W. Scherer u. E. Steinmeyer, Bd. 1, Nr. 17). – Bln. 1916 (in *Die kleineren ahd. Sprachdenkmäler*, Hg. E. v. Steinmeyer, Nr. 19). – Tübingen [14]1962 (in *Ahd. Lesebuch*, Hg. W. Braune u. E. A. Ebbinghaus, S. 132 ff.).

LITERATUR: F. Zarncke, *Über den ahd. Gesang vom hl. Georg* (in Berichte der Sächsischen Ges. d. Wiss., phil.-hist. Kl., 26, 1874, S. 1–40). – Ehrismann, 1, S. 220–228. – H. Sperl, *Naturalismus und Idealismus in der ahd. Literatur*, Halle 1928. – H. Brauer, *Die Heidelberger Hs. von Otfrids »Evangelienbuch« und das ahd. »Georgslied«* (in ZfdPh, 55, 1930, S. 261 ff.). – Ders. (in VL, 2, Sp. 21/22; 5, Sp. 254). – H. Brüggemann, *Beiträge zur Geschichte der Georgsverehrung*, Diss. Breslau 1943. – H. de Boor, *Eine unerklärte Stelle des ahd. »Georglieds« nebst Bemerkungen zu seiner Orthographie und Heimat* (in *Fs. J. Quint*, Hg. H. Moser u. a., Bonn 1964, S. 69–81).

HERZOG ERNST (mhd.). Fragmentarisches Epos eines unbekannten Verfassers, entstanden um 1180. – Das in drei bruchstückhaften Handschriften aus dem 13. Jh. überlieferte Epos (A) ist in vierhebigen Reimpaaren geschrieben, die, seiner frühen Entstehungszeit entsprechend, neben überwiegend reinen Reimen noch zahlreiche Assonanzen zeigen. Seine Mundart ist niederrheinisch. Eine gleichnamige, vollständig erhaltene Bearbeitung des Gedichts (B) ist Ende des 12. bis Anfang des 13. Jh.s entstanden. Als Autor wird ein Rheinfranke angenommen, der WOLFRAM VON ESCHENBACH kannte und besonders von ULRICH VON ZATZIKHOVEN beeinflußt war. Eine weitere Bearbeitung von 1287/88 (D) wird von der neuesten Forschung ULRICH VON ESCHENBACH zugeschrieben. Ein kunstvolles strophisches Lied in *»Herzog Ernsts Ton«* (G) ist wahrscheinlich zu Beginn des 14. Jh.s entstanden. Unter den lateinischen Fassungen des Gedichts sind zwei besonders hervorzuheben: die Bearbeitung ODOS VON MAGDEBURG in Hexametern von 1206 (E) und die Prosafassung aus der zweiten Hälfte des 15. Jh.s (C). Eine Übertragung dieser Bearbeitung ins Deutsche ist der Prosaroman von Herzog Ernst aus dem 15. Jh., der, um 1480 zum ersten Mal gedruckt, bis zum Beginn des 19. Jh.s in immer neuen Auflagen als Volksbuch fortlebte.

Der Stoff der Dichtung, deren Thema Empörung des Sohnes gegen den Vater, des Vasallen gegen den Herrscher ist, beruht auf zwei historischen Ereignissen: dem Aufstand Liudolfs gegen seinen Vater Otto den Großen (953) und der Erhebung Herzog Ernsts II. gegen seinen Stiefvater, den Schwabenkaiser Konrad II. (1027). Diese beiden Begebenheiten verknüpft der Dichter miteinander, wobei der Aufstand Liudolfs die wesentlichen Elemente der Handlung liefert. Ihm entstammen auch die Namen des Stiefvaters und der Mutter (Otto und Adelheit). Zudem wird das Geschehen in das welfenfreundliche – und damit für die gegenstaufische Stimmung des Gedichts wahrscheinlichere – Bayern verlegt. – Die Mutter Ernsts, die verwitwete Herzogin Adelheit, wird die Frau Kaiser Ottos, der Ernst an Sohnes Statt annimmt und zu seinem Ratgeber bestimmt. Pfalzgraf Heinrich, Oheim des Kaisers, neidet ihm diese Stellung und weiß durch Verleumdungen den Kaiser so gegen den Stiefsohn einzunehmen, daß er Heinrich befiehlt, in Ernsts Lande einzufallen. Nachdem dieser über Heinrichs Truppen gesiegt hat, dringt er gewaltsam zum Kaiser vor, erschlägt Heinrich vor seinen Augen und bedroht schließlich den Stiefvater selbst. Er wird zur Flucht gezwungen und geächtet. Nach fünfjährigem blutigem Kampf gegen den Kaiser beschließt Ernst, das Kreuz zu nehmen und ins Heilige Land zu ziehen. – Der zweite Teil des Gedichts berichtet von den wundersamen Geschehnissen dieser Reise. Gemeinsam mit seinem Freund Wetzel besteht Ernst viele Abenteuer, er scheitert am Magnetberg, begegnet seltsam gestalteten Menschen mit Vogelköpfen, riesengroßen Füßen oder überlangen Ohren, er kommt ins Land der Riesen und der Zwerge, haust bei den Zyklopen und überlistet den Vogel Greif. Er erreicht Jerusalem und kämpft dort mehr als ein Jahr gegen die Ungläubigen. Schließlich kehrt er, von Adelheit gerufen, in seine Heimat zurück, wo er sich im Bamberger Dom während der Christmette dem Kaiser zu Füßen wirft. Dank der Fürsprache der Fürsten wird er begnadigt und wieder in alle Ehren eingesetzt.

Herzog Ernst ist der einzige Versroman des Mittelalters, der unmittelbar auf historischen Ereignissen fußt. Das Gedicht, das in einer Zeit des erwachenden höfischen Geistes den Themenkreis der Minne nirgends berührt, zeigt damit seinen wahrscheinlich vorhöfischen Ursprung und seine Bestimmung zur Klosterlektüre. Die breit ausgeführte Schilderung des Zuges ins Heilige Land, die sich aus den herkömmlichen märchenhaften, ethnographischen und den Kreuzfahrten zugehörigen Motivkreisen zusammensetzt, spiegelt das neuerwachte Interesse des Mittelalters am Orient wider. KLL

AUSGABEN: Paris 1717 (in *Thesaurus novus anecdotorum*, Hg. E. Martène u. U. Durand, Bd. 3; Fassg. E). – Bln. 1808 (in *Deutsche Gedichte des MAs*, Hg. F. H. v. d. Hagen, Bd. 1; Fassg. D). – Lpzg. 1849, Hg. M. Haupt (in ZfdA, 7; Fassg. C). – Lpzg. 1854, Hg. ders. (ebd., 8; Fassg. G). – Wien 1869, Hg. K. Bartsch (Fassg. A, B, F, G; m. Bibliogr.). – Lpzg. 1913 (*Historie eines edeln Fürsten, Herzog Ernst v. Bayern u. v. Österreich*, Hg. S. Rüttgers; Volksbuch). – Bln. 1959, Hg. K. C. King (Fassg. G). – Paris 1964 (in *La chanson du Duc Ernst. Étude sur l'origine et l'utilisation d'une matière légendaire ancienne dans le genre tardif du Lied*, Hg. J. Carles; m. Originaltext u. frz. Übers.).

LITERATUR: A. Fuckel, *Der Ernestus des O. v. Magdeburg u. sein Verhältnis zu den übrigen älteren Bearbeitungen der Sage vom »Herzog Ernst«*, Diss. Marburg 1895. – H. Stickelberger, *Zum Lied u. Volksbuch von »Herzog Ernst«* (in ZfdA, 46, 1902, S. 101–112). – L. Jordan, *Quellen u. Komposition von »Herzog Ernst«* (in ASSL, 112, 1904, S. 328–343; 457–460). – K. Sonneborn, *Die Gestaltung der Sage vom »Herzog Ernst« in der altdeutschen Literatur*, Diss. Göttingen 1914. – W. Schwenn, *Stilistische Untersuchungen zum Volksbuch von »Herzog Ernst«*, Diss. Greifswald 1924. – Ehrismann, 2/2, S. 39–58. – H.-F. Rosenfeld, *Der Saganer »Herzog Ernst«* (in *Fs. f. H. Suolahti*, Helsinki 1934, S. 579–586). – E. Hildebrand, *Über die Stellung des Liedes vom »Herzog Ernst« in der mhd. Literaturgeschichte u. Volkskunde*, Diss. Marburg 1937. – C. Heselhaus, *Die »Herzog Ernst«-Dichtung. Zur Begriffsbestimmung von Märe u. History* (in DVLG, 20, 1942, S. 170–199). – G. Boensel, *Studien zur Vorgeschichte der Dichtung von »Herzog Ernst«*, Diss. Tübingen 1944. – H. Neumann, *Die deutsche Kernfabel des »Herzog Ernst«-Epos* (in Euph, 45, 1950, S. 140 bis 164). – K. Hoppe, *Die Sage von Heinrich dem Löwen. Ihr Ursprung, ihre Entwicklung u. ihre Überlieferung*, Bremen 1952 [m. Texten]. E. Ringhandt, *Das »Herzog Ernst«-Epos. Vergleich der deutschen Fassungen A, B, D, F*; Diss. Bln. 1955. – H.-F. Rosenfeld, Art. *»Herzog Ernst«* (in VL, 5, Sp. 386–406). – K. C. King, *Das strophische Gedicht von »Herzog Ernst«* (in ZfdPh, 78, 1959, S. 269–291). – H.-F. Rosenfeld, *Das »Herzog Ernst«-Lied u. das Haus Andechs* (in ZfdA, 94, 1965, S. 108–121).

HILDEBRANDSLIED (ahd.). Fragmentarisches Heldenlied eines unbekannten Verfassers, in stabreimenden Langzeilen geschrieben. – Das Lied ist aller Wahrscheinlichkeit nach zur Zeit der Völkerwanderung bei den Langobarden entstanden (wofür nach Georg BAESECKE vor allem die Namen auf -brand sprechen) und gelangte später von dort zu den benachbarten Bayern; die erhaltene Aufzeichnung (um 800) stammt aus dem Kloster Fulda, dessen niederdeutsches Missionsgebiet auf den Lautstand der schriftlichen Fassung ebenso eingewirkt hat wie die früheren Stadien der Wanderung dieses Gedichts. Seine Uneinheitlichkeit muß das Ergebnis von Dialektüberschichtung sein. Drei neuartige, bisher skeptisch aufgenommene Lösungsversuche zur Herkunftsfrage denken sich das *Hildebrandslied* auch in Ostfalen (H. BURGHARDT), im Bodenseegebiet (E. ULBRICHT) oder im Raum um Bonn (B. RIGGERS) entstanden.

Das Gedicht ist das einzige erhaltene Heldenlied in deutscher Sprache. Sein Gegenstand ist die Begegnung zwischen Hildebrand, einem Gefolgsmann Dietrichs von Bern, und seinem Sohn Hadubrand nach dreißigjähriger Trennung. Beide treffen sich *»untar heriun tuem«* (*»zwischen zwei Heeren«*), wobei nicht eindeutig ist, ob sie sich, wie es als Motiv aus der späteren Dietrich-Epik bekannt ist, auf einem Kundschaftsritt befinden oder sich als Protagonisten aufeinanderstoßender Heere gegenüberstehen. Hildebrand erkennt in Hadubrand seinen Sohn, als dieser seinen eigenen und seines Vaters Namen nennt. Hadubrand berichtet zugleich die Schicksale Hildebrands, von dem er annehmen muß, daß er tot sei. Darum will und kann er den immer deutlicheren Hinweisen Hildebrands, daß er in ihm den Vater vor sich habe, nicht glauben. Mit seinem Mißtrauen gegen Hildebrand und mit der Verhöhnung des um den Sohn werbenden Vaters treibt er diesen in einen Konflikt zwischen Ehrgebot und Vaterliebe, den Hildebrand zu Gunsten der Ehre entscheidet: es kommt zum Zweikampf. Auf dem Höhepunkt der Kampfschilderung bricht der Text der Aufzeichnung ab.

Man hat immer wieder angenommen, daß das vollständige Lied vom Tod des Sohnes berichtet habe. Diesen Schluß stützen Zeugnisse aus der nordischen Überlieferung der Sage, *Hildebrands Sterbelied* in der *Ásmundarsaga kappabana* (14. Jh.), das SAXO GRAMMATICUS (um 1200) bereits nach einer älteren Quelle in lateinische Hexameter umgedichtet hat, und die spätmittelalterliche färöische Ballade *Snolvs kvæði*. W. SCHRÖDER hat jedoch zu bedenken gegeben, daß man mit einer solchen Rekonstruktion die Tragik des Liedes einseitig in die Gestalt Hildebrands verlagere, während doch die Blindheit des Sohnes ebenfalls tragischer Natur sei und als Konsequenz den Vatermord nicht ausschließe. Erst eine späte deutsche Formung des Stoffs, das *Jüngere Hildebrandslied* (15. Jh.), gibt dem Geschehen eine glückliche Wendung.

Zum Umfang des ursprünglichen Textes wird allgemein angenommen, daß mit dem fehlenden Schluß nur wenige Zeilen verlorengegangen sind. Dafür spricht, daß die erzählenden Teile des Gedichts die wesentlich dialogische Darstellung des Konflikts wie ein Rahmen umgeben, der am Ende nicht viel breiter gewesen sein dürfte als am Anfang. Strittig ist in manchen Partien die Aufteilung und Abfolge des Dialogs, zumal einige selbständige Halbzeilen auf Fehlendes auch in der Mitte des Gedichts zu weisen scheinen. – Die Gestalt Hildebrands, des Gefolgsmannes Dietrichs von Bern, dem er dreißig Jahre vor der Wiederbegegnung mit seinem Sohn ins Exil zu den Hunnen gefolgt ist, verbindet das *Hildebrandslied* mit der Dietrich-Sage (vgl. *Dietrich-Epik*). Das Motiv des Vater-Sohn-Kampfes begegnet uns bei vielen Völkern, und es ist anzunehmen, daß das *Hildebrandslied* auf eine Wandernovelle zurückgeht, die nicht mehr zu ihrem Ursprung zurückzuverfolgen ist.

Deutungen, die im *Hildebrandslied* mythische Wurzeln zu entdecken versuchen (J. de VRIES), sind darum ebensowenig gesichert wie Interpretationen, die, vor allem auf die historischen Anspielungen der Dichtung gestützt, die Auseinandersetzung zwischen

Vater und Sohn für einen exemplarischen Kampf geschichtlicher Kräfte nehmen (H. Rosenfeld, K. J. Northcott). Diese beladen das Lied obendrein mit einer ihm fremden Geschichtsideologie und lenken vom eigentlichen Kern der Dichtung ab: der Darstellung eines menschlichen Konflikts und seiner heroischen Lösung. H. D. S.

Ausgaben: Würzburg 1729 (in *Commentarii de rebus Franciae orientalis*, Hg. J. G. v. Eckhart, Bd. 1). – Kassel 1812, Hg. J. u. W. Grimm. – Halle 1872, Hg. E. Sievers [zus. m. *Die Merseburger Zaubersprüche* u. *Das fränkische Taufgelöbnis*; Faks.]. – Straßburg 1894 (in R. Kögel, *Geschichte der deutschen Litteraturen bis zum Ausgange des MAs*, Bd. 1; Übers. u. Komm.). – Bln. 1916 (in *Kleinere ahd. Sprachdenkmäler*, Hg. E. v. Steinmeyer). – Tübingen [14]1962 (in *Althochdeutsches Lesebuch*, Hg. W. Braune u. a.). H. Fischer, *Schrifttafeln zum althochdeutschen Lesebuch*, Tübingen 1966.

Literatur: K. Lachmann, *Über das »Hildebrandslied«* (in K. L., *Kleinere Schriften*, Bd. 1, Bln. 1876, S. 407–448). – Ehrismann, 1, S. 121–137. – H. de Boor, *Die nordische und die deutsche Hildebrandsage* (in ZfdPh, 49, 1923, S. 149 181; 50, 1926, S. 175 bis 210). – G. Baesecke, *Das »Hildebrandlied«*, Halle 1945. – H. Rosenfeld, *Das »Hildebrandlied«: die indogermanischen Vater-Sohn-Kampf-Dichtungen u. das Problem ihrer Verwandtschaft* (in DVLG, 26, 1952, S. 413–432). – Ders., Art. *»Hildebrandslied«* (in VL, 5, Sp. 410–416). – H. Burghardt, *»Hildebrandslied« u. Harz-Saale-Land*, Herberhausen 1961. – K. J. Northcott, *»Das Hildebrandslied«. A Legal Process* (in MLR, 56, 1961, S. 342–348). – J. de Vries, *Das Motiv des Vater-Sohn-Kampfes im »Hildebrandslied«* (in *Zur germanisch-deutschen Heldensage*, Hg. K. Hauck, Darmstadt 1961, S. 248 bis 284). – S. Beyschlag, *Hiltibrant enti Hadubrant untar herium tuem. Methodisches zur Textfolge u. Interpretation* (in *Festgabe f. L. L. Hammerich*, Kopenhagen 1962, S. 13–28). – R. W. V. Elliott, *Byrhtnoth and Hildebrand* (in CL, 14, 1962, S. 53 bis 70). – W. P. Lehmann, *Das »Hildebrandslied«. Ein Spätzeitwerk* (in ZfdPh, 81, 1962, S. 24–29). – E. Ulbricht, *»Hildebrandslied« und genealogische Forschung* (in Beitr. [Halle], 84, 1962, S. 376 bis 384). – W. Harms, *Der Kampf mit dem Freund oder Verwandten in der deutschen Literatur bis um 1300*, Mchn. 1963. – W. Schröder, *Hadubrands tragische Blindheit u. der Schluß des »Hildebrandsliedes«* (in DVLG, 37, 1963, S. 481–497). – J. Hennig, *Ik gihorta dat seggen. Das Problem der Geschichtlichkeit im Lichte des »Hildebrandsliedes«* (in DVLG, 39, 1965, S. 489–505). – B. Riggers, *Fränkisch-sächsische Quellen des Sagenkreises um Hildebrand u. Dietrich v. Bern* (in Korrespondenzblatt f. d. Verein f. niederdt. Sprachforschung, 73, 1966, S. 19/20). – K. v. See, *Germanische Heldensage* (in GGA, 218, 1966, S. 52–98).

KÖNIG ROTHER (mhd.). Spielmannsepos von unbekanntem Verfasser, entstanden Mitte des 12. Jh.s. – Die Mundart des Gedichts, das in einer Handschrift des 12. Jh.s und mehreren Handschriftenfragmenten des 12.–14. Jh.s überliefert ist, ist mittelfränkisch; es entstand jedoch, wie viele Anspielungen auf bayrische Adelsgeschlechter zeigen, in Bayern. Der Verfasser des *König Rother* war Geistlicher, wie überhaupt für alle sogenannten Spielmannsepen geistliche Dichter angenommen werden müssen. Die Bezeichnung »Spielmann« für die Verfasser dieser Dichtungen fußt nach Helmut de Boor auf der irrtümlichen Annahme, daß die Spielleute des 12. und 13. Jh.s, die literarische und juristische Quellen *»in ihrer sozialen Lage als recht- und ehrlos, in ihrer Darbietung vor allem als zirkushafte Artisten und als Instrumentalmusiker erkennen«* lassen, identisch seien mit den Dichtern vorhöfischer Buchepen, die jedoch *»nach Stoffwahl, religiöser Haltung und mindestens teilweise nach ihrer Bildungshöhe den geistlichen Dichter«* voraussetzen. Sogenannte »spielmännische« Züge (Formenreichtum, lose aneinanderreihende Komposition, Freiheit des Versmaßes und des Reims) finden sich zudem auch in der geistlichen Dichtung des 12. Jh.s.

Dem *König Rother* liegt das in der vorhöfischen Dichtung beliebte Motiv der Brautwerbung zugrunde. König Rother läßt durch Boten bei König Konstantin von Konstantinopel um dessen wunderschöne Tochter werben. Die Werber werden jedoch von König Konstantin in den Kerker geworfen. Darauf zieht Rother selbst mit einem Heer nach Konstantinopel, gibt sich dem König gegenüber als ein von König Rother geächteter Ritter namens Dietrich aus und verrät nur der Königstochter seine wahre Identität. Die Jungfrau und ihre Mutter sind der Werbung günstig gesinnt und versuchen, den Helden zu helfen, denen es schließlich mit Klugheit und List gelingt, die Prinzessin zu entführen. – Dieser Brautwerbungs- und Entführungserzählung, wie sie nach ihrer äußeren Form auch in den vorhöfischen Dichtungen *Salman und Morolf*, im *Orendel* und, in nachhöfischer Zeit, in der auf ein vorhöfisches Epos zurückgehenden *Kudrun* wiederkehrt, fügt der Dichter einen zweiten, das Motiv teils verkehrenden, teils wiederholenden Teil an: Konstantin läßt die Tochter wieder nach Konstantinopel entführen, wo Rother sie nach manchen Gefahren und Kämpfen zum zweitenmal gewinnt, nachdem er Konstantin gegen den Einfall der Babylonier seinen Beistand geliehen hat. Nun führt er die Prinzessin mit dem Einverständnis des Königs heim nach Bari, seiner süditalienischen Hauptstadt.

In der Gestalt des Königs Rother ist der normannische König Roger II. zu erkennen, der 1143/44 um die byzantinische Kaisertochter warb (F. Panzer). Die Klangähnlichkeit der Namen Roger und Rother für mittelalterliche Ohren beweist die *Sächsische Weltchronik*, die Roger II. als *»koning Rother von Pulle* [Apulien]*«* aufführt. Daß es sich, wie lange angenommen, bei Rother um den langobardischen Herrscher Rothari handelt, dessen Brautwerbung Paulus Diaconus in seiner *Historia Langobardorum* (nach 788) beschreibt, ist dagegen nicht nachweisbar.

Die spannend und mit sichtlicher Lust am Fabulieren geschriebene Erzählung, deren Reim- und Verstechnik in ihrer formalen Sorglosigkeit der Entwicklungsstufe frühmittelhochdeutscher Dichtung auf dem Wege zur Gebundenheit klassisch-höfischer Formkunst entspricht, ist auch ihrem gedanklichen Gehalt nach ein Werk der Übergangszeit. Der höfische Begriff der *zuht* als weltmännische Grundhaltung ist dem Dichter schon bekannt, und in der noch vorhöfisch unkomplizierten Liebesbeziehung zwischen Rother und der Prinzessin beginnt sich schon die Überhöhung höfischer Minne abzuzeichnen. KLL

Ausgaben: Bln. 1808 (in *Deutsche Gedichte des MAs*, Hg. F. v. d. Hagen, Bd. 1). – Quedlinburg

1837 (in *Deutsche Gedichte des 12. Jh.s u. der nächstverwandten Zeit*, Hg. H. F. Maßmann, Tl. 2). – Halle 1884, Hg. K. v. Bahder (ATB, 6). – Heidelberg 1922, Hg. J. de Vries. – Bonn/Lpzg. 1922, Hg. Th. Frings u. J. Kuhnt (Rheinische Beiträge, 3). – Halle 1954 [nach der Ausg. v. Th. Frings u. J. Kuhnt] (Altdeutsche Texte für den akademischen Unterricht, 2; ern. 1961, Hg. W. Fläming). – Bln. 1961, Hg. u. nhd. Übers. G. Kramer [m. Einl. u. Nachw.].

LITERATUR: K. v. Bahder, *Zum »König Rother«* (in Germania, 29, 1884, S. 229–243; 257–300). – F. Panzer, *Italische Normannen in deutscher Heldensage*, Ffm. 1925 (Deutsche Forschungen, 1). – W. Krogmann (in VL, 2, Sp. 847–861). – E.-M. Wölker, *Die Menschengestaltung in vorhöfischen Epen des 12. Jh.s, »Chanson de Roland«, »Rolandslied« des Pfaffen Konrad, »König Rother«*, Bln. 1940 (Germanische Studien, 221). – A. Bach, *Der Aufbau des »König Rother«*, Diss. Jena 1945. – A. Schuster, *»König Rother« im Lichte der Forschung*, Diss. Wien 1945. – J. Bahr, *Der »König Rother« u. die frühmittelhochdeutsche Dichtung*, Diss. Göttingen 1951. – W. J. Schröder, *»König Rother«, Gehalt u. Struktur* (in DVLG, 29, 1955, S. 304–322). – G. Kramer, *Zum »König Rother«* (in Beitr. [Halle], 79, 1957, S. 186–203). – W. J. Schröder, *Zur Textgestalt des »König Rother«* (ebd., S. 204–233). – G. Kramer, *Voruntersuchungen zu einer kritischen Ausgabe des »König Rother«*, Diss. Lpzg. 1958. – K. Siegmund, *Zeitgeschichte u. Dichtung im »König Rother«*, Bln. 1959 [Diss. Ffm. 1957]. – H. Fromm, *Die Erzählkunst des Rotherepikers* (in Euph, 54, 1960, S. 347–379). – G. Kramer, *Zum »König Rother«. Das Verhältnis des Schreibers der Heidelberger Hs. zu seiner Vorlage* (in Beitr. [Halle], 82, 1960, S. 1–82). – J. de Vries, *Die Schuhepisode im »König Rother«* (in ZfdPh, 80, 1961, S. 129–141). – I. Benrath, *Vergleichende Studien zu den Spielmannsepen »König Rother«, »Orendel« u. »Salman u. Morolf«*, Diss. Lpzg. 1962 (Kurzfassung in Beitr. [Halle], 84, 1962, S. 312–372; 85, 1963, S. 374–416).

KUDRUN. Versepos von unbekanntem Verfasser, entstanden vor Mitte des 13. Jh.s im bairisch-österreichischen Donauraum. – Das Werk ist in der großen Ambraser Sammelhandschrift aus dem 16. Jh. (so genannt nach ihrem Fundort Schloß Ambras in Tirol) überliefert. Es ist in Sprechstrophen abgefaßt, deren erste beiden Langverse dem metrischen Schema der Nibelungenstrophe folgen, während der dritte und vierte Langvers an Teile der Titurelstrophe WOLFRAMS VON ESCHENBACH erinnert. Neben dieser sogenannten »Kudrunstrophe« treten etwa 100 reine Nibelungenstrophen auf.

Die dreiteilige Gliederung der Handlung entspricht den drei aufeinanderfolgenden Generationen, von denen die Dichtung berichtet. Die Vorgeschichte erzählt von Hagen, dem Sohn des irischen Königs Sigebant, von seiner Entführung durch einen Greifen, seiner schließlichen Rückkehr nach Irland und seiner Vermählung. Aus seiner Ehe geht Hilde hervor, die Heldin des folgenden Teils. – König Hetel von Hegelingen sendet drei seiner Helden als Brautwerber zu Hagen, die sich als Kaufleute ausgeben und mit List die junge Königstochter entführen. Nach hartem Kampf zwischen den Entführern und Hagen, der sie mit seinen Mannen verfolgt hat, versöhnen sich die Feinde, und die Hochzeit Hildes und Hetels kann festlich begangen werden. Der Tochter dieses Paares, Kudrun, gilt der dritte und umfangreichste Teil des Werks.

Die drei Bewerber um Kudruns Hand, Siegfried von Moorland, Hartmut von Ormanie (Normandie) und Herwig von Seeland, werden von ihrem Vater abgewiesen. Einige Jahre später fällt Herwig in Hetels Land ein. Durch die Verlobung Kudruns mit Herwig wird schließlich ein Waffenstillstand herbeigeführt. Da überzieht Siegfried von Moorland Herwigs Land mit Krieg. Während Hetel dem Schwiegersohn zu Hilfe eilt, überfallen Hartmut von Ormanie und sein Vater Ludwig das Hegelingenland und entführen Kudrun. Hetel und Herwig versöhnen sich mit Siegfried und setzen gemeinsam den Entführern nach, die sie auf dem Wülpensand (Scheldemündung) zum Kampf herausfordern, bei dem Hetel von Ludwig getötet wird. Die Normannen erreichen mit Kudrun ihre Heimat. Dort muß die Königstochter, die sich Hartmuts Werbungen standhaft widersetzt, auf Befehl der Königin Gerlind Magddienste tun. Nach Jahren bitterer Erniedrigung nahen die Befreier: Von Herwig und Ortwin, dem Bruder Kudruns, geführt, erstürmen die Hegelinge die Normannenburg. In dem wild tobenden Kampf kommt Ludwig durch Herwigs Hand um. Gerlind, die zuvor einen Mordanschlag auf Kudrun verübt hat, wird von Hetels Gefolgsmann Wate erschlagen. Hartmut wird als Gefangener an Hetels Hof gebracht; doch in der Freude über den errungenen Sieg versöhnen sich die Hegelinge mit ihren Feinden, und so kann die Dichtung mit einer dreifachen Hochzeit enden: Kudrun wird mit Herwig vermählt, Hartmut mit ihrer Gefährtin Hildburg und Ortwin mit Ortrun, Hartmuts Schwester.

Während die Geschichte Hagens wahrscheinlich eigene Zutat des Dichters ist, geht die Hilde-Sage auf ein wikingisches Brautraublied aus dem 4. Jh. zurück, das um das Brautwerbungsmotiv erweitert wurde (vgl. das Brautwerbungsepos *Dukus Horant – Fürst Horant*, entstanden Ende des 13. Jh.s, dessen Held den Namen eines der drei von Hetel ausgesandten Brautwerber trägt). Aufgrund literarischer Zeugnisse aus dem 12. Jh. (LAMPRECHTS *Alexander*, *Rolandslied*, *Salman und Morolf*) nimmt man als Vorstufe der *Kudrun* ein vorhöfisches Spielmannsepos an, das nur die Hilde-Sage behandelt. Ob der Kudrun-Stoff aus dieser Sage abzuleiten ist und der Dichter also aus ihr schöpfte (F. PANZER, H. SCHNEIDER, H. DE BOOR) oder ob er auf ein wikingisches Überfallslied zurückgeht (A. HEUSLER u. a.) und die Leistung des Dichters darin bestand, den Hilde- und Kudrun-Teil zusammenzufügen, ist nicht eindeutig zu entscheiden. Die stilistischen Merkmale der Reihung und Doppelung, der *»variierenden Wiederholung«* (H. Stolte), das Streben nach Breite, die Motive der Werbung und Entführung sprechen zumindest für eine vorhöfische Gestaltung auch des Kudrun-Stoffes.

Der Dichter hat seinen Stoff weniger von der Gesamtkomposition als von der Einzelszene her gemeistert, die plastisch ausgestaltet ist. Die drei Teile der Dichtung sind kompositorisch nur locker verknüpft, die Generationsfolge, das Auftreten derselben Figuren und Motivähnlichkeiten sind die einzigen Verbindungsglieder. Auch die Gestalten, im ganzen stark stilisiert und typisiert, gewinnen erst in der Einzelsituation Lebendigkeit: so Kudrun, wenn sie zornig die Wäsche ins Meer schleudert oder ihrer Widersacherin mit trotzigem Lächeln entgegentritt. Am ausgeprägtesten ist Gerlind, die stolze, unnachgiebige und überlegene Königin, gezeichnet.

Die engen Beziehungen der *Kudrun* zum *Nibelungenlied* sind vor allem in Stil und Sprache unverkennbar. F. NEUMANN bezeichnet in diesem Zusammenhang den Dichter der *Kudrun* als Epigonen des Nibelungen-Dichters. Dagegen stellt H. KUHN inhaltlich eine geradezu »*bewußte Entgegensetzung*« der *Kudrun* zum *Nibelungenlied* fest und sieht sie als »Antityp« dieser Dichtung. Sie ist, anders als diese, ihrem Stoff nach nicht eindeutig heroisch und nur in lockerem Zusammenhang mit der germanischen Heldendichtung zu sehen (K. STACKMANN); ihre epische Form weist die vorhöfischen Züge des Spielmannsepos auf. Vor allem aber entfernt sich das Werk, dessen Heldin die Aufgabe hat, »*Friede zu stiften aus Zerstörung*« (H. Kuhn), seinem Gehalt nach vom *Nibelungenlied*, »*in dem das Gesetz der Rache alles andere zum Schweigen*« bringt (L. Wolff). Im Geist einer neuen, milderen Zeit geschrieben, die die Vergebung über die heroische Selbstbehauptung stellt, spricht aus der *Kudrun* der »Versöhnungswille« christlicher Lebenshaltung (L. Wolff). A. Roe.

AUSGABEN: Bln. 1820 (in *Altdeutsche Gedichte des MAs*, Hg. F. H. v. der Hagen u. J. G. Büsching, Bd. 2). – Lpzg. 1865, Hg. K. Bartsch; Wiesbaden [5]1965 [Einl. K. Stackmann]. – Halle 1872, Hg. E. Martin [m. Komm.; [2]1902]. – Halle 1883, Hg. B. Symons (Altdeutsche Textbibl., 5; ern. Tübingen [4]1964, Hg. B. Boesch). – Stg. 1895 (*Kudrun u. Dietrichepen in Auswahl mit Wörterbuch*, Hg. O. L. Jiriczek; Bln. [6]1957, Hg. R. Wisniewski; Slg. Göschen, 10).

ÜBERSETZUNG: *Gudrun*, K. Simrock (in *Das Heldenbuch*, Bd. 1, Stg./Tübingen 1843). – Dass., ders., bearb. v. F. Neumann, Stg. 1958 (m. Einl.; RUB, 465–467).

LITERATUR: F. Panzer, *Hilde-Gudrun. Eine sagen- u. literargeschichtliche Untersuchung*, Halle 1901. – K. Droege, *Zur Geschichte der »Kudrun«* (in ZfdA, 54, 1913, S. 121–167). – H. Schneider, *Germanische Heldensage*, Bd. 1, Bln. 1928, S. 361–377; [2]1962. – M. Kübel, *Das Fortleben des Kudrunepos*, Lpzg. 1929. – H. Marquardt, *Die Hilde-Gudrunsage in ihrer Beziehung zu den germanischen Brautraubsagen u. den mhd. Brautfahrtepen* (in ZfdA, 70, 1933, S. 1–23). – I. Schröbler, *Wikingsche u. spielmännische Elemente im zweiten Teil des Gudrunliedes*, Halle 1934. – R. Menendez-Pidal, *Das Fortleben des Kudrungedichtes* (in Jb. f. Volksliedforschung, 5, 1936, S. 85–122). – M. H. Jellinek, *Bemerkungen zur Textkritik u. Erklärung der »Kudrun«* (in ZfdA, 72, 1935, S. 200–206). – F. Neumann, Art. *»Kudrun«* (in VL, 2, 1936, Sp. 961–983; 5, 1955, Sp. 572–580). – F. W. De Wall, *Studien zum Stil der »Kudrun«*, Diss. Königsberg 1939. – W. Jungandreas, *Gudrunstudien I u. II* (in ZfdPh, 68, 1943, S. 4–24; 113–155). – Ders., *Die Gudrunsage in den Ober- u. Niederlanden. Eine Vorgeschichte des Epos*, Göttingen 1948. – Th. P. Thornton, *Die Nibelungenstrophen in der »Gudrun«* (in MLN, 67, 1952, S. 289ff.). – M. Weege, *Das Kudrunepos. Eine Dichtung des Hochmittelalters*, Diss. Mainz 1953. – L. Wolff, *Das Kudrunlied* (in WW, 4, 1953/54, S. 193–203). – R. Bliem, *Vollständiges Glossar zum Kudrunepos*, Diss. Wien 1954. – H. W. Kroes, *Kudrunprobleme* (in Neoph, 38, 1954, S. 11–23). – A. Beck, *Die Rache als Motiv u. Problem in der »Kudrun«* (in GRM, 37, 1956, S. 305–338). – H. Kuhn, *»Kudrun«* (in *Münchner Univ.woche an der Sorbonne zu Paris*, Hg. J. Sarrailh u. A. Marchionini, Mchn. 1956, S. 135 bis 143). – J. K. Bostock, *The Structure of the »Kudrun«* (in MLR, 53, 1958, S. 511–525). – G. Jungbluth, *Einige »Kudrun«-Episoden. Ein Beitrag zum Textverständnis* (in Neoph, 42, 1958, S. 289 bis 299). – F. Hilgers, *Die Menschendarstellung in der »Kudrun«*, Diss. Köln 1960. – H.-M. Umbreit, *Die epischen Voraussetzungen in der »Kudrun«*, Diss. Freiburg i. B. 1961. – S. Gutenbrunner, *Von Hilde u. Kudrun* (in ZfdPh, 81, 1962, S. 257–289). – R. Janzen, *Zum Aufbau der »Kudrun«* (in WW, 12, 1962, S. 257–273). – H. Rosenfeld, *Die »Kudrun«, Nordseedichtung oder Donaudichtung?* (in ZfdPh, 81, 1962, S. 289–314). – W. J. Schröder, *Spielmannsepik*, Stg. 1962 (Slg. Metzler, 19). – J. Carles, *Le poème de »Kudrun«*, Paris 1963. – R. Wisniewski, *»Kudrun«*, Stg. 1963 (Slg. Metzler, 32). – W. Hoffmann, *Die Hauptprobleme der neueren »Kudrun«-Forschung* (in WW, 14, 1964, S. 183–196; 233–243). – W. Hoffmann, *Ein Beitrag zur Deutung der nachnibelungischen Heldendichtung*, Stg. 1967 (Germanist. Abh., 17). – H. Siefken, *Überindividuelle Formen und der Aufbau des Kudrunepos*, Mchn. 1967.

LOHENGRIN (mhd.). Strophisches Versepos in zwei Teilen von zwei unbekannten Verfassern, entstanden um 1280 bis 1290. – Der Dichter des ersten Teils (Strophe 1–67) stammte aus Thüringen, der des zweiten Teils (Strophe 68–767) aus Baiern. Dieser bildet mit den Anfangsbuchstaben der Stollen und Abgesänge von Strophe 763–765, in denen er über sich selbst spricht, das Akrostichon »Nouhusius«, so daß man als seinen tatsächlichen Namen wohl »Der von Neuhaus« o. ä. annehmen kann; urkundlich ist er jedoch nicht festzulegen. Das Gedicht ist in drei Handschriften, einem Fragment und einer späteren Bearbeitung überliefert, die Ulrich FÜETRER († zwischen 1492 und 1502) in sein *Buch der Abenteuer* aufnahm.

Das Werk beginnt mit dem Anteil des thüringischen Verfassers, der als Rahmenhandlung jenes etwa um 1230 entstandene Gedicht übernimmt, das als sogenanntes »Rätselspiel« Teil des *Wartburgkriegs* ist, einer im 14. Jh. zusammengestellten Sammlung mehrerer, teils selbständiger Gedichte. Meister Klingsor aus Ungarn gibt Wolfram von Eschenbach mehrere Rätsel zu lösen auf und fragt ihn schließlich auch nach dem Schicksal eines Artus-Helden, dessen Namen er jedoch verschweigt. Daraufhin erzählt Wolfram, um dem anwesenden Hermann von Thüringen, dessen Gemahlin und dem versammelten Hofstaat seine Kunst zu beweisen, die Geschichte vom Schwanenritter Lohengrin und löst so auch dieses Rätsel. – Elsam von Brabant wird von Friedrich von Telramunt, einem Dienstmann ihres verstorbenen Vaters, zur Frau begehrt. Er behauptet, sie habe ihm die Ehe versprochen, und verklagt sie vor dem Kaiser. Ein Zweikampf soll über sein Recht entscheiden, zu dem Elsam einen Kämpfer stellen muß. Niemand wagt jedoch, gegen den gewaltigen Telramunt anzutreten. Als Elsam in tiefer Verzweiflung im Gebet liegt, beginnt ein goldenes Glöckchen zu klingen, das sie einst einem Falken vom Fuß löste und seitdem immer bei sich trägt. Der Klang der Glocke wird in der Gralsburg gehört und von dort daraufhin Lohengrin, der Sohn Parzivals, als Kämpfer für Elsam entsandt. Ein Schwan zieht seinen Nachen über die See, und nach fünf Tagen landet er in Antwerpen, wo er festlich empfangen wird. Mit Lohengrins Ankunft in Antwerpen fährt nun der bairische Verfasser fort. Er schildert detailliert das höfische Leben mit seinen Festlichkeiten, Versammlungen, Beratungen, Empfängen und kirchlichen Feiern. Auf dem Gerichtstag, den Kaiser Heinrich nach Mainz einberufen hat, überwindet Lohengrin seinen Gegner Telramunt, der nach dem Eingeständnis seiner Lüge hingerichtet wird. Elsam heiratet den geliebten Helden, muß aber versprechen, ihn nie nach seiner Herkunft zu fragen, da er sie sonst verlassen müsse. Nachdem der Gralsritter sich auch auf dem Schlachtfeld als Held gezeigt und sowohl im Gefolge Kaiser Heinrichs gegen die Ungarn gekämpft hat als auch dem Papst gegen die Sarazenen zu Hilfe geeilt ist, bricht nach seiner Rückkunft das Verhängnis herein. Die neidische und rachsüchtige Gräfin von Kleve, deren Gatte von Lohengrin im Turnier besiegt wurde, verleitet Elsam zu der verhängnisvollen Frage. Lohengrin enthüllt ihr das Geheimnis seiner Abkunft und verläßt sie und die beiden Söhne in großer Trauer. Den Abschluß des Gedichts bildet ein chronikartiger Bericht über die ottonischen Herrscher bis zu deren letztem Kaiser, Heinrich II.

Das Gedicht knüpft mit seiner Haupthandlung an die Verse 823,27 — 826,28 des *Parzival* Wolframs von Eschenbach an. Hier wird die Lohengrin-Sage erzählt, die, ohne Namensnennung und ohne Anknüpfung an den *Parzival*, auch von Konrad von Würzburg (um 1225 - 1287) in seinem *Schwanritter* bearbeitet wurde. Die Schlachtenschilderungen gehen auf Wolframs *Willehalm* (zwischen 1215 und 1218) und den *Jüngeren Titurel* Albrechts von Scharfenberg (ca. 1272) zurück. Schließlich benutzte der Verfasser für die Darstellung historischer Ereignisse die *Sächsische Weltchronik* Eikes von Repgow (Anfang des 13. Jh.s) und den *Schwabenspiegel* (zwischen 1275 und 1280). Das Gedicht ist eine merkwürdige Verknüpfung von poetisch-märchenhaften Motiven mit historischen Begebenheiten aus dem Leben Heinrichs. Dabei wird die Sagengestalt des Schwanenritters selbst zur historischen Figur und Anlaß für ein breitangelegtes historisches Zeitgemälde. Indem der Dichter Teile der ursprünglichen Sage opfert, gewinnt er zwar Raum für die Entfaltung fürstlicher und kirchlicher Repräsentation, er nimmt jedoch dem Werk damit auch seine inhaltliche und formale Geschlossenheit. Auch das komplizierte metrische Schema des im sogenannten »Schwarzen Ton« geschriebenen Gedichts wird häufig durchbrochen; das Gefühl für rhythmische Gestaltung fehlt dem nur durchschnittlich begabten Verfasser. – Richard Wagner lernte den *Lohengrin* 1841 kennen und benutzte ihn als Hauptquelle für seine »romantische Oper« (1845–1848).

In enger thematischer und überlieferungsgeschichtlicher Beziehung zum *Lohengrin* steht ein zweites, die Lohengrin-Sage bearbeitendes Gedicht, *Lorengel*, das nur in einer Fassung im Meistersingerstil aus dem 15. Jh. erhalten ist. Es umfaßt, durch Einschübe erweitert, 207 Strophen. Einleitung und Haupthandlung bis zur Ankunft Lorengels in Antorf (Antwerpen) stimmen mit dem thüringischen Teil des *Lohengrin* überein. Es folgt dann, abweichend von der bairischen Fortsetzung, der Bericht Waldemars, eines zu Lorengels Unterhaltung herbeizitierten Ritters, über Etzels Zug an den Rhein und die ihm durch Parzival bereitete Niederlage. Mit der Meldung an die Herzogin Isilie von Prafant, daß ein Kämpfer für sie nahe, setzt der Text der Sage wieder ein. Isilie empfängt Lorengel; am nächsten Tag besiegt dieser seinen Gegner Fridereich von Dundramunt, der seine Verleumdung zugibt und geköpft wird. Mit der Hochzeit Lorengels und Isilies bricht das Gedicht ab, das aber aller Wahrscheinlichkeit nach ursprünglich die gesamte Sage bis zu Lorengels Abschied enthielt.

Die starken inhaltlichen Abweichungen des *Lorengel* vom *Lohengrin* und die unterschiedlichen Namensformen der Personen und Orte scheinen zu dem Schluß zu berechtigen, daß der Dichter des *Lorengel* den bairischen Teil des *Lohengrin* nicht gekannt hat. Eine Reihe von z. T. wörtlichen Übereinstimmungen, die sich andrerseits in beiden Gedichten finden, legt jedoch die Vermutung nahe, daß beide Verfasser zumindest teilweise aus derselben Quelle geschöpft haben. Wieweit darüber hinaus die von dem bairischen Gedicht abweichenden Züge, vor allem die Waldemar-Erzählung, als Einschübe aus ursprünglich selbständigen Gedichten zu gelten haben, bleibt fraglich.

I. F. W. - KLL

Ausgaben: Heidelberg 1813, Hg. J. Görres. – Quedlinburg/Lpzg. 1858, Hg. u. Einl. R. Rückert (Bibl. d. gesamten dt. National Lit., 1. Abt., Bd. 36). – Lpzg. 1872 (*Lorengel*, Hg. E. Steinmeyer; in ZfdA, 15).

Übersetzung: *Lohengrin, der Ritter mit dem Schwan*, H. A. Junghans, Lpzg. 1879 (RUB, 1199/1200).

Vertonung: R. Wagner, *Lohengrin* (Text: R. W.; Oper; Urauff.: Weimar, 28. 8. 1850).

Literatur: E. Elster, *Beiträge zur Kritik des »Lohengrin«*, Halle 1884 (auch in Beitr., 10, 1885, S. 81–194). – W. Golther, *»Lohengrin«* (in RF, 5, 1890, S. 103–136). – F. Panzer, *Lohengrinstudien*, Halle 1894. – C. Kraus, *Lohengrinstudien von F. Panzer* (in Zs. für d. österr. Gymnasium, 1897, H. 6, S. 1–20). – O. Ranke, *Die Lohengrinsage. Ein Beitrag zu ihrer Motivgestaltung u. Deutung*, Lpzg./Wien 1911. – L. Textor, *Untersuchungen über den Sprachgebrauch im »Lohengrin«*, Diss., Greifswald 1911. – F. Lampp, *Die Schwanrittersage in der Literatur*, Ratibor 1914. – Ehrismann, 2, 2/2, S. 79–82. – D. Busch, *Studien zum 2. Teil des »Lohengrin«* (in ZfdA, 69, 1932, S. 305–320). – A. G. Krüger, *Die Quellen der Schwanritterdichtungen*, Hannover 1936, S. 65–96. – W. Krogmann (in VL, 3, Sp. 55–79). – Ders., *Studien zum Wartburgkrieg* (in ZfdPh, 80, 1961, S. 62–83). – De Boor, 3/1, S. 108–113. – K. O. Brogsitter, *Artusepik*, Stg. 1965, S. 116–118 (Slg. Metzler, 38).

LUDWIGSLIED (ahd.). Preislied von unbekanntem Verfasser, entstanden zwischen 881 (Sieg des westfränkischen Königs Ludwig III., des Ururenkels Karls des Großen, über die Normannen bei Saucourt) und 882 (Todesjahr Ludwigs). – Das Lied wurde später, aber noch Ende des 9. Jh.s, in einer Handschrift zu Valenciennes zusammen mit einer altfranzösischen Dichtung aufgezeichnet. Die Sprache des Gedichts, dessen Verfasser wahrscheinlich Geistlicher war, ist rheinfränkisch.

Die historischen Tatsachen, die dem *Ludwigslied* zugrunde liegen, sind der Tod Ludwigs des Stammlers, die Krönung seiner Söhne Ludwig und Karlmann im Jahr 879, bei der Ludwig Westfranken erhielt, die Belagerung von Vienne in Burgund durch die Brüder, der gleichzeitige Einfall der Normannen in Flandern und das nördliche Frankreich, Ludwigs Rückkehr und sein Sieg über die Normannen bei Saucourt. Das Gedicht überhöht jedoch diese Ereignisse dichterisch und verwischt die geschichtlichen Konturen, um, im Stil des altgermanischen Fürstenpreises, das Bild des Helden Ludwig in den Vordergrund zu rücken. Dem vaterlosen Jüngling *(kind)* verleiht Gott Herrschertugenden, Thron und Gefolgschaft. Das Reich teilt Ludwig mit Karlmann. Um Ludwig zu prüfen, sendet Gott heidnische Mannen, die in sein Land einfallen, doch der junge König bewährt sich aufs glänzendste im Kampf und schlägt die Eindringlinge blutig zurück. »*Uuolar abur Hluduîg, Kuning unsêr sâlîg!*« *(»Heil dir, Ludwig, unserm gesegneten König!«)* – Zu den beiden formenden Prinzipien, der Historie und dem Fürstenpreis, gesellt sich ein drittes, die heilsgeschichtliche Deutung des Geschehens. Dabei wird die Geschichte vollends ihrer Faktizität entkleidet und unter die Idee der Theokratie gestellt. Aus den Normannen werden »*heidine man*«, aus den Franken »*godes holdon*«. Der kriegerische Einfall wird als göttliche Prüfung und die Schlacht als Kampf zwischen Heiden und Christen gedeutet.

Die Verbindung germanischen und christlichen Gedankenguts tritt gerade in der Sprache des *Ludwigsliedes*, in der Wahl der einzelnen Wörter und Begriffe, zutage. Ludwig ist der Kriegsherr, der den *gundfanon* (die Kriegsfahne) aufnimmt und dem seine *nôtstallon* (Kriegsgefährten) zur Seite stehen. Er ist aber auch *sâlig* (gesegnet), ein Diener des Herrn, der seinerseits zum *magaczogo* (Erzieher) des Verwaisten wird. Für Gott schlägt er seine Schlacht, in die sein Heer mit dem »Kyrieleison« zieht, in der Ludwig aber, von »*godes kraft*« beseelt, hart und ohne christliches Erbarmen kämpft: »*Suman thuruhskluog her, Suman thruhstah her.*« *(»Einige schlug er mitten entzwei, einige durchstach er.«)* Die beiden Schichten des Gedichts zeichnen sich auch in seiner Form ab. Die Stilmittel der germanischen Stabreimepik, wie Variation und Hakenstil, fehlen; die Breite altgermanischer Dichtung ist einer gedrungeneren Erzählweise gewichen, und an die Stelle des Stabreimverses tritt jetzt die binnengereimte Langzeile Otfridscher Prägung. Unverkennbar aber klingt durch den schreitenden Rhythmus dieser Verse noch die dynamische Akzentuierung des Stabreimverses mit seinen beiden Hauptikten: »*Dat Hiltibrant hætti min fater: ih heittu Hádubrant*« *(Hildebrandslied)* – »*Einan kúning uueiz ih, Heizsit her Hlúduîg*« *(Ludwigslied)*. A. Roe.

Ausgaben: Straßburg 1696, Hg. J. Schilter. – Bln. 1863 (in *Denkmäler dt. Poesie u. Prosa aus dem 8.–12. Jh.*, Hg. K. Müllenhoff u. W. Scherer; ³1892, Hg. E. v. Steinmeyer). – Bln. 1916 (in *Die kleineren ahd. Sprachdenkmäler*, Hg E. v. Steinmeyer). – Lpzg. 1919 (*Hildebrandlied. Ludwigslied. Merseburger Zaubersprüche*, Hg., Übers. u. Anm. F. Kluge). – Bergen 1950 (in *Frühe geistliche Dichtung*, Hg. u. Übers. F. Ranke). – Tübingen ¹⁴1962 (in *Ahd. Lesebuch*, Hg. W. Braune, K. Helm u. E. A. Ebbinghaus; ern. 1965). – Mchn. 1965 (in *Mittelalter. Texte u. Zeugnisse*, Hg. H. de Boor, Tl. 2; *Die deutsche Literatur. Texte u. Zeugnisse*, I/2).

Literatur: H. Sperl, *Naturalismus u. Idealismus in der ahd. Literatur. Dargestellt am »Hildebrand-«, »Ludwigs-« u. »Georgslied«*, Halle 1928, S. 133ff. – Ehrismann, 1, S. 228–236. – H. Naumann, *Das »Ludwigslied« u. die verwandten lat. Gedichte*, Diss. Halle 1932. – M. Ittenbach, *Dt. Dichtungen der salischen Kaiserzeit u. verwandte Denkmäler*, Würzburg 1937, S. 19–27 (Bonner Beitr. zur dt. Phil., 2). – W. Brauer (in VL, 3, Sp. 191–193). – R. Harvey, *The Provenance of the Old High German »Ludwigslied«* (in Medium Aevum, 14, 1945, S. 1–20). – W. Schwarz, *The »Ludwigslied«. A 9th-Century Poem* (in MLR, 42, 1947, S. 467–473). – F. Willems, *Der parataktische Satzstil im »Ludwigslied«* (in ZfdA, 85, 1954/55, S. 18–35). – Th. Melicher, *Die Rechtsaltertümer im »Ludwigslied«*, Wien 1955 (Anzeiger der Österr. Akad. d. Wiss., phil.-hist. Kl., 18). – F. Maurer, *»Hildebrandlied« u. »Ludwigslied«. Die altdeutschen Zeugen der hohen Gattungen der Wanderzeit* (in Der Deutschunterricht, 9, 1957, H. 2, S. 5–15; auch in F. M., *Dichtung u. Sprache des MAs*, Bern/Mchn. 1963, S. 157–167). – Th. Schumacher, *›Uuurdun sum erkorane, Sume sâr verlorane‹. Zum »Ludwigslied« V. 11–18* (in Beitr. [Tübingen], 85, 1963, S. 57 bis 64). – E. Berg, *Das »Ludwigslied« u. die Schlacht bei Saucourt* (in Rheinische Vierteljahresbibl., 29, 1964, S. 175–199). – M. Wehrli, *Gattungsgeschichtliche Betrachtungen zum »Ludwigslied«* (in *Philologia deutsch. Fs. W. Henzen*, Hg. W. Kohlschmidt u. P. Zinsli, Bern 1965, S. 9–20).

MANESSISCHE HANDSCHRIFT (mhd.). Umfangreichste Sammlung und wichtigste Quelle der höfischen und nachhöfischen Lyrik, entstanden um 1300–1340 in der Schweiz (Zürich?). – Die Handschrift, auch *Große Heidelberger Liederhandschrift* genannt, wird nach wechselvollem Schicksal seit 1888 in Heidelberg aufbewahrt (Universitätsbibliothek, Codex pal. germ. 848) und enthält auf 425 Pergamentblättern (Format 35,5 × 25 cm) die Dichtungen von 140 Autoren mit insgesamt fast 6000 Versen aus der Zeit von 1160/70 bis gegen 1330. Sie umfaßt somit die gesamte Epoche der literarischen Erscheinung, die wir nach Inhalt und Vortragsform mit dem Begriff »Minnesang« bezeichnen. Sie ist keine Anthologie der mittelhochdeutschen Lyrik, sondern eine Art »Gesamtausgabe« aller bekannten und greifbaren Lieder, Leiche und Sprüche, das Ergebnis nachhaltigster Bemühungen, die Lyrik vergangener Zeiten bis zur Entstehung der Handschrift selbst in einem fortdauernden Prozeß zu kodifizieren. So ist sie auf Ergänzungen und Nachträge hin angelegt und damit sowohl der Tradition dieser Kunstform wie ihrer zeitgenössischen, noch lebendigen Aufführung verpflichtet.

Die Manessische Handschrift ist nicht die einzige Sammelhandschrift mittelhochdeutscher Lyrik, doch ist sie nach Umfang und künstlerischer Ausstattung die bei weitem wertvollste und darüber hinaus eine der kostbarsten mittelalterlichen Handschriften überhaupt. Neben den Texten enthält sie zu fast allen Dichtern (137) ganzseitige, farbenprächtige Illustrationen, die sie zu einem einzigartigen Dokument gotischer Buchmalerei machen. Den Liedern der einzelnen Autoren ist jeweils eine Art »Porträt« vorangestellt, welches das Typische einer Gestalt im Bild festhält. Aber nicht nur der Dichter selbst – seinem Schreiber diktierend oder in nachdenklicher Haltung versunken – wird gezeigt, sondern auch die vielfältige Welt des staufischen Adels, wie sie zu Beginn des 14. Jh.s in der Vorstellung des Künstlers lebt. Der Dichter ist dargestellt als gewappneter Ritter im Kampf und Turnier, bei

Jagd und Spiel, im Gespräch und liebevoller Umarmung mit seiner Dame. Immer ist er mit den Attributen seines Standes oder Amtes ausgezeichnet, Wappen und Helm kennzeichnen seine Familienzugehörigkeit. Mindestens vier Künstler sind an den Bildern beteiligt, der größte Teil (110) stammt von einem einzigen, dem sogenannten Grundstockmaler. Die späteren Nachtragsmaler kennzeichnet eine Vorliebe für erzählende, genrehafte Ausweitung der Bildthemen.

Von Johann Jakob BODMER, der 1748 Teile der Handschrift unter dem Titel *Proben der alten schwäbischen Poesie des dreyzehnten Jahrhunderts* herausgab, erhielt sie den Namen *Manessische Handschrift*, den sie bis heute, trotz vielfachen Widerspruchs, immer noch trägt. Bodmer bezog sich dabei auf ein Lied des bürgerlichen Zürcher Dichters Johannes HADLAUB (um 1300), das uns nur in dieser Handschrift überliefert ist. Darin schildert er einen Kreis von Literaturfreunden, der sich um die beiden Zürcher Patrizier Rüdiger MANESSE († 1304) und seinen Sohn Johannes († 1297) sammelte. Hier heißt es (in neuhochdeutscher Übersetzung): »*Wo fände man so viele Lieder beisammen? Man fände sie nirgends im Königreiche, wie sie jetzt in Zürich in Büchern stehen. Daher übt man dort häufig meisterlichen Gesang. Der Manesse mühte sich eifrig darum, infolgedessen er jetzt die Liederbücher besitzt ... Sein Sohn, der Kustos, bemühte sich im gleichen Sinn, daher sie nun viel edlen Sanges, die werten Herren, zusammengebracht haben.*« Nach Hadlaubs Zeugnis gehörten dem Kreis noch weitere überragende Persönlichkeiten der Zeit an: HEINRICH VON KLINGENBERG († 1306), Bischof von Konstanz, ELISABETH VON WETZIKON († 1298), Äbtissin des Zürcher Frauenmünsters, die Äbte von Einsiedeln und Petershausen, der Graf FRIEDRICH VON TOGGENBURG († 1315) und neben edlen Frauen andere Angehörige des hohen Adels und der Geistlichkeit. Mit Sicherheit ist anzunehmen, daß die Handschrift dem »antiquarisch-gelehrten« Interesse und der Sangesfreude dieses Kreises ihre Anregung verdankte. Aber unter den genannten »Liederbüchern« haben wir eher die vielfältigen Quellen der Handschrift, vielleicht Sammlungen der Lieder einzelner Dichter zu verstehen als sie selbst.

Neben der *Manessischen Handschrift* sind es vor allem zwei weitere Sammlungen, denen wir unsere Kenntnisse des Minnesangs fast ausschließlich verdanken: Die *Kleine Heidelberger Liederhandschrift* vom Ende des 13. Jh.s, wohl im Elsaß entstanden, und die *Weingartner Liederhandschrift* vom Anfang des 14. Jh.s, deren Illustrationen denen der *Manesse-Handschrift* eng verwandt sind. Alle drei Sammelhandschriften gehören dem oberdeutschen Sprachgebiet an. Hier fand der Minnesang seine größte Verbreitung, hier waren die meisten Sänger beheimatet. Über die Art der Überlieferung ihrer Lieder herrscht jedoch noch weitgehend Unklarheit. Die drei großen Handschriften sind nicht direkt voneinander abhängig, gehen aber z. T. auf gemeinsam benutzte Quellen zurück, vielleicht auch auf sogenannte »Repertoirehefte« fahrender Sänger. Für die *Manessiche Handschrift* speziell müssen wir aber auch mit einer sehr starken mündlichen Überlieferung bis zur Zeit der Entstehung rechnen, worauf die Art der Zusammenstellung hinweist.

Mit dem Minnesang, der ersten »weltlichen« Lyrik auf deutschem Boden, beginnt eine völlig neue Kunstform in der christlich-abendländischen Kultur: Eine ritterliche Liebesdichtung, ein ästhetisch-artistisches Spiel, das von dem Begriff der Minne und der Idealisierung der Frau im Gesang beherrscht wird. Minnesang ist eine Einheit von »*wîse unde wort*«; die Melodien der Lieder sind uns allerdings fast unbekannt geblieben. Unbekannt ist uns auch weitgehend der Ursprung und die Entstehung dieser Dichtung. Sicher ist, daß der deutsche Minnesang die Variante einer vor allem in der französischen Provence verbreiteten Kunstübung ist, deren Vorbild häufig in der höfischen Kultur und im Gesang der spanischen Araber gesehen wird und deren Vertreter die »Troubadours«, ritterliche Herren, Ministerialen, auch Bürgerliche, Geistliche und fahrende Sänger sind. Formen und Inhalte dieser Lyrik prägten sich unter dem Einfluß der starken Tradition klassisch-antiker Dichtung und wohl auch der gesamten mittellateinischen Literatur, deren Kultübung und Rhetorik vor allem auf den Begriff von Minne und Minnedienst einwirkten. Daneben gilt der aufblühende Marienkult des 12. Jh.s als Vorbedingung des Minnesangs. Die provenzalischen Troubadours formten das traditionelle Schema des Minnesangs, seine Motivik, Regeln und Theorien, seine Didaktik und feine Psychologie. Er ist eine exklusive Kunst mit feststehenden Wendungen und Formeln, die in nur geringem Maße Variationen erlauben.

Auf dreifache Weise wurde die Kunst der Troubadours nach Deutschland gebracht: über Burgund an den Oberrhein und in die Schweiz; über Nordfrankreich an den mittleren und unteren Rhein und in die Niederlande sowie nach Mitteldeutschland; von Oberitalien nach Österreich, wo die ältesten Minnesänger beheimatet sind. Der deutsche Minnesang prägte das Aufgenommene nur begrenzt mit eigenen, z. T. neuen Formen und Gehalten. Trotzdem gibt die nationale Kultur und Volkssprache ihm neuen Impuls. Die Idealisierung der Frau tritt noch mehr in den Vordergrund, das Preislied der Frau wird mit einer ethischen Wertordnung des Rittertums verknüpft, in der sich die ritterlichen Tugenden *(state, triuwe, zuht, êre)* bewähren konnten. Die Spannung zwischen Verlangen und Verzichten, Leidenschaft und Abweisung, Hoffnung und Enttäuschung ist stärker als beim französischen Vorbild; der Erlebnisgehalt schwindet noch radikaler auf Kosten einer fiktiven, abstrakten Poesie. Reflexionen über das Minneproblem und feine Psychologie der Minne nehmen einen breiteren Raum ein. Neu ist der Einfluß des volkssprachlichen, unterliterarischen Gesellschaftsliedes, das die Entwicklung des frühen Minnesangs beeinflußt. Von den 140 Dichtern der *Manessischen Handschrift* entfallen fast 100 zu etwa gleichen Teilen auf die Gebiete Österreich/Bayern, Schweiz und Schwaben. Mitteldeutschland stellt etwa 20 Dichter, die vor allem in Franken und Thüringen beheimatet sind. Der Anteil der übrigen Landschaften ist gering, einige Dichter sind ihrer Herkunft nach unbekannt.

Der Minnesang ist als feudale Standesdichtung zunächst ausschließlich Kunst des hohen Adels und Rittertums. Aber schon bald überwiegt der Anteil des niederen Adels, der Dienstmannen und Ministerialen und später der bürgerlichen Sänger. Die Disposition der Handschrift folgt dem mittelalterlichen Prinzip der ständischen Ordnung. Die Dichter werden nach ihrer soziologischen Gebundenheit in die Gesellschaft eingeordnet. Ein Kaiser (HEINRICH VI.) eröffnet die Reihe der Sänger. Dann folgen Könige, Herzöge, Markgrafen, Grafen,

Freiherren, Ministerialen, Bürgerliche, fahrende Sänger (Spielleute) und gelehrte »Meister«. Dabei sind den Sammlern in der Anordnung bisweilen aus Unkenntnis Fehler unterlaufen, im allgemeinen aber ist das Ordnungsprinzip eingehalten worden.

Nach Form und Inhalt unterscheidet man drei Gattungen mittelhochdeutscher Lyrik: das Lied, den Leich und den Spruch. Das Lied hat seinen formalen Ursprung in der lateinischen Hymne, der Marienlyrik und romanischen Versformen. Es ist ursprünglich einstrophig, enthält aber später meist mehrere Strophen, deren jede fast immer dreigeteilt gegliedert ist: zwei gleiche Versgruppen, sogenannte Stollen, bilden den Aufgesang, der darauf folgende Abgesang hat oft einen größeren Umfang. – Der Leich wurde, wie das Lied, ebenfalls gesungen, aber mit durchkomponierter Musikbegleitung. Sein Strophenbau ist unregelmäßig, Reim- und Versform variieren. – Die Spruchdichtung wird unterteilt in »Sprech«- und »Sangspruch«. Der Sprechspruch, in vierhebigen Reimpaaren ohne Stropheneinteilung und ohne Musik, ist zum mündlichen Vortrag bestimmt. Er nimmt seine Themen aus der Politik, dem Alltag, der Religion, ist sentenziös-didaktisch. Der strophische Sangspruch, dem Lied verwandt, enthält Biographisches, Literaturpolemik, politische Parteinahme und allgemeine Lebensweisheit.

Der Minnesang, dessen Form das Lied ist, kennt verschiedene Liedgattungen. Das »Tagelied«, das sich zum erstenmal bei Dietmar von Aist findet, schildert die fiktive Situation von Abschied und Trennung zweier Liebender im Morgengrauen nach unerlaubter Liebesnacht. Das Schema des Liedes ist immer gleich, es variiert lediglich in einzelnen Motiven und Wendungen: Der Wind, eine Vogelstimme oder der Ruf des Wächters auf der Zinne verkündet den Anbruch des Tages und warnt vor Entdeckung. In wechselnder Rede, mit Klage und Liebesbeteuerungen nehmen die Liebenden schmerzvoll-zärtlichen Abschied. Die Klage der zurückgelassenen Frau bildet den Abschluß. – Das »Klagelied« beweint den Tod verstorbener Fürsten oder angesehener Männer, das »Kreuzlied« kann als fast »propagandistischer« Aufruf zur Teilnahme am Kreuzzug gelten. Es schildert häufig den Konflikt zwischen Minne- und Kreuzzugspflicht. – Im »Tanzlied«, einer Gattung des Spätmittelalters, folgen einem erzählenden Teil die getanzten Strophen, meist in der Form des Kehrreims. Die Pastourelle, eine dem Französischen entlehnte Liedform, ist der »niederen Minne« gewidmet, in der das sinnliche Element der Liebe stärker zum Ausdruck kommt. Der Sänger trifft auf der Heide oder einer Wiese mit einem Mädchen niederen Standes zusammen und versucht, sie zu verführen. Der Pastourelle verwandt sind die »Mädchenlieder«, die seit Walther von der Vogelweide Eingang in den Minnesang fanden. Auch hier wird ein Mädchen niederen Standes besungen.

Das Wort »Minne« ist nicht übersetzbar; es bezeichnet eine Art vergeistigter Liebe, meint *amor* und *caritas* zugleich, Sinnlichkeit und deren Abstraktion, immer bezogen auf das Verhältnis des Sängers zu seiner im Gesang verehrten und gepriesenen Dame. Der Minnedienst bezeichnet ein Dienstverhältnis, das nur aus der Kenntnis der soziologischen Konstellation der feudalen höfischen Gesellschaft verständlich wird. Das reale Lehensverhältnis des Ritters zu seinem adligen Herren wird auf die Dame übertragen. Wie der Dienstmann dem Lehensherrn, so fühlt sich der Sänger der Dame untertan. Er begibt sich als Vasall in ihren Dienst, wirbt in Verehrung um ihr Wohlwollen und erwartet Lohn in Form von *gruoz* und *hulde*. Der Minnedienst ist ein ästhetisch-artistisches Spiel mit festgelegten Formen und Regeln, ist konventionelle Kunstübung im Rahmen höfischer Geselligkeit. Daraus versteht sich die immer gleiche, immer typische Situation des Minneliedes. Der Sänger, meist Angehöriger des Ritterstandes, bekennt öffentlich vor der höfischen Gesellschaft seine Liebe zu einer Dame, die anonym bleibt, verheiratet ist und sozial höher steht. Oft ist es die Frau des Herren, in dessen Diensten der Sänger ist. Sie verkörpert das Idealbild der Frau, Inbegriff aller weiblichen Tugenden, und so muß die Minne des Sängers unerhört bleiben. Dazu stellen sich Aufpasser und Neider in den Weg und erschweren den Zugang zu der Dame; nur selten fängt er einen versteckten Gruß auf. Sein Singen und Dichten erreicht die Angebetete kaum und dient nur der Unterhaltung der Gesellschaft, die das Leid des Ungehörten belächelt und als ästhetischen Leckerbissen aufnimmt. Schließlich verliert er sich ganz in seiner Liebessehnsucht, die zum Wahn wird. Innerhalb dieses Rahmens bewegt sich das Minnelied in festgefügten Formen und Schemata. Motive, Bilder, Vorstellungen, Reflexionen sind immer gleichbleibend, es gibt nur wenig Raum für individuelle Variationen. Als konventionelle Gesellschaftslyrik lebt der Minnesang ganz im Raum überpersönlicher Fiktion, als eine abstrakte Kunstübung, die sich biographischer Deutung weitgehend entzieht.

Die Periode des deutschen Minnesangs umfaßt einen Zeitraum von mehr als 150 Jahren. Aber nicht eine kontinuierliche literarhistorische Entwicklung wird transparent, sondern ein ständiger Wechsel von Tradition und Neuerung, von Typischem und Individuellem zeichnet sich ab. Nach dem Grad der Beeinflussung und Abhängigkeit vom Gesang der provenzalischen Troubadours hat man den Minnesang chronologisch in verschiedene Epochen gegliedert, deren Grenzen zwar fließend sind, die aber dennoch eine allmähliche Entwicklung widerspiegeln. So unterscheidet man eine »Frühstufe« (1160–1170), noch weitgehend frei von fremden Einflüssen, eine »frühromanisierende« Stufe (1170–1180) und eine »romanisierende« Stufe (1180–1230), die mit der sog. »Blütezeit« des Minnesangs identisch ist und in Walther von der Vogelweide ihren absoluten Höhepunkt hat. Die nachfolgende Dichtung bis zum Beginn des 14. Jh.s heißt »Wende«, »Herbst« oder »Nachklang« des Minnesangs.

Die »Frühstufe« knüpft an die ältere deutsche Liedkunst an. Ihr gehört der Kürenberger an, von dem einstrophige, volkstümliche Lieder überliefert sind, in denen das Liebeswerben des Sängers noch auf Erfüllung drängt. Zur »frühromanisierenden« Stufe zählen Meinloh von Sevelingen, Dietmar von Aist und Kaiser Heinrich. Ihre Lieder zeigen noch altertümliche Züge, die Minneauffassung schwankt zwischen natürlich-sinnlichem Begehren und ethisch-erzieherischer Idee. Die besungene Frau ist noch nicht die unnahbare, abstrakte »hohe« Dame der späteren Zeit, aber der Motiv- und Gedankenkreis der »hohen Minne« ist schon vorhanden. Die »Blütezeit« zeigt starken provenzalischen Einfluß. Friedrich von Hausen ist der erste große Vertreter des klassischen Minnesangs. Er entwickelt das mehrstrophige Lied mit reicher rhetorischer Wortwahl und vielseitiger

Reimbildung. Im Mittelpunkt seiner Dichtung steht die Idee der sittlichen Vervollkommnung durch die Minne. HEINRICH VON VELDECKE pflegt das Tanzlied und den Spruch. Minne bedeutet ihm Festigung und Veredlung der Freude, er preist die Schönheit der Natur und der Frau. HEINRICH VON MORUNGEN bezeichnet mit seinen vielfältigen Vers- und Strophenformen einen Höhepunkt formaler Gestaltungskraft. Obwohl im Themenkreis eng begrenzt, zeichnen sich seine Lieder durch eine Fülle von eigenen, erlebnishaften Tönen aus, die in der inneren Spannung zwischen dem höfischen Typus und persönlicher Empfindung ihre eigene Sprache finden. REINMAR DER ALTE ist mit seinen Variationen und Reflexionen ein Meister der Minne-Dialektik. Seine elegisch trauernden, schmerzlich-sehnsüchtigen Klagen, die nie auf Erfüllung drängen, zeigen den leidenden Sänger, der zart und vergeistigt in seinen Empfindungen ist. Walther von der Vogelweide ist der einzige Minnesänger, der es sowohl im Lied wie im Spruch zu nie erreichter Meisterschaft brachte. Er erneuerte den überzüchteten Gesang der Franzosen durch die Verbindung mit der heimischen, volkstümlichen Dichtung. Zu Beginn noch stark der schulmäßigen Tradition verhaftet, findet er bald seinen eigenen Ton. Der »hohen Minne«, dem eigentlichen Frauendienst, stellt er in seinen »Mädchenliedern« die »niedere Minne« gegenüber, der ätherischen Geziertheit der höfischen Dame das natürliche, einfache, lebensvolle Mädchen. Damit sprengt er das ästhetische Spiel höfischer Konvention und erschließt dem Minnesang neue Möglichkeiten. In seiner Spruchdichtung greift er ratend, mahnend und scheltend in die politischen Ereignisse der Zeit ein. Vom staufischen Reichsgedanken ergriffen, wissend um seine politische Pflicht und Verantwortung, ergreift er Partei für den Kaiser im Kampf mit dem Papst.

Nach Walther zerfällt die höfische Kultur allmählich und mit ihr auch das standesmäßige Minnelied. Das schließt nicht aus, daß noch weiter Lieder im traditionellen Sinn gedichtet werden, aber als Reaktion auf die im Konventionellen erstarrte höfische Dichtung tritt immer mehr die Parodie und das Spottlied in den Vordergrund. In NEIDHART VON REUENTALS Sommer-, Winter- und Tanzliedern verwandelt sich die ritterliche Dame in ein Bauernmädchen, um das die töpelhaften Bauernburschen werben und sich prügeln. Seine Lieder verspotten den groben, ungelenken Bauern, gleichzeitig parodieren sie die überzüchtete ritterliche Kultur. Zu seinen Nachahmern gehören BURCHARD VON HOHENFELS, GOTTFRIED VON NEIFEN und ULRICH VON WINTERSTETTEN, die wie er von der Pastourelle angeregt wurden. BERTHOLD STEINMAR, der mit seinen derb-realistischen Herbst- und Trinkliedern eine neue Variante ins Spiel bringt, parodiert das Tagelied und die Minneklage. Von den Spruchdichtern sind vor allem REINMAR VON ZWETER mit seinen politischen, didaktischen und religiösen Sprüchen, BRUDER WERNER, der Prediger von irdischer Vergänglichkeit, Tod und Gericht, und FRAUENLOB zu nennen. Frauenlob verwendet in seinen erstmals mehrstrophigen Sprüchen weltliche und geistliche Themen und stellt sich mit seiner Vermischung von Lied und Spruch an die Spitze der Entwicklung zu den späteren Meistersingern, die in ihm den Begründer ihrer Kunst sahen.

I. F. W.

AUSGABEN: Zürich 1748 (in *Proben der alten schwäbischen Poesie des dreyzehnten Jh.s*, Hg. J. J. Bodmer). – Zürich 1758/59 (*Sammlung von Minnesängern aus dem schwäbischen Zeitpuncte*, Hg. J. J. B. u. J. J. Breitinger, 2 Tle.). – Lpzg. 1838 (in *Minnesinger. Deutsche Liederdichter des zwölften, dreizehnten u. vierzehnten Jh.s*, Hg. F. H. v. d. Hagen, 4 Bde.). – Lpzg. 1857 (in *Des Minnesangs Frühling*, Hg. K. Lachmann u. M. Haupt; 33 1962, Hg. C. v. Kraus). – Lpzg. 1864 (in *Deutsche Liederdichter des 12.–14. Jh.s*, Hg. K. Bartsch; 7 1914). – Frauenfeld 1886 (in *Die Schweizer Minnesänger*, Hg. K. Bartsch; ern. Darmstadt 1966). – Heidelberg 1909 (*Die große Heidelberger Liederhandschrift*, Hg. F. Pfaff; Tl. 1). – Lpzg. 1925–1929, 2 Bde. [Faks.; Einl. R. Sillib, F. Panzer u. A. Haseloff]. – Tübingen 1952–1958 (in *Deutsche Liederdichter des 13. Jh.s*, Hg. C. v. Kraus u. H. Kuhn, 2 Bde.; enth. Text u. Komm.). – Tübingen 1962 (in *Minnesang des 13. Jh.s*, Hg. H. Kuhn).

ÜBERSETZUNGEN: *Minnelieder aus dem schwäbischen Zeitalter*, L. Tieck, Bln. 1803. – *Lieder der Minnesänger*, K. Simrock, Elberfeld 1857. – *Minnelieder u. Sprüche*, F. Wolters, Bln. 1909. – *Deutscher Minnesang*, Hg. R. Zoozmann, Regensburg 1910. – *Liedsang aus deutscher Frühe*, Hg. W. Fischer, Stg. 2 1955 (Kröners Taschenausg., 158). – *Deutsche Lyrik des MAs*, M. Wehrli, Zürich 2 1962 [m. Nachw.]. – *Deutscher Minnesang 1150–1300*, Nachdichtung K. E. Meurer, Hg. F. Neumann, Stg. 1963 (RUB, 7857/7858).

LITERATUR: F. Apfelstedt, *Zur Pariser Liederhandschrift* (in Germania, 26, 1881). – K. Zangemeister, *Zur Geschichte der »Großen Heidelberger«, sog. »Manessischen Liederhandschrift«* (in Westdt. Zs. f. Geschichte u. Kunst, 7, 1888). – W. Wisser, *Das Verhältnis der Minneliederhss. B u. C zu ihren gemeinschaftlichen Quellen*, Progr. Eutin 1889. – K. Zangemeister, *Die Wappen, Helmzierden u. Standarten der »Großen Heidelberger Liederhandschrift«*, Görlitz/Heidelberg 1892. – A. v. Oechelhäuser, *Zur Entstehung der »Manesse-Handschrift«* (in NHJb, 3, 1893). – F. Grimme, *Die Anordnung der »Großen Heidelberger Liederhandschrift«* (ebd., 4, 1894). – Ders., *Geschichte der Minnesinger*, Paderborn 1897. – A. v. Oechelhäuser, *Die Miniaturen der Universitätsbibliothek zu Heidelberg*, Bd. 2, Heidelberg 1895. – B. Hilliger, *Die »Manesse-Handschrift«. Beobachtungen bei ihrer Auseinandernahme* (in Zentralblatt f. Bibliothekswesen, 43, 1926). – Ehrismann, 2/2, S. 180–286. – H. Kuhn, *Minnesangs Wende*, Tübingen 1952; 2 1967. – J. Schwietering, *Die deutsche Dichtung des MAs*, Darmstadt 2 1957, S. 219–276. – R. Kienast, *Die deutschsprachige Lyrik des MAs* (in DPhA, Bd. 2, Bln. 2 1958, Sp. 1–131). – K. Martin, *Minnesänger*, 2 Bde., Baden-Baden 1960–1964. – W. Schmidt, *Die »Manessische Handschrift«*, Bln. 1960. – H. de Boor, *Die höfische Literatur. Vorbereitung, Blüte, Ausklang (1170–1250)*, Mchn. 5 1962, S. 234 ff. – H. Kuhn, *Die Klassik des Rittertums in der Stauferzeit* (in *Annalen der deutschen Literatur*, Hg. H. O. Burger, Bd. 1, Stg. 1962, S. 99–177; 2 1963). – E. Jammers, *Ausgewählte Melodien des Minnesangs*, Tübingen 1963. – G. Siebert-Hotz, *Das Bild des Minnesängers*, Marburg 1964. – E. Jammers, *Das königliche Liederbuch des deutschen Minnesangs. Eine Einführung in die sog. »Manessische Handschrift«*, Heidelberg 1965. – F. Neumann, *Minnesang* (in RL, Bd. 2, S. 303–314). – *Der deutsche Minnesang. Aufsätze zu seiner Erforschung*, Hg. H. Fromm, Darmstadt 3 1966.

MERSEBURGER ZAUBERSPRÜCHE (ahd.). Zwei Spruchdenkmäler von unbekanntem Verfasser, entstanden im 10. Jh. – Die beiden Sprüche, ein »Lösesegen« zur Befreiung eines Gefangenen und ein »Pferdesegen« zur Heilung eines verletzten Beins, gehören in die Reihe der mittelalterlichen Zauberformeln, die, nur lückenhaft und vom Zufall abhängig, nicht als Literatur, sondern als »Rezept« überliefert sind. Diese Sprüche bedienen sich zwar allgemein religiöser Mittel (etwa des Gebets, der Glaubensformel, des Segens), aber sie gehören ausschließlich in das Gebiet der Magie, die ihrem Wesen nach *»weder heidnisch noch christlich, weder germanisch noch kirchlich«* ist, sondern *»zeitlos und urtümlich«* (H. de Boor). Die *Merseburger Zaubersprüche* stellen insofern eine Besonderheit dar, als sie *»die einzigen deutschen Denkmäler [sind], die in ihrem Ursprung in die heidnische Zeit zurückreichen, die einzigen, die heidnischen Götterglauben in unverfälschter Gestalt zum Inhalt haben«* (G. Ehrismann). Auch die äußere Form des Stabreims weist auf den vorchristlichen Ursprung der Zaubersprüche hin. Beide sind zweiteilig gebaut – einer Vorbildhandlung, die von dem schon einmal erreichten Ziel des Spruchs berichtet, folgt die eigentliche Zauberformel –; bei beiden ist die magische Dreizahl beteiligt.

Die ersten drei Stabreimverse des vierzeiligen Lösesegens schildern die Befreiung eines Gefangenen durch Schlachtjungfrauen *(idisi)*, die sich in drei Gruppen aufteilen; jede Gruppe verfolgt dasselbe Ziel: Die einen *»hapt heptidun«* (*»hefteten Haft«*, d. h., banden die Heerfesseln, die das vordringende feindliche Heer behinderten), die andern *»heri lezidun«* (*»hemmten das Heer«*: indem sie es *laz*, träge machten), und die dritten *»clubodun umbi cuoniouuidi«* (*»klaubten an den Fesseln«*, d. h., banden sie auf). Die letzte Zeile enthält die Zauberformel *»insprinc haptbandun, invar vigandun«* *(»entspringe den Fesseln, entfliehe den Feinden«)*. Ob diese in ihren Halbversen endreimende Langzeile an die Stelle eines älteren Stabreimverses getreten ist oder ob der Merseburger Lösesegen zu den mitunter begegnenden Sprüchen ohne eigentliche Zauberformel gehört und diese erst später ergänzt wurde, ist nicht zu entscheiden.

Der zweite Spruch, der achtzeilige Pferdesegen, erzählt zunächst, daß Wotan einst ausritt und sein Pferd sich das Bein verrenkte. Zwei Göttinnenpaare, Sinthgunt und Sunna, Freya und Volla, besprachen den Fuß, doch erst der dritte Heilversuch durch Wotan selbst war erfolgreich. (Nach W. Krogmann ist jedoch der zweite Vers *»du uuart demo balderes volon sin vuoz birenkit«* mit *»da wurde dem Fohlen Baldurs sein Fuß wieder eingerenkt«* zu übersetzen; demnach wäre die Situation so zu verstehen, daß der in einem Wald reitende Wotan die vier Göttinnen um das kranke Tier versammelt vorfindet und dieses heilt.) Dem Bericht folgt eine zweigliedrige Zauberformel, deren beide Teile wiederum dreigliedrig sind. Durch die dreifache Benennung der Krankheit wird der magische Bezug hergestellt: *»sose benrenki, sose bluotrenki, sose lidirenki«* *(»sei es Knochenverrenkung, sei es Blutverrenkung* [Bluterguß?], *sei es Gliederverrenkung«)*. Darauf folgt der Heilbefehl: *»ben zi bena, bluot zi bluoda / lid zi geliden, sose gelimida sin«* *(»Knochen zu Knochen, Blut zu Blut, Glied zu Glied, als wenn sie geleimt wären«)*.

Ob der zweiteilige Spruch, wie er für das deutsche und angelsächsische Mittelalter typisch ist, auf spätantike Quellen zurückgeht, läßt sich nicht eindeutig beantworten. Näher dagegen liegt die Möglichkeit, daß der zweite *Merseburger Spruch* die germanische Umprägung eines frühchristlichen Typus ist, der Christus und den heiligen Stephanus als Reiter und Helfer kennt, wie z. B. der erste *Trierer Spruch* aus dem 9. Jh. KLL

Ausgaben: Bln. 1842, Hg. J. Grimm (APAW; auch in J. G., *Kleinere Schriften*, Bd. 2, Bln. 1865). – Bln. 1863 (in *Denkmäler dt. Poesie aus dem 8.–12.Jh.*, Hg. K. Müllenhoff u. W. Scherer; [3]1892, Hg. E. v. Steinmeyer). – Bln. 1916 (in *Die kleineren ahd. Sprachdenkmäler*, Hg. E. v. Steinmeyer). – Lpzg. 1919 (zus. m. *Hildebrandlied. Ludwigslied*; Hg., Übers. u. Anm. F. Kluge; Deutschkundliche Bücherei, 8). – Tübingen [14]1962 (in *Ahd. Lesebuch*, Hg. W. Braune, K. Helm u. A. E. Ebbinghaus; ern. 1965).

Literatur: H. Vogt, *Zum Problem der »Merseburger Zaubersprüche«* (in ZfdA, 65, 1928, S. 97ff.). – Ehrismann, 1, S. 100–104. – K. Helm, *Balder in Deutschland?* (in Beitr., 62, 1938, S. 456ff.). – A. Schirokauer, *Der zweite »Merseburger Zauberspruch«* (in *Corona. Fs. für S. Singer*, Durham 1941, S. 117–141; auch in A. S., *Germanistische Studien*, Hbg. 1957, S. 169–197). – S. Gutenbrunner, *Der zweite »Merseburger Zauberspruch« im Lichte nordischer Überlieferungen* (in ZfdA, 80, 1944, S. 1–5). – F. Genzmer, *Die Götter im zweiten »Merseburger Zauberspruch«* (in AFNF, 63, 1948, S. 55–72). – H. W. J. Kroes, *Die Balderüberlieferungen u. der zweite »Merseburger Zauberspruch«* (in Neoph, 35, 1951, S. 201–213). – W. Krogmann, *Zaubersprüche u. -segen* (in VL, 4, 1953, Sp. 1121 bis 1130). – F. R. Schröder, *Balder u. der zweite »Merseburger Spruch«* (in GRM, 34, 1953, S. 161 bis 183). – G. Eis, *Eine neue Deutung des ersten »Merseburger Zauberspruchs«* (in Forschungen u. Fortschritte, 32, 1958, S. 27–29). – E. Riesel, *Der erste »Merseburger Zauberspruch«* (in Dt. Jb. f. Volkskunde, 4, 1958, S. 53–81). – G. Eis, *Ein Merkspruch von den Kennzeichen eines guten Pferdes* (in *Mélanges de linguistique et de philologie. F. Mossé in memoriam*, Paris 1959, S. 129–139). – K. Northcott, *An Interpretation of the Second »Merseburg Charm«* (in MLR, 54, 1959, S. 45–50). – G. Sieg, *Zu den »Merseburger Zaubersprüchen«* (in Beitr. [Halle], 82, 1960/61, S. 364–370). – B. Schlerath, *Zu den »Merseburger Zaubersprüchen«* (in *Zweite Fachtagung für indogermanische u. allgemeine Sprachwissenschaft*, Innsbruck 1962, S. 139–143). – L. Wolff, *Die »Merseburger Zaubersprüche«* (in *Die Wissenschaft von dt. Sprache u. Dichtung, Fs. F. Maurer*, Stg. 1963, S. 305–319).

MUSPILLI (ahd.). Fragmentarisches Gedicht über die letzten Dinge von unbekanntem Verfasser, entstanden Anfang des 9. Jh.s. – Der Titel des Gedichts besteht aus dem in Vers 57 stehenden, nicht eindeutig zu übersetzenden Wort *muspille* (Dativ), das sowohl »Weltbrand« wie »letztes Gericht« bedeuten kann. Im *Heliand* (altsächs., Anfang des 9. Jh.s) ist das Wort zweimal ebenfalls in eschatologischem Zusammenhang belegt, in der *Vǫlospá* (altisl.) erscheinen »Muspells Leute« im Endkampfmythos als Untergang bringende Schar. Der Begriff entstammt also offensichtlich der vorchristlichen Epoche und war für den zeitgenössischen Hörer des *Muspilli* noch mit fest umrissenen Vorstellungen von Schrecknissen und Untergang verbunden.

103 Langzeilen des in Stabreimversen geschriebenen Gedichts in bairischer Mundart sind in einer St. Emmeramer Handschrift aus dem 9. Jh. überliefert, Anfang und Schluß gingen verloren. Das Werk beschreibt das Schicksal des Menschen nach dem Tod, Weltuntergang und letztes Gericht. Eindringlich wird geschildert, wie die Seele nach dem Tod von himmlischen Heerscharen oder vom Gefolge des Teufels an ihren Bestimmungsort, Himmel oder Hölle, gebracht wird. Das Jüngste Gericht schließt sich an. In dem dann folgenden Kampf des Propheten Elias mit dem Satan siegt jener, wird aber verwundet. Sein auf die Erde tropfendes Blut setzt diese in Flammen und verursacht so den Weltuntergang: *»so inprinnant die perga, / poum ni kistentit // enihc in erdu, / aha artrucknent // ... mano vallit, / prinnit mittilagart« (»die Berge brennen, die Bäume verschwinden von der Erde, die Flüsse vertrocknen, der Mond fällt, und schließlich brennt der ganze Erdkreis«).* Dann ist der Zeitpunkt des Letzten Gerichts gekommen, bei dem Gott in der Glorie des Herrschers erscheint, um die Lebenden und die Toten zu richten. Niemand entgeht seinem gerechten Los, und dem Sünder hilft nur die schon auf Erden getane Buße. Das Kreuz Christi erscheint, und die Wundmale werden sichtbar, die der Gottessohn aus Liebe zur Menschheit erlitt. Hier bricht das Gedicht ab.

Die Quellenfrage ist bis jetzt ungelöst. Da der Mittelteil des Gedichts, der Kampf des Elias mit dem Satan sowie der Weltbrand, sich deutlich aus dem Gefüge des Übrigen heraushebt, wurde es vielfach als ursprünglich selbständiges Gedicht angesehen (G. Neckel u. a.), für das Willy Krogmann eine verlorene altsächsische Stabreimdichtung, den sogenannten *Elias und Antichrist*, als Vorlage annahm. Georg Baesecke dagegen vermutete eine ältere angelsächsische Quelle, das sogenannte *Muspilli II.* Für den Weltbrand wurden nordisch-heidnische Einflüsse in Anspruch genommen, da neben dem Wort *muspilli* selbst auch weitere Einzelheiten in der *Vǫluspa* wiederkehren. Allerdings läßt sich die Darstellung des Weltuntergangs auch in christlichen Quellen nachweisen. Der Kampf des Elias mit dem Antichrist begegnet nur noch in russischen und koptischen Elias-Legenden; vielleicht wurde dieses Motiv vom Dichter des *Muspilli* auch apokryphen Bibeltexten entnommen.

Die Verstechnik des in einer formalen und stilistischen Übergangszeit entstandenen Gedichts zeigt bereits Auflösungserscheinungen. Die Verteilung des Stabes entspricht häufig nicht der Regel, es gibt Verse ohne Alliteration (was nicht nur die Schuld späterer Schreiber ist) und sogar einige wenige Verse mit Endreim. Der Dichter hält sich an den strengen Zeilenstil, d. h., er setzt stärkere syntaktische Einschnitte an das Ende einer Langzeile. Im ganzen von nüchterner Schlichtheit, zeigt das Gedicht nur in der Beschreibung von Weltbrand und Weltgericht Satzfügungen von großer Eindringlichkeit. U. S. – KLL

Ausgaben: Mchn. 1832 (*Bruchstück einer alliterierenden Dichtung vom Ende der Welt*, Hg. J. A. Schmeller; in Neue Beiträge zur vaterländischen Geschichte, Geographie u. Statistik, Bd. 1). – Mchn. 1832 [m. Faks. u. Glossar]. – Bln. 1916 (in *Die kleineren ahd. Sprachdenkmäler*, Hg. E. v. Steinmeyer). – Neumünster 1959, Hg. W. Krogmann (in Korrespondenzblatt des Vereins für nd. Sprachforschung, Bd. 66, H. 4). – Tübingen [14]1962 (in *Ahd. Lesebuch*, Hg. W. Braune, K. Helm, E. A. Ebbinghaus; ern. 1965).

Literatur: F. Vetter, *Zum »Muspilli«*, Wien 1872. – G. Baesecke, *»Muspilli«* (in SPAW, phil.-hist. Kl., 21, 1918, S. 414–429). – G. Neckel, *Studien zu den germanischen Dichtungen vom Weltuntergang*, Heidelberg 1918 (SAWH). – W. Krogmann, *»Mûdspelli«* (in GRM, 17, 1929, S. 231–238). – H. Schneider, *»Muspelli«* (in ZfdA, 73, 1936, S. 1–32; auch in H. S., *Kleinere Schriften zur germanischen Heldensage u. Literatur des MAs*, Bln. 1962, S. 165–194). – R. van Delden, *Die sprachliche Gestalt des »Muspilli« u. ihre Vorgeschichte im Zusammenhang mit der Abschreiberfrage* (in Beitr., 65, 1942, S. 303–323). – H. Brauer (in VL, 3, Sp. 465–467). – W. Krogmann, *Der christliche Ursprung des altsächsischen »Muspelli«* (in JbNd, 71–73, 1948–1950, S. 17–31). – G. Baesecke, *»Muspilli II«* (in ZfdA, 82, 1950, S. 199 bis 239). – W. Krogmann, *»Muspilli« u. Muspellsheim* (in ZRG, 5, 1953, S. 97–118). – E. Karg-Gasterstädt (in VL, 5, Sp. 699/700). – A. C. Dunstan, *»Muspilli« and the Apocryphal Gospels* (in GLL, N. S. 11, 1957/58, S. 270–275). – G. Manganella, *»Muspilli«. Problemi e interpretazioni* (in AION, Sez.Germ., 3, 1960, S. 17–50). – W. Krogmann, *Eine neue Vermutung über altsächsisch ›mûdspelli‹* (in NdJb, 84, 1961, S. 43–54). – H. Kolb, *›Vora demo Muspille‹. Versuch einer Interpretation* (in ZfdPh, 83, 1964, S. 2–33). – C. Minis, *Handschrift, Form u. Sprache des »Muspilli«*, Bln. 1966 (Philologische Studien u. Quellen, 35).

NIBELUNGENLIED (mhd.). Strophisches Heldenepos von unbekanntem Verfasser, entstanden um 1200. – Die Überlieferung des im Raum zwischen Passau und Wien entstandenen Werks, vor allem aber die Rangfolge der einzelnen Handschriften ist so kompliziert wie umstritten. Das *Nibelungenlied* liegt heute in 24 Pergamenthandschriften des 12.–14. Jh.s und in zehn Pergament- und Papierhandschriften des 15. und 16. Jh.s teils vollständig, teils fragmentarisch vor. Im Jahre 1900 faßte Wilhelm Braune alle Handschriften in einen Stammbaum zusammen und suchte dabei nachzuweisen, daß die St. Galler Handschrift B aus der zweiten Hälfte des 13. Jh.s *»dem Original so nahe komme, um für dieses selbst gelten zu können«* (H. Naumann). Dieser Ansicht schlossen sich noch in jüngster Zeit Friedrich Panzer und Helmut de Boor an, doch wurden inzwischen Einwände gegen Braunes Stemma laut, vor allem gegen die hohe Bewertung der Handschrift B. Hier ist vor allem Helmut Brackert zu nennen, der mit einer kritischen Untersuchung der Handschriftenverhältnisse die Unhaltbarkeit des Brauneschen Stemmas nachwies, das auf drei Voraussetzungen beruht, die in der Überlieferung des *Nibelungenliedes* nicht gegeben sind: auf einem relativ fehlerfreien Archetypus, einer geschlossenen Texttradierung und einer Handschriftenentwicklung ohne Verderbnisse. Brackert macht deutlich, daß die verschiedenen Handschriften und Handschriftengruppen des *Nibelungenlieds* von ihren Schreibern jeweils nach bestimmten Tendenzen abgeändert wurden, also keine Anhaltspunkte für einen Archetypus geben können, und daß zwischen den einzelnen Handschriften Kontaminationen auftreten. Demnach hätten vor Beginn der Überlieferung durch die erhaltenen Handschriften bereits verschiedene Ausformungen des Textes existiert, bei denen diese Handschriften einsetzten, »*oder aber die Träger der ungreifbaren Handschriften-Überlieferung konnten in einem gewissen Umfange neugestaltend in den Text eingreifen, ohne daß ihre Änderungen die Grenzen der stilistischen Möglichkeiten überschritten, die durch den gemeinsamen Text abgesteckt waren*«. Die Ausformung des Textes, so wie er in den verschiedenen Handschriften vorliegt, war also das Werk vieler Dichter, denen »›*Nibelungendichtung vor und außerhalb*‹ *der durch den gemeinsamen Text gebotenen Version bekannt war*« und die ihre eigenen Zutaten entsprechend auswählten. So kann letztlich keiner der Handschriften größere oder mindere Nähe zu einem Archetypus oder gar Original zugesprochen werden. – Unter den bekanntesten Ausgaben des *Nibelungenliedes* geht die von Karl LACHMANN (1826) auf die Münchener Handschrift A aus dem letzten Viertel des 13. Jh.s zurück, die von Karl BARTSCH (1866, neubearbeitet von Helmut de Boor 1940) und die von Helmut de Boor (1959) auf die Handschrift B.

Das *Nibelungenlied* berichtet in mehr als 2000 auf 39 *Aventiuren* verteilten Strophen von Siefrits Werbung um die Königstochter Kriemhilt und seine Vermählung mit ihr, von seiner Ermordung durch Hagen und Kriemhilts furchtbarer Rache. Die dem eigentlichen Beginn der Handlung vorangesetzte Strophe »*Uns ist in alten mæren / wunders vil geseit . . .*« gehört der Handschrift C aus der ersten Hälfte des 13. Jh.s und damit wahrscheinlich dem jüngsten Strophenbestand an (F. Neumann). – Die Handlung setzt ein mit dem Falkentraum Kriemhilts, der schönen Schwester der Burgundenkönige Gunther, Gernot und Giselher. Sie träumt, daß zwei Adler einen von ihr gezogenen Falken (das althergebrachte Symbol für den Geliebten) töten – ein Traum, der sich auf tragische Weise bewahrheiten wird. Der junge Königssohn Siefrit aus den »*Niderlanden*« wirbt bald darauf um Kriemhilt. Ihm eilt die durch Hagen, den Gefolgsmann Gunthers verbreitete Kunde voraus, daß er den Hort Nibelungs mit seinem Schwert Balmung erworben und dem Zwerg Alberich die Tarnkappe abgewonnen habe. Hagen berichtet auch von dem Drachenkampf, und daß Siefrit im Blute des erschlagenen Drachen gebadet und damit seine Haut gehörnt habe. Siefrit wird mit Ehren am Burgunderhof aufgenommen, kann aber Kriemhilt, die beim ersten Anblick für ihn erglüht, erst heimführen, nachdem er Gunther geholfen hat, die über alle Maße schöne und starke Prünhilt zur Königin zu gewinnen. Prünhilt, die nur dem gehören will, der sie in einer Art Dreikampf – Schaftwurf, Steinwurf und Weitsprung – übertrifft, wird von Siefrit, der unsichtbar in der Tarnkappe Gunther die Hand führt und ihn beim Sprung trägt, besiegt und folgt den Burgunden nach Worms – widerstrebend und im innersten wohl ahnend, daß der Kampf nicht mit rechten Dingen zuging. In Worms wird die Doppelhochzeit festlich begangen, doch in der Hochzeitsnacht erwehrt sich Prünhilt Gunthers auf drastische Weise, indem sie ihn fesselt und an einen Nagel hängt. Gunther bittet Siefrit, ihm noch einmal beizustehen, und dieser erscheint in der folgenden Nacht unsichtbar im Schlafgemach, überwindet Prünhilt im Ringkampf und überläßt sie Gunther, von dem sie sich besiegt glaubt. Doch vorher entwendet er Prünhilt – und dies wird ihm und schließlich den Burgunden zum Verhängnis – Ring und Gürtel, die er später, als er mit seiner Frau zurück an den Niederrhein gezogen ist, Kriemhilt schenkt, nicht ohne ihr über die Herkunft der Kleinodien zu berichten.

Zehn Jahre später erreicht Prünhilt, die immer noch spürt, daß in der Beziehung Gunthers zu Siefrit etwas mitspielt, das sie betrifft, daß Siefrit und Kriemhilt zu einem Fest nach Worms geladen werden. Dort spielt sich nun, auf der Treppe des Münsters, der berühmte Streit der Königinnen um den Vortritt ab, bei dem aus Kriemhilts Mund das beschimpfende »Kebse« fällt und sie das Geheimnis der zweiten Hochzeitsnacht offenbart, indem sie Ring und Gürtel vorweist. Diese tödliche Beleidigung seiner Herrin ist Hagen willkommener Anlaß, Siefrit, dem er von Anfang an feindlich gesinnt war, aus dem Wege zu schaffen. Er gewinnt Gunther für seinen Plan, entlockt Kriemhilt das Geheimnis der verwundbaren Stelle – während seines Bades im Drachenblut fiel Siefrit ein Eichenblatt zwischen die Schulterblätter – und ermordet den nichtsahnenden Siefrit auf der Jagd. In »*grôzer übermüete*« (großem Mutwillen) und aus »*eislîcher râche*« (schrecklicher Rache) legt Hagen den Leichnam vor Kriemhilts Schlafgemach – eine verachtungsvolle Geste, die diese sofort versteht und auch verstehen soll: »*ez hât gerâten Prünhilt, / daz ez hât Hagene getân!*« Das Leid Kriemhilts, ihre wilden Anklagen kennen keine Grenzen, ebensowenig aber auch ihre Freigebigkeit mit dem Gold ihrer »Morgengabe«, des Nibelungenhorts, das sie für Siefrits Seele ausstreut. Nach viereinhalb Jahren versöhnt sich Gunther auf Anraten Hagens mit Kriemhilt. Hagen gelingt es, die Hortschlüssel zu gewinnen und Kriemhilt aller Mittel und damit ihrer Macht zu berauben, indem er den Hort in den Rhein versenkt.

Dies geschieht zu einer Zeit, als der Hunnenkönig Etzel nach dem Tod seiner Frau um eine neue Königin werben will. Seine Wahl fällt auf Kriemhilt, die nach einigem Widerstreben dem Werber Etzels, Markgraf Rüedeger, ihre Zusage gibt, nachdem dieser ihr nichtsahnend geschworen hat, ihr Rächer zu sein an jedem, der ihr ein Leid tut. In Kriemhilt aber reifen bereits Rachegedanken heran, die sich hauptsächlich gegen Hagen richten, den Mörder ihres Mannes und Entführer ihres Horts, und die sie nach dreizehn Jahren in die Tat umsetzt. Sie lädt die Burgunden an Etzels Hof und empfängt sie mit offener Feindschaft. Haß und Mißtrauen schaffen eine Atmosphäre, in der jeder Funke zu furchtbarer Entladung führen kann. Während des Mahls, zu dem die Burgundenfürsten in krassem Gegensatz zu höfischen Gepflogenheiten bewaffnet erscheinen und an dem Kriemhilt auch ihren und Etzels kleinen Sohn teilnehmen läßt, werden auf Befehl Kriemhilts die neuntausend unbewaffneten Ritter der Burgunden, die unter der Aufsicht von Hagens Bruder Dankwart stehen, hingemetzelt. Der blutüberströmte Dankwart bringt die Nachricht an die Festtafel, Hagen läßt die Türen des Festsaals sperren, tötet Etzels Sohn und dessen Erzieher und entfesselt einen allgemeinen Kampf. Dietrich von Bern, dem am Hunnenhof im Exil lebenden König, gelingt es, für seine eigenen Männer und das hunnische Königspaar freies Geleit aus dem Saal zu erlangen. Dann tobt der blutige Kampf weiter. Alle Hunnen im Saal fallen, danach die Mannen der am Hofe Etzels weilenden thüringischen und dänischen Fürsten. Kriemhilt läßt den Saal an vier Enden anzünden, sie läßt das Gold in Schilden herantragen, um die Hunnen anzuspornen. Ihr geht es um den Tod Hagens, um dessentwillen sie Tausende hinschlachten läßt. Auch Rüedeger muß nun seinen so bedenkenlos gegebenen Schwur einlösen: Er fällt im Kampf mit Hagen. Schließlich sind Hagen und Gunther die einzigen Überlebenden, die von Dietrich von Bern im Ringkampf übermannt und Kriemhilt ausgeliefert werden. Sie aber bewegt nur eine Frage, die nach dem Hort, *»in dem für sie sinnbildlich ihr ganzer Verlust an Glück und Macht beschlossen ist«* (F. Neumann). Als Hagen ihr erwidert, er habe geschworen, nichts über dessen Verbleib zu sagen, so lange einer seiner Herren lebe, läßt Kriemhilt ihrem Bruder das Haupt abschlagen und bringt es Hagen, der ihr antwortet: *»den schaz den weiz nû niemen / wan got unde mîn: // der soll dich vâlandinne / immer wol verholn sîn.« (»Von dem Schatz weiß nun niemand etwas außer Gott und mir, er soll dir Teufelin immer verborgen bleiben.«)* Da ergreift Kriemhilt in ihrer Wut Hagens Schwert, in dem sie Balmung, das Schwert Siefrits, erkennt, und schlägt dem Todfeind das Haupt ab. Die Klage Etzels, daß ein Held durch die Hand eines Weibes hat fallen müssen, entfacht den Zorn Hildebrants, des Waffenmeisters Dietrichs: Er tötet die laut schreiende Königin mit einem Schwertstreich.

»Ine kan iu niht bescheiden waz sider dâ geschach:
wan ritter unde vrouwen weinen man dâ sach,
dar zuo die edeln knehte, ir lieben friunde tôt.
hie hât das mære ein ende: daz ist der Nibelunge nôt.«
(»Ich kann euch nicht sagen, was danach geschah,
nur, daß man Herren und Damen, dazu edle Ritter
den Tod ihrer lieben Freunde beweinen sah.
Das ist das Ende des Liedes: das ist die Not der Nibelungen.«)

In den Grundhandschriften schließt sich an das *Nibelungenlied*, das nach den Schlußworten der letzten Strophe auch *Der Nibelunge Not* oder einfach die *Not* genannt wird, die sogenannte *Klage* an, eine Dichtung in Reimpaaren von etwa 4350 Versen. Sie ist eine Art Betrachtung über den Untergang der Burgunden und gibt die Klagen der Überlebenden um jeden einzelnen Toten wieder. Mit den Waffen der Toten zieht Swemmel, der *videlære*, an den Rhein zu Uote, der Mutter Kriemhilts und der Burgundenkönige, zu Prünhilt und zur Burg Rüedegers. Dietrich von Bern verläßt Etzels Hof. Schließlich heißt es, daß der Bischof Pilgrim von Passau den Auftrag gab, das ganze Geschehen in lateinischer Sprache aufzuzeichnen. Dieser Bischof Pilgrim, eine Gestalt auch des *Nibelungenlieds* (er ist der Oheim Kriemhilts), war wohl als Huldigung an den kunstfördernden Bischof Wolfger von Passau (1194–1204) gedacht und kann damit zur Lokalisierung des *Liedes* und der *Klage* im Passauer Donauraum beitragen. Der Dichter der *Klage* ist unbekannt; er beeinflußte den Verfasser der Redaktion C* des *Liedes*, gehörte selbst aber nicht zu den Bearbeitern. In seiner Sprache werden literarische Beziehungen deutlich, so zum *Herzog Ernst*, zu Hartmann von Aue, Wolfram von Eschenbach und Walther von der Vogelweide.
Eine Interpretation des *Nibelungenlieds*, ja auch nur eine seiner Hauptgestalten, soll hier nicht versucht werden. Einen Überblick über die bis 1965/66 unternommenen Interpretationen und ihre verschiedenen, zum Teil problematischen Ergebnisse bietet Friedrich Neumann (*Das Nibelungenlied in seiner Zeit*, 1967). Er wendet sich dort sowohl gegen die Versuche, die Handlung des Liedes um jeden Preis als Einheit zu sehen und die mancherlei Widersprüche des Textes fortzuinterpretieren, wie auch dagegen, das Werk in eine bestimmte literarische Form zu pressen (z. B. die des Ritterepos). Die größte Schwierigkeit, mit der sich jede Interpretation des *Nibelungenlieds* auseinandersetzen muß, ist die, das Werk als Ganzes in den Griff zu bekommen. Ist das Lied in der überlieferten Gestalt auch zweifellos als Einheit konzipiert, und muß man sich auch hüten, in ihm nur den durchgeformten Zusammenschluß verschiedener Einzelsagen zu sehen (wie es Andreas Heusler tat), so kann doch die Tatsache, daß der Nibelungenstoff auf eine Vielzahl von Einzelquellen zurückgeht, Grund für diese Schwierigkeit sein.
Der Nibelungenstoff läßt sich nach seiner nordischen und deutschen Überlieferung inhaltlich in vier Teile zerlegen: die Abenteuer des jungen Siefrit, Siefrits Tod, den Untergang der Burgunden und Etzels (Attilas) Tod. Während das deutsche *Nibelungenlied* Siefrits Tod und das Ende der Burgunden zu einer Einheit zusammenfaßt, gehören in der nordischen Überlieferung der Untergang der Burgunden und der Tod Etzels eng zusammen. – Zeugnisse für alle vier Gruppen sind eine Anzahl von Liedern der altnordischen sogenannten *Lieder-Edda* (vgl. *Edda*). Die *Reginsmál* und *Fáfnismál* sowie, in Andeutungen, die *Sigrdrífomál* geben den Drachenkampf und Hortgewinn des jungen Sigurd (Siefrit) wieder. Das fragmentarische *Brot af Sigurðarkviðu* erzählt von dem Betrug an Brynhild (Prünhilt) und Sigurds Ermordung, die *Atlakviða* vom Ende der Gibichungen (Burgunden), deren Fürsten Gunnar (Gunther) und Högni (Hagen) nicht von Grimhild (Kriemhilt) ermordet werden, sondern von Atli (Etzel). Grimhild rächt ihre Brüder (sic!), indem sie Atli die Herzen seiner beiden Söhne zum Mahl reicht und die Halle anzündet, in der sie und Atli den Tod finden. Diese Version des Burgundenuntergangs, *»die ohne Beziehung auf das Ende Sigfrids verständlich ist, stellt die älteste Fassung dieses germanischen Liedgehaltes dar«* (F. Neumann). Den Nibelungstoff in seiner Gesamtheit nimmt die altnordische *Þiðreks saga* (um 1250), eine Prosaerzählung vom Leben Dietrichs von Bern, auf. Man nimmt an, daß die *Þiðreks saga* dabei aus Quellen des 12. Jh.s schöpfte, die auch das deutsche *Nibelungenlied* verwertete. Zwei weitere altnordische Prosawerke des 13. Jh.s verarbeiten ebenfalls den Nibelungenstoff: die *Vǫlsunga saga* (unter Benutzung der *Lieder-Edda*) und, in knappem Auszug, die *Edda* des Snorri Sturluson (1179–1241). Der Weg der ursprünglichen Einzelsagen zu ihrer Verschmelzung und dichterischen Formung im *Nibelungenlied* ist verschlungen und nicht leicht nachzuzeichnen. Allein die Frage, seit wann man den Untergang der Burgunden aus der Rache Kriemhilts an Gunther und Hagen herleitet, hat mehrfache, sich widersprechende Antwort gefunden. Heusler setzt die Umformung der Sage in den bairisch-österreichischen Raum des 8. Jh.s und gibt als Grund das Etzelbild der gotisch-alpenländischen Sage; Heinrich Hempel datiert den Vorgang ins 11. oder 12. Jh., Dietrich von Kralik um 1100; De Boor dagegen nimmt das 5. Jh. und ostgotischen Einfluß an. *»Das Dunkel, das hier über der Geschichte liegt, will als Tatsache hingenommen sein«* (F. Neumann).
Historisch fixierbar sind nur wenige Ereignisse der Handlung. Im 5. Jh. ist das burgundische Reich in der Wormser Gegend bezeugt, ebenso der Name des Königs Gundicarius oder Gundeharius. Eine burgundische Urkunde erwähnt einen Gibica (Gibiche), der in allen Überlieferungen außer im

Nibelungenlied der Vater der Burgundenkönige ist (vgl. Gibichungen in der *Atlakviþa*), außerdem einen Gislaharius (Giselher). Im Jahre 437 fiel Gundeharius und seine Sippe in einer Schlacht gegen die Hunnen, deren König allerdings nicht Attila war. – Ebenfalls historisch bezeugt ist der Tod Attilas (453), der in der Hochzeitsnacht mit einem germanischen Mädchen an einem Blutsturz starb. Früh schon berichtet die Überlieferung, das Mädchen habe Attila ermordet.

Das *Nibelungenlied* verwendet als metrische Form die dem einst sangbaren Heldenlied noch nahestehende Strophe. Bemerkenswert ist dabei, daß der Nibelungenstrophe eine lyrische Strophenform zugrunde liegt, die Kyrenbergstrophe (so genannt nach dem Minnesänger DER KYRENBERGER) aus der Zeit um 1160. Die Nibelungenstrophe besteht aus vier Langzeilen, deren jede in zwei Halbzeilen zerfällt, die durch eine Zäsur getrennt sind. Beide Halbzeilen sind viertaktig, die erste Halbzeile schließt jeweils mit klingender, die zweite Halbzeile mit stumpfer Kadenz, bis auf die letzte Halbzeile, deren Kadenz voll ist. Das Reimschema ist *aabb*. Das beschriebene metrische Schema wird jedoch nicht immer streng eingehalten, sondern durch Kadenzaustausch variiert.

Die Sprache der Dichtung vereint Altertümliches und Höfisches, epische und lyrische Ausdrucksmittel. So uneinheitlich sie sich einer ins einzelne gehenden Analyse darbietet, ist sie im ganzen gesehen doch aus einem Guß. »*Im NL. wird eine mal.-deutsche Sprache entwickelt, die epische Wirklichkeiten darzustellen vermag, in denen sich etwas von der Echtheit des geschichtlichen Lebens spiegelt. Deshalb eignet auch dieser Sprache eine eigentümliche Wärme und die in der mal. Literatur seltene Fähigkeit, den Hörer zu erschüttern*« (F. Neumann).

Das *Nibelungenlied* hat bis in die Neuzeit hinein auf die deutsche Literatur gewirkt. Unter den zahlreichen Dramatisierungen des Stoffes ist Hans SACHS' »*Tragedia*« (1557, vgl. *Der hörnen Sewfriedt*), die auf das *Lied vom hürnen Seyfrid* aus dem frühen 16. Jh. zurückgeht, die erste. Ihr folgten erst im 19. Jh. weitere Versuche, so FOUQUÉS *Der Held des Nordens* (1808–1810), dem sich in einzelnen Zügen Richard WAGNER mit seinem vierteiligen Musikdrama *Der Ring des Nibelungen* (1853) anschloß, Emanuel GEIBELS Trauerspiel *Brunhild* (1857) und Friedrich HEBBELS Trilogie *Die Nibelungen* (1861). Die epischen Bearbeitungen des Nibelungenstoffs (z. B. Emanuel Geibel, *König Sigurds Brautfahrt*, 1846; Friedrich SCHREYVOGL, *Heerfahrt nach Osten*, 1938) blieben ohne Bedeutung, und auch die Einzelszenen herauslösenden Balladendichtungen, wie Friedrich RÜCKERTS *Jung Siegfried*, Börries Frh. von MÜNCHAUSENS *Hagen und die Donaufrauen*, Agnes MIEGELS *Die Nibelungen*, und andere Einzelgedichte finden heute kein Echo mehr, genau wie die im 20. Jh. von den Nationalsozialisten gefeierte »Nibelungentreue« kaum mehr als erstrebenswerte Tugend gilt. KLL

AUSGABEN: Zürich 1757 (*Chriemhilden Rache, und die Klage; zwey Heldengedichte Aus dem schwäbischen Zeitpuncte*, Hg. J. J. Bodmer; Teildr. nach Hs. C). – Bln. 1782 (*Der Nibelungen Liet, ein Rittergedicht aus dem XIII. oder XIV. Jh.*, Hg. Ch. H. Myller [d. i. Müller]; nach Hs. A und C). – Bln. 1810, Hg. F. H. v. d. Hagen (Lied; nach Hss. A, C, B und D). – Bln. 1826, Hg. K. Lachmann (Lied u. Klage; nach Hs. A). – Lpzg. 1866, Hg. K. Bartsch (Lied; nach Hs. B; Wiesbaden [13]1956, Bearb. H. de Boor; [19]1967). – Lpzg. 1920, Hg. E. Sievers (*Der Nibelunge Not. Kudrun*; Lied; nach Hs. B). – Bremen 1959, Hg. H. de Boor (Lied; nach Hs. B; zweisprachige Ausg.; Sammlung Dieterich, 250). – Köln/Graz 1962 (*Das Nibelungenlied und die Klage*; Vorw. J. Duft; nach Hs. B [Cod. Sangall. 857]; Deutsche Texte in Hss., 1). – Darmstadt 1965, Hg. A. Heusler [Übertr. K. Simrock; zweisprachige Ausg.].

VERFILMUNG: *Nibelungen*, Deutschland 1922–1924 (Regie: F. Lang; Tl. 1: *Siegfried*; Tl. 2: *Krimhilds Rache*).

LITERATUR: W. Braune, *Die Handschriftenverhältnisse des Nibelungenliedes* (in Beitr., 25, 1900, S. 1–222). – A. Heusler, *Nibelungensage und Nibelungenlied*, Dortmund 1921; [6]1965. – H. Hempel, *Nibelungenstudien I. Nibelungenlied, Thidrikssaga und Balladen*, Heidelberg 1926 (Germanische Bibl., 2. Abt. Untersuchungen u. Texte, 22). – H. Naumann, *Stand der wissenschaftlichen Forschung über Nibelungensage und Nibelungenlied* (in Zs. f. Deutschkunde, 41, 1927, S. 1–17). – D. v. Kralik, *Deutsche Heldendichtung* (in *Das Mittelalter in Einzeldarstellungen*, Lpzg./Wien 1930, S. 168–193). – F. Neumann, *Nibelungenlied und Klage* (in VL, 3, Sp. 513–560; 5, Sp. 705–719). – F. Panzer, *Studien zum Nibelungenliede*, Ffm. 1945. – E. Tonnelat, *La légende des Nibelungen en Allemagne au 19e siècle*, Paris 1952. – K. Wais, *Frühe Epik Westeuropas und die Vorgeschichte des Nibelungenliedes*, Bd. 1: *Die Lieder um Krimhild, Brünhild, Dietrich und ihre frühen außerdeutschen Beziehungen*, Tübingen 1953. – F. Panzer, *Das Nibelungenlied. Entstehung und Gestalt*, Stg. 1955. – H. Kuhn, *Über nordische und deutsche Szenenregie in der Nibelungendichtung* (in H. K., *Dichtung und Welt im Mittelalter*, Stg. 1959, S. 196–219). – B. Wachinger, *Studien zum Nibelungenlied. Vorausdeutung. Aufbau. Motivierung*, Tübingen 1960. – G. Weber u. W. Hoffmann, *Heldendichtung II: Nibelungenlied*, Stg. 1961; [2]1964 (Sammlung Metzler). – W. Hoffmann, *Zur Situation der gegenwärtigen Nibelungenforschung. Probleme, Ergebnisse, Aufgaben* (in WW, 12, 1962, S. 79–91). – W. Krogmann, *Der Dichter des Nibelungenliedes*, Bln. 1962. – H. Brackert, *Beiträge zur Handschriftenkritik des Nibelungenliedes*, Bln. 1963 (QFgV, N. F. 11). – G. Weber, *Das Nibelungenlied. Problem und Idee*, Stg. 1963. – W. Hoffmann, *Die englische und amerikanische Nibelungenforschung 1959–1962* (in ZfdPh, 84, 1965, S. 267–278). – B. Nagel, *Das Nibelungenlied. Stoff, Form, Ethos*, Ffm. 1965. – U. Pretzel, *Das Nibelungenlied* (in *Germanistik in Forschung und Lehre. Vorträge und Diskussionen des Germanistentages in Essen 1964*, Bln. 1965, S. 13–19). – W. Krogmann u. U. Pretzel, *Bibliographie zum Nibelungenlied und zur Klage*, Bln. [4]1966 (Bibliographien zur dt. Lit. des MAs., H. 1). – F. Neumann, *Das Nibelungenlied in seiner Zeit*, Göttingen 1967.

ORENDEL (mhd.). Sogenanntes Spielmannsepos von unbekanntem Verfasser, entstanden um 1190. – Das Gedicht ist in zwei Drucken des 16. Jh.s überliefert, deren einer eine Prosaauflösung darstellt. Eine Handschrift aus dem 15. Jh. verbrannte 1870. Beide Drucke sowie diese Handschrift gehen auf eine gemeinsame Vorlage zurück, die jedoch sicher nicht das Originalgedicht war, das wahrscheinlich

in Trier entstand und, wie die erhaltenen Versionen bezeugen, wohl in mittelfränkischem Dialekt geschrieben war.
Wie der Verfasser selbst zu Beginn seines Werks sagt, geht es ihm darum, *»von dem heiligen grâwn rocke«* zu erzählen, jenem Rock, den Christus bei seinem Martertod trug und der, nach historischer Überlieferung, von der heiligen Helena zusammen mit andern Reliquien nach Trier gesandt wurde. Eine Legende also will der Dichter des *Orendel* schreiben, zu deren erhöhter Wirkung er den Stoff um eine Brautwerbungsgeschichte erweitert, wie sie in der germanischen Heldensage begegnet. Die Legende selbst stattet er mit frei erfundenen Zügen aus, wie er auch dem Brautwerbungsmotiv solche aus der Spielmannsdichtung (z. B. *Salman und Morolf*) und aus eigener Erfindung hinzufügt.
In der Einleitung berichtet der Verfasser die Vorgeschichte des grauen Rocks bis zu seiner Auffindung durch Orendel. Maria hat den Faden gesponnen, Helena hat daraus den Rock gewebt, den Christus am Kreuz trug. Da sich die Blutflecke nicht aus dem Rock entfernen lassen, wird er von seinen Besitzern jedesmal im Meer versenkt, wo ihn schließlich ein Walfisch verschlingt. Diese Einleitung wird nun mit der Werbungsfahrt verbunden, die Orendel, der Sohn des Königs Ougel von Trier, unternimmt, um die Königin Bride von Jerusalem zu gewinnen. Unterwegs erleidet er Schiffbruch, kann sich aber auf eine Insel retten, wo er, der Königssohn, Knecht des Fischers Ise wird. Bei einem glücklichen Fischzug fängt er den Wal, in dessen Magen sich der graue Rock befindet. Er kann sich diesen mit göttlicher Hilfe aneignen, trägt ihn fortan und wird bald selbst der »grâwe roc« genannt. Er zieht zur Königin von Jerusalem und zum Heiligen Grab, besiegt in schweren Kämpfen Heiden und Riesen, erlangt die Herrschaft über das Heilige Grab und gewinnt Bride zur Frau. Mit dieser kehrt er nach Trier zurück, wo der graue Rock in einem Steinsarg aufbewahrt wird. Der Schlußteil berichtet vom Klosterleben Orendels, Brides und des Fischers Ise, deren Seelen, wie ein Engel prophezeit hat, Gott nach einem halben Jahr und zwei Tagen zu sich nimmt.
Die Haltung des Gedichts kann man am besten als die einer naiven Frömmigkeit bezeichnen. Der Held, dessen Glaube an Gottes Hilfe keinen Anfechtungen ausgesetzt ist, wird stets durch Wunder aus schwierigen Situationen gerettet. Gleichwohl ist er ein unerschrockener und tapferer Kämpfer, ein christlicher Ritter, dessen unscheinbares Mönchsgewand und dessen Erniedrigung vor den Menschen ihn auf eine hohe Stufe der Selbstentsagung heben. Er ist *»die verkörperte Idee des Mönchstums«*, seine Herrschaft *»die Weltherrschaft der Weltentsagenden«* (G. Ehrismann). – Erzählhaltung und Sprache des Gedichts lassen noch nichts von höfischer Verfeinerung spüren, sondern sind volkstümlich derb. Königin Bride, Walküre und Heilige zugleich, zieht wie ein Mann in die Schlacht; auch Prügelszenen sind nicht selten. Heftige Gemütsbewegungen werden auf drastische Art geäußert, Kampfreden geben zu derben Beschimpfungen Gelegenheit; die Gestalt des Spielmanns ist ins Burleske gewendet und das Leben der Fahrenden mit einem Anflug von Komik geschildert. Dabei ist jedoch die Sprache starr und eintönig und erschöpft sich in formelhaft wiederkehrenden Wendungen. Auch Versbau und Reimtechnik zeigen mit zahlreichen überlangen Zeilen und starken Assonanzen noch große Freiheiten.
C. Ba. – KLL

Ausgaben: Augsburg 1512 (*Von dem untrenlichen ungenäten Rock unsers herren Jesu christi*). – Bln. 1844 (*Der ungenähte graue Rock Christi*, Hg. F. H. v. d. Hagen). – Zürich 1858 (*Brendel und Bride, eine Rune des deutschen Heidenthums*, Hg. L. Ettmüller). – Bonn 1888, Hg. A. E. Berger. Halle 1935, Hg. H. Steinger (ATB, 36).

Übersetzung: *Der ungenähte Rock oder König Orendel*, K. Simrock, Stg./Tübingen 1845.

Literatur: H. Harkensee, *Untersuchungen über das Spielmannsgedicht »Orendel«*, Diss. Kiel 1879. – L. Beer, *Der Stoff des Spielmannsgedichtes »Orendel«* (in Beitr., 13, 1888, S. 1–120). – R. Heinzel, *Über das Gedicht von «König Orendel«*, Wien 1892 (SWAW, 126, Nr. 1). – E. H. Meyer, *Quellenstudien zur mittelhochdeutschen Spielmannsdichtung: zum »Orendel«* (in ZfdA, 37, 1893, S. 321–356). – S. Singer, *Apollonius von Tyrus, Untersuchungen über das Fortleben des antiken Romans in späteren Zeiten*, Halle 1895. – Ders., *Dogma u. Dichtung des MAs* (in PMLA, 62, 1947, S. 861–872). – De Boor, 1, 1952, S. 268–270. – E. Teubner, *Zur Datierungsfrage des mittelhochdeutschen Orendelepos*, Diss. Göttingen 1954. – VL, 5, Sp. 791–795. – G. Zschäbitz, *Der heilige Rock von Trier*, Lpzg./Jena 1959. – W. J. Schröder, *Spielmannsepik*, Stg. 1962, S. 59 bis 69 [m. Bibliogr.]. – I. Benath, *Vergleichende Studien zu den Spielmannsepen »König Rother« »Orendel« und »Salman und Morolf«* (in Beitr. [Halle], 84, 1962, S. 312-372; 85, 1963, S. 374–416).

DIE RABENSCHLACHT (mhd.). Heldenepos von unbekanntem Verfasser, entstanden 1268 in Tirol. – Lange Zeit galt Heinrich der Vogler als Verfasser der in den Sagenkreis um Dietrich von Bern gehörenden Dichtung (vgl. *Dietrich-Epik*), mit dessen Epos *Dietrichs Flucht* (um 1280) die *Rabenschlacht* in allen vier Handschriften (13., 14. und 15. Jh.) gemeinsam überliefert ist. Seit A. Leitzmanns und R. v. Premersteins Untersuchungen (1926/27 bzw. 1957) darf jedoch als gesichert gelten, daß die Verfasser beider Gedichte nicht identisch sind. H. Rosenfeld nimmt an, daß die *Rabenschlacht* Vorbild für Heinrichs Gedicht war, während Premerstein das umgekehrte Verhältnis voraussetzt und die *Rabenschlacht* nach 1290 datiert.
Mit einem Heer von Etzel und dessen Gemahlin Helche ausgerüstet, reitet der am Hunnenhof im Exil lebende Dietrich nach Bern (Verona). In seiner Begleitung sind die beiden Söhne Etzels, Scharphe und Otte. Als Dietrich erfährt, daß sein Oheim und tödlicher Feind Ermenrich Truppen vor Raben (Ravenna) sammelt, läßt er die beiden Jünglinge und seinen jungen Bruder Diether in Bern unter der Obhut des getreuen Elsan zurück und bricht nach Raben auf. Gegen Dietrichs Gebot reiten Scharphe, Otte und Diether jedoch aus, verirren sich im Nebel auf das Schlachtfeld von Raben (hier wird ersichtlich, wie wenig der Dichter in Oberitalien Bescheid wußte) und werden von dem Verräter Wittich, Dietrichs Feind, erschlagen. Als Dietrich während der Schlacht vom Tod der drei jungen Männer erfährt, verfolgt er Wittich mit so zorniger Kraft, daß sein Panzer erglüht. Der Verräter kann sich nur retten, indem er sich ins Meer stürzt, wo er von einer Meerjungfrau aufgenommen wird. Nachdem Dietrich Raben bezwungen und Ermenrich in die Flucht geschlagen hat, zieht er wieder nach Bern und schickt, da er Etzels und Helches Zorn fürchtet, Rüedeger als Vermittler an den Hunnenhof.

Rüedeger erlangt Verzeihung für Dietrich, der erneut zu Etzel zurückkehrt.
Historischer Hintergrund des Gedichts ist die Eroberung Ravennas durch Theoderich im Jahr 493. Die sagengeschichtlichen Zusammenhänge sind nicht restlos geklärt. Während H. SCHNEIDER das Epos auf ein einziges Lied zurückführt (dieser Theorie schließt sich Rosenfeld weitgehend an), nehmen A. HEUSLER, G. BAESECKE, H. de BOOR und Premerstein zwei Lieder als Ursprung an, deren eines (auf der historischen Grundlage der Schlacht am Nedao im Jahr 454, in der Ellac, der Sohn Attilas, im Kampf gegen den Gepidenfürsten Adarich den Tod fand) unabhängig von der Dietrich-Sage von der Ermordung der Etzelsöhne berichtet, während das zweite nur die Schlacht vor Ravenna zum Gegenstand hat. Sie bildet im 13. Jh. den Rahmen für den Tod der Söhne Etzels. – Die epischen Vorformen der *Rabenschlacht* lassen sich in der *Thiðreksaga*, in den Dietrich-Epen des 13. Jh.s *(Alpharts Tod; Biterolf und Dietleib)*, im Anhang des *Straßburger Heldenbuchs* (1477) und in den Anspielungen der *Klage*, des *Eckenliedes* und aus WOLFRAMS *Parzival* greifen.
Das 13. Jh. nimmt sich der Stoffe der alten Heldendichtungen an und verarbeitet sie dem Geschmack der Zeit gemäß. Die Ethik des Heldenliedes, die in der Bewährung des Helden gegenüber einem ebenbürtigen Feind besteht, wird von dem christlichen Gegensatz zwischen Gut (Dietrich) und Böse (Ermenrich) verdrängt. Gebete und Beichten entsprechen der Frömmigkeitshaltung der Zeit. Der heldische Gestus wird nicht mehr verstanden und ins Maßlose gesteigert, die Schlachtenschilderungen verlaufen schematisch nach dem Muster des *Rolandsliedes*. Die Form der Erzählung ist breit, additiv und wiederholend. Die dem Heldenepos eigentümliche Technik der Vorausdeutung ist hier ganz auf die klagende Beschwörung des traurigen Endes beschränkt. Die Erzählhaltung, die sich in ständig wiederkehrenden Freude- und Klagerufen – *»heiâ«*, *»ôwê«* – bezeugt, ist emotional, der Stil pathetisch. Die metrische Form des Gedichts, das, von geringer künstlerischer Qualität, lediglich als Dokument für die weit verzweigte Dietrich-Epik von Bedeutung ist, ist die sechszeilige Strophe. A. Roe.

AUSGABEN: Bln. 1866 (in *Deutsches Heldenbuch*, Bd. 2, Hg. E. Martin; Nachdr. 1967). – K. Zwierzina, *Seckauer Bruchstücke der »Rabenschlacht«* (in Beitr., 50, 1927). – Bln. [6]1957 (in *Kudrun- und Dietrichepen in Auswahl. Mit Wörterbuch*, Hg. O. L. Jiriczek, bearb. v. R. Wisniewski; SG, 10; Ausz.).

LITERATUR: A. Heusler, *Dietrich v. Bern* (in RGA, 1, S. 464–468). – H. Friese, *Thidreksaga und Dietrichepos. Untersuchungen zur inneren und äußeren Form*, Bln. 1914 (Palaestra, 128). – W. Haupt, *Zur niederdeutschen Dietrichsage*, Bln. 1914 (Palaestra 129). – H. Schneider, *Germanische Heldensage*, Bd. 1, Bln. 1928; [2]1962. – A. Leitzmann, *»Dietrichs Flucht« und »Rabenschlacht«* (in ZfdPh, 51, 1926, S. 46–91). – A. Leitzmann, *Zur Reimtechnik von »Dietrichs Flucht« und »Rabenschlacht«* (in Beitr., 50, 1927, S. 401–407). – A. Götze, *»Dietrichs Flucht«, »Rabenschlacht« und Wernher's »Helmbrecht«* (in ZfdPh, 51, 1926, S. 478 ff.). – Ehrismann, 2, 2/2, S. 166–168. – E. Klaaß (in VL, 2, Sp. 364 bis 366). – Th. Steche, *Das »Rabenschlachtgedicht«, das »Buch von Bern« und die Entwicklung der Dietrichsage*, Greifswald 1939. – H. de Boor, *Die Heldennamen in der historischen Dietrichdichtung* (in ZfdA, 78, 1942, S. 234–267). – W. Mohr, *Dietrich von Bern* (in ZfdA, 80, 1944, S. 117–155). – G. Zink, *Les légendes héroiques de Dietrich et d'Ermrich dans les littératures germaniques*, Lyon 1950. – G. F. Jones, *Dietrich von Bern as a Literary Symbol* (in PMLA, 67, 1952, S. 1094–1102). – H. Rosenfeld (in VL, 5, Sp. 361–367). – R. v. Premerstein, *»Dietrichs Flucht« und die »Rabenschlacht«. Eine Untersuchung über die äußere und innere Entwicklung der Sagenstoffe*, Gießen 1957. – H. Kuhn, *Zugang zur deutschen Heldensage* (in H. K., *Dichtung und Welt im Mittelalter*, Stg. 1959, S. 181–195). – H. Rupp, *»Heldendichtung« als Gattung der deutschen Literatur des 13. Jahrhunderts* (in *Volk, Sprache, Dichtung. Festgabe für K. Wagner*, Hg. K. Bischoff u. L. Röhrich, Gießen 1960, S. 9–25). – H. Fromm, *Das Heldenzeitlied des deutschen Hochmittelalters* (in NphM, 62, 1961, S. 94–118). – J. de Vries, *Heldenlied und Heldensage*, Mchn. 1961 (Slg. Dalp, 78). – De Boor, 3/1, 1962, S. 149–152.

DIE WEINGARTNER LIEDERHANDSCHRIFT (mhd.). Sammlung von Gedichten, hauptsächlich Minneliedern, die um 1310 oder bald danach höchstwahrscheinlich in Konstanz geschrieben und mit Miniaturen ausgeschmückt wurde. Neben der wohl aus Straßburg stammenden sogenannten *Kleinen Heidelberger* (Sigle A) und der *Großen Heidelberger* oder *Manessischen Liederhandschrift* (Sigle C), die man nach Zürich lokalisiert, ist die *Weingartner Liederhandschrift* eine der reichsten und wichtigsten Überlieferungsquellen des höfischen Minnesangs. Sie selbst ist von der Minnesangforschung mit der Sigle B bedacht. Heutiger Aufbewahrungsort ist die Württembergische Landesbibliothek in Stuttgart (HB XIII 1), in die sie bei der Säkularisation 1803 mit den übrigen Beständen der Klosterbibliothek Weingarten gelangte. Die Handschrift besteht aus 156 Pergamentblättern, gezählt als 312 Seiten, im Format 15x11,5 cm. Neben einem Hauptschreiber (S. 1–197 und S. 206–216) sind vier weitere Schreiber zu unterscheiden sowie verschiedene Nachtragshände. Die Schrift ist eine zierliche gotische Bücherminuskel. Die Verse sind unabgesetzt, nur durch Punkte am Ende bezeichnet; kleine rote und blaue Initialen im Wechsel ohne nennenswerte Verzierungen markieren jeweils am Zeilenanfang den Strophenbeginn.
Die Handschrift bietet insgesamt 857 Lied- und Spruchstrophen, nach 31 verschiedenen Verfassern geordnet, und als Anhang (ab S. 253) ein eher episches Gedicht: die allegorisch-didaktische *Minnelehre* des JOHANN VON KONSTANZ. Es handelt sich vor allem um Dichter aus *Des Minnesangs Frühling* (so der Titel der inzwischen klassischen Sammeledition von K. LACHMANN und M. HAUPT aus dem 19. Jh.) und der höfischen Klassik um 1200. Nur wenige nachklassische Namen finden sich, und zeitgenössische Dichtung ist im Gegensatz zur Sammlung C noch weniger berücksichtigt, schon gar nicht systematisch gesammelt worden. Am stärksten ist REINMAR VON HAGENAU vertreten, erst danach WALTHER VON DER VOGELWEIDE.
Die Gedichte der ersten 25 Sänger sind mit Namen und Autorenbild überschrieben (KAISER HEINRICH, RUDOLF VON FENIS, FRIEDRICH VON HAUSEN, BURGGRAF VON RIETENBURG, MEINLOH VON SEVELINGEN, OTTO VON BOTENLAUBEN, BLIGGER VON STEINACH, DIETMAR VON EIST, HARTMANN VON AUE, ALBRECHT VON JOHANSDORF, HEINRICH VON RUGGE, HEINRICH VON VELDEKE, Reinmar von Hagenau, ULRICH VON GUTENBURG, BERNGER VON HORHEIM,

Heinrich von Morungen, Ulrich von Munegur, Hartwig von Raute, Truchsess von Singenberg, Wachsmut von Künzingen, Hiltbolt von Schwangau, Wilhelm von Heinzenburg, Leuthold von Saven, Rubin und Walther von der Vogelweide). Es folgen noch ohne Namensüberschrift und Verfasserbild folgende geschlossene Werkkomplexe: Lieder Wolframs von Eschenbach und Neidharts von Reuental, das sonst unter dem Namen *Winsbecke* überlieferte strophische Lehrgespräch zwischen Vater und Sohn und dessen weibliches Pendantstück, die *Winsbeckin*. Ein Marienpreis, der früher fälschlich Gottfried von Strassburg zugeschrieben wurde, jedoch erst dem späten 13. Jh. angehört und von einem unbekannten Verfasser stammt, sowie Spruchstrophen Frauenlobs schließen sich an. Bei etlichen Zuordnungen der Handschrift handelt es sich allerdings um Vertauschungen der Namen oder Pseudoattribuierung. So ist unter das Werk Morungens nochmals ein größerer Komplex von Reinmargedichten geraten, zwar abgesetzt, doch ohne neue Überschrift. Und von den 82 Strophen des Neithart-Komplexes gehören beispielsweise fünf am Schluß dem Konrad von Kilchberg, 46 weitere sind Pseudozuschreibungen (12 davon in C unter Goeli) und nur 31 echt. Wieweit hier die Sammler von B selbst ordneten, wieweit sie getreu ihren Vorlagen folgten, läßt sich kaum absehen. Es sieht so aus, als ob die auf Walther von der Vogelweide noch folgenden, in etwa zeitgenössischen Stücke nicht zum ursprünglichen Konzept der Sammlung gehörten.

Im Verhältnis zur unvergleichlich größeren, aufwendigeren und ambitionierteren Handschrift C sind hier nicht nur weit weniger Namen genannt, der Strophenbestand ist auch innerhalb der einzelnen Dichterœuvres bedeutend unvollständiger. So fehlen zumal für die Liederdichter, außer für Walther, die Spruchstrophen und die großen Leiche. Aber auch Reihenfolge der Dichter und der Strophen und deren Zuschreibung an den einen oder den anderen Verfasser differieren. Übereinstimmend in beiden Handschriften steht Kaiser Heinrich an der Spitze der Sammlungen. Doch die Absicht ständisch-hierarchischer Abfolge der Namen ist für B nicht entfernt so durchsichtig wie für C – fehlen doch schon in ihrem Repertoire fast alle die bürgerlichen und die fahrenden Meister, die C so reichlich aufzuweisen hat. Die Forschung kann nicht ohne die Annahme älterer, heute verlorener handschriftlicher Sammlungen operieren, aus denen beide Handschriften schöpften, deren Liedergut aber beide zum Teil eigenwillig manipulierten. Zusätzlich müssen zahlreiche Sonderquellen für C angesetzt werden, die für B unbekannt blieben. Sicher scheint, daß unmittelbar vor der Anlage der beiden großen Sammelhandschriften eine ihnen gemeinsame Mutterhandschrift existierte, die den Grund- oder »Kern«bestand an frühen und klassischen Sängern enthielt, sozusagen die Muster aller späteren Minnelyrik. Ob auch diese nur zu erschließende Mutterhandschrift sich bereits durch Miniaturen auszeichnete, ist fraglich. Die starke motivliche und stilistische Übereinstimmung des Bildschmucks in den beiden Schwesterhandschriften würde die Vermutung nahelegen. Indes sprechen auch gewisse Momente für »Quellenkreuzung« zwischen B und C, das heißt, direkte Berührung miteinander. Und für die Herkunft der Bilder aus derselben Vorlage, aus der auch die Texte stammen, gibt es schlechthin keine Anhaltspunkte.

Die Idealporträts der ersten 25 Dichter in B sind von meist ganz-, einige Male halbseitigem Format. Dargestellt ist mit Vorliebe der Vertreter ritterlichen Standes zugleich in seiner Eigenschaft als Sänger. Elfmal begegnet der Dichter sitzend und meditierend, in der Regel ausgezeichnet durch Spruchband oder Schreibtafeln und Kranz sowie gewisse ständische Insignien wie Krone, Szepter, Schwert, Wappen und Helmzier. Es ist der Typ des klassischen Autorenbildes, mit individuellen Ausschmückungen. Mehrfach wird der Dichter noch spezifischer nach seinem Stande vorgestellt: als Kreuzfahrer (Hausen) oder gerüstet zu Pferd. Einmal tritt er als verkleideter (?) Kaufmann auf (Dietmar). Dann gibt es eine der Gattung Minnesang noch stärker Rechnung tragende Variante: der Dichter im Gespräch mit seiner Dame. Einmal hält sie ihn (Rubin) dabei am Gürtel, wie man einen (Minne-)Gefangenen an der Kette führt. Diese wenigen, immer nur leicht variierten Bildtypen enthalten über ihre für die Sammlung allgemeine Geltung hinaus gelegentlich besondere biographische, Namens- oder Inhaltsbezüge zu einem Dichter. Wie wenig individuell diese Bezüge dennoch bleiben, zeigt schon die leichte Austauschbarkeit, wie sie sich im Verhältnis zur Schwesterhandschrift C zeigt, wenn dort zum Beispiel »Der von Gliers« das hier Morungen zugehörige Bild bekommen hat. Bemerkenswert ist in diesem Zusammenhang vielleicht, daß der bekannte enge Textbezug, den das Bild Walthers von der Vogelweide knüpft, in der Handschrift C durch die Anordnung der Texte ausgespielt wird, in B hingegen eher unreflektiert auseinandergerissen ist. Das Bildkonzept ist jedesmal von zarter Anmut diktiert, das Linienspiel in Gewandfalten, Umrissen, Haartrachten und Gesichtern fließend weich, die Farbskala wird von wenigen lichten, meist gebrochenen Tönen beherrscht. Die Bildhintergründe lassen das unbemalte Pergament stehen. Zwiefach gepinselte Linien oder graphisch vereinfachte vegetabilische Bordüren bilden den Rahmen. Teilweise ist das obere Bilddrittel durch eine schmale Leiste abgetrennt, wobei diese Zone dann ganz dem Wappen und der Helmzier vorbehalten bleibt.

Was die Auswahl der Texte anbelangt, so eignet B gegenüber C schon wegen der starken Beschränkung auf frühere Dichter die größere Altertümlichkeit. Dies Charakteristikum ist vielfach auf die Beurteilung der Miniaturen übertragen worden. Zweifelsohne aber sind nach Linienschrift, Farbigkeit, Plastizität der Figuren und Kleidertracht die Miniaturen in B die fortgeschritteneren – weshalb sie nicht unbedingt auch später entstanden sein müssen. Die Beschränkung in der Anzahl der miteinander abwechselnden Bildtypen und mancher einzelnen Bildmotive darf sicher nicht allzu eindeutig im Sinne einer historischen Entwicklungsideologie als Frühstufe bewertet werden, ebenso wie umgekehrt nicht ohne weiteres nur ein Reduktionsprodukt aus C konstatiert werden darf. Fest steht nur, daß nach künstlerischer Erfindung und Qualität, nach Sorgfalt der Ausführung und Prachtanspruch die Bilder in B dem Vergleich mit denen in C nicht standhalten können.

Der Lautstand der Texte (spezifisch vor allem die ai-Schreibung für den ei-Diphthong, wie sie durch Urkunden für Konstanz belegt ist) und der Stil der Miniaturen (der sich an den für Konstanz gesicherten Wand- und Glasmalereien anschließen läßt) weisen auf Konstanz als Entstehungsort. Daß der Konstanzer Bischof Heinrich von Klingenberg (1294–1306), der dem Zürcher Kreis der nachweislich als Liedersammler tätigen Herren von Manesse persönlich nahestand und auch sonst mitten im literarischen Leben gestanden zu haben scheint, der Anreger und Auftraggeber der *Weingartner Handschrift* gewesen sein könnte, ist eine auf das 19. Jh. (Freiherr von LASSBERG) zurückgehende, beliebte Hypothese, für die viel dichterisches Einfühlungsvermögen spricht und gegen die kaum wissenschaftliches Faktenmaterial aufzubringen ist - beweisbar ist sie nicht. Als Besitzer der Handschrift ist erst ein Konstanzer Bürgermeister um das Jahr 1600 dingfest zu machen: ein Marx Schulthais, der sich auf dem ersten Blatt selbst eintrug. Im Benediktinerkloster Weingarten soll sie sich bereits 1613 befunden haben. Sie verblieb dort, bis sie in die Stuttgarter Cimeliensammlung einging. H. Frü.

AUSGABEN: Bln. 1783 (in *Gedichte des 12., 13. und 14. Jahrhunderts*, 3 Bde., Hg. C. H. Müller). - Bln. 1827 (in *Die Gedichte Walthers von der Vogelweide*, Hg K. Lachmann; [13]1965, n. d. 10. von C. v. Kraus bearb. Ausg. neu hg. v. H. Kuhn). - Lpzg. 1838 (in *Minnesinger. Deutsche Liederdichter des 12., 13. und 14. Jahrhunderts*, Hg. F. H. v. d. Hagen, 4 Bde.; Nachdr. Aalen 1963). - Stg. 1843, Hg. F. Pfeiffer u. F. Fellner (BLV, 5; Nachdr. Hildesheim 1966). - Quedlinburg/Lpzg. 1843 (in *Heinrichs von Meißen, des Frauenlobes Leiche, Sprüche, Streitgedichte und Lieder*, Hg. L. Ettmüller; Nachdr. Amsterdam 1966). - Lpzg. 1857 (in *Des Minnesangs Frühling*, Hg. K. Lachmann u. M. Haupt; [31]1954, Bearb. C. v. Kraus). - Lpzg. 1858 (in *Neitharts Lieder*, Hg. M. Haupt; [2]1923, Bearb. E. Wiessner). - Bln. 1864 (in *Deutsche Liederdichter des 12.-14. Jahrhunderts*, Hg. K. Bartsch; Nachdr. Darmstadt 1966). - Frauenfeld 1886 (in *Die Schweizer Minnesänger*, Hg. K. Bartsch; Nachdr. Darmstadt 1964). - Halle 1888 (in *König Tirol, Winsbeke und Winsbekin*, Hg. A. Leitzmann; ATB 9; Tübingen [3]1962; Bearb. I. Reiffenstein). - Jena 1924 (*Der Gottfried von Straßburg zugeschriebene Marienpreis und Lobgesang auf Christus. Untersuchungen und Text*, Hg. L. Wolff). - Stg. 1927 (*Die Weingartner Liederhandschrift in Nachbildung*; Geleitw. K. Löffler). - Paris 1934 (*Johann von Konstanz, Die Minnelehre*, Hg. F. E. Sweet). - Tübingen 1952-1958 (in *Deutsche Liederdichter des 13. Jahrhunderts*, Hg. C. v. Kraus, 2 Bde., Bd. 1: Text; Bd. 2: Komm. H. Kuhn). - Tübingen 1955 (in *Die Lieder Neidharts*, Hg. E. Wiessner, ATB 44; [2]1963, rev. H. Fischer). - Stg. 1969 (*Die Weingartner Liederhandschrift*, 2 Bde.; Faks.; Einl. W. Irtenkauf, K. H. Halbach u. R. Kroos; m. Transkription).

LITERATUR: P. Ganz, *Geschichte der heraldischen Kunst in der Schweiz im 12. u. 13. Jh.*, Frauenfeld 1899, S. 116ff. - F. Vogt, *Die Heimat der großen Heidelberger Liederhandschrift* (in Beitr., 33, 1908, S. 373-381). - K. Löffler, *Die Handschriften des Klosters Weingarten*, Lpzg. 1912. - H. Wienecke, *Konstanzer Malereien des 14. Jh.s*, Diss. Halle 1912. - H. Schneider, *Eine mittelhochdeutsche Liedersammlung als Kunstwerk* (in Beitr., 47, 1923, S. 225-260). - K. Löffler, *Konstanz, die Heimat per Weingartner Liederhandschrift* (in Zeitschrift für die Geschichte des Oberrheins, N. F. 43, 1930, S. 564-580). - W. Merz u. F. Hegi, *Die Wappenrolle von Zürich*, Zürich / Lpzg. 1930. - Ehrismann 2/2,2, S. 180ff. - L. Weisz, *Verfassung u. Stände im alten Zürich*, Zürich 1938, S. 132f. - H. Kuhn (in *Annalen der deutschen Literatur von den Anfängen bis zur Gegenwart*, Hg. H. O. Burger, Stg. 1952, S. 99ff.; [2]1971). - De Boor, 2, S. 215ff. - K. Martin, *Minnesänger. 24 farbige Wiedergaben aus der Manessischen Liederhandschrift*, 2 Bde., Baden-Baden [2]1960 bis 1964; [3]1966. - A. Knoepfli, *Kunstgeschichte des Bodenseeraums*, Bd. 1, Konstanz/Lindau 1961, S. 124ff. - G. Siebert-Hotz, *Das Bild des Minnesängers*, Diss. Marburg 1964. - E. Jammers, *Das Königliche Liederbuch des deutschen Minnesangs. Eine Einführung in die sogenannte Manessische Handschrift*, Heidelberg 1965. - *Der deutsche Minnesang. Aufsätze zu seiner Erforschung*, Hg. H. Fromm, Darmstadt [3]1966 (Wege der Forschung, 15). - G. Spahr, *Weingartner Liederhandschrift. Ihre Geschichte und ihre Miniaturen*, Weißenhorn 1968. - H. Renk, *Der Manessekreis, seine Dichter u. die Manessische Handschrift*, Stg. 1972. - Vgl. Lit. zu *Manessische Handschrift*.

II. Humanismus und Reformation. 15. und 16. Jahrhundert

SEBASTIAN BRANT
(1458–1521)

DAS NARREN SCHYFF. Moralsatire in Reimpaaren von Sebastian BRANT (1458–1521), erschienen 1494. – Das spätmittelalterliche Traditionselemente aus Zeitklage, Ständesatire, moralisierender Lehrdichtung, Totentanz, Schwankdichtung und Fastnachtsbrauchtum integrierende Hauptwerk des humanistisch gebildeten Juristen und Stadtbürgers Brant umfaßt 112 Kapitel, die in der Ausgabe von 1495 um zwei Kapitel, in den darauffolgenden Editionen um eine gegen Raubdrucke gerichtete »Verwahrung« erweitert wurden. Jedem Kapitel ist als Motto ein gnomischer Dreizeiler vorangestellt, der das im folgenden Holzschnitt Dargestellte und den Inhalt des mit einer knappen Überschrift versehenen Textes zusammenfaßt. In der »*vorred in das narren schyff*« deutet der Verfasser sein didaktisches Anliegen an: »*Zů nutz vnd heylsamer ler / vermanung vnd ervolgung der wyßheit / vernunfft vnd gůter sytten: Ouch zů verachtung vnd straff der narheyt / blintheyt yrrsal vnd dorheit / aller ståt / vnd geschlecht der menschen*« habe er sein Narrenpanoptikum »*mit besunderem flyß ernst vnd arbeyt / gesamlet*«. Um seiner Zeitsatire eine große Publikumswirkung zu sichern, nutzt er bewußt »*die Stunde des illustrierten Volksbuches*« (H. Rosenfeld) und gibt für die des Lesens Unkundigen oder Unwilligen Holzschnitte bei, die indes weniger der Illustration als der Interpretation seiner Narrensammlung dienen. Zeigt das einprägsame, die Allegorie des Narrenschiffs verdeutlichende Titelbild in seiner unteren Hälfte noch sämtliche Narren zur Einschiffung »Ad Narragoniam« vereint, so werden sie in der Folge zu einer revuehaften Konfrontation mit dem Leser und Beschauer einzeln vorgeführt und in ihrer spezifischen Narrheit angeprangert. Alle von Brant gesammelten Schwächen, Vergehen und Laster sind personifiziert, was seine lehrhafte Tendenz – die unmittelbare Identifikation des Lesers mit dem im Narrenspiegel gezeigten Typus – unterstreicht: »*Den narren spiegel ich diß nenn / In dem ein yeder narr sich kenn / Wer yeder sy wurt er bericht / Wer recht in narren spiegel sicht / Wer sich recht spiegelt / der lert wol / Das er nit wis sich achten sol.*«
Vorbild für die anthropomorphe Verbildlichung abstrakter Narrheit dürfte der Katalog der sieben Todsünden gewesen sein, die man sich bereits im Mittelalter personifiziert vorgestellt hatte: Hoffart, Wollust, Völlerei, Neid, Trägheit, Geiz und Zorn. Sie finden sich denn auch im *Narrenschiff* als Substrat menschlicher Torheiten, wie schon ein Blick auf einzelne Kapitelüberschriften lehrt: *Vberhebung der hochfart*; *Von wollust*; *Von füllen vnd prassen*; *Von nid vnd haßß*; *Von trakeit vnd fulheit*. Daneben stehen, wiederum als Narrheit gedeutet, Verstöße gegen die Zehn Gebote (*Von gottes lestern*; *Ere vatter vnd můter*; *Vom eebruch*; usw.), denen aber der universelle Moralist Brant keineswegs stärkeres Gewicht beimißt als schlichten Alltagstorheiten, wie sie etwa in den Kapiteln *Von nachts hofieren*, *Zů borg vff nēmen* oder *Von kranckē die nit volgē* erscheinen. Sie alle werden mit der gleichen Ausführlichkeit behandelt, damit aber zugleich auch relativiert: Sünde ist Narrheit, und Narrheit ist Sünde. Kardinalfehler des Narren ist nicht seine (ohnedies unvermeidliche) Sündhaftigkeit, sondern seine verstockte Weigerung, sich als Sünder-Narr zu erkennen: »*Eyn narr ist wer gesprechen dar / Das er reyn sig von sünden gar / Doch yedem narren das gebrist / Das er nit syn will / das er ist.*« Nur ein einziges Heilmittel hat Brant für eingefleischte Narren parat: Selbsterkenntnis. »*Dann wer sich für ein narren acht / Der ist bald zů eym wisen gmacht.*« Diese Einsicht und damit die Weisheit bei seinem Publikum zu befördern, bedient sich Brant bewußt einer negativen Sittenlehre. Den uneinsichtigen Sünder-Narren führt er fast ausnahmslos ihresgleichen vor: »*Schlym schlem / ein yeder findt sin glich.*« Ganz am Rande wird das Gegenbild der wiederum personifizierten Weisheit entworfen. »*Die ler der wisheit*« lautet: »*Wer mich lieb hat / den lieb ouch ich / Wer mich frü sucht / der fyndt mich / By mir ist richtům / gůt / vnd ere . . . Wer mich findt / der fyndt heil vnd glück / Der mich haßt / der verdyrbt gar dick.*« Frau Weisheit vertritt hier ganz im Sinne des *Alten Testaments* Lebensklugheit und gesunden Menschenverstand, sie verkörpert eine im rationalweltlichen Bereich sich bewährende Vernunft, die jedoch in einer Art religiösem Utilitarismus über das irdische Wohl hinaus auch immer auf das jenseitige »*glück vnd heyl*« bedacht ist. Denn hinter dem Narrenreigen tauchen als ständige Bedrohung der Tod und die naherwartete Apokalypse auf: »*Die zyt die kumt / es kumt die zyt / Ich vörcht der endkrist sy nit wyt.*« Äußere Indizien für das unmittelbar bevorstehende Weltende sieht Brant im allgemeinen Sittenverfall, im Versinken der Welt in Sünde und Narrheit und im damit verbundenen »*abgang des gloubē*«: »*Wer oren hab / der merck vnd hör / Das schifflin schwancket vff dem mer / Wann Christus yetz nit selber wacht / Es ist bald worden vmb vns nacht.*« Als moralisierender Endzeitprediger im großen Narrenhaus dieser Welt ruft Brant zur allgemeinen Buße auf: zur Rückkehr zu der weltklugen, jenseitsgewissen Weisheit der alttestamentarischen Sapientia.
Brant, der sich selbst einen Kompilator nennt, verrät im *Narrenschiff* eine hohe Kunst gelehrten »Ausschreibens«. Als Quellen dienten ihm die Bücher des *Alten Testaments*, vor allem die *Sprüche Salomos*, der *Prediger Salomo* und die (apokryphe) *Weisheit Salomos*. Das *Neue Testament* zog er nur in Teilen heran, die klassische römische Literatur (OVID, VERGIL und JUVENAL), die mittelalterliche Gnomik sowie die Dekretalien

des römischen Rechts. Sie liefern ihm das virtuos gehandhabte Material zu seinem Narrenkatalog, der sich in ziemlich willkürlicher Anordnung präsentiert und in der Tat zunächst nicht als Buch, sondern als Folge von losen Flugblättern geplant gewesen sein mag. Die mit Motto, Holzschnitt und überwiegend 34- bzw. 94zeiligem Text flugblattgerechte Gliederung der Einzelstücke deutet darauf hin. Die einzelnen Kapitel der enzyklopädisch ausgeweiteten Loseblattfolge sind fast durchgehend nach einem einheitlichen Schema gebaut: Der ausführlichen Darstellung des Narren folgt eine sentenziös gehaltene *»moralische Argumentation«*, der sich eine Kette exemplarischer *»historischer Beweisstücke«* (H. J. Mähl) anschließt. Die kunstvoll-realistischen Holzschnitte – sie stammen zu mehr als zwei Dritteln höchstwahrscheinlich vom jungen Albrecht Dürer – vervollständigen und interpretieren einen Text, der sich mit seiner stark dialektgefärbten, oft derben, volkstümlich-witzigen Sprache dem Sujet als angemessen erweist.

Die innige Verknüpfung von Illustration und Text trug entscheidend dazu bei, daß das Werk zum größten deutschen Bucherfolg vor GOETHES *Werther* wurde. Allein zu Brants Lebzeiten erschienen noch sechs Originalausgaben und sechs Nachdrucke, bis zum Ende des 16. Jh.s vierzehn weitere Editionen. Die 1497 erschienene lateinische Version *Stultifera navis* des Brantschülers Jakob LOCHER, die unter Mitarbeit des Lehrers entstand, machte das *Narrenschiff* zum europäischen Erfolg; sie rafft den Stoff und läßt die Grundlinien klarer hervortreten. 1505 lieferte Jodocus Badius ASCENSIUS eine zweite Übersetzung ins Lateinische. Der ersten Übertragung ins Niederdeutsche *Dat Narrenschypp* durch Hans von GHETELEN (1497) folgten Übersetzungen ins Englische, Französische, Niederländische und Flämische; 1519 erschien eine weitere niederdeutsche Bearbeitung. Der wortgewaltige Prediger Johann GEILER VON KAISERSBERG legte das Werk einem Zyklus von 146 im Straßburger Münster gehaltenen Predigten zugrunde (1498/99), die auch deutsch und lateinisch im Druck erschienen. In Kap. 72 stellt Brant St. Grobian, den neuen Zeitheiligen, vor, dem später Friedrich DEDEKIND in seinem lateinischen *Grobianus* (1549) ein Denkmal setzt (verdeutscht von Kaspar SCHEIDT, 1551). Thomas MURNERS *Narrenbschwerung* und *Schelmenzunft* (1512), die ohne das *Narrenschiff* nicht denkbar sind, leiten die von Brant inspirierte Narrenliteratur des 16. und 17. Jh.s ein, zu deren Hauptvertretern außer den bereits Genannten Pamphilius GENGENBACH, Johann FISCHART, Hans SACHS, ABRAHAM A SANCTA CLARA, Johann Michael MOSCHEROSCH und GRIMMELSHAUSEN gehören.

C. St.

AUSGABEN: Basel 1494 u. ö. – Straßburg 1512. – Lpzg. 1854, Hg. F. Zarncke [m. Komm.]. – Lpzg. 1872, Hg. K. Goedeke (Deutsche Dichter des 16. Jh.s, 7). – Lpzg. 1872, Hg. K. Simrock [nhd. Übers.]. – Lpzg. 1877, Hg. H. A. Junghans; Nachdr. Stg. 1964 (Rev., Anm. u. Nachw. H.-J. Mähl; nhd. Übers.; RUB, 899/900 a–d). – Stg. 1889, Hg. F. Bobertag (DNL, 16). – Straßburg 1913 (Jahresgaben der Gesellsch. f. Elsässische Lit., 1; Nachw. F. Schultz; Faks. d. Erstausg.). – Basel 1913, Hg. H. Koegler [Faks.]. – Tübingen 1962, Hg. M. Lemmer (NdL, 5).

LITERATUR: P. Claus, *Rhythmik und Metrik in S. B.s »Narrenschiff«*, Straßburg 1911 (QFgV, 112). – Th. Maus, *B., Geiler und Murner. Studien zum »Narrenschiff«, zur »Navicula« und zur »Narrenbeschwörung«*, Diss. Marburg 1914. – M. Wolters, *Beziehungen zwischen Holzschnitt und Text bei S. B. und Thomas Murner*, Diss. Straßburg 1917. – J. Kärnter, *Des Jakob Locher Philomusus »Stultifera Navis« und ihr Verhältnis zum »Narrenschiff« des S. B.*, Diss. Ffm. 1924. – H. H. Eberth, *Die Sprichwörter in S. B.s »Narrenschiff«*, Diss. Bamberg 1933. – R. Westermann, *S. B.* (in VL, 1, Sp. 276 bis 289; Nachtr. H. Rosenfeld, ebd., 5, Sp. 107 bis 109). – F. Genschmer, *The Treatment of the Social Classes in the Satires of B., Murner, and Fischart*, Diss. Univ. of Illinois 1934. – H. Gumbel, *B.s »Narrenschiff« und Freidanks »Bescheidenheit«. Gestaltwandel der Zeitklage und die Wirklichkeit* (in *Beitr. z. Geistes- und Kulturgesch. d. Oberrheinlande, Fs. f. F. Schultz*, Ffm. 1938, S. 24–39). – E. H. Zeydel, *Some Literary Aspects of S. B.s »Narrenschiff«* (in StPh, 42, 1945, S. 21–30). – M. Held, *Das Narrenthema in der Satire am Vorabend und in der Frühzeit der Reformation*, Diss. Marburg 1945. – P. Böckmann, *Die Narrensatire als Weg der menschlichen Selbsterkenntnis bei S. B.* (in P. B., *Formgeschichte der deutschen Dichtung*, Bd. 1, Hbg. 1949). – F. Winkler, *Dürer und die Illustrationen zum »Narrenschiff«*, Bln. 1951 (Forschungen zur deutschen Kunstgesch., 36). – E. Sobel, *S. B., Ovid, and Classical Allusions in the »Narrenschiff«* (in Univ. of California Publications in Mod. Phil, 36, 1952, Nr. 12, S. 429–440). – C. B. Fisher, *Several Allusions in B.'s »Narrenschiff«* (in MLN, 68, 1953, S. 395–397). – W. Gilbert, *S. B.: Conservative Humanist* (in ARG, 46, 1955, S. 145–166). – R. Gruenter, *Die ›Narrheit‹ in S. B.s »Narrenschiff«* (in Neoph, 43, 1959, S. 207 bis 221). – R. Newald, *Probleme und Gestalten des deutschen Humanismus*, Bln. 1963, S. 368–387. – B. Könneker, *S. B.: Das »Narrenschiff«. Interpretation*, Mchn. 1966. – H. Homann, *Emblematisches in S. B.s »Narrenschiff«* (in MLN, 81, 1966, S. 463 bis 475). – U. Gaier, *Studien zu S. B.s »Narrenschiff«*, Tübingen 1966. – Ders., *Satire. Studien zu Neidhart, Wittenwiler, B. und zur satirischen Schreibart*, Tübingen 1967.

CONRAD CELTIS
(eig. C. Pickel, 1459–1508)

QUATTUOR LIBRI AMORUM (nlat.; *Vier Bücher der Liebe*). Gedichtzyklus in vier Büchern von Conrad CELTIS (eig. C. Pickel, 1459–1508), erschienen 1502. – Die Kaiser Maximilian I. gewidmete Sammlung schöpft, obwohl der Autor mit ihr das Werk der Meister der römischen Liebeselegie (PROPERZ, TIBULL, OVID) nachgestaltet, großenteils aus dem eigenen reichen Erleben des Dichters, der sich nach seiner Krönung zum *poeta laureatus* (Nürnberg 1487) auf eine zehnjährige Wanderschaft durch das deutsche Reich begab. Die vier Bücher – sie enthalten jeweils einen in sich abgeschlossenen kleinen Liebesroman – sind in je einem der vier Teile des Reiches angesiedelt. Die Namen der Geliebten, mit denen sie überschrieben sind, verbinden sich mit denen der Städte, in denen der Dichter den Mädchen und Frauen begegnete: der schönen Hasilina in Krakau, der munteren Elsula in Regensburg, der innigen Ursula in Mainz, der sanften Barbara in Lübeck. So verschieden diese

Frauen geartet sind, so verschieden ist die Grundstimmung der einzelnen Bücher: Feurige Leidenschaft weicht trunkenem Genuß, die tragisch endende, »romantische« Liebe einem bereits vom Alter gezeichneten, schmerzlich-reflektierenden Gefühl. Doch überall durchdringt ein intensives sinnliches Empfinden die streng gemeisterte Form der Distichen, überall verbindet sich die Liebeslyrik mit einer von vaterländischem Stolz getragenen Landschaftsdarstellung (nicht ohne Grund nennt Celtis die *Libri amorum* in der Widmung ein Vorspiel der lange geplanten *Germania illustrata*).
Celtis, der deutsche »Erzhumanist«, setzt als erster mit seinen Gedichten – neben den *Elegien* verfaßte er *Oden* und *Epigramme* – der christlich-spiritualistischen Morallehre den ästhetischen Immoralismus der Antike entgegen. Denn die irdische, die sinnliche Liebe steht im Mittelpunkt dieser Dichtung: Die – nicht selten nackte – Schönheit und die Zugänglichkeit der Mädchen sind die zentralen Themen. Obwohl die Liebe nicht zuletzt auch – im neuplatonischen Sinn – als Universalbeziehung aufgefaßt wird, bleibt das Gemüt des liebenden Dichters immer leicht und genußfreudig gestimmt. Die Weite und Intensität dieses erotischen Gefühls, das trotz der traditionellen Einkleidung lebendig und individuell wirkt, und die formale Perfektion seiner Verse verleihen der Poesie dieses Humanisten einen dichterischen Rang, den die deutsche Lyrik erst im Barock und in der Klassik wieder erreichte.
M. Ze.

AUSGABEN: Nürnberg 1502. – Lpzg. 1934, Hg. F. Pindter. – Cambridge 1948 (*Selections from C. C. 1459–1508*, Hg., Übers. u. Einl. L. Forster).

LITERATUR: J. Huemer, Art. *C.* (in ADB, 4, S. 82 bis 88). – C. F. Moth, *C. C. Protucius*, Diss. Kopenhagen 1898. – F. Pindter, *Die Lyrik des K. C.*, Diss. Wien 1930. – H. Rupprich, Art. *K. C.* (in NDB, 3, 1957, S. 181–183). – L. W. Spitz, *C. C. The German Arch-Humanist*, Cambridge 1957.

FRIEDRICH DEDEKIND
(um 1525–1598)

GROBIANUS. De morum simplicitate libri duo (nlat.; *Grobianus. Zwei Bücher über die Einfalt der Sitten*). Erzählendes Gedicht in elegischen Distichen von Friedrich DEDEKIND (um 1525–1598), erschienen 1549. – Die erste Ausgabe umfaßt zwei Bücher: im ersten tritt Grobianus, die Titel- und Hauptfigur, als Diener, im zweiten einmal als Gast bei anderen Leuten, ein andermal als Hausherr auf.
Als Diener verbringt Grobianus sein Leben folgendermaßen: Er erhebt sich um die Zeit des Mittagessens, wenn der Tisch längst gedeckt ist. Er grüßt keinen Menschen. Er ist weder gewaschen noch gekämmt, seine Schuhe sind völlig verschmutzt. Tischmanieren fehlen ihm ganz. Personen von Stand gegenüber benimmt er sich frech, zu den Mädchen ist er schamlos. Er niest, spuckt, hustet und läßt allen Winden und Geräuschen seines Bauches freien Lauf. Am wohlsten fühlt sich Grobianus in der Gesellschaft der Schlemmer: er sorgt für Gegröle und zettelt Schlägereien an. Die sich raufenden Gäste läßt er aus dem Hause jagen. Der Hausherr darf hernach aufräumen und die Lichter löschen, während er selbst sich in voller Kleidung ins Bett wirft. – Im zweiten Buch ist Grobianus zunächst Gast bei anderen. Vor dem Mahl noch holt er sich vom Diener eine Liste der Speisen. Bei Tisch nimmt er sich die größten Portionen. Die ganze Zeit führt er sich so laut und unflätig auf, wie es ihm gerade in den Sinn kommt. Als er sich endlich dazu entschließt, nach Hause zu gehen, ist es tiefe Nacht. – Am Ende tritt Grobianus als Hausherr auf: Gäste, die ihm nicht gefallen, macht er betrunken, anderen, die als anständige Leute bekannt sind, läßt er den guten Wein mit schlechtem mischen, so daß sie bald das Weite suchen und keine Lust haben, je wiederzukommen.
Für die zweite Ausgabe (1552) fügte Dedekind noch ein drittes Buch an. Darin bitten einige junge Mädchen Grobianus um Lebensregeln. Er empfiehlt ihnen, sich schamlos zu geben, viel zu schwatzen, naschhaft und gefräßig zu sein, oft ins Wirtshaus zu gehen und ihre Liebhaber betrunken zu machen, um ihnen so leichter ein Heiratsversprechen entlocken zu können. Das Buch schließt mit Anweisungen, wie der Flohplage zu begegnen sei.
Schon 1554 erschien eine dritte – die endgültige – Ausgabe des gesamten Werks, das sich größter Beliebtheit erfreute und bis 1704 immer wieder nachgedruckt wurde. Bereits 1551 brachte Caspar SCHEIDT (1520–1565) unter dem Titel *Grobianus. Von groben sitten und unhöfflichen geberden* die erste deutsche Übersetzung heraus. Diese Version in paarweise gereimten Versen ist doppelt so lang wie das Original. Grobianus erscheint hier als Lehrmeister der Rüpelhaftigkeit, der sogar eine Schule für Grobiane aufmacht. Auf dem Titelblatt dieser Bearbeitung findet sich das Motto: *»Liß wol diß büchlin offt und vil / Und thu allzeit das widerspil.«* Auch Scheidts *Grobianus* war sehr beliebt und erschien bis 1615 in vielen Auflagen. 1567 wurde Wendelin HELLBACHS Übersetzung, ebenfalls in paarweise gereimten Versen, gedruckt. 1640 entstand die Übersetzung des Wenzel SCHERFFER *(Der Grobianer und die Grobianerin)*. Ihr Versmaß ist, dem Geschmack der Zeit entsprechend, der Alexandriner. Auf der Scherfferschen Fassung beruhen die beiden Übersetzungen ins Englische und ins Ungarische.
Dedekinds *Grobianus* ist eine deftige Satire. Das getreue Bild, das sie von den studentischen Bräuchen, die damals an den deutschen Universitäten gang und gäbe waren, zu zeichnen versucht, soll den Abscheu des Lesers erregen und ihn so zum Besseren ermahnen. Die Sprache mit ihren häufigen Anklängen an antike Autoren verrät die gediegene literarische Bildung Dedekinds.
M. Pe.

AUSGABEN: Ffm. 1549 – Lpzg. 1552 *(Grobianus. De morum simplicitate libri tres)*. – Ffm. 1554 *(Grobianus et Grobiana, de morum simplicitate libri tres)*. – Bln. 1903, Hg. A. Bömer (LLD, 16).

ÜBERSETZUNGEN: *Grobianus. Von groben sitten und unhöfflichen geberden*, C. Scheidt, Worms o. J. [1551]; Nachdr. Halle 1882, Hg. G. Milchsack (m. Einl. u. Bibliogr.; NdL, 34/35). – *Grobianus und Grobiana. Von unfletigen groben, unhöflichen sitten und Bäurischen gebärden*, W. Hellbach, Ffm. 1567. – *Der Grobianer und die Grobianerin, das ist, drey Bücher von Einfalt der Sitten*, W. Scherffer, Briegk 1640. – *Grobianus von groben Sitten und unhöflichen Geberden*, C. Scheidt, Hg. H. E. Müller, Ulm 1920. – *Grobianus von groben Sitten und unhöflichen Gebärden*, Hg. W. Matthiessen, Mchn.

1921 [nach den Übers. v. C. Scheidt u. W. Hellbach].

LITERATUR: R. Petsch u. M. Förster, *Zu D.-Scheidts »Grobianus«* (in ASSL, 103, 1899, S. 148/149). – F. Bergmeier, *D.s »Grobianus« in England*, Diss. Greifswald 1903. – E. Rühl, *»Grobianus« in England. Nebst Neudruck der ersten Übersetzung »The Schoole of Slovenrie« (1605) u. erster Herausgabe des Schwankes »Grobiana's Nuptials« (ca. 1640)*, Bln. 1904. – E. F. Clark, *The »Grobianus« of H. Sachs and Its Predecessors* (in JEGPh, 16, 1917). – S. A. Gallacher, *The Proverb in Scheidt's »Grobianus«* (ebd., 40, 1941, S. 489–508). – A. Hauffen u. C. Diesch, Art. *Grobianische Dichtung* (in RL², 1, S. 605–608).

JOHANN FISCHART
(um 1546–1590)

AFFENTEURLICHE UND UNGEHEURLICHE GESCHICHTSCHRIFT VOM LEBEN, RHATEN UND THATEN DER FOR LANGEN WEILEN VOLLENWOLBESCHRAITEN HELDEN UND HERRN GRANDGUSIER, GARGANTOA, UND PANTAGRUEL KÖNIGEN INN UTOPIEN UND NINENREICH. Etwan von M. Francisco Rabelais Französisch entworfen: Nun aber uberschrecklich lustig auf den Teutschen Meridian visirt, und ungefärlich obenhin, wie man den Grindigen laußt, vertirt, durch Huldrich Elloposcleron Reznem. Roman von Johann FISCHART (um 1546–1590), erschienen 1575 als deutsche Bearbeitung von François RABELAIS' *Les horibles et espoventables faictz et prouesses du très renommé Pantagruel* (1533). – Der Riese Grandgusier, König im Reich Utopien, heiratet die Riesin Gargamella. Bald gebiert Gargamella den kleinen Riesen Gargantoa, zu dessen Ernährung die Milch von Tausenden von Kühen nötig ist. Bei der Ausbildung Gargantoas steht die körperliche und kriegerische Erziehung an erster Stelle. So vermag er auch schon bald, in früher Jugend, am *»Fladenkrieg«* gegen die *»Krapffen- und Käßfladenbecken«* teilzunehmen, in dem er große Heldentaten vollbringt und für seinen Vater den Sieg erringt. Fischart bearbeitete in seiner *Geschichtklitterung* (Titel der zweiten Auflage von 1582) nur das erste Buch von Rabelais' Werk, das er ungefähr auf das Dreifache seines ursprünglichen Umfangs erweiterte. Die feine Ironie, mit der Rabelais gegen geistige und religiöse Intoleranz zu Felde zieht, und der Spott des Franzosen über die abenteuerlichen Rittergeschichten der spätmittelalterlichen Romane haben sich bei Fischart zu einer derben Moralsatire gegen die Laster seiner Zeit vergröbert: gegen Freß- und Trunksucht (vgl. das Kapitel 3: *Von des Grandgoschieres Diät* und Kapitel 8: *Von der trunckenen Litanei*) und gegen Modetorheiten. Fischarts Prinzip ist es, die Leser über der *»Welt Thorheit«* lachen zu lassen, ihnen *»Kurtzweil und Freud«* als *»Gemütsartzney«* zu bieten. So spiegelt sich das Welttreiben im Schicksal der Riesenfamilie als *»verwirrtes ungestaltes Muster der heute verwirrten ungestalten Welt«*. Im Gegensatz zu anderen Werken Fischarts wirkt die belehrende Tendenz hier nie aufdringlich; der Autor will als Volksschriftsteller vor allem sein Publikum unterhalten, wenn diesem Bestreben auch der nahezu experimentelle Sprachstil entgegensteht, der in diesem Werk seinen Höhepunkt erreicht. Fischart reiht Worte – meist synonyme Substantive und Adjektive – und Vergleiche in langer Folge zu riesigen sprachlichen Feldern aneinander, bildet, oft durch Zusammensetzungen, zahlreiche neue Vokabeln und verwendet lautmalerisch Binnenreime und Assonanzen. Die ständige Reihung von Einzelbildern, die forcierten sprachlichen Neubildungen und die langen, unübersichtlichen Satzperioden verdunkeln oft den Sinn des Ausgesagten und rauben dem Leser häufig den Überblick über den Gang der Handlung.

Fischarts *Geschichtklitterung* ist von großer Bedeutung vor allem als Sprachkunstwerk, das schon gegen Ende des 16. Jh.s die spätere lautmalende Dichtung des Barock – etwa der Nürnberger Pegnitz-Schäfer – vorbereitet. Zahlreiche Auflagen bis 1631 bezeugen die Beliebtheit dieses Werks.

A. Sch.

AUSGABEN: o. O. 1575. – Bln. 1582 *(Affentheurlich Naupengeheurliche Geschichtklitterung Von Thaten und Rahten der vor kurtzen langenweilen Vollenwolbeschreiten Helden und Herren Grandgusier, Gargantoa und Pantagruel, Königen inn Utopien, Jedewelt und Nienenreich, Soldan der Neuen Kannarien und Oudyssen Inseln: Auch Großfürsten in Nubel Nibel Nebelland, Erbvögt auff Nihilburg, und Niderherren zu Nullibingen, Nullenstein und Niergendheym. Etwan von M. Frantz Rabelais Frantzösisch entworffen: Nun aber uberschrecklich lustig inn einen Teutschen Model vergossen, und ungefärlich obenhin, wie man den Grindigen laußt, inn unser Mutter Lallen uber oder drunder gesetzt. Auch zu disem Truck wider auff den Ampoß gebracht, und dermassen Pantagruelsch verposselt, verschmidt und verdängelt, daß nichts ohn ein Eisen Nisi dran mangelt: Durch Huldrich Elloposcleron)*. – o. O. 1590 (dass.). – Halle 1891 (Synopt. Abdruck d. Bearbeitungen v. 1575, 1582, u. 1590, Hg. A. Alsleben; NdL, 65 bis 67). – Düsseldorf 1963 (*Geschichtklitterung*, 2 Bde., Hg. U. Nyssen, Nachw. H. Sommerhalder).

LITERATUR: K. H. G. v. Meusebach, *F.-Studien*, Halle 1879, Hg. C. Wendeler. – L. Ganghofer, *J. F. u. s. Verdeutschung d. Rabelais*, Mchn. 1881. – G. Schwarz, *Rabelais u. F.*, Diss. Zürich 1885. – R. Zitzmann, *F.s »Geschichtklitterung« in ihrem Verhältnis zu Rabelais*, Diss. Ffm. 1935. – H. Sommerhalder, *J. F.s Werk. Eine Einführung*, Bln. 1960.

NICODEMUS FRISCHLIN
(1547–1590)

IULIUS REDIVIVUS (nlat., *Der auferstandene Iulius*). Possenhafte Zeitkomödie von Nikodemus FRISCHLIN (1547–1590), begonnen 1572, zum erstenmal aufgeführt 1582 oder 1583 in Tübingen; umgearbeitet erschienen 1585, im selben Jahr in einer Bearbeitung von MEISSNER am Hofe in Stuttgart aufgeführt. – Diese Komödie hatte den weitaus größten Erfolg unter allen Stücken des Dichters. Voll Stolz weist Frischlin hier auf die glanzvollen Leistungen und die ruhmvolle Vergangenheit seines deutschen Vaterlandes hin und stellt sie dem kulturellen Verfall in den romanischen Ländern gegenüber.

Die Einkleidung, die der humanistische Professor der Poesie diesem Vorwurf gab, mutet ganz aristophanisch an. Der Seelenführer Merkur holt Caesar und Cicero aus der Unterwelt, um sie bei einer Reise die deutschen Lande kennenlernen zu lassen. Nach dem Prolog Merkurs treten die beiden altrömischen Staatsmänner auf und singen das Lob der schönen und fleißigen Städte, die sie bisher gesehen haben. In dem in glänzender Rüstung erscheinenden germanischen Heerführer Hermann, der die militärische Tüchtigkeit Deutschlands repräsentiert, glauben sie den Himmelsgott Iuppiter zu erkennen. Voll Staunen lassen sie sich von ihm über die Erfindung des Schießpulvers erzählen. Während Caesar sich mit Hermann zur Besichtigung eines Zeughauses aufmacht, trifft Cicero mit Eobanus Hessus zusammen, dem lateinisch dichtenden Repräsentanten deutscher Geisteskultur (er lebte von 1488 bis 1550). Die eleganten lateinischen Verse des Deutschen versetzen Cicero in helles Entzücken; sein besonderes Interesse aber erregt das Verfahren der Papierherstellung und die Erfindung des Buchdrucks. Während sie gemeinsam eine Druckerei besuchen, kehren Caesar und Hermann zurück; ihr Gespräch über das deutsche Kaisertum wird von einem Händler aus Savoyen unterbrochen, einem traurigen Exempel der Schwächen des Nachbarvolks. Nicht anders ergeht es Cicero und Eobanus: In ihre angeregte Unterhaltung über die deutsche Gelehrsamkeit platzt ein italienischer Kaminfeger hinein. Mit großem Schmerz vernehmen die Römer, in welch schauerliches Kauderwelsch sich ihre klassisch schöne Sprache verwandelt hat. Am Ende des dritten Akts brechen Caesar und Cicero auf, um der deutschen Akademie einen Besuch abzustatten. Der Schluß – den beiden komischen Figuren. ist noch je ein kurzer Akt gewidmet – ist reine Posse.

Das Stück verdankt seinen Reiz vor allem der lebendigen Darstellung der Personen und einer Fülle komischer Einfälle. Andererseits zeigt es einmal mehr, daß dramatische Komposition Frischlins Stärke nicht war: störend wirkt insbesondere, daß die beiden Hauptfiguren mit dem dritten Akt verschwinden. Auch die breit ausgeführten heiteren Nebenepisoden tragen nicht gerade zur Einheit des Aufbaus bei; doch sie entschädigen dafür durch ihre Frische und ihren Witz. Diese Elemente dürften dem Stück auch seinen großen Erfolg gesichert haben. Schon 1585 wurde es von Jacob Frischlin ins Deutsche übersetzt. Bismarck bekannte, die patriotische Gesinnung des *Iulius redivivus* habe in ihm die Vaterlandsliebe geweckt.

M. Ze.

Ausgaben: Speyer 1585. – o. O. 1587 (in *Operum poeticorum pars scenica*, Hg. B. Jobin). Bln. 1912, Hg. W. Janell [m. Einl. u. Bibliogr.].

Übersetzungen: *J. et M. T. Cicero redivivus, das ist Wie Julius Caesar der erst Römisch Kayser un aller streybarist Kriegsheldt ... wider auff Erden Kompt mit Marco Tullio Cicerone ...*, J. Frischlin, Speyer 1585. – *Commedia Julius Redivivus aus N. F. von Deutschlands Auffnemben und lob, der wider lebendig gemacht Kaiser Julius*, J. Ayrer, Nürnberg 1618 [Bearb.].

Literatur: F. Gundelfinger, *Caesar in der deutschen Litteratur*, Diss. Bln. 1903, S. 38–42. – B. A. Müller, *Straßburger Lokalkolorit in F. s »Julius redivivus« von 1585* (in ASSL, 135, 1916, S. 1–10). – R. Fink, *Studien zu den Dramen des N. F.*, Diss. Lpzg. 1922. E. Neumeyer, *N. F. als Dramatiker*, Diss. Rostock 1924. G. Bebermeyer, *Tübinger Dichterhumanisten. Bebel, F., Flayder*, Tübingen 1927, S. 47 79. G. Haupt, *Friedrich Hermann Flayders »Moria rediviva« und die bedeutendsten Vertreter des lateinischen Schuldramas im 16. und 17. Jh.*, Diss. Tübingen 1929.

PAMPHILUS GENGENBACH
(um 1480–1524/25)

DISZ IST DIE GOUCHMAT, so gespilt ist worden durch etlich geschickt Burger einer loblichen stat Basel. Wider den Eebruch vnd die sünd der unküscheit. Fastnachtspiel von Pamphilus Gengenbach (um 1480–1524/25), erschienen und aufgeführt 1516 oder 1521. – Die Bezeichnung *gouchmat*, d. h. Matte oder Wiese, auf der sich liebestolle Narren (die Gäuche) zu einem großen Fest einfinden, hängt wahrscheinlich mit einem alten germanischen Brauch, der Feier des Frühlings- oder Maifestes, zusammen. Zu einem volkstümlichen Begriff wurde sie erst durch das Werk Gengenbachs und durch Thomas Murners satirisches Versepos *Die geuchmat* (gedruckt 1519). Beide Autoren verlegen, möglicherweise unter dem Einfluß älterer Sagenreste, die »Narrenwiese« in die Umgebung Basels.

Gengenbachs Fastnachtspiel, mit 1318 paarweise gereimten Versen umfangreicher als die meisten Stücke dieser Gattung, beginnt mit einer Vorrede, die sich gegen ein »*kürtzlich*« gedrucktes (nicht identifizierbares) Gedicht wendet, dessen anonymer Verfasser versichere, »*das vnkeüscheit sy kein sündt*«. Dieser Behauptung stellt Gengenbach einen bunten Reigen geprellter Gäuche entgegen. Am Anfang ermahnt Frau Venus ihren Hofmeister, ihr die umherstehenden Leute zuzuführen – »*Fürsten herren, arm vnd rich / Münch pfaffen nunnen auch deßglich, / Vnd auch die alten grawen thoren*«. Seine lauten Ankündigungen ziehen bald Neugierige an, die teilweise von weither angereist sind. Trotz der Warnungen eines Narren, dem der Dichter das ganze Stück hindurch moralisierende Ansprachen an die Opfer mit zahlreichen Hinweisen auf biblische und historische Beispiele liebestoller Unvernunft in den Mund legt, kommt als erster ein Jüngling; von Venus an eines ihrer Mädchen verwiesen, büßt er bald »*Rock hosen mantel und auch dägen*« ein und wird zur Mutter zurückgeschickt. Wenig anders ergeht es einem Ehemann und einem ergrauten Kriegsmann, der nach vielen glücklich bestandenen Schlachten »*gern der bulschafft pfläge*«, einem gelehrten Doktor und einem »*alten gouch*« – sie alle werden übertölpelt, geschröpft und davongejagt. Schließlich erscheint ein Bauer, der Butter und einen Korb Eier als Geschenk mitbringt. Er wird von Venus, ihren Mädchen Circe und Palestra und von Cupido als nicht ernstzunehmender Tropf behandelt und durch seine plötzlich auftauchende Frau schnell auf den rechten Weg zurückgebracht und vor größerem Unheil bewahrt. Zum Schluß läßt Frau Venus durch ihren Hofmeister für den zahlreichen Besuch danken und verkünden, daß sie »*zuo Basel in der Malentz gassen*« ihren ständigen Wohnsitz nehmen werde – »*do findt man töchterlin ußerlesen, / Klein groß wie mans wil haben, / Die auch eim könen den seckel schaben ...*«

Verschiedenen Hinweisen im Text ist zu entnehmen, daß bei der Aufführung des Stückes ein großes Tor, an dem der Narr warnend Wache hält, die Bühne in zwei Räume teilte: links die Narrenwiese, auf der Frau Venus und ihr Gesinde die Gäuche empfangen, rechts ein Vorraum, den die Eintretenden auf der Suche nach dem »Lustort« durchqueren müssen. Wahrscheinlich hat das Stück auch musikalische Einlagen gehabt, da die *»pfyffer«* wiederholt aufgefordert werden, einen *»reyen«* zu spielen. – Gengenbachs dramatische Technik unterscheidet sich nur geringfügig von der anderer Werke des 16. Jh.s. Alle Gestalten sind kräftig, häufig grobschlächtig typisiert. Die langen, didaktisch-moralisierenden Monologe des »weisen Narren« sind der Handlung gleichsam übergeordnet. H. H. H.

AUSGABEN: Basel 1516 [1521?]. – Straßburg 1582 *(Die Gouchmatt)*. – Hannover 1856 (in *SW*, Hg. K. Goedeke).

LITERATUR: K. Lendi, *Der Dichter P. G.*, Diss. Bern 1926. – W. Schein, *Stilistische Untersuchungen zu den Werken des P. G.*, Diss. Jena 1927. – R. Raillard, *P. G. und die Reformation*, Diss. Zürich 1936. – D. M. Abbé, *Development of Dramatic Form in P. G.* (in MLR, 45, 1950, S. 46–62).

ULRICH VON HUTTEN
(1488–1523)

GESPRÄCH BŮCHLIN HERR ULRICHS VON HUTTEN. Feber das Erst. Feber das Ander. Wadiscus. oder die Roemische dreyfaltigkeit. Die Anschawenden. Vier Dialoge von Ulrich von HUTTEN (1488–1523), erschienen 1521. – Das ursprünglich lateinisch verfaßte und vom Autor selbst ins Deutsche übersetzte Werk umfaßt vier fiktive Gespräche über zeitpolitische Themen der Reformationszeit, vor allem über die Mißstände innerhalb der Geistlichkeit und die Unterdrückung der deutschen Nation durch die römische Kirche. In paarweise gereimten Versen stellt der Autor zu Beginn der Dialoge – mit Ausnahme des ersten – das jeweilige Gesprächsthema vor und wendet sich überdies am Ende des zweiten und dritten Gesprächs mit einer belehrenden Schlußfolgerung an den Leser. – Die Gesprächspartner in den beiden ersten Dialogen *Das erst Feber* und *Das ander Feber* sind das »Fieber«, eine Personifikation der Zeitkrankheit, und der Autor. Auf der Suche nach einem neuen »Wirt« wendet sich das Fieber an Hutten, der den unerwünschten Gast jedoch abweist und versucht, ihm eine andere *»herberg«* zu verschaffen. Da das Fieber nur mit einem wohlhabenden Mann abzufinden ist, empfiehlt Hutten den Kardinal Kajetan, der anläßlich des Augsburger Reichstags (1518) gerade in Deutschland weilt. Das Fieber lehnt jedoch ab, weil ihm der päpstliche Legat, der deutsche Speisen und Getränke verschmäht, zu mager ist. Auch Huttens Vorschlag, die reichen Fugger heimzusuchen, sagt dem Fieber nicht zu, da diese zu viele gute Ärzte haben. Die in Saus und Braus lebenden Mönche vermögen gleichfalls nicht, es von seinem Vorsatz, bei Hutten zu bleiben, abzubringen. Am Ende gelingt es diesem jedoch, das Fieber zu einem genußsüchtigen Domherrn weiterzuschicken. Der Dialog schließt mit einer gereimten Begrüßungsrede des Fiebers an den Domherrn.
Im zweiten *»bůchlin«* bittet das Fieber erneut bei Hutten um Unterkunft. Da dieser es jedoch barsch abweist, gelingt es dem listigen Gast, Hutten in ein Gespräch über die wüsten Ausschweifungen und den üppigen Lebenswandel des Domherrn und allgemein über das *»verkerte leben der geystlichen«* zu ziehen. Hutten bleibt zwar unnachgiebig, ist aber von den Ausführungen des Fiebers so sehr beeindruckt und erschüttert, daß er aus Sorge um die deutsche Nation beschließt, sich an *»kienig Carolus«* zu wenden, damit dieser die Pfaffen von ihrem *»bősen lebenn«* abbringe und sie *»allein geystlicher ding pflegen, und sich der weltlichen gar entschlagen«*. Im Dialog *Wadiscus oder die Rőmische Dreyfaltigkeit* wird ebenfalls über die Unsittlichkeit des Klerus, besonders der römischen Geistlichkeit, berichtet. Hutten erzählt seinem Freund Ernholt, was ihm der eben aus Rom zurückgekehrte Wadiscus mitgeteilt hat. Die in Rom beobachteten Mißstände werden durch travestierende Anspielung auf die Dreifaltigkeit angeprangert: *»Drey ding helt man zu Rom in großem werde, hůpsche frawen, schőne pferd, und Bápstliche bullen.«* Huttens Kritik richtet sich vornehmlich gegen die schamlosen Finanzmanipulationen der Kurie. Er ruft daher Deutschland zum Widerstand gegen Rom auf.
Derselbe militante Ton herrscht auch im letzten Dialog. Die *»Anschawenden«* sind der Sonnengott Sol und der himmlische Wagenlenker Phaeton, die aus der Vogelperspektive die Vorgänge auf dem Augsburger Reichstag betrachten. Sie geißeln die Abhängigkeit Deutschlands von Rom und beschuldigen Kajetan, der die Bewilligung einer Steuer für den Krieg Roms gegen die Türken zur Ausbreitung des Christentums durchsetzen möchte, daß er in Wirklichkeit nur der Geldgier des Papstes das Wort rede. Gegen Ende des Gesprächs greift der Kardinal selbst ein; er verflucht die beiden Heidengötter und fordert sie auf, Buße zu tun und um Absolution zu bitten. Über die Anmaßung des Legaten empört, beschimpfen sie ihn, worauf dieser seinem Abscheu gegenüber den Ketzern Luft macht: *»Du vermaledeyeter, du ůbeltåtter, du verdampter, ein sun Sathanas, wie darfstu mir widerbellen?«*
Huttens literarisches Vorbild für diese Gespräche waren die zeitkritischen Dialoge des LUKIAN aus Samosata (um 120–185). Die derbe, volkstümliche Sprache an Stelle der lateinischen ist bezeichnend für die Bestrebungen der Reformation, sich dem Volk in seiner eigenen Sprache verständlich zu machen. Der Autor übernahm die Rolle des nationalen Erweckers und wurde durch seine heftigen politischen und religiösen Polemiken in diesem Werk einer der bedeutendsten Mitstreiter LUTHERS. A. Ge. – KLL

AUSGABEN: Straßburg 1521. – Lpzg. 1860 (in *Schriften*, Hg. E. Böcking, 7 Bde., 1859–1870, 4). – Dresden 1905, Hg. R. Zoozmann. – Lpzg. ca. 1915, Hg. K. Müller (RUB, 2381/2382).

LITERATUR: S. Szamatólski, *U.s v. H. deutsche Schriften*, Straßburg 1891 (QFgV, 67). – D. F Strauß, *U. v. H.*, Hg. O. Clemen, Lpzg. 1914, S. 328ff. – A. Bauer, *Der Einfluß Lukians von Samosata auf U. v. H.* (in Phil, 75, 1918, S. 437–462; 76, 1920, S. 192–207). – P. Kalkoff, *U. v. H. und die Reformation. Eine kritische Geschichte seiner wichtigsten Lebenszeit und der Entscheidungsjahre der Reformation (1517–1523)*, Lpzg. 1920, S. 272ff. – O. Gewerstock, *Lucian und H. Zur Geschichte des Dialogs im 16. Jh.*, Bln. 1924 (Germanische Studien, 31). – P. Held, *U. v. H. Seine religiös-geistige Auseinandersetzung mit Katholizismus, Humanismus, Reformation*, Lpzg. 1928. – H. Holborn, *U. v. H.*,

Lpzg. 1929. - G. Ritter, *U. v. H. und die Reformation* (in G. R., *Die Weltwirkung der Reformation*, Mchn. ²1959).

JOHANNES VON TEPL
(um 1350-1414)

DER ACKERMANN AUS BÖHMEN. Prosadialog zwischen Mensch und Tod über den Sinn des Lebens von JOHANNES VON TEPL (Saaz) (um 1350–1414), geschrieben um 1400. – Einen Ackermann, dessen Pflug die Feder sei, nennt sich der Verfasser in dem Streitgespräch mit dem Tod, der ihm eben seine junge, geliebte Frau Margareta entrissen hat. Das Streitgespräch wird in der Form eines mittelalterlichen Prozesses ausgetragen, wobei der Witwer als Kläger, der Tod als Angeklagter auftritt. In 32 Kapiteln kommt jeweils einer der beiden Prozeßgegner zu Wort, im 33. Kapitel ergeht Gottes Urteil, dem das Schlußgebet des Ackermanns folgt (die Anfangsbuchstaben des gereimten Gebets ergeben zusammen den Namen »Johannes«).
Schon die ersten drei Kapitel zeigen in ihrer engen Anlehnung an die Eröffnungsformeln eines mittelalterlichen »Strafverfahrens« den Prozeßcharakter des Streitgesprächs, in dem der Dichter sein persönliches Schicksal und Leid zum allgemeinmenschlichen Los erhebt. In schwerem, zeremoniellem Dreischritt eröffnet der Ackermann seine Anklage mit der Nennung und Verfluchung des Angeklagten (*»Grimmiger tilger aller lant, schedlicher echter aller werlt, freissamer morder aller leut, her Tot, euch sei verflucht!«)* und schließt – nach einer weitausholenden Bekräftigung des Fluchs – mit dem »Zetergeschrei« (*»von mir und menniglich sei uber euch ernstlich zeter geschriren mit gewunden henden«)*, das sowohl Hilfeschrei als auch feststehende mittelalterliche Prozeßformel war und die Anklage erst rechtsgültig bekräftigte. Daraufhin ruft der Tod zur Mäßigung auf und fordert, den Gegenstand der Anklage und den Prozeßgegner kennenzulernen. Dem entspricht der Ackermann in dem wieder dreigegliederten dritten Kapitel: 1. Vorstellung, 2. Begründung der Anklage (*»ir habt meiner wunnen lichte sumerblumen mir aus meins herzen anger jemerlich ausgereutet«)*, 3. die Wiederholung des Fluchs.
Im Verlauf des Prozesses, der immer mehr den privaten Charakter verliert und zu einer grundsätzlichen Auseinandersetzung zwischen Leben und Tod, zwischen lebensbejahendem und -verneinendem Prinzip wird, sucht sich der Tod mit dem nüchtern vorgebrachten Argument zu rechtfertigen, Gott habe ihn selbst zum Herrn der Erde eingesetzt, weil nach Gottes Willen alles Leben auch wieder sterben müsse. Mit überlegenem, eiskaltem Spott weist der Tod die im jammernden oder leidenschaftlich verfluchenden Ton vorgetragenen Anklagen des Ackermanns zurück, der schließlich ruhiger wird, einlenkt und Rat, Hilfe und Ersatz begehrt. Jetzt nimmt der Tod ganz die Haltung eines weisen, begütigenden Lehrers stoischer und augustinischer Weltverachtung an: *»Alle irdische lieb muss zu leide werden: leit ist liebes ende, der freuden ende trauren ist, nach lust unlust kumet, willens ende ist unwille. Zu solichem ende laufen alle lebendige ding.«* Er zeigt dem Ackermann die Nichtigkeit des Lebens und den eitlen Lauf der Welt, weist ihn auf das vergebliche Streben der Wissenschaften und Künste hin und entgegnet ihm – der die Ehre und Würde des Menschen als Ebenbild und erhabenste Schöpfung Gottes verteidigt und das Glück der Ehe, die Veredelung des Mannes durch die geliebte Frau, preist –, daß der Mensch durchaus entbehrlich im großen Plan der Schöpfung sei und daß das Idealbild der Ehe durchaus nicht der Wirklichkeit entspreche, denn *»ein bewibter man hat doner, schaur, fuchse, slangen alletag in seinem haus«*. Endlich rufen die Gegner Gott als ihren höchsten Richter an, der das Urteil fällt: *»Ir habet beide wol gevochten: den twinget leit zu klagen, disen die anvechtigung des klagers die wahrheit zu sagen. Darumb: Klager habe ere! Tot habe sig! Seit jeder mensch dem Tote das leben, den leib der erden, die sele Uns pflichtig ist zu geben.«* Diesem Urteilsspruch beugt sich der Kläger; er erkennt in Gottes Wort die unanfechtbare Gerechtigkeit und befiehlt die Seele der Verstorbenen in des *»Allmechtigen«* Schutz.
Der Dichter des *Ackermanns aus Böhmen* steht zwischen zwei Welten – der alten des glaubensstarken Mittelalters und der neuen des beginnenden Renaissancezeitalters. Die Lösung dieses aus dem Aufbegehren des Individuums erwachsenen Konflikts dagegen ist die mittelalterliche: Aussöhnung und Ergebung.
In der lateinischen Vorrede kennzeichnet der an dem deutschen Prosastil eines JOHANN VON NEUMARKT und den bilderreichen, kunstvoll verzierten Sangsprüchen eines HEINRICH VON MÜGELN geschulte Autor sein Werk als eine virtuose Komposition, in der *»alles Wesentliche der Wohlredenheit zur Darstellung gelangt«*. Doch ist die Dichtung nicht als bloßes Formkunstwerk zu fassen. Durch alles spätgotische Filigran hindurch bleibt immer das echte Gefühl eines Menschen spürbar, der angesichts der zerstörerischen Gewalt des Todes um die Bewältigung des inneren Widerstreits kämpft.
R. E.

AUSGABEN: Bamberg um 1460 [Pfister-Druck]. – Bln. 1917–1932 (in *Vom MA zur Reformation*, Hg. A. Berndt u. K. Burdach; 3 Bde.; krit.). – Lpzg. 1919 [Faks. d. Erstdrucks]. – Lpzg. 1937, Hg. A. Hübner. – Wiesbaden 1954, Hg. W. Krogmann [m. d. tschech. Fassung]. – Freiburg i. B. ²1954 [nhd., Übertr. H. Kunisch]. – Oxford 1959, Hg. K. Spalding.

LITERATUR: J. Weber, *Kapitelaufbau u. tektonischer Stil d. »Ackermann aus Böhmen«*, Diss. Göttingen 1949. – Ehrismann, 2, Mchn. 1955; Schlußbd., S. 655f. – E. Buchtmann, *Die Ackermann-Dichtung*, Diss. Marburg 1960. – F.H. Bäuml, *Rhetorical Devices and Structure in the »Ackermann aus Böhmen«*, Berkeley/Los Angeles 1960 [m. Bibliogr.]. – W. Krogmann, *Neue Funde der Ackermann-Forschung* (in DVLG, 37, 1963, S. 254–265).

MARTIN LUTHER
(1483-1546)

AN DEN CHRISTLICHEN ADEL DEUTSCHER NATION VON DES CHRISTLICHEN STANDES BESSERUNG. Schrift von Martin LUTHER (1483 bis 1546), erschienen 1520. – Luther eröffnet seine Schrift mit dem Anruf an Kaiser, Fürsten und niederen Adel, der Kirche wirksam zu helfen, denn das Papsttum selbst mache jede Reform unmöglich, indem es sich mit »drei Mauern« umgeben habe. Als »erste Mauer« bezeichnet er die Lehre, daß die geistliche Gewalt über der weltlichen stehe. In Wahrheit sind alle Christen durch ihre Taufe geistlichen Standes, nicht nur »*Papst, Bischof, Priester und Klostervolk*«. Freilich gibt es verschiedene Ämter oder Werke. So ist es das Amt des Priesters, das Evangelium zu verkündigen und die Sakramente zu verwalten, während es der weltlichen Obrigkeit obliegt, das Schwert zu gebrauchen und für Ruhe und Ordnung zu sorgen. Von diesem »*allgemeinen Priestertum*« ausgehend, verwirft Luther die Priesterweihe, insbesondere die Lehre, daß dem Priester dadurch ein *character indelebilis* zuteil werde. Somit besteht auch kein Grund zu der Behauptung, daß die geistliche Gewalt über der weltlichen stehe. Sodann wendet sich Luther gegen die »*zweite Mauer*« der »Romanisten«, d. h. gegen deren Lehre, daß allein der Papst die Heilige Schrift unfehlbar auslegen könne. Er betont dagegen, daß jeder Christ die Macht hat zu beurteilen, was im Glauben recht ist oder unrecht, da wir ja alle Priester sind. Die »*dritte Mauer*« aber fällt von selber ein, wenn die beiden anderen gefallen sind: es steht in der Schrift nirgendwo geschrieben, daß allein der Papst ein rechtmäßiges Konzil berufen kann. Vielmehr soll, wo es die Not erfordert und der Papst den Christen ein Ärgernis gibt, jeder Christ, der es vermag, mithelfen, daß ein rechtes, freies Konzil zustande kommt, was freilich niemand so gut vermag wie das »weltliche Schwert«, dessen Vertreter ja Mitchristen und Mitpriester sind.

Luther führt nun aus, was auf einem Konzil verhandelt werden müßte. Erstens sollte der ärgerniserregende Aufwand des Papstes abgestellt und der Papst dazu angehalten werden, in Demut und wirklicher Nachfolge Christi zu leben. Auch die finanzielle Auspressung der Deutschen (Annaten und andere Abgaben) müßte ein Ende haben. Ferner sollte auf einem Konzil das Abziehen von Pfründen nach Rom zur Sprache kommen. Auch über die schrecklichen Eide, welche die Bischöfe dem Papst zu leisten haben, über kultische Mißstände (Seelenmessen u. a.) und über den Mißbrauch der Wallfahrten müßte gesprochen werden, ebenso über die in der Schrift nicht gebotene Ehelosigkeit der Priester. Notwendig wäre die Abschaffung der nur dem Müßiggang dienenden Feste sowie mancher Strafen geistlichen Rechts, namentlich des Interdikts und des Bannmißbrauchs. Ein Konzil müßte sich auch der »Sache Böhmens« annehmen (d. h. der von Hus ausgelösten Bewegung). Als dringend notwendig erachtet Luther eine Reform def Universitäten, wo an Stelle der heiligen Schriften der »Heide« Aristoteles hochgehalten werde, und der Schulen. Die Bettelei sollte allerorts abgestellt und die Armenpflege neu geregelt werden. Nicht zuletzt fordert Luther die Unabhängigkeit des deutschen Kaisertums und die Errichtung einer von Rom unabhängigen Kirche. Außer den »geistlichen Gebrechen« prangert er auch einige »weltliche« an, so den Luxus, die Unzucht und besonders das Zinsgeschäft, das für ihn das größte Unglück der deutschen Nation ist. Er schließt mit dem Wunsch: »*Gott gebe uns allen einen christlichen Verstand und besonders dem christlichen Adel deutscher Nation einen rechten geistlichen Mut, der armen Kirche das Beste zu tun.*« Durch diese sprachmächtige Schrift wurde ein neuer Stil der Reformschriften begründet. Der Eindruck, den ihre aus einer einheitlichen religiösen Anschauung überzeugend entwickelten Forderungen auf die Zeitgenossen machte, war gewaltig. Luther wurde über Nacht der Held des Volkes, fortan wurden seine kleinen Schriften mit größter Spannung erwartet. L. R.

Ausgaben: Wittenberg 1520. – Halle 1877 (NdL, 4). – Halle 1884, Hg. K. Benrath (Schriften des Vereins für Reformationsgesch., Abt. I/4). – Weimar 1888 (in *Werke*, Abt. I, 6; *Weimarer Ausg.*; krit.). – Lpzg. ca. 1890; auch Stg. 1954, Hg. E. Kähler (RUB, 1578/78a). – Mchn. 1914 (in *AW*, Hg. H. H. Borcherdt u. H. Barge, 8 Bde., 1914–1925, 2; ³1948). – Mchn. 1928 (Rupprecht-Presse, 43. Buch). – Bln. 1933 (in *Werke in Auswahl*, Hg. O. Clemen u. A. Leitzmann, 8 Bde., 1930–1935, 1; ²1950). – Mchn. 1933, Hg. H. H. Borcherdt. – Mchn. 1961, Nachw. E. Wölfel (Faks. d. Ausg. 1520). – Mchn. 1963, Hg. K. G. Streck (Goldmanns Liebhaberausg., 23).

Literatur: W. Köhler, *L.s Schrift »An d. christl. Adel dt. Nation«*, Halle 1895. – Ders., *L. u. d. Kirchengesch. nach seinen Schriften*, Erlangen 1900. – J. Köstlin, *L.s Theologie in ihrer geschichtl. Entwicklg. u. ihrem inneren Zusammenhang dargest.*, 2 Bde., Stg. ²1901. – E. Kohlmeyer, *D. Entstehung d. Schrift L.s »An d. christl. Adel dt. Nation«*, Gütersloh 1922. – W. Köhler, *Zu L.s Schrift »An d. christl. Adel dt. Nation«* (in Zs. d. Savigny-Stiftung f. Rechtsgesch., Kanonist. Abt., 14, 1925). – R. Wellmer, *Sprache u. Stil in L.s reformat. Schriften »Von d. guten Werken« u. »An d. christl. Adel dt. Nation«*, Diss. Bln. 1954.

EIN SENDBRIEFF D. M. LUTHERS. VON DOLMETZSCHEN UND FÜRBIT DER HEILIGENN. Theologisch-hermeneutisches Werk von Martin Luther (1483–1546), erschienen 1530. – Luther verfaßte den *Sendbrief* während seines Aufenthaltes auf der Veste Coburg als Antwort auf die Fragen eines Ungenannten (L. Spengler?, G. Rottmaier?, wahrscheinlicher handelt es sich lediglich um eine Stilisierung) und übermittelte ihn am 12. 9. 1530 an den Nürnberger Prediger Wenzeslaus Linck, der ihn mit einem Vorwort veröffentlichte. Im ersten Teil des *Sendbriefs* gibt Luther Rechenschaft über die für seine Bibelübersetzung bestimmenden Grundsätze, im zweiten Teil nimmt er Stellung zur Heiligenverehrung.

Luthers Übersetzung des *Neuen Testaments* (*Das Newe Testament Deutzsch*, 1522), der – vor Vollendung der Gesamtbibel (*Biblia, das ist, die gantze Heilige Schrifft Deudsch*, 1534) zunächst in Einzelteilen – die Übersetzung des *Alten Testaments* folgte, wurde u. a. von Hieronymus Emser (1523) mit dem Vorwurf bedacht, Luther habe den Text verkehrt und willkürlich behandelt. In seinem *Sendbrief* entwickelt Luther an verschiedenen Beispielen (u. a. *Römerbrief* 3,28; *Matthäus* 12,34; *Lukas* 1,28) die für sein Dolmetschen maßgebenden hermeneutischen Grundsätze. Seine Übersetzung bemüht sich um allergenaueste Wiedergabe des Sinnes, ohne sich sklavisch an das einzelne Wort zu binden; ein Prinzip, das Luther bereits in den *Operationes in Psalmos* (1519–1521) formuliert hatte. Um im Deutschen den Sinn, die »Meinung«, des hebräischen und griechischen Textes sachgemäß wiederzugeben, kann der Dolmetscher – um des rechten Dolmetschens willen – bisweilen gezwungen sein, »*die Buchstaben fahren [zu] lassen*«. Während der »Buchstabilist« Wort für Wort überträgt und dabei (latinisierend) die dem Sprachgefüge des Deutschen entsprechenden Gesetze verfehlt, weiß Luther – im Gegensatz zur Tradition der mittelalterlichen *Vulgata*-Übertragungen und zum zeitgenössischen humanistischen Verbalismus –, daß (den *Summarien uber die Psalmen und ursachen des Dolmetschens*,

1533, zufolge) »*nicht der Sinn den Worten, sondern die Worte dem Sinn dienen und folgen sollen*«. Indem Luther im *Sendbrief* die für seine Bibelverdeutschung bestimmenden Prinzipien erläutert, weist er zugleich die Schriftgemäßheit seines neuen evangelischen Gesamtverständnisses (*Römerbrief* 3,28: »*allein durch den Glauben*«) nach.
Während die älteren deutschen Bibelübersetzungen – im Anschluß an die *Vulgata* – eher den Charakter einer Interlinearversion als einer Verdeutschung tragen, ist Luthers von den zeitgenössischen Gegnern verkannte Übertragung das Werk eines Künstlers, »*dessen Kraft der Sprache*« und »*große und starke Art des deutschen Ausdrucks*« (F. von Schlegel) in der prophetischen Ergriffenheit durch die zur Sprache kommende Sache begründet ist. Allerdings bedurfte es – Niederschriften und Revisionsprotokolle bestätigen die Feststellung des *Sendbriefs* – eines gewaltigen Ringens sowohl um das Verständnis des Urtextes wie um die sprachliche Ausformung des deutschen Ausdrucks; an vielen Stellen ist es erst nach mehrmaligen (in den Bibelrevisionen bis 1546 fortgesetzten) Versuchen gelungen, die mit dem Text gemeinte Sache deutsch wiederzugeben. Luthers sprachkünstlerische Meisterschaft zeigt sich besonders in dem Reichtum der Ausdrucksmöglichkeiten und in dem Feingefühl bei der Wahl des jeweils sachgerechten Wortes. (Rhythmus und Syntax weisen die Lutherbibel als für die mündliche Verlesung bestimmtes »Predigt«-Buch aus. Die neueren Bibelrevisionen haben davon schon Erhebliches abgetragen.)
Von der Tendenz zur Vergeistigung und Verflüchtigung der Wort-Wörtlichkeit (wie sie den deutschen Mystikern nahelag, die auf der Suche nach dem sprachschöpferischen Ausdruck des Glaubens in der Muttersprache vorangingen) unterscheidet sich Luther durch sein Festhalten am konkreten Wortsinn; so war er bei seinem Übersetzungswerk darauf bedacht, dort, wo an einem Wort – um des Sinnes willen – gelegen sei, es nach dem Buchstaben zu behalten. Wenn die Sache es erfordert, nimmt der Übersetzer eher in Kauf, der deutschen Sprache Abbruch zu tun, als von dem Wort abzulassen. Nachdrücklich betont Luther, daß der Übersetzer, um den Sinn und die Meinung des Textes zu erheben, der »Sprachen« bedürfe.
Als Sprachkunstwerk, das aus dem gesprochenen Wort lebt, wirkte die Lutherbibel für Jahrhunderte nicht nur stilbildend, sondern auch (im Hinblick auf die Vorformung einer deutschen Hochsprache) sprachbildend. Goethe urteilte, die Deutschen seien erst ein Volk durch Luther geworden. Erneuerer der deutschen Sprache wie Lessing, Herder, Hamann, Klopstock, E. M. Arndt schöpften unmittelbar aus der Ursprünglichkeit der Luther-Sprache. Hegel sah in der Übersetzung der *Bibel* in die Muttersprache »*eine der größten Revolutionen, die geschehen konnten*« und bemerkte: »*Erst in der Muttersprache ausgesprochen ist etwas mein Eigentum ... Luther hätte nicht seine Reformation vollendet, ohne die Bibel ins Deutsche zu übersetzen.*« Dem reinen und klaren Deutsch, das Luther im Dolmetschen zu geben sich beflissen hat, zollte auch Nietzsche seine Hochachtung, wenn er äußerte, gegen Luthers *Bibel* gehalten, die ihm als »*das Meisterstück der deutschen Prosa*« galt, sei fast alles übrige nur »Literatur«. E. H. P.

Ausgaben: Nürnberg 1530. – Wittenberg 1530. – Weimar 1909 (in *Werke*, Bd. 30, Abt. 2; *Weimarer Ausg.*; krit., dazu: Revisionsnachtrag, Weimar 1967). – Bln. 1935 (in *Werke in Auswahl*, Hg. O. Clemen u. A. Leitzmann, 8 Bde., 1930–1935, 4; ²1950). – Halle 1951, Hg. K. Bischoff. – Halle 1968, Hg. u. Einl. E. Arndt.

Literatur: H. Preuß, *L. Der Künstler*, Gütersloh 1931. – W. Schanze, *L. auf der Veste Coburg* (in *L. in Thüringen*, Hg. R. Jauernig, Bln. o. J. [1952], S. 108–121). – J. Erben, *Grundzüge einer Syntax der Sprache L.s*, Bln. 1954. – H. Bornkamm, *L. im Spiegel der deutschen Geistesgeschichte*, Heidelberg 1955. – H.-O. Burger, *L. als Ereignis der Literaturgeschichte* (in Luther-Jb., 24, 1957, S. 86–101). – H. Volz, Art. *Bibelübersetzungen IV: Deutsche* (in RGG, 1, Sp. 1201ff.; m. Bibliogr.). – P. Meinhold, *L.s Sprachphilosophie*, Bln. 1958. – J. Erben, *L. u. die neuhochdeutsche Schriftsprache* (in *Deutsche Wortgeschichte*, Hg. F. Maurer u. F. Stroh, Bd. 1, Bln. ²1959, S. 439–492). – E. Arndt, *L.s deutsches Sprachschaffen*, Bln. 1962. – O. Mann, *L.s Anteil an der Gestaltung der neuhochdeutschen Schriftsprache u. Literatur* (in Luther. Zs. der Luther-Gesellsch., 34, 1963, S. 8–19). – K. Ihlenfeld, *Zur Entlutherisierung der Bibel* (ebd., 35, 1964, S. 15–24). – H. Bornkamm, *L. als Schriftsteller*, Heidelberg 1965. – H. Bluhm, *M. L. Creative Translator*, St. Louis 1965. – F. Tschirch, *Spiegelungen. Untersuchungen vom Grenzrain zwischen Germanistik u. Theologie*, Bln. 1966. – G. Kettmann, *Die kursächsische Kanzleisprache zwischen 1486 u. 1546*, Bln. 1967. – F. Tschirch, *Geschichte der deutschen Sprache*, 2. Teil: *Entwicklung und Wandlungen der deutschen Sprachgestalt vom Hochmittelalter bis zur deutschen Gegenwart*, Bln. 1969.

VON DER FREYHEYT EYNISZ CHRISTEN MENSCHEN. Reformatorische Schrift von Martin Luther (1483–1546), erschienen im November 1520. – Der prägnanteren und strafferen lateinischen Fassung des Werks, die – ebenfalls 1520 – kurz nach der deutschen erschien, steht ein Sendbrief Luthers an Papst Leo X. (reg. 1513–1521) voran: *Epistola Lutheriana ad Leonem Decimum Summum Pontificem. Tractatus de libertate Christiana.* (Der auf den 6. September zurückdatierte Sendbrief steht im Zusammenhang mit den Ausgleichsbemühungen des Augustiner-Eremiten-Ordens, des kursächsischen Hofes und des in kurialen Diensten tätigen Karl von Miltitz). – Der Traktat *Von der Freiheit eines Christenmenschen*, thematisch eng mit dem Sermon *Von den guten Werken* (1520) verbunden und in Luthers gleichzeitiger theologisch-exegetischer Arbeit (*Operationes in Psalmos*, 1519–1521) verwurzelt, gehört mit den großen Reformationsschriften des Jahres 1520 zu den wirkungskräftigsten Veröffentlichungen des Reformators. Wie in dem Sendbrief an Papst Leo X. ausgesprochen, enthält die Schrift »*die ganze Summe eines christlichen Lebens*«.
Ausgehend von den beiden dialektisch aufeinander bezogenen Sätzen: »*Ein Christenmensch ist ein freier Herr über alle Dinge und niemand untertan*« und »*Ein Christenmensch ist ein dienstbarer Knecht aller Dinge und jedermann untertan*«, deutet Luther die christliche Existenz als Freiheit im Glauben und Dienst der Liebe. Dem »Zugleich« von Freiheit und Bindung entspricht das Miteinander von »*inwendigem geistlichem*« (im Glauben an Gottes Verheißungswort freiem) und »*äußerlichem*« (in zeitlich-geschichtlichen Bindungen existierendem) Menschen, der in Erwartung der zukünftigen Heilsvollen-

dung den Glauben zu bewähren hat. Luthers *»simul peccator – simul iustus« (»Sünder und gerecht zugleich«)* entsprechend, wird das in Christus begründete Rechtbeschaffensein dem Menschen mittels der Zurechnung *(imputatio)* von Christi Gerechtigkeit zuteil und bleibt als Christi Werk am Menschen einer zuständlich-dinglichen Verfügbarkeit entnommen.
Von Luthers Inkarnationstheologie gewinnt der auch der mittelalterlichen Mystik vertraute Gedanke vom *»fröhlichen Wechsel und Streit«* seine besondere Prägung: Der Bräutigam Christus gibt der mit ihm im Glauben vereinigten Seele seine Gerechtigkeit zu eigen und nimmt deren Sünde auf sich. Die Christusgemeinschaft (als Grund der Rechtfertigungserfahrung) bedeutet Teilhabe an den Gütern Christi: Gnade, Gerechtigkeit, Frieden und Freiheit. Obwohl der im Glauben Gerechtfertigte keines Werkes bedarf, um die Seligkeit zu erlangen (vielmehr werde er durch den Glauben aller Dinge Herr, ja König und Priester mit Christus), soll er, *»ob er nun ganz frei ist, sich wiederum williglich (zu) einem Diener machen, seinem Nächsten zu helfen, mit ihm (ver)fahren und handeln, wie Gott mit ihm durch Christus (ge)handelt hat«*. Luthers jedes meritorische Denken ausschließende christologische Begründung der Ethik motiviert die Bindung an den Nächsten mit der Hingabe Christi: dem *»Nächsten auch werden ein Christ* [lat. Fassung: *Christus*], *wie Christus mir worden ist«*. – Auch in seinem Freiheitstraktat, einem noch heute gültigen Ausdruck reformatorischer Glaubensgewißheit, begegnet Luther dem Leser als *»ein Ausleger der christlichen Botschaft von solcher Ursprünglichkeit und Kraft ..., wie er in den zweitausend Jahren dieser Botschaft selten erstanden ist«* (H. Gollwitzer).

E. H. P.

Ausgaben: Wittenberg 1520. – Weimar 1897 (in *Werke*, Bd. 7, Hg. J. K. F. Knaake; *Weimarer Ausg.*; krit.). – Bln. 1934 (in *Werke in Auswahl*, Hg. O. Clemen u. A. Leitzmann, 8 Bde., 1930–1935, 2; [6]1967). – Mchn. [3]1948 (in *AW*, Hg. H. H. Borcherdt u. G. Merz, Bd. 2). – Mchn. 1961 [Nachw. E. Wölfel].

Literatur: H. Preuß, *M. L. Der Christenmensch*, Gütersloh 1942, S. 30ff. – W. Maurer, *»Von der Freiheit eines Christenmenschen«. Zwei Untersuchungen zu L.s Reformationsschriften 1520/21*, Göttingen 1949. – F. W. Kantzenbach, *Christusgemeinschaft u. Rechtfertigung. L.s Gedanke vom fröhlichen Wechsel als Frage an unsere Rechtfertigungsbotschaft* (in Luther. Zs. der L.-Gesellsch., 35, 1964, S. 34–45). – G. Wünsch, *L. u. die Gegenwart*, Stg. 1961, S. 93ff. – P. Althaus, *Die Theologie M. L.s*, Gütersloh [2]1963. – G. Ebeling, *L. Einführung in sein Denken*, Tübingen 1965, S. 178ff.; 293ff. – *Kirche, Mystik, Heiligung u. das Natürliche bei L.*, Hg. I. Asheim, Göttingen 1967, S. 71ff. – W. Joest, *Ontologie der Person bei L.*, Göttingen 1967. – A. Adam, *Lehrbuch der Dogmengeschichte*, Bd. 2, Gütersloh 1968, S. 233ff.

GEORGIUS MACROPEDIUS
(Georg Lankfeld oder Langveldt, um 1475-1558)

HECASTUS (nlat.; *Jedermann*). Drama in fünf Akten von dem Niederländer Georgius Macropedius (Georg Lankveld oder Langveldt, um 1475 bis 1558), erschienen 1539. – Das Werk behandelt die in der Moderne durch Hofmannsthals *Jedermann* wiederbelebte Fabel vom Menschen, der vor Gottes Thron gerufen wird. Hecastus, ein reicher Bürger, führt zusammen mit seinen Freunden ein üppiges Leben. Als in seinem Haus eben ein neues Fest vorbereitet wird, erscheint ein Bote Gottes, der den Reichen vor den Richterstuhl *»seines Herrn«* lädt. Hecastus' Freunde und Söhne weigern sich, ihn zu begleiten. Virtus (Personifizierung der Fähigkeit zum Guten) und Fides (der Glaube) sind jedoch bereit, ihn vor Gott zu verteidigen. So stirbt er getröstet.
Die Jedermann-Geschichte war im späten Mittelalter durch Moralitätenspiele weit verbreitet. Ein englischer *Everyman* war gegen 1500 von Pieter van Diest unter dem Titel *Elckerlijc* (vgl. *Den Spieghel der Salicheit van Elcherlijc*) ins Niederländische übertragen worden (einer anderen Forschungsrichtung zufolge ist der *Everyman* eine Übersetzung des *Elckerlijc*). Diests Werk wiederum diente Christian Ischyrius als Vorlage für seinen lateinischen *Homulus*, der Macropedius zu seinem Drama anregte. Verglichen mit den mittelalterlichen Moralitäten und dem Stück seines unmittelbaren Vorgängers wirkt Macropedius' Drama weitaus realistischer: die allegorischen Figuren seiner Vorlagen sind, mit ganz wenigen Ausnahmen wie Virtus und Fides, gestrichen, ebenso die überirdischen Gestalten (Gott); nur Tod und Satan treten noch *in persona* auf. Mit echt niederländischem liebevollem Realismus zeichnet der Dichter dagegen die häusliche Sphäre des Hecastus: Dienerszenen werden in die Handlung eingebaut, und alle Personen sind individuell charakterisiert. Bemerkenswert ist das dramaturgische Geschick des Autors: Die Szenen und Monologe sind kurz und prägnant, der Dialog läuft gelegentlich in stichomythische Abschnitte aus; besonders wirkungsvoll sind die Aktschlüsse. Auch auf die metrische Gestaltung legt der Dichter Wert. Vor jeder Szene nennt er das im folgenden verwendete Metrum, meist jambische Trimeter und Tetrameter, bei den Chören, die den ersten bis vierten Akt abschließen, auch Kurzverse in jambischen Dimetern.
Im Gegensatz zum zeitgenössischen deutschsprachigen Drama trägt der *Hecastus* seine Moral nicht in lehrhaften Exkursen vor: sie soll sich vielmehr aus den Chören und der Handlung selbst ergeben. – Macropedius' *Hecastus* gehört zu den beliebtesten neulateinischen Dramen des 16. Jh.s und gilt als bedeutendstes Werk des Dichters. Er wurde mehrmals nachgeahmt (vgl. *De düdesche Schlömer* von Johannes Stricker), ins Deutsche, Dänische und Schwedische übersetzt und erlebte bis zum Ende des Jahrhunderts zahlreiche Aufführungen an vielen Orten.

A. Sch.

Ausgaben: Antwerpen 1539. – Köln 1539. – Lpzg. 1927 (in *Drei Schauspiele vom sterbenden Menschen* Hg. J. Bolte; BLV, 269/270).

Übersetzungen: *Hecastus*, L. Rappolt, Nürnberg 1552. – *Hecastus*, C. Spangenberg, Wolfenbüttel 1564. – *Hecastus ein geistlich Spil vom Ampt u. Beruf eines jeden Menschen*, H. P. Rebenstock, Ffm. 1568. – *Georgii Macropedii Hecastus*, J. Schreckenberger, Straßburg 1589. – *Comedia germanica Hecastos seu Homulus*, M. A. Sauer, Marburg 1591.

Bearbeitungen: Th. Naogeorgus, *Tragoedia nova Mercator seu Judicium, in quam in conspectum ponuntur apostolica et papistica doctrina, quantum utraque in conscientiae certamine valeat, et quis utriusque futurus sit exitus*, o. O. [Basel] 1540. H. Sachs, *Comedi Von dem reichen sterbenden menschen, Der Hecastus genant* (in *Nürnberger Folioausgabe*, Bd. 2, Nürnberg 1560).

LITERATUR: K. Goedeke, »*Every-Man*«, »*Homulus*« *u.* »*Hekastus*«, Hannover 1865. – D. Jacoby, *G. M. Ein Beitrag zur Litteraturgeschichte des 16. Jh.s*, Bln. 1886 (Progr. Königstadt). – J. Hartelust, *De dictione G. M.*, Diss. Utrecht 1902. A. Roersch, »*Elckerlijc*« – »*Everyman*« – »*Homulus*« – »*Hekastus*« (ASSL, 13, 1904, S. 13 16). – H. Lindner, *Hofmannsthals »Jedermann« u. seine Vorgänger*, Diss. Lpzg. 1928. – H. de Vocht, »*Everyman*«. *A Comparative Study of Texts and Sources*, Löwen 1947. – U. Schulz, *Die Beziehungen von Hofmannsthals »Jedermann« zu »Everyman« u. »Hecastus«*, Diss. Marburg 1949. – RL, 2, Sp. 656-658 [m. Bibliogr.]. – H. Wiemken, Einl. zu *Vom Sterben des reichen Mannes. Die Dramen von Everyman, Homulus, Hecastus u. dem Kauffmann*, Hg. H. W., Bremen 1965.

THOMAS MURNER
(um 1475-1537)

VON DEM GROSSEN LUTHERISCHEN NARREN wie in doctor Murner beschworen hat. Satirisches Versepos von Thomas MURNER (um 1475 bis 1537), erschienen 1522. – Der »große lutherische Narr«, ein aufgedunsenes Monstrum, verkörpert in dieser bedeutendsten Polemik eines Reformationsgegners die zerstörenden Mächte, die durch LUTHER und seine Anhänger entfesselt wurden. Das Ungetüm wird auf einem Schlitten herangezogen und muß eine Beschwörung über sich ergehen lassen. Daraufhin entweichen den Gliedern und dem Innern des Untiers, seiner Tasche und Fußbekleidung die Helfer des Luthertums, die gelehrten Narren und Prediger, die *Fünfzehn Bundtsgnossen* von Johann EBERLIN, Kirchenräuber und andere mehr. Unter Luthers Führung fallen die ketzerischen Horden über Kirchen, Klöster und eine leere Festung her, ihr dritter Sturmangriff gilt dem Glaubensschloß, das Murner standhaft verteidigt. Er läßt sich durch das Angebot, Luthers Tochter als Braut zu erhalten, scheinbar für den neuen Glauben gewinnen. Doch dann treibt Murner die Braut mit Schlägen aus der Kammer, da sie den Grind hat. Etwas gezwungen schließt sich daran die Sterbeszene Luthers an, der den Empfang der heiligen Sakramente verweigert. Der tote Reformator wird an einem unflätigen Ort begraben, und Murner triumphiert mit einem Katzenchor – eine humorvolle Anspielung des Dichters, der von seinen Widersachern als Mönch mit einem Katzenkopf karikiert wurde. Auch der große Narr muß sterben und wird ehrenvoll bestattet. Als sein Testamentsvollstrecker hat der Autor nur eine Narrenkappe zu verteilen, die er nicht den streitenden Erben, sondern in feiner Ironie sich selbst zusprechen will.

Murner sah wie Luther die beträchtlichen Mängel der alten Kirche und deckte sie schonungslos auf. Auch er setzte sich für eine Reform ein, aber diese durfte nicht die Einheit des Glaubens zerstören. Seit dem Herbst 1520 kämpfte er in mehreren Streitschriften gegen den Reformator, die zunächst in einem brüderlich mahnenden Ton gehalten waren. Als aber Anhänger Luthers den elsässischen Dichter mit gehässigen Verleumdungen und gemeinsten Verdächtigungen überschütteten, verließ der leicht Erregbare die sachliche Auseinandersetzung und schuf in dem *Großen Lutherischen Narren* die »*bissigste, aber auch großzügigste Reformationssatire*« (P. Merker). Zwar wirkt das Epos nicht geschlossen, eine Gliederung des Stoffes läßt sich kaum erkennen, doch die Einzelszenen sind so lebendig, die Charaktere so anschaulich geschildert, daß trotz der pamphletistischen Übersteigerung ein eindrucksvolles Werk entstand, dessen Wirkung durch 52 Holzschnitte noch erhöht wird.

In den ersten beiden sich überlagernden Teilen der Satire, in der Beschwörung des großen Narren sowie in den Parodien auf Eberlins *Fünfzehn Bundtsgnossen* (1521) und Joachim von WATTS *Karsthans* (1521), trägt Murner seine Angriffe gegen den neuen Glauben mit überlegenem Humor und zielsicherem Spott vor. Über das lutherische Kriegsvolk und seine Taten, vom Dichter durch einen Zerrspiegel gesehen, kommt er zum dritten Teil, zur grotesken »*Familienkomödie*« (Merker). Es fehlt auch hier nicht an dogmatischen Auseinandersetzungen, doch beherrschen beißender Spott und schneidender Hohn gegen Luther und seine Tochter, eine Ausgeburt der Murnerschen Phantasie, die Szene. Derbe und unflätige Worte, vom Grobianismus der Zeit her zu verstehen, häufen sich nunmehr zur Verächtlichmachung der Gegner. Das Epos ist in einer volkstümlichen Sprache geschrieben und gewinnt durch Wechselreden an dramatischer Spannung. Es fand aber keine Verbreitung, da es unmittelbar nach Erscheinen durch den Straßburger Rat eingezogen wurde. R. Bü.

AUSGABEN: Straßburg 1522. – Zürich 1848 (*Gedicht vom großen Lutherischen Narren*, Hg. H. Kurtz). – Stg. 1891, Hg. G. Balke (in DNl, 17/2). – Straßburg 1918, Hg. P. Merker (in *Deutsche Schriften*, Hg. E. Fuchs u. a., 9 Bde., 1918–1931, 9). – Lpzg. 1933, Hg. A. E. Berger (in DL, R. Reformation, 3; gekürzt).

LITERATUR: Th. v. Liebenau, *Der Franziskaner Dr. Th. M.*, Freiburg i. B. 1913. – J. Lefftz, *Die volkstümlichen Stilelemente in M.s Satiren*, Straßburg 1915. – M. Wolters, *Beziehungen zwischen Holzschnitt u. Text bei Sebastian Brant u. Th. M.*, Baden-Baden 1917 [zugl. Diss. Straßburg]. – P. Merker, *Reformation u. Literatur*, Weimar 1918. – P. Scherrer, *M.s Verhältnis zum Humanismus*, Diss. Mchn. 1930. – R. Newald, *Wandlungen des M.-Bildes* (in *Beiträge zur Geistes- u. Kulturgesch. der Oberrheinlande. Franz Schultz zum 60. Geburtstag gewidmet*, Hg. H. Gumbel, Ffm. 1938, S. 40ff.; m. Bibliogr.). – M. Held, *Das Narrenthema in der Satire am Vorabend u. in der Frühzeit der Reformation*, Diss. Marburg 1945. – R. Gruenter, *Th. M.s satirischer Wortschatz* (in Euph, 53, 1959, S. 24 bis 40). – R. Newald, *Th. M.* (in R. N., *Probleme u. Gestalten des deutschen Humanismus*, Bln. 1963, S. 387–442). – B. Könneker, *Wesen u. Wandlungen der Narrenidee im Zeitalter des Humanismus. Brant, M., Erasmus*, Wiesbaden 1966.

JOHANNES PAULI
(1450/54 - nach 1520)

SCHIMPF UND ERNST. Schwanksammlung in alemannischer Mundart von Johannes PAULI (1450/54 – nach 1520), erschienen 1522. – Pauli

stellt in der Abfolge seiner Geschichten, deren thematische Skala breit gefächert ist, Verwandtes zusammen und entwirft Reihen, die er nach Ständen und Gruppen *(Von den Narren; Von Nunnen; Von den Ärtzten; Von den Spilern)* sowie nach moralischen, religiösen und anderen Begriffen und Sinneinheiten *(Von der Warheit; Von der Ler Vatter und Mûter; Von der Hoffart; Von der Geistigkeit; Von der Beicht; Von Essen; Von den Hunden)* ordnet, aber um der Abwechslung willen bunt mischt. Die einzelnen Fabeln, Beispiele, Eulenspiegeleien, Anekdoten und Gleichnisse, die er teilweise durch Übergangsformeln verbindet, weist Pauli dem »Schimpf« (d. h. Scherz) oder »Ernst«, manchmal auch »Schimpf und Ernst« zu; im Grunde verhält es sich so, daß der Scherz vom Ernst nicht zu trennen ist. Er ist zu seiner Sammlung wohl durch Johann GEILER VON KEISERSBERGS *Brösamlin* und *Navicula sive speculum fatuorum* angeregt worden; zu diesen Geschichten gesellt er Erzählungen aus der lateinischen Exempla-Literatur.
Für mehr als hundert Beispiele diente ihm die nirgends genannte, meist farblose und trockene, alphabetisch gegliederte *Summa predicantium* des englischen Dominikaners Johannes de BROMYARD. Neben mündlicher Überlieferung und persönlichen Erlebnissen sind unter den mehr als vierzig antiken und zeitgenössischen, geistlichen und weltlichen Quellen aufzuführen die *Scala celi* des südfranzösischen Dominikaners Johannes GOBII Junior, das *Speculum exemplorum* des Aegidius AURIFABER, das unter dem Namen des VINZENZ VON BEAUVAIS gehende *Speculum morale*, die Legendensammlungen der JACOBUS DE VORAGINE und CAESARIUS VON HEISTERBACH, das *Bonum universale de apibus* des THOMAS VON CANTIMPRÉ, die *Facetiae*-Sammlungen POGGIOS, Heinrich BEBELS und Johann Adelphus MULINGS, der *Ulenspiegel* und MARQUART VON STEINS *Ritter vom Turn*. Darüber hinaus zitiert er eine Anzahl antiker und mittelalterlicher Gewährsmänner, die ihm durch andere Schriften vermittelt werden; dagegen stammen VALERIUS MAXIMUS, FRONTINUS und CATO aus erster Hand; Gleiches gilt für Felix HEMMERLIN und Francesco PETRARCA.
Mit seiner Mahnung *»bleib bei dem alten rechten Glauben und laß dich kein nůwen Propheten irren«* verdeutlicht Pauli, was er von LUTHER denkt; das heißt aber keineswegs, daß er sich neueren Anschauungen gänzlich verschließt; vielmehr deckt er die negativen Seiten der traditionellen Kirche auf und macht damit wenigstens indirekt die Notwendigkeit von Reformen sichtbar. Paulis Verspottung menschlicher Fehler und Schwächen, seine Kritik etwa an Geiz und Lüge als den schlimmsten Lastern verraten die didaktische Intention dieses »Predigtbuchs ohne Predigt«. Am intensivsten kommt der lehrhafte Zug in den kurzgefaßten moralischen Lehren zum Ausdruck, die Pauli seinen formelhaft eingeleiteten 693 Geschichten oft anhängt. Vor pessimistischer Weltsicht bewahrt ihn sein behaglicher Humor, der seiner Zeitkritik auch die satirische Schärfe eines Sebastian BRANT und eines Thomas MURNER nimmt. – Paulis Stil ist leicht und anmutig; seine anschauliche Darstellungsweise scheint dem Grundsatz: je kürzer, desto treffender, zu folgen. Der ganz auf den pointierten Schluß hin komponierte, prägnant gefaßte Erzählvorgang erzeugt Spannung; der volkstümliche Sprechstil, die zahlreichen Reden und Gegenreden verleihen den Geschichten Beweglichkeit und Frische. Sprichwörter, Bibel- und lateinische Denksprüche lockern das Werk auf, das der Prediger, der stets spürbar bleibt und so das Verhältnis Priester – Gemeinde auf die Literatur überträgt, zur Erbauung und Unterhaltung für Klosterangehörige und höhere Stände schrieb. – Das Werk erfreute sich im 16. und 17. Jh. größter Popularität, wie etwa 60 Drucke in diesem Zeitraum bezeugen. Umarbeitungen, Nachahmungen und Übersetzungen ins Lateinische, Niederländische, Französische und Dänische folgten. Paulis Sammlung wirkte nachhaltig auf SACHS, FREY, MONTANUS, KRÜGER und WICKRAM. A. Hd.

AUSGABEN: Straßburg 1522. – Stg. 1866, Hg. H. Österley (BLV, 85; Nachdr. Amsterdam 1967). – Bln. 1924, Hg. J. Bolte, 2 Bde. (Alte Erzähler, 1/2).

LITERATUR: H. Österley, *J. P.* (in ADB, 25, 1887, S. 261/262). – C. Biehler, *Die Laut- u. Formenlehre der Sprache des Barfüßermönchs J. P.*, Diss. Straßburg 1911. – G. Frenken, *Die Exempla des Jacob von Vitry. Ein Beitrag zur Geschichte der Erzählungsliteratur des Mittelalters*, Mchn. 1914 (Quellen u. Untersuchungen zur lat. Philol. des MA, V/1). – C. Schröder, *J. P., der Begründer der deutschen Schwankliteratur* (in Franziskanische Studien, 13, 1926, S. 393–397). – Schottenloher, 2, S. 125/126. – D. v. Künßberg, *Das Recht in J. P.s Schwanksammlung*, Diss. Heidelberg 1939.

JOHANNES REUCHLIN
(1455–1522)

SCENICA PROGYMNASMATA, auch. *Henno* (nlat.; *Schulung durch das Theater*, auch: *Henno*). Komödie in fünf Akten von Johannes REUCHLIN (1455–1522), erste Aufführung: 13. 1. 1497 in Heidelberg durch Studenten im Haus des Bischofs Dalberg. – Während der unbeschwerten Jahre im Heidelberger Humanistenkreis schuf der große Kenner der antiken Literatur in Nachahmung der Komödien des TERENZ und PLAUTUS zwei Stücke in jambischen Senaren: *Sergius* (1496) und *Henno*. Der weitaus reifere der beiden Versuche ist der *Henno*, was sich vor allem im dramatischen Aufbau zeigt: Das Stück ist in Akte und Szenen geteilt und hat, nach griechischem Vorbild, Choreinlagen in lyrischen Maßen.
Der Bauer Henno stiehlt seiner Frau Elsa die mühsam ersparten acht Goldstücke und schickt damit seinen Knecht Dromo zum Tuchhändler Danista, um Stoff für einen neuen Rock holen zu lassen. Dromo jedoch läßt sich das Tuch auf Kredit geben, verkauft es sogleich wieder und steckt den Erlös samt den Goldstücken in die eigene Tasche. Inzwischen hat Elsa den Diebstahl entdeckt. Auf Anraten ihrer Nachbarin begibt sie sich zu dem Astrologen Albacicius, der zwar auch ein Betrüger ist, ihr aber eine genau auf ihren Mann passende Beschreibung des Diebes gibt. Der geprellte Tuchhändler strengt einen Prozeß an. Doch bei der Gerichtsverhandlung spielt Dromo, von dem Rechtsanwalt Petrucius beraten, den Schwachsinnigen, antwortet auf alle Fragen nur mit *»ble«* – und wird freigesprochen. Als pfiffig-gelehriger Schüler bringt er alsbald mit derselben Methode auch noch den Advokaten um den vereinbarten Lohn. Am Ende bekommt der Knecht die Tochter des Bauern zur Frau; das gestohlene Geld darf er als Mitgift behalten.
Mit dieser Komödie hat Reuchlin die wenigen Versuche zur Wiederbelebung des Dramas, die vor

seiner Zeit in Deutschland unternommen worden waren, bei weitem übertroffen. Seinen großen Erfolg verdankte das Stück weniger dem Stoff und den Typen (die nicht, wie man früher meinte, aus dem französischen Theater – vom *Maître Pathelin* –, sondern aus Italien stammen), sondern vor allem dem geschickten, spannenden Aufbau der Handlung und der klaren, knappen Sprache. Aus diesem Grund konnte der *Henno* auch ausdrücklich der studierenden Jugend als Lektüre empfohlen werden. Das Stück, dessen Autor von Conrad CELTIS hymnisch gefeiert wurde, fand rasch Verbreitung und wurde häufig nachgebildet, so daß man Reuchlin nicht zu Unrecht den Begründer des neueren Dramas in Deutschland genannt hat. M. Ze.

AUSGABEN: Basel 1498. – Magdeburg 1614.

ÜBERSETZUNG: *Henno. Bauernkomödie*, H. Sachs, Hg. K. Preisendanz, Konstanz 1922 [Nachw. K. Holl].

LITERATUR: L. Geiger, *J. R. Sein Leben u. seine Werke*, Lpzg. 1871. – J. Parmentier, *Le »Henno« de R. et la farce de »Maistre Pierre Pathelin«* (in Bulletin Mensuel de la Faculté des Lettres de Poitiers, 1884). – H. Holstein, *J. R.s Komödien. Ein Beitrag zur Geschichte des lateinischen Schuldramas*, Halle 1888. – E. Beutler, *Forschungen und Texte zur frühhumanistischen Komödie*, Hbg. 1927, S. 105 bis 148. – R. Kraft, *R.s »Henno«. Geschichte eines Komödienstoffes* (in Beiträge zur hessischen Kirchengeschichte, 12, 1941, S. 299–324). – D. van Abbé, *Drama in Renaissance Germany and Switzerland*, Ldn. u. a. 1962.

GEORG ROLLENHAGEN
(1542–1609)

FROSCHMEUSELER. Der Frösch und Meuse wunderbare Hoffhaltunge. Der Frölichen auch zur Weyßheit und Regimenten erzogenen Jugend zur anmutigen aber sehr nützlichen Leer aus den alten Poëten und Reymdichtern und insonderheit aus der Naturkündiger von vieler zahmer und wilder Thiere Natur und eigenschafft bericht. In Dreyen Büchern auffs newe mit vleiß beschrieben und zuvor im Druck nie außgangen. Didaktisches Tierepos von Georg ROLLENHAGEN (1542–1609), begonnen 1569, erschienen 1595. – Der niederdeutschen Tradition von *Reinke de Vos* folgend, vermenschlicht der Autor – wie die vorangegangenen Fabeldichter Erasmus ALBERUS (um 1500–1553) und Burkard WALDIS (1490–um 1556) – die in seinem Epos auftretenden Tiere: sie fühlen, denken und handeln wie Menschen, prunken mit humanistischer Gelehrsamkeit, demonstrieren ihre griechischen und hebräischen Sprachkenntnisse und glänzen mit Bibel- und Aristoteles-Zitaten. Aber auch wissenschaftliche Beobachtungen aus dem Leben der Mäuse, Frösche, Vögel und Bienen werden zur Belehrung mitgeteilt. Eine Rahmenhandlung gibt dem Epos das äußere Gerüst: Eine Unterhaltung über die Vorzüge und Nachteile ihrer Königreiche zwischen dem Mäuseprinz Bröseldieb, der die Anschauungen des Kleinbürgers äußert, und dem Froschkönig Bausback, der die politischen Ziele des 16. Jh.s verficht, endet mit einer Einladung Bausbacks an Bröseldieb zu einem »Staatsbesuch«. Als der Froschkönig jedoch bei der Überquerung eines Flusses einer plötzlich auftauchenden Schlange ausweichen muß, fällt der Mäuseprinz von seinem Rücken und ertrinkt. Die rachsüchtigen Mäuse beginnen einen Krieg, in dem aber die Frösche siegreich bleiben.

Rollenhagens Bestreben ist, Geschichten so zu erzählen, daß man »*Weisheit, Tugend und gute Sitten*« daraus lernen könne. So rät er im ersten Buch zu einer Bescheidung mit dem Notwendigen in Haushaltsführung und Privatleben. Das zweite Buch erklärt die *Bibel* als maßgebliche Schrift in Religionsfragen, den König jedoch als höchste Instanz für politische Entscheidungen. Im dritten Buch wird das Kriegswesen abgehandelt und scharf kritisiert, um den Leser von der Sinnlosigkeit jeglichen Krieges zu überzeugen. Auch aktuelle politische und religiöse Erscheinungen der Reformationszeit unterzieht Rollenhagen seiner satirischen Kritik, denn er will »*eine förmliche deutsche Lektion, gleichsam ein Abbild der Zeit*« geben: so kämpft etwa der Frosch Elbmarx (Luther!) gegen die Mißstände im geistlichen Regiment des Tierreiches, gegen die Ehelosigkeit der Priester und die sittliche Verwahrlosung in den Ordensgemeinschaften.

Rollenhagen entnahm den Stoff dem antiken Epos *Batrachomyomachia* (wahrscheinlich um 500 v.Chr.), das 1549, zusammen mit der *Odyssee*, von LEMNIUS ins Lateinische übersetzt und irrtümlich HOMER zugeschrieben wurde. Im Gegensatz zu diesem pseudohomerischen Werk, das die klassischen Epen und ihre Helden verspottet, indem es die großen Kämpfe der griechischen Sage ins Tierreich verlegt, ist der *Froschmeuseler* nicht allein satirisch, sondern vor allem lehrhaft gemeint. Obwohl Rollenhagen das überlieferte Formschema verwendet, gelingt ihm durch seine volkstümliche, fast märchenhafte Erzählweise und durch deutliche Zeitbezogenheit eine der besten Moralsatiren des 16. Jh.s. Zahlreiche Auflagen bezeugen die große Beliebtheit, deren sich das Epos bis in die Goethezeit hinein erfreute; noch 1796 konnte J. H. CAMPE, der Braunschweiger Schulmann und *Robinson-Crusoe*-Bearbeiter, hoffen, mit einem *Neuen Froschmeuseler* Anklang zu finden. KLL

AUSGABEN: Magdeburg 1595. – Magdeburg 1608. – Magdeburg 1621. – Wesel 1841 (*Der Froschmäusler*, Hg. R. Benedix; neuhd.). – Lpzg. 1876, Hg. K. Goedeke, 2 Bde. – Stg. 1893, Hg. E. Wolff (Auswahl; DNL, 19).

LITERATUR: A. Herdt, *Quellen u. Vorbilder zu R.s »Froschmeuseler«*, Diss. Straßburg 1909. – J. Bolte, *Quellenstudien zu G. R.* (in SPAW, 1929, 29–33). – E. Bernleithner, *Humanismus u. Reformation im Werke G. R.s*, Diss. Wien 1954. – E. Sobel, *G. R., Sixteenth-Century Playwright, Pedagogue and Publicist* (in PMLA, 70, 1955, S. 762–780).

HANS SACHS
(1494–1576)

DAS KELBERBRÜTEN. *Fassnacht Spiel mit 3 Personen* von Hans SACHS (1494–1576), zum ersten Mal aufgeführt am 7. 10. 1551. – Nach einem Monolog voller Klagen über ihren Mann Hans geht die Bäuerin Gredt, ein scharfzüngiger Haustyrann, in aller Frühe auf den Markt. Der Bauer, der unterdessen das Haus bestellen soll, bewährt sich als verschlafener Nichtsnutz: Auf dem Herd verbrennt das Essen, und ein Kalb, das in den Garten gesperrt war, ertrinkt im Brunnen. Einer alten Weisheit sich entsinnend, will der Bauer den Verlust dadurch wettmachen, daß er aus einem Korb voll madigem Käse Kälber brütet. Zischend wie eine brütende Gans präsentiert er sich, auf dem Käse hockend, seiner heimkehrenden Frau. Sie hält ihn für besessen und holt den Pfaffen zu Hilfe. Gemeinsam gelingt es ihnen nach einer Beschwörung, den Bauern vom Käse zu zerren. Der Pfaff, der Hans nun gegen die Grobheiten seiner wütenden Frau in Schutz nehmen will, muß sich schließlich selbst vor ihrem Zorn retten. Am Ende kommt die Bäuerin zu dem Entschluß, gemeinsam mit ihrem Mann das Marktgeld zu vertrinken.

Die Fastnachtsspiele des Hans Sachs unterscheiden sich von denen des 15. Jh.s vor allem darin, daß an die Stelle des Obszönen das Moralisierend-Lehrhafte tritt. Der pointierten Hervorhebung der Lehre dienen ein linearer Aufbau und klare Motivationen, wodurch das Fastnachtsspiel zum ersten Mal eine Tendenz zur geschlossenen dramatischen Form zeigt. Diese Charakteristika treffen auf *Das Kelberbrüten* nur beschränkt zu. Der Verzicht auf eine dominierende Lehre ermöglicht die Aufgliederung in drei Höhepunkte, die ausgesprochen adramatisch wirkt: das Entsetzen der heimkehrenden Bäuerin; die Beschwörung und gewaltsame Lösung durch den Pfaffen; der Streit mit dem Pfaffen, der mit dem überraschend versöhnlichen gemeinsamen Trunk von Bäuerin und Bauer endet. Nur einzelne Teile wirken dramatisch geschlossen, z. B. der Redewechsel zwischen Bäuerin und Pfaff, in dessen Verlauf aus den Bundesgenossen Gegner werden. Diesen Streit mit dem Pfaffen und die versöhnliche Schlußwendung hat Sachs seiner Quelle anscheinend eigens hinzugefügt; sie fehlen in seiner Schwankfassung des gleichen Stoffs (1557), den er auch schon als Meistergesang verarbeitet hatte (1547). Die Gestalt der unmittelbaren Vorlage ist nicht bekannt, aber das Titelmotiv vom Kälberbrüten taucht schon zu Beginn des 16. Jh.s in Bebels *Facetarium de fatuo rustico* auf und ist wohl noch älter. Die Umwandlung des Bäuerinnensohnes in den Ehemann und die Einführung der Figur des Pfaffen sowie der Beschwörungsszene – also gerade die Elemente, die einer Geschlossenheit der Form entgegenwirken – sind offenbar Erfindungen von Hans Sachs. Dank seinem Einfallsreichtum und seiner individuellen Gestaltungskraft kann er die verschiedenen Traditionen – wie hier das konventionelle Spielelement der Männerschelte oder des groben Streits und die bekannten Rollenfiguren des Bauern und Narren, des Pfaffen und der zänkisch-rabiaten Frau – zu einem eigenen Werk verbinden. Aber indem er das Fastnachtsspiel zu seinem Höhepunkt führt, bereitet er zugleich sein Ende als literarische Gattung vor. Die auch bei ihm auftretende, zunehmend moralisierend-lehrhafte Haltung führte schließlich zu weit von der ursprünglichen Funktion der Fastnachtsunterhaltung weg. Im *Kelberbrüten* ist ihr noch einmal breiter Raum gewährt: Wegen seiner drastisch pointierten Dialoge und seiner derben Situationskomik wird das Stück bis heute immer wieder, vor allem an Schulen, aufgeführt. C. Cob.

Ausgaben: Nürnberg 1561 (in *Nürnberger GA*, 5 Bde., 3). – Stg./Tübingen 1882 (in *H. S.*, Hg. A. v. Keller u. E. Goetze, 26 Bde., 1870–1908, 14; BLV, 159; Nachdr. Hildesheim 1964). – Halle 1883 (in *Sämtliche Fastnachtsspiele*, Hg. E. Goetze, 7 Bde., 1880–1887, 3). – Mchn. 1922 (in *Fastnachtsspiele*). – Mchn. 1957 (*Das Kälberbrüten*, Hg. E. Schmitt-Sackersdorff).

Literatur: E. Edert, *Dialog u. Fastnachtsspiel bei H. S.*, Diss. Kiel 1903. – E. Geiger, *H. S. als Dichter in seinen Fastnachtspielen im Verhältnis zu seinen Quellen betrachtet*, Halle 1904. – J. Pelzer, *Die Fastnachtspielbühne des H. S.*, Diss. Freiburg i. B. 1922. – H. Cattanès, *Les ›Fastnachtsspiele‹ de H.S.*, Northampton 1924. – G. Filice, *I ›Fastnachtspiele‹ di H. S.*, Neapel 1960.

DAS NARREN SCHNEYDEN. Fastnachtspiel in Knittelversen von Hans Sachs (1494–1576), erschienen 1558. – Die derbe Praxis der Bader und Chirurgen seiner Zeit dient Sachs als Rahmen für sein kurzes moralisierendes Lehrstück. Zu einem marktschreierisch seine Kunst anpreisenden Arzt kommt als Patient *»der großpauchet kranck an zweyen krucken«* und bittet um eine Diagnose. Die Harnbeschau ergibt, daß hier ein Fall von *»der Narren sucht«* vorliegt, die dem Kranken durch eine gleichsam homöopathische Kur erst bewußt gemacht werden muß: *»Seh hin vnd trick dein aygen Harm. / Dieweil er noch ist also warm! / So wern die Narrn in dir zabeln, / Wie Ameiß durch einander krabeln«* (V. 99–102). Nach anfänglicher Weigerung ist der Narrensüchtige schließlich zu einem brutalen chirurgischen Eingriff mit *»Zangen, schermesser vnd blutschwammen«* bereit. Nacheinander zieht der Arzt nun aus dem aufgeblähten Bauch des Kranken die personifizierten Narrheiten, die unschwer als die sieben mittelalterlichen Todsünden zu erkennen sind: die Narren der »hoffart«, der »Geitzigkeyt«, den »neydig« Narren, die Narren der »Unkeusch«, der »Füllerey«, des Zornes und der Faulheit. Es folgt ein ganzes Nest voll wurmartiger Jungnarren, *»Summa summarum, wie sie nant / Doctor Sebastianus Brandt, / Inn seinem Narren schiff zu faren«* (V. 312–314). Die geglückte Operation endet mit der Aufklärung über die Herkunft der Narren: *»Von dem kamen die Narren dein, / Das dir gefiel dein sinn allein / Vnd lißt deym aygen willen raum«* (V. 332–334), und der ans Publikum gerichteten Mahnung: *»Ein yegklicher, dieweil er lebt, / Las er sein vernunfft Mayster sein / Vnd reytt sich selb im zaum gar fein«* (V. 367–369). Der dramaturgische Kunstgriff, das banale Zeremoniell der zeitgenössischen Ärzteschaft als Spektakel auf die Bühne zu bringen, verleiht dem grotesk-allegorischen Schwank eine Unmittelbarkeit, die seiner Absicht, moralisch zu bessern, sehr zustatten kommt. Desgleichen die bewußte Anknüpfung an Sebastian Brants *Narrenschiff* (1494) und seine populären Narrentypen, in denen sich das Publikum wiedererkennen sollte. Dagegen bewirkt die achtmalige Wiederholung des Narrenschneidens in dem ohne szenischen Wechsel ablaufenden Stück auf die Dauer Langeweile, die auch durch die grobsinnliche Komik und die derbe, in relativ glatte Knittelverse gefaßte Sprache kaum aufgewogen wird. – Goethe ließ das Fastnachtspiel im Jahr 1777 von der Weimarer Hofgesellschaft aufführen. C. St.

Ausgaben: Nürnberg 1558 (in *Sehr Herrliche Schöne vnd warhaffte Gedicht*, 5 Bde., 1558 1579, 1). · Tübingen 1870 (in *Werke*, Hg. A. v. Keller u. E. Goetze, 26 Bde., 1870–1908, 5; krit; BLV 106; Nachdr. Hildesheim 1964). – Halle 1880 (in *Sämtl.*

Fastnachtspiele, Hg. E. Goetze, 6 Bde., 1880–1887, 1; NdL, 26/27; [2]1920). – Lpzg. 1924 (in *AW*, 2 Bde., 2). – Bln. 1926 (in *Die sechs schönsten Fastnachtspiele von H. S.*).

LITERATUR: G. Duflou, *H. S. als Moralist in den Fastnachtspielen* (in ZfdPh, 25, 1893, S. 343 ff.). – E. Geiger, *H. S. als Dichter in seinen Fastnachtspielen, im Verhältnis zu seinen Quellen betrachtet*, Diss. Basel 1903. – S. Wernicke, *Die Prosadialoge bei H. S.*, Diss. Bln. 1913. – E. Caspary, *Prolog und Epilog in den Dramen des H. S.*, Diss. Greifswald 1920. – J. Pelzer, *Die Fastnachtspielbühne des H. S.*, Diss. Freiburg i. B. 1921. – H. Fernau, *Der Monolog bei H. S.*, Diss. Greifswald 1922. – H. Cattanes, *Les Fastnachtspiele de H. S.* (in Smith College Studies in Mod. Lang., 4, 1923, Nr. 2/3). – W. Freud, *Medieval Civilization as Illustrated by the Fastnachtspiele of H. S.*, Göttingen 1925. – J. Münch, *Die sozialen Anschauungen des H. S. in seinen Fastnachtspielen*, Diss. Erlangen 1936. – N. K. Johansen, *Den dramatiske Technik in H. S. Fastelavnsspiel*, Kopenhagen 1937. – G. Felice, *I Fastnachtspiele di H. S.*, Neapel 1960. – W. D. Schulz, *Aspekte des Übernatürlichen in den Fastnachtspielen des H. S.*, Diss. Univ. of Washington 1965.

DER SCHWANGER PAWER. Fastnachtspiel in Knittelversen von Hans SACHS (1494–1576), erschienen 1560. – Der Stoff zu diesem »*Faßnacht Spil mit Fünff Personen*« entstammt BOCCACCIOS *Decamerone*. Den in der dritten Novelle des neunten Tages erzählten Schwank von dem wunderlichen und einfältigen Maler Calandrio, dem von seinen Freunden Bruno, Buffamalco und Nello eine Schwangerschaft suggeriert wird, versetzt Sachs aus dem Milieu urbaner Boheme in bäuerliche Umgebung. Kargas, »*ein lauter Filtz, ein gantz geytziger Nagenranfft*«, weigert sich, seine Nachbarn Merten, Hans und Urban an einer ihm eben zugefallenen Erbschaft auch nur in bescheidener Weise teilnehmen zu lassen. Um dennoch »*sein zehes Gelt jm ab zu schrecken*«, greifen die drei zu einer List: Nacheinander reden sie dem Hypochonder Kargas eine Krankheit ein, die der ins Komplott gezogene Arzt Simon als eine Schwangerschaft diagnostiziert. Der eingebildete Kranke, der sich sogleich als »*ein großbauchet Weib*« fühlt, ist bereit, für einen wunderlichen Heiltrunk aus »*Reinfal*«, köstlicher Spezerei und drei Kapaunen einen Teil seines Geldes zu opfern, den der Arzt und die Nachbarn bei einer »*guten Gasterey*« verprassen. Kargas wird von seiner Scheinschwangerschaft und mit ihr von seinem Geiz befreit: Er lädt die Nachbarn zum nächsten Schlachtfest. Am Ende des Stückes verkündet der Arzt »*Drey kurtzer lehr: Die erst: welch Mann zu karg ist sehr, / Das seins Guts niemants niessen kan, / Demselben wirdt Feind yederman. / ... Zum andern: wer das sein verschwendt, / Schlemmen und prassen ist gewent, / Derselb mit Armut wirdt beladen / Und hat das gspött denn zu dem schaden. / ... Zum dritten sicht man das zu letst: / Der mittel weg noch ist der best.*« Wie in den meisten Sachs'schen Schwänken und Fastnachtspielen dient auch hier ein beliebter Stoff (den Sachs nochmals in seinem Schwank *Der schwanger karg man Kalandrin* behandelte) als Ausgangspunkt moralisierender Belehrung, die den kleinbürgerlichen Leser und Zuschauer zu maßvollem Leben anhalten möchte. Die Typen dieser Satire auf Hypochondrie und Geiz, der einfältige und der gewitzte Bauer, sind gut getroffen. Ihr Verhalten und ihre Sprache sind jedoch nicht so derb, wie es von der Vorlage her zu erwarten gewesen wäre. C. St.

AUSGABEN: Nürnberg 1560 (in *Sehr Herrliche Schöne und warhaffte Gedicht*, 5 Bde., 1558–1579, 2). – Stg./Tübingen 1875 (in *H. S.*, Hg. A. v. Keller u. E. Goetze, 26 Bde., 1870–1908, 9; krit.; BLV, 125; Nachdr. Hildesheim 1964). – Halle 1881 (in *Sämtliche Fastnachtspiele*, Hg. E. Goetze, 6 Bde., 1880–1887, 2; NdL, 31/32). – Lpzg. 1924 (in *AW*, Hg. P. Merker u. R. Buchwald, 2 Bde., 1923/24, 2; ern. Ffm. 1961; Nachw. W. Stammler).

LITERATUR: G. Duflou, *H. S. als Moralist in den Fastnachtspielen* (in ZfdPh, 25, 1893, S. 343 ff.). – E. Geiger, *H. S. als Dichter in seinen Fastnachtspielen im Verhältnis zu seinen Quellen betrachtet*, Halle 1904. – J. Pelzer, *Die Fastnachtspielbühne des H. S.*, Diss. Freiburg i. B. 1922. – H. Fernau, *Der Monolog bei H. S.*, Diss. Greifswald 1922. – H. Cattanès, *Les ›Fastnachtspiele‹ de H. S.* (in Smith College Studies in Modern Language, 4, 1923, Nr. 2/3). – J. Wohlrab, *Die Bedeutung der Werke Boccaccios für die Dichtung des H. S.*, Diss. Lpzg. 1924. – W. Freud, *Medieval Civilization as Illustrated by the Fastnachtspiele of H. S.*, Göttingen 1925. – J. Münch, *Die sozialen Anschauungen des H. S. in seinen Fastnachtspielen*, Diss. Erlangen 1936. – N. K. Johansen, *Den dramatiske Technik in H. S. Fastelavnsspiel*, Kopenhagen 1937. – J. L. Hodges, *The Treatment of Woman, Love, and Marriage in the Works of H. S.*, Diss. Univ. of North Carolina 1950. – G. Felice, *I Fastnachtspiele di H. S.*, Neapel 1960. – W. D. Schulz, *Aspekte des Übernatürlichen in den Fastnachtspielen des H. S.*, Diss. Univ. of Washington 1965.

BURKARD WALDIS
(um 1490–1556)

DE PARABELL VAM VORLORN SZOHN (nd.). Fastnachtspiel in zwei Akten von Burkard WALDIS (um 1490–1556), Uraufführung: Riga, 17. 2. 1527. Mit seiner dramatisierten Exegese des neutestamentlichen Gleichnisses vom verlorenen Sohn stellt sich Waldis bewußt in den Dienst reformatorischer Konfessionspolemik, d. h., der bei den Dramatikern vor allem des 16. Jh.s beliebte Stoff gilt ihm als ideales Demonstrationsmaterial für die lutherische Lehre von der Rechtfertigung »*Vth rechter gnad vnd ydel gunst / On all unße todont, werck vnd kunst*«, wie es leitmotivisch immer wieder heißt. Als Vertreter eines so umschriebenen rechten Gnadenglaubens führt er in sein Parabelstück den verlorenen Sohn ein, während der ältere Bruder konträr dazu pharisäische Werkgerechtigkeit repräsentiert. Diese antithetische Spannung drückt sich formal im Aufbau des Stücks aus, das als erstes deutschsprachiges Akteinteilung aufweist.
Der erste der beiden, von moralisierend-allegorisierenden Kommentaren eines Spielleiters eingerahmten Akte zeigt in engem Anschluß an die biblische Vorlage Auszug und totale Verelendung des jüngeren Sohnes: Von dem besorgt warnenden Vater zögernd mit seinem Erbteil entlassen, gerät er alsbald im Hause eines Hurenwirts in liederliche Gesellschaft, wird während eines üppigen Zechgelages von geldgierigen Dirnen und skrupellosen Falschspielern im Handumdrehen um seinen

gesamten Besitz gebracht und findet sich schließlich nackt und hungernd als Schweinehirt wieder. Der Entschluß des verlorenen Sohnes zur reumütigen Rückkehr in seines Vaters Haus leitet den zweiten Akt ein, in dessen Verlauf die dogmatischen Gegensätze ausgetragen werden. Der Vater – jetzt unversehens in der Rolle des »himmlischen Vaters« – nimmt den Heimgekehrten bedingungslos und in Ehren wieder auf, was den auf Werkgerechtigkeit pochenden älteren Sohn verbittert. Gestützt auf die vermeintliche Beweiskraft einer Fülle einschlägiger Bibelstellen, entschließt er sich, ganz der Werkheiligkeit zu leben und Einsiedler zu werden: »*Ick hebbe geholden van anbeginn / Myn geloffte, regell vnd wat dar ynn / Voruatet ys, armoidt, küeßheit, / Gehorßam, vnderdanicheit, / Myn dage nü keyn geldt beroert, / Alleweg eyn hart strenge leuen gefoert, / Dat ambt der myssze alle dage volbracht, / Gebedet, gesüchtet ynn groter andacht, / Myn lyff kasteyet mit disciplinenn, / Dat fleysch gedwungen mit schmertz vnd pynen. / Ick dancke dy, GODT, dat ick nicht bin / Eynn sünder, als alle mynschen synn.*« Dieser Haltung des Pharisäers kontrastiert die des zum demütigen Zöllner aus dem *Lukas-Evangelium* stilisierten Hurenwirts, der sich gegen Ende des Stücks, ergriffen von der reformatorischen Gnadenlehre, bekehrt.

Die Einführung gottesdienstlich-liturgischer Elemente – Evangelienlesung, Kirchenlied- und Psalmengesänge, Doxologie –, vor allem aber die langatmigen predigthaften Kommentare des »Actors« gefährden den zügigen Ablauf des sprachmächtigen niederdeutschen Stücks, nicht aber seine dramatische Spannung, die es der betont parteilichen Auslegung der Vorlage verdankt. Waldis' wenig bekannt gewordenes ernstes Fastnachtspiel eröffnet eine lange Reihe von meist substanzschwächeren Bearbeitungen des pädagogischen Bedürfnissen entgegenkommenden Prodigus-Stoffes, die – im Gegensatz zu der *Parabell* – in der römischen Komödie ihr Vorbild sehen, wie etwa der 1529 erschienene, äußerst erfolgreiche *Acolastus* des Niederländers GNAPHAEUS. C. St.

AUSGABEN: Wolfenbüttel 1527. – Greifswald 1851, Hg. C. A. Koch (Denkmäler niederdt. Sprache u. Lit., 2). – Halle 1881, Hg. G. Milchsack (NdL, 30). – Bln./Stg. 1894, Hg. R. Froning (DNL, 22). – Lpzg. 1935, Hg. A. E. Berger (DL, R. Reformation, 5). – Mchn. 1950, Hg. A. Müller (Christl. Gemeindespiele, 30).

LITERATUR: H. Holstein, *Das Drama vom verlornen Sohn. Ein Beitr. zur Geschichte des Dramas*, Halle 1880. – F. Spengler, *Der verlorene Sohn im Drama des 16. Jh.s*, Innsbruck 1888. – A. Schweckendiek, *Bühnengeschichte des Verlorenen Sohnes in Deutschland. 1. Tl. (1527–1627)*, Lpzg. 1930 (Theatergeschichtliche Forschungen, 40). – K. Michel, *Das Wesen des Reformationsdramas, entwickelt am Stoff des verlorenen Sohns*, Diss. Gießen 1934. – L. Mackensen, *Gedanken über die Rigaer Zeit des B. W.* (in Zs. f. Volkskunde, 1936/37, S. 91–101). – A. Rössler, *Die Parabel vom verlorenen Sohn des 16. Jh.s als Spiegelbild der rechtlichen, wirtschaftlichen und sozialen Verhältnisse jener Zeit*, Diss. Jena 1952.

JÖRG WICKRAM
(um 1505 – vor 1562)

DAS ROLLWAGENBUECHLIN. Ein neüws, vor unerhœrts Buechlein, darinn vil gůter schwenck und Historien begriffen werden, so man in schiffen und auff den wegen, deßgleichen in scherheuseren unnd badstuben, zů langweiligen zeiten erzellen mag, die schweren Melancolischen gemueter damit zů ermünderen, vor aller menigklich Jungen und Alten sunder allen anstoß zů lesen und zů hœren, Allen Kauffleüten so die Messen hin und wider brauchen, zů einer kurtzweil an tag bracht und zůsamen gelesen. Schwanksammlung von Jörg WICKRAM (um 1505– vor 1562), erschienen 1555. – Unter den zahlreichen Schwanksammlungen des 16. Jh.s, denen Gian Francesco POGGIOS *Liber facetiarum* (um 1470) und Johannes PAULIS *Schimpf un Ernst* (1522) als Vorbilder dienten, zählt das bis heute immer wieder neu aufgelegte *Rollwagenbuechlin* zu den beliebtesten. Bis zu Wickrams Tod erschienen während weniger Jahre allein vier, jeweils um neue Stücke erweiterte Auflagen. Der Leserkreis, für den die insgesamt 111 Prosaschwänke der letzten, noch von Wickram vorbereiteten Ausgabe von 1565 zusammengetragen worden sind, wird im Untertitel genannt: Für alle, die sich auf Reisen zu Wasser und zu Lande (im »Rollwagen«) oder etwa in Wirts-, Barbier- und Badestuben langweilen, sei »*das buechlein allein von gůter kurtzweil an tag geben, niemants zů underweysung noch leer, auch gar niemandts zů schmach, hon oder spott*«. Ungeachtet dieses in der Widmung an den Wirt der »Blume« zu Colmar angekündigten Programms finden sich neben ausschließlich der Unterhaltung dienenden und meist witzig pointierten Geschichten auch erbauliche mit moralischer Nutzanwendung und solche, die sehr wohl »*zů schmach, hon oder spott*« vornehmlich eines entarteten Klerus der Sammlung einverleibt wurden.

Die kurzen Geschichten und Anekdoten sind meist im elsässischen Kleinbürgermilieu angesiedelt. Pfaffen, Handwerker, Kauf- und Wirtsleute, Bauern und Landsknechte, selten nur Adlige und Studenten demonstrieren mit ihren bald harmlosen, bald derben Streichen den Kontrast zwischen Durchtriebenheit und Witz auf der einen, zwischen Narrheit und Einfalt auf der anderen Seite. Die gerissenen »*speyvoegel*« haben es auf die unverbesserlichen Tölpel abgesehen, mit denen sie »*ir spey- und fatzwerk*« treiben. Sie übervorteilen einander, wie etwa jener Klient seinen neunmalklugen Advokaten (36), nützen die Gutgläubigkeit und Dummheit anderer schamlos und geschickt aus (45: »*Ein maeder fand zwen koepff an seinem bett, als er morgens von der matten kam, seinen wetzstein zů holen*«; 79: »*Von einem pfaffen, der koepff kundt machen*«; 107: »*Von einem armen studenten, so aus dem paradyß kam, und einer reychen beürin*«), überführen sie ihrer Torheit (66: »*Von einem scherer, der seiner můmen senff under das blůt schutt*«) oder lassen sie erst in eine solche stolpern (81: »*Einer fras fur vierzehen batzen krametvoegel*«). Schlauheit und Witz werden honoriert (15: »*Von einem lantzknecht, der nur drey wort begert mit seinem hauptmann zů reden*«), Narrheit gutmütig verlacht. Grund zum Lachen geben nicht nur komische Begebenheiten und witzige Einfälle. Die Komik ist nicht selten ausschließlich Resultat eines meisterhaften Spiels mit der Sprache, die entweder beim Wort genommen oder – sei es aus Pfiffigkeit, sei es aus Dummheit – gründlich mißverstanden wird (vgl. u. a. 21: »*Von einem außgelauffnen münch der mit der gschrifft überwunden ward*«.) Die naive Freude am Obszönen und Derben tritt, da ja auch »*züchtige, erbare weiber, ja auch jungfrauwen auff wagen oder zů schiff faren*«, merklich zurück, wenn auch typisch grobianische Geschichten nicht fehlen (vgl. u. a. 52: »*Einer satzt seinem gefattern ein hůt mit bruntz auff den kopff in einer abenzech*«). Einen Fremdkörper bilden die drei ernsten Geschichten der Sammlung (55, 72 und 74); doch gerade die letzte, »*Von einem kind, das kindtlicher weis ein ander kind umbbringt*«, bringt deutlicher als das Gros der Schwänke Wickrams meisterhaft beherrschte Kunst des pointierten Erzählens zum Ausdruck – eine Erzählkunst, die auch den modernen Leser dieser realistischen, volksnahen Geschichten ergötzt. C. St.

Ausgaben: o. O. 1555. – Lpzg. 1865, Hg. H. Kurz (Dt. Bibl., 7). – Stg./Tübingen 1903 (in *Werke*, Hg. J. Bolte u. W. Scheel, 8 Bde., 1901–1906, 3; krit.; BLV, 229). – Mchn. 1913. – Bln. 1957, Hg. G. Steiner [Ill. W. Klemke]. – Ffm. 1962, Hg. G. Ebner-Eschenhaym (Ill. G. Thieme; IB, 132). – Stg. 1968 (RUB, 1346/1346a/1346b).

Literatur: A. Stöber, *J. W., Volksschriftsteller u. Stifter der Colmarer Meistersängerschule im 16. Jh., u. dessen vorzüglichste Schriften*, Mühlhausen 1866. – E. Schmidt, *J. W.* (in ADB, 42, 1897, S. 328–336). – H. Kindermann, *Die deutschen Schwankbücher des 16. Jh.s. Ihre literarische Entwicklung u. kulturkundliche Bedeutung*, Danzig 1929. – M. Meucelin-Roeser, *Studien zum Prosastil J. W.s*, Diss. Basel 1955. – K. Stocker, *Die Lebenslehre im Prosawerk von J. W. u. in der volkstümlichen Erzählung des 16. Jh.s*, Diss. Mchn. 1956.

JAKOB WIMPHELING
(1450–1528)

STYLPHO (nlat.; *Stylpho*). Dramatisches Spiel von Jakob Wimpheling (1450–1528), aufgeführt 1480 in Heidelberg. – Als Wimpheling, Professor an der Artistischen Fakultät in Heidelberg, Vizekanzler der Universität war (1479/80), hielt er am 8. März 1480 bei einer Promotion die offizielle Rede und fügte darin, abweichend von der üblichen Art, dieses dramatische Spiel ein, um die neuen Magister eindringlich vor Überheblichkeit und Trägheit zu warnen.
In dem Stück werden zwei angehende Geistliche einander gegenübergestellt: Stylpho, der aus Rom kommt und glaubt, durch die dort angeknüpften Beziehungen ohne Mühen rasch zu hohen Würden zu kommen, und sein Jugendfreund Vincentius, der mit Eifer studiert und sich gründlich auf sein Amt als Seelsorger vorbereitet hat. Der stolze Stylpho versagt jedoch bald und muß sich schließlich mit dem Amt eines Schweinehirten zufrieden geben; der von ihm verspottete Vincentius avanciert und wird schließlich Bischof.
Mit der offenkundigen erzieherischen Absicht verband der Dichter eine satirische Tendenz: Er prangert zahlreiche Zeiterscheinungen an, vor allem die Pfründenjagd und die mangelnde Bildung der Geistlichkeit. Das Stück ist das erste in Deutschland nach dem Vorbild der neulateinischen Komödie in Italien geschaffene dramatische Spiel. Als dramatisches Kunstwerk wirkt es überaus schlicht: Die Handlung beschränkt sich auf das Wichtigste, die Dialoge sind in einfache Prosa gekleidet. Der literarische Rang des Dramas ist oft überschätzt worden: Wimpheling hat mit dem *Stylpho* zwar den ersten Schritt zur Wiederbelebung des lateinischen Dramas in Deutschland getan; der Ruhm, die ersten literarisch ernst zu nehmenden Komödien in der Art der alten römischen Komödiendichter geschaffen zu haben, gebührt jedoch Johannes Reuchlin mit seinen Stücken *Henno* und *Sergius*, die – ebenfalls in Heidelberg – 1496 und 1497 aufgeführt wurden. 1494 wurde der *Stylpho* leicht überarbeitet gedruckt, fand aber keine große Verbreitung; bekannt ist eine Wiederaufführung aus dem Jahr 1505. M. Ze.

Ausgaben: o. O. 1494. – o. O. [Straßburg] 1495. – Straßburg 1888, Hg. R. Preuß (in Straßburger Studien, 3; Nachw. E. Martin). – Bln. 1892, Hg. H. Holstein [m. Einl. u. krit. App.; LLD, 6].

Literatur: P. Bahlmann, *Die lateinischen Dramen von W.s »Stylpho« bis zur Mitte des 16. Jh.s, 1480 bis 1550*, Münster 1893. – L. Geiger (in ADB, 44, 1898, S. 524ff.). – J. Knepper, *J. W. Sein Leben u. seine Werke*, Freiburg i. B. 1902; Nachdr. Nieuwkoop 1965. – R. Newald, *Elsässische Charakterköpfe aus dem Zeitalter des Humanismus*, Kolmar o. J. [1944]. – Ders., *Probleme u. Gestalten des deutschen Humanismus*, Bln. 1963, S. 346–386.

ANONYME WERKE 15./16. JAHRHUNDERT

EPISTOLAE OBSCURORUM VIRORUM AD VENERABILEM VIRUM MAGISTRUM ORTVINUM GRATIUM DAVENTRIENSEM (nlat.; *Dunkelmännerbriefe an den ehrenwerten Magister Ortwin Gratius aus Deventer*). Humanistische Satire gegen die spätscholastische Wissenschaft und Theologie in Form von insgesamt 110 fingierten Briefen an den Magister Ortwin Gratius (um 1481–1542) in Köln; der erste Teil (41 Briefe) erschien 1515, eine zweite Auflage mit einem Appendix von sieben Briefen 1516, der zweite Teil (62 Briefe) 1517. Beide Teile kamen ohne Angabe der Verfasser heraus. Heute gilt der erste Teil in der Hauptsache als Werk des Erfurter Humanisten Crotus Rubeanus; außer ihm waren Hermann von dem Busche und Ulrich von Hutten beteiligt; von letzterem stammen auch die Appendices zum ersten Teil und die meisten Briefe des zweiten Teiles.
Im sogenannten Reuchlinschen Streit, der 1511 zwischen Johannes Reuchlin und den Kölner Theologen über die Judenfrage ausgebrochen war, hatte Reuchlin den Juden gegenüber eine gemäßigte und konziliante Haltung eingenommen. Das führte zu einer scharfen, hauptsächlich literarisch ausgetragenen Fehde, in der die konservative Theologie schließlich obsiegte: 1513 strengte der Kölner Dominikanerprior und Inquisitor Jakob van Hoogstraeten den Prozeß gegen Reuchlin an. 1520 wurde dessen polemische Hauptschrift, der *Augenspiegel*, in Rom verurteilt. Zu seiner persönlichen Rechtfertigung hatte Reuchlin 1514 eine Sammlung an ihn gerichteter, zustimmender Briefe bedeutender Zeitgenossen, die *Epistolae clarorum virorum (Briefe berühmter Männer)*, herausgeben lassen. Die *Dunkelmännerbriefe* nun sind ihr satirisches Gegenstück. Ihre Verfasser waren humanistische Bewunderer Reuchlins. Die fiktiven

Briefsteller, allesamt geistig beschränkte Winkeltheologen und -magister, zum Teil mit überaus sprechenden Namen versehen (z. B. Conradus Dollenkopffius, Herbordus Mistladerius, Schlauraff usw.), bekunden ihrem Führer Ortwinus Gratius Beifall und Bewunderung. Ihr von Germanismen strotzendes Latein ist über die Maßen barbarisch. Die Karikatur der spätmittelalterlichen Latinität ist vortrefflich gelungen. Die sachlichen Angriffe richten sich gegen die grobe Unwissenheit und – gelegentlich sehr unflätig – gegen die mangelnde moralische Integrität der Kölner Theologen. Aber auch die kirchliche Lehre wird nicht verschont. Die Briefe wurden deshalb 1517 auf den Index gesetzt. Die Satire war aber zu gut gelungen, als daß ihr Erfolg in humanistischen Kreisen hierdurch hätte beeinträchtigt werden können. LUTHER freilich und ERASMUS verhielten sich eher ablehnend; wie Reuchlin selbst sich zu den *Epistolae* stellte, ist nicht bekannt. Die wenig gelungenen Repliken Ortwins – *Lamentationes obscurorum virorum* (*Klagen der Verfasser der Dunkelmännerbriefe*) und *Lamentationes novae obscurorum Reuchlinistarum* (*Neue Klagen der finsteren Anhänger Reuchlins*), beide 1518 – blieben ohne Erfolg. G. Hü.

AUSGABEN: Hagenau 1515. – Köln 1516. – Köln 1517. – Heidelberg 1924, Hg. A. Bömer [m. Komm.].

ÜBERSETZUNGEN: *Briefe von den Dunkelmännern an Magister Ortwin Gratius aus Deventer*, W. Binder, Stg. 1876. – *Briefe der Dunkelmänner*, ders., Mchn. 1964 [Nachw. P. Amelung]. – *Briefe von Dunkelmännern*, H.-J. Müller, Bln. 1964 [Einl. W. Hecht].

LITERATUR: W. Brecht, *Die Verfasser der »Epistolae obscurorum virorum«*, Straßburg 1904. – A. Bömer, *Ist U. von Hutten am ersten Teil der »Epistolae obscurorum virorum« nicht beteiligt gewesen?* (in *Aufsätze, F. Milkau gewidmet*, Hg. G. Abb, Lpzg. 1921, S. 10–18). – P. Merker, *Der Verfasser des »Eccius dedolatus« und anderer Reformationsdialoge*, Halle 1923.

III. Das Zeitalter des Barock. 17. Jahrhundert

ANGELUS SILESIUS
(d. i. Johannes Scheffler, 1624–1677)

CHERUBINISCHER WANDERSMANN. Geistreiche Sinn- und Schlußreime zur Göttlichen beschauligkeit anleitende von ANGELUS SILESIUS (d. i. Johannes Scheffler, 1624–1677), erschienen 1674. Die endgültige Ausgabe enthält sechs Bücher. Buch 1–5 wurden schon 1657 unter dem Titel *Geistreiche Sinn- und Schlußreime* veröffentlicht. – Die Sammlung umfaßt 1665 brillant formulierte Aphorismen, die nach dem Vorbild von Daniel CZEPKOS *Sexcenta monodisticha sapientium* in meist zweizeiligen, aber auch vierzeiligen, antithetisch gebauten Alexandrinern abgefaßt sind. Silesius verarbeitet mystisches Gedankengut der Überlieferung von PSEUDODIONYISUS AREOPAGITA über ECKHART bis zu Valentin WEIGEL und Jakob BÖHME, das bei ihm zum Teil eine pantheistische Prägung erhält. Er entwickelt kein geschlossenes philosophisches System, sondern formuliert seine Gedanken über das Verhältnis des Menschen zu Gott und zur Ewigkeit als »*Erkenntnissplitter*« (W. Fleming). Dabei stehen einzelne Sinnsprüche mitunter in paradoxem Widerspruch zueinander. Manchmal erlebt Silesius seine Abhängigkeit von Gott fast wie ein Mensch des Mittelalters: »*Mein Gott, wie kalt ich bin! Ach laß mich doch erwarmen / In deiner Menschheit Schoß und deiner Gottheit Armen.*« Dann taucht plötzlich die kühne Vorstellung einer Abhängigkeit Gottes vom Menschen auf: »*Ich weiß, daß ohne mich Gott nicht ein Nu kann leben; / Werd' ich zunicht, er muß vor Not den Geist aufgeben.*« Zumindest aber sind Gott und Mensch eng aufeinander angewiesen: »*Gott ist in mir das Feuer und ich in ihm der Schein: / Sind wir einander nicht ganz inniglich gemein?*«

H. L. HELD (der Herausgeber der Gesammelten Werke) bezeichnete als Silesius' wichtigste Gedanken die folgenden: Raum und Zeit sind nur Anschauungsformen des Verstandes, die Welt ist nur ein Produkt unserer Vorstellung; Gott ist frei von Raum und Zeit, er ist die Ewigkeit. Die Welt, die keinen uns erkennbaren Zweck hat, wird von ihm immer neu geschaffen; sie ist ewig, die vergänglichen Erscheinungen sind Zufall. Gott lebt in allen Kreaturen, er ist überall, und in ihm sind alle Unterschiede aufgehoben. Dem Menschen ist die Möglichkeit der Erkenntnis sowohl des Zeitlichen wie des Ewigen gegeben. Das zeitliche Auge sieht nur die irdischen Dinge, das ewige leistet ein »*Kennen ohn' Erkennen*«. Der Mensch vermag das Gute und Böse aus eigener Kraft, und Gott braucht ihn, um zu existieren. Des Menschen Ziel ist die Rückkehr zu Gott, in dem er Ruhe erlangt. Um dahin zu kommen, muß er das Wollen aufgeben, denn die Verneinung des Willens ist die Voraussetzung der Ruhe und damit der Gottwerdung des Menschen. – Der *Cherubinische Wandersmann* wirkte im Pietismus in den Dichtungen Gottfried ARNOLDS und Gerhard TERSTEEGENS weiter; von den Romantikern wurde er hochgeschätzt. P. W. W.

AUSGABEN: Wien 1657 (*Geistreiche Sinn- u. Schlußreime*, 5 Bücher u. 10 Sonette). – Glatz 1674 (*Cherubinischer Wandersmann. Geistreiche Sinn- u. Schlußreime zur Göttlichen beschauligkeit anleitende*; 6 Bücher). – Mchn. ³1952 (in *Sämtl. poetische Werke*, Hg. u. Einl. H. L. Held, 3 Bde., 3). – Bremen 1956, Hg. W. E. Peuckert (Slg. Dieterich, 64).

LITERATUR: J. Kern, *J. Sch.s »Cherubinischer Wandersmann«*, Lpzg. 1866. – J. B. Schömann, *Barocke Mystik in A. S. »Cherubinischer Wandersmann«* (in LJb, 4, 1929). – R. Neuwinger, *Die dt. Mystik unter bes. Berücksichtigung des »Cherubinischer Wandersmann« Sch.s*, Diss. Lpzg. 1937. – G. Wagner-Petersen, *Zur Datierung u. Deutung von A. S. »Cherubinischer Wandersmann«* (in Orbis Litterarum, 3, 1945, S. 139–187). – E. Spoerri, *Der »Cherubinische Wandersmann« als Kunstwerk*, Diss. Zürich 1947. – F. Fuchs, *Die Ideenwelt des »Cherubinischen Wandersmann«*, Diss. Wien 1955. – H. Althaus, *Sch.s »Cherubinischer Wandersmann«. Mystik und Dichtung*, Diss. Gießen 1956. – J. H. Seippel, *Freedom and the Mystical Union in »Der Cherubinische Wandersmann«* (in GR, 32, 1957). – E. Meier-Lefhalm, *Das Verhältnis von myst. Innerlichkeit u. lit. Darstellung bei A. S.*, Diss. Heidelberg 1958. – J. Tarracó, *A. S. u. d. span. Mystik. Die Wirkung der span. Mystik auf d. »Cherubinischen Wandersmann«* (in *Ges. Aufsätze z. Kulturgesch. Spaniens*, Bd. 15, Münster 1960, S. 1–150; Span. Forschungen, R. 1, 15).

ANTON ULRICH VON BRAUNSCHWEIG-WOLFENBÜTTEL
(1633–1714)

DIE DURCHLEUCHTIGE SYRERINN ARAMENA. Roman von Herzog ANTON ULRICH VON BRAUNSCHWEIG-WOLFENBÜTTEL (1633–1714), erschienen in fünf Bänden 1669–1673. – Nach der Absicht des Verfassers, die er mit anderen Autoren heroisch-galanter Romane wie BUCHHOLTZ, LOHENSTEIN, ZIEGLER und ZESEN teilte, sollten seine Werke wirken wie »*rechte Hof- und Adelsschulen, die das Gemüt, den Verstand und die Sitten recht adlich ausformen und schöne Hofreden in den Mund legen*«. Der Staatsroman war nicht für das gemeine Lesepublikum bestimmt – wie der nur wenig früher erschienene *Abentheurliche Simplicissimus Teutsch* (1669), das extreme Gegenmodell innerhalb der beiden Gattungen, über die die epische Formenwelt des Barock verfügte –, er sollte sich vielmehr allein an den höfischen Adel richten und zur Verfeinerung seiner Sitten beitragen. Die Handlung des in stilisierter Kunstprosa geschriebenen Romans ist bis

zur Unentwirrbarkeit verschlungen. Kaum eine der vierunddreißig Hauptpersonen tritt unter ihrem richtigen Namen auf oder als das, was sie in Wirklichkeit ist. Überall gibt es Verstellung und Verwechslung von Namen und Geschlecht. Die Titelheldin Aramena z. B. wächst als untergeschobenes Kind bei fremden Eltern auf, gilt später als »Ritter Dison« und als ihr eigener, verschollener Bruder. Viele Anachronismen und die Zusammenziehung mehrerer Jahrhunderte im Handlungsverlauf machen eine klare Inhaltsangabe unmöglich.
Hauptort der Handlung ist Syrien zur Zeit der alttestamentarischen Patriarchen. Die Tochter des assyrisch-babylonischen Tyrannen Beloch, Aramena, entpuppt sich nach in den ersten drei Büchern ausgiebig dargebotenen Verwechslungen aller Art als Nichte ihres vermeintlichen Vaters, der sie daraufhin zur Frau begehrt. Aramena sucht ihr Heil in der Flucht und schließt sich einer neuen Religion an, dem Glauben an den einzigen Gott Jehova. Wieder eingefangen, entweiht sie das heidnische Isisbild und wird zum Tode auf dem Scheiterhaufen verurteilt. Der in Aramena verliebte Keltenfürst Marsius befreit sie jedoch und zerstört zugleich das Großreich Belochs. Nach dieser Staatsaktion setzt die Entwirrung der Liebesschicksale ein, die von einer exemplarischen moralischen Entscheidung Aramenas eingeleitet wird: sie nimmt die Werbung des Keltenfürsten Marsius, den sie noch nicht liebt, an, jedoch nur, um damit den gefangenen und vom Tode bedrohten Abimelech zu retten, dem sie sich vorher hatte vermählen wollen. Die bösen Schicksalsschläge finden jetzt ihr Ende; zugleich aber erkennen handelnde Personen und Leser, daß die bisher undurchsichtigen Geschicke eine gütige Vorsehung leitete – so wird z. B. in Abimelech der leibliche Bruder Aramenas entdeckt. Heldentum und Edelmut haben die Bewährungsprobe bestanden und werden belohnt: die vierunddreißig männlichen und weiblichen Hauptpersonen finden in siebzehn Ehen ein märchenhaftes Liebesglück (die sechsbändige *Römische Octavia* desselben Autors bringt es sogar auf vierundzwanzig Paare, während der zeitgenössische Schelmenroman seinen Helden mit Vorliebe als Einsiedler enden läßt). Aramena und Marsius, geprüft und für würdig befunden, ziehen in das keltische Stammland und übernehmen dort die Herrschaft.
Dieses großangelegte Werk Herzog Anton Ulrichs ist kein bloßer Liebesroman wie etwa John BARCLAYS *Argenis*, die 1644 in einer Übersetzung von Martin OPITZ erschienen war. Die psychologische Entwicklung aller im Roman auftretenden Personen wird allein vom moralischen Wunschdenken des Verfassers diktiert. Überhaupt ist Liebe im barocken Staatsroman weniger ein erotisches, als – abgesehen vom Moment gesellschaftlicher Repräsentation – vor allen Dingen ein ethisches Problem. Der adelige Leser sollte am Beispiel vieler Einzelschicksale erkennen, daß erst nach vielfacher Prüfung sich moralische Qualitäten, wie Würde, Standhaftigkeit, Gottesglauben, offenbaren, daß erst das heroische Erdulden aller von der unberechenbaren Fortuna auferlegten Leiden zur letzten edlen Reife und Vollkommenheit führt. Nur der so Geprüfte ist, nach dem Bilde, wie es die gewaltigen epischen Enzyklopädien des Barock errichteten, würdig, auf Erden Fürst und Herrscher zu sein. B. B.

AUSGABEN: Nürnberg 1669–1673 (*Die Durchleuchtige Syrerinn Aramena. Der Erste (bis Fünfte Theil). Der Erwehlten Freundschaft gewidmet)*. – Nürnberg 1678/79.

LITERATUR: F. Mahlerwein, *Die Romane des H.s U. v. B.-W.*, Diss. Ffm. 1925. – C. Heselhaus, *A. U.s »Aramena«. Studien zur dichterischen Struktur des deutschbarocken ›Geschichtsgedicht‹*, Würzburg 1939 (zugl. Diss. Münster; auch in Bonner Beiträge zur deutschen Philologie, 9). – A. M. Schnelle, *Die Staatsauffassung in A. U.s »Aramena« im Hinblick auf La Calprenèdes »Cléopâtre«*, Diss. Bln. 1939. – C. Paulsen, *Die »Durchleuchtigste Syrerin Aramena« des Herzogs A. U. v. B. und »La Cléopâtre« des Gautier Coste de La Calprenède. Ein Vergleich*, Diss. Bonn 1956. – De Boor, 5, S. 362ff. – W. Bender (in Philobiblon, 8, 1964, S. 166–187; Bibliogr.).

JOHANN BEER
(1655–1700)

ZENDORII À ZENDORIIS TEUTSCHE WINTERNÄCHTE Oder Die ausführliche und denckwürdige Beschreibung seiner Lebens-Geschicht. Darinnen begriffen werden allerley Fugnissen und seltsame Begebenheiten Curiöse Liebes-Historien und Merckwürdige Zufälle etlicher von Adel und anderer Privat-Personen. Nicht allein mit allerley Umständen und Discursen ausführlich entworffen sondern auch mit tauglichen Sitten-Lehren hin und wieder ausgespicket. Roman von Johann BEER (1655–1700), erschienen 1683. – Durch die Forschungen R. ALEWYNS (1932) und H. MENCKS wurde der gebürtige Oberösterreicher und spätere weißenfelssche Konzertmeister Johann Beer als Verfasser zahlreicher, unter wechselnden Pseudonymen erschienener Romane bekannt. Die bedeutendsten sind zweifellos *Die Teutschen Winternächte* und *Die kurzweiligen Sommer-Täge* (1683; vgl. dort), die trotz verschiedener Verfasserfiktion durch ihren analogen Personenkreis und die Kontinuität der Handlung eine Art Doppelroman bilden, der nach dem Verfasser-Pseudonym der *Sommer-Täge* als *Willenhag-Dilogie* bezeichnet wird. Die *Teutschen Winternächte* weisen sich mit ihrem Haupttitel und der Übersetzerfiktion als ein Konkurrenzunternehmen zu der bei den Zeitgenossen beliebten und mehrmals aufgelegten Übersetzung der *Noches de invierno* (1610, übersetzt 1649) des Antonio ESLAVA aus. Beer wollte mit seinen Romanen, zu deren Autorschaft er sich namentlich nie bekennt, ein breites Publikum, »*wes Standes oder Condition*« es auch sein mag, zu dessen Belustigung vornehmlich ansprechen, wenn auch der obligatorische Hinweis auf den moralischen Nutzen in den Titelankündigungen nicht fehlt.
Zendorii à Zendoriis Teutsche Winternächte sind als Lebensgeschichte des Ich-Erzählers Zendorius à Zendoriis konzipiert, wobei aber die Berichte über das Vorleben, die Streiche, Abenteuer und kuriosen Liebes-Historien seiner Freunde die Eigenberichte vielfach unterbrechen und überlagern. Entsprechend der pikarischen Erzähltradition führt Zendorius, der seine wahre Herkunft nicht kennt, ein Vagabundenleben; rasch macht er die Bekanntschaft des jungen Edelmanns Isidoro, der ihn in seinen Freundeskreis aufnimmt und ihn so seinem Vagantenleben entreißt. Nach anfänglichen lustigen Streichen, die mit Saufen, Jagen, Spielen und Lesen

abwechseln, gerät Zendorius infolge seiner Liebe zu Caspia und seiner ungeklärten sozialen Abkunft in eine Krise und wendet sich erneut dem Vagantenleben zu. Isidoro gewinnt ihn nach der Klärung seiner adligen Herkunft zurück, schließlich kann Zendorius auch seine Caspia dem Nebenbuhler Faustus ausspannen, der seinerseits seine eigentliche Geliebte, eine angebliche Bauernmagd, heiratet. Es bleiben dies nicht die einzigen Hochzeiten, die als laute Feste, auf denen mit Vorliebe die verschiedenen Lebensgeschichten vorgetragen werden, die kurzen Krisen abschließen. Letztere sind durch Ausfahrten, Rückzug in die Einsamkeit und vor allem durch Einsiedlerromantik gekennzeichnet. So redet am Schluß der *Winternächte* der irische Eremit der Schlemmer- und Säuferrunde bei einem der Hochzeitsfeste ins Gewissen, und kurzerhand beschließt die ganze Gesellschaft, die am Anfang der *Sommer-Täge* unter vertauschten Namen vorgestellt und charakterisiert wird, nicht zuletzt auch des heißen Sommers wegen in den schattigen Wäldern Einsiedler zu spielen. Doch keinem behagt die Ruhe lang, und bald trifft sich die Runde wieder zu den alten Streichen, dem Austausch von Erzählungen und lauten Festen, bis schließlich der Erzähler Wolffgang von Willenhag sich von dem pikaresken Treiben als Einsiedler ins Gebirge zurückzieht, ohne daß er dabei aber sagen könnte, ob er so sein Leben beschließen möchte.

Im Unterschied zu GRIMMELSHAUSENS »Simplizianischen Schriften«, in denen das pikarische Erzählschema zu einer streng konzipierten Abfolge von typologisch bedeutsamen Einzelsituationen des Ich-Erzählers vertieft ist, wird dieses Schema bei Beer schon bald nach Romanbeginn von kurzatmigen, aspektgebundenen Sekundärerzählungen überlagert, die der »Kurtzweil« der Adelsgesellschaft dienen, die den pikarischen Helden rasch integriert und damit die von ihm ausgehende Beunruhigung und Störung ausschaltet. Die mit dem Pikaro verbundene Gefahr der Selbstvergessenheit und Selbstverlorenheit wird nicht in ernsthafter Selbstbesinnung und Selbsteinkehr aufgehoben, sondern in geselliger Lustigkeit überspielt, für die das Eremitendasein allenfalls eine kurzweilige Abwechslung darstellen kann. Dominierend ist die Flucht vor der Langeweile und der Melancholie des Schloßlebens, für sie – und nicht aufgrund tieferer Beziehungen – bildet sich der Freundeskreis mit seiner bunten Abfolge von Streichen, Abenteuern, Festgelagen und unermüdlich aneinandergereihten Einzelgeschichten. Mit der virtuosen Beherrschung der erzählerischen Kleinform, zu der eine Fülle von stark zeitbedingten Einlagen kommt, wird Beer seinem Konzept der fehlenden »großen Dimension« künstlerisch gerecht. Um den Effekt ungebrochener Erzählgegenwart zu erreichen, hat Beer das gattungsgeschichtlich interessante Experiment unternommen, die höfische »Historia« mit ihrem Tugendpathos, ihrer streng geordneten Personenfülle und ihrem Festglanz so mit dem pikarischen satirischen Roman zu verbinden, daß er *»allen Liebhabern der Zeit-verkürtzenden Schrifften ... zu sonderlicher Belustigung«* dient. V. Ho.

AUSGABEN: O. O. 1683. – Halle 1958, Hg. W. Schmitt (NdL, 324). – Ffm. 1963 (*Die teutschen Winter-Nächte und Die kurzweiligen Sommer-Täge*, Hg. R. Alewyn; Nachw. S. Streller). – Göttingen 1965, Hg. A. Schmiedecke (*J. B. Sein Leben von ihm selbst erzählt*; Nachw. u. Vorw. R. Alewyn).

LITERATUR: R. Alewyn, *J. B. Studien zum Roman des 17. Jh.s*, Lpzg. 1932 (Palaestra, 181). – A. Hirsch, *Bürgertum u. Barock im dt. Roman*, Ffm. 1934; Köln ²1957. – E. Saegenschnitter, *Buchdruck u. Buchhandel in Weißenfels* (in *25 Jahre Städtisches Museum Weißenfels*, Weißenfels 1935, S. 79–100). – M. Kremer, *Die Satire bei J. B.*, Diss. Köln 1964. – J. Müller, *Studien zu den Willehag-Romanen J. B.s*, Marburg 1965. – D. Kimpel, *Der Roman der Aufklärung*, Stg. 1967 (Slg. Metzler, 68).

JAKOB BIDERMANN
(1578–1639)

CENODOXUS (nlat.; *Cenodoxus*). Jesuitendrama in fünf Akten von Jakob BIDERMANN (1578–1639), Uraufführung: Augsburg 1602. – Angeregt worden war der schwäbische Theologe und Philosoph durch die Legende vom hl. Bruno von Köln, der sich – als er miterleben muß, wie sich während der Seelenmesse für einen verstorbenen akademischen Lehrmeister plötzlich die Leiche aus dem Sarg emporrichtet und in schreckliche Selbstanklagen ausbricht – zu Weltabkehr und Buße entschließt und den Kartäuserorden stiftet (1086). Bidermann verarbeitet diesen Stoff ganz selbständig, und die Figur des lasterhaften Doktors von Paris ist, wie er selbst betont, seine ureigene Schöpfung. – Dargestellt wird Leben und Sterben eines gelehrten und berühmten Professors der Medizin, den Eigensucht, Überheblichkeit und Stolz der ewigen Verdammnis preisgeben, nachdem sein Schutzengel und sein Gewissen vergeblich versucht haben, ihn zu einer Gesinnungsänderung zu bewegen. Sein Leben lang haben die auf der Bühne personifiziert auftretenden Mächte des Guten, Cenodoxophylax und Conscientia, mit den Mächten des Bösen, der Gleisnerei (Hypocrisis) und der Eigenliebe (Philautia), um seine Seele gerungen. Im letzten Akt, einer apokalyptischen Gerichtsszene, stehen sie sich noch einmal gegenüber, dazu ihre Auftraggeber – auf der einen Seite die Richter: Christus, Petrus, Paulus und der Erzengel Michael, auf der anderen die Ankläger: der Hauptteufel Panurgus und seine Gehilfen. Hinzu kommen die Zeugen: Eigenliebe und Schutzengel, der Angeklagte und der Vollstrecker – der Tod, der mit teilnahmsloser Selbstverständlichkeit seines Amtes waltet: »*Bei diesem hier hat es kein Bleiben, / Ich gehe, noch mehr aufzutreiben, / Es gilt mir eben alles gleich, / Hoch oder nieder, arm und reich.*« Von den spärlichen Tugenden und guten Werken weiß der Schutzengel nicht viel Positives zu berichten: »*Davon ich zwar was wenig's find', / Das aber auch dahin verschwind't, / Denn ob er schon was Gutes tät', / Mit Almosen und mit Gebet, / Seh ich, das wieder austilgt sei, / Durch Hoffahrt und durch Gleißnerei.*« Daß Zuschauer und Leser bis zum Schluß noch daran glauben, daß das peinliche Verhör nur der Zerknirschung des Sünders diene und einer um so gnadenvolleren Erbarmung weichen werde, erhöht die Wirkung des unerbittlichen, die Gerechtigkeit Gottes dokumentierenden Strafgerichts: des Höllensturzes. Den »Chorus mortualis«, mit dem der himmlische Urteilsspruch eingeleitet wird, führt zum Schluß der Teufel selbst an: »*Sic transit mundi gloria!*« Die letzte Szene zeigt den Entschluß Brunos (hier diente der historische Name als Vorbild) und anderer Freunde des Doktors, Abschied von den Geschäften dieser Welt zu neh-

men. Es ist überliefert, daß nach der Aufführung in München 1609 vierzehn adelige Hofbeamte, wie jene von Reue und Bußgedanken ergriffen, sich in die Einsamkeit des Klosterlebens zurückzogen.
Die Zielstrebigkeit, mit der der dramatische Vollzug auf das effektgeladene, wegen seiner folgerichtigen Geradlinigkeit ganz und gar untragisch zu nennende Ende hin angelegt ist, wirft ein Licht auf die Tendenz, die Bidermann im Auge hatte: die der religiösen und moralischen Erweckung. – Formal steht das Werk noch stark in den Traditionen des spätmittelalterlichen Humanistendramas, sein Gehalt jedoch weist bereits in die Zukunft und eröffnet das »Barocke Welttheater« gleichsam mit einem »*Fanfarenstoß für den neuen Barockgeist*« (J. Müller). Die »*Eigensucht des stoisch sich selbst behauptenden und genießenden Humanisten*« (M. Wehrli) wird hier einer scharfen Kritik unterzogen. Cenodoxus, äußerlich ein Vorbild der Tugend und Frömmigkeit, hochgelehrt und weltberühmt, in Wirklichkeit jedoch heuchlerisch, eitel und von Hochmut zerfressen, täuscht mit überheblicher Pose über die Nichtigkeit seines Charakters hinweg. Treibende Kraft auch seiner wenigen guten Taten sind Eigenliebe und Hochmut, und so ergeht denn die Anklage: »*Siehst du wohl die Überheblichkeit, / Lies tausendmal, du liesest Überheblichkeit. / Du liesest zehnmal, hundertmal und tausendmal. / Gibst du es zu?*« Aber Cenodoxus *will* nicht erkennen, obgleich ihm die guten Mächte ständig ins Gewissen reden und er die Fähigkeit dazu hätte, denn sein Wille ist frei. Selbstverblendung, genährt von den Einflüsterungen des Teufels, versperrt ihm den Weg zu selbstverantwortlicher Entscheidung für sein Seelenheil. Der Schutzengel fleht: »*Wenn er doch sähe! – Der Mensch sieht nichts ... / Fallstricke überall auf diesem Weg, / Die, wer nicht tausend Augen hat, nicht meiden kann.*« Cenodoxus geht blind in die Irre. Er bleibt seiner Eigensucht verhaftet, obwohl ihm alle Mächte der Hölle auf Befehl des Schutzengels im Traum eine Vorahnung zukünftiger Qualen geben. Wenn das Stück schließlich mit der Mahnung zu Weltflucht endet, so ist das zugleich eine radikale Verurteilung jeglicher Selbstverherrlichung, die Gottes Autorität leugnet.
Humoristische Einlagen lockern das Drama auf, dienen jedoch auch dazu, die äußere und innere Handlung zu fördern. Die Sprache ist noch nicht voll ausgestaltet, alles wird direkt gesagt und nicht etwa ins Bild umgesetzt, d. h., das Ganze bleibt reflektorisch und abstrakt, die tiefere Bedeutung des Geschehens wird in der dramatischen Handlung nicht unmittelbar sinnfällig. – Die Prinzipien von Symmetrie und Kontrast bestimmen sowohl den Aufbau des Stücks als auch das Verhältnis der Personen zueinander. Der *Cenodoxus* verwirklicht die Forderungen des humanistischen Ideals: die Ausgewogenheit aller Teile. Die Gliederung des Dramas in fünf Akte, die im geistlichen Spiel des 16. Jh.s noch eine Ausnahme war, weist schon auf das künftige Barockdrama hin, und die gehaltlichen Tendenzen stellen eine kritische Abrechnung mit dem zu Ende gehenden Geist des Renaissancezeitalters dar. W. v. S. – KLL

AUSGABEN: Mchn. 1666 (in *Ludi theatrales sacri*, 2 Bde., 1). – Tübingen 1963, Hg. R. C. Tarot (krit.; m. Bibliogr.; NdL, N. F. 6).

ÜBERSETZUNGEN: *Cenodoxus, der Doctor von Pariß*, J. Meichel, Mchn. 1635. – Dass., ders. (in DL, R. Barock, 2, Hg. W. Flemming, Lpzg. 1933). – Dass., ders. (in *Dt. Dichtung d. Barock*, Hg. E. Hederer, Mchn. 1957). – Dass., ders., Mchn. 1958 [Nachw. E. Hederer].

LITERATUR: K. v. Reinhardstœttner, *Jesuitendrama in Mchn.* (in Jb. f. Münchener Geschichte, 3, 1889, S. 88–97). – J. Sadil, *J. B.s »Cenodoxus«*, Progr. Wien 1899/1900. – J. Nadler, *Bayer. Barocktheater u. Bayer. Volksbühne* (in Süddt. Monatshefte, 11, 1913/14, S. 548–568). – J. Müller, *Das Jesuitendrama i. d. Ländern dt. Zunge vom Anfang (1555) bis zum Hochbarock (1665)*, 2 Bde., Augsburg 1930. – J. Rütsch, *D. dramat. Ich im dt. Barocktheater*, Lpzg. 1932 (Wege z. Dichtg., 12). – Ders., *Bedeutg. J. B.s* (in Trivium, 5, 1948, S. 263 bis 282). – D. G. Dyer, *J. B. A Seventeenth Century German Jesuit Dramatist*, Diss. Cambridge 1950. – S. Juhnke, *B.s »Cenodoxus« in Ingolstadt. E. Studie z. Publizistik d. früh. Jesuitenbühne*, Diss. Bln. 1957. – M. Wehrli, *B.s »Cenodoxus«* (in *Das dt. Drama*, Bd. 1, Hg. B. v. Wiese, Düsseldorf 1958, S. 13–34). – R. G. Tarot, *J. B.s »Cenodoxus«*, Diss. Köln 1960.

JAKOB BÖHME
(1575–1624)

AURORA, DAS IST: MORGENRÖTHE IM AUFGANG UND MUTTER DER PHILOSOPHIAE.

Schrift von Jakob BÖHME (1575–1624), verfaßt 1612, erschienen 1634. – Böhme gibt in diesem Werk einen unabgeschlossenen und nach seinem eigenen Urteil unvollkommenen Entwurf seines »Systems«. Das Urteil der Nachwelt war im allgemeinen positiver: es ist dieses Buch vor allem, das die Romantiker so tief beeindruckte, und HEGEL hielt es für Böhmes bestes. Seine Vorzüge sind in der Tat beträchtlich: die Unmittelbarkeit eines ersten, der Bewußtseinskontrolle fast entrückten Niederschreibens von Visionen und Einsichten gibt dem Text, der noch nicht von verschrobenen alchemistischen Begriffen und anderem pseudogelehrtem Beiwerk überwuchert wird, große Kraft und poetische Intensität. Der Untertitel des Buches lautet in der zweiten, vollständigen Ausgabe: *Die Wurzel der Philosophie, Astrologie und Theologie*. Diese drei Kategorien werden derart verstanden, daß Philosophie »*von der göttlichen Kraft*« handelt, davon, »*was Gott sei, und wie im Wesen Gottes die Natur, Sterne und Elemente beschaffen sind*«, die Astrologie »*von den Kräften in der Natur, der Sterne und Elemente ... wie Böses und Gutes durch sie gewirkt wird in Menschen und Tieren*« und die Theologie »*von dem Reiche Gottes ... wie es in der Natur kämpft und streitet ...*«. Hier wird nichts weniger unternommen, als die Geschichte Gottes und des Kosmos zu beschreiben, wobei sich Böhme, in seinem Vertrauen darauf, vom heiligen Geist inspiriert zu sein, ganz seinen Eingebungen überläßt und auf jegliche rationale Abfolge und Ordnung der Gedanken verzichtet. Was man von anderen mystischen Denkern (selbst von PLOTIN) gesagt hat, gilt für ihn in besonderem Maße: jede Seite, jede Gruppe von Sätzen enthält in immer wechselnden Worten die ganze Konzeption. Durch das mehr verwirrende als erklärende Gewand von Bildern – wie dem der (hier sieben) »*Quellgeister*« oder »*Qualitäten*«, in deren Auseinandersetzung sich das theo- und kosmogonische Drama vollzieht – schimmert schon die so wichtige und zukünftig wirksame Idee durch, daß der (drei-)einige Gott einerseits als ein Prinzip des grimmigen »*herben*«

Feuers, andrerseits als das des Lichtes und der Liebe auftritt und so bis in seinen tiefsten Seins-»*Urgrund*« hinein Urgegensätze dialektisch vereinigt. Der Urkampf zwischen dem »*grimmigen*« und dem »*liebenden*« Prinzip spiegelt sich in der geschaffenen Welt als Widerstreit von Gut und Böse. Die Schlüsselrolle Christi in diesem Kampf ist bei einem christlichen Theosophen oder Mystiker selbstverständlich. H. L.

Ausgaben: o. O. [Dresden?] 1634 [unvollst.]. – Amsterdam 1656 (*Morgenröte im Aufgang, das ist Die Wurzel oder Mutter der Philosophiae, Astrologiae u. Theologiae, aus rechtem Grunde*). – Amsterdam 1682 (in *Alle theosophischen Wercken*, Hg. J. G. Gichtel, Bd. 2). – Stg. 1955 (in *SS*: *Theosophia revelata oder Alle Göttliche Schriften*; Hg. A. Faust u. W. E. Peuckert, 11 Bde., Stg. 1942–1961, 1; Faks. d. Ausg. v. 1730).

Literatur: J. Hamberger, *D. Lehre d. dt. Philosophen J. B.*, 1844. – Bastian, *D. Gottesbegriff bei J. B.*, Diss. Kiel 1904. – W. Scott, *The Confession of J. B.*, NY 1920. – P. Hankamer, *J. B., Gestalt u. Gestaltung*, Bonn 1924.

PAUL FLEMING
(1609–1640)

TEUTSCHE POEMATA. Gedichtsammlung von Paul Fleming (1609–1640), erschienen 1642. – Die wohl in Anlehnung an das gleichlautende Werk des Martin Opitz betitelten *Teutschen Poemata*, auf Bitte Flemings von seinem Freund und Reisegefährten Adam Olearius nach Vorarbeit des Vaters seiner Braut (*Prodromus*, 1641) postum herausgegeben, stellen die erste Gesamtausgabe der deutschsprachigen Lyrik des Dichters dar. Sie umfassen den wichtigsten Bestand der Epoche an weltlichen und geistlichen Motivgruppen und an humanistischen und volkstümlich-heimischen Formtypen, insbesondere den Ertrag seiner »fernen Reisen«, und lassen trotz der systematischen Gliederung nach Gattungen (*Poetische Wälder; Buch der Überschrifften; Oden; Sonette*) einen künstlerischen Werdegang des Frühvollendeten erkennen. Der Leipziger Medizinstudent begann mit Übersetzungen und Nachahmungen romanisch-neulateinischer Autoren (z. B. Scaliger, Ronsard, Alciati, Heinsius, Grotius, Owen) und gelangte schließlich nach dem Durchgang durch die ihm von Opitz vermittelte petrarkistische Kunstübung, als deren Vollender und Überwinder in Deutschland er gilt, zu einem erst von Johann Christian Günther wiedererreichten individualitätsbestimmten Stil. Mit Recht konnte er in der berühmten *Grabschrifft / So er ihm selbst gemacht* feststellen: »*Mein Schall floh überweit. Kein Landsmann sang mir gleich*« – ein Urteil, das auch objektiv den von ihm als Lehrmeister verehrten Opitz einbezieht. Schon Zesen stellte Fleming höher. Hielt sich dieser auch strikt an das reformerische Postulat des alternierenden Metrums, übertraf er den »*Hertzog deutscher Seiten*« doch an rhythmischer Sensibilität, die – besonders in seiner Lieblingsform der Ode – mit einer an Schein und Schirmer geschulten Sprachmusikalität einhergeht und immer wieder zur Vertonung einiger seiner *Poemata* gereizt hat (z. B. Brahms). Auch an Ungezwungenheit und Lebendigkeit, die symptomatisch für den Ansatz zum Durchbruch der Ich-Aussprache bei ihm sind und bei aller Beherrschung der rhetorischen Kunstmittel grelle Effekte zurückzudrängen suchen, ist Fleming wenigstens in seinen ausgereiften Gedichten Opitz vorzuziehen. Diese zwischen volksliedhafter und »klassizistischer« Tonlage schwebende Schlichtheit (*Ejn getreues Hertze wissen*) ist nicht zuletzt die ästhetische Umsetzung des starken stoizistischen Ethos des Dichters, das sich mit vertrauender christlicher Frömmigkeit verbindet und das Ideal der gefestigten, von den Wechselfällen der Fortuna in geistiger Freiheit unabhängigen Persönlichkeit verkündet: »*Sey dennoch unverzagt. Gieb dennoch unverlohren. Weich keinem Glücke nicht. Steh' höher als der Neid. Vergnüge dich an dir / und acht es für kein Leid / hat sich gleich wieder dich Glück / Ort / und Zeit verschworen*« (*An Sich*). Diese bekenntnishafte Haltung auszubilden hatte Fleming vor allem auf der mehrjährigen Gesandtschaftsreise nach Rußland und Persien Gelegenheit, die ihn von der literarischen Konvention der Heimat weitgehend freimachte und neben den erotischen Erfahrungen mit den Töchtern des Revaler Kaufmanns Heinrich Niehus(en), seines späteren Editors, seinen über das Typisierende der Zeit hinausgelangenden *Liebes-Gesängen* als der Gipfelleistung seines Schaffens zugute kam. Handelt es sich auch noch nicht um Erlebnislyrik, so finden Trennungsschmerz, Liebessehnsucht, Treuebegehren und Entsagungsklage hier einen nicht mehr nur vorklischierten, sondern emotional mitgeprägten Ausdruck der Innigkeit und Wahrhaftigkeit, wie Fleming auch aus ähnlichen Impulsen heraus gelegentlich bereits den Geist des Rokoko vorwegzugestalten scheint (*Wie Er wolle geküsset seyn*). Freilich, und dafür ist das Zurücktreten anakreontisch-pastoraler Motivik Indiz, muß in dem Dichter vor allem, zumal als paracelsisch-naturphilosophisch orientiertem Arzt, der Petrarkist gesehen werden, der dem humanistischen Formprinzip der *elegantia* verpflichtet geblieben ist (Böckmann) und, besonders im Sonett, dem drängenden Barockstil den Weg geebnet hat.
Wurden die *Teutschen Poemata* schon im 17.Jh. mehrmals aufgelegt, so hielt ihre Wirkung auch später unvermindert an. Von den zeitgenössischen Dichterkollegen sowie Leibniz, der in Fleming den deutschen Horaz erblickte, über Gottsched, Bodmer und Herder bis zu fast allen Romantikern erfreute er sich hoher Anerkennung als Dichter und literarisches Muster. Einige seiner Lieder sind in die kirchlichen Gesangbücher eingegangen (z. B. *Jn allen meinen Thaten*) oder werden im weltlichen Bereich um ihres volkstümlichen Charakters willen gesungen. K. Hab.

Ausgaben: Lübeck 1642. – Stg. 1865 (in *Deutsche Gedichte*, Hg. J. M. Lappenberg, 2 Bde.; BLV, 82/83; Nachdr. Darmstadt 1965). – Stg. 1964, Hg. J. Pfeiffer (RUB, 2454). – Hildesheim 1969 [Nachdr. der Ausg. 1642].

Literatur: K. Unger, *Studien über P. F.s Lyrik*, Diss. Greifswald 1907. – H. Pyritz, *P. F.s Liebeslyrik. Zur Geschichte des Petrarkismus*, Lpzg. 1932 (ern. Göttingen 1963; Palaestra, 234). – E. F. E. Schrembs, *Die Selbstaussage in der Lyrik des 17.Jh.s bei F., Gryphius, Günther*, Diss. Mchn. 1953. – L. Beck-Supersaxo, *Die Sonette P. F.s. Chronologie u. Entwicklung*, Singen 1956. – G. Müller, *Geschichte des deutschen Liedes vom Zeitalter des Barock bis zur Gegenwart*, Darmstadt ²1959. – E. Dürrenfeld, *P. F. u. J. Ch. G. Motive, Themen,*

Formen, Diss. Tübingen 1964. – P. Hankamer, *Deutsche Gegenreformation u. deutsches Barock. Die deutsche Literatur im Zeitraum des 17. Jh.s*, Stg. [3]1964. – P. Böckmann, *Formgeschichte der deutschen Dichtung*, Hbg. [2]1965.

HANS JAKOB CHRISTOFFEL VON GRIMMELSHAUSEN
(um 1622–1676)

DER ABENTHEURLICHE SIMPLICISSIMUS TEUTSCH das ist: Die Beschreibung deß Lebens eines seltzamen Vaganten genant Melchior Sternfels von Fuchshaim wo und welcher gestalt Er nemlich in diese Welt kommen was er darinn gesehen gelernet erfahren und außgestanden auch warumb er solche wieder freywillig quittirt. Roman von Hans Jakob Christoffel von GRIMMELSHAUSEN (um 1622–1676), der in fünf Büchern 1668 in einer stark mundartlich gefärbten Ausgabe in Nürnberg bei J. Felßecker erschien. – Die Geschäftsinteressen der Verleger und das starke Lesebedürfnis des 17. Jh.s machten noch im selben Jahr eine *Continuatio des abentheurlichen Simplicissimi oder Der Schluß desselben* notwendig, die als 6. Buch angehängt wurde. Ein in geringer Auflage erschienener Konkurrenzdruck des Frankfurter Verlegers Georg Müller in normalisiertem, leichter lesbarem Deutsch bewog Grimmelshausen, die Neuausgabe auf der Grundlage der leichter verständlichen Fassung zu erweitern. Es folgten noch drei weitere *Continuationen* und eine ganze Fülle kleinerer Werke, die, später unter dem Titel *Simplicianische Schriften* zusammengefaßt, nahezu alle an der schnell populär gewordenen Titelfigur partizipieren, sie in neue Abenteuer verstricken, weiterentwickeln und ausschöpfen. – *Der abenteuerliche Simplicissimus* ist der große deutsche Abkömmling des ursprünglich spanischen Schelmenromans, wie er im *Lazarillo de Tormes* (1554, anon.), in verfeinerter Form auch in CERVANTES' *Don Quijote* (1605–1615) vorlag. Grimmelshausen präsentiert sein Werk als autobiographische Ich-Erzählung seines jugendlichen Helden, dessen Lebenslauf er in den Wirren des Dreißigjährigen Krieges von etwa 1632 bis 1645 ansiedelt. Chronologie und Topographie innerhalb des Romans sind verschwommen und undeutlich.

Simplizius, der »Einfältige«, der als zehnjähriger Knabe vom Hof seines Vaters, eines Spessartbauern, durch plündernde Soldaten vertrieben wird, findet Aufnahme bei einem alten Eremiten, der ihn zwei Jahre lang beherbergt und erzieht. Nach dessen Tod kommt Simplizius durch Zufall in die Obhut des Stadtkommandanten von Hanau, der seine auf die Dauer unerträgliche jugendliche Einfalt sich dadurch nutzbar zu machen sucht, daß er ihn mit Hilfe einer vorgegaukelten Höllenzeremonie in ein närrisches Kalb verwandeln läßt. Der Knabe, der diese Rolle annimmt und gut spielt, wird aber eines Tages von umherstreifenden Kroaten entführt. Es gelingt ihm zwar, sich seines Narrenkleides zu entledigen, statt dessen jedoch muß er Frauenkleider anlegen, um unbehelligt zu bleiben. Von diesen ebenfalls befreit, verbringt er den Winter als Knecht eines Dragoners im Kloster, stellt sich danach in den Dienst kaiserlicher Truppen und zeichnet sich als »Jäger von Soest« aus. Vom Feind gefangen, muß er ein halbes Jahr in Lippstadt verbringen, wird dort überraschend zu einer Ehe gezwungen und über Köln bis Paris verschlagen. Nach munteren Abenteuern im »Venusberg« hilft er sich als Quacksalber weiter, dient erneut als einfacher Musketier, trifft seinen alten Freund Herzbruder wieder, gewinnt ein Vermögen und verliert es ebenso schnell, unternimmt mit Herzbruder eine Pilgerfahrt, kommt nach Wien, wird Hauptmann und läßt sich endlich im Schwarzwald als Bauer nieder. Hier erfährt er schließlich seine adelige Abkunft – er war ein Findelkind – und unternimmt noch einmal eine Reise, die ihn nach Moskau führt. Ungünstige Zufälle jagen ihn durch die ganze Welt. Nach glücklicher Heimkehr endet er sein Leben, wie er es begonnen hatte – als Einsiedler. Diese nur kurz ausgeführte Weltreise des 5. Buches nimmt die Continuatio noch einmal in allen Einzelheiten auf, bevor sie Simplizius, ebenfalls als weltabgekehrten Eremiten, auf einer Insel zur Ruhe kommen läßt.

Die lockere, novellistische Struktur des Buches, die sich durch Aneinanderfügung von literarisch bereits vorgeformten Einzelepisoden ergab (z. B. die »Venusberg«-Erzählung [4, 4–5], die Geschichte vom Speckdiebstahl in Teufelsgestalt [2, 27] u. a., wie der Traum vom Weltenbaum [1, 15–18], der Bericht vom unterirdischen Reich im Mummelsee [5, 12–17], das Märchen von Julus und Avarus [6, 2–8] oder die Schilderung des Hexentanzes [2, 14]), legt es nahe, den *Simplicissimus* weniger als Entwicklungsroman zu lesen – in diesem Fall müßte sich die Kontinuität eines sich entfaltenden Charakters zeigen –, sondern ihn als eine ununterbrochene Kette von beispielhaften Wechselfällen des Schicksals zu sehen, die das Individuum als Versuchsfigur zu bestehen hat. Die Hauptperson wandert durch eine Fülle von Szenarien. Der Wandel ihres Erscheinungsbilds vom reinen Tor und frommen Narren bis zur Jungfrau hat die Funktion, den Gegensatz von sündhafter Welt und lauterem Individuum direkt erkennen zu lassen. Als jedoch Simplizius selbst dem Vagantendasein verfällt, raubt, mordet und stiehlt, wird die moralisierende Ansprache anderen Personen in den Mund gelegt, z. B. dem sich für Jupiter haltenden Narren (vgl. seine Rede über den Krieg, 5, 5), und die zufällige Gunst oder Ungunst der »Fortuna« tritt als Movens in den Vordergrund. Auch die abschließende Weltabkehr des Helden ist weniger individuelle Buße, die ein klares Bewußtsein von Schuld zur Voraussetzung hätte (wenn gelegentlich Rückbesinnungen auftauchen, so haben sie immer nur den schicksalhaften allgemeinen Zusammenhang von Schuld und Sühne zu demonstrieren, dem niemand entkommen kann), eher ein bekenntnishaftes Einverständnis mit der überindividuellen Macht der Vergänglichkeit. Hierin unterscheidet sich der *Simplicissimus* von seinen älteren Artgenossen, die das Abenteuer um seiner selbst willen suchten und bestanden. – Wenn Grimmelshausen sich auch in ganz außergewöhnlichem Maß auf Quellen stützt (außer dem spanischen Schelmenroman auch die Schwankliteratur des 16. und 17. Jh.s – z. B. das *Rollwagenbüchlein* von WICKRAM –, Kalendergeschichten, volkstümliche Satiren, Predigt- und Erbauungsliteratur, die Schriften GUEVARAS usw.), so handelt es sich doch nur in Ausnahmefällen um glatte Kopien, im übrigen aber um schöpferische Um- bzw. Neudichtungen von durchaus selbständiger Prägung. Die Volkstümlichkeit der Quellen brachte einen Hauch von Frische und Ursprünglichkeit mit sich, die sich im Prozeß der Gestaltung mit dem eigenständigen Anteil Grimmelshausens zu einer genial zu nennenden Einheit verbunden hat. H. H. H. – KLL

AUSGABEN: Mömpelgart [Nürnberg] 1669 [1668]. – Bln./Lpzg./Wien 1921 (in *Werke*, Hg. H. H. Borcherdt, 4 Bde., 1 u. 2). – Tübingen ³1954, Hg. J. Scholte (Nachdr. d. Ausg. 1669; Neudr. dt. Lit.-Werke, 302–309). – Ffm./Hbg. 1962, Hg. A. Kelletat (EC, 58).

LITERATUR: L. Norbisrath, *Humor, Satire, Komik in G.s »Simplicissimus«*, Diss. Bonn 1941. – J. H. Scholte, *D. relig. Hintergr. d. »Simpl. Teutsch«* (in ZfdA, 82, 1948–1950, S. 267–290). – G. Rohrbach, *Figur u. Charakter. Strukturunters. des G. »Simplicissimus«*, Bonn 1959 (Bonner Arb. z. dt. Lit., 3). – G. Kühl, *Unters. z. Romankunst G.s im »Simpl.«*, Diss. Ffm. 1960. – E. Dahl, *G.'s »Simpl.«: A Study of a Critical Deformation*, Diss. Los Angeles 1961. – W. Müller-Seidel, *D. Allegorie d. Paradieses in G.s »Simpl.«* (in *Medium aevum vivum*, Fs. f. W. Bulst, 1961, S. 253–278). – W. Welzig, *Beispielhafte Figuren: Tor, Abenteurer, Einsiedler bei G.*, Köln/Graz 1963. – C. Heselhaus (in *Der deutsche Roman*, Hg. B. v. Wiese, Bd. 1, Düsseldorf 1965, S. 15–63).

TRUTZ SIMPLEX: Oder Ausführliche und wunderseltzame Lebensbescheibung Der Ertzbetrügerin und Landstörtzerin Courasche ... Simplicianischer Kleinroman von Hans Jakob Christoffel von GRIMMELSHAUSEN (um 1622–1676), erschienen 1670. – Grimmelhausens *Trutz Simplex*, für den sich der metaphorische, ihr Genital meinende Name der Hauptfigur, Courasche, eingebürgert hat, tritt trotz der indirekten Popularisierung durch BRECHT im Bewußtsein des breiten Lesepublikums hinter dem vorausliegenden *Abentheurlichen Simplicissimus* zurück. Der Autor jedoch stellte die simplicianische »Lebensbeschreibung« wenigstens der intendierten Wirkung nach ausdrücklich auf eine Stufe mit dem großen Roman: Sie sei, heißt es in Anspielung auf das von HORAZ abgeleitete *»delectare et prodesse«* auf dem Titelblatt, *»Eben so lustig / annemlich und nutzlich zu betrachten / als Simplicissimus selbst«*. Die Parallelität besteht bis in den Gesamtplan des Werkes hinein. Auch der *Trutz Simplex* ist eine fiktive Autobiographie satirisch-simplicianischen Charakters, die sich im wesentlichen ebenfalls vor der Kulisse des nach Geschichtsquellen skizzierten Dreißigjährigen Krieges abspielt. Erzählt, beidesmal in Modifikation des pikarischen Grundmodells, dort ein »Vagant« sein Leben, so hier eine Landfahrerin, *»Wie sie anfangs eine Rittmeisterin / hernach eine Hauptmännin / ferner eine Leutenantin / bald eine Marcketenterin / Mußquetirerin / und letztlich eine Ziegeunerin abgegeben«*. Allerdings tritt eben, von sonstigen Unterschieden abgesehen, an die Stelle des herkömmlichen männlichen Helden mit Libuschka-Courasche ein weiblicher, und zwar erstmals in der modernen deutschen Literatur, läßt man die Übersetzung der *Picara Iustina*, einer wahrscheinlichen Quelle Grimmelshausens, außer acht.

Diesen Wechsel bedingt die übergreifende Konzeption des Dichters, deren Verwirklichung wiederum die grundsätzliche strukturelle, qualitative und wirkungsästhetische Gleichrangigkeit beider Simpliciaden voraussetzt. Simplicissimus und Courasche sind als Widersacher aufeinander bezogen, was der prägnante Haupttitel der Schrift, der zugleich ihre Motivation und ihre Zielsetzung andeutet, auszudrücken sucht. Simplex hatte, wie er in seiner Lebensgeschichte (V, 6) berichtet, in einem Kurort die Gunst einer Dame erlangt, die indessen *»mehr mobilis als nobilis war«*. Aus *»Abscheuen ob ihrer Leichtfertigkeit«* trennte er sich von ihr – freilich auf rüde Weise. Aus Rache legte ihm die verschmähte Liebhaberin den Säugling ihrer Magd als angeblich gemeinsam gezeugtes Kind vor die Tür, obwohl sie, was die stark erotisch-sexuell orientierte *Courasche*-Handlung erst ermöglicht und einen fundamentalen Unterschied zu Brechts Drama *Mutter Courage und ihre Kinder* darstellt, unfruchtbar war. Simplex nun revanchierte sich durch die Veröffentlichung dieser amourösen Erlebnisse im *Simplicissimus*, worauf die Kompromittierte ihrerseits *»dem weit und breitbekanten Simplicissimo zum Verdruß und Widerwillen«* ihre pikanten, ihn bloßstellenden Memoiren, den *Trutz Simplex*, diktierte und die von ihm gewahrte Anonymität selbst erst durchbrach. (Im *Springinsfeld* dann übertrumpft Simplex seine frühere Mätresse noch, indem er das untergeschobene Kind als tatsächlich eigenes identifiziert.)

Dieser pragmatische Zusammenhang zwischen den drei Werken, der sich, wenngleich lockerer, auf das zweiteilige *Wunderbarliche Vogel-Nest* ausdehnt, scheint Grimmelshausens bedeutsame poetologische Aussage zu bestätigen, die simplicianischen Bücher bildeten einen Zyklus und seien einzeln nicht ausreichend zu verstehen. Doch ist zum einen beispielsweise gerade die *Courasche* für sich lesbar und rechtfertigen zum anderen die stofflich-motivischen Verzahnungen aller zehn Bücher den Begriff des literarischen Zyklus kaum. Ihn sieht man neuerdings vielmehr durch die *»Variationen des pneumatischen Schriftsinnes«* konstituiert (M. Feldges), der gemäß patristisch-mittelalterlicher Bibelexegese auch in profaner Literatur als zweite und in sich differenzierte Bedeutungsdimension des Textes gleichsam über dem physischen oder Buchstabensinn zu denken ist. Dieser These zufolge ist somit auch der *Trutz Simplex*, der laut Grimmelshausen die siebte Stelle im simplicianischen Zehn-Bücher-Zyklus einnimmt, nach diesem Sinnschichten-Schema aufgebaut: Der *sensus historicus*, der die Courasche als in die Kriegsläufte verwickeltes Erzweib präsentiert, dient dem pneumatischen Sinn als Substrat, der sich entsprechend dem überlieferten scholastischen System in eine allegorische, tropologische, anagogische und, wie FELDGES' Auffassung zu ergänzen ist, in eine, modernere, astrologische Sinnstufe (K. Haberkamm) auffächert. Danach bedeutet die Heldin, in der genannten Reihenfolge, 1) die Frau Welt, 2) die Verkörperung der moralischen Lehre, Weib und Welt zu meiden, und schließlich *»die den ewigen Tod bringende, antichristliche Frau Welt«* (M. Feldges). Die astrologische Signifikanz der epischen Begebenheiten dürfte den *Trutz Simplex* nach der chaldäischen Reihe der sieben klassischen Planeten des geozentrischen Weltbildes strukturieren – doch so, daß die Venus, zu der die Protagonistin bezeichnenderweise mehrmals in Beziehung gesetzt wird, sinnbildlich ins formale Zentrum des Werkes rückt. Damit korrespondiert die Dominanz der Liebesmotivik im *Trutz Simplex*, die in der Schilderung des ehelosen Verhältnisses zwischen Courasche und dem anfangs naiv-unschuldigen Springinsfeld kulminiert.

Für die allgemeine allegorisch-siderische Auslegung des Romans spricht unter anderem die Häufigkeit der besonders astrologisch relevanten Zahl Sieben, die die Anzahl der Ehemänner der Courasche signalisiert, vervierfacht die Kapitelsumme ergibt und in zahlenkompositorischen Erwägungen der Forschung eine Schlüsselrolle spielt (S. Streller). Diese vertikale Tektonik der Simpliciade steht ihrer uneingeschränkten Klassifizierung als Pikaro-Roman im konventionellen Sinne des Begriffs entgegen, ohne daß sie dadurch – schon aufgrund ihrer drastisch-realistischen Sprache – zur trockenen Allegorie degradiert würde. Auch wird man den *Trutz Simplex* nicht mehr als, und sei es negativen, Entwicklungsroman einordnen dürfen, verbietet das doch schon die ihrer Natur nach statische allegorische Bedeutung. Zudem deckt sich der wellenförmig angelegte Handlungsverlauf – die Heldin heiratet dreimal in Abständen einen Hauptmann – nicht mit der zitierten Stilisierung des Titels, die einen linearen Abstieg der Zentralgestalt suggeriert. Am Schluß der Ich-Erzählung ist die Courasche, illegitime Tochter eines Grafen, sogar »Fürstin« der Zigeuner – eine als ironisches Pendant zum Einsiedler Simplicissimus entworfene hohe Position, die das Motiv für das emblemartige, vor allem auf die Dämonie und die Sündhaftigkeit der Heldin verweisende Titelkupfer abgibt. K. Hab.

Ausgaben: Nürnberg 1670. – Nürnberg 1671. – Stg. 1862, Hg. A. v. Keller (BLV, 65). – Bln. 1921 (in *Werke*, Hg. H.H. Borcherdt, 4 Bde., 3). – Halle 1923, Hg. J. H. Scholte (NdL, 246–248). – Mchn. 1958 (in *Simplicianische Schriften*, Hg. u. Nachw. A. Kelletat). – Bln./Weimar 1964 (in *Werke*, Hg. u. Einl. S. Streller, 4 Bde., 3). – Tübingen 1967 (in *GW in Einzelausgaben*, Hg. R. Tarot, W. Bender u. F. G. Sieveke, Bd. 1). – Stg. 1971, Hg. G. Weydt u. K. Haberkamm.

Bearbeitung: B. Brecht, *Mutter Courage und ihre Kinder*, Ffm. 1949.

Literatur: J. H. Scholte, *Einige sprachliche Erscheinungen in verschiedenen Ausgaben von G.s »Simplicissimus« u. »Courasche«* (in PBB, 40, 1915, S. 268–303). – G. Könnecke, *Quellen u. Forschungen zur Lebensgeschichte G.s*, Hg. J. H. Scholte, 2 Bde., Weimar 1926–1928. – M. Koschlig, *G. u. seine Verleger. Untersuchungen über die Chronologie seiner Schriften u. den Echtheitscharakter der frühen Ausgaben*, Lpzg. 1939 (Palaestra, 218). – J. Schrumpf, *Der Erzähler in den »Simplicianischen Schriften«*, Diss. Göttingen 1956. – S. Streller, *G.s Simplicianische Schriften. Allegorie, Zahl u. Wirklichkeitsdarstellung*, Bln. 1957. – W. J. Hachgenei, *Der Zusammenhang der »Simplicianischen Schriften« des H. J. C. v. G. Die Lebensbeschreibungen des Simplicius Simplicissimus, der Courage, des Springinsfeld u. der Geschichten des wunderbarlichen Vogelnests eins und zwei*, Diss. Heidelberg 1959. – J. F. Hyde, jr., *The Religious Thoughts of J. J. C. v. G. As Expressed in the »Simplicianische Schriften«*, Diss. Bloomington 1960. – G. Weydt, *Nachahmung u. Schöpfung im Barock. Studien um G.*, Bern/Mchn. 1968. – M. Feldges, *G.s »Landstörtzerin Courasche«. Eine Interpretation nach der Methode des vierfachen Schriftsinnes*, Bern 1969 [zugl. Diss. Basel]. – K. Haberkamm, *Sensus astrologicus. Studien zu Beziehungen zwischen Literatur u. Astrologie in Renaissance u. Barock unter besonderer Berücksichtigung G.s*, Diss. Münster 1969. – G. Weydt, *Der Simplicissimusdichter u. sein Werk*, Darmstadt 1969.

DAS WUNDERBARLICHE VOGEL-NEST Der Springinsfeldischen Leyrerin, Voller Abentheurlichen, doch Lehrreichen Geschichten, auff Simplicianische Art sehr nutzlich und kurtzweilig zu lesen. — Dess Wunderbarlichen Vogelnessts zweiter Theil. Prosa-Doppelzyklus von Hans Jakob Christoffel von Grimmelshausen (um 1622–1676), erschienen 1672 (I) und 1673 (II). – In der *Vorred* zum *Satyrischen Pilgram* (1666/67), seiner Erstlingsschrift, läßt Grimmelshausen ankündigen, er habe *»ein Werck vor, daß sich ad infinitum hinein erstreckt«*. Mit dem Abschluß seines Schaffens durch den zweiten Teil des *Wunderbarlichen Vogel-Nests* hat dieses Programm zwar naturgemäß unerfüllt bleiben müssen, doch öffnet gerade das letzte Werk das Gesamtœuvre ins Unendliche: Wie bereits der erste Teil verlagert es innerhalb des immensen Simplicianischen Großzyklus den erzählerischen Akzent von der Thematik des Personal-Ephemeren, also von den Titelhelden Simplicissimus, Courasche, Springinsfeld, zu der des Dinglich-Permanenten, nämlich zum Zaubermittel des unsichtbar machenden Vogelnests (W. J. Hachgenei). Es dürfte lediglich in der Biographie des Autors bedingt sein, daß das Nest schließlich vernichtet wird – bezeichnenderweise das zweite Mal – und die *»an den geneigten Leser«* gerichtete *Vorrede* des zweiten Teils das Fazit ziehen kann: *»Sonsten wäre dieses [Teil II] billich das zehende Theil oder Buch deß Abentheuerlichen Simplicissimi Lebens-Beschreibung, wann nemlich die Courage vor das siebende, der Spring ins Feld vor das achte und das erste part deß wunderbarlichen Vogel-Nests vor das neundte Buch genommen würde.«*

An das achte Buch des Großzyklus schließt das *Vogel-Nest* (I) dadurch an, daß der magische Gegenstand – als Variante des archetypischen Mediums wohl eine Erfindung Grimmelshausens – beim gewaltsamen Tod der »Leyrerin«, der Ehefrau Springinsfelds, zufällig an den neuen Ich-Erzähler übergeht. Dessen Name, Michael Rechulin von Sehmsdorff, ist eines der Anagramme für den Namen des Dichters, der hinter dieser Maske *»nichts anderst gesucht, als die Menschen zu erinnern, daß sie jederzeit in allem ihrem Thun und Lassen, Handel und Wandel die Göttliche Gegenwart vor Augen haben und solche kein Augenblick ohnbetrachtet oder ausser Acht lassen sollen«*. Zu diesem moralisch-religiösen Zweck durchläuft Sehmsdorff im Schutze der Unsichtbarkeit eine Reihe von Episoden, die Grimmelshausens Grunderkenntnis, *»wie grob der unwissenden wahn betrüge«*, exemplifizieren. Der Vagant durchschaut die Befangenheit der Welt im Schein. Über Anschauung und Kontemplation hinaus greift er indes auch aktiv ein, hintertreibt betrügerische Machenschaften und Blasphemien, verhindert Verbrechen und hilft den sozial Schwachen, die – Ansatz zur Allegorisierung – seine Geschenke als eine *»Wunderbarlich bescherte Gabe Gottes«* deuten. Aber der Vogelnestträger erliegt auch der Versuchung der Unsichtbarkeit, wird schuldig und *»für einen bösen Geist«* gehalten, so daß das Nest die Ambivalenz alles Seienden repräsentiert. Die Umkehr ermöglicht Sehmsdorff vor allem die Betrachtung der Natur vom Standpunkt mittelalterlich-barocker Welt-Exegese. So wird dem Erzähler etwa eine Kröte zum Sinnbild der sieben Todsünden, die – theologischer Sinn als ästhetisches Prinzip – eines der Schemata der Szenengruppierung bilden mögen (S. Streller). Wenn sich Sehmsdorff schließlich, von Bienenstacheln geradezu bespickt, in fließendem Wasser nackt vom Kot einer Kloake reinigt, dominiert die allegorische Tendenz der Schrift vollends über ihre nur satirische Weltsicht. – En passant benutzt Grimmelshausen die lockere Tektonik für die Wahrung privater Interessen: Er sucht einmal unter geschickter Verwendung des Unsichtbarkeitsmotivs einen seiner schuldlos angeklagten Söhne zu rehabilitieren, wobei für die Interpretation des Simplicianischen Gesamtwerks relevante astrologische Vorstellungen einfließen; zum anderen nimmt er den Fehdehandschuh auf, den ihm ZESEN mit der Kritik am *Josephs*-Roman in der *Assenat* hingeworfen hat. Grimmelshausen verteidigt sich in der Rolle des Simplicissimus entschieden, wenn auch nicht ohne humorige Einkleidung, und beschuldigt seinerseits den Rivalen des Plagiats an seinem Werk.

Der alte Besitzer des Vogelnestes muß erleben, daß es trotz allem mit Hilfe eines Zauberers weitergereicht wird. Bei dem Nachfolger, dem Erzähler des zweiten Teils, handelt es sich um den von der »Springinsfeldischen Leyrerin« bestohlenen Kaufmann – eine weitere personale Verknüpfung der Doppelschrift mit den übrigen acht Büchern –, der den Verlust seines Vermögens mit allen Mitteln zu ersetzen sucht. Bereits seine Motivation läßt ihn zum Gegenbild Sehmsdorffs werden, wie auch der Zaubergegenstand selbst jetzt seine allegorische Funktion zugunsten einer rein technisch-magischen einbüßt. Demgemäß warnt die Vorrede *»vor der Kund- und Gemeinschafft mit dem bösen Geist«*. – Die stärker romanhafte epische Handlung, wie ihr Pendant lose, wenngleich in größeren Erzählkomplexen gefügt und eine ungefähr gleich kurze Zeitspanne umfassend, ist – gemessen am ersten Teil – weniger in der Totalität der Welt als in ihrem sexuellen Bereich angesiedelt: Von seiner Frau betrogen, erschleicht sich der Held unter Ausnutzung von Zauberkraft und Messiasglauben als angeblicher Elias die Gunst einer reichen Amsterdamer Jüdin und schwängert sie. Die Strafe für seine Freveltat ereilt ihn im folgenden niederländisch-französischen Krieg, in dem er trotz vermeintlicher *»Festigkeit«* und seiner Unsichtbarkeit schwer verwundet wird. Einsichtig schwört er daraufhin den teuflischen Künsten ab und wirft das Nest auf dem Rückweg in die Heimat in den Rhein.

Die zuallerletzt entstandene *Vorrede* zum zweiten Teil des *Wunderbarlichen Vogel-Nests*, die unter Bemühung des Pillen-Topos den *»gewöhnlichen lustigen Stylum«* der *»straffenden Schrifften«* von Grimmelshausen besonders gegenüber WEISES Angriff rechtfertigt, hat man zutreffend als das literarische Testament des Dichters bezeichnet. Eine ihrer poetologischen Aussagen behauptet, daß *»alles von diesen Simplicianischen Schrifften aneinander hängt und weder der gantze Simplicissimus noch eines auß den obengemeldten letzten Tractätlein allein ohne solche Zusammenfügung genugsam verstanden werden mag«*. Ist auch ein Konnex des Simplicianischen Großzyklus durch den einheitlichen Stilwillen des Autors gewährleistet, der seine teilweise von HARSDÖRFFER übernommenen Vorlagen aus der deutschsprachigen und romanischen Literatur des 16. Jh.s (ALBERTINUS, GARZONI, PAULI, PRAETORIUS, SANDRUB, SCHUPP u. a.) barockisiert, so gilt jenes Postulat kaum für den pragmatischen Nexus vor allem der beiden *Vogel-Nester*. Demnach wird man – worauf eben besonders Buch 9 und 10, aber auch schon der *Simplicissimus* schließen lassen (C. Heselhaus) – den eigentlichen Zusammenhang auf allegorisch-spiritueller Ebene zu suchen haben; zumal zahlenkompositorisch orientierte Überlegungen (Streller) hinfällig sind, weil der erste Teil des *Wunderbarlichen Vogel-Nests* im Unterschied zum Rest des Zyklus keine Kapitelgliederung besitzt. Die einheitstiftende Verbindung der zehn Teile dürfte *»in den Variationen des pneumatischen Schriftsinnes«* der mittelalterlichen Hermeneutik bestehen (M. Feldges), in den die modernere Dimension des *sensus astrologicus* einzubeziehen ist. K. Hab.

AUSGABEN: o. O. 1672 (Tl. I; unrechtmäßig). – Straßburg oder Nürnberg 1673 [?] (Tl. II; rechtmäßig). – Nürnberg 1683 (Tl. I. u. II). – Stg. 1862 (Bibl. des Stuttgarter Litterarischen Vereins, Bde. 65–66, Hg. A. v. Keller). – Lpzg. 1863/64 (Tl. I u. II, Deutsche Bibl., Bde. 3–6, Hg. H. Kurz). – Bln./Stg. 1882ff. (Tl. I u. II; NDL, Bde. 33–35, Hg. F. Bobertag). – Halle 1931 (Tl. I; NDL, Bde. 288–291, Hg. J. H. Scholte). – Mchn. 1958 (in *Simplicianische Schriften*, Hg. A. Kelletat). – Bln./Weimar 1960 (in *Werke*, Ausw. u. Einl. S. Streller, 4 Bde., 3–4). – Tübingen 1970 (*GW in Einzelausgaben*, Hg. R. Tarot).

LITERATUR: E. Ermatinger, *Der Weg der menschlichen Erlösung in G.s »Simplicissimus«, »Courasche« u. »Vogelnest«* (in *Krisen u. Probleme der neueren deutschen Dichtung. Aufsätze u. Reden*, Zürich u. a. 1928, S. 105–123). – J. Kienast, *J. J. Ch. v. G. »Das Vogelnest«*, Diss. Wien 1937. – J. H. Scholte, *Der »Simplicissimus« u. sein Dichter. Gesammelte Aufsätze*, Tübingen 1950. – E. Kappes, *Novellistische Struktur bei Harsdörffer u. G. unter besonderer Berücksichtigung des »Großen Schauplatzes Lust- u. Lehrreicher Geschichte« u. des »Wunderbarlichen Vogelnestes« I u. II*, Diss. Bonn 1954. – H. Ehrenzeller, *Studien zur Romanvorrede von G. bis Jean Paul*, Bern 1955 (Basler Studien zur deutschen Sprache u. Literatur, H. 16). – S. Streller, *G.s »Simplicianische Schriften«. Allegorie, Zahl u. Wirklichkeitsdarstellung*, Bln. 1957 (Neue Beitr. zur Literaturwissenschaft, Bd. 7). – W. J. Hachgenei, *Der Zusammenhang der »Simplicianischen Schriften« des H. J. Ch. v. G.*, Diss. Heidelberg 1959. – C. Heselhaus, *G. Der abenteuerliche »Simplicissimus«* (in *Der deutsche Roman. Vom Barock bis zur Gegenwart. Struktur u. Geschichte*, Bd. 1, Hg. B. v. Wiese, Düsseldorf 1963, S. 15–63). – G. Weydt, *Nachahmung u. Schöpfung im Barock, Studien um G.*, Bern/Mchn. 1968. – K. Haberkamm, *›Sensus astrologicus‹. Studien zu Beziehungen zwischen Literatur u. Astrologie in Renaissance u. Barock unter besonderer Berücksichtigung G.s*, Diss. Münster 1969.

ANDREAS GRYPHIUS
(d. i. A. Greif, 1616–1664)

CATHARINA VON GEORGIEN. ODER BEWEHRETE BESTÄNDIKEIT. Trauerspiel von Andreas GRYPHIUS (d. i. A. Greif, 1616–1664), entstanden 1646/47, erschienen 1657, zuerst aufgeführt 1651 in Köln. – Im Jahre 1624 starb Catharina, Königin von Georgien, als Gefangene des persischen Schahs Abas den Martertod. Dieses Ereignis aus der zeitgenössischen Geschichte liegt dem Stück zugrunde, doch will Gryphius nicht die historische Begebenheit als solche darstellen. In einer Vorrede an den Leser spricht er unmißverständlich aus, was das Trauerspiel zeigt und wie er Leiden und Sterben Catharinas gestaltet hat: als ein *»Beyspill unaussprechlicher Beständigkeit«*. Das Werk ist kein Geschichtsdrama, eher fast ein »Lehrstück«, und in dem einleitenden Prolog der Ewigkeit wendet sich der Dichter denn auch direkt an den Zuschauer mit der Aufforderung, dem Vorbild der georgischen Königin nachzuleben:

»*Verlacht mit ihr / was hir vergeht.*
Last so wie Sie das wehrte Blutt zu Pfand:
Und lebt und sterbt getrost für Gott und Ehr und Land.«

Die eigentliche Handlung des Dramas beschränkt sich auf Catharinas letzten Lebenstag. Die politische, an Mord und Grausamkeiten überreiche Vorgeschichte wird nur erzählt, am ausführlichsten in einem rhetorisch glänzenden Bericht Catharinas im dritten Akt. Seit Jahren wird sie von dem mohammedanischen Schah Abas gefangengehalten. Er liebt sie – die christliche Königin eines unterworfenen Landes – leidenschaftlich, wird aber von ihr zurückgewiesen. Als ein Gesandter des Zaren, der soeben einen Friedensvertrag zwischen Persien und Rußland ausgehandelt hat, Abas um ihre Freilassung bittet, sagt dieser zu, daß sie »*vor Abends noch sich möge freye sehn*«. Er bereut dieses Versprechen jedoch sofort und bricht es schließlich – die Aussicht, Catharina endgültig zu verlieren, ist ihm unerträglich. Er bietet ihr die Ehe und Persiens Krone an. Sie aber bleibt standhaft und wählt lieber den Märtyrertod, als ihrem ermordeten Mann untreu zu werden, ihr Volk und vor allem ihren christlichen Glauben zu verraten: »*Wir ehren Persens Haupt, doch höher unsern Gott.*« Sie wird daraufhin grausam gefoltert, schließlich bei lebendigem Leib verbrannt. Als Abas wiederum bereut und seinen Befehl widerruft, ist es zu spät; Catharina ist tot, er versinkt in Verzweiflung. Das Trauerspiel endet mit einer Erscheinung der verklärten Catharina, die Abas die Strafe Gottes prophezeit.

Eine innere, seelische Entwicklung gibt es in dem Stück kaum. Die Leidenschaft und Unbeherrschtheit des schwankenden und seinen Affekten ausgelieferten Abas sind ebenso von Anfang an vorgegeben wie Catharinas »*hohe Geduld*« und »*hertzhafte Beständikeit*«. Die dramatische Spannung erwächst aus der Steigerung des Gegensatzes zwischen ihr und dem Tyrannen, aus jähen Umschwüngen und plötzlichem Wechsel der Situationen. Einer dieser Höhepunkte ist die Szene, in der Catharina im Unterschied zum Zuschauer noch nicht weiß, daß Abas sie gar nicht freigeben wird, sie sich auf die Heimkehr nach Georgien vorbereitet und dann unvermittelt vor die Wahl gestellt wird, entweder Abas doch zu heiraten und ihren Glauben aufzugeben oder am selben Tag zu sterben. Sie zögert nicht einen Augenblick und wirkt durch diese unbeirrte Festigkeit ohne Zweifel starrer als der zwiespältige und eben deshalb interessantere Abas.

Ihre Beständigkeit, die sich in der Bereitschaft zum Martyrium aufs äußerste bewährt, ist indessen nicht eine Frage des Charakters. Sie wurzelt in einer recht radikalen christlichen Freiheit gegenüber einer Welt, die für Catharina – und ebenso für Gryphius selbst – von vornherein nicht nur ein »*Thränenthal*« und »*Folter-Hauß*« ist, sondern überdies die Stätte der Vergänglichkeit und Hinfälligkeit:

»*Was diser baut: bricht jener Morgen ein!*
Wo itzt Paläste stehn
Wird künfftig nichts als Graß und Wiese seyn
Auff der ein Schäfers Kind wird nach der Herde gehn.«

Catharinas Beständigkeit ist Standhaftigkeit inmitten der »Eitelkeit« der Welt, ist Treue zu Volk und Religion, vor allem aber Entschlossenheit, »*das Ewige dem Vergänglichen vorzuzihen*«. Das Martyrium nimmt sie darum mit einer freudigen, fast ekstatischen Bereitwilligkeit auf sich, es ist Befreiung aus der Vergänglichkeit, und als der Blutrichter auftritt, verabschiedet sie sich mit den Worten:

»*Wir / Salome / sind frey! der Höchste reist die Bande*
des langen Kerckers auff! und führt uns aus dem Lande
Da Tod und Marter herscht / in das gewündschte
Der ewig steten Lust.« [*Reich*

Bis zum Schluß ist sie keine nur passive, stille und leidergebene Dulderin, sondern entschieden, überlegen und unerschrocken: eine Königin, während Abas stets ein Gefangener seiner Leidenschaft bleibt, der nur die Wahl hat, »*Knecht oder Hencker*« zu sein. Catharinas Tod ist in Wahrheit ein »*Sig der heiligen Libe über den Tod*«, die irdische Liebe des Abas dagegen treibt ihn zuletzt in eine Raserei der Verzweiflung.

Die Form des Werkes ist von klassizistischer Strenge. Die Schauplätze der Handlung wechseln verhältnismäßig oft; trotzdem bleibt die Einheit des Ortes (»*die Königliche Hoffhaltung zu Schiras in Persen*«) ebenso gewahrt wie die der Zeit und der Handlung. Die Akte 1–4 werden jeweils von einem Chor abgeschlossen, der die Handlung auf verschiedene Weise kommentiert. Die Sprache ist bilderreich, aber kaum einmal überladen; ihre rhythmische Vielfalt ist groß. Der Alexandriner wird nicht selten aufgegeben. Stilistisch vorherrschend ist feierliches oder erregtes Pathos, doch finden sich auch Stellen von fast lyrischer Zartheit. Neben dem dramatischen Dialog steht der epische Bericht, neben dem reflektierenden Monolog die knappe Wechselrede. W. Hn.

AUSGABEN: Breslau 1657 (in *Deutscher Gedichte erster Teil*). – Tübingen ³1955, Hg. W. Flemming (NdL, 261/262).

LITERATUR: W. Flemming, *A. G. und die Bühne*, Halle 1921 [zugl. Diss. Marburg 1914]. – W. T. Runzler, *Die ersten Dramen des A. G. nach ihrem Gedankengehalt untersucht*, Diss. Erlangen 1929. – Z. Żygulski, *A. G.' »Catharina von Georgien« nach ihrer frz. Quelle untersucht*, Lemberg 1932. – C. Heselhaus, *G.' »Catharina von Georgien«* (in *Das dt. Drama*, Hg. B. u. Wiese, Bd. 1, Düsseldorf, 1958, S. 35–60). – D. Wintterlin, *Pathetisch-monologischer Stil im barocken Trauerspiel des A. G.*, Diss. Tübingen 1958. – P. B. Wessels, *Das Geschichtsbild im Trauerspiel »Catharina von Georgien« des A. G.*, Herzogenbusch 1960. – M. Szyrocki, *A. G Sein Leben und Werk*, Tübingen 1964.

GROSSMÜTTIGER RECHTS-GELEHRTER, ODER STERBENDER AEMILIUS PAULUS PAPINIANUS. Trauer-Spil in fünf »*Abhandelungen*« von Andreas GRYPHIUS (d. i. A. Greif, 1616 bis 1664), erschienen 1659; uraufgeführt 1660 in Breslau.

Gryphius' Hauptquelle war HERODIANS Geschichte des Kaisertums nach Marcus Aurelius (entstanden um 240); für die Gestalt des Papinian sind die *Rhōmaikē historia (Römische Geschichte)* des CASSIUS DIO (um 155–235) und ein in der *Historia Augusta (Kaisergeschichte)* überliefertes Werk des AELIUS SPARTIANUS wichtig. Historischer Hintergrund des Trauerspiels ist der kaiserliche Hof des Brüderpaars Caracalla Bassianus und Geta in Rom, deren Schwager und »*Oberster Reichs-Hofemeister oder Praetorii Praefectus*« Papinian war. Im Alter von sechsunddreißig Jahren wurde er am 25. 2. 212 auf Befehl Caracallas hingerichtet.

Um Papinians Ansehen bei den Kaisern zu mindern, greift man bei Hofe zu Verleumdungen und Intrigen und bezichtigt ihn schließlich der Parteinahme für einen der beiden gleichberechtigten Kaiser. Bassianus und Geta, die nach dem letzten Willen ihres Vaters Antoninus Severus gemeinsam regieren, streiten offen und geheim um die Alleinherrschaft. Der Vorschlag Papinians, das Reich unter beide zu teilen, findet bei keinem der Brüder Zustimmung. Von seinem »geheimen Rat« Laetus gegen Geta aufgehetzt, ersticht Bassianus schließlich nach einem heftigen Streitgespräch seinen Bruder vor den Augen ihrer Mutter Julia und gibt Papinian den Befehl, vor Volk und Heer den Brudermord zu rechtfertigen. Diesem Ansinnen, demzufolge der für seine Rechtlichkeit berühmte Jurist Kaiser Geta als blutdürstigen Tyrannen und Bassians Tat als gerecht, also Unrecht als Recht darzustellen hätte, widersetzt sich Papinian jedoch. Bassianus versucht, sich ihn willfährig zu machen, nimmt ihm Amt und Besitz und bezichtigt ihn des Hochverrats. Doch Papinian begegnet Drohungen ebenso standhaft wie dem Angebot des ihm ergebenen Heeres, Bassianus abzusetzen und ihn, Papinian, an dessen Stelle zum Kaiser zu krönen, oder dem lockenden Versprechen der Kaiserinmutter, ihm durch die Vermählung mit ihr die Krone zu übertragen. Da es Papinian weder um persönliche Macht noch um Rache, sondern allein um die Wiederherstellung des durch den Mord verletzten Rechts zu tun ist, kann er auch den Rat seines Vaters, zunächst zum Schein nachzugeben und das Unrecht später aufzudecken, nicht befolgen. – Bassianus läßt im äußersten Zorn den Sohn Papinians ermorden, doch vermag er auch mit diesem Mittel nicht, die Unbeugsamkeit des Rechtsgelehrten zu brechen. Aus Angst, diesem Anlaß zu Haß und Rache gegeben zu haben, läßt der Kaiser ihn hinrichten. Er selbst aber wird das Opfer seines Gewissens und verfällt dem Wahnsinn. So hat der Tod Papinians, der sich selbst als ein »*rein Sün-opffer*« empfindet, das Recht wieder in seiner Unverletzlichkeit hergestellt.

Wie *Catharina von Georgien* (1646/47) und *Carolus Stuardus* (1649/50) ist auch der *Papinian* ein Märtyrerdrama, dessen Titelgestalt allerdings nicht, wie es die der beiden anderen Trauerspiele vornehmlich sind, Märtyrer im christlich-religiösen Sinne ist: die höhere Idee, der der Heide Papinian sein Leben opfert, ist die des »ewigen Rechts«. Einen weiteren wichtigen Unterschied sieht Hugh Powell in der Tatsache, daß Papinian »*zunächst als freie, hochangesehene Persönlichkeit*« auftritt und aus freiem Willen Entscheidungen trifft, die ihn in den Tod führen, während z. B. Carolus Stuardus »*von vornherein ein Gefangener*« ist, »*der mit keinem Problem ringen will*«. Erhält so Papinians unwandelbar integre Haltung vordergründig auch einen noch stärkeren Akzent, so berührt der Zustand des physischen Gefangen- oder Freiseins doch nicht den Kern der Entscheidung, vor die er sich – letzten Endes nicht anders als Catharina und Carolus – gestellt sieht, nämlich entweder um einer höheren Ordnung willen äußere und innere Qualen und schließlich den Tod auf sich zu nehmen oder diese höhere Ordnung zu verraten. Auch für Papinian gelten nur diese beiden Alternativen, seine Freiheit bietet ihm lediglich theoretisch mehrere Möglichkeiten des Verrats am ewigen Recht, aber keine, dies und zugleich sich selbst zu retten: »*Ists tödlich / daß Ich nichts thu wider mein Gewissen // Daß der von Jugend auff der Rechte sich beflissen // Auff den die grosse Welt mit vollen Augen siht // Der für deß Fürsten Ehr unendlich sich bemüht // Ein Stück das Antonin in heissem Zorn begangen // Nicht außzustreichen weiß: so wüntsch Ich mit verlangen // den höchst-gelibten Tod. Ich bin deß Lebens satt! Das so vil krummer Gäng und wenig rechter hat.*«

Das in Alexandrinern geschriebene Trauerspiel hält sich streng an die drei Einheiten: es beginnt »*mit dem Anbruch deß Tages*« und »*endet sich mit Anfang der Nacht*«, die Schauplätze der fünf »*Abhandelungen*« wechseln zwischen der kaiserlichen Burg und Papinians Wohnung und werden jeweils von chorischen »*Reyen*« abgeschlossen, die die innere Handlung noch einmal zusammenfassen und so das äußere Geschehen moralisieren und lehrhaft kommentieren, zugleich aber durch wechselndes Metrum die vom schwerfälligen Gleichmaß der Alexandriner bestimmte Form lebendig auflockern. U. A.

Ausgaben: Breslau 1659. – Wolfenbüttel 1679. – Breslau/Lpzg. 1698 (in *Andreae Gryphii um ein merckliches vermehrte Teutsche Gedichte*). – Tübingen 1882 (in *Trauerspiele*, Hg. H. Palm; BLV, 162; Nachdr. Darmstadt 1961). – Lpzg. 1930, Hg. W. Flemming (DL, R. Barockdrama, 1). – Tübingen 1964 (in *GA der deutschsprachigen Werke*, 5 Bde., 1963–1965, 4: *Trauerspiele I*, Hg. H. Powell).

Literatur: W. Flemming, *A. G. u. die Bühne*, Halle 1921, S. 195–213. – D. Schulz, *Das Bild des Herrschers in der deutschen Tragödie*, Diss. Mchn. 1931. – H. Kappler, *Der barocke Geschichtsbegriff bei A. G.*, Ffm. 1936 (Frankfurter Quellen u. Forschungen, 13). – E. Feise, »*Cardenio und Celinde*« *u.* »*Papinianus*« (in JEGPh, 44, 1945, S. 181–193). – H. Heckmann, *Elemente des barocken Trauerspiels. Am Beispiel des* »*Papinian*« *von A. G.*, Mchn. 1959. – F. G. Ryder, *Individualization in Baroque Dramatic Verse. A Suggestion Based on G.'* »*Papinianus*« (in JEGPh, 61, 1962, S. 604–615). – M. Szyrocki, *A. G. Sein Leben u. Werk*, Tübingen 1964, S. 92–95. – W. Flemming, *A. G. Eine Monographie*, Stg. 1965 (Sprache u. Literatur, 26).

HORRIBILICRIBRIFAX. TEUTSCH. Wehlende Liebhaber. »Schertz-Spiel« von Andreas Gryphius (d. i. A. Greif, 1616–1664), entstanden um 1650, erschienen 1663; Uraufführung: Altenburg, 8. 10. 1674. – Dieses erste Lustspiel des Autors gehört in die Gattung der Bramarbasspiele, deren Hauptheld, ein aufschneiderischer Soldat, in den Komödien des Plautus vorgebildet ist. Ihnen, wie auch der Figur des Capitano Spavento aus der *commedia dell'arte*, verdankt das Scherzspiel des Gryphius seine bedeutendsten Anregungen. Der Typ des *miles gloriosus* der Plautinischen Komödie erscheint allerdings bei Gryphius verdoppelt in den Figuren der »*weiland reformirten hauptleute*« Don Daradiridatumtarides Windbrecher von Tausend Mord und Don Horribilicribrifax von Donnerkeil auf Wüsthausen, die aber – im Gegensatz zu den naiven Großsprechern bei Plautus und in der *commedia* – als betrügerische Aufschneider und Feiglinge dargestellt werden und bei deren Begegnung, dem »*Zusammenprall zweier Vacua*«, die »*absolute Leere ihrer selbst ansichtig wird*« (W. Hinck). Die beiden, insbesondere Don Daradiridatumtarides, sind die

Hauptakteure unter den vielen »*wehlenden Liebhabern*«, von denen der Untertitel des Stücks spricht und die in einer äußerst verwickelten Handlung schließlich zum rechten Mann bzw. zur rechten Jungfrau finden. Dabei nimmt Horribilicribrifax an den Liebeshändeln und -verwechslungen nicht direkt teil, sondern taucht nur dort auf, wo Großsprecherei und Feigheit entlarvt werden sollen.

Selenissa, eine verarmte, aber hochmütige junge Adlige, weist die Anträge des Palladius ab, weil er zu arm ist; lieber will sie sich dem Don Daradiridatumtarides ergeben, den sie für einen reichen Junker hält. Coelestina wiederum liebt den Palladius leidenschaftlich, der sie jedoch Selenissas wegen verschmäht. Don Diego, der Diener des Daradiridatumtarides, stellt Sophia nach, einer ebenfalls verarmten jungen Adligen mit Stolz und Bescheidenheit. Sempronius, ein »*alter verdorbener Dorff-Schulmeister von großer Einbildung*«, wirbt durch die Kupplerin Cyrilla bei Coelestina, die aber seine Briefe ins Feuer werfen läßt. Die betrügerische Cyrilla spielt ihre »Kunden« gegeneinander aus. Schließlich spiegelt sie dem Sempronius ein Stelldichein mit Coelestina vor und schiebt sich ihm in der Dunkelheit bei dieser Gelegenheit selbst unter; sie bringt dadurch den Schulmeister wirklich dazu, sie zu heiraten. Selenissa verlobt sich mit Daradiridatumtarides, aber als sie von seinen Schulden erfährt und eine ihr von ihm geschenkte Kette nicht aus Gold, sondern aus Messing ist, will sie sich Palladius zuwenden, der jedoch inzwischen die treu liebende Coelestina erhört hat. Der ebenso wie Palladius in den Hofdienst aufgestiegene Cleander stellt Sophia auf eine scharfe Tugendprobe, die sie aber besteht und für die sie durch seine Liebe belohnt wird. Damit überdies die beiden Bramarbasse nicht leer ausgehen, bekommen sowohl Don Daradiridatumtarides – der auch seine Selenissa zu halten versteht – als auch Don Horribilicribrifax kleine Militärkommandos. Am Ende, als Coda des Stücks, wird noch der schnurrige »*Heyraths-Contract*« wiedergegeben, den Sempronius und Cyrilla schließen und in dem Cyrilla praktisch als Dienstmagd des Gelehrten verpflichtet wird. So sind nun die Tugendhaften, Sophia und Coelestina, belohnt, die Hochfahrenden und Leichtsinnigen, Selenissa und Cyrilla, bestraft; das Resultat der Verwicklungen sind insgesamt sieben Paare, was der kleine Diener Florian mit den Worten kommentiert: »*Hochzeiten über Hochzeiten! was werde ich Marcepan bekommen!*«

Das am Ende des Dreißigjährigen Kriegs entstandene und spielende Stück bezieht seine komische Wirkung weniger aus den Situationen als aus der Sprache. Das schlesisch gefärbte, oft grobe und unflätige Deutsch der Figuren ist untermischt mit fremdsprachigen Brocken, deren Gebrauch bzw. deren Nichtverstehen in fast naturalistischer, allerdings zu Komödienzwecken übersteigerter und spielerischer Art den Stand, den Beruf oder die Herkunft der Figuren bezeichnet: Die beiden aufschneiderischen Soldaten geben mit italienischen oder französischen Flüchen und bombastischen Beteuerungen an, der Jude Isaschar mengt hebräische Ausdrücke in seine Sätze, der Schulmeister zitiert fortwährend klassische Autoren, und die primitive Cyrilla versteht nichts bzw. deutet seine Reden nach ihrer Assonanz an deutsche Wörter. Der Hauptreiz des *Horribilicribrifax* liegt in dieser Satire auf die nach dem Krieg fortwirkende Sprachmengerei der Soldaten und – unabhängig vom Krieg – die hochmütigen und weltfremden Gelehrten. Für den Zuschauer wird die Komödie durch den schnellen Wechsel der Sprachen zu einem Brillantfeuerwerk, das zu rascher Umstellung von einer Sprache auf die andere zwingt. Das Stück, von R. Newald hauptsächlich als eine in volkstümlichen und humanistischen Traditionen des 16. Jh.s stehende Satire auf die Roheit des Volks zur Belustigung der gebildeten, höheren Stände gedeutet, wird von W. Hinck enger an die Tradition der italienischen Stegreif- und Gelehrtenkomödie gerückt, die Gryphius 1645 auf seiner Reise in Italien kennengelernt hat. U. A. – KLL

Ausgaben: Breslau 1663. – Breslau/Lpzg. 1698 (in *Andreae Gryphii um ein merckliches vermehrte Teutsche Gedichte*, Hg. Ch. Gryphius). – Stg. 1878 (in *Lustspiele*, Hg. H. Palm; BLV, 138; Nachdr. Hildesheim 1961). – Lpzg. o. J. [1920] (*Horribilicribrifax oder Wählende Liebhaber*; Einl. K. Pannier: RUB, 688).

Literatur: W. Flemming, *A. G. u. die Bühne*, Halle 1921. – R. Alewyn, *Schauspieler u. Stegreifbühne des Barock* (in *Mimus u. Logos. Festgabe f. C. Niessen*, Hg. R. Malms, Emsdetten 1952, S. 1–18). E. Kryspin, *Vondel's »Leeuwendalers« as a Source of G.' »Horribilicribrifax« and »Gelibte Dornrose«* (in Neoph, 46, 1962, S. 133–144). – E. Mannack, *A. G.' Lustspiele – ihre Herkunft, ihre Motive u. ihre Entwicklung* (in Euph, 58, 1964, S. 1–48). – M. Szyrocki, *A. G. Sein Leben u. Werk*, Tübingen 1964. – J. H. Tisch-Wackernagel, *Braggarts, Wooers, Foreign Tongues, and Vanitas: Theme and Structure of A. G.' »Horribilicribrifax«* (in Journal of the Australasian Universities Language and Literature Association, 21, 1964, S. 65–78). – W. Flemming, *A. G. Eine Monographie*, Stg. 1965. – W. Hinck, *Das deutsche Lustspiel des 17. u. 18. Jh.s u. die italienische Komödie*, Stg. 1965.

GEORG PHILIPP HARSDÖRFFER
(1607-1658)

FRAWEN-ZIMMER GESPRÄCH-SPIEL. So bey Ehrliebenden Gesellschaften zu nützlicher Ergetzlichkeit beliebet werden mögen. Sammlung von Dichtungen und Unterhaltungsspielen von Georg Philipp Harsdörffer (1607–1658), acht Teile, erschienen 1641–1649, vom dritten Teil an unter dem verkürzten Titel *Gesprechspiele*. – Das umfangreiche, mit prächtigen Kupferstichen illustrierte Werk soll in gefälliger Form belehren und unterhalten. Im *Vorbericht an den Lesenden* betont der »*Spielende*« (d. i. Harsdörffer), er habe »*allein Anleitung geben wollen / und den Weg weisen / wie bey Ehr- und Tugendliebenden Gesellschaften freund- und fruchtbarliche Gespreche aufzubringen und nach Beschaffenheit aus eines jeden Sinnreichen Vermögen fortzusetzen. Eingedenk / daß gute Gesprech gute Sitten erhalten und handhaben / gleichwie böse selbe verderben.*« Unter »Gesprechspielen« versteht Harsdörffer die gesellige Unterhaltung, »*alles Gespräch / das einen ergetzlichen Inhalt hat / und vielmehr einem Schertzspiel / als wichtiger Behandlung gleicht*«, aber auch die Spiele, »*welche in Gesellschaften des Frauenzimmers mit Pfandgeben und wieder an sich lösen geübet werden*«.

Gesprächspartner sind sechs Personen: Angelica von Keuschewitz, »*eine Adliche Jungfrau*«, Reymund Discretin, »*ein gereist- und belesener Student*«, Vespasian von Lustgau, »*ein alter Hofmann*«, Julia von Freudenstein, »*eine kluge Matron*«, Cassandra Schönlebin, »*eine Adliche Jungfrau*«, und Degenwert von Ruhmeck, »*ein verständiger und gelehrter Soldat*«. In den Gesprächen, die formal den italienischen Renaissance-Dialogen der Sperone SPERONI, Ludovico DOLCE, Francesco GUICCIARDINI und Pietro ARETINO nachgebildet sind, werden die verschiedensten Themen erörtert, die eine humanistisch gebildete Gesellschaft wie das Nürnberger Patriziat interessierten, an das Harsdörffer sich mit diesem Werk wandte. Man unterhält sich u. a. über »*Sinnbildkunst*«, Turniere, »*Müntzpregen*«, Kräuter, Träume, die Sterbestunde, Sprichwörter, Rätsel, Höflichkeit, das Schachspiel, Fremdwörter, »*Poeterey*«, Malerei, Musik usw. Im Anhang zu den einzelnen Bänden werden Gedichte, Dramen und Schäferspiele gedruckt, zum Beispiel die Übersetzung einer französischen *Comédie des proverbes* von Adrien de MONTLUC (1568–1646) mit dem Titel *Das Schauspiel Teutscher Sprichwörter* oder das Hirtenspiel *Melisa*, eine Bearbeitung von Lope de VEGAS *La escolastica velosa*. Die ausführlichen Inhaltsverzeichnisse und Stichwortregister, die jeder Band enthält, verraten, daß die *Gesprechspiele* vom gebildeten weiblichen Publikum wohl auch als Enzyklopädie des zeitgenössischen Wissens, als Konversationslexikon, benutzt worden sind. Der Vermittlung von Kenntnissen für das gesellige Gespräch dient auch ein deutsches Synonymenverzeichnis. Die Themen werden jedoch nicht wie in einem modernen Konversationslexikon behandelt, und die »Lehre« wird – dem Prinzip »*nützen und behagen*« entsprechend – oft als Anekdote oder unterhaltsame Erzählung dargeboten. Harsdörffer selbst gibt an, daß er sich auf italienische, französische und spanische »*scribenten*« stützt, und zitiert insgesamt 444 Werke. Diese Quellen werden bei den einzelnen Gesprächen jeweils sehr genau angemerkt, sie reichen von der klassischen Literatur der Antike (PLATON, CICERO, PLINIUS, LUKIAN) bis zur zeitgenössischen Dichtung (Paul FLEMING). A. Sch.

AUSGABEN: Nürnberg 1641 [Bd. 1 u. 2]. – Nürnberg [2]1644 (*Frauenzimmer Gesprechspiele, so bey Ehr- und Tugendliebenden Gesellschaften mit nützlicher Ergetzlichkeit, beliebet und geübet werden mögen*, Bd. 1 u. 2). – Nürnberg 1644–1649 (*Gesprechspiele*, Bd. 3–8). – Bln. 1914 [Privatdruck d. Gesellsch. f. Theatergesch., Hg. H. Stümcke].

LITERATUR: A. Krapp, *Die ästhetischen Tendenzen H.s*, Bln. 1903 (Berliner Beitr. u. germ. u. roman. Philol., 25, germ. Abt., 12). – E. Schmitz, *Zur musikgeschichtl. Bedeutg. d. H.schen »Frauenzimmergesprächspiele«* (in *Fs. z. 90. Geburtstag R. v. Liliencrons*, Lpzg. 1910, S. 254ff.). – K. A. Kroth, *Die mystischen u. mythischen Wurzeln d. ästhetischen Tendenzen G. P. H.s*, Diss. Mchn. 1921. – G. A. Narciß, *Studien zu den »Frauenzimmergesprächspielen«*, Lpzg. 1928 (Form u. Geist, 5). – E. Kühne, *Emblematik u. Allegorie in G. P. H.s »Frauenzimmergesprächspiele«*, Diss. Wien 1933. – G. J. Jordan, *Theater Plans in H.s »Frauenzimmer-Gesprächspiele«* (in JEGPh, 42, 1943, S. 475–491). – R. Hasselbrink, *Gestalt u. Entwicklung d. Gesprächsspiels i. d. dt. Lit. d. 17. Jh.*, Diss. Kiel 1956. – J. E. Oyler, *The Compound Noun in H.'s »Frauenzimmergesprächspiele«*, Diss. Northwestern Univ. (vgl. Diss. Abstracts, 17, 1957, S. 3022). – K. G. Knight, *G. P. H.'s »Frauenzimmer-gesprächspiele«* (in GLL, 13, 1961, S. 116–125). – S. Ferschmann, *Die Poetik G. P. H.s*, Diss. Wien 1964.

POETISCHER TRICHTER / die teutsche Dicht- und Reimkunst / ohne Behuf der lateinischen Sprache / in VI Stunden einzugiessen. Dichtungstheoretische Schrift in drei Teilen von Georg Philipp HARSDÖRFFER (1607–1658), erschienen 1647–1653. – Entscheidende Anregungen für seine dichtungstheoretischen Ansichten, vor allem aber für eigene literarische Arbeiten, wie etwa das *Frawen-Zimmer Gespräch-Spiel* (1641–1649), empfing der vornehme Nürnberger Patrizier Harsdörffer auf einer Italienreise, die seine juristischen, philosophischen und philologischen Studien in Altdorf und Straßburg (1623–1626) und die darauf folgende »Cavalierstour« durch Europa beschloß und ihn mit den Bestrebungen der »Accademia de la Crusca« vertraut machte. Seit 1642 Mitglied der 1617 in Weimar gegründeten »Fruchtbringenden Gesellschaft«, wurde er Ende 1644 zusammen mit Johann KLAJ Initiator und Vorsitzender des »Löblichen Hirten- und Blumenordens an der Pegnitz«, dessen literarisch-gesellschaftliche Ausrichtung er in Theorie und Praxis weitgehend bestimmte.

Mit seiner Poetik schuf er – nach dem Vorbild zeitüblicher, »Trichter« genannter schulischer Leitfäden – ein Lehrbuch für Gymnasiasten, das in sechs kurzen Lektionen mit den überlieferten Regeln der Dichtkunst vertraut machen sollte. Dem ersten Band (1647) folgten 1648 *Poetischen Trichters zweyter Theil* – wiederum in sechs Lektionen gegliedert – und 1653 abschließend *Prob und Lob der Teutschen Wolredenheit*. Jedem der drei an Beispielen »aus eigner Erfindung« reichen Bücher ist ein Anhang beigegeben: »*Von der Rechtschreibung / und Schriftscheidung / oder Distinction*«, »*Von der Teutschen Sprache*« und ein fast vierhundert Seiten umfassendes, alphabetisch geordnetes Metaphernverzeichnis: »*Kunstzierliche Beschreibungen fast aller Sachen / welche in ungebundner Schrifft-stellung fürzukommen pflegen*«. Neben den grundsätzlichen Vorreden sind vor allem die erste, zehnte, elfte und zwölfte Lektion der ersten beiden Teile bemerkenswert.

Zweck und Ziel der Dichtkunst, der »*Nachahmung dessen / was ist oder seyn könnt*«, ist das traditionelle Horazische »*prodesse et delectare*«: Der Inhalt einer Dichtung hat lehrhaft, d. h. nützlich zu sein, seine »*Ausführung aber mit schönen Worten / und Gedancken*« der Belustigung des Lesers zu dienen, wobei freilich ein »löblicher Poet« sich immer von den Regeln der Religion und der Moral leiten läßt. Am reinsten erfüllt diesen Zweck die von Harsdörffer gründlich behandelte Gattung des Dramas, dessen »*dreyerlei Arten*« nach dem Sozialgefüge gegliedert sind: Das Königen und Fürsten vorbehaltene Trauerspiel »*sol gleichsam ein gerechter Richter seyn / welches in dem Inhalt die Tugend belohnet / und die Laster bestraffet*«. Gemäß der Forderung des Aristoteles »*ist der Poet bemühet Erstaunen / oder Hermen und Mitleiden zu erregen / jedoch dieses mehr als jenes*«. Wie für das Schauspiel, das als »*lebendiges Gemähl*« die enge Verwandtschaft von Malerei und Poesie besonders eindringlich manifestiert, gilt auch für alle Dichtung der Grundsatz der »*überhöhenden Steigerung*« (B. Markwardt). Für die künstlerische Gestaltung ist die Bildhaftigkeit der Sprache von ausschlaggebender

Bedeutung, vor allem die geschickte Einführung von Gleichnissen, die laut Augustin oft *»angenemer als die Sache selbsten«* seien. Wichtigster Faktor der *inventio*, *»ist die Gleichniß die allertiefste Quelle etwas schönes / unnd zur Sache dienliches zu erfinden«*. Neben der Bedeutung, die den Gleichnissen, Sinnbildern und Umschreibungen beigemessen wird, ist die Behandlung der für die Dichtung Harsdörffers kennzeichnenden klanglichen Phänomene, wie Wortspiele, Assonanzen, Wiederholungen etc., unerheblich.

Weit stärker als OPITZ *(»Vnd muß ich nur ... dieses erinnern / das ich es für eine verlorene arbeit halte / im fall sich jemand an unsere deutsche Poeterey machen wolte/ der / nebenst dem das er ein Poete von Natur sein muss / in den griechischen und Lateinischen büchern nicht wol durchtrieben ist / und von jhnen den rechten grieff erlernet hat«)* weist Harsdörffer auf den Eigenwert der deutschen Sprache hin: *»Diejenigen, so vermeinen, man müsse die teutsche Poeterey nach dem Lateinischen richten, sind auf einer ganz irrigen Meinung. Unsere Sprache ist eine Hauptsprache und wird nach ihrer Eigenschaft und keiner anderen Lehrsatz gerichtet werden können.«* Lange Zeit wurde das Werk an dem vom Autor nicht intendierten Anspruch gemessen, aus Schülern im Handumdrehen Dichter zu machen. Erst die neuere Forschung würdigte in Harsdörffer einen frühen und beispielhaften Repräsentanten jener Barockpoetik, deren oberstes Ziel *»der Nachweis einer ästhetischen Werthaftigkeit der deutschen Dichtersprache und der deutschen Dichtkunst«* ist (B. Markwardt). C. St.

AUSGABEN: Nürnberg 1647–1653, 3 Bde. – Bln. 1939, Hg. R. Marquier (Die Kunst des Wortes, 17/18). – Ann Arbor/Mich. 1966, Hg. M. E. Schubert [Tl. 1; hist.-krit.]. – Darmstadt 1969.

LITERATUR: J. Tittmann, *Die Nürnberger Dichterschule*, Göttingen 1847. – T. Bischoff, *G. P. H.* (in *Festschrift zur 250jährigen Jubelfeier des Pegnesischen Blumenordens*, Nürnberg 1894). – A. Krapp, *Die ästhetischen Tendenzen H.s*, Bln. 1903 (Berliner Beiträge zur germ. u. rom. Philol., 25). – K. A. Kroth, *Die mystischen u. mythischen Wurzeln der ästhetischen Tendenzen G. P. H.s*, Diss. Mchn. 1921. – W. Kayser, *Die Klangmalerei bei H.*, Lpzg. 1932 (Palaestra, 179). – W. Risse, *G. P. H. u. die humanistische Tradition* (in *Worte u. Werte. Fs. für B. Markwardt*, Bln. 1961, S. 334–337). – H. Zirnbauer, *Bibliographie der Werke G. P. H.s* (in Philobiblon, 5, 1961, S. 12–49). – S. Ferschmann, *Die Poetik G. P. H.s. Ein Beitrag zur Dichtungstheorie des Barock*, Diss. Wien 1964. – B. Markwardt, *Geschichte der deutschen Poetik*, Bd. 1, Bln. [3]1964, S. 71–92 (PaulG, 13/1).

DANIEL CASPER VON LOHENSTEIN
(d. i. Daniel Casper, 1635–1683)

GROSZMÜTHIGER FELDHERR ARMINIUS ODER HERRMANN, Als Ein tapfferer Beschirmer der deutschen Freyheit, Nebst seiner Durchlauchtigen Thusznelda In einer sinnreichen Staats- Liebes- und Helden-Geschichte Dem Vaterlande zu Liebe Dem deutschen Adel aber zu Ehren und rühmlichen Nachfolge In Zwey Theilen vorgestellet. Romanfragment von Daniel Casper von LOHENSTEIN (1635 bis 1683), erschienen 1689/90 in einer Bearbeitung von Christian WAGNER, Lohensteins jüngerem Bruder Hans Caspar und seinem Sohn Daniel Caspar. – Lohensteins *Arminius*, der noch von LESSING in einer frühen Rezension in der ›Berlinischen Privilegierten Zeitung‹ (1753) neben ZIGLERS *Asiatischer Banise* (1689) als eines der *»besten Originale in dieser Art witziger Schriften«* bezeichnet wurde, übertrifft mit seinen über 3000 Seiten nahezu alle barocken Romane an Umfang und Materialfülle, so daß ihn schon Christian GEBAUER, der Bearbeiter der zweiten Ausgabe, durch ein *»Geschlecht-Register«*, ein geographisches Register, ein allgemeines Inhaltsregister in Schlagworten und ein ausführliches Namenregister überschaubarer zu machen suchte.

Der Inhalt des in zwei Teile mit je neun Büchern gegliederten Romans, dessen Autor, der Barocktradition folgend, eine enzyklopädische Aufarbeitung des gesamten zeitgenössischen Wissens anstrebte, kann hier nur skizziert werden: Die im Deutschburger Hain versammelten deutschen Fürsten betrauern den Tod der Sicambrerfürstin Walpurgis, die sich, um den Nachstellungen des Römers Varus zu entgehen, in die Sieg gestürzt hat. Der Cheruskerfürst Hermann – seit Ulrich von HUTTENS *Arminius* (1529) die Symbolgestalt deutscher Tugend und nationaler Größe – ruft zum Krieg gegen die Römer auf, von dem nur sein Onkel Segesthes abrät, und wird zum obersten Feldherrn gewählt. Um den Ausgang der Schlacht voraussagen zu können, läßt man einen unbekannten deutschen Adeligen einen Zweikampf mit einem gefangenen Römer austragen; dieser unterliegt und gibt sich überraschend als die Armenierfürstin Erato zu erkennen. Die nun einsetzende Deutschburger Schlacht endet mit einer entscheidenden Niederlage der Römer; der unbekannte Ritter, der während des Gefechts auf den zu den Römern übergelaufenen Segesthes trifft und ihn besiegt, ist niemand anders als Thusnelda, dessen Tochter. Nach dem Selbstmord des Varus und der vollständigen Vertreibung der Römer zieht Hermann im Triumphzug als Sieger in Deutschburg ein, straft den Verräter Segesthes und erzwingt dessen Einwilligung zu seiner Ehe mit Thusnelda. Im Gefolge Hermanns befindet sich der pontische Fürst Zeno, der in Erato freudig die ihm vor langer Zeit entrissene Geliebte erkennt. Während die deutschen Fürsten noch ihre Wunden kühlen, werden Erato und Thusnelda von Segesthes und Marbod entführt, von Hermann und seinen Verbündeten aber nach heftigem Kampf bald wieder befreit. Aus Rom trifft nach langen Irrfahrten Hermanns Bruder Flavius ein, und im Verlauf der Vorbereitungen zu Hermanns Hochzeit kommt überraschend auch dessen Mutter Asblaste an, die von Drusus nach Rom entführt worden war und nun ihre Geschichte und die ihrer Kinder Hermann, Flavius und Ismene vorbringt. Das neunte und letzte Buch des ersten Teils schließt mit der Hochzeit Hermanns, die mit pomphaftem Zeremoniell – bei feierlichen Bardengesängen (in Alexandrinern) und altdeutschen Kampfspielen – begangen wird.

Mit der Entwirrung dieser verwickelten Lebensläufe könnte der Roman enden; statt dessen erfindet Lohenstein zahllose weitere Verwicklungen, die den ebenso umfangreichen zweiten Teil füllen. Zunächst gibt ein Orakel zu verstehen, daß die armenische Fürstin Erato nicht dem geliebten Zeno, sondern Flavius bestimmt sei und Ismene, Hermanns Schwester, Zeno heiraten solle. Dann bricht erneut ein Krieg mit Rom aus: Hermann kämpft mit wechselndem Erfolg gegen Tiberius und Germanicus, kann aber schließlich die Römer aus dem Norden zurückdrängen und Bacharach erobern, wo ihm Thusnelda seinen ersten Sohn, Thumelich, schenkt. Die durch das Orakel hervorgerufenen Spannungen führen zu einem Streit zwischen Zeno und Flavius, der sich sogar mit Hermann überwirft und ins römische Lager übergeht. Nach längerem Frieden folgen auf den Tod des römischen Kaisers Augustus neue kriegerische Auseinandersetzungen, in deren Verlauf mehrere deutsche Fürstinnen, unter ihnen auch Thusnelda, überfallen und nach Rom verschleppt werden. Segesthes, Thusneldas Vater, und ihre Mutter Sentia, die in Rom gegen Hermann wirken, können nicht verhindern, daß die Fürstinnen entfliehen und über Armenien nach Deutschland zurückkehren. Um alle Unholde beginnen sich endlich – ein Zeichen des nahen Romanschlusses – die Fäden zusammenzuziehen: Segesthes wird im Kampf mit einem Buhler seiner Gattin erschlagen, Marbod verbannt. Es stellt sich heraus, daß Zeno Eratos verschollener Bruder Artaxias ist (womit sich der Orakelspruch enträtselt), und so steht einer prunkvollen Hochzeit Flavius' mit Erato, Zenos mit Ismene und der Heirat verschiedener Nebenfiguren nichts mehr im Wege.

Diese wichtigsten Handlungsstränge werden im Verlauf des Romans von einer Unzahl von Exkursen, Einschüben und Parallelerzählungen überwuchert, die sich selbst wiederum zu umfangreichen Romanen auswachsen, so daß sich kein eigentlich epischer Fortgang der Geschehnisse ergibt. Das für den heroisch-galanten Roman bezeichnende Verfahren, die Haupthandlung von der Mitte oder einem kurz vor dem Schluß gelegenen Punkt aus aufzurollen und die Vorgeschichte aller handelnden Personen in Form von erzählten »Lebensberichten« von Buch zu Buch nachzuholen, wendet Lohenstein – wie etwa auch Zigler und BUCHHOLTZ – vor allem an, um die Romanhandlung lange zu retardieren und eine verschachtelte Architektur von Exkursen aufzubauen, denen meist aus lateinischen Quellen geschöpftes Material zugrunde liegt, das von den Romangestalten in »geselligen« Gesprächen diskutiert wird. Besonders die Lebensläufe von Personen exotischer Herkunft verführen den Autor dazu, als Polyhistor geographische, ethnographische, historische und kunstgeschichtliche Materialien in solchem Maße einzuarbeiten, daß sich der Roman ohne weiteres als Lexikon verwenden läßt und auch so benutzt wurde. Eine besondere Eigenart hat Lohenstein wie kein zweiter Autor verfeinert: die der verschlüsselten Verarbeitung von zeitgenössischem historischem Stoff. So hängen etwa in einem Jagdhaus zwölf Bilder der Vorfahren Hermanns, deren Lebensläufe die Geschichte des Habsburgischen Kaiserhauses ergeben. Hermann selbst soll Kaiser Leopold I. darstellen, dem der Roman huldigt. Im siebten Buch des ersten Teils wird, in der Schilderung der Geschichte der »alten Deutschen« zur Zeit Caesars, die Epoche von der Reformation bis zum Dreißigjährigen Krieg verschlüsselt beschrieben. Diese Maskerade wird mit erstaunlicher Akribie ins Werk gesetzt, in Fußnoten jedoch zugleich offen eingestanden.

Der Autor bemüht sich um die mythische Erhöhung der germanischen Vorzeit; was immer an historischen Erkenntnissen seit der späten Entdeckung der *Germania* des TACITUS im 15. Jh. gewonnen wurde, findet sich im *Arminius* wieder. Die Idee der unvergleichlichen Herrlichkeit des alten Germanentums als Grundlage von Lohensteins »patriotischer Historiographie« – und zugleich als politisches Vorbild der eigenen Zeit vor Augen gestellt – veranlaßte den Autor jedoch zu solchen grotesken Geschichtskonstruktionen, wie sie besonders das sechste Buch des ersten Teils bietet: hier wird z. B. Hannibals Mutter als deutsche Fürstin ausgegeben, und Hannibal selbst soll seine Erfolge in Italien vorwiegend der Unterstützung durch germanische Hilfstruppen verdanken; Medea darf in zweiter Ehe einen deutschen Fürsten heiraten, und selbst Odysseus verbringt längere Zeit in Deutschland, ja gründet dort sogar Städte. – Lohensteins *Arminius* gilt als der Höhepunkt hochbarocker Romankunst. Es wird darin keine in sich geschlossene Erzählwelt aufgebaut; nicht die Figuren, die typenhaft und ohne individuellen Charakter erscheinen, bestimmen die Handlung, sondern der Eingriff des überpersönlichen Schicksals, dem die Helden in stoischer Haltung begegnen. Lohenstein wendet sich zwar an den Hofadel als Leserschaft, schreibt jedoch aus bürgerlich-humanistischer Gelehrsamkeit, der im Grunde politische Einsichten fremd bleiben. Die für heutige ästhetische Maßstäbe verworrene Komposition des *Arminius* wurde von den Zeitgenossen als Zeichen souveräner Beherrschung des gesamten Bildungsbesitzes und der artistischen Mittel gewertet. Noch WIELAND benutzte den bis weit in das 18. Jh. vielgelesenen Roman als Quelle für sein Epos *Hermann* (1751). H. H. H.

AUSGABEN: Lpzg. 1689/90, 2 Bde. [Ill. J. Sandrart]. – Lpzg. [2]1731, 4 Bde. [Ill. J. Sandrart].

LITERATUR: F. Gundolf, *Caesar in der deutschen Literatur*, Bln. 1904, S. 68–73. – L. Laporte, *L.s »Arminius«, ein Dokument des deutschen Literaturbarock*, Bln. 1927 (Germanische Studien, 48). – H. Cysarz, *D. C. v. L.* (in *Schlesische Lebensbilder*, Bd. 3, Breslau 1928, S. 126–131). – P. Hankamer, *Deutsche Gegenreformation und deutsches Barock*, Stg. 1935, S. 436ff. – M. Wehrli, *Das barocke Geschichtsbild in L.s »Arminius«*, Frauenfeld/Lpzg. 1938 (Wege zur Dichtung, 31; zugl. Diss. Zürich). – A. Hirsch, *Bürgertum und Barock im deutschen Roman. Zur Entstehungsgeschichte des bürgerlichen Weltbildes*, Köln/Graz [2]1957, S. 110f. (Literatur und Leben, N. F., 1). – E. Verhofstadt, *D. C. von L. Untergehende Wertwelt und ästhetischer Illusionismus. Fragestellung und dialektische Interpretation*, Brügge 1964. – De Boor, 5, S. 329ff.

SOPHONISBE. Trauerspiel in fünf »Abhandlungen« von Daniel Casper von LOHENSTEIN (d. i. Daniel Casper, 1635–1683), Uraufführung: Breslau 1669, Magdalenäum; erschienen in überarbeiteter Fassung 1680. – Lohensteins Alexandrinertragödie, anläßlich der Vermählung Kaiser Leopolds I. entstanden und dem gleichnamigen Trauerspiel P. CORNEILLES (1663) weitgehend verpflichtet, greift eine Episode des Zweiten Punischen Kriegs aus dem Geschichtswerk des LIVIUS auf.

Syphax, König von Numidien, und Sophonisbe, seine Gattin, verteidigen ihre Residenz Cyrtha gegen den Ansturm der mit Rom verbündeten Afrikaner, die unter der Führung Massinissas stehen. Als Syphax in Gefangenschaft gerät, ist die ehrgeizige und zum Äußersten entschlossene Königin bereit, für die Erhaltung des Reiches das Leben des Gatten zu opfern. Eine »*Penthasilea Afrikens*«, greift sie selbst zu den Waffen und bietet den heidnischen Göttern sogar die eigenen Söhne zum Blutopfer dar, dessen Vollzug nur durch die Flucht und Rückkehr des Syphax verhindert wird. Massinissa aber bringt die Stadt durch einen Handstreich zu Fall und setzt das Königspaar in den Kerker. Syphax kann durch eine selbstlose List seiner Gattin ein zweites Mal entfliehen, während Sophonisbe in eine Heirat mit Massinissa einwilligen soll, der von einer heftigen Leidenschaft zu ihr ergriffen ist. Sie erklärt sich dazu bereit, unter der Bedingung, daß Massinissa sie niemals in die Hände der Römer fallen lasse. Unmittelbar nach der Hochzeit, die unter ungünstigen Auspizien stattfindet, verlangt der römische Oberbefehlshaber Scipio, der den unversöhnlichen Römerhaß Sophonisbes kennt, die Annullierung der Verbindung. Zu Beginn des fünften Aktes erscheint Didos Geist und verkündet der Königin den nahen Untergang Karthagos, die späteren Völkerwanderungen und den schließlichen Sieg der habsburgischen Kaiser über die Sarazenen und Araber. Als Sophonisbe vernimmt, daß Massinissa sich doch von ihr getrennt hat, schluckt sie mit ihren Söhnen das bereitgehaltene Gift. Massinissa, dessen Liebe erneut aufflammt, will sich beim Anblick der Leichen ins Schwert stürzen; Scipio aber entwindet dem Verzweifelten die Waffe und beschenkt ihn mit Numidiens Krone. – In den sogenannten »Reyen« – zwischen die Akte eingeschobene Kommentare allegorischer Gestalten zu den Begebenheiten der Haupthandlung – wird der Kampf der Triebe und Affekte im Hinblick auf das Walten einer höheren Gerechtigkeit relativiert. So stellt der Schlußreyen den politischen Bezug zu Kaiser Leopold I. her, der das letzte der vier großen Reiche der Weltgeschichte, das römische, dem Glanz seiner Bestimmung entgegenführt und aus den Händen Europas, Asiens, Afrikas und Amerikas den Lorbeerkranz empfängt.

Mit *Cleopatra* (1661) gehört *Sophonisbe* zu den »Afrikanischen« Trauerspielen Lohensteins, in denen er sich endgültig von der barocken Tyrannen-Märtyrer-Konstruktion befreit und eine eigene Form, die säkularisierte Tragödie des politischen Menschen, entwickelt hat. Sophonisbe, das »Machtweib« des Vorbilds Seneca, wird nicht mehr, wie bei Gryphius, ein Opfer der Tugend, sondern im Strudel der geschichtlichen Dynamik zwischen Macht- und Liebesgier zerrieben. Die Relativierung der barocken Wertwelt zeigt sich bei Lohenstein darin, daß auch Herrschaft und Liebe vornehmlich materiell betrachtet werden. Solch psychologischer Naturalismus weitet sich, da Sophonisbe die *»weibgewordene Staatsraison«* (R. Newald) verkörpert, zum pessimistischen, allegorisch überhöhten Realismus in der Darstellung der politischen Wirklichkeit. Positiv erscheint allein der von keinen Affekten und Lastern verblendete Scipio, der als die stoische Idealfigur eines *rex iustus* über die ununterbrochene imperiale Tradition des Römischen Reiches unmittelbar auf den regierenden Habsburger verweisen soll.

Es gehört zum sogenannten Schwulststil Lohensteins, als dessen Hauptrepräsentant er seit Gottsched gilt, daß seine Gestalten durch Seen von Blut und Tränen waten und gleichsam lustvoll im Pathos heroischen Leidens schwelgen *(»Mein Blutt und Hertze wallt für Schmerz-vermählter Lust!«)*, daß die exotisch aufgeputzten Begebenheiten von Greueln nur so strotzen (z. B. findet die Opferung von zwei Römern auf offener Szene statt) und die Dialoge durch »Zentnerworte« und grelle, manierierte Metaphern bis zum Bersten aufgeladen und in gnomisch-epigrammatische Schlagzeilen zerhackt werden. Von seinem gewaltigen gelehrten Anmerkungsapparat her eher ein Lesedrama, ist Lohensteins Tragödie dennoch als prall sinnliches Schauspiel konzipiert, das ganz vom entfesselten Kulissenzauber der barocken Bühnenmaschinerie lebt. Hier wie auch in ihrer konsequenten Säkularisierungstendenz zeichnet sich in Lohensteins Dramen ein Stilwandel ab, der die *»szenische Farblosigkeit des deutschen Wortdramas humanistisch-schulhafter Herkunft«* (P. Hankamer), die noch die Trauerspiele von Gryphius bestimmt, ablöst: Die undurchschaubare Mechanik der Weltgesetze und das *»typische Reich der Fortuna und des Menschlichen«* (Hankamer) sind nicht mehr auf den abstrakten allegorischen Überbau reduziert, sondern wirken in das Dramengeschehen hinein. KLL

Ausgaben: Breslau 1680 (in *GS*). – Lpzg. 1931, Hg. W. Flemming (DL, R. Barock; Barockdrama, 1). – Stg. 1957 (in *Dramen*, Hg. K. G. Just, 3 Bde., 1953 bis 1957, 3; hist.-krit.; BLV, 294). – Reinbek 1968 (zus. m. *Cleopatra*, Hg. W. Voßkamp; RKl, 514/515).

Literatur: H. v. Müller, *L.-Bibliographie* (in *Werden u. Wirken. Fs. für K. W. Hiersemann*, Lpzg. 1924, S. 184–261). – W. Martin, *Der Stil in den Dramen L.s*, Königsbrück 1927. – P. Hankamer, *Deutsche Gegenreformation u. deutsches Barock*, Stg. 1935; [3]1964. – W. Kayser, *L.s »Sophonisbe« als geschichtliche Tragödie* (in GRM, 29, 1941, S. 20–39). – F. Schaufelberger, *Das Tragische in L.s Trauerspielen*, Frauenfeld/Lpzg. 1945 [zugl. Diss. Zürich]. – P. W. Lupton, *Die Frauengestalten in den Trauerspielen D. C. v. L.s*, Diss. Wien 1954. – E. Verhofstadt, *Stilistische Betrachtungen über einen Monolog in L.s »Sophonisbe«* (in Revue des Langues Vivantes, 25, 1959, S. 307–314). – A. Lubos, *Das schlesische Barocktheater* (in Jb. der Schlesischen Friedrich-Wilhelm-Univ. zu Breslau, 5, 1960, S. 97 bis 122). – K. G. Just, *Die Trauerspiele L.s. Versuch einer Interpretation*, Bln. 1961. – G. E. A. Gillespie, *Heroines and Historical Fate in the Drama of L.*, Diss. Ohio State Univ. 1961 (vgl. Diss. Abstracts, 22, 1961/62, S. 3661). – E. Verhofstadt, *D. C. v. L. Untergehende Wertwelt u. ästhetischer Illusionismus. Fragestellung u. dialektische Interpretation*, Brügge 1964. – R. Tarot, *Zu L.s »Sophonisbe«* (in Euph, 59, 1965, S. 72–96). – H. Bekker, *The Dramatic World of D. C. v. L.* (in GLL, 19, 1965/66, S. 161–166). – W. Voßkamp, *Untersuchungen zur Zeit- u. Geschichtsauffassung im 17. Jh. bei Gryphius u. L.*, Bonn 1967.

JOHANN MICHAEL MOSCHEROSCH
(1601–1669)

LES VISIONES DE DON FRANCESCO DE QVEVEDO VILLEGAS Oder Wunderbahre Satÿrische gesichte Verteutscht durch Fhilander von Sittewalt. Prosasatire von Johann Michael Moscherosch (1601–1669), pseudonym erschienen 1640–1677. – Die Textgeschichte der *Visiones* ist kompliziert, da das Werk, ursprünglich unabgeschlossen erschienen, mehrere Auflagen, auch der unvollständigen »Teile«, sowie Veränderungen, Erweiterungen, Fortsetzungen und vor allem Nach- und Raubdrucke erlebte. Um 1640 kamen die sieben »Gesichte« des ersten Teils, 1643 – zusammen mit dem Anfangspart – die ersten vier des »Anderen

Theils« heraus; dessen fünftes und sechstes »Gesicht« folgten, von einer Zwischenauflage (1643) abgesehen, kurz danach als Aufstockung des nunmehr separat publizierten zweiten Teils. Schließlich wurde 1650, im Gesamtverband des Werkes, das siebte »Gesicht« ergänzt, so daß entgegen Moscheroschs schwankenden Intentionen – er hatte zeitweilig einen dritten Teil ins Auge gefaßt – nach einem Jahrzehnt formale Symmetrie hergestellt war. Die sechste rechtmäßige Edition, teilweise postum veröffentlicht (I: 1677, II: 1665/66), gilt als Ausgabe letzter Hand und bringt die Auflösung der früheren Verschlüsselungen von Personen- und Ortsnamen.

In der Auseinandersetzung mit der unlauteren Konkurrenz der Nach- und Raubdrucke führt der Autor zu seines *»Namens Versicherung / und benehmung ungleichen Verdachts«* gegen ihn 1650 als seine eigene *»Spiel-arbeit«* folgende »Gesichte« auf: *»1. den Schergen-Teufel. 2. Welt-wesen. 3. Venus-Narren. 4. Toden-Heer. 5. Letztes-Gericht. 6. Höllen-Kinder. 7. Hof-Schule. Und der Ander Theil so in sich begreifft: 1. Alamode-Kehrauß. 2. Hanß hinüber Ganß herüber. 3. Weiber-Lob. 4. Thurnier. 5. Podagram. 6. Soldaten-Leben. 7. Reformation.«* Zweck dieses durch die Traum-Fiktion gebündelten, mit den Erinnerungen an Moscheroschs Frankreich-Reise (1624/25) versetzten enzyklopädistischen Themenspektrums sei es, *»die heutigs tags in unserm betrübtem Vatter-Land gangbare und giltige Untugenden und Thorheiten dergestalt mit Schertz und Lust-Reden den Menschen verhaßt zumachen / als welche nicht leiden mögen noch wollen / daß man ihnen ihr Unrecht mit Ernst vorhalte unnd abwehre«*. Solchem *ridendo dicere verum* gemäß will im ersten »Gesicht« – wie das zweite eine Übersetzung aus der Hauptquelle des ersten Teils, QUEVEDOS *Sueños* (1608) in der Vermittlung GENESTES – ein Teufel vom Besessenen, einem Schergen, erlöst werden. Die Menschen in der Hölle – verkehrte Welt auch dort – seien die Satane der wahren Satane. Exemplarisch zeigt sich indes bereits zu Beginn, daß den Titeln der Visionen verschiedenste Stoffe subsumiert sind, womit eine locker-manieristische, fast alle Kleinformen von Epigramm und Lied über Exempelgeschichte, Anekdote und Brief bis zu Gesprächsspiel und dramatischer Szene umfassende Komposition korrespondiert. So richtet sich die Satire Moscheroschs, der sich nach anagrammatischen und steganographischen Hinweisen hinter seinem Titelhelden Philander verbirgt (Sittewald: Wil[l]staedt im Elsaß, Moscheroschs Geburtsort), nicht nur gegen Klerus und Obrigkeit, sondern auch gegen die Dichter, insbesondere die Verfasser des *Amadis* und der *Diana*. Über die allgemeine Moralsatire hinaus schlägt sich ein sozialkritisches Engagement des Autors programmatisch in der vom altchristlichen Prediger CHRYSOSTOMOS übernommenen Aussage des Schergen-Teufels nieder, *»quod paupertas sit manuductrix quaedam in via, quae ducit ad Coelum!«* Die Armen, die *»nichts haben von allem deme / das den Reichen die verdamnus bringet«*, kämen nicht in die Hölle, da sie sie gleichsam schon auf Erden zu erdulden hätten. – Im zweiten »Gesicht«, das den weisen Alten Expertus Robertus, eine seit dem Mittelalter sprichwörtlich belegte Figur, als ständigen Begleiter, Berater und Nothelfer Philanders einführt, lernt dieser neben anderen allegorischen Gassen dieser Welt die Heuchelstraße als die bedeutendste, sich über den ganzen Globus erstreckende kennen. Damit ist das gleich anfangs angeschlagene Kernthema der Schrift wiederberührt; eine Standessatire nimmt erste Gestalt an, die vor niemandem, auch dem Verfasser selbst nicht, haltmacht. Sprachgewaltig beinahe wie FISCHART, der neben AVENTIN, BRANT, LUTHER, MAYFART, MURNER und RINGWALDT zu den deutschen Gewährsleuten Moscheroschs gehört, verrät sie speziell einen antihöfischen Affekt. Dem Hofleben ist zudem das siebente satirische »Gesicht« vorbehalten, dessen detaillierter Gestaltung die Erfahrung des Autors als fürstlichem Hauslehrer und Beamten zugute kommt. – Mit dem dritten Traum beginnt sich Moscherosch von seiner Vorlage zu emanzipieren, indem er die Liebes-Motivik, auch in derb-obszöner Weise, durch elsässische Überlieferungen bereichert – wie sich überhaupt seine weitere Heimat unter manchen Aspekten im ganzen Werk spiegelt. – Zieht er in den übrigen »Gesichten« des ersten Teils gegen Quacksalber, Federfuchser, Winkeladvokaten, Astrologen, Alchimisten und andere tadelnswerte soziale Gruppen zu Felde, resultiert diese totale Ausweitung der Standessatire überdies in einem kulturgeschichtlich hochinteressanten Tableau des Sittenlebens seiner Epoche.

Der eigenständig verfaßte zweite Teil der *Visiones*, der die Burg »Geroltzeck im Wassgau« zum Ausgangspunkt und Hauptschauplatz hat, bringt als wesentliche Tendenz die Hinwendung zur deutschen Vergangenheit – Anlaß für den Dichter, nach der Aufnahme zahlreicher Sprachen, Dialekte und Jargons in sein Werk auch altdeutsche Textpartien wiederzugeben. – Auf Geroldseck hat sich Philander vor einem Heldenrat zu verantworten, dem unter anderen Ehrenfest (Ariovist), Hermann und Witikhund (Wittekind) angehören. Man klagt ihn der Vorliebe für das Welsche an – die offensichtlichen aktuellen Bezüge werden einmal mehr in II. / 1. manifest –, das die Deutschen von der aufrechten, tugendhaften Art der Vorfahren abbringe und zu »Teutschlingen« mache. Obwohl sich Ansätze zu Fairneß und Verständnis abzeichnen und Philander-Moscherosch, hierin inkonsequent wie auch sonst, in II. / 3. ein galantes Lied in französischer Sprache singt, ist die chauvinistisch-bürgerliche Ideologie von den Welschen als den *»angebohrnen Feinden«* der Deutschen virulent. Der Deutschtümelei und der Kritik an der Ausländerei dienen auch andere »Gesichte« des zweiten Teils, ohne daß Moscherosch allerdings die Augen vor den althergebrachten Lastern im eigenen Lager, etwa Streit- und Trunksucht, verschlösse. Zeugnis von dieser Haltung legt gerade der sechste Traum ab – eine *»unmittelbare literarische Vorstufe zum Simplicissimus«* (H. de Boor) –, dessen erlebnisgesättigte Drastik in der Schilderung grauenvoller Kriegsgeschehnisse den Dichter nach seinem Bekenntnis als *»Pars Patiens, nicht Pars Delinquens«* zeigt.

Im siebten »Gesicht« schließlich, dessen Überschrift für Moscheroschs protestantische Gesinnung symptomatisch ist, rechtfertigt er unter Aufnahme der Gerichtsfiktion sein Werk im Werk selbst. Nach Motivation, Sinn und Qualität der bis dahin veröffentlichten »Gesichte« befragt, bringt er positive Gutachten führender Geister der Zeit und Anerkennungsschreiben von Mitgliedern der »Fruchtbringenden Gesellschaft« bei, in die er mittlerweile als der »Träumende« aufgenommen ist. Am besten jedoch wird Moscheroschs Zentralwerk trotz aller inhaltlichen und tektonischen Schwächen durch den enormen Erfolg beim zeitgenössischen Publikum und durch seine Nachwirkung bestätigt. Die *Gesichte Philanders von Sittewald* haben außer auf KINDERMANN, LAUREMBERG, STACKDORN und WEISE besonders auf Grimmelshausen Einfluß ausgeübt, diversen Nachahmern den Namen der Titelfigur zur Verfügung gestellt und noch auf Arnim, Brentano und Tieck eingewirkt. K. Hab.

Ausgabe: Stg. 1883, Hg. u. Einl. F. Bobertag (DNL, 32; Nachdr. Darmstadt 1964).

Literatur: W. Hinze, *M. u. seine deutschen Vorbilder in der Satire*, Diss. Rostock 1903. – G. Bienert, *Deutsche Quellen u. Vorbilder zu M.s Gesichten Philanders von Sittewald*, Diss. Freiburg i. B. 1904. – A. Bechtold, *Kritisches Verzeichnis der Schriften J. M. M.s nebst einem Verzeichnis der über ihn erschienenen Schriften*, Einzelschriften zur Bücher- u. Handschriftenkunde, Bd. 2, Hg. G. Leidinger u. E. Schulte-Strathaus, Mchn. 1922 (vgl. dazu Euph, 26, 1925, S. 427ff.). – E. Vogt, *Die gegenhöfische Strömung in der deutschen Barockliteratur*, Lpzg. 1932. – C. Faber du Faur, *Philander, der Geängstigte, und der Expertus Robertus* (in MDU, 39, 1947, S. 483–505). – K. G. Knight, *J. M. M.: A Satirist and Moralist of the 17th Century*, Diss. Cambridge 1950/51. – W. Harms, *Homo viator in bivio. Studien zur Bildlichkeit des Weges*, Mchn. 1970 (Medium Aevum, 21).

MARTIN OPITZ
(1597–1639)

BUCH VON DER DEUTSCHEN POETEREY.

Ästhetische Schrift von Martin Opitz (1597–1639), erschienen 1624. – Diesem entscheidenden Werk der deutschen Literaturkritik haften alle Merkmale einer Gelegenheitsschrift an. Die, wie Opitz bekennt, in fünf Tagen niedergeschriebene kleine Abhandlung entstand aus einem äußeren Anlaß: Im Gefolge seiner Streitigkeiten mit der mächtigen »Fruchtbringenden Gesellschaft« fühlte sich der ehrgeizige, stellungslose Bürgersohn aus der schlesischen Provinz genötigt, seine ästhetischen Ansichten in Form eines kurzgefaßten Abrisses zu formulieren. Das *Buch von der deutschen Poeterey* war Programm und Werbeschrift zugleich. Es ist mit sehr persönlichen Hinweisen auf die Befähigung »der Dichter« zu öffentlichen Ämtern durchsetzt, enthält noch persönlichere Anspielungen auf die Armut seines Verfassers und schließt mit der Drohung, alle Verächter der Dichtkunst den Klagechören künftig zu schreibender Tragödien beizugesellen. Daneben sollte es die übereilte Herausgabe seiner Jugendgedichte rechtfertigen und die *»vielfältigen Mängel und Irrungen so darinnen sich befinden«* an Hand eines gewandelten und gefestigten Formprogramms vor den Augen der Kunstkritiker richtigstellen. Was dabei geschaffen wurde, war indes nichts Geringeres als die Organisation einer *»deutschen Nationalliteratur«* (M. Szyrocki) und ein konzentriertes Literaturprogramm, an dem sich – bewußt oder unbewußt – alle repräsentative deutsche Dichtung der »humanistischen Großepoche« orientiert hat. Man hat mittelbare und unmittelbare Einflüsse von Aristoteles, Horaz, Vida, Trissinus, Heinsius, Scaliger und Ronsard nachgewiesen (W. Berghoeffer, 1888). Man hat an Hand historischer Quer- und Vertikalverbindungen die Originalität der Schrift in Zweifel ziehen können. Aber nicht als enzyklopädischer Polyhistor, sondern in der strategischen Entschiedenheit, mit der der junge Literat zwischen stümperhaften und »guten« Autoren unterschied und auszuwählen verstand, erwies er sich *»als Literaturorganisator, als Impresario allergrößten Stils«* (R. Alewyn).

Opitz brachte in vier grundsätzlichen Kapiteln einen urbanen, intellektuell gebildeten Dichtertypus zur Geltung, der die maßvolle Mitte zwischen gelehrter Pedanterie und mystischer Chaotik, zwischen formaler *»Ergetzung«* und praktischem »Belehren« einzuhalten suchte: Kennzeichen jenes *»vorbarocken Klassizismus«* (R. Alewyn), der bereits auf den Aufklärungsklassizismus hinweist und auch von den Dichtern der barocken Innerlichkeit nie vollständig aus den Augen verloren werden konnte. Er übertrug das System der französischen Gattungspoetik mit apodiktischem Lakonismus ins Deutsche und bestimmte durch seine Andeutungen die Schubladeneinteilung der Ästhetiken noch bis ins 19. Jh. Epochemachend aber wirkten vor allem seine Ausführungen, in denen er in zwei berühmtgewordenen Kapiteln eine deutsche Verslehre skizzierte und an Hand zumeist eigener Beispiele verdeutlichte. Die Merkpunkte, die er hier niederlegte – so seine Forderung nach reinem Hochdeutsch und nach dem keineswegs selbstverständlichen (noch 1638 innerhalb der »Fruchtbringenden Gesellschaft« umstrittenen) Prinzip einer »natürlichen«, alternierend-akzentuierenden Metrik, seine Empfehlungen über die Wortstellung, über Klangmalerei und die Vermeidung modischer Fremdwörter –, waren in so hohem Maß zeitgemäß, daß sie von den jungen deutschen Dichtern als eine Art Manifest mit Enthusiasmus begrüßt wurden. Die Sprachgesellschaften machten das Werk zum Gegenstand umfassender Diskussionen. In zahllosen Umarbeitungen, Kommentaren und Neuauflagen wies es *»den deutschen Dichtern den Weg zur Literatur in der Muttersprache und trug zur allmählichen Verdrängung der neulateinischen Poesie bei«* (M. Szyrocki). Seine Leitbegriffe einer kühlen und weltmännisch eleganten Dichtkunst blieben bis hin zu Gottscheds Bemühungen wirksam und wurden erst durch die Literaturkritik des Sturm und Drang und der Romantiker relativiert. Innerhalb der deutschen Barockdichtung aber kommt ihnen die Funktion eines notwendigen Korrektivs gegen den enthusiastisch-spiritualistischen Überschwang zu. Wie wenig sie als »akademisch« empfunden wurden, beweisen unzählige zeitgenössische Lobeserhebungen. Paul Fleming sprach für seine ganze Epoche, wenn er von den literaturorganisatorischen Leistungen seines Meisters zu rühmen wußte, daß die Musen *»nun durch Opitz' Gunst auch hochteutsch reden können«*. R. Sch.

Ausgaben: Brieg 1624. – Tübingen ^{3}1955. – Tübingen 1963, Hg. R. Alewyn.

Literatur: G. Wenderoth, *D. poet. Theorie d. frz. Periode in M. O.s »Dt. Poeterey«* (in Euph., 13, 1906). – B. Markwardt, *Gesch. d. dt. Poetik*, Bd. 1, Bln./Lpzg. 1937. – J. B. Birrer, *Die Beurteilung v. M. O. i. d. dt. Lit.-Gesch.*, Diss. Fribourg 1940. – U. Bach, *D. Sprachbehandl. O.s i. Theorie u. Praxis*, Diss. Halle 1949. – De Boor, 5, S. 158–161. – M. Szyrocki, *M. O.*, Bln 1956.

TEUTSCHE PÖEMATA UND ARISTARCHUS WIEDER DIE VERACHTUNG TEUTSCHER SPRACH, Item Verteutschung D. Heinsij Lobgesangs Iesu Christ, und Hymni in Bachum Sampt einem anhang Mehr auserleßener geticht anderer

Teutscher Pöeten. Gedichtsammlung von Martin OPITZ (1597–1639), erschienen 1624. – Als eine der berühmtesten und bedeutendsten Gedichtsammlungen des 17. Jh.s stehen die *Teutschen Pöemata* neben den weniger verbreiteten *Oden und Gesängen* (1618/19) von Georg Rudolph WECKHERLIN am Anfang der neuen barocken Kunstdichtung in Deutschland, die vor allem durch die Übertragung der humanistisch-neulateinischen Eloquentiatradition des »zierlichen Sprechens« auf die Muttersprache Anschluß an ähnliche, vorausgegangene Literaturentwicklungen in Italien, Spanien, Frankreich (Pléiade), England und Holland (HEINSIUS) zu gewinnen sucht. Die bereits 1620 abgeschlossene Sammlung wurde von Julius Wilhelm ZINCGREF, einem Heidelberger Freund von Opitz, zusammen mit einem Anhang von Gedichten des frühbarocken Heidelberger Dichterkreises herausgegeben und ein Jahr später nach den in seinem *Buch von der deutschen Poeterey* (1624) ausgesprochenen Grundsätzen von Opitz selbst nach Gattungen geordnet, metrisch verbessert und durch neue Gedichte und Übersetzungen erweitert. Ebenfalls im Erstdruck enthalten sind die längeren Alexandrinergedichte *Zlatna* und die beiden aus dem Niederländischen übersetzten Lobgesänge auf Bacchus und Jesus Christus von Daniel Heinsius. Wie bereits aus der Vorrede des ersten Drucks hervorgeht, geht es Opitz darum, die Würde und Eignung der deutschen Muttersprache zu dichterischem Ausdruck auf einem von der volkstümlichen Dichtung wegführenden Weg zu erweisen: »*So kann man auch keineswegs zugeben, es sey unser Teutsches dermassen grob und harte, dass es in diese gebundene Art zu schreiben nit könne füglich gebracht werden.*« Im Auge muß man dabei die Tatsache behalten, daß der überwiegende Teil der zu dieser Zeit in Deutschland erscheinenden Literatur in lateinischer Sprache abgefaßt war.

Der Mustercharakter dieser Sammlung erklärt die große Vielfalt an lyrischen Gattungen, wobei das Epigramm zahlenmäßig überwiegt. Dann folgen die für Deutschland noch relativ neuartigen petrarkistischen Sonette, ferner Oden, Kunstlieder, Hirtengesänge, längere Alexandrinergedichte in der Tradition der antiken Lobrede sowie Elegien. Die 146 Titel umfassende Sammlung enthält unterschiedliche und heute fremdartig unlyrisch anmutende Themen, wie das Lob des gelehrten Freundes, einer hochgestellten Persönlichkeit, eines Gönners, einer Stadt, die nach antikem bzw. neulateinischem Muster in Übereinstimmung mit den Regeln der Rhetorik stehen und voll von mythologischen Anspielungen sind, wie sie auch in die der Petrarkischen Ausdruckshaltung und der Schäferdichtung verpflichtete Liebeslyrik eindringen. Diesem Themenkreis entspricht der überpersönliche Sprachgestus, der in erster Linie die vorgegebenen Ausdrucksmöglichkeiten ausschöpft und weit entfernt ist von jener Identität von Gefühlserlebnis und gestalteter Aussage, die seit GOETHE den Bereich der sogenannten »Erlebnislyrik« bestimmt. Es ist eine Haltung, die C. O. CONRADY als »*nicht-lyrisches Sprechen*« bezeichnet hat und die kennzeichnend ist für eine dichterische Verfahrensweise, die bei aller Musenanrufung und Berufung auf göttliche Inspiration von der Lehrbarkeit dichterischer Kunstgriffe überzeugt bleibt und der Originalität des Dichters weniger Bedeutung zumißt als der *imitatio* vorbildlicher Dichtung. Zahlreiche Übersetzungen, Nachahmungen, Paraphrasen antiker, holländischer (Daniel Heinsius), italienischer (PETRARCA, Veronica GAMBARA) u. französischer (Pierre RONSARD) Dichter bestimmen daher die dichterische Landschaft der Zeit und haben Opitz später in Verkennung seiner historischen Position den Vorwurf der Unselbständigkeit eingetragen.

Opitz' Wirkung auf die Dichter des 17. Jh.s ist nicht zu überschätzen und basiert vor allem auf seinem *Buch von der deutschen Poeterey*, der ersten deutschen Poetik des auf diesem Gebiet so fruchtbaren Jahrhunderts: Es gibt keine Poetik, die sich nicht auf Opitz beruft und Belege aus seiner Dichtung anführt, kaum eine Gedichtsammlung, die nicht wenigstens in der Vorrede Opitz, den »*Boberschwan*«, als den »*Vater der deutschen Poesie*« preist. Die so beliebten »Poetischen Schatzkammern«, Nachfahren der antiken »Florilegien«, exzerpieren einen beträchtlichen Teil ihrer »zierlichen« Wendungen aus seinem Werk. Unter anderen hat sich besonders der Dichter Paul FLEMING (1609–1640) als sein Schüler bezeichnet. – Auch wenn heute die längeren Alexandrinergedichte durch ihre schwerfällige Gelehrtheit nur noch philologisches Interesse erfahren, so haben Opitz' Lied- und Sonettdichtungen, die einen ersten Höhepunkt dieser Gattungen darstellen und nicht selten im 17. Jh. vertont wurden, durchaus genügend Ausdruckskraft, um auch heute noch zu uns zu sprechen. C. P. S.

AUSGABEN: Straßburg 1624. – Breslau 1625 (*Acht* [recte Fünf] *Bücher, Deutscher Poematum durch Ihn selber herausgegeben...*). – Tübingen 1902 (NdL, 189–192).

LITERATUR: M. Rubenson, *Der junge O.* (in Euph, 2, 1895, S. 57–99; 6, 1899, S. 24–67; 221–271). – G. Baesecke, *Die Sprache der O.schen Gedichtsammlungen von 1624 und 1625*, Diss. Göttingen 1899. – F. Gundolf, *M. O.*, Mchn. 1923. – E. Tonnelat, *Deux imitateurs allemands de Ronsard. G. R. Weckherlin et M. O.* (in RLC, 4, 1924, S. 557–589). – R. Alewyn, *Vorbarocker Klassizismus u. griechische Tragödie* (in NHJb, 1926, S. 3–63; ern. Darmstadt 1962). – J.-U. Fechner, *Von Petrarka zum Antipetrarkismus. Bemerkungen zu O.' »An eine Jungfraw«* (in Euph, 42, 1947, S. 54–71). – U. Bach, *Die Sprachbehandlung O.ens in seiner Theorie u. Praxis*, Diss. Halle 1949. – H. Cysarz, *M. O. Drei Sonette* (in *Die deutsche Lyrik*, Hg. B. v. Wiese, Bd. 1, Düsseldorf 1956, S. 109–130). – M. Szyrocki, *M. O.*, Bln. 1956. – G. Weydt, *Nachahmung u. Schöpfung bei M. O. Die frühen Sonette u. das Werk der Veronika Gambara* (in Euph, 50, 1956, S. 1–26). – E. C. Wittlinger, *Die Satzführung im deutschen Sonett vom Barock bis zu Rilke. Untersuchungen zur Sonettstruktur*, Tübingen 1956. – H. Stelzig, *Sprechwissenschaftliche Analyse zu Klanggestalten u. Klangrhythmus deutscher Lyrik im Zeitraum 1620–1720 bei M. O., Andreas Gryphius u. Joh. Christ. Günther*, Diss. Greifswald 1957. – W. A. P. Smit, *O. als vertaler van Nederlandse Sonnetten* (in Miscellania Litteraria, 1959, S. 107 bis 121; auch in W. A. P. S., *Twaalf Studies*, Zwolle 1968, S. 78–91). – J. L. Gellinek, *M. O. Seine dichterische Entwicklung*, Diss. Yale Univ. 1965 (vgl. Diss. Abstracts, 26, 1965/66, S. 4658). – P. Böckmann, *Der Lobgesang auf die Geburt Jesu Christi von M. O. u. das Stilproblem der deutschen Barocklyrik* (in Archiv f. Reformationsgeschichte, 57, 1966, S. 182–207). – B. Ravicovitch, *Les conceptions religieuses de M. O.* (in EG, 21, 1966, S. 329–347). – J. L. Gellinek, *Liebesgedichte u.*

Lebensgeschichte bei M. O. (in DVLG, 42, 1968, S. 161–181). – G. Schönle, *Deutsch-niederländische Beziehungen in der Literatur des 17. Jh.s*, Leiden 1968. – J. L. Gellinek, *Further Dutch Sources Used by M. O.* (in Neoph, 52, 1969, S. 157–175).

TROST GEDICHTE JN WIDERWERTIGKEIT DESSZ KRIEGES; In vier Bücher abgetheilt und vor etzlichen Jahren von einem bekandten Poëten anderwerts geschrieben. Lehr- und Erbauungsdichtung von Martin Opitz (1597–1639), anonym erschienen 1633. – Das umfangreichste eigenständige Werk von Opitz thematisiert, ausgehend vom »*unglückseligen Böhmischen Krieg*« als dem Paradigma und Inbegriff menschlichen Elends, die vielfältigen Möglichkeiten der Tröstung im Leid. Vom Dichter selbst im *Buch von der Deutschen Poeterey* (1624) als »*Heroisch getichte*«, das »*von hohem wesen redet*«, klassifiziert, ist die Schrift zwar »*eine der ersten vaterländischen Kriegsdichtungen*« (R. Newald), jedoch noch stärker von ihrem didaktisch-moralischen Inhalt und Konsolationscharakter geprägt.

Die *Trost Gedichte*, entstanden im Frühjahr 1621 in Jütland, wahrscheinlich aber noch in Heidelberg (Herbst 1620) als Kampfschrift gegen die heranrückende Armee Spinolas geplant, emanzipieren sich von ihrem autobiographischen Anlaß zugunsten extensiver philosophisch-religiöser Erörterungen, die auf den Tenor stoizistischer Lebenshaltung und christlicher Dogmatik gestimmt sind und von einem (kultur-)patriotischen Ethos beherrscht werden. Ein möglicherweise auch vom Geiste des Arianismus inspiriertes, besonders das schwere Schicksal der untersten sozialen Schichten im Krieg beklagendes humanitäres Engagement tritt hinzu: In einer Art Fürstenspiegel für den christlichen Herrscher warnt der Autor den Adel vor der leichtfertigen Entfesselung unkontrollierbarer militärischer Auseinandersetzungen und verweist ihn auf das verpflichtende Gesetz Christi: »*Einander lieben* / (...) *Fried' und Einigkeit*«. Sittlich gerechtfertigt erscheint Opitz allein der Verteidigungskrieg zur Abwehr der drohenden Expansion des osmanischen Reiches, den es geschlossen zu führen gelte, statt in den internen Konfessionsstreitigkeiten, die häufig nur machtpolitische Bestrebungen kaschierten, die »Heiden« an Brutalität noch zu übertreffen. Der Appell zur Einheit zielt besonders auf seine Landsleute, die Opitz ermahnt, sich auf den Ruhm der Vorfahren zu besinnen und »*von Deutscher Art und Alle-Männer*« zu sein. Hinter dieser politischen Empfehlung steht hier auch die entschieden artikulierte Gesinnung der Toleranz in konfessionellen Fragen: »*Es ist ja nichts so frey / nichts also ungedrungen Als wol der Gottesdienst: so bald er wird erzwungen / So ist er nur ein Schein / ein holer falscher Thon. Gut von sich selber thun das heist Religion.*«

Im Grauen des Krieges, wie ihn vornehmlich das erste Buch bewußt ohne jede Beschönigung, wenngleich rhetorisch-hyperbolisch stilisiert, beschreibt, repräsentiert nach Opitz der stoische Weise mit seiner in Glück und Unglück gleichmäßigen Gelassenheit und seiner christlich-eschatologischen Orientierung den Idealtypus des Menschen. Er, dessen mythische Präfiguration der Autor im Gesamtrahmen seiner ausgedehnten polyhistorischen Vergleiche in Odysseus erkennt, tröste sich zuallererst mit der Erkenntnis, daß der Krieg von Gott, dem Lenker und Ordner aller Dinge, als Strafe für Sittenverfall und Schuld auf Erden verhängt sei. Der Kampf diene überdies der Verwirklichung eines der göttlichen Grundgesetze, des ständigen Wechsels, der sich – unter die Allegorie der Fortuna gestellt – besonders im Ablauf der antiken Geschichte manifestiere. In der irdischen Unbeständigkeit führe Gott dem »*edlen Thier*« die allgemeine *vanitas* und speziell die Hinfälligkeit des Menschen mit seinen materiellen und ideellen Gütern drastisch vor Augen, um ihn zur Einsicht in den unvergänglichen Wert der vernunftbestimmten Tugend – des im zweiten Buch zentral behandelten Trostmittels – zu bewegen. Sie befähige den »*hohen Muth*« zur Unerschütterlichkeit in den Anfechtungen dieser Welt und verheiße ihm im Jüngsten Gericht das ewige Leben, zu dessen visionärer Schilderung das vierte Buch aufgipfelt. Die Anführung zahlreicher anderer Trostquellen in den Büchern III und IV – u. a. das gute Gewissen und die Märtyrerhaltung des auf Gott vertrauenden Christen sowie die Hoffnung auf Nachruhm und die *consolatio philosophiae* des wissensdurstigen Humanisten – findet ihre Klimax in der Aussicht auf den sicheren Tod, der gerade im Krieg am leichtesten zu finden und am schönsten zu erleiden sei. Der Tod, und das macht ihn in Opitz' Argumentation zum »*letzten an der Zahl / und ersten an dem Werth*«, sei »*Ein Thor durch das der Geist kömpt aus des Leibes Bande*«: Als der »*Ewigkeit Beginn / der schnöden Welt Beschluß*« erfüllt er dem auf Erden Gequälten die höchste Hoffnung, die zusammen mit Glaube und Liebe die strukturierende Begriffstrias des letzten Buches bildet.

Obwohl sich die Sprachgestaltung des Werks in der veröffentlichten Version von ihrem ursprünglichen Zustand durch vielfache Überarbeitung entfernt hat, nimmt sie der Entstehungschronologie nach in nahezu allen Einzelheiten die Forderungen der Opitzschen Poetik praktisch vorweg: Die 2308 Alexandriner, denen numerisch-formal die Zahl Vier als Summe der Bücher zugrunde liegt – Buch I: 568 Verse; Buch II: 612; Buch III: 560; Buch IV: 568 –, sind jambisch gebaut, halten in der Regel die Diärese ein und reimen sich, fast ohne Unreinheiten, in abwechselnd weiblichen und männlichen Paaren. Das inhaltlich auf Steigerung als Formprinzip angelangte, Wiederholungen nicht immer vermeidende Bücherquartett wird gleichsam umrahmt von einer die Musen-Invocatio ersetzenden Anrufung des Heiligen Geistes zu Beginn der prologartigen Einleitung (V. 1–48) und einem an Gottvater und -sohn gerichteten, um Frieden, Beständigkeit und die Gnade des Heiligen Geistes flehenden Schlußgebet, so daß es, der Trinität unterstellt, den *Geistlichen Poemata* zugerechnet werden konnte. Opitz versteht die vorwiegend rationalistisch wirkenden, episch gehaltenen *Trost Gedichte*, wie aus ihren, vom Bewußtsein literarischer Pionierleistung erfüllten Eingangsversen hervorgeht, als Verwirklichung eines neuartigen ästhetischen Programms, das die Abfassung von Liebesgedichten, geheucheltem Herrscherlob und mythologischen Darstellungen zugunsten der vom Aktuellen ausgehenden Reflexion und Analyse des Krieges mit dem Ziel allgemeiner moralischer Besserung verwirft. Der »*auff dieser newen Bahn*« befindliche Autor, der sich seiner Begabung voll bewußt ist, die Bedeutung und Würde des Dichterberufs als eines Lehramts betont und den Niedergang der Kunst im Kriege bedauert, vermeidet jedoch die Mythologisierung seiner Dichtung nicht konsequent, da er der Gelehrsamkeitsdemonstration breitesten Raum zugesteht. Dennoch wird man die *Trost Gedichte*, die von den

Zeitgenossen uneingeschränkt aufgenommen wurden, als *»größte selbständige Dichtung von Opitz«* (M. Szyrocki) bewerten können. K. Hab.

AUSGABEN: Breslau/Lpzg. 1633 [anon.]. – Breslau 1690 (in *Opera Geist- und Weltlicher Gedichte*). – Bln./Stg. 1889 (in *Weltliche u. geistliche Dichtung*, Hg. H. Oesterley; DNL, 27). – Tübingen 1966, Hg. E. Trunz.

LITERATUR: A. Stössel, *Die Weltanschauung des M. O. besonders in seinen »Trostgedichten in Widerwärtigkeit des Krieges«*, Diss. Erlangen 1922. – P. Hankamer, *Deutsche Gegenreformation u. deutsches Barock. Die deutsche Literatur im Zeitraum des 17. Jh.s*, Stg. 1935; [3]1964. – M. Szyrocki, *M. O.*, Bln. 1956. – H. Stelzig, *Sprechwissenschaftliche Analyse zu Klanggestalten u. Klangrhythmus deutscher Lyrik im Zeitraum von 1620–1720 bei M. O., A. Gryphius, J. C. Günther*, Diss. Greifswald 1957. – H. Nahler, *Das Lehrgedicht bei M. O.*, Diss. Jena 1961.

CHRISTIAN REUTER
(1665 - um 1712)

SCHELMUFFSKY CURIOSE UND SEHR GEFÄHRLICHE REISSE-BESCHREIBUNG ZU WASSER UND LAND. Satirischer Reise- und Abenteuerroman von Christian REUTER (1665 bis nach 1712), erschienen 1696 (Fassung A); eine zweite Fassung (B) mit dem Titel *Schelmuffskys Warhafftige Curiöse und sehr gefährliche Reisebeschreibung Zu Wasser und Lande* erschien in zwei Teilen 1696/97. – Während Reuter im Karzer der Leipziger Universität für die in seinem Lustspiel *L'Honnéte Femme oder Die ehrliche Frau zu Plissine* (1695) enthaltenen Verunglimpfungen seiner Wirtsleute Müller büßte, schrieb er neben einer Fortsetzung dieser Komödie seinen grobianischen Schelmen- und Abenteuerroman. Der Held – sein Urbild ist wieder Eustachius Müller – ist als nichtsnutziger Lügenbeutel bereits aus Reuters »Schlampampe«-Komödien bekannt, aber mit seiner verblendeten Umwelt der festen Überzeugung, *»daß ich ein brav Kerl war und daß was grosses hinter mir stecken mußte«*. In sieben (Fassung A), bzw. dreizehn (Fassung B) Kapiteln erzählt er seine phantastische Lebensgeschichte, in der *»doch beym Sapperment alles wahr ist, und der Tebel hohlmer nicht ein einziges Wort erlogen«*.
Infolge der frivolen Intervention einer Ratte vier Monate zu früh mit der erstaunlichen Fähigkeit, sogleich gewandt parlieren zu können, auf die Welt gekommen und bis zu seinem zwölften Lebensjahr mit Ziegenmolke aufgezogen, versagt Schelmuffsky als Schüler wie als Kaufmannslehrling und wird schließlich von seiner Mutter, mit den für eine Kavalierstour nötigen Mitteln versehen, in die weite Welt geschickt. In Gesellschaft eines Grafen, der, beeindruckt von der immer wieder imponierenden Rattenepisode, Brüderschaft mit ihm trinkt, reist er von Schelmenrode nach Hamburg. Dort verwickelt ihn die sogleich für ihn entflammte Dame Charmante in ein Duell, das er großartig besteht. Eine Rauferei mit Hamburger *»Nacht-Wetzern«*, von denen er mit seinem *»Rückenstreicher«* auf Anhieb ein gutes Dutzend niedersticht, zwingt ihn, nach Schweden zu fliehen. Kaum in Stockholm, ist er der erklärte Liebling der Hautevolee, vornehmlich der heiratslüsternen Damen, von denen eine gar aus Kummer über die Zurückhaltung des Angebeteten stirbt. Nach zweijährigem Aufenthalt segelt er mit dem Grafen und der Dame Charmante, die ihm inzwischen nachgekommen sind, nach Holland. Ein Sturm freilich setzt dem Schiff auf der Höhe von Bornholm derart zu, *»daß es der Tebel hohlmer flugs in hundert tausend Stücken sprang«*. Als einzige Überlebende paddeln Schelmuffsky und der Graf auf einer Schiffsplanke nahezu hundert Meilen nach Amsterdam, wo sie im Hause des Bürgermeisters von der besseren Gesellschaft ehrerbietig aufgenommen werden. Als Mittelpunkt einer »Compagnie« von *»vornehmen Dames und Cavalliren«* verbringt die Standesperson »von« Schelmuffsky zwei Jahre in den Spielhäusern der Stadt, ehe er sich mit seinem *»Herrn Bruder Grafen«* nach Indien einschifft, um dort den *»grossen Mogol«* aufzusuchen. Im Palast zu Agra wird er – der Graf ist unterwegs gestorben – glänzend empfangen, darf der Leibsängerin lauschen (*»Sie konnte der Tebel hol mer biß in das neunzehende gestrichene C hinauff singen«*) und mit dem Monarchen über deutsches Klebebier plaudern. Ein gelehriger Schüler Adam Rieses, bringt er nebenbei die Buchhaltung des Großmoguls in Ordnung, schlägt dessen Angebot, geheimer *»Reichs-Cantzlar«* zu werden, kurzerhand aus und verläßt, mit Geschenken überhäuft, nach vierzehntägiger Anwesenheit das indische Reich. Das nächste Reiseziel ist London, wo der wohlhabende Schelmuffsky von den *»vornehmsten Lords-Töchtern«* so lebhaft umworben wird (*»sie frassen mir bald das Maul ab, so zu hertzten sie mich«*), daß er schleunigst wieder abreist. Auf dem Weg nach Spanien wird sein Schiff von Seeräubern überfallen. Einer gegen hundert, schlägt er sich tollkühn, verkürzt die Nase des berüchtigten Räubers Hanß Barth um ein erhebliches Stück, wird endlich aber doch überwältigt, beraubt und für ein halbes Jahr in Sanct Malo gefangengesetzt. Seine Mutter löst ihn aus, über London kommt er, bettelarm und zerlumpt, als Fuhrknecht nach Hamburg und von da nach Schelmenrode.
Der boshaften Bemerkung seines kleinen Vetters, daß er *»nicht weiter als eine halbe Meile von seiner Geburts-Stadt kommen wäre, und alles mit einander mit lüderlicher Compagnie im Toback und Brantewein versoffen«*, antwortet Schelmuffsky damit, daß er sich erneut auf abenteuerliche Reisen begibt. Teils zu Fuß, teils per Postkutsche gelangt er nach Venedig, gewinnt in einer Glücksbude sogleich ein Pferd und 1000 Taler und dadurch ein ungeheures Ansehen. Das Angebot in Venedig »Raths-Inspector« zu werden, lehnt er leichthin ab, läuft statt dessen seinem durchgegangenen Pferd bis in das eine halbe Stunde von Rom entfernte Padua nach und mietet sich dort im Wirtshaus »Zum rothen Stier« ein, einer Karikatur von Reuters Leipziger Quartier, dem »Roten Löwen« der Familie Müller. Hier begegnet Schelmuffsky in der Person des renommiersüchtigen Sohnes gleichsam sich selbst. *»Ey sapperment! Was schnitte der Kerl Dinges auff, wo er überall gewesen wäre, und waren der Tebel hohl mer lauter Lügen.«* In einem Ehrenhandel säbelt er seinem Doppelgänger beide Ohren ab, verläßt daraufhin Padua und zieht nach Rom zu einem Sterngucker, der ihn das Kalendermachen lehrt. Ehe er über Polen und Nürnberg die Heimreise zu seiner todkranken Mutter antritt, überwältigt er in Rom noch seinen Gegner von einst, den Seeräuber Hanß Barth, der den Heringsfischern

der Stadt übel mitgespielt hat. Bei einem Raubüberfall im Schwarzwald bis aufs Hemd ausgeplündert, kehrt Schelmuffsky schließlich abermals glanzlos nach Schelmenrode zurück.
Reuters Roman, dessen Textvarianten *»bis in kleinste Einzelheiten, in Stil, Charakterisierung, Aufbau und Tendenz«* das Ergebnis einer *»ganz bewußten Kunstübung«* (K. Tober) sind, ist mehr als nur ein privates Pasquill. In der Tradition des Reise- und Abenteuerromans wie des pikarischen oder Schelmenromans stehend und sie zugleich parodierend, ist er eine vehemente Satire auf die eigene Zeit, die die Flut jener trivialen Literaturprodukte vorbehaltlos konsumierte. Denn im komischen Kontrast zwischen Schelmuffskys aufgesetzter weltmännischer Galanterie und seiner grenzenlosen Rüpelhaftigkeit spiegelt sich die Überlebtheit der barocken höfischen Kultur wie die Hohlheit ihrer bürgerlichen Imitationen. Sprachlich vollzieht sich diese satirische Entlarvung im unvermittelten Nebeneinander von formelhaft-erstarrten Phrasen, aufgeschnappten Fremdwörtern und »galanten« Wendungen auf der einen Seite, von derben Flüchen und landläufigen Redensarten in obersächsischer Dialektfärbung auf der andern.
Während *Schelmuffsky* im 18. Jh. weitgehend in Vergessenheit geriet, feierten ihn die Romantiker als Entdeckung: Arnim nannte ihn einen *»deutschen Donquichote«*, und Brentano sah in ihm den romantischen Typus des Antiphilisters verkörpert (in *Über den Philister vor, in und nach der Geschichte*, 1811). Am ehesten freilich wird dem Satiriker Reuter eine Deutung gerecht, die ihn zu den *»Wegbereitern der Aufklärung«* rechnet, die noch weit entfernt sind *»von jener Intellektualisierung und Moralisierung, wie sie der Literatur der Gottschedzeit eigentümlich sein wird«* (W. Hecht).

C. St. – KLL

Ausgaben: St. Malo 1696 (*Schelmuffsky Curiose und Sehr gefährliche Reiße-Beschreibung zu Wasser und Land*; Fassg. A). – Schelmenrode 1696 (*Schelmuffskys Warhafftige Curiöse und sehr gefährliche Reisebeschreibung Zu Wasser und Lande I. Theil / Und zwar die allervollkommenste und accurateste EDITION, in Hochteutscher Frau Mutter Sprache eigenhändig und sehr artig an den Tag gegeben von E. S.*; Fassg. B, Tl. 1). – Padua 1697 (*Schelmuffskys curiöser und sehr gefährlicher Reise-Beschreibung Zu Wasser und Lande Anderer Theil*; Fassg. B, Tl. 2). – Kassel 1823, Hg. L. Hassenpflug [Fassg. B, Tl. 1/2]; ern. Lpzg. 1848, Hg. G. Wigand, 2 Tle. – Halle 1885, Hg. A. Schullerus (NdL, 57–59; vollst. Ausg.). – Lpzg. 1916 (in *Werke*, Hg. u. Nachw. G. Witkowski, 2 Bde., 1/2; vollst. Ausg.). – Halle [2]1956, Hg. W. Hecht (NdL, 57–59). – Tübingen [2]1956, Hg. P. v. Polenz (NdL, 57–59). – Stg. 1964, Hg. I.-M. Barth (RUB, 4343/4343a/4343b).

Literatur: F. Zarncke, *Ch. R., der Verfasser des »Schelmuffsky«. Sein Leben u. seine Werke*, Lpzg. 1884. – J. Risse, *Ch. R.s »Schelmuffsky« u. sein Einfluß auf die deutsche Dichtung*, Diss. Münster 1911. – O. Deneke, *»Schelmuffsky«*, Göttingen 1927 (Göttingische Nebenstunden, Beih. 3). – E. Dehmel, *Sprache u. Stil bei Ch. R.*, Diss. Jena 1930. – F. J. Schneider, *Ch. R.*, Halle 1936 (Hallische Univ. reden, 69). – H. König, *Ch. R.s »Schelmuffsky« als Typ der barocken Bramarbas-Dichtung*, Diss. Hbg. 1945. – F. J. Schneider, *Ch. R.s Jugend* (in Beitr., 70, 1948, S. 459–466). – W. Hecht, *Die Idee in Ch. R.s »Schelmuffsky«* (in Forschungen u. Fortschritte, 29, 1955, S. 381 f.). – K. Tober, *Ch. R.s »Schelmuffsky«* (in ZfdPh, 74, 1955, S. 127–150). – G. Tonelli, *Ch. R. e la società tedesca del seicento*, Turin 1960. – W. Hecht, *Ch. R.*, Stg. 1966 (Slg. Metzler, 46).

JOHANN RIST
(1607-1667)

DAS FRIEDEWÜNSCHENDE TEUTSCHLAND.

In einem Schauspiele öffentlich vorgestellet und beschrieben durch einen Mitgenossen der Hochlöblichen Fruchtbringenden Geselschafft. Drama in drei Akten und einem Zwischenspiel von Johann Rist (1607–1667), Erstaufführung 1649 in Memmingen auf der Meistersingerbühne. – Das ein Jahr vor Beendigung des Dreißigjährigen Krieges geschriebene Stück fand mit seiner leidenschaftlichen Werbung für den Frieden starken Widerhall; es wurde das volkstümlichste und meistgespielte unter den dreißig Bühnenwerken des Autors. Die Hauptträger der Handlung sind allegorische Figuren, die verschiedene Nationen verkörpern; »Teutschland« fühlt sich überheblich als *»aller größeste Dame von ganz Europa«* und führt ein gottloses Leben. Als Merkurius ihr die Helden »Ehrenvest« (Ariovist), »Heerzog Herman« (den Cherusker) und »Wedekind« (Widukind), die aus dem Lande Utopia kommen, vorstellt, werden sie von der *»à la mode bekleideten Dame«* für *»Bierfechter«* gehalten, *»die von höfischen Complimenten so wenig als der gröbste Bauer verstehen«*, und schließlich davongejagt. »Teutschland« gerät immer mehr unter den Einfluß der Wollust und behandelt fremde Herrscher wie *»Fastnachtsbutzen«*. Um die hochmütige Dame zu strafen, raubt ihr der Kriegsgott Mars die Kette »Concordia«, der sie ihre Stärke verdankt, und mißhandelt sie schwer. »Hunger« und »Pest«, die Schwestern des Mars, suchen sie ebenfalls heim. Als elendes, zerlumptes Bettelweib erwartet nun »Teutschland« ihr Ende. Auf Fürsprache Merkurs und des »Friedens« wird die Dame vor Gottes Thron gerufen. Endlich bußwillig, gesteht sie alle ihre Sünden. Gott erweist der reumütigen Sünderin Gnade: er will ihr *»die Hoffnung des werthen Friedens zukommen lassen«*.
Der Protestant Rist deutet die zeitbezogenen Vorgänge seines Stücks vom religiösen Standpunkt aus, darin dem Drama der Jesuiten folgend: die Personen und allegorischen Figuren der Handlung stehen im Dienst der gerechten göttlichen Weltordnung, sind *»Werkzeuge des feurigen Zornes Gottes«*, der über das frevelnde Deutschland kommt. Durch Ansätze zu einer individualisierenden Sprachgebung und durch die realistische Zeichnung vieler Szenen gelingt es dem Dichter, auch die allegorischen Gestalten zu beleben: »Teutschland« spricht im geziertesten, mit Fremdwörtern überladenen Barockstil. Einfach und volkstümlich klingt dagegen die Sprache der *»alten Teutschen«* »Ehrenvest« und »Herman«. Rist will nicht nur die Friedenssehnsucht der Menschen zum Ausdruck bringen und zu religiöser Besinnung aufrufen, er greift auch die in der Moralsatire häufig kritisierten Untugenden seiner Zeitgenossen an, so die Nachahmung fremder Kleidung und Sitten, die Vernachlässigung der deutschen »Hauptsprache« und ihre Durchsetzung mit Fremdwörtern. Alle szenischen Mittel der Barockbühne werden eingesetzt: häufige Verwandlungen, Massenauftritte, Panto-

mimen und Intermezzi in Form von Arien, Chören und Instrumentalmusik. Das durch Nicodemus FRISCHLINS *Julius redivivus* (1584) beeinflußte Stück ist von vielen Barockdramatikern nachgeahmt worden. Der Autor selber schrieb 1653 als Fortsetzung ein Singspiel mit dem Titel *Das Friedejauchzende Teutschland.* A. Sch.

AUSGABEN: o. O. 1647. – Amsterdam 1647. – Hbg. 1649 [Vorw. J. R.]. – Augsburg 1864 (zus. m. *Das Friedejauchzende Teutschland*, Hg. H. M. Schletterer; m. Einl.) – Gotha 1915, Hg. H. Stümcke.

LITERATUR: T. Hanssen, *J. R. und seine Zeit*, Halle 1872. – K. T. Gaedertz, *J. R. als niederdeutscher Dramatiker* (in JbNd, 7, 1881, S. 101–172). – A. M. Floerke, *J. R. als Dramatiker*, Diss. Rostock 1918. – O. Heins, *J. R. und das nd. Drama des 17. Jh.s*, Marburg 1930 (BdtLw, 38).

FRIEDRICH SPEE VON LANGENFELD
(1591–1635)

TRUTZ NACHTIGAL, oder Geistlichs-Poetisch Lust-Waldlein, Deßgleichen noch nie zuvor in Teutscher sprach gesehen. Zyklus geistlicher Lieder von Friedrich SPEE VON LANGENFELD (1591–1635), erschienen 1649. – Spees Odensammlung ist in verschiedenen Versionen überliefert: Außer dem Kölner Erstdruck existieren im (älteren) Straßburger und im (jüngeren) Trierer Manuskript, beide 1634, zwei Autographen neben einer Abschrift und einem Fragment (Paris 1640). Die Textgenealogie, die sich durch erschließbare Ur- und Zwischenstufen und mehrschichtige Korrekturen kompliziert, ist noch umstritten. Einige Lieder sind aus dem *Güldenen Tugendbuch* übernommen.
Den über einen längeren Zeitraum hinweg entstandenen, teilweise schon um 1632 abgeschlossenen Gedichten steht in der Buchfassung mit der *Vorred deß Authoris* eine bedeutende Miniaturpoetik voran, die sich aus den »*Merckpünctlein für den Leser*« in den Handschriften entwickelt hat. Sie erläutert zunächst den Titel – das Werk singe in Herausforderung der besten lateinischen und ausländischen Dichter »*trutz allen Nachtigalen süß / unnd lieblich (...) / unnd zwar auffrichtig Poetisch*« – und verkündet dann die kulturpatriotische und religiöse Intention des Verfassers: »*einer recht lieblichen Teutschen Poetica die baan zu zeigen / und zur grösseren ehren Gottes einen newen geistlichen Parnassum (...) algemach anzutretten*«. Außer dem Anspruch auf Gebrauch eines gehobenen und geläufigen Wortschatzes, der indes durch Spees Sprachschöpfungen und sein »*Privilegium*« des auf Breitenwirkung berechneten Dialektgebrauchs praktisch modifiziert wird, ist das reformerische Postulat der Kongruenz von Wort- bzw. Satz- und Versakzent hervorzuheben. Diese durch Beispiele bekräftigte und in der *Trutz Nachtigal* durch ständige Verbesserungen realisierte ästhetische Forderung – ganz unabhängig von OPITZ erhoben – gelte für Trochäen- und Jambenzeilen, die dem Deutschen am meisten affin seien.
Die für die Verwendung in kirchlichem Gesang und Vortrag konzipierte Erbauungsschrift verfolgt neben der Absicht, »*daß Gott auch in Teutscher sprach seine Poeten hette*«, einen seelsorgerischen Zweck. Mit ihr suchte der gegenreformatorisch engagierte Jesuit Spee das lateinische Liedgut einzudeutschen und den Vorsprung protestantischer Gemeinden einzuholen. Thematik und Formen, in ihrer Gesamtheit eine Parodie auf die säkulare Lyrik im jesuitischen Sinn der Weltüberwindung deutet programmatisch das Widmungsgedicht eines Spee-Schülers an: In der pastoralen Dichtungstradition seit THEOKRIT und VERGIL stehend, wage sich der »*Reymen-Dichter*«, in Liebe zu Gott und allen seinen Kreaturen entbrannt, auf mystische Weise »*Zum Himmel weit hinein*«, um die höchsten spirituellen Geheimnisse »*Den Seelen (...) zum heil*« zu ergründen. Gottessuche und Schöpferlob, Jesusminne und Wundenkult, Passionsschmerz und Auferstehungsfreude, Weltabsage und Jenseitssehnsucht sind die immer wieder variierten Zentralmotive. Sie faßt das allegorische Titelkupfer von 1649, das wohl auf Spees auch autobiographisch zu interpretierenden Entwurf zurückgeht, im Bild der den »*schönen Gott*«, den gekreuzigten Christus-Cupido, trauernd anbetenden, vom Liebespfeil verwundeten *anima-sponsa* des *Hohenliedes* (E. Rosenfeld). Auch Philomela, ein Leitmotiv der Sammlung, bezeichnet hier nach Ausweis des eigentlichen Eingangsliedes den Autor selbst. Die auf Gethsemane verweisende Szenerie des *hortus tristis*, ihrerseits mehrfach im Zyklus aufgenommen, kontrastiert mit dem arkadischen Motiv des *locus amoenus* in den bezeichnenderweise von EICHENDORFF gerühmten Naturgedichten und repräsentiert so die klassisch-christliche, schäferlich-geistliche Mischform des Werks. Aus ihr leiten sich die beiden Haupttypen der aus einfachen Strophen gebauten Stücke ab, diejenigen im Kirchenliedstil und die Eklogen, die sich alle unter Orientierung am Volkslied und an den Psalmen durch hohe Sprachmusikalität auszeichnen.
Inhaltlich sind auf dem Hintergrund der biblisch-patristischen Literatur und des petrarkistischen Zeitgeschmacks gesonderte, nicht immer homogene Gruppen zu unterscheiden, die stoffliche Einförmigkeit einerseits und der Grundton der Innigkeit, Inbrunst, raffinierten Naivität und Melancholie andererseits zusammenhalten: der *Sponsa*-Teil, ein kleiner »*Canzoniere für sich*« (Rosenfeld), mit den Bußliedern; die Laudes; die Eklogen mit den Hirtengesprächen. Das nur im Druck überlieferte Schlußgedicht vom Altarsakrament (Nr. 52), dessen Autor nicht feststeht, dürfte mit dem Prologgedicht korrespondieren und als mystisch-gemeindestiftende Apotheose gedacht sein (Rosenfeld). Für die ursprüngliche Anzahl sprechen neben der Parallelität zur Summe der »Dubia« in Spees *Cautio Criminalis* (1631) vor allem strukturelle Erwägungen. R. M. BROWNING vertritt, ausgehend von 51 Gedichten, die Auffassung, die *Trutz Nachtigal* sei u. a. nach dem Formprinzip theologisch fundierter Zahlensymbolik komponiert, wobei sich die Lieder vornehmlich nach Siebener- und Dreier-Gruppen symmetrisch, aber in vielfacher Untergliederung, ordneten. Die Sieben als *numerus perfectionis* zusammengesetzt aus der Drei als göttlicher und der Vier als irdisch-menschlicher Ziffer und gegen Ende des Zyklus öfter erwähnt, bedeute somit die Inkarnation.
Der Zyklus zeigt eine deutliche Akzentverlagerung vom Dogmatisch-Didaktischen zum Kunstbewußten und spiegelt so das Bestreben des Autors, »*Den Lorber-Crantz (zu) ersingen Jn deutschem Gottes lob*«. Tatsächlich gilt Spee als der erste deutschsprachige Dichter, der Mikro- und Makrokosmos aus subjektivem Erleben und religiösem Empfinden

als Media des Gotteslobes und, besonders in den berühmten Natureingängen, als Träger persönlicher, von tiefer Zerknirschung bis zur Ekstase reichender Stimmungen darstellen konnte. Daß er das selbstgesteckte progressive Ziel trotz seiner teilweise voropitzschen künstlerischen Haltung, der Verwendung einer zugleich archaisierenden und barock-rhetorisierten Sprache und einer vom Lateinischen abhängigen Versbildung erreichte, beweisen neben dem Werk selbst zwei Übersetzungen und sechs Auflagen des »*Geistlich-poetischen Lustwäldleins*« bis zu Beginn des 18. Jh.s sowie seine starke Nachwirkung in der Romantik. So veranstalteten Friedrich von Schlegel und Clemens Brentano Neuausgaben, und fünf Lieder gingen in *Des Knaben Wunderhorn* ein. K. Hab.

Ausgaben: Köln 1649; Faks. Mchn. 1929. – Bln. 1817, Hg. C. Brentano. – Heilbronn 1876, Hg. K. Simrock [modernisierte Fassg.]. – Freiburg i. B. 1908, Hg. A. Weinrich. – Halle 1936, Hg. G. A. Arlt (Nachdr. 1967; NdL, 292).

Literatur: J. Märtens, *Die Darstellung der Natur in den Dichtungen S.s* (in Euph, 26, 1925, S. 564 bis 592). – G. Müller, *Geschichte des deutschen Liedes vom Zeitalter des Barock bis zur Gegenwart*, Mchn. 1925; Darmstadt ²1959. – P. Hankamer, *Deutsche Gegenreformation u. deutsches Barock. Die deutsche Literatur im Zeitraum des 17. Jh.s*, Stg. 1935; ³1964. – E. Jacobsen, *Studien zum Fortleben der Antike I. Die Metamorphosen der Liebe in F. S.s »Trutznachtigall«*, Kopenhagen 1954. – E. Rosenfeld, *F. S. v. L. Eine Stimme in der Wüste*, Bln. 1958, S. 197ff. (QFgV, N. F. 2). – W. Flückiger, *Natur u. Gnade bei F. v. S.* (in Reformatio, 10, 1961, S. 367–373; 433–444). – R. L. Hiller, *A Protestant Answer to S.'s »Trutznachtigall«* (in JEGPh, 61, 1962, S. 217–231). – E. Rosenfeld, *Neue Studien zur Lyrik von F. v. S.*, Mailand 1963, S. 63ff. – R. M. Browning, *On the Numerical Composition of F. S.'s »Trutznachtigall«* (in *Fs. f. D. W. Schumann zum 70. Geburtstag*, Mchn. 1970, S. 28–39). – M. Gentner, *Das Verhältnis von Theologie u. Ästhetik in S.s »Trutznachtigall«*, Diss. Tübingen 1965.

CHRISTIAN WEISE
(1642–1708)

DIE DREY ÄRGSTEN ERTZ-NARREN IN DER GANTZEN WELT, AUSS VIELEN NÄRRISCHEN BEGEBENHEITEN HERVORGESUCHT, UND ALLEN INTERESSENTEN ZU BESSEREM NACHSINNEN ÜBERGEBEN, DURCH CATHARINUM CIVILEM. Roman von Christian Weise (1642–1708), erschienen 1672. – »*Es scheint als müste man die Tugend auch per piam fraudem, der kützlichten und neubegierigen Welt auf eine solche Manier beybringen, drum wünsche ich nichts mehr, als die Welt wolle sich zu ihrem Besten allhier betriegen lassen. Sie bilde sich lauter lustige und zeitvertreibende Sachen bey dissen Narren ein: wenn sie nur unvermerckt die klugen Lebens-Regeln mit lesen und erwegen will.*« Diese im Vorwort offen ausgesprochene lehrhafte Absicht prägt das gesamte Werk, das – von Grimmelshausens *Der abentheurliche Simplicissimus teutsch* beeinflußt – von sehr viel größerer Lebensnähe ist als die meisten Romane der Zeit.
Eine einfache Rahmenhandlung hält das vielfältige Romangeschehen zusammen: im Nachlaß eines adeligen Gutsherrn findet sich eine Testamentsbestimmung, die verlangt, im fast vollendeten Neubau des Schlosses »*solten in den drey grossen Feldern der Thüre gegen über die drey ärgsten Narren auf der Welt abgemahlet werden*«. Da sich die Erben nicht einigen können, welche Gestalten dargestellt werden sollen, unternehmen Florindo, der künftige Schloßherr, sein Hofmeister Gelanor und sein Verwalter Eurylas eine Reise, um alle Arten menschlicher Narrheit zu beobachten und die drei auffallendsten Beispiele herauszufinden. Auf ihrer Fahrt durch Deutschland begegnet der kleinen Reisegesellschaft nun in Postkutschen und Gasthäusern, auf Abendgesellschaften und in Badeorten eine Fülle von »Narren«: Pantoffelhelden, Streitsüchtige, Büchernarren, Spieler, Verliebte, Quacksalber, törichte Erzieher, Prahler, Hochmütige, brotlose Gelehrte, Hochstapler, geschwätzige Studenten, gefräßige, abergläubische, stutzerhafte, trunksüchtige, heuchelnde, philosophische, melancholische und liebestolle Narren – ein Narrenpanorama also, wie es schon die satirische Literatur des 16. Jh.s (Sebastian Brant, Thomas Murner, Johann Fischart) auszubreiten liebte. Außerdem bietet ein von Florindo zufällig gekauftes Buch mit dem Titel »Die närrische Welt« die Möglichkeit, Anekdoten, Schwänke und närrische Begebenheiten aller Art zu erzählen. Aber selbst als die Reise nach Holland, England, Frankreich, Spanien, Portugal, Venedig und Wien ausgedehnt wird, kommt man zu keiner Einigung, wem die Krone der Narrheit gebühre. Ein Mitglied der Gesellschaft wird deshalb mit einer Bittschrift an ein »Collegium Prudentium« abgesandt, dessen »*Erörterung Der Frage Welcher der gröste Narr sey?*« bald eintrifft – ein Traktat in zwanzig wohldurchdachten Lehrsätzen, deren abschließender lautet: »*Nun ist leicht die Rechnung zu machen, wer der gröste Narr sey: Nemlich derselbe, der umb zeitliches Kothes willen den Himmel verschertzt. Nechst diesem, der umb lüderlicher Ursachen willen entweder die Gesundheit und das Leben, oder Ehre und guten Namen in Gefahr setzet.*« Die Freunde eilen daraufhin nach Hause und lassen die leeren Felder mit entsprechenden allegorischen Figuren bemalen.
Weise leitet die Vorrede des Romans mit einer Ablehnung Grimmelshausens und des *Simplicissimus* ein, tatsächlich ist er jedoch von ihm abhängig. Seine nüchterne pädagogische Absicht unterdrückt allerdings jede freiere poetische Entfaltung, und die Buntheit und Zufälligkeit, mit der einzelne Episoden beliebig fortsetzbar aneinandergereiht werden, übertrifft selbst die Sorglosigkeit der Komposition des Schelmenromans. Abgesehen von der enttäuschenden, weil allzu abstrakten Auflösung der Frage nach den drei größten Narren (nämlich durch ein Richterkollegium), enthält das Werk viele lebendig gelungene Episoden und präzise Einzelcharakterisierungen, besonders von zeitgenössischen Sprach- und Modetorheiten. Die oft übersteigert prunkhafte Sprache des heroisch-galanten Romans vermeidet Weise. Der überraschend große Erfolg – zwischen 1672 und 1710 erschienen zehn Auflagen – veranlaßte ihn, 1675 eine Fortsetzung unter dem Titel *Die Drey Klügsten Leute in der gantzen Welt Aus vielen Schein-klugen Begebenheiten hervor gesucht* zu veröffentlichen. H. H. H.

Ausgaben: o. O. 1672. – Lpzg. 1673 [rev. u. korr.]. – Halle 1878, Hg. W. Braune (NdL, 12–14).

LITERATUR: A. Dau, *Die kulturgeschichtlich wichtigsten Romane des XVII. Jahrhunderts. I. Der Simplicissimus und C. W.s »Drei ärgste Erznarren«*, Progr. Schwerin 1894. – R. Becker, *W.s Romane und ihre Nachwirkung*, Diss. Bln. 1910. – M. Speter, *Grimmelshausens Einfluß auf W.s Schriften* (in Neoph, 11, 1926, S. 116/117). – A. Hirsch, *Bürgertum und Barock im deutschen Roman*, Köln/Graz [2]1957. – De Boor, 5, S. 394.

PHILIPP VON ZESEN
(1619–1689)

RITTERHOLDS VON BLAUEN ADRIATISCHE ROSEMUND. Last hägt Lust.

Roman von Philipp von ZESEN (1619–1689), erschienen 1645 unter dem Pseudonym »Ritterhold von Blauen«. – Das Vorwort zu diesem ersten großen deutschen Roman des Barock verspricht eine *»keusche libesbeschreibung«*, die es bis dahin in Deutschland nur in Übersetzungen aus dem Spanischen, Französischen und Italienischen gegeben hatte. Der Roman setzt ein mit der vorübergehenden Trennung zweier unglücklich Liebender, Markholds, eines adligen schlesischen Dichters, und Rosemunds, einer jungen venezianischen *(»adriatischen«)* Dame, die mit ihrem Vater Sünnebald und ihrer älteren Schwester Stilmuht aus Deutschland vor den Wirren des Dreißigjährigen Krieges nach Amsterdam geflüchtet ist und dort mit der Braut eines Markhold befreundeten Schlesiers, Adelmund, zusammenlebt. Die Liebenden sehen sich an einer Ehe durch ihre Religionszugehörigkeit gehindert: Markhold ist protestantisch, Rosemund katholisch, und Rosemunds Vater will in eine Heirat nur einwilligen, wenn Markhold sie ihrem Bekenntnis treu bleiben und alle Töchter, die von ihr geboren werden sollten, ebenfalls katholisch erziehen läßt. Beide Bedingungen sind für ihn unannehmbar. Der auffallend handlungsarme Roman setzt dieses zum Scheitern verurteilte Verhältnis nun einer anhaltenden Probe aus: Markhold ist gezwungen, sich auf eine monatelange Reise zu begeben, die ihn zur Zeit der Krönung Ludwigs XIV. nach Paris führt. Die alleingelassene Rosemund zieht sich während dieser Zeit als Schäferin in die Umgebung Amsterdams zurück. Markholds glückliche Wiederkehr erlöst sie für wenige Tage aus ihrer Qual. Aber dringende Geschäfte rufen ihn bald wieder ab, und die Unglückliche wird *»ihres jungen läbens weder sat, noch fro, und verschlos ihre zeit in lauter betrühbnis«*.

Die Personen tragen deutliche autobiographische Züge, zu deren Entschlüsselung Zesen selbst Anlaß gegeben hat: *»Dan es ist zu wissen, daß unter meiner ahrt zu schreiben, sonderlich unter den verblühmten nahmen allezeit was anders, als es sich äußerlich ansähen lässet, verborgen sei«* (Brief an B. Knipping, 1644). Verweisen alle Züge Markholds auf Zesen selbst (so das Pseudonym des Verfassers, Ritterhold von Blauen, und das Detail, daß Rosemunds Schäfersitz völlig in *»stärbe-blauen«* Farben ausgemalt ist), so hat die Forschung Rosemunds Vorbild noch nicht restlos klären können. Der psychologischen Tendenz des Werkes, die beinah bürgerlich-empfindsam im Sinne des 18. Jh.s zu nennen wäre, entspricht das kompositorische Bemühen, alles »innerliche« Geschehen nicht direkt darzustellen, sondern es vermittelnd zu objektivieren, in Briefen, eingelegten Gedichten, Epigrammen, Schäferliedern und Berichten über Geschehnisse von Augenzeugen. Hinzu kommen großangelegte didaktisch-unterhaltende Partien wie *Uhrsprung und Beschreibung der Stat Venedig, aus vihlen bewährten uhr- und geschichtschreibern kürzlich zusammen gezogen* und *Kurzer entwurf Der Beschaffenheit däs Venedischen Stat-Wäsens* im vierten oder *Kurzer entwurf der alten und izigen Deutschen* im fünften Buch. Die ersten beiden sind Rosemund und ihrem Vater in den Mund gelegt, die dritte wird von Markhold vorgetragen. Daneben findet sich noch eine Vielzahl von eingearbeiteten *»kurzweiligen erzählungen«*, die in keinem weiteren Verhältnis zur Haupthandlung stehen, als daß sie eine versammelte Gesellschaft erheitern sollen, so der *Lustwandel des Guthsmuths* oder die *Begäbnüs Der Böhmischen Gräfin und des Wild-fangs*. Nur eine dieser Einlagen hat eine deutliche epische Funktion – die kurz vor Schluß des Romans in Buch 6 eingefügte *Niderländische geschicht von einer ahdlichen Jungfrauen und einem Rit-meister*, die als Integration des Hauptmotivs *»eine träue Libe zweier lihbsten, dahrnahch auch di verfluhchte kargheit und eh-zwang der älteren«* schildert und so die krause Komposition des Werkes aufbessert.

KLL

AUSGABEN: Amsterdam 1645. – Amsterdam 1664. – Amsterdam 1666. – Halle 1899, Hg. M. H. Jellinek, (NdL, 160/3). – Bremen 1970, Hg. K. Kaczerowsky (Slg. Dieterich, 327).

LITERATUR: J. Gander, *Die Auffassung d. Liebe in Z.s »Adriatischer Rosemund«*, Diss. Freiburg i. B. 1930. – J. H. Scholte, *Z.s »Adriatische Rosemund« als symbol. Roman* (in Neoph, 30, 1946, S. 20–30). – Ders., *Z.s »Adriatische Rosemund«* (in DVLG, 23, 1949, S. 288–305). – H. Standescu, *Wirklichkeitsgestaltung u. Tendenz in Z.s »Adriatischer Rosemund«* (in ZDLG, 7, 1961, S. 778–794).

HEINRICH ANSHELM VON ZIGLER UND KLIPHAUSEN
(1663–1696)

DIE ASIATISCHE BANISE ODER DAS BLUTIG-DOCH MUTIGE PEGU.

Roman von Heinrich Anshelm von ZIGLER UND KLIPHAUSEN (1663–1696), erschienen 1689. – Neben LOHENSTEINS *Großmütigem Feldherrn Arminius* (1689ff.) als beispielhaftes Muster des heroisch-historischen Großromans eines der berühmtesten Bücher seiner Art, machte das Werk in einer Zeit ungleich höheren Lesebedürfnisses zwischen 1689 und 1766 allein zehn Neuauflagen erforderlich und trieb neben zahlreichen Fortsetzungen (u. a. von Johann Georg HAMANN, 1697–1733), Umarbeitungen und Dramatisierungen eine ganze Literatur ähnlicher *Banisen* (*Deutsche Banise*, 1752; *Engellandische Banise, Prinzessin von Sussex*, 1754; *Ägyptische Banise*, 1759), den späteren »Robinsonaden« vergleichbar, hervor.

Die ungeheure Stoff- und Personenmasse des Werkes, das unter seinen barocken Artgenossen noch vergleichsweise kleine Dimensionen zeigt, verteilt sich auf drei Bücher, in denen der Verfasser *»mehrenteils wahrhafftige Begebenheiten«* zu geben verspricht, *»welche sich zu ende des funfzehen-hunderten seculi bey der grausamen veränderung des Königreiches Pegu* [in Hinterindien] *und dessen angrentzenden Reichen zugetragen haben«*. Das auf weitausgreifenden, in

Fußnoten vermerkten Quellenstudien beruhende, historische und geographische Materialien in kaum einsehbarem Maß arrangierende inhaltliche Gerüst läßt nur eine verkürzte Skizzierung zu: Balacin, der Sohn König Dacosems von Ava, liebt Banise, die Tochter Xemindos, des Königs von Pegu, der, wenn auch mit Dacosem verwandt, doch ständig mit ihm im Krieg liegt. Die Feindschaft wird geschürt durch Chaumigrem von Brama, einen Überläufer aus Pegu, der in Ava zu Einfluß gelangt und mit Hilfe seines Bruders Xenimbrum den in Ava einfallenden Xemindo tötet. Er macht sich zum Herrn von Brama, besiegt in grausamen Schlachten eine Reihe hinterindischer Duodezkönigtümer, erobert endlich Pegu und hält die schöne Banise dort gefangen. Prinz Balacin eilt nach Pegu, um sie zu retten, erfährt, daß sein Vater, der ihn um Chaumigrems willen verbannt hatte, gestorben ist und ihm zwei Königreiche hinterlassen hat, und wirbt eine Reihe Verbündeter gegen Chaumigrem, der weiterhin Reiche plündert, nachdem er sich in Banise verliebt und ihr eine sechsmonatige Frist zugestanden hat, seine Liebe zu erwidern. In einer gewaltigen Schlacht unterliegt er jedoch gegen Balacin und zieht sich nach Pegu zurück, das lange ergebnislos belagert wird. Banise, die sich allerlei Angriffen auf ihre Tugend von seiten Chaumigrems und eines verliebten Priesters ausgesetzt sah, soll nach Ablauf der Frist gerade dem Kriegsgott geopfert werden, als Balacin sich durch eine List in die belagerte Stadt einzuschleichen und mit Hilfe seiner Verbündeten den grausamen Tyrannen im letzten Augenblick zu töten und Banise zu retten vermag. Der bald folgenden Vermählung mit der endlich befreiten Geliebten schließen sich noch zwei weitere Paare aus Balacins Gefolge an, die in den Wirren der Schlachten und Intrigen sich fanden, so daß das Ende des Buchs Gelegenheit zu einem großen Fest gibt, bei dem im Heere kämpfende Portugiesen die asiatische Welt mit der Aufführung eines *»anmuthigen sieges-streites der liebes-Göttin mit dem Mavors«* und einem »europäischen« Schauspiel, der *Handlung der listigen Rache oder dem tapfern Heraclius* (vom Verfasser aus dem Italienischen übersetzt) bekannt machen dürfen.

Die breite Stoffülle des Werks und die dem heroisch-galanten Roman eigentümliche Technik des *rapere medias in res*, die sich an nahezu allen Büchern der Gattung beobachten läßt, nötigen dem Verfasser eine breiterzählte Vorgeschichte auf, die als Exposition bis fast in die Mitte des Romans reicht. Dem am Beginn stehenden stürmisch-pathetischen Eröffnungsmonolog Balacins gegen Chaumigrem, der in Pegu Banise gefangenhält, folgt ein erklügeltes System rückgreifender Erzählungen. Das nachträgliche Aufrollen umfangreicher Handlungsschichten hat zugleich die Funktion, die ununterbrochen fortdauernde Lebensgefahr der Heldin als Spannungsmittel zu verlängern und für den Eintritt der Katastrophe Verzögerungen zu bieten, in deren ständig neuer Erfindung der Verfasser nicht müde wird. Die von der Mitte des Buchs an geradlinig verlaufende Sukzession der Handlung wird zudem ständig aufgehalten durch ohne Unterlaß eingestreute Schilderungen des exotischen »Milieus«, das unter Benutzung entlegener Quellen darzustellen für den barocken Autor geradezu Pflicht war, wollte er der Forderung nach »Gelehrsamkeit« genügen (als Quelle diente hier hauptsächlich Erasmus FRANCISCIS *Ost- und Westindischer, wie auch Sinesischer Lust- und Stats-Garten*, 1668). Dennoch hat die *Asiatische Banise* – von GOTTSCHED und LESSING gelobt – bis weit ins 18. Jh. eine breite Wirkung gehabt, der noch der junge GOETHE verfallen ist, der in Wilhelm Meisters Puppentheater den bösen Tyrannen Chaumigrem auf die Bühne bringt. H. H. H.

AUSGABEN: Lpzg. 1689; 1690; 1707. – Bln. 1883, Hg. F. Bobertag (DNL, 37).

LITERATUR: H. H. Borcherdt, *Gesch. d. Romans u. d. Novelle in Dtschld.*, Lpzg. 1926. – M. Pistorius, *H. A. von Z.s Leben u. Werk*, Diss. Lpzg. 1928. – W. Pfeiffer-Belli, *Die Asiatische Banise. Studien zur Gesch. d. höf.-hist. Romans in Deutschland*, Bln. 1940. – E. Schön, *Der Stil von Z.s »Asiatischer Banise«*, Diss. Greifswald 1933. – E. Schwarz, *Der schauspielerische Stil des dt. Hochbarock. Beleuchtet durch H. A. von Z.s »Asiatische Banise«*, Diss. Mainz 1956. – De Boor, 5, S. 367–370 [Hinweise auf Nachwirkung].

IV. Aufklärung, Empfindsamkeit, Sturm und Drang. 18. Jahrhundert

JOHANN JAKOB BODMER
(1698–1783)

CRITISCHE ABHANDLUNG VON DEM WUNDERBAREN IN DER POESIE UND DESSEN VERBINDUNG MIT DEM WAHRSCHEINLICHEN. In einer Vertheidigung des Gedichtes Joh. Miltons von dem verlohrnen Paradiese; Der beygefüget ist Joseph Addisons Abhandlung von den Schönheiten in demselben Gedichte. Dichtungstheoretische Schrift von Johann Jakob BODMER (1698–1783), erschienen 1740. – Die Kunstauffassung Bodmers, zunächst der französischen Vorstellung von Naturnachahmung nahestehend, veränderte sich grundlegend durch seine Begegnung mit dem *Paradise Lost* von MILTON und durch sein Studium der italienischen Ästhetik. Miltons »Natürlichkeit« liegt nach der Auffassung Bodmers nicht eine Nachahmung des Wirklichen, sondern des Möglichen zugrunde. Der Künstler müsse hinter dem Bild des Sichtbaren das nur seiner Phantasie zugängliche und ihm allein bekannte Unsichtbare anschaulich machen. Jedes künstlerische Erzeugnis entstehe aus der vollkommenen Verbindung von äußerem Zeichen und innerer Erscheinung. Die Fähigkeit des Künstlers, eine solche Verbindung zu schaffen, nannte Bodmer *»malen«*. Auch der Dichter soll malen, nicht erzählen, und wie groß der Anteil der Wirklichkeit an seinem Werk auch sein möge, so solle er sie doch mittels der Phantasie umgestalten, freilich ohne die Grenzen des Wahrscheinlichen zu überschreiten. Da die Alltagssprache für diese Verwandlung der Wirklichkeit nicht genügt, sie auch das Phantastische nicht ausdrücken kann, wird die Ausbildung einer poetischen Sprache zur wichtigsten Forderung. Hierbei kommt Bodmer zu einem mystischen Begriff der Sprache, die zwischen der Form des Gegenstands und seiner Bestimmung eine magische Beziehung herstellt. Da der Dichter die Wirklichkeit in das Reich der Phantasie erheben und den Traum im Reich der Wirklichkeit ansiedeln kann, sind ihm beide Reiche untertan.

Die Schrift brachte Bodmer in Widerspruch zu den Verfechtern der rationalistischen, auf Formalismus und feste Regeln gegründeten Ästhetik, besonders zu GOTTSCHED. Obwohl er wie dieser, wenn auch aus anderen Gründen, SHAKESPEARE ablehnte, so trug seine Auffassung von der Dichtung doch dazu bei, die für die deutsche Literatur so entscheidende Entdeckung des englischen Dichters durch LESSING und HERDER vorzubereiten. G. N.

AUSGABE: Zürich 1740.

LITERATUR: F. Servaes, *Die Poetik Gottscheds u. d. Schweizer*, Straßburg 1887. – F. Braitmaier, *Geschichte der poetischen Theorie u. Kritik von den Diskursen der Maler bis auf Lessing*, 2 Bde., Frauenfeld 1888/89. – E. Flueler, *Die Beurteilung J. J. B.s in der dt. Literaturgeschichte u. Lit.*, Salzburg 1951 [zugl. Diss. Fribourg]. – A. Pellegrini, *Gottsched, B., Breitinger e la poetica dell'Aufklärung*, Catania 1952.

ULRICH BRÄKER
(1735–1798)

LEBENSGESCHICHTE UND NATÜRLICHE EBENTHEUER DES ARMEN MANNES IM TOCKENBURG. Autobiographie von Ulrich BRÄKER (1735–1798), erschienen 1789. – Der Verfasser, ein armer Kleinbauer und Garnhausierer, der nur wenige Wochen eine kümmerliche Dorfschule besuchte, schrieb zwischen 1781 und 1785 die Geschichte seiner Jugend- und Mannesjahre nieder, *»bei schwacher Lampe an Sonntagen oder sonst in freien Augenblicken«*, seinen Nachkommen *»zur Vermahnung«*. Seine Kindheit verbringt er in primitiven Verhältnissen als Hirtenjunge und Tagelöhner. Mit neunzehn Jahren fällt er betrügerischen Werbern in die Hände und muß, nach hartem preußischem Drill, in der Armee Friedrichs des Großen am Siebenjährigen Krieg teilnehmen. Bereits in der ersten Schlacht (1756 bei Lobowitz) desertiert Bräker und gelangt nach abenteuerlichen Irrwegen wieder in seine Schweizer Heimat. Redlich schlägt er sich in den folgenden Jahren des Hungers und Elends als Bauer durch. Versuche, sich im Garnhandel emporzuarbeiten, scheitern. Dem Unwillen einiger standesbewußter Bürger zum Trotz wird der einfache Bauer 1776 in die »Moralische Gesellschaft zu Lichtensteig« aufgenommen, die in wirtschaftlichen und kulturellen Fragen »aufklärend« auf das »Volk« zu wirken versucht. Dort findet Bräker Gelegenheit, sich durch ausgedehnte Lektüre fortzubilden; auch legt er hier das »Samenkorn« für seine spätere »Autorschaft« mit der Preisschrift *Über den Baumwollengewerb und den Kredit*.

Seine Autobiographie hat Bräker *»zusammengeflickt«* aus den *»kuderwelschen Papieren«* eines mehr als 4000 Seiten umfassenden Tagebuchs. Die Schriftstellerei wird darin als eine von widrigen Lebensumständen erzwungene Ersatzbeschäftigung definiert: *»Die Welt ist mir zu eng. Da schaff ich mir denn eine neue in meinem Kopf«* (30. 1. 1791). Schreibend überwindet er seine persönlichen, aus der zeitgenössischen Gesellschaftsstruktur resultierenden Leiderfahrungen und erhebt sich so über die Trostlosigkeit des Alltags, gerät aber zugleich durch seinen unstandesgemäßen Bildungsdrang von neuem mit den Anforderungen des praktischen Lebens in Konflikt. Bräkers Neigung zu rechtfertigender Selbstanalyse ist Erbe der pietistischen Tradition, der die breite Entfaltung des autobiographischen Schrifttums im 18. Jh. zu verdanken ist. Werke wie die Selbstbiographie JUNG-STILLINGS und der autobiographische Roman *Anton Reiser*

von K. Ph. MORITZ waren Bräker bekannt. Doch bleibt er sich eines Abstandes zwischen dieser »hohen« Literatur und seinem eigenen schriftstellerischen Dilettantismus stets bewußt: »*Wenn ich zumal in irgend einem guten Schriftsteller las, mocht ich mein Geschmier vollends nicht mehr ansehen.*«
Die *Lebensgeschichte des armen Tockenburgers* wurde nicht nur in der Schweiz gelesen; auch der Berliner Friedrich NICOLAI lobte diese »*Szenen aus der schlichten Natur*«. Die Nachwelt jedoch vergaß Bräker; im 20. Jh. wird er, trotz der Werkedition von Samuel VOELLMY, nur zögernd wiederentdeckt. Hans MAYER gehört zu den wenigen, die der »*einzigartigen Stellung dieses wohl ersten... plebejischen Schriftstellers in der Literatur des ausgehenden 18. Jahrhunderts in Deutschland*« eine eigene Studie widmeten. Durch Bräkers »*Kritzeleien und Hirngeburten*« wird die Lebenswirklichkeit der unteren Volksklassen, die in der übrigen zeitgenössischen Literatur entweder ausgespart blieb oder idealisiert wurde, erstmals detailliert beschrieben. Gerade der unbeholfene, aber bemühte Umgang Bräkers mit der Sprache verleiht seinen »Bekenntnissen« ein hohes Maß an Spontaneität und darstellender Präzision. KLL

AUSGABEN: Zürich 1789. – Bln. 1910 [Einl. A. Wilbrandt]. – Basel 1945 (in *Leben u. Schriften*, Hg. u. Einl. S. Voellmy, 3 Bde., 1). – Bln./Weimar 1964 (in *Werke*, Hg. u. Einl. H.-G. Thalheim; ²1966). – Stg. 1965, Hg. u. Nachw. W. Günther (RUB, 2601/2602a). – Mchn. 1965 (Nachw. W. Pfeiffer-Belli; Die Fundgrube, 7).

LITERATUR: S. Voellmy, *U. B., der arme Mann im Tockenburg*, Zürich 1923. – Ders., *Daniel Girtanner von St. Gallen, U. B. aus dem Toggenburg u. ihr Freundeskreis*, Diss. Basel 1928. – E. Jaeckle, *Der arme Mann im Toggenburg* (in E. J., *Bürgen des Menschlichen*, Zürich 1945, S. 9–15). – H. Mayer, *Aufklärer u. Plebejer. U. B., der arme Mann im Tockenburg* (in H. M., *Von Lessing bis Thomas Mann. Wandlungen der bürgerlichen Literatur in Deutschland*, Pfullingen 1959, S. 110–133).

JOHANN JAKOB BREITINGER
(1701–1776)

CRITISCHE DICHTKUNST. Worinnen die Poetische Mahlerey in Absicht auf die Erfindung Im Grunde untersuchet und mit Beyspielen aus den berühmtesten Alten und Neuern erläutert wird. Dichtungstheoretisches Werk von Johann Jakob BREITINGER (1701–1776), zwei Bände, erschienen 1740; der zweite Band, mit einer Vorrede von Johann Jakob BODMER (1698–1783), trägt den Titel *Fortsetzung der Critischen Dichtkunst Worinnen die Poetische Mahlerey In Absicht auf den Ausdruck und die Farben abgehandelt wird.* – Breitinger veröffentlichte sein Werk zehn Jahre nach GOTTSCHEDS *Versuch einer Critischen Dichtkunst vor die Deutschen.* Die Meinungsverschiedenheiten zwischen Gottsched und den Schweizern Bodmer und Breitinger, die später in einen regelrechten »Literaturkrieg« ausarteten, beschränken sich hier jedoch auf verhältnismäßig wenige, allerdings entscheidende Punkte. Der erste Band enthält vor allem kunstphilosophische und dichtungstheoretische Betrachtungen mit zahlreichen nachahmenswerten Beispielen. Erst im zweiten Band geht Breitinger dann konkreter auf Einzelfragen, wie die poetischen Gattungen, Wortwahl und Stil, ein.
In den ersten Kapiteln wird die Theorie von der »malenden Dichtkunst« gerechtfertigt *(»Die Maler und Poeten sind nur in der Ausführung ihres Vorhabens verschieden«)*. Ebenso wie Gottsched fordert Breitinger die Nachahmung der Natur und »*der Alten*«, d. h. der antiken Dichter, und vertritt den Standpunkt des HORAZ, daß Dichtung gleichzeitig belehren und unterhalten solle *(prodesse* und *delectare*). Um das Interesse seines Publikums zu erregen, müsse es einem Dichter gelingen, »*gemeinen Dingen das Ansehen der Neuheit beizulegen*«. Während Gottsched der Ansicht ist, daß Dichtung sich vor allem an den menschlichen Verstand wende, will Breitinger, daß sie auch das Gemüt anspricht. Kunst solle »*die Kraft der Gemüter einnehmen und entzücken*«. Dementsprechend tritt er auch ausdrücklich für »das Wunderbare« in der Poesie ein, das Gottsched nach Möglichkeit daraus verbannen will. Nach Auffassung Breitingers ist es am besten, wenn der Dichter geschickt »das Wunderbare« mit »dem Wahrscheinlichen« verbindet: »*Dieses erwirbt seiner Erzählung Glauben, und jenes verleiht ihr eine Kraft, die Aufmerksamkeit des Lesers zu erhalten und eine angenehme Verwunderung zu gebären.*« Entschieden weist er Gottscheds Kritik an der Unwahrscheinlichkeit mancher Vorgänge in den Epen HOMERS zurück und empfiehlt die Verwendung der »*alten Sagen*«. Obwohl sie in »*unseren erleuchteten Zeiten*« nicht mehr glaubhaft seien, könne der Dichter sie immer noch gebrauchen. Denn die »*alte Mythologie ist eine der reichsten und fruchtbarsten Quellen des poetisch Schönen, die dem Poeten eine Menge wunderbarer Bilder an die Hand gibt*«.
Im Gegensatz zu Gottsched, dessen Vorbild der französische Klassizismus war, orientiert sich Breitinger hauptsächlich an der englischen Literatur. Er verteidigt MILTONS *Paradise Lost*, empfiehlt es z. B. bei der Wahl poetischer Bilder als Muster, und ist auch von den Tendenzen der ›Moralischen Wochenschriften‹ ADDISONS (›Tatler‹, ›Spectator‹, ›Guardian‹) beeinflußt. Er und Bodmer gehörten zu den ersten, die für den Irrationalismus der Dichtung KLOPSTOCKS Verständnis zeigten, ihre Anschauungen haben die Entwicklung der deutschen Literatur im 18. Jh. bis hin zum »Sturm und Drang« mitbestimmt. A. Sch.

AUSGABEN: Zürich/Lpzg. 1740, 2 Bde. – Lpzg. 1935 (in DL, R. Aufklärung, 3; Ausw.). – Stg. 1966, Nachw. W. Bender, 2 Bde. [Faks. d. Ausg. 1740].

LITERATUR: F. Servaes, *Die Poetik Bodmers u. B.s*, Diss. Straßburg 1887. – F. Braitmaier, *Gesch. d. poet. Theorie u. Kritik v. d. Diskursen d. Maler bis auf Lessing*, 2 Bde., Frauenfeld 1888/89. – R. Verosta, *Der Phantasie-Begriff bei d. Schweizern Bodmer u. B.*, Progr. Wien 1909. – A. Köster, *Von d. »Critischen Dichtkunst« z. »Hamburger Dramaturgie«* (in *Fs. f. J. Volkelt*, Mchn. 1918). – P. Grand, *La Suisse et l'Allemagne dans leurs rapports littéraires au 18e siècle*, Clermont-Ferrand 1939. – J. W. Eaton, *Bodmer and B. and the European Literary Theory* (in MDU, 33, 1941, S. 145–152). – J. Braeker, *Der erzieherische Gehalt in J. J. B.s »Critischer Dichtkunst«*, St. Gallen 1950 [zugl. Diss. Zürich]. – R. Wellek u. A. Warren, *Theorie d. Literatur b. z. Ausgang d. 18. Jh.s*, Bad Homburg 1959. – A. Nivelle, *Kunst- u. Dichtungstheorien zw. Aufklärung u. Klassik*, Bln. 1960.

BARTHOLD HEINRICH BROCKES
(1680–1747)

IRDISCHES VERGNÜGEN IN GOTT bestehend in verschiedenen aus der Natur und Sitten-Lehre hergenommenen Gedichten. Gedichtsammlung von Barthold Heinrich Brockes (1680–1747), erschienen in neun Bänden 1721–1748. – Das Werk des Hamburger Dichters umfaßt neun Teile, von denen einige neben den eigenen Gedichten auch Übersetzungen bringen: der erste Teil elf Fabeln von Antoine de La Motte-Houdart (1672–1731); der zweite moralisierende Prosastücke aus dem Englischen und Französischen; der dritte die umfangreiche *Übersetzung von Grund-Sätzen der Weltweisheit des Herrn Abts Genest*; im siebten Teil stehen Übersetzungen der *Night Thoughts* von Young; der achte enthält im Anhang eine kleine Prosaerzählung von einem Schiffbrüchigen, der, auf eine paradiesische Insel verschlagen, die Weisheit Gottes in der Schöpfungsordnung erfährt. Der neunte Teil bringt im Anhang Aphorismen.
Durchgehender Grundzug der Sammlung, deren spätere Bände den Einfluß des *Essay on Man* von Alexander Pope und der *Seasons* von James Thomson erkennen lassen (beides Werke, die Brockes übersetzt hatte), ist die Veranschaulichung und Verherrlichung der vollkommenen Schönheit und Zweckmäßigkeit der Natur und damit zugleich auch ihres Schöpfers; sinnenhaftes Aufnehmen der Dinge und ihre beschauliche Betrachtung ergeben einen »*vernünftigen und begreiflichen Gottesdienst*«: »*Wer also jederzeit mit fröhlichem Gemüt / In allen Dingen Gott als gegenwärtig sieht, / Wird sich, wenn Seel und Leib sich durch die Sinne freuen, / Dem großen Geber ja zu widerstreben scheuen.*« Gottes Existenz ist durch die Schöpfungsordnung bestätigt; Brockes erstrebt einen teleologischen Gottesbeweis mittels einer endlosen Reihe sich thematisch ständig wiederholender Gedichte. Ein naives Gottes- und Weltbild steht dahinter, geprägt von dem pietistisch-gläubigen Gefühl der Geborgenheit in der »besten aller Welten« und dem charakteristischen Optimismus der Aufklärungszeit, der die Akzente bei der Betrachtung der Natur vor allem auf deren Nutzen für den Menschen legte. Folgerichtig erscheinen Tugend und Glück als ethische Leitwerte, die durch rechte Lebensführung erwerbbar sind. Für den Menschen ist Selbstbescheidung die angemessene Haltung, und es ist nur »vernünftig«, sie angesichts der überwältigenden Größe des umgebenden Kosmos einzunehmen. Theodizee und Idylle umgrenzen demnach Absicht und Form des Werks.
Die einzelnen Gedichte nehmen einfache Naturbeobachtungen zum Ausgang für weitschweifige (oft über hundert Strophen lange) Reflexionen: *Frühe Knospen an einem Birnbaum, Gras, Dreyerley Violen, Die kleine Fliege, Wasser*; es finden sich Gedichte über den Tagesablauf, die Jahreszeiten und viele Neujahrsgedichte. Oft entzünden sich die Gedanken des Verfassers auch an den banalsten Dingen; Betrachtungen über den Schnupftabak etwa führen zu der Erkenntnis, daß auch der Mensch nur Staub sei. Hier, besonders in den späteren Gedichten, verfehlt der aufklärerische Geist des Autors das Wesen des Lyrischen, er verliert sich in den unglaublichsten teleologischen Spitzfindigkeiten. Von Bedeutung für die Zeit jedoch war der neue Ansatz: die Hinwendung des Dichters zum unmittelbar Geschauten, zur sinnlich erfahrbaren Realität, die eine übersinnliche Offenbarung überflüssig erscheinen ließ. Trotz aller stilistischer Kuriositäten und Schnörkel gelingen Brockes in den ersten Teilen des Zyklus Schilderungen von bis dahin selten gekannter Anschaulichkeit: »*Es schien, als wär ein Schnee gefallen; / Ein jeder, auch der kleinste Ast / Trug gleichsam eine rechte Last / Von zierlich weißen runden Ballen. / Es ist kein Schwan so weiß, da nämlich jedes Blatt, / Indem daselbst des Mondes sanftes Licht / Selbst durch die zarten Blätter bricht, / Sogar den Schatten weiß und sonder Schwärze hat. / Unmöglich, dacht ich, kann auf Erden / Was weißers aufgefunden werden*« (*Kirschblüte bei Nacht*).
In dem Zyklus finden sich die verschiedensten Verstypen: monotone Reihungen achthebiger Langzeilen, meist paarweise gereimt; vierhebige Verse in zum Teil strophischer Gliederung; Alexandriner; *Sing-Gedichte* und dialogisch angelegte Strophen; einige Gedichte sind *Aria* oder *Arioso* überschrieben. – Das *Irdische Vergnügen in Gott* wurde in der ersten Hälfte des 18. Jh.s vielfach neu aufgelegt, vor allem die ersten Bände; 1738 erschien, von Wilckens und Hagedorn besorgt, eine Auswahl aus dem schier unübersehbaren Zyklus.

M. Br.

Ausgaben: Hbg. 1721–1748, 9 Tle. – Hbg. 1738 (*Auszug der vornehmsten Gedichte, aus dem von Herrn B. H. B. in fünf Teilen herausgegebenen Irdischen Vergnügen in Gott*, Hg. F. v. Hagedorn u. M. A. Wilckens; Lpzg. ²1763). – Zwickau 1824 [Ausw.]. – Braunschweig 1917 (*Der Schöpfungsgarten*, Hg. R. v. Delius; Ausw.). – Hannover 1920, Hg. W. Fraenger [Ausw.]. – Hbg. 1947 (*Spuren der Gottheit*, Hg. W. Krogmann; Ausw.). Stg. 1965 [Faks. der Ausg. 1738; Nachw. D. Bode].

Literatur: O. Janssen, *Naturempfindung und Naturgefühl bei B. H. B.*, Diss. Bonn 1907. – F. v. Manikowski, *Die Welt- u. Lebensanschauung in dem »Irdischen Vergnügen in Gott« von B. H. B.*, Diss. Greifswald 1914. – H. W. Pfund, *Studien zu Wort u. Stil bei B.*, NY/Lancaster 1935.
F. Diamant, *Die Naturdichtung von Pope, B. u. Haller*, Diss. Wien 1937. – H. M. Wolff, *B.'s Religion* (in PMLA, 62, 1947, S. 1124 1152).
F. Löffelholz, *Wirklichkeitserlebnis u. Gottesvorstellung in B. H. B.s »Irdisches Vergnügen in Gott«*, Diss. Ffm. 1955. – I. Kupffer, *Das »Irdische Vergnügen in Gott« von B. H. B. Eine Untersuchung zu Wesen u. Entwicklung der Naturlyrik*, Diss. Göttingen 1956. – W. F. Mainland, *B. and the Limitations of Imitation* (in *Reality and Creative Visions in German Lyrical Poetry. Symposium*, Hg. A. Closs, Ldn. 1963, S. 101–116).

GOTTFRIED AUGUST BÜRGER
(1747–1794)

WUNDERBARE REISEN ZU WASSER UND LANDE, FELDZÜGE UND LUSTIGE ABENTHEUER DES FREYHERRN VON MÜNCHHAUSEN, wie er dieselben bey der Flasche im Cirkel seiner Freunde selbst zu erzählen pflegt. Sammlung phantastischer Lügengeschichten, herausgegeben von Gottfried August Bürger (1747 bis 1794), erschienen 1786. – Der *Münchhausen* gehört zur Reihe jener Werke, bei denen die Erzähltradition gegenüber der selbständigen Leistung eines einzelnen Autors an Bedeutung überwiegt. Entsprechend offen für Bearbeitungen und Erweiterungen ist die einzelne Überlieferungsstufe, die keinen vom Autor »signierten« geschlossenen Werkcharakter hat: Die Überlieferungs- und Wirkungsgeschichte ist hier noch mehr als beim »autonomen Kunstwerk« das Wesen des Werks selbst. Die Tradition der Lügengeschichten reicht bis in das klassische Altertum (PLUTARCH, LUKIAN), das talmudische Judentum und das frühe orientalische Erzählgut *(Sindbad)* zurück. Die humanistischen Fazetiensammlungen wie die Schwanksammlungen des 15. und 16. Jh.s pflegen erneut die Gattungstradition, die in der Spätzeit der deutschen Aufklärung wiederum als publikumswirksame Unterströmung zutage tritt. Kristallisationspunkt für das Überlieferungsgut ist hier die historische Figur des Barons Karl Friedrich Hieronymus von Münchhausen (1720–1797), in dessen Fabuliertalent sich die gesellige Erzählkultur vor der Französischen Revolution mit den literarischen und volkstümlichen Überlieferungen verbindet.

Auf beinahe zwanzig Jahre Hof- und Militärdienst (Braunschweig, Rußland, zwei Türkenkriege 1740 und 1741) zurückblickend, gibt der »Lügenbaron« im kleinen Kreis seiner Freunde seine abenteuerlichen und phantastischen Geschichten zum besten. Er tut dies nicht nur aus Spaß an der Sache, sondern bezeichnenderweise auch mit der Absicht, durch bewußte Übertreibungen, Aufschneidereien und Prahlereien, die Anspruch auf Wahrheit erheben, zu entlarven. Münchhausen scheute die literarische Öffentlichkeit und war erbost, als sein Name als Gattungsetikett im Titel einer Sammlung von 16 Lügengeschichten auftauchte *(M-h-s-nsche Geschichten)*, die ein anonym gebliebener Autor 1781 im achten Teil des bei Mylius in Berlin erscheinenden *Vade Mecum für lustige Leute* veröffentlichte. 1783 folgten im neunten Teil zwei weitere Geschichten. Rudolf Erich RASPE, eine abenteuerliche Vermittlergestalt zwischen England und Deutschland, der die Hauptlast der deutschen Übersetzung von Georg FORSTERS *A Voyage Round the World* getragen hatte, übersetzt die *M-h-s-nschen Geschichten* ins Englische, erweitert sie und gibt sie zum ersten Mal nunmehr in Buchform 1785 anonym unter dem Titel *Baron Munchhausens Narrative of His Marvellous Travels and Campaigns in Russia* heraus. In kürzester Zeit folgen vier weitere Auflagen, wobei Raspe im Hinblick auf das wachsende Interesse des englischen Publikums die Sammlung durch eine Reihe von Schiffs- und Seeabenteuern erweitert. In dieser Gestalt lernte Bürger – wohl durch Vermittlung des jungen Lord Lisburne, den er in sein Haus aufgenommen hatte – die englische Ausgabe kennen. Er übersetzte sie ins Deutsche, bearbeitete seine Vorlage frei, wobei ihm wahrscheinlich LICHTENBERG zur Seite stand, und erweiterte sie in der ersten Auflage um acht, in der zweiten Auflage (1788) um weitere fünf Geschichten. Wie in den beiden vorangehenden Fällen bleibt der Herausgeber und Bearbeiter ungenannt; Bürgers Ausgabe ist auch keineswegs die letzte in der Reihe der »Münchhauseniaden«: Schon 1789 folgen drei Bändchen von H. Th. L. SCHNORR, das erste unter dem Titel *Nachtrag zu den wunderbaren Reisen*. Bemerkenswert für die veränderte Zeitlage ist *Der Lügenkaiser* (1833) von L. v. ALVENSLEBEN, wo Münchhausen II (jun.) im Mittelpunkt steht. – Von diesen Bearbeitungen ist die selbständige literarische Gestaltung des Münchhausen-Stoffes zu trennen: die Romane von IMMERMANN (1839), SCHEERBART (1906) und Carl HAENSEL (1933) sowie die Schauspiele von F. KEIM (1899), Friedrich LIENHARD (1900), Herbert EULENBERG (1900) und Hanns von GUMPPENBERG 1901).

Die um Münchhausen gruppierten Geschichten, die ihm mit wenigen Ausnahmen auch selbst in den Mund gelegt werden, teilen sich seit Raspe in Land- und Seeabenteuer. Während letztere die ganze Welt und Überwelt umfassen und ihre Abkunft von der meist satirisch ausgerichteten Reiseliteratur der Zeit und ihre Beziehung zu den zeitgenössischen wissenschaftlichen Reisebeschreibungen trotz des sich überschlagenden phantastischen Charakters nicht leugnen, geben sich die Landabenteuer konservativer: In ihnen bleibt der räumliche Hintergrund auf die Heimat, Rußland und die Türkei beschränkt, vom Standpunkt des Landjunkers wird gegen die barocke wie die moderne Gelehrsamkeit (KANT), ebenso aber auch gegen die französischen Schöngeister polemisiert. Die feudalen Ideale sind Jagd, Lustpartien und Türkenkrieg, entsprechend obenan steht die Wertschätzung von Essen und Trinken, Pferden und Hunden; auffallend selten kommt Erotisches zur Sprache. Münchhausen, der »*Übermensch im Kleinen*« (W. Rehm), meistert, nie verlegen, die schwierigsten Situationen, indem er »*das Ohngefähr*«, den Zufall, »*durch Tapferkeit und Gegenwart des Geistes zu seinem Vorteil lenkt*«. Natürlich ist es die frappierende Phantasie des Erzählers, die eine Art Negativbild der späteren technischen Projektionen (Mondfahrten) ist, die mittels prahlender Übertreibung alle bestehenden Schwierigkeiten überspringt und den Hörer stets neu in erstaunte Verlegenheit versetzt. Dabei fehlen gerade im ersten Teil weder die Anreden an die gesellige Runde noch die sentenziösen »*practischen Betrachtungen*«, die sich des Einverständnisses der Zuhörer versichern wollen. Freilich wird dieses gesellige Spiel mit Fiktionen – nicht allein in den Vorreden, sondern auch durch die pädagogischen Absichten des historischen Münchhausen selbst – durchbrochen, wenn mit dem »*langen Messer*«, das eine solche Geschichte darstellt, die »*verschrobenen Köpfe*« und der »*dreiste Haberecht*« mit beinahe sokratischer Ironie »*aus ihrem ruhigen Schlupfwinkel hervorgekitzelt und blank gestellt*« werden. Das Verdienst von Bürgers Bearbeitung liegt in der Einreihung einiger der bekanntesten Münchhausen-Geschichten (*Fang der Enten mit einer Leine mit Speckstücken und anschließende Luftfahrt; Münchhausen reißt sich nebst seinem Pferde selbst an seinem Haarzopfe aus einem Moraste; Der Ritt auf der Kanonenkugel*, u. a.), in der sprachlichen Nuancierung der Lügensprache und der Schaffung eines literarisch verwerteten Orts- und Zeitkolorits. V. Ho.

AUSGABEN: Ldn. [recte Göttingen] 1786. – Bln. 1958 u. Darmstadt 1959 (*Wunderbare Reisen zu Wasser und zu Lande des Freyherrn von Münchhausen*; Faks. der 1. Ausg.). – Hbg. 1966 (*Münchhausens wunderbare Reisen. Die phantastischen Geschichten des Lügenbarons u. seiner Nachfolger*, Hg. u. Nachw. E. Wackermann; Faks. der 2. Ausg.; m. den Weiterführungen von T. L. Schnorr u. L. v. Alvensleben). – Stg. 1969, Hg. J. Ruttmann.

VERFILMUGEN: *Les hallucinations du Baron de Münchhausen*, Frankreich 1911 (Regie: G. Méliès). – *Le avventure del Barone di Münchhausen*, Italien 1914. – *Münchhausen*, Deutschland 1942/43 (Regie: J. v. Baky). – *Baron Prásil*, Tschechoslowakei 1961 (Regie: K. Zeman).

LITERATUR: C. Müller-Fraureuth, *Die deutschen Lügendichtungen bis auf Münchhausen dargestellt*, Halle 1881. – F. v. Zobeltitz (in Zs. für Bücherfreunde, 1, 1898, S. 247–254). – W. v. Wurzbach, *G. A. B. Sein Leben u. seine Werke*, Lpzg. 1900, S. 270–273. – W. Schweizer, *Die Wandlungen Münchhausens in der deutschen Literatur bis zu Immermann*, Lpzg. 1921. – W. Rehm, *Münchhauseniade* (in RL, Bd. 2, Bln. 1928, S. 423f.). – J. Carswell, *The Romantic Rogue: Being the Singular Life and Adventure of R. E. Raspe – Creator of Baron Munchhausen*, NY 1950. – H. Weinrich, *Linguistik der Lüge. Kann Sprache die Gedanken verbergen?* Heidelberg 1966. – Ders.. *Das Zeichen des Jonas. Über das sehr Große und das sehr Kleine in der Literatur* (in Merkur, 20, 1966, S. 737–747). – E. Wackermann, *Münchhausiana. Bibliogr. der Münchhausen-Ausgaben*, Stg. 1969. – W. R. Schweizer, *Münchhausen und Münchhausiaden. Werden und Schicksale einer deutsch-englischen Burleske*, Bern/Mchn. 1969.

MATTHIAS CLAUDIUS
(1740–1815)

ASMUS OMNIA SUA SECUM PORTANS ODER SÄMMTLICHE WERKE DES WANDSBECKER BOTHEN. Sammelwerk in Form einer Zeitschrift (acht Teile in sieben Bänden) von Matthias CLAUDIUS (1740–1815), erschienen 1775–1812. – Im Titel liegt ein gewisses Sich-verstecken-Wollen vor dem Leser, wie Claudius überhaupt Anonymität oder Verschwinden hinter fingierten Namen liebte. Es ist ebenso schwierig, ihn als Person zu fassen, wie die geistige Gestalt seines Werks zu erkennen. Mit Mühe nur läßt sich Entstehung und Herkunft der im Laufe von 37 Jahren entstandenen Texte (Lyrik und Prosa) des *Wandsbecker Bothen* aus den verschiedenen Lebensphasen ihres Autors ableiten. Vierfach sind ihre Wurzeln: zunächst eine Jugendarbeit von 1763, die eine Dichtung des Freundes GERSTENBERG nachahmenden *Tändeleien und Erzählungen*, die er später jedoch verwarf und von denen er kaum etwas in sein Werk übernahm. Dann die Beiträge, die er 1768–1770 als Mitarbeiter für den »*belustigenden*« Teil der ›Hamburgischen Addreß-Comtoir-Nachrichten‹ zu schreiben hatte; sie hatten Bestand. In der ersten Nummer des Jahres 1770 findet sich neben politischen und Börsennachrichten eines der wunderbarsten deutschen Gedichte, *Ein Wiegenlied, beim Mondschein zu singen*, das in schlichtem Sprachtonfall die tiefste Deutung des magischen Zugeordnetseins von Gestirn, Mutter und Kind ausspricht. Dritte Quelle war die viermal wöchentlich erscheinende Zeitung ›Der Wandsbecker Bothe‹, dessen Herausgeber Claudius vier Jahre lang war; seine anonym erschienenen Beiträge wurden nahezu alle übernommen. Hinzu kamen alle die Arbeiten, die er nach seiner Redaktionstätigkeit, also von 1775–1812, eigens für die verschiedenen Bände des Sammelwerks schrieb. So hat also der Name *Wandsbecker Bothe* eine dreifache Bedeutung. Ursprünglich meint er nur die vom Hamburger Verleger Bode gegründete Zeitung; ihr entlehnte er den Titel für die sieben Bände seines Hauptwerks, die aber vom dritten Teil an nichts mehr mit der Zeitung zu tun hatten; und schließlich identifizierte sich Claudius gern selbst mit dem Bothen aus Wandsbeck, derart still und schlicht hinter seinem Lebenswerk sich verbergend.

Schon in der Zeit seiner Arbeit am ›Wandsbecker Bothen‹ kam ihm die Idee zu diesem Sammelwerk. Dem »Freund Hain« wird das Buch dediziert, und die Widmung an ihn ist ein kostbares Stück deutscher Sprache: »*Ich hab da'n Büchel geschrieben, und bring's Ihnen her. Sind Gedichte und Prosa. Weiß nicht, ob Sie 'n Liebhaber von Gedichten sind; sollt's aber kaum denken, da Sie überhaupt keinen Spaß verstehen, und die Zeiten vorbei sein sollen, wo Gedichte mehr waren.*« Die ersten drei Teile lesen sich wie spannende Berichte aus den literarisch ereignisreichen Jahren um 1775. Es finden sich hinter Einfältigkeit sich verbergende und darum um so klügere Rezensionen über Aufführungen der *Minna von Barnhelm* (»*Das Fräulein war so witzig, so ungekünstelt, so sanft, kurz gesagt, ein schlankes, junges Fräulein, für die ich ungekannt und ohne Belohnung alles in der Welt hätte tun können ... mir war den ganzen Abend das Herz so groß und warm – ich hatte einen so heißen Durst nach edlen Taten*«), der *Emilia Galotti* (»*Ein Ding hab ich nicht recht in Kopf bringen können, wie nämlich die Emilia so zu sagen bei der Leiche ihres Appiani an ihre Verführung durch einen andern Mann und an ihr warmes Blut denken konnte*«, 1772), des *Götz von Berlichingen* und anderer zeitgenössischer Theaterereignisse. Es kommen weiterhin einige erstaunlich einsichtige Buchbesprechungen vor, wie die der Oden KLOPSTOCKS (»*Nein, Verse sind das nicht; Verse müssen sich reimen, das hat uns Herr Ahrens in der Schule gesagt ... 's sind aber doch Verse, sagt mein Vetter, und fast 'n jeder Vers ist ein kühnes Roß mit freiem Nacken*«, 1771), der Herderschen ›Blätter von Deutscher Art und Kunst‹ und des Goetheschen *Werther* (»*Weiß nicht, obs 'n Geschicht oder 'n Gedicht ist. Aber ganz natürlich geht's her, und weiß einem die Tränen recht aus 'm Kopf herauszuholen*«, 1774).

Zwischen den größeren Abhandlungen wie den herrlichen Briefen an seinen Vetter finden sich kleine Juwelen: die freundlichen *Briefe an den Mond*, das *Kriegslied*, das mit der beschwörenden Bitte beginnt: »*'s ist Krieg! 's ist Krieg! O Gottes Engel wehre, / Und rede Du darein! / 's ist leider Krieg – und ich begehre / Nicht schuld daran zu sein!*« (1779) und einige weitere Stücke wie das *Schreiben eines parforcegejagten Hirschen an den Fürsten, der ihn parforcegejagt hatte, d. d. jenseit des Flusses* (»*Ich habe heute die Gnade gehabt, von Ew. Hochfürstlichen Durchlaucht parforcegejagt zu werden; bitte aber untertänigst, daß Sie gnädigst geruhen, mich künftig damit zu verschonen*«).

Drei Jahre sind von besonderer Bedeutung: 1779, in dem das *Abendlied* (»*Der Mond ist aufgegangen*«) entstand; 1783 mit dem Gedicht *Der Mensch* (»*Empfangen und genähret / Vom Weibe wunderbar / Kömmt er und sieht und höret / Und nimmt des Trugs nicht wahr*«) und das Jahr darauf, da Claudius die unbekannt gebliebene, großer Musik würdige *Weihnacht-Kantilene* schrieb, die zuerst als Einzeldruck in Kopenhagen erschien; daneben noch die vollendeten Gedichte *Der Tod und das Mädchen* (1775), *An – als Ihm die – starb* (1771) und *Der Tod* (»*Ach, es ist so dunkel in des Todes Kammer*«). Die kritische und dichterische Lebendigkeit fehlt in den späteren Bänden. Der Dichter wurde müde, das Interesse des Alternden wandte sich theologischen Untersuchungen zu. Es entstanden aber noch so bedeutende Beiträge wie die *Briefe an Andres*, die Worte *An meinen Sohn Johannes* (1799) und der Aufsatz über das *Heilige Abendmahl* (1809). F. S.

AUSGABEN: Hbg. 1775 (1. u. 2. T.). – Hbg. 1778 (3. T.). – Hbg. 1783 (4. T.). – Hbg. 1790 (5. T.). – Hbg. 1798 (6. T.). – Hbg. 1803 (7. T.). – Altona 1812 *(Zugabe zu den sämmtl. Werken d. Wandsb. Bothen; oder 8. Teil)*. – Lpzg. 1907 (in *Werke;* Hg. G. Behrmann). – Stg. 1954, Hg. U. Roedl.

LITERATUR: E. Mirow, *Wandsbeck u. d. lit. Leben Dtschld.s i. 18. Jh.*, Wandsbeck 1897. – J. C. E. Sommer, *Studien z. d. Gedichten d. Wandsbecker Boten*, Ffm. 1935. – J. Pfeiffer, *Zwischen Dichtg. u. Philosophie*, Bremen 1947. – Ders., *M. C. »Abendlied«* (in *Die Dt. Lyrik*, Hg. B. v. Wiese, Bd. 1, Düsseldorf 1954, S. 185–189). – W. Weber, *M. C.s »Abendlied«* (in W. W., *Figuren u. Fahrten*, Zürich 1956, S. 89–95). – L. Spitzer, *M. C. »Abendlied«* (in Euph, 54, 1960, S. 70–82). – P. Suhrkamp, *D. Wandsbecker Bote v. M. C.* (in P. S., *Der Leser*, Ffm. 1960, S. 42 bis 58). – K. Ihlenfeld, *Ein Brief a. d. Mond* (in K. I., *Zeitgesicht*, Witten/Bln. 1961, S. 397–401).

CHRISTIAN FÜRCHTEGOTT GELLERT
(1715–1769)

FABELN UND ERZÄHLUNGEN. Fabelsammlung in drei Büchern von Christian Fürchtegott GELLERT (1715–1769), deren erster und zweiter Teil 1746 und 1748 erschienen. – Diesen Sammelpublikationen ging die Veröffentlichung einer großen Zahl einzelner Fabeln, vor allem in der von J. J. SCHWABE herausgegebenen Zeitschrift ›Belustigungen des Verstandes und Witzes‹, voraus. Nach einer gründlichen Überarbeitung gab Gellert diese als dritten Teil der Fabeln in den *Lehrgedichten und Erzählungen* von 1754 heraus. Eine endgültige Ausgabe der Fabelsammlung bot der Autor in der 1769 erschienenen, noch von ihm selbst überwachten Auswahl aus seinem Gesamtwerk.
Die Fabeln Gellerts sind vor allem dem von LA FONTAINE und LA MOTTE-HOUDAR im 17. Jh. entwickelten Typus der kurzen Verserzählung verpflichtet. Die schon 1713 bzw. 1721 übersetzten Fabelsammlungen der beiden Franzosen fanden in Deutschland nachhaltiges Interesse, das sich als erster Friedrich von HAGEDORN zunutze machte, dessen *Versuch in poetischen Fabeln und Erzählungen* (1738) die ungeheure Flut deutscher Fabelproduktion auslöste. Schon Hagedorn hatte den Alexandriner der Franzosen zugunsten einfacher Strophenformen aufgegeben. Gellert folgt ihm darin und benutzt meist vier-, fünf- und sechsfüßige, paarweise gereimte Jamben, die zu freien, unregelmäßigen Strophen zusammengefaßt werden. (Nur die beiden längeren Erzählungen *Jnkle und Yariko* und *Die beiden Schwarzen* behalten den Alexandriner bei.) Seinem Vorbild La Fontaine folgt Gellert auch, wenn er die Grenzen zwischen der antiken Prosafabel und der graziösen, meist satirischen Verserzählung vollends verwischt und seinen Fabeln eine eher epische Glätte und plaudernde Leichtigkeit gibt. Diese einhundertdreiundvierzig Fabeln, denen statt einer Lebensbeschreibung des AISOPOS oder PHAEDRUS, wie sie in zahlreichen Sammlungen der Zeit (auch bei La Fontaine) üblich war, eine kurze historische Einführung – *Nachricht und Exempel von alten deutschen Fabeln* – vorangestellt ist, gehören seit ihrem Erscheinen zur kanonisierten didaktischen Literatur der bürgerlichen Gesellschaft des 18. Jh.s. In einer der Fabeln des ersten Teils – *Die Biene und die Henne* –, in der die herausfordernde Henne die »stille« Biene nach ihrer Nützlichkeit fragt, findet Gellert eine bezeichnende Formel sowohl für das Dichtungsideal der Aufklärung, zumal des Kreises um GOTTSCHED, dem er lange angehörte, als auch für das Wesen der Fabel als didaktischer Literaturgattung: »*O Spötter, der mit stolzer Miene, / In sich verliebt, die Dichtkunst schilt, / Dich unterrichtet dieses Bild. / Du fragst, was nützt die Poesie? / Sie lehrt und unterrichtet nie. / Allein wie kannst du doch so fragen? / Du siehst an dir, wozu sie nützt: / Dem, der nicht viel Verstand besitzt, / die Wahrheit durch ein Bild zu sagen.*«
Die Zweiteilung in Fabeleinkleidung und Moral wird von Gellert nicht schematisch gehandhabt, zumal auch die Moral weniger in straffer, lakonischer Kürze als eher verschleiert mitgeteilt wird, manchmal auch ganz wegfällt, wobei als Nebenwirkung dem Leser die Aufgabe zufällt, sich selbst eine Moral aus dem Zusammenhang der Erzählung abzuleiten. Die eigentlichen Tierfabeln, wie sie seit der Antike überliefert sind, machen nur einen geringen Teil der Sammlung aus. Gellert legt, im Gegensatz etwa zu Hagedorn und auch zu La Fontaine, großen Wert auf seine Unabhängigkeit von Vorbildern: »*Es gehört, wenn man in der Sphäre dichtet, in die ich mich gewagt habe, vor allem andern ein gewisses Glück dazu, um auf gute Erfindungen zu kommen.*« (Vorrede zum zweiten Teil) Dennoch finden sich nahezu dreißig Fabeln, für die er Quellen nennt (u. a. CICERO, ABSTEMIUS, Burkard WALDIS, La Fontaine, SWIFT). Gellerts Fabeln, die in nahezu allen sozialen Schichten, besonders aber im aufstrebenden Bürgertum ungewöhnlich verbreitet waren, sind vor allem Satiren auf allgemeine menschliche, besonders weibliche Schwächen, auf religiöse Heuchelei und literarische und wissenschaftliche Unsinnigkeiten. Ablehnung von gesellschaftlichen Privilegien, von Standesbewußtsein und Adelsstolz (*Elpin*, *Der Informator* – eine frühe Aufnahme des in der deutschen Literatur später häufig polemisch verwendeten »Hofmeister«-Motivs) – Verspottung von »unvernünftigen« Einstellungen zu Religion und Philosophie, von Buchstabengläubigkeit und Bigotterie (sowohl die »Betschwester« als auch der »Freigeist« werden als Extreme verworfen) – das sind einige der wesentlichen Themen Gellerts. Auffallend ist die deutliche Mißbilligung des Journalismus: Ein Greis, der von einem jungen Mann in der Fabel *Der junge Gelehrte* um Rat gefragt wird, welches die »*sinnreichsten*« Schriften seien, nachdem er Homer, Platon, Cicero usw. bereits gelesen habe, gibt zur Antwort: »*Sind sie nach Seinem Sinn gewesen, / So muß Er sie noch zweimal lesen; / Doch sind sie Ihm nicht gut genug gewesen, / So sag Er's ja den Klugen nicht; / Denn sonst erraten sie, / woran es Ihm gebricht, / und heißen Ihn die Zeitung lesen.*«
Der geheime Antrieb zu zahlreichen Fabeln ist jedoch eine ausgesprochene, allerdings wohl eher jahrhundertealter satirischer Tradition, also einem literarischen Topos folgende Misogynie: weibliche Putzsucht, Klatschsucht, Anfälligkeit für Krankheiten, Neigung zum Widerspruch, zur Ruhestörung usw. sind Eigenschaften, die er unaufhörlich geißelt. Zum rationalistischen Tugendideal bekennt sich der Autor, wenn er immer wieder in das Lob jener auf Ausgeglichenheit, Zufriedenheit, Bescheidenheit, Genügsamkeit und Anspruchslosigkeit gerichteten Mäßigung des Temperaments einstimmt, die die aufklärerische Ethik als »höchste

Sittlichkeit« pries. An den drei Büchern der Fabeln läßt sich eine Entwicklung ablesen, die man als Tendenz zu larmoyanter Sentimentalisierung bezeichnen könnte: die Fabeln, in denen Armut, Tod und rührende Begebenheiten (z. B. der *Hochzeitstag*) eine Rolle spielen, nehmen immer mehr zu. Andererseits steht diese Sentimentalisierung im Dienste eines wenn auch noch sehr äußerlichen bürgerlichen Realismus, der den Schäfer-Szenerien der Fabeln des ersten Teiles ein Ende macht.

Für die Beliebtheit der Gellertschen Fabeln sprechen Übersetzungen in nahezu alle europäischen Sprachen und die Tatsache, daß eine Erzählung, *Rhynsolt und Saphira*, von Chr. L. MARTIN dramatisiert, eine andere, *Jnkle und Yariko*, als Ballett eingerichtet wurde (aufgeführt am 31. 7. 1791 in Hermannstadt). H. H. H.

AUSGABEN: Lpzg. 1746 [Tl. 1]. – Lpzg. 1748 [Tl. 2]. – Lpzg. 1754 *(Lehrgedichte und Erzählungen)*. – Lpzg. 1769 (in *SS*, 10 Bde., 1769–1774, 1; ³1783/84). – Lpzg. 1839 (in *SS*, Hg. J. L. Klee, 10 Bde., 1; ern. 1867). – Bln./Stg. o. J. [1889] (in *Fabeln und geistliche Dichtungen*, Hg. F. Muncker; DNL, 43/1). – Weimar 1915, Hg. H. T. Kroeber (Jubiläumsausg.; Ill. D. Chodowiecki; Liebhaberdrucke, 3). – Lpzg. 1928 (RUB, 161/162; ern. 1943). – Wiesbaden 1959, Hg. F. Kemp (Ausw.; IB, 679). – Mchn. 1965 (Die Fundgrube, 13).

LITERATUR: H. Handwerk, *Studien über G.s Fabelstil*, Diss. Marburg 1891. – G. Ellinger, *Über G.s »Fabeln und Erzählungen«*, Bln. 1895. – R. Nedden, *Quellenstudien zu G.s »Fabeln und Erzählungen«*, o. O. u. J. [Lpzg. 1899]. – J. Gassner, *Über den Einfluß v. Burkard Waldis auf G.s Fabeln*, Progr. Klagenfurt 1909. – M. Dorn, *Der Tugendbegriff G.s*, Diss. Greifswald 1919. – K. May, *Das Weltbild in G.s Dichtung*, Ffm. 1928. – F. Helber, *Der Stil G.s in den Fabeln und Gedichten*, Würzburg 1937. – F. Stegmeyer, *Ruhm und Nachruhm C. F. G.s* (in F. S., *Europäische Profile*, Wiesbaden 1947, S. 44–55). – I. Stamm, *G. Religion and Rationalism*, (in GR, 28, 1953, S. 195–203).

DAS LEBEN DER SCHWEDISCHEN GRÄFIN VON G... Roman von Christian Fürchtegott GELLERT (1715–1769), anonym erschienen 1747/48. – Gellerts einziger Roman geht auf englische und französische Vorbilder zurück; vor allem RICHARDSONS bürgerlich-sentimentalem Familienroman *Pamela* und PREVOSTS *Histoire de M. Cleveland* ist er verpflichtet. Doch wandelt Gellert die vorgefundenen Muster auf seine Weise ab. Die puritanische Einstellung zur körperlichen Liebe ist aufgegeben, die empfindsamen Reflexionen treten zugunsten einer bewegten äußeren Handlung zurück, die Technik des Briefromans wird durch die konventionellere Form des Ich-Romans ersetzt. Die fünf Neuauflagen im Laufe des 18. Jh.s dokumentieren nachdrücklich die Beliebtheit, deren dieser *»erste deutsche bürgerliche und erste deutsche Familienroman«* (F. Brüggemann) sich beim zeitgenössischen Publikum erfreute.

Die verwitwete Gräfin von G... hält im Alter Rückschau auf ihr Leben. Noch einmal geht sie die *»wunderbaren Wege«*, die die »Vorsehung« sie geführt hat. Sie wurde als Tochter eines livländischen Landedelmannes geboren und im Geist der Frühaufklärung zu einer die Kräfte von Herz und Verstand harmonisch verbindenden Religiosität erzogen. Mit sechzehn Jahren heiratet sie einen schwedischen Grafen. Durch Intrigen eines Prinzen, der die Gräfin begehrt, wird der Graf im Nordischen Krieg auf verlorenen Posten befohlen. Um den Zudringlichkeiten des Prinzen zu entgehen, muß die Gräfin mit Herrn R., einem Freund ihres Gatten, nach Holland fliehen. Bald verwandeln sich ihre dankbaren und freundschaftlichen Gefühle für Herrn R. in Liebe, und da der Graf inzwischen für tot erklärt wurde, steht einer Vermählung der beiden nichts mehr im Wege. Wenig später kehrt der totgeglaubte Graf überraschend aus sibirischer Gefangenschaft zurück. Angesichts der problematischen Ehekonstellation bewähren sich beide Männer als *»standhafte Weise im Unglück«* – dies der Titel eines von Herrn R. verfaßten Traktats. Beide sind bereit, auf die Gräfin zu verzichten. Schließlich, Herrn R.s selbstlos argumentierender Vernunft nachgebend, nehmen der Graf und die Gräfin ihre so seltsam unterbrochene Ehe wieder auf. Der Interims-Gatte aber lebt weiter als Hausfreund mit ihnen zusammen, und obendrein wird auch noch Caroline, die frühere bürgerliche Geliebte des Grafen, in die Gemeinschaft aufgenommen. *»Dank der absolut zuverlässigen und intakten moralischen Weichenstellung dieser vernunftgelenkten Menschen sind alle erotischen Kollisionen ausgeschlossen. Der Roman ist ein Musterfall moralischer Planwirtschaft«* (M. Greiner). Ihr Zusammenleben ist Ausdruck des aufklärerischen Eudämonismus, den der Vater des Grafen auf dem Sterbebett programmatisch formuliert: *»Liebt getreu und genießt das Leben, das uns die Vorsehung zum Vergnügen und zur Ausübung der Tugend geschenkt hat.«* Nach dem Tod der beiden Männer schlägt die Gräfin das Eheangebot des Prinzen aus und zieht sich in ein beschauliches Witwendasein zurück.

Diese Haupthandlung wird kontrapunktiert durch die tragische Nebenhandlung um Carlson und Marianne, die beiden unehelichen, in Geschwisterehe lebenden Kinder Carolines und des Grafen. Der Selbstbeherrschung und Gelassenheit der Hauptpersonen des Romans steht hier ein Übermaß an subjektiver Leidenschaftlichkeit gegenüber, in dem sich schon der neue Menschentypus des Sturm und Drang ankündigt – Gellerts Roman *»ist bis in die letzten Einzelheiten am Schreibtisch erdacht worden und zeigt wenig Beziehungen zum wirklichen Leben«* (R. Newald). Die verwickelte Führung der peripetienreichen Handlung, die komplizierte Verschränkung der Liebesbezüge und eine Vielzahl charakteristischer Motive – Geschwisterehe, Giftmord, Prinzenintrige etc. – gehören noch ganz in die barocke Tradition des Galanten und des Abenteuerromans. Andererseits gelingt Gellert, dank seines für die Epoche durchaus avantgardistischen Interesses an psychologischen Fragestellungen und dank der Darstellung von spezifisch bürgerlichem Denken und Geschmack, ein folgenreicher Neuansatz in der Geschichte des deutschen Romans, ohne den etwa GOETHES *Werther* nicht zu denken wäre. M. Pf. – KLL

AUSGABEN: Lpzg. 1747/48, 2 Bde., – Ffm. 1769. – Lpzg. 1770 (in *SS*, Hg. C. F. Gellert, J. A. Schlegel u. G. L. Heyer, 10 Bde., 1769–1774, 4). – Karlsruhe 1818 (in *SW*, 10 Bde., 4). – Lpzg. 1839 (in *SS*, Hg. J. L. Klee, 10 Bde.). – Lpzg. 1933, Hg. F. Brüggemann u. F. Paustian (DL, R. Aufklärung, 5; Nachdr. Darmstadt 1966). – Stg. 1968, Hg. J.-U. Fechner (RUB, 8536/8537),

LITERATUR: E. Kretschmer, *G. als Romanschriftsteller*, Diss. Heidelberg 1920. – F. Brüggemann,

G.s »Schwedische Gräfin«. Der Roman der Welt- u. Lebensanschauung des vorsubjektivistischen Bürgertums. Eine entwicklungsgeschichtliche Analyse, Aachen 1925. – M. Durach, *C. F. G. Dichter u. Erzieher*, Dresden 1938. – K. Russell, *»Das Leben der schwedischen Gräfin von G.«. A Critical Discussion* (in MDU, 40, 1948, S. 328–336). – U. Rausch *Ph. v. Zesens »Adriatische Rosemund« u. C. F. G.s »Leben der schwedischen Gräfin von G.«. Eine Untersuchung zur Individualitätsentwicklung im dt. Roman*, Diss. Freiburg i. B. 1961. – H. Singer, *Der dt. Roman zwischen Barock und Rokoko*, Köln/Graz 1963 (Literatur u. Leben, N. F. 6). – R. H. Spaethling, *Die Schranken der Vernunft in G.s »Leben der schwedischen Gräfin von G.«. Ein Beitrag zur Geistesgeschichte der Aufklärung* (in PMLA, 81, 1966, S. 224–235). – C. Schlingmann, *G. Eine literarhistorische Revision*, Bad Homburg/Bln./Zürich 1967 (Frankfurter Beitr. zur Germanistik, 3). – D. Kimpel, *Der Roman der Aufklärung*, Stg. 1967.

HEINRICH WILHELM VON GERSTENBERG
(1737-1823)

UGOLINO. Tragödie in fünf Akten von Heinrich Wilhelm von GERSTENBERG (1737–1823), Uraufführung: Berlin 1769. – Die Vielseitigkeit des literarischen Schaffens um und nach 1760 wird durch Gerstenberg beispielhaft verkörpert: 1759 veröffentlicht er unter dem Titel *Tändeleyen* eine Gedichtsammlung im Geist und Stil des Rokoko, die er 1760 und 1765 überarbeitet, 1766/67 ist er mit den *Briefen über Merkwürdigkeiten der Literatur* einer der Hauptvermittler von SHAKESPEARES Dramatik und der neuen Genieästhetik, 1768 nimmt er mit seinem Experiment *Ugolino* weite Teile des Theaters des Sturm und Drang vorweg.
Gerstenbergs Tragödie knüpft an den 33. Gesang des Inferno in DANTES *Divina Commedia* an. Graf Ugolino wird, als er nach der Alleinherrschaft in Pisa strebt, von seinem Gegenspieler, dem Erzbischof Ruggieri gestürzt, mit seinen Söhnen in den Turm geworfen und dort dem qualvollen Hungertod ausgesetzt. Gerstenberg verzichtet bei der dramatischen Umsetzung seiner epischen Vorlage auf jede Ausgestaltung der Fabel und schreibt ein Stück, das auf vier Personen (Ugolino mit seinen drei Söhnen Francesco, Anselmo und Gaddo), den Turm als Schauplatz und eine stürmische Nacht als Zeitraum beschränkt bleibt. Die an Shakespeare orientierte Darstellung der wechselnden Leidenschaften der vier Personen und die Gewalt ihres kreatürlichen Leidens tritt an die Stelle des traditionellen Handlungsdramas. So steht für die übliche Exposition ein Stimmungsbild, erst später kommt bei wiederholten Racheausbrüchen die Vorgeschichte zur Sprache. Die zeitgenössische Kritik rügte, daß die physische und seelische Not der Bestraften – insbesondere der Kinder – in keinem verständlichen Verhältnis zu ihrer »Schuld« stehe. Eine derartige »notwendige Handlungsfolge« hervorzubringen liegt keineswegs in der Absicht Gerstenbergs, der vielmehr unverhülltes, kreatürliches Leiden möglichst wahrheitsgetreu darstellen will, um damit die Erschütterung – nicht mehr nur das Mitleid – der Zuschauer zu erreichen. Eine gewisse dramatische Spannung wird allerdings zusätzlich bis zum dritten Akt damit geschaffen, daß durch einen heimlichen Brief Ugolinos wie durch den Ausbruchsversuch des ältesten Sohnes Francesco noch Verbindung zur Außenwelt und damit Hoffnung auf Befreiung besteht. Endgültig besiegelt ist das Schicksal der Eingesperrten erst, als man Francesco noch lebend in einem Sarg zurückbringt und daneben den Sarg mit der Leiche der vergifteten Gemahlin Ugolinos stellt. Doch auch an dieser hochdramatischen Stelle, die der Peripetie entspricht, findet keine Auseinandersetzung mit der Gegenpartei statt. Vielmehr wird das Thema vom leidenden »großen Mann« intensiviert und in der ganzen Skala der Affekte von zärtlicher Vaterliebe bis zu den unmenschlichen Ausbrüchen des Hungers und der nackten Verzweiflung durchgespielt. Gerstenberg hat dieses Ende allerdings vor der Drucklegung des Schauspiels gemäß der Tradition der Edelmutstragödien der Aufklärungszeit noch verändert: Ugolino endet nun in gottergebener Standhaftigkeit.
Neu an dem Stück ist die Radikalität der Wirklichkeitserfahrung im Leiden. Dieser neuen Wirklichkeitssicht entspricht eine pathetische, metaphernreiche Sprache, die Ausrufesätze, Satzfetzen, kurze rhetorische Fragen und Anaphern bevorzugt. In abgerissenen Phantasiebruchstücken vollzieht sich bei Ugolino abschließend die Überwindung des Kreatürlichen in einer hiobhaften Ergebenheitswendung zur stoisch-christlichen Tugend der Standhaftigkeit. Dieser Übergang, den Gerstenberg nicht allein durch sprachliche Mittel, sondern durch die Einblendung von Musik herstellt, bezeugt erneut den kühnen Experimentcharakter seines Werks.
Das Stück rief mit seiner »monotonen« Konzentration und seiner »handlungsfremden« Gestaltung die Kritik LESSINGS und eine Parodie BODMERS hervor, während sich HERDER wenigstens teilweise positiver äußerte. Auf der Bühne hatte es nur kurzen Erfolg, wirkte aber als Lesedrama entscheidend auf die Dramatik des Sturm und Drang. V. Ho.

AUSGABEN: Hbg./Bremen 1768 [anon.]. – Bln./Stg. 1884, Hg. R. Hamel (DNL, 48). – Stg. 1966, Hg. Ch. Siegrist (RUB, 141/141 a).

LITERATUR: M. Jacobs, *G.s »Ugolino«, ein Vorläufer des Geniedramas*, Diss. Heidelberg 1898. – R. Hamel, *Grundzüge u. Grundsätze moderner Dramatik bei G.* (in R. H., *Hannoversche Dramaturgie. Kritische Studien u. Essays*, Hannover 1900). – F. Gundolf, *Shakespeare u. der deutsche Geist*, Bln. 1911. – A. M. Wagner, *H. W. v. G. u. der Sturm und Drang*, 2 Bde., Heidelberg 1920–1924. – K. Schneider, *H. W. v. G. als Verkünder Shakespeares* (in Jb. der deutschen Shakespeare-Gesellschaft, 58, 1922, S. 39 bis 45). – H. Dollinger, *Die dramatische Handlung in Klopstocks »Der Tod Adams« u. G.s »Ugolino«*, Diss. Erlangen 1930. – R. Pascal, *Shakespeare in Germany 1740–1815*, Cambridge 1937. – K. S. Guthke, *G. u. die Shakespearedeutung der deutschen Klassik u. Romantik* (in JEGPh, 58, 1959, S. 91 bis 108).

SALOMON GESSNER
(1730-1788)

IDYLLEN. Sammlung von kleinen Prosastücken bukolischen Charakters von Salomon GESSNER (1730–1788), anonym erschienen 1756; unter dem Eindruck des großen Erfolgs ließ der Autor der Sammlung 1772 eine zweite – *Neue Idyllen* – folgen, die der ersten jedoch an Bedeutung nachsteht. – Die Tradition der Idylle (eig. das Idyll, von griech. *eidyllion*: Bildchen, zierliches Gedicht) als poetischer Kleinform, die vor allem im 16. und 17. Jh. – und zwar namentlich in Frankreich, Spanien und Italien – in Blüte stand, geht auf den griechischen Lyriker THEOKRIT zurück, dessen Hirtengedichte *(Eidyllia)* im Verein mit VERGILS *Bucolica* ihr Formgesetz begründeten und den Kanon von inhaltlichen Elementen festsetzten, an dem bis zum Ende des 18. Jh. festgehalten wurde. Geßners großes Vorbild ist ebenfalls Theokrit, wenn auch nicht dessen von dem Franzosen FONTENELLE in seinem *Discours sur la nature de l'églogue* (1688) schon gerügte »*bäurische Grobheit*«. Daneben lassen sich in Geßners Idyllen die verschiedenartigsten Einflüsse beobachten, vor allem der des späthellenistischen Epikers LONGOS und seines Schäferromans *Daphnis und Chloë* außerdem die Anregungen, die etwa von Barthold Heinrich BROCKES' *Irdischem Vergnügen in Gott* (1721 ff.), von den anakreontischen Gedichten der UZ, GLEIM, HAGEDORN, RAMLER oder von Ewald von KLEISTS Idylle *Der Frühling* (1749) ausgegangen sind – Werken, in denen im Gegensatz zur schäferlichen Rokoko-Allegorik sich zum Teil schon ein unmittelbareres, verinnerlichtes Naturempfinden ausspricht.

Geßners Idyllen sind kleine Prosastücke mit einem Minimum von Rahmenhandlung und häufigen längeren dialogischen Abschnitten. Die in ihnen auftretenden und sprechenden Personen – die Schäfer und Schäferinnen Damon, Daphne, Phyllis, Chloe, Amyntas, Lycas, Menalcas, Tityrus, dazu Sänger, Flötenspieler, Faune und Jäger –, wenig individualisierte, friedfertig-empfindsame, eher sentimental denn preziös stilisierte Figuren, bewegen sich in einer konfliktlosen Welt; sie sind »*frey von allen sclavischen Verhältnissen, und von allen den Bedürfnissen, die nur die unglückliche Entfernung von der Natur nothwendig machet*« (Vorrede von 1756). Alle diese bukolischen Genrebilder verbinden bestimmte menschliche Situationen (die Liebesklage, den Dialog von Sänger und Flötenspieler, den Wettstreit von Sänger und Flötenspieler, die Flucht der Liebenden vor dem Gewitter) mit den ihnen entsprechenden landschaftlich-szenischen Elementen (Fluß, Insel, Brunnen, Felsen, Schilfhütte, Quelle usw.), und diese bruchlose Zuordnung, die vollkommene Homogenität von Mensch und Natur, macht zugleich den eigentlichen Reiz der Geßnerschen Idyllen aus, an dem darüber hinaus ein schwebender, zwischen Prosa und Lyrik beheimateter Sprachrhythmus entscheidenden Anteil hat: »*Nicht den blutbespritzten kühnen Helden, nicht das öde Schlacht-Feld singt die frohe Muse; sanft und schüchtern flieht sie das Gewühl, die leichte Flöt' in ihrer Hand.*« – »*Sie* [die Idylle] *schildert uns ein goldnes Welt-Alter, das gewiß einmal dagewesen ist*«, bemerkt der Autor, ohne sich jedoch zu verhehlen, daß die konkrete gesellschaftliche Wirklichkeit des 18. Jh.s, »*wo der Landmann mit saurer Arbeit unterthänig seinem Fürsten und Städten den Überfluß liefern muß*«, der idyllischen Wirklichkeit in seinen Dichtungen wenig entspricht.

Dennoch hatten Geßners Idyllen nicht nur in Deutschland ungewöhnlichen Erfolg – MALER MÜLLER, VOSS und HEBEL sahen ihr unmittelbares Vorbild in ihnen –, sondern vor allem in Frankreich, wo DIDEROT und ROUSSEAU sie bewunderten und wo sich nahezu die gesamte Schäferdichtung an ihnen orientierte. Die erschöpfendste und in die Paradoxie der »modernen« Idylle am tiefsten eindringende Beurteilung gab jedoch – neben HERDER (*Theokrit und Geßner*, 1767) – SCHILLER in seinem großen Essay *Über naive und sentimentalische Dichtung* (1795/96) ab, in dem er – auch mit Blick auf Geßners Dichtungen – die Idylle den sentimentalischen Dichtungsarten zuordnete: »... *sie stellen unglücklicherweise das Ziel hinter uns, dem sie uns doch entgegenführen sollten, und können uns daher bloß das traurige Gefühl eines Verlustes, nicht das fröhliche der Hoffnung einflößen.*« H. H. H.

AUSGABEN: Zürich 1756 [anon.]. – Zürich 1772 *(Neue Idyllen)*. – Zürich 1777 (in *Schriften*, 2 Bde., 1777/78, 1). – Zürich 1841 (in *Schriften*, Hg. J. L. Klee, 2 Bde., 2). – Bln./Stg. 1884 (in *Werke*, Hg. A. Frey; DNL, 41). – Weimar 1917. – Zürich 1947 (*Im goldenen Zeitalter. Idyllen*; Ausw.).

LITERATUR: H. Wölfflin, *S. G.*, Frauenfeld 1889. – H. Broglé, *Die französische Hirtendichtung in der 2. Hälfte des 18. Jh.s, dargestellt in ihrem besonderen Verhältnis zu S. G.*, Diss. Lpzg. 1903. – N. Müller, *Die deutschen Theorien der Idylle von Gottsched bis G.*, Diss. Straßburg 1911. – F. Bergemann, *S. G.*, Mchn. 1913. – P. F. Schmidt, *G. Der Meister der Idylle*, Mchn. 1921. – P. Leemann-van Elck, *S. G., Dichter, Maler u. Radierer, 1730–1788*, Zürich/Lpzg. 1930 [m. Bibliogr.]. – P. v. Tieghem, *Les »Idylles« de G. et le rêve pastoral* (in P. v. T., *Le préromantisme II*, Paris 1930, S. 207–311). M. M. Prinsen, *De ›Idylle‹ in de 18de eeuw*, Amsterdam 1934. – R. Strasser, *Stilprobleme in G.s Kunst u. Dichtung*, Diss. Bln. 1936. – A. Müller, *Arkadische Landschaft. E. v. Kleist u. S. G.* (in A. M., *Landschaftserlebnis u. Landschaftsbild. Studien zur deutschen Dichtung des 18. Jh.s u. der Romantik*, Stg. 1955, S. 34–41).

JOHANN CHRISTOPH GOTTSCHED
(1700–1766)

DEUTSCHE SCHAUBÜHNE NACH DEN REGELN UND EXEMPELN DER ALTEN. Sammlung von Theaterstücken, herausgegeben von Johann Christoph GOTTSCHED (1700–1766), sechs Bände, erschienen 1741–1745. – Gottsched hatte es sich zur Aufgabe gemacht, das in der ersten Hälfte des 18. Jh.s zum Teil recht verwahrloste deutsche Theater zu reformieren. Er setzte sich für eine Hebung der Schauspielkunst ein und kämpfte mit großer Energie gegen die schwülstigen und blutrünstigen »Tragödien« und primitiv zotigen »Komödien«, die damals von fast allen Schauspieltruppen aufgeführt wurden. Diese literarisch völlig wertlosen Stücke zurückzudrängen war zunächst – solange deutsche Originale fehlten, die Gottscheds Vorstellungen entsprachen – nur mit Hilfe von Übersetzungen, vor allem aus dem Französischen, möglich. Die Dramen des französischen Klassizismus waren das Muster, an dem Gottsched sich theoretisch und praktisch orientierte, u. a. weil er überzeugt war, daß die »*Regeln und Exempel der Alten*« (d. h. der Griechen und Römer) darin vorbildlich befolgt seien. 1731 wurde dann als »*erstes regelrechtes deutsches Trauerspiel*« sein 1732 auch gedrucktes Drama *Sterbender Cato* aufgeführt, an das sich in den folgenden Jahren zahlreiche Werke seiner Anhänger und Schüler anschlossen. Eine

Zusammenfassung der Übersetzungen und der deutschen Originalwerke, die Gottscheds ästhetische Forderungen (u. a. Einheit der Zeit, des Ortes und der Handlung) erfüllten, ist die *Deutsche Schaubühne* – eine Sammlung von beispielhaften Stücken für die reformbereiten Schauspieltruppen. Überdies hoffte Gottsched, wie er im Vorwort zum sechsten Band erklärt, damit »*geschickte Dichter*« anzuregen, »*unserem Vaterland künftig noch etwas besseres zu liefern*«.

Von den im ganzen 38 Theaterstücken der *Deutschen Schaubühne* sind 16 Übersetzungen (freilich nicht immer »Übersetzungen« im heutigen strengen Sinn des Wortes). Von Gottsched selbst stammen die Übertragungen der *Iphigenia* Racines, des Lustspiels *Die Opern (»aus dem Französischen des Herrn von St. Evremond ... und für die deutsche Schaubühne eingerichtet«)* und des Trauerspiels *Alzire oder Die Amerikaner* von Voltaire. Gottscheds Frau übertrug: *Der Menschenfeind* von Molière, *Der Widerwillige* von Du Frony, das Trauerspiel *Cornelia, die Mutter der Gracchen* von Marie-Anne Barbier und die drei Lustspiele *Das Gespenst mit der Trommel oder Der wahrsagende Ehemann, Der Verschwender oder Die ehrliche Betrügerin* und *Der poetische Dorfjunker* von Destouches. Die anderen Übersetzungen aus dem Französischen sind: *Die Horazier, »ein Trauerspiel nach dem älteren Corneille«*, sowie dessen *Cid*, Voltaires *Zaïre* und das Lustspiel *Die Spielerin* von Dufresny. Schließlich nahm Gottsched in jeden der ersten drei Bände noch ein Lustspiel des dänischen Dramatikers Holberg auf (übersetzt von Georg August Detharding): *Der politische Kanngießer, Jean de France oder Der deutsche Franzose, Bramarbas oder Der großsprecherische Officier.*

Während in den ersten drei Bänden außer Gottscheds *Sterbendem Cato* und seinem Schäferspiel *Atalanta* nur noch ein weiteres deutsches Stück zu finden ist, das Trauerspiel *Darius* von Friedrich Lebegott Pitschel, fehlen in den Bänden 4–6 Übersetzungen völlig. Sie enthalten u. a. die beiden Trauerspiele *Hermann* und *Dido* sowie das Lustspiel *Der geschäfftige Müßiggänger* von Johann Elias Schlegel, ein Trauerspiel *(Aurelius oder Denkmal der Zärtlichkeit)* und zwei Lustspiele *(Der Bock im Processe, Der Hypochondrist)* von Theodor Johann Quistorp und von Ephraim Benjamin Krüger das Trauerspiel *Mohamed IV.* Eigene Werke Gottscheds sind *Die Parisische Bluthochzeit König Heinrichs von Navarra* und *Agis*, seine Frau ist die Verfasserin des Trauerspiels *Panthea* und der beiden Lustspiele *Das Testament* und *Der Unempfindliche.*

Dichterisch bedeutend ist keines dieser in der *Deutschen Schaubühne* veröffentlichten Dramen. Für die Literatur- und Theatergeschichte des 18. Jh.s ist die Sammlung als Ganzes jedoch wichtig und aufschlußreich. C. P. – KLL

Ausgaben: Lpzg. 1741 (*Die Deutsche Schaubühne nach den Regeln der alten Griechen und Römer eingerichtet, und mit einer Vorrede herausgegeben.* Tl. 2). – Lpzg. 1741 [Tl. 3]. – Lpzg. 1742 *(Die Deutsche Schaubühne nach den Regeln und Exempeln der Alten. Erster Theil nebst einer Vorrede, und des Erzbischofs von Fenelon Gedanken von der Tragödie und Comödie ans Licht gestellet).* – Lpzg. 1743 [Tl. 4]. – Lpzg. 1744 [Tl. 5]. – Lpzg. 1745 [Tl. 6].

Literatur: E. Wolff, *G.s Stellung im deutschen Bildungsleben*, Kiel/Lpzg. 1897. – E. Krießbach, *Die Trauerspiele in G.s »Deutscher Schaubühne« und ihr Verhältnis zur Dramaturgie und zum Theater ihrer Zeit*, Halle 1928 (Hermea, 19). – P. Grand, *La Suisse et l'Allemagne dans leurs rapports littéraires au 18e siècle*, Clermont-Ferrand 1939. – A. Pellegrini, *G., Bodmer e Breitinger e la poetica dell'Aufklärung*, Catania 1952. – F. Winterling, *Das Bild der Geschichte in Drama u. Dramentheorie G.s u. Bodmers*, Diss. Ffm. 1955. – W. Wonderley, *G.'s Dynamic Stage Directions* (in Kentucky Foreign Language Quarterly, 3, 1956, 2). – B. Markwardt, *Geschichte d. dt. Poetik*, Bd. 2, Bln. 1956, S. 68f. – A. Nivelle, *Kunst- und Dichtungstheorien zwischen Aufklärung und Klassik*, Bln. 1960.

VERSUCH EINER CRITISCHEN DICHTKUNST VOR DIE DEUTSCHEN; darinnen erstlich die allgemeinen Regeln der Poesie, hernach alle besondere Gattungen der Gedichte, abgehandelt und mit Exempeln erläutert werden, überall aber gezeiget wird: Daß das innere Wesen der Poesie in einer Nachahmung der Natur bestehe. Poetik von Johann Christoph Gottsched (1700–1766), erschienen 1730; zweite Auflage mit vollständigem Abdruck der *Ars Poetica* des Horaz 1737; dritte Auflage 1742, vierte und »*sehr vermehrte*« Auflage 1751. – Das Werk, das ursprünglich der Leipziger »Deutschübenden Gesellschaft« als poetologische Grundlage dienen sollte, muß im Zusammenhang mit Gottscheds umfassenderen Bestrebungen um eine Hebung des Niveaus der deutschen Sprache und Literatur und um eine Rückführung des deutschen Theaters zur Formenreinheit der Antike gesehen werden. Er wendet sich nicht nur gegen die als schwülstig empfundene Barockdichtung der sog. Zweiten Schlesischen Schule, sondern bricht grundsätzlich mit der Regel- und Anweisungspoetik des 17. Jh.s, in der er einen »*recht vernünftigen deutlichen Begriff, von dem wahren Wesen der Dichtkunst; aus welchem alle besondere Regeln derselben hergeleitet werden könnten*« vermißt. Das Prädikat »kritisch«, das hier zum erstenmal im Titel einer Poetik erscheint, versteht er als den Anspruch einer philosophischen Fundiertheit seiner Dichtungstheorie: In Anlehnung an Christian Wolffs Methode der philosophischen Deduktion entwickelt er poetologische Regeln aus einer Wesensbestimmung der Dichtkunst. Zentrum seiner Poetik sind der »*wahre aristotelische Grundsatz, von der Nachahmung der Natur*« und der Gedanke des »*aut prodesse volunt aut delectare poetae*« aus der *Ars poetica* des Horaz. Diesem Rückgriff auf die »*Grundsätze der Alten*« liegt die erst von Herder überwundene Vorstellung der Unwandelbarkeit und Kontinuität von Natur und Bewußtsein des Menschen zugrunde, derzufolge »*der Weg, poetisch zu gefallen, noch eben derselbe seyn*« müsse, »*den die Alten dazu so glücklich erwählet haben*«. Diesen Klassizismus attackierten dann in den vierziger Jahren die Züricher Johann Jakob Bodmer (*Critische Abhandlung von dem Wunderbaren in der Poesie*, 1740) und Johann Jakob Breitinger (*Critische Dichtkunst*, 1740), die sich aus ihrer christlich orientierten Kunstauffassung gegen Gottscheds Einengung der Poesie auf den Bereich des »Vernünftigen« wandten; unterstützt von so wirkungsvollen Schülern wie Klopstock, der das Ideal einer von Enthusiasmus, nicht mehr nur vom Verstand getragenen Dichtung proklamierte, setzten sie der Wirkung von Gottscheds Poetik frühzeitig Grenzen.

Gottscheds Werk ist in zwei Teile gegliedert; auf zwölf Kapitel theoretischer Grundlegung folgen zwölf weitere »Hauptstücke« über die einzelnen literarischen Gattungen und Zweckformen, die wie in BOILEAUS *L'art poétique* scharf gegeneinander abgegrenzt werden. In einem einleitenden Überblick über *Ursprung und Wachsthum der Poesie überhaupt* sieht Gottsched die »*Gemüthsneigungen des Menschen*« als die erste Quelle der Dichtung. Lyrische Selbstaussage sei jedoch eine niedere Vorstufe der Poesie; zu ihr müsse Bändigung der Gemütskräfte durch die Form, durch den Verstand, den »*Witz*« kommen. Entsprechend fordert er vom Dichter nicht nur Einbildungskraft und Phantasie, sondern auch Scharfsinn, Gelehrsamkeit und Geschmack. Auch der »Geschmack« ist kein Element der Subjektivität, sondern »*derjenige Geschmack ist gut, der mit den Regeln übereinkommt, die von der Vernunft ... fest gesetzet worden*«. In frühaufklärerisch ungebrochenem Vertrauen auf die Kraft der Vernunft kann er diese Regeln mit den Gesetzen der Natur gleichstellen und ihre Beachtung beim Kunstwerk als einem Werk vernünftiger Nachahmung der Natur fordern. Im zentralen Kapitel *Von den drey Gattungen der poetischen Nachahmung und insonderheit von der Fabel* unterscheidet er zwischen Nachahmung von Dingen, Personen und Handlungen (»Fabel«). Diese Dreiteilung muß durchaus wertend verstanden werden: Einer Geringschätzung der nur »*schmückenden*« Schilderung und der »fabel«-losen lyrischen Gattungen entsprechend gewinnt die »Fabel« als »*Seele der ganzen Dichtkunst*« eine beherrschende Stellung. Dabei geht es Gottsched vor allem um die an ihr exemplifizierte »*nützliche moralische Wahrheit*« im Sinne der »Weltweisheit«. So lautet sein berühmt-berüchtigtes Rezept zur Verfertigung einer Tragödie: »*Der Poet wählet sich einen moralischen Lehrsatz, den er seinen Zuschauern auf eine sinnliche Art einprägen will. Dazu ersinnt er sich eine allgemeine Fabel, daraus die Wahrheit eines Satzes erhellet. Hiernächst suchet er in der Historie solche berühmte Leute, denen etwas ähnliches begegnet ist; und von diesen entlehnet er die Namen, für die Personen seiner Fabel; um derselben also ein Ansehen zu geben. Er erdenket sodann alle Umstände dazu, um die Hauptfabel recht wahrscheinlich zu machen; und das werden die Zwischenfabeln, oder Episodia nach neuer Art, genannt. Dieses theilt er dann in fünf Stücke ein, die ohngefähr gleich groß sind, und ordnet sie so, daß natürlicher Weise das letztere aus dem vorhergehenden fließt* ...«

Es wird deutlich, daß Gottsched mit dem Begriff »Naturnachahmung« nicht realistische Wirklichkeitsnähe meint, sondern daß ihm ein an Wolff orientierter Naturbegriff zugrunde liegt, dem Kriterien des guten Geschmacks, moralische Absichten und rationalistische Abwertung des Wunderbaren und Außerordentlichen enge Grenzen setzen. Das Moment des Fiktiven, das dennoch aller Dichtung innewohnt, rechtfertigt er durch die von LEIBNIZ und Wolff entwickelte Lehre von den nicht realisierten, jedoch hypothetisch möglichen anderen Welten. Seine Definition von Naturnachahmung im Sinne von Wahrscheinlichkeit wird ihm zum wichtigsten Argument für eine strikte Auslegung des Prinzips der drei Einheiten im Drama; sie erlaubt ihm außerdem, das Eingreifen von Göttern (vor allem in der Komödie) zu verurteilen und das märchenhafte Zauberwesen des italienischen Theaters und der Oper einer scharfen Kritik zu unterziehen.

Nach der Dichtungstheorie leitet – noch im ersten Teil – die mehr praktisch orientierte Kunstlehre zum gattungspoetischen Teil über. Gottsched bekämpft den allzu überhöhten Stil und wertet die Prosa als künstlerisches Ausdrucksmedium auf; dennoch hält er an der traditionellen Trennung von hohem, mittlerem und niederem Stil fest, ebenso wie er weiterhin das Epos als den Gipfel der Dichtkunst betrachtet. Seine vor allem an französischen Vorbildern entwickelten Vorstellungen von Tragödie und Komödie und die Verbannung des Harlekin von der Bühne (1737) brachten ihm LESSINGS erbitterte Kritik ein. – Die Diskussion der einzelnen Gattungen und Zweckformen wird im Zuge der Auseinandersetzung mit der zeitgenössischen literarischen Produktion von Auflage zu Auflage erweitert. So findet sich erst in der vierten Auflage ein gesondertes Kapitel über den Roman *(Von milesischen Fabeln, Ritterbüchern und Romanen)*, dem er unter den Gattungen der Poesie »*nur eine von den untersten Stellen*« einräumt. Er sieht in ihm eine verwilderte Abart des Heldenepos und findet in der ihm vorliegenden Romanliteratur weder seine poetischen Grundbegriffe (Nachahmung der Natur, Bedeutsamkeit der Fabel) noch die Qualitäten guter Prosa (Regelmäßigkeit, Angemessenheit) verwirklicht. Der Vergleich der vier Auflagen ergibt ein zunehmendes Verständnis für das ältere deutsche Schrifttum, bedingt durch die kulturpatriotische Ausrichtung seiner Bestrebungen: So macht Gottsched sich z. B. auch von seinem Vorurteil gegenüber Hans SACHS frei.

Die Verurteilung Gottscheds durch Lessing und auch GOETHE hatte lange Zeit den Blick auf seine eigentliche Leistung versperrt; immerhin wurde ihm zugestanden, daß er durch seinen Kampf gegen spätbarocke Verwilderungsformen den Weg zur Weimarer Klassik ebnen half, wobei er freilich die volkstümlichen Kräfte der deutschen Dichtung in den subliterarischen Bereich verbannt habe. Erst BRÜGGEMANN zeigte den Ansatz zu einer Überwindung dieser unhistorischen Perspektive und lehrte Gottscheds *Critische Dichtkunst* zusammen mit seiner *Weltweisheit*, seiner *Redekunst* und seiner *Sprachkunst* als Teil einer »Lebens- und Kunstreform« für das deutsche Bürgertum des 18. Jh.s begreifen. Es zeugt weniger von Gottscheds Inferiorität als von der Orientierungslosigkeit dieses Bürgertums, daß die »Kunstreform« noch auf höfisch-klassizistische Vorbilder zurückgreifen mußte. M. Pf.

AUSGABEN: Lpzg. 1730; [2]1737; [3]1742; [4]1751. – Darmstadt [5]1962 [Neudr.].

LITERATUR: E. Reichel, *G.*, 2 Bde., Bln. 1908–1912. – K. Blanck, *Der französische Einfluß im 2. Teil von G.s »Critischer Dicht-Kunst«*, Diss. Göttingen 1910. – A. Pelz, *Die vier Auflagen von G.s »Critischer Dicht-Kunst« in vergleichender Betrachtung*, Diss. Breslau 1929. – *G.s Lebens- u. Kunstreform*, Hg. F. Brüggemann, Lpzg. 1935. – W. Kuhlmann, *Die theologischen Voraussetzungen von G.s »Critischer Dicht-Kunst«*, Diss. Münster 1935. – J. Birke, *G.s Neuorientierung der deutschen Poetik an der Philosophie Wolffs* (in ZfdPh, 85, 1966, S. 560–575).

FRIEDRICH VON HAGEDORN
(1708–1754)

VERSUCH IN POETISCHEN FABELN UND ERZEHLUNGEN. Fabelsammlung von Friedrich von HAGEDORN (1708–1754), erschienen 1738; fortgesetzt in *Moralische Gedichte*, 1750. – In eigentümlichem Kontrast zu den Traditionsbrüchen, reformerischen Bestrebungen und Neuerungen der Aufklärung auf anderen Gebieten steht die Bindung ihrer Ästhetik an die seit der Antike tradierten Normen. So ist für die Dichtung der Epoche die Verknüpfung von »*prodesse*« und »*delectare*« oder, in der Sprache der Zeit, von »*moralischem Nutzen*« und »*Ergetzen*« vorbildlich und verbindlich. Diesen Anspruch erfüllt in hohem Maße die Gattung der Fabel, weil sie eine lehrhafte Grundtendenz mit den Formreizen der Poesie verbindet. Hagedorn ist der erste Dichter in der Geschichte der neueren deutschen Literatur, der mit seinem *Versuch in poetischen Fabeln und Erzehlungen* einen eigenen Fabelstil entwickelt und in einem umfangreichen Teil seiner moralischen Gedichte vervollkommnet hat. Selten handelt es sich dabei freilich um neu oder frei erfundene Fabeln, was angesichts der langen Gattungstradition (neben antiken Autoren sind für Hagedorn LA FONTAINES *Contes et nouvelles en vers*, 1664–1674, von besonderer Bedeutung) und im Hinblick auf die Nachahmungspoetik der Aufklärung nicht verwunderlich ist. Der selbstbewußte Hanseate will jedoch seine Nachdichtungen nicht als »*blinde Folge und kümmerliche Knechtschaft*« verstanden wissen. Er versieht deshalb seine Titelverzeichnisse mit genauen Quellenangaben, so daß sich der gebildete Leser selbst überzeugen kann, daß Hagedorns Bearbeitungen nicht auf der Gleichheit der Worte, sondern auf der Gleichgestimmtheit des Geistes und Herzens beruhen.

Neben der reinen Tierfabel pflegt Hagedorn vor allem die Tierfabel als didaktische Allegorie der Geschichte und des Alltagslebens wie als Medium aktueller Zeitkritik. Daneben finden sich mythologische Stoffe, die wie die Tierfabel der Einkleidung von literarischen Grußadressen an befreundete Dichter dienen können. Schäferdichtungen, zum Teil dialogisiert, reihen sich an Anekdoten und Erzählungen, die sich zu eigentlichen Versnovellen ausweiten. Vielfach folgt gemäß der Gattungstradition auf die bildhafte Einkleidung eine ausdrückliche Nutz- und Lehranwendung, oft aber haben die Stücke von Anfang an den Charakter einer nach allen Regeln der rhetorischen Kunst durchgeführten Begriffserörterung. Bedeutend sind Hagedorns formale Neuerungen: Die gereimten Alexandriner werden bald abgelöst von vielfach gereimten und in der Hebungszahl variierenden Jambenversen, die zu Strophen oder prägnanten Zweizeilern zusammengefaßt sind. Dazu gesellt sich eine Fabulierlust, deren formale Ausweitungen von LESSING kritisiert wurden.

Die traditionelle stoisch-epikureische Weltsicht der klassischen Fabel ist bei Hagedorn durch ein intensiviertes Natur- und Trieberleben modifiziert. Der »Witz« als das Ideal einer sich am Ernsten heiter bildenden Geselligkeit ist das durchgehende Stilprinzip, das auch die oft ausführlichen Anmerkungen bestimmt. – Zu den zahlreichen, um die Mitte des 18. Jh.s erschienenen Fabelsammlungen, die von Hagedorns Nachdichtungen angeregt wurden, gehören auch die *Fabeln und Erzählungen* (1746–1748) von GELLERT und Lessings *Fabeln* (1759). V. Ho.

AUSGABEN: Hbg. 1738 [anon.]. – Hbg. 1750 (in *Moralische Gedichte*). – Hbg. 1800 (in *Poetische Werke*, Hg. J. J. Eschenburg, Bd. 2).

LITERATUR: J. Gassner, *Der Einfluß des Burkhardt Waldis auf die Fabeldichtung H.s*, Klagenfurt 1905. – E. Briner, *Die Verskunst der Fabeln u. Erzählungen H.s*, Diss. Zürich 1920. – K. Epting, *Der Stil in den lyrischen u. didaktischen Gedichten F. v. H.s. Ein Beitrag zur Stilgeschichte der Aufklärungszeit*, Stg. 1929. – R. Petsch, *H. u. die deutsche Fabel* (in *Fs.... W. v. Melle zum 80. Geburtstag dargebracht*, Glückstadt/Hbg. 1933, S. 160–168). – RL, [2]1958, S. 437.

ALBRECHT VON HALLER
(1708–1777)

DIE ALPEN. Philosophisches Lehrgedicht in Alexandrinern von Albrecht von HALLER (1708 bis 1777), entstanden 1729 nach einer naturwissenschaftlichen Exkursion durch die Schweizer Berge; erschienen 1732 in der Sammlung *Versuch Schweizerischer Gedichte*, die bis zum Tod von Hallers elf Auflagen erlebte und ständig umgearbeitet und verbessert wurde. – Das Hauptthema des Gedichtes, dem die Beschreibung der Alpenlandschaft den Rahmen gibt, ist die Gegenüberstellung der sittenlosen städtischen Zivilisation, besonders bei Hofe, und des sittenreinen Lebens in der Weltabgeschlossenheit des Gebirges. ROUSSEAU vorwegnehmend, preist Haller das Glück derer, die begnadet sind, ein einfaches, ursprüngliches Leben genießen zu dürfen, das nicht dadurch schön ist, daß es mühelos und sorgenfrei dahinfließt, sondern dadurch, daß es erarbeitet und erkämpft sein will, ohne Überfluß zu kennen. Denn der Überfluß hat Elend über die Menschheit gebracht: er zieht Mißgunst und Haß nach sich. In Armut und Bescheidenheit sind alle Menschen gleich; sie sind tugendhaft, von ihrer Arbeit ausgefüllt, sie sind zufrieden, begehren nichts Höheres und nehmen alle Erfahrung aus der Natur; ihr Tun und Handeln ist daher ursprünglich. Wie die Arbeit den Menschen ganz erfüllt, so sind auch Spiel und Liebe eine Ganzheit. Ausführlich wird diese Liebe besungen, ihre Reinheit, Genügsamkeit und – in der zivilisierten Welt unbekannte – Gefühlstiefe. Mit der gleichen warmen Anteilnahme, mit der die Menschen und ihre Lebensbedingungen geschildert werden, wird auch die Schönheit der Alpenlandschaft vom weiten Panorama der Gebirgsketten und Gletscher bis zu den kleinsten Einzelheiten der Alpenpflanzen und Kristalle beschrieben.

Hallers Gedicht ist eine Mischung aus Erlebnis- und Exkursionsbericht und kulturkritischen Gedankengängen. Es mußte in der ersten Hälfte des 18. Jh.s Entrüstung hervorrufen, nicht nur wegen der deutlichen Verdammung der zivilisierten Welt und der Parteinahme für ein Ideal unverbildeter Natürlichkeit, sondern schon allein dadurch, daß Haller für seine Gegenüberstellung die Alpen wählte, die bis dahin gefürchtet, für scheußlich und barbarisch gehalten wurden und auf deren Bewohner man mit Hochmut herabsehen zu können glaubte. In Hallers Werk aber ist nun diese Welt geradezu Symbol geworden für die *aurea aetas*, in der die nichtentstellte Landschaft und die nichtzivilisierten und unverformten Menschen eine Einheit bilden, der glückliche Urzustand am nächsten gerückt zu sein scheint. Die unangetastete Natur ist für Haller von vornherein gut – genauso a priori gut, wie die Stadt schlecht ist – und alles, was direkt aus der Natur abgeleitet werden kann, damit sinnvoll und richtig. Natürlich ist auch diese scheinbar ideale Welt eine idealisierte. Das zeigt sich am interessantesten an den Stellen über die Liebe, die unverkennbare Züge einer stilisierten Bukolik tragen und sich auf teilweise jahrhundertealte literarische Klischees verlassen, zumal solche des barocken Schäferspiels. Indem Haller in diese vorgeformten, zum lyrischen Bestand zählenden Topoi verfällt, gesteht er unbewußt ein, daß die Welt, die er aufbaut, eine ersehnte, eine utopische Wunschwelt ist. Die Sehnsucht nach der »*verlorenen*« Natur schafft sich an der idealisiert-idealen Welt der Alpen ein Sinnbild. S. v. G. – KLL

AUSGABEN: Bern 1732 (in *Versuch Schweizerischer Gedichte*). – Lpzg. 1923 (in *Gedichte*, Hg. H. Maync; D. Schweiz im dt. Geistesleben, 23/24; krit.). – Bln. 1959, Hg. H. Betteridge (Studien-Ausg. z. neueren dt. Lit., 3; Neudr. d. Erstausg., m. Bibliogr.).

LITERATUR: F. Vetter, *D. junge H.*, Bern 1909. – E. Landsberg, *D. Nachtmotiv in d. phil. Lehrgedichten von H. bis Herder*, Diss. Köln 1935. – G. Pax, *D. Wortkreis Schöpfung–Natur–Seele b. A. v. H. u. d. Parallelen b. J. G. Hamann*, Diss. Wien 1947. – J. S. Stamm, *Some Aspects of the Religious Problem in H.'s »Die Alpen«*, (in GR, 25, 1950). – G. Tonelli, *Poetica delle Alpi in A. H.* (in Filosofia, 12, Turin 1961, S. 239–278). – K. S. Guthke, *H. u. d. Literatur*, Göttingen 1962 (Arbeiten a. d. Niedersächs. Staats- u. UB, 4).

JOHANN GEORG HAMANN
(1730–1788)

KREUZZÜGE DES PHILOLOGEN. Sammlung ästhetisch-literarischer Aufsätze von Johann Georg HAMANN (1730–1788), erschienen 1762. Dieser Zusammenfassung von zwölf kleineren Schriften gingen Einzelveröffentlichungen nahezu aller Stücke des Bandes, z. T. ohne Angabe des Verfassers, voraus. Lediglich das umfangreiche Hauptstück – *Aesthetica in nuce. Eine Rhapsodie in Kabbalistischer Prose* – und das *Kleeblatt Hellenistischer Briefe* wurden der Sammlung neu hinzugefügt.

Die meisten der kleinen Abhandlungen – Marginalien eher als diskursiv argumentierende Schriften – greifen aktuelle wissenschaftliche und literarische Probleme auf, die in den Zusammenhang der Auseinandersetzung mit den Prinzipien der Aufklärung gehören. So ist die erste *(Versuch über eine akademische Frage)* der 1759 von der Berliner Akademie der Wissenschaften gestellten Preisfrage *Sur l'influence réciproque du langage sur les opinions & des opinions sur le langage* gewidmet; die sechste – *Chimärische Einfälle* – wendet sich gegen eine herablassende Rezension der Rousseauschen *Nouvelle Héloïse* von Moses MENDELSSOHN und bricht eine Lanze für den Originalitätswert schöpferischer Leistungen; die siebte – das *Kleeblatt* – setzt sich mit mehreren Schriften des Göttinger Theologen und Orientalisten J. D. MICHAELIS auseinander, unter Betonung der hebräischen Tradition und der Kultur des Orients; und die achte – *Näschereyen; in die Dreßkammer eines Geistlichen in Oberland* – bietet die ironisch-vernichtende Rezension einer philosophisch-theologischen Untersuchung – *De la nature* (1761) – von J. B. R. ROBINET.

Hamanns Denk- und Sprachstil – von ihm selbst als »*Schreibart der Leidenschaft*« oder »*Emphasiologie*« bezeichnet – ist der traditionellen Wissenschaftsprosa der Mitte des 18. Jh.s radikal entgegengesetzt; überreich an Metaphern, kryptischen Anspielungen und fremdsprachlichen Zitaten, bei aller Krausheit dennoch zumeist kernig und anschaulich, richtet sich dieser unverwechselbare Individualstil gegen das vorherrschende kartesianisch-rationalistische Wissenschaftsideal der Klarheit und Widerspruchslosigkeit und verkörpert aufs treffendste, unter Inkaufnahme einer orakelhaften und phantastisch anmutenden Dunkelheit, das aus neuplatonisch-mystischer Naturphilosophie erwachsene Bestreben des Autors nach einer divinatorischen Weltdurchdringung mit Hilfe der »*Sinne und Empfindungen*«. Der sich selbst mit Vorliebe als Magus bezeichnende, eigenwillige und regellose Denker beruft sich auf die Intuition und verlangt nach einer Magie im Sinne der Orientalen als der Erkenntnis der zugrunde liegenden bewegenden Kräfte der Natur und der Poesie, der göttlichen und der menschlichen Schöpfungskraft. Ursprünglichster Ausdruck eines noch einheitlichen menschlichen Erkenntnisvermögens ist für Hamann die *Bibel*, die »*älteste Urkunde des Menschengeschlechts*«, die, wie er meinte, der nur partiellen Versinnlichung der wahren Symbolwelt in der antiken Mythologie weit überlegen sei.

Zweifellos am wichtigsten für die Darlegung seiner Gedanken in dieser Sammlung und wohl das erste theoretische »Manifest« des sich ankündigenden Sturm und Drang ist die *Aesthetica in nuce*, Hamanns einzige grundsätzliche und explizite, wenn auch keineswegs systematische Äußerung zu ästhetischen Fragen. Die Schrift setzt mit einer leidenschaftlichen, hymnischen Polemik gegen die orthodox-rationalistische Methodik der verhärteten, »vernünftigen« Bibelexegese des 18. Jh.s ein. Schon im dritten der *Hellenistischen Briefe* hatte Hamann (gegen Michaelis und den englischen Theologen G. BENSON) die vom Pietismus geprägte verinnerlichte, spiritualistische Bibelauslegung über die dürre Kasuistik der Zeit erhoben, die ängstlich den »*Leichnam des Buchstabens*« hüte. Mit prophetisch-visionärem Pathos beginnt die *Aesthetica*: »*Nicht Leyer! – noch Pinsel! – eine Wurfschaufel für meine Muse, die Tenne heiliger Litteratur zu fegen! ... Poesie ist die Muttersprache des menschlichen Geschlechts.*« In kühner Zuspitzung seiner eigenen Metapher von der schöpferischen Kunst erklärt er Gott zum »*Poeten am Anfange der Taten*«. Alle menschliche Schöpferkraft ist nur ein Abglanz dieser ursprünglichen Schöpfung und ihr immer analog.

In Hamanns Gedanken zeigt sich bereits dieselbe affektive Hochschätzung von anti-intellektualistischer, elementarer, aus der unmittelbaren Einheit von Mythologie und Religion hervorgegangener Dichtung, wie sie wenig später sein großer »Schüler« HERDER mit seiner Idee der »Naturpoesie« bekundete. Schroff setzt Hamann seinen Naturbegriff den harmonisierenden, regelhaften Nachahmungsprinzipien der klassizistischen französischen Ästhetik von BATTEUX und DU BOS entgegen. »*Die Natur würkt durch Sinne und Leidenschaften*«; das aufgeschlagene Buch der geistdurchfluteten

Schöpfung Gottes – ihr »*Text*«, den die »*große und kleine Masore der Weltweisheit*« verderbt und unleserlich gemacht hat – muß vom Dichter aus einer »*Engelsprache*« in eine »*Menschensprache*« zurückübersetzt werden, der »*Geist der Weissagung*«, den eine »*mordlügnerische*« Philosophie der Abstraktionen und Hypothesen verschüttet hat, muß erneut lebendig werden. Wenn der Autor in diesem Sinne die alttestamentarische, erst von LUTHER wieder zum Leben erweckte, sinnlich-konkrete Bildsprache der Psalmen und Propheten zur Quelle für die zeitgenössische Poesie erklärt (aus der unter den deutschen Dichtern nur KLOPSTOCK, »*dieser große Wiederhersteller des lyrischen Gesangs*«, geschöpft habe), wird der geistesgeschichtliche Zusammenhang deutlich, der Hamann und sein Vertrauen in die »*poesieerzeugende Kraft des religiösen Mythos*« (R. Unger) durch die Vermittlung Herders mit der Frühromantik verbindet. KLL

AUSGABEN: o. O. [Königsberg] 1762. – Bln. 1822 (in *Schriften u. Briefe*, Hg. F. Roth, 7 Bde., 1821 bis 1825, 2). – Gotha 1858 (in *Leben u. Schriften*, Hg. C. H. Gildemeister, 6 Bde., 1857–1873, 1–3). – Wien 1950 (in *SW*, Hg. J. Nadler, 6 Bde., 1949 bis 1957, 2; hist.-krit.). – Heidelberg 1963 (in *Sturm u. Drang. Kritische Schriften*; Ausw.). – Wien 1963 (in *Entkleidung u. Verklärung*, Hg. M. Seils; Ausw.).

LITERATUR: R. Unger, *H. u. die Aufklärung. Studien zur Vorgeschichte des romantischen Geistes im 18. Jh.*, Halle 1911; Darmstadt [3]1963, S. 196 bis 266. – E. Metze, *J. G. H.s Stellung in der Philosophie des 18. Jh.s*, Halle 1934. – M. Th. Küsters, *Inhaltsanalyse von J. G. H.s »Aesthetica in nuce«*, Diss. Münster 1936. – J. C. O'Flaherty, *Unity and Language. A Study in the Philosophy of J. G. H.*, Chapel Hill 1952. – F. Blanke, *H.-Studien*, Zürich 1956. – E. A. Blackall, *Irony and Imagery in H.* (in Publications of the English Goethe Society, N. S. 26, 1957, S. 1–25). – H. U. v. Balthasar, *H.s theologische Ästhetik* (in PhJb, 68, 1960, S. 36–65). – P. Kraft, *Zur Deutung von J. G. H.s kabbalistischer Prosa* (in Jb. des Wiener Goethe-Vereins, 67, 1963, S. 5–30). – W. Koepp, *Der Magier unter Masken. Versuch eines neuen H.-bildes*, Göttingen 1965 (Kirche im Osten. Monographienreihe, 5). – W. M. Alexander, *J. G. H. Philosophy and Faith*, Den Haag 1966.

SOKRATISCHE DENKWÜRDIGKEITEN für die lange Weile des Publicums zusammengetragen von einem Liebhaber der langen Weile . . . Essay von Johann Georg HAMANN (1730–1788), erschienen 1759. – Mit dem Jahre 1759 sieht sich die Aufklärung von verschiedenen Seiten her mit neuen Ideen konfrontiert: Im Frühjahr des Jahres erscheinen die *Conjectures on Original Composition* des 75jährigen E. YOUNG, in Berlin beginnen die *Briefe die neueste Literatur betreffend* bei NICOLAI herauszukommen mit dem berühmten 17. Brief von LESSING, und Ende desselben Jahres erscheint anonym die erste Druckschrift des Königsberger J. G. Hamann, die *Sokratischen Denkwürdigkeiten*. In allen drei Publikationen wird das Wechselverhältnis von Nachahmung und original schaffender Spontaneität diskutiert; dabei zeichnet sich ein neues, weniger vom Verstand eingeschränktes Natur- und Selbstverständnis ab. PINDAR und SHAKESPEARE werden als Vorbilder für das literarische Schaffen proklamiert, die klassizistische französische Tradition trifft das Verdikt. Der Erkenntnisoptimismus der Aufklärung wird durch eine skeptischere bzw. geheimnisoffenere Wirklichkeitssicht abgelöst, der der Glaube eher entspricht als das rationale Wissen.

Hamann hat in seinem Lebenslauf diese Loslösung von der aufklärerischen Lebens- und Geisteshaltung durchgemacht. In London waren mit seiner politisch-merkantilen Mission seine Pläne, ein gewandter, dem praktischen und wirtschaftlichen Leben zugetaner Weltmann zu werden, gescheitert. Statt dessen wird er aufgrund einer bestürzenden Bibellektüre seiner eigenen religiösen Lebensgrundlage gewiß. Nach seiner Rückkehr aus England muß er diese gegen seine Freunde, den Kaufmann BERENS und den Philosophen KANT verteidigen, die ihm lebensfremde Schwärmerei vorwerfen und ihn für das Gedankengut und die Lebenshaltung der Aufklärung zurückgewinnen wollen. Hamann rechtfertigt seine Position nicht direkt, sondern er arbeitet im Sommer 1759 eine »*mimische*« Schlüsselgeschichte aus, in der er unter der Maske des von der Aufklärung als ihr Ahnherr beanspruchten Sokrates sich mit den beiden Freunden und dem Zeitgeist auseinandersetzt. Weniger in seiner historischen Erscheinung wird dabei Sokrates für Hamann wichtig – Hamann stützt sich in seiner Darstellung fast ausschließlich auf Sekundärquellen – als in seiner vorbildlichen Bedeutung für Hamanns eigene Konfliktsituation.

Wie alle zum Druck gegebenen Schriften Hamanns sind auch die *Sokratischen Denkwürdigkeiten* peinlich genau aufgebaut und durchkomponiert. Zuerst wendet sich der Autor nach dem »*orphischen Ey*« seines Titels in zwei »Zuschriften« seinen Leserkreisen zu: »*An das Publicum, oder Niemand, den Kundbaren*« und »*An die Zween*« (gemeint sind Berens und Kant). Neben der Charakterisierung der Adressaten werden hier die Verfahrensweisen des Autors und die entsprechenden Grundbedingungen zum Verständnis der Schrift dargelegt. Gegliedert in eine Einleitung und drei Abschnitte stellt sich diese als ein Mosaik von anekdotenhaften Einzelstücken dar, die teils vom Autor selbst mit Hilfe von Kontrastbeziehungen in ihrer »*ironischen*« Anzüglichkeit aufgehellt werden, vielfach aber vom aktiven Leser in einem »*Analogie*«-Verfahren auf die konkrete Situation (die Konstellation: Hamann gegen Berens und Kant) und seine eigene Existenz bezogen werden müssen. Der Autor verteidigt seine an der *Bibel* gewonnene Position gegenüber der Autonomieauffassung der Aufklärung dadurch, daß er die »*Unwissenheit*« des Sokrates, die dieser in radikaler »*Selbsterkenntnis*« erfährt, als »*Empfindung*«, als »*Glaube*« analysiert, der »*kein Werk der Vernunft*« ist und »*so wenig durch Gründe geschieht als Schmecken und Sehen*«. Die so verstandene sokratische Unwissenheit bringt Hamann in Verbindung mit dem Paulus-Satz (1. *Kor.* 8, 2 f.): »*So jemand sich dünken läßt, er wisse etwas, der weiß noch nichts, wie er wissen soll. So aber jemand Gott liebt, der wird von ihm erkannt!*« Die Ablegung des eigenen Wissensdünkels gewinnt demnach durch das neue Leben aus Gottes Liebe eine eminent positive Seite, die Hamann schon im »Daimonion« des Sokrates, der produktiven Entsprechung seiner Unwissenheit, typologisch vorgebildet findet. Dem sokratischen Schutzgeist entspricht auf ästhetischem Gebiet das »Genie« eines HOMER oder Shakespeare, das hier durch die »*Übertretung*« der »*Kunstregeln*« und der »*kritischen Gesetze*« die nur

über die Negation zu gewinnende neue Freiheit demonstriert. Hamann ist weit von der säkularisierten Genieauffassung des späteren Sturm und Drang als prometheischer Schöpferautonomie entfernt; er lehnt sie ebenso ab wie die aufklärerische Vernunftautonomie, die durch ihre gelebte Negation, d. i. den Glauben, vernichtet werden muß, damit sich in der gnädigen Hinwendung Gottes ein neuer schöpferischer Freiheitsraum für den Menschen wie für die gesamte Natur eröffnet. So »*lockt*« Hamann wie ein Prophet unter der Maske des Sokrates »*seine Mitbürger ... aus den Labyrinthen*« ihrer selbstgebauten Welt »*zu einer Wahrheit, die im Verborgenen liegt ... Zu einer heimlichen Weisheit ..., zum Dienst eines unbekannten Gottes.*«
Die *Sokratischen Denkwürdigkeiten* haben wie die drei Jahre später erschienene *Aesthetica in nuce* in den Kreisen, die die bilderreiche, mit Anspielungen und Zitaten gesättigte Sprache Hamanns als adäquates Stilmittel seiner Zeitkritik verstanden, eine befreiende Wirkung hinsichtlich ihres eigenen literarischen Schaffens gezeitigt, wobei allerdings die religiöse Bindung wie überhaupt der prophetische Charakter von Hamanns Aussagen nicht übernommen wurden. V. Ho.

Ausgaben: Amsterdam [recte Königsberg] 1759. – Wien 1950 (in *SW*, Hg. J. Nadler, 6 Bde., 1949 bis 1957, 2; hist.-krit.). – Gütersloh 1959 (in *Handschriften*, Hg. F. Blanke u. L. Schreiner, Bd. 2). – Stg. 1968, Hg. u. Komm. S.-A. Jørgensen (zus. m. *Aesthetica in nuce*; RUB, 926/926a).

Literatur: R. Unger, *H. u. die Aufklärung. Studien zur Vorgeschichte des romantischen Geistes im 18. Jh.*, 2 Bde., Jena 1911; Nachdr. Darmstadt 1963. – J. Nadler, *Die H.-Ausgabe. Vermächtnis, Bemühungen u. Vollzug*, Halle 1930. – E. Metzke, *J. G. H.s Stellung in der Philosophie des 18. Jh.s*, Halle 1934. – J. Nadler, *J. G. H. 1730–1788. Der Zeuge des Corpus mysticum*, Salzburg 1949, S. 93ff. – W. Koepp, *Der Magier unter Masken. Versuch eines neuen Hamannbildes*, Göttingen 1965, S. 59ff. – W. M. Alexander, *J. G. H. Philosophy and Faith*, Den Haag 1966. – J. C. O'Flaherty, *H.'s »Socratic Memorabilia«. A Translation and Commentary*, Baltimore 1967. – G. Baudler, *›Im Worte sehen‹. Das Sprachdenken J. G. H.s*, Bonn 1970, S. 80–92.

WILHELM HEINSE
(1746–1803)

ARDINGHELLO UND DIE GLÜCKSEELIGEN INSELN. Eine Italiänische Geschichte aus dem sechzehnten Jahrhundert. Roman von Wilhelm Heinse (1746–1803), nach einem Italienaufenthalt 1785 entstanden und 1787 erschienen. – Als bedeutendstes Werk Heinses, das ihm zu plötzlicher Berühmtheit verhalf, ist es zugleich das wertvollste Zeugnis des Geniekultes und das große Vorbild zahlloser Künstlerromane. Die Hauptfiguren verkörpern eine Lebensauffassung, die man treffend »*ästhetischen Immoralismus*« (W. Brecht) genannt hat. Daneben sind es vor allem die Kunsttheorien und -Urteile, die auf den Kunstenthusiasmus der Romantiker entscheidend einwirkten. Das Bild eines von dionysischem Lebensgefühl beherrschten Griechenland beeinflußte vor allem Hölderlin und Nietzsche. Die Gestalt des genußfrohen Tatmenschen, deren literarische Wurzeln in der verfeinerten Empfindsamkeit eines Wieland und der Verherrlichung unentstellter menschlicher Natur eines Rousseau zu suchen sind, entspricht der Vorstellung menschlicher Vollkommenheit, die der Sturm und Drang als idealtypisches Bild aufgerichtet hatte. Inhalt des Ich- und Brief-Romans ist eine Kette abenteuerlicher, oft sprunghaft gereihter Vorgänge, deren innere Notwendigkeit von der Konzeption her nicht immer einzusehen ist. Ziel der Episoden ist es, den Helden Ardinghello als außergewöhnlich, meist übermenschlich, bisweilen sogar dämonisch erscheinen zu lassen. Zu Beginn rettet er dem Erzähler, einem jungen Venezianer, das Leben; dieser, sein späterer Freund und Briefpartner, erliegt sofort der faszinierenden Ausstrahlung des Universalgenies: »*Mich dünkte, einen Gott reden zu hören ...*« Ardinghello ist Maler und Gelehrter, Dichter und Musiker, später sogar Pirat und Gründer eines utopischen Idealstaates. Einer Familienfehde wegen wird er zum Mörder und muß nach Genua fliehen, von wo aus er dem Freund seine weiteren Erlebnisse in Briefen mitteilt. Neben der Schilderung von Raubüberfällen, Entführungen und Liebeshändeln enthalten diese Briefe theoretische Spekulationen über den Staat, über Macht, Machtanwendung und Despotentum, die auf Eindrücke am Hof der Medici zurückgehen, und ausgiebige Beschreibungen römischer Altertümer. Ardinghello übt Kritik an Vasari und diskutiert über die Kunst Michelangelos und Raffaels. Kunst, für ihn in erster Linie ein sinnliches Phänomen, erscheint nicht als Ersatz, sondern als »*Verewigung des Lebensgenusses*« (Borcherdt). »*Alle Kunst ist Darstellung eines Ganzen für die Einbildungskraft.*« »*Die Bildhauerei und Malerei stellt Oberflächen von Körpern dar; die letztere, insoweit sie sich durch Farben zeigen.*« »*Ohne Wahrheit der Farbe kann keine Malerei bestehen; eher aber ohne Zeichnung.*« Diese und ähnliche Kunsturteile lassen ein genial-intuitives Sehvermögen erkennen und stellen gewissermaßen den Beginn moderner Kunstbetrachtung dar. – Der zähe, durch ein unglückliches Duell erzwungene Aufbruch Ardinghellos von Rom beendet diese theoretischen Aussagen. Sein abenteuerliches Leben geht weiter und gipfelt in der Gründung der »*glückseligen Inseln*«, eines utopischen Idealstaates, in dem Frauengemeinschaft und freie Liebe herrschen und dessen Grundgesetz lautet: »*Kraft zu genießen, oder welches einerlei ist, Bedürfnis, gibt jedem Dinge sein Recht.*« – Die Möglichkeit eines irdischen Paradieses ist »*das unerhört Neue nach all den pessimistischen Lebensbildern des Sturm und Drang und der Frühklassik*« (Borcherdt). Daß der Held verschiedene Stationen durchläuft, verführt dazu, den *Ardinghello* als Bildungsroman zu bezeichnen, der er nicht ist, denn sein Held macht keine Entwicklung durch. Der Roman bleibt vielmehr Ereignisroman, auch wenn der Handlungsreichtum des Anfangs immer mehr didaktischen Erörterungen weichen muß. Der Wert des Werkes beruht wesentlich auf drei Momenten: der neuartigen Kunstphilosophie, der Entdeckung Italiens als romantischer Landschaft, deren Formen wie »*Symbole des ewigen Lebens*« erscheinen, und dem an Rousseaus Begriff des Natürlichen orientierten Idealbild eines Menschen. Goethe lehnte das Buch seiner unverhüllt hedonistischen Gesinnung wegen ab; für Schiller war es »*ohne ästhetische Würde*«, ein Beispiel »*des* beinah *poetischen Schwungs, den die bloße Begier zu nehmen fähig ist*«. Für Heinse aber verschmolzen Kunst und Sinnlichkeit zu einer Erlebniseinheit. Für ihn, dem die Renaissance der Medici und Borgia als das Zeitalter einer Herrenmoral erschien, steht die Kunst da am höchsten, »*wo Menschen am mehrsten lebten und genossen*«. C. G.

AUSGABEN: Lemgo 1787, 2 Bde. – Lpzg. 1907 (in *SW*, Bd. 4, Hg. C. Schüddekopf). – Ffm. 1962 (Bibl. d. Romane, Nachw. E. Hock).

LITERATUR: W. Brecht, *H. u. d. ästhet. Immoralism.*, Bln. 1911. – B. v. Wiese, *H.s Lebensansch. im* »*Ardinghello*« (in ZfdU, 45, 1931, S. 42–52). – E. Liedl, *H.s Italienerleben vergl. m. d. Goethes*, Diss. Wien 1948. – H. H. Borcherdt, *Der Roman d. Goethezeit*, Stg. 1949. – E. E. Reed, *The Transitional Significance of H.'s* »*Ardinghello*« (in MLQ, 16, 1955, S. 268–273). – P. Grappin, »*Ardinghello*« *u.* »*Hyperion*« (in Weim. Beiträge, 2, 1956, S. 165–181).

JOHANN GOTTFRIED HERDER
(1744–1803)

ABHANDLUNG ÜBER DEN URSPRUNG DER SPRACHE. Abhandlung von Johann Gottfried HERDER (1744–1803). Die von der Berliner Akademie für das Jahr 1770 ausgeschriebene Preisaufgabe bot Herder Gelegenheit, seine umfangreichen, bis 1764 zurückgehenden Überlegungen zu sprachphilosophischen Problemen zusammenzufassen. Eigentlicher Anlaß war eine 1766 erschienene Schrift des Berliner Theologen SÜSSMILCH, der den göttlichen Ursprung der Sprache nachweisen wollte. Die im Dezember 1770 angefertigte Reinschrift lag 1772, mit zahlreichen Fehlern, im Druck vor. 1788 nahm Herder sie auf seine italienische Reise mit und sah sie für eine neue Ausgabe durch, die 1789 als *zweite, berichtigte Ausgabe* erschien.
Im ersten Teil der Abhandlung will Herder die Frage beantworten: »*Haben die Menschen, ihren Naturfähigkeiten überlassen, sich selbst Sprache erfinden können?*« Die bereits in den *Fragmenten* ausgesprochene Überzeugung, daß Sprache nicht von Gott oder einem Philosophen erfunden worden sei, wird nun ausführlich bewiesen. Die Sprachtheorien der französischen Aufklärung, etwa CONDILLACS, der Sprache aus Nachahmung tierischer Laute entstanden wissen wollte, lehnt Herder ebenso ab wie die verschiedenen Theorien orthodoxtheologischer und aufklärerisch-rationalistischer Herkunft, die die Sprache zumeist in einer abstrakten »*Verständigkeit*« aufgehen sehen. Ihnen gegenüber erklärt er die Entstehung der Sprache aus der geistigen Natur des Menschen und deutet sie als den höchsten Ausdruck dessen, was den Menschen vom Tier unterscheide. Wo das Tier nur instinktiv Empfindungslaute von sich gebe, äußere sich der Mensch in freier Besinnung. Der Mensch »*hat die weitere Aussicht*«, in »*Verstand, Vernunft und Besinnung*« erfährt er die Welt als ein Ganzes und vermag darum die Bilder der Welt sich zu merken, sie zur »*Anerkenntnis*« zu bringen. Erst im Gedächtnis des Menschen erhalten die Dinge der Welt ihre Bezeichnung. »*Dies erste Merkmal der Besinnung war Wort der Seele! Mit ihm ist die menschliche Sprache erfunden!*« Gegen Süßmilch repliziert Herder: »*Wie kann der Mensch durch göttlichen Unterricht Sprache lernen, wenn er keine Vernunft hat? und er hat ja nicht den mindesten Gebrauch der Vernunft ohne Sprache ...; um das erste Wort ... als Merkzeichen der Vernunft auch aus dem Munde Gottes empfangen zu können*«, mußte der Mensch »*dieselbe Besinnung anwenden, dies Wort als Wort zu verstehen, als hätte er's ursprünglich ersonnen*«. Im dritten Teil der Abhandlung behandelt er die »*ersten Merkmale zu Elementen der Sprache*«. Er beschreibt die »*tönenden Verba*« als »*die ersten Machtelemente*« und verfolgt schließlich eine seiner Lieblingsideen, nämlich die, daß die »*erste Sprache ... eine Sammlung von Elementen der Poesie*« gewesen sei.
Die Zusatzfrage der Akademie lautete: »*Auf welchem Wege der Mensch sich am füglichsten hat Sprache erfinden können und müssen?*« Im eigentlichen Sinn konnte Herder diese Frage nicht behandeln, denn da ihm die Sprache notwendiges Kennzeichen der menschlichen, geistigen Natur ist, kann es auch keine Spracherfindung geben. Es geht ihm vielmehr um die Fortentwicklung der Sprache. Zunächst bildet der Mensch seine Sprache als Kind im Umgang mit der Mutter, der Familie, dem Stamm. »*Der Mensch ist in seiner Bestimmung ein Geschöpf ... der Gesellschaft: die Fortbildung einer Sprache wird ihm also natürlich, wesentlich, notwendig.*« Dies ist das zweite Hauptgesetz der »*Natur*« des Menschen. Immer wieder betont Herder, daß kein Mensch für sich allein sei, vielmehr sei er »*in das Ganze des Geschlechts eingeschoben*«. Und so kann er von einer »*Familienfortbildung der Sprache*« reden. Wie der Einzelmensch Teil der Familie ist, so sind es die Völker im Ganzen der Menschheit. Und so lautet das dritte Naturgesetz: »*So wie das ganze menschliche Geschlecht unmöglich eine Herde bleiben konnte: so konnte es auch nicht eine Sprache behalten.*« Die Verschiedenheiten der Sprachen beruhen auf den Unterschieden des Klimas und der Lebensgewohnheiten. Die Differenzierung in Nationalsprachen hebt indes nicht die einheitliche Entwicklung des ganzen Menschengeschlechts auf. In einem vierten Naturgesetz sieht Herder diese Tendenz ausgesprochen: »*So wie nach aller Wahrscheinlichkeit das menschliche Geschlecht ein progressives Ganzes von einem Ursprunge in einer großen Haushaltung ausmacht: so auch alle Sprachen und mit ihnen die ganze Kette der Bildung.*« Damit ist der Schritt von der Sprachphilosophie zu geschichtsphilosophischen Überlegungen getan. Alles Einzelne erhält seinen Stellenwert durch die Tendenz auf das Ganze. Die Entwicklung des einzelnen Menschen tendiert auf das »Unendliche«. Daher bildet sich die Sprache mit der Entwicklung des menschlichen Geschlechts korrespondierend weiter.
Herders Abhandlung machte den Weg frei für eine echte Sprachphilosophie, die den rationalistischen Begriff von Sprache als »Reflexionsform« dem einer »organischen Form« opferte, wie ihn die Romantik später aufgriff. Für Goethe und die folgende Generation lag ein entscheidender Hinweis darin, daß Herder hier die Poesie als lebendiges Element des menschlichen Geistes im Zusammenwirken der Völker deutete, daß er anstelle der »*dunklen Werkstätten des Kunstmäßigen ... das weite, helle Licht der uneingeschränkten Natur*« pries, daß er in den Dichtungen der Völker nicht »*Formalitäten*« sah, sondern die »*lebendige Welt ihrer Gedanken*«. W. Fl.

AUSGABEN: Bln. 1772. – Bln. 1891 (in *SW*, Hg. B. Suphan, 33 Bde., 5). – Bln. 1959, Hg. C. Träger. – Hbg. 1960 (in *Sprachphilosophische Schriften*, Hg. E. Heintel; Phil. Bibl., 248).

LITERATUR: W. Sturm, *H.s Sprachphilosophie in ihrem Entwicklungsgang u. ihrer histor. Stellung*, Diss. Breslau 1917. – S. Konrad, *H.s Sprachproblem im Zusammenhang d. Geistesgeschichte. Eine Studie z. Entwicklung d. sprachl. Denkens d. Goethezeit*, Diss. Marburg 1937 (German. Studien, 194). – H. Weber, *H.s Sprachphilosophie. Eine Integration im Hinblick auf d. moderne Sprachphilosophie*, Bonn 1939 (German. Studien, 214). – E. Cassirer, *Philosophie d. symbol. Formen*, Bd. 1, ^{3}1956.

AUCH EINE PHILOSOPHIE DER GESCHICHTE ZUR BILDUNG DER MENSCHHEIT. Beytrag zu vielen Beyträgen des Jahrhunderts. Versuch einer philosophischen Universalgeschichte von Johann Gottfried HERDER (1744–1803), anonym erschienen 1774. – Der endgültigen Gestalt dieses Werkes gehen vier Vorstufen voraus, von denen sich Teile erhalten haben. Das Werk ist scharfe Kulturkritik, eine revolutionäre geschichtsphilosophische Stellungnahme gegen das Weltbild der Aufklärung, Kritik am Rationalismus und Intellektualismus der reinen Verstandesherrschaft zugunsten der schöpferischen seelischen Kräfte. Diese Vorstufe zu den später ausgeführten *Ideen* engagiert sich leidenschaftlich für die »*Geschichte des menschlichen Herzens*«. Sie ist eine bewußte Gegenschrift gegen das von der Aufklärung entwickelte teleologische Geschichtsbewußtsein, das in der Geschichte einen notwendigen, auf ein Ziel gerichteten Sinn sehen wollte. Für Herder ist die Universalgeschichte nicht ein einfacher, geradliniger Prozeß immer neuen Fortschritts der Menschheit, sondern organische Entwicklung. Und wie »*in der Natur alles auf der bestimmtesten Individualität ruht*«, so ist »*der Geist der Veränderung der Kern der Geschichte*«. Der Mensch aber ist als Individuum Träger der Geschichte, und die Völker entwickeln sich ähnlich dem Lebensgang eines Menschen, sie haben eine Zeit des Wachstums, der Blüte und des Welkens.

In der Zeit der Patriarchen sieht Herder die Kindheit des Menschengeschlechts. Hier verwirklicht sich in wunderbarer Harmonie »*das Goldene Zeitalter*«. Neben der selbstverständlichen Autorität des Vaters steht der kindlich fromme Gehorsam. Religion ist gleichsam die poetische Luft, in der die Menschen jener Frühzeit atmen. An die Kindheit schließt sich das Knabenalter: die Ägypter werden als ein Volk disziplinierter Ackerbauern gesehen, das sich eine Verfassung gegeben und sich in Kunst und Wissenschaft ausgezeichnet hat. Daneben errichten die Phönikier den ersten Handelsstaat. Aus diesen Anfängen entwickelt sich die Blüte menschlicher Kultur, die Welt griechischen Geistes. Sie ist das Jünglingsalter der Menschheit, »*Wiege der Menschlichkeit, der Völkerliebe, der schönen Gesetzgebung, des Angenehmsten in Religion, Sitten, Schreibart, Dichtung, Gebräuchen und Künsten – Alles Jugendfreude, Grazie, Spiel und Liebe*«. Und darauf folgt »*das Mannesalter menschlicher Kräfte und Bestrebungen – die Römer*«. Doch im Strom der Veränderung wird dieses Römerreich von den Germanen zerstört. Mit Beginn der Zeitenwende läßt Herder den Vergleich zwischen Völkern und Lebensaltern fallen. War die bisherige Entwicklung des Menschengeschlechts »*vom Orient bis Rom*« einem Stamm zu vergleichen und nach verschiedenen Lebensaltern zu beschreiben, so werden die nun folgenden Zeiträume als Äste und Zweige eines Baumes betrachtet: »*Wie schoß der eine alte simple Stamm des Menschengeschlechtes in Aste und Zweige!*« Mit dem Christentum wird eine neue Dimension der Geschichte offenbar: eine Epoche, in der die verschiedensten Eigenschaften sich verbanden, »*Tapferkeit und Möncherei, Abenteuer und Galanterie, Tyrannei und Edelmut*«. Die verschiedenen Perioden der mittleren Zeit werden allerdings nicht gesondert betrachtet, wenn auch deutlich wird, wie Herder im Vergleich zur Aufklärung das Mittelalter als Epoche des »*gotischen Geistes*« gerechter zu beurteilen sich bemüht.

Die abschließenden Partien der Abhandlung werden zunehmend zu einer Polemik Herders gegen seine Zeit, der er »*Herz! Wärme! Blut! Menschheit! Leben!*« abspricht, weil sie sich zu sehr mit »*unnützem Freidenken*« beschäftigt habe. Auch seine Attacken gegen BOSSUET und gegen das Zeitalter des großen Ludwig sind voll eines beißenden Spottes. Europa hat nicht gehalten, was ihm Schicksal und inneres Gesetz aufgetragen haben: »*In Europa ist die Sklaverei abgeschafft, weil berechnet ist, wie viel diese Sklaven mehr kosteten und weniger brächten, als freie Leute: nur eines haben wir uns noch erlaubt, drei Weltteile als Sklaven zu brauchen.*«

Der dritte Abschnitt setzt die Polemik fort. Der historische Gang der Abhandlung ist vergessen, nahezu hymnisch werden die Begriffe Gerechtigkeit, Gleichheit, Allglückseligkeit auf ihre Gehalte geprüft und für untauglich befunden. Nicht selbstsichere Krönung der Schöpfung ist der Mensch für Herder, sondern »*ein Mittelding zwischen Engel und Teufel*«. Wenn aber die Geschichte der Menschheit als eine Epopöe Gottes durch die Jahrtausende sich betrachten läßt, wird uns vielleicht »*einst ein Standpunkt.... das Ganze nur unsres Geschlechts zu übersehen! wohin die Kette zwischen Völkern und Erdstrichen, die sich erst so langsam zog, dann mit so vielem Geklirr Nationen durchschlang und endlich mit sanfterm aber strengerm Zusammenziehen diese Nationen binden und wohin? leiten sollte – wohin diese Kette reicht? wir sehen die reife Ernte der Samenkörner, die wir aus einem blinden Sieb unter die Völker verstreut, so sonderbar keimen, so verschiedenartig blühen, so zweideutige Hoffnungen der Frucht geben, sahen – wir habens selbst zu kosten, was der Sauerteig, der so lang, so trüb und unschmackhaft gärte, endlich für Wohlgeschmack hervorbrachte zur allgemeinen Bildung der Menschheit – Fragment des Lebens, was warest du? – quanta sub nocte iacebat nostra dies! Wohl aber, wen sein Lebensfragment auch alsdann nicht gereuet!*« W. Fl.

AUSGABEN: o. O. 1774 [anon.]. – Bln. 1891 (in *SW*, Hg. B. Suphan, 33 Bde., 5; 32, 1899; Vorstufe). – Mchn. 1953 (in *Werke*, Hg. K. G. Gerold, 2 Bde., 2).

LITERATUR: R. Stadelmann, *D. histor. Sinn bei H.*, 1928. – C. Horstmann, *H.s Geschichtsphilos. Die Grundlegung d. geschichtl. Bewußtseins durch H. in ihrer zeitl. Bedingtheit u. bleibenden Geltung*, Diss. Bonn 1943. – H. Sommerhalder, *H. in Bückeburg als Deuter d. Gesch.*, Lpzg. 1945. – R. Stavenhagen, *H.s Geschichtsphilosophie u. s. Geschichtspromethie* (in Zs. f. Ostforschung, 1, 1952). – T. Litt, *D. Wiedererweckung d. geschichtl. Bewußtseins*, 1956. – A. Gillies, »*Auch eine Philos. d. Gesch. z. Bildung d. Menschheit*« (in *The Era of Goethe*, 1959, S. 61–80). – E. Keyser, *H.s Wendung z. Gesch.* (in *H. Studien*, Würzburg 1960). – G. A. Wells, *H.'s Two Philosophies of History* (in Journal of the Hist. of Ideas, 21, 1960, S. 527–537).

BRIEFE ZUR BEFÖRDERUNG DER HUMANITÄT. 124 fiktive Briefe in zehn Sammlungen von Johann Gottfried HERDER (1744–1803), erschienen 1793–1797. – 1791 hatte Herder die *Ideen zur Philosophie der Geschichte der Menschheit* mit dem vierten Teil abbrechen lassen, und an die Stelle einer Fortsetzung bis in die Gegenwart trat, nicht zuletzt unter dem Eindruck der Französischen Revolution, der Plan, in locker gehaltenen Briefen seinen Glauben an die »*Fortschritte der Humanität*« zu verkünden. »*Die Briefe sollen meine silvae* [Wälder] *sein, worin ich nach Gefallen umherwandle*«, äußerte sich Herder zu seinem Freund Heyne. »Wälder« meint im Sprachgebrauch der Zeit »gesammelte Materialien«, die ohne Ordnung aneinandergefügt wurden, und stilistisch kehrt Herder mit den *Humanitätsbriefen* zu seinen ersten Arbeiten, insbesondere den *Kritischen Wäldern*, zurück.
In einer ersten Fassung von 24 Briefen unter dem Titel *Briefe, den Fortschritt der Humanität betreffend*, hatte er die Revolution mit der Reformation verglichen und sich für die demokratisch-republikanischen, die fortschrittlichen Ideen vorbehaltlos engagiert. Die zunehmende Radikalisierung der Revolution und der Bericht GOETHES über die *Campagne in Frankreich* dämpften seine Begeisterung und veranlaßten ihn, der Sammlung eine neue Form und einen neuen Titel zu geben. – In der Form des Briefwechsels, in dem zwei fiktive Partner ihre Meinungen vertreten, so daß verschiedenen, auch einander widersprechenden Argumenten Rechnung getragen werden kann und dem Leser somit sein Urteil selbst überlassen bleibt, trägt Herder sein politisches Bekenntnis vor. Hauptthema sind die jeweiligen Fort- und Rückschritte der Humanität.
In der ersten Sammlung deutet er eingangs Benjamin FRANKLINS, des »*Erziehers und edelsten Volksschriftstellers*« Leben als die Entfaltung der »*gesunden Vernunft*« und vergleicht dessen Lebensbeschreibung mit der ROUSSEAUS. Wo diesen »*die Phantasie fast immer irreführte*«, habe jenen sein »*unermüdlicher Fleiß, seine Gefälligkeit und ruhige Beherztheit*« sicher geleitet. Franklins Plan der Errichtung einer »*Gesellschaft der Humanität*« wird als Vorbild für ähnliche Einrichtungen in Deutschland geprüft. Im Anschluß daran empfiehlt Herder eine Sammlung von Selbstbiographien »*erlesener merkwürdiger Männer*« und eine deutsche Akademie. Diese Gedankengänge bringen ihn auf FRIEDRICH II., den König von Preußen, in dem er nun, im Gegensatz zu seiner früheren Abneigung, vor allem auf Grund des Briefwechsels mit VOLTAIRE und der nachgelassenen Schriften des Königs, einen Verkünder der Humanität sieht. Eine »*Blumenlese*« aus den Werken Friedrichs schließt die Würdigung. KLOPSTOCKS Ode *An den Kaiser* leitet zur zweiten Herrschergestalt über: in einem *Gespräch nach dem Tode des Kaisers* werden die Josephinischen Reformen kritisch betrachtet.
Mit der Frage »*Was ist der Geist der Zeit?*« beginnt die zweite Sammlung, in deren Mittelpunkt LUTHER steht. Luthers Gedanken von der »*Regimentsänderung*« und »*Vom Pöbel und von den Tyrannen*« werden eifrig zitiert. Der »*große patriotische Mann*« soll wieder als Lehrer Deutschlands, als Führer zur Humanität gehört werden. Im 25. Brief erläutert Herder in der Form von Merksätzen den Begriff Humanität. *Über den Charakter der Menschheit* sind diese 36 Paragraphen überschrieben.
Die dritte Sammlung erläutert den Humanitätsgedanken an Beispielen aus den Schriften der Dichter und Philosophen alter und neuer Zeit. Von einem Werk des REALIS VON VIENNA ausgehend, einem Philosophen aus Quedlinburg mit dem bürgerlichen Namen Wagner, werden in der vierten Sammlung deutsche Nationalgesinnung und Humanität einander gegenübergestellt. Kurze Aufsätze, etwa *Über Wahn und Wahnsinn der Menschen und Völker*, Fabeln und eine Ode vervollständigen die bunte Fülle dieser Sammlung.
Im Mittelpunkt der fünften Sammlung steht der Aufsatz *Haben wir noch das Publikum und Vaterland der Alten?* Hinzu kommen Betrachtungen über PETRARCA, COMENIUS, MACHIAVELL, GROTIUS und LEIBNIZ. Ästhetisch-humanistische Ideen, die Herder während seiner Italienreise bei der Betrachtung antiker Kunstwerke beschäftigt hatten, bilden den Inhalt der sechsten Sammlung. Die griechische Kunst ist Herder die »*stumme Schule der Humanität*«, sie hat »*nicht nur Gedanken, sondern Gedankenformen, ewige Charaktere sichtbar gemacht*«, sie »*liebte die Menschheit im Menschen*«.
Literarische Fragen behandelt die folgende Sammlung, ausgehend »*vom Unterschiede der alten und neuen Völker in der Poesie, als Werkzeug der Kultur und Humanität*«. Herder charakterisiert den Verfall der Dichtung bei den Griechen und Römern, schreibt über christliche Hymnen, er behandelt die Poesie der Provenzalen und das Drama der Italiener, den Reim und die Alliteration, alles Themen, die er bereits in ähnlicher Weise in früheren Schriften angeschlagen hatte. Die achte Sammlung führt diese Themen weiter. Nach einem Aufsatz über die Dichtung der »*mittleren Zeit*« wird u. a. der »*Unterschied der Poesie aus Reflexion und der reinen Fabelpoesie an englischen Dichtern*« gezeigt. Das besondere Augenmerk aber gilt »*deutschen Werken des Geschmacks*«. Herder fragt, warum die Deutschen erst so spät eine Stimme im Konzert der Völker übernahmen, warum sie fremde Vorbilder nachahmten. Aber, so wird gleich betont, alle Kunst beruhe auf Nachahmung: die der Römer, die auf die Griechen blickten, die der Mönche des Mittelalters, die von den Römern lernten. Die deutsche Sprache aber gewährleiste, daß wir uns besonnen das Beste anderer Völker aneignen. Sie sei eine Stiefschwester der griechischen und unglaublich gelenkig, »*sich dem Ausdrucke, den Wendungen, dem Geist ... fremder Nationen ... anzuschließen und zu fügen*«. In dem abschließenden »Fragment« der Sammlung wird das »*Resultat der Vergleichung der Poesie verschiedener Völker*« mitgeteilt. Die Poesie verwandle ihre Gestalt nach Sprache, Sitten, Gewohnheiten, nach dem Temperament und Klima. Aber »*zu allen Zeiten war der Mensch derselbe*«, und insofern in den Werken der Dichter »*eine vernünftige und humane Absicht*« walte, gehe der Weg aller Völker »*nach dem Lande der Einfalt, der Wahrheit und Sitten*«. Die höchste Aufgabe der Dichtung ist also wiederum die Verbreitung der Humanität.
Die neunte Sammlung greift das alte Thema von der »*Gallikomanie*« der Deutschen auf und ist als Einwand des Briefpartners auf die oben vorgetragenen Ansichten gedacht. Die »*Französische Erziehung*« habe besonders die Sprache als das »*Organ unserer Seelenkräfte*« mißgebildet, bemerkt der Briefschreiber. Dieser Überfremdung habe Lessing gewehrt, und so schließt ein umfangreicher Auszug aus seinen Schriften diesen Teil der *Humanitätsbriefe*.
Den letzten Teil der Briefe hat Herder nur mit

großer Anstrengung geschrieben. In einem Brief vom Januar 1797 heißt es: »*Ich arbeite am zehnten Teil der Briefe über die Humanität, aber matt. Die Materie übermannt mich, und mich dünkt, ich schreibe zu viel: ich singe, selbst ohne Echo. Doch man muß durch und hinüber.*« Nachdem er »Negeridyllen« zitiert hat, teilt er einen Entwurf »Zum ewigen Frieden« mit. »*Meine Friedensfrau*«, sagt er, »*hat nur einen Namen: sie heißt allgemeine Billigkeit, Menschlichkeit, tätige Vernunft.*« Er glaubt an ein erwachendes »*allgemeines Gefühl*«, aus dem »*eine Allianz aller Nationen gegen jede einzelne anmaßende Macht*« entstehen müßte. Insbesondere könnte es die Aufgabe Europas und des Christentums sein, an dieser Allianz zu arbeiten. Sollte in Europa »*die Vernunft einmal soviel Wert gewinnen, daß sie sich mit Menschengüte vereinigte: welch eine schöne Jahreszeit für die Glieder der Gesellschaft unsres ganzen Geschlechts*« würde damit anbrechen. Die »*Norm der Ausbreitung des moralischen Gesetzes der Menschheit*« aber liegt uns nahe, denn »*das Christentum gebietet die reinste Humanität*«.

Und so schließen die *Humanitätsbriefe* mit einem Gedicht an den »Himmlischen«:

»*Heil und Gebet dem Mann, der Menschlichkeit*
Die Menschen lehrte, der Erbarmen, Sanftmut
Und Milde zur Religion uns gab.«

Herders Humanitätsidee, den verschiedensten Anregungen verpflichtet – in der Frühzeit lehnt er sich an das Humanitätsdenken der Aufklärung an, später findet er zu einem persönlicheren Ausdruck, Shaftesbury, Leibniz und der Pietismus haben ihn beeinflußt –, gewinnt in der Verbindung mit dem christlichen Gedankengut ihre eigentliche Tiefe. Humanität ist für ihn der Versuch, den Menschen höherzubilden, ihn zu vervollkommnen. Kunst und Wissenschaft ordnen sich diesem Zweck unter. »*Humanität ist der Zweck der Menschennatur*«, hatte er schon in den *Ideen* gesagt, und gleichermaßen ist ihm »*die Religion die höchste Humanität des Menschen*«. W. Fl.

Ausgaben: Riga 1793–1797 [1.–10. Slg.]. – Bln. 1881 u. 1893 (in *SW*, Hg. B. Suphan, 33 Bde., 1877–1913, 17 u. 18). – Mchn. 1953 (in *Werke*, 2 Bde., 2; Ausw.).

Literatur: F. Berger, *Menschenbild u. Menschenbildung: d. philosoph.-pädagog. Anthropologie H.s*, Stg. 1933. – R. T. Clark jr., *The Noble Savage and the Idea of Tolerance in H.'s »Briefe z. Beförderung d. Humanität«* (in JEGPh, 33, 1934, S. 45–56). – E. Smits, *H.s Humaniteitsphilosophie*, Assen 1937 (Van Gorcums Theol. Bibl., 10; zugl. Diss. Groningen). – J. Taylor, *Kultur, Aufklärung, Bildung, Humanität u. verwandte Begriffe bei H.*, Gießen 1938 (Gießener Beiträge z. dt. Philol., 62). – W. Dobbeck, *J. G. H.s Humanitätsidee als Ausdr. seines Weltbildes u. seiner Persönlichkeit*, Braunschweig 1949. – P. Reimann, *H.s »Briefe z. Beförderung d. Humanität«* (in Neue dt. Lit., 1, 1953).

IDEEN ZUR PHILOSOPHIE DER GESCHICHTE DER MENSCHHEIT. Philosophisches Werk von Johann Gottfried Herder (1744–1803), erschienen 1784 1791. – Der Autor führt in diesem unvollendeten Hauptwerk seine Geschichtsphilosophie fort, deren Ansätze er in der früheren Schrift *Auch eine Philosophie der Geschichte zur Bildung der Menschheit* (1774) entwickelt hatte. Doch ist hier die Konzeption dadurch wesentlich erweitert, daß Herder für seine Lehre vom Menschen auch Psychologie, Astronomie, Völker- und Länderkunde, Geschichte, Ethik, Metaphysik, Religionswissenschaft und die naturwissenschaftliche Entwicklungslehre heranzieht. Diese Vielfalt ist um zwei Hauptgedanken zentriert: den der »Organisation« und den der »Humanität«. Herders kosmische Schau bringt die Erde des Menschen, das menschliche Dasein, mit dem Universum in Zusammenhang. »*Vom Himmel muß unsere Philosophie der Geschichte des menschlichen Geschlechts anfangen*«, beginnt der erste Satz der *Ideen*. Der einzelne Mensch ist Glied des Ganzen: »*Der Bau des Weltgebäudes sichert also den Kern meines Daseins, mein inneres Leben auf Ewigkeiten hin.*«

Der Mensch ist ein Mittelwesen, so wie die Erde ein »*Mittelgeschöpf*« unter den Sternen ist; er ist offen nach oben, aber auch nach unten zu den Tieren und Pflanzen, er steht zu allen Geschöpfen in innigster Beziehung, auch wenn er sich dieses Zusammenhangs nicht immer bewußt ist. Herder betrachtet den »*Erdball als eine große Werkstätte zur Organisation sehr verschiedenartiger Wesen*«, er deutet das Pflanzenreich und schließlich das Tierreich »*in Beziehung auf die Menschengeschichte*«. Die Tiere sind des Menschen »ältere Brüder«; aber wenn er auch organisch ein »*Mittelgeschöpf unter den Tieren*« blieb, unterscheidet er sich doch durch den aufrechten Gang vom Tier. Durch die Fähigkeit, mit seinen Händen gestalten zu können, durch seine »geistigen Empfindungen« und durch die Sprache, in der die Vernunft erst »*Gestalt gewinnt und sich fortpflanzet*«, wurde der Mensch zum »*Kunstgeschöpf*«. Die aufrechte Gestalt ist letztlich auch die Voraussetzung für seine »*Vernunftfähigkeit*«, die er der vollkommenen Organisation seiner Gehirnbildung verdankt. Im Gegensatz zu Kant sieht der Verfasser in der Vernunft nichts anderes »*als etwas Vernommenes, eine gelernte Proportion und Richtung der Ideen und Kräfte, zu welcher der Mensch nach seiner Organisation und Lebensweise gebildet worden*« ist. Erst aus der Not und den Widrigkeiten des menschlichen Lebens wird also der Verstand geboren. Die spezifische, leibseelische Eigenart des Menschen faßt Herder im Begriff der Humanität zusammen: »*Ich wünschte, daß ich in das Wort Humanität alles fassen könnte, was ich bisher über des Menschen edele Bildung zur Vernunft und Freiheit, zu feinern Sinnen und Trieben, zur zartesten und stärksten Gesundheit, zur Erfüllung und Beherrschung der Erde gesagt habe.*« Krönung der Humanität ist die Religiosität, die freiwillige Bindung an das göttliche Gebot. Das Leben des Menschen, dessen »*jetziger Zustand ... wahrscheinlich das verbindende Mittelglied zweier Welten*« ist, wird durch den Glauben an die Unsterblichkeit der Seele zur Aufgabe, die höheren menschlichen Anlagen zu entwickeln und die inhumanen Triebe zu überwinden. Wie schon in den *Drei Gesprächen über die Seelenwanderung* (1781) lehnt Herder auch hier eine einfache Seelenwanderung ab und sieht die »*wahre Palingenesie*« in der »*Veredlung der Seele mit all ihren Trieben und Begierden*«.

Nach dieser prinzipiellen Erörterung im ersten Teil wendet sich der Verfasser in den folgenden Teilen der Frage zu, wie sich Sinnlichkeit, Einbildungskraft und Verstand des Menschen unter dem Einfluß der verschiedenen Klimata und der einzelnen geschichtlichen Traditionen modifiziert haben In einer genialen Zusammenschau gibt er, obgleich ihm nur ein geringes wissenschaftliches Material zur Verfügung stand, einen Überblick über die »*ältesten*

Reiche und Staaten der Welt« (von China über Japan, Tibet und »Indostan« bis zu den persischen Reichen und dem Land der »Hebräer«) und vertritt die Überzeugung, daß die geschichtlichen Erscheinungen durch geographische Lage, Zeitumstände und den jeweiligen Volkscharakter bestimmt würden. Er wendet sich gegen Kants Lehre, daß die Verwirklichung des nach moralischen Gesetzen regierten Rechtsstaats das Ziel der Geschichte sei; für Herder ist Menschengeschichte eine Naturgeschichte »*lebendiger Menschenkräfte*«.

Einen Höhepunkt erreichen die *Ideen* mit der Charakteristik der Griechen. Die Summe seiner *Betrachtungen über die Geschichte Griechenlands* ist zugleich beispielhaft für Herders ganzes Denken: »*1. Was im Reich der Menschheit nach dem Umfang gegebener National-, Zeit- und Ortumstände geschehen kann, geschieht in ihm wirklich. 2. Was von einem Volk gilt, gilt auch von der Verbindung mehrerer Völker untereinander; sie stehen zusammen wie Zeit und Ort sie band: sie wirken aufeinander wie der Zusammenhang lebendiger Kräfte es bewirkte. 3. Die Kultur eines Volkes ist die Blüte seines Daseins, mit welcher es sich zwar angenehm, aber hinfällig offenbart. 4. Die Gesundheit und Dauer eines Staats beruht nicht auf dem Punkt seiner höchsten Kultur, sondern auf einem weisen oder glücklichen Gleichgewicht seiner lebendig-wirkenden Kräfte.*«

Im Aufstieg und Zerfall des Römerreichs, dessen »*bürgerlich-kriegerischer Größe*« Herder im ganzen fremd gegenübersteht, sieht er das »*Gesetz der Wiedervergeltung*« am Werk, das »*eine ewige Naturordnung*« ist. Die Ausbreitung des Christentums bewirkte in einer »*geistlichen Eroberung*«, daß die Humanität zu einem Ideal werden konnte; das Wort Christi, für Herder »*echteste Humanität*«, habe sich in der geschichtlichen Entwicklung in Religion verwandelt, mit allen Zeichen der Erstarrung und Institutionalisierung. Nach einer Darstellung des christlichen Mittelalters bricht das Werk ab; der vorgesehene letzte Teil über die Geschichte der abendländischen Völker seit der Reformation blieb ungeschrieben, woran nicht nur Zeitmangel schuld war, sondern auch Kants Vorwurf, in den *Ideen* stimme die Idee nicht mit der beobachteten Erfahrung überein. Doch trotz Kants Ablehnung vor allem der Folgerungen, die Herder aus der aufrechten Gestalt des Menschen ableitete, und trotz HAMANNS Abkehr vom Herderschen »Naturalismus« war dieses Buch »*das alle Folgezeit überschattende Hauptwerk der historischen Ideenlehre*« (F. Schultz). Mit ihm begann die Geschichtsphilosophie in Deutschland; die von ROUSSEAU entdeckte Kluft zwischen Natur und Geschichte wurde hier überbrückt durch den aus Natur *und* Geschichte seine Antriebe beziehenden Prozeß der Humanisierung. Mit seinem Versuch, die Transzendenz mehr und mehr durch die Immanenz der geschichtlichen Kräfte zu ersetzen, wurde Herder zum Vorläufer der Romantik. In dem aufgezeigten Widerstreit verschiedener Kräfte liegt schon der Keim für den deutschen Idealismus. Der den ganzen Reichtum menschlicher Werte umspannende Humanitätsbegriff war von entscheidender Wirkung auf die Klassik, insbesondere auf GOETHE und – trotz später oft erfolgter Abwandlungen und Simplifizierungen – auf die ganze nachfolgende Zeit. W. Fl. – KLL

AUSGABEN: Riga 1784–1791 [4. Tle.]. – Bln. 1887 bis 1909 (in *SW*, Hg. B. Suphan, 33 Bde., 1877–1913, 13/14; Nachdr. Hildesheim 1967). – Bln./Weimar 1965, Hg. H. Stolpe, 2 Bde. – Darmstadt 1966 [Einl. G. Schmidt, Nachw. J. Dohm].

LITERATUR: J. Grundmann, *Die geographischen u. völkerkundlichen Quellen in H.s »Ideen zur Philosophie der Geschichte der Menschheit«*, Bln. 1900. – R. Stadelmann, *Der historische Sinn bei H.*, Halle 1928. – H. Kuhfus, *Gott u. Welt in H.s »Ideen zur Philosophie der Geschichte der Menschheit«*, Diss. Münster 1938. – M. Rouché, *La philosophie de l'histoire de H.*, Paris 1940; ²1945. – Ch. Horstmann, *H.s Geschichtsphilosophie. Die Grundlegung des geschichtl. Bewußtseins durch H. in ihrer zeitlichen Bedingtheit u. bleibenden Geltung*, Diss. Bonn 1943. F. Ernst, *H. u. die Humanität*, Zürich 1944. – W. Dobbek, *J. G. H.s Humanitätsidee als Ausdruck seines Weltbildes u. seiner Persönlichkeit*, Braunschweig 1949. – Th. Litt, *Kant u. H. als Deuter der geistigen Welt*, Heidelberg 1949. – H. P. Bahrdt, *Die Freiheit des Menschen in der Geschichte bei J. G. H.*, Diss. Göttingen 1952. – D. W. Jöns, *Begriff u. Problem der historischen Zeit bei J. G. H.*, Göteborg 1956 (Göteborgs Universitets Arsskrift, 62). – Th. Litt, *Die Wiedererweckung des geschichtlichen Bewußtseins*, Heidelberg 1956. – G. A. Wells, *H. and After. A Study in the Development of Sociology*, Den Haag 1959. – Ders., *H.'s Two Philosophies of History* (in Journal of the History of Ideas, 21, 1960, S. 527–537). – E. Adler, *H.s Humanitätsidee* (in Deutsche Zs. f. Philosophie, 12, 1964, S. 455–469).

KRITISCHE WÄLDER. Oder Betrachtungen, die Wissenschaft und Kunst des Schönen betreffend, nach Maasgabe neuerer Schriften. Literarästhetische Schrift von Johann Gottfried HERDER (1744–1803); insgesamt 1768 entstanden, sind die ersten drei *Wäldchen* anonym schon im folgenden Jahr, das vierte aus dem Nachlaß erst 1846 (in *Herders Lebensbild*) erschienen. – Schon mit den Fragmenten *Über die neuere deutsche Literatur* (1766/67) war Herder in ganz Deutschland als Kritiker bekannt geworden. In diesem an LESSINGS *Literaturbriefe* anknüpfenden Werk und dem folgenden *Über Thomas Abbts Schriften* hatte Herder die damalige gebildete Welt mit einer Fülle kühner Einsichten und einer neuen Art der Literaturbetrachtung überrascht. Die *Kritischen Wälder* führen diese Ansätze fort, ohne sie zu systematisieren; auch sie sind genialisches »*Stückwerk von Materialien*«.

1766 hatte Herder Lessings *Laokoon* »*heißhungrig dreimal hintereinander*« gelesen. Hieraus empfing er die Anregung zu seiner Schrift. Er wandte Lessings Erkenntnisse auf die eigene Arbeit an, suchte aber nicht durch logische Analyse zum Verständnis von Dichtung zu gelangen, sondern in einem gefühlsmäßigen Gesamterlebnis ihr Wesen zu erfassen. Anstelle von Nützlichkeit und Vergnügen wollte Herder nun das Gefühl, das Schöpferische, Geniale und Organische als die grundlegenden Kriterien der Kunstbetrachtung eingeführt wissen.

Das *Erste Wäldchen* ist Lessings *Laokoon* gewidmet und stellt sich in der bekannten Kontroverse um die Interpretation der hellenistischen Laokoongruppe auf die Seite WINCKELMANNS. Die schöpferischen Kräfte werden dem klassizistischen Kanon entgegengesetzt; gegen die aus dem räumlichen Unvermögen der Poesie erklärten »Kunstgriffe«, die Lessing bei der Deutung HOMERS zu entdecken glaubte und die ihm zur Bestätigung seiner Gattungsprinzipien dienten, setzt Herder die individuell bedingte Eigenart des Dichters, spricht von der »*schönen Sichtbarkeit*« der antiken Göttergestalten und will das Werk »*mit ganzer Seele erfühlen und es aus dem Geist seiner eigenen Sprache nachempfinden*«.

In der Abgrenzung der Poesie von der bildenden Kunst sieht Herder (mit Winckelmann und gegen Lessing, der als Ausgangspunkt für den bildenden Künstler den einzigen Augenblick nahm) beispielsweise in der »*vollkommenen Schönheit*« einer antiken Statue einen ewigen Augenblick ausgedrückt, eben jene »*selige Ruhe des griechischen Augenblicks*«, die Winckelmann mit dem in der Tiefe ruhigen, an der Oberfläche aber leicht bewegten Meer verglich. Die Malerei, behauptete Lessing, benutze Figuren und Farben im Nebeneinander des Raums, die Poesie aber artikuliere Töne in der Aufeinanderfolge der Zeit, in einer Handlung. Herder dagegen postuliert: »*Die Malerei wirkt im Raum und durch eine künstliche Vorstellung des Raums ... die Poesie wirkt durch Kraft. Durch Kraft, die einmal den Worten beiwohnt, durch Kraft, die zwar durch das Ohr geht, aber unmittelbar auf die Seele wirket. Diese Kraft ist das Wesen der Poesie, nicht aber das Koexistente oder die Succession.*«

Die Begriffe »Seele« und »Kraft« werden in der Folgezeit für Herders gesamte Ästhetik bestimmend sein. Aus ihnen ergibt sich sein Hinweis auf die echte Lyrik als die Kunst der Leidenschaft und der Empfindung und auf die Einfühlung und Hingabe an den Gesamteindruck einer Dichtung. Wenn in Herders Argumentation auch Lücken deutlich sichtbar werden und seine Forderungen mehr gefühlsmäßig als logisch begründet sind, so enthalten sie doch den Ansatz zu einer neuen Einschätzung der Dichtkunst, die über den Klassizismus hinausführt.

Das *Zweite* und *Dritte Wäldchen* richten sich polemisch gegen einige Schriften des Hallensischen Geheimrats und Professors KLOTZ, eines erbitterten Gegners von Lessing und Herder, der vor allem gegen Herders Fragmente zu Felde gezogen war. Der Streit hatte sich an gegensätzlichen Meinungen über Homer, VERGIL und HORAZ entzündet. Im *Dritten Wäldchen* kritisiert Herder Klotz' *Buch vom Münzengeschmacke* und läßt Bemerkungen über PINDAR und die Geschichtsschreibung folgen.

Grundsätzliche Fragen greift wieder das *Vierte Wäldchen* auf, das sich gegen F. J. RIEDELS *Theorie der schönen Künste* wendet, eine Philosophie des Geschmacks, die das »*Grundgefühl des Schönen*« zur Grundlage einer Ästhetik machen wollte. Für Herder dagegen muß Ästhetik »*eine Theorie des Gefühls der Sinne, eine Logik der Einbildungskraft und Dichtung, ... eine Zergliederung des Schönen*« sein. Unter Berufung auf LEIBNIZ und dessen Begriff der Entwicklung versucht Herder nun die Grundzüge dieser Wissenschaft des Schönen auf historisch-psychologischer Basis aufzuzeigen. Er verfolgt die stufenweise Vervollkommnung der menschlichen Empfindungskraft: Wo zunächst nur dunkle Eindrücke herrschen, da ergreifen schließlich die »*Begriffe von Ordnung, Übereinstimmung, Vollkommenheit*« in der Seele Platz, und Phantasie und Gedächtnis erweitern den geistigen Horizont. »*Witz und Scharfsinn sind die Vorläufer ... des Urteils ... und wenn unsere Seele sich lange geübt hat, über Vollkommenheit und Unvollkommenheit der Dinge zu urteilen ... so ist der Geschmack da.*« Der Geschmack aber ist spezifisch und je nach »*Zeit, Sitten und Völkern*« verschieden. – Neben einer Vertiefung der im *Ersten Wäldchen* getroffenen Unterscheidung zwischen bildnerischer und poetischer Kunst gibt Herder dann – als Entgegnung auf einzelne Abhandlungen des Riedelschen Lehrbuchs – Marginalien zu den Themen »*Vom Großen und Erhabenen*«, »*Einförmigkeit und Mannigfaltigkeit*«, »*Natur, Simplizität, Naivität*« etc., verliert sich dabei allerdings immer mehr in polemische Einzelheiten.

Der empfindsam-enthusiastische Sprachstil Herders in seinen Frühschriften ist hier schon merkbar dem nüchterneren Einfluß englischer Vorbilder (SWIFT, FIELDING, STERNE) ausgesetzt, und in den ironisch-satirischen oder parodistischen Ansätzen zeigt es sich, daß Herder bei Lessing in die Lehre gegangen ist, bevor er ihn zu widerlegen begann.

W. Fl. – KLL

AUSGABEN: Riga 1769, 3 Bde. [1.–3. Wäldchen]. – Erlangen 1846 (in E. G. v. Herder, *J. G. v. H.s Lebensbild*, I, 3/2; 4. Wäldchen). – Bln. 1871, Hg. u. Anm. H. Düntzer. – Bln. 1878 (in *SW*, Hg. B. Suphan, 33 Bde., 1877–1913, Bd. 3 u. 4; Nachdr. Hildesheim 1967).

LITERATUR: K. Widmaier, *Die ästhetischen Ansichten H.s in seinem vierten »kritischen Wäldchen« u. ihre Herkunft*, Diss. Tübingen 1924. – B. Markwardt, *J. G. v. H.s »Kritische Wälder«. Ein Beitrag zur Kunst- u. Weltanschauung des jungen H.*, Lpzg. 1925 (Forschungen zur dt. Geistesgesch. des Mittelalters u. der Neuzeit, 1). – M. Wedel, *H. als Kritiker*, Bln. 1928 (German. Studien, 55). – W. Kohlschmidt, *H.-Studien. Untersuchungen zu H.s kritischem Stil u. seinen literaturkritischen Grundeinsichten*, Bln. 1929 (Neue dt. Forschungen, 4). – W. Kurrelmeyer, *Zur Textgeschichte von H.s »Kritischen Wäldern«* (in MLN, 45, 1930, S. 388 bis 392). – F. Noçon, *H.s Entwurf einer Aesthetik. Das vierte »kritische Wäldchen«*, Diss. Bonn 1941. – F. Raddatz, *H.s Konzeption der Literatur, dargelegt an seinen Frühschriften*, Diss. Bln. 1958. – U. Schmitz, *Dichtung u. Musik in H.s theoretischen Schriften*, Diss. Köln 1959.

VOM GEIST DER EBRÄISCHEN POESIE. Eine Anleitung für die Liebhaber derselben, und der ältesten Geschichte des menschlichen Geistes. Von Johann Gottfried HERDER (1744–1803), in zwei Teilen erschienen 1782/83. – Als das Buch, »*das mit (ihm) erwachsen u. von Kindheit auf in der Brust genährt war ...*«, charakterisierte der Autor HAMANN gegenüber dieses Werk. Die erste Anregung zu der Darstellung der hebräischen Poesie scheint einem Entwurf zufolge, der wohl in die Jahre 1766/67 zu datieren ist, von dem epochemachenden Werk des Oxforder Rhetorikprofessors und nachmaligen Bischofs von London Robert LOWTH *De sacra Poesi Hebraeorum praelectiones academicae Oxonii habitae ...* (Oxford 1753) ausgegangen zu sein. Der Göttinger Orientalist J. D. MICHAELIS, den Herder unter seine eigentlichen theologischen Lehrer einreiht, hatte das Buch mit Anmerkungen und Zusätzen versehen und in Deutschland bekannt gemacht. Die bahnbrechende Leistung von Lowth gründet darin, daß er die von der Oxforder Frühromantik bereitgestellten ästhetischen Kriterien auf die Bücher des *Alten Testaments*, ihre Metrik, ihren parabolischen Stil und ihre Gattungen anwendet. Allerdings überträgt er dabei weithin unhistorisch auch antike Gattungseinteilungen und Stilgesetze auf die hebräische Literatur, womit er die Kritik Herders herausfordert, der historisch-genetisch den Geist der Hebräischen Poesie – der Titel ist in Analogie zu MONTESQUIEUS *De l'esprit des lois* (1748) gebildet – darstellen will. In »*ehrgeizigem Wetteifer*« mit seinen Vorbildern, zu denen neben Lowth und Montesquieu auch WINCKELMANN mit seiner *Geschichte der Kunst der Antike* (1764) zu zählen ist, hatte Herder in der Bückeburger und frühen Weimarer Zeit den Plan verfolgt, eine umfassende Geschichte des poetischen Zeitalters zu schreiben. Die vier Teile der *Aeltesten Urkunde des Menschengeschlechts* (1774–1776) behandeln mit den poetischen Sagen der ersten Kapitel der *Genesis* nur die Vorgeschichte der hebräischen Poesie. Die geplante Fortsetzung wird wohl wegen der scharfen Berliner Kritik nicht ausgeführt, der Gegenstand selbst aber in *Lieder der Liebe. Die ältesten und schönsten aus dem Morgenlande. Nebst 44 alten Minneliedern* (1778) und in der Apokalypse-Auslegung *MAPAN AΘA* ... (1779) weiterverfolgt. Die ersten zwölf der *24 Briefe, das Studium der Theologie betreffend* (1780/81) geben eine Einleitung ins *Alte Testament*. Daran anknüpfend, will Herder mit seinem neuen Werk *Vom Geist der ebräischen Poesie* eine umfassende Geschichte der hebräischen Literatur schreiben. Er plant einleitend den hebräischen Geist genetisch verständlich zu machen aus dem Bau und Reichtum der hebräischen Sprache, den kosmologischen Urvorstellungen der Hebräer und der Patriarchengeschichte. Die eigentliche Geschichte der hebräischen Poesie soll in drei Perioden gegliedert werden: die Entwicklung von Moses bis David, die davidisch-salomonische Ära und die Zeit der Propheten. Schließlich soll das Weiterleben des *Alten Testaments* in der apokryphen Literatur, im *Neuen Testament* und in der Folgezeit bei den Juden wie den modernen orientalisierenden Dichtern dargestellt werden.

Herder hat sich weder strikt an seinen Plan gehalten noch ihn ganz ausgeführt: Er bricht nach zwei Arbeitswintern, die zwei Teile des Werks zeitigten, mit der Aussicht auf die Propheten-Dichtung ab. Die Übergänge von theologischer Auslegung, nachdichtender Übersetzung und eigener poetischer Gestaltung sind fließend; dazu kommt noch im ersten Teil die auflockernde Form des Dialogs (die Partner sind Alkiphron und Eutyphron), mit deren Hilfe Herder dem trockenen wie dem polemischen Ton wissenschaftlicher Abhandlungen entgehen wollte. In dem jeweils ersten Kapitel der beiden Teile geht er dem *Ursprung und Wesen der Ebräischen Poesie* anhand der hebräischen Sprache und ihrer Eigenart nach. Die Betonung von Handlung und Darstellung (im Verb), Bildlichkeit und Parallelismus sind für sie charakteristisch. Von dem Bilderspruch, den einer prägt und aus dem Herder nach dem Vorbild Lowths eine große Reihe literarischer Gattungen im *Alten Testament* ableitet, ist der Gesang der vielen zu unterscheiden. Zwei Bedingungen, die den Übergang von Bilderspruch zu literarischer Gattung ermöglichen, werden aufgedeckt: die Kosmologie, zu welcher Herder insbesondere das Buch *Hiob* heranzieht, und die früheste geschichtliche Tradition vom Paradies bis zum Ende der Patriarchenzeit. In ständigen Vergleichen mit der antiken und germanischen Literatur wird die biblische Anthropologie und die Idee der Vorsehung dargestellt; den besonderen Charakter der hebräischen Poesie umreißt er durch Wendungen wie »*Freundschaftspoesie mit dem höchsten Wesen*« und »*Poesie eines Landes Gottes und der Väter*«. Im zweiten Teil verzichtet Herder auf die Dialogform; er stellt die grundlegende Bedeutung von Moses für Israel und seine Poesie heraus: Sie liegt in dessen Taten und Einrichtungen, in der eigenen poetischen Leistung und in der durch ihn erfolgten Festigung des Prophetentums. Seine Wirkung wird an seinem Weiterleben in der nachmosaischen Literatur abgelesen. Für die Folgezeit geben das Deboralied und die Jothamfabel Gelegenheit zu Exkursen über die Verbindung von Tanz, Musik und Poesie wie über Gattungsfragen. Die Davidszeit gilt Herder als die Periode der »*klassischen Poesie der Ebräer*«. In den Psalmen sieht er die »*ungekünstelte Darstellung individueller Situationen*«, und er bemüht sich auch, die »*Charactere der Psalmendichter*« zu unterscheiden. Mit einem Ausblick auf die spätere Prophetenliteratur und auf die Erfüllung in Christus schließt der zweite Teil.

Wie andere Philologen vor ihm stellt Herder die Forderung auf: »... *menschlich muß man die Bibel lesen; denn sie ist ein Buch durch Menschen für Menschen geschrieben.*« Neu jedoch ist bei Herder, »*Poetisches*« im *Alten Testament* »*poetisch verständlich zu machen*« (Haym). Durch die Verbindung von ästhetischer, philologischer und historisch-genetischer Betrachtungsweise unterscheidet sich Herder sowohl von der orthodoxen Dogmatik wie auch von modernen Rationalisierungsversuchen apologetischer Tendenz und von der Selbstgenügsamkeit der historisch-kritischen Methode. Mag eine solche Methodenmischung den Charakter des Unzeitgemäßen haben, wenn man die gleichzeitig erscheinende *Einleitung ins Alte Testament* von J. G. EICHHORN in Betracht zieht, so ist sie doch von grundsätzlicher Bedeutung auch für den Fortgang der Spezialwissenschaft, wie aus den lebhaften Diskussionen zwischen Eichhorn und Herder zu entnehmen ist. Unmittelbar hat die Annäherung von Wissenschaft, ästhetisch-historischer Betrachtungsweise und literarischer Produktion auf die Weimarer Frühklassik und auf die spätere orientalisierende Dichtung – z. B. GOETHES *Westöstlichen Divan* – gewirkt. V. Ho.

AUSGABEN: Dessau 1782/83, 2 Tle. – Lpzg. 1787, 2 Tle. – Stg./Tübingen 1805 (in *SW. Zur Religion und Theologie*, Bd. 1 u. 3). – Bln. 1879, 2 Tle. (in *SW*, Hg. B. Suphan, 33 Bde., 11/12; Nachdr. Hildesheim 1967). – Gotha 1890, 2 Tle. (Bibl. der theol. Klassiker, 30/31).

LITERATUR: R. Haym, *H. nach seinem Leben u. seinen Werken*, 2 Bde., Bln. 1877–1885; ern. 1954. – A. v. Harlem, *H.s Lehre vom Volksgeist. Ausgangspunkte, begrifflicher Inhalt u. Anwendung auf Geschichte, Sprache u. Literatur*, Diss. Rostock 1922. – S. Meisels, *H. u. die hebräische Sprache* (in Jüdische Rundschau, 33, 1928, S. 711). – W. Rasch, *H. Sein Leben u. Werk im Umriß*, Halle 1938, S. 118/119. – H. Weber, *H.s Sprachphilosophie. Eine Interpretation im Hinblick auf die moderne Sprachphilosophie*, Bln. 1939; Nachdr. Nendeln/Liechtenstein 1967. – A. Apsler, *H. and the Jews* (in MDU, 35, 1943, S. 1–15). – F. J. Raddatz, *H.s Konzeption der Literatur, dargelegt an seinen Frühschriften*, Diss. Bln. 1958. – M. Redeker, *H.* (in *Religion in Geschichte u. Gegenwart. Handwörterbuch für Theol. u. Religionswiss.*, Hg. K. Galling, Bd. 3, Tübingen [3]1959, Sp. 235–239). – *H.-Studien*, Hg. W. Wiora u. H. D. Irmscher, Würzburg 1960 (Marburger Ostforschungen, 10). – E. Baur, *J. G. H. Leben u.*

Werk, Stg. 1960, S. 81–85. – H. D. Irmscher, *Probleme der H.-Forschung. 1. Teil* (in DVLG, 37, 1963, H. 2, S. 266–317). – B. Deliiwanowa, *Die Ansichten H.s über die Volkspoesie*, Diss. Lpzg. 1967. – H.-W. Jäger, *J. G. H.* (in NDB, 8, 1969, S. 595–603).

VON DEUTSCHER ART UND KUNST. Einige fliegende Blätter. Von Johann Gottfried HERDER (1744–1803) veranstaltete Sammlung programmatischer Texte der Sturm-und-Drang-Bewegung, erschienen 1773. – Die hier vereinigten Schriften waren bis auf Herders *Shakespear* schon zuvor gedruckt: Herders *Auszug aus einem Briefwechsel über Oßian und die Lieder alter Völker* erschien 1772 (vordatiert auf 1773), GOETHES *Von deutscher Baukunst* war ebenfalls 1772 publiziert worden, die *Deutsche Geschichte* von Justus MÖSER stellt einen Auszug dar aus der Vorrede zu seiner *Osnabrückischen Geschichte* von 1768, und der *Versuch über die gothische Baukunst* nach Paolo FRISI ist vermutlich eine Teilübersetzung von dessen Buch *Saggio supra l'architettura gotica* (1766). Für die starke und anhaltende Wirkung des derart aus Einzelstücken zusammengesetzten Buches ist zunächst die Titelgebung Herders verantwortlich. Denn sie vermittelte den suggestiven Eindruck, daß hier der Versuch eines umfassenden kulturellen Neuansatzes in Abgrenzung von der lateinisch-romanischen Tradition barocker oder aufklärerischer Prägung unternommen werde. Dabei ist zu beachten, daß »deutsch« nicht in nationalistischer Verengung verstanden war, sondern sowohl »volkstümlich« wie »germanisch« meinte. Das sachlich Verbindende zwischen »Ossian«, SHAKESPEARE, der gotischen Baukunst und der mittelalterlichen Rechtsgeschichte einerseits und den eigenen Bestrebungen des Sturm und Drang andererseits läßt sich aus dieser Ambivalenz des Signalwortes ableiten: Denn die These, daß das Originäre, Unmittelbare in Poesie, Kunst und Lebenswirklichkeit, das man selbst ersehnte, sich als Element der vaterländischen Geschichte – unter Einschluß aller »nordischen« Völker – nachweisen lasse, konnte den Anspruch an die Gegenwart rechtfertigen, die herkömmlichen Wertungen ästhetischer und moralischer Kritik zu revidieren. Der spontane, appellativ-emotionale Stil, der in dieser Epoche neu war, wenn er sich auch aus bestimmten Lizenzen des rhetorischen Systems ableiten läßt, zeigt aber sehr deutlich, daß die verstehende Aneignung einer neugesichteten Vergangenheit mit der Absicht verknüpft war, unmittelbare Wirkungen zu erzielen.

Schon das erste Stück, in der Form des Briefwechsels noch der kritischen Tradition LESSINGS und GERSTENBERGS verpflichtet, macht die Tendenz der erstrebten Umwertung eindringlich klar: Nicht *»Fleiß und Geschmack«* eines poetischen Textes (hier der Ossian-Übersetzung von Michael DENIS) zählen, sondern die *»wunderthätige Kraft, die diese Lieder haben, die Entzückung, die Triebfeder, der ewige Erb- und Lustgesang des Volks zu seyn!«*; fern von *»wissenschaftlicher Denkart«* geht es um *»unmittelbare Begeisterung der Sinne«*, an die Stelle logischer Kontinuität rücken *»Sprünge und kühne Würfe«* als auszeichnende Qualitäten der Poesie – hier zunächst für das Volkslied, im zweiten Aufsatz *(Shakespear)* auch für das Drama formuliert. Der unmittelbaren Produktivität des Genies, die zugleich notwendiger Ausdruck einer konkreten Volksindividualität ist, entspricht die Unmittelbarkeit der Rezeption, des *»einen ganzen großen Eindrucks«*, welchen Goethe vor dem Straßburger Münster bezeugt. (Seinem Hymnus auf den Meister Erwin Steinbach hat Herder kontrastierend die schulmäßige Analyse Frisis zugeordnet.) Und der ästhetischen Totalität, die aus der unfehlbaren Intuition des Genies hervorgeht, entspricht schließlich der Organismus-Gedanke als Leitidee geschichtlichen Verstehens, wie ihn Möser exemplarisch durchzuführen versucht. – Als Gewinn der in dieser Sammlung vereinigten Schriften heben sich heraus: die beispielhafte Ausbildung eines komplexen Geschichtsbewußtseins, der produktive Ansatz einer umfassenden Kulturanthropologie und vor allem eine neue Qualität des ästhetischen Empfindens und der poetologischen Grundsätze – der regelfreien individuellen Ausdrucksdichtung der Goethezeit und noch der Moderne wird hier die Bahn freigemacht. Diktion und Inhalt des Buches markieren eine entscheidende Phase der bürgerlichen Bewußtseinsbildung, sie bezeichnen zugleich aber auch den Beginn einer spezifisch deutschen Sonderentwicklung, deren verhängnisvolle Ideologisierung an der Rezeptionsgeschichte des Werkes ablesbar ist.

E. Ri.

AUSGABEN: Hbg. 1773. – Bln. 1891 (in *SW*, Hg. B. Suphan, 33 Bde., 1877–1913, 5; Nachdr. Hildesheim 1967). – Stg. 1892 (DLD, Bd. 40/41, Hg. H. Lambel). – Lpzg. 1935 (DL, R. Irrationalismus, Bd. 6, Hg. H. Kindermann). – Lpzg. 1942 (Nachw. ders.; RUB, 7497/7498; ern. Stg. 1968, Hg. H. D Irmscher). – Mchn. 1953 (in *Werke*, Hg. K.-G. Gerold, 2 Bde., 1).

LITERATUR: R. Haym, *H., nach seinem Leben u. seinen Werken dargestellt*, 2 Bde., Bln. 1877–1885; ern. 1954. – F. Gundolf, *Shakespeare u. der deutsche Geist*, Bln. 1914. – A. Gillies, *H. u. Ossian*, Bln. 1933 (Neue Forschungen, 19; zugl. Diss.). – E. Beutler, *»Von deutscher Baukunst«. Goethes Hymnus auf Erwin von Steinbach. Seine Entstehung u. Wirkung*, Mchn. 1943 (R. der Vorträge u. Schriften des Freien Dt. Hochstifts, 4; m. Abb.). – R. Pascal, *The German Sturm u. Drang*, Manchester 1953 (dt.: *Der Sturm u. Drang*, Stg. 1963; Kröners Taschenausg., 335). – H. Begenau, *Grundzüge der Aestetik H.s*, Weimar 1956. – E. Baur, *J. G. H. Leben u. Werk*, Stg. 1960 (Urban-Bücher, 48). – B. Deliiwanowa, *Die Ansichten H.s über die Volkspoesie*, Diss. Lpzg. 1967. – W. Stellmacher, *Der junge H. u. Shakespeare* (in Shakespeare-Jb., 103, 1967, S. 54–67). – A. Kathan, *H.s Literaturkritik. Untersuchungen zu Methodik u. Struktur am Beispiel der frühen Werke*, Göppingen 1969 (Diss. Mchn. 1968).

FRIEDRICH HEINRICH JACOBI
(1743–1819)

EDUARD ALLWILLS BRIEFSAMMLUNG. Briefroman von Friedrich Heinrich JACOBI (1743 bis 1819), endgültige Fassung erschienen 1792. – Einzelne Fragmente veröffentlichte Jacobi unter wechselnden Titeln zunächst in der Zeitchrift ›Iris‹, dann in WIELANDS ›Teutschem Merkur‹, eine weitergeführte Fassung in seinen *Vermischten Schriften.* Den fragmentarischen Charakter verliert das Werk auch in der abschließenden Fassung von 1792 nicht ganz. Es besteht aus einer Reihe von Briefen – zum größten Teil von empfindsamen, moralisch reflektierenden Frauen geschrieben –, aus denen langsam der Charakter, die Gesinnung und die innere Entwicklung des Titelhelden sichtbar werden. Er ist zunächst eine Verkörperung des freien »Genies« der Sturm-und-Drang-Welt, das seine eigene Persönlichkeit als moralisches Gesetz statuiert. In dem Briefwechsel (u. a. zwischen der jungen Witwe Silly, ihrem Schwager Clerdon und dessen Gattin Amalie) geht es vor allem darum, ein junges Mädchen, Clara, vor dem gefährlichen Allwill zu warnen; dieser jedoch macht – nach vertrautem Muster: unter dem Einfluß des »reinen« Mädchens – eine Entwicklung durch, die ihn von der Selbstherrlichkeit des »Genies« zur Verwirklichung einer sittlichen, verantwortlichen Persönlichkeit führt – nicht im Sinne der Aufklärung oder der Moral KANTS, sondern im Sinne Jacobis, für den ein persönlich erlebter Glaube an bestimmte höhere Werte entscheidend ist.

Der Roman, der zu seiner Zeit ein starkes Echo fand und dessen Held – trotz größerer Härte und Willensstärke – als ein »Bruder Werthers« empfunden wurde, ist heute nicht mehr leicht lesbar. Seine Gestalten werden nicht wirklich lebendig, vor allem die Frauen – in ihrer Mischung aus Empfindsamkeit und angestrengter Intellektualität ein Typ, der für die kommende Romantik vorbildlich wurde – sind nur noch schwer erträglich. Jedoch enthält das Buch, das in jedem Falle ein interessantes Dokument für die nicht nur GOETHE gelungene Überwindung des Sturm und Drang ist, eine Menge geistreicher und tiefer philosophischer Bemerkungen. H. L.

AUSGABEN: Düsseldorf 1775 (*Aus Eduard Allwills Papieren*, in Iris, Bd. 4, S. 193–236; unvollst.). – Weimar 1776 (*Aus Eduard Allwills Papieren*, in Der Teutsche Merkur, April 1776, 2. Stück, S. 14–75; Juli 1776, 3. Stück, S. 57–71; Dez. 1776, 4. Stück, S. 229–262; erw.). – Breslau 1781 (*Eduard Allwills Papiere*, in *Vermischte Schriften;* neubearb.). – Königsberg 1792 [neubearb.]. – Lpzg. 1826 [AlH.]. – Groningen 1957 (*Allwill*; Hg. u. Komm. J. U. Terpstra). – Stg. 1962 (*Eduard Allwills Papiere*; Faks. a. d. Teutschen Merkur, Nachw. H. Nicolai).

LITERATUR: A. Holtzmann, *Über »Eduard Allwills Briefsammlung«*, Jena 1878. – H. Schwartz, *F. H. J.s »Allwill«*, Halle 1911 (Bausteine z. Gesch. d. neueren dt. Lit.). – S. Sudhof, *Die Edition d. Werke F. H. J.s, Gedanken zur Neuausgabe des »Allwill«* (in GRM, 12, 1962, S. 243–253). – V. Verra, *F. H. J. Dall'illuminismo all'idealismo*, Turin 1963.

JOHANN HEINRICH JUNG-STILLING (1740–1817)

JOHANN HEINRICH JUNG'S, GENANNT STILLING LEBENSGESCHICHTE, ODER DESSEN JUGEND, JÜNGLINGSJAHRE, WANDERSCHAFT, LEHRJAHRE, HÄUSLICHES LEBEN UND ALTER. Autobiographisches Werk von Johann Heinrich JUNG-STILLING (1740–1817), als Ganzes erschienen 1835; vorher schon in Teilen: *Henrich Stillings Jugend. Eine wahrhafte Geschichte* (1777, herausgegeben von GOETHE), *H. Stillings Jünglings-Jahre* (1778), *H. Stillings Wanderschaft* (1778), *H. Stillings häusliches Leben* (1789), *H. Stillings Lehr-Jahre* (1804), *H. Stillings Alter* (1817, herausgegeben von seinem Enkel W. SCHWARZ).

Mit der aus pietistischer Frömmigkeit geborenen Absicht, seine Lebensgeschichte als Dokument göttlicher Vorsehung dem an Selbstdarstellungen interessierten literarischen Publikum der Geniezeit darzubieten, erzählt Jung-Stilling in der dritten Person von sich selbst. Vor allem das erste, nach seiner Straßburger Zeit (1770–1772) begonnene Buch, das eigentlich nicht zur Veröffentlichung bestimmt war und das Goethe ohne Wissen des Verfassers in redigierter Form zum Druck gebracht hat, zeigt sowohl die besondere Gemütstiefe des Autors wie seine scharfe, aus begrenzten und überschaubaren Verhältnissen gewonnene Beobachtungsgabe. Seine Kindheit verbringt Heinrich Stilling unter Bauern, Kohlenbrennern und Handwerkern in stetem Kontakt mit der Natur, wohlbehütet von einer Familie, aus der sein patriarchalischer Großvater Eberhard Stilling und die zu ihrer bäuerlich-vitalen Umgebung seltsam kontrastierende Gestalt der feinsinnigen, den Idealen der Empfindsamkeit zugewandten, früh verstorbenen Mutter des Autors (Dortchen) herausragen. Ihr Sohn zeichnet sich durch naive Gläubigkeit, aber auch durch unbändigen Wissensdurst aus, der seine beharrliche Neigung zum Lehrerberuf begründet und ihn zu autodidaktischer Fortbildung anhält. Neben einer Fülle realistischer Details aus dem dörflichen Leben des Siegerlandes mit seinen genau und lebendig skizzierten Menschentypen enthält dieses erste Buch noch Spuren eines späten, empfindsamen Rokokogeists (z. B. in der Vignette der schnäbelnden Tauben auf dem Grab des Großvaters) und deutliche Zugeständnisse an das frisch erwachte Interesse der Zeit für Volksdichtung (in den eingestreuten Liedern, Sagen, Märchen und Fabeln).

Von den Fortsetzungen der Lebensgeschichte erreichen nur die *Jünglings-Jahre* bisweilen die Lebendigkeit des ersten Buchs; auch sie zeigen jedoch schon die später zunehmende Tendenz des Werks zur bloßen Familienchronik und zur hartnäckigen Beteuerung des Gottgewollten, dem der Autor alle selbstsüchtigen Triebe oder Versuche zur Selbstbestimmung in betont frommer Demut (oder Passivität) unterordnet. Dennoch bleibt sein Rückblick auf die von ihm durchlaufene wechselhafte und letztlich vom Erfolg gekrönte Lebensbahn nicht frei von Selbstgefälligkeit, und die Sprache, in der Jung dem Bewußtsein seiner religiösen Inspiriertheit Ausdruck gibt, wirkt zunehmend formelhaft und gesucht. Nach abgeschlossener Schneiderlehre versucht sich der Jüngling, dem das Handwerk nicht genügt, als Haus- und Dorfschullehrer; er bemüht sich vergeblich, Bergwerksverwalter zu werden, gerät dann zufällig mit dem naturwissenschaftlichen Denken in Berührung und eignet sich Kenntnisse in Augenkrankheiten und Arzneikunde an. Schließlich gelangt er als Medizinstudent nach Straßburg (wo er dem jungen Goethe und seinem Freundeskreis so ursprünglich-ungebrochen wie ein Stück Natur erschien). Mehr und mehr empfindet er sich selbst als Ausnahmeexistenz, die einem noch unbekannten, aber instinktiv geahnten Ziel unbeirrbar zustrebt. Nach der Promotion heiratet Stilling, wird angesehener Augenarzt in Elberfeld, dann Professor in Kaiserslautern und Heidelberg, erhält ein Ordinariat für Staatswissenschaft in Marburg, glaubt seine gottgewollte Bestimmung aber erst gefunden zu haben, als der Kurfürst von Baden ihn nach Karlsruhe beruft und er in gesicherter Stellung sich endlich ganz der religiösen Schriftstellerei widmen kann, in deren Verlauf er auch mehrere Romane hervorgebracht hat. Nach dem Zeugnis seines

Enkels, der den letzten Band der Autobiographie herausgab und ergänzte, starb er im Alter von 77 Jahren, Gebete und fromme Ermahnungen an seine Nachkommen auf den Lippen.
Jung-Stilling wehrte sich stets dagegen, als Pietist angesehen zu werden; aber der Umstand, daß er seinen Werdegang als unmittelbar von Gott gelenkt betrachtet, weist eindeutig auf sein pietistisches Lebensverständnis. Seine Biographie ist daher auch nur mit Einschränkung als Vorläufer des klassischen deutschen Erziehungs- oder Bildungsromans, den ein weit offenerer Horizont und eine dynamische Auseinandersetzung mit Leben und Welt kennzeichnen, anzusehen. »*Der pietistische Glaube ... gab der Gefühlswelt dieses vielleicht naivsten und unproblematischsten Geistes der Geniezeit den ruhenden Pol*« (F. J. Schneider). M. Be. - KLL

AUSGABEN: Bln./Lpzg. 1777 *(Henrich Stillings Jugend. Eine wahrhafte Geschichte)*. - Bln./Lpzg. 1778 *(Henrich Stillings Jünglings-Jahre)*. - Bln./Lpzg. 1778 *(Henrich Stillings Wanderschaft)*. - Bln./Lpzg. 1789 *(Heinrich Stillings häusliches Leben)*. - Bln./Lpzg. 1804 *(Heinrich Stillings Lehr-Jahre)*. - Basel/Lpzg. 1806 (*Heinrich Stillings Leben. Erster Theil*; Zusammenfassg. d. obigen Bde.). - Heidelberg 1817 (*Heinrich Stillings Alter. Eine wahre Geschichte. Oder Heinrich Stillings Lebensgeschichte sechster Band ... nebst einer Erzählung von Stillings Lebensende*, Hg. W. Schwarz; Nachw. F. H. C. Schwarz). - Stg. 1835 (*Johann Heinrich Jungs, gen. Stilling Lebensgeschichte, oder dessen Jugend, Jünglingsjahre, Wanderschaft, Lehrjahre, häusliches Leben u. Alter*, in *SS*, Hg. J. N. Grollmann, 13 Bde. u. 1 Erg.bd., 1835-1838, 1). - Lpzg. 1907 *(Heinrich Stillings Jugend)*. - Lpzg. 1908, Hg. u. Einl. M. Mendheim (RUB, 663-667; ern. 1942; Einl. O. v. Taube). - Bln. 1913, Hg. H. Holzschuher, 2 Bde. - Wien 1923 (*Henrich Stillings Jugend*, Hg. H. Feigl; Faks.-Ausg.). - Konstanz 1960 (*Jung-Stillings Leben von ihm selbst erzählt*; bearb. v. A. Voemel).

LITERATUR: G. Stecher, *J.-S. als Schriftsteller*, Bln. 1913. - H. Grollmann, *Die Technik der empfindsamen Erziehungsromane J.-S.s. Ein Beitrag zur Empfindsamkeit u. Aufklärung*, Diss. Greifswald 1924. - H. R. G. Günther, *J.-S. Ein Beitrag zur Psychologie des deutschen Pietismus*, Mchn. 1928; [2]1948. - F. Götting, *Goethes Straßburger Freund J.-S.* (in GK, 30, 1937, S. 218-248). - H. Müller, *H. J.-S. Ein Wort zu seiner rechten Zeit*, Siegen/Lpzg. 1941; ern. Siegen 1947. - F. J. Schneider, *Die deutsche Dichtung der Geniezeit, 1750-1800*, Stg. 1952, S. 307-313. - M. Geiger, *Aufklärung u. Erweckung. Beiträge zur Erforschung J. H. J.-S.s und seiner Erweckungstheologie*, Zürich 1963 [m. Bibliogr.].

FRIEDRICH MAXIMILIAN KLINGER (1752-1831)

STURM UND DRANG. Schauspiel in fünf Akten von Friedrich Maximilian KLINGER (1752-1831), Uraufführung: Leipzig, 1. 4. 1777, Seylersche Truppe. - Auf Anraten des Rousseau-Verehrers und reisenden Genieapostels Christoph KAUFMANN (1753-1795) verzichtete der Hausautor der Seylerschen Truppe und spätere russische Generalleutnant Klinger auf den ursprünglich geplanten Titel *Wirr-Warr*, nannte sein Schauspiel *Sturm und Drang* und fand damit die programmatische Bezeichnung für die literarische Epoche im Spannungsfeld von Aufklärung, Empfindsamkeit und Klassik.
Stürmer und Dränger im »Wirrwarr« der Gefühle und Stimmungen sind drei europäische Reisende, die sich im Zimmer eines Gasthofs, »*mitten im Krieg in Amerika*«, einfinden und über sich und die Welt räsonieren: der ungestüme und tollkühne Wild, der anakreontische Schäfer und stets verliebte Phantast La Feu und der melancholische und mürrisch-langweilige Blasius. Gemeinsam leiden die ungleichen Freunde an der »*gräßlichen Unbehaglichkeit und Unbestimmtheit*« ihrer Umwelt, mehr noch aber an ihrer eigenen Zerrissenheit: »*Unser Unglück kommt aus unserer eigenen Stimmung des Herzens, die Welt hat dabei getan, aber weniger als wir.*« Unversehens gerät das unzufriedene Abenteurertrio in ein schauerliches Familiendrama. Während La Feu vom welken Charme Lady Katharines bezaubert ist und der alternden Kokotte graziös den Hof macht, Blasius aber deren ausgelassene und schnippische Nichte Luise mit seiner Griesgrämigkeit zu Tode langweilt, sieht sich Wild bei einer Zimmerverwechslung plötzlich seiner Jugendliebe Jenny Karoline Berkley gegenüber, die er seit Jahren verzweifelt sucht. Die Wiedersehensfreude wird freilich durch neues Leid getrübt: Wild, oder mit seinem wahren Namen Karl Bushy, ist der Sohn des Todfeindes von Karolines Vater, der zwar den stolzen und mutigen Unbekannten sympathisch findet, von dessen physiognomischer Ähnlichkeit mit Lord Bushy aber zugleich abgestoßen wird. Die verwickelten Vorgänge scheinen sich zur tragischen Katastrophe zuzuspitzen, als der unerwartet auftauchende Kapitän Boyet, der Wild schon in Europa mit Mordgelüsten verfolgt hat, sich als Lord Berkleys Sohn Harry entpuppt und seinen Widersacher zum Duell fordert. Doch als auch noch Lord Bushy von den Toten aufersteht und seinem einstigen Feind die Hand zur Versöhnung reicht, löst sich der melodramatische »Wirrwarr« in allseitiges, wenn auch zögerndes Wohlgefallen auf.
Trotz seines programmatischen Titels ist Klingers Schauspiel kein exemplarisches Sturm-und-Drang-Drama und weitaus schwächer als die Stücke des genialen Zeitgenossen LENZ. Das Vorbild SHAKESPEARE nur unbeholfen kopierend (die Liebesszenen und das Motiv der verfeindeten Familien verweisen auf *Romeo und Julia*), befolgt Klinger sein dramaturgisches Postulat, »*das tiefste Gefühl wechselt immer mit Lachen und Wiehern*«, bis zur grotesken Übertreibung. Gegenüber den gelungeneren Dramen *(Das leidende Weib, Die Zwillinge)* fällt *Sturm und Drang* vor allem infolge seiner psychologischen und dramatischen Unglaubwürdigkeit deutlich ab: Zufällig und darum überflüssigerweise auf den Schauplatz des amerikanischen Befreiungskrieges verlegt, erweist sich der rührselige Familienzwist als Folge eines harmlosen Mißverständnisses.
M. Schm.

AUSGABEN: Bln. 1776. - Stg. 1878 (in *AW*, 8 Bde., 1878-1880, 1). - Heidelberg [2]1963 (in *Sturm und Drang. Dramatische Schriften*, Hg. E. Loewenthal u. L. Schneider, 2 Bde., 2). - Bln./Weimar [2]1964 (in *Werke*, Ausw. u. Einl. H. J. Geerdts, 2 Bde., 1).

LITERATUR: F. Bieger, *Der Wortschatz in K.s Jugenddramen*, Diss. Greifswald 1924. - K. May, *F. M. K.s »Sturm und Drang«* (in DVLG, 11, 1933,

S. 398–407). – F. Beißner, *Studien zur Sprache des Sturm und Drang. Eine stilistische Untersuchung der K.schen Jugenddramen* (in GRM, 22, 1934, S. 417–429). – M. Lanz, *K. u. Shakespeare*, Diss. Zürich 1941. – O. Smoljan, *F. M. K. Leben u. Werk*, Weimar 1962. – Ch. Hering, *F. M. K., der Weltmann u. Dichter*, Bln. 1966. – J. P. Snapper, *Titanism in the Early Dramas of F. M. K.*, Diss. Univ. of Calif. 1967 (vgl. Diss. Abstracts, 28, 1967/68, S. 1449 A). – A. Hillach, *K.s »Sturm und Drang« im Lichte eines frühen unveröffentlichten Briefes* (in FDH, 1968, S. 22–35).

FRIEDRICH GOTTLIEB KLOPSTOCK
(1724–1803)

DIE DEUTSCHE GELEHRTENREPUBLIK, IHRE EINRICHTUNG, IHRE GESEZE, GESCHICHTE DES LEZTEN LANDTAGS. Auf Befehl der Aldermänner durch Salogast und Wlemar. Prosaschrift von Friedrich Gottlieb KLOPSTOCK (1724–1803), erschienen 1774 mit dem Vermerk: *Erster Teil.* Klopstock publizierte später einzelne Abschnitte aus dem zweiten Teil, der aber als Ganzes nie erschien. Weitere in seinem Nachlaß gefundene Bruchstücke wurden bisher noch nicht veröffentlicht. – Anregung fand der Autor bei PLATON *(Politeia)*, Thomas MORUS *(Utopia)*, Francis BACON *(Nova Atlantis)* und Diego Saavedra FAJARDO *(La republica literaria, 1694)*. Nach dem Fehlschlag seiner Bemühungen, 1768 in Wien unter Kaiser Joseph II. eine großzügig geförderte Akademie der Wissenschaften zu gründen, kleidete Klopstock seine Vorstellung vom deutschen Geistesleben in die utopische Idee des Gelehrtenstaates, der über eigene Gesetze, Beamte, Rangklassen und ein eigenes Parlament, den Landtag, verfügt. Bei LEIBNIZ, den er als Vorbild verehrt, gründet sich der utopische Idealstaat auf eine internationale Elite – Klopstock geht es einzig um nationale Interessen. Er gibt seinem Staat eine aristokratische Verfassung, in bewußter Abgrenzung gegen das demokratische, den Pöbel großziehende England und das oligarchische, Diktatoren den Weg bahnende Frankreich. Seine Gelehrtenrepublik gliedert sich – je nach dem Grad des Wissens – in Volk, Zünfte und Aldermänner; das Volk spielt nur eine untergeordnete Rolle. Die vier »*Ruhenden*« oder »*Unterzünfte*« sind die »*Kenner*« und die »*Gelehrten*«, die ihr Wissen nicht in die Praxis umsetzen – im Gegensatz zu den produktiven Geistern, den elf »*Wirksamen*« oder »*Oberzünften*«, die sich in drei »*Darstellende*« (Historiker, Redner und Dichter) und acht »*Abhandelnde*« (Theologen, Naturforscher, Juristen, Astronomen, Mathematiker, Philosophen, Scholastiker und die gemischte Zunft der Geographen, Heraldiker und Übersetzer) aufteilen. Die Aldermänner bilden die geistige Elite der Zünfte. – Der unvollständige zweite Teil enthält eine Art Poetik in Prosa *(Guter Rat der Aldermänner)* und in Versen *(Epigramme)*, einige grammatische Erläuterungen und Bruchstücke einer deutschen Geschichte *(Denkmal der Deutschen)*.

Der Geschichtsschreibung wird der höchste Rang unter den Wissenschaften zugewiesen, weil sie Abhandlung und Darstellung in sich vereinigt. Die aus praktischer Arbeit gewonnene Erfahrung steht über bloß spekulativer Theorie; als pragmatische Wissenschaft wird besonders die Naturwissenschaft gelobt. Die Dichtkunst wird den Wissenschaften zugeordnet, nicht den schönen Künsten, die gegenüber jenen abgewertet werden. Nachahmung alles Ausländischen, polemisch-zersetzende Kritik, Vielwisserei, philologische Kleinkrämerei, starre philosophische Systeme und Dichterschulen werden verworfen. Sofern Regeln nötig sind, sollen sie aus der Natur des menschlichen Herzens erwachsen. An die Dichter ergeht die Mahnung, das Herz zu rühren und das Gefühl zu erheben; Einbildungskraft, Empfindungsvermögen, Schärfe des Urteils und Prägnanz des Ausdrucks sind Merkmale eines guten Dichters. Leibniz wird als Vorkämpfer für eine nationale Geschichtsschreibung und für die Naturwissenschaften und als Förderer der deutschen Sprache, LUTHER als deren eigentlicher Begründer gefeiert.

Die Bejahung des Empirismus und Nationalismus, der Ruf nach Originalität, die Absage an alles Mittelmäßige, die Ermunterung zu einem schöpferischen Wettstreit um das Nützlichste und Schönste, der Appell an Phantasie und Gefühl – das alles war mehr als nur ein Tadel an WIELAND, BODMER, FRIEDRICH II. und den erstarrten Formen des Wissenschaftsbetriebes in den Akademien. Es war eine höchst aufgeklärte Überwindung der Aufklärung, führte sogar über LESSING hinaus und konnte schließlich als eine Vorstufe zur Genielehre des Sturm und Drang gelten. Dies hatte auch GOETHE erkannt, der am 10. Juni 1774 an Schönborn schrieb: »*Klopstocks herrliches Werk hat mir neues Leben in die Adern gegossen. Die einzige Poetik aller Zeiten und Völker. Die einzigen Regeln, die möglich sind! Das heißt Geschichte des Gefühls, wie es sich nach und nach festiget und läutert und wie mit ihm Ausdruck und Sprache sich bildet; und die biedersten Aldermanns Wahrheiten, von dem was edel und knechtisch ist am Dichter. Das alles aus dem tiefsten Herzen, eigenster Erfahrung mit einer bezaubernden Simplizität hingeschrieben!*«

Auch die Stürmer und Dränger und der Göttinger Dichterbund waren von dem Werk begeistert. Die zahlreichen Subskribenten indessen reagierten auf das mit Spannung erwartete nationale Kulturprogramm mit bitterer Enttäuschung: der in der seltsam anmutenden Form der *Gelehrtenrepublik* versteckte Humor blieb ihnen unverständlich.

W. v. S.

AUSGABEN: Hbg. 1774 [Erster Teil]. – Lpzg. 1817 [vermehrt u. verbessert]. – Hbg. ²1819 [erw.]. – Lpzg. 1844/45 (in *SW*, 10 Bde., 8; ern. Stg. 1854/55). – Mchn. ²1962 (in *AW*, Hg. K. A. Schleiden).

LITERATUR: O. T. Scheibner, *Über K.s »Gelehrtenrepublik«*, Jena 1874. – A. Birlinger, *K.s »Gelehrtenrepublik«* (in Alemannia, 12, 1884, S. 99ff.). – F. Muncker, *F. G. K., Geschichte seines Lebens und seiner Schriften*, Bln. ²1900. – A. Pieper, *K.s »Deutsche Gelehrtenrepublik«*, Diss. Marburg 1915. – M. Kirschstein, *K.s »Deutsche Gelehrtenrepublik«*, Bln./Lpzg. 1928 (Germanisch und Deutsch, 3). – A. Redeker, *K. und der dt. Staat*, Diss. Mchn. 1930. – J. Murat, *K., les thèmes principaux de son œuvre* Paris 1959.

DER MESSIAS. Ein Heldengedicht. Epos in zwanzig Gesängen von Friedrich Gottlieb KLOPSTOCK (1724–1803). In den ›Bremer Beiträgen‹ wurden 1748 die ersten drei Gesänge abgedruckt; ein vierter und fünfter Gesang folgten 1751. Die zweibändige Kopenhagener Ausgabe von 1755 enthielt

zehn Gesänge; ein dritter Band, mit fünf weiteren Gesängen, erschien 1768, der abschließende vierte Band 1773. – Den Plan zu einem biblischen Epos faßte Klopstock, angeregt durch wiederholte, intensive Lektüre des *Paradise Lost* von John MILTON, noch während seiner Gymnasialzeit in Schulpforta. Bis ins hohe Alter, zumal anläßlich der Gesamtausgaben von 1781 und 1798, änderte und feilte der Dichter am Text seiner Messiade. Klopstock feiert, in einem monumentalen epischen Fresko, Christi Leidensweg als »*der sündigen Menschheit Erlösung*«, durch die »*Adams Geschlechte die Liebe der Gottheit / Mit dem Blute des heiligen Bundes von neuem geschenkt*« wird. Bei diesem Vorgang einer universalen Versöhnung spielt der Messias die Rolle eines notwendigen »Mittlers« zwischen dem zürnenden Gottvater und der gefallenen Menschheit.
Die Welt des Satans, so schildert Klopstock eingangs, verschwört sich gegen den Messias und erwirkt seine Verurteilung durch ihre irdischen Statthalter. Vom fünften Gesang an hält Klopstock sich genauer an den biblischen Bericht: Kreuzigung, Totenklage, Grablegung, Auferstehung, Himmelfahrt und visionäre Vorwegnahme des Jüngsten Tages bilden das Handlungsgerüst des Epos.
Klopstocks theologische Position vereint, eigenwillig und stets im Widerspruch zur herrschenden Orthodoxie, Elemente einer an LEIBNIZ orientierten rationalistischen Aufklärungstheologie (der sogenannten Neologie) mit solchen des Pietismus (G. Kaiser). Radikal Böses gibt es in der aufsteigenden, prästabiliert harmonischen Stufenordnung der Welt nicht. So entdämonisiert Klopstock die Teufel zu ohnmächtigen, erlösungsbedürftigen Wesen. (Um die Erlösung des reuigen Teufels Abbadona in Gesang 19, die vom Lesepublikum stürmisch gefordert und enthusiastisch begrüßt wurde, entbrannten scharfe fachtheologische Kontroversen.) Der Kosmos, bester aller möglichen, erscheint als nachempfindbarer Vernunftzusammenhang, in dem Gottes Unendlichkeit sich spiegelt.
Die Entschiedenheit, mit der Klopstock diese Konzeption – gleichsam ohne Energieverlust – in dichterische Form umzusetzen versucht, nötigt ihn zu einem fundamentalen Bruch mit der Tradition sowohl des antiken (HOMER, VERGIL) als auch des christlichen (DANTE, TASSO, MILTON) Epos. Denn konsequenterweise kann es nicht mehr, wie dort, um Wirklichkeitsdarstellung gehen, sondern allein um die Vergegenwärtigung von Wahrheit selber: Dem Numinosen des göttlichen Waltens ist, als Darbietungsform, nur verfremdende Abstraktion, dimensionslose Unanschaulichkeit angemessen. Die »olympische Ruhe« des traditionellen Epos-Erzählers, des Rhapsoden, ersetzt Klopstock durch einen Gestus äußerster Erregtheit; gegen das Gesetz der Gattung verstößt ferner seine Vorliebe, sich in die Perspektive seiner Geschöpfe zu begeben und, distanzlos, aus ihrem subjektiven Erleben heraus zu sprechen. Vorgänge, die Milton »vermenschlichte« – im *Paradise Lost* handeln und sprechen Gott, Engel und Teufel nicht anders als Menschen –, rückt Klopstock, als allem Menschlichen inkommensurabel, in eine erhabene, der Vorstellungskraft sich schlechthin entziehende Wirklichkeitsferne. SCHILLER apostrophierte deshalb zu Recht Klopstock als den typisch »sentimentalischen«, dem »Ideenreich« zugewandten Dichter, der »*allem, was er behandelt, den Körper [auszieht], um es zu Geist zu machen*«. So werden die Schauplätze der Messiade nur vage angedeutet; die Zeitperspektiven zerrinnen ineinander. Gemeinsamer Fluchtpunkt von Raum und Zeit ist stets das ewige Jetzt eines den Kosmos durchwaltenden Heilsgeschehens. Dessen Wahrheit in subjektive Erfahrung zu überführen ist, nach Klopstocks Programm, Aufgabe der »Heiligen Poesie«: Sie »*muß uns über unsere kurzsichtige Art zu denken erheben, um uns dem Strome zu entreißen, mit dem wir fortgezogen werden*«.
Dichterische Einbildungskraft und poetische Verfahrensweise Klopstocks lassen sich am exaktesten fassen unter dem Begriff des »Denkens«, wie er im *Meßias* verwendet wird. Der Leibnizianer Christian WOLFF (1679–1754), der die Terminologie des deutschen Rationalismus verbindlich festlegte, bezeichnet das gesamte menschliche Erkenntnis- und Empfindungsvermögen als – jeweils zu spezifizierendes – »Denken«. Klopstock, diesem Sprachgebrauch nachweislich verpflichtet, zentralisiert die emotionale Komponente des Begriffs. Bei ihm fallen Denken und Fühlen zusammen: Hingerissen, trunken, emphatisch stammelnd empfindet der »denkende« Seher-Dichter den »Gedanken« Gottes, die Schöpfung, noch einmal. Klopstocks Empfindsamkeit versteht sich als expressive Form einer Wahrheit, die auch distanzierter wissenschaftlicher Analyse zugänglich wäre. Er verleugnet deshalb auch nicht, wie Milton, das kopernikanische Weltbild der Neuzeit (G. Kaiser). Dieser Glaube an eine überindividuelle, objektive, im Material der Schöpfung verbürgte Wahrheit scheidet Klopstock grundsätzlich vom subjektivistischen Irrationalismus des Sturm und Drang.
Mit seinem *Meßias* hat Klopstock die Ausdrucksskala der deutschen Sprache entscheidend erweitert. »*Unvermutetes*«, so formuliert Klopstock programmatisch, »*scheinbare Unordnung, schnelles Abbrechen des Gedankens, alles dies setzt die Seele in eine Bewegung, die sie für die Eindrücke empfänglicher macht.*« Alle im Epos eingesetzten stilistischen Mittel stehen im Dienst dieser Intention: die extrem verschachtelte Syntax, alogische Satzverbindungen, absolut gesetzte Einschübe, Nachstellung von Subjekt oder Objekt, um die »*Lebhaftigkeit des Erwartens*« zu steigern, suggestive Wortwiederholungen, Vorliebe für die Stilfigur des Paradoxons, sich häufende Vergleiche, Partizipialkonstruktionen, Genetivmetaphern, absolute Komparative und eine ins Bombastische gesteigerte alttestamentarische Bildlichkeit. Weil er vom silbenzählenden Versmaß und vom Reim des modischen Alexandriners nichts hielt, wählte Klopstock, auch aus Homer-Verehrung, den Hexameter; dabei handelt es sich in Wirklichkeit allerdings fast durchweg um freie Rhythmen. Eine Nuancierung und Differenzierung des Tons nach Personen und Situationen kennt Klopstock noch nicht. Schon Carl Friedrich CRAMER, sein Freund und erster Kommentator, vermochte das monotone Einerlei ekstatischen Feierns nur als formalen Reflex der besungenen Unendlichkeit zu rechtfertigen. – *Der Meßias*, den HERDER »*nächst Luthers Bibelübersetzung das erste klassische Buch unserer Sprache*« nannte, steht als Dokument eines neuen Stilwillens an der Schwelle zur Goethezeit. Ein spöttischer Vers LESSINGS allerdings läßt durchblicken, daß schon Klopstocks Zeitgenossen an der Lektüre des Riesenepos verzweifelten: »*Wer wird nicht einen Klopstock loben? / Doch wird ihn jeder lesen? – Nein. / Wir wollen weniger erhoben / Und fleißiger gelesen sein.*« Am vernichtendsten formuliert der »Teufel« in GRABBES Komödie *Scherz, Satire, Ironie und tiefere Bedeutung*, der den *Meßias* als »*unfehlbares Schlafmittel*« benutzt, weshalb eine Wirkungsgeschichte dieses Werks nicht zu ver-

zeichnen sei: *»Ich brauche nur drei Verse darin zu lesen, dann bin ich müde wie der Daus.«* D. Bar.

AUSGABEN: Bremen 1748 (in Neue Beyträge zum Vergnügen des Verstandes und des Witzes, 4; 1.–3. Gesang). – Halle 1749 [1.–3. Gesang]. – Halle 1751 [1.–5. Gesang]. – Kopenhagen 1755, Bd. 1/2 [1.–10. Gesang]. – Kopenhagen 1768, Bd. 3 [11.–15. Gesang]. – Halle 1773, Bd. 4 [16.–20. Gesang]. – Altona 1780 [1.–20. Gesang]. – Lpzg. 1799 (in *Werke*, 12 Bde., 1798–1817, 3–6). – Lpzg. 1844/45 (in *SW*, 10 Bde., 1–3; ern. Stg. 1854/55). – Lpzg. o. J. [1880] (RUB, 721–725). – Bln. 1924, Hg. A. v. Gleichen-Rußwurm (Deutsche Bibliothek, 167). – Hbg. 1952, Hg. H. A. Birch [Ausz.]. – Mchn. ²1962 (in *AW*, Hg. K. A. Schleiden; Nachw. F. G. Jünger).

LITERATUR: H. Wöhlert, *Das Weltbild in K.s »Messias«*, Halle 1915 (Bausteine, 14). – F. Schultz, *K. Seine Sendung in der deutschen Geistesgeschichte*, Ffm. 1924. – J. Müller, *Die Religiosität in K.s »Messias«*, Diss. Münster 1937. – E. Busch, *K.s »Messias« und die poetische Theorie von Bodmer und Breitinger* (in GRM, 29, 1941, S. 92–106). – A. Dresen, *Die dichterische Sprachgestaltung in K.s »Messias«*, Diss. Bonn 1944. – H. Maiworm, *Die Wiederbelebung des Epos im 18. Jh. mit besonderer Berücksichtigung von K.s »Messias«*, Diss. Tübingen 1949. – R. Schneider, *Der Dichter des Messias* (in R. S., *Über Dichter und Dichtung*, Köln/Olten 1953, S. 249–252). – A. E. Hohler, *Das Heilige in der Dichtung*, Zürich 1954. – J. Murat, *K., les thèmes principaux de son œuvre*, Paris 1959. – R. Grimm, *Marginalien zu K.s »Messias«* (in GRM, 42, 1961, S. 274–295). – A. Bogaert, *Marie, l'incarnation, l'eucharistie dans la »Messiade«* (in EG, 18, 1963, S. 277–285). – A. Carlsson, *K.s »Messias« und die deutsche Kritik* (in A. C., *Die deutsche Buchkritik*, Bd. 1, Stg. 1963, S. 36–57). – R. Grimm, *Christliches Epos – ?* (in R. G., *Strukturen. Essays zur deutschen Literatur*, Göttingen 1963, S. 95–122). – G. Kaiser, *K., Religion und Dichtung*, Gütersloh 1963. – A. Bogaert, *K. La religion dans la »Messiade«*, Paris 1965.

SOPHIE VON LA ROCHE
(1731–1807)

GESCHICHTE DES FRÄULEINS VON STERNHEIM. Von einer Freundin derselben aus Original-Papieren und anderen zuverlässigen Quellen gezogen. Roman von Sophie von LA ROCHE (1731 bis 1807), erschienen 1771. – Das von WIELAND, dessen Kusine und Jugendliebe die Verfasserin war, herausgegebene und mit einem Vorwort versehene Werk erregte als erster empfindsamer Roman einer Frau bei seinem Erscheinen großes Aufsehen. Die Titelheldin sollte als Beispiel vorbildlicher Mädchenerziehung dienen. – Sophie von Sternheim, Tochter eines wegen seiner Verdienste geadelten Soldaten und seiner uradeligen Frau, verliert im Alter von neun Jahren die Mutter; zehn Jahre später stirbt der Vater. Die sorgfältig erzogene Waise wird von gräflichen Verwandten in die Landeshauptstadt D. geholt, und zwar in der Absicht, das anmutige und schöne Mädchen dem Landesherrn als Mätresse zuzuführen. Der Plan scheitert am Widerstand Sophies, die sich jedoch, in Intrigen verwickelt, durch ihre naive Ahnungslosigkeit die Zuneigung des am Hofe lebenden Lord Seymour verscherzt. Lord Derby, ein undurchsichtiger Casanova, der aber vorzüglich die Rolle des tugendhaften Verehrers zu spielen weiß, vermag die unerfahrene junge Dame an sich zu ketten, indem er sich mit ihr von einem falschen Geistlichen, dem Gesandtschaftssekretär John, insgeheim »trauen« läßt. Nur wenige Wochen verbringt das ungleiche Paar zusammen, dann verläßt Derby sie, seiner *»Metaphysikerin«* und *»Moralistin«* überdrüssig, und begibt sich nach England. Sophie unterrichtet nun unter einem anderen Namen an einer Gesindeschule, bis sie zufällig die Bekanntschaft der Engländerin Lady Summers macht. Auf deren Einladung hin reist Sophie nach Summerhall, dem Gut der Freundin, wo sie in einem benachbarten Schloßherrn, Lord Rich, einen aufrichtigen Verehrer findet. Doch bald trüben die Schatten der Vergangenheit das harmonische Leben auf dem Landsitz: Lord Derby, der inzwischen eine Nichte Lady Summers' geheiratet hat, fürchtet, durch Sophies Anwesenheit könnte sein schändliches Verhalten der ehemaligen Geliebten gegenüber ans Licht kommen, und läßt sie in die schottischen »Bleigebirge« entführen, schließlich sogar einkerkern, weil sie seine erneuten Annäherungsversuche zurückweist. Den später schwer erkrankten Lord Derby quält schließlich aber sein Gewissen derart, daß er Rich und Seymour, dem früheren Verehrer Sophies, seine Grausamkeit gesteht. Die beiden Lords machen sich auf, die, wie sie fürchten, längst Verstorbene zu suchen. Doch treue Diener haben Sophie gerettet. Aus Freundschaft zueinander wollen Rich und Seymour auf die Erfüllung ihrer Liebe zu der wiedergefundenen Sophie verzichten, doch zu guter Letzt wird diese Lord Seymours Gattin und eine vorbildliche Ehefrau und Mutter.

Die Geschichte des Fräuleins von Sternheim ist formal und inhaltlich abhängig von Samuel RICHARDSONS Briefromanen (z. B. *Clarissa*, 1748). Auch bei Sophie von La Roche bestimmen Briefe die Werkstruktur; gelegentlich werden aber – anders als bei dem Engländer – erzählerische Partien eingefügt. Die Handlung bedient sich konventioneller Motive und Situationen (die bedrängte Waise, Entführung, bösartige Intrigen u. ä.), und der Zufall spielt im Ablauf des Geschehens noch eine große Rolle. Bei aller krassen Gegensätzlichkeit der guten und bösen Menschen erklingt aber doch ein neuer Ton in der Schilderung der Charaktere: die Typen werden mit alltäglichen Zügen individualisiert, vor allem die edlen Menschen in empfindsamer Einfühlung dargestellt, worin sich die am Pietismus geschulte Menschen- und Seelenkenntnis der Verfasserin offenbart. Wo bei der Beschreibung edler Verhaltensweisen der sonst kräftig spürbare Einfluß des Rationalismus auf den Stil zurücktritt, wird die Sprache schwärmerisch-schmachtend, eine Eigentümlichkeit, die den Roman bis weit in das 19. Jh. zum Vorbild für die von Frauen geschriebene Trivialliteratur erhob. Obwohl die handelnden Personen noch unter allgemein verbindlichen, der Vernunft verpflichteten sittlichen Normen stehen, kündigen sich neue Themen an; die regierenden Höfe werden als Horte moralischer Korruption getadelt, dem nichtsnutzigen Treiben der Höflinge ist die Pflicht der Frau zu sozialen Aufgaben, zu reiner Liebe entgegengestellt.

Der Tradition der Aufklärung folgend, beabsichtigte die Autorin mit ihrem Werk erzieherische Wirkungen: In all ihrem unverschuldeten Unglück muß Sophie von Sternheim die Erfahrung machen, daß *»Tugend und Geschicklichkeiten«* auf dem Wege zu vernunftgemäßer Lebensführung das *»einzige wahre Glück«* bedeutet. Die *Geschichte des Fräuleins von Sternheim* wurde unter anderem von HERDER und GOETHE, dessen *Leiden des jungen Werthers* (1774) sie beeinflußte, anerkennend aufgenommen. KLL

AUSGABEN: Lpzg. 1771, Hg. C. M. Wieland [anon.]. – Bln. 1907, Hg. K. Ridderhoff (DLD, 18). – Lpzg. 1938, Hg. F. Brüggemann (DL, R. Aufklärung, 14; Nachdr. Darmstadt 1964).

LITERATUR: K. Ridderhoff, *S. v. La R., die Schülerin Richardsons und Rousseaus*, Diss. Göttingen 1895, S. 12–35. – W. Spickernagel, *»Die Gesch. des Frl. v. Sternheim« von S. v. La R. und Goethes »Werther«*, Diss. Greifswald 1911. – C. Touaillon, *Der deutsche Frauenroman des 18. Jh.s*, Wien/Lpzg. 1919, S. 67ff. – W. Milch, *S. La R., die Großmutter der Brentanos*, Ffm. 1935, S. 77–92. – P. A. Graber, *Religious Types in Some Representative German Novels of the Age of Enlightenment*, Diss. Univ. of Iowa 1953. – E. T. Voss, *Erzählprobleme des Briefromans. Dargestellt an vier Beispielen des 18. Jh.s*, Diss. Bonn 1958. – C. Riemann, *Die Sprache in S. v. La R.s Roman »Gesch. des Frl. v. Sternheim«* (in Zs. d. F.-Schiller-Univ. Jena, ges.- und sprachwiss. R., 8, 1958/59, S. 179–193). – M. Greiner, *Die Entstehung der modernen Unterhaltungsliteratur. Studien zum Trivialroman*, Reinbek 1964, S. 34–45 (rde, 207).

JOHANN ANTON LEISEWITZ
(1752–1806)

JULIUS VON TARENT. Ein Trauerspiel in fünf Akten von Johann Anton LEISEWITZ (1752 bis 1806), Uraufführung: Berlin, 19. 6. 1776, durch Schauspieler der Döbbelinschen Gesellschaft. – Das schon 1774 verfaßte Stück wurde vom Autor anläßlich eines von F. L. Schröder am 28. 2. 1775 für das Hamburger Theater ausgeschriebenen Dramenwettbewerbs, der eine beliebige Bearbeitung des Themas »Ein Brudermord« forderte, umgeschrieben, unterlag jedoch F. M. KLINGERS Tragödie *Die Zwillinge*. Dieser Ablehnung zum Trotz wurde das anonym erschienene Schauspiel, das z. B. LESSING so bewunderte, daß er zunächst sogar GOETHE für den Autor hielt, eines der beliebtesten Repertoirestücke der siebziger und achtziger Jahre.

Constantin, Fürst von Tarent, begeht seinen Geburtstag im Bewußtsein drohenden Unheils: Seine Söhne Julius und Guido lieben dasselbe Mädchen, die schöne Blanca; der schwärmerische, philosophisch gebildete Thronfolger, ein Jüngling von *»romanhaft langsamen Entschlüssen«* und unstillbarem *»Hunger nach Empfindungen«*, ist seinem hitzigen, ehrgeizigen jüngeren Bruder verhaßt, weil Blanca Julius liebt, obwohl Guido seine Werbung nach den Regeln des höfischen Zeremoniells bereits vorgebracht hat und nun auf seinen Rechten dem Bruder gegenüber zu bestehen gedenkt. Der greise Fürst hat in Vorausahnung eines offenen Bruderzwists und aus Gründen der Staatsräson Blanca in ein Kloster geschickt. Ein erstes Zusammentreffen der Brüder macht die Verschiedenartigkeit ihrer Leidenschaft deutlich: Guido, als Heerführer erprobt, liebt Blanca mit herrischem Stolz und rebelliert gegen die Bevorzugung seines Bruders – Schönheit ist ihm lediglich der *»natürliche Preis der Tapferkeit«*; Julius dagegen vernachlässigt seine Pflichten als Thronfolger und gibt bedingungslos den Forderungen seines Herzens nach, mit einer Leidenschaft, die in ihm *»jeden Trieb erstickte zu dem, was groß und wichtig ist«* (Constantin). Julius' Freund und früherer Lehrer, Graf Aspermonte, dringt in ihn, die Tiefe seines Gefühls noch einmal zu prüfen. Julius verschafft sich Zutritt zum Kloster und vermag Blancas erzwungene Resignation zu brechen; binnen eines Monats will er seinem Vater eine Entscheidung abzwingen. Ein Bankett zu Ehren des Fürsten, bei dem eine Abordnung von Bauern das humane Regiment Constantins feiert, läßt Julius erneut daran zweifeln, ob er das Wohl seiner künftigen Untertanen einer privaten Leidenschaft aufopfern dürfe. Als ihm der starrsinnig auf seiner Ehre bestehende Guido jedoch jeden Kompromiß verstellt und Julius darüber hinaus erfährt, daß sein Vater ihm Cäcilia, eine Freundin Blancas, zur Gattin ausersehen hat, faßt er mit Aspermontes Zustimmung den Plan, mit Blanca in einen *»fernen Winkel«* der Erde zu fliehen. Guido erfährt davon, und als Julius und sein Gefolge nachts vermummt vor dem Kloster erscheinen, streckt er den Bruder, ohne ihn zu erkennen, mit dem Schwert nieder. Blanca verfällt in Wahnsinn. Entsetzt bittet Guido seinen Vater, den Brudermord mit seinem Tod sühnen zu dürfen. Der Fürst verpflichtet ihn zur Beichte und tötet ihn dann an der aufgebahrten Leiche des Bruders eigenhändig mit einem Dolch, bevor er sich selbst in ein Kloster zurückzieht.

Leisewitz behandelte den historischen Stoff – die Geschichte des Florentiner Großherzogs Cosimo I. de' Medici und seiner Söhne Johann und Garsias –, den er dem zweiten Band der *Historiae sui temporis* (1604–1608) von J.-A. de THOU entnommen hatte, ganz frei. Zeitgenössische philosophische Strömungen haben das Stück in beträchtlichem Maße geprägt, vor allem J. J. ROUSSEAU und seine *Nouvelle Héloïse* (1761). Wenn Rousseau hier gegen den Vernunftkanon der Aufklärung zum ersten Mal eine andere Hierarchie der menschlichen »Seelenvermögen« aufrichtet und Gefühl und Leidenschaft als natürlichen Anlagen das Recht zuspricht, traditionelle »Wert«-Formen in Sittlichkeit und Moral außer Kraft zu setzen, so folgt ihm Leisewitz darin, nicht ohne jedoch die entfesselte subjektivistische Leidenschaft – Julius' *»Vernunft der Liebe«* – als furchtbare, zerstörende, mit allen gesellschaftlichen Normen in Widerspruch tretende Macht darzustellen. – Dramaturgisch knüpft Leisewitz vor allem an Lessings *Emilia Galotti* (1772) an, wenn auch die Problematik des Dramas ihn mit dem Sturm und Drang verbindet. Dieses einzige bedeutendere Werk aus Leisewitz' uferloser Produktion wirkte nachhaltig noch auf SCHILLERS *Die Braut von Messina oder Die feindlichen Brüder* (1803). KLL

AUSGABEN: Lpzg. 1776. – Augsburg 1791 (Deutsche Schaubühne, Jg. 3, Bd. 8). – Braunschweig 1838 (in *SS*, Hg. H. Schweiger). – Bln./Stg. ca. 1883, Hg. A. Sauer (DNL, 79). – Heilbronn 1889, Hg. R. M. Werner (DLD, 32). – Heidelberg ^{2}1963 (in *Sturm u. Drang. Dramatische Schriften*, Hg. E. Loewenthal u. L. Schneider, Bd. 1). – Stg. 1965 (RUB, 111/112).

LITERATUR: A. Leitzmann, *Zur Entstehungsgeschichte des »Julius von Tarent«* (in Vierteljahresschrift f. Lit.-Geschichte, 3, 1890, S. 195–199). – G. Kraft, *Klingers »Zwillinge«, L.' »Julius von Tarent« u. Schillers »Braut von Messina«. Eine vergleichende Betrachtung*, Progr. Altenburg 1894. – F. Fricke, *Die Quellen des »Julius von Tarent«* (in Euph, 4, 1897, S. 49–55). – E. Diekhöfer, *Der Einfluß des »Julius von Tarent« auf Schillers Jugenddramen*, Diss. Bonn 1902. – W. Kühlhorn, *J. A. L.' »Julius von Tarent«. Erläuterung u. literaturhistorische Würdigung*, Halle 1912. – S. Melchinger, *Dramaturgie des Sturm u. Drang*, Gotha 1929. – P. Spycher, *Die Entstehungs- u. Textgeschichte von L.' »Julius von Tarent«*, Diss. Bern 1950. – R. Pascal, *The German Sturm u. Drang*, Manchester 1953 (dt.: *Der Sturm u. Drang*, Stg. 1963). – J. Sidler, *J. A. L. »Julius von Tarent«*, Zürich 1966.

JAKOB MICHAEL REINHOLD LENZ
(1751–1792)

DER HOFMEISTER ODER VORTHEILE DER PRIVATERZIEHUNG. Eine Komödie. Sozialkritische Tragikomödie in fünf Akten von Jakob Michael Reinhold LENZ (1751–1792), anonym erschienen 1774; Uraufführung: Hamburg, 22. 4. 1778, durch die Schauspielergesellschaft Schröders.

Die Anregung zu seinem ersten dramatischen »Originalwerk«, dessen Handlung ein Vorkommnis auf einem livländischen Rittergut zugrunde liegt, empfing Lenz während einer kurzen Tätigkeit als »Hofmeister« in Königsberg. Der Autor des Sturm und Drang definiert, entgegen der traditionellen Dramaturgie, in seinen *Anmerkungen übers Theater* (1774) die Komödie unter einem soziologischen Aspekt als »*eine Vorstellung, die für jedermann ist*« und als »*Gemälde der menschlichen Gesellschaft*«. Und er fordert folgerichtig: »*Daher müssen unsere deutschen Komödiendichter komisch und tragisch zugleich schreiben, weil das Volk, für das sie schreiben ... ein solcher Mischmasch von Kultur und Rohigkeit, Sittigkeit und Wildheit ist. So erschafft der komische Dichter dem tragischen sein Publikum.*« In Briefen bezeichnet er das Stück mehrmals als »Trauerspiel«, und das Manuskript der Berliner Aufführung führt den Untertitel »Lust- und Trauerspiel«.

Der Theologiestudent Läuffer ist als Hauslehrer in die Familie des Majors von Berg gekommen, um dessen Kinder Leopold und Gustchen »*in allen Wissenschaften und Artigkeiten und Weltmanieren*« zu unterrichten. Der blasierten Majorin, die gern preziös parliert, ist Läuffer freilich noch längst nicht weltläufig genug. Der Geheime Rat von Berg, ein Bruder des Majors, vertritt liberale, zukunftweisende Ideen, wenn er dem Pastor Läuffer vorwirft, seinen Sohn als Hofmeister verdingt zu haben: »*Ihr beklagt euch so viel übern Adel und seinen Stolz, die Leute säh'n Hofmeister wie Domestiken an, Narren! ... Aber wer heißt euch Domestiken werden, wenn ihr was gelernt habt ...?*« Für die untertänige Denkweise des Pastors sind das freilich aufrührerische Reden: »*Aber was ist zu machen in der Welt? Was sollte mein Sohn anfangen, wenn Dero Herr Bruder ihm die Kondition aufsagten?*« Fritz von Berg, der Sohn des Geheimen Rats, und Gustchen geloben sich in Romeo-und-Julia-Pose ewige Treue, bevor Fritz für mehrere Jahre die Universität bezieht. Doch bald fühlt Gustchen sich von Fritz verlassen, und so ist es für Läuffer nicht schwierig, sie zu erobern. Als es zum Skandal kommt, fliehen beide. Läuffer findet Unterschlupf bei dem schrulligen Dorfschulmeister Wenzeslaus, und Gustchen bringt bei der alten, blinden Marthe in einer armseligen Waldhütte ihr Kind zur Welt. Voll Verzweiflung stürzt sie sich in einen Teich, wird aber von ihrem Vater in letzter Minute gerettet. Als Marthe mit Gustchens Kind ins Schulhaus kommt und Läuffer es als das seine erkennt, entmannt er sich in selbstanklägerischer Reue und Verzweiflung. In geschickt geführter Parallelhandlung, die das Schicksal des jungen Berg berichtet, hat Lenz das turbulente Hallenser Studentenmilieu lebendig eingefangen. Alle Verwicklungen entwirren sich schließlich aufs beste; Fritz verzeiht seinem Gustchen, und Läuffer führt seine »göttliche Lise«, eine Dorfschöne, in die er sich verliebt hat, heim.

»*Das Stück ist so voll von neuen Karaktern, trefflichen Scenen, hervorstehenden Zügen, daß jeder auch ohne Merkstab genießen kann.*« Mit derartiger Zustimmung begrüßte die zeitgenössische Kritik (›Frankfurter gelehrte Anzeigen‹, 26. 6. 1774) das Erscheinen der Buchausgabe, und manche hielten das Stück sogar für ein Werk GOETHES, an dessen *Götz von Berlichingen* (1773) sie das formal ebenfalls von dem Einfluß der Shakespeare-Begeisterung geprägte Drama erinnerte. Lenz übernahm von dem Engländer besonders die Technik der Kurzszenen und verzichtete auf die traditionelle klassische Lehre von den drei Einheiten. Um so fundierter wirkt die einzig aus der Wahrhaftigkeit der Charaktere und Situationen erwachsende Einheit der Handlung. Lenz' scharfes soziales Unterscheidungsvermögen bewahrte ihn vor Schwarzweißmalerei: Seine sarkastische Kritik an den »*Vorteilen der Privaterziehung*« und der Moral einer oberflächlichen und selbstgefälligen Gesellschaft hinderte ihn nicht daran, in dem Geheimen Rat einen Vertreter des heftig angegriffenen Adels zum Fürsprecher seiner Ideen zu machen. Den Hauptgrund für die Domestikenposition des Hofmeisterstandes sah er in der verächtlichen Unterwürfigkeit des Bürgertums. – Der *Hofmeister* ist »*eine der frühsten Tragikomödien der deutschen Literaturgeschichte*«, und Lenz hat »*mit erstaunlichem Geschick diese schwankende Balance zwischen Tragischem und Komischem*« einzuhalten verstanden (Guthke). Hier beginnt die Entwicklung des sozialkritischen Milieudramas in Deutschland, die über BÜCHNER, GRABBE, WEDEKIND und STERNHEIM hinführt zu BRECHT, der das Stück durch seine entscheidende Bearbeitung (1950) zu neuem Leben erweckte. Er verschärfte die Tendenz – »*Wo Lenz in seiner reformerischen Enge befangen bleibt, tritt in der Bearbeitung der wirkliche gesellschaftliche Konflikt zutage*« *(Theaterarbeit)* – und schuf ein sozialrevolutionäres Lehrstück, in dem er »*Das ABC der Teutschen Misere*« warnend plakatierte. KLL

AUSGABEN: Lpzg. 1774. – Lpzg. 1828 (in *GS*, Hg. L. Tieck, 3 Bde., 1). – Lpzg. o. J. (ca. 1880; Vorw. E. J. Groth; RUB, 1376). – Mchn./Lpzg. 1910 (in *GS*, Hg. F. Blei, 5 Bde., 1909–1913, 3). – Lpzg. 1939, Hg. H. Kindermann (DL, R. Irrationalismus, 8). – Heidelberg ²1963 (in *Sturm und Drang. Dramatische Schriften*, Hg. E. Loewenthal u. L. Schneider, 2 Bde., 1). – Stg. 1966 (in *Werke u. Schriften*, Hg. B. Titel u. H. Haug, 2 Bde., 2).

BEARBEITUNG: B. Brecht, *Der Hofmeister* (Urauff., Berlin, 5. 4. 1950, Deutsches Theater).

LITERATUR: W. Stammler, *Der »Hofmeister« von J. M. R. L.*, Diss. Halle 1908. G. Unger, *L.' »Hofmeister«*, Diss. Göttingen 1949. *Der »Hofmeister«* (in *Theaterarbeit. Sechs Aufführungen des Berliner Ensembles*, Dresden 1952, S. 68 120). – E. Nahke, *Über den Realismus in J. M. R. L.' sozialen Dramen und Fragmenten*, Diss. Bln. 1955. – K. S. Guthke, *L.' »Hofmeister« u. »Soldaten«. Ein neuer Formtypus in der Geschichte des deutschen Dramas* (in WW, 9, 1959, S. 274 286). – W. Kliess, *Sturm und Drang*, Velber 1966.

DIE SOLDATEN. Komödie in fünf Akten von Jakob Michael Reinhold LENZ (1751–1792), erschienen anonym 1776. – Die Arbeit an dem Drama fällt in die Jahre 1774/75; Lenz weilte damals als Reisebegleiter der Offiziere von Kleist in Straßburg. Erlebnisse aus jener Zeit werden in dem Stück verarbeitet, so das gebrochene Heiratsversprechen des älteren Baron v. Kleist an eine Straßburger Goldschmiedstochter und Lenz' unerwiderte Liebe zu ihr.

Schauplätze der Handlung sind Lille, Armentières und Philippeville, Garnisonsstädtchen im damaligen Französisch-Flandern. Die Handlung setzt ein inmitten einer Briefschreibeszene zwischen Marie und Charlotte, den beiden Töchtern des Galanteriewarenhändlers Wesener. Baron Desportes, ein Offizier aus Armentières, erreicht sehr schnell – nach einigen gekünstelt-übertriebenen Schmeicheleien – Maries Zustimmung zu einem heimlichen Treffen. Der Vater willigt nachträglich aus Großmannssucht ein; den Tuchhändler Stolzius, fast schon Verlobter Maries, will man hinhalten. Es folgen Szenen aus dem Garnisonsleben in Armentières, das vom Hochmut und Intrigenspiel des adligen Offizierskorps gekennzeichnet ist. Maries Fehltritt mit dem Baron wird sprachgestisch angedeutet: Nach anfänglichem Sträuben stimmt sie in dessen zynische Schimpftiraden auf Stolzius, den »Hundejungen«, mit ein (II, 3). – Der dritte Akt besteht aus einer Sequenz knapper Augenblicksszenen: ein burleskes Liebesabenteuer des Offiziers Rammler; der über Maries Untreue verzweifelte Stolzius; die Nachricht von Desportes' Flucht unter Zurücklassung von Marie und ansehnlichen Geldschulden. Stolzius wird Ordonnanz bei Mary, dem Intimus von Desportes; Marie läßt sich auch mit Mary ein; die Gräfin La Roche versucht, Marie zu retten, und macht sie zu ihrer Gesellschafterin. Marie beschließt, Desportes zu suchen, und flieht aus dem Haus der Gräfin. Auch Wesener bricht auf, um den Baron zur Rechenschaft zu ziehen, für dessen Schulden er, Wesener, eingetreten ist. Desportes beauftragt einen seiner Jäger, Marie abzufangen und zu vergewaltigen. – Stolzius vergiftet Desportes und sich selbst in einem Akt diesseitiger Gerechtigkeit (*»Du bist gerochen, meine Marie! Gott kann mich nicht verdammen«* V, 3). Wesener trifft auf seine halbverhungerte Tochter, die beiden sinken sich in die Arme. Das Drama schließt mit einigen Nachbetrachtungen, die man im Haus der Gräfin anstellt: Der *»furchtbaren Ehlosigkeit«* des Soldatenstandes soll durch *»Konkubinen, die allenthalben in den Krieg mitzögen«* abgeholfen werden.

Zentrales Thema des Stücks ist – neben der soldatischen Ehelosigkeit und der Sittenverderbtheit des adligen Offizierskorps – die Eitelkeit und Großmannssucht des Bürgertums. Marie zerbricht nicht allein an den Verführungskünsten Desportes', sondern auch an ihren eigenen Ambitionen, in denen sie von ihren Eltern komplicenhaft unterstützt wird. Die Kritik an Adel und Bürgertum ist also ineinander verschränkt – erst beiderseitiges Fehlverhalten führt zum dramatischen Konflikt. Das soziale Engagement des Sturm und Drang entsprang aus einem tiefen, antiaufklärerischen Zweifel an einem automatischen Kulturfortschritt. Bei Lenz führte dieser Zweifel zu einer Suche nach praktischen Lösungsvorschlägen für konkrete soziale Mißstände. Bald unzufrieden geworden mit seiner Idee der »Offizierskurtisanen«, verfaßte er nach dem Drama eine Schrift *(Über die Soldatenehen)*, worin er den Soldaten als verheirateten Staatsbürger zeichnet. Es wäre jedoch falsch, in Lenz einen frühen Sozialrevolutionär zu sehen. Er kritisiert nirgends die Klassengesellschaft, sondern jeweils die durch einen einzelnen behebbaren Mißstand ausgelöste »unstatthafte« Beziehung über die Klassenschranken hinweg. Die Gräfin ist durchaus Sprachrohr Lenzens, wenn sie Marie vorwirft, sie habe sich *»über ihren Stand heraus ... nach einem Mann«* umgesehen. Soziales Ethos und Sozialreform sind für Lenz nur innerhalb einer festgefügten, gottgewollten Klassenhierarchie denkbar.

Aus dem Streben nach wahrheitsgetreuer kritischer Darstellung der Realität entwickelte Lenz jene ambivalente Dramenform, der er selbst die (vieldiskutierte) Gattungsbezeichnung »Komödie« verliehen hat. Dem literarhistorischen Stilgefühl entsprächen wohl eher Bezeichnungen wie »Komitragödie« (W. Höllerer) oder »Tragikomödie«. Symbolisch ist die Ambivalenz des Stils im Schlußbild verdichtet: Vater und Tochter *»wälzen sich halbtot* [vor Freude und Verzweiflung] *auf der Erde«* (Regieanweisung). Die Mischung von Komischem und Tragischem in den *Soldaten* entspricht aber Lenzens Theorie der Komödie als einem *»Gemälde der menschlichen Gesellschaft, und wenn die ernsthaft wird, kann das Gemälde nicht lachend werden« (Anmerkungen übers Theater)*. Dieser literarische Anspruch enthält zugleich eine Kritik an der gängigen Komödie, deren Fragwürdigkeit selber zum Thema des Stücks wird, wenn etwa Desportes den Besuch einer frivolen Komödie in seine Verführungsstrategie einplant oder wenn die Offiziere Rammler in eine raffiniert ausgeklügelte, laszive Komödie hineinmanövrieren.

Die neue Theorie der Komödie drang auch in den Aufbau des Stücks ein, der gewollt antiaristotelisch ist. Die drei Einheiten der Zeit, des Ortes und der Handlung werden bewußt zerschlagen. Zwischen dem ersten und dem letzten Akt liegen zwei Jahre; die Verschiedenheit der Schauplätze wäre vom Geschehen her nicht erforderlich; und die Episoden um Rammler sowie die Gespräche des Feldgeistlichen Eisenhardt sind nur thematisch, nicht handlungsmäßig integriert. Die neue Komödie soll die Welt spiegeln, wie sie ist: daher die Vielzahl der Szenen (35), die Hektik der Szenenfolge, ihre fragmentarische Ausschnitthaftigkeit. Das Drama ist zur Vergangenheit wie zur Zukunft hin »offen« – im Gegensatz zum aristotelisch-klassischen »geschlossenen« Dramentypus (V. Klotz). Die letzte Szene mit ihren theoretischen Erörterungen kann keineswegs als Abschluß der Handlung gelten, die mit dem Zusammentreffen von Vater und Tochter abrupt aufhört. Im Dienst der wirklichkeitsnahen Perspektive steht auch die für ihre Zeit einzigartige Sprachrealistik, die subtile Abhebung verschiedener, klassen- oder gefühlsmäßig bedingter Sprechstile (W. Höllerer).

Dramatischer Aufbau, Sprachstil und Realitätsschau der *Soldaten* weisen auf Georg Büchner voraus, der sowohl in der Desillusionierung ethischer Werte wie auch in der Sozialkritik mit dem *Woyzeck* einen entscheidenden Schritt weitergegangen ist. Nach ihm lassen sich die jungen Dichter des Naturrealismus vom Dramenwerk Lenzens und seinen sozialkritischen Ideen inspirieren, und abermals fünfzig Jahre später analysiert Brecht das geniale Seitenstück zu den *Soldaten*, den *Hofmeister*, und führt es mit großem Erfolg auf.

M. Fru.

Ausgaben: Lpzg. 1776 [anon.]. – Mchn./Lpzg. 1910 (in *GS*, Hg. F. Blei, 5 Bde., 1909–1913, 3). – Lpzg. 1939, Hg. H. Kindermann. – Heidelberg ²1963 (in *Sturm u. Drang. Dramatische Schriften*, Hg. E. Loewenthal u. L. Schneider, 2 Bde., 1). – Stg. 1966/67 (in *Werke u. Schriften*, Hg. B. Titel u. H. Haug, 2 Bde.). – Reinbek 1970 (in *Werke u. Schriften*, Hg. R. Daunicht; RKl, 528/529).

Bearbeitung: H. Kipphardt, *Die Soldaten*, Ffm. 1968 (ed. suhrkamp, 273).

Vertonung: B. A. Zimmermann, *Die Soldaten* (Oper; Urauff.: Mainz 1965).

Literatur: K. H. v. Stockmayer, *Das deutsche Soldatenstück des 18.Jh.s seit Lessings »Minna von Barnhelm«*, Weimar 1898. – A. Kutscher, *E. v. Bauernfelds »Soldatenliebchen« u. J. M. R. L.' »Soldaten«* (in Janus, 1911, Dez.). – J. M. R. Lenz, *Über die Soldatenehen*, Hg. K. Freye, Bln. 1914. – B. Huber-Bindschedler, *Die Motivierung in den Dramen von L.*, Diss. Zürich 1922. – H. M. Wolff, *The Controversy over the Theatre in L.' »Die Soldaten«* (in GR, 14, 1939, S. 159–164). – G. Skersil, *Adel u. Bürgertum bei Lessing u. L.*, Diss. Wien 1945. – W. Höllerer, *L. »Die Soldaten«* (in *Das deutsche Drama*, Hg. B. v. Wiese, Bd. 1, Düsseldorf 1958, S. 127–146). – K. S. Guthke, *L.ens »Hofmeister« u. »Soldaten«. Ein neuer Formtypus in der Geschichte des deutschen Dramas* (in WW, 9, 1959, S. 274–286). – V. Klotz, *Geschlossene u. offene Form im Drama*, Mchn. 1960. – E. Genton, *J. M. R. L. et la scène allemande*, Paris 1966. – R. Girard, *L. 1751–1792. Genèse d'une dramaturgie du tragicomique*, Paris 1968.

GOTTHOLD EPHRAIM LESSING
(1729–1781)

EMILIA GALOTTI. Trauerspiel in fünf Aufzügen von Gotthold Ephraim Lessing (1729–1781), begonnen 1757, vollendet 1771/72, Uraufführung: Braunschweig, 13. 3. 1772. – Das in Prosa geschriebene Stück nimmt ein häufig gestaltetes Dramenmotiv auf, das auf den antiken Historiker Livius zurückgeht: die junge, unschuldige Römerin Virginia wird von ihrem Vater Virginius getötet, weil er sie nur so vor den Nachstellungen des Decemvirn Appius Claudius bewahren kann. Ihr Tod ist der Anlaß zu einem Volksaufstand. Hiervon abweichend skizziert Lessing in einer frühen brieflichen Äußerung (an Nicolai vom 21. 1. 1758) den Plan seines Stückes zunächst so: »*Er – der junge Tragikus* [d. h. Lessing selbst] *– hat nämlich die Geschichte der römischen Virginia von allem dem abgesondert, was sie für den ganzen Staat interessant machte; er hat geglaubt, daß das Schicksal einer Tochter, die von ihrem Vater umgebracht wird, dem ihre Tugend werter ist, als ihr Leben, für sich schon tragisch genug, und fähig genug sei, die ganze Seele zu erschüttern, wenn auch gleich kein Umsturz der ganzen Staatsverfassung darauf folgte.*« Diese »unpolitische« Konzeption hat Lessing später jedoch teilweise aufgegeben: *Emilia Galotti* wurde eines der ersten politischen Dramen der neueren deutschen Literatur, dessen Einfluß, z. B. auf Schillers Jugendwerk, bedeutend war.

Der liebenswürdig-gewissenlose Hettore Gonzaga, Prinz von Guastalla – einem zeitgenössischen italienischen Duodezfürstentum –, ist seiner Geliebten, der Gräfin Orsina, in dem Augenblick überdrüssig geworden, als er Emilia Galotti kennengelernt hat. Er muß jedoch erfahren, daß ihre Hochzeit mit dem Grafen Appiani unmittelbar bevorsteht. Ein Versuch, die Heirat aufzuschieben, mißlingt: Graf Appiani lehnt den Auftrag, sogleich als Gesandter ins Ausland zu gehen, ab. Mit unausgesprochener Billigung des Prinzen hat dessen Kammerherr Marinelli inzwischen jedoch schon einen heimtückischen Anschlag vorbereitet: seine maskierten Bediensteten überfallen das Paar auf dem Wege zur Trauung; Appiani wird im Kampf tödlich verwundet, Emilia und ihre Mutter Claudia werden in das nahe prinzliche Lustschloß Dosalo gebracht. Der Prinz, der sie dort bereits ungeduldig erwartet, hofft, den Überfall als die Tat von Wegelagerern hinstellen zu können. Emilia erschrickt, als sie den Prinzen wiedersieht, der sie bereits am Morgen in der Kirche angesprochen und ihr seine leidenschaftliche Liebe bekannt hat, aber abgewiesen worden ist; ihre Mutter durchschaut bald den wahren Zusammenhang. Kurz darauf treffen die Gräfin Orsina und Emilias rechtschaffen-strenger Vater Odoardo im Schloß ein. Die empörte Orsina verständigt Odoardo von Appianis Tod und der Gefahr, die seiner Tochter droht, und händigt dem Waffenlosen ihren eigenen Dolch aus, mit dem er Appiani und sie rächen und den Prinzen niederstechen soll. Er verzichtet darauf, aber an seinem unbeugsamen bürgerlichen Ehrgefühl scheitern auch alle Überredungskünste Marinellis und des Prinzen. Seinem Wunsch, Emilia in ein Kloster zu schicken, begegnet der Prinz mit der selbstherrlichen Anordnung, sie zunächst dem Gewahrsam seines Kanzlers Grimaldi anzuvertrauen, bis der Überfall völlig aufgeklärt sei. Emilia, die den Prinzen zwar verabscheut, aber dennoch seiner Verführung zu erliegen fürchtet, beschwört Odoardo, ihr den Dolch zu überlassen, um sich zu töten. »*Gewalt! Gewalt! wer kann der Gewalt nicht trotzen? Was Gewalt heißt, ist nichts: Verführung ist die wahre Gewalt. – Ich habe Blut, mein Vater; so jugendliches, so warmes Blut, als eine. Auch meine Sinne sind Sinne. Ich stehe für nichts. Ich bin für nichts gut. Ich kenne das Haus der Grimaldi. Es ist das Haus der Freude. Eine Stunde da, unter den Augen meiner Mutter – und es erhob sich so mancher Tumult in meiner Seele, den die strengsten Übungen der Religion kaum in Wochen besänftigen konnten ... Geben Sie mir, mein Vater, geben Sie mir diesen Dolch.*« Der zunächst zögernde Vater entschließt sich erst, als sie ihm das Beispiel des römischen Virginius vorhält, und ersticht sie. Der entsetzte Prinz erkennt seine Schuld, schiebt aber alle Verantwortung auf Marinelli: »*Geh, dich auf ewig zu verbergen! – Ist es, zum Unglücke so mancher, nicht genug, daß Fürsten Menschen sind: müssen sich auch noch Teufel in ihren Freund verstellen?*«

Die Handlung spielt zwischen dem frühen Morgen und dem Abend eines einzigen Tages, zunächst in der Residenz, dann in Emilias Elternhaus, schließlich im Lustschloß des Prinzen. Lessing versuchte, seine in der *Hamburgischen Dramaturgie* vorgetragenen Forderungen zur Erneuerung der deutschen Bühne mit einem Stück zu verwirklichen, das dem deutschen Theater die Intensität und den Ernst der Kunst SHAKESPEARES gewinnen sollte. Wenn auch, dem frühen Plan des Stückes entsprechend, auf die Machenschaften des Prinzen und seines Höflings kein »*Umsturz der ganzen Staatsverfassung*« folgt, so ist die Wendung gegen feudalistische Machtanmaßung und Willkür dennoch eindeutig. Die Liebesbeziehungen des Prinzen zu Orsina und Emilia werden von der tiefeingewurzelten Vorstellung der Käuflichkeit und der Beherrschbarkeit durch Macht bestimmt; als die nahe Hochzeit Emilias keinen anderen Ausweg offenläßt, vertraut der Prinz sich der willfährigen, eiskalten »Vernichtungsstrategie« Marinellis ebenso unbedenklich an, wie er sich später seiner wieder entledigt – er ist der absolute Herrscher, dessen vorgegebene »Rolle« von seinen Handlungen nicht berührt wird. Diesem feudalistischen Prinzip steht das erwachende, in Emilia und ihrem Vater verkörperte Bürgertum gegenüber, das sich nicht länger beherrschen lassen will, den Gegensatz aber nicht revolutionär, sondern durch ein Selbstopfer aufhebt, ein Opfer, für das die sterbende Emilia das Bild der Rose findet, die gebrochen wird, »*bevor der Sturm sie entblättert*«. – Die strenge motivische Verknüpfung und die dramaturgische Durchsichtigkeit der Handlung machen das Stück zu einem Höhepunkt der deutschen Dramatik des 18. Jh.s; Friedrich SCHLEGEL nannte es »*ein großes Beispiel dramatischer Algebra*«. H. H. H.

AUSGABEN: Bln. 1772. – Stg. 1886 (in *SS*, Hg. K. Lachmann u. F. Muncker, 23 Bde., 1886–1924, 2). – Lpzg. [1924] (RUB, 45). – Bln. 1925 (in *Werke*, Hg. J. Petersen, 30 Bde., 1925–1935, 2). – Oxford 1946, Hg., Einl., Anm. E. L. Stahl. – Mchn. 1959 (in *GW*, Hg. W. Stammler, 2 Bde., 1).

LITERATUR: M. Claudius, »*Emilia Galotti*«, *ein Trauerspiel*, Bln. 1772 (in *Meisterwerke deutscher Literaturkritik*, Bd. 1, Hg. H. Mayer, Bln. 1954, S. 341/342). – H. Steinhauer, *The Guilt of Emilia Galotti* (in JEGPh, 48, 1949, S. 173–185). – H. S. Schultz, *The Unknown Ms of »Emilia Galotti« and Other Lessingiana* (in MPh, 47, 1949/50, S. 88 bis 97). – J. K. Bostock, *The Death of Emilia Galotti* (in MLR, 46, 1951, S. 69–71). – R. R. Heitner, »*Emilia Galotti*«, *an Indictment of Bourgeois Passivity* (in JEGPh, 52, 1953, S. 480–490). – J. Müller, *L.s »Emilia Galotti«* (in J. M., *Wirklichkeit und Klassik*, Bln. 1955, S. 53–62). – E. L. Stahl, *L.s »Emilia Galotti«* (in *Das deutsche Drama*, Hg. B. v. Wiese, Bd. 1, Düsseldorf 1958, S. 101–112). – E. Dvoretzky, *The Reception of L.'s »Emilia Galotti«, 1772–1900*, Diss. Cambridge/Mass. 1959. – W. Kraft (in NRs, 72, 1961, S. 198–232). – E. Dvoretzky, *Goethes »Werther« und L.s »Emilia Galotti«* (in GLL, 16, 1962, S. 23–26). – I. Appelbaum Graham, *Minds without Medium. Reflections on »Emilia Galotti« and »Werthers Leiden«* (in Euph, 56, 1963, S. 3–24). – E. Dvoretzky, *The Enigma of »Emilia Galotti«*, Den Haag 1963.

DIE ERZIEHUNG DES MENSCHENGESCHLECHTS. Theologisch-philosophisches Werk von Gotthold Ephraim LESSING (1729–1781). Die in hundert Paragraphen gegliederte Schrift entstand im Zusammenhang mit der Edition der *Fragmente aus den Papieren eines Ungenannten* nach einem Manuskript von Hermann Samuel REIMARUS, die Lessing, mit »*Gegensätzen des Herausgebers*«, in den Beiträgen »Zur Geschichte und Litteratur. Aus den Schätzen der Herzoglichen Bibliothek zu Wolfenbüttel« 1777 veröffentlichte. Neben seinen »*Einwürfen*« zum vierten Fragment des Reimarus erschienen dort die ersten 53 Paragraphen der *Erziehung des Menschengeschlechts*, für die Lessing jedoch nicht als Autor, sondern lediglich als »*Herausgeber*« verantwortlich zeichnete, auch dann noch, als er 1780 das vollständige Werk veröffentlichte. Diese Fiktion begünstigte eine längere, inzwischen zugunsten Lessings entschiedene wissenschaftliche Kontroverse darüber, ob ihm oder Albrecht Daniel THAER (1752–1828) die Autorschaft zuzuschreiben sei.

Das vierte Reimarus-Fragment hatte nachzuweisen versucht, daß die Lehren, die eine »*übernatürliche seligmachende Religion*« auszeichnen – die »*Erkenntnis von der Unsterblichkeit der Seelen, von der Belohnung und Bestrafung unserer Handlungen in einem zukünftigen ewigen Leben; von der Vereinigung frommer Seelen mit Gott zu einer immer größern Verherrlichung und Seligkeit*« –, im *Alten Testament* fehlten und diesem deshalb jeder Offenbarungscharakter abgesprochen werden müsse. Lessing entkräftet diese These mit dem Hinweis, daß, selbst wenn diese Lehren dem *Alten Testament* fremd seien, sich daraus kein Beweis »*wider den göttlichen Ursprung dieser Bücher*« gewinnen lasse. Seine Definition des *Alten Testaments* als einer Reihe von »*Elementarbüchern für das rohe und im Denken ungeübte israelitische Volk*« läßt den Grundgedanken seiner Schrift deutlich werden: »*Offenbarung*« und »*Vernunft*« – zwei Begriffe, die im Laufe des 18. Jh.s zusehends mehr in Widerspruch zueinander geraten waren und deren vollständige Unvereinbarkeit Reimarus zu zeigen versucht hatte – sollen als aufeinander bezogene Momente des Entwicklungsganges der christlichen Religion dargestellt werden, den Lessing als »*Erziehungsplan*« des Menschengeschlechts deutet: ein für die Aufklärung, ein Zeitalter der »Erziehung« im weitesten Sinne, charakteristischer Gedanke. »*Was die Erziehung bei dem einzeln Menschen ist, ist die Offenbarung bei dem ganzen Menschengeschlechte.*« »*Offenbarung*« wird jedoch von Anfang an nicht als einmalige Verkündigung eines alle menschliche Erfahrung Transzendierenden begriffen, sondern als »*Richtungsstoß*« für die menschliche Vernunft. »*Also gibt auch die Offenbarung dem Menschengeschlechte nichts, worauf die menschliche Vernunft, sich selbst überlassen, nicht auch kommen würde: sondern sie gab und gibt ihm die wichtigsten dieser Dinge nur früher.*« Der historische Fortschritt des menschlichen Erkenntnisvermögens ist nichts anderes als die »*Ausbildung* [d. h. Umwandlung] *geoffenbarter Wahrheiten in Vernunftswahrheiten*«. »*Als sie geoffenbaret wurden, waren sie freilich noch keine Vernunftswahrheiten; aber sie wurden geoffenbaret, um es zu werden.*« Die abstrakten Wahrheiten, die in den »*Elementarbüchern*« für die im Kindesalter stehende Menschheit in die Form von »*Allegorien und lehrreichen einzelnen Fällen*« gekleidet wurden, werden im Laufe der Jahrhunderte von der menschlichen Vernunft als philosophische Spekulation wieder »*herausentwickelt*«. Dem jeweiligen Stand des Bewußtseins und seiner Reife entsprechend, werden zu einem bestimmten Zeitpunkt alle vorhergehenden

Stufen des göttlichen Erziehungsprozesses entbehrlich: »*So wie wir zur Lehre von der Einheit Gottes nunmehr des Alten Testaments entbehren können; so wie wir allmählich, zur Lehre von der Unsterblichkeit der Seele, auch des Neuen Testaments entbehren zu können anfangen: könnten in diesem nicht noch mehr dergleichen Wahrheiten vorgespiegelt werden, die wir als Offenbarungen so lange anstaunen sollen, bis sie die Vernunft aus ihren andern ausgemachten Wahrheiten herleiten und mit ihnen verbinden lernen?*« Die Schrift schließt mit dem Ausblick auf die »*Zeit eines neuen ewigen Evangeliums*«, in der die zu höchster Reinheit entwickelte Vernunft dem Menschen erlauben wird, »*das Gute zu tun, weil es das Gute ist*«, und die Tugend um ihrer selbst willen ohne »*zeitliche Belohnung und Strafen*« und ohne jenen »*heroischen Gehorsam*« zu lieben, den das jüdische Volk des *Alten Testaments* – zwar mit Vernunft begabt, aber noch unfähig, von ihr bewußten Gebrauch zu machen – seinem Gott schuldig war.

Die geschichtsphilosophische Tendenz seines Werkes, in »*allen positiven Religionen ... weiter nichts, als den Gang zu erblicken, nach welchem sich der menschliche Verstand jedes Ortes einzig und allein entwickeln können, und noch ferner entwickeln soll*«, erlaubt Lessing, traditionelle theologische Begriffe so umzuformulieren, daß sie »*näheren und besseren Begriffen vom göttlichen Wesen*« weichen müssen – nämlich »spekulativ«-vernünftigen, die dem fortgeschritteneren Stand des menschlichen Bewußtseins genügen. »*Und die Lehre von der Erbsünde. – Wie, wenn uns endlich alles überführte, daß der Mensch auf der ersten und niedrigsten Stufe seiner Menschheit schlechterdings so Herr seiner Handlungen nicht sei, daß er moralischen Gesetzen folgen könne?*« Lessings aufklärerische Wendung gegen die protestantische Orthodoxie des späten 18. Jh.s nimmt so Argumente der Religionskritik und der Geschichtsphilosophie des späteren Idealismus voraus, vor allem die Kants und Hegels. Man muß sich jedoch hüten, Lessings theologische Schriften als Fixierung eines theologischen Systems zu deuten. »*Sein Theologisieren trägt dafür allzu sehr den Charakter des Versuchens und Fragens, des Unterwegs.*« (K. S. Guthke) Darauf weisen auch die häufigen Fragesätze am Schluß seiner *Erziehung des Menschengeschlechts* hin, die, nicht immer eindeutig rhetorisch, die Antwort offenlassen. H. H. H.

Ausgaben: Braunschweig 1777 (in Zur Geschichte und Litteratur, 4, 1777, S. 522–539; enth. § 1–53). – Bln. 1780. – Lpzg. 1897 (in *SS*, Hg. K. Lachmann u. F. Muncker, 23 Bde., 1886–1924, 13). – Bln. 1925 (in *Werke*, Hg. J. Petersen u. W. v. Olshausen, 25 Bde., 1925–1935, 6). – Mchn. ^{2}1964 (in *GW*, Hg. W. Stammler, 2 Bde., 1). – Stg. o. J. (RUB, 8968).

Literatur: E. Kretzschmar, *L. u. die Aufklärung. Darstellung der religions- u. geschichtsphilosophischen Anschauungen des Dichters mit besonderer Berücksichtigung seiner philosophischen Hauptschrift »Die Erziehung des Menschengeschlechts«*, Lpzg. 1905. – G. Fittbogen, *Der Streit um L.s »Erziehung des Menschengeschlechts«* (in PJb, 154, 1913, S. 218–253). – E. Krieck, *L. u. »Die Erziehung des Menschengeschlechts«. Zugleich eine Auseinandersetzung mit der Thaerlegende*, Heidelberg 1913. – M. Heilmann, *Die Verfasserfrage von L.s »Erziehung des Menschengeschlechts«*, Diss. Hbg. 1922. – C. Stange, *L.s »Erziehung des Menschengeschlechts«* (in ZsTh, 1, 1923, S. 153 bis 167). – M. Waller, *L.s »Erziehung des Menschengeschlechts«. Interpretation ihres rationalen u. irrationalen Gehalts*, Bln. 1935 (Germanistische Studien, 160). – A. M. Wagner, *Who Is the Author of L.'s »Education of Mankind«* (in MLR, 38, 1943, S. 318–327). – P. Grappin, *L. u. »Die Erziehung des Menschengeschlechts«* (in Lancelot, 1946, H. 4, S. 5–21). – H. Schneider, *Die Entstehungsgeschichte von L.s beiden letzten Prosaschriften* (in PMLA, 63, 1948, S. 1205–1244). – Ders., *L.s letzte Prosaschrift* (in H. S., *L.*, Mchn. 1951, S. 222–230). – H. Thielicke, *Offenbarung, Vernunft und Existenz. Studien zur Religionsphilosophie L.s*, Gütersloh 1957, S. 57 ff. – K. S. Guthke, *Der Stand der L.-Forschung. Ein Bericht über die Literatur von 1932–1962*, Stg. 1965, S. 88–95 (auch in DVLG, 38, 1964, Sonderheft).

HAMBURGISCHE DRAMATURGIE. Sammlung dramaturgisch-theaterkritischer Beiträge von Gotthold Ephraim Lessing (1729–1781), veröffentlicht vom 22. 4. 1767 bis 26. 3. (Ostern) 1769 in bogenweise gedruckten Lieferungen (104 »Stück«) anläßlich der Gründung des »Hamburgischen Nationaltheaters« (22. 4. 1767), als dessen Dramaturg der Autor berufen wurde; eine Sammelausgabe in zwei Bänden erschien 1768/69. – »*Diese Dramaturgie soll ein kritisches Register von allen aufzuführenden Stücken halten, und jeden Schritt begleiten, den die Kunst, sowohl des Dichters, als des Schauspielers, hier tun wird*«, bemerkt Lessing in seiner ebenfalls am 22. 4. 1767 erschienenen *Ankündigung* eines Unternehmens, dem die Entwicklung des deutschen Theaters entscheidende Impulse verdankt, wenn es sich auch nur bis zum 3. 3. 1769 zu halten vermochte. Obwohl anfangs durchaus gewillt, die Kunst des Schauspielers, die er im *Laokoon* bereits als »*transitorische Malerei*« definiert hatte, in »*spezielle, von jedermann erkannte, mit Deutlichkeit und Präzision abgefaßte Regeln*« zu übersetzen, verärgerten Lessing die Eitelkeit und Arroganz, mit der manche Schauspieler auf sachlichen Tadel reagierten, so sehr, daß er vom *25. Stück* der *Dramaturgie* an jede Kritik schauspielerischer Leistungen aufgab.

Wenn sich Lessing zunächst auch eng an den Spielplan anschloß, so verloren doch die einzelnen Lieferungen der *Dramaturgie* zunehmend den Charakter aktueller Theaterberichte. Die eigentliche Berichtszeit umfaßt wenig mehr als drei Monate. Die 52 Theaterstücke, die der Autor kritisch sichtet, lassen ziemlich genau Niveau und Zusammensetzung des Repertoires im »Nationaltheater« erkennen: 34 französischen stehen nur 18 deutsche »Originale« gegenüber – darunter lediglich drei Trauerspiele (Johann Friedrich von Cronegks *Olint und Sophronia*, Christian Felix Weisses *Richard III.* und Lessings *Miß Sara Sampson*) neben mehreren Stücken der älteren Lustspieltradition, wie sie etwa Lessings eigene Jugendkomödien, die Johann Elias Schlegels, Gellerts und selbst noch zwei Stücke der Gottschedin verkörpern. Breiten Raum – wenn auch weniger als noch zu Zeiten Gottscheds – nimmt also das französische Repertoire im Spielplan ein: die ältere klassizistische Verstragödie Corneilles und Voltaires, das rührende Lustspiel mit den Werken von Nivelle de La Chaussée, der von Lessing bewunderte und als Vorläufer des bürgerlichen Trauerspiels begrüßte *Père de famille* (1753) von Denis Diderot und das unerschöpfliche Komödienreservoir, das mit den

älteren Werken von MOLIÈRE, QUINAULT, REGNARD, Marc-Antoine LEGRAND, DESTOUCHES und MARIVAUX ebenso wie mit den neueren Stücken von SAINT-FOIX, LAFFICHARD, GRAFFIGNY, GRESSET, FAVART und DE·BELLOY vertreten ist. Der einzige große Erfolg eines deutschen Stücks blieb Lessing selbst mit seiner *Minna von Barnhelm* vorbehalten.
»*Über den gutherzigen Einfall, den Deutschen ein Nationaltheater zu verschaffen, da wir Deutsche noch keine Nation sind* ...« Die resignierte Einsicht, daß das deutsche Theater noch am Beginn seiner Entwicklung stehe, verbindet sich bei Lessing mit einer schneidenden Polemik gegen die klassische französische Tragödie und ihre Hauptvertreter RACINE, Corneille und Voltaire, die ihm insgesamt das »*kahlste, wäßrigste, untragischste Zeug*« produziert zu haben scheinen. Zwei Stücke der genannten Autoren unterzieht er deshalb einer vernichtenden Kritik – Corneilles *Rodogune* (29.–32. St.) und Voltaires *Mérope* (36.–50. St.) –, einer Kritik, die die »regelmäßige« französische Tragödie am Kanon der *Poetik* des ARISTOTELES mißt, aus der gerade im Frankreich des 17. Jh.s – und zwar zuerst von F. H. D'AUBIGNAC in seiner *Pratique du théâtre* (1657) – jene orthodoxe, schematische Gesetzmäßigkeit der drei »Einheiten« (der Zeit, des Ortes, der Handlung) abstrahiert worden war, die der französischen Tragödie ihre Überlegenheit etwa über die SHAKESPEARES verschafft haben sollte. Lessing deckt anhand der Dramen und der theoretischen Abhandlungen (vgl. *Discours de l'utilité* ...) von Corneille dessen Verfälschungen des Aristoteles – und d. h. letztlich die Unmaßgeblichkeit der Drei-Einheiten-Regel – auf. »*Die Tragödie ist die Nachahmung einer edlen und abgeschlossenen Handlung von bestimmter Größe in gewählter Rede, derart, daß jede Form der Rede in gesonderten Teilen erscheint und daß gehandelt und nicht berichtet wird und daß mit Hilfe von Mitleid und Furcht eine Reinigung von eben diesen Affekten bewerkstelligt wird*« (c. 6, 1449 b 24–28; Ü.: O. Gigon). Diese Aristotelische Formulierung definiert die Tragödie als ästhetischen Prozeß, der eine bestimmte Art von Erschütterung einleitet: sie ist die »*Anlage zum Akt der Katharsis und in diesem Sinne, metaphysisch, ein Vermögen, kein Wesen und keine Form*« (M. Kommerell), d. h., Werk und Wirkung werden nicht als voneinander unabhängige, sondern vollkommen aufeinander bezogene Momente begriffen. Die Tragödie wirkt durch *eleos* (Mitleid) und *phobos* (Furcht; Lessing gebraucht nach dem Vorbild Corneilles und des französischen Kommentators André DACIER den Begriff »Schrecken« *(terreur)*, ersetzt ihn aber vom *74. Stück* an durch den richtigeren, »Furcht«). Corneille hat jedoch die Einheit des erregten Affektes, zu dem sich Furcht und Mitleid zusammenfinden, wieder entzweit: er macht Furcht und Mitleid zu bloßen Komponenten, deren man sich wechselweise bedienen dürfe. So könne die Tragödie auch durch »Schrecken« allein wirken – eine Verfälschung, die Lessing mitsamt ihren praktischen Folgen entschieden zurückweist. Er selbst definiert Mitleid anhand von Moses MENDELSSOHNS *Briefen über die Empfindungen* (1755) als »*vermischte Empfindung ..., die aus Liebe zu einem Gegenstande, und aus Unlust über dessen Unglück*« zusammengesetzt ist. Furcht entspringt aus der Ahnung der »*Ähnlichkeit der leidenden Person* [im Drama] *mit uns selbst*« und ist nichts weiter als das »*auf uns selbst bezogene Mitleid*«. Beide hängen untrennbar miteinander zusammen, »*weil nichts unser Mitleid erregt, als was zugleich unsere Furcht erwecken kann*«. Die durch Furcht und Mitleid erzeugte affektive Erschütterung müsse aber, um im Sinne der Katharsis wirksam zu werden, dem Zuschauer eine gewisse Identifikation mit dem tragischen Helden ermöglichen, eine »*Wahrscheinlichkeit der Umstände*«, gegen die Corneilles pathetisch-stilisierte Barocktragödie immer wieder verstoßen habe. »*Mitleid entsteht, wenn der, der es nicht verdient, ins Unglück gerät, Furcht, wenn es jemand ist, der dem Zuschauer ähnlich ist*« (Aristoteles, c. 13, 1453 a 5–7). Die Tragödie erfordere demnach einen Helden, der weder ganz tugendhaft noch ein »*völliger Bösewicht*« sein dürfe. Folgerichtig verwirft Lessing als Tragödienhelden ebensowohl den christlichen, passiven Märtyrer wie auch den Typus des rasenden Ungeheuers und hält ein christliches Trauerspiel für schlechthin unmöglich. Erst wenn der Tragödienautor seinen Helden »*mit uns von gleichem Schrot und Korne*« schildert, schafft er die korrespondierenden Bedingungen für Furcht und Mitleid. Diese Forderung der gleichen Ranghöhe, verknüpft mit der der Wahrscheinlichkeit, bildet die geheime Mitte der *Hamburgischen Dramaturgie*. In der Tat begünstigt Lessing, indem er dem Aristotelischen *homoion* (»ähnlich«) seinen wirklichen Sinn zurückgewinnt, alle progressiven Strömungen der Dramatik der Jahrhundertmitte: das bürgerliche Drama Englands, die Prosatragödie von LAMOTTE-HOUDAR und SEDAINE, die *comédie larmoyante* des Nivelle de La Chaussée und vor allem Diderots realistisch-bürgerliches Trauerspiel, dem er mit *Miß Sara Sampson* und *Emilia Galotti* die ersten »*deutschen Originale*« gegenüberstellte. In diesem Sinne läßt sich die *Hamburgische Dramaturgie* auch als kritische »Selbstverständigung« des fortschrittlichen deutschen Bürgertums auffassen, das sich von dem auf einen höfisch-zeremoniellen Wirkungsbereich zugeschnittenen ästhetischen Kanon der *haute tragédie* emanzipierte.
Weiter bemüht sich der Autor zu erweisen, daß jene Drei-Einheiten-Regel in der Antike keineswegs als bindende Vorschrift aufgefaßt worden sei. So hat Aristoteles zwar in der Einheit der Handlung (Fabel) das entscheidende Moment der Tragödie gesehen, die Begrenzung der zeitlichen Erstreckung von Dramenhandlungen auf einen Sonnenumlauf aber lediglich für wünschenswert gehalten; gerade Corneille jedoch muß, um dieser zum Gesetz erhobenen mittleren Norm zu genügen, zu häufig absurden szenischen Hilfskonstruktionen greifen. Die Unwahrscheinlichkeiten, die Lessing an Voltaires *Mérope* geißelt, sind ebenso größtenteils Resultate jener pseudoaristotelischen Regeln. »Buchstaben« und »Geist« der Aristotelischen *Poetik*: jenen haben die Franzosen erfüllt, diesen nur die antiken Tragiker – und Shakespeare, dessen Werke erst Lessings entschiedene Bewunderung dem deutschen Theater zugänglich gemacht hat. Lessings Polemik gegen Corneille und dessen regelmäßige Tragödie gipfelt in der Neuformulierung des Katharsis-Problems. »*Die Tragödie ist die Nachahmung einer Handlung, die ... vermittelst des Mitleids und der Furcht, die Reinigung dieser und dergleichen Leidenschaften bewirket*«, übersetzt Lessing und widerspricht damit zu Recht Corneille, der annahm, daß alle im Drama zur Sprache kommenden Leidenschaften im Zuschauer »*berichtigt*« würden. Es sollen jedoch nicht alle Leidenschaften, sondern lediglich Furcht und Mitleid gereinigt werden, und Furcht und Mitleid sind Empfindungen des Zuschauers für den tragischen Helden, nicht dessen eigene. Wenn aber Aristoteles

eine Reinigung mit Hilfe von Furcht und Mitleid »*von eben diesen Affekten*« (vgl. oben) fordert, so drückt er damit die Möglichkeit einer Reinigung des Gleichen durch das Gleiche aus, d. h., die Tragödie mäßigt durch den Prozeß der tragischen Erschütterung »*eine grundsätzliche Mitleids- und Furchtbereitschaft im Menschen*«, die die »*wünschenswerte Gefaßtheit als Bedingung der höheren geistigen Geschäfte gefährdet*« (M. Kommerell). Mitleid wird bei Aristoteles also nicht als Empfindung, sondern durchaus als störender Affekt begriffen, während Lessing, in einen – Aristoteles unbekannten – Dualismus von ästhetisch begründeter Form und moralisch zu nutzender Wirkung verfallend, diese Katharsis in nichts anderem beruhen läßt als in der »*Verwandlung der Leidenschaften* [Furcht und Mitleid] *in tugendhafte Fertigkeiten*«.

Die *Hamburgische Dramaturgie* weitet sich so zu einer entschiedenen und umfassenden Kampfschrift gegen den seit mehr als hundert Jahren unbestrittenen Führungsanspruch der französischen Bühnenautoren aus. Andererseits schien aber gerade Lessings Bewunderung für Shakespeare die Shakespearomanie jener jungen Generation der Stürmer und Dränger – Gerstenberg, Klinger, Lenz u. a. – zu autorisieren, die, kaum vom Regelterror der Franzosen befreit, dem anderen Extrem, der forcierten, lediglich durch die Originalität des »Kraftgenies« legitimierten Regellosigkeit, anheimzufallen drohte. So war eine erneute kritische Grenzscheidung erforderlich: Lessing hält durchaus am Begriff des »*Gesetzes der Gattung*« fest, das gemäß den immanenten Möglichkeiten des Dramas verwirklicht werden muß, will man sich nicht aller »*Erfahrungen der vergangenen Zeit*« begeben. Seine Ablehnung des französischen Klassizismus steht am Anfang einer geistesgeschichtlichen Entwicklung, die sich in den theoretischen Schriften Hamanns, Gerstenbergs und vor allem Herders fortsetzt, in dessen *Shakespear*-Aufsatz aus dem von ihm herausgegebenen Sammelband *Von deutscher Art und Kunst* (1773) sich dieselbe polemische Tendenz gegen das »*gleißende, klassische Ding*« verkörpert, »*was die Corneille, Racine und Voltaire gegeben haben: ... Gemälde der Empfindung von dritter, fremder Hand ... eine völlige Akademie der Nationalweisheit und Decence im Leben und Sterben ..., schön! bildend! lehrreich! vortrefflich! durchaus aber weder Hand noch Fuß vom Zweck des Griechischen Theaters.*«

Das »Hamburgische Nationaltheater«, von einem Konsortium von zwölf Hamburger Kaufleuten – der sogenannten »Hamburgischen Entreprise« – finanziert, scheiterte, obwohl ihm in mehreren Mitgliedern des aus der Truppe von Konrad Ackermann hervorgegangenen Ensembles hervorragende Schauspieler zur Verfügung standen: vor allem der schon zu seinen Lebzeiten als »Vater der deutschen Schauspielkunst« bezeichnete Konrad Ekhof, Sophie Friederike Hensel und der junge Friedrich Ludwig Schröder. Aber gerade dieses – noch – mißlungene Projekt eines »Nationaltheaters« ermutigte die in den siebziger Jahren des 18. Jh.s verstärkt einsetzenden Bemühungen um ein von den wirtschaftlichen Risiken der reisenden Schauspielergesellschaft befreites stehendes Theater, wie es zunächst in Wien (1776), später in Mannheim (1779), Berlin (1786) und München Erfolg hatte. Für die von Heribert Freiherr von Dalberg begründete »Nationalschaubühne« in Mannheim versuchte Schiller einen dem Lessingschen Unternehmen bis in Einzelheiten entsprechenden, wenn auch erfolglosen Plan einer Mannheimer Dramaturgie zu verwirklichen, die in Gestalt einer dramaturgischen Monatsschrift das »*ganze System dieser Kunst*« kritisch entwickeln sollte. Ebenso wirkte Goethe, von 1791 bis 1817 Leiter des Weimarer Hoftheaters, im Sinne der von Lessing eröffneten Theaterreform.

H. H. H.

Ausgaben: o. O. [Hbg.] 22. 4. 1767 – 26. 3. 1769 (104 Stücke in Einzellieferungen). – Hbg./Bremen 1768/69, 2 Bde.; ern. Lpzg. 1787. – Stg. 1894 (in *SS*, Hg. K. Lachmann u. F. Muncker, 23 Bde., 1886–1924, 9/10). – Bln. 1925 (in *Werke*, Hg. J. Petersen u. W. v. Olshausen, 25 Bde., 1925–1935, 5). – Stg. 1958, Hg. O. Mann (Kröners Taschenausg., 267; ern. 1964). – Mchn. ²1964 (in *GW*, Hg. W. Stammler, 2 Bde., 2). – Vgl. auch *G. E. L.s Briefwechsel mit Mendelssohn u. Nicolai über das Trauerspiel*, Hg. R. Petsch, Lpzg. 1910.

Literatur: E. Bischof, *L.s »Hamburgische Dramaturgie«*, Lpzg. 1902. – K. Fischer, *G. E. L. als Reformator der deutschen Literatur*, 2 Bde., Stg./Bln. 1904/05. – V. Pfeil, *L. u. die Schauspielkunst*, Diss. Gießen 1921. – K. May, *L.s u. Herders kunsttheoretische Gedanken in ihrem Zusammenhang*, Bln. 1923 (Germanische Studien, 25). – E. Schmidt, *L. Geschichte seines Lebens u. seiner Schriften*, Bd. 1, Bln. ⁴1923. – J. Clivio, *L. u. das Problem der Tragödie*, Zürich 1928 (Wege zur Dichtung, 5). – H. Friedrich, *L.s Kritik u. Mißverständnis der französischen Klassik* (in Zs. für deutsche Bildung, 1931, S. 601–611). – J. Robertson, *L.'s Dramatic Theory, Being Introduction to and Commentary on His »Hamburgische Dramaturgie«*, Cambridge 1939; ern. NY 1965. – M. Kommerell, *L. u. Aristoteles, Untersuchung über die Theorie der Tragödie*, Ffm. 1940; Nachdr. 1957. – E. Lerch, *L., Goethe, Schiller u. die französische Klassik*, Mainz 1948 (Mainzer Universitätsreden, 11/12). – W. Feustel, *Nationaltheater u. Musterbühne von L. bis Laube. Zur Entwicklung u. Wertung der deutschen Theatergeschichte des 18. u. 19. Jh.s*, Diss. Greifswald 1954. – E. Braemer, *Zu einigen Grundfragen in L.s »Hamburgischer Dramaturgie«* (in Weimarer Beitr., 1, 1955, S. 261–295). – M. Gubler, *»Merope«: Maffei, Voltaire, L. Zu einem Literaturstreit des 18. Jh.s*, Zürich 1955 (Zürcher Beitr. zur vgl. Literaturgeschichte, 4). – J. Müller, *Prinzipien einer realistischen Ästhetik in L.s »Hamburgischer Dramaturgie«* (in J. M., *Wirklichkeit u. Klassik*, Bln. 1955, S. 42–52). – W. Schadewaldt, *Furcht u. Mitleid? Zu L.s Deutung des aristotelischen Tragödiensatzes* (in DVLG, 30, 1956, S. 137–140). – N. Almási, *L.s »Hamburgische Dramaturgie«* (in Weimarer Beitr., 3, 1957, S. 529–570; 4, 1958, S. 1–42). – P. Chiarini, *Letteratura e spettacolo nella »Drammaturgia d'Amburgo«* (in P. C., *Letteratura e società*, Bari 1959, S. 75–146). – A. Nivelle, *Kunst- u. Dichtungstheorie zwischen Aufklärung u. Klassik*, Bln. 1960. – U. Jarvis, *Distance and Illusion in German Dramatic Theory from L. to Brecht*, Diss. Columbia Univ. 1961. – L. M. Price, *Die Aufnahme englischer Literatur in Deutschland, 1500–1960*, Bern/Mchn. 1961, S. 231–239. – K. S. Guthke, *Der Stand der L.-Forschung. Ein Bericht über die Literatur von 1932–1962*, Stg. 1965, S. 70–82 (auch in DVLG, 38, 1964, Sonderh.). – O. Mann, *L. Sein u. Leistung*, Bln. ²1965. – H. J. Schrimpf, *L. u. Brecht. Von der Aufklärung auf dem Theater*, Pfullingen 1965.

LAOKOON: ODER ÜBER DIE GRENZEN DER MAHLEREY UND POESIE. Mit beyläufigen Erläuterungen verschiedener Punkte der alten Kunstgeschichte. Kunsttheoretische Schrift von Gotthold Ephraim LESSING (1729–1781), erschienen 1766. – Angeregt vor allem durch WINCKELMANN und den Briefwechsel mit Moses MENDELSSOHN greift Lessing in dieser Fragment gebliebenen Schrift eine Streitfrage der zeitgenössischen Ästhetik auf. Nach dem Grundsatz *ut pictura poesis* erklärten viele die bildenden Künste nach dem vermeintlichen Vorbild der Griechen zum Maßstab für die Dichtung: Ein Gegenstand poetischer Beschreibung sei nur schön, wenn man ihn auch als Statue oder Gemälde darstellen könne. Lessing wendet sich gegen diese vor allem von Joseph SPENCE (1698–1768) und dem Grafen CAYLUS (1692–1765) vertretene Auffassung. Gemäß seinem Motto aus PLUTARCH: »*Sie sind sowohl im Stoff wie in den Arten der Nachahmung verschieden*«, unternimmt er es, Poesie und Malerei von ihren Gesetzmäßigkeiten der Darstellung her zu unterscheiden, wobei er unter Malerei die bildenden Künste überhaupt versteht.

Als Ausgangspunkt wählt er einen Vergleich zwischen der spätantiken Laokoon-Gruppe und VERGILS Erzählung der Laokoon-Begebenheit in der *Aeneis* (2. Buch). Das Antlitz der Statue drückt verhaltenen Schmerz aus, Vergil aber beschreibt einen schreienden Laokoon. Das Schreien als Ausdruck körperlichen Schmerzes war in der Dichtung der Alten auch einer großen Seele gestattet, wie Stellen aus antiken Tragödien beweisen. In der bildenden Kunst aber wäre durch das verzerrte Gesicht eines Schreienden das oberste Gesetz der Schönheit verletzt. Bei längerer Betrachtung erschiene außerdem der dauernde Ausdruck einer vorübergehenden Erregung als unwahr: Als dauernder Ausdruck darf füglich nur das dargestellt werden, was auch in der Natur andauert. Solcherart von konkreten Beispielen ausgehend, findet Lessing Regeln, die jeweils die Eigenart der bildenden Kunst und der Dichtung hervortreten lassen: Die Zeichen der bildenden Künste sind Farben und Formen im Raum, ihr Bereich daher das Nebeneinander von Körpern; die Poesie dagegen benutzt artikulierte Töne in der Zeit, die ein Nacheinander von Handlungen fordern. Grenzüberschreitungen gibt es wohl, doch sind sie jeder der beiden Gattungen durch ihre Mittel nur andeutungsweise möglich. »*Der Dichter kann nur erzählen, was ein Körper tut oder was mit ihm geschieht, und der Maler eine Handlung nur in dem Augenblick festhalten, in dem das Vorher und Nachher erkennbar ist*« (J. Nadler). Deshalb soll z. B. die Poesie »*kein körperliches Ganze nach seinen Theilen schildern, weil das Koexistierende des Körpers mit dem Konsekutiven der Rede dabei in Kollision kömmt*« (Kap. 17). So beschreibt HOMER, um die Schönheit Helenas zu veranschaulichen, nicht einzelne körperliche Vorzüge, sondern deren Wirkung auf die trojanischen Greise. Aber die Poesie, die sich an die Einbildungskraft wendet, darf auch das Häßliche darstellen, um die Empfindungen des Lächerlichen und Schrecklichen hervorzurufen. Die Malerei als Kunst der Anschauung vermeidet das Häßliche, da es, für immer fixiert im Nebeneinander des Bildwerks, bei längerer Betrachtung nur Ekel erregen würde. – In den letzten Abschnitten nimmt Lessing Stellung zu Einzelheiten aus Winckelmanns eben erschienener *Geschichte der Kunst des Alterthums* (1764).

Lessings Schrift verknüpft und gliedert als erste in logischer Folge Gedanken, die andere Schriftsteller und Kunsttheoretiker seiner Zeit, Mendelssohn beispielsweise oder SHAFTESBURY und DIDEROT, schon skizziert hatten. Klarheit und Geschmeidigkeit seiner Sprache dienen einer temperamentvollen Argumentation, die durch eine Fülle von Zitaten antiker Schriftsteller an Überzeugungskraft gewinnt und durch weitläufige Anmerkungen zu Streitfragen der Kunstkritik theoretische Verbindlichkeit anstrebt. Zugleich erhält die Theorie einen neuen praktischen Aspekt, von dem sich die nachfolgende Generation der Dichter und Kritiker leiten ließ: Lessings souveräne Ableitung von Kunstprinzipien aus dem Gegenstand selbst, seinen spezifischen Materialien und Zeichen, vernichtete die Herrschaft abstrakt deduzierter Regeln und bereitete der Genie-Ästhetik den Weg. Diese orientierte sich außerdem an Lessings stets spürbarem Bemühen, Theorie und Praxis auch in der Weise zu verbinden, daß die Gesetze der Dichtkunst niemals nur aus »*übergeordneten Zusammenhängen*«, sondern »*zugleich auch aus der Wirkung des Wortkunstwerks auf den Hörer oder Leser*« (F. J. Schneider) abgeleitet werden. Die befreiende Wirkung des *Laokoon* auf sich und seine Zeitgenossen beschreibt GOETHE in *Dichtung und Wahrheit*, wenn er bekennt, daß »*dieses Werk uns aus der Region eines kümmerlichen Anschauns in die freien Gefilde des Gedankens hinriß*«. K.P.

AUSGABEN: Bln. 1766. – Stg. 1893 (in *SS*, Hg. K. Lachmann u. F. Muncker, 23 Bde., 1886–1924, 9). – Bln. 1925 (in *Werke*, Hg. J. Petersen u. W. v. Olshausen, 25 Tle., 1925–1935, 4). – Mchn. [2]1964 (in *GW*, Hg. W. Stammler, 2 Bde., 2). – Vgl. auch *G. E. L.s Briefwechsel mit Mendelssohn und Nicolai über das Trauerspiel*, Hg. R. Petsch, Lpzg. 1910.

LITERATUR: H. Fischer, *L.s »Laokoon« und die Gesetze der bildenden Kunst*, Bln. 1887. – J. R. Asmus, *Zur Entstehungsgeschichte von L.s »Laokoon«* (in Euph, 4, 1897, S. 38–48). – E. Elster, *Das 16. und 17. Kapitel in L.s »Laokoon«* (in ZvLg, N. F. 13, 1899, S. 135–145). – A. Frey, *Die Kunstform des Lessingschen »Laokoon«, mit Beiträgen zu einem »Laokoon«-Kommentar*, Stg./Bln. 1905. – E. Walther, *»Laokoon« und »Hamburgische Dramaturgie«*, Würzburg 1920. – K. May, *L.s und Herders kunsttheoretische Gedanken in ihrem Zusammenhang*, Bln. 1923 (Germanische Studien, 25). – F. O. Nolte, *L.'s »Laokoon«*, Lancaster 1940. – W. Rehm, *Winckelmann und L.*, Bln. 1941 (auch in W. R., *Götterstille und Göttertrauer*, Bern 1951, S. 183–201). – M. Bieber, *Laokoon. The Influence of the Group since Its Discovery*, NY 1942. – F. J. Schneider, *Die dt. Dichtung der Aufklärungszeit*, Stg. 1948, S. 241–246 (Epochen der dt. Literatur, III/1). – H. A. Korff, *»Laokoon« – kurz und bündig* (in Wissenschaftl. Zs. der Univ. Lpzg.; gesellschafts- u. sprachwissenschaftl. Reihe, 4, 1954/55, S. 125–127). – E. H. Gombrich, *L.* (in Proceedings of the British Academy, 43, 1957, S. 133–156). – E. M. Szarota, *L.s »Laokoon«. Eine Kampfschrift für eine realistische Kunst u. Poesie*, Weimar 1959 (Beitr. zur dt. Klassik, Abhandlungen, 9; vgl. dazu R. R. Heitner in JEGPh, 60, 1961, S. 138–145; H. H. Reuter in DLz, 83, 1962, S. 646–649). – F. Gowa, *L.s »Laokoon« und der moderne Zeit- u. Raumbegriff* (in College Language Association Journal, Baltimore, 4, 1960, S. 32 bis 39). – W. Drews, *G. E. L. in Selbstzeugnissen und Bilddokumenten*, Reinbek 1962 (rm, 75). – L. Quattrocchi, *La poetica di L.*, Messina/Florenz 1963. – W. Ritzel, *G. E. L.*, Stg. 1966. – K. S. Guthke u. H. Schneider, *G. E. L.*, Stg. 1967 (Slg. Metzler, 37).

MINNA VON BARNHELM oder Das Soldatenglück. Lustspiel in fünf Akten von Gotthold Ephraim Lessing (1729–1781), Uraufführung: Hamburg, 30. 9. 1767, Nationaltheater. – Major Tellheim, ein abgedankter preußischer Offizier, logiert mit seinem Diener Just in einem Berliner Gasthof. Er besitzt, nach Ende des Siebenjährigen Krieges, »*keinen Heller bares Geld mehr*« und fühlt sich zutiefst verletzt durch die ehrenrührigen Umstände seiner Dienstentlassung. Trotz allem »Unglück«, so illustrieren die einleitenden Szenen, wahrt Tellheim eine korrekte Höflichkeit und verhält sich stets menschlich: Großzügig erläßt er der Witwe eines gefallenen Freundes eine beträchtliche Schuld. Als ihn der geschäftstüchtige Wirt, ohne sein Wissen und Einverständnis, kurzerhand in ein miserables Zimmer umquartiert, nur weil wohlhabendere Gäste – das sächsische Edelfräulein Minna von Barnhelm mit ihrer Zofe Franziska – eintreffen, beschließt Tellheim unverzüglich abzureisen. Durch Just läßt er, um sich Geld zu verschaffen, seinen Verlobungsring beim Wirt versetzen. Doch da erkennt Minna in dem Pfandstück, das der Wirt ihr beim Aufnehmen der Personalien zeigt, sogleich den Ring ihres Verlobten. Ganz »wirblicht« vor Glück darüber, den lange Vermißten so unverhofft in ihrer Nähe zu wissen, löst sie den Ring ein und beginnt jenes sublime Spiel, das ihr den schon verloren geglaubten Bräutigam wieder in die Arme führen soll. Dramatisch vollzieht dieses Spiel sich auf zwei Ebenen: »*als Spiel der Sprache und Spiel mit dem Ring*« (F. Martini). Der Wirt vermittelt auf Minnas Drängen hin eine Zusammenkunft mit Tellheim und das sächsische Edelfräulein ist als »*große Verehrerin von Vernunft*« gewandt und emanzipiert genug, um den Verlobten durch sehr präzise Fragen – »*Lieben Sie mich noch, Tellheim?*« – in die Enge zu treiben. Der schlüssigen Argumentation Minnas entzieht sich Tellheim durch den Einwand, er sei, als »*der verabschiedete, der an seiner Ehre gekränkte, der Krüppel, der Bettler*«, ihrer nicht mehr wert. Hypochrondrisch reißt er sich zuletzt von der Redegewandten, die seine Einwürfe mit behutsamer Ironie bagatellisiert, los und stürzt davon. In einem Brief versucht er sein Verhalten zu rechtfertigen. Klugerweise läßt Minna den Brief – zwar erbrochen, doch angeblich ungelesen – an Tellheim zurückexpedieren und bittet um eine weitere Unterredung. »*Indem sie Tellheim nötigt zu wiederholen, was er ihr schrieb, holt sie das Wort in seine dramatisch-dialektische Beweglichkeit zurück und sucht Tellheims Erstarrung und innere Verkrampfung zu lösen*« (F. Martini). Minna versucht, strategisch glänzend, ihren unmittelbaren Gegner, das übersteigerte Ehrgefühl Tellheims, zum Verbündeten umzufunktionieren und in den Dienst ihrer eigenen Sache zu stellen: »*Der Mann, der mich jetzt mit allen Reichtümern verweigert*«, so kalkuliert sie, »*wird mich der ganzen Welt streitig machen, sobald er hört, daß ich unglücklich und verlassen bin.*«

Unmittelbar vor die entscheidende Unterredung – Schulbeispiel eines »retardierenden Moments« – rückt Lessing die berühmte Szene mit dem französischen Leutnant Riccaut de la Marlinière, in der zentrale Motive des Dramas, verfremdet, sich spiegeln. Die Riccaut-Episode prästabiliert zugleich den lustspielhaften Ausgang, denn zeitweise sah »*es fast so aus, als ob aus dem Lustspiel ein Trauerspiel würde*« (E. Staiger). Riccaut betritt versehentlich das Zimmer der Damen und verkündet geschwätzig, daß er eigentlich Tellheim suche, dem er wolle »*bringen eine Nouvelle, davon er sehr frölik sein wird*«. Gespreizt stellt er sich vor als »*Honnête-homme*« und als – einer »*Affaire d'honneur*« wegen – »*abgedankte Capitaine*«, der finanziell vor dem Ruin – »*vis-à-vis du rien*« – stehe. Die Parallele zu Tellheim ist offenkundig; ebensosehr jedoch auch der Kontrast. Ohne zu zögern, nimmt Riccaut Geld an von Minna, um es zu verspielen; denn er liebt wie sie das Spiel. Beim Spielen allerdings kommt es ihm, wie er unverfroren andeutet, auf ein bißchen »*Corriger la fortune*« nicht an. Minnas entsetzte Frage »*Falsch spielen? Betrügen?*« quittiert er mit Invektiven gegen ihre Sprache – »*Betrügen! O, was ist die deutsch Sprak für ein arm Sprak! für ein plump Sprak!*« Minnas »Sprache des Herzens« entlarvt aber den scheinbar weltläufigen Konversationston von Riccauts »Sprache des Witzes« als hohl und verlogen. Lessing gibt mit dieser Szene zugleich seiner in der *Hamburgischen Dramaturgie* theoretisch geübten Kritik am »französisierenden« Theater der Gottsched-Ära einen sinnfälligen Ausdruck.

Bevor Tellheim erscheint, vertauscht Minna, absichtslos einer plötzlichen Eingebung folgend, ihren Ring mit dem vom Wirt erhaltenen. Im Gespräch zeigt sich der Major, aller weiblichen Überredungskunst zum Trotz, weiterhin verstockt. Weil die preußische Kriegskasse Zweifel an der Echtheit eines von ihm vorgelegten Wechsels äußerte, hält er ein für alle Mal seine »*Ehre für gekränkt*«. Tellheim gerät über sein »Unglück« in ein sarkastisches Lachen, aus dem »Menschenhaß« spricht, fundamentaler Zweifel am Vernunftzusammenhang der Welt, am Gedanken der »*Theodizee, die seit Leibniz die Gemüter beschäftigt und das Denken der Zeit zusammenschließt. Was Tellheim erlitten hat, seine Kränkung, der schmähliche Abschied nach gewissenhaftestem Dienst, das verstört ihn so wie etwa Voltaire das Erdbeben von Lissabon, als ein Ereignis, das allen Begriffen weiser und gerechter Fügung widerspricht*« (E. Staiger). Als der endgültige Bruch schon unvermeidlich scheint, greift Minna zu einer letzten List: Sie gibt Tellheim den Ring, den sie am Finger trägt – seinen eigenen also – zurück, deutet mit Verbitterung an, daß sie seinetwegen von ihrem Oheim enterbt worden sei, nennt ihn einen »Verräter« und geht mit – gespielten – Tränen ab. Prompt schlägt Tellheims Reserviertheit in stürmisches Werben um: »*Ihr Unglück hebt mich empor, ich sehe wieder frei um mich, und fühle mich willig und stark, alles für sie zu unternehmen.*« Die scheinbar unglückliche Minna zu ehelichen ist ebenso Ehrensache für ihn, wie es zuvor Ehrensache war, als Unglücklicher sich der scheinbar Glücklichen zu entziehen. Bedenkenlos überspringt er nun alle selbstgesetzten Schranken, entleiht bei Wachtmeister Paul Werner Riesensummen, versucht vom Wirt den versetzten Verlobungsring zurückzuerhalten und dringt auf eine klärende Aussprache mit Minna. Dazu erreicht ihn auch noch jene »Nouvelle«, von der Riccaut sprach, ein Königlicher Handbrief, der Tellheim glänzend rehabilitiert. Minna jedoch spielt »*mit einer affektierten Kälte*« ihr Spiel zu Ende. Der Major durchschaut ihr kokettes Spiel erst, als überraschend die Ankunft ihres Oheims gemeldet wird: Minna fällt aus der »Rolle«, klärt alle Mißverständnisse auf und steckt sich den eigenen Verlobungsring wieder an den Finger. Der Oheim segnet sogleich das wiedervereinte Paar. Überglücklich stürzt Tellheim ihm, dem »Vater«, der den wiederhergestellten Vernunftzusammenhang der Welt – die Theodizee symbolisiert, in die Arme.

Lessing verwendete ein Äußerstes an Sorgfalt auf Form und Sprache dieses Dramas, um, im Zusammenhang mit der Gründung eines deutschen Nationaltheaters, ein nachahmbares Muster jenes neuen, zeitgemäßen Komödientyps zu schaffen, der ihm vorschwebte. Menschliche Fehler und Laster werden nicht mehr – wie in der aufklärerischen Typenkomödie – durch Verlachen kritisiert und bloßgestellt, auch soll nicht nur der Affekt blinden Mitleidens – wie in der *comédie larmoyante* – am Unglück einer tugendhaften Person tränenreich sich entladen; Lessing geht es vielmehr um eine Synthese dieser beiden Formen von Komödie: »*Das Possenspiel will nur zum Lachen bewegen; das weinerliche Lustspiel will nur rühren; die wahre Komödie will beides.*« Der Zuschauer, der nicht allein mit dem »*Bauch*«, sondern »*zugleich mit dem Verstande*« lacht, wird durch erkennendes Mit-Leiden, durch unwillkürliche Verwechslung der eigenen Person mit den handelnden Figuren des Lustspiels, zu sich selbst und zur Einsicht in Bedingung und Möglichkeit menschlicher Existenz überhaupt befreit. Um dieser Intention willen verlegt Lessing die Handlung des Stücks in die Gegenwart: Nicht um Zeitkritik geht es ihm dabei, sondern allein darum, dem Zuschauer die Einfühlung ins Dargestellte zu erleichtern. Aus demselben Grund – um die Kontinuität des Nachempfindens zu sichern – werden die Nebenfiguren (der neugierige Wirt, die zungenfertige Kammerzofe, der großsprecherische Wachtmeister, der treue Diener), die alle dem Typenarsenal der *commedia dell'arte* entstammen, extrem individualisiert. Die Schlußfigur der Heirat (auch Franziska und Paul Werner verloben sich) ist exemplarischer Ausdruck der politischen Utopie des aufgeklärten Bürgertums in der spätabsolutistischen Epoche, daß Zusammenleben, gesellschaftliches Miteinander mit dem Zusichselbstkommen der Individuen auch schon gesichert sei.

D. Bar.

Ausgaben: Bln. 1767. – Stg. 1886 (in *SS*, Hg. K. Lachmann u. F. Muncker, 23 Bde., 1886–1924, 2). – Bln. 1925 (in *Werke*, Hg. J. Petersen u. W. v. Olshausen, 25 Bde., 1925–1935, 2; Einl. W. Oehlke). – Bln. 1954 (in *GW*, Hg. P. Rilla, 10 Bde., 1954–1958, 2). – Reinbek 1962 (zus. m. *Emilia Galotti* u. *Nathan der Weise*; Essay u. Bibliogr. v. A. Elschenbroich; RKl, 118/119).

Verfilmungen: *Das Fräulein von Barnhelm*, Deutschland 1940 (Regie: H. Schweikart). – *Heldinnen*, Deutschland 1962 (Regie: D. Haugk). – Deutschland 1962 (Regie: M. Hellberg).

Literatur: O. Spiess, *Die dramatische Handlung in L.s »Emilia Galotti« u. »Minna von Barnhelm«. Ein Beitrag zur Technik des Dramas*, Halle 1911. – R. Petsch, *Die Kunst u. Charakteristik in L.s »Minna von Barnhelm«* (in Zs. f. deutschen Unterricht, 26, 1912, S. 289–305). – H. Müller-Benfey, *»Minna von Barnhelm«*, Göttingen 1915. – O. Walzel, *Von »Minna« zur »Emilia«* (in GRM, 15, 1927, S. 18–35). – H. Rempel, *Tragödie u. Komödie im dramatischen Schaffen L.s*, Bln. 1935. – L. Labus, *»Minna von Barnhelm« auf der deutschen Bühne*, Diss. Bln. 1936. – F. Baldensperger, *L'origine probable de Riccaut de la Marlinière dans la »Minna von Barnhelm«* (in Neoph, 23, 1937/38, S. 26–31). – P. Böckmann, *Formgeschichte der deutschen Dichtung*, Hbg. 1949. – E. Staiger, *L.s »Minna von Barnhelm«* (in *Überlieferung u. Gestaltung. Festgabe f. Th. Spoerri*, Zürich 1950, S. 89–111; auch in E.S., *Die Kunst der Interpretation*, Zürich 1955, S. 75–96). – H. D. Cohn, *Die beiden Schwierigen im deutschen Lustspiel. L. »Minna von Barnhelm« u. Hofmannsthal »Der Schwierige«* (in MDZ, 44, 1952, S. 257–269). – H. Stoffel, *Die Wirkung Molières auf die Entfaltung des deutschen Lustspiels der Aufklärung bis zu L.s »Minna von Barnhelm«*, Diss. Heidelberg 1955. – G. Fricke, *L.s »Minna von Barnhelm«* (in G. F., *Studien u. Interpretationen*, Ffm. 1956, S. 25 46). – K. Maier, *Untersuchungen zur Struktur des höheren Humors im deutschen Lustspiel. Unter besonderer Berücksichtigung der Stücke »Minna von Barnhelm« u. »Der Schwierige« von Hofmannsthal*, Diss. Tübingen 1957. – O. Mann, *L. »Minna von Barnhelm«* (in *Das deutsche Drama*, Hg. B. v. Wiese, Bd. 1, Düsseldorf 1958, S. 79–100; ern. 1964). – G. Lukács, *»Minna von Barnhelm«* (in Akzente, 11, 1964, S. 176–191). – F. Martini, *Riccaut, die Sprache u. das Spiel in L.s Lustspiel »Minna von Barnhelm«* (in *Formenwandel. Fs. z. 65. Geb. v. P. Böckmann*, Hg. W. Müller-Seidel u. W. Preisendanz, Hbg. 1964, S. 193–235). – K. Guthke u. H. Schneider, *G.E.L.*, Stg. 1967 (Slg. Metzler, 37). – W. F. Michael, *Tellheim, eine Lustspielfigur* (in DVLG, 39, 1965, S. 207–212). – M. M. Metzger, *L. and the Language of Comedy*, Den Haag 1966 [Diss. Ithaca/N.Y. 1965].

MISS SARA SAMPSON. Ein bürgerliches Trauerspiel in fünf Akten von Gotthold Ephraim Lessing (1729–1781), Uraufführung: Frankfurt/Oder, 10. 7. 1755, durch die Ackermannsche Truppe. – Das bürgerliche Trauerspiel ist im 18. Jh. neben dem Roman und der Komödie die literarische Großform, in der sich das Erstarken des bürgerlichen Selbstbewußtseins und der Wille, sich kulturell zu äußern, am deutlichsten manifestiert. Empfindsame Einfühlung tritt an die Stelle von klassischer Verhaltenheit der Affekte, die kanonische Trennung der literarischen Gattungen und analog dazu die Scheidung des hohen Stils vom niederen wird zugunsten von Mischformen aufgegeben – typisches Beispiel ist die *comédie larmoyante* –, die Prosa wird rehabilitiert. In dieser Gegenbewegung zur französischen Klassik und dem gesamteuropäischen Klassizismus gibt England den Ton an: Die spezifischen Inhalte und Formelemente der neuen Gattung macht zuerst Lillos *The London Merchant* (1731; dt. 1752) sichtbar. Bürgerliches Trauerspiel besagt nicht nur das Auftreten einer – den feudalen Lebensformen noch sehr nahestehenden – neuen sozialen Schicht, sondern verbindet mit der Darstellung der familiären und ständischen Konfliktwelt eine Entheroisierung und Enttypisierung des Theaters, die sich sinnfällig in der zentralen Stellung der bürgerlichen Vaterfigur und des bürgerlichen Mädchens niederschlägt (*Lucie Woodvil*, 1756, von J.-G. Benjamin Pfeil; vgl. Schillers *Kabale und Liebe* und Hebbels *Maria Magdalene*).

Mellefont, der Sara Sampson verführt hat, ist mit ihr in die Provinz geflohen. Die beiden halten sich seit neun Wochen in einem Gasthof auf; Mellefonts Bindungsscheu verzögert die Eheschließung: »*Sara Sampson, meine Geliebte! Wieviel Seligkeiten liegen in diesen Worten! – Sara Sampson, meine Ehegattin! – die Hälfte dieser Seligkeiten ist verschwunden!*« Marwood, die frühere Geliebte Mellefonts, taucht plötzlich am Ort des Verstecks auf, um Mellefont für sich zurückzugewinnen. Zu diesem Zweck hat sie nicht nur Arabella, die ihrer Verbindung mit

Mellefont entstammende kleine Tochter, mit sich genommen, sondern auch Saras unglücklichen Vater, Sir William Sampson, auf die Spur des flüchtigen Paares gebracht. In einer Aussprache, die charakteristisch ist für Lessings kunstvolle, auf Steigerungen zielende Dialogführung erklärt Mellefont der Marwood, daß er nie zu ihr zurückkehren werde. Sie erreicht aber, daß er sie unter falschem Namen der Rivalin vorstellt. Im Verlauf eines hochdramatischen Gesprächs mit Sara gibt die Marwood ihre Identität preis und mischt schließlich Gift unter die Arznei ihrer ohnmächtigen Rivalin. Zu der sterbenden Sara tritt Sir William, der seiner Tochter verziehen hat. Noch vor ihrem Tod vergibt auch Sara der Marwood. Den Edelmut Saras und ihres Vaters vor Augen bleibt es Mellefont verwehrt, sich an der Marwood zu rächen; er findet weder die Kraft, sich selbst zu verzeihen, noch vermag er die ihm von William Sampson angebotene Sohnesstelle anzunehmen: So bleibt ihm nur das Gericht an sich selbst, erst danach – sterbend – bringt er die Bitte um Gnade über seine Lippen und nimmt die väterliche Liebe William Sampsons an. Der alte Sampson trifft, nachdem er sich von dem »tötenden Anblick« abgewandt hat, Anstalten, um für die ihm von den beiden Sterbenden anempfohlene Arabella zu sorgen.

»*Ach er war mehr unglücklich als lasterhaft*«, charakterisiert William Sampson den sterbenden Mellefont. Wie Mellefont darf man auch Sara unter dem Aspekt der theoretischen Diskussionen der Zeit betrachten: der Lehre zumal von den »gemischten Empfindungen« bzw. den gemischten Charakteren. Denn auch die »tugendhafte« Sara ist von Schuld nicht frei: durch ihre Flucht vor dem Vater, durch ihren naiven Dünkel gegenüber der Marwood; so ist es keine leere Selbstbeschuldigung, wenn sie sich als »*eine schuldige, eine reuende, eine gestrafte Tochter*« bezeichnet. Auf der anderen Seite wird das Handeln der Marwood vielfach menschlich verständlich gemacht. So ist die *Miß Sara Sampson* weder eine Charaktertragödie noch die bühnentechnische Darstellung eines Tugendsystems, in dem die Personen lediglich Chiffren vorgezeichneter Positionen wären, sondern eher ein Diskutierstück, in dem Lessing – vergleichbar seinem kritischen Werk – den Bereich des Menschlichen (der Tugend wie des Lasters) abzustecken versucht. Lessing zeigt den Menschen als eine komplexe Fügung aus guten und bösen Seiten, als »gemischtes« Wesen, das von der moralischen Verantwortung für seine »ungewollte« Schuld nicht entbunden wird. Die Vergebung dieser Schuld gewährt der Vater, bei allen Unzulänglichkeiten aufgefaßt als Bild des »*ewigen himmlischen Vaters*«: Der Strafe, wie sie der Vater anfangs noch selbst verhängen will – auch hier Bild Gottes als des Richtenden –, der Rache, die Mellefont an der Marwood nehmen will, den Formen der Selbstpeinigung und Selbstbestrafung, wie sie für Sara so gut wie für Mellefont charakteristisch sind, steht die Vergebung, die »Gnade« gegenüber. Diese verhindert das tragische Geschehen zwar nicht, weil sie, durch menschliche Widerstände bedingt, für den irdischen Bereich zu spät wirksam wird, aber sie überdauert den »tötenden Anblick« in der Person des Vaters, der – Symbol der Theodizee – in der Sorge für Arabella zugleich die Verpflichtung gegenüber dem Leben ausdrückt. V. Ho.

AUSGABEN: Bln. 1755 (in *Schrifften*, 6 Tle., 6). – o. O. [Bln.] 1757. – Stg. 1886 (in *SS*, Hg. K. Lachmann u. F. Muncker, 23 Bde., 1886–1924, 2). – Bln. 1925 (in *Werke*, Hg. J. Petersen u. W. v. Olshausen, 25 Bde., 1925–1935, 1). – Lpzg. 1934, Hg. F. Brüggemann [Erstfassg.]. – Stg. 1960 (RUB, 16). – Mchn. ²1964 (in *GW*, 2 Bde., Hg. W. Stammler, 1).

LITERATUR: E. Schmidt, *L. Geschichte seines Lebens u. seiner Werke*, Bd. 1, Bln ⁴1923, S. 261–301. – U. Seidel, *Die dramaturgische Technik in L.s Jugenddramen*, Diss. Jena 1949. – H. M. Wolff, *Mellefont: unsittlich oder unbürgerlich?* (in MLN, 61, 1946, S. 372–377). – H. Schneider, *L.s Interesse an Amerika u. die amerikanische Miß Sara Sampson* (in H.S., *L.*, Mchn. 1951, S. 198–221). – R. R. Heitner, *Diderot's Own »Miss Sara Sampson«* (in CL, 5, 1953, S. 40–49). – G. Fricke, *Bemerkungen zu L.s »Freigeist« u. »Miss Sara Sampson«* (in Studien zur dt. Sprache u. Lit., 3, 1956, S. 30–66; auch in *Fs. f. J. Quint*, Hg. H. Moser u. a., Bonn 1964). – H. Bornkamm, *Die innere Handlung in L.s »Miss Sara Sampson«* (in Euph, 51, 1957, S. 385–396). – D. Sommer, *Die gesellschaftliche Problematik in L.s bürgerlichem Trauerspiel »Miss Sara Sampson«* (in Wiss. Zs. der Univ. Halle, Gesellschaftswiss. u. sprachwiss. Reihe, 10, 1961, S. 959–964). – L. M. Price, *Die Aufnahme englischer Literatur in Deutschland. 1500–1960*, Bern/Mchn. 1961, S. 160–165. – R. Daunicht, *Die Entstehung des bürgerlichen Trauerspiels in Deutschland*, Bln. 1963, S. 276–299 (QFgV, 8). – B. v. Wiese, *Die deutsche Tragödie von L. bis Hebbel*, Hbg. ⁶1964, S. 31–35. – Th. Ziolkowski, *Language and Mimetic Action in L.'s »Miss Sara Sampson«* (in GR, 40, 1965, S. 261–276).

NATHAN DER WEISE. Versdrama in fünf Akten von Gotthold Ephraim LESSING (1729–1781), erschienen 1779; Uraufführung: Berlin, 14. 4. 1783, Theater in der Behrensstraße. – Die aufklärerische Intention des Dramas ist eng mit Lessings Tätigkeit als Bibliothekar verknüpft. Die von ihm herausgegebenen *Wolfenbütteler Fragmente* – umfangreiche Partien aus einem sehr undogmatischen, religionskritischen Werk von Samuel REIMARUS (1694–1768) – verwickelten ihn in eine scharfe Auseinandersetzung mit der zeitgenössischen Orthodoxie, besonders mit dem Hamburger Pastor Melchior GOEZE (vgl. *Anti-Goeze*, 1778/79). Ein Kabinettsbefehl untersagte Lessing schließlich die Publikation weiterer Teile des Reimarus-Nachlasses. Statt sich entmutigen zu lassen, wechselt Lessing daraufhin den Kampfplatz: »*Ich muß versuchen, ob man mich auf meiner alten Kanzel, auf dem Theater, wenigstens noch ungestört wird predigen lassen.*« Gewillt, »*den Theologen einen ärgern Possen zu spielen als noch mit zehn Fragmenten*«, machte er sich unverzüglich an die Niederschrift des *Nathan*. Gleichwohl ist das Stück nicht nur eine »*Frucht der Polemik*«, sondern zugleich der Lektüre: fasziniert von BOCCACCIOS *Decamerone*, genauer von der dritten Novelle des ersten Buchs, wo die Geschichte des Juden Melchisedech erzählt wird mitsamt der alten Wanderfabel von den drei Ringen, hatte Lessing bereits früher einmal in einem ersten Entwurf den *Nathan* konzipiert.

Seiner Struktur nach ist das Werk ein »analytisches Drama« im Stil der Tragödien z. B. des SOPHOKLES (vgl. *Ödipus*), d. h., anfangs unbekannte bzw. verschwiegene, dem Drama vorausliegende Tatbestände werden im Lauf der Handlung aufgedeckt. – Ort des Geschehens ist die Stadt der Weltreligionen, Jerusalem, zur Zeit der Kreuzzüge: Christentum, Judentum und Islam treffen hier unmittelbar aufeinander. Nathan, ein reicher Jude, ist gerade von einer weiten Geschäftsreise zurückgekehrt und erfährt, daß Recha, seine Tochter, eben erst durch einen jungen Tempelherrn vor dem Feuertod gerettet worden ist. Recha und ihre Gesellschafterin, die Christin Daja, sehen darin füglich ein Wunder. Denn der Tempelherr, der einem christlichen Ritterorden angehört, war nach einem Gefecht wohl in Gefangenschaft geraten und sollte auf Befehl des Sultans Saladin, eines Muselmanns, auch in der üblichen Weise umgebracht werden: Da fühlte sich der Sultan beim Anblick des jungen Mannes plötzlich an seinen toten Bruder Assam erinnert und hob in einem unerwarteten Gnadenakt das Todesurteil auf. Dem erfahrenen, klug argumentierenden Nathan gelingt, was Recha und Daja bisher mißlungen ist: den widerspenstigen Tempelherrn in ein vorurteilsfreies Gespräch zu ziehen und ihn, als Dank für die mutige Tat, zu einem Besuch bei Recha zu bewegen. Inzwischen nimmt Nathan die Gelegenheit wahr, die Kraft aufklärerischer Weisheit zu demonstrieren. Der Sultan, der sich gerade in einer finanziell mißlichen Lage befindet, will auf Rat seiner Schwester Sittah die vielgepriesene Freigebigkeit, vor allem aber die Vernunft des Juden testen und stellt die heikle Frage nach der wahren Religion. Die Szene, genau in der Mitte des Dramas gelegen, enthält gleichsam modellhaft die Idee aufgeklärter Humanität, um die sich das ganze Drama bewegt. Nathan verfällt auf den rettenden Einfall, den Sultan *»mit einem Märchen ... abzuspeisen«*, eben der berühmten Ringparabel: Ein Königshaus im Osten besaß einen Ring, der die Eigenschaft hatte, seinen Träger *»vor Gott und Menschen angenehm zu machen«*. Diesen Ring übertrug viele Generationen hindurch der jeweils regierende König bei seinem Tod dem Lieblingssohn, bis er auf einen Herrscher kam, der seinen drei Söhnen mit gleicher Liebe zugetan war. Unfähig, sich für einen von ihnen zu entscheiden, läßt er nach dem Muster des echten Rings zwei weitere, vollkommen ähnliche anfertigen und übergibt sie allesamt vor dem Tod seinen Söhnen. Deren Streit um den echten Ring schlichtet ein kluger Richter, indem er einzig praktisches Handeln zum Maßstab für die Echtheit des Rings erhebt: *»Es eifre jeder seiner unbestochnen / Von Vorurteilen freien Liebe nach! / Es strebe von euch jeder um die Wette, / Die Kraft des Steins in seinem Ring an Tag / Zu legen! komme dieser Kraft mit Sanftmut, / Mit herzlicher Verträglichkeit, mit Wohltun, / Mit innigster Ergebenheit in Gott / Zu Hilf'!«* Der Sultan, der mit wachsendem Erstaunen in dieser Geschichte ein Gleichnis für die drei Religionen und ihren Wahrheitsgehalt erkennt, ist auf eine existentielle Weise betroffen; sein Gebot, den Absolutheitsanspruch irgendeiner der Religionen in theoretischer Argumentation zu begründen, ist müßig: Religion, in welcher Gestalt sie auch immer auftritt, muß sich durch praktische Humanität ausweisen. Enthusiastisch trägt der Sultan dem weisen Juden seine Freundschaft an. Inzwischen ist der Tempelherr in leidenschaftlicher Liebe zu Recha entbrannt und begehrt sie zur Frau. Nathan, der in dem stürmischen Werber einen nahen Verwandten Rechas vermutet, provoziert durch seine reservierte Haltung dessen Zorn. Angestachelt durch Daja, die ihm verrät, daß Recha keineswegs die leibliche Tochter Nathans, vielmehr ein christlich getauftes Waisenkind ist, sucht der Tempelherr Rat beim Patriarchen in Jerusalem, einem korrumpierten Vertreter der Christenheit. Der will den Juden in eine Intrige verstricken, schickt aber als Spion zufällig einen frommen einfältigen Klosterbruder aus, just den, der vor achtzehn Jahren Nathan ein elternloses Kind, eben Recha, anvertraut hat. Dank einiger Hinweise des Klosterbruders erkennt Nathan jetzt im Tempelherrn Rechas Bruder; für Saladin und Sittah ist es nun ein leichtes, im Tempelherrn zugleich ihren Neffen, den Sohn ihres Bruders Assam, zu entdecken. Nathan aber, der an dieser leiblichen Verwandtschaft nicht teilhat, wird von Recha und dem Tempelherrn als Vater im Sinne höherer Geistes- und Seelenverwandtschaft anerkannt. In vielfältigen Umarmungen löst sich die lang aufgestaute Spannung.

Im Umarmungsfest des letzten Auftritts nimmt der utopische Charakter des Dramas sinnfällige Gestalt an. Indem Lessing Menschen verschiedenen Glaubens als Mitglieder einer einzigen Familie enthüllt, zeichnet er der Menschheit den Weg in eine paradiesische Vollendung vor, die aus der Erfahrung schrankenloser Solidarität hervorginge. Das Erreichen dieses Ziels macht er freilich von unpolitischer Individualethik abhängig: *»Wie aus einer guten Tat ... doch so viel andre gute Taten fließen!«* Auf diesem idealistischen Glauben ist der innere Vorgang des Dramas erbaut: Eine einzige gute Tat Nathans, die zeitlich noch vor Beginn des Dramas liegt, wird im Drama zur Bedingung des guten Endes. Nathan war einst Zeuge eines Verbrechens, das Christen an Juden verübt hatten. Dieses Verbrechen, dem auch seine Frau und sieben Söhne zum Opfer fielen, ist Ausdruck der auf einem Absolutheitsanspruch basierenden Machtpolitik aller bestehenden Weltreligionen; ihre Inhumanität darf im Drama als Metapher für die entfremdete Geschichte insgesamt gelten. Auf die Exzesse dieser Entfremdung antwortet Nathan nun nicht mit einem Vergeltungsschlag, wie es zunächst, im Affekt leidenschaftlicher Empörung, seine Absicht war; vielmehr erfolgt, mitten im Unheil, der dialektische Umschlag, der für Lessings progressives Geschichtsdenken typisch ist: Nathan meistert seine Leidenschaft durch die Vernunft und nimmt an seiner Kinder Statt die elternlose, christlich getaufte Recha auf, die er vorbildlich erzieht. Damit hat er zum einen die Vernunft in ihr Herrschaftsrecht eingesetzt, den Absolutheitsanspruch aller Religionen relativiert und zum andern ihren Wahrheitsgehalt als weltumfassende, tatkräftige Solidarität bestimmt.

Sowohl von der Vernunft wie von praktischer Ethik läßt sich denn auch Nathan, seiner ersten schweren Erfahrung gemäß, während des ganzen Dramas leiten. So setzt er Daja und Recha gleich im ersten Akt mit der Logik unbestechlicher Argumentation auseinander, *»wieviel andächtig schwärmen leichter als gut handeln ist«* – und befreit die beiden von der selbstgenügsamen Exaltation, in die sie sich nach der Rettungstat des Tempelherrn verirrt haben. So durchbricht er im zweiten Akt durch die Energie vorurteilsfreien Denkens die kühle Reserve des Tempelherrn, verwandelt im dritten Akt durch die erfinderische Verkleidung seiner vernünftigen Einsichten (Ringparabel) die nonchalante, distanziert unverbindliche Haltung des Sultan, erzieht im vierten und fünften Akt den Tempelherrn von der Blindheit des Affekts zur Selbstkritik und zur Helle der Vernunft. Nathans vielberufene Toleranz hat demnach einen aktiven, kämpferischen Einschlag. Sie bewährt sich darin, daß er die verschiedenen Religionen, ihre geschichtlich bedingten Individualitäten gelten läßt und sie zugleich an ein ethisches allgemeinverbindliches Engagement knüpft. Nicht nur in der erzieherischen Überzeugungskraft seiner vernünftigen Argumentation manifestiert sich dieses Engagement, sondern auch im praktischen Umgang mit Geld. Ein ganz unkapitalistischer, dem antisemitischen Vorurteil widersprechender Zug Nathans zeigt sich in seiner prinzipiellen Abneigung zu borgen, auf Zins zu leihen und dadurch Ärmere in Abhängigkeit von sich zu halten. Statt dessen schenkt er sein Geld her, um die Beschenkten in Freiheit zu setzen. Die utopische Idealität solchen Handelns akzentuiert Lessing dadurch, daß er als Gegenbild dazu die Praxis in der entfremdeten Geschichtswelt zeigt: die auf Festigung des Besitzes und auf Potenzierung der Macht zielende christliche Kirche z. B., die statt Freiheit Herrschaft zu errichten versucht und zu diesem Zweck eine autoritäre Scheinlogik bemüht (der Patriarch), die, entgegen dem Willen der Aufklärer, den Menschen gerade an die Unmündigkeit versklavt. Aber im Drama vereinigen sich schließlich die von Nathan entbundenen idealen Kräfte weniger Einzelner zu einem guten Ende jenseits der Faktizität der Historie: Zwischen fundierter Utopie und illusionärer Märchenwelt, zwischen dem vorbildlichen Gebrauch der Vernunft und des Reichtums einerseits und dem naiven Glauben an die weltbewegende Macht der guten unpolitischen Tat des einzelnen andererseits bewegt sich Lessings Drama.

Sowohl von der Entstehungszeit wie vom Gehalt her weist der Nathan auf Lessings Schrift über *Die Erziehung des Menschengeschlechts* (1777). Nathans Handeln auf ein gutes Ende hin ist eine poetische Umsetzung des Lessingschen Theodizee-Begriffs: Erziehung des Menschengeschlechts ereignet sich als »*Ausbildung geoffenbarter Wahrheiten in Vernunftwahrheiten*«: diese allein können jene »*Zeit der Vollendung*« herbeiführen, wo der Mensch »*das Gute tun wird, weil es das Gute ist*«. Indem das Drama seine Vernunftwahrheiten vorzugsweise in Gestalt subtiler Definitionen, logischer Argumentation, aufklärerischer Reflexion und scharfsinniger Folgerungen entfaltet, bildet es einen abstrakten, theoretischen Grundzug aus, der das kritische Bewußtsein des Lesers aktiviert, dafür aber sich der bühnenwirksamen Darstellung entzieht. Damit hat Lessing selbst gerechnet. Eine Aufführung zu seinen Lebzeiten kam nicht zustande, und erst 1801, in der Bearbeitung SCHILLERS, fand das Drama auf der Bühne gedämpften Beifall. Später wurde es vom liberalen Bildungsbürgertum, das Lessings kritische Intentionen zu verflachen liebte, zur obligaten Schullektüre erhoben. – Seinen zentralen Stellenwert in der Geschichte der deutschen Literatur verdankt der *Nathan* vor allem Lessings meisterlicher Handhabung des fünffüßigen Jambus: »*Die Kunst Lessings, die Möglichkeiten, die in der Beziehung des Versmaßes zur Rhythmik der gesprochenen Rede liegen, anzuwenden, um eine ständige Gespanntheit und Bewegtheit des Gesamtgeschehens zu erzeugen, ist unerreicht geblieben. Die rhythmischen Perioden der dramatischen Rede fallen nicht mit den Zäsuren des Verses zusammen, sondern übergreifen sie und ziehen so das Ende des vorangehenden Verses in den Anfang des folgenden hinein. Lessing schafft sich durch diese Gestaltung im Jambus einen äußerst empfindlichen und schmiegsamen Verskörper, der den Gesetzen der dramatischen Rede gehorcht. Mit Lessings ›Nathan‹ hat sich der Blankvers über den ›Don Carlos‹ und die ›Iphigenie‹ bis zum ›Wallenstein‹ als Vers des deutschen Dramas durchgesetzt*« (G. Rohrmoser). G. Sa.

AUSGABEN: Bln. 1779. – Stg. 1887 (in *SS*, Hg. K. Lachmann u. F. Muncker, 23 Bde., 1886–1924, 3). – Bln. 1925 (in *Werke*, Hg. J. Petersen u. W. v. Olshausen, 25 Bde., 1925–1935, 2; Einl. W. Oehlke). – Bln. 1954 (in *GW*, Hg. P. Rilla, 10 Bde., 1954 bis 1958, 2). – Mchn. 1959; [4]1967 (in *GW*, Hg. W. Stammler, 2 Bde., 1). – Reinbek 1962 (zus. m. *Emilia Galotti* u. *Minna von Barnhelm*; Essay u. Bibliogr. A. Elschenbroich; RKl, 118/119; [2]1967). – Stg. 1966 (RUB, 3). – Ffm./Bln. 1966, Hg. P. Demetz (Dichtung u. Wirklichkeit, 25; m. Materialien u. Bibliogr.).

BEARBEITUNG: F. Schiller (Urauff.: Weimar, 28. 11. 1801, Hoftheater).

LITERATUR: F. L. Fehling, *Epilogue to »Nathan«* (in GQ, 18, 1945, S. 149–153). – H. Meyer-Benfey, »*Nathan der Weise*« (in H. M.-B., *L. und Hamburg*, Hbg. 1946, S. 42–51). – S. Atkins, *The Parable of the Rings in L.'s »Nathan«* (in GR, 26, 1951, S. 259–267). – J. A. Bizet, *La sagesse de Nathan* (in EG, 10, 1955, S. 269–275). – H. Politzer, *L.s Parabel von den drei Ringen* (in GQ, 31, 1958, S. 161–177). – G. Rohrmoser, *L.*, »*Nathan der Weise*« (in *Das deutsche Drama*, Hg. B. v. Wiese, Bd. 1, Düsseldorf 1958, S. 113–126). – Ch. E. Schweitzer, *Die Erziehung Nathans* (in MDU, 53, 1961, S. 277–284). – W. R. Maurer, *The Integration of the Ring Parable in L.'s »Nathan der Weise«* (ebd., 54, 1962, S. 49–58). – W. Drews, *G. E. L. in Selbstzeugnissen und Bilddokumenten*, Hbg. 1962 (rm, 75). – H. Flügel, »*Nathan der Weise*«. *Tragik und Toleranz* (in Jb. d. Evang. Akad. Tutzing, 13, 1963/64, S. 50–60). – L. Heinzelmann, *L.s »Nathan der Weise« und seine bedeutendsten Darsteller*, Diss. Wien 1964. – G. Pons, *G. E. L. et le christianisme*, Paris 1964 (Germanica, 5). – G. Rohrmoser, *Aufklärung und Offenbarungsglaube* (in *Collegium Philosophicum. Studien J. Ritter z. 60. Geburtstag*, Basel/Stg. 1965, S. 303–325). – W. Ritzel, *G. E. L.*, Stg. 1966. – K. S. Guthke u. H. Schneider, *G. E. L.*, Stg. 1967 (Slg. Metzler, 65).

GEORG CHRISTOPH LICHTENBERG
(1742–1799)

BEMERKUNGEN VERMISCHTEN INHALTS. Aphorismen von Georg Christoph LICHTENBERG (1742–1799), erschienen in den *Vermischten Schriften* (1800–1806). – Unter dem heute gebräuchlichen Titel *Aphorismen* wurden die *Bemerkungen vermischten Inhalts* erst 1902 von A. LEITZMANN herausgegeben, nachdem er 1896 den größten Teil der lange gesuchten Originalmanuskripte gefunden hatte; dadurch wurde erstmals sorgfältige Textkritik möglich, und den bis dahin gängigen Ausgaben konnte manches noch Unbekannte hinzugefügt werden. Ein großer Teil der *Bemerkungen* ist – wie auch viele von Lichtenbergs sonstigen literarischen Produkten – zunächst im ›Göttinger Taschenkalender‹ erschienen, den er zwei Jahrzehnte lang redigierte und überwiegend mit eigenen Beiträgen füllte, sowie in dem ambitiöseren, aber kurzlebigen ›Göttingischen Magazin der Wissenschaften und Literatur‹.

Da man in Lichtenberg mit Recht den ersten und

den – neben NOVALIS und NIETZSCHE – größten deutschen Aphoristiker erblickt, liegt es nahe, ihn mit den französischen Meistern dieser Form, vor allem LA ROCHEFOUCAULD und VAUVENARGUES, zu vergleichen. Diese Gegenüberstellung macht fundamentale Unterschiede deutlich, sowohl hinsichtlich der Thematik wie der sprachlichen Form und des weltanschaulichen Hintergrunds. Die französischen »Moralisten« haben im Grund nur ein Thema: den Menschen in seinem Verhältnis zu den anderen, zur Gesellschaft; und selbst wo der Mensch mit sich allein ist, bleibt er bei ihnen ein gleichsam nur zufällig isoliertes Gesellschaftswesen, dessen »Psychologie« kaum je von der Seele im Umgang mit sich selbst handelt. Von hier aus wird die eigentümliche Tiefe und Weite der Gedanken Lichtenbergs sichtbar. Wenn er »philosophiert« (ein Wort, das – richtig verstanden – auch noch auf seine geringsten, fragmentarischsten Aphorismen zutrifft), so ist ein volles, sozusagen präsoziales Ich tätig, das sich versteht sowohl in ständiger bohrender Selbstanalyse wie in der Auseinandersetzung mit einer denkbar umfassend konzipierten Welt.

Man hat darauf hingewiesen, daß die Wurzel von Lichtenbergs zwanghafter Neigung zur Selbstbeobachtung und -prüfung mehr in der christlich-pietistischen Lebenshaltung, in der er aufwuchs und die seine Jugend beherrschte, zu suchen sei, als in einem rationalistisch-aufklärerischen Willen zu intellektueller Analyse; seine geistige Gestalt sprenge den üblichen Begriff von »Aufklärung«. Diese Auffassung sollte aber nicht dazu führen, die leidenschaftliche, nie abgeschwächte oder gar zurückgenommene Bejahung der Vernunft zu verschleiern, die für alle Zeiten hinreichend klar aus einigen seiner berühmten Sätze spricht: »*Gott schuf den Menschen nach seinem Bilde, das heißt vermutlich, der Mensch schuf Gott nach dem seinigen*«; »*Der oft unüberlegten Hochachtung gegen alte Gesetze, alte Gebräuche und alte Religionen hat man alles Übel in der Welt zu danken*«; »*Unsere Welt wird noch so fein werden, daß es so lächerlich sein wird, einen Gott zu glauben, als heutzutage Gespenster*« (hier mag eine subtile Ironie gegen den simplen Atheismus zu spüren sein, dem er – mißtrauisch gegen allzu leichte »Lösungen« – wohl nie rückhaltlos anhing). Die im engeren Sinn philosophischen Aphorismen sind voll erstaunlicher Vorwegnahmen von Haltungen und Einsichten, die teilweise erst heute eine Rolle in der Philosophie spielen. »*Philosophie ist immer Scheidekunst, man mag die Sache wenden, wie man will. Der Bauer gebraucht alle Sätze der abstrakten Philosophie, nur eingewickelt versteckt, gebunden, wie der Physiker und Chemiker sagt; der Philosoph gibt uns die reinen Sätze*« – dies ist in England, wo man von Lichtenberg sonst merkwürdig wenig Notiz nimmt, von mindestens einem sachverständigen Autor (Isaiah BERLIN in *The Age of Enlightenment*) als treffende Antizipation jener *analytical philosophy* gepriesen worden, die dort die zwanziger und dreißiger Jahre beherrschte. Und auf das besonders in Amerika vorhandene Interesse für die Sprachabhängigkeit alles Philosophierens weist die folgende Stelle hin: »*Ich und mich. Ich fühle mich – sind zwei Gegenstände. Unsere falsche Philosophie ist der ganzen Sprache einverleibt; wir können sozusagen nicht räsonieren, ohne falsch zu räsonieren. Man bedenkt nicht, daß Sprechen, ohne Rücksicht von was, eine Philosophie ist.*«

So interessant und wichtig diese unmittelbar philosophischen Einsichten in den *Bemerkungen* sind – sie stellen nur einen vergleichsweise winzigen Aspekt des Ganzen dar. Es gibt kaum irgendein Thema oder Problem des in der Welt seinen Weg suchenden Menschen, das nicht in Lichtenbergs Gesichtskreis getreten wäre. Es ist daher sinnlos, »Gebiete« wie Psychologie, Literatur, Pädagogik, Moral auszusondern. Lichtenberg selbst hat seine *Bemerkungen* auch nie so eingeteilt; erst seine Söhne, die 1844 die zweite Ausgabe redigierten, begannen damit. Es mag genügen, auf einen Zug hinzuweisen, der den Lichtenbergschen Aphorismen – gleichviel, was gerade ihr Thema ist – gemeinsam ist, ein Zug, der »Inhalt« und »Form« zugleich betrifft: seine Gabe, das Unerwartete zu sehen und zu sagen, Sphären, die einander fremd scheinen, in Berührung zu bringen und durch ihren Kontakt einen Blitz von Einsicht zu erzeugen – nie bezweifelte Annahmen zu suspendieren oder durch gegenteilige zu ersetzen. Dies alles ist nicht Kunstmittel, sondern Werkzeug im Dienst der Sache. Das schließt freilich nicht aus, ja bringt gerade mit sich, daß »Kunst« entsteht, zumal jene Gabe (man kann sie vereinfacht Phantasie nennen) sich bei Lichtenberg gleichermaßen aufs Begriffliche wie auf das Sinnlich-Anschauliche erstreckt und so der Möglichkeit, Philosophie oder Poesie zu werden, ständig gleich nahesteht. H. L.

AUSGABEN: Göttingen 1800–1806 (in *Vermischte Schriften*, Hg. L. C. Lichtenberg u. F. Kries). – Göttingen 1844 (in *Vermischte Schriften*. Neue, vermehrte Originalausg., 2 Bde.). – Bln. 1902–1908 (*Aphorismen*. Nach den Handschriften hg. v. A. Leitzmann: 1. Heft 1764–1771, Bln. 1902; 2. Heft 1772–1775, Bln. 1904; 3. Heft 1775–1779, Bln. 1906; 4. Heft 1789–1793, Bln. 1908; 5. Heft 1793–1799, Bln. 1908; DLD, 123, 131, 136, 140, 141). – Zürich 1947 u. ö. (*Aphorismen*, Hg. M. Rychner). – Ffm. 1949 (in *GW*, Hg., Einl. W. Grenzmann, 2 Bde.). – Ffm. 1963 (*Gedankenbücher*, Hg., Nachw. F. H. Mautner; EC, 82).

LITERATUR: E. Bertram, *G. C. L., A. Stifter. 2 Vorträge*, Bonn 1919. – F. H. Mautner, *Der Aphorismus als literarische Gattung* (in ZfÄsth, 27, 1933). – K. Besser, *Die Problematik der aphorist. Form bei L., F. Schlegel, Novalis u. Nietzsche. Ein Beitrag zur Psychologie d. geistigen Schaffens*, Bln. 1935 (NDF, 52). – G. Seidler, *Versuch über die »Bemerkungen« L.s*, Stg./Bln. 1937. – P. Requadt, *L. Zum Problem d. dt. Aphoristik*, Hameln 1948. – P. Rippmann, *Werk u. Fragment. C. G. L. als Schriftsteller*, Bern 1953 (Basler Studien z. dt. Sprache u. Literatur, 13). – A. Schneider, *G. C. L., précurseur du romantisme*, Bd. 2, Paris 1955. – R. Trachsler, *L.s Aphorismen. Ursprünge u. Größe wirklicher Freiheit*, Zürich 1956. – C. Brinitzer, *G. C. L.*, Tübingen 1956. – J. P. Stern, *L. A Doctrine of Scattered Occasions*, Bloomington 1959. – P. Requadt, *L.*, Stg. 1964 (Sprache u. Literatur, 13).

KARL PHILIPP MORITZ
(1756–1793)

ANTON REISER. Ein psychologischer Roman in vier Teilen von Karl Philipp MORITZ (1756–1793), erschienen 1785–1790. – Dieser weitgehend autobiographische Roman eines Zeitgenossen GOETHES stellt in seiner psychologischen Wirklichkeitserfassung »*die innere Geschichte des Menschen*« in den

Mittelpunkt. Der Handlungsverlauf dient dem Erzähler vor allem dazu, immer wieder die tragische Spannung im Verhältnis des einzelnen zu einer verständnislosen Umwelt aufzuweisen, und er ist sichtlich bemüht um die *»psychologische Erhellung der Sonderrechte des Genies«* (Newald).

Anton Reiser wächst in unglücklichen Verhältnissen auf, in einer Atmosphäre drückender Armut, ständigen elterlichen Zanks und dumpfer, sektiererisch-quietistischer Frömmigkeit. Häufige Krankheit macht den Knaben zum eifrigen Leser. Trotz seiner Begabung darf er die Lateinschule nur kurz besuchen, dann wird er einem Hutmacher in die Lehre gegeben. Inmitten einer Welt von Erniedrigung und Heuchelei werden ihm die Predigten des Pastors Marquardt zum tiefen geistigen Erlebnis. Auf der Armenschule in Hannover fällt der Junge durch seine Predigtnachschriften auf, gewinnt die Förderung der Lehrer und eine Unterstützung durch den Prinzen von Mecklenburg-Strelitz. Freitische und Almosen jedoch, von denen er lebt, lassen ihn seine quälende Situation nur um so mehr empfinden. Mit seinem Selbstbewußtsein sinken auch die Leistungen und sein Ansehen in der Klasse. Er flüchtet mit fanatischem Lesehunger in die Phantasiewelt der Romane. YOUNGS *Nachtgedanken* fördern seinen Hang zur Träumerei, an den Stücken SHAKESPEARES entzündet sich seine entscheidende Leidenschaft: der Drang zum Theater, und unter dem Einfluß von GOETHES *Werther* und BÜRGERS *Lenore* gelingt der Durchbruch zu eigener Poesie. Während einer seiner sich ständig verschärfenden, bis zu Selbstmordgedanken führenden Depressionen nimmt sich wiederum Pastor Marquardt des Vereinsamten an; eigene poetische Versuche und die hohe Auszeichnung, vor der Königin von England eine Rede in lateinischen Versen halten zu dürfen, steigern sein Lebensgefühl. Die Freundschaft zu seinem Mitschüler, dem später berühmt gewordenen Schauspieler Iffland, schürt die Theaterleidenschaft, die in dem sehnlichsten Wunsch gipfelt, einmal den Clavigo, den Lear oder den Hamlet zu spielen, um *»Szenen des Lebens in sich als außer sich darzustellen«*. Denn *»er fand sich hier gleichsam mit allen seinen Empfindungen und Gesinnungen wieder, welche in die wirkliche Welt nicht paßten«*. Mit *»einem einzigen Dukaten«* nur entflieht Reiser nach Erfurt, wo er auf die Theatertruppe von Ekhof stößt, der er dann nach Gotha folgt. Gespräche mit Ekhof bestärken den Glauben an das eigene Genie, doch die Hoffnung auf ein Engagement erfüllt sich nicht. Mittellos muß er nach Erfurt zurückkehren, wo ihm durch private Gunst Studium und Lebensunterhalt gewährt wird. Wie schon zuvor, empfindet er dies bald als ein *»Versinken in die niederträchtigste Abhängigkeit«*, und obwohl sein Theatertalent und seine Gedichte ihm unter den Studenten zu Ansehen verholfen haben, schließt er sich der Speichschen Schauspielergesellschaft an und geht mit ihr nach Leipzig, denn *»das Theater als die eigentliche Phantasienwelt sollte ihm also ein Zufluchtsort gegen alle diese Widerwärtigkeiten und Bedrückungen sein«*. In Leipzig jedoch steht die Truppe infolge der Veruntreuung des gesamten Fundus durch den Prinzipal vor dem Nichts. Hier bricht das Werk ab.

Der Roman stellte dem in Blüte stehenden harmonisierenden Bildungsroman der Zeit eine spiegelbildlich-negative Variante zur Seite. Der Zwiespalt zwischen Welt und Ich, zwischen Außen und Innen kündigt sich schon in der sozialen Herkunft Anton Reisers an; die Armseligkeit seiner ihm verhaßten Lebensumstände drängt ihn zur Selbstverwirklichung in *»künstlerischer Tatkraft«*. Das Mißverhältnis zwischen seiner finanziellen Lage und der Sehnsucht nach Anerkennung bei seiner Umwelt vertieft sich durch das Bewußtsein seiner körperlichen Häßlichkeit. Zug um Zug wird der verabscheuten Wirklichkeit eine Phantasiewelt voller Ruhm und Erfolg entgegengesetzt, in der das Theater als *»Ausgleich zwischen Ideal und Wirklichkeit«* die ersehnte Erlösung bedeutet. Die realen Stationen der Entwicklung Anton Reisers bilden für diese dauernde Diskrepanz nur den Hintergrund, ebenso die Bildungserlebnisse, die Lektüre SHAKESPEARES oder des *Werther*, der ihm – im Gegensatz zur empfindsamen Auffassung seiner Zeit – das Gefühl *»seines isolierten Daseins«* vermittelt. In der Vorrede zum 4. Band heißt es: *»Widerspruch von außen und innen war bis dahin sein ganzes Leben.«* Eine Lösung dieses Widerspruchs wird nicht gegeben, so daß der fragmentarische Charakter des Romans einer inneren Logik zu entsprechen scheint.

Durch die in den Handlungsverlauf eingebauten belehrenden Partien wurde das Autobiographische zum Exemplarischen umgeformt. Moritz wollte *»nicht unbedeutende Winke für Leser und Erzieher, als für junge Leute«* geben. Das Werk erschien zu einer Zeit, als der Verfasser sich mit der neuen Wissenschaft der »Erfahrungsseelenkunde« beschäftigte und in Berlin deren erste Zeitschrift herausgab. Die Exaktheit und Vollständigkeit anstrebenden psychologischen und soziologischen Analysen, die die Schule pietistischer Seelenerforschung nicht verleugnen, sind neu und wichtig für die Zeit, geben jedoch der Erzählung eine gewisse Schwerfälligkeit. Neu ist vor allem auch der pädagogische Gesichtspunkt des Verfassers. Bezüge zu ROUSSEAUS Autobiographie *(Confessions)* oder zu GOETHES *Wilhelm Meisters theatralische Sendung* sind offensichtlich. (Dieses Werk lag schon vor, als Goethe und Moritz sich in Rom trafen.) Der Roman, der Eindrücke und Schlüsselworte zu Chiffren ebensolcher Erlebnisgehalte und Erinnerungsmotive umbildet, weist in mancher Hinsicht bereits auf den psychologischen Realismus des 19. Jh.s, ja auf gewisse Entwicklungen des Romans im 20. Jh. hin – man denke etwa an die ähnlich nach Objektivität strebenden Selbstentblößungen oder Assoziationsvorgänge bei Marcel PROUST.

KLL

AUSGABEN: Bln. 1785–1790, 4 Bde. – Wiesbaden 1959.

LITERATUR: F. Stemme, *K. P. M. und die Entwicklung von der pietistischen Autobiographie zur Romanlit. der Erfahrungsseelenkunde*, Diss. Marburg 1950. – R. Ghisler, *Gesellschaft u. Gottesstaat. Studien z. »Anton Reiser«*, Diss. Zürich 1955. – H. Staub, *K. P. M.: »Anton Reiser«* (in H. S., *Laterna magica. Studien z. Problem d. Innerlichkeit in d. Lit.*, Zürich 1960, S. 19–26). – A. Langen, *K. P. M.' Weg z. symbol. Dichtung* (in ZfdPh, 81, 1962, S. 169–218; S. 402–440). – E. Catholy, *K. P. M. u. d. Ursprünge d. dt. Theaterleidenschaft*, Tübingen 1962.

FRIEDRICH NICOLAI
(1733–1811)

DAS LEBEN UND DIE MEINUNGEN DES HERRN MAGISTER SEBALDUS NOTHANKER. Roman von Friedrich NICOLAI (1733–1811), erschienen 1773–1776. – Der Verfasser gibt seinen Roman als die Fortsetzung des 1764 erschienenen komischen Heldengedichts in Prosa *Wilhelmine, oder der vermählte Pedant* von Moritz August von THÜMMEL aus, in dem die Geschichte der Werbung eines gelehrten Dorfpfarrers um die Hand einer fürstlichen Kammerjungfer bis zu ihrer Heirat geschildert wird.

Nicolais Roman setzt mit einem bewußt prosaischen Akzent nach der Heirat des Paares ein: Wilhelmine, die fürstliche Kammerjungfer, hat sich nach anfänglichen Schwierigkeiten an die Umgebung und Lebensweise des Dorfpastors Sebaldus Nothanker gewöhnt, der *»in seinem Herzen nichts weniger als orthodox ist«*, obwohl er bei seinem Amtsantritt auf die *»symbolischen Bücher«* geschworen hatte. Das zeigt sich neben einer etwas anachronistischen Vorliebe für die Philosophie von Crusius und für chiliastische Ideen, insbesondere in seiner Ablehnung der Ewigkeit der Höllenstrafen, wozu er durch ein eifriges Studium der prophetischen Bücher, besonders der Apokalypse, angeregt wurde. Seine Haltung, die sich »dogmatischen Wahrheiten« gegenüber uninteressiert gibt und sich allein der Ausübung der »moralischen Gesetze Gottes« widmet, bringt ihn bald in Konflikt mit dem orthodoxen Lehramt in Gestalt des Generalsuperintendenten D. Stauzius. Der Verlust seines Amtes ist der Anfang eines langen Leidensweges, der in seiner literarischen Ausformung durch die Mischung von einer Katastrophenkette und Reise- bzw. Abenteuermotiven an Erzähltraditionen erinnert, wie sie von dem *Hiob-Buch* und der *Odyssee* geprägt sind. Sebaldus verliert nicht nur sein Amt, sondern auch sein Haus, seine Frau und Charlottchen, eine seiner beiden Töchter. Mit Mariane, der ihm gebliebenen Tochter, wird er von Hieronymus, einem reichen Händler, aufgenommen, der Sebaldus' Tochter eine Stelle als Hofmeisterin verschafft. Den Expastor bringt er in Leipzig als Korrektor unter. Trotz besten Willens kann sich Sebaldus aber nicht lange dort halten, denn seine undogmatischen Ansichten und sein tätiges Wohltun bringen ihm nur Schaden; er wendet sich nach Berlin, wird auf der Reise überfallen, macht nach der Enttäuschung an der Orthodoxie ebenso schlechte Erfahrungen mit einem Pietisten, findet auf erneute Vermittlung von Hieronymus eine Stelle im Holsteinischen, von wo ihn schließlich wieder die Unduldsamkeit des Pastors Wulkenkragius vertreibt. In seiner Verzweiflung nimmt er ein Schiff nach Ostindien, das aber schon an der holländischen Küste strandet. Auf seiner Odyssee durch Holland macht Sebaldus erneut die Erfahrung, daß die etablierte Kirche, sei sie orthodoxer oder pietistischer Richtung, sich seiner konkreten Notlage verschließt, die sozial und religiös weniger festgelegten Menschen aber ihm helfen. Zuletzt nimmt seine Duldergeschichte durch einen Lotteriegewinn eine glückliche Wendung, so daß er sich ganz der Fertigstellung seines Apokalypsekommentars widmen kann.

Der Lotteriegewinn bringt auch den zweiten Handlungsstrang zu einem guten Ende, indem er die Heirat der Tochter Mariane mit dem empfindsamen Schöngeist Säugling ermöglicht. Diese in die Haupthandlung verflochtene, eher noch abenteuerlichere Geschichte Marianes zeigt, daß Nicolai für die poetische Schilderung »vor der Heirat« nicht auf Thümmel allein zurückgreifen wollte, obgleich die Tendenz auch hier auf eine realistische Bewältigung des Alltags abzielt: Mariane hat längst alle *»kleinen empfindsamen Schwärmeleien«* samt ihrem *»romantischen Wesen«* abgelegt, und aus dem empfindsamen Poeten Säugling wurde ein *»völliger Landwirt«*.

Man würde den Roman verkennen, wollte man ihn nur nach diesem, aus zahlreichen zeitgenössischen Topoi konstruierten Handlungsablauf beurteilen und nicht den großen Anteil der Reflexionen berücksichtigen. Diese von STERNE vorgebildete Verbindung von »Leben« und »Meinungen« wird Nicolai selbst zum Problem, wenn er das Überwiegen der »Meinungen« bei seinem vorwiegend passiv-duldenden Helden am Ende des zweiten Buches gegenüber dem sensationshungrigen Publikum in Schutz nimmt. Doch der Verfasser identifiziert sich keineswegs ständig mit den Meinungen von Sebaldus; seine gelegentlich ironische Distanz zu dieser originellen, ebenso integren wie lebensunklugen Gestalt erlaubt es nicht, den Roman als bloßes Pamphlet des Antiklerikalismus der Berliner Aufklärung abzustempeln. Zweifellos aber steht der Roman gerade mit seinem satirischen Grundton, den vielen Reflexionen – aber auch von der Entstehungsgeschichte her – in Verbindung mit Nicolais Haupttätigkeit, der Redaktion seiner aktuellen Rezensions-Zeitschriften. In vielen Romanfiguren wurden Zeitgenossen erkannt: so soll Stauzius dem Lessing-Kontrahenten GOEZE und Säugling dem empfindsamen Dichter J. G. JACOBI entsprechen. Die Satire beschränkt sich also nicht nur auf erstarrte, pervertierte religiöse Erscheinungsformen, sondern bezieht, was bei Nicolais gesellschaftlichen und geschäftlichen Verbindungen nicht wunder nimmt, alle Richtungen des damaligen geistigen Lebens, besonders die Empfindsamkeit und den Geniekult, mit ein. Manche Beurteiler sehen in dieser faktenreichen Schilderung der Zeitverhältnisse das einzig Erwähnenswerte an diesem Roman, sie übersehen dabei aber das aufrichtige Engagement Nicolais für die Sache der Gewissensfreiheit, ferner die bemerkenswerte, für die Literatursituation der siebziger Jahre des 18. Jh.s kennzeichnende Spannung von schwärmerischer Einbildungskraft und bürgerlicher Alltagswirklichkeit und schließlich die ironische Distanzierung des Verfassers von Sebaldus, welche gerade eine ästhetische Integration von dessen »Meinungen« in das Romangeschehen ermöglicht. Das Werk forderte einzelne heftige Kritiken, etwa die des Pietisten JUNG-STILLING heraus, wurde aber bald, vor allem dank seines aktuellen Gehalts, zu einem der beliebtesten Bücher der Zeit und von den bedeutendsten Geistern (LESSING, HERDER, GOETHE u. a.) mit lebhaftem Beifall bedacht. V. Ho.

AUSGABEN: Bln./Stettin 1773–1776, 3 Bde. [Ill. D. Chodowiecki]. – Weimar 1916, Hg. P. Menge. – Lpzg. 1938, Hg. F. Brüggemann (DL, R. Aufklärung, 15; ern. Darmstadt 1967). – Bln. 1960 [Nachw. H. Stolpe].

LITERATUR: R. Schwinger, *F. N.s »Sebaldus Nothanker«. Ein Beitrag zur Geschichte der Aufklärung*, Weimar 1897 (Literar-historische Forschungen, 2). – M. Sommerfeld, *F. N. u. der Sturm u. Drang. Ein Beitrag zur Geschichte der dt. Auf-*

klärung, Halle 1921. – F. C. A. Philips, *N.s literarische Bestrebungen*, Diss. Amsterdam 1925. – T. C. van Stockum, *Die kirchlich-religiöse Lage in den Niederlanden um 1700 im Spiegel eines dt. Aufklärers des 18. Jh.s* (in DVLG, 29, 1955, S. 214 bis 226; auch in T. C. van S., *Von F. N. zu Th. Mann*, Groningen 1962, S. 9–23). – P. K. Mollenhauer, *Die Satire bei F. N.*, Diss. Univ. of Texas 1965 (vgl. Diss. Abstracts, 26, 1965/66, S. 2220).

GOTTLIEB WILHELM RABENER (1714–1771)

SAMMLUNG SATYRISCHER SCHRIFTEN von Gottlieb Wilhelm RABENER (1714–1771), gesammelt in vier Bänden, erschienen 1751–1755. – Die Satire, neben der Komödie die gesellschaftskritische Gattungsform schlechthin, hat sich besonders in den Jahrzehnten vor der Französischen Revolution entfaltet. also im Jahrhundert der »*Krise des europäischen Geistes*« (Paul Hazard), der wachsenden ökonomischen und sozialen Spannungen. Jonathan SWIFT, einer der aggressivsten Vertreter dieser besonders in England aufblühenden Gattung, übte nachhaltigen Einfluß auf die bedeutendsten deutschen Satiriker um die Mitte des 18. Jh.s, nämlich auf Christian Ludwig LISCOW und Rabener, der sich später allerdings, aufgrund entmutigender Erfahrungen mit der sächsischen Zensurbehörde, zusehends am reservierteren und eher moralisierenden Stil der englischen Wochenschriften orientierte. Rabener hat zwischen 1740 und 1750 in rascher Folge seine in Prosa geschriebenen Satiren veröffentlicht – und zwar vornehmlich in zwei publizistischen Organen: in den ›Neuen Beyträgen zum Vergnügen des Verstandes und Witzes‹, herausgegeben von den sog. »Bremer Beiträgern«, und in den ›Belustigungen des Verstandes und Witzes‹ des Gottschedianers J. SCHWABE.

In Übereinstimmung mit den moralischen Wochenschriften, aber auch mit den programmatischen Äußerungen GOTTSCHEDS und des frühen BREITINGER vertritt Rabener die These, daß die Satire im Unterschied zu den »*Lästerschriften*«, den »*gottlosen Pasquillen*«, sich aller persönlichen Angriffe zu enthalten habe und als »*Schwester der Moral*« das Böse und das Laster als solches verurteilen solle. Neben der moralischen »Erbauung« soll sie aber auch der »Belustigung« dienen, indem sie als »*gefallende Satire*« dem Leser das »*unschuldige Vergnügen*« bereitet, über das Törichte zu lachen. Gemäß dieser »zahmen«, unter dem Druck der Zensur entstandenen Theorie der Satire verschont Rabener denn auch einige besonders exponierte Stände (Fürsten, Geistliche), was den Widerspruch des jungen LESSING erregt. Abgesehen davon geht er aber mit allen Ständen (vorzugsweise dem wenig mächtigen Landadel) und Berufszweigen (Gelehrte, Juristen etc.) ins Gericht und richtet seine Spottlust auf allgemeinste Verhaltensformen (Geldgier) und Lebensprinzipien (Kindererziehung). Situationskomik und bizarres Lokalkolorit sorgen für die Belustigung des Lesers und für eine reizvolle Verfremdung der sächsischen Realität. Das von der Gattungstradition vorgegebene Formenarsenal (satirischer Brief, Lobschrift, Trauerrede mit jeweiliger Verfasser- und Adressatenfiktion) reicht kaum zur Gliederung und Bändigung der überwältigenden Stoffülle aus und muß durch reihende Stilelemente (Liste, Register, Zyklus) ergänzt werden. Der »*angeblich friedfertige Autor*«, der in der Theorie die scherzhaft-erbauliche der strafenden Satire vorzieht, verliert sich dort, wo er ungestraft reden kann, in oft geschwätzige und bösartige Strafpredigten. Der laute Beifall, den Rabeners Satiren fanden, (11 Auflagen der *Sammlung* in 25 Jahren), kam aus einem Publikum, das seine politische und soziale Unterdrückung mit der Lektüre von moralisierenden Glossen, milden Pasquillen und wohlfeilen Karikaturen zu kompensieren liebte.
V. Ho.

AUSGABEN: Lpzg. 1751–1755 [4 Tle.]. – Lpzg. [10]1771. – Lpzg. [11]1777 (in *SS*, 6 Tle.). – Stg. 1839 (in *SW*, Hg. E. Ortlepp, 4 Bde.). – Hildburghausen/NY 1868 (Meyers Groschenbibl., 13/14; Ausw.).

LITERATUR: K. Aigener, *G. W. R.s Verhältnis zu Swift*, Progr. Pola 1905. – J. Mühlhaus, *G. W. R. Ein Beitrag zur Literatur- und Kulturgeschichte des 18. Jh.s*, Diss. Marburg 1908. – W. Hartung, *Die deutschen moralischen Wochenschriften als Vorbilder G. W. R.s*, Diss. Halle 1911. – K. Kühne, *Studien über den Moralsatiriker G. W. R. 1740–1755*, Diss. Bln. 1914. – M. Hoffmann, *Gesellschaftsideale und Gesellschaftskritik in den Satiren R.s und in den deutschen rationalistischen Romanen von Gellert bis Nicolai*, Diss. Halle 1924. – G. Gelderbloom, *Die Charaktertypen Theophrasts, Labruyères, Gellerts und R.s* (in GRM, 12, 1926, S. 269–284). – H. Wyder, *G. W. R. Poetische Welt und Realität*, Diss. Zürich 1953. – A. Biergann, *G. W. R.s Satiren*, Diss. Köln 1961. – K. Lazarowicz, *Verkehrte Welt. Vorstudien zu einer Geschichte der deutschen Satire*, Tübingen 1963. – H. Rogge, *Fingierte Briefe als Mittel politischer Satire*, Mchn. 1966, S. 106–108. – W. Mackensen, *Die Botschaft der Tugend. Die Aufklärung im Spiegel der deutschen moralischen Wochenschriften*, Stg. 1968.

JOHANN ELIAS SCHLEGEL (1719–1749)

CANUT. Ein Trauerspiel von Johann Elias SCHLEGEL (1719–1749), erschienen 1747. – *Canut* gilt als Schlegels bestes Theaterstück. Obwohl es äußerlich allen Forderungen der Aufklärungspoetik entspricht – Alexandriner, fünf Akte, Wahrung von Orts- und Zeiteinheit –, weist es doch in entscheidenden Punkten über den Typus der heroischen Tragödie der Gottsched-Zeit hinaus. Auch der Stoff entstammt nicht, wie üblich, der antiken, sondern der nordischen Geschichte. – Canut ist der dänische König Knud der Große (995–1035); eigentliche Hauptfigur des Stückes und der Gegenspieler des weisen, gütigen und tugendliebenden – das Ideal eines aufgeklärten Herrschers darstellenden – Königs jedoch ist sein Schwager und ehemaliger Gefolgsmann, der leidenschaftlich nach Ruhm strebende Ulfo. Da er diesen Ruhm unter dem großen Canut nicht erringen zu können glaubt, hat er sich von ihm losgesagt und hofft nun, im Kampf gegen den Herrscher zu Ansehen zu kommen. Zum Schein auf eine durch seine Gemahlin vermittelte Versöhnung eingehend, erhält Ulfo von Canut den Oberbefehl über ein für einen Slavenfeldzug aufgestelltes Heer, mit dessen Hilfe er jedoch Canut stürzen will. Der Anschlag wird entdeckt, Ulfo gefangengenommen und bei einem Befreiungsversuch getötet.

Mit Ulfo gelang Schlegel die künstlerische Gestaltung einer Figur, die in ihrer eigenwilligen Kraft bereits vorausweist auf die Charakterkonzeption in LESSINGS Dramen und auf den »Sturm und Drang«. Ulfo, der nur aus einem eigenen, individuellen Wesensgesetz lebende Held, ist schon durch seine Sprache deutlich von den übrigen Personen des Dramas abgehoben – ein fast einmaliges Phänomen in der deutschen Literatur zwischen 1700 und 1750. Zum erstenmal werden im deutschen Drama Einflüsse SHAKESPEARES wirksam, für den Schlegel – als einziger seiner deutschen Zeitgenossen – auch theoretisch eintrat, indem er gerade dessen Gestaltung der Charaktere hervorhob (in *Vergleichung Shakespeares und Andreas Gryphius*). Obwohl Ulfo gemäß der Weltanschauung der Aufklärung durchaus als negativer Held geschildert ist, kommt in der Darstellung seines Schicksals eine neue, tiefere Auffassung vom Tragischen zum Ausdruck: sein Untergang wird nicht durch äußere Umstände herbeigeführt, erscheint vielmehr als Folge seiner speziellen charakterlichen Dispositon. – Auf dem Theater war das Stück sehr erfolgreich, zumal Friedrich NICOLAI es positiv besprach. 1780 erschien eine auf drei Akte zusammengezogene anonyme Prosafassung, die, ohne wesentliche Veränderungen des Gehalts, die – ganz im Sinne des Sturms und Drangs – in Ulfos Charakter bereits angelegten Züge eines »genialen Kerls« nachdrücklich hervorhob. H. St.

AUSGABEN: Kopenhagen 1747 (in *Theatralische Werke*). – Lpzg. 1933 (DL, R. Aufklärung, 6).

LITERATUR: G. Paul, *Die Veranlassung u. d. Quellen v. J. E. S.s »Canut«*, Diss. Gießen 1915. – K. May, *J. E. S.s »Canut« im Wettstreit d. geisteswissenschaftl. u. formgeschichtl. Forschung* (in Trivium, 7, 1949; erneut in K. M., *Form und Bedeutung*, Stg. 1957).

JOHANN GOTTFRIED SCHNABEL
(1692–1752)

WUNDERLICHE FATA EINIGER SEE-FAHRER, absonderlich Alberti Julii, eines geborenen Sachsens, welcher in seinem 18den Jahre zu Schiffe gegangen, durch Schiff-Bruch selbte an eine grausame Klippe geworffen worden ... entworfen von dessen Bruders-Sohnes-Sohnes-Sohne, Mons. Eberhard Julio, Curieusen Lesern aber zum vermuthlichen Gemüths-Vergnügen ausgefertiget ... von Gisandern. Roman von Johann Gottfried SCHNABEL (1692 bis 1752), erschienen in vier Bänden 1731, 1732, 1736 und 1743; bearbeitet und neu herausgegeben von Ludwig TIECK unter dem Titel *Die Insel Felsenburg*, 1828. – In der originellsten der zahlreichen deutschen Nachahmungen von DEFOES *Robinson Crusoe* (1719) verbindet sich das Motiv des Schiffbruchs auf einsamer Insel mit dem Thema der Staatsutopie. Der Gegensatz zwischen der von Kabalen und Intrigen beherrschten spätfeudalistischen Gesellschaft des damaligen Europa, die in etwa zwanzig eingelegten Lebensläufen dargestellt wird, und der idyllisch-patriarchalischen Gesellschaftsordnung auf der Insel Felsenburg bestimmt die Struktur des Romans und läßt ihn als einen »*Vorboten der bürgerlichen Kultur*« (F. Brüggemann) erscheinen, die sich im frühen 18. Jh. unter dem Einfluß des Pietismus entwickelt. Die Insel ist für die Angehörigen des niederen und mittleren Bürgertums, die aus Europa dorthin verschlagen werden, kein Exil, wie noch für Robinson Crusoe, sondern ein »*Asyl der Redlichen*«, aus dem sie nie wieder in ihr Geburtsland zurückkehren wollen.

Die Vorrede macht den Leser mit der Herausgeberfiktion bekannt, die bis zum Ende des zweiten Bandes aufrechterhalten wird: Der Autor habe die mitgeteilten Berichte von einem auf der Reise verunglückten Fremden erhalten, geordnet und veröffentlicht. Dennoch besteht Schnabel, im Gegensatz zu den Wahrheitsbeteuerungen zeitgenössischer Romanautoren, auf dem Recht des Autors zur freien Erfindung. Der dritte Band beruht auf der Fiktion eines regelmäßigen Tauschhandels und Verkehrs der Felsenburger mit Europa, durch den der Herausgeber neues Material zur Veröffentlichung erhält. Der letzte Band ist schließlich, wie Schnabel selbst zugibt, nur wegen des »*Honorarium*« geschrieben und mit seitenlangen Predigten, Traktaten und Festprogrammen angefüllt; auch die erzählenden Teile haben mit der Sinnstruktur der ersten Bände nichts mehr gemeinsam.

Die Hauptfabel wird von Eberhard Julius, dem Urgroßneffen des eigentlichen Helden Albertus Julius, in der Ichform erzählt. Dieser erfährt 1725, nach dem Tod seiner Mutter und dem Bankrott seines Vaters, durch einen Kapitän Wolffgang von der Existenz der Gemeinschaft auf Felsenburg und vom Wunsch des 97jährigen »Altvaters« dieser Gemeinde, Albert Julius, vor seinem Tod noch einen Blutsverwandten aus Deutschland bei sich zu sehen. Zusammen mit seinem ehemaligen Informator, dem Magister Schmeltzer, dem Chirurgus Kramer (dessen Lebenslauf Ähnlichkeiten mit dem des Autors aufweist), dem Mathematikus Litzberg, dem Tischler Lademann u. a. entschließt sich Eberhard zur Fahrt nach Felsenburg. Dort erzählt ihnen Albert Julius seinen Lebenslauf und holt damit den Anfang der Hauptfabel nach: Als Halbwaise wird er von einem hilfsbereiten Priester erzogen und tritt schließlich in den Dienst des holländischen Adligen van Leuben, dem er bei der Entführung seiner Geliebten, Concordia Plürs, behilflich ist. Auf der Flucht nach Ostindien überleben nur diese drei und der französische Schiffskapitän Lemelie einen Schiffbruch und retten sich ans paradiesische Gestade der Insel Felsenburg. Dort stößt der tückische und begehrliche Franzose van Leuben von einer Klippe in den Abgrund, um Concordia in seine Gewalt zu bringen; doch Albert schützt sie vor seinen Nachstellungen, bis der wütende Lemelie bei einer dramatischen Auseinandersetzung in Alberts Stilett läuft und, nachdem er seine schrecklichen Sünden gebeichtet hat, stirbt. Albert, Repräsentant der bürgerlich-empfindsamen Tugend der Redlichkeit, schwört Concordia die selbstlose Achtung ihrer Tugend und steht ihr bei der Geburt ihrer Tochter bei. Sie belauscht ihn jedoch eines Tages bei der Klage über seine Einsamkeit und trägt sich ihm daraufhin brieflich als Gattin an. Für ihre gemeinsamen Kinder finden sich immer rechtzeitig Schiffbrüchige oder Ausgesetzte als passende Ehepartner ein, andere Ehegefährten werden von St. Helena oder später aus Europa geholt. So vergrößert sich das patriarchalische Gemeinwesen von Generation zu Generation, gründet eine eigene Kolonie Klein-Felsenburg und nutzt die vergrabenen Schätze eines früheren Inselbewohners zu klugem und maßvollem Handel mit Europa.

Die eingestreuten Lebensläufe und Beichten der

europamüden Inselbewohner sind oft novellistisch zugespitzt und zeichnen ein düsteres, realistisch gestaltetes Bild der europäischen Gesellschaftsverhältnisse im 18. Jh. Daß das Gegenbild eines pietistischen, von empfindsamem Altruismus getragenen Gemeinschaftslebens in die isolierte Idylle einer fernen Insel verlegt wird, ist Ausdruck der Resignation des gerade aufkeimenden bürgerlich-quietistischen Bewußtseins, das sich der übermächtigen Wirklichkeit gegenüber noch nicht durchzusetzen wagt und sich so in die Utopie und die eigene Innerlichkeit verwiesen sieht.

M. Pf. – K. Re.

Ausgaben: Nordhausen 1731–1743. 4 Bde. – Breslau 1828, Hg. L. Tieck, 6 Bde. (u. d. T. *Die Insel Felsenburg*). – Bln. 1902 (*Die Insel Felsenburg*, Hg. H. Ullrich). – Lpzg. 1931, Hg. F. Brüggemann (DL, R. Aufklärung, 4; Nachdr. Darmstadt 1964). – Stg. 1959 (*Die Insel Felsenburg*, Hg. M. Greiner).

Literatur: A. Kippenberg, *Robinson in Deutschland bis zur »Insel Felsenburg«*, Hannover 1892. – F. K. Becker, *Die Romane J. G. S.s*, Diss. Bonn 1911. – K. Schröder, *Die Romane J. G. S.s*, Diss. Marburg 1912. – F. Brüggemann, *Utopie u. Robinsonade. Untersuchungen zu S.s »Insel Felsenburg«* (in Forschungen zur neueren deutschen Literaturgeschichte, 46, 1914). – K. Werner, *Der Stil von J. G. S.s »Insel Felsenburg«*, Diss. Bln. 1950. – P. A. Graeber, *Religious Types in Some Representative German Novels of the Age of Enlightenment*, Diss. Univ. of Iowa 1953. – H. Mayer, *Die alte u. die neue epische Form. J. G. S.s Romane* (in H. M., *Von Lessing bis Th. Mann*, Pfullingen 1959, S. 35 bis 78). – H. Steffen, *J. G. S.s »Insel Felsenburg« u. ihre formengeschichtliche Einordnung* (in GRM, 42, 1961, S. 51–61). – R. Haas, *Die Landschaft auf der Insel Felsenburg* (in ZfdA, 91, 1961/62, S. 63–84). – Th. C. van Stockum, *»Robinson Crusoe«, Vorrobinsonaden u. Robinsonaden* (in Th. C. van S., *Von F. Nicolai bis Th. Mann*, Groningen 1962, S. 24–38). – M. Stern, *Die wunderliche Fata der »Insel Felsenburg«. Tiecks Anteil an der Neuausgabe von J. G. S.s Roman (1828)* (in DVLG, 40, 1966, S. 109–115). – D. Kimpel, *Der Roman der Aufklärung*, Stg. 1967 (Slg. Metzler, 68).

HEINRICH LEOPOLD WAGNER
(1747-1779)

DIE KINDERMÖRDERINN. Trauerspiel in sechs Akten von Heinrich Leopold Wagner (1747–1779), anonym erschienen 1776; aufgeführt im selben Jahr durch Schauspieler der Wahrischen Gesellschaft in Preßburg. Einer ohne Wissen des Autors von Karl Lessing (dem jüngeren Bruder G. E. Lessings) unternommenen Bearbeitung des Stücks, der nahezu alle Grobianismen und der ganze erste Akt zum Opfer fielen, ließ Wagner eine eigene, am 4. 9. 1778 in Frankfurt aufgeführte Umarbeitung (erschienen 1779) mit dem larmoyanten Titel *Evchen Humbrecht oder Ihr Mütter merkts Euch!* folgen, mit der er versuchte, »*den in der Kindermörderinn behandelten Stoff so zu modificiren, daß er auch in unseren delikaten tugendlallenden Zeiten auf unsrer sogenannten gereinigten Bühne mit Ehren erscheinen dörfte*«.

Frau Humbrecht, Gattin eines standesbewußten Straßburger Metzgers, folgt ohne Wissen ihres Gatten mit ihrer Tochter Evchen der Einladung des bei ihnen logierenden Leutnants von Gröningseck zu einer Redoute. Zu später Stunde führt Gröningseck die Nichtsahnenden in ein Bordell, betäubt die Mutter mit einem Schlaftrunk und verführt Evchen, deren Verzweiflung er nur durch ein Eheversprechen beschwichtigen kann. Dem dringenden Abraten seines Freundes und Regimentskameraden von Hasenpoth zum Trotz beschließt Gröningseck, sein einmal gegebenes Versprechen zu halten und seiner Offizierskarriere zu entsagen. Evchen, inzwischen in quälende Melancholie versunken, bewahrt das Geheimnis ihrer Schwangerschaft auch angesichts der Drohungen ihrer Eltern. Hasenpoth, der die Standesehre seines Freundes unter allen Umständen retten zu müssen glaubt, täuscht Evchen mit einer in Gröningsecks Namen abgefaßten brieflichen Lossagung, die das entsetzte Evchen zur heimlichen Flucht aus dem Elternhaus treibt. Sie bringt, von ihrem verzweifelten Vater vergeblich gesucht, bei einer mittellosen Lohnwäscherin, Frau Marthan, ihr Kind zur Welt, tötet es jedoch in einem Anfall von Wahnsinn, als sie erfährt, daß ihre Mutter aus Kummer gestorben sei und ihr Vater ein hohes Lösegeld für ihre Auffindung ausgesetzt habe, und verhilft Frau Marthan zu dem Finderlohn, in dem sie sich ihr zu erkennen gibt (ein in Schillers *Die Räuber* wiederkehrendes Motiv). Der zurückgekehrte ahnungslose Gröningseck kann Evchen, die nur noch den Tod sucht, nicht mehr vor der ihr drohenden Verurteilung als Kindesmörderin bewahren.

Wagners Umarbeitung ließ das Drama mit einer seichten Glückswendung enden. Der Kindesmord wird verhindert, Evchen findet bei den Eltern Verzeihung und wird von Gröningseck als Braut heimgeführt. Mit einer moralischen Floskel darüber, daß es nur selten so gut ausginge, und einem zusätzlichen »*Merke dirs!*« führt der Autor selbst sein zuvor wenigstens einigermaßen brisantes »*dramatisches Ragout*« (R. Newald) in die völlige Plattheit.

Das Thema des Kindesmords – als Resultat eines Konflikts, der sich am unüberbrückbaren Standesunterschied der Liebenden entzündet – taucht in der dramatischen Literatur des Sturm und Drang häufig auf und ist ein deutliches Indiz für dessen sozialkritische Tendenz. Der Autor hat denn auch bedenkenlos Anleihen bei J. M. R. Lenz' nahezu gleichzeitig entstandenem Schauspiel *Die Soldaten* (1776) und bei Goethes fragmentarischen *Faust*-Szenen (entworfen 1773–1775) – die er aus einer Lesung des Dichters kannte – gemacht, was Goethe zu einem – angesichts Wagners völlig andersgeartetem Drama kaum berechtigten – öffentlichen Plagiatsvorwurf veranlaßte. Das Stück als Ganzes leidet an einer eklatanten Schwäche der Motivierung: Einen Liebhaber einzuführen, der sein Opfer im Bordell verführt, um es dann mit um so edlerer Treue wieder aufzurichten, mag dem Autor selbst als entschiedener Widerspruch erschienen sein, weshalb er in seiner eigenen Bearbeitung (wie vor ihm bereits K. Lessing) den ersten Akt strich und die Vorgeschichte in zahlreichen Rückgriffen dem Stück einfügte. Seine Hauptstärke dagegen liegt in der ungeschminkten Wirklichkeitsschilderung, dem derben Realismus (Wagner nannte sich selbst einen »*konsequenten Naturalisten*«), der gerade in dem später gestrichenen ersten Akt eine beträchtliche wenn auch keineswegs differenzierende anklägerische Wucht in sozialen Fragen entfaltet, einigen Figuren die Solidität drastischer Volkstypen mitteilt und in Dialogführung und mundartlicher Färbung der Alltagssprache näherkommt als vielleicht irgendein anderes dramatisches Produkt der Geniezeit. Diese beständigen Eigenschaften des Stücks haben den Dramatiker Peter HACKS zu einer Bearbeitung veranlaßt (1963). Seiner marxistischen Überzeugung zufolge sieht Hacks die Ursache der motivischen Ungereimtheiten des Dramas in der fehlenden Bereitschaft des Autors und seiner Zeit, sich die »*Existenz von Klassenschranken*« als das »*entscheidende Hindernis*« für das Paar einzugestehen. Dadurch, daß er den Leutnant absichtlich zu spät kommen läßt, will Hacks das »*moralische*« in ein »*politisches Elend*« verwandeln und »*damit abschaffbar*« machen. In diesem Sinn ersetzt er auch »*Evchens dumpfe Passionsbereitschaft*« – eine »*peinliche*« persönliche Schwäche – »*durch eine befriedigende Haltung der Produktivität*« *(Brief an einen Dramaturgen)*. Hacks läßt sie, auf Wagners zweite Fassung zurückgreifend, samt ihrem Kind am Leben, wendet den Schluß mit klassenkämpferischer Spitze ins Burlesk-Komische und entläßt die plötzlich ungemein beredte Heldin mit einem programmatischen Bekenntnis zu einem neuen Leben. KLL

AUSGABEN: Lpzg. 1776. – Bln. 1777 [Bearb. K. Lessing]. – Ffm. 1779 *(Evchen Humbrecht oder Ihr Mütter merkts Euch!*, in *Theaterstücke)*. – Heilbronn 1883, Hg. E. Schmidt [Neudr. der Erstausg. mit den Hauptvarianten von K. Lessing u. H. L. W.]. – Heidelberg ²1963 (in *Sturm u. Drang. Dramatische Schriften*, Hg. E. Loewenthal u. L. Schneider, 2 Bde., 2). – Ffm. 1963, Bearb. P. Hacks [Anh.: ders., *Brief an einen Dramaturgen*].

VERFILMUNG: *Mädchen, hütet euch!*, Deutschland 1927 (Regie: V. Arnheim).

LITERATUR: E. Schmidt, *H. L. W., Goethes Jugendgenosse*, Jena ²1879. – J. M. Rameckers, *Der Kindesmord in der Literatur der Sturm-und-Drang-Periode*, Rotterdam 1927. – F. J. Schneider, *Die deutsche Dichtung der Geniezeit 1750–1800*, Stg. 1952, S. 215–217. – E. Genton, *Lenz–Klinger–W. Studien über die rationalistischen Elemente im Denken u. Dichten des Sturm u. Drang*, Diss. Bln. 1955. – De Boor, 6/1, S. 275f.

CHRISTOPH MARTIN WIELAND
(1733–1813)

DIE ABDERITEN. Eine sehr wahrscheinliche Geschichte vom Herrn Hofrath Wieland. Roman von Christoph Martin WIELAND (1733–1813), erschienen 1774. – Wieland charakterisiert sein Werk als »*eine idealisierte Komposition der Albernheiten und Narrheiten des ganzen Menschengeschlechts, besonders unserer Nation und Zeit*«. Er gibt eine humorvolle Darstellung der menschlichen Torheiten, will also mit der Geschichte der Schildbürger der Antike nicht primär Auswüchse seiner Zeit lächerlich machen. Er entlarvt die Gesellschaft als ein »Narrentheater« (Friedrich Sengle), in dem der Weise keine Wirkung zu erzielen vermag. Die resignierende Haltung nimmt der Satire ihre Schärfe und ermöglicht die heitere Freiheit besonders der letzten beiden Bücher des Werks.
Der Erzähler gibt vor, eine urkundlich belegte Geschichte der Abderiten zu schreiben. Diese Stellung als Geschichtsschreiber erlaubt es ihm, immer wieder die Erzählillusion zu durchbrechen und die abderitischen Torheiten subjektiv zu kommentieren, die das Werk thematisch zusammenhalten müssen, da es getreu seiner Fiktion einer historischen Darstellung auf eine durchgehende Fabel verzichtet. Die Gliederung der *Abderiten* in fünf Bücher deckt sich mit ebenso vielen Themenkreisen, deren innere Geschlossenheit von Buch zu Buch wächst. – In den ersten drei Büchern werden drei große Männer der Antike den Abderiten kontrastierend gegenübergestellt. Der weitgereiste Demokritus versucht vergeblich, seine Mitbürger zu veranlassen, über ihren Kirchturm hinauszublicken. Die engstirnigen Abderiten, besonders ihre Gelehrten, finden Genüge an ihrem engeren Horizont und an abenteuerlichen und darum amüsanteren Spekulationen. Man hält also Demokritus für geistesgestört und will sich das von dem Arzt Hippokrates (2. Buch) bestätigen lassen. Wird hier die Beschränktheit der Abderiten ironisiert, so entlarvt Euripides (im 3. Buch) ihren bei allem Eifer für die Kunst miserablen Geschmack. Doch als er ihnen dann eine Probe guter Kunst bietet, raubt ihnen die Begeisterung vollends den Verstand, von dem sie zwar eine ausreichende Portion besitzen, den sie aber aus Mangel an Selbstkritik immer falsch anwenden. Bei aller Selbstüberzeugtheit und Dummheit sind sie nicht boshaft, sie werden sogar liebenswert töricht, je länger Wieland ihre Geschichte verfolgt. So läßt er dem sie beschämenden Gegenbild der drei großen Männer mit ihrem gesunden Menschenverstand und Geschmack, mit ihrer Skepsis und Toleranz in den beiden letzten Büchern zwei herrlich komische abderitische Geschichten folgen: Das abderitische Staatswesen gerät über einem Prozeß um den Schatten eines Esels in Gefahr (4. Buch) und scheitert schließlich an einer selbstverschuldeten Plage durch die heiliggesprochenen Frösche der Latona. Diese haben sich so vermehrt, daß die Abderiten, um sie nicht töten zu müssen, beschließen auszuwandern.
Die treffsicheren Satiren auf juristische und religiöse Spitzfindigkeit werden überstrahlt von einem liebevollen Humor. Wieland gibt sich nach einem etwas verkrampften Beginn völlig gelöst dem geistreichen Spiel mit seinem Gegenstand hin und schreibt mit den *Abderiten* ein Werk von einer im deutschen Sprachgebiet bis dahin unbekannten Geschmeidigkeit und Eleganz. Bei aller Lebendigkeit zeugt es in der präzisen Klarheit der Konturen und dem völligen Verzicht auf »deutsche Tiefe« für seine geistesgeschichtliche Herkunft aus der Aufklärung, und die plastische Vielfalt und die Genauigkeit der Schilderung lassen erkennen, in welcher Weise der Erzähler aus seinem bemerkenswerten Interesse für die Gesellschaft Nutzen zog. W. F. S.

AUSGABEN: 1774 (in Der Teutsche Merkur, H. 1–3). – Weimar 1774. – 1778 (in Der Teutsche Merkur, H. 3–4; umgearb.). – Lpzg. 1781 (*Gesch. d. Abderiten;* umgearb. u. erw.). – Bln. 1913 (in *GS*, Abt. I, 10, Hg. L. Pfannmüller; Akademieausg.). – Stg. 1958 (*Geschichte der Abderiten;* Nachw. K. H. Büchner). – Ffm./Hbg. 1961 (EC, 37). – Mchn. 1964 (in *Romane*, Hg. F. Beißner).

LITERATUR: B. Seuffert, *W.s »Abderiten«*, Bln. 1878 [Vortrag]. – E. Hermann, *W.s »Abderiten« u. d. Mannheimer Theaterverhältnisse*, Mannheim 1885. – M. Gerhard, *Der dt. Entwicklungsroman bis zu*

Goethes »Wilhelm Meister«, Halle 1926 (DVLG, Buchreihe, 9). – V. Meyer, *C. M. W. u. d. geschichtl. Welt*, Winterthur 1944 [zugl. Diss. Zürich]. – F. Sengle, *W.*, Stg. 1949.

AGATHODÄMON. Aus einer alten Handschrift. Roman von Christoph Martin WIELAND (1733 bis 1813), geschrieben 1796–1798, erschienen 1799. – Der zu Ende des ersten nachchristlichen Jahrhunderts spielende Roman hat die Form eines aus sieben Büchern bestehenden großen Briefes des Hegesias von Cydonia an seinen Freund Timagenes. In diesem brieflichen Bericht erzählt Hegesias von einem Besuch bei Apollonius von Tyana, dem »Agathodämon« (d. h. guter Geist), der sich nach langem Wirken als neupythagoreischer Philosoph in eine elysische Landschaft im Gebirge Kretas zurückgezogen hat, wo er nun, von den abergläubischen Kretern als wohltätiger Dämon verehrt, seinen Lebensabend verbringt. Seinem Besucher Hegesias, zu dem er Vertrauen gefaßt hat, erzählt er sein Leben, und in langen Unterhaltungen legt er ihm seine philosophischen Anschauungen dar. Sein Bericht wird ergänzt durch Erzählungen seines Dieners Kymon und hin und wieder unterbrochen von den Schilderungen des Lebens, an dem Hegesias für drei Tage teilnehmen darf. – Der aus Kleinasien stammende, begabte und reiche Apollonius besuchte als Jüngling die Philosophenschule von Ägä; er übte sich in karger Lebensweise und Enthaltsamkeit, wählte sich Diogenes und Pythagoras zu Vorbildern und gründete schließlich einen neupythagoreischen Orden, der sich nach und nach über das ganze Römische Reich ausbreitete und dessen Zweck es war, den Glauben an die alten Götter wiederherzustellen und so den sittlichen Verfall des Römischen Reiches aufzuhalten. Im Lauf der Zeit tendierte dieser Orden mehr und mehr zu politischer Aktivität; diese Aktivität gipfelte in der Ermordung des Tyrannen Domitian und der Thronerhebung Nervas und Trajans, Ereignissen, die sich als günstig auf Moral und Stärke des Reiches auswirkten. Nach dem Thronwechsel zog Agathodämon sich aus seinem Orden zurück und lebt seitdem unerkannt auf Kreta.

Hier endet die die Bücher 2–5 umfassende Autobiographie des Apollonius. Kritisch auf sein Leben zurückblickend, berichtet er im 6. und 7. Buch von der Sekte der Christianer, in deren Stifter Christus er den Größeren verehrt: »*Er war, was ich schien.*« Er prophezeit dem Christentum den Aufstieg zur beherrschenden Religion, distanziert sich aber schließlich von deren Absolutheitsanspruch, den er als Angriff auf seine persönliche Freiheit empfindet.

Im Schluß des mit viel historischer Gelehrsamkeit angefüllten Romans äußert sich eine skeptische Unentschiedenheit, die – wie aus Briefen zu entnehmen ist – Wielands eigene war. Christus war für ihn wie für Agathodämon die Verkörperung der reinen Humanität. Die Geschichte des Christentums aber erschien ihm als Weg von einer reinen Idee zu immer neuem Aberglauben. Insbesondere wandte er sich mit diesem Roman gegen die geheimnisumwitterten Orden seiner eigenen Zeit, gegen Illuminaten und Rosenkreuzer und gegen Erscheinungen wie Cagliostro, Mesmer, Saint-Germain und Wöllner. – Die geschmeidige Sprache der das Gedankengut der Aufklärung ausbreitenden Dialoge wie auch der erzählenden Partien des Romans und die formale Geschlossenheit zeichnen diese neben dem *Aristipp* letzte große Dichtung Wielands aus. J. Dr.

AUSGABEN: Lpzg. 1799. – Bln. 1935 (in *GS*, Hg. W. Kurrelmeyer, 1. Abt., Bd. 13). – Mchn. 1965 (in *Erzählende Prosa und andre Schriften*, Hg. F. Beißner).

LITERATUR: J. Mellinger, *W.s Auffassung vom Urchristentum mit hauptsächl. Berücksichtigung seines Romans »Agathodämon«*, Marbach 1911. – H. P. Teesing, *W.s Verhältnis z. Aufklärung in »Agathodämon«* (in Neoph, 21, 1935/36, S. 105–116). – F. Sengle, *W.*, Stg. 1949, S. 485–493. – K. H. Ihlenburg, *W.s »Agathodämon«*, Diss. Greifswald 1957.

GESCHICHTE DES AGATHON. Roman von Christoph Martin WIELAND (1733–1813). Die erste Fassung erschien 1766/67 in zwei Teilen; die zweite, um die *Geheime Geschichte der Danae* erweiterte Fassung unter dem Titel *Agathon* 1773; die endgültige, durch die *Lehren des Archytas* abgerundete Fassung 1794 in der Ausgabe letzter Hand. – Im *Vorbericht zu der Ausgabe der sämtlichen Werke vom Jahre 1794* bekennt Wieland, daß es ihm nicht gelungen sei, »*Ungleichheiten des Tones, ästhetische Lücken ... und die Lücken im psychologischen Gange der Geschichte*« zu vermeiden, und daß das Werk auch nach der Umarbeitung von 1773 »*über zwanzig Jahre lang noch immer unvollendet*« geblieben sei. Wie der *Vorbericht* weiter ausführt, war bei der endgültigen Fassung Wielands »*hauptsächlichste Bemühung darauf gerichtet ... dem moralischen Plane des Werkes durch den neu hinzugekommenen Dialog zwischen Agathon und Archytas ... die Krone aufzusetzen*«. Da also der Dichter selber die letzte Gestalt des Romans auch als die vollendete ansah, soll sie hier dargestellt werden.

Die griechische Antike, die Wieland nicht, wie sonst üblich, als rokokohafte Szenerie, sondern als der eigenen Epoche entsprechende Blütezeit einer Kultur auffaßt, bildet die Welt des Romans. Der aus seiner Vaterstadt Athen verbannte Agathon gerät auf der Suche nach einem Ort, »*wo die Tugend ... ihrer eigentümlichen Glückseligkeit genießen könnte*«, in eine Schar zügellos tanzender Bacchantinnen, vor deren liebeswütigem Zugriff ihn ein Überfall cilicischer Piraten rettet. Auf dem Schiff begegnet er seiner Jugendliebe Psyche, die vor ihm in die Hände der Seeräuber gefallen war. Die Liebenden werden bald darauf erneut getrennt: In Smyrna verkaufen die Cilicier Agathon als Sklaven an den berühmten und reichen Sophisten Hippias. Der Philosoph möchte den begabten Jüngling zu seinem Nachfolger heranbilden, weshalb er ihn von seiner idealistischen »Schwärmerei« zu heilen versucht. Doch Agathon, angewidert von dessen hedonistischer Erfolgsethik, verteidigt in zahlreichen Gesprächen seinen platonischen Glauben an höhere und idealere Wahrheiten göttlichen Ursprungs. Nun schlägt Hippias einen anderen Weg ein. Mit der Behauptung, sein neuer Sklave könne nur seelisch lieben, erregt er die skeptische Neugier Danaes, der schönsten und gebildetsten Hetäre Griechenlands, die nicht an Agathons Einseitigkeit glauben will. Auf einem Fest bei ihr erliegt Agathon denn auch auf der Stelle der »schönen Seele« der Gastgeberin. Danae setzt ihn als Verwalter ihres Gutes ein, und Agathon lebt nun ständig in ihrer Nähe, ein Umstand, der ihm Gelegenheit gibt, sich auch der körperlichen Vollkommenheit seiner

Herrin zu versichern, so daß er nicht umhin kann, eines Nachts mit ihrer Hilfe seine platonische Haltung aufzugeben. Eine Zeitlang leben beide in überschwenglicher Seligkeit miteinander, doch schließlich wird Agathon von schwermütigen Gedanken und Erinnerungen an die ihm verlorene Psyche heimgesucht. Sein Zustand bleibt Danae nicht verborgen; auf ihr Drängen hin erzählt er von seinem bisherigen Leben, von seiner Jugend in Delphi, wo er in der orphischen Religion erzogen wurde, einem »*System, worin die Schöpfung so unermeßlich ist als ihr Urheber*«. Dem Achtzehnjährigen stellte die reife Oberpriesterin Pythia nach, was zur Verbannung der arglosen Nebenbuhlerin Psyche führte und Agathon zur Flucht aus Delphi bewog. Er machte darauf die Bekanntschaft eines reichen Aristokraten aus Athen, der sich als sein Vater zu erkennen gab und mit dessen Hilfe der Jüngling zu höchsten Ehren in seiner Heimat aufstieg. Nach anfänglicher allgemeiner Zuneigung verfolgte ihn jedoch bald der Neid der Athener, die ihn schließlich sogar verbannten: »*Ich wußte noch nicht, daß Tugend, Verdienst und Wohltaten gerade dasjenige sind, wodurch man gewisse Leute zu dem tödlichsten Haß erbittern kann.*«
Hippias muß seinen Bekehrungsversuch insofern als mißglückt betrachten, als Agathon aus der Hetäre eine innig liebende Frau gemacht hat. Er rächt sich für seine Niederlage, indem er ihm Danaes Vergangenheit entdeckt, worauf der maßlos enttäuschte Agathon unverzüglich Smyrna verläßt und sich an den Hof des jüngeren Dionysius von Syrakus begibt. Zwar gewinnt er schnell die Sympathie des allein seinen Vergnügungen lebenden Tyrannen, doch seine Pläne, aus dem verrotteten Staatswesen einen Idealstaat zu formen, scheitern hier ebenso wie zuvor in Athen. In einen Aufstand verwickelt, entgeht er mit knapper Not dem Tode. Hippias, der ihm erneut seine Gastfreundschaft anbietet, erhält eine Absage: »*Nie hab ich inniger empfunden als in diesem Augenblick, daß unverwandte und unabsichtliche Anhänglichkeit an das, was ewig wahr und recht und gut ist, das einzige Bedürfnis und Interesse meines edleren unsichtbaren Ichs ist.*« Agathon wendet sich vielmehr an einen Freund seines Vaters, Archytas, den weisen Herrscher von Tarent, dessen reiner Charakter »*sich in seinen Augen und in seiner ganzen Gesichtsbildung mit einer Wahrheit, mit einem Ausdruck von stiller Größe und Würde abmalte*«. Im Hause des Archytas trifft Agathon Psyche wieder, doch als Gemahlin seines Freundes Kritolaus, des Herrschers Sohn. Aber bald schon wird Agathon getröstet: er erfährt, daß sie seine eigene totgeglaubte Schwester ist. Aus der Muße vielseitiger Studien, bei denen Gespräche mit Archytas seinen »*Geist in dem tiefsinnigen Erforschen der übersinnlichen Gegenstände vor Abwegen ... bewahren*«, wird Agathon aufgestört, als er unvermutet Danae wieder begegnet, die aus Kummer über den Verlust des Geliebten ein zurückgezogenes und der Tugend geweihtes Leben führt. Er, der längst seinen heftigen Bruch mit Danae bereut, möchte sie nun als Gemahlin heimführen, aber sie weist ihn schweren Herzens ab. In einem rückhaltlosen Bekenntnis erzählt sie ihm ihre Lebensgeschichte und gewinnt dadurch seine Freundschaft und sein Verständnis für ihre Absicht, künftig unter dem Namen Chariklea allein der Tugend zu leben. Angespornt durch ihr Beispiel will auch Agathon sein Leben ordnen, wozu ihm eine schriftliche Beichte dem väterlichen Freund Archytas gegenüber der geeignete Weg zu sein scheint. »*Auf diese Weise entstand nun die von Agathon selbst aufgesetzte geheime Geschichte seines Geistes und Herzens, welche aller Wahrscheinlichkeit nach die erste und reinste Quelle ist, woraus die in diesem Werk enthaltenen Nachrichten geschöpft sind.*« Nach der Lektüre erkennt Archytas, daß es nur zweier Maßnahmen bedürfe, um den Freund auf »*das höchste Ziel menschlicher Vollkommenheit*« zu führen: ein Wiederaufflammen der Leidenschaft zu Chariklea-Danae zu verhindern und Kopf und Herz in Einklang mit der »*wesentlichsten Angelegenheit des moralischen Menschen*« zu bringen. Zu diesem Ziel beschreibt der Weise ihm das eigene Leben, das stets vom Glauben an das Wahre und Göttliche erfüllt war und in dem er zu vermeiden suchte, egoistisch und maßlos zu handeln. Agathon sieht sich durch die Lehren des Archytas in seiner Grundhaltung bestärkt und tritt eine Weltreise an, um seiner Leidenschaft zu Danae Herr zu werden. Bei der Beobachtung anderer Völker erkennt er, »*daß wahre Aufklärung zu moralischer Besserung das einzige ist, worauf sich die Hoffnung besserer Zeiten, das ist, besserer Menschen, gründet*«. Er kehrt, endlich in Harmonie mit sich selbst, zu seinen Freunden nach Tarent zurück und widmet sich »*mit Vergnügen und Eifer den öffentlichen Angelegenheiten dieser Republik*«.
Wieland wählte, in Anlehnung an Henry FIELDINGS Roman *The History of Tom Jones a Foundling* (1749), den Titel *Geschichte des Agathon*, um dadurch seinen »philosophischen« Roman gegen die Machwerke der niederen Unterhaltungsliteratur abzusetzen und die Wahrhaftigkeit der dargestellten seelischen Entwicklung zu betonen. Die deutliche Wendung ins Autobiographische, eine folgenreiche Neuerung in der deutschen Literatur, machte den *Agathon* zu einem bedeutsamen Vorläufer von GOETHES *Leiden des jungen Werthers* (1774). Einem subjektiv reagierenden und reflektierenden Ich steht – anders als im Barockroman – eine einheitliche, Liebe, Philosophie und Politik verbindende Welt gegenüber. In ihr hat sich der Held moralisch zu bewähren, eine Aufgabe, an der Agathon in der ersten Fassung des Romans, die »*die Wahrheit des Fragments*« (F. Sengle) hat, scheitert: Wieland wußte keine Lösung in dem Widerstreit von platonischem Idealismus und sinnlich-materialistischer Diesseitigkeit; diese Verzweiflung Agathons über den Mangel einer auf das Göttliche bezogenen Moral wird noch in der letzten Fassung, im Archytas-Buch, trotz der rigorosen, fast kantischen Pflichtethik spürbar, so daß auch die Entsagung des Helden und der schönen Danae an Überzeugungskraft einbüßt: »*Für den künstlerischen Betrachter ist der erste Agathon reizvoller, denn er ist im Stil einheitlicher und überhaupt als Dichtung wahrer.*« (F. Sengle)
Wieland schreibt einen reinen, dichterisch beseelten und sinnlich wie geistig bildhaften Stil, dessen schlanke, anmutige Führung und rhythmisch bewegte Gliederung der klassischen Prosa den Weg bahnen. Den Eindruck des Bekenntnishaften verstärkt der Wechsel von der berichtenden dritten Person der erzählenden Abschnitte zur Ichform in den langen, klar gegliederten Gesprächen zwischen den Hauptpersonen. Raffinesse und Feinheit der erotischen Szenen hat Wieland von französischen Autoren gelernt, vor allem aus CRÉBILLONS Roman *Les égarements du cœur et de l'esprit ou Mémoires de M. de Meilcour* (1736–1738); doch Wieland erhebt die Hetäre zur Symbolgestalt des schönen und gebildeten antiken Menschen. (Der bei ihm

zentrale Begriff der »Kalokagathia«, der Harmonie des Schönen und Guten im Menschen, den auch WINCKELMANNS kunsttheoretische Schriften in den Mittelpunkt rücken, nimmt eine grundlegende Anschauung der deutschen Klassik vorweg.) Geistreiche Ironie offenbart sich in der Haltung des allwissenden Erzählers, der besonders in den räsonierenden Abschnitten, sich an den Leser wendend, nicht mit Seitenhieben auf eine allzu prüde Moral spart und für seine Gestalten Partei ergreift.
Die *Geschichte des Agathon* fand, vor allem wegen des zunächst illusionslosen Endes, keine günstige Aufnahme und wurde sogar in Wien und Zürich verboten. LESSING jedoch erkannte sofort die überragende Bedeutung des Werks: »*Es ist der erste und einzige Roman für den denkenden Kopf von klassischem Geschmack. Roman? Wir wollen ihm diesen Titel nur geben, vielleicht daß er einige Leser mehr dadurch bekommt.*« (*Hamburgische Dramaturgie*, 69. Stück) Lessings Lob verrät auch die charakteristische Unsicherheit der Theoretiker im 18. Jh. gegenüber der noch verachteten Gattung des Romans. Tief beeindruckt vom *Agathon* wagte es nun Christian Friedrich von BLANKENBURG in seinem *Versuch über den Roman* (1774), die neue Gattung an Stelle des antiken Epos zu setzen, womit er als Theoretiker – wie Wieland als Dichter – eine folgenreiche Höherentwicklung der deutschen Romankunst, vor allem des Bildungsromans, einleitete, die in Goethes *Wilhelm Meister* einen zweiten Gipfel erreicht hat. E. N.

AUSGABEN: Ffm./Lpzg. [d. i. Zürich] 1766/67, 2 Bde. [1. Fassg.; anon.] – Lpzg. 1773 (*Agathon. Quid virtus et quid sapientia possit*, 4 Tle.; 2. Fassg.; anon.). – Lpzg. 1794 (in *SW*, 36 Bde., 1794–1802, 1–3; endgültige Fassg.; AlH). – Bln. 1937 (in *GS*, Abt. I, Bd. 6, Hg. W. Kurrelmeyer; *Akad.-Ausg.*). – Bln. 1961, Hg. K. Schaefer [Text der Ausg. 1766/67]. – Mchn. 1964 (in *Romane*, Hg. F. Beißner). – Mchn. 1964 (in *Werke*, Hg. F. Martini u. H. W. Seiffert, 1964 ff., Bd. 1; 1. Fassg.).

LITERATUR: O. Freise, *Die drei Fassungen von W.s »Agathon«*, Diss. Greifswald 1910. – L. Stettner, *Das philosophische System Shaftesburys und W.s »Agathon«*, Halle 1929. – E. Gross, *W.s »Geschichte des Agathon«. Entstehungsgeschichte*, Bln. 1930 (German. Studien, 86). – G. Raederscheidt, *Entstehungsgeschichte, Analyse u. Nachwirkungen von W.s »Agathon«*, Diss. Ffm. 1931. – K. Wildstake, *W.s »Agathon« und der französische Reise- und Bildungsroman von Fénelons »Telemach« bis Barthélemys »Anacharsis«*, Diss. Mchn. 1933. – B. Schlagenhaft, *W. s »Agathon« als Spiegelung aufklärerischer Vernunft- und Gefühlsproblematik*, Erlangen 1935. (Erlanger Arbeiten zur dt. Literatur, 4). – H. Rüdiger, *W.s »Agathon« und die geistigen Kräfte des deutschen Rokoko* (in ZfdGw, 3, 1940/41, S. 24–35). – H. W. Reichert, *The Philosophy of Archytas in W.'s »Agathon«* (in GR, 24, 1949, S. 8–17). – F. Sengle, *W.*, Stg. 1949, S. 186–202. – G. Bantel, *Ch. M. W. und die griechische Antike*, Diss. Tübingen 1953. – H. Vormweg, *Die Romane Ch. M. W.s. Zeitmorphologische Reihenuntersuchung*, Diss. Bonn 1956. – W. Buddecke, *Mensch und Entwicklung im Denken und Dichten W.s Mit besonderer Berücksichtigung des »Agathon«*, Diss. Göttingen 1958. – P. Michelsen, *Ch. M. W.* (in P. M., *Laurence Sterne und der deutsche Roman*, Göttingen 1962, S. 177–224). – W. Preisendanz, *Die Auseinandersetzung mit dem Nachahmungsprinzip in Deutschland und die besondere Rolle der Romane W.s* (in *Nachahmung und Illusion*, Hg. H. R. Jauß, Mchn. 1964, S. 72–93). – R. Schindler-Hürlimann, *W.s Menschenbild. Eine Interpretation des »Agathon«*, Zürich 1964. – K. Wölfel, *Daphnes Verwandlungen. Zu einem Kapitel in W.s »Agathon«* (in Jb. d. dt. Schillerges., 8, 1964, S. 41–56).

MUSARION, oder die Philosophie der Grazien. Versdichtung in drei Büchern von Christoph Martin WIELAND (1733–1813), erschienen 1768. – Man hat dieses kleine Epos eine »*kühle Perle innerhalb des dürftigen Schrifttums jener Jahre*« (E. Staiger) genannt; zweifellos ist es – auch innerhalb von Wielands Werk – eines der anmutigsten und reizvollsten Beispiele für Rokokopoesie: eine glückliche Synthese aus der mehr frivolen Leichtigkeit der *Komischen Erzählungen* (1765) und der philosophischen Schwere des Lehrgedichts *Die Natur der Dinge* (1751).
Schauplatz der heiter-verspielten Geschichte ist ein utopisch-arkadisches Griechenland, eine antikische Kunstlandschaft. Nach einem Zerwürfnis mit seiner Freundin Musarion hat sich Phanias, ein zur Schwärmerei neigender Jüngling, auf sein Landgut in der Nähe Athens zurückgezogen, um dort ein sinnenfeindliches, ernstem Studium und strenger Meditation gewidmetes Leben zu führen. Als Musarion, nach vorübergehenden Tändeleien mit dem »Gecken« Bathyll, versucht, eine Versöhnung mit dem alten Freund herbeizuführen, findet sie einen kalten, der »*freundescheuen Zunft geschwollner Stoiker*« beigetretenen Rationalisten. Um der Versuchung zu widerstehen, verschanzt sich Phanias – und desto störrischer, je unsicherer er sich dabei fühlt – hinter philosophischen Phrasen. Musarion aber, die auf dem Landgut übernachtet und ein großes Festgelage arrangiert, gelingt es durch raffiniert-klugen Einsatz ihrer Reize, Breschen in die weiberfeindliche philosophische Front zu schlagen. Phanias' Freunde, der Stoiker Kleanth und der Pythagoreer Theophron, sind auch zu Gast und diskutieren unablässig, jeder aus seiner beschränkten Perspektive, die großen Weltprobleme. Kleanth predigt Indifferenz gegenüber allem, was »nur« sinnlich und also der Materie hörig sei; Theophron dagegen behauptet, allein über die Sinnlichkeit sei das Urbild des Schönen erfahrbar. Als bei keinem der beiden weltanschaulichen Kontrahenten mehr Argumente verfangen, geht die Diskussion – unter erheiternder Mißachtung aller so gravitätisch vorgetragenen Theorie – in eine Prügelei über. Musarions Spott bringt die beiden sich am Boden wälzenden Philosophen wieder zu sich; bei Tisch setzen sie ihren Disput, zunächst akademisch-diszipliniert, fort. Doch bald, angeregt durch die betörende Konversation ihrer Tischgenossin, ergeben sie sich übermäßigem Weingenuß, bis endlich der Weltverächter Kleanth betrunken im Stall schnarcht und der sinnlich-übersinnliche Theophron mit Musarions Dienerin Chloë ein nächtliches Schäferstündchen hält. Phanias aber, wenig angetan von der ins Rüpelhafte entartenden Schwärmerei seiner beiden Mentoren, die, wie sich nun zeigt, doch »*nicht ganz so weise als ihr System sind*«, schleicht sich zu Musarion, schwört seinem Asketentum, vor allem aber der Weiberfeindlichkeit, reuevoll ab und versöhnt sich mit ihr. Nach dieser »*überstandnen Noth*« ist das Paar nun »*geschickter / Zum weiseren Gebrauch, zum reizendern Genuß / Des Glückes*«. Man bleibt auf dem Landgut

und führt fortan ein Leben, in dem »*ernstes Denken oft mit leichtem Scherz sich gattet*« und nicht mehr fanatisch, sondern graziös philosophiert wird.
Was dieses Gedicht – ein heiteres Plädoyer für liebenswürdige und geistbelebte Geselligkeit, Genuß des Augenblicks und Lebensfreude – »*formal und inhaltlich bestimmt, ist die Idee des Maßes*« (F. Sengle): Vernunft und Gefühl vereinen sich, im Sinne Shaftesburys, harmonisch zur *kalokagathia* (das schöne Gute) und *moral grace* (Anmut, moralische Schönheit) der »schönen Seele«, deren Symbolgestalt Musarion ist. – Dem Alexandrinervers Wielands ist seine Herkunft aus den schwerfälligen Lehrgedichten der Aufklärung kaum mehr anzumerken, so locker wird er gehandhabt: Eingestreute Blankverse und Kurzzeilen geben der Sprache eine virtuose Leichtigkeit. *Musarion* stellt nach Wielands eigenen Worten eine »*neue Art von Gedichten*« dar, welche »*zwischen dem Lehrgedichte, der Komödie und der Erzählung das Mittel hält oder von allen dreyen etwas hat*« (Brief Wielands vom 29. 8. 1766). Die Verserzählung hatte gleich bei ihrem Erscheinen großen Erfolg; schon 1769 wurde eine zweite Auflage notwendig. Unter den ersten Bewunderern des Gedichts war Goethe, der noch 1812, bei der Niederschrift des siebten Buchs von *Dichtung und Wahrheit*, sich »*des Ortes und der Stelle*« in Leipzig entsann, »*wo ich den ersten Aushängebogen zu Gesicht bekam, welchen mir Oeser mitteilte. Hier war es, wo ich das Antike lebendig und neu wieder zu sehen glaubte. Alles, was in Wielands Genie plastisch ist, zeigte sich hier aufs vollkommenste.*« J. Dr. – KLL

Ausgaben: Lpzg. 1768. – Lpzg. 1769 [erw.]. – Bln. 1911 (in *GS*, Abt. 1, Bd. 7, Hg. S. Mauermann; *Akad.-Ausg.*). – Mchn. 1964 (in *Epen u. Verserzählungen*, Hg. F. Beißner). – Stg. 1964 (Hg. u. Einl. A. Anger; RUB, 95). – Mchn. 1965 (in *Werke*, Hg. F. Martini u. H. W. Seiffert, 1964ff., Bd. 4).

Literatur: J. R. Asmus, *Die Quellen von W.s »Musarion«* (in Euph, 5, 1898, S. 267–310). – F. Sengle, *W.*, Stg. 1949. – H. Seiffert, *Der vorweimarische W., Leben u. Werk 1733–1772*, Diss. Greifswald 1950. – E. Staiger, *W. »Musarion«* (in E. S., *Die Kunst der Interpretation*, Zürich 1955, S. 97–114). – K. H. Kausch, *Die Kunst der Grazie. Ein Beitrag zum Verständnis W.s* (in Jb. der dt. Schillerges., 2, 1958, S. 12–42). – W. Preisendanz, *W. u. die Verserzählung des 18. Jh.s* (in GRM, 43, 1962, S. 17–31). – J. Müller, *W.s Versepen* (in Jb. des Wiener Goethevereins, 69, 1965, S. 5–47). – J. Hecker, *W.*, Weimar 1966.

OBERON. Verserzählung in achtzeiligen freien Stanzen von Christoph Martin Wieland (1733 bis 1813), erschienen 1780 in vierzehn Gesängen; 1784 auf zwölf Gesänge gekürzt. – Der junge ungestüme Ritter Hüon hat sich den Zorn Kaiser Karls des Großen zugezogen; um ihn zu versöhnen, soll er vier Backenzähne und ein Büschel Barthaare des Kalifen von Bagdad erbeuten, einen von dessen Emiren erschlagen und die Kalifentochter Rezia dreimal öffentlich küssen. Dem wackeren, von solchen Aufgaben aber überforderten Ritter will der Elfenkönig Oberon helfen. Er hat sich mit Titania entzweit, weil sie eine ehebrecherische Frau beschützte (Erzählung von Gangolf und Rosette), und kann sich mit ihr erst dann wieder versöhnen, wenn ein Menschenpaar die Idee der reinen und beständigen Liebe erfüllt. Hüon und Rezia sollen sich dieser Probe unterziehen. Der Ritter erhält ein Horn, auf dessen Ruf Oberon jederzeit zu Hilfe eilt. So besteht er zahlreiche »heroische« Abenteuer auf dem Weg nach Bagdad und setzt sich selbst im Kalifenpalast durch. Nachdem Hüon und Rezia einander schon im Traum erschienen waren, verlieben sie sich in Bagdad auf den ersten Blick und fliehen gemeinsam, um sich in Rom trauen zu lassen. Oberon verspricht ihnen Schutz, solange sie die Ehe nicht vorzeitig vollziehen. Doch erliegen sie – nur allzu menschlich – bei der gemeinsamen Schiffsreise den Versuchungen der Gelegenheit. Zur Strafe werden sie auf eine einsame Insel verschlagen. Dort verhilft ihnen der Einsiedler Alfonso zur sittlichen Läuterung. Nachdem sie Not und Mühsal lange gemeinsam ertragen haben, wird Amanda (so heißt Rezia nach ihrer Taufe) von Piraten geraubt und nach Tunis gebracht. Doch nun greift Oberon wieder helfend ein: Er läßt Hüon in Tunis den alten Freund und Begleiter Scherasmin wie auch Fatme, die Amme und Vertraute Amandas, finden; die beiden führen Hüon zu Amandas Aufenthaltsort. Die größte Bewährungsprobe für die Treue der Liebenden steht aber noch bevor: Der Sultan Almansor verliebt sich in Amanda; Almansaris, die Königin, in Hüon. Doch beide wollen lieber den Flammentod sterben als ihre Liebe verraten. Damit haben sie Oberons Gebot dem tieferen Sinne nach erfüllt, werden errettet und glücklich mit ihrem kleinen Sohn vereint. Zu guter Letzt gewinnt Hüon bei einem Turnier in Paris sein eigenes Lehen zurück, und Kaiser Karl wird mit den gewünschten Barthaaren und Backenzähnen versöhnt.
Wieland sieht die »*eigentümlichste Schönheit des Plans und der Komposition des Gedichts*« in der unlösbaren und sinngebenden Verknüpfung der verschiedenen Stofftraditionen und Erzählbereiche. Die Oberon-Titania-Handlung sowie die Ehebruchs-Novelle von Gangolf und Rosette stammen aus englischen Quellen (Shakespeares *Sommernachtstraum*, sowie Chaucer und Pope). Die Vorlage zu den Ritterabenteuern gab die Geschichte des *Huon de Bordeaux* in der *Bibliothèque universelle des romans* (1778) des Grafen Tressan. Die den Schwerpunkt des Versepos bestimmende Erzählung von der Prüfung und Bewährung des Liebespaares ist Wielands freie Erfindung; in ihr wird die Idee einer höheren Menschlichkeit entfaltet: die Annäherung an eine natürliche Sittlichkeit, wie sie der Naturgott Oberon verkörpert. Solche »Humanität« muß sich gegen die niedere Sinnlichkeit (Gangolf-Rosette-Geschichte) durchsetzen, ohne Natur und Möglichkeiten des Menschen zu überfordern. Ideale Forderung und skeptische Einsicht in die Unzulänglichkeiten der menschlichen Natur werden von Wieland mit souveräner Heiterkeit verschränkt. Scherz, Frivolität und Ernst spielen im gleichnishaft-zeitlosen Märchenraum des *Oberon* kunstvoll ineinander. Das unzeitgemäße Ritterepos wird ironisiert, das erotische Moment in den Verführungsszenen im Sinne des Rokoko ausgespielt, die zur Tragik tendierenden Prüfungssituationen werden in Komik aufgelöst. Die Thematik der Verserzählung steht im Zusammenhang mit den großen Humanitätsdichtungen des 18. Jh.s: 1779 wird *Nathan der Weise* gedruckt, im gleichen Jahr entsteht die erste Fassung der *Iphigenie*; die *Zauberflöte* (1791) zeigt deutlich den Einfluß des *Oberon*.
Wieland hat sein letztes großes Versepos siebenmal

überarbeitet und ständig verbessert; technische Virtuosität und hoher Kunstverstand bestimmen die Musikalität der frei gehandhabten jambischen Verse und die geschickten Übergänge zwischen szenischer Darstellung, Dialog, Beschreibung und Bericht. Der *Oberon* wurde vielfach nachgeahmt und vertont (Oper von Carl Maria von Weber, 1826) und in fast alle europäischen Kultursprachen übersetzt. Er galt im 19. Jh. als das repräsentative Werk Wielands; Goethes Urteil, die Dichtung sei ein bleibendes »*Meisterwerk poetischer Kunst*«, gibt den Tenor der zeitgenössischen Kritik wieder.

J. Schö.

Ausgaben: Weimar 1780 (in Teutscher Merkur, 1. Viertelj.). – Weimar 1780. – Bln. 1879 (in *Werke*, Hg. H. Düntzer, 40 Tle., 5). – Weimar 1963. Mchn. 1964 (in *AW*, Hg. F. Beißner, 3 Bde., 1964/65, 1). Mchn. 1965 (in *Werke*, Hg. F. Martini u. H. W. Seiffert, 5 Bde., 1964–1968, 4).

Vertonung: C. M. v. Weber, *Oberon, König der Elfen. Romantische Feenoper* (Text: J. R. Planché; Urauff.: Ldn., 12. 4. 1826).

Literatur: G. Bobrik, *W.s Don Sylvio und Oberon auf der deutschen Singspielbühne*, Diss. Königsberg 1909, S. 36–84. – H. P. H. Teesing, *Die Motivverschlingung in W.s »Oberon«* (in Neoph, 31, 1947, S. 193–201). – F. Sengle, *Von W.s Epenfragmenten zum »Oberon«* (in *Fs. P. Kluckhohn u. H. Schneider*, Tübingen 1948, S. 266–285; ern. in F. S., *Arbeiten zur deutschen Literatur*, Stg. 1965, S. 46–70). – F. Martini, *W.s »Oberon«* (in *Vom Geist der Dichtung. Gedächtnisschr. f. R. Petsch*, Hg. F. Martini, Hbg. 1949, S. 206–233). – J. Fitzell, *The Island Episode in W.'s »Oberon«* (in GQ, 30, 1957, S. 6–14). – W. Preisendanz, *W. und die Verserzählung des 18. Jh.s* (in GRM, 43, 1962, S. 17 bis 31). – Ders., *Die Kunst der Darstellung in W.s »Oberon«* (in *Formenwandel, Fs. P. Böckmann*, Hbg. 1964, S. 236–260). – J. Müller, *W.s Versepen* (in Jb. d. Wiener Goethevereins, 69, 1965, S. 5–47).

JOHANN JOACHIM WINCKELMANN
(1717–1768)

GEDANCKEN ÜBER DIE NACHAHMUNG DER GRIECHISCHEN WERCKE IN DER MAHLEREY UND BILDHAUER-KUNST.

Kunsttheoretische Schrift von Johann Joachim Winckelmann (1717–1768), erschienen 1755. – Das noch während Winckelmanns Aufenthalt in Dresden, kurz vor der Abreise nach Rom entstandene und gedruckte Werk enthält programmatisch bereits alle jene Ideen, die die Kunstanschauung und Lebensführung seines Zeitalters, des ausgehenden Barock und des Rokoko, überwinden und den Weg für die Klassik bereiten sollten. – Die Grundthese dieses schmalen Buchs – »*Der einzige Weg für uns, groß, ja, wenn es möglich ist, unnachahmlich zu werden, ist die Nachahmung der Alten*« – ist revolutionär nur insofern, als mit den »Alten« einzig und allein die Repräsentanten der hellenischen Kultur gemeint sind, während man bisher gewohnt war, die Vorbilder in der römischen Antike zu suchen. Ganz und gar neu aber ist die Art und Weise, wie Kunst hier mit allen Sinnen erlebt und dieses Erlebnis in Sprache umgesetzt wird. Hingerissen von der Schönheit der griechischen Plastiken, von denen ihm verhältnismäßig wenige – und diese überdies nur in römischen Kopien – bekannt waren, unternimmt es Winckelmann als erster, diese Kunstwerke zu messen, zu untersuchen und seine Eindrücke zu beschreiben. »Sehen« bedeutet ihm, im Gegensatz zu aller früheren spekulativen Ästhetik, »Erkennen«, ein Erkennen, das fast den Charakter von Offenbarung hat und das infolgedessen den Erkennenden zum Überwältigten macht, und zwar von sinnlichen, nicht, wie der Mystiker, von übersinnlichen Erlebnissen Überwältigten. Ehe Winckelmann die Schönheit der griechischen Kunstwerke entdeckte, war er ihr in der »Natur«, das heißt, angesichts der Schönheit des menschlichen (männlichen) Körpers vielfach begegnet. Aus dieser persönlichen Grunderfahrung und aus der Anschauung der Werke gewinnt er seine Einsichten in das Wesen der griechischen Kunst und ihrer Schöpfer. Hier sieht er in einzigartiger Weise »Natur« und »Ideal« in der Kunst miteinander verschmolzen; für ihn bedeutet Nachahmung der Griechen nur insofern etwas anderes als Nachahmung der Natur, als die Griechen die Natur gewissermaßen vollendet haben, sie bildeten sie »*wie sie es verlangt*«, und zwar so, daß das Ideal die Zusammenschmelzung in der Natur gefundener schöner Einzelheiten und deren Beseelung darstellt.

Dieses Ideal entstammt also nicht allein der Idee, es stellt kein Urbild dar, das dem Geiste, sondern die Summe der schönen Teile, die den Sinnen erschienen sind und in denen der Künstler kraft der ruhigen Harmonie der Bewegung die Schönheit der Seele sichtbar werden läßt. Infolgedessen erklärt Winckelmann die Schönheit der Plastiken nicht aus »Ideen«, sondern aus dem Charakter und Lebensstil des griechischen Menschen, der das Kraftvolle, Gesunde und Gute bevorzugt und zu höchster Vollkommenheit entwickelt habe, wie es sich in seiner Kunst ausdrücke. Konsequenterweise stützt Winckelmann seine Forderung, »die Alten« nachzuahmen, auf die Erkenntnis, daß den Griechen gelungen sei, was die Natur zwar zu erlangen strebe, doch nie völlig erreiche: die Verkörperung des Idealen in allgemeingültiger, typischer Weise. »*Das allgemeine vorzügliche Kennzeichen der griechischen Meisterwerke ist eine edle Einfalt und eine stille Größe, sowohl in der Stellung als im Ausdruck ... Je ruhiger der Stand des Körpers ist, desto geschickter ist er, den wahren Charakter der Seele zu schildern: Kenntlicher und bezeichnender wird die Seele in heftigen Leidenschaften, groß aber und edel ist sie in dem Stande der Einheit, in dem Stande der Ruhe.*« Diese Sätze enthalten sowohl Winckelmanns Auffassung der griechischen Kunst wie des griechischen Menschentums. In klarer Frontstellung gegen Manierismus und Barock begründet er hier den für die Klassik so folgenreichen Mythos der vorbildlichen griechischen Humanität.

Bereits in diesem seinem ersten kunsttheoretischen Werk versucht Winckelmann, für die aus Anschauung und Empfindung gewachsene Beschreibung griechischer Kunst den angemessenen Stil zu finden; knappe, bestimmte Sätze und rhythmisch gegliederte Satzperioden geben das Wesen der Plastiken und den Eindruck wieder, den sie im Betrachter hervorrufen. Im ganzen wirkt die Schrift wie eine geniale Improvisation, eine Vorstufe von Winckelmanns Hauptwerk *Geschichte der Kunst des Altertums* (1764). Die *Gedancken über die Nachahmung der griechischen Wercke in der Mahlerey und Bildhauer-Kunst*, deren Veröffentlichung in die Zeit der Ausgrabungen Pompejis und Herculaneums fiel, waren von unerhörter Wirkung. Sie wurden maßgebend für die Architektur, Plastik, Malerei, die wissenschaftliche und poetische Literatur sowie die allgemeine Kunstanschauung einer ganzen Epoche; sie bestimmten weitgehend die Entwicklung eines eigenen Stils, des Klassizismus, und beeinflußten Vorstellungen wie Sprache der deutschen Klassiker. LESSINGS *Laokoon oder Die Grenzen von Malerei und Poesie* (1766) war von Winckelmanns berühmter Laokoon-Interpretation angeregt; GOETHE, der in Adam Friedrich OESER einen Freund des Kunstwissenschaftlers als Zeichenlehrer hatte, stand zeitlebens unter dem tiefen Eindruck der neuen Kunstanschauung. Über ein Jahrhundert sollte es dauern, bis NIETZSCHE den dionysischen Zug des Griechentums entdeckte. Erst zu Beginn des 20. Jh.s erkannte Heinrich WÖLFFLIN die von Winckelmann bekämpfte Kunst des Barock wieder in ihrer Bedeutung.

Winckelmann ließ den *Gedancken über die Nachahmung* 1756 ein anonymes *Sendschreiben über die Gedanken von der Nachahmung der griechischen Wercke in der Malerey und Bildhauerkunst* folgen; er wollte, es solle für das Werk eines kritischen Ästhetikers gehalten werden, um diesen dann in seiner gleichfalls 1756 veröffentlichten *Erläuterung der Gedanken von der Nachahmung der griechischen Wercke in der Malerey und Bildhauerkunst und Beantwortung des Sendschreibens* widerlegen zu können. KLL

AUSGABEN: Friedrichsstadt [d. i. Dresden] 1755 [50 Exempl.]. – Dresden [2]1756 [enth. *Sendschreiben* ... und *Erläuterung* ...]. – Donaueschingen 1825 (in *SW*, Hg. J. Eiselein, 12 Bde., 1825–1829, 1). – Stg. 1885, Hg. B. Seuffert (DLD, 20; Neudr. d. Ausg. 1755). – Lpzg. 1914 (in *AS*, Hg. H. Uhde-Bernays; IB, 130). – Lpzg. 1925 (in *Kleine Schriften und Briefe*, Hg. ders., 2 Bde.; enth. *Gedanken* ... und *Erläuterung der Gedanken* ...). – Dresden 1927 [Faks. d. Ausg. 1755]. – Lpzg. 1935, Hg. E. Ermatinger (DL, R. Klassik, 1). – Wiesbaden 1948 (in *AS und Briefe*, Hg. W. Rehm; Slg. Dieterich, 52).

LITERATUR: E. Aron, *Die deutsche Erweckung des Griechentums durch W. und Herder*, Heidelberg 1929. – G. Baumecker, *W. in seinen Dresdner Schriften. Die Entstehung von W.s Kunstanschauung und ihr Verhältnis zur vorhergehenden Kunsttheoretik*, Bln. 1933. – W. Waetzoldt, *J. J. W., der Begründer der deutschen Kunstwissenschaft*, Lpzg. 1940; [3]1946. – L. Curtius, *W. und seine Nachfolge*, Wien 1941. – W. Schadewaldt, *W. und Homer*, Lpzg. 1941. – H. C. Hatfield, *W. and His German Critics, 1755–1781. A Prelude to the Classical Age*, NY 1943 (Columbia Univ. Germanic Studies, 15). – F. Blättner, *Das Griechenbild J. J. W.s*, Hbg. 1948. – W. Rehm, *W. und Lessing* (in W. R., *Götterstille und Göttertrauer. Aufsätze zur deutsch-antiken Begegnung*, Mchn. 1951). – F. Schultz, *Klassik und Romantik der Deutschen*, Bd. 1, Stg. [3]1951, S. 68–158. – W. Rehm, *Griechentum und Goethezeit. Geschichte eines Glaubens*, Bern [3]1952, S. 23–55. – W. Kohlschmidt, *W. und der Barock* (in W. K., *Form und Innerlichkeit. Beiträge zur Geschichte und Wirkung der deutschen Klassik und Romantik*, Mchn. 1955; Slg. Dalp, 81). – C. Justi, *W. und seine Zeitgenossen*, Hg. W. Rehm, 3 Bde., Köln [5]1956. – H. Koch, *J. J. W. Sprache und Kunstwerk*, Bln. 1957. – E. Heidrich, *W.* (in *Beiträge zur Gestalt W.s*, Bln. 1958, S. 42–57). – I. Kreuzer, *Studien zu W.s Aesthetik. Normativität und historisches Bewußtsein*, Bln. 1959. W. Bosshard, *W. Aesthetik der Mitte*, Zürich/Stg. 1960. – A. Schulz, *W. und seine Welt*, Bln. 1962, S. 130ff.

GESCHICHTE DER KUNST DES ALTERTHUMS. Kunstwissenschaftliches Werk von Johann Joachim WINCKELMANN (1717 1768), erschienen 1764. – Angeregt durch seinen Aufenthalt in Rom, wo »*er erkannte, daß man erst vor den Altertümern selbst ein Sehender wird, daß Kunstgeschichte sich in erster Linie auf Kunstwerke, in zweiter erst auf literarische Nachrichten gründet*« (W. Waetzoldt), verfaßte Winckelmann, der bereits in seiner ersten Schrift *Gedancken über die Nachahmung der griechischen Wercke* (1755) die griechische Kunst zur alleinigen Norm für jedes spätere Kunstschaffen erhoben hatte, sein Hauptwerk, die *Geschichte der Kunst des Alterthums*. In der *Vorrede* weist er darauf hin, daß er in seinem Buch nicht nur »*die Erzählung der Zeitfolge und der Veränderung in derselben*« geben wolle, sondern ein »*Lehrbuch, welches bestimmt und gesetzmäßig lehre*«, ein »*Systema der alten Kunst*«. – »*In dieser Geschichte der Kunst habe ich mich bemüht, die Wahrheit zu entdecken.*«

Im ersten Teil des Werks untersucht Winckelmann die Kunst und ihre Ursprünge. Er beschreibt den kulturellen Nährboden und kennzeichnet den Stil der Malerei, Plastik und Architektur bei den Ägyptern, Phöniziern, Persern, Etruriern und den benachbarten Völkern sowie bei den Römern und Griechen. Hier wird erstmals der Versuch unternommen, den umfassenden Begriff »Antike« ethnologisch und geschichtlich zu gliedern und zu bewerten. Das wichtigste Kapitel des ersten Teils, das vierte, unterteilt der Verfasser in drei »Stücke«, deren erstes die Gründe für den Vorrang der griechischen Kunst vor jeder anderen darzulegen sucht. Im zweiten Stück, das *Vom Wesentlichen der Kunst* handelt, betrachtet er die Begriffe »Schönheit« und »Ausdruck« und gelangt zu der Einsicht, daß zuviel und zu leidenschaftlicher Ausdruck nachteilig für die Schönheit sei, ja die Harmonie zerstöre – eine Erkenntnis, die für die Kunst des Klassizismus maßgebend werden sollte. Das dritte Stück schließlich versucht *Wachstum und Fall* der griechischen Kunst darzustellen und zu erklären. Damit beschreitet Winckelmann völlig neue Wege der Kunstbetrachtung. Er beschränkt sich weder darauf, eine Künstlergeschichte zu schreiben, die es seit VASARI (1511–1574) gab, noch fügt er den vielen ästhetischen Theorien seiner Zeit eine neue hinzu; er versteht vielmehr die Entwicklung der Kunst als einen nach organischen Gesetzmäßigkeiten ablaufenden Vorgang, auf dessen Geschichtlichkeit er hinweist – Gedankengänge, die sich mit denen HERDERS und GOETHES berühren und diese aufs tiefste beeinflussen. Bei der begrifflichen Abgrenzung des »*älteren*« vom »*hohen*« und »*schönen Stil*« gelangt Winckelmann durch die Unterscheidung des »*schönen*«, der Natur näheren Stils vom »*strengen*«, einer ideellen »*Großheit*« zugeordneten Stil zu dem Begriff der »Grazie«; diese erscheint ihm in zwei Formen, einer höheren, unveränderlichen und einer »*mehr der Materie unterworfenen, gefälligen*«. – Im zweiten Teil betrachtet Winckelmann die Kunst »*nach den äußeren Umständen der Zeit unter den Griechen*«. Hier unterzieht er sich der Aufgabe, die griechische Kunst im Zusammenhang mit der griechischen Kultur- und

Geistesgeschichte zu periodisieren. Methodisch wesentlich ist dabei, daß er, dem Prinzip seiner ersten Schrift folgend, streng von der Beschreibung einzelner typischer Kunstwerke, vor allem Plastiken, ausgeht. Winckelmann hat als erster in seiner Zeit erkannt, daß allem Beschreiben von Kunstwerken das Sehen vorausgehen muß: *»Ich habe alles, was ich zum Beweis angeführt habe, selbst und vielmal gesehen und betrachten können.«* Die reiche Literatur des 17. und 18. Jh.s über klassische Kunst und Ästhetik war ihm bekannt. Aber: *»In das Wesen und zu dem Innern führt fast kein Skribent.«* Daß und wie man dennoch über Kunst schreiben kann, bezeugt sein Werk. Vom Anblick der Kunstwerke getroffen, erzählt er, was er sieht, und der gelassene Adel, der beherrschte Schwung der griechischen Werke teilt sich seiner Prosa mit. *»Durch den Stil seiner Werke erhob er ... deutsche wissenschaftliche Prosa zum Rang europäischen Schrifttums. Die Geschichte der Kunst des Altertums hat für die deutsche Prosa kaum mindere Bedeutung wie Klopstocks Messias für die deutsche Poesie.«* (W. Waetzoldt) Dieser Prosa gelingt es, gesellschaftlichen Umgangston und den gehobenen Rhythmus schöngegliederter, oft im Parallelismus aufeinander bezogener Perioden zur Einheit zu verbinden. Die Sprache meidet alles Dunkle, verliert sich nicht in Deutung, sondern bleibt um Vergegenwärtigung des Eindrucks bemüht, den der ergriffene Betrachter beim Anblick der vollkommenen Harmonie von Natur und Idee im Kunstwerk empfindet.

Die in der *Geschichte der Kunst des Alterthums* entwickelte Auffassung griechischer Kultur prägte in ihrer einzigartigen Verbindung von sinnlicher Anschauung und sittlichen Maßstäben eine ganze Epoche der deutschen Geistesgeschichte. Besonders die Schriften Herders und Goethes über Winckelmann bezeugen dessen überragenden Einfluß auf die Klassik. In dem von ihm entworfenen Bild der griechischen Antike haben allerdings weder das Archaische, Dionysische noch das Tragische seinen Platz; diese Dimension wurde erst von der jüngeren Romantik und vor allem von NIETZSCHE gesehen. Auch erlaubte das im Laufe des 19. Jh.s zugänglich gewordene, viel reichere originale Anschauungsmaterial, ein erweitertes Bild von der Kunst des Altertums zu entfalten. Viel von der historischen Einordnung und ästhetischen Wertung der Winckelmannschen Lehre mußte deshalb revidiert werden. Doch ändern die Irrtümer nichts daran, daß er die Wahrheit, die zu suchen er ausgezogen war, gefunden hatte; nicht nur diejenige, die Jacob BURCKHARDT meinte, als er in Winckelmann den Mann rühmte, *»welchem die Kunstgeschichte vor allen andern den Schlüssel zur vergleichenden Betrachtung, ja ihr Dasein zu verdanken hat«*. Goethes Einsicht kommt Winckelmanns Wahrheit – als der Wahrheit einer Person, nicht nur einer Erkenntnis – noch näher, wenn er (zu Eckermann) sagt: *»Er ist dem Kolumbus ähnlich, als er die neue Welt zwar noch nicht entdeckt hatte, aber sie doch schon ahnungsvoll im Sinne trug. Man lernt nicht, wenn man ihn liest, aber man wird etwas.«* KLL

AUSGABEN: Dresden 1764, 2 Bde. – Donaueschingen 1825–1829 (in *SW*, Hg. J. Eiselein, 12 Bde., 3–6). – Bln. 1870 [Einl. J. Lessing]. – Bln./Wien 1913, Hg. V. Fleischer. – Wien 1934, Hg. L. Goldscheider [mit den Würdigungen W.s von Herder (1777), Goethe (1805) und Waetzoldt (1921)].

LITERATUR: R. Palucchini, *La »Storia delle arti del disegno presso gli antichi« di W.* (in Convivium, 3, 1931, S. 656–673). – K. Breysig, *W.s »Geschichte der Kunst des Altertums«* (in K. B., *Die Meister der entwickelnden Geschichtsforschung*, Breslau 1936, S. 138–166). – F. Kupferschmied, *W. als Historiker*, Diss. Wien 1938. – H. Jersch, *Untersuchungen zum Stile W.s mit besonderer Berücksichtigung der »Geschichte der Kunst des Altertums«*, Calw 1939 [zugl. Diss. Königsberg]. – H. Zeller, *W.s Beschreibung des Apollo im Belvedere*, Zürich/Freiburg i. B. 1955 (ZBLG, 8). – Vgl. ferner Art. *Gedancken über die Nachahmung ...*

V. Klassik und Romantik

LUDWIG ACHIM VON ARNIM (1781-1831)

ISABELLA VON ÄGYPTEN, Kaiser Karl des Fünften erste Jugendliebe. Erzählung von Ludwig Achim von ARNIM (1781–1831), erschienen 1812. – Die Erzählung ist die erste und bedeutendste in einer Sammlung von Geschichten und Novellen, die durch eine lockere Rahmenhandlung (eine Kahnfahrt des Dichters auf dem Rhein) miteinander verbunden sind. Angeregt durch die Lektüre von CERVANTES, GRIMMELSHAUSEN, Heinrich GRELLMANNS *Die Zigeuner* (1787) und Antoine VARILLAS Werk über die Erziehung des jungen Karl (1686), hat der Dichter Gestalten der Zigeunerromantik, Sagen- und Märchenfiguren und historische Personen in eine Geschichte von hohem poetischem Reiz verwoben.

Isabella, die schöne, kindlich-reine Tochter des unschuldig gehenkten Zigeunerherzogs Michael, lebt einsam in einem Gartenhaus an der Schelde, nur besucht von ihrer zwielichtigen Beschützerin, der alten Zigeunerin Braka. Der junge Erzherzog Karl (der spätere Kaiser Karl V.), der ihr dort zum ersten Mal begegnet, verliebt sich in das Mädchen, das er für eine Erscheinung hält. Nachdem Isabella den Alraun Cornelius Nepos aus der Erde unter dem Galgen ihres Vaters gehoben hat, rät Braka, den unter seinem magischen Einfluß im Hause gefundenen Schatz für die Anschaffung einer neuen und reichen Ausstattung zu verwenden und sich nach Gent, dem Sitz des Erzherzogs, aufzumachen. Dort werde man ein vornehmes Leben führen und den Thronfolger für sich gewinnen. Zu dem neuen Hausstand gehört neben dem koboldhaften, eitlen Alraun auch der Bärenhäuter, der aus dem Grab auferstandene ursprüngliche Besitzer des Schatzes, der nun den Diener spielt, um sich einen Teil seines Geldes zurückzuverdienen. In Gent ist die Schönheit und Tugend Isabellas bald in aller Munde. Karl hofft auf ein Zusammentreffen, und Braka, die sich mancherlei Vorteile von der Verbindung der beiden Liebenden verspricht, führt ein Wiedersehen auf der Kirmes in Buik herbei. Doch die bald offenbar werdende Absicht Karls, Isabella zu heiraten, sucht der Alraun, der die Prinzessin eifersüchtig liebt, zu durchkreuzen. Da läßt der Erzherzog, um den Kobold von sich abzulenken, durch einen alten Juden eine zweite Isabella erschaffen, einen weiblichen Golem voll Hochmut, Wollust und Geiz. Der Alraun begnügt sich verliebt mit der seelenlosen Nachbildung. Karl jedoch erliegt schließlich auch selbst dieser verführerischen Truggestalt voll kalter Schönheit. Indessen irrt Isabella allein und verstoßen durch die Straßen der Stadt. Ihr toter Vater erscheint ihr, und seine Worte erfüllen sie mit neuer Hoffnung: sie werde einem von Karl empfangenen Sohn das Leben schenken und werde das zerstreute Volk der Zigeuner, das, seit es der Mutter Gottes auf ihrer Flucht gastliche Aufnahme verweigerte, heimatlos sei, nach Ägypten zurückführen. Die Prophezeiung erfüllt sich: Der von dem Golem befreite Karl, der inzwischen zum Kaiser gekrönt worden ist, gibt den Zigeunern ihre Freiheit zurück. Sie ziehen mit Isabella, ihrer geliebten Königin, und deren Sohn nach Ägypten. Dort stirbt sie hochgeehrt am gleichen Tag wie Karl, dem eine Vision der Geliebten in der Todesstunde die Gewißheit gibt, daß ihm sein ehrgeiziges Leben voller Verfehlungen verziehen ist.

Arnim ist in dieser Erzählung nicht nur romantischer Fabulierer, sondern zugleich Moralist. Wie das Volk der Zigeuner hat auch Karl mit seiner Wendung gegen die Reformation nach Arnims Meinung in der Stunde des Heils versagt. Daß er dem Golem verfällt und schließlich sogar den Alraun zu Staatsgeschäften (er macht ihn zu seinem Finanzminister) heranzieht, soll seine Schwäche als Herrscher verdeutlichen: er ist gierig und habsüchtig. Doch Isabella, die ihr Volk von dem Fluch der Heimatlosigkeit befreit hat, erlöst am Ende auch den Kaiser von seiner Schuld.

Heinrich HEINE pries das Werk in seiner *Romantischen Schule* als Inbegriff romantischer Poesie. Auch die Brüder GRIMM, denen die Novellensammlung gewidmet ist, äußerten Beifall und tadelten lediglich, daß Arnim geschichtliche Tatsachen und frei Erdichtetes miteinander verbunden habe. Doch schafft gerade das Ineinander von Historie und Märchen, von Traum und Wirklichkeit die beziehungsreiche Vieldeutigkeit dieser Erzählung, die noch heute weithin als die schönste Arnims angesehen wird. D. Ba.

AUSGABEN: Bln. 1812. – Bln. 1839 (in *SW*, Hg. W. Grimm, 22 Bde., 1839–1856, 1). – Zürich 1959 (in *Isabella v. Ägypten u. andere Erzählungen*, Hg. W. Migge). – Mchn. 1963 (in *Sämtl. Romane u. Erzählungen*, Hg. W. Migge, 3 Bde., 1962–1965, 2). – Frechen 1964 (*Isabella von Egypten*; ill.). – Stg. 1964 (Nachw. W. Vordtriede; RUB, 8894/8895).

LITERATUR: A. Schwarz, *A. v. A.s Menschentum u seine Stellung zur Geschichte*, Diss. Bonn 1923. G. v. Selle, *Bemerkungen zu A. v. A.s künstlerischer Persönlichkeit, aus einer Analyse seiner Novelle »Isabella von Ägypten«* (in Eichendorff-Kalender, 17, 1926, S. 39 48). A. Hirsch, *Der Gattungsbegriff ›Novelle‹*, Bln. 1928, S. 129–135. P. Ernst, *A. v. A.s »Isabella von Ägypten«* (in Jb. der Paul-Ernst-Gesellschaft, 1942, S. 106–111). – P. Noack, *Phantastik u. Realismus in den Novellen A. v. A.s*, Diss. Freiburg i. B. 1952. – J. Görés, *Das Verhältnis von Historie u. Poesie in der Erzählkunst L. A. v. A.s*, Diss. Heidelberg 1957. G. Rudolph, *Studien zur dichterischen Welt A. v. A.s*, Bln. 1958. – C. David, *A. v. A. »Isabella von Ägypten«. Essai sur le sens de la littérature fantastique* (in *Fs. f. R. Alewyn*, Hg. H. Singer u. B. v. Wiese, Köln/Graz 1967).

DES KNABEN WUNDERHORN. Alte deutsche Lieder gesammelt von Ludwig Achim von ARNIM (1781–1831) und Clemens BRENTANO (1778–1842). –

Der erste Band des Werks, mit einer *Zueignung* an GOETHE und einem Anhang, der Arnims Abhandlung *Von Volksliedern* und eine *Nachschrift an den Leser* enthält, erschien 1805; die Bände 2 und 3 erschienen mit einem von Brentano allein bearbeiteten Anhang von *Kinderliedern*, einem *Dank an Goethe* und einer *Übersicht des Inhalts einiger Lieder* 1808. Die von Arnim besorgte zweite Auflage des ersten Bandes wurde, vermehrt um eine *Zweite Nachschrift an den Leser*, 1819 ausgegeben; eine vierbändige *Neue Ausgabe* des ganzen Werks, überarbeitet nach dem in Arnims Nachlaß enthaltenen Material wurde 1845 (Bd. 1), 1846 (Bd. 2 und 3) und 1854 (Bd. 4) im Rahmen von Arnims *Sämmtlichen Werken* von Rudolf BAIER und Ludwig ERK ediert. Ein bibliophil komplettes Exemplar des *Wunderhorns* müßte darüber hinaus noch Wilhelm GRIMMS *Altdänische Heldenlieder* (1811) berücksichtigen, die von Grimm gesammelt und übersetzt, von Brentano überarbeitet und als vierter Band des *Wunderhorns* angesehen wurden. Alle bisherigen Versuche einer historisch-kritischen Edition des Werks sind gescheitert, weil sie nicht von Arnims und Brentanos künstlerischer Arbeitsintention ausgingen, sondern nur die ursprüngliche Gestalt der zugrunde liegenden »Volkslieder« wiederherzustellen suchten.

In Brentanos *Gesammelte Schriften* (1852–1855) wurde das Werk nicht aufgenommen; so ist es seit der *Neuen Ausgabe* vor allem mit dem Namen Arnims verknüpft. Der erste formulierte Vorschlag eines »*wohlfeilen Volksliederbuches ... welches das platte, oft unendlich gemeine Mildheimische Liederbuch*« (1799) ablösen sollte, stammt aber von Brentano (Brief an Arnim v. 15. 2. 1805). Der gemeinsame Plan einer Sammlung altdeutscher Lieder freilich reicht zurück in das Jahr 1802, als die »Liederbrüder« Arnim und Brentano, »*von tausend neuen Anklängen der Poesie berauscht, ohne Tag und Nacht zu sondern, frei von Sturm und Ungewitter, denn unser Gesang führte sie uns wie Bilder unsres Gemüths*«, den Rhein hinabzogen, und Lieder, Romanzen, Sagen und Märchen sammelten. Zu den schriftlichen Quellen, durch die sie angeregt wurden, gehörten HERDERS *Volkslieder* (1778/79), Friedrich GRÄTERS Zeitschrift ›Bragur‹ und Anselm ELWERTS *Ungedrukte Reste alten Gesangs* (1784). In Heidelberg arbeiteten die beiden Freunde im Sommer 1805 gemeinsam den ersten Band aus, dessen Titel Elwerts einleitendes Gedicht (nach Johann Just Winckelmanns *Oldenburgischer Friedens- und benachbarter Oerter Kriegs-Handlungen*, 1671) erklärt. Goethes »*herzliche, herrliche, junge Rezension*« (1806) ermutigte sie, gegen alle Schicksalsschläge, gegen die Ungunst der Zeit und allen gehässigen Anfeindungen des rationalistischen Lagers zum Trotz die Fortsetzung des Werks zu betreiben. Hatte schon der Anhang des ersten Bandes zur Mitarbeit aufgefordert, so begründete Arnim nun die neue Aufforderung zur Sammeltätigkeit in ›Beckers Reichsanzeiger‹ (Dezember 1805) mit patriotischen Motiven. Die Besinnung auf das gemeinsame Erbe der Vorzeit sollte den deutschen Stämmen ihre kulturelle Einheit bewußt machen und in einer Zeit, da »*der Rhein einen schönen Theil unsres alten Landes los löst vom alten Stamme, andre Gegenden in kurzsichtiger Klugheit sich vereinzeln*«, die nationale Opposition gegen Napoleon stärken. Arnims Aufrufe und Brentanos gedruckte Zirkulare hatten einen gewaltigen Erfolg, die Herausgeber sammelten »*Lieder in die Tausende*«, von denen nur ein Bruchteil in die Bände aufgenommen werden konnte; Bettina BRENTANO und die Brüder Jacob und Wilhelm GRIMM gehörten zu den Sammlern. In enger Zusammenarbeit mit den Brüdern Grimm wurde das Werk in Kassel und Heidelberg vollendet. Für den gestochenen Haupttitel des zweiten Bandes hat Brentano ein altdeutsches Trinkhorn mit einer Heidelberger Landschaft im Hintergrund entworfen. Das unzerstörte Schloß Heidelberg in diesem Stich weist eindringlich auf die von Arnim und Brentano verfolgte Methode der »*Restauration und Ipsefacten*« bei der Bearbeitung der Vorlagen. Während die Brüder Grimm von einer Wiederherstellung des verlorenen Paradieses der Vorzeit auf dem Wege strenger historischer Forschung träumten, waren Arnim und Brentano im Vertrauen auf die »*Wahrheit der Phantasie*« zur Rekonstruktion der verlorenen Seinseinheit durch die Kunst entschlossen. Für die Brüder Grimm bedeutete die Arbeitsweise der beiden Dichter Lüge und Befleckung, da sie die naturpoetischen Reste der Vorzeit verfälschten, den Freunden Arnim und Brentano aber war »*alte und neue Poesie ... dieselbe, das Wunderbare darin durch die Phantasie der täuschenden und zugleich getäuschten Dichter entsprungen*«. Von hier aus wird es verständlich, daß sie in ihre Sammlung nicht nur die Lieder bekannter Autoren des 16. und 17. Jh.s und Lieder zeitgenössischer Dichter aufnahmen, sondern auch, daß sie einen Großteil der Vorlagen für eigene Dichtung adaptierten und eine kleine Anzahl von »*Ipsefacten*«, d. h. eigenen Liedern, mit einfügten. Goethes Rezension, wonach »*das hie und da seltsam Restaurierte, aus fremdartigen Teilen Verbundene, ja das Untergeschobene ... mit Dank anzunehmen*« sei, hat die Bearbeiter in ihrer Methode bestätigt.

Vergeblich hat man bislang nach einem Ordnungsprinzip des eher als Kunstwerk, denn als Liedersammlung anzusprechenden Werkes gesucht. Man hat Themenreihen und Motivketten herausgehoben, ohne zu bemerken, daß sich gerade in dem bunten Gewimmel alter und neuer, restaurierter und unveränderter, überlieferter und neu geschaffener Lieder die gedankliche Einheit des Werkes manifestiert: die Überzeugung vom Primat der variierenden einzelmenschlichen Phantasie, die Teil einer über die Dichter aller Jahrhunderte gleichermaßen verfügenden Grundkraft der Poesie ist.

Die Wirkungsgeschichte der Sammlung ist noch wenig erforscht. Zahlreiche Komponisten, wie Schumann, Brahms und Mahler, ließen sich von ihr zu neuen Melodien anregen; zahllose Texte der etwa 700 Liebes-, Wander-, Soldatenlieder, Abschiedsklagen, Balladen, geistlichen Lieder, Trinklieder, Gassenhauer, Abzählreime und Kinderverse drangen ins Volk, wurden von der Jugendbewegung in ihre Liederbücher aufgenommen und sind – durch die Lesebücher der Schulen – noch heute lebendig (z. B. *Guten Abend, gute Nacht*, *Schlaf, Kindlein, schlaf*, *Wenn ich ein Vöglein wär*, *Es ist ein Schnitter, der heißt Tod*). Im Schaffen Arnims, Brentanos, EICHENDORFFS, HEINES, der schwäbischen Romantik und der gesamten Lyrik des 19. Jh.s spiegelt sich tausendfältig der Klang- und Motivschatz des *Wunderhorns*. Heinrich Heine erkannte 1833 in den Liedern des Werks ein anderes Deutschland als jenes, das ihn ins Pariser Exil gezwungen hatte und schrieb die zeitlos gültige Würdigung: »*Dieses Buch kann ich nicht genug rühmen, es enthält die holdseligsten Blüten des deutschen Geistes, und wer das deutsche Volk von einer liebenswürdigen Seite kennen lernen will, der lese diese Volkslieder.«* W. Fr.

AUSGABEN: Heidelberg 1806 [recte 1805; Bd. 1]; Heidelberg 1808 [Bd. 2 u. 3]. – Bln. 1845–1854 (in L. A. v. Arnim, *SW*, Hg. W. Grimm, 22 Bde., 1839–1856; Bd. 13, 14, 17, 21, Hg. R. Baier u. L. Erk). – Bln. 1883, Hg. R. Boxberger, 2 Bde. – Bln. u. a. 1916, Hg. K. Bode, 2 Bde. – Mchn. 1957, Hg. W. A. Koch; ern. 1964. – Bln. 1958, Hg. E. Stockmann; [Ausw. mit Noten]. – Mchn. 1963 (Nachw. A. Henkel; dtv-Gesamtausg.).

LITERATUR: F. Rieser, *»Des Knaben Wunderhorn« und seine Quellen*, Dortmund 1908. – K. Bode, *Die Bearbeitung der Vorlagen in »Des Knaben Wunderhorn«*, Bln. 1909 (Palaestra, 76). – O. Mallon, *B.-Bibliographie*, Bln. 1926; Nachdr. Hildesheim 1965 [enth. die gesamte ältere Lit.]. – H. Schewe, *Neue Wege zu den Quellen des »Wunderhorns«* (in Jb. für Volksliedforschung, 3, 1932, S. 120–147). – O. Mallon, *Goethe und »Des Knaben Wunderhorn«* (in Philobiblon, 7, 1934, S. 315–323). – I. M. Boberg, *»Des Knaben Wunderhorn« – Oldenburgerhornet* (in *Festskrift til L. L. Hammrich*, Kopenhagen 1952, S. 53–61). – A. Schmidt, *Stand und Bearbeitung des Wunderhornmaterials im Nachlaß von R. Baier, Stralsund* (in ZfdPh, 73, 1954, S. 237–239). – H. Schewe, *Vorauswort zu einer hist.-krit. und an Hand der Originalquellen kommentierten Wunderhorn-Ausgabe* (in Deutsches Jb. f. Volkskunde, 2, 1956, S. 51–72). – H. v. Müller, *»Des Knaben Wunderhorn«. Zur Entstehungsgeschichte des Werkes* (in Philobiblon, 2, 1958, S. 82–104). – W. Naumann, *Das Rautensträuchelein aus »Des Knaben Wunderhorn«* (in WW, 12, 1962, S. 288–292; ern. in W. N., *Traum und Tradition in der deutschen Lyrik*, Stg. u. a. 1966, S. 37–44). – H. Schewe, *Jacob Grimms Wunderhornbriefe nebst drei Briefen Erich Schmidts* (in Deutsches Jb. f. Volkskunde, 9, 1963, S. 124–130).

DIE KRONENWÄCHTER. Bertholds erstes und zweites Leben. Unvollendeter Roman von Ludwig Achim von ARNIM (1781–1831), erster – und einzig vollendeter Teil – erschienen 1817. – In seinem großen, zu Unrecht vergessenen Roman unternahm Arnim es, den Kosmos der Geschichte darzustellen, die *»Heimlichkeit der Welt«* aus *»ahndungsreichen Bildern«* abzulesen und so durch *»innere Anschauung«* die Lücken der Geschichte auszufüllen, wie er in der *Einleitung* schreibt. Im Anschluß an die Erkenntnisse der Frühromantik erscheint die Geschichte als Hieroglyphe, deren sichtbar gebliebene Hinweise der Dichter aus dem Unbewußten ins Bewußtsein hebt und entziffert, indem er Dichtung und Geschichte für uns *»Abkömmlinge großer Begebenheiten«* ineinanderspielen läßt, Märchen, Mythos, Schnurre und Historie in einem phantastischen Realismus verknüpft und auf diese Weise die für die Gegenwart notwendigen Kräfte freisetzt. Arnim, noch nicht im Historismus des 19. Jh.s befangen, schreibt unmuseal und frisch, gewissermaßen unversehrt von traditionellen romantischen Erzählfloskeln, erfinderisch in kecken Märchen- und Mythenverbindungen und in jedem Fall frei von den Erzählkonventionen, die in der Nachfolge SCOTTS für historische Romane verbindlich waren.

Das überreich quellende Buch – schon Arnims besonderer Lust am Grotesken wegen ist es weit von der *Liechtenstein-* und *Ekkehard*-Gemütlichkeit eines HAUFF und SCHEFFEL entfernt – spielt an der Stil- und Zeitenwende um 1500, und immer wieder meint man, mit den Menschen und in den Landschaften zu wandeln, die aus den Bildern der Donauschule dem Beschauer entgegenblicken. Der Roman war, mit geheimen Winken für die eigene Zeitenwende (der Verfall der Baukunst, die süßlich werdende Malerei der »Nazarener« u. a.) zugleich ein Zeitroman. Sein Hauptthema betraf die politische Situation der Spätromantiker unmittelbar: Die große Gefahr, die ein hochstrebender Mensch heraufbeschwört, der, in restaurativen Träumen befangen, die Zeit zurückschrauben will, deren eigentliche politische Kräfte er nicht mehr erkennt. Im nachnapoleonischen Europa schickte sich ja Metternich eben an, die alten Verhältnisse mit Gewalt zu restaurieren und den Grund zu allen folgenden Tragödien des 19. Jh.s zu legen. Mit dieser Thematik entfernte sich Arnim auch vom eigentlich romantischen Roman und dessen unverbindlich gewordenen Formeln. Sein Held, Berthold, ist nicht mehr der obligate Künstler, der, wie noch bei TIECK, NOVALIS, BRENTANO, EICHENDORFF, kunsttrunken die Welt und durch Kunstübung sich selber sucht. – Ein schwächliches Bürgerkind, angeblich von den Hohenstaufen abstammend, wächst Berthold bei etwas wunderlichen Pflegeeltern in Waiblingen auf. Er scheint die Auserwähltheit des romantischen Kindes zu besitzen, denn, halb märchenhaft von einem hilfreichen Tier geleitet, entdeckt er die Ruinen des alten Barbarossa-Palastes. Immer verhängnisvoller, grotesker und schuldhafter aber wird sein Leben, da die unsichtbar agierenden »Kronenwächter«, die durch ihn wieder zur Herrschaft gelangen wollen, dank geheimnisvoller Vorspiegelungen anachronistische Träume von Rittertum und Herrschergewalt in ihm wecken. Zwar entwürdigt Berthold den ehrwürdigen Barbarossa-Palast utilitaristisch zur Tuchfabrik und wird, ein erfolgreicher Tuchfabrikant, schließlich Bürgermeister, aber er kränkelt zugleich und siecht dreißig Jahre lang dahin, symbolisch die Selbstentfremdung des Bürgers damit bekundend. Durch eigene Anstrengung und innere Klarheit müßte er zu einem verantwortungsbewußten Bürger genesen; statt dessen läßt er sich, zur Selbsterkenntnis und einer zeitbewußten Haltung nicht fähig, von Faust eine Bluttransfusion geben, wodurch er zwar Kraft für sein »zweites Leben« gewinnt, aber auch in eine ihm ungemäße heroische Richtung gerät. Auf einem hölzernen Theaterpferd will er reiten lernen, aber das ausgedörrte Requisit bricht unter ihm zusammen. In dieser grotesken Episode nimmt Arnim schon manches von der Figur des ähnlich verblendeten Nikolaus Marggraf in JEAN PAULS Spätroman *Der Komet* vorweg. Aber die *Kronenwächter* sind trotz der vielen spaßhaften Erfindungen kein komischer Roman und Berthold kein Don Quijote. Er ist viel eher der erste Antiheld der deutschen Literatur. Arnims ganze innere Freiheit den Zeitthemen und dem literarischen Erbe gegenüber zeigt sich besonders deutlich an seiner herrlichen Faustgestalt, die weder dem Volksbuch noch der Goethenachfolge entnommen ist. Dieser Faust ist ein vorzüglicher Arzt, dabei aber ein grober Säufer und Tausendsassa, Kind einer abenteuerlichen Zeit. Er ist es auch, der Berthold rät, sich mit Hilfe von Amtsanmaßung einen Brunnen zu bauen, um sein Ansehen zu erhöhen. Berthold aber gelangt nicht in die Tiefe; ein von Luther gesandter frommer Bergmann muß den Schacht für ihn graben, kommt aber dabei um, und Berthold hat Schweigegelder zu bezahlen, um sein Ansehen als Bürgermeister zu wahren. Der tiefe Brunnen, Symbol des Zugangs zu den verborgenen Schichten der Seele, wird durch Frevel erkauft. So entfremdet sich Berthold stetig den Bürgern seiner Stadt. Schließlich glaubt er, in ihrem Sinn zu handeln, wenn er sich mit der Stadt dem Schwäbischen Bund anschließt. Herrliche ritterliche Abenteuer will er an der Seite Georgs von Frundsberg bestehen. Da muß er erkennen, daß er seine Stadt verkannt hat. Die Bürger sehen ihn als eidbrüchigen Verräter an. Die von Faust einst geöffnete Vene bricht auf, Berthold stirbt neben seinem Brunnen in Unehre.

Die romantischen Bilder, die Arnim übernimmt (das wissende Kind, der tiefe Brunnen, der Bergmann, die ganze reiche Welt des eingefügten *Hausmärchens*), bildet er auf souveräne Weise um. Der Höhepunkt von Arnims ungewöhnlicher Auseinandersetzung mit der Romantik, deren große Entdeckungen eben zu veralten drohten, zugleich der genialste Einfall des ganzen Romans, der die eigentliche innere Ordnung in dem reichen Phantasiewerk schafft, ist die Gegenüberstellung von Kronenburg und Burg Hohenstock. Von der Kronenburg läßt Arnim, wie von allem Wunderbaren, nur die handelnden Personen berichten. Nie sieht sie der Leser selbst. Die hoch über der Welt, irgendwo am Bodensee erbaute gläserne Burg mit den engen schwindelerregenden Treppen, dem wachsamen Löwen und der unendlichen Aussicht aus einem gezeitenlosen Garten ist das Behältnis für die alte deutsche Kaiserkrone, ein schimmerndes, ungemein großartiges, wirklichkeitsentrücktes Ideal. Wie ein Märchen dringt die Erzählung zu uns. Die wirkliche Hohenstaufenburg ist nicht der siebentürmige Wunderbau aus Kristall, sondern Burg Hohenstock, wohin Berthold von den Kronenwächtern beordert wird und die man folglich zu Gesicht bekommt: ein regelloser Bau, in dessen verwahrlosten, stickigen Zimmern ein schwachsinniger Graf, letzter Hohenstaufenerbe, in wilder Ehe mit seiner gemeinen Haushälterin lebt. Jaulende Hunde verunreinigen die Gänge, die einzige Aussicht geht auf einen Sumpf, auf dem die Burg gebaut ist. Nie hatte ein Romantiker eine mittelalterliche Burg so beschrieben. Gerade so aber sieht die Wirklichkeit aus, wenn überalterte Vorstellungen von einer politisch nicht mehr aufrechtzuerhaltenden Idealwelt weiterwirken wollen. Die wunderbare, glitzernde Kronenburg ist eine der größten Erfindungen der deutschen Romantik. Ein schwächlicher Epigone, ein Fouqué etwa, hätte eben sie zum Schauplatz gewählt. Arnim aber zeigt in ihr ein Seelenbild, das nicht durch Machthunger (Kronenwächter) oder schöne Träume (Berthold) in eine äußere Wirklichkeit umgesetzt werden kann. Man muß diese Burg in sich selbst aufbauen können, immer wieder. Wer glaubt, sie einfach erben zu können, findet sich in Burg Hohenstock. Statt dynastische Zwietracht auszulösen, müßte die Krone wieder verbindend wirken und alles Getrennte und in sich Zerfallene wieder zusammenführen. Das hätte wohl im zweiten Teil des unvollendeten Romans beschrieben werden sollen.

Erst lange nach Arnims Tod gab seine Gattin Bettina einen sogenannten zweiten Teil aus dem Nachlaß heraus, den sie aber mühsam und z. T. wohl auch willkürlich aus noch nicht überarbeiteten früheren Fragmenten zusammenstellen mußte. Der Roman beginnt mit der Neujahrsnacht 1474/75. Das erste Buch schließt mit dem Sommer 1488. Bertholds zweites Leben setzt im Jahr 1518 ein. In vier Bänden wollte Arnim das gesamte Leben, alle historischen Ereignisse, alle Gebräuche jener Zeit darstellen; Bilderstürmer, Bauernkriege, Wiedertäufer, Dürer und Cranach und vieles andere sollte mit dem heimlichen Treiben der Kronenwächter verwoben werden. Diese Intention, nicht auszuschöpfende Bezüge, den Kosmos der Geschichte, darzustellen, verlangte, ähnlich wie der Versuch des Novalis, im *Heinrich von Ofterdingen* den Kosmos der Dichtung auszumessen, als Form das unvollendbare Fragment.

W. V.

Ausgaben: Bln. 1817. – Bln./Weimar 1840–1854 (in *SW*, Hg. W. Grimm, 22 Bde., 1839–1856, Bd. 3 u. 4 [Nachlaßbd.]). – Stg. o. J. [1881] Einl. J. Scherr; Collection Spemann, 9). – Lpzg. o. J. [1925] (in *Werke*, Hg. A. Schier, 3 Bde., 1). – Mchn. 1962 (in *Sämtliche Romane u. Erzählungen*, Hg. W. Migge, 3 Bde., 1962–1965, 1).

Literatur: W. Grimm, Rez. (in W. G., *Kleinere Schriften*, Bd. 1, Bln. 1881, S. 266–314). – K. Wagner, *Die historischen Motive in A.s »Kronenwächtern«. Ein Beitrag zur Erschließung des Ideengehalts der Dichtung*, 2 Tle., Progr. Goldap 1908–1910. – A. v. Hatzfeld, *A. v. A.s »Kronenwächter« u. der romantische Roman*, Diss. Freiburg i.B. 1920. – A. Best, *A.s »Kronenwächter«* (in Jb. der Kleist-Ges., 13, 1932, S. 122–197). – P. Esser, *Über die Sprache in A. v. A.s Roman »Die Kronenwächter«*, Diss. Köln 1937. – R. Guignard, *L'histoire dans »Les gardiens de la couronne« d'A.* (in EG, 3, 1948, S. 251–259). – E. Schmidt, *A. v. A.s Hinwendung zum Mittelalter u. dessen Bild in seinem Roman »Die Kronenwächter«*, Diss. Bln. 1951. – H. Riebe, *Erzählte Welt. Interpretation zur dichterischen Prosa A. v. A.s*, Diss. Göttingen 1952, S. 80–181. – A. Wilhelm, *Studien zu den Quellen u. Motiven von A. v. A.s »Kronenwächter«*, Winterthur 1955 [zugl. Diss. Zürich]. – R. Zimmermann, *L. A. v. A. u. sein Roman »Die Kronenwächter«*, Diss. Wien 1955. – W. Vordtriede, *A. v. A.s »Kronenwächter«* (in NRs, 73, 1962, S. 136–145; auch in *Interpretationen. Deutsche Romane von Grimmelshausen bis Musil*, Hg. J. Schillemeit, Ffm. 1966, S. 155–163; FiBü, 716).

DER TOLLE INVALIDE AUF DEM FORT RATONNEAU. Erzählung von Ludwig Achim von Arnim (1781–1831), erschienen 1818. – Diese heute bekannteste Erzählung Arnims ist in der kunstvollen Fügung ihrer Motive und in der Überschaubarkeit der novellistischen Handlungsentwicklung eher untypisch innerhalb des Arnimschen Gesamtwerks, dessen Reichtum an phantastischer Motivik und ideeller Komplexität noch kaum gesichtet ist. Einer bestimmten Epoche oder einer normativen Erzähltradition läßt sich *Der tolle Invalide* weder stilistisch noch gehaltlich mit Eindeutigkeit zuordnen. Zugrunde liegt dem Geschehen ein anekdotischer Fall, den Arnim aus der Stadtgeschichte Marseilles kannte: Ein wahnsinniger Kriegsinvalide hatte sich auf dem Fort Ratonneau gegenüber dem Hafen eingeschlossen und drohte, von dort aus die Stadt zu beschießen; Soldaten hatten ihn überwältigt und ins Irrenhaus gebracht. Die sensationell-schauerliche Situation ist von Arnim entscheidend verändert worden; indem er sie in einen weitausgreifenden, einerseits groteske und komische Elemente hinzufügenden, andererseits den Konflikt religiös überhöhenden Zusammenhang hineinstellte, hat er ihr einen phantastisch-legendären Charakter verliehen, sie der historischen Faktizität weitgehend entfremdet. Die unter den Schluß der Erzählung gesetzten Zeilen »*Gnade löst* *den Fluch der Sünde / Liebe treibt den Teufel aus«* akzentuieren einen allegorischen Deutungsaspekt: Francoeur, der Held der Geschichte, ist vom Teufel besessen, und zwar seit jenem Tage, als sich ihm seine deutsche Frau wie ein rettender Engel am Krankenlager zeigte, ihn mit *»einer seltenen Liebe«* pflegte und dafür von ihrer Mutter, einer diabolischen Figur, verflucht wurde. Francoeur verfiel in eine Tollheit, die seine militärische Laufbahn ruinierte, und aus dem Versuch der Frau, ihm durch einen Gönner, den *»guten alten Kommandant von Marseille«*, helfen zu lassen, folgt dann die eigentliche Geschichte. Das Auftreten eines dreisttörichten Teufelsaustreibers drängt Francoeur in eine Identifikation mit »Satanas«, und nur der fromme Opfergang der liebenden Frau kann die Stadt retten und bei dem Mann eine erlösende Krise bewirken. Francoeur wird zu einem *»unendlichen Gefühl seines Daseins«* befreit, während Friedenstauben das unschuldige Kind des Paares trösten. Später wird bekannt, daß auch die Mutter in diesem Moment *»durch einen Strahl aus ihrem Innern beruhigt«* worden sei, so daß sie habe *»selig entschlafen«* können.

Eine solche erbauliche Polarisierung zwischen teuflischen und himmlischen Mächten prägt aber keineswegs die Erzählung im ganzen. Dies zeigt sich schon an den witzig-auflockernden Sprachspielen mit dem Wort »Teufel«, das wird auch deutlich an dem behaglich-komischen Erzähleingang, vor allem an der Bedeutung, die die Kunst des Feuerwerks als Leitmotiv der Erzählung hat: Wovon der alte Kommandant am Kamin träumt, das erfüllt ihm Francoeur, indem er Raketen und Leuchtkugeln aus Haubitzen und Mörsern über die Stadt schießt. Das Elementare zugleich zu entfesseln und mit ihm zu spielen bleibt eine triumphale Leistung, und schon darum wird dem Invaliden Gnade zugesichert. Schließlich wird für das gute Ende noch ein sehr realer, physiologischer Grund angeführt: »... *die gewaltige Natur Francoeurs«* hat durch Eiterung einen Knochensplitter aus dem Gehirn getrieben, sich derart zu einem ruhigen Glück befreit. – Der Erzähler Arnim vermeidet es, die heterogenen Weltsichten miteinander auszugleichen, nutzt vielmehr zwanglos alle Möglichkeiten, den detailfreudig entworfenen Situationen sinnliche Evidenz zu verleihen. Die komische Drastik eines brennenden Holzbeins oder eines bei Feuersnot schnarchenden Dieners oder der aus der unterschiedlichen Größe von Eierkuchen abgeleiteten Eifersucht verträgt sich mit dem volkstümlichen Ernst religiöser Symbolsprache, weil der erzählerischen Phantasie prinzipiell alle Phänomene als Facetten eines vielfarbigen Geheimnisses gelten können, als Zeichen des sich in Natur und Geschichte verborgen offenbarenden kosmischen Gesetzes. E. Ri.

AUSGABEN: Bln. 1818 (in *Gaben der Milde und Aprillaunen*, Hg. F. W. Gubitz, Bd. 4). – Bln. 1839 (in *SW*, Hg. W. Grimm, 22 Bde., 1839–1856, 2). – Lpzg. o. J. [1911] (in *Werke*, Hg. R. Steig, 3 Bde., 1). – Mchn. 1916 (zus. m. *Die drei liebreichen Schwestern und der glückliche Färber*). – Mchn./Barmen 1920 (zus. m. *Philander*; Die Bücher der dt. Meister, 39). – Lpzg. o. J. [1925] (in *Werke*, Hg. A. Schier, 3 Bde., 2). – Lpzg. 1939 (Ill. F. Kredel; IB, 541). – Stg. 1955 (zus. m. *Owen Tudor*; Nachw. K. Weigand; RUB, 197; ern. 1968). – Zürich 1959 (in *Isabella von Aegypten und andere Erzählungen*, Hg. W. Migge; Ill. F. Fischer). – Mchn. 1963 (in *Sämtliche Romane und Erzählungen*, Hg. ders., 3 Bde., 1962–1965, 2).

LITERATUR: J. Lesowsky, *»Der tolle Invalide«* (in ASSL, 65, 1911, S. 302–307). – H. R. Liedke, *Literary Criticism and Romantic Theory in the Work of A. v. A.*, NY 1937; ern. 1966. – H. Riebe, *Erzählte Welt. Interpretation zur dichterischen Welt A. v. A.s*, Diss. Göttingen 1952. – E. Feise, *»Der tolle Invalide« v. A. v. A.* (in JEGPh, 3, 1954, S. 403 bis 409). – W. Rasch, *A. v. A.s Erzählkunst* (in Der Deutschunterricht, 7, 1955, H. 2, S. 38–55). – G. Rudolph, *Studien zur dichterischen Welt A. v. A.s*, Bln. 1958 (QFgV, N. F. 1). – B. v. Wiese, *A. v. A.: »Der tolle Invalide auf dem Fort Ratonneau«* (in B. v. W., *Die deutsche Novelle von Goethe bis Kafka*, Bd. 2, Düsseldorf 1962, S. 71–86). – M. Lawrence u. I. H. Washington, *The Several Aspects of Fire in A. v. A.'s »Der tolle Invalide«* (in GQ, 37, 1964, S. 498–505). – H. Himmel, *A. v. A.s »Toller Invalide« u. die Gestalt der deutschen Novelle. Versuch einer literaturwissenschaftlichen Grundlegung*, Linz 1967.

CLEMENS BRENTANO
(1778–1842)

DIE CHRONIKA DES FAHRENDEN SCHÜLERS. Fragment einer erzählenden Dichtung von Clemens BRENTANO (1778–1842), in einer gekürzten und überarbeiteten Fassung unter dem Titel *Aus der Chronika eines fahrenden Schülers* erschienen 1818. – Das in unserem Jahrhundert entdeckte Originalmanuskript wurde 1923 zum erstenmal veröffentlicht. Es enthält einen handschriftlichen Vermerk Brentanos: *»Altes erstes Manuskriptfragment von der Chronika des fahrenden Schülers, dessen begonnene Umarbeitung in Sängerfahrt ... steht.«* – *»In dem Jahr, da man zählte nach Christi unsers lieben Herrn Geburt 1358 im lieblichen Monat Mai«* erwacht, am Morgen seines zwanzigsten Geburtstages, Johannes, der bis dahin als bettelnder Schüler durch die Lande gezogen war, in einer völlig neuen Umgebung: am Abend zuvor hatte ihn der Ritter Veltlin von Türlingen als Schreiber in sein Straßburger Haus aufgenommen. Im Lauf dieses Tages nun erzählt Johannes seinem neuen Herrn einige Kindheitserinnerungen, den Anfang der traurigen Liebesgeschichte seiner Mutter, die als einfaches Mädchen einen Ritter liebte, Episoden aus seiner Wanderzeit und die Parabel von dem Wunderspiegel, der seinen Erfinder zur Hoffart verführte und ihn mitsamt der ganzen Stadt ins Verderben riß. Am Ende des Fragments liest Johannes dem Ritter und seinen Töchtern aus einem alten Buch noch die Geschichte *Vom traurigen Untergang zeitlicher Liebe* vor. Zwischen die Erzählungen sind erbauliche Betrachtungen eingestreut.

1803, kurz nach Vollendung seines *»verwilderten Romans« Godwi* begann Brentano mit der Arbeit an der *Chronika*, die sich – oft unterbrochen – bis 1810 hinzog. Bedeutsamer als manche anderen autobiographischen Bezüge des Werkes ist die »Selbstspiegelung« des Dichters in der Gestalt des *»schönen Bettlers«* im Märchen *Vom traurigen Untergang zeitlicher Liebe*. Dieser unheilvoll schöne Jüngling, unfähig zu *»alle dem, was man so unter den Leuten arbeiten nennt«*, lebt auf einer Klippe, wo der *»Perlengeist«* haust, der alle *»zeitlich«* Liebenden in tödliche Meerestiefe lockt. Selber ein Sohn der Sirene und eines biederen Fischers, *»zersang«* der

»schöne Bettler« die Lockgesänge des Geistes *»mit unaussprechlicher Kunst«*, so daß er die *»Verirrten zum Guten verführte«*. Freilich zeichnet er auch die Lieder des Perlengeistes auf, verfällt so selbst der Hoffart und stirbt *»in Sünde«*. Hier haben geheime Wunschvorstellungen und eine bittere Abrechnung Brentanos mit sich selbst Ausdruck gefunden, und so gibt dieses kostbare, mit Märchenmotiven und Anklängen an die Offenbarung des Johannes durchsetzte Prosastück wichtige Hinweise auf sein Selbstverständnis als Dichter: *»Lehrend soll sein ... alle wahre Kunst«* und ruhelos *»schweben«* zwischen *»Himmel und Erde«*.

In einer hochpoetischen, relativ ausgeglichenen Sprache gelingen Brentano allenthalben zauberhafte und eindrucksvolle Naturbilder; dabei kommt es ihm nicht auf genaue Landschaftsbeschreibungen, sondern vor allem auf Stimmungen an. Unter den wenigen Verseinlagen findet sich das berühmte (schon 1802 für Sophie Mereau gedichtete) Nachtigallenlied: *»Es sang vor langen Jahren / Wohl auch die Nachtigall ...«* – Trotz ihres fragmentarischen Charakters gehört die 1923 veröffentlichte Urfassung der *Chronika* zu den schönsten Prosawerken Brentanos. V. H.

AUSGABEN: Bln. 1818 (*Aus der Chronika eines fahrenden Schülers* in *Die Sängerfahrt. Eine Neujahrsausgabe für Freunde der Dichtkunst und Mahlerey*, ges. v. F. Förster, S. 234–258). – Lpzg./Wien 1914 (in *Werke*, Hg. M. Preitz, 3 Bde., 1). – Lpzg. 1923 (Urfassung; *Die Chronika des fahrenden Schülers*, Hg. u. Nachw. J. Lefftz). – Lpzg. 1935 (*Aus der Chronika eines fahrenden Schülers* in DL, R. Romantik, 16; m. Anm.). – Mchn. 1963 (in *Werke*, Hg. F. Kemp, 4 Bde., 2).

LITERATUR: R. Sprenger, *Zu B.s »Aus der Chronika eines fahrenden Schülers«* (in ZfdU, 17, 1903, S. 315ff.). – A. Walheim, *B.s »Chronika eines fahrenden Schülers«* (in ZfÖG, 63, 1912, S. 289ff.). – H. Cardauns, *Wann entstand B.s »Chronica eines fahrenden Schülers«?* (in Hist.-polit. Blätter, 157, 1916). – G. Schneider, *Studien z. dt. Romantik*, Lpzg. 1962, S. 71–119.

GESCHICHTE VOM BRAVEN KASPERL UND DEM SCHÖNEN ANNERL. Novelle von Clemens BRENTANO (1778–1842), erschienen 1817. – Dem Dichter erzählte die Mutter seiner Freundin Louise Hensel zwei wahre Begebenheiten: die einer Kindestötung und die vom Selbstmord eines Unteroffiziers. Beide Geschichten und Motive aus dem Gedicht *Weltlich Recht (Des Knaben Wunderhorn)* verschmolz Brentano unter dem Leitmotiv der Ehre in seiner Novelle, die er innerhalb von vier Tagen niederschrieb.

Die Ehrsucht nämlich hat das Leben der beiden jungen Menschen zerstört, von denen die steinalte Bäuerin erzählt, als ihr der Dichter in *»einer kühlen Nacht, welche von fernen Gewittern zu uns herwehte«* tröstend Gesellschaft leistet. Die ganz auf das Jenseits gerichtete Frömmigkeit und die Würde der Alten ergreifen den jungen Erzähler derart, daß er es scheut, sich ihr als Schriftsteller vorzustellen – hier äußert Brentano seine eigene zwiespältige Auffassung vom »Beruf« des Dichters –, sondern behauptet, er sei *»Schreiber«*, worauf ihn die Frau bittet, ihr eine Petition an den Herzog aufzusetzen, da *»zwei Liebende beieinander ruhen sollen«*. Zunächst in dunklen Andeutungen, dann immer klarer und gedrängter, erzählt sie von ihrem Enkel, dem Ulanen Kasper, der ihr Patenkind Annerl liebte und dessen Ehrgefühl so übertrieben war, daß ihn die Großmutter häufig mahnen mußte: *»Gib Gott allein die Ehre!«* Vor wenigen Tagen nun waren ihm, als er auf Urlaub kam, vom eigenen Vater und Stiefbruder Pferd und Felleisen geraubt worden. Aus Pflichtgefühl überlieferte er beide dem Gericht und erschoß sich dann am Grab der Mutter, weil er es nicht ertrug, eines Diebes Sohn zu sein. In seinem Abschiedsbrief bat er um ein ehrliches Begräbnis. – Wie ihm so wurde auch Annerl die Ehrsucht zum Verhängnis. Sie war, während Kasper im Felde stand, in der Hauptstadt als Magd tätig. Da sie lang nichts von ihm gehört hatte, gab sie schließlich einem adeligen Verführer nach und erstickte, um der Schande zu entgehen, ihr Kind nach der Geburt. Doch den Namen des treulosen Vaters gab sie vor Gericht nicht preis. An diesem Morgen nun soll sie hingerichtet werden. Nachdem die Bäuerin geendet hat, verspricht ihr der erschütterte Dichter, beim Herzog für Annerl »Pardon« zu erflehen, aber die gläubige Alte, die lediglich ein christliches Begräbnis für die beiden Unglücklichen erwirken möchte, hält ihm entgegen: *»Hör' Er, lieber Freund, Gerechtigkeit ist besser als Pardon.«* Trotz der nächtlichen Stunde dringt der Erzähler zum Herzog vor, der unverzüglich einen Offizier, den Grafen Grossinger, mit der Begnadigung zum Richtplatz befiehlt. Doch der Graf kommt zu spät. An Annerls Leichnam bekennt er, selbst der Verführer zu sein, und vergiftet sich wenig später. Tief bewegt entschließt sich der Herzog, seine Geliebte, Grossingers Schwester, zu heiraten. Beim kirchlichen Begräbnis Annerls und Kaspers sinkt die Großmutter, deren letzter Wunsch erfüllt ist, dem Erzähler tot in die Arme. Das Grab wird mit den Allegorien der wahren und der falschen Ehre, der Gerechtigkeit und der Gnade geschmückt, die sich vor dem Kreuz beugen.

Die Ehre, die in individuellem, sozialem und religiösem Bezug gespiegelt erscheint, verbindet als Leitmotiv die drei Erzählungsstränge, deren geheimer Mittelpunkt die Gestalt der frommen Bäuerin ist, da sie allein weiß, daß die wahre Ehre Gott gebührt. Die rahmenartige Einführung, die zuletzt zeitlich mit dem berichteten Geschehen verschmilzt, als der Erzähler, zunächst ebenso uneingeweihter Zuhörer wie der Leser, aus Mitleid in die Handlung eingreift, verstärkt die kunstvolle Dichte der Kompostion. Dingsymbole, wie Kränze, Rosen, Schleier, das in Gegenwart der dreijährigen Annerl pendelnde Richtschwert, durchweben die Novelle und deuten, teils versöhnlich, teils magischbedrohlich, die Ereignisse. Kennzeichnend für die Spätromantik sind die ausgewogene Mischung realistischer und märchenhafter Elemente und die Einbeziehung der Poesie in das Leben. KIERKEGAARD trifft das Wesen der Erzählung mit den Worten: *»Es geht ... eine ernste Melancholie hindurch, eine Ahnung von der Macht des Bösen ... die jedes Zeitliche seinen Tribut an diese unbeugsame Macht zahlen läßt.«* (*Tagebuch*, 1837) KLL

AUSGABEN: Bln. 1817 (in *Gaben der Milde*, Hg. F. W. Gubitz, Bd. 2). – Bln. 1838. – Lpzg. 1914 (IB, 175). – Ffm. 1923 (in *GW*, Hg. H. Amelung u. K. Viëtor, 4 Bde., 1). – Lpzg. 1937, Hg. A. Müller (DL, R. Romantik, 19). – Bergen/Obb. 1949, Hg. E. Hederer (Die Weltliteratur, 47). – Zürich 1958 (in *Gedichte, Erzählungen, Märchen*, Hg. O. Heuschele). – Mchn. 1963 (in *Werke*, Hg. F. Kemp 1963ff., Bd. 2).

LITERATUR: A. Walheim, *Das Traumhafte in B.s »Geschichte vom braven Kasperl u. schönen Annerl«* (in ZfÖG, 64, 1913, S. 470–473). – E. Feise, *B.'s »Geschichte vom Annerl und Kasperl«* (in *Corona. Studies in Celebration of ... S. Singer*, Durham 1941, S. 203–211). – W. Silz, *B.'s »Kasperl und Annerl«* (in W. S., *Realism and Reality. Studies in the German Novelle of Poetic Realism*, Chapel Hill 1954, S. 17 28). – B. v. Wiese, *C. B., »Geschichte vom braven Kasperl und dem schönen Annerl«* (in B. v. W., *Die deutsche Novelle von Goethe bis Kafka*, Düsseldorf 1956, S. 64–78). – R. Alewyn, *B.s »Geschichte vom braven Kasperl und dem schönen Annerl«* (in *Gestaltprobleme der Dichtung. Fs. f. G. Müller*, Bonn 1957, S. 143–180; ern. in *Interpretationen. Deutsche Erzählungen von Wieland bis Kafka*, Ffm. 1966, S. 101–150; überarb.; FiBü, 721). – H. Rehder, *Von Ehre, Gnade u. Gerechtigkeit. Gedanken zu B.s »Geschichte vom braven Kasperl und dem schönen Annerl«* (in *Stoffe, Formen, Strukturen. Studien zur deutschen Literatur. Fs. f. H. H. Borcherdt*, Hg. A. Fuchs u. H. Motekat, Mchn. 1962, S. 315–330).

GOCKEL HINKEL GAKELEJA. Mährchen, wieder erzählt von Clemens BRENTANO (1778–1842), erschienen 1838; gewöhnlich wird die erste, kürzere Fassung (*Gockel und Hinkel*, entstanden 1811) nachgedruckt. Das Märchen ist jedoch unter dem späteren Titel *Gockel, Hinkel und Gackeleia* bekannt. – Das Hauptmotiv des *Gockel*, ebenso wie die Motive der *Italienischen Märchen* (ab 1805), entnahm Brentano der neapolitanischen Märchensammlung *Pentamerone* (1634–1636) von Giambattista BASILE, bereicherte es jedoch mit zahlreichen Einzelzügen aus Johann PRAETORIUS' *Alektryomantia* (1680) und anderen alten Schriften. Die Verseinlagen stammen teilweise aus *Des Knaben Wunderhorn*.

Gockel und seine Frau Hinkel leben mit ihrer Tochter Gackeleia im Hühnerstall ihres zerstörten Schlosses; ihr einziger Besitz ist Alektryo, ein Hahn, der – was ihnen unbekannt ist – einen Wunschring in der Kehle hat. Durch einen Streit dreier Juden, die ihm diesen Hahn ablisten wollen, weil sie dessen Geheimnis kennen, erfährt Gockel von dem Ring. Alektryo stirbt darauf einen »ritterlichen« Opfertod: er läßt sich enthaupten, und sein Herr zaubert mit dem Ring ein Schloß herbei. Auch Gackeleia lernt die Kraft des Ringes kennen; und doch ist ihr Leben nicht frei von Kummer: der Vater hat ihr einst wegen eines Ungehorsams verboten, mit Puppen zu spielen. Da schenkt einer der Juden ihr eines Tages eine lebendige Puppe, eine »*kleine Kunstfigur*«, und schmeichelt ihr dafür den Ring ab. Gockel fällt mit seiner Familie wieder in Armut, und Gackeleia läuft fort; sie folgt ihrer Puppe durch den Wald. In der Puppe aber ist die Mäuseprinzessin Sissi gefangen, der Gackeleia zur Heimkehr in ihr Reich verhilft. Nun erobern die dankbaren Mäuse für Gackeleia den Ring zurück. Das Mädchen zaubert das Schloß wieder herbei, verwandelt sich selber in eine junge Dame und den kleinen Prinzen Kronovus – einen Königssohn, der ihr einst als Gemahl versprochen war – in einen jungen Mann. Mit ihrer Hochzeit endet das Märchen.

Gockel Hinkel Gakeleja ist ein für Brentanos Kunst charakteristisches Märchen. Frei von allen formalen Begrenzungen läßt der Dichter seine fabulierfreudige Phantasie schweifen. Schlichter, kindlicher Erzählton, der seine Kraft aus der Volkssprache zieht, springt über in groteske oder ironische Schilderungen. Wortspiele und bildhafte Fügungen lösen einander ab. An den Höhepunkten des Märchens, z. B. wenn die Tiere plötzlich sprechen können oder Zaubersprüche kundgetan werden, geht die erzählende Prosa geschmeidig in volksliedhafte Verse über. Dieses Kompositionsprinzip ergibt einen gleichsam musikalischen Rhythmus, der die scheinbar widerstrebenden Sprachelemente zu einer kunstvollen Einheit bindet. V. H.

AUSGABEN: Ffm. 1838. – Stg./Tübingen 1847 (in *Die Märchen*, Bd. 2; Urfassg.). – Stg. 1892, Hg. M. Koch (DNL, 146/2; Urfassg.). – Mchn./Lpzg. 1917 (in *SW*, Hg. C. Schüddekopf u. a., 1905ff., Bd. 12/2; hist.-krit.). – Zürich 1958 (in *Gedichte, Erzählungen, Märchen*, Hg. O. Heuschele). – Mchn. 1965 (in *Werke*, Hg. F. Kemp, 1963ff., Bd. 3).

LITERATUR: W. Schellberg, *Untersuchung des Märchens »Gockel, Hinkel und Gackeleia« und des »Tagebuchs der Ahnfrau« von C. B.*, Diss. Münster 1903. – L. Streit, *Untersuchungen zum Stil der Märchen C. B.s*, Diss. Erlangen 1910. – K. Glöckner, *B. als Märchenerzähler*, Diss. Köln 1937. – W. Frühwald, *Das verlorene Paradies. Zur Deutung von C. B.s ›Herzlicher Zueignung‹ des Märchens »Gockel, Hinkel und Gackeleia«* (in LJb, 3, 1962, S. 113–192). – J. Mittenzwei, *Das Musikalische in der Literatur. Ein Überblick von Gottfried von Straßburg bis Brecht*, Halle 1962, S. 143ff. – Ch. Holst u. S. Sudhof, *Die Lithographien zur ersten Ausgabe von B.s Märchen »Gockel, Hinkel, Gackeleja«* (in LJb, 6, 1965, S. 140–154).

GODWI ODER DAS STEINERNE BILD DER MUTTER. Ein verwilderter Roman von Maria. Roman von Clemens BRENTANO (1778–1842), erschienen in zwei Bänden 1801. – Der Autor bedient sich in diesem Werk einer erzählerischen Technik, die dem z.B. von Friedrich von SCHLEGEL geforderten Prinzip der autonomen Subjektivität, der schweifenden Willkür und der Ironie als des »*klaren Bewußtseins der ewigen Agilität, des unendlich vollen Chaos*« (*Ideen*, Nr. 69, in ›Athenäum‹, 3, 1800) auf bezeichnende Weise entspricht: Der erste Teil des *Godwi* ist als Briefroman angelegt, der zweite gibt diese Briefsammlung als weitgehend freie Redaktion eines jungen Autors namens Maria aus, der zudem die Bekanntschaft des wichtigsten Briefpartners im ersten Teil, Godwi, macht und mit dessen Hilfe den zweiten fertigzustellen sucht. Die von Maria gewählte lineare, geschlossene Romanform wird erneut durchbrochen, als ihn eine tödliche Krankheit ereilt und Godwi an seiner Stelle das Werk fortsetzt.

Die 28 insgesamt undatierten Briefe des ersten Teils schaffen ein dichtes Netz von oft geheimnisvollen Beziehungen zwischen zahlreichen Personen: Der Roman setzt ein mit einem Brief des jungen Godwi, eines adeligen Kaufmannssohnes, an seinen Jugendfreund Karl Römer, den nüchtern-bürgerlichen, aber ironisch veranlagten Verwalter der Güter von Godwis Vater. Godwi, dem sein Vater eine größere Reise gestattet hat, berichtet zunächst über seinen Aufenthalt in B., wo er eine reife, leidenschaftliche Frau, Molly, kennenlernte, die »*auf die geschmackvollste Art die äußersten letzten Fäden der Sinnlichkeit durch affektierte Mensch-*

lichkeit in die Grenzen einer edlen, empfindungsvollen Sittlichkeit« hinüberzuweben versteht. Nach der Trennung von ihr führt ihn der Zufall in das abgelegene Schloß eines Landjunkers, dessen Tochter, Joduno von Eichenwehen, ein »*gutes natürliches Mädchen*«, ihn vorübergehend als Kontrast zu Molly seelisch anzieht. Sie steht im Briefwechsel mit einem in der Nähe hausenden, Harfe spielenden Einsiedler, Werdo Senne, und dessen Tochter Otilie, ihrer einzigen Vertrauten. Als Godwi, auf Drängen Jodunos, Werdo Senne einen Besuch abstattet und die Bekanntschaft Otiliens macht, entschließt er sich, längere Zeit zu bleiben, zumal ihm Otilie, ein »*reines kunstloses Weib*«, jenen »*einfachen stillen Frieden*« schenkt, »*in dem sich alle Sehnsucht beantwortet*«. Karl Römer unternimmt währenddessen eine Geschäftsreise, die ihn ebenfalls nach B. führt, wo er auf rätselhafte Weise jene Molly – in Wahrheit eine seit geraumer Zeit in Deutschland ansässige Lady Hodefield – kennenlernt, die ihn aber bestürzt abweist, als sie seine Herkunft erfährt. Einer ihrer Briefe an Werdo Senne offenbart nämlich, daß Karl Römer ihr Sohn ist, der einem kurzen Verhältnis Mollys mit Godwis Vater entstammt. Die den ersten Teil beschließenden Briefe Römers an Godwi kündigen einen Besuch Jodunos in B. an, den Römer ungeduldig erwartet.

»*Die Begebenheit steht zuletzt wie ein schwankendes Gerüst da, das die Behandlung nicht mehr ertragen kann, und jagt den Lesern Todesangst für sich und sein Intresse ein.*« (*Vorrede* zum zweiten Teil) Diese Befürchtung Marias soll durch seinen Entschluß zerstreut werden, sich alle weiteren Daten der Handlung von Godwi selbst zu beschaffen. Maria trifft also auf dessen Landgut ein und sieht sich dank der Bereitwilligkeit des gealterten, nun abgeklärt-ruhigen Godwi imstande, den im ersten Teil geschürzten Knoten von Personenkonstellationen zu lösen. Die bizarre Tatsache, daß eine Romangestalt ihren Autor über seine schriftstellerischen Mängel belehrt, macht ähnliche Illusionsbrechungen möglich wie etwa in Tiecks Märchendramen. Godwi führt z. B. Maria zu einigen Örtlichkeiten des ersten Teils *(»Dies ist der Teich, in den ich Seite ... im ersten Band falle«)*, tadelt verschiedene Entstellungen seines Biographen *(»Sie* [Otilie] *ist freilich etwas sublime schlecht geraten«)* und steuert endlich aus seinen Papieren die Lebensgeschichten verschiedener Nebenfiguren bei, die als fortlaufende Kommentare in die Handlung eingefügt werden. Der Fortsetzung des Romans überdrüssig, drängt Maria auf ein schnelles Ende: Godwis Bericht stiftet zwischen nahezu allen Figuren enge verwandtschaftliche Beziehungen und klärt so entschlossen die Verwirrungen, eine Art der Auflösung, wie sie im Barockroman und dessen Ausläufern in der Trivialliteratur des späten 18. Jh.s durchaus üblich war. Maria und Godwi schicken – eine doppelte ironische Brechung – erleichtert ihre gesamte Entourage nach Italien: »*An der Spitze flog Eusebio, hinter ihm Franzesko und Otilie, und hinter diesen mein Vater nebst dem alten Joseph, in der Mitte aber Molly von Hodefield, so piramidalisch, wie die Störche fliegen – adieu –! ›Glückliche Reise‹, sagte ich* [Maria], *›kommt um Gottes willen nicht wieder –!*«

Nach dieser energischen Bereinigung der Szene erkrankt Maria, und Godwi selbst bemüht sich im Schlußabschnitt um die »*fragmentarische Fortsetzung*«: Seine (zu Beginn des ersten Bandes unternommene) Reise führte ihn zu einem am Rhein gelegenen Schloß, dessen Herrin, die Gräfin von G., »*ein leichtsinniges und fröhliches Weib*«, ihn mit ihrer geradezu heidnischen, ungezügelten, dennoch nicht ins »*Gemeine*« fallenden Sinnlichkeit an sich band. Als sie jedoch ihre junge, zwischen kindlich-frommer Naivität und Verdorbenheit schwankende Tochter Violette, die ihn liebte, durch Godwi in die Mysterien ihrer erotischen Religion einzuführen gedachte, weigerte er sich und floh. Violette glaubte sich verschmäht und wurde zur Dirne, die Godwi nach einem mehrjährigen Italienaufenthalt wiedertraf und erschüttert auf seinem Landgut aufnahm, wo sie bald darauf starb. Ihr Tod wirkte endlich auf die Läuterung Godwis hin, der Violette in einem »*steinernen Bild*« neben dem Grabmal seiner Mutter ein bleibendes Andenken bewahrt. – Ein kurzer Epilog bietet *Einige Nachrichten von den Lebensumständen des verstorbenen Maria* und eine kleine Auswahl seiner Gedichte (darunter ein *An Clemens Brentano* gerichtetes).

Dieser formal vielschichtigste, »verworrenste« aller romantischen Romane verrät zahlreiche Einflüsse, vor allem den des von den Romantikern allgemein bewunderten *Wilhelm Meister*, daneben den von Friedrich von Schlegels *Lucinde* und den der Werke Jean Pauls und Tiecks. Wenn Schlegel in seinem für die romantische Literaturtheorie programmatischen *Brief über den Roman* (*Gespräch über die Poesie*, in ›Athenäum‹, 3, 1800) einen Roman »*gemischt aus Erzählung, Gesang und anderen Formen*« fordert, so entspricht Brentanos Werk diesem Postulat: sein *Godwi* hat, bei aller formalen Differenziertheit, einen weniger straff organisierten epischen als ausgeprägt lyrisch-musikalischen Grundcharakter, den eine große Anzahl von eingelegten Liedern (darunter so berühmte wie *Ein Fischer saß im Kahne*, *Zu Bacharach am Rheine*, *Die Seufzer des Abendwinds wehen*), Sonetten, Kanzonen und kleinen Singspielen vertieft. Nahezu alle Personen – vor allem Godwi und sein Vater, am wenigsten Karl Römer – leben aus dem Zentrum einer unbestimmten, ihren exzentrischen Subjektivismus bedingenden Sinnlichkeit. Leben bedeutet für Godwi »*fühlen und fühlen machen, daß man da sei durch Genuß, den man nimmt und mit sich wiedergibt*«. Das vage, rastlose Umhertasten im Labyrinth des eigenen Gefühlslebens, das Godwi endlich zu »*jener Art von Ruhe*« führt, »*von der die Erfahrung begleitet wird*«, deutet auf eine wenn auch lockere Beziehung zum klassischen Bildungsroman hin. »*Das Wunschbild ist die Liebeserfüllung im restlosen Ineinanderfließen der Seelen und in der Einheit von Leib und Seele.*« (H. H. Borcherdt) Brentano war sich der Mängel seines einzigen Romans, zumal des zweiten Teils, durchaus bewußt, wenn er ihn später ein »*krankes, krüppelhaftes Kind*« nannte. H. H. H

Ausgaben: Bremen 1800–1802 [recte 1801], 2 Bde. Bln. 1906, Hg. A. Ruest. – Mchn./Lpzg. 1909 (in *SW*, Hg. C. Schüddekopf u. a., 1909 ff., Bd. 5, Hg. H. Amelung; hist.-krit.). – Ffm. 1923 (in *GW*, Hg. H. Amelung u. K. Viëtor, 4 Bde., 2). – Mchn. 1963 (in *Werke*, Hg. F. Kemp, 1963 ff., Bd. 2).

Literatur: A. Kerr, »*Godwi*«, *ein Kapitel deutsche Romantik*, Bln. 1898. – M. Pörner, *Die Entwicklung des bildlichen Ausdrucks in der Prosa B.s*, Diss. Greifswald 1911. – M. Thalmann, *Der Trivialroman des 18. Jahrhunderts und der romantische Roman*, Bln. 1923, S. 173–323. – P. Neuburger, *Die Verseinlage in der Prosadichtung der Romantik*, Lpzg.

1924, S. 252–261 (Palaestra, 145). – S. Harms, *B. und die Landschaft der Romantik*, Diss. Würzburg 1932. – J. Pradel, *Studien zum Prosastil B.s*, Halle 1939 [zugl. Diss. Breslau]. – I. Becker, *Morphologische Interpretation von B.s »Godwi«*, Diss. Bonn 1949. – H. H. Borcherdt, *Der Roman der Goethezeit*, Urach/Stg. 1949, S. 435ff. – W. Grenzmann, *C. B.s »Godwi«* (in EG, 6, 1951, S. 252–261). – E. E. Reed, *The Union of the Arts in B.'s »Godwi«* (in GR, 29, 1954, S. 102–118). – H. Encke, *Bildsymbolik in »Godwi« von C. B. Eine Strukturanalyse*, Diss. Köln 1958. – R. Nägele, *Die Muttersymbolik bei C. B.*, Winterthur 1959. – I. Strohschneider-Kohrs, *Die romantische Ironie in Theorie und Gestaltung*, Tübingen 1960, S. 337 bis 361. – J. Mittenzwei, *Das Musikalische in der Literatur*, Halle 1962, S. 143–161. – Ch. Hunscha, *Stilzwang und Wirklichkeit. Über B.s Briefroman »Godwi«* (in *Romananfänge. Versuch zu einer Poetik des Romans*, Hg. N. Miller, Olten/Freiburg i. B. 1965, S. 135–148).

DIE MEHREREN WEHMÜLLER UND UNGARISCHEN NATIONALGESICHTER. Erzählung von Clemens BRENTANO (1778–1842), erschienen 1817. Die Erzählung entstand vermutlich in den Jahren 1811/12 auf den Familiengütern der Brentanos im böhmischen Bukowan. 1813 hat sie Brentano Ludwig TIECK vorgelesen, der jedoch *»keinen Geschmack daran finden«* konnte. 1815 erschien die in die Erzählung eingelegte Geschichte vom *Kater Mores* in abweichender Fassung als »Anmerkung 83« zu Brentanos Schauspiel *Die Gründung Prags*, erst 1817 wurde die ganze Erzählung in Fortsetzungen in der von Friedrich Wilhelm GUBITZ herausgegebenen Berliner Zeitschrift ›Der Gesellschafter oder Blätter für Geist und Herz‹ gedruckt. Zusammen mit EICHENDORFFS Novelle *Viel Lärmen um Nichts* erschien sie in Buchform erstmals 1833.

Der seltsame und viel umrätselte Titel wird in der Rahmenhandlung der Erzählung erklärt. Wehmüller, ein reisender Maler, hat die Kunst des Schnellporträtierens erfunden und die Leute gemalt, *»ehe er sie gesehen«*. Den vorgefertigten Gesichtern fügt er dann jeweils nur noch *»einige persönliche Züge und Ehrennarben oder die Individualität des Schnurrbartes des Käufers unentgeltlich bei«*. Diese Tätigkeit des Malers überträgt Brentano auf die Struktur der Erzählung, indem er in den Binnengeschichten, die überschrieben sind *Das Pickenick des Katers Mores*, *Devilliers Erzählung von den Hexen auf dem Austerfelsen* und *Baciochis Erzählung vom wilden Jäger*, in motivähnlichen Darstellungen durch die Gestalt des jeweiligen Erzählers den Nationalcharakter des von ihm repräsentierten Volkes porträtiert: im *Kater Mores* den *»einsamen, schauerlichen Charakter«* Kroatiens, in der Erzählung Devilliers den vernunftgläubigen, aufklärerischen Geist des zeitgenössischen Frankreich, in der Geschichte des Feuerwerkers Baciochi den *»eigentümlichen, theatralischen Charakter«* Italiens. In den Binnenerzählungen wird aber über den artistischen Effekt einer Inhalt-Form-Identität hinaus in dieser Identität die *»höhere poetische Wahrheit«* des Erzählten bewiesen, da die Darstellung jeweils für den Ort, an dem sie spielt, *»scharf, bezeichnend und mythisch«*, deshalb im Sinne romantischer Poetologie »wahr« ist.

Der Titel deutet auch auf eine zweite, für den poetischen Gehalt der Erzählung entscheidende und nur vom Feuerwerk des Witzes überdeckte Kompositionslinie der Handlung. Dem Maler Wehmüller nämlich ergeht es in der Rahmenhandlung der Erzählung ebenso wie den Objekten seiner Kunst. Er muß auf der Suche nach seiner Frau, die im Pestgebiet durch einen Polizeikordon von ihm getrennt ist, erfahren, daß er zwei Doppelgänger hat, die zunächst niemand von ihm selbst unterscheiden kann, die sich aber später als seine verkleidete Frau Tonerl und als sein Rivale in der Kunst des Schnellporträtierens, Froschauer, enthüllen. Während Wehmüller im Wirtshaus an der Grenze darauf wartet, heimlich in das Pestgebiet geführt zu werden, hört er den Erzählungen der Gäste zu. Die ersten beiden Geschichten der Gäste, die sich wechselseitig interpretieren, scheinen völlig in sich abgeschlossen und ohne Bezug zur Rahmenhandlung. Erst in der Erzählung Baciochis von der Liebe des Schmugglerhauptmanns zu der schönen Zigeunerin Mitidika werden Wehmüllers Leiden kontrastiert, wird die Berechtigung seiner Kunst bewiesen, da im Schicksal der getrennten Liebenden das Schicksal Wehmüllers wiederholt ist und die schließliche Vereinigung Mitidikas mit dem Schmugglerhauptmann, als den sich Devillier zu erkennen gibt, auch die Vereinigung Wehmüllers mit seiner Tonerl ermöglicht.

Erst die dritte Geschichte also sprengt die hermetische Abgeschlossenheit der Binnenhandlung und führt in die Rahmenhandlung hinein. Weder dem Schauerlichen, dem Irrationalen, noch dem Aufklärerischen, dem Rationalen, gelingt es, den Pestkordon, der vom Paradies der Harmonie, von der Einheit des Seins trennt, zu überwinden, erst im »Theatralischen«, in der Kunst, in der Irrationales und Rationales sich vereinen, kann die verlorene Einheit des Seins wiedergefunden werden. So wird in der symbolischen Zueinanderordnung von Rahmen- und Binnenerzählung Brentanos Maxime belegt, daß in der »poetischen Konstruktion« der Pestkordon zwischen Wirklichem und Wahrem zu überwinden ist, wird mit dem Beweis der inneren Einheit der Erzählung auch der rätselhafte Titel gedeutet. W. Fr.

AUSGABEN: Bln. 1817 (in Der Gesellschafter oder Blätter für Geist und Herz, 1, 1817, Blatt 157–168). – Bln. 1833 [zus. m. J. v. Eichendorff, *Viel Lärmen um Nichts*]. – Bln. 1843. – Ffm. 1852 (in *GS*, Hg. C. Brentano, 7 Bde., 1852–1855, 4). – Ffm. 1923 (in *GW*, Hg. H. Amelung u. K. Viëtor, 4 Bde., 1). – Zürich 1958 (in *Gedichte, Erzählungen, Märchen*, Hg. O. Heuschele). – Mchn. 1963 (in *Werke*, Hg. F. Kemp, 4 Bde., 1963ff., Bd. 2). – Stg. 1966 (Nachw. D. Lüders; RUB, 8732).

LITERATUR: F. Leppmann, *Kater Murr u. seine Sippe von der Romantik bis zu V. v. Scheffel u. G. Keller*, Mchn. 1908, S. 59–63. – R. Steig, *Lulu Brentano, die Märchenerzählerin u. Freundin der Brüder Grimm* (in Hist.-polit. Blätter, 1913, Bd. 151, S. 31–39; 112–123). – E. Schmidt, *B.s ungarische Novelle* (in *Philologiai dolgozatok a magyarnémet érintkezésekről*, [Fs. f. G. Heinrich], Hg. R. Gragger, Budapest 1912, S. 107–114). – A. Heltmann, *Rumänische Verse in C. B.s Novelle »Die mehreren Wehmüller und ungarischen Nationalgesichter«* (in Korrespondenzblatt des Vereins für Siebenbürgische Landeskunde, 49, 1926, S. 81 bis 104). – A. Garreau, *C. B.*, Paris 1941. – W. Kosch, *C. B., sein Leben u. Schaffen*, Würzburg 1943. – W. Hoffmann, *C. B., Leben u. Werk*, Bern/Mchn. 1966 [m. Bibliogr.].

PONCE DE LEON. Lustspiel in fünf Akten von Clemens BRENTANO (1778–1842), entstanden 1801, erschienen 1804. – Anläßlich eines von GOETHE und SCHILLER in den ›Propyläen‹ veranstalteten Preisausschreibens, nach dem das beste »Intrigenstück« prämiiert werden sollte, schrieb Brentano 1801 ein Lustspiel *Laßt es euch gefallen*, das als unaufführbar abgelehnt wurde, drei Jahre später als *Ponce de Leon* im Druck erschien und am 18. 2. 1814 in Wien als Theaterfassung unter dem Titel *Valeria oder Vaterlist* im Burgtheater eine mißlungene Uraufführung erlebte.

Die Intrigenkomödie, welche die Rahmenerzählung des *Cabinet des fées* der Madame D'AULNOY zur Vorlage hat, spielt in und bei Sevilla. Don Sarmiento kehrt nach langer Abwesenheit inkognito in seine spanische Heimat zurück, um das Glück seiner Kinder zu fördern. Nur den Schneider Valerio weiht er in seine Pläne ein. Sein Sohn Felix ist in ein Mädchen namens Lucilla verliebt; seine Töchter Isidora und Melanie leben streng bewacht von seiner Schwester Juanna auf einem benachbarten Gut. Felix' Freund Ponce de Leon hat Valeria, der Tochter Valerios, den Kopf verdreht, ohne daß sie ihn wirklich zu fesseln vermag. Auf einem Maskenball fallen die wesentlichen Entscheidungen: Sarmiento rät seinem Sohn, Lucilla zu entführen und auf das Gut seiner Schwestern zu bringen. Ponce sieht am Hals einer Dame das Brustbild eines Mädchens, in das er sich sofort verliebt: Es ist Isidora, die bereits durch die Erzählungen ihres Bruders seine tiefe Neigung erregt hat. Von Sarmiento aufgemuntert, beschließt er, mit seinem Freund Aquilar heimlich die Schwestern zu besuchen. Sarmiento schickt unterdessen zur Vorbereitung der kommenden Ereignisse Valerio und dessen Findelsohn Porporino, der Valeria vergeblich liebt, auf das Gut voraus und ersetzt Juanna durch eine andere Aufseherin: Isabella. – Auf dem Gut finden sich nacheinander alle Verliebten ein: die als Mohrin verkleidete Valeria, Ponce und Aquilar, die sich als von Räubern überfallene Pilger beherbergen lassen, Felix mit der entführten Lucilla. Nach turbulenten Szenen, die von urkomödiantischer Verwirrung bis zu beinah tragischem Mißverständnis alle theatralischen Register zum Klingen bringen und in einem vorgetäuschten Überfall der Familie der Entführten gipfeln, entwirrt sich schließlich das Handlungsknäuel. Sarmiento, der wie ein allwissender Gott über dem Ganzen steht, der Figuren und Geschehnisse genau nach seinem Plan gelenkt hat, klärt vor den versammelten Personen der Handlung alle Verhältnisse auf und führt die Liebenden einander zu: Isidora und Ponce, Melanie und Aquilar, Lucilla und Felix, Valeria, die auf Ponce verzichtet, und Porporino, der sich als Bruder Lucillas und Sohn Sarmientos von Isabella entpuppt.

Trotz seiner eminent theatralischen Situationen, die den Leser förmlich dazu zwingen, die Aktionen auf einer imaginären Bühne an seinem inneren Auge vorbeiziehen zu lassen, scheint sich das Lustspiel wegen seines üppig wuchernden Sprachwitzes von der Bühne zu entfernen. Brentano sagt selbst, er habe die Meinung widerlegen wollen, daß im Deutschen die Möglichkeiten des Wortspiels beschränkt seien, und die Sprache deshalb »*mit sich selbst in jeder Hinsicht spielend*« gehalten. Mit ihr steht es wirklich im Sinne des »Monologs« von NOVALIS »*wie mit den mathematischen Formeln*«: »*Sie machen eine Welt für sich aus. Sie spielen nur mit sich selbst, drücken nichts als ihre wunderbare Natur aus.*« Die Sprache entfaltet ein so intensives Eigenleben gegenüber den dramatischen Vorgängen, daß sich eine in theatralischer Hinsicht problematische Diskrepanz zwischen Sprachtempo und Spieltempo ergibt. Der Wortwitz schlägt immer wieder, namentlich in der Partie des Ponce, in einen hochpoetischen, musikalisch-lyrischen Ton um, der Szenen von überwältigender sprachlicher Schönheit entstehen läßt. Wortspiel und Sprachmusikalität sind die beiden Modi der für Brentano typischen, gleichsam horizontalen Bewegung der Sprache, welche, fast unbekümmert um die vertikale, gegenständliche Ausrichtung der Worte, selig in sich selbst versponnen scheint. Ponce ist schon sprachlich abgerückt von dem Getümmel der Intrigenhandlung. In seinem Ungenügen an der endlichen Wirklichkeit, das sich in Schwermut, Langeweile und Sehnsucht niederschlägt, ist er eine Verkörperung der romantischen Seelenlage und Lebenshaltung. Er könnte das Wort Raffaels auf sich beziehen, das dieser an Castiglione schrieb: Da es in dieser Welt an schönen Frauen mangle, so bediene er sich dafür einer gewissen »Idee«, die er in seinem Geiste trage. Auch Ponce ist ein solcher Platoniker, der, wie er selbst sagt, das »Ideal« einer Frau im Herzen trägt, das ihn allein zu fesseln vermag. »*Du liebst nur, was du nicht siehst*«, sagt Felix einmal zu ihm (1, 22); und in der Tat reizen ihn die Frauen nur darum, weil sie ihn – in einer Art platonischer Anamnese – an das Urbild vor seinem geistigen Auge erinnern. So kommt es, daß er nach Valerios Worten »*alle Weiber der Reihe nach in sich vernarrt und sie mit Kälte quält*« (1, 10). Am leidvollsten erfährt das Valeria, die in ihrem Liebesverzicht zu den rührendsten Gestalten des deutschen Lustspiels zählt. Was aber wäre eine Komödie ohne Lösung? Ponce bliebe ein Don Quijote, seine Traumgeliebte eine Dulcinea: eine *femme introuvable*, ließe die Gnade der Poesie nicht sein Ideal aus dem Reich der Träume in die Wirklichkeit hinübertreten. Was in der Realität unheilbar ist: Schwermut und Langeweile vermag die Komödie zu heilen, und die Sehnsucht gelangt an ihr Ziel, wenn Ponce sein »Ideal« Isidora im Arm hält. – Brentanos Lustspiel ist trotz seines bedeutenden Einflusses auf BÜCHNERS *Leonce und Lena* völlig zu Unrecht vergessen; lediglich einige seiner Lieder *(Ich wollt ein Sträußlein binden, Nach Sevilla)* leben bis heute fort. D. Bo.

AUSGABEN: Göttingen 1804. – Stg. 1901 (*Valeria oder Vaterlist*, Hg. R. Steig, DLD, 105–107). – Lpzg. 1904 (in *AW*, Hg. u. Einl. M. Morris). – Ffm. 1923 (in *GW*, Hg. u. Einl. H. Amelung u. K. Viëtor, 4 Bde., 4). – Bln. 1925 (*Valeria oder Vaterlist*, Hg. G. Grund). – Lpzg. 1938, Hg. P. Kluckhohn (DL, R. Romantik, 23). – Mchn. 1966 (in *Werke*, Hg. F. Kemp, 4 Bde., 1963–1968, 4). – Stg. 1968 (RUB, 8542/43).

LITERATUR: G. Roethe, *B.s »Ponce de Leon«, eine Säkularstudie*, Bln. 1901 (AGG, N.F., 5, 1). – F. Heininger, *B. als Dramatiker*, Breslau 1915. – R. F. Arnold, *Das deutsche Drama*, Mchn. 1925, S. 481–609. – W. Kosch, *C. B. Sein Leben u. sein Schaffen*, Würzburg 1943. – W. Hoffmann, *C. B. Leben und Werk*, Bern/Mchn. 1966 [m. Bibliogr.]. – W. Migge, *C. B. Leitmotive seiner Existenz*, Pfullingen 1968 (Opuscula aus Wiss. u. Dichtung, 37). – G. Kluge, *Das Lustspiel der dt. Romantik* (in *Das dt. Lustspiel*, Hg. H. Steffen, Göttingen 1968).

DIE RHEINMÄRCHEN. Märchensammlung von Clemens BRENTANO (1778–1842). Teile davon erschienen in ›Iris. Unterhaltungsblatt für Freunde des Schönen und Nützlichen‹ (1826f.); erste Gesamtausgabe 1846. – Schon 1803 entzückt Brentano seine Freunde als Märchenerzähler. 1805 befaßt er sich eingehend mit Märchenplänen, die alsbald konkrete Gestalt annehmen; 1810 beginnt er mit der Niederschrift. Nach dem italienischen Märchenzyklus wendet er sich 1811 dem Zyklus der *Rheinmärchen* zu, der vier thematisch zusammenhängende und motivisch eng miteinander verbundene Einzelmärchen umfaßt: *Das Märchen von dem Rhein und dem Müller Radlauf*; *Das Märchen von dem Hause Starenberg und den Ahnen des Müllers Radlauf*; *Das Märchen vom Murmeltier*, das auf die Brüder GRIMM zurückgeht, und *Das Märchen vom Schneider Siebentot auf einen Schlag*. Den *Rheinmärchen* lag ein umfassender Plan zugrunde, hinter dem das schließlich Vollendete weit zurückblieb. Aus vielen Quellen fließen dem Dichter Stoffe, Töne, Materialien und Motive zu, die sich seine Phantasie so ingeniös anverwandelt, daß der Eindruck entsteht, als sei alles eigene Erfahrung. Im Rahmenmärchen vom *Müller Radlauf* verwendet Brentano den Sagenkomplex um den Rattenfänger von Hameln, den Bischof Hatto von Mainz und den Binger Mäuseturm, ferner die willkürlich umgeformte Loreley-Sage. Im zweiten großen Märchen vom *Hause Starenberg* wandelt er gleich fünfmal das Hauptmotiv der Melusinen-Sage ab (vgl. *Melusine*), die Verbindung eines Sterblichen mit einem Elementargeist und dem dazugehörigen Treuebruch des Mannes, der die Gemahlin, entgegen seinem heiligen Schwur, an einem bestimmten Wochentag in ihrer elementaren Gestalt überrascht und damit die Liebe verrät. Das *Märchen vom Murmeltier* beruht auf dem Volksmärchen von Frau Holle; eine weitere Vorlage ist die Erzählung *Les Nayades* aus dem französischen Feenroman *La jeune Amériquaine et les contes marins* der Madame de VILLENEUVE. Das *Märchen vom Schneider Siebentot* schließlich verbindet in kruder Kombination die verschiedensten Märchen- und Volksbuchmotive: Der Inhalt deckt sich im wesentlichen mit den Märchen vom Däumling und vom Tapferen Schneiderlein; die Geschichte vom Langen Tag und der Langen Nacht ist einem holländischen Volksbuch entnommen, während die zweite Hälfte im wesentlichen der Geschichte *»von einem könig, schneider, risen, einhorn und wilden schwein«* aus dem *Wegkürtzer* (1557) des Martinus MONTANUS folgt.

Die Liebe zum Rhein ist der Grundakkord dieser Märchen, die Lebensader einer phantastischen Wunderwelt. Sie alle handeln vom Vater Rhein, der die Mainzer Kinder in gläsernem Gewahrsam hält, von der Liebe des Müllers Radlauf zu der Prinzessin Ameleya und von den Märchen, die den Flußgott bewegen sollen, die Kinder freizugeben. Im ersten Rahmenmärchen rettet der Müller Radlauf die schöne Prinzessin Ameleya aus den Fluten des Rheins und erwirbt sich damit, einem Versprechen des Königs von Mainz zufolge, die Krone des Landes und die Hand seiner Tochter; der treulose König aber betrügt den Müller um Glück und Herrschaft. Die Strafe folgt auf dem Fuß: Ein Krieg zwischen Mäusen und Menschen bricht los, der König wird mit seinem Hofstaat vertrieben. Aus Rache für die Beleidigung der Königin von Trier und des Prinzen Rattenkahl lockt der Prinz Mauseohr die Kinder von Mainz mit Hilfe einer Zauberpfeife in den Rhein, wo sie ihrer Erlösung harren. Derweil begeht des Müllers Star, ein verzauberter Freier der Prinzessin, Selbstmord, ein Vermächtnis hinterlassend, das seinen Herrn flugs ins zweite große Märchen transponiert, wo der Müller – von Märchenepisode zu Märchenepisode fortschreitend – der Geschichte seiner Ahnen nachspürt, die zugleich die Geschichte des Hauses Starenberg ist. Im Schwarzwald begegnet er nacheinander den seltsamen Käuzen Grubenhansel, Kauzenveitel und Kohlenjockel, seinen Vorfahren, von denen jeder seine eigene märchenhafte Geschichte hat, von der Geschichte des Schäfers Damon bis zur Erzählung der Frau Loreley, allesamt phantastische Variationen des Melusinen-Motivs. Am Ende wird Müller Radlauf, der letzte Fürst von Starenberg, König von Mainz. Damit ist das Prinzip der Verschachtelung aber nicht aufgehoben: Vater Rhein erklärt sich bereit, für jedes wohlerzählte Märchen ein Kind freizulassen – für Brentano Anlaß genug, eine Reihe weiterer Märchen in den weitgespannten Rahmen einzuplanen. Aber nur zwei folgen: Das erste, *Das Märchen vom Murmeltier*, verbindet das Frau-Holle-Thema mit der Loreley-Sage; es erzählt, wie Frau Loreley ein mißhandeltes Mädchen und einen verzauberten Jüngling erlöst und die beiden Liebenden auf den Königsthron setzt, dem sie aber nach einem Jahr der Herrschaft entsagen, um sich als arme Fischer in Mainz niederzulassen. Ihr Kind entsteigt als erstes den Fluten. Das letzte Märchen vom *Schneider Siebentot* ist nur noch insofern dem Ganzen verbunden, als sich nach mancherlei Abenteuern des Schneiders Geschlecht in Mainz ansiedelt; es erzählt von den grotesken Kämpfen der Amsterdamer Schneidergilde um den »Langen Tag«, von einem ungeheuerlichen Riesen, der eigentlich eine zarte Jungfrau ist, von wilden Schweinen, Einhörnern und Königen. Brentanos ausschweifende Erfindungsgabe durchbricht hier alle kompositorischen Schranken.

In den *Rheinmärchen* besteht ein komplexes Bezugssystem zwischen den einzelnen Handlungsbereichen, Figuren und Motiven. Ein Thema entwickelt sich aus dem andern, ein Motiv evoziert das nächste – eine scheinbar endlose Spirale. Schalenförmig wird die weitverzweigte Handlungsvielfalt von einem Rahmen umschlossen, aus dem sich ein neuer Rahmen herausschält, der wiederum den Ansatz für ein weiteres Rahmengeschehen birgt. Brentano durchbricht nur allzuoft die unkomplizierten, linearen Erzählformen des traditionellen Kindermärchens, obwohl er sich andererseits gerade von diesen Formen anregen läßt. Bei ihm schlägt die intendierte Naivität des Kindermärchens leicht in Schein-Naivität um: Ironische Kommentare, Wortspiele, Parodie, Satire und intellektuelle Spiegelfechterei zerstören die kindliche Sphäre des Märchens oder heben sie in der Groteske und der Posse auf, Ausdrucksformen, denen nichtsdestoweniger bei Brentano noch der Schein des Wunderbaren anhaftet. Der Dichter setzt in verschwenderischer Fülle den ganzen Märchenapparat ein: Zauber, Fluch, Verwünschung, Feen, Riesen, Elementargeister und Kobolde. Ahnungen bewahrheiten sich, Träume werden erfüllt. Die Natur verwandelt sich in menschliches Leben und das menschliche Leben wird wieder Natur in einem unaufhörlichen Prozeß der Verwandlung und Rückverwandlung. Es besteht kaum ein Unterschied zwischen Natur- und Menschenreich, sprechende Tiere und verzauberte Menschen führen ein wundersames, aber jederzeit verständliches Zwiegespräch. Da gibt es Stare fürstlichen Geblüts, Rattenkönige

und Mäuseprinzen, Menschen nehmen tierische Gestalt an und heißen Weißmäuschen und Goldfischchen; auch die Natur gibt sich ganz menschlich, was um so mehr erstaunt, als der Mensch sich mitunter höchst unnatürlich benimmt. Die Unschuld wird belohnt, die Sünde bestraft – das märchenhafte Schwarzweiß-Prinzip von Gut und Böse funktioniert reibungslos.
Brentanos Märchengestalten agieren gleichsam auf einer romantisch illuminierten Marionettenbühne; es sind typische Gestalten mit typischen Eigenschaften, wie der Barbier Schräberling, der Schuster Kneiperling oder der Schneider Meckerling. Es wimmelt geradezu von sprechenden Namen und Wortspielen, die Lust an der Pointe reißt den Dichter immer wieder mit sich fort. Die Sprache der *Rheinmärchen* ist von hoher Musikalität. Das Erzählte löst sich in der Wortmelodie auf, im lyrischen Klang. Überall finden sich Klangfiguren und Lautornamente. Daneben setzt der Dichter mit ironischer Verzerrung die Militär-, Kaufmanns-, Hof- und Bürosprache ein, ein Sprachgestus, der mit der Sprache selbst sein Spiel treibt. Bei Brentano liegt das Geheimnisvolle und Wunderbare im Erzählten selbst, nicht in einer magisch-mythischen Dimension dahinter. Das unterscheidet seine Märchen grundsätzlich von den Märchen anderer Romantiker. Sie nehmen im Kanon des romantischen Kunstmärchens eine Sonderstellung ein. Schon Achim von ARNIM und die Brüder Grimm bestritten aus unterschiedlichen Gründen ihren ursprünglichen Märchencharakter. Das verspielt Heitere und arabeskenhaft Verschnörkelte paßte weder zum Typus des Volksmärchens noch zu dem des tiefsinnigen Kunstmärchens. Brentano dichtet keine Weltanschauungsmärchen, seinem unphilosophischen Geist ist die mythische Schau von NOVALIS genauso fremd wie das Abgründig-Hintergründige von TIECK und HOFFMANN. Auch geht es Brentano im Gegensatz zu den Brüdern Grimm nicht um das Sammeln und Bewahren volkstümlichen Erzählguts, sondern einzig um die freie Entfaltung seiner schöpferischen Phantasie.
Seine Märchen können nicht symbolisch verstanden werden. Sogar die Metaphern nimmt er wörtlich und zerstört sie dadurch. In den *Rheinmärchen* lösen sich die mythischen Vorgänge in alltäglichen Erklärungen auf, Mythos und Gegenwart verschmelzen in der Komik der Sprache. Um diese komische Dimension erweitert der Dichter das Instrumentarium des Märchenhaft-Wunderbaren.
M. Ke.

AUSGABEN: Ffm. 1826 (in Iris; Teilvorabdr.; *Wie der Müller Radlauf dem Rhein ein Lied sang und einen Traum hatte*). – Stg./Tübingen 1846 (in *Die Märchen des C. B. Zum Besten der Armen nach dem letzten Willen des Verfassers*, Hg. G. Görres, 2 Bde., 1846/47, 1). – Mchn. 1914 (in *SW*, Hg. C. Schüddekopf, 1909ff., Bd. 11, Hg. R. Benz). – Ffm. 1923 (in *GW*, Hg. H. Amelung u. K. Viëtor, 4 Bde., 3). – Bln. 1939 (in *Märchen*, 2 Bde., 1). – Mchn. 1965 (in *Werke*, Hg. F. Kemp, 4 Bde., 1963–1968, 3).

LITERATUR: H. Cardauns, *Die Märchen C. B.s*, Köln 1895 (Vereinsschr. d. Görres-Ges., 3). – O. Bleich, *Entstehung und Quellen der Märchen B.s* (in ASSL, 96, 1896, S. 43–96). – R. Benz, *Märchendichtung der Romantiker*, Gotha 1908. – R. Buchmann, *Helden und Mächte des romantischen Kunstmärchens*, Lpzg. 1910. – L. Streit, *Untersuchungen zum Stil der Märchen C. B.s*, Diss. Erlangen 1910. – H. Stephan, *Die Entstehung der Rheinromantik*, Köln 1922. – K. Glöckner, *B. als Märchendichter*, Diss. Köln 1937. – H. Russel, *Die Gestalt des Dichters B., erschlossen aus seinen Märchen*, Diss. Münster 1949. – R. Unkrodt, *C. B. als Märchendichter*, Diss. Marburg 1951. – G. Maas, *Das Leid bei C. B. Eine Studie zum Problem des Dämonischen*, Diss. Freiburg i. B. 1954. – R. Becker, *C. B. und die Welt seiner Märchen*, Diss. Ffm. 1960. – R. Ewald, *Das Bild des Kindes bei C. B.*, Diss. Graz 1966. – W. Hoffmann, *C. B. Leben und Werk*, Bern/Mchn. 1966 [m. Bibliogr.].

ADELBERT VON CHAMISSO
(eig. Louis Charles Adelaide de Ch., 1781–1838)

PETER SCHLEMIHL'S WUNDERSAME GESCHICHTE. Erzählung von Adelbert von CHAMISSO (1781–1838), erschienen 1814. – Schlemihl, der seine Geschichte dem fiktiven Herausgeber Chamisso in elf Briefen erzählt, begegnet auf einer Gartengesellschaft des unermeßlich reichen Herrn John einem Mann, der alle Dinge, die von den Gästen gewünscht werden, angefangen von einer Brieftasche bis zu drei Reitpferden, aus der Tasche seines grauen Rockes zieht. Beim Fortgehen wird Schlemihl von dem sonderbaren Mann im grauen Rock höflich angesprochen und zu einem Tauschgeschäft verführt: Für ein Glückssäckel, das stets mit Dukaten gefüllt ist, verkauft Schlemihl ihm seinen Schatten. Die Schattenlosigkeit offenbart sich nun aber als schreckliches Unheil, denn sie schließt Schlemihl gänzlich aus der menschlichen Gesellschaft aus; überall, wo sie bemerkt wird, verfällt er trotz seines ungeheuren Reichtums der Ächtung durch die Mitmenschen, ja, er verliert auf dem Höhepunkt der Erzählung sogar das Mädchen, das er liebt, die Försterstochter Mina. Nur sein Diener Bendel bleibt ihm aufrichtig ergeben. Als der Mann mit dem grauen Rock nach einem Jahr wieder auftaucht, ist er bereit, Schlemihl den Schatten zurückzugeben – doch nur, wenn dieser ihm dafür mit Blut seine Seele verschreibt. Bei einer späteren Begegnung zieht der graue Mann gar die Gestalt eines Verdammten aus seiner Rocktasche; entschlossen wirft Schlemihl jetzt das Glückssäckel in einen Abgrund und beschwört den Unheimlichen, sich hinwegzuheben. Durch einen Zufall wird ihm nun die Schattenlosigkeit zum Segen: Ein Paar alter Schuhe, die er auf einer Kirmes kauft, entpuppen sich als Siebenmeilenstiefel (vgl. TIECKS *Phantasus*). Mit ihnen zieht er kreuz und quer durch die Welt und widmet sich ganz der Erforschung der Natur, die ihm für immer die menschliche Gesellschaft entbehrlich macht. Zum Nutzen der gesamten Menschheit legt er seine einzigartigen Erfahrungen und Beobachtungen schriftlich nieder.
Chamisso verwendet in seiner im 19. Jh. weltberühmt gewordenen Erzählung eine Fülle alter Sagen- und Märchenmotive. Der Name der Hauptperson ist hebräischen Ursprungs und bedeutet nach der eigenen Erklärung des Dichters: Gottlieb, Theophil. »*Dies ist in der gewöhnlichen Sprache der Juden die Benennung von ungeschickten oder unglücklichen Leuten.*« An den Namen Theophilus knüpft sich aber auch die alte Sage vom Pakt mit dem Teufel, die Chamisso in seiner Erzählung abwandelt. Das Motiv des Mannes, der alles aus seiner Rocktasche zieht, ist von LA FONTAINE übernommen; die Idee, ein Märchen über einen ver-

lorenen Schatten zu schreiben, kam Chamisso anläßlich einer scherzhaften Frage FOUQUÉS, ob er, dem auf einer Reise zahlreiche Kleidungsstücke abhanden gekommen waren, nicht auch seinen Schatten verloren habe. Schon die Zeitgenossen haben immer wieder versucht, hinter das Geheimnis der Schattenlosigkeit zu kommen, und eine Reihe spitzfindiger allegorischer Deutungen versucht; die bekannteste beruft sich auf das biographische Faktum, daß Chamisso, der gebürtige Franzose, sein Leben lang zwischen deutscher und französischer Nationalität geschwankt hat. Der Mann ohne Schatten, so deutete man also, sei der Mensch ohne Vaterland. Der Dichter selber hat sich über derartige »*kuriose Hypothesen*« und über die »*besonnenen Leute*«, die nur »*zu ihrer Belehrung*« lesen und sich darum auch über die Bedeutung des Schattens den Kopf zerbrechen, verschiedentlich lustig gemacht; er wollte, so scheint es, seine »wundersame Geschichte« nur als ein Märchen (das in der Tat ursprünglich für Kinder bestimmt war) verstanden wissen. Gleichwohl verbirgt sich hinter der scheinbaren Naivität der aus einer munteren Laune geborenen und durch zufällige Lebensumstände veranlaßten Erzählung eine »tiefere Bedeutung«, die freilich nur zu ahnen, nicht in allegorischer Eindeutigkeit zu fassen ist. Etwas von dieser Bedeutung ist in HOFMANNSTHALS Erzählung *Die Frau ohne Schatten* und sein Libretto für die gleichnamige Oper (Richard Strauss) eingegangen. Das Tiefgründigste darüber hat Thomas MANN in seinem Chamisso-Essay (1911) gesagt: Die Erzählung enthalte »*die Schilderung einer scheinbar bevorzugten und beneidenswerten, aber romantisch elenden, innerlich mit einem düstern Geheimnis einsamen Existenz – und schlichter, wahrer, erlebnishafter, persönlicher hat nie ein Poet ein solches Dasein darzustellen und der Empfindung nahezubringen gewußt*«. Es gibt einige wenige Stellen in der Erzählung, die selbst den Sinn der Schattenlosigkeit andeuten, so eine Bemerkung Schlemihls hinsichtlich seiner Naturforschungen: »*Durch frühe Schuld von der menschlichen Gesellschaft ausgeschlossen, ward ich zum Ersatz an die Natur, die ich stets geliebt, gewiesen, die Erde mir zu einem reichen Garten gegeben*« (Kap. 10). Eine gnädige Fügung läßt ihn also den Verlust des Schattens, der Gesellschaft und des bürgerlichen Glücks, verschmerzen. Solidität, menschliche Standfestigkeit, bürgerliches Schwergewicht drücke der Schatten aus, so meint Thomas Mann, also »Tugenden«, die für Schlemihl unerreichbar geworden sind – darin ist er Sinnbild des romantischen, der gesellschaftlichen Realität entfremdeten Künstlers; zugleich demonstriert er Chamissos eigene Erfahrung eines Lebens in schwebender Unwirklichkeit: Als Künstler und als französischer Emigrant obendrein fühlte sich auch Chamisso in die Rolle des gesellschaftlichen Außenseiters gedrängt; er, der nach den Befreiungskriegen als Naturforscher auf Weltreise ging, wollte selbst die Erkundung der Natur als eine Alternative zu der ihm problematisch gewordenen künstlerischen Existenz ergreifen. So verbinden sich literarische Motive, Zeiterfahrungen und autobiographische Grundzüge zum Bild einer Existenz, die »*sich nicht auszuweisen vermag und mit wundem Ichgefühl überall Hohn und Verachtung spürt*« (Th. Mann). Die Schilderung der Leiden des Gezeichneten und Ausgestoßenen erreicht ihren poetischen Höhepunkt in der Liebesepisode Kap. 4–6, in der ein Grundmotiv romantischer Poesie anklingt: die Liebe des wie durch einen Fluch aus der Gesellschaft Ausgeschlossenen, dem alle »normalen« menschlichen Bindungen versagt sind, zu einem ahnungslosen, in selbstverständlicher Einheit mit seiner Umwelt lebenden Mädchen – eine Liebe, die mit der Entdeckung des Kainszeichens der Schattenlosigkeit scheitern muß und Schlemihl in sein Paria-Dasein zurückstößt. – »*Willst du unter den Menschen leben*«, so heißt es am Schluß der Erzählung, »*so lerne verehren zuvörderst den Schatten, sodann das Geld. Willst du nur dir und deinem besseren Selbst leben, o so brauchst du keinen Rat.*« Damit spielt Chamisso auf die Ambivalenz bürgerlicher Existenz an. Das »*Songez au solide!*« aus der Vorrede zur französischen Ausgabe ist zwar die notwendige Antithese zu Schlemihls romantischer Heimatlosigkeit, zugleich aber der Hinweis auf eine Existenz, die von der Macht ökonomischer Privatinteressen geprägt ist, deren Inhumanität in einer Sentenz des Herrn John sarkastisch zugespitzt wird: »*Wer nicht Herr ist wenigstens einer Million, der ist, man verzeihe mir das Wort, ein Schuft.*«

Als echtes Märchen ist die Erzählung schwerlich anzusehen; schon das »wundersam« im Titel ist eher im Sinne der »unerhörten Begebenheit« zu verstehen, die nach GOETHE zum Wesen der Novelle gehört. Was sie aber vor allen Dingen auszeichnet und zu einem Unikum in der Weltliteratur macht, ist die Darstellung des Phantastischen, als ob es das Natürlichste von der Welt wäre, jener bürgerlich-realistische Erzählstil, der sich z. B. in dem Einfall kundgibt, den Teufel nicht mit Pferdefuß, sondern als höflich-verlegenen Herrn darzustellen. So wäre denn Chamissos Erzählung füglich mit dem Begriff der »phantastischen Novelle« zu charakterisieren, den Th. Mann ihr zugedacht hat. D. Bo.

AUSGABEN: Nürnberg 1814, Hg. F. de la Motte-Fouqué. – Nürnberg 1827 [verm. Ausg.]. – Lpzg. 1836 (in *Werke*, Hg. J. E. Hitzig, 6 Bde., 1836–1839, 4). – Bln. 1907 (in *Werke*, Hg. u. Einl. M. Sydow, 5 Tle., 3). – Lpzg. 1907 (in *SW*, Hg. u. Einl. L. Geiger, 4 Bde., 1). – Lpzg. 1908 (in *Werke*, Hg. H. Tardel, 3 Bde., 2; hist.-krit.). – Dresden 1920, Hg. A. Schurig. – Lpzg. 1922, Hg. H. Rogge (*Peter Schlemihls Schicksale*; Faks. d. Urfssg.). – Ffm./Bern 1964 (Ars librorum Druck, 9). – Gütersloh 1964 (in *GW*, Hg. u. Einl. O. Flake). – Stg. 1967 (RUB, 93). – Mchn. 1967 (Einl. K. Ude; GGT, 1901).

VERTONUNG: P. Ronnefeld, *Peter Schlemihl* (Ballett; Urauff.: Hildesheim, 10. 4. 1956, Stadttheater).

LITERATUR: J. Schapler, *C. Studien*, Arnsberg 1909. – P. Rath, *Bibliotheca Schlemihliana. Ein Verzeichnis der Ausgaben u. Übersetzungen des »Peter Schlemihl«*, Bln. 1919 (Bibliogr. u. Studien, 1). – F. Alpi, *C.s »Peter Schlemihl«*, Diss. Wien 1939. – A. P. Kroner, *A. v. C. Sein Verhältnis zu Romantik, Biedermeier u. romantischem Erbe*, Diss. Erlangen 1941. – U. Baumgartner, *C.s »Peter Schlemihl«*, Frauenfeld/Lpzg. 1944 (Wege zur Dichtung, 42). – Th. Mann, *C.* (in Th. M., *Adel des Geistes*, Stockholm 1948, S. 29–55). – S. Atkins, *»Peter Schlemihl« in Relation to the Popular Novel of the Romantic Period* (in GR, 21, 1946, S. 191 bis 208). – D. de Rougemont, *C. et le mythe de l'ombre perdue* (in *Le romantisme allemand*, Hg. A. Béguin, Marseille 1949, S. 276–284). – G. Osella, *Verità poetica della »Storia meravigliosa di Pietro Schlemihl«* (in Convivium, 1950, Nr. 3, S. 451 bis 454). – B. v. Wiese, *A. v. C. »Peter Schlemihls wundersame Geschichte«* (in B. v. W., *Die deutsche*

Novelle von Goethe bis Kafka, Bd. 1, Düsseldorf 1956, S. 97–116). – H. P. Müssle, *C.s »Peter Schlemihl«, oder Die Weltordnung des Teufels*, Nagoya/Japan 1961. – E. Loeb, *Symbol u. Wirklichkeit des Schattens in C.s »Peter Schlemihl«* (in GRM, N. F. 15, 1965, S. 398–408).

JOSEPH FREIHERR VON EICHENDORFF (1788–1857)

AHNUNG UND GEGENWART. Roman von Joseph Freiherr von EICHENDORFF (1788–1857), vollendet 1811, erschienen 1815. Die Anregung zu dem Titel gab Dorothea SCHLEGEL. – Der junge Graf Friedrich, der eben seine Studienzeit abgeschlossen hat, beginnt eine große Wanderung, die ihm nach und nach die verschiedensten Aspekte des Lebens enthüllt. Bei einer Schiffsreise auf der Donau begegnet ihm Rosa, in die er sich verliebt. In ihrem Bruder, dem phantasievollen, poetischen Grafen Leontin, findet er einen echten Freund. Ein Mädchen, das ihm zu Hilfe eilt, als er in einer Waldmühle von Räubern überfallen wird, verkleidet sich als Knabe – Erwin –, um ihm folgen zu können, und beweist ihm aufopferungsvolle Treue. In der klugen, phantasiereichen, aber unbeständigen Gräfin Romana, die er in einem literarischen Zirkel in der Stadt kennenlernt, tritt ihm die Verkörperung der Leidenschaft entgegen. Immer wieder aber wird er enttäuscht: Rosa verliert sich im oberflächlichen Treiben der Gesellschaft und wird schließlich die Geliebte des Erbprinzen; Romana dagegen stößt ihn durch ihre offen zur Schau getragene Sinnlichkeit ab. Erwin verschwindet eines Tages, und Friedrich findet ihn erst nach Monaten in jener Waldmühle des Romananfangs wieder, aber nur, um ihn bald darauf für immer zu verlieren: er stirbt, und erst jetzt erfährt Friedrich, daß Erwin in Wirklichkeit ein Mädchen war. Seine vaterländische Gesinnung treibt ihn nun, am Krieg teilzunehmen, der jedoch zur Niederlage führt. Friedrich wird enteignet; bevor er sich zum Verzicht durchringt und ins Kloster eintritt, enthüllen sich ihm die verborgenen Fäden, die schicksalhaft in sein Leben verwoben sind: Erwin nannte ihm, sterbend, ein altes Schloß im Gebirge, wo er jetzt seinen seit Jahren verschollenen Bruder Rudolf wiederfindet, der als Jüngling der Italienerin Angelina gefolgt war. Sie hatte ihm eine Tochter geschenkt, die angeblich schon im Kindesalter gestorben war. Diese Tochter Rudolfs ist aber niemand anders als Erwin. So kehrt nun Friedrich am Ende seiner Reise zum Ausgangspunkt, zu seiner Familie, zurück. Während Leontin, um seinem Leben einen neuen Sinn zu verleihen, heiratet und nach Amerika auswandert, und Rudolf zu den Magiern nach Ägypten reist, um hier zum Wesen der Dinge vorzudringen, zieht sich Friedrich aus der Welt zurück. Er hat eine neue Bewußtseinsstufe erreicht, Ahnung und Gegenwart haben sich ihm zusammengeschlossen zu einem nahtlosen Ring. Und so schließt auch der Roman mit demselben Bild, mit dem er begonnen hatte: »*Die Sonne ging eben prächtig auf.*«

Die Handlung fügt sich aus locker aneinandergereihten Episoden zusammen, die zumeist in eine stimmungsvolle Wald- und Gebirgslandschaft ohne scharfe Konturen verlegt sind; ihr Urbild ist wohl an der österreichischen Donau zu suchen. Eichendorff wollte einen Entwicklungsroman nach dem Vorbild von GOETHES *Wilhelm Meister* schreiben. Die Grundstimmung seines Werkes ist jedoch schmerzlich-resignierende Melancholie – so sehr auch Eichendorff, der sich kritisch mit seiner Gegenwart und ihrer gesellschaftlich-politischen Realität auseinanderzusetzen versuchte, seine Zeitgenossen aufrief, sich von bloß ästhetisch-unverbindlichen Spielereien freizumachen, durch entschlossenes Handeln oder innere Besinnung dem Leben einen Sinn zu verleihen und eine bessere Zukunft anzustreben. Der poetische Plan des Buches ist ARNIMS »Zeitroman« *Armut, Reichtum, Schuld und Buße der Gräfin Dolores* verwandt und verrät eine ebenso reiche Phantasie der Erfindung, ist darüber hinaus aber übersichtlicher gebaut und klarer formuliert. Die Sprachkraft des erst dreiundzwanzigjährigen Autors ist bewundernswert; seine Prosa strömt ruhig und melodisch dahin und umschließt über fünfzig oft erlesen schöne Lieder – z.B. *O Täler weit, o Höhen, Ein Stern still nach dem andern fällt, Laß, mein Herz, das bange Trauern* und *Die Welt ruht still im Hafen.* C. Gu. – P.W.W

AUSGABEN: Nürnberg 1815 [Vorw. de la Motte-Fouqué]. – Regensburg 1913 (in *SW*, Hg. W. Kosch u. M. Speyer, Bd. 3; hist.-krit.). – Zürich 1955 (in *Gedichte, »Ahnung u. Gegenwart«*, Hg. W. Bergengruen). – Stg. 1957 (in *Neue GA d. Werke u. Schriften*, Hg. G. Baumann u. S. Grosse, Bd. 2).

LITERATUR: E. Tamm, *D. Bedeutg. d. Romans »Ahnung u. Gegenwart« f. E.s geistige Entw.*, Diss. Hbg. 1924. – J. T. Darakoff, *E.s Jugendroman »Ahnung u. Gegenwart«*, Diss. Wien 1942. – I. M. Porsch, *D. Macht d. vergang. Lebens in E.s Roman »Ahnung u. Gegenwart«*, Diss. Ffm. 1951. – T. A. Riley, *An Allegorical Interpretation of E.s »Ahnung u. Gegenwart«* (in MLR, 54, 1959, S. 204–213). – L. R. Radner, *The Garden Symbol in »Ahnung u. Gegenwart«* (in MLQ, 21, 1960, S. 253–260). – W. Killy, *Wirklichkeit u. Kunstcharakter*, Mchn. 1963.

AUS DEM LEBEN EINES TAUGENICHTS. Novelle von Joseph Freiherr von EICHENDORFF (1788–1857), begonnen 1822, erschienen 1826. Sie gilt als bezeichnendstes literarisches Dokument für das Lebensgefühl der Spätromantik. – Sehnsucht nach der Ferne führt den jungen Sohn eines Müllers in die Welt hinaus, in der er sein Glück machen will. Mit seiner Geige streift er ziellos umher und läßt sich sein Schicksal von Zufällen und Abenteuern bestimmen, deren erstes ihn auf ein Schloß in der Nähe Wiens führt. Hier wird er Gärtnerbursche und Zolleinnehmer und verliebt sich – »*ewiger Sonntag des Gemüts*« – in eine der »*schönen Damen*« des Schlosses, Aurelie. Ihre Unerreichbarkeit treibt ihn jedoch, seine Wanderung fortzusetzen. Sein Weg führt nach Italien, wo er sich in eine bunte und geheimnisvolle Kette von Verwechslungen, abenteuerlichen Nachstellungen und Liebeleien unter verkleideten Gräfinnen, Bauern, Malern und Musikanten verwickelt, bis ihn endlich die Sehnsucht nach der Heimat und nach Aurelie aus Rom fortlocken. Mit einer Schar musizierender Studenten aus Prag kehrt er auf einem Donauschiff zum Schloß zurück und erfährt, daß die unnahbare Dame keine Gräfin, sondern eine Nichte des Schloßportiers ist und ihn liebt.

Die undurchsichtige »*Konfusion mit den Herzen*« entwirrt sich, man heiratet – »*und es war alles, alles gut!*«
Der bewußt naive Ton der Novelle, in die Eichendorff einige seiner schönsten Gedichte eingestreut hat – »*Wem Gott will rechte Gunst erweisen*«, »*Wer in die Fremde will wandern*«, »*Wenn ich ein Vöglein wär*«, »*Schweigt der Menschen laute Lust*« –, sucht sich dem des Märchens anzunähern. Einige auch in anderen Werken Eichendorffs wiederkehrende Motive (vgl. *Ahnung und Gegenwart*), wie das des geheimnisvollen Schlosses, des stillen Gartens und Brunnens, das der Verkleidung und Verwechslung, weisen gleichfalls darauf hin. Der schlichten Erzählweise, die auch stilistisch mit dem einfachen, nebensatzlosen Hauptsatz des Märchens korrespondiert (so etwa am Anfang der Novelle), entspricht Eichendorffs Liebe zum Vergleich. »*Die Bäume und Sträucher wiesen kurios, wie mit langen Nasen und Fingern, hinter ihr drein, der Mondschein tanzte noch fix, wie über eine Klaviatur über ihre breite Taille auf und nieder, und so nahm sie, so recht wie ich auf dem Theater manchmal die Sängerinnen gesehen, unter Trompeten und Pauken schnell ihren Abzug.*« Bezeichnendstes Gestaltungsprinzip ist die andeutende Unbestimmtheit, die allen Vorgängen und Erlebnissen die fließende Schwerelosigkeit und Leichtigkeit leiht. Die stärkste und unmittelbarste Wirkung aber geht von dem Reichtum der Eichendorffschen Sprache an stimmungsbetonten Adjektiven aus, wie er sich in moderner Prosa seit der Romantik kaum mehr findet: »*... da steht ein großer Herr in Staatskleidern ... und einer außerordentlich langen gebogenen kurfürstlichen Nase im Gesicht, breit und prächtig wie ein aufgeblasener Puter*«; »*sie war wahrhaftig recht schön rot und dick und gar prächtig und hoffärtig anzusehen, wie eine Tulipane.*« Dieser Fülle steht ein nur kleiner Wortschatz von Synonymen für die »Herzworte« Eichendorffs gegenüber – *Wald, Nacht, Schmerz, dunkel, prächtig, still* –, deren beinah formelhafte Verwendung der Erzählung ihre naive Frische gibt.

KLL

Ausgaben: Bln. 1826. – Stg. 1957 (in *Neue GA d. Werke u. Schriften*, Hg. G. Baumann, Bd. 2). – Mchn. 1955 (in *Werke*, Hg. W. Rasch). – Wiesbaden 1960 (IB, 224).

Literatur: E. E. Pope, *The Taugenichts-Motive in Modern German Lit.*, Diss. Ithaca 1933. – B. v. Wiese, *Die dt. Novelle v. Goethe bis Kafka*, Düsseldorf 1959, S. 79–86. – Th. Mann, *Der Taugenichts; ein Essay*, Mchn. 1957. – R. Mülher, *Die künstlerische Aufgabe u. ihre Lösung in E.s Erzählung »Aus dem Leben eines Taugenichts«* (in Aurora, 22, 1962).

DIE FREIER. Lustspiel in drei Akten von Joseph Freiherr von Eichendorff (1788–1857), erschienen 1833. – Das Stück ging aus zwei in den Jahren zwischen 1816 und 1820 entstandenen Vorstufen hervor: einem Entwurf *Liebe versteht keinen Spaß* von insgesamt fünf Auftritten und dem sich daran anschließenden Fragment *Wider Willen*, das in Stoff und Motiv auf Marivaux' Lustspiel *Le jeu de l'amour et du hasard*, 1730 *(Das Spiel von Liebe und Zufall)*, zurückgreift. Im fertigen Stück von 1833 wird diese Anlage beibehalten, aber erst hier sind die verschiedenen Konzeptionen sinnvoll verknüpft, der Welt Eichendorffs »*akkomodiert*«.
Graf Leonard ist – als reisender Schauspieler verkleidet – auf dem Weg zum Schloß der schönen, aber männerhassenden Gräfin Adele, die von seinem Onkel für ihn bestimmt ist; währenddessen erhält der pedantische Hofrat Fleder vom Präsidenten, dem Onkel Leonards, den Auftrag, als Flötenspieler verkleidet und unter dem Namen Arthur, dem Neffen nachzureisen, »*daß ein dritter auf dem Schlosse ein wenig zum Rechten sähe*«. Unterwegs trifft Fleder zwei vagabundierende Künstler, den Musikanten Schlender und den Schauspieler Flitt, die ebenfalls dem Schloß zustreben, um dort ihre Künste zum besten zu geben. In der Verwirrung um Fleders scheuendes Pferd verlieren sich die beiden aus den Augen, Flitt hält sich an den verkleideten Fleder, Schlender begegnet Leonard, der sich sofort, da die Rolle des reisenden Schauspielers offensichtlich schon besetzt ist, als »Sänger Florestin« ausgibt. Inzwischen hat jedoch Gräfin Adele von der geplanten Verkleidungskomödie erfahren und beschlossen, ihren Teil zum Verwechslungsspiel beizutragen, indem sie und ihre Kammerzofe Flora die Rollen tauschen. Der zweite Akt zeigt nun die Folgen dieser Verwechslungen: »*Verliebte Kammerjungfern und Musikanten, kuriose Gräfinnen, heimliche Winke; Flüstern und Geheimnisse überall*«, dazu den Jäger Victor, der »*alle diese mausigen Stoßvögel von Freiern an Einem Narrenspieß*« sehen will. Er gaukelt Flitt vor, die Gräfin sei in ihn verliebt, worauf dieser mit dem Gastwirt Knoll Entführungspläne schmiedet. Gleichzeitig überredet Victor auch Schlender zu einem Rendezvous mit der Gräfin – allerdings, »*um alles Aufsehen zu vermeiden*«, werde die Gräfin in den Kleidern des Flötenspielers Arthur, also in Fleders Maske, erscheinen, und er, Schlender, müsse die Rolle der Gräfin spielen. Zu allem Überfluß erscheint noch Flora in Offiziersuniform als weiterer Nebenbuhler unter den Freiern. Nun erreicht die Verwirrung ihren Höhepunkt. Als erster sieht sich Schlender genarrt, der schließlich die Maskerade durchschaut und den Hofrat Fleder erkennt. Er »*salviert sich*« und läuft – immer noch als »Gräfin« – geradewegs Flitt und Knoll, ihren Entführern, in die Hände; in Knolls Wagen verlassen so die beiden Abenteurer als erste den Schauplatz. Inzwischen entbrennt zwischen Flora, dem »Offizier«, und Leonard ein Zweikampf um die Gunst der Gräfin, die – durch Victor von dem zu erwartenden »Duell« in Kenntnis gesetzt und vom Waffenklang angelockt – herbeieilt; sie stürzt sich zwischen die beiden, an Leonards Brust, und der »Offizier« gibt sich als Flora zu erkennen. Doch erst der hinzukommende Fleder klärt das letzte Mißverständnis: Leonard und die Gräfin erkennen einander, Leonard führt sie unter dem Jubel der Umstehenden als seine Braut fort. Unter dem Eindruck dieses Erlebnisses gibt auch Victor sein Junggesellendasein auf und erhält Floras Hand.
Die Auseinandersetzung des Dichters mit den Lustspieltheorien Friedrich von Schlegels und französischen und englischen Vorbildern, vor allem dem Shakespeares, dehnte die Entstehung des Werkes auf fast zwei Jahrzehnte aus. Hierin dürfte der Grund dafür liegen, daß die Komödie bei ihrem Erscheinen kaum mehr Beifall bei dem die Schicksalstragödie goutierenden Publikum fand und in ihrer ursprünglichen Fassung ohne Resonanz blieb; das Stück wurde nämlich zu Lebzeiten des Dichters nur ein einziges Mal aufgeführt, und zwar am 2. Dezember 1849 im Liebhabertheater der »Ressource zur Einigkeit« in Graudenz. Der Erfolg stellte sich erst ein, als 1923 eine Bearbeitung des

Stückes von Otto ZOFF, mit einer Begleitmusik von Christian Lahusen, erschien; im Frankfurter Schauspielhaus wurde es begeistert aufgenommen und von da an oft gespielt, wenngleich diese Bearbeitung wie auch die späteren von Alfons HAYDUK (1936) und von Leopold STAHL (1939) die Stimmung des romantischen Lustspiels nicht vollkommen treffen konnten. E. Ke.

AUSGABEN: Stg. 1833. – Mchn. 1922. – Lpzg. o. J. [1923] (Bühnenbearb. O. Zoff; RUB, 6419). – Lpzg. 1938 (DL, R. Romantik, 23). – Lpzg. o. J. [1939] (*Die Freier oder Wer ist wer?*; Bühnenbearb. E. L. Stahl; ern. Stg. 1955; RUB, 7434). – Mchn. o. J. [1950; Bearb. G. Rittner]. – Regensburg 1950 (in *SW*, Hg. W. Kosch, A. Sauer u. a., 1908 ff., Bd. 6). – Stg. 1957 (in *Neue GA d. Werke u. Schriften*, Hg. G. Baumann, 4 Bde., 1957/58, 1).

LITERATUR: O. Demuth, *Das romantische Lustspiel in seinen Beziehungen zur dichterischen Entwicklung E.s*, Prag 1912 (Prager deutsche Studien, 20). – Ders., *Der Dichter der »Freier« auf dem Wege zum romantischen Realismus* (in Der Wächter, 8, 1925/26, H. 11/12, S. 451–459). – Ders., *E.s »Freier«. Ein Rückblick auf Bedeutung u. Entstehen nach hundert Jahren* (in Aurora, 4, 1934, S. 47–56). – Ders., *Der Angleichungsvorgang in E.s Lustspiel* (ebd., 6, 1936, S. 76–85). – W. Hildebrandt, *Das Eichendorffsche Lustspiel* (ebd., 8, 1938, S. 43–57). – Anon., *E.s Lustspiel »Die Freier« in der Schweiz* (in Der Wächter, 30/31, 1948/49, H. 1, S. 29–31). – O. Demuth, *»Wider Willen« als Baustein in E.s Kunst* (in Aurora, 21, 1961, S. 71–77). – W. Mauser, *»Die Freier« von J. v. E.* (in Der Deutschunterricht, 15, 1963, H. 6, S. 45–58).

DAS MARMORBILD. Novelle von Joseph Freiherr von EICHENDORFF (1788–1857), erschienen 1819. – Am 15. März 1817 meldet Eichendorff seinem Gönner Friedrich de LA MOTTE FOUQUÉ den Abschluß einer Novelle, die er ihm am 2. Dezember 1817 zusendet. *Das Marmorbild* ist nach Eichendorffs Brief an Fouqué *»eine Novelle oder Märchen, zu dem irgendeine Anekdote aus einem alten Buche, ich glaube, es waren Happelii ›Curiositates‹, die entfernte Veranlassung, aber weiter auch nichts, gegeben hat«*. Die vom Dichter hier erwähnte Quelle ist *Die seltzahme Lucenser-Gespenst* aus Eberhard Werner HAPPELS Anekdotensammlung *Größeste Denkwürdigkeiten oder so genandte Relationes curiosae* (Hamburg 1687), doch haben TIECKS Erzählung *Der getreue Eckart und der Tannenhäuser* (1799) und NOVALIS' Roman *Heinrich von Ofterdingen* (1802) stärker auf Motivik und Szenerie des *Marmorbildes* gewirkt als die barocke Vorlage. Die Erzählung, in der Eichendorff eine Skizze aus den Jahren 1808/09 mit dem Titel *Die Zauberei im Herbste* wieder aufgreift, wurde von Fouqué und seiner Gattin an *»zwei Stellen, wo die Farben allzu dreist erglühten, um ... vor Jungfrauenaugen treten zu können«* überarbeitet und erschien erstmals im *Frauentaschenbuch für das Jahr 1819*; in Buchform erschien sie, zusammen mit dem *Taugenichts* und einem Anhang ausgewählter Gedichte, zuerst 1826. Durch den Verlust des Neißer Eichendorff-Nachlasses sind Fouqués Texteingriffe nicht mehr festzustellen.

Im *Marmorbild* wandelt Eichendorff das romantische Grundthema vom verlorenen und wiederzufindenden Paradies charakteristisch ab. Florio, ein junger Dichter, begegnet auf der Reise nach Lucca dem Sänger Fortunato, dem auf einem Fest der mephistophelische Ritter Donati gegenübertritt. Schwankend zwischen den beiden Freunden, welche die erlösende und die dämonische Kraft der Poesie symbolisieren, verläßt Florio nachts die Herberge; sein Diener, der als Allegorie des Gewissens gedeutet wurde (Schwarz), liegt eingeschlafen auf der Schwelle des Hauses. So verfällt Florio dem Zauber des marmornen Venusbildes, dessen Anblick im nächtlichen Garten eine unbestimmte Sehnsucht in ihm zurückläßt. Auf der Suche nach der Erfüllung dieser Sehnsucht gerät der junge Poet in den Zauberkreis dämonischer Liebe, in den Garten der Venus – das *»Emblem der sinnlichen Gefährdung des Menschen«* (Rehm). Auf einem Maskenfest erreicht Florios verwirrend-schwankende Sehnsucht den Höhepunkt, als ihm Venus in der Maske der ihm von Fortunato zugeführten Bianka gegenübertritt. Von Donati verführt, kommt er in den Palast der Göttin, und nur das in der Ferne erklingende Lied Fortunatos bewirkt, daß er sich durch ein Gebet vor dem Schicksal Tannhäusers bewahrt, daß der dämonische Zauber versinkt. Auf einer Reise in den hellen Morgen deutet ihm Fortunato im Lied das Geschehen der Nacht und löst seine Verblendung. In dem Knaben, der sie auf der Reise begleitet, erkennt Florio Bianka, in ihrer reinen Schönheit die Bestimmung seines Lebens.

Die im Menschen angelegte Sehnsucht nach dem verlorenen Paradies, das Eichendorff unter der Formel der »schönen alten Zeit« faßt, hat im Werk des Dichters eine heidnische und eine christliche Komponente; das Bild der Venus *»dämmert und blüht wohl in allen Jugendträumen mit herauf«*, doch auch das erlösende Lied Fortunatos ist wie Erinnerung und Nachklang *»aus einer andern heimatlichen Welt«*; Florios Gebet: *»Herrgott, laß mich nicht verlorengehen in der Welt!«*, die dadurch ausgelöste Befreiung, d. h. der Rückzug des heidnischen Zaubers in die Tiefen der Seele, ist *»nicht ein Gnadengeschenk, sondern eine Leistung«* des Menschen (Seidlin). Erst im Bestehen der Versuchung ist Erlösung möglich. – Die Szenerie der Erzählung, die Landschaft, in der sich das symbolische Geschehen vollzieht, wird eine *»wunderbar verschränkte Hieroglyphe«* genannt, die emblematischen Landschaften des *Marmorbildes* geben als »sichtbare Theologie« (Seidlin) den Schlüssel zur Enträtselung der Symbole. Doch sollte bei der Entdeckung allgemein menschlicher Strukturen in der Novelle nicht übersehen werden, daß es Eichendorff schon in dieser frühen Erzählung nicht so sehr um die Darstellung menschlicher Grundverhaltensweisen geht, sondern mehr um die Gestaltung der Gefährdung des Künstlers, dem es, trotz der erschreckenden Erfahrung eines zeit- und geschichtslosen Lebens im Venusberg des inneren Lebens, nicht gelingt, sich dem Zauber des *paradis noir*, das Ingredienz des Dichterischen ist, völlig zu entziehen. W. Fr.

AUSGABEN: Nürnberg 1819 (in Frauentaschenbuch für das Jahr 1819). – Bln. 1826 (zus. m. *Aus dem Leben eines Taugenichts*). – Lpzg. 1864 (in *SW*, 6 Bde., 3). – Mchn. 1913 (in *GW*, Hg. P. Ernst u. H. Amelung, 6 Bde., 1909–1913, 4). – Lpzg. o. J. [1941] (zus. m. *Das Schloß Dürande*; RUB, 2365). – Stg. 1957 (in *Neue GA der Werke und Schriften*, Hg. G. Baumann u. S. Grosse, 4 Bde., 1957/58, 2).

LITERATUR: E. Reinhard, *E.s Novellen »Aus dem*

Leben eines Taugenichts« und »Das Marmorbild« (in Literarischer Handweiser, 47, 1909, Nr. 18, S. 697–700). – F. Weschta, *E.s Novellenmärchen »Das Marmorbild«*, Prag 1916. – P. F. Baum, *The Young Man Betrothed to a Statue* (in PMLA, 34, 1919, S. 523–579; 35, 1920, S. 60–62). – E. Feise, *E.s »Marmorbild«* (in GR, 11, 1936, S. 76–86). – A. Hayduk, *Der dämonisierte Eros bei E. und Hauptmann. Von der Novelle »Das Marmorbild« 1817 bis zum posthumen Roman »Winckelmann« 1954* (in Aurora, 15, 1955, S. 25–29). – E. Schwarz, *Ein Beitrag zur allegorischen Deutung von E.s Novelle »Das Marmorbild«* (in MDU, 48, 1956, S. 215–220). – Th. Rosebrock, *Erläuterungen zu E.s »Das Marmorbild« und »Das Schloß von Dürande«*, Hollfeld 1958. – J. Kunz, *E. Höhepunkt und Krise der Spätromantik*, Oberursel 1951, S. 166 bis 186. – O. Seidlin, *E.s symbolische Landschaft* (in *Eichendorff heute*, Hg. P. Stöcklein, Mchn. 1960, S. 224–226). – Ders., *Versuche über E.*, Göttingen 1965, S. 121–125. – W. Rehm, *Prinz Rokoko im alten Garten. Eine E.-Studie* (in FDH, 1962, S. 199–204).

DAS SCHLOSS DÜRANDE. Novelle von Joseph Freiherr von Eichendorff (1788–1857), erschienen 1837. – Nichts in Eichendorffs epischem Werk darf als zeitlose Romantik bezeichnet werden: Das Romantische wird sowohl in den Romanen wie in den Novellen mit sozialen Kategorien und Politischem verschränkt. So gerät im *Schloß Dürande* eine freie unbedingte Liebe in Widerspruch zu den Normen eines feudalen Gesellschaftssystems, und im Wirbel der Französischen Revolution wird diesem Widerspruch ein tödliches Ende bereitet. Den sozialen und politischen Gehalt seiner Geschichte benennt Eichendorff nie ausdrücklich und begrifflich; er läßt sich aber aus dem Verhalten der Figuren, ihrem Maskenspiel und ihren Irrtümern entziffern.

Renald, ein Jäger, lauert an einem Sommerabend einem Unbekannten auf, der dem Gerede der Leute zufolge seit geraumer Zeit seine Schwester aufsucht – seine junge verwaiste Schwester Gabriele, die seinem besonderen Schutz anheimgegeben ist. In dem Unbekannten entdeckt Renald seinen Dienstherrn, den jungen Graf Hippolyt von Dürande. Renald hütet sich nicht nur, der Schwester den Namen des Geliebten preiszugeben, er veranlaßt sie auch, unverzüglich sich für einige Zeit in ein nahegelegenes Kloster zu verfügen. Denn in der feudalen Gesellschaftsordnung hat das Mädchen von niederem Stande nur einen Besitz: ihre unverführte Reinheit, und die Herrschenden haben gewöhnlich nur eine Absicht: auch diesen Besitz anzutasten. Sind sie darin erfolgreich, so gereicht das, dem herrschenden Moralkodex zufolge, sowohl der Verführten wie ihrer Familie zur unauslöschlichen Schande. Vor dieser Schande möchte Renald sich und Gabriele bewahren. Nur allzu fixiert auf die Gefahr, die einem Mädchen aus dem Volk jederzeit droht, vermag er die Möglichkeit einer gewaltfreien und auf Treue gegründeten Liebe zwischen Menschen verschiedenen Standes nicht zu denken. Gerade so aber ist die Liebe zwischen Gabriele und dem jungen Grafen beschaffen, und das trennende Kloster setzt der unerfüllten Sehnsucht kein Ende, sondern facht sie an. Gabriele entfaltet jene romantische Selbstentäußerung, die das Gegenbild zu bürgerlicher Verfestigung und zu taktischem Selbstschutz ist: »... *ich möcht mich gern einmal bei Nacht verirren recht im tiefsten Wald, die Nacht ist wie im Traum so weit und still, als könnt man über die Berge reden mit allen, die man liebt in der Ferne.*« Wie den »Taugenichts« beseelt Gabriele ein freier Mut, der Verirrungen und die Gefahr der Ferne als die Bedingung eines schöneren Lebens in Kauf nimmt: Unerkannt folgt das Mädchen dem Grafen nach Paris, nur um als Gärtnerbursche verkleidet in seiner Nähe weilen zu können.

Doch muß unter den herrschenden sozialen und politischen Verhältnissen dieses Unterfangen unheilvoll ausschlagen. Denn einmal scheut sich Gabriele, vor dem Grafen die Maske des Gärtnerburschen fallen zu lassen und ihm, der doch zugleich ein Herr ist, ihre Liebe »aufzudrängen«: Der Sehnsucht ist, solange herrschaftsfreie Verhältnisse nicht allgemein eingerichtet sind, eine freie Selbstdarstellung versagt. Zum anderen hat der alte Graf Dürande auf die erotische Libertinage seines Sohns mokant angespielt und in Renald den Verdacht geschürt, der junge Graf halte sich Gabriele als feile Dirne, wie der feudale Brauch es will. Weil der ahnungslose Graf, den Renald in Paris zur Rede stellt, in Gabrieles Schicksal nicht eingeweiht ist, nicht eingeweiht sein darf, kann er Renalds peinigenden Verdacht nicht entkräften. Er wirft den Jäger ungesäumt hinaus, als der ihm obendrein mit einem Brief droht, der von einem Feind des Adels und einem Freund der Revolution stammt. Renalds sozial motivierter Verdacht hinsichtlich des Schicksals seiner Schwester empfängt durch die politischen Zustände destruktive Kraft. Eichendorff läßt es sich angelegen sein, das Motiv von der unzeitgemäßen Ordnung kritisch zu variieren. Das Ancien régime, sei es in Gestalt des eingeschlafenen Schlosses Dürande mit dem alten zeitvergessenen Grafen oder in Gestalt einer korrupten Rechtspflege und eines kranken Königs, spricht dem ratsuchenden Individuum nur Hohn. Nicht aufgeklärt wird Renald über seinen Irrtum, sondern darin bekräftigt – und es »*spielten feurige Figuren auf dem dunklen Grund seiner Seele: schlängelnde Zornesblicke und halbgeborene Gedanken blutiger Rache*«. Die Revolution aber speist nur den Zerstörungstrieb, den das untergehende Herrschaftssystem wachgerufen hat. In seiner verblendeten Rechtssuche ist Renald dem Michael Kohlhaas nicht unähnlich. An der Spitze eines verwahrlosten Haufens stellt er dem auf Schloß Dürande zurückgekehrten Grafen eine ultimative Forderung: Falls er nicht binnen kurzem Gabriele zur Frau nehme, habe er die Zerstörung seines Schlosses zu gewärtigen. Der Graf, der von Gabriele nichts weiß, antwortet auf die blinde Gewalttat mit »*niegefühlter Mordlust*«. In diesem Teufelskreis einer sozial und politisch bedingten Verblendung geht auch Gabriele unter. Als Doppelgänger des Grafen mitten im Kampf auftauchend, will sie die tödlichen Kugeln auf sich lenken, um dem Grafen das Leben zu retten. Ihr todesverachtender Mut spiegelt die Ambivalenz einer unbedingten und zugleich der historischen Realität verhafteten Liebe zurück: unbedingt, weil die historische Standesgrenze dieser Liebe kein Ende zu setzen vermochte; realitätsverhaftet, weil sie sich unter dem Zwang der noch geltenden Standesgrenze zu spät, erst in der Stunde der tödlichen Gefahr hervorwagt. Der Graf, der erst jetzt Gabrieles hingebungsvolles Maskenspiel durchschaut, bekennt seine tiefe unzerstörte Neigung. Verwundet, selig vor Liebe, suchen beide in der Einsamkeit den Tod. Renald, Eroberer des Schlosses, sprengt das Schloß in die Luft und wählt den Freitod, nach-

dem er von der Reinheit jener Liebe und von der Unermeßlichkeit seines Irrtums Kenntnis erlangt hat.
Von der allgemeinen Zerstörung ausgenommen ist die Natur. Die Revolution streift sie in Gestalt von Feuerzeichen, ansonsten hebt sie sich von den geschichtlichen Prozessen und menschlichen Schicksalen in schöner Indifferenz ab. Die frühromantische Identität zwischen Subjekt und Natur ist längst hinfällig, und selbst für Gabriele ist die Sprache der Natur nicht mehr zu entziffern: »*Hör nur, wie der Fluß unten rauscht und die Wälder, als wollten sie auch mit uns sprechen und könnten nur nicht recht!*« Es erstaunt daher nicht, wenn die magische Musikalität von Eichendorffs früher Prosa, ihre lyrische Schwerelosigkeit, gebrochen ist. Die Gewalt der gesellschaftlichen und geschichtlichen Verhältnisse beschwert den Erzählrhythmus; die Stofflichkeit der historischen Realität nimmt den einzelnen Tableaus ihren Schwebecharakter. Die Schönheit der Natur schimmert nur noch als Reflex einer versunkenen paradiesischen Zeit auf – indem Eichendorff ihre rätselhafte Teilnahmslosigkeit am gegenwärtigen Schicksal seiner Figuren beschwört, erscheint jeder Rückzug des Menschen in die Natur von nun an als Zeitvergessenheit. Nichts als ein Mißverständnis ist es, wenn man Eichendorff zu jenen Spätromantikern zählt, die durch populäres Kunstgewerbe die unpolitische Flucht ins Naturidyll gefördert haben. G. Sa.

Ausgaben: Lpzg. 1837 (in Urania. Taschenbuch auf das Jahr 1837). – Lpzg. 1864 (in *SW*, 6 Bde., 3). – Mchn./Lpzg. 1913 (in *GW*, Hg. P. Ernst u. H. Amelung, 6 Bde., 1909–1913, 6). – Lpzg. 1916 (zus. m. *Die Glücksritter*; IB, 196). – Zürich 1955 (in *Erzählungen*, Hg. W. Bergengruen). – Stg. 1957 (in *Neue GA der Werke und Schriften*, Hg. G. Baumann u. S. Grosse, 4 Bde., 1957/58, 2). – Mchn./Zürich 1958 (in *Novellen und Gedichte*; Ausw. u. Einl. H. Hesse).

Vertonung: O. Schoeck, *Das Schloß Dürande* (Oper; Text: H. Burte; Urauff.: Bln. 1943).

Literatur: G. Seeker, *J. v. E.s »Schloß Dürande«*, Charlottenburg 1927 (Diss. Marburg 1928.) – R. Treml, *Zu E.s Novellentechnik*, Diss. Wien 1948. – J. Kunz, *E. Höhepunkt u. Krise der Spätromantik. Ein Beitrag zum Verständnis seiner Novellendichtung*, Oberusel 1951 [zugl. Habil-Schr. Ffm.]. – J. Giraud, *J. v. E., critique de la société* (in EG, 13, 1958, S. 303–332). – P. Stöcklein, *J. v. E. in Selbstzeugnissen u. Bilddokumenten*, Reinbek 1963 (rm, 84). – H. J. Lüthi, *Dichtung u. Dichter bei J. v. E.*, Bern/Mchn. 1966 (Habil.-Schr. Bern 1963). – G. Jahn, *Studien zu E.s Prosastil*, NY/Ldn. 1967.

JOHANN WOLFGANG VON GOETHE
(1749–1832)

AUS MEINEM LEBEN. Dichtung und Wahrheit. Selbstbiographie von Johann Wolfgang von Goethe (1749–1832). Vier Teile zu je fünf Büchern, 1: 1811; 2: 1812; 3: 1814 erschienen; 4: entworfen 1816, ausgeführt 1831, postum von Eckermann 1833 herausgegeben. – Der ursprüngliche Untertitel hieß *Wahrheit und Dichtung:* die Umbenennung erfolgte rein aus Gründen des Wohlklangs. – Goethes Autobiographie (die Jahre von 1749 bis 1775 umfassend) unterscheidet sich nach Art und Zielsetzung zwar weitgehend von den großen Beispielen einer Autobiographie, trägt aber Züge der verschiedenen zu Goethes Zeit bekannten Formen von Selbstzeugnissen. Am wenigsten gemein hat sie mit der reinen Bekenntnisform einer Beichte und Selbstanklage, z. B. des Augustinus, oder mit der zerquälten und trostlosen Selbstanalyse, wie sie K. Ph. Moritz im *Anton Reiser* oder Rousseau in den *Bekenntnissen* gegeben haben. Mehr Gemeinsames hat sie mit der Biographie Jung-Stillings, die Goethe in Straßburg 1777/78 herausgegeben hatte, mit den ersten Künstlerbiographien der italienischen Renaissance von Vasari und einem chronikähnlichen Memoirentypus aus dem 16. Jh., etwa den Lebenserzählungen Gottfrieds von Berlichingen.
Goethes Auffassung von »*Biographica und Aesthetica*« zeigt bereits die bewußte und dichterisch planende Form der Darstellung, die sinngebende Deutung der Fakten, denn »*ein Factum unseres Lebens gilt nicht, insofern es wahr ist, sondern insofern es etwas zu bedeuten hat*«. Der Altersstandpunkt der »*ironischen* [d. h. überlegenen] *Ansicht des Lebens*« verhilft dazu, daß der »*Leser aus der Region der niederen Realität erhoben*« und zu den »*höheren Tendenzen*« geführt wird. Durch die bewußte Verknüpfung von Dichtung mit der faktischen Wahrheit wird auf diese Weise der Weg zu einer höheren Wahrheit erreicht und im ganzen Werk »*dem Verstand und der Vernunft wie der Sinnlichkeit und Phantasie in gleicher Weise geschmeichelt*«. Goethe sah die Hauptaufgabe einer Biographie darin, den Menschen in seinen Zeitverhältnissen darzustellen, denn »*ein jeder nur zehn Jahre später geboren, dürfte ... ein ganz anderer geworden sein*«. Er untersucht: inwiefern ist er unter allen Umständen derselbe geblieben *(daimon)*, inwiefern wurde er durch die Welt und die Umstände bestimmt und verändert *(tychē)*. Es ging ihm um »*das einzig Grundwahre in den Fakten*« (Brief an Zelter von 1830) im Hinblick auf eine allgemeine Bedeutung. »Wahrheit« heißt hier für Goethe: die stufenweise Ausbildung seiner Persönlichkeit, und »Dichtung« meint: nicht nur das Wirkliche, sondern auch das Mögliche, das nicht wirklich wurde, das aber etwas zu bedeuten hatte und erst im schöpferischen Prozeß des Dichtens Gestalt gewinnt. Daten und Fakten erscheinen daher zum Teil zeitlich etwas verschoben oder anders festgelegt – sei es aus künstlerischen Gründen oder aus getrübter Erinnerung.
Goethe, dem die Arbeit an sich selbst von so zentraler Bedeutung war, stellt also die »Folgen der Dinge« *vor* die eigentliche Erzählung der Ereignisse; gilt es ihm doch »*die Basis, die ihm vorgegeben ist, so hoch als möglich in die Luft zu spitzen*«. So vollendet er auf dem Weg von der Selbstbetrachtung zur Selbsterkenntnis das Bild der »Pyramide« seiner Entwicklung, und insofern dem Leser die Möglichkeit gegeben wird, aus der »*Selbsterkenntnis großer Männer für ihr eigenes Dasein Nutzen zu ziehen*«, wirkt Goethe erzieherisch auf sein Publikum ein.
Die in der Ichform dargestellten Ereignisse werden nicht nur genetisch-historisch aufgezeigt, sie geben darüber hinaus tiefe Einblicke in die Zeitverhältnisse, die Realgeschichte (z. B. der Siebenjährige Krieg), die Literaturgeschichte des 18. Jh.s (2. Band, 7. Buch), sowie eine Kritik der französischen und englischen Literatur, soweit sie für Goethes Entwicklung bestimmend waren. Ferner trägt die ausführliche Charakterisierung von Persönlichkeiten, die Goethe direkt oder indirekt beeinflußt haben, zur kulturgeschichtlichen Bedeutung des Werkes bei. – Wenn das Ich unter dieser Perspektive oft hinter der »*Fülle der Zeit zu verschwinden scheint*«,

so beabsichtigt Goethe, im Zusammenwirken der Kräfte von innen und außen aufzuzeigen *»wie das Kind, der Knabe, Jüngling sich auf verschiedenen Wegen dem Übersinnlichen zu nähern gesucht«*. Goethe gibt in *Dichtung und Wahrheit* also die Resultate seines tätigen Lebens, er legt sich selbst Rechenschaft ab, indem er die verborgenen Dinge hinter dem bloß privaten Anlaß hervorholt, sie in den Zusammenhang eines übergeordneten Sinnes seines Lebens stellt und dem Leser eine Interpretation der allgemeinen Bedeutung dieser Zusammenhänge nahelegt. Es geht ihm hier weniger um die Bestätigung als Dichter – er nimmt selten zu seinen Werken Stellung und dann nur selbstkritisch, die *Faust*-Dichtung bleibt z. B. völlig unerwähnt –, sondern vielmehr um den höheren sittlichen Standpunkt, von dem aus das Ganze zu beurteilen sei. Unter diesem Gesichtspunkt wird auch das Problem der Urschuld in der Freiheit des Handelnden aufgeworfen, das Unschuldig-Schuldig-Werden als die eigentliche Tragik des menschlichen Lebens erkannt.

Goethes Einsichten spiegeln sein grundsätzliches Vertrauen auf die Kräfte der Natur – der Gottnatur in all ihren Widersprüchen –, von der auch das Dämonische ein Teil ist. Derartige Erkenntnisse und Ergebnisse in Reflexionen und Maximen zu fassen, entspricht der vorwiegend lehrhaften Absicht des alten Goethe. S. A. – KLL

Ausgaben: Tübingen 1811–1813 [1.–3. Tl.]. – Stg. 1833 (in *Werke*, AlH, Bd. 48; 4. Tl.). – WA, I, 26–28. – JC, 22–25. – AA, 10 [Einf. E. Beutler]. – HA, 9–10.

Literatur: K. Alt, *Studien z. Entstehungsgesch. v. G.s »Dichtung und Wahrheit«*, Mchn. 1898 (Forschungen z. neueren Lit.-Gesch., 5). – K. Jahn, *G.s »Dichtung u. Wahrheit«*, Halle 1908. – R. Pascal, *G.'s Autobiography and Rousseau's »Confessions«* (in *Studies in French Language, Literature and History, Presented to R. L. Graeme Ritchie*, Cambridge 1949). – E. Spranger, *G. über sich selbst* (in DVLG, 23, 1949, S. 358–379). – E. Beutler, *Essays um G.*, Bremen [5]1957, S. 696–779.

CLAVIGO. Trauerspiel in fünf Aufzügen von Johann Wolfgang von Goethe (1749–1832), die 1774 in acht Tagen niedergeschriebene Dramatisierung eines von Beaumarchais in seiner *Quatrième mémoire* (1774) berichteten spanischen Erlebnisses; Uraufführung: Hamburg, 23. 8. 1774.

Clavigo, ein begabter, ehrgeiziger junger Schriftsteller, hat unter dem Einfluß des um die Karriere des Freundes besorgten Carlos gegen sein Gefühl das Verlöbnis mit der ihm seelenverwandten, aber einfluß- und mittellosen Marie Beaumarchais gelöst. Als Maries Bruder Rechenschaft von ihm fordert, siegen die noch nicht erloschene Neigung, ein schlechtes Gewissen und die Angst vor Beaumarchais' Drohungen zunächst über Carlos' *»reinen Weltverstand«*. Clavigo bekennt sich zu der alten Bindung. Aber als ein Wiedersehen mit Marie ihn erkennen läßt, daß er nur noch Mitleid und Erbarmen mit ihr fühlt, findet Carlos' These, daß *»außerordentliche Menschen eben auch darin außerordentliche Menschen sind, weil ihre Pflichten von den Pflichten der gemeinen Menschen abgehen«*, ein offenes Ohr. Clavigo läßt sich zu einem neuen Treubruch überreden, an dem Marie stirbt. Erschüttert entscheidet er sich endgültig gegen Carlos' berechnende Klugheit, für ein Handeln, das sein Gefühl ihm diktiert. Als er an Maries Sarg mit Beaumarchais zusammentrifft und dieser ihn tödlich verwundet, dankt er ihm dafür, daß er ihn im Tod mit der Geliebten vermählt; sterbend beschwört er Carlos, den *»unglücklichen Bruder«* zu retten.

Die naheliegende Deutung, die in Clavigo das Spiegelbild des sich gegenüber Friederike Brion schuldig fühlenden Goethe sieht, kann sich auf Äußerungen in *Dichtung und Wahrheit* stützen, in denen der Dichter erklärt, daß *»die beiden Marien in* Götz von Berlichingen *und* Clavigo *und die beiden schlechten Figuren, die ihre Liebhaber spielen ... wohl Resultate solcher reuigen Betrachtungen gewesen sein«* mögen. Dennoch enthält die Erinnerung nicht die ganze Wahrheit, weil sie das *»Glück«* und die *»Freude«* nicht erwähnt, die er nach einem Brief an Jacobi aus dem Jahre 1774 darüber empfand, daß sich *»Clavigos Charakter, seine Tat mit Charakteren und Taten in mir amalgamierten«*. Er ist stolz darauf, daß man die (aus Beaumarchais) bloß übersetzten Stellen nicht vom Ganzen abtrennen könne, ohne der *»Lebensorganisation des Stücks«* eine tödliche Wunde zu versetzen. Diese Äußerungen machen deutlich, daß *Clavigo* mindestens so sehr der Lust an formaler Gestaltung als der *»selbstquälerischen Büßung« (Dichtung und Wahrheit)* seine Entstehung verdankt. Die Distanz zum eigenen Erlebnis drückt sich nicht nur im überaus klaren, straffen Aufbau der Handlung und der fast kühlen Sprache aus. Sie bestimmt auch die Gestaltung der Charaktere, die eher gerechtfertigt als angeklagt werden. Carlos ist keineswegs der gewissenlose Versucher, sondern der Repräsentant vernünftiger Grundsätze, der den zu Großem begabten Freund vor dem Versinken in bürgerliche Beschränktheit zu bewahren sucht; er verkörpert in mancher Hinsicht auf eine ähnliche Weise eine Wesensseite Goethes wie Antonio im *Tasso*. Und Clavigo ist ein schwankender Charakter gerade darum, weil ihm der Mut und die Skrupellosigkeit fehlen, um seines Zieles willen entschlossen schuldig zu werden. In ihrer »Amalgamierung« mit dem jungen Goethe wurde die Figur zum frühen Beispiel dafür, daß die schlichte Korrelation von Schuld, Rache und Sühne in Beaumarchais' Erzählung dem Dichter des *Clavigo*, der weit kompliziertere Erfahrungen mit sich selbst gemacht hatte, nicht möglich war. Als er diesem Erlebnis Form und Ausdruck gab, war es bereits der privaten Bedeutung entrückt. *Clavigo* ist darum auch eines der frühesten Beispiele dafür, daß jede Suche nach dem persönlichen Hintergrund einer Dichtung Goethes nur dann sinnvoll ist, wenn sie den überpersönlichen sichtbar macht, der in der künstlerischen Formung geheimnisvoll Gestalt annimmt.
G. Ue.

Ausgaben: Lpzg. 1774. – WA, I, 11. – JC, 11. – AA, 4. – HA, 4. – Tübingen 1925, Hg. C. M. M. Strube [mit den Varianten].

Literatur: G. Schmidt, *»Clavigo«, eine Studie zur Sprache des jungen G.*, Gotha 1893. – G. Grempler, *»Clavigo«*, Halle 1911. – J. A. Frantzen, *G. und Beaumarchais* (in Neoph, 1, 1915). – O. Spieß, *Die dramatische Handlung in G.s »Clavigo«, »Egmont« und »Iphigenie«*, Diss. Erlangen 1918. – E. Feise, *Zum Problem v. G.s »Clavigo«* (in *Studies in German Literature in Honor of A. R. Hohlfeldt*, Madison/Wis. 1925; auch in E. F., *Xenion. Themes, Formes and Ideas in German Literature*, Baltimore 1950, S. 66 bis 76). – H. J. Meessen, *»Clavigo« and »Stella« in*

G.'s Personal and Dramatic Development (in *Goethe, Bicentennial Studies*, Hg. H. J. Meessen, Bloomington 1950, S. 153–206). – Staiger, 1, S. 174ff.

EGMONT. Trauerspiel in fünf Aufzügen von Johann Wolfgang von GOETHE (1749–1832), erschienen 1788. – Das Werk entstand in vier zeitlich (1775, 1778/79, 1782, 1787) und entwicklungsgeschichtlich (Sturm und Drang – Klassik) weit auseinanderliegenden Anläufen. Das legt den von Literarhistorikern (F. GUNDOLF, G. MÜLLER, E. STAIGER) häufig geäußerten Vorwurf der Uneinheitlichkeit nahe. Demgegenüber verweist W. KAYSER überzeugend auf die in allen Arbeitsphasen festgehaltene Vorstellung von der Gesamtgestalt. Diese ist von Anfang an bestimmt durch das Egmont-Bild, das Goethe in freier Abwandlung der Historie und der Quellen (*De bello Belgico decades duae* des Jesuiten Famianus STRADA und die *Eygentliche vollkommene Beschreibung des Niederländischen Kriegs* von Emanuel van METEREN) – sich im übrigen an deren Schilderung der Vorgänge eng anlehnend – als »seinen« Egmont konzipiert. In diesem seinem Geschöpf erscheint das auch von Strada bezeugte Selbstbewußt-Freie, Sorglose und Tolerante einer überaus gewinnenden »*großen Natur*« uneingeschränkt durch die realen Lebensumstände des historischen Grafen Egmont, dessen todbringender Verzicht auf ein Ausweichen vor der Gewalt mehr von der Sorge des Familienvaters, der seine Güter nicht verlassen wollte, als von dieser »Natur« diktiert worden war. In Goethes Drama wird sie zum *daimon*, der in einer von düsterem Fanatismus und tiefem Mißtrauen gegenüber jeglicher Freiheit des Menschen beherrschten Umwelt den Untergang des Helden herbeiführen muß.
Diese scheinbar geringfügige Abweichung von der Historie bestimmt den Charakter des Stücks: Goethe schrieb kein Geschichts-, sondern ein Charakterdrama. Die Handlung dient in allen Phasen dazu, den Helden ins Bild zu bringen, obwohl er selbst erst im Verlauf des zweiten Aufzugs in Erscheinung tritt. Die ersten Szenen des ersten Akts schildern die Strahlungskraft seiner Persönlichkeit gewissermaßen von den Rändern her: aus der Sicht einfacher Brüsseler Handwerker und eines Soldaten, der unter Egmont siegreich gegen die Franzosen gekämpft hat. Während sie mit einem Umtrunk den Schützenkönig feiern, entsteht aus Rede und Gegenrede in knappstem Umriß die Situation unter der Herrschaft der »*spanischen Majestät*«, auf deren Gesundheit »*nicht leicht ein Niederländer von Herzen*« trinkt, und der trefflichen Regentin Margareta von Parma, die man gern loben möchte, »*hielte sie's nur nicht so steif und fest mit den Pfaffen*«, und das heißt: gegen die neuen lutherischen Prediger, die aus Deutschland kommen. »*Von ganzer Seele*« aber läßt man den »*großen Egmont*« leben, dem »*die Fröhlichkeit, das freie Leben, die gute Meinung aus den Augen sieht*«. Gerade diese Fröhlichkeit und Freiheit aber sind der Regentin, aus deren Blickwinkel Egmont in der folgenden Szene gesehen wird, beunruhigend und verdächtig. Sie schätzt ihn und empfindet, wie es Egmont scheint, vielleicht sogar noch mehr für ihn – und muß ihn doch tadeln ob des Leichtsinns und der Gleichgültigkeit, mit der er, einzig um die freiheitliche Verfassung des Landes besorgt, über die in seiner Provinz sich verbreitenden neuen Lehren und ketzerischen Unruhen hinweggeht und also bei Hofe gefährlicher scheinen könnte »*als ein entschiedenes Haupt einer Verschwörung*«. Ein drittes Mal ändert sich die Sicht: diesmal wird der Held aus unmittelbarer Nähe gesehen, mit den Augen der Frau, die er liebt, des Bürgermädchens Klärchen, bei dem er »*nur Mensch, nur Freund, nur Liebster*« ist. Im Gespräch Klärchens mit der Mutter, deren Bedenken gegen die Verbindung mit Egmont sie hinwegfegt, und mit dem unglücklichen Freunde Brackenburg, dessen beharrliches Werben ihr nur noch lästig ist, zeigt sich, was die Begegnung mit dem berühmten Mann aus dem sittenstrengen bürgerlichen Mädchen gemacht hat: eine rückhaltlos Liebende, die demütig und stolz ihr Schicksal wie ein Wunder empfängt und bejaht und damit beweist, daß Egmont eine Ebenbürtige liebt.
Nach dieser glänzenden Exposition tritt Egmont im zweiten Akt endlich selbst in Erscheinung. Die dreifache Spiegelung des ersten Akts wiederholt sich in der dreifachen Konfrontation des Helden mit seiner Umwelt: er tritt auf als der geborene Volksführer, der den aufgehetzten Bürgern, die um ihre Privilegien kämpfen wollen, »*wie ein Engel des Himmels*« erscheint, dessen Mahnung zur Ruhe sie willig folgen; als Statthalter seiner Provinz, der sich im Gespräch mit seinem Sekretär weigert, die bereits abklingenden Tumulte noch allzu ernst zu nehmen, und der Ausschreitungen milde bestraft; und schließlich – in der Auseinandersetzung mit Wilhelm von Oranien – als der Untertan des Königs von Spanien, der nicht sehen will, welche Gefahr ihm droht. Großherzige, vertrauensvolle Sorglosigkeit ist in allen drei Begegnungen Egmonts hervorstechendster Charakterzug. Im Umgang mit dem aufbegehrenden Volke wirkt sie beruhigend und macht auch die andern sorglos und vertrauend. Dem Fürsten Egmont ermöglicht sie, nicht härter zu strafen als unbedingt nötig. Er ist ein glücklicher, fröhlicher Mann, der gern lebt und leben läßt, aber doch nicht so am Leben hängt, daß er nur »*um seiner Sicherheit willen*« leben könnte. Den Mittel- und Höhepunkt des zweiten Akts bildet Egmonts berühmte Selbstrechtfertigung, zu der ihn die Warnungen des Sekretärs herausfordern: »*Kind! Kind! nicht weiter ...*« Unmittelbar auf dieses fast berauschte Bekenntnis zur eigenen Kraft und Freiheit folgen die Warnungen seines Freundes Oranien, der im Gegensatz zu Egmont die Drohung der Statthalterin, das Land zu verlassen, ernst nimmt und für sicher hält, daß der König beabsichtigt, durch den heranrückenden Alba die führenden Niederländer verhaften und unschädlich machen zu lassen. Vergeblich versucht er, den Freund zu überreden, der bevorstehenden Einladung Albas nicht zu folgen. Egmont fürchtet, daß eine Weigerung Albas Zorn aufs äußerste reizen und vielleicht sogar Krieg bedeuten würde. »*Wer sich schont, muß sich selbst verdächtig werden*«, ist seine Antwort, und Oranien scheidet tief besorgt. Irritiert gesteht Egmont sich, daß der Freund seine »*Sorglichkeit*« in ihn herübergetragen habe, doch sofort besinnt er sich auf das »*freundlich Mittel*« – den Besuch bei der Geliebten –, das die »*sinnenden Runzeln*« von seiner Stirn wegbaden werde: seine Sorglosigkeit hat den Grad erreicht, wo sie Leichtsinn und Herausforderung an das Schicksal zu werden droht.
Die Voraussetzungen für die Katastrophe sind bereits am Ende des zweiten Akts gegeben, doch abweichend von der klassischen dramaturgischen Regel führt der dritte Akt nicht die Peripetie herbei; vielmehr stellt der Dichter die beiden Mächte, die

Egmonts Leben bestimmen, die Politik und die Liebe, noch einmal in zwei undramatischen Szenen einander gegenüber. In der ersten zieht die Regentin das Fazit der historischen Stunde: sie erklärt ihrem Sekretär Machiavell, daß sie dem Verdrängtwerden zuvorkommen wolle, indem sie freiwillig abdanke. Diese Stunde der höchsten Gefahr verbringt Egmont (*»der große Egmont, der so viel Aufsehen macht, von dem in den Zeitungen steht, an dem die Provinzen hängen«*, der selbst aber darüber schweigen will, *»wie es dem ergeht, wie es dem zumute ist«)* als der Geliebte Klärchens – und *»der ist ruhig, offen, glücklich, geliebt und gekannt von dem besten Herzen«*. Erst der nächste Akt läßt erkennen, daß in diesen beiden Szenen die gefährliche politische Entscheidung der Regentin und Egmonts Sorglosigkeit in einer Spannung zueinander stehen, die sich im nächsten Augenblick in der Katastrophe entladen wird: Alba, dessen Erscheinen – wie zunächst an den Reaktionen der verängstigten Bürger vorgeführt wird – Furcht und Schrecken verbreitet, läßt Egmont gefangennehmen, als dieser vertrauensvoll seiner Einladung zu einer Beratung folgt, während der vorausschauende Oranien sich brieflich entschuldigt. Das Gespräch, das Alba vor Egmonts Ankunft mit den Seinen führt, macht deutlich, daß des Grafen Untergang beschlossene Sache ist, unabhängig davon, ob er seine politische Haltung rechtfertigen kann oder nicht. Von dem Augenblick an, in dem er den Palast betritt, ist sein Schicksal endgültig besiegelt. Alba – Exponent einer absolutistischen Macht, die es für richtig hält, die Bürger eines Volkes *»zu ihrem eigenen Besten einzuschränken, ihr eigenes Heil, wenn's sein muß, ihnen aufzudrängen, die schädlichen Bürger aufzuopfern, damit die übrigen Ruhe finden, des Glücks einer weisen Regierung genießen können«* – weiß bereits, was das Gespräch mit Egmont ihm nur noch bestätigen kann: daß die niederländischen Fürsten sich zu keiner Politik der Unterdrückung bereit erklären und beharrlich an den überkommenen Privilegien festhalten werden. Daß Egmont, der freimütig und entschieden seine Auffassung der Freiheit vor Alba vertritt, gar nicht begreift, wie lebensgefährlich die Äußerung solcher Gedanken ist, wird aus seiner grenzenlosen Überraschung deutlich, als man ihm seinen Degen abverlangt. Jetzt erst erkennt er, daß Oranien recht hatte und daß tapferes Einstehen für eine Meinung da sinnlos ist, wo man es mit einem Gegner zu tun hat, der mit Andersdenkenden nicht diskutiert, sondern sie auslöscht. Seiner noblen, großherzigen Natur nach diesen Sachverhalt gar nicht fassen, geschweige denn sich auf ihn einstellen zu können ist die eigentliche, aristokratische, humane Ursache von Egmonts »Leichtsinn«. Noch im Kerker, wo ihn der fünfte Akt zeigt, hat er nicht begriffen, daß auch die Freunde gegenüber der Gewalt nichts ausrichten können. Klärchen allein, halb wahnsinnig vor Angst und Schmerz, eilt durch die Straßen und versucht vergeblich, die verstörten Bürger zum Aufstand zu bewegen, nur die Liebende hat, *»was euch allen eben fehlt, Mut und Verachtung der Gefahr«*. Als sie erkennt, daß Egmonts Schicksal unabwendbar ist, nimmt sie Gift. In der gleichen Nacht erfährt ihr Geliebter sein Todesurteil; erst als Ferdinand, Albas Sohn, dessen bewundertes Vorbild Egmont ist, ihm verzweifelt des Vaters Unerbittlichkeit bestätigt, vermag er zu glauben, was ihm völlig widersinnig scheint: daß er sterben muß. Auflehnung und Bitternis gegen das Geschick, in das sein *daimon* ihn gestoßen hat, wandeln sich in Zustimmung, als der Sohn seines Todfeinds sich rückhaltlos zu ihm bekennt. Dieser persönliche, menschliche Sieg über Albas Unmenschlichkeit im Angesicht des Todes macht es Egmont möglich, gefaßt und getröstet seiner letzten Stunde entgegenzuschlafen, und dem Träumenden reicht die Freiheit, die Klärchens Züge trägt, den Lorbeerkranz.

Es ist anzunehmen, daß dieser Schlußapotheose, die bei SCHILLER, aber auch bei den meisten anderen Interpreten mehr oder weniger tiefes Unbehagen auslöste, in Goethes eigener Vorstellung eine unerläßliche Funktion zukam, nämlich die, nochmals zu unterstreichen, daß Egmont, an dem Goethe später (in *Dichtung und Wahrheit*) seine Auffassung des Dämonischen entwickelte, aus der gleichen Quelle lebt, aus der die Träume kommen, aus den Tiefen des Unbewußten, aus dem innigsten Einklang mit den Mächten, die seine Wege lenken, aus dem ruhevollen Vertrauen in sein Geschick, das, wie dieses Schlußbild zeigt, bis zur Katastrophe zu Ende gelebt, der Freiheit des Volkes schließlich den Weg bahnen wird. Schillers *»grausamer Redaktion«*, in der das Stück – allerdings erst nach Schillers Tod und nach einigen Rückänderungen – so lange gespielt wurde, bis Beethovens Musik den Rückgriff auf das Original nahelegte, war außer der Rolle der Regentin und einigen Teilen der Klärchen-Szenen auch dieser Ausgang zum Opfer gefallen. Goethe ließ den Freund erstaunlicherweise gewähren und gab ECKERMANN auf dessen Vorwurf, diese Eingriffe geduldet zu haben, die auf den ersten Blick wenig überzeugende Antwort, es sei ihm damals gleichgültig und er sei im übrigen mit anderen Dingen beschäftigt gewesen. Vielleicht aber war in Egmont soviel von der eigenen dämonischen Natur eingegangen, daß die Gleichgültigkeit eine der Schranken war, die Goethe dieser Seite seines Wesens stets zu setzen suchte, und es scheint bezeichnend, daß er gerade Schiller zur Redaktion ermächtigte. Im Grunde hielt er an »seinem« Egmont fest und fand ihn sehr gut, und wer Anstoß an der Uneinheitlichkeit nimmt, sollte bedenken, was der Dichter selbst darüber zu Eckermann äußerte: *»Als ich das Stück schrieb, habe ich alles, wie Sie denken können, sehr wohl abgewogen.«*

Untrügliches Zeichen dieser Wohlabgewogenheit ist die Sprache, wenn man – im Gegensatz zu E.Staiger – im Nebeneinander von urwüchsigderbem Umgangston der biederen kleinen Leute, Albas kühler, etwas steifer Redeweise und dem sich manchmal jambisch steigernden Sprachrhythmus Egmonts und Klärchens nicht das wirre Durcheinander verschiedener *»geologischer Schichten«* (E. Staiger) sieht, sondern das Ergebnis des Sicheinfühlens in die jeweilige Situation, den jeweiligen Charakter, und zwar immer in beide zugleich. So lebt etwa in Egmonts wunderbar fließenden, rhythmisch atmenden, ganz gelösten und zugleich ganz gebändigten Sätzen aller Zauber, die unendlich wohltuende, ihrer selbst gewisse Sicherheit der großen Natur immer dann am stärksten, wenn er ganz er selbst sein darf. Verleugnen kann er diesen Rhythmus auch im argumentierenden Gespräch mit Alba nicht, und allein aus Tonfall und Satzbildung der beiden Gegner ließe sich die Unvereinbarkeit ihrer Charaktere ablesen. Wohlabgewogen ist vielleicht auch, daß Alba in jenem entscheidenden Augenblick, als er Egmont in seinem Schloßhof vom Pferd springen und seinem Untergang entgegeneilen sieht, monologisierend selbst in den Rhythmus des Gehaßten fällt. Egmonts überwältigende Wirkung wird hier allein dadurch, daß der Feind plötzlich seine Sprache spricht, sinnfällig. Diese Sprache läßt erkennen, wie falsch Schillers Frage »*Was tut er eigentlich Größes?*« gestellt ist. Egmonts Größe wird nicht evident in dem, was er tut, sondern in dem, was er ist, und so nähert sich die Sprache des Dramas gegen Ende immer stärker derjenigen Form, in der das Sein eines Menschen den unmittelbarsten Ausdruck findet: der lyrischen.

G. Ue.

AUSGABEN: Lpzg. 1788. – WA, I, 8. – JC, 11. – Bln. 1939, Hg. W. Hansen, 2 Bde. [Faks. d. Hs.; m. Komm.]. – AA, 6. – HA, 4. – Bln. 1957, Hg. E. Völker [*Akad.-Ausg.*].

LITERATUR: H. Pyritz, *G.-Bibliographie*, Heidelberg 1955, S. 640–642 [enth. Lit. bis 1954]. – F. Gundolf *G.*, Bln. 1914, S. 184–196. – G. Müller, *Geschichte der deutschen Seele. Vom Faustbuch zu G.s »Faust«*, Freiburg i. B. 1939, S. 317. – Staiger, 1, S. 289–307. – P. Böckmann, *G.s »Egmont«* (in *Das dt. Drama*, Hg. B. v. Wiese, Bd. 1, Düsseldorf 1958, S. 147 bis 168). – H. A. Walter, *Kritische Deutung der Stellungnahme Schillers zu G.s »Egmont«*, Düsseldorf 1959. – E. Braehmer, *G.s »Egmont« u. die Konzeption des Dämonischen* (in ZDLG, 1960, Sonderheft, S. 1011–1028). – K. Schaum, *Dämonie u. Schicksal in G.s »Egmont«* (in GRM, N. F., 10, 1960, S. 139 bis 157). – F. Mehring, *G.s »Egmont«* (in F. M., *Aufsätze zur dt. Literatur von Klopstock bis Weerth*, Bln. 1961, S. 62–69). – W. Hof, *Über G.s »Egmont«* (in WW, Sammelbd. 4, 1962, S. 332–339). – R. T. Ittner, *Klärchen in G.'s »Egmont«* (in JEGPh, 52, 1963, S. 252–261). – J. L. Sammons, *On the Structure of G.'s »Egmont«* (ebd., S. 241–251). – E. Völker, *Untersuchungen zur Textgeschichte des »Egmont«*, Diss. Bln. 1964. – E. M. Wilkinson, *The Relation of Form and Meaning in G.'s »Egmont«* (in E. M. W. u. L. A. Willoughby, *G., Poet and Thinker*, NY 1963, S. 55–74). – H. Henel, *G.'s »Egmont« Original and Revised* (in GR, 38, 1963, S. 7–26). – H. Rehder, *»Egmont« and »Faust«* (in MDU, 55, 1963, S. 203–215). – W. Grenzmann, *»Egmont«* (in W. G., *Der junge G.*, Paderborn 1964, S. 70–83).

FAUST. Tragödie in zwei Teilen von Johann Wolfgang von GOETHE (1749–1832), Teil I erschienen 1808, Teil II 1832; erste Aufführung von Teil I (einzelne Szenen): Schloß Monbijou, 24. 5. 1819; erste vollständige Aufführung: Braunschweig, 19. 1. 1829, Nationaltheater; Uraufführung von Teil II: Hamburg, 4. 4. 1854, Schauspielhaus; erste Gesamtaufführung beider Teile: Weimar, 6. und 7. 5. 1876, Großherzogl. Hoftheater. – Der Faust-Stoff begegnete dem Dichter in zweierlei Gestalt: als Volksbuch, wahrscheinlich in der 1674 veröffentlichten Fassung des Nürnberger Arztes Johann PFITZER, und, schon in den Kindheitsjahren in Frankfurt, als Puppenspiel, d. h. als einer der vielen Abkömmlinge von MARLOWES *Doctor Faustus*, der seinerseits eine erste, geniale Dramatisierung des Volksbuches darstellt. Dieses verschmolz die in schwankhafter Form überlieferten und um Sagenelemente bereicherten Zeugnisse über das Leben des Doktor Faustus (Anfang des 16. Jh.s) mit dem im Mittelalter verbreiteten Motiv des Teufelsbundes. Indem es den wissensdurstigen Helden zum gottlosen Adepten schwarzer Magie stempelte, wandte es sich von protestantisch-dogmatischem Standpunkt aus polemisch gegen das panreligiös gestimmte Erkenntnisstreben der Zeit, wie es in den Schriften des PARACELSUS zu Worte kam. Mit dem Beginn der Aufklärung wandelte sich das Faustbild: aus dem verruchten Apostaten und Gotteslästerer wurde ein lächerlicher Zauberkünstler und Obskurant. LESSING stellte, in herausforderndem Gegensatz zu GOTTSCHED und dessen Kreis, die Figur zum erstenmal in positivem Licht dar; in seinem *Faust*-Fragment (1759), das Goethe wohl schon in seiner Jugend las, wird der Held am Schluß von Engeln gerettet. Die junge Generation des Sturm und Drang machte Faust zum Sprecher ihres titanischen Ich- und Freiheitsgefühls, das der Bevormundung durch religiöse Tradition und antimystische Ratio gleichermaßen spottete. Erst Goethe rückte die Gestalt auf eine Ebene jenseits tendenziös einseitiger Wertungen; damit wurde sie universaler, zugleich aber auch vieldeutiger.

Goethes *Faust* entstand in einem sechs Dezennien währenden, zeitweise auf Jahre unterbrochenen, nicht überall eindeutig zu erhellenden Schaffensvorgang; Partien des zweiten Teils, wie z. B. der Helena-Akt, waren schon angelegt, als der Dichter noch am ersten Teil arbeitete. Ein erster dramatischer Entwurf, der die Gelehrtentragödie und die Gretchen-Tragödie noch unverbunden nebeneinanderstellt, entstand zwischen 1772 und 1775. Dieser *Urfaust* blieb nur in einer 1887 von Erich SCHMIDT wieder aufgefundenen und im gleichen Jahr von ihm herausgegebenen Abschrift des Weimarer Hoffräuleins Luise v. Göchhausen erhalten. 1790 veröffentlichte Goethe unter dem Titel *Faust, ein Fragment* eine Bearbeitung jenes ersten Entwurfs, deren Komposition deutlich den klärenden Einfluß der italienischen Reise erkennen läßt. Doch erst in den Jahren seiner Freundschaft mit SCHILLER, als sich in ihm ein intensives Interesse an kunsttheoretischen Problemen und ideellen Ordnungsprinzipien entzündete, fügte er den *Prolog im Himmel* und die Paktszenen hinzu, in denen sich nun das übergreifende Leitmotiv der Wette klar abzeichnete. So entstand zwischen 1797 und 1806 *Faust, I. Teil.* Vorwiegend ECKERMANN ist es zu danken, daß Goethe nach langer Pause die schon um 1800 entstandenen Bruchstücke des II. Teils wieder aufgriff und das Ganze zwischen 1825 und 1831 planmäßig, »*durch Vorsatz und Charakter*« (an W. v. Humboldt, 17. 3. 1832), aus der Sicht seiner nachklassischen Schaffensphase beendete, in der die Gegensätze von Klassik und Romantik sich versöhnten und in der auch seine Erfahrung als Staatsmann poetischen Ausdruck suchte. 1827 veröffentlichte Goethe in der Ausgabe letzter Hand den Helena-Akt mit dem Untertitel *Klassisch-romantische Phantasmagorie*, 1828 ebenda die Szenen am Kaiserhof. Noch vor seinem letzten Geburtstag versiegelte er das abgeschlossene Drama. Was die Vollendung des Werks, das in den letzten Jahren immer wieder in seinem Tagebuch das »*Hauptgeschäft*« genannt wurde, für Goethe bedeutete, bezeugen Briefe aus dieser Zeit und die Gespräche mit Eckermann; hier heißt es (6. 6. 1831): »*Mein ferneres Leben kann ich nunmehr als ein reines Geschenk ansehen, und es ist jetzt im Grunde ganz einerlei, ob und was ich noch etwa tue.*«

Dem Beginn der eigentlichen Handlung sind die lyrische *Zueignung* und zwei Vorspiele vorangestellt. In der *Zueignung* spricht sich Goethes Verbundenheit mit den Gestalten der Tragödie aus, die nach langen Jahren wieder vor seinem geistigen Auge erscheinen und zugleich mit der Erinnerung an seine jugendliche Schaffenszeit die Sehnsucht nach dem »*stillen, ernsten Geisterreich*« der Dichtung in ihm wachrufen: »*Was ich besitze, seh' ich wie im Weiten, / Und was verschwand, wird mir zu Wirklichkeiten.*« Das *Vorspiel auf dem Theater* führt, ohne direkten Bezug auf das Stück, in einem Gespräch zwischen Schauspieldirektor, Dichter und Lustiger Person auf die Ebene gesellschaftlich-merkantiler Realitäten als dem Bereich, in dem der Bühnendichtung zu wirken bestimmt ist. Der *Prolog im Himmel* schlägt mit dem Wechselgesang der Erzengel »*das Motiv der großen allgemeinen Ordnung*« an (E. Trunz): »*Die Sonne tönt nach alter Weise / In Brudersphären Wettgesang, / Und ihre vorgeschriebne Reise / Vollendet sie mit Donnergang.*« Er ist zugleich Exposition der Handlung: Mephisto wettet mit Gott, daß es ihm gelingen werde, Faust auf seine Wege herabzuziehen.

Die Ausgangssituation des Stückes ist die gleiche wie im Puppenspiel: der berühmte Anfangsmonolog zeigt Faust im nächtlichen Studierzimmer, unbefriedigt vom Studium der Wissenschaften, deren trockener, traditionsgläubiger Rationalismus in seinem Famulus Wagner verkörpert erscheint. Er wendet sich der Magie zu. Doch hier schon entfernt sich die Tragödie entscheidend von dem vorgegebenen Stoff: Faust beschwört nicht satanische Mächte, die ihm Wissen, Macht und Genuß verschaffen sollen, sondern er ruft den Erdgeist, die wirkende Kraft der Natur, um durch ihn zur Teilhabe am Leben des göttlichen Alls zu gelangen. Vom Erdgeist höhnisch in die Schranken gewiesen, überdies von der trockenen Pedanterie des herzueilenden Famulus angewidert, sieht der verzweifelte Faust im Freitod den letzten Weg zu vollkommener Seinserfahrung. Aber der Klang der Osterglocken und Auferstehungschöre, der in seine Studierstube dringt, hält ihn mit dem Zauber der Kindheitserinnerung zurück. Die Umkehr in ein Leben naiver Unbefangenheit ist ihm jedoch versagt. Sein Osterspaziergang mit Wagner führt ihn unter feiernde Bürger und Bauern, deren selbstzufriedenes Behagen ihm sein Ungenügen an der Beschränktheit der menschlichen Existenz und an der Widersprüchlichkeit seines eigenen Wesens nur noch schmerzlicher bewußt macht: »*Zwei Seelen wohnen, ach! in meiner Brust, / Die eine will sich von der andern trennen; / Die eine hält, in derber Liebeslust, / Sich an die Welt mit klammernden Organen; / Die andre hebt gewaltsam sich vom Dust / Zu den Gefilden hoher Ahnen.*« Erst jetzt, nachdem die Gespaltenheit Fausts sichtbar gemacht ist, tritt Mephisto auf. Das Stichwort, das ihn auf den Plan ruft, ist Fausts Wunsch: »*Ja, wäre nur ein Zaubermantel mein, / Und trüg' er mich in fremde Länder! / Mir sollt' er um die köstlichsten Gewänder, / Nicht feil um einen Königsmantel sein.*« Den Fähigkeiten Mephistos skeptisch gegenüberstehend, fügt Faust in den Pakt mit ihm eine bedeutsame Klausel ein, die das Bündnis in eine Wette verwandelt: »*Werd' ich zum Augenblicke sagen: / Verweile doch! du bist so schön! / Dann magst du mich in Fesseln schlagen, / Dann will ich gern zu Grunde gehn!*« Damit bleibt der Ausgang offen, wird das bloße Schauerspektakel zum Drama. Im Teufelspakt gipfelt die Einsicht Fausts in sein Unvermögen, aus eigener Kraft zur Welterkenntnis zu gelangen. In den folgenden beiden Szenen werden die Unzulänglichkeiten des Lehrens und Lernens ironisch beleuchtet: der Dialog zwischen dem als Faust verkleideten Mephisto und einem ratsuchenden Studenten ist eine witzsprühende Satire auf die Hochschulfakultäten. Ein wüstes studentisches Saufgelage in Auerbachs Keller in Leipzig, wohin Mephisto Faust auf seinem Zaubermantel führt, illustriert Mephistos Ansicht von der Intelligenz des Menschen: »*Er nennt's Vernunft und braucht's allein, / Nur tierischer als jedes Tier zu sein.*« – Die folgende Szene, Fausts Verjüngung in der Hexenküche, ein Vorgang, der mit augenscheinlichem Behagen am absurden, aus Tiefsinn, Satire und Obszönität gemischten Spiel dargestellt ist, bildet das Präludium zur Gretchen-Tragödie. Faust erblickt in einem Zauberspiegel das Bild Helenas, das ihn zu glühendem Begehren entzündet. In Gretchen wird diese Vision (in der sich zugleich die künftige Erscheinung Helenas andeutet) Wirklichkeit. Faust begegnet diesem kindlich unschuldigen und selbstsicheren Geschöpf in einer mittelalterlichen Kleinstadt. Er bedrängt Mephisto, ihn mit Gretchen zusammenzuführen. Die Unbedingtheit, mit der Faust das Mädchen ohne Rücksicht auf dessen Bindungen an Familie und Tradition für sich fordert, ist von vornherein unheilträchtig. Daß er Mephistos Beihilfe in Anspruch nimmt, führt zur Katastrophe: das Schlafmittel für Gretchens Mutter, vor der Fausts nächtliche Besuche verheimlicht werden müssen, wirkt tödlich; Valentin, Gretchens Bruder, der die Entehrung der Schwester rächen will, fällt durch Mephistos Eingreifen im Kampf mit Faust; Gretchen tötet in Verzweiflung das Kind, das sie geboren hat, und endet im Kerker. Und doch zeigen sich in Gretchens Tragödie die Grenzen der Macht des Bösen, deutet sich die Allmacht der Liebe an, die auch Faust vor dem endgültigen Anheimfallen an dieses Böse retten wird. Gretchen, von Faust verführt, Mörderin der Mutter und ihres Kindes, mitschuldig am Tode des Bruders, ist dennoch unantastbar in der ihrem Wesen eigenen Unschuld, und Mephistos Worte »*Über die hab' ich keine Gewalt*« lassen erkennen, daß sie seine eigentliche Gegenspielerin ist. Fausts sinnliche Begierde in Liebe wandelnd und sein besseres Selbst weckend, droht sie, Mephisto auch die Gewalt über ihn zu rauben. Im tiefsten Abfall von ihrer Lebensordnung verliert Gretchen doch nie wirklich die Verbindung mit ihr, und dem letzten Zugriff des Bösen entzieht sie sich mit der Flucht in diese Ordnung: »*Gericht Gottes! dir hab' ich mich übergeben! ... Dein bin ich, Vater! rette mich!*« – In die Gretchen-Tragödie ist – Bild der Dämonie des Geschlechtlichen – die surrealistisch anmutende Szenenfolge, die »romantische« Walpurgisnacht auf dem Blocksberg, eingefügt. Als Theater im Theater wird *Oberons und Titanias Goldene Hochzeit* aufgeführt, eine an die Adresse der literarischen Gegner Goethes gerichtete Persiflage, zugleich aber auch vorausdeutender Hinweis auf das Thema der Vereinigung von Norden und Süden, Romantik und Klassik, das im Helena-Akt des zweiten Teils Gestalt wird.

Die Handlung dieses Teils setzt in einer Hochgebirgsszenerie völlig neu ein. Faust erwacht als ein von schwerer seelischer Zerrüttung Genesener aus dem Schlaf des Vergessens, in den ihn Ariel und seine ätherische Geisterschar versenkten. Die Szene weist auf den Prolog im Himmel zurück; auch sie spielt im Bereich kosmischer Mächte, die hier jedoch in ihrer Wirkung auf den Menschen gezeigt werden: Faust erlebt im Traumschlaf ihre Heilkraft, er erfährt ihre vernichtende Gewalt am »Flammenübermaß« der aufgehenden Sonne; er wendet sich geblendet ab und erkennt am Bild des Regenbogens, der sich im Gischt des Wasserfalls bildet, »*bald reingezeichnet, bald in Luft zerfließend*«, daß dem Menschen das Absolute nur im Schleier des Vergänglichen erträglich und daß der Raum seiner

Existenz das »Farbige« ist, der Zwischenbereich von Licht und Dunkel: »*Am farbigen Abglanz haben wir das Leben.*« – Nach diesem Vorspiel tritt Faust, nun wieder in Begleitung Mephistos, am kaiserlichen Hof auf, in der Welt politisch-sozialen Handelns. In einem allegorischen Maskenzug, an dem Faust als Pluto, Gott des Reichtums, teilnimmt, weitet sich die Szene zum bunten Bild des menschlichen Lebens. Am Beispiel des plutonischen Goldes, des legitimen Reichtums, dem die Poesie zugesellt ist, und dem Gegenbeispiel des inflationistischen Papiergeldes, mit dem Mephisto die Finanzmisere des Staates beheben zu können vorgibt, wird das Verhältnis des Menschen zu Besitz und Macht als den beiden Angelpunkten politisch-ökonomischen Lebens erhellt. – Auf Wunsch des Kaisers beschwört Faust die Urbilder menschlicher Schönheit, Paris und Helena. Mit diesem Vorgang, im Volksbuch ein bloßes Zauberkunststück, setzt hier ein Geschehen von vielschichtiger Symbolik ein, in dem die Wechselbeziehungen von Kunst und Leben, Idee und Realität, Schaffendem und Geschaffenem, von nordischer und mediterraner Geistigkeit, von Chaos und Form, Geschichte und Gegenwart Gestalt werden. Faust beschwört das antike Paar mit Hilfe eines Dreifußes, den er, von Mephisto mit einem Zauberschlüssel versehen, aus dem »*Reich der Mütter*«, der gestaltenträchtigen Tiefe der Urbilder, heraufholt. Hingerissen von der Schönheit Helenas, will er die Truggestalt an sich ziehen, doch ein betäubender Schlag streckt ihn zu Boden. Der Versuch, die Schönheit der hellenischen Klassik gewaltsam in die Gegenwart zu zwingen, kann nicht gelingen: die vollendete Form der Antike bleibt lebloses Phantom, wenn nicht der schöpferische Eros sich den Geist des Griechentums anverwandelt und den Schatten des Vergangenen aus den Bildekräften der Natur zu neuer Wirklichkeit belebt. – Der folgende Akt bereitet das Erscheinen der wiedergeborenen wahren Gestalt Helenas vor, in deren Begegnung mit Faust sich das Drama zu einem seiner Gipfel erhebt. Das Thema der Verwirklichung Helenas weitet sich, mit zahllosen anderen Motiven verknüpft, zu dem des Werdens überhaupt. – Der Beginn des zweiten Akts zeigt das alte Studierzimmer Fausts. Ein ironischer Dialog zwischen dem als Gelehrter verkleideten Mephisto und dem zum Baccalaureus aufgerückten Studenten knüpft an die Schülerszene des ersten Teils an. Wagner, der zu hohen akademischen Ehren gelangte Famulus Fausts, erzeugt im Laboratorium ein »*artig Männlein*« in einer Phiole, Homunculus, Bild der Entelechie des Menschen. Das Experiment wird durch Mephistos Hinzutreten auf nicht näher bezeichnete Weise vollendet. Faust wohnt dem Vorgang bei, auf einem Lager bewußtlos »*hingestreckt*«, d. h. im Zustand imaginativer Schau. Homunculus, die reine Geistigkeit, die es drängt, Gestalt zu werden, erkennt Fausts Sehnsucht nach dem Urbild griechischer Schönheit und wird nun, ihm und Mephisto in seiner Phiole voranschwebend, Wegweiser zur »klassischen« Walpurgisnacht. In dieser Nacht, die auf der thessalischen Ebene und in den Buchten der Ägäis vorhomerische Fabelwesen, Götter und gespenstisch-bizarre Zwittergestalten, antike Philosophen und Naturgottheiten zusammenführt und im mitternächtigen Meeresfest zu einem Preisgesang an die vier Elemente und den allbeherrschenden Eros gipfelt, geht jeder der drei Partner seinen eigenen Weg. Mephisto, der sich auf klassischem Boden nicht zu Hause fühlt, verwandelt sich in Phorkyas, die urhäßliche Ungestalt, als die er Helenas Gegenpart sein wird. Faust macht sich, von Chiron geleitet, auf, um Helena im Hades von Persephone zu erbitten. Homunculus stürzt sich, seine Verleiblichung suchend, ins Meer als dem Element proteischer Verwandlungen, wo die gläserne Hülle seiner schwebenden Geistigkeit am Triumphwagen der Liebesgöttin Galatea zerschellt. – »*Die Klassische Walpurgisnacht ist mit dem Wogen ihrer Gestaltenfülle zu Ende gegangen. Der Vorhang senkt sich und hebt sich wieder. ... Das Fest des Eros am Ende der Walpurgisnacht war wie ein Zeugen des Schönen. Und jetzt ist es gleichsam geboren. Helena ist erschienen.*« (E. Trunz) – »*Trunken von des Gewoges regsamem / Geschaukel*« betritt sie, vom Strande kommend, griechischen Boden – sie, deren Gestaltwerdung dreifach bewirkt wurde: durch den zur Verkörperung bereiten Geist, die umgestaltenden Kräfte der Natur, wie sie sich im Geschehen der klassischen Walpurgisnacht verkörpern, und das in den Tiefen des Erinnerns bewahrte Bild der klassischen Schönheit. Eines der Hauptthemen des zweiten Teils, die Synthese polarer Lebens- und Kunsttendenzen, beginnt sich im dritten, dem sogenannten Helena-Akt, mit ihrem Erscheinen in großen Zügen zu entfalten. Raum und Zeit werden in die kontrapunktische Figuration dessen, was Goethe in einem sehr weiten Sinn das »Klassische« und das »Romantische« nannte, einbezogen. Helena, die mit einem Gefolge gefangener trojanischer Mädchen nach Mykene zurückkehrt und dort der Phorkyas, Verwalterin des verlassenen Palastes, begegnet, repräsentiert die Welt des antiken Griechenland; Faust, der als germanischer Heerführer das herrenlose Sparta besetzt hat, die des nordischen Mittelalters. In der Begegnung zwischen ihm und Helena, die aus Furcht vor Menelaos' Rache mit ihrem Gefolge unter Phorkyas' Führung in Fausts Burg flüchtete, vollzieht sich metaphorisch die wechselweise Durchdringung beider Bereiche. Die Synthese zwischen der seelischen Erlebniskraft des »romantischen« Nordens und dem Formsinn der griechischen Klassik wird in einem Dialog, in dem Helena von Faust die Kunst des Reimens – Symbol des inneren Einklangs – erlernt, zartestes Bild. Der Vereinigung entspringt ein Sohn, Euphorion. Sein feuriger Erlebnisdrang, sein todestrunkener Höhenflug lassen ihn als den Genius der Poesie erscheinen, wie Goethe ihn in der faszinierenden Gestalt BYRONS am reinsten verkörpert sah; und die Totenklage für den im Augenblick zum Jüngling gereiften Knaben, der dem Untergang in der Schlacht entgegenfliegt, gilt auch dem Dichter, der 1824 auf griechischem Boden starb. Mit der Anspielung auf Byron, den Zeitgenossen Goethes, wird eine neue Zeitdimension, die Gegenwart des Dichters, einbezogen, so daß, wie Goethe selbst sagte, der Helena-Akt drei Jahrtausende in sich faßt. Helena folgt ihrem Sohn in den Tod. Faust bleibt nur ihr Gewand, das sich zur Wolke wandelt und ihn hinwegträgt. – Auf einem Hochgebirge kehrt er zur Erde zurück (vierter Akt). Wieder setzt das Drama ganz neu ein. Nur die Wolke, die Faust getragen hat und die, sich auflösend, flüchtig die Umrisse Helenas und Gretchens annimmt, vergegenwärtigt ihm noch einmal den unvergänglichen Gewinn seiner Vergangenheit: »*Wie Seelenschönheit steigert sich die holde Form, / Löst sich nicht auf, erhebt sich in den Äther hin / Und zieht das Beste meines Innern mit sich fort.*« – Es drängt Faust zu »*großen Taten*«: er will dem Meer durch Dammbauten fruchtbares Land abzwingen. Mit Hilfe der drei Gewaltigen – Raufebold, Habebald und Haltefest –, von Mephisto bestellter dämonischer Kreaturen, führt er in einer Schlacht zwischen dem kaiserlichen Heer und dem des Gegenkaisers den Sieg des angestammten Herrschers herbei und wird zum Dank mit einem Küstenstreifen belehnt, an dem er seinen Plan zu verwirklichen beginnt (fünfter Akt). Die Hütte des friedlichen alten Paares Philemon und Baucis, die seinem Anspruch auf uneingeschränktes Verfügungsrecht im Wege ist, wird von Mephistos Helfershelfern, mittelbar jedoch durch Fausts Schuld, niedergebrannt, wobei die beiden unschuldigen Alten den Tod finden. Noch einmal wird, wie in den Gretchen-Szenen, die Zwiespältigkeit der faustischen Natur sichtbar. Im Sinne einer moralischen Vervollkommnung ist Faust keinen Schritt weiter als am Anfang. Aber in den Worten, die wie der späte Widerruf seines Wunsches nach einem Zaubermantel klingen, kündigt sich das Ende seiner Bindung an Mephisto an: »*Könnt' ich Magie von meinem Pfad entfernen, / Die Zaubersprüche ganz und gar verlernen, / Stünd' ich, Natur, vor dir ein Mann allein, / Da wär's der Mühe wert, ein Mensch zu sein.*« Hundertjährig, von der Sorge, die ihn mit Blindheit schlägt, heimgesucht, treibt Faust dennoch ungebrochen sein Werk voran, während schon die Lemuren unter Mephistos makaberironischer Anleitung sein Grab schaufeln. Im Wahn, das große Unternehmen gehe seiner Vollendung entgegen, »*das Geklirr der Spaten*« gelte dem »*unternommenen Graben*«, bekennt er, den Augenblick höchsten Glücks zu genießen: »*Solch ein Gewimmel möcht' ich sehn, / Auf freiem Grund mit freiem Volke stehn. / Zum Augenblicke dürft' ich sagen: / Verweile doch, du bist so schön! / Es kann die Spur von meinen Erdetagen / Nicht in Äonen untergehn. – / Im Vorgefühl von solchem hohen Glück / Genieß' ich jetzt den höchsten Augenblick.*« Damit ist nach dem Wortlaut des Vertrages sein Leben verwirkt und seine Seele in Mephistos Gewalt gegeben. Faust sinkt tot nieder, und Mephisto wacht mit seinen satanischen Gehilfen an seiner Leiche, um der den Körper verlassenden Seele habhaft zu werden. Er glaubt, die Wette gewonnen zu haben, doch eine himmlische Heerschar schwebt rosenstreuend hernieder und entführt Fausts »*Unsterbliches*«. – In einer Schlußszene, die sich christlich-mittelalterlicher Bildsprache bedient, steigt Fausts Entelechie in hierarchisch gestufte geistige Regionen auf; von den von Anachoreten bewohnten Bergschluchten bis zum »*blauen, ausgespannten Himmelszelt*«, dem Mantel der Gottesmutter, reichend, sind sie weltimmanent, nicht transzendentes Jenseits. Hier spricht der Chor der Engel die Verse, in denen, nach Goethes eigenen – von anderen Äußerungen allerdings widerlegten – Worten »*der Schlüssel zu Fausts Rettung enthalten*« ist (Goethe zu Eckermann, 6. 6. 1831): »*Wer immer strebend sich bemüht, / Den können wir erlösen. / Und hat an ihm die Liebe gar / Von oben teilgenommen, / Begegnet ihm die selige Schar / Mit herzlichem Willkommen.*« Dem Streben nach »*immer höherer und reinerer Tätigkeit*« kommt (»*von oben*«) die »*Liebe*« helfend entgegen. Fausts Weiterleben nach dem Tode ist jedoch nicht »ewige Seligkeit« im traditionell christlichen Sinn; es ist neues, gesteigertes Wirken, eine sich in ewiger Bewegung vollziehende Wandlung, ein aufsteigendes »*Umarten*« der Entelechie.

Die Ausweitung des Stoffes steht mit der grundlegend gewandelten Konzeption der beiden Protagonisten und ihres Verhältnisses zueinander in innerem Zusammenhang. In der Gestalt Fausts weitet sich das Teilphänomen des sogenannten »faustischen« Menschen zum Phänomen des Menschen überhaupt. Als »Knecht« des Herrn – das Wort im alttestamentlichen Sinne verstanden – ist Faust zur Verwirklichung der göttlichen Weltgedanken mit aufgerufen. Zwar trägt er auch Züge des »faustischen« Empörers – sie treten vor allem in Teil I hervor –, darüber hinaus aber ist er ein in allen Bereichen seines Daseins nach Ganzheit Strebender, der die Polarität von Ich und Welt zur Einheit zu verbinden sucht. Auch Wesen und Funktion Mephistos sind, gegenüber dem Volksbuch, neu gestaltet. Er ist nicht ebenbürtiger Widersacher Gottes, er ist einer »*unter dem Gesinde*« und damit notwendiger Teil des Kosmos, der Geist der Verneinung, der gegen seinen Willen durch Widerspruch und Widerstand dem Ganzen dient, notwendiger Widerpart auch des Menschen, dessen Erkenntniswillen er durch Illusionen irrezuleiten, dessen Selbsterniedrigung im animalischen Genuß er zu erzwingen hofft. Die Grenzen seiner Macht zeigen sich immer wieder: in der Kerkerszene der Gretchen-Tragödie, bei der Beschwörung Helenas, bei Fausts Tod. Die Sphäre der übersinnlichen Liebe ist ihm ebenso unzugänglich wie der Bereich freier ethischer Entscheidung oder der Raum schöpferischer Tat. Fausts – dem Eros verwandtes – Streben nach dem hohen Augenblick zeitloser Gegenwart, in dem der Mensch im Zeitlichen des Übersubjektiven, Ewigen gewahr und der ungeteilten Ganzheit des Daseins teilhaftig wird, kann von Mephisto, der als »*des Chaos vielgeliebter Sohn*« nur destruktive Tendenzen, als Zyniker nur Teilaspekte zu erfassen vermag, nie begriffen werden. Das »faustische« Streben nimmt dämonische Züge an, wenn – wie bei der Beschwörung des Erdgeists – die Natur mit den unlauteren Mitteln der Magie zur Preisgabe ihrer Geheimnisse genötigt werden soll; es stürzt Faust in Schuld, wenn es, in der Gretchen-Tragödie, die inneren und äußeren Bindungen des andern mißachtet. Einmal nur, im Helena-Akt, in dem sich Räume und Zeiten durchdringen, wird die Vereinigung mit dem ersehnten Bild des Vollkommenen Wirklichkeit, wird der Augenblick zur Ewigkeit. Doch diese Vereinigung vollzieht sich nur im Bereich der Innerlichkeit, im »*inneren Burghof*«, in »*Felsenhöhlen*« und »*geschlossenen Lauben*«. Das Glück zerbricht, sobald Euphorions Tatendrang die Grenze zur äußeren Realität überschreitet und ihn in den Tod stürzt. Im sozialen Handeln scheint sich endlich eine dauerhafte Synthese von Geist und Natur zu verwirklichen; doch der Tod macht die Hoffnung auf Vollendung des Werkes zunichte. So wird jeder aufklärerische und humanistische Fortschrittsglaube ad absurdum geführt, denn auch im Moralischen bleibt die Unvollkommenheit bestehen: Fausts Plan des Dammbaus entspringt nicht einem humanitären Antrieb, sondern der Lust, im Sieg über die Natur die eigene Macht zu genießen. Dieses Ziel zu erreichen, scheut er nicht vor Gewaltanwendung zurück: »*Arbeiter schaffe Meng' auf Menge, / Ermuntere durch Genuß und Strenge, / Bezahle, locke, presse bei!*«, heißt sein letzter Befehl an Mephisto, und noch am Ende seines Lebens lädt er Blutschuld auf sich. Fausts schwere Verfehlungen werden nicht etwa als Lebensäußerungen einer »titanischen« Natur jenseits von Gut und Böse glorifiziert; Faust leidet an ihnen, wie er an seiner Verkettung mit der Magie leidet. Das Problem von Schuld und Sühne wird nicht ignoriert, es wird – im

Doppelsinn des Wortes – aufgehoben im Spannungsverhältnis von »*Verdienst und Glück*«. Dieses Verdienst ist nicht moralischer Art. Es besteht im immer neuen Überschreiten der eigenen Bewußtseinsgrenzen hin zu der Vereinigung mit dem Ganzen des Daseins, gegen den Widerstand nihilistischer Kräfte innerhalb und außerhalb der Person. Das aber, was sich als Glück dem Verdienst zugesellt, ist seiner Natur nach eins mit der »*ewigen Liebe*«, die von den Anachoreten und Engeln gefeiert wird.

Der Konzeption der Hauptgestalt entsprechend ist die Tragödie nicht, wie das klassische Drama, einstimmig auf die Peripetie und den tragischen Schluß hin ausgerichtet. Nur die Gretchen-Tragödie entwickelt sich in balladenhafter Gedrängtheit mit unerbittlicher Konsequenz. Dagegen zerfällt der zweite Teil in panoramisch breit entfaltete Einzelszenen, die der symbolischen Veranschaulichung verschiedenster Themen dienen. Die Fülle der Bilder findet in einer Sprache Ausdruck, die, einzigartig in ihrer Leuchtkraft und Plastizität, jeder Szene die allein gültige Gestalt gibt. Die Weltliteratur kennt kaum eine andere Dichtung, die eine solche Vielzahl allein an metrischen Formen in sich vereint. Durch Laut- und Akzentvariation der jeweiligen Situation, Person, Stimmung mit genialer Souveränität angepaßt, erlauben sie dem Ohr keine ermüdende Gewöhnung an ein Versschema. Die entrückte Feierlichkeit der *Zueignung* findet im fünfhebigen jambischen Stanzenvers mit Kreuzreim, dessen sich der Dichter auch im *Vorspiel auf dem Theater* bedient, Ausdruck: »*Ihr naht euch wieder, schwankende Gestalten, / Die früh sich einst dem trüben Blick gezeigt. / Versuch' ich wohl, euch diesmal festzuhalten? / Fühl' ich mein Herz noch jenem Wahn geneigt?*« Auch Gott spricht in Stanzenversen und in den regelmäßigen Vierhebern, in denen die Engel des *Prologs* die ewigen Rhythmen der kosmischen Ordnung preisen. Niemals jedoch wird ein Metrum schematisch verwendet. Nur im Bereich der Konvention, des nach Kunstvorschriften geordneten Spiels – etwa am Kaiserhof – hält sich der Vers an strenge Regeln. Neben tänzerisch-zierlichen Formen (»*Kommt, von allerreifsten Früchten / Mit Geschmack und Lust zu speisen! / Über Rosen läßt sich dichten, / In die Äpfel muß man beißen.*«) herrscht hier der majestätische Alexandriner, der bevorzugte Vers des Barock. Die Übergänge von einer Ausdrucksform zur anderen sind oft fließend. Faust macht am Anfang seinem Unmut in herben, stoßenden Knittelversen Luft: »*Habe nun, ach! Philosophie, / Juristerei und Medizin, / Und leider auch Theologie / Durchaus studiert, mit heißem Bemühn.*« In raschem Stimmungsumschlag wechselt er zu sehnsüchtig strömenden Vierhebern über: »*O sähst du, voller Mondenschein, / Zum letztenmal auf meine Pein, / Den ich so manche Mitternacht / An diesem Pult herangewacht.*« Er begrüßt den Morgen eines neuen Daseins in festlich-anmutigen Terzinen: »*Des Lebens Pulse schlagen frisch lebendig, / Ätherische Dämmerung milde zu begrüßen; / Du, Erde, warst auch diese Nacht beständig ...*« Nach Helenas Tod spricht er, noch erfüllt von ihrem Geist, in ihrer Sprache, dem reim- und zäsurlosen, rhythmisch atmenden klassischen Trimeter: »*Der Einsamkeiten tiefste schauend unter meinem Fuß, / Betret' ich wohlbedächtig dieser Gipfel Saum ...*« – Mephistos weltmännische Gewandtheit, seine Gefühlskälte, sein sarkastischer Nihilismus finden vorzugsweise im Madrigalvers ihr Medium; denn dieser in der Aufklärung beliebte jambische Vers von wechselnder Länge und Reimstellung zeichnet sich durch Biegsamkeit, lässig-eleganten Plauderton und die Fähigkeit zu witziger Pointierung aus: »*Ich bin der Geist, der stets verneint! / Und das mit Recht; denn alles, was entsteht, / Ist wert, daß es zugrunde geht; / Drum besser wär's, daß nichts entstünde.*« Daß Mephisto gelegentlich überraschend edle Töne findet – als Phorkyas im Helena-Akt –, gehört zu den Inkongruenzen des Werkes, die allein durch ihre ästhetische »Richtigkeit« innerhalb der Gesamtstimmung einer Episode gerechtfertigt sind. – Euphorions feuriger Impulsivität entspricht der leidenschaftlich akzentuierende, melodische Kurzvers, der den Reim stark zur Geltung bringt: »*Nur durch die Haine! / Zu Stock und Steine! / Das leicht Errungene, / Das widert mir, / Nur das Erzwungene / Ergetzt mich schier.*« Er wird von Faust, Helena und dem Chor antiphonisch aufgegriffen. Die Grenze zwischen Sprache und Musik verwischt sich; die Tragödie wird zur »Oper«, wie auch Goethes Regieanweisung »*Von hier an ... durchaus mit vollstimmiger Musik*« andeutet. – Auch im ersten Teil hat die Musik eine feste Funktion. Überall unterbrechen Liedformen den Sprechvers. Die Ballade spiegelt am reinsten Gretchens Wesen und Schicksal; nicht nur die schwermütige Weise vom König in Thule und das Märchen vom Machandelboom, das sie im Kerker singt, auch der Monolog »*Meine Ruh' ist hin, / Mein Herz ist schwer*« ist Lied (und wurde, wie der *König in Thule*, mehrfach vertont). – Die Hymnenverse der Osterchöre – »*Christ ist erstanden! / Freude dem Sterblichen, / Den die verderblichen, / Schleichenden, erblichen / Mängel umwanden*« – stehen mit ihrer überpersönlichen Verklärtheit in Kontrast zu der drängenden, von persönlichem Gefühl bestimmten Diktion des ersten Faust-Monologs; sie kehren im erbarmungslosen *Dies irae* der Domszene wieder, und sie feiern in der Schlußszene des zweiten Teils in mystischer Entrückung die Offenbarung des »*Unzulänglichen*« (in Goethes Sprachgebrauch das Unerreichbare).

Von den Wirkungen der Tragödie und den Schwierigkeiten ihrer Deutung gibt die Tausende von Titeln umfassende Bibliographie der Interpretationen, Teilanalysen, Übersetzungen, der durch das Werk angeregten dramatischen oder epischen Neugestaltungen des Stoffes, der Travestien, musikalischen und filmischen Bearbeitungen einen Eindruck. Heute steht der *Faust* als Dichtung unangefochten neben den bedeutendsten Zeugnissen der Weltliteratur. Aber der Weg bis zu diesem allgemeinen Consensus war lang und verschlungen. In der politisch unruhigen Zeit um 1790 fand das *Faust*-Fragment, außer in Universitätskreisen Jenas und Göttingens, keine große Beachtung. Das änderte sich mit dem Erscheinen des ersten Teils, den SCHELLING begeistert als obligatorische Schullektüre einzuführen empfahl. In die allgemeine enthusiastische Zustimmung mischte sich jedoch auch Kritik, vor allem von seiten der Kirche, aber auch von seiten derer, die das Werk als geniale Dichtung hochschätzten, aber Einwände gegen den Charakter des Helden oder, wie z. B. Madame de STAËL, gegen die »Form« machten. Die Ablehnung wurde allgemein nach der Veröffentlichung des zweiten Teils. Selbst die junge Dichtergeneration, wie GRILLPARZER, HEBBEL, MÖRIKE, KELLER, die sich begeistert zu Goethe bekannt hatte, wandte sich, zum Teil unter dem Einfluß F. Th. VISCHERS, von ihm ab. Ironische, boshafte und haßvolle Angriffe kamen von den verschiedensten Fronten. Die Argumentation bediente sich ausschließlich ethischer und weltanschaulicher Maßstäbe; die künstlerischen Kriterien der Dichtung entschwanden dabei völlig aus dem Blickfeld. Das Adjektiv »faustisch« verselbständigte sich und nahm, je nach der Bewertung der Faustgestalt, die verschiedensten Bedeutungen – vorerst noch negativer Art – an. Die Aufklärung bezichtigte Goethe des Mystizismus, die Romantik der Glorifizierung wissenschaftlichen Hochmuts; die katholische Kirche legte ihm hybride Unmoral und Blasphemie zur Last, die protestantische ungeistigen Materialismus. Die Jungdeutschen (z. B. HEINE und BÖRNE) priesen das »revolutionäre« Faustfragment auf Kosten des »reaktionären« zweiten Teils, ein kritisches Schema, das lange gültig blieb. Ihr Hauptvorwurf galt der mangelnden politischen und sozialen Aktivität Fausts (und Goethes). Neue Lösungen für den Schluß der Tragödie wurden entworfen (Heine, Vischer u. a.), die Faust zum sozialreformerischen Freiheitshelden machten. Noch 1882 warf Emil DU BOIS-REYMOND vom Standpunkt des materialistischen Naturwissenschaftlers aus Faust vor, daß er nicht als gutbürgerlicher Ehemann Gretchens und als technischer Erfinder endet. Diese absurde Kritik fiel allerdings in eine Zeit, in der sich die Stimmung der Öffentlichkeit gegenüber der Faustgestalt durchaus schon gewandelt hatte. Mit der Reichsgründung von 1871 entstand aus dem neuen nationalen Hochgefühl heraus das Bedürfnis, die Nation in einem dichterischen Symbol repräsentiert – und glorifiziert – zu sehen. Diese Rolle wurde, in grotesker und verhängnisvoller Mißdeutung der Dichtung Goethes, der Faustgestalt übertragen. Die Umwertung der Figur zum Idealbild des »deutschen Geistes« hatte sich schon in den Jahrzehnten zwischen 1840 und 1870 vorbereitet. Der erste Versuch, Faust heidnisch-romantisierend zum »vaterländischen Mythos« aufzuhöhen, stammt bereits aus den ersten Jahren nach Goethes Tod (F. HORN). Die Tendenz wurde gefördert von der jungen germanistischen Wissenschaft (E. SOMMER), die sich auf die *Deutsche Mythologie* der Brüder GRIMM stützte. Hier wurde bereits das deutsche Sendungsbewußtsein vorgebildet, das später mit dem imperialistischen Reichsdenken verschmolz und Faust zum Symbol des angeblich ewig-deutschen Wesens und sein Wirken zum politischen Programm machte. 1918 erklärte SPENGLER diesen »deutschen« Faust zum Repräsentanten der gesamten abendländischen Kultur und schuf damit einen neuen Faustbegriff, den sich zwei Jahrzehnte später das nationalsozialistische Weltmachtstreben dienstbar machen konnte. Freilich erhob sich schon um 1870 aus den verschiedensten Lagern scharfer, wenn auch offiziell nicht beachteter Protest gegen den ideologischen Mißbrauch der Faustgestalt, ohne daß dieser Protest jedoch immer einer Hochschätzung der Dichtung Goethes entsprang. Erst die Philologie (K. BURDACH, W. BÖHM u. a.) stellte das Werk als Kunstgebilde, als das es im Kampf der Ideologien völlig übersehen worden war, wieder in den Mittelpunkt, deckte die Inkongruenz der gängigen Vorstellungen vom »Faustischen« mit dem Geist der Tragödie auf und eröffnete die Sicht auf die Schönheit und den Gedankenreichtum des Dramas. Die Abwertung des »Faustischen« als eines »*nationalen Hochworts*« (H. Schwerte) vollendete sich auf literarischem Gebiet in Thomas MANNS Roman *Doktor Faustus* (1947). Das Ende der klärenden und deutenden Bemühungen um Goethes Faust-Dichtung ist aber noch nicht abzusehen, und jeder dieser Versuche bestätigt Goethes Worte, daß das Ganze »*ein offenbares Rätsel bleibe, die Menschen fort und fort ergötze und ihnen zu schaffen mache*« (Brief an Zelter, 1. 6. 1831). G. He.

AUSGABEN: Lpzg. 1790 (*Faust. Ein Fragment*, in *Schriften*, 8 Bde., 1787–1790, 7). – Lpzg. 1790 (*Faust. Ein Fragment*). – Tübingen 1808 (*Faust. Eine Tragödie*; Faks. Zwickau 1924). – Stg./Tübingen 1827 (*Helena, klassisch-romantische Phantasmagorie. Zwischenspiel zu Faust* [d. i. 3. Akt v. *Faust II*], in *Werke*, AlH, 60 Bde., 1827–1842, 4). – Stg./Tübingen 1828 (in *Werke*, AlH, Bd. 12; enth. *Faust I* u. Tle. d. 1. Aktes v. *Faust II*). – Stg./Tübingen 1832 (*Faust, der Tragödie zweiter Teil*, in *Werke*, AlH, Bd. 41: *Nachgelassene Werke*, I). – Stg./Tübingen 1833 (*Faust. Eine Tragödie. Zweiter Teil*). – Stg./Tübingen 1834 (*Faust. Eine Tragödie. Beide Teile in einem Bande*). – Heilbronn 1882 (*Faust. Ein Fragment*; Dt. Litteraturdenkmale des 18. Jh.s, 5). – Freiburg i. B. 1882 (*Faust. Ein Fragment*, Hg. W. L. Holland). – Weimar 1887 (*G.s Faust in ursprünglicher Gestalt* [d. i. *Urfaust*], Hg. E. Schmidt). – Lpzg. 1907 (*Faust*, Hg. G. Witkowski, 2 Bde.; Leiden [10]1949/50; m. Bibliogr., Ikonogr. u. Wörterbuch). – Lpzg. 1911, Hg. R. Petsch (enth. *Urfaust*; RUB, 5273). – Bln. 1912 (*Faust, der Tragödie erster Teil*, Hg. H. Lebede; enth. Paralleldruck v. *Urfaust*, *Fragment* u. *Faust* v. 1808). – Lpzg. 1913 (*Faust in ursprünglicher Gestalt* [d. i. *Urfaust*]; IB, 61). – Lpzg. 1920, Hg. H. G. Gräf (enth. *Faust I* u. *Faust II*). – Bln. 1924 (*Faust. Zweiter Teil*; Ill. M. Slevogt). – Lpzg. 1932, Hg. H. G. Gräf (enth. *Faust I* u. *Faust II*; Lithogr. E. Delacroix). – Lpzg. 1939, Hg. E. Beutler (enth. *Faust I*, *Faust II* u. *Urfaust*; Slg. Dieterich, 25; [3]1951). – Stg. 1949, Hg. R. Buchwald (enth. *Urfaust*; [8]1959). – Bln. 1954–1958, Hg. E. Grumach u. I. Jensen, 3 Bde. (enth. *Urfaust*, *Faust-Fragment*, *Faust I*; Akademie-Ausg.). – Ffm. 1957 (*Faust. Der Tragödie zweiter Teil*; Ill. M. Beckmann). – Dresden 1963 (*Faust. Der Tragödie zweiter Teil*; Ill. J. Hegenbarth). – Mchn. 1964 (*Faust. Der Tragödie erster u. zweiter Teil*; Ill. G. Kraaz).
WA, I, 14/15. – JC, 13/14. – AA, 5. – HA, 3.

VERFILMUNGEN: Deutschland 1926 (Regie: F. Murnau). – Deutschland 1960 (Regie: G. Gründgens; Aufzeichng. d. Aufführg. d. Hamburger Schauspielhauses).

LITERATUR: Vgl. G.-Bibliographie, Hg. H. Pyritz, Heidelberg 1955, S. 656–731. – Forschungsberichte: J. Pfeiffer, *Zum Faust-Bild der Gegenwart* (in Die Sammlung, 3, 1948, 11, S. 687–694). – A. Höltermann, *G. u. das Faustische – neue G. Literatur* (in Neue Ordnung, 3, 1949, S. 376–384). – J. Pfeiffer, »*Faust*« – *und kein Ende* (in Die Sammlung, 5, 1950, S. 365–368). – S. Atkins, *Faustforschung und Faustdeutung seit 1945* (in Euph, 53, 1959, S. 422–440).

Zu *Urfaust:* G. Roethe, *Die Entstehung d.* »*Urfaust*« (SPAW, phil.-hist. Kl., 1920, S. 642–679; auch in G. R., *G.*, Bln. 1932, S. 49–92). – C. Stockmeyer, *Soziale Probleme im Drama des Sturm und Drang*, Ffm. 1922. – H. A. Korff, *Geist der Goethezeit*, Bd. 1, Lpzg. 1923. – G. Schuchardt, *Die ältesten Teile des* »*Urfaust*« (in ZfdPh, 51, 1926, S. 465–475; 52, 1927, S. 346–378). – W. Krogmann, *G.s* »*Urfaust*«, Bln. 1933 (Germ. Studien, 143). – H. Spieß, *Neue Beobachtungen u. Gedanken über die Entstehungsgeschichte d.* »*Urfaust*« *u. d.* »*Fragments*« (JbGG, 21, 1935, S. 63–107). – E. Beutler, *Der Frankfurter*

»Faust« (in FDH, 1936–1940, S. 594–686). – Ders., *Die Kindsmörderin* (in E. B., *Essays um G.*, Bd. 1, [3]1946, S. 100–116). – F. J. Schneider, *G.s »Satyros« u. der »Urfaust«*, Halle 1949. – H. Schneider, *»Urfaust«? Eine Studie*, Stg. 1949. – R. M. Browning, *On the Structure of the »Urfaust«* (in PMLA, 68, 1953, S. 458–495). – E. Grumach, *Zum »Urfaust«* (in GJb, N. F., 16, 1954, S. 135–142). – H. Fischer-Lamberg, *Zur Datierung d. ältesten Szenen des »Urfaust«* (in ZfdPh, 76, 1957, S. 379–406). – E. V. Nollendorfs, *Der Streit um den »Urfaust«*, Diss. Ann Arbor 1962 (vgl. Diss. Abstracts, 23, 1962, S. 238).

Zu *Faust* (Fragment von 1790): E. Schulte-Strathaus, *G.s »Faustfragment« 1790*, Mchn. 1940. – C. Faber du Faur, *Der Erstdruck des »Faustfragments«* (in MDU, 41, 1949, S. 1–18). – W. Hagen-Howeg, *Die Drucke von G.s »Faustfragment« 1790* (in *Gedenkschrift f. F. J. Schneider*, Weimar 1956, S. 222–240).

Zu *Faust*, Erster und Zweiter Teil: W. Scherer, *Aufsätze über G.*, Bln. [2]1900. – F. Gundolf, *G.*, Bln. 1916, S. 129–151; 747–786. – H. A. Korff, *Geist der Goethezeit*, Bd. 1, Lpzg. 1923, S. 244–251; 268–271; 274–276; 287–297; Bd. 2, 1930, S. 393–423. – W. Hertz, *Entstehungsgeschichte u. Gehalt von »Faust« II, Akt II* (in Euph, 25, 1924, S. 389–406; 609–629). – H. A. Korff, *Die Entwicklung der »Faust«-Idee* (in H. A. K., *Die Lebensidee G.s*, Lpzg. 1925, S. 109–140). – K. Burdach, *G. u. sein Zeitalter*, Halle 1926. – J. Petersen, *G.s »Faust« auf d. dt. Bühne*, Lpzg. 1929. – R. Steiner, *Geisteswissenschaftliche Erläuterungen zu G.s »Faust«*, 2 Bde., Dornach 1931. – G. W. Hertz, *Natur u. Geist in G.s »Faust«*, Ffm. 1931. – Ders., *Zur Entstehungsgeschichte von »Faust« II, Akt V* (in Euph, 33, 1932, S. 244 bis 277). – T. Friedrich, *Kommentar zu G.s »Faust«*, Lpzg. 1932; zul. Stg. 1962, Hg. L. J. Scheithauer [m. Wörterbuch u. Bibliogr.]. – K. May, *»Faust«, II. Teil. In der Sprachform gedeutet*, Bln. 1936; Mchn. [2]1962. – W. Rehm, *Griechentum u. Goethezeit*, Lpzg. 1936; [2]1938. – A. Hübner, *G. u. d. dt. Sprache* (in Goethe, 2, 1937, S. 109–124; auch in A. H., *Kleine Schriften*, Bln. 1940, S. 254–267). – H. O. Burger, *Motiv, Konzeption, Idee – das Kräftespiel i. d. Entwicklung v. G.s »Faust«* (in DVLG, 20, 1942, S. 17 bis 64; ern. in H. O. B., *Dasein heißt eine Rolle spielen. Studien zur deutschen Literaturgeschichte*, Mchn. 1963). – R. Buchwald, *Führer durch G.s »Faust«-Dichtung*, Stg. 1942; [7]1964 (Kröners Taschenausgaben, 183). – W. Emrich, *Die Symbolik v. »Faust« II. Sinn u. Vorformen*, Bln. 1943; [3]1964. – J. Müller, *Die tragische Grundstruktur von G.s Faustdichtung* (in Zs. f. dt. Geisteswissenschaft, 6, 1943/44, S. 190–203). – B. v. Wiese, *»Faust« als Tragödie*, Stg. 1946 (auch in B. v. W., *Die dt. Tragödie von Lessing bis Hebbel*, Bd. 1, Hbg. 1948, S. 143–201; rev.). – E. Spranger, *G.s Weltanschauung*, Wiesbaden 1946. – G. Lukács, *Faust-Studien* (in G. L., *G. und seine Zeit*, Bln. 1947, S. 127–207). – W. Böhm, *G.s »Faust« in neuer Deutung*, Köln 1949. – K. Viëtor, *G.*, Bern 1949. – P. Stöcklein, *Wege zum späten Goethe*, Hbg. 1949. – C. W. Hendel, *G.'s »Faust« and Philosophy* (in Philosophy and Phenomenological Research, 10, 1949, S. 157–171). – E. Heller, *Ambiguity of G.'s »Faust«* (in Cambridge Journal, 2, 1949, 10; dt.: *Die Zweideutigkeit von G.s »Faust«*, in Hamburger Akademische Rundschau, 3, 1948–1950, S. 617–632). – R. Petsch, *Einführung in G.s »Faust«*, Hbg. [3]1949. – A. Daur, *Faust und der Teufel*, Heidelberg 1950. – L. A. Willoughby, *»Faust« als Lebensorganisation* (in *G. u. d. Wissenschaft*, Ffm. 1951, S. 35–51). – J. D. Bödeker, *Chaos u. Elemente in G.s Naturwissenschaft u. Dichtung. Studien über die kosmologischen Grundlagen des »Faust« II*, Diss. Göttingen 1951. – S. Atkins, *The Evaluation of Romanticism in G.'s »Faust«* (in JEGP, 54, 1955, S. 9–38). – W. Schadewaldt, *Faust und Helena. Zu G.s Auffassung vom Schönen u. d. Realität d. Realen im 2. Teil des »Faust«* (in DVLG, 30, 1956, S. 1–40; ern. in W. S., *Goethestudien. Natur und Altertum*, Zürich/Stg. 1963). – S. Atkins, *Irony and Ambiguity in the Final Scene of G.'s »Faust«* (in *On Romanticism and the Art of Translation. F.s. E. H. Zeydel*, Princeton 1956, S. 7–27). – M. Kommerell, *»Faust« II. Teil. Zum Verständnis d. Form* (in M. K., *Geist u. Buchstabe d. Dichtung*, Ffm. [4]1956, S. 9–74). – A. Gillies, *G.'s »Faust«. An Interpretation*, Oxford 1957. – E. Beutler, *»Faust« u. »Urfaust«*, Bremen [4]1958. – *Goethe über den »Faust«*, Hg. A. Dieck, Göttingen 1958. – S. Atkins, *G.'s »Faust« A Literary Analysis*, Cambridge/Mass. 1958. – T. W. Adorno, *Zur Schlußszene des »Faust«* (in Akzente, 6, 1959; auch in T. W. A., *Noten zur Literatur*, Bd. 2, Ffm. 1961, S. 7–18). – S. Scheite, *Die Chronologie von G.s »Faust« im Lichte d. Forschung seit W. Scherer*, Diss. Lpzg. 1959. – H. J. Weigand, *Wetten und Pakt in G.s »Faust«* (in MDU, 53, 1961, S. 325–327). – G. Diener, *Fausts Weg zu Helena. Urphänomen und Archetypus. Darstellung u. Deutg. einer symbolischen Szenenfolge aus G.s »Faust«*, Stg. 1961. – H. Schwerte, *Faust und das Faustische. Ein Kapitel deutscher Ideologie*, Stg. 1962. – P. Stöcklein, *Wie beginnt und wie endet G.s »Faust«* (in LJb, 3, 1962, S. 29–51). – J. Müller, *Prolog und Epilog zu G.s Faustdichtung*, Bln. 1964 (Sitzungsber. d. Sächs. Ak. d. Wiss. zu Lpzg., phil.-hist. Kl., 110/3). – D. Lohmeyer, *Faust und die Welt. Zum Problem der Wirklichkeit im »Faust« II*, Göttingen 1965 (Kl. Vandenhoeck-R., 223–225). – Staiger, 2, S. 316–365; 3, S. 261–472.

GÖTZ VON BERLICHINGEN MIT DER EISERNEN HAND. Schauspiel in fünf Akten von Johann Wolfgang von Goethe (1749–1832), erschienen 1773 im Selbstverlag von Goethe und Merck; Uraufführung: Berlin, 14. 4. 1774, Kochsche Gesellschaft. – Den Plan, die 1731 gedruckte autobiographische *Lebensbeschreibung Herrn Goezens von Berlichingen, zugenannt mit der eisernen Hand* zu einem Drama zu verarbeiten, faßte Goethe schon in Straßburg; der Stoff sagte seiner von der Verehrung Shakespeares entflammten Begeisterung für große Charaktere und seinem von Herder geförderten Interesse an der älteren deutschen Geschichte zu. Über die politisch-rechtliche Struktur der Epoche zwischen Mittelalter und Neuzeit informierten ihn vor allem J. St. Pütters *Grundriß der Staatsveränderungen des teutschen Reichs* (1764) und J. Mösers Schrift *Von dem Faustrechte* (1770).

Der früheste Text, der sogenannte »Urgötz«, der den Titel *Geschichte Gottfriedens von Berlichingen mit der eisernen Hand, dramatisirt* trägt, erschien erst postum 1832. Goethe schrieb ihn in Frankfurt, auf Drängen seiner Schwester Cornelia, im Herbst 1771 in sechs Wochen ohne Konzept und fast ohne Korrektur nieder. Doch Herders – nur noch aus einem Antwortbrief Goethes zu erschließende – Kritik veranlaßte ihn, das Werk neu zu fassen, da er auch selbst mit dem Erreichten unzufrieden war. Er erkannte, daß er *»bei dem Versuch, auf die*

Einheit der Zeit und des Orts Verzicht zu tun, auch der höheren Einheit ... Eintrag getan hatte«, und unternahm es nun, in einer Neufassung dem Werk *»immer mehr historischen und nationalen Gehalt zu geben und das, was daran fabelhaft oder bloß leidenschaftlich war, auszulöschen; wobei ich freilich manches aufopferte, indem die menschliche Meinung der künstlerischen Überzeugung weichen mußte«* (beide Zitate aus *Dichtung und Wahrheit*, III. Teil, 13. Buch). Zwar kam auch in der Neufassung von 1773 kein einheitlicher Handlungsablauf zustande, doch sind die Gewichte, vor allem gegen das Ende hin, zugunsten der Hauptperson verschoben, die Charaktere noch klarer konturiert, vor allem aber in den Dialogen Analytisches und Metaphorisches, nur »Gedachtes«, weitgehend getilgt; die Handlung wird völlig aus dem Wesen der Gestalten motiviert und vorangetrieben.

Das Werk macht mit der Absage an die Gesetze des klassischen französischen Dramas radikal Ernst. LESSING hatte bereits die Regeln der Einheit von Ort und Zeit außer Kraft gesetzt; Goethe dehnte diese Freiheit auch auf die Handlung aus, die er, in mehr als fünfzig Szenen gegliedert, in den fränkisch-schwäbischen Raum zwischen Goetz' Stammburg Jaxthausen und dem Bischofssitz Bamberg verlegte. Die Zeitdauer ist völlig unbestimmt, die innere schwer mit der (mutmaßlich viel kürzeren) äußeren in Deckung zu bringen. Die Handlung entwickelt sich aus dem Gegensatz von freiem Ritterstand, für den allein das gewachsene Naturrecht Geltung hat, und der neuen, auf die allgemeinen und abstrakten Normen des römischen Rechts verpflichteten höfischen Gesellschaftsform. Götz, der mit dem Bamberger Bischof in Fehde liegt, rächt sich mit Waffengewalt für die Gefangennahme eines seiner Reiterbuben durch die bambergischen Söldner; die Reichsacht wird über ihn verhängt, ein Exekutionsheer gegen ihn in Marsch gesetzt, seine Burg belagert. Durch Verrat fällt er in die Hand des Feindes, wird aber von Sickingen befreit. Obwohl er durch den Urfehdeschwur auf Rache verzichtet hat, läßt Götz sich von den aufständischen Bauern zum Führer wählen; sie sagen ihm jedoch den Gehorsam auf, als er ihren wüsten Ausschreitungen ein Ende zu machen versucht. Im Kampf gegen das Reichsheer, das den Aufstand niederwerfen soll, wird Götz gefangengenommen; er stirbt im Gefängnis.

Diese zwar stürmisch bewegte, aber im Grunde epische Schilderung der Ereignisse erhält dadurch dramatische Akzente, daß Goetz' verbissenster Gegner auf seiten der Bamberger sein ehemaliger Jugendfreund Adelbert von Weislingen ist. Die breitangelegte Exposition, die den ganzen ersten Akt umfaßt, zeigt Weislingen als Gefangenen auf Burg Jaxthausen, seine Aussöhnung mit Götz und seine Verlobung mit dessen Schwester Maria. Das eigentliche Drama setzt mit Weislingens Rückkehr an den Bamberger Hof ein, wo er, wie schon sein Diener und Vertrauter Franz, der Faszination der schönen Intrigantin Adelheid von Walldorf erliegt; er kehrt nicht, wie versprochen, zu Götz und Maria zurück. Sein doppelter Treubruch zwingt ihn – ein genialer psychologischer Griff des jungen Goethe –, Götz von nun an mit tödlicher Feindschaft zu verfolgen.

In dem Drama überlagern und durchdringen einander verschiedene Spannungsfelder: die Auseinandersetzung der – in Goethes Sicht – kraftvollen, auf Vertrauen gegründeten Ordnung des Mittelalters, deren letzte Vertreter Götz und seine Getreuen sind, mit der schwächlichen, alles nivellierenden neuen Zeit, in der *»die Nichtswürdigen ... mit List«* regieren; freies Rittertum steht gegen höfisches Schranzenwesen, echte Frömmigkeit (Maria) gegen die religiöse Indifferenz und Verlogenheit des Klerus. Es ist kennzeichnend für Goethes auf das Sinnlich-Konkrete gerichtete Gestaltungsweise, daß das Drama dennoch nicht zum Kampf um Prinzipien und Ideen, um Gut und Böse gerät, sondern zur Konfrontation verschiedener Charaktere. Götz und Weislingen sind nicht allein Repräsentanten gegensätzlicher Weltanschauungen; vielmehr ist es ihre persönliche Verschiedenartigkeit, die sie zu Antagonisten macht. Götz ist ganz »Natur«, tätige Kraft, ohne Falsch, voll unreflektierter Impulsivität und Großmut; der Kern seiner Persönlichkeit ist Treue. Freiheit ist für ihn das natürliche Lebenselement des rechtschaffenen Menschen; Goethe läßt ihn nicht zufällig die ersten Worte und das letzte – *»Freiheit!«* – unter offenem Himmel sprechen. Ebensowenig ist es Zufall, daß Weislingen die Szene als Gefangener betritt und von Adelheid vergiftet stirbt. Unfreiheit und Zerrissenheit sind die Grundzüge seines Wesens. Seine Beeinflußbarkeit gibt ihn den Verführungen der Frauen, des höfischen Glanzes und der Macht preis und macht ihn der Treue unfähig. Doch ist er nicht eigentlich böse, und seine Liebe zu Götz ist im Grunde echt. Im dramaturgischen Gefüge des Stücks stellt er allein kein adäquates Gegengewicht zu Götz dar; erst seine Verbindung mit Adelheid, die sich zu ihm hingezogen fühlt, ihn aber vor allem als Mittel für ihre ehrgeizigen Pläne braucht, macht ihn zum aktiven Gegner seines alten Freundes. Adelheid – auch sie, wie Weislingen, ein Geschöpf Goethes – ist, wie Götz, eine »große Natur«, doch dämonischer Art; sie macht jeden unfrei, der in ihren Bannkreis gerät. Machtwille ist das Energiezentrum ihrer Persönlichkeit. Ihre Verführungskünste sind von diabolischer Intelligenz; sobald sie auftritt, entsteht erotische Spannung. Ihr Tod ist in magisch-unheimliches Dunkel getaucht. Goethes Anteilnahme an dieser Gestalt war so stark, daß sie zunächst fast den ganzen zweiten Teil des Dramas beherrschte: *»Ich hatte mich, indem ich Adelheid liebenswürdig zu schildern trachtete, selbst in sie verliebt ...«* (*Dichtung und Wahrheit*, III. Teil, 13. Buch). Er mußte sich entschließen, einige ihrer Auftritte zu streichen. Auch die Nebenfiguren haben so viel Eigenleben, daß die Grundstruktur des Dramas – die Konfrontation von kraftvoller Persönlichkeit und schwächlich-charakterloser Zeit – sich verwischt: Elisabeth, Götz' lebenskluge, besonnene Frau, seine Getreuen Lerse, Selbitz, Sickingen und der kampflustige Reiterbub Georg auf der einen Seite, auf der anderen der Bischof, der Rechtsgelehrte Olearius, der trinkfreudige Abt und Liebetraut, der spitzzüngig für ironisches Gelächter sorgt. In Maria, der Verlobten Weislingens, später Sickingens Frau, und in Kaiser Maximilian, der mit Götz sympathisiert, ihn aber aus Gründen der Staatsräson bestrafen muß, überdecken sich die beiden um die drei Hauptfiguren sich ordnenden Kreise. – Die Mannigfaltigkeit der rasch wechselnden Szenen, deren jede als ein sich selbst genügendes Stück Wirklichkeit, manchmal ohne Bezug auf die nächste, dasteht, fördert den Eindruck, daß es sich eher um ein gestaltenreiches Epos als um ein Drama handelt. Goethe selbst gab später ECKERMANN gegenüber zu, daß das Schauspiel *»als Theaterstück nicht recht gehen«* wolle (26. 7. 1826).

Es fehlt dem Stück an einem echten tragischen Konflikt; Götz' Bündnis mit den Aufrührern, wodurch er die geschworene Urfehde bricht, ist nicht eindeutig als tragische Verfehlung motiviert. Tragisch jedoch ist die Situation des Helden als solche: Er kämpft von vornherein auf verlorenem Posten; als letzter Vertreter einer untergehenden großen Epoche ist er selbst notwendig zum Untergang bestimmt. Weislingens Verrat beschleunigt nur diesen Prozeß. Das Ende des Helden ist (wie auch in späteren Dramenschlüssen Goethes, etwa in *Egmont* oder *Faust*) vom Licht heiter-feierlicher Verklärtheit beglänzt; aber die Klage um den Toten ist zugleich Anklage – und damit letzte Rechtfertigung: *»Wehe dem Jahrhundert, das dich von sich stieß!«*

Die unmittelbare Wirkung des Dramas war sensationell; es machte den jungen Autor mit einem Schlag berühmt. Kritik und Zustimmung waren gleich heftig. FRIEDRICH II. war empört über diese *»abscheuliche Nachahmung jener* [Shakespeares] *schlechten englischen Stücke«*; Lessing, der zwar selbst den Regelzwang des französischen Theaters bekämpfte, entsetzte sich über die Formlosigkeit des Stücks; der ›Neue gelehrte Merkur‹ hielt es für unaufführbar; NICOLAI bespöttelte seinen Bühnenerfolg, den es allein den prächtigen historischen Kostümen verdanke. Die junge Generation aber – BÜRGER, SCHUBART, Möser, GERSTENBERG – überbot sich an begeistertem Lob, in das nun selbst Herder vorbehaltlos einstimmte; auch KLOPSTOCK und WIELAND spendeten Beifall. Das Werk wurde zum *»Panier« (Dichtung und Wahrheit)* des Sturm und Drang. Hier fand die Jugend, was dichterisch darzustellen ihr selbst noch nicht geglückt war: *»Helden – deutsche, nicht aus der Luft gegriffene Helden«* (›Frankfurter gelehrte Anzeigen‹). Seit Shakespeare hatte niemand mehr Gestalten von so unbezweifelbarer Echtheit auf die Bühne gestellt. Nicht mehr eine edel stilisierte Vergangenheit wurde beschworen, sondern das Bild einer konkreten, vielschichtigen, vom Kaiser bis zu den Bauern und Zigeunern alle Stände umfassenden sozialen Wirklichkeit. Das Medium, in dem solchermaßen Historie greifbare Gegenwart wurde, war eine unerhört neue Sprache, die die herrschenden Konventionen des klassischen französischen Dramas vollends sprengte. Es ist eine im ganzen auf unstilisierten Sprechton gestimmte, im einzelnen auf den jeweiligen Stand und Charakter der Personen zugeschnittene Prosa. Götz' Redeweise und – entsprechend modifiziert – die des Personenkreises um ihn ist volkstümlich direkt und unkompliziert, bildkräftig, mundartlich gefärbt, mit biblischen Wendungen durchsetzt; LUTHERS und Hans SACHS' sprachlicher Einfluß auf den jungen Goethe ist unverkennbar. Der leicht altertümliche Klang, der dem ganzen Stück eignet, ist hier am deutlichsten. Weislingen jedoch spricht ein reines, häufig affekthaft exklamatorisches Hochdeutsch. Zu der gepflegten Sprache, deren sich der Bamberger Hof bedient, bilden der steife Nominalstil des gelehrten Olearius und Liebetrauts gewandte, anspielungs- und fremdwortreiche, frech pointierende Redeweise einen erheiternden Kontrast. Im naiven Volkslied des Reiterbuben Georg und im instrumentalbegleiteten höfisch-erotischen Kunstlied Liebetrauts verdichtet sich der Geist der beiden gegensätzlichen Lebensbereiche zum klingenden Symbol.

Die Auswirkungen der Sprach- und Formrevolution, die das Stück begründete, zeigen sich unmittelbar in der Dichtung des Sturm und Drang. Deutschland wurde von einer Flut historischer Dramen überschwemmt, die sich jedoch mit ihren z. T. überdeutlichen Tendenzen oder mit ins Titanische gesteigerten Helden von Goethes auch in der Darstellung von Größe noch maßvollem Stück weit entfernten. Aber auch SCOTT, SCHILLER und KLEIST standen unter dem Eindruck des *Götz*, letztlich schuldete jeder Dramatiker bis hin zum Naturalismus Goethes erster und genialer Tragödie Dank. G. He

AUSGABEN: o. O. [Darmstadt?] 1773 [2. Fassg.]. – Ffm. 1774. – Stg./Tübingen 1832 (*Geschichte Gottfriedens von Berlichingen mit der eisernen Hand, dramatisirt*, in *Werke*, Bd. 42; ALH; 1. Fassg.). – Bln. 1913 [Faks. der Ausg. 1773]. – Lpzg. 1915 (IB, 160; 1. Fassg.). – WA, I, 8 [beide Fassungen]. – JC, 10 [beide Fassungen]. – AA, 4 [beide Fassungen]. – HA, 4. – Bln. 1958, Hg. J. Neuendorff-Fürstenau (*Akademie-Ausg.*; Paralleldruck beider Fassungen).

LITERATUR: A. Huther, *G.s »Götz von Berlichingen« u. Shakespeares historische Dramen*, Progr. Kottbus 1893. – R. Pallmann, *Der historische Götz von Berlichingen u. G.s Schauspiel über ihn*, Progr. Bln. 1894. – P. Hagenbring, *G.s »Götz von Berlichingen«. Erläuterung u. literaturhistorische Würdigung*, Tl. 1: *Herder u. die romantischen u. nationalen Strömungen in der deutschen Literatur des 18. Jh.s bis 1771*, Halle 1911. – C. Wandrey, *Die Bedeutung der dichterischen Form u. G.s »Götz von Berlichingen«* (in DRs, 186, 1921, S. 84–92). – H. Schregle, *G.s »Gottfried von Berlichingen«*, Halle 1923. – F. Gundolf, *Shakespeare u. der deutsche Geist*, Bln. [8]1927, S. 231 ff. – *Zeitgenössische Rezensionen u. Urteile über G.s »Götz« u. »Werther«*, Hg. H. Blumenthal, Bln. 1935 (Literarhist. Bibl., 14). – W. F. Schirmer, *Shakespeare u. der junge G.* (in Publ. of the English Goethe-Society, N. S., 17, 1948, S. 26–42). – E. Braemer, *Geniezüge an G.s Erwin von Steinbach u. Gottfried von Berlichingen*, Diss. Jena 1952. – J. Neuendorff-Fürstenau, *Wörterbuch zu G.s »Götz von Berlichingen«*, Bln. 1958 ff. – P. Langfelder, *G.s »Götz von Berlichingen«* (in P. L., *Studien u. Aufsätze zur Geschichte der deutschen Literatur*, Bukarest 1961, S. 226–269). – K. Schumm, *Götz von Berlichingen in der Überlieferung u. in der Geschichte seiner Heimat* (in Württemberg. Franken, N. F., 36, 1962, S. 31 bis 51). – I. Appelbaum Graham, *Goetz von Berlichingen's Right Hand* (in GLL, 16, 1962/63, S. 212–228). – G. Hübner, *G.s »Götz von Berlichingen« in seinem Verhältnis zum »Urgötz«. Eine Beschreibung u. Deutung der stilistischen Tendenzen der Umarbeitung*, Diss. Tübingen 1963. – W. Grenzmann, *Der junge G.*, Paderborn 1964, S. 15–29. – F. G. Ryder, *Toward a Revaluation of Goethe's »Götz«: Features of Recurrence* (in PLMA, 79, 1964, S. 58–66). – Staiger, 1, S. 83 ff.

HERRMANN UND DOROTHEA. Epos in neun Gesängen von Johann Wolfgang von GOETHE (1749 bis 1832), erschienen 1797. – Als Quelle diente dem Dichter eine erbauliche Anekdote aus der *Vollkommenen Emigrationsgeschichte von denen aus dem Erzbistum Salzburg vertriebenen Lutheranern* von GÖCKING (1734), die Goethe in seine Gegenwart und ins Rheinland verlegte. Das aktuelle Zeitgeschehen, die Flucht der linksrheinischen Deutschen vor den französischen Revolutionstruppen im Jahre 1796, lieferte jedoch nur den Hintergrund für eine ins Klassische, Typische erhöhte Familienidylle. Geschrieben zur Zeit des intensivsten Gedankenaustauschs mit SCHILLER, zeigt das bürgerliche Epos in Sprache und Form – Hexameter, epische Breite des Erzählens, stehende, die Personen charakterisierende Redensarten – den Versuch, an die antike Tradition des von beiden Dichtern als höchste Gattung gewerteten Epos anzuknüpfen. – Herrmann, der tüchtige, aber schüchterne Sohn des Wirts zum Löwen in einer kleinen rechtsrheinischen Stadt, lernt, als er mit Geschenken für die Flüchtlinge unterwegs ist, die tatkräftige, besonnene junge Dorothea kennen, die für Flüchtlingskinder und eine mitziehende Wöchnerin sorgt. Er übergibt dem Mädchen seine Gaben zu gerechter Verteilung unter die Fliehenden. Wieder zu Hause angekommen, wo der behäbige Vater und die verständnisvolle Mutter sich mit den Nachbarn, dem Pfarrer und dem Apotheker, über die unruhigen allgemeinen Zeitläufe und deren Auswirkungen auf persönliche Schicksale unterhalten, berichtet Herrmann vom Gesehenen und gerät dann mit dem Vater in Streit, der sich bald eine reiche Schwiegertochter ins Haus wünscht und den Sohn wegen seiner Ungeschicklichkeit im Umgang mit Mädchen tadelt. Der Mutter gelingt es, dem Tiefverletzten den Grund für seine Trauer zu entlocken; er hat sich in Dorothea verliebt und möchte sie, obwohl sie sehr arm ist, als Braut heimführen. Man kommt überein, daß der Pfarrer und der Apotheker sich bei dem Ältesten der im nächsten Dorf rastenden Flüchtlinge nach dem Leumund des Mädchens erkundigen sollen. Die beiden erfahren von einem bedächtigen alten Richter, daß Dorothea sich bei einem Überfall französischer Truppen vorbildlich tapfer verhalten und sogar mit der Waffe andere Mädchen verteidigt hat; fröhlich melden die beiden Kundschafter dies Herrmann und den Eltern. Nun geht Herrmann selbst, von Zweifeln geplagt, ob er überhaupt erhört werden wird, zu dem Mädchen und wählt in seiner Schüchternheit seine Worte so ungeschickt, daß Dorothea (nach einem rührenden Abschied von ihren Schützlingen, den Kindern des geflohenen Dorfes) noch beim Eintritt in sein Elternhaus glaubt, sie sei nur als Magd gedungen worden. Nach für sie kränkenden Mißverständnissen aber klärt der gewandte Pfarrer die Lage; der Vater stimmt der Verbindung zu, und der in wenigen Stunden durch »*wahre Neigung*« zum Manne gereifte Herrmann spricht die Schlußworte: »*Desto fester sei, bei der allgemeinen Erschütterung, / Dorothea, der Bund! Wir wollen halten und dauern, / Fest uns halten und fest der schönen Güter Besitztum ...*«

Goethe bezeichnete es in einem Brief an MEYER (28. 4. 1797) als seine Intention, »*unter dem modernen Kostüm die wahre, echte Menschenproportion und Gliederformen*« darzustellen; als »wahr« und »echt« aber, als rein-menschlich und vorbildlich gilt ihm zu dieser Zeit allein das Antike. So sind nicht nur die neun Gesänge mit den Namen der neun griechischen Musen überschrieben, wird nicht nur der neunte Gesang mit einem Musenanruf begonnen; vielmehr sind bis zum Bild der einzelnen Personen und bis in die Sprache hinein homerisch-epische Züge und das Bestreben erkennbar, »*deutsche Zustände zu der Schönheit der Antike abzuklären*« (E. Staiger): Der Vater gleicht entfernt dem leicht erzürnbaren Zeus, der Pfarrer ist ein Seher fast wie Teiresias, der weiß, was ist, war und sein wird; Herrmann selbst erhebt sich am Ende zur Größe des Heros, der »*mit Mannesgefühl die Heldengröße des Weibes trägt*«, und das Bild Dorotheas schließlich, die mit langem Stabe die Ochsen treibt, ist von uralter epischer Schlichtheit. Auch die sprachlichen Wendungen, mit denen die Situationen, Personen und Tiere gekennzeichnet werden, verweisen zum Teil wörtlich auf den epischen Stil HOMERS; die feierliche, leicht ironische Distanziertheit des Erzähltons, der zugleich beschauliche Behäbigkeit ausdrückt, vermittelt sowohl Assoziationen an die Antike als auch an das Leben einer ebenso harmonischen und tüchtigen wie beschränkten Bürgerwelt: der »*verständige Pfarrherr*«, der »*treffliche Herrmann*«, der »*menschliche Hausherr*«, sie sind Typen und Individuen, Urbilder und bürgerliche Einzelpersonen, wie auch die Handlung trotz aller aktuellen Bezüge eine Aneinanderreihung bildhafter, symbolhaltiger Einzelszenen ist. So verschmilzt in dem Gedicht »*die plastische Anschauung und die griechische Sitte mit dem heutigen Dorfleben zu reiner Form der Menschlichkeit*« (V. Hehn).

SCHELLING, der die *Odyssee* den »*Mutterboden und Kommentar für Goethe*« nennt, und A. W. v. SCHLEGEL gestanden Goethe zu, in seiner Darstellung von »*Naturformen*« (V. Hehn) des menschlichen Lebens das antike Vorbild erreicht zu haben. Im übrigen aber fiel weder das zeitgenössische noch das Urteil der folgenden Generation immer so günstig aus. Die Leserschaft nahm das Gedicht zunächst einfach als – wenn auch sehr liebenswerte – »Nachahmung« der *Luise* von Voss, einer kleinen epischen Dichtung, in der dieser im Jahre 1795 zuerst einzeln erschienene Idyllen zusammengefaßt hatte. Zwar erfuhr Goethes Werk eine ziemliche Beliebtheit und Verbreitung; um seiner Humanität und Gefühlswärme willen wurde es, ähnlich Schillers *Glocke*, Besitz des Bürgertums und zudem auch noch im 19. Jh. Gegenstand kluger Analysen, etwa von HEGEL in seiner *Ästhetik*. Aber schon Wolfgang MENZEL verurteilt *Herrmann und Dorothea* 1836 als Goethes »*Huldigung ans Spießbürgertum*«, und eben diese ungebrochene Bürgerlichkeit in ihrer etwas forciert harmonischen Klassizität und stilisierten Zeitlosigkeit ist bis heute sowohl Gegenstand der Kritik, wie das Werk auch als Ausdruck von Goethes »*herzlichem Verlangen*« gerechtfertigt wird, »*im Einverständnis mit seiner Welt zu leben ... geborgenes, reines Dasein zu finden*« (E. Staiger). J. Dr.

AUSGABEN: Bln. 1797 (in *Taschenbuch für 1798*). Bln. 1798. – Stg./Tübingen 1814 *(Hermann u. Dorothea)*. – WA, I, 50. – JC, 6. – AA, 3. – HA, 2

LITERATUR: H. Pyritz, *G.-Bibliographie*, Heidelberg 1955, S. 733 735 [enth. Lit. bis 1954]. – V. Hehn, *Über G.s »Hermann u. Dorothea«*, Stg. 1893 (ern. in *Interpretationen. Deutsche Erzählungen von Wieland bis Kafka*, Ffm. 1966; FiBü, 721). – H. Helmerking, *»Hermann u. Dorothea«. Entstehung, Ruhm u. Wesen*, Zürich 1948. – R. Leroux, *La Révolution française dans »Hermann et Dorothea«* (in EG, 4, 1949, S. 174–186). – R. A. Schröder, *Zu »Hermann u Dorothea«* (in R. A. S., *GW*, Bd. 2, Bln. 1952, S. 561 bis 582). Staiger, 2, S. 220 266. S. Scheibe, *Zu »Hermann u. Dorothea«* (in Beitr. z. Goetheforsch., 1959, S. 226 267). – W. Weber, *Auf der Höhe des Menschen* (in W. W., *Zeit ohne Zeit*, Zürich 1959, S. 229 237). R. Samuel, *G.'s »Hermann u. Dorothea«* (in Publications of the English G.-Society, 31, 1961, S. 82 104). S. Scheibe, *Neue Zeugnisse zur Druckgeschichte von G.s »Hermann u. Dorothea«* (in Goethe, 23, 1961, S. 265 298). M. Gerhard,

Chaos u. Kosmos in G.s »Hermann u. Dorothea« (in M. G., *Leben im Gesetz*, Bern/Mchn. 1966).

IPHIGENIE AUF TAURIS. Schauspiel von Johann Wolfgang von GOETHE (1749–1832). Die ursprüngliche Fassung, in rhythmischer Prosa, entstand im Auftrag des Hofs als Festspiel anläßlich der Geburt einer Tochter des jungen Herzogspaars; mit vierzehntägiger Verspätung wurde das Stück am 28. 3. 1779 fertig und am 6. 4. 1779 in Ettersburg von einer Liebhabertruppe uraufgeführt; Goethe spielte dabei den Orest (*»Noch nie erblickte man« – so Hufeland – »eine solche Vereinigung physischer und geistiger Vollkommenheit und Schönheit in einem Mann.«)*; die endgültige Fassung in Versen, der zwei von LAVATER überlieferte Versionen, 1780 (in freien Jamben) und 1781 (in Prosa), vorausgegangen waren, wurde erst in Italien – am 29. 12. 1786 – vollendet und 1787 veröffentlicht. In einer (verlorengegangenen) einschneidenden Bearbeitung SCHILLERS erlebte sie am 15. 5. 1802 ihre Erstaufführung.

Goethe entnahm den Stoff EURIPIDES' Drama *Iphigenie bei den Tauriern*. Mit seinem untragischen Ausgang eignete sich der Vorwurf nicht nur für den festlichen Anlaß; er bot sich zugleich als Ausdrucksmaterial für das neue Selbst- und Weltverständnis an, das sich dem Dichter nach der Krise der Frankfurter Zeit in Weimar unter dem Einfluß der Frau von Stein und der konkreten Aufgaben einer verantwortlichen öffentlichen Stellung aufzuschließen begann und in Italien ausreifte. Die Leitbegriffe dieser neuen schöpferischen Phase – Maß, Harmonie, Gelassenheit – werden in der endgültigen Sprachform des Schauspiels unmittelbar sinnfällig. Der fünfhebige jambische Blankvers fließt hier, durch Enjambements oft zu größeren rhythmischen Einheiten verknüpft, in einem edlen, wohllautenden Parlando dahin, das nur in Augenblicken gesteigerten seelischen Erlebens, vor allem in Monologen und Gebeten, zu beschleunigteren, vier- oder dreihebigen daktylisch-trochäischen Tempi hinüberwechselt. Auf der Scheitelhöhe der dramatischen Entwicklung erscheint eine strophisch gegliederte Liedform, deren gemessen schreitende Amphibrachen – *»Es fürchte die Götter das Menschengeschlecht!«* – nicht nur *»das Feste, Unveränderliche, unverrückbar Dauernde der Macht der Götter«* durch ein *»statisches Maß«* bestätigen (U. Pretzel), sondern auch die Iphigenie tief verstörende Gleichgültigkeit der Götter gegenüber dem menschlichen Geschick zum Ausdruck bringen.

Der Gang der äußeren Handlung weicht bei Goethe nur in wenigen, für die tiefgreifende innere Umorientierung der Vorgänge jedoch bezeichnenden Zügen von der Euripideischen (vgl. *Iphigeneia hē en Taurois*) ab; *»erstaunlich modern und ungriechisch«* nennt Schiller das Werk in einem Brief an KÖRNER vom 21. 1. 1802. Schon der Verzicht auf den Chor macht deutlich, daß sich die Ereignisse hier nicht, wie bei Euripides, vor den Augen der Öffentlichkeit abspielen und nicht von dieser kommentiert werden; das Geschehen vollzieht sich vielmehr in den Seelen von einzelnen und allenfalls noch in den Gesprächen zwischen ihnen. Auch erscheint die taurische Umwelt, verglichen mit der barbarischen der antiken Tragödie, durch die bloße Anwesenheit Iphigenies bereits humanisiert. Thoas, der König der Taurier, schenkte der Unbekannten das Leben und brach dadurch mit dem notbedingten Brauch des Landes, jeden Fremden auf dem Altar der Göttin zu opfern. Von ihrem natürlichen Adel angezogen und nach dem Tod seines einzigen Sohns von Sorge um den Bestand seiner Herrschaft erfüllt, bedrängt er Iphigenie, sich ihm zu vermählen. Durch ihre Weigerung tief verletzt, befiehlt er ihr zornig, zur Feier des Siegs über seine Feinde die Opferhandlung an den zwei unbekannten jungen Männern zu vollziehen, die eben gelandet sind; ein Orakelspruch Apollos hat dem von Erinnyen gehetzten Muttermörder Orest Entsühnung verheißen, wenn er »die Schwester« – Apolls (Diana) und die eigene, ein Doppelsinn, der bei Euripides fehlt – von Taurien nach Griechenland heimhole. Orest gibt sich Iphigenie in einer Szene zu erkennen, die in nichts mehr an die berühmte Anagnorisis des Euripides und deren kompliziertes Hin und Her erinnert. Vor allem aber wird die Lösung des Konflikts nach dem Scheitern menschlicher List nicht dem Eingreifen der Göttin überlassen. Zwar ist Iphigenie in der Freude über die Wiederbegegnung mit dem Bruder, der im heiligen Hain der Diana Ruhe vor den Furien findet, zunächst bereit, an der Ausführung des von Pylades – nicht, wie bei Euripides, von ihr selbst – erdachten Plans mitzuwirken: Nach schwerem innerem Kampf offenbart sie jedoch dem König den Betrug, und freiwillig stimmt Thoas der Heimkehr der Griechen zu.

Schon diese Abwandlungen zeigen, daß Goethe die kargen Handlungselemente einer ins Innere der Personen verlegten Entwicklung dienstbar macht, die dank der Dichte ihrer Struktur in dem äußerlich undramatischen Geschehen intensive Spannungsmomente erreicht. Der Aufbau des Dramas ist streng symmetrisch: Um Iphigenie als Mittelpunkt gruppieren sich die einzigen vier andern Akteure in zwei Paaren – Thoas mit seinem Vertrauten Arkas auf der einen, Orest und Pylades auf der andern Seite. Die innere Dramatik entwickelt sich in zwei Konfliktsphären, deren eine – die Spannung zwischen Thoas und Iphigenie – die andere – die Orest-Handlung – umgreift, von dieser jedoch erst den Impuls zu ihrer vollen Entfaltung empfängt. Das hier wirkende Formprinzip ist also nicht architektonischer Art, sondern einer in Steigerungen sich vollziehenden Metamorphose verwandt. Die klassische Einheit der Handlung vollendet sich in der Einheit von Zeit und Ort: Der heilige Hain der Diana, Natur, die das Geheimnis des Göttlichen einschließt, ist der einzige Schauplatz der Begegnungen. Die beiden durch die Gestalt Iphigenies miteinander verbundenen Spannungsfelder bewegen sich um das Problem der Humanität, d. h. um die Frage, wie »reine Menschlichkeit« in einer Welt zu verwirklichen sei, in der der einzelne zwischen Determiniertheit und prometheischer Freiheit, zwischen verfügtem Schicksal und persönlicher Schuld heillos verfangen scheint. Die Frage – die später vom Existentialismus mit neuer Dringlichkeit formuliert und im heroisch-tragischen Sinn beantwortet werden wird – stellt sich für Goethe als eine in der ursprünglichen Bedeutung des Worts religiöse. Die Überzeugung einer Entsprechung und Wechselwirkung zwischen dem Menschen und den numinosen Kräften des Universums hält auch den extremen Momenten des Zweifels und der Angst stand.

Eine Teilantwort, mit der gleichsam die Voraussetzungen für eine Lösung des Problems beleuchtet werden, gibt die Orest-Handlung. Orests innerer Konflikt, der ihn bis zum Wahnsinn verstört, entspringt seiner Determinationsgläubigkeit: *»Mich haben sie zum Schlächter auserkoren, / zum Mörder* *meiner doch verehrten Mutter, / und eine Schandtat schändlich rächend, mich / durch ihren Wink zu Grund gerichtet.*« Fasziniert von diesem Schicksal, das ihn zu töten bestimmt, wo er liebt, den rückwärtsgewandten Blick auf die Blutschuld geheftet, die ihm von den Göttern aufgedrängt und die doch seine eigene ist, erscheint ihm das Verlöschen seiner fluchbeladenen Individualität im Tod als einziger Ausweg aus dem Circulus vitiosus von Missetat und Leiden. Weder Pylades' tatkräftiger Optimismus noch das Wiedersehensglück der Schwester finden Widerhall in seinem gegenwarts- und zukunftsblinden Bewußtsein. Die Begegnung mit Iphigenie, die schuldlos ausersehen scheint, den eigenen Bruder zu töten und so den tantalidischen Fluch weiterzutragen, treibt seine Schicksalsbesessenheit aufs äußerste, gibt aber auch den Anstoß zu seiner Rettung: Das Übermaß des Leidens zerbricht die Schranken des Ichbewußtseins; in schlafähnlicher »Ermattung«, die den Heilkräften der Natur ungehindert Raum gibt, erlebt Orest in einer Vision die Versöhnung mit seinen im Tod entsühnten Ahnen. Zwar ist der Fluch, der auf dem ganzen Geschlecht lastet, nicht aufgehoben – denn noch sind dem Ahnherrn Tantalus »*grausame Qualen / mit ehernen Ketten fest aufgeschmiedet*« –, aber es wird die Möglichkeit sichtbar, ihn zu überwinden und in Segen zu verwandeln. – Orests Entsühnung vollzieht sich als ein unheroischer, naturhafter Vorgang, bei dem er sich passiv verhält. Wenn diesem Geschenk von seiner Seite ein »Verdienst« entgegenkommt, so ist es sein Wahrheitswille, der es verschmäht, der Priesterin Iphigenie Namen und Herkunft zu verheimlichen, und seine Bereitschaft, die Grenzen seines *ego* im Tod zu durchbrechen. Damit macht er den Weg frei für einen neuen Anfang, eine neue Unschuld oder, um mit Goethe zu sprechen, »Reinheit«.

Diese Reinheit ist bei Iphigenie noch sicherer Besitz; von ihr geht jene erhellende und sänftigende Wirkung aus, die Thoas bestimmte, die archaischen Opferbräuche aufzugeben, und die das Volk der Skythen Gastlichkeit und Milde lehrte. Freilich ist Iphigenie kein bleiches Tugendideal. Auch sie ist ein Mensch auf dem Weg zu sich selbst. Sie verschmäht es nicht, sich einer klaren Antwort auf die Werbung des Königs mit Ausflüchten und naiven Sophismen zu entziehen, und nachdem sie ihn jahrelang nicht ihres Vertrauens gewürdigt hat, offenbart sie ihm ihre Herkunft aus dem Geschlecht der Tantaliden nur in der Hoffnung, ihn mit dieser Eröffnung abzuschrecken. Ihre Weigerung, sich dem hochherzigen und – trotz seines Jähzorns – zartfühlenden Thoas zu verbinden, ist nicht frei vom Eigensinn eines verstockten Kindes, dem die Erfüllung seines liebsten Wunsches – für sie die Heimkehr nach Griechenland – versagt bleibt. So ist auch ihre Dankbarkeit für den Mann, der ihr das Leben schenkte, anfangs nicht viel mehr als ein Lippenbekenntnis. Ihre wesenhafte Unschuld wird von solchen Äußerungen einer noch unreflektierten Ichbezogenheit nicht berührt; diese Unschuld beruht jenseits moralischer Bestimmungen auf Iphigenies noch ungebrochenem Weltverständnis. Ihr Verhältnis zu den Göttern ist das eines Kindes, dessen Vertrauen auf das Wohlwollen der Schicksalsmächte durch eigene Schuld und durch Zweifel noch nicht erschüttert ist. Sie wird erst mündig im Augenblick der inneren Krise, der sie vor die Wahl stellt, entweder mit Lüge und Vertrauensbruch ihr langersehntes Ziel zu erreichen oder mit dem Bekenntnis zur Wahrheit das eigene Leben und das des Bruders und des Freundes aufs Spiel zu setzen. In diesem Augenblick, an der Schwelle zur Schuld, in dem mit dem Zweifel an der eigenen Integrität auch auf das Bild der göttlichen Weltordnung ein Schatten fällt und titanisch-selbstherrliche Auflehnung gegen diese Ordnung möglich erscheint, wird sie sich ihrer Entscheidungsfreiheit bewußt; sie ahnt, daß sie nicht nur passives Glied der sie umgreifenden objektiven Welt ist, sondern ihr aktiv mitschaffender Partner. Mit dem beschwörenden Anruf »*Wenn / ihr wahrhaft seid, wie ihr gepriesen werdet, / so zeigt's durch euern Beistand und verherrlicht / durch mich die Wahrheit!*« fordert sie die Götter heraus, dem Vertrauen zu entsprechen, mit dem sie ihre Existenz für eine humane, d. h. auf Selbstbesinnung und Selbstmäßigung gegründete Lebensordnung wagt. Ihr moralischer Sieg über Thoas, der erst widerwillig, dann aber mit einem Segenswort die Zustimmung zur Heimkehr der Griechen gibt, zeigt, daß ihr Vertrauen in die Überzeugungskraft der eigenen »reinen Menschlichkeit« gerechtfertigt ist.

Die Überwindung der tragischen Situation vollzieht sich also nicht, wie im antiken Drama, ohne Zutun des Menschen; sie ist vielmehr auf seine Initiative angewiesen. Diese – scheinbar – optimistische Perspektive in euphorischer Weihestimmung zu genießen erlaubt jedoch der Schluß des Dramas nicht; denn zwischen Thoas' finster resigniertem »*So geht!*« und seinem Freundschaftsgruß »*Lebt wohl!*« steht unausgesprochen, aber unüberhörbar das Wort »Entsagung« als ein Schlüsselbegriff der humanen Existenz, wie Goethe sie versteht. Humanität ist, weitab von feierlich-statuarischem Edeltum, ein stets neu zu leistender schmerzhafter Vollzug, dessen Gelingen immer gefährdet ist. Nicht zufällig folgt unmittelbar auf *Iphigenie* das – schon 1780 begonnene – Drama des Scheiternden, *Tasso*.

G. He.

Ausgaben: Lpzg. 1787 [endgült. Fassg.]. – Stg./Tübingen 1854 (*Die drei ältesten Bearbeitungen von G.s »Iphigenie«*, Hg. H. Düntzer). – WA, 10. – WA, 39 [enth. Vers- u. Prosaabschrift v. Lavater]. – JC, 12. – HA, 5. – AA, 6.

Literatur: Vgl. H. Pyritz, *G.-Bibliographie*, Heidelberg 1965, S. 642–648. – J. Baechtold, *»Iphigenie auf Tauris« in vierfacher Gestalt*, Freiburg i. B./Tübingen 1883. – E. Philipp, *Die Iphigeniensage von Euripides bis Hauptmann*, Diss. Wien 1948. – Staiger, 1, S. 350–387. – O. Seidlin, *G.s »Iphigenie«; verteufelt human?* (in WW, 5, 1954/55, S. 272–280). – S. Burckhardt, *Die Stimme der Wahrheit u. der Menschlichkeit. G.s »Iphigenie«* (in MDU, 48, 1956, S. 49–71). – H. Lindenau, *Die geistesgeschichtlichen Voraussetzungen von G.s »Iphigenie«* (in ZfdPh, 75, 1956, S. 113–153). – K. May, *G.s »Iphigenie«* (in K. M., *Form u. Bedeutung*, Stg. 1957, S. 73–88). – A. Henkel, *G. »Iphigenie auf Tauris«* (in *Das deutsche Drama*, Hg. B. v. Wiese, Bd. 1, Düsseldorf [2]1960, S. 169–192; m. Bibliogr.). – E. L. Stahl, *G. »Iphigenie auf Tauris«*, Ldn. 1962 (Studies in German Literature, 7).

ITALIÄNISCHE REISE. Autobiographisches Werk von Johann Wolfgang von Goethe (1749 bis 1832), nach Briefen und Tagebuchaufzeichnungen aus der Zeit der Reise (Anfang September 1786 bis Ende April 1788) zusammengestellt und unter Hinzufügung von späteren »Berichten« über den zweiten römischen Aufenthalt erstmals vollständig veröffentlicht 1829 in den Bänden 27 bis 29 der Ausgabe letzter Hand. Teil 1 und 2 (Reise von Karlsbad nach Rom, erster römischer Aufenthalt, Neapel und Sizilien) waren schon 1816 und 1817 in der Autobiographie *Aus meinem Leben* als der zweiten Abteilung erster und zweiter Teil unter dem später weggelassenen Motto »Auch ich in Arkadien« erschienen. – Goethe, dem nach den Worten seiner Mutter *»von früher Jugend an ... der Gedanke, Rom zu sehen, in seine Seele geprägt«* war, hatte der immer wieder auftauchenden Versuchung, nach Italien zu reisen, in der Meinung, es sei noch zu früh, lange Jahre widerstanden. *»Nur die höchste Notwendigkeit konnte mich zwingen, den Entschluß zu fassen.«* Dieser Entschluß wurde heimlich und wie auf der Flucht ausgeführt, als die Problematik seiner privaten und öffentlichen Weimarer Existenz zur lebensbedrohenden Krise geworden war. In der redigierten Fassung der Originalbriefe werden diese Hintergründe, die Unmöglichkeit, gleichzeitig einem Beruf im Dienst eines Gemeinwesens und seiner dichterischen Berufung zu leben, die Aussichtslosigkeit, seiner Liebe zu Charlotte von Stein eine angemessene und erträgliche Form zu geben, nur angedeutet. Die Flucht wird in der von allzu Persönlichem gereinigten Buchfassung damit begründet, daß er *»rein zugrunde gegangen«* wäre, wenn er *»die Begierde, diese Gegenstände mit Augen zu sehen«*, nicht endlich hätte befriedigen können.

Wie reif die Zeit, wie sehr er auf alles, was ihm begegnete, vorbereitet war und wie sehr es zutrifft, daß er *»keinen ganz neuen Gedanken gehabt, nichts ganz fremd gefunden«* habe, zeigt die Tatsache, daß auf der fast überstürzten Reise zu diesem Ziel auf der er sich jeweils nur kurze Aufenthalte (in Verona vor allem für die Arena, in Vicenza für die Bauten, in Venedig, Ferrara und Bologna für Theateraufführungen, Stadt-, Kirchen- und Gemäldebesichtigungen) gönnt und sich von Florenz zum Beispiel bewußt nicht ablenken läßt alle Fragen, um die es ihm geht, vollkommen klargestellt und im Prinzip auch beantwortet werden. »Die Gegenstände« das ist das eine der immer wiederkehrenden Schlüsselworte, die Ziel und Sinn dieser Unternehmung erschließen. *»Ich mache diese wunderbare Reise nicht, um mich selbst zu betriegen, sondern um mich an den Gegenständen kennen zu lernen.«* Diese Reise sollte also in viel persönlichere Bereiche führen, als sie von Bildungsreisen des 18. Jh.s sonst erreicht oder auch nur angestrebt wurden. So wichtig es ist, die Gegenstände kennenzulernen, wichtiger ist es, das eigene Ich an ihnen zu prüfen, sich über ihre Struktur, ihre Größe und Bedeutung klarzuwerden, um aus dem intensiven Umgang mit ihren Formen die eigene Form zu gewinnen. Gegenstand kann alles »Gebildete« sein – ein Bauwerk so gut wie eine Felsformation, ein Gemälde so gut wie eine Pflanze, eine Skulptur so gut wie ein am Weg gefundener Stein. In allen Gegenständen sucht Goethe nach dem »Gedanken« – auch dies ein immer wiederkehrendes Wort. Dieser Augenmensch, dem so leicht keine Einzelheit entgeht, schreibt den erstaunlichen Satz: *»Was ist Beschauen ohne Denken?«* An den Gegenständen sich bilden heißt nicht Wissen sammeln, sondern ihre »Existenz« – ein weiterer Zentralbegriff auf sich wirken lassen, *»um den höchsten Begriff dessen, was die Menschen geleistet haben, zu bekommen«*. Alles, was lebendig, wahr, seiend ist, hat Existenz: Dieser Begriff läßt sich deshalb ebensogut auf Natur- wie auf Kunstgegenstände anwenden, und das Höchste, was Goethe über einen Künstler (Michelangelo) auszusagen weiß, ist, daß ihm *»nicht einmal die Natur auf ihn schmeckt«*. Daß ihre Kunstwerke nach dem gleichen Gesetz gebaut erscheinen wie Naturwerke, ist die unüberbietbare Leistung der klassischen Künstler: *»Eine zweite Natur, die zu bürgerlichen Zwecken handelt, das ist ihre Baukunst.«* Nie beurteilt Goethe ein Kunstwerk rein nach ästhetischen Qualitäten. Er ist z. B. außerstande, Gemälden gerecht zu werden, deren Gegenstände, wie die christlichen Märtyrerlegenden, in seinen Augen *»keinen menschlichen Begriff«* geben: *»Unter zehn Sujets nicht eins, das man hätte malen sollen.«* Nicht dem Aberglauben der Menschen zu dienen, sondern *»ihnen eine große Idee von ihnen selbst zu geben, ihnen das Herrliche eines wahren, edlen Daseins zum Gefühl bringen«* ist Aufgabe des Künstlers.

Rom, die Hauptstadt der Welt, wird ihm zum Ort des *»Aufraffens«* und Lernens, der *»völligen Entäußerung von aller Prätention«*, deren man bedarf, um jener Aufgabe gerecht werden zu können. Zu solcher Entäußerung gehört auch der Verzicht darauf, als der schon weltberühmte Dichter des *Werther* in die römische Gesellschaft Eingang zu finden. Goethe wahrt streng sein Inkognito. Nur wenige Auserwählte, wie der Hofrat Reiffenstein, die Maler Wilhelm Tischbein und Angelica Kauffmann, der Schriftsteller Karl Philipp MORITZ, wissen, wer sich hinter Jean Philippe Möller, Kaufmann aus Leipzig, von Reiffenstein flugs baronisiert, verbirgt; sie dürfen dem Gast als Führer durch die fremde Stadt dienen und sich seiner Freundschaft erfreuen. *»Ich bin nicht hier, um nach meiner Art zu genießen: befleißigen will ich mich der großen Gegenstände, lernen und mich ausbilden, ehe ich vierzig Jahre alt werde.«* Was er sich von dem neuen Leben erhofft hat, wird ihm in Rom aufs reichlichste zuteil: *»Ob ich gleich noch immer derselbe bin, so mein ich, bis aufs innerste Knochenmark verändert zu sein.«* Von dem Tag, an dem er Rom betrat, zählt er *»einen zweiten Geburtstag, eine wahre Wiedergeburt«*. Er fühlt, daß er umlernen, neue Fundamente legen muß, nicht nur in seiner Kunst: Zugleich mit dem Kunstsinn ist es der sittliche, der *»große Erneuerung leidet«*. Von der Wandlung beider zeugt die neue Fassung der *Iphigenie*, die in Rom entsteht. Je länger er in dieser Stadt ist, um so mehr gewinnt seine Existenz an »Schwere«: *»Ich fürchte mich nun nicht mehr vor den Gespenstern, die so oft mit mir spielten.«* Unablässig ist er auf der Suche nach den Gesetzen, nach denen die Natur verfährt und nach denen seiner festen Überzeugung nach auch die alten Künstler verfuhren: *»Nur ist noch etwas anderes dabei, das ich nicht auszusprechen wüßte ...«*

Von Kunsteindrücken fast übersättigt, begibt er sich im Februar 1787 von Rom nach Neapel, und angesichts des Meeres, an dem diese wunderbare Stadt liegt, bekennt er wie aufatmend: *»Die Natur ist doch das einzige Buch, das auf allen Blättern großen Gehalt hat.«* Diese Natur, zu der für ihn das unbeschwerte Existieren des südlichen Volks ebenso gehört wie die *»Ufer, Buchten und Busen des Meeres, der Vesuv, die Stadt, die Vorstädte, die Kastelle, die Lusträume«* , ist nun der Gegenstand weniger des Studiums, das mit Hilfe Tischbeins eher pflichtgemäß absolviert wird, als des beseligten Genusses: *»Wenn man in Rom gern studieren mag, so will man hier nur leben ...«* Beglückt begibt er sich in die Schule des *»leichten und lustigen Lebens«*, geht in Gesellschaft und häufig ins Theater und fragt sich, ob er eigentlich jetzt »toll« oder ob er es nicht vielmehr früher gewesen sei. Doch unter der heiter bewegten Oberfläche dieser rund fünf neapolitanischen Wochen wachsen die sich bildenden Ideen in aller Stille weiter. Auf einem der letzten Spaziergänge am Meer kommt ihm »*eine gute Erleuchtung über botanische Gegenstände*« der Gedanke an die Urpflanze begleitet ihn offenbar ständig, und im öffentlichen Garten von Palermo, in dem er, inzwischen zu Schiff nach Sizilien gereist, viele Stunden verbringt, gewinnt diese Idee immer deutlicheren Umriß: »*Woran würde ich sonst erkennen, daß dieses oder jenes Gebilde eine Pflanze sei, wenn sie nicht alle nach einem Muster gebildet wären?*« Sizilien erscheint ihm als ein Paradies, ohne das Italien »*gar kein Bild in der Seele macht ... hier ist erst der Schlüssel zu allem*« wobei charakteristischerweise unter diesem »allem« nicht die klassische Kunst, sondern die klassische Natur verstanden wird. Die gewaltigen Reste griechischer Kunst befremden ihn eher, als daß sie ihn überwältigen. Erst wenn sich ein Bauwerk, wie der Concordia-Tempel in Girgenti, der sich zu denen von Paestum »*wie Göttergestalt zum Riesengebilde*« verhält, »*unserm Maßstab des Schönen und Gefälligen nähert*«, fühlt er sich vertraut berührt. Als eigentlich griechisch erlebt er vor allem die Landschaft, die ihn zur *Odyssee* greifen läßt und die er mit deren Gestalten bevölkert. Der Nausikaa-Stoff taucht auf, doch die »*dichterischen Träume*« werden von dem »*anderen Gespenst*«, das ihm nachschleicht, der Urpflanze, immer wieder verdrängt. Aus Neapel, wohin er Mitte Mai noch einmal kurz zurückkehrt, schreibt er an HERDER, daß er »*dem Geheimnis der Pflanzenzeugung und Organisation ganz nahe*« sei und damit einem Gesetz, das sich »*auf alles Lebendige anwenden lassen*« werde.

Der Abschied von Neapel macht ihm »*einige Pein*«. Doch bald sieht er sich in Rom durch die »*Anschauung*« der nach Raffaels Kartonen gefertigten Teppiche »*wieder in den Kreis höherer Betrachtungen zurückgeführt*«. Aber das reine Betrachten genügt ihm nicht mehr, er schämt sich des »*Kunstgeschwätzes*«, denn »*es kommt nicht aufs Denken, es kommt aufs Machen an*«. Eine Zeit intensivsten Zeichenstudiums beginnt, nichts soll ihm mehr bloßer Begriff oder Name bleiben, und »*ohne Nachahmung ist dies nicht möglich*«. Die Künstler, mit denen er verkehrt, außer Angelica Kauffmann vor allem der Schweizer Heinrich Meyer, der ihn »*in das eigentliche Machen initiiert*«, deuten ihm »*die rechte Methode*« an. Er gewinnt die Überzeugung, daß »*weit mehr Positives, das heißt Lehrbares und Überlieferbares, in der Kunst* [ist], *als man gewöhnlich glaubt*«. Er arbeitet beharrlich und intensiv, vor allem »*das Studium der Menschengestalt*« hat es ihm angetan, und er ist so überzeugt, daß mit ihm wieder »*eine neue Epoche*« angehe und daß er den Prozeß des Erzogenwerdens, der auf den des Neugeborenwerdens folgte, nicht, ohne schweren Schaden zu nehmen, abbrechen dürfe, daß er am 11. August 1787 den Seinen kurz und entschieden mitteilt: »*Ich bleibe noch bis künftige Ostern in Italien. Ich kann jetzt nicht aus der Lehre laufen*« - ein Entschluß, der, wie die nun immer wieder auftauchenden Rechtfertigungen und fast demütigen Bitten um Verständnis beweisen, zu Hause nicht ohne Befremden aufgenommen wurde. Er tröstet die Weimarer Freunde mit Ankündigungen auch des reichen literarischen Ertrags, den er in Rom sammelt, und tatsächlich werden Neubearbeitungen von *Erwin und Elmire*, *Claudine von Villa Bella* und schließlich der *Egmont* auf die Reise über die Alpen geschickt. Doch es wirkt wie eine Verteidigung seiner Ab- und Umwege, wenn er schreibt, »*daß ich zeichne und die Kunst studiere, hilft dem Dichtungsvermögen auf, statt es zu hindern: denn schreiben muß man nur wenig, zeichnen viel*«. Wie ernsthaft er sich in der römischen Zeit den Bildkünsten verschrieben hat, machen gerade diejenigen Briefstellen aus den letzten Monaten des römischen Aufenthalts deutlich, in denen er resigniert zu der Erkenntnis kommt, daß er »*zur bildenden Kunst zu alt*« sei. Positiver ausgedrückt, heißt das: »*Täglich wird mir's deutlicher, daß ich eigentlich zur Dichtkunst geboren bin ... Von meinem längeren Aufenthalt in Rom werde ich den Vorteil haben, daß ich auf das Ausüben der bildenden Kunst Verzicht tue.*«

Der Ring ist geschlossen; als einer, der sich auf der anderthalbjährigen Reise weniger gewandelt als gefunden hat, wird er in die Heimat zurückkehren ob mit so fröhlichem Herzen, wie er es in den Briefen oft angekündigt hat, darf füglich bezweifelt werden bei einem, dem der Abschied von Rom das Wort eingibt: »*In jeder großen Trennung liegt ein Keim von Wahnsinn, man muß sich hüten, ihn nachdenklich auszubrüten und zu pflegen.*« Sicher ist in diesem Gefühl, sich von dem Erlebnis Italien distanzieren zu müssen, um danach in Weimar überhaupt weiterleben zu können, einer der Gründe dafür zu suchen, daß Goethe erst zwanzig Jahre später daranging, seine Aufzeichnungen für die Veröffentlichung zu bearbeiten. Vom Zauber der unmittelbaren Berichte eines Hingerissenen haben die ersten beiden Teile trotz der Reinigung vom Allerpersönlichsten weit mehr bewahrt als der dritte, erst 1829 abgeschlossene Teil, der außer der Korrespondenz des noch nicht Vierzigjährigen auch zahlreiche gemessen und gravitätisch sich gebende »Berichte« des alten Mannes über den zweiten römischen Aufenthalt und einige teilweise schon selbständig veröffentlichte Kapitel enthält, wie die liebevolle Schilderung des »humoristischen Heiligen« Philipp Neri und die detaillierte und nachdenkliche Beschreibung des römischen Karnevals als eines Festes, »*das dem Volk nicht eigentlich gegeben wird, sondern das sich das Volk selbst gibt*«. Der Freundschaft und der zahlreichen Gespräche mit Karl Philipp Moritz »*ein seltsames Gefäß, das, immer leer und inhaltsbedürftig, nach Gegenständen lechzte, die er sich aneignen könnte*« wird in einer kurzen Betrachtung über *Moritz als Etymolog* und durch Einfügung von Abschnitten aus dessen Abhandlung *Über die bildende Nachahmung des Schönen* gedacht. Ein »*zartes Verhältnis*« mit einer »*schönen Mailänderin*«, das die beiden »*nur halbbewußt Liebenden*« einander erst in einem »*lakonischen Schlußbekenntnis*« eingestehen, wird wahrscheinlich eben deshalb von weniger unverfänglichen Liebeserlebnissen ist in der *Italienischen Reise* nie die Rede gewürdigt, fast zur Novelle stilisiert den *Zweiten römischen Aufenthalt* zu beschließen. Den eigentlichen Abschied vom nächtlichen, mondbeschienenen Rom faßt der Dichter statt in eine »*eigene Produktion*« in die herrlichen Verse OVIDS, die er in deutscher und lateinischer Sprache ans Ende des Werks setzt: »*Wandelt von jener Nacht mir das traurige Bild vor die Seele ...* « In einer früheren Bearbeitung des Schlusses (von 1817) folgt diesem Zitat noch eine Erläuterung: »*Der schmerzliche Zug einer leidenschaftlichen Seele, die unwiderstehlich zu einer unwiderruflichen Verbannung hingezogen wird, geht durch das ganze Stück. Diese Stimmung verließ mich nicht auf der Reise trotz aller Zerstreuung und Ablenkung ...* «

G. Ue.

AUSGABEN: Stg./Tübingen 1816 (*Aus meinem Leben.*

Zweyter Abtheilung Erster Theil). – Stg./Tübingen 1817 *(Aus meinem Leben. Zweyter Abtheilung Zweyter Theil).* – Stg./Tübingen 1829 (in *Werke*, AlH, 60 Bde., 1827–1842, 27–29). – Stg. 1862, Hg. Ch. Schuchardt. – WA, I, 30/31. – JC, 26/27. – Lpzg 1925, Hg. G.-Nationalmuseum, Weimar. – Bln. 1944, Hg. G. v. Graevenitz, 3 Bde. – AA, 11. – HA, 11. – Hbg. 1951, Hg. v. Einem. – Mchn. 1960, Hg. G. Mardersteig. – Bln. 1962, Hg. u. Nachw. H. Mayer.

LITERATUR: Vgl. H. Pyritz, *G.-Bibliographie*, Heidelberg 1965, S. 773–775. – J. R. Haarhaus, *Auf G.s Spuren in Italien*, 3 Bde., Lpzg. 1896/97. – H. Wölfflin, *G.s »Italienische Reise«. Festvortrag* (in JbGG, 12, 1926, S. 325–337; ern. in *Spiegelungen G.s in unserer Zeit*, Hg. H. Mayer, Wiesbaden 1949, S. 325–336). – M. Gerhard, *Die Redaktion der »Italienischen Reise« im Lichte von G.s autobiographischem Gesamtwerk* (in FDH, 1930, S. 131–150; ern. in M. G., *Leben im Gesetz*, Bern/Mchn. 1966, S. 34–51). – L. Curtius, *G. u. Italien* (in Die Antike, 8, 1932, S. 183–200). – K. Viëtor, *G. in Italien* (in GR, 7, 1932, S. 123–129). – R. Michéa, *Le »Voyage en Italie« de G.*, Paris 1945 [m. Bibliogr.]. – F. Usinger, *Gedanken zu G.s »Italienischer Reise«* (in F. U., *Geist u. Gestalt*, Darmstadt 1948, S. 32–51). – F. Blättner, *G.s »Italienische Reise« als Dokument seiner Bildung* (in DVLG, 23, 1949, S. 449–471). – A. R. Schultz, *G. and the Literature of Travel* (in JEGPh, 48, 1949, S. 445–468). – H. Mayer, *G.s »Italienische Reise«* (in SuF, 12, 1960, S. 235–261).

DIE LEIDEN DES JUNGEN WERTHERS. Roman von Johann Wolfgang von GOETHE (1749 bis 1832), erschienen 1774; eine zweite, überarbeitete Fassung, in der stilistische Modeerscheinungen der Sturm-und-Drang-Epoche (etwa die starke Flexion des Eigennamens im Titel) getilgt sind, veröffentlichte Goethe 1787. – Noch im dreizehnten Buch von *Dichtung und Wahrheit* erinnert sich Goethe ärgerlich jener neugierigen Frager, die, zur *»unleidlichen Qual«* des Autors, am *Werther »sämtlich ein für allemal«* nichts anderes interessierte, als *»was denn eigentlich an der Sache wahr sei«*. In der Tat lassen sich die zum Roman verwobenen autobiographischen Fakten nachträglich nur noch gewaltsam, und ohne nennenswerten Gewinn für das Verständnis des Werkes selber, entflechten. Im Sommer 1772 praktizierte Goethe am Reichskammergericht in Wetzlar. Bei einem Ball im nahegelegenen Volpertshausen lernte er Charlotte Buff und deren Verlobten, den hannoverschen Gesandtschaft sekretär Johann Christian Kestner kennen. Goethe warb stürmisch um Lotte, doch wußte diese, einer Tagebuchnotiz Kestners zufolge, den verliebten Dichter *»kurz zu halten«*. Im September reiste Goethe ohne Abschied zurück nach Frankfurt. Unterwegs machte er Station bei Sophie von LA ROCHE, zu deren sechzehnjähriger Tochter Maximiliane er eine spontane Neigung faßte. Am 30. Oktober desselben Jahres erschießt sich in Wetzlar, mit von Kestner *»zu einer vorhabenden Reise«* entliehenen Pistolen, der braunschweigische Legationssekretär Carl Wilhelm Jerusalem, den Goethe auf jenem Ball in Volpertshausen persönlich kennengelernt hatte. Motiv dieses Selbstmords, der großes Aufsehen erregte, war die unglückliche Liebe zu einer verheirateten Frau. Bei Goethe *»schoß«* auf diese Nachricht hin – Kestner berichtete in einem Brief den Vorgang äußerst detailliert – das autobiographische Material *»von allen Seiten zusammen und ward eine solide Masse«*. Den letzten Anstoß zur Niederschrift des Romans gaben wohl Erlebnisse (Januar/Februar 1774), im Hause des Frankfurter Kaufmanns Peter Brentano (Albert, Werthers Gegenspieler, trägt dessen Züge), der inzwischen die zwanzig Jahre jüngere Maximiliane von La Roche geheiratet hatte (Lotte im *Werther* hat ihre *»blauen Augen«*). Nach heftigen Zusammenstößen mit Brentano begab Goethe sich in strengste Isolation und schrieb *»in vier Wochen«* (Februar/März 1774) seinen Roman nieder, *»ohne daß ein Schema des Ganzen, oder die Behandlung eines Teils irgend vorher wäre zu Papier gebracht gewesen«*. Werther versucht seinem Freund Wilhelm in Briefen (datiert 4. Mai 1771 – 23. Dez. 1772) die Erfahrung einer überwältigenden inneren Befreiung mitzuteilen, die in einem gleichsam religiösen Naturgefühl und einer schwärmerisch unbedingten Liebe sich manifestiert, durch die bürgerlichen Verhältnisse aber, in denen er zu leben gezwungen ist, umschlägt in Unfreiheit und zur Fessel wird, die einzig der Tod zu lösen vermag. Werther erfährt die *»unaussprechliche Schönheit«* der *»paradiesischen Natur«*, von der die kleine, »unangenehme« Stadt, in der er sich aufhält, umgeben ist, als Ausdruck eines Unendlichen, an dem sein eigenes empfindendes Ich partizipiert. Die Briefform des Romans erlaubt es, den Leser durch suggestive Anreden zum Vertrauten Werthers zu machen. Das mystische Einswerden von Ich und Natur soll, wie in Goethes gleichzeitiger Erlebnislyrik, atmosphärisch vermittelt werden, so, daß das Lebendige der gelebten Erfahrung im schriftlich Fixierten gleichsam noch nachzittert. Dank dieser äußersten Anstrengung, sprachlich die Ausdrucksskala seelischer Vorgänge zu erweitern, wird Goethes *Werther »für Deutschland der Beginn der modernen Prosa«* (E. Trunz). Goethe übertrifft seine englischen Vorbilder (RICHARDSON, GOLDSMITH) insofern, als er das *»Problem der Verständigung«* auch von der Form her zum *»zentralen Gegenstand«* (V. Lange) seines Romans macht. Wo immer auch Werther emphatisch, in rhythmisierter Prosa die Identität von Ich und Natur feiert, seine Sprache bleibt im Bann eines Unversöhnten, eines Nicht-Identischen. Der weitgeschwungene, die Bewegung des Sichnäherns rhythmisch nachbildende Wenn-Dann-Satz des Briefes vom 10. Mai stellt diesen Bruch exemplarisch dar: *»Wenn«* Werther die *»Gegenwart des Allmächtigen«* lebendig fühlt und die *»Wonne eines einzigen großen herrlichen Gefühls«* ihn trunken macht, *»dann«* stellt sogleich das quälende Bewußtsein sich ein, dieses Glück nicht mitteilen und also nicht verallgemeinern zu können. Was – *»so voll, so warm«* – Besitz der Erfahrung ist, bleibt rein private, exaltierte Empfindsamkeit, die, anstatt gesellschaftliche Energie zu werden, den einzelnen von der Gesellschaft isoliert. Nur scheinbar harmonisiert ist dieser Widerspruch in den genrehaft-idyllischen Szenen an der Brunnengrotte vor der Stadt, wo die Mädchen Wasser holen, oder in jenem Wirtsgarten, wo Werther die freie Aussicht genießt, »seinen« Kaffee trinkt und »seinen« Homer dazu liest. Sobald er unmittelbar mit den Verhältnissen einer Welt in Berührung kommt, wo, der *»Befriedigung des Bedürfnisses«* wegen, *»Einschränkung«* herrscht, akzentuiert sich der latente Konflikt: *»Wenn ich die Einschränkung so ansehe, in welche die tätigen und forschenden Kräfte des Menschen eingesperrt sind ... (so) kehre (ich) in mich selbst zurück und finde eine Welt! Wieder* *mehr in Ahndung und dunkler Begier als in Darstellung und lebendiger Kraft!«* Die Kräfte der emanzipierten Phantasie, in der das Potential des Menschlichen sich reich zu entfalten vermöchte, bleiben von praktischer Tätigkeit abgeschnitten. Resignation befällt Werther, wenn er sieht, »*wie artig jeder Bürger, dems wohl ist, sein Gärtchen zum Paradies zurechtzustutzen weiß*« und, nur um seine Ruhe zu haben, gerne auf das verzichtet, was möglich wäre. Als Trost blitzt bisweilen schon der Gedanke auf, »*daß er diesen Kerker verlassen kann, wann er will*«. – Werthers Konflikt nimmt konkrete Gestalt an, als er bei einem »*Ball auf dem Lande*« Lotte kennenlernt. Zwar warnt man ihn, Lotte sei »*schon vergeben*«; doch auf solche »Vernunft« zu hören, wo »*das Herz spricht*«, schiene ihm ein Sakrileg. Lottes Gegenwart versetzt ihn, wie zuvor die Natur, in einen besinnungslosen Glückstaumel, der wiederum mit einem Realitätsverlust erkauft wird: »*... die ganze Welt verliert sich um mich her.*« Werther lebt »*wie im Traume*«. Als nach einem Gewitter der Regen erlösend auf die umliegenden Felder niederströmt, tritt Werther mit Lotte ans Fenster des Gasthauses. Das Unaussprechliche ihrer gemeinsamen Erfahrung artikuliert sich spontan in der Namensnennung jenes Lyrikers, der in Deutschland die Sprache der Empfindsamkeit inaugurierte: »*... sie sah gen Himmel und auf mich, ich sah ihr Auge tränenvoll, sie legte ihre Hand auf die meinige und sagte: ›Klopstock!‹ Ich versank in dem Strome der Empfindungen, den sie in dieser Losung über mich ausgoß. Ich ertrugs nicht, neigte mich auf ihre Hand und küßte sie unter den wonnevollsten Tränen.*« Virtuos setzt Goethe die – im pietistischen Schrifttum beliebte – Metaphorik des Wassers (z. B. »versinken«, »Strom«, »ausgießen«) ein, um subtile seelische Regungen einzufangen. Überhaupt ist eine kompilatorische Tendenz, »*das Einschmelzen von verfügbaren dichterischen Formen in einen neuen Erzählzweck*« (V. Lange), für den Stil dieses Romans bezeichnend.

Ein Schatten fällt auf Werthers Glück, als Albert, Lottes Verlobter, zurückkehrt. Was zuvor »*Glückseligkeit*« bedeutete, wird nun zur »*Quelle seines Unglücks*«. Zwar ist Albert, dessen »*Ordnung und Emsigkeit in Geschäften*« stadtbekannt ist, »*ein braver, lieber Kerl ... dem man gut sein muß*«; aber Werthers Leidenschaft für Lotte ist zu fordernd, und Albert verkörpert zu sehr das Prinzip bürgerlicher Lebensrationalität, als daß eine herzliche Beziehung zwischen beiden sich bilden könnte. Der Gegensatz tritt offen zutage, als Werther in einem Gespräch leidenschaftlich für die Legitimität des Selbstmords plädiert, was Albert als unmoralisch verwirft. Jedem, so meint Werther, sei das »*Maß seines Leidens*« von der Natur zugemessen; werde dies Maß überschritten, so verwandle sich das Leiden in »*Krankheit zum Tode*«. Der Selbstmord wird als eine durch äußeren Druck hervorgebrachte Abart des »natürlichen« Todes begriffen und somit unter die Naturrechte des Menschen eingereiht. Um seiner unerträglichen Lage ein Ende zu machen, beschließt Werther, Lotte und Albert ohne Abschied für immer zu verlassen. – In seiner neuen Umgebung, fern von Lotte, fühlt Werther sich bald wie im »*Käfig*«. Die Engstirnigkeit seiner Vorgesetzten und die »*Rangsucht*« seiner Kollegen verbittern ihn zutiefst; was ihn aber »*am meisten neckt, das sind die fatalen bürgerlichen Verhältnisse*«, die dem einzelnen seine Freiheit nur um den Preis der Verarmung und Verödung des Daseins zugestehen: »*Wie ausgetrocknet meine Sinne ... nicht Einen Augenblick der Fülle des Herzens, nicht Eine selige, tränenreiche Stunde! Nichts! Nichts!*« Der skandalöse Vorfall, als Bürgerlicher aus einer adligen Tischgesellschaft verwiesen zu werden, ist ihm willkommener Anlaß, zu demissionieren. Nach einer »*Wallfahrt*« an die Stätten seiner Kindheit treibt es ihn zurück in die Nähe Lottes. Sprunghaft steigert sich nun seine Eifersucht, als er Albert in immergleicher »*Sattheit*« und »*Gleichgültigkeit*« wiederfindet: »*Zieht ihn nicht jedes elende Geschäft mehr an als die teure, köstliche Frau?*« Nicht mehr der heitere Homer, Ossians düstere Gesänge von schuldloser Schuld und heroischem Sterben sind von nun an seine bevorzugte Lektüre. Zwei eingefügte Episoden, die im dramatischen Aufbau des Romans retardierend wirken und zugleich vorausweisen auf die bevorstehende Katastrophe, deuten mögliche Auswege an: Wahnsinn oder Mord. (Die Episode vom Bauernburschen, der aus verschmähter Liebe seinen Rivalen ermordet, wird von Goethe erst nachträglich, in der Fassung von 1787, eingefügt.) – Als Werthers Verzweiflung diesen extremen Grad erreicht hat, schaltet sich der fiktive Herausgeber ein, um fortan die »*Briefe durch Erzählungen*« zu ergänzen. Der stakkatoartige Wechsel von dramatischen Verzweiflungsmonologen und distanziertem epischem Bericht gibt dem Romanfinale ein mitreißendes Stringendo. Die »Gemüter« der Beteiligten »*verhetzen sich immer mehr gegeneinander*«. Ein letztes Mal besucht Werther, schon entschlossen, »*sein Maß auszuleiden*« und »*diese Welt zu verlassen*«, Lotte – in Abwesenheit Alberts. Wieder stellt sich, als Werther eine längere Passage aus seiner Ossian-Übertragung vorliest, – im Medium der Dichtung – ein Gleichklang des Empfindens her, aber dieses Mal mit tragischem Akzent: »*... die Bewegung beider war fürchterlich. Sie fühlten ihr eigenes Elend in dem Schicksal der Edlen, fühlten es zusammen und ihre Tränen vereinigten sie.*« Werther umarmt Lotte leidenschaftlich, küßt sie und »*wirft sich vor ihr nieder*«; sie jedoch reißt sich los, flüchtet ins Nebengemach und schließt sich ein. Noch in derselben Nacht beendet Werther den seit langem begonnenen Abschiedsbrief an Lotte, entleiht bei Albert – »*zu einer vorhabenden Reise*« – ein Paar Pistolen, legt jene Kleider an, die er in der ersten Ballnacht mit Lotte getragen hatte, und erschießt sich, am Schreibtisch sitzend.

»*Die Wirkung des Büchleins*«, notiert Goethe rückblickend in *Dichtung und Wahrheit* »*war groß, ja ungeheuer ... weil es genau in die rechte Zeit traf.*« Das Werther-Schicksal wurde von einer ganzen Generation, die sich in dieser Romanfigur wiedererkannte, begierig aufgegriffen als Gebärde des Protests und der Selbstdarstellung. Goethe führt die »*Grille des Selbstmords*«, die sich »*in jenen herrlichen Friedenszeiten*« bei einer »*müßigen Jugend*« – auch bei ihm selbst – »*eingeschlichen*« hatte, zurück auf einen »*Mangel an Taten*«. Er selbst rettete sich durch die »Komposition« des Romans aus dem »*stürmischen Elemente*«. *An Werther*, das erste Gedicht der *Marienbader Elegie* (1827), beschwört noch einmal, aus distanzierter Rückschau, den »*vielbeweinten Schatten*« als Gleichnis für eine mit dem Leben selbst gesetzte Tragik. – Der Roman brachte eine Flut von Bühnenbearbeitungen, Parodien (*Die Freuden des jungen Werther* von NICOLAI ist eine der bekanntesten) und Imitationen hervor; auch an literarischer Nachkommenschaft (vgl. *Ultime lettere di Jacopo*

Ortis von Ugo FOSCOLO; *Obermann* von Étienne Pivert de SENANCOUR; *Manfred* von Lord BYRON) fehlt es nicht. Man parfümierte sich mit »Eau de Werther«, fand Werther-Nippes dekorativ, eine Epidemie »stilechter« Werther-Selbstmorde ist zu verzeichnen, und die Werther-Mode schrieb vor: blauer Frack mit Messingknöpfen, gelbe Weste, braune Stulpenstiefel, runder Filzhut und ungepudertes Haar. – Der Konflikt mit der Gesellschaft, den Goethes Roman registriert, wird, nach dem Scheitern der Französischen Revolution, ins 19. Jh. weitergeschleppt und beherrscht, unter der qualitativ verschärften Form des »Weltschmerzes«, die europäische Literatur noch fast bis zur Jahrhundertmitte. D. Bar.

AUSGABEN: Lpzg. 1774, 2 Tle. [1. Fassg.]. – Lpzg. 1787 (in *Schriften*, 8 Bde., 1787–1790, 1; 2. Fassg.). – Stg./Tübingen 1828 (in *Werke*; AlH, 60 Bde., 1827–1842, 16; 2. Fassg.). – WA, I, 19. – JC, 16. – Lpzg. 1907 [Faks. der Erstausg.]. – HA, 6. – AA, 4. – Weimar 1960, Hg. J. Müller [1. Fassg.]. – Ffm. 1967, Hg. u. Einl. W. Migge, 2 Bde. [m. Erläuterungsbd.].

VERTONUNG: J. E. F. Massenet, *Werther* (Text: E. Blau; Oper; Urauff.: Weimar 1891).

VERFILMUNGEN: *Werther*, Frankreich 1910 (Regie: A. Calmettes). – *Werther*, Frankreich 1938 (Regie: M. Ophüls). – *Begegnung mit Werther*, Deutschland 1949 (Regie: K. H. Schroth).

LITERATUR: Vgl. *G.-Bibliographie*, Hg. H. Pyritz, Heidelberg 1955, S. 738–748. – G. Rieß, *Die beiden Fassungen von G.s »Die Leiden des jungen Werther«. Eine stilpsychologische Untersuchung*, Breslau 1924. – E. Feise, *G.s Werther als nervöser Charakter* (in GR, 1, 1926, S. 185–253; auch in E. F., *Xenion. Themes, Forms, and Ideas in German Literature*, Baltimore 1950, S. 1–65). – H. Schöffler, *»Die Leiden des jungen Werther«. Ihr geistesgeschichtlicher Hintergrund*, Ffm. 1938 (Wissenschaft u. Gegenwart, 12; auch in H. S., *Dt. Geist im 18. Jh. Essays zur Geistes- u. Religionsgeschichte*, Hg. G. v. Selle, Göttingen 1956, S. 155–181). – E. Beutler, *Wertherfragen* (in Goethe, 5, 1940, S. 138–160). – W. Kayser, *Die Entstehung von G.s »Werther«* (in DVLG, 19, 1941, S. 430–457; auch in W. K., *Kunst u. Spiel. Fünf G.-Studien*, Göttingen 1961, S. 5–29). – G. Lukács, *»Die Leiden des jungen Werther«* (in G. L., *G. u. seine Zeit*, Bern 1947, S. 17–30). – S. P. Atkins, *The Testament of »Werther« in Poetry and Drama*, Cambridge/Mass. 1949 (Harvard Studies in Comparative Literature, 19). – H. Meyer, *G. Das Leben im Werk*, Hbg. 1950, S. 142–160. – G. Fricke, *G. and »Werther«* (in *G. on Human Creativeness and Other G. Essays*, Hg. R. King, Athens/Georgia 1951, S. 29–75; auch in G. F., *Studien u. Interpretationen. Ausgewählte Schriften zur deutschen Dichtung*, Ffm. 1956. S. 141–167). – Staiger, 1, S. 147–173. – Th. Mann, *G.s »Werther«* (in Th. M., *Altes u. Neues. Kleine Prosa aus fünf Jahrzehnten*, Ffm. 1953, S. 198–214). – G. Storz, *Der Roman »Die Leiden des jungen Werther«* (in G. S., *G.-Vigilien oder Versuche in der Kunst, Dichtung zu verstehen*, Stg. 1953, S. 19–41). – F. E. Prinz, *»Werther« u. »Wahlverwandtschaften«. Eine morphologische Studie*, Diss. Bonn 1954. – H.-E. Haß, *»Werther«-Studien* (in *Gestaltprobleme der Dichtung. G. Müller zum 65. Geburtstag*, Hg. R. Alewyn, H.-E. Haß u. C. Heselhaus, Bonn 1957, S. 83–125). – A. Hirsch, *»Die Leiden des jungen Werther«. Ein bürgerliches Schicksal im absolutistischen Staat* (in EG, 13, 1958, S. 229–250). – E. Merker u. a., *Wörterbuch zu G.s »Werther«*, Bln. 1958–1966 [7 Lfgn.]. – H. Reiss, *G.s Romane*, Bern/Mchn. 1963, S. 14–71. – W. Grenzmann, *»Die Leiden des jungen Werther«. Interpretation* (in W. G., *Der junge G. Interpretationen*, Paderborn 1964, S. 52–61). – V. Lange, *Die Sprache als Erzählform in G.s »Werther«* (in *Formenwandel. Fs. zum 65. Geburtstag von P. Böckmann*, Hg. W. Müller-Seidel u. W. Preisendanz, Hbg. 1964, S. 261–272). – P. Müller, *Zeitkritik u. Utopie in G.s Roman »Die Leiden des jungen Werther«. Analyse zum Menschenbild der Sturm- u. -Drang-Dichtung G.s*, Diss. Bln. 1965. – H. A. Korff, *Geist der Goethezeit*, Bd. 1, Lpzg. [8]1966, S. 296 bis 307.

MÄHRCHEN, zur Fortsetzung der Unterhaltungen deutscher Ausgewanderten von Johann Wolfgang von GOETHE (1749–1832), erschienen 1795 in SCHILLERS Zeitschrift ›Die Horen‹. – Von allen in die Rahmenhandlung der *Unterhaltungen* eingestreuten Erzählungen trägt nur diese letzte einen eigenen Titel. Die reine Gattungsbezeichnung weist – darin Goethes *Novelle* vergleichbar – darauf hin, daß hier der Gattungstypus »Märchen« exemplarisch gestaltet werden sollte, und läßt somit schon etwas von der poetologischen Bedeutung ahnen, die dem *Märchen* im Zusammenhang der *Unterhaltungen* zukommt. Die vorausgehenden Erzählteile steigern sich von anekdotenhaften, für sich allein belanglosen Geschichten, die nur die Spannung und das Interesse der Zuhörer erregen sollen, über moralische Erzählungen, deren sittlicher Gehalt auf das Publikum bildend wirken soll, bis hin zum Märchen, dem »Produkt der Einbildungskraft«, mit dem die *Unterhaltungen »gleichsam ins Unendliche auslaufen«* (Goethe an Schiller am 17. 8. 1795). Das Geschehen in der naiven und zugleich höchst bedeutsamen Welt des Märchens ist der Kulminationspunkt dieser Entwicklung, und nur in diesem Bildungsprozeß offenbart sich das Geheimnis des *Märchens*.

Bilder und Szenen verbinden sich zu einem Geschehen, dessen Realität die des Traumes ist: Landschaft und Personen erscheinen mit der Selbstverständlichkeit von Altbekanntem (»der große Fluß«, »der alte Fährmann«, »zwei große Irrlichter« usw.). Die Gesetze der Natur haben keine Gültigkeit, aber es herrscht eine für alle gleichermaßen verbindliche Gesetzmäßigkeit, es gelten bestimmte Regeln und die Bedingtheit eines irreversiblen Ablaufs der Zeit. Diese Gesetzmäßigkeit, die nicht der Natur folgt, rührt von einer bösen Verzauberung, die auf allen lastet: Die schöne Lilie ist unglücklich, durch ihre Berührung wird alles Lebendige getötet; der junge Königssohn ist durch ihren Blick aller Kraft und Herrschaft beraubt und irrt ziellos umher. Lilies Reich diesseits des Flusses ist in reiner Schönheit erblüht, aber ihm fehlt das Leben; seine Pflanzen können keine Früchte tragen. Die Verbindung zum jenseitigen Ufer ist nur unter gewissen Voraussetzungen gewährleistet: allein in der Mittagszeit auf dem Rücken der Schlange oder nur am Abend auf dem Schatten des Riesen oder im Kahn des Fährmanns, der freilich nur in einer Richtung – nämlich fort von Lilies Reich – übersetzen darf. Ein Tempel auf der anderen Seite des Flusses ist unter der Erde mitten in natürlichen Felsen erbaut und somit dem Zugang der Welt entzogen. Seine Mauern beherbergen die Statuen von vier Königen: Der erste aus reinem Gold, der zweite aus Silber, der dritte aus Erz und ein vierter aus diesen drei Materialien kunstlos zusammengesetzt. In diesem Tempel fällt die erste Andeutung über das nahe Ende des Bannes; aus dem Mund des Alten mit der Lampe, dem die leuchtende Schlange das »offenbare Geheimnis« mitgeteilt hat, kommt zum ersten Mal das verheißungsvolle *»Es ist an der Zeit«*. Die Zeit der Erlösung naht, doch diese Erlösung, auf die alle Hoffnungen gerichtet sind, weil sie das neue Leben und die Auflösung aller Paradoxa bewirken wird, kann nicht das Werk eines einzelnen und nicht das Ergebnis eines Augenblicks sein, sondern erst das Zusammenwirken aller Kräfte, die sinnvolle Organisation jedes einzelnen im Ganzen, begünstigt von der »rechten Stunde«, schaffen die Voraussetzung für die Opfertat der Schlange, die dann endlich die ersehnte Erlösung bringen wird. Doch noch ist nicht alles Unglück ausgestanden. Die Frau des Alten mit der Lampe muß immer mehr um ihre rechte Hand fürchten, denn seit sie sich mit dieser Hand dem Fluß gegenüber verbürgt hat, eine alte Fährschuld der Irrlichter in Form von Früchten der Erde abzutragen, war sie bei der Berührung mit dem Wasser schwarz geworden und schwindet nun mehr und mehr. Auf dem Weg zu Lilie trifft die Frau den unglücklichen Königssohn, die grüne Schlange und die Irrlichter haben sich ebenfalls bei der schönen Lilie verabredet: Alles konzentriert sich auf Lilies Reich, und dort auch ist es, wo sich das Unglück zu seinem Höhepunkt steigert. Die Frau trifft Lilie in großer Trauer um ihren Kanarienvogel an; eine Berührung mit ihr hatte ihm das Leben geraubt. Die verheißungsvollen Zeichen mehren sich, und Lilie überhört nicht die Andeutungen der Frau und der Schlange, aber noch sind nicht alle Weissagungen erfüllt. Erst die Verzweiflungstat des traurigen Jünglings, der sich an Lilies Brust stürzt und entseelt zu Boden fällt, ruft den Alten mit der Lampe herbei. Alle sind nun *»zur rechten Stunde vereint«*, und in feierlichem Zug begeben sie sich auf dem Rücken der Schlange auf die andere Seite des Flusses. Dort opfert die Schlange sich selbst auf und schenkt damit dem Jüngling wieder kreatürliches Leben; ihre Überreste aus schönstem Edelstein werden in den Fluß geworfen, und aus ihnen wird sich eine der Weissagungen erfüllen: Eine Brücke wird entstehen, auf der *»Pferde und Wagen und Reisende aller Art zu gleicher Zeit ... herüber- und hinüberwandern sollen«*. Nachdem im Tempel aus dem Munde des Alten zum dritten Mal das bedeutungsvolle *»Es ist an der Zeit«* gefallen ist, bewegt sich der Tempel unter dem Fluß hindurch ans andere Ufer und tritt – an der Stelle der Fährmannshütte, die nach kunstvoller Verwandlung als Altar erscheint – ans Tageslicht; die drei Königsstatuen erheben sich, und damit treten *»die Weisheit, der Schein und die Gewalt«* ihre Herrschaft an; während der vierte König zu einem unförmigen Koloß in sich zusammensinkt, überreichen die drei anderen dem Jüngling die Herrschaftsinsignien; doch erst in der Umarmung mit Lilie, in der Begegnung mit der vierten Macht, mit der »Kraft der Liebe«, erwacht er ganz zum neuen Leben. Der Bann ist gebrochen, die Weissagungen sind erfüllt: Der Tempel steht am Ufer des Flusses, über den vor aller Augen sich eine prächtige Brücke spannt.

Um das *Märchen* und seinen Reichtum an Symbolen und Beziehungen ist seit seinem Erscheinen viel gerätselt worden. Schon Goethes Freunde und Zeitgenossen versuchten sich in Deutungen und baten den Dichter um seine eigene Interpretation, was Goethe jedoch nie zu einer »Erklärung« bewegen konnte, die notwendig eine Zerstörung des kunstvollen Gefüges hätte bedeuten müssen. Vom humanitären Bildungsprozeß bis zum *»nationalpolitischen Glaubensbekenntniß«* (Baumgart, 1873) reicht die Skala der Aspekte, unter denen das *Märchen* in der Art eines allegorischen Schlüsselwerks auszudeuten versucht wurde. Dabei geht jedoch jede Festlegung auf einen bestimmten Sachverhalt oder gar auf eine dezidierte »Aussage« an dem Kunstwerk vorbei. Es soll *»an nichts und an alles«* erinnern, sagt der Alte in seinen einleitenden Worten seinen Zuhörern; »an nichts« in dem Sinne, als es sich jeder spekulativen Ausdeutung widersetzt; »an alles«, insofern in seinen Bildern und Symbolen die Gesamtheit alles Lebens sinnlich wahrnehmbar wird. Goethes *Märchen* stellt den Prozeß organischen Werdens dar, und die *»mehr als zwanzig Personen«*, die *»das Märchen machen«* (*Xenien*, 1796) symbolisieren das Werden der poetischen Form selbst. E. Ke.

Ausgaben: Tübingen 1795 (in Die Horen, 10, S. 108–152). – Tübingen 1808 (in *Werke*, 13 Bde., 1806–1810, 12). – WA, I, 18. – JC, 16. – Lpzg. 1925 (Einl. Th. Friedrich; RUB, 6581–6583). – Ffm. 1946 [Nachw. H. W. Eppelsheimer]. – Freiburg i. B. 1946 [m. einem Aufsatz v. R. Steiner]. – AA, 9 [Nachw. P. Stöcklein]. – HA, 6 [Anm. E. Trunz]. – Stg. 1955, Hg. u. Nachw. R. Treuchler.

Literatur: C. Lucerna, *»Das Märchen«. G.s Naturphilosophie als Kunstwerk*, Lpzg. 1910. – H. Schneider, *»Das Märchen«, eine neu aufgeschlossene Urkunde zu G.s Weltanschauung*, Lpzg. 1911. – K. Albrich, *G.s »Märchen«. Quellen und Parallelen* (in Euph, 22, 1915, S. 482–524). – K. J. Obenauer, *Der faustische Mensch*, Jena 1922, S.10–20. – C. Lucerna, *Studien zu G.s Rätseldichtung »Das Märchen«* (in C. L., *Proteus – G.*, Zagreb 1932, S. 8–26). – M. Diez, *Metapher und Märchengestalt* (in PMLA, 48, 1933, S. 74–99; 488–507; 877–894; 1203–1222). – E. Metman, *Green Snake and Fair Lily*, Ldn. 1946. – F. Hiebel, *G.'s »Märchen« in the Light of Novalis* (in PMLA, 63, 1948, S. 918–934). – Ders., *The Beautiful Lily in G.'s »Märchen«* (in MDU, 41, 1949, S. 171–185). – H. Mayer, *»Das Märchen«. G. und G. Hauptmann* (in Aufbau, 13, 1957, S. 374–392; auch in H. M., *Von G. bis Thomas Mann*, Pfullingen 1959, S. 356–382). – C. Lucerna, *G.s Rätselmärchen* (in Euph, 53, 1959, S. 41–60). – F. Ohly, *Römisches und Biblisches in G.s »Märchen«* (in ZfdA, 91, 1961/62, S. 147–166). – F. Hiebel, *Zur Sinnbildwelt in G.s »Märchen«* (in Antaios, 3, 1961/62, S. 18–28). – C. Lucerna, *Wozu dichtete G. »Das Märchen«?* (in Goethe, 25, 1963, S. 206–219). – B. Tecchi, *Due fiabe di G.* (in Studi Germanici, N. S. 1, 1963, S. 101–130).

DIE NATÜRLICHE TOCHTER. Trauerspiel in fünf Akten von Johann Wolfgang von Goethe (1749–1832), entstanden 1799–1803; Uraufführung: Weimar, 2. 4. 1803, Hoftheater. – Eugenie, die natürliche Tochter eines Herzogs und einer Dame aus der hohen französischen Aristokratie, soll nach dem Tod ihrer Mutter vom Vater legitimiert und mit Zustimmung des Königs in den ihr gemäßen hohen Rang bei Hof eingeführt werden. Er steht ihr nicht nur kraft ihrer Geburt zu: Sie ist nach Erscheinung, Gesinnung, Klugheit und Tapferkeit ein vollendetes Beispiel des Aristokratischen in einer Zeit, da die Ordnung bereits zu wanken beginnt und gerade am Schicksal, das sie dieser edelsten Blüte bereitet, die Korruption der adligen Prinzipien demonstriert. Im Adel hat sich eine Fronde gegen den König gebildet, der des Herzogs Sohn angehört. Die plötzlich auftauchende Schwester muß für ihn eine Beeinträchtigung seines Besitzes und Erbes bedeuten. Eugenie wird von König und Vater auferlegt, ihr Geheimnis bis zur feierlichen Veröffentlichung zu hüten. Sie kann aber der Versuchung nicht widerstehen, sich schon vor der Zeit mit den Attributen ihres fürstlichen Ranges (kostbaren Juwelen, die sie am Tag ihrer Erhöhung tragen soll) zu schmücken, und ist auch taub für die Warnungen ihrer mütterlichen Hofmeisterin, die ihr zum Verzicht auf ihre neue Würde rät. Damit zieht sie ihr Schicksal selber herbei. Der Bruder läßt sie entführen und vor dem verzweifelten Vater für tot erklären; die Hofmeisterin wird, gegen ihren Willen, in die Intrige mit einbezogen. Eugeniens Widerstand, ihre Versuche, an einem fernen Hafen das Verhängnis zu durchbrechen (durch ein Ersuchen beim Gouverneur, durch Bitte um Aufnahme in ein Kloster), scheitern an einem königlichen Schriftstück, das die Hofmeisterin mit sich führt und das Eugeniens Verbannung auf eine einsame Insel dekretiert – in vollkommenem, vom Dichter nicht erklärtem Widerspruch zu der anfänglichen Sympathie des Königs für die Herzogstochter. Vor die Entscheidung gestellt, ihr Leben in unfruchtbarer Isolation, aber im Bewußtsein der Geburt, die sie *»so hoch hinaufgerückt«* hat, und im *»Glanz der Hoffnung«* zu verbringen oder aber die ihr gebotene Hand eines bürgerlichen Mannes zu ergreifen und sich von ihm in der Verborgenheit *»als reinen Talisman«* verwahren zu lassen, wählt sie endlich doch den Verzicht auf alle hochfliegenden Wünsche. Sie will sich der hohen Ahnen würdig erweisen, indem sie unerkannt auf die Gelegenheit wartet, ihrem geliebten Vaterland, dem *»ein jäher Umsturz«* droht, eines Tages mit der Kraft der Versöhnung dienen zu können. *»Denn wenn ein Wunder auf der Welt geschieht, geschieht's durch liebevolle, treue Herzen.«*

Goethe hat alle Personen und Handlungselemente seines Trauerspiels bis in Nebenmotive den *Mémoires historiques* von Stéphanie-Louise de BOURBON-CONTI (1798) entnommen, um im distanzierenden Medium dieser Lektürematerialien *»das schrecklichste aller Ereignisse in seinen Ursachen und Folgen dichterisch zu gewältigen«*. Was damit gemeint ist, geht aus den *Tag- und Jahresheften zu 1803* hervor: *»In dem Plan bereite ich mir ein Gefäß, worin ich alles, was ich so manches Jahr über die Französische Revolution und deren Folgen geschrieben und gedacht, mit geziemendem Ernst niederzulegen hoffte.«* Goethes »geziemender Ernst« äußert sich zunächst in der strengen Kontrapunktik des dramatischen Geschehens: *»Flucht ins Idyll, in eine abgeschlossene, einsame, weltentlegene Sphäre, und gefährlich blendender Schmuck der ›Welt‹ sind die zwei inneren Schwerpunkte des Dramas«* (W. Emrich) – symbolisch entfaltet auf der einen Seite im Bild des beschützenden Kreises und der verborgenen Natur, auf der Gegenseite im Bild des Golds, des Netzes, des Labyrinths und der chaotischen Elemente. Zweitens schlägt sich der »geziemende Ernst« im feierlichen Gleichmaß der hochstilisierten Verssprache nieder; ihr hat Goethe ein ganzes Rankenwerk von Sentenzen, Leitbegriffen, sinnbildlichen Vergleichen eingeformt, das den faktischen Gang der kargen Handlung ständig übergreift und dämpft, ihm jede Eigendynamik, jede unmittelbar dramatische Wirkung nimmt und sich mit dem kontrapunktischen Bezugssystem der Bilder zu einem lückenlosen Motivgeflecht, zu einem streng durchkomponierten Gewebe aufeinanderweisender Symbole zusammenschließt: Die kunstvolle Ordnung der Dichtung erscheint als der äußerst angestrengte, gleichsam statuarische Gegenentwurf zum »Chaos« der Revolution. Diese Kunstform, die des Künstlichen nicht enträt, hat zum Inhalt die Idee entsagender Humanität, eine in Goethes Klassik und seinem Alterswerk zentrale Idee (vgl. u. a. *Iphigenie, Novelle, Wilhelm Meisters Wanderjahre oder die Entsagenden*). Goethe entwickelt sie insbesondere am Motiv des Schmucks (ein Schmuckkästchen spielt eine entscheidende Rolle auch in den *Wanderjahren*, den *Wahlverwandtschaften* und der *Pandora*), das die Vieldeutigkeit seiner beziehungsreichen, symbolisch-allegorischen Gestaltungsweise beispielhaft demonstriert. Er verknüpft das Schmuckmotiv mit dem des Sturzes: Gleich zu Beginn des Dramas stürzt Eugenie mit ihrem Pferd einen steilen Abhang hinunter. Dieser Fall, der Eugenie aus ihrem abgeschirmten idyllischen Dasein in den Glanz und in die Gefahr der politischen Welt hineinreißt, ist zugleich Sinnbild für den »Sündenfall« des Menschen aus dem Paradies in die Geschichte. Der Schmuck, den Eugenie mit ihrem Eintritt in die geschichtlich-politische Welt anlegt, symbolisiert, wie Hans-Egon HASS dargelegt hat, ihren Aufstieg aus der Verborgenheit zu gesellschaftlichem Rang, die Verführbarkeit des »Wesens« durch den Schein, auch das Gefährliche des Daseins in der Öffentlichkeit, eine Gefahr, die sie aller Warnung zum Trotz um des Glückes willen, *»so prächtig ausgerüstet«* zu sein, bewußt auf sich nimmt, um damit doch nur ihr Schicksal, Verbannung und Verborgenheit, zu besiegeln: Es zwingt sie zu jener Entsagung, die freiwillig zu wählen sie nicht bereit war. Eugeniens »Sündenfall« (auf den Apfel der biblischen Geschichte wird ausdrücklich angespielt) besteht darin, die Insignien des Aristokratischen zu einer Zeit für sich in Anspruch zu nehmen, in der dessen Kraft und Würde zerfallen und die Kostbarkeit des Schmucks gerade kein Symbol für das »Wesen«, sondern, wie dieses, bloßer Schein geworden ist. Die Annahme des äußeren Rangs hätte also gerade das wesenhaft Aristokratische, das Eugenie verkörpert, zerstört – in der Verborgenheit nimmt es die ihm einzig noch mögliche Gestalt an.

Diese Idee einer zeitabgeschirmten Entsagung Walter BENJAMIN hat sie gedeutet als Ausdruck des *»Privatmanns, der sein Dasein ängstlich gegen die politischen Erschütterungen rings um sich abzudichten sucht«* – mag speziell in diesem Fall herzuleiten sein aus der Unzulänglichkeit einer anderen zentralen Idee Goethes: seiner Auffassung der Geschichte als Naturgeschichte, seiner Stilisierung des unwiederholbaren historischen Entwicklungsprozesses in die naturgesetzliche Wiederkehr organischer *»allgemeiner Formeln ... ewig unter tausend bunten Veränderungen dieselben«*. Es lag in der Konsequenz seines naturgeschichtlichen Denkens, auch die Schrecken und die scheinbaren Willkürlichkeiten der Revolution als notwendig zu erkennen und die Wechselfälle der Geschichte wie die Phasen zwischen Zerfall und Erneuerung im Reich des Organischen anzusehen. Aber der Zerfall soll das humane »Urbild« nicht zerstören, und die Aufgabe, es zu bewahren, wird vor allem Frauen anvertraut, weil sie *»der Sphäre des Organischen in besonderer*

Weise nahestehen« (J. Kunz). So ist Eugenie dazu ausersehen, den im Brüchigwerden der aristokratischen Gesinnung und Solidarität sich ankündigenden Untergang der alten Ordnung zu überdauern und deren Bestes in die neue Form hinüberzuretten. Diese ausgleichende Vermittlung sollte ursprünglich durch eine Trilogie geleistet werden; Goethe hat jedoch nur deren ersten Teil – eben die vorliegende Exil-Tragödie Eugeniens – ausgeführt. Als Zelter den Freund im Jahre 1831 zur Vollendung mahnt, antwortet er: *»An ›Die natürliche Tochter‹ darf ich gar nicht denken, wie wollte ich mir das Ungeheure, das da gerade bevorsteht, wieder gerade ins Gedächtnis zurückrufen.«* In seiner Theorie, derzufolge auch der Organismus der menschlichen Gesellschaft dem Gesetz der Verwandlung, des Sterbens und Geborenwerdens, untersteht, hätten auch die gewaltigen Wertverschiebungen Platz finden müssen. Aber die Ahnung, daß die sittlichen Kräfte, die seine Welt bestimmt hatten, diese Metamorphose nicht zu leisten vermochten, scheint das Gefühl der Ohnmacht in ihm ausgelöst zu haben, das ihn hinderte, das ganze Ausmaß der Revolution als naturhafte Systole und Diastole zu begreifen und darzustellen. So sehr erfuhr Goethe die Revolution als persönliche Erschütterung, so sehr entzog sie sich, die *»millionfache Hydra der Empirie«*, einer Darstellung in naturgeschichtlichen Kategorien, daß er sie nur mittelbar, unter äußerster Abstraktion, aus realitätsferner Distanz gleichsam, zur Anschauung brachte – in Gestalt eines anonymen Verhängnisses, das allen Figuren die Entscheidungsfreiheit nimmt. Jeder sieht sich in den Bann der Notwendigkeit geschlagen, unterworfen einer allgegenwärtigen, mit Intrigen durchsetzten Unordnung, deren realgeschichtliche, ökonomisch-politische Voraussetzungen nicht aufgedeckt werden und die daher als geheimnisvoll »Waltendes« eine ungreifbare und undurchschaubare Macht über die Personen gewinnt. Vor dieser Macht auszuweichen durch die Flucht in die zeitabgewandte individuelle Verhaltensform der Entsagung bot sich Goethe als die einzige, geschichtlich ohnmächtige Lösung an: *»Im Hause, wo der Gatte sicher waltet, / Da wohnt allein der Friede, den vergebens / Im Weiten du, da draußen, suchen magst. / Unruh'ge Mißgunst, grimmige Verleumdung, / Verhallendes, parteiisches Bestreben, / Nicht wirken sie auf diesen heil'gen Kreis!«*

Es zeugt von Goethes Takt für Fragen der Gattungspoetik, wenn er sein Drama denn auch nicht eine Tragödie genannt, sondern es ausdrücklich als »Trauerspiel« eingestuft hat, ein Begriff, der vor allem das Drama des Barock kennzeichnet: *»Weit entfernt«*, so formuliert es Walter Benjamin *»von, der weltgeschichtlichen Gewalt des revolutionären Vorgangs, welchen sie umspielt, bewegt zu werden«*, teilt die *Natürliche Tochter* mit dem barocken Trauerspiel dessen ungeschichtliche Anschauung hochpolitischer Ereignisse. KLL

Ausgaben: Tübingen 1804 (in Taschenbuch auf das Jahr 1804). – Bln. 1804. – WA, I, 10. – JC, 12. – AA, 4 [Einf. K. May]. – HA, 5 [Anm. J. Kunz]. – Stg. 1963 (RUB, 114).

Literatur: G. Kettner, *G.s Drama »Die natürliche Tochter«*, Bln. 1912. – M. Gerhard, *G.s Erleben der französischen Revolution im Spiegel der »Natürlichen Tochter«* (in DVLG, 1, 1923, S. 281–308). – K. May, *G.s »Natürliche Tochter«* (in JbGG, 4, 1939, S. 147–163). – A. Grabowsky, *G.s »Natürliche Tochter« als Bekenntnis* (in JbGG, 13, 1951, S. 1–27). – H. Moenkemeyer, *Das Politische als Bereich der Sorge in G.s Drama »Die natürliche Tochter«* (in MDU, 48, 1956, S. 137–148). – V. Bänninger, *G.s »Natürliche Tochter«. Bühnenstil und Gehalt*, Zürich/Freiburg i. B. 1957. – B. Çakmur, *G.s Gedanken über Lebensordnung in seinem Trauerspiel »Die natürliche Tochter«*, Ankara 1958. – H.-E. Hass, *G. »Die natürliche Tochter«* (in *Das deutsche Drama. Vom Barock bis zur Gegenwart. Interpretationen*, Hg. B. v. Wiese, Bd. 1, Düsseldorf 1958, S. 215–247). – R. Peacock, *Incompleteness and Discrepancy in »Die natürliche Tochter«* (in *The Era of G. Essays Presented to J. Boyd*, Oxford 1959, S. 118–132). – S. Burckhardt, *»Die natürliche Tochter«: G.s Iphigenie in Aulis?* (in GRM, N. F. 10, 1960, S. 12–34). – P. Böckmann, *Die Symbolik in der »Natürlichen Tochter« G.s* (in *Worte und Werte. B. Markwardt z. 60. Geburtstag*, Hg. G. Erdmann u. A. Eichstaedt, Bln. 1961, S. 11–23). – R. Peacock, *G. s »Die natürliche Tochter« als Erlebnisdichtung* (in DVLG, 36, 1962, S. 1–25). – W. Staroste, *Symbolische Raumgestaltung in G.s »Natürlicher Tochter«* (in Jb. d. dt. Schiller-Ges., 7, 1963, S. 235–252). – W. Benjamin, *Ursprung des deutschen Trauerspiels*, Ffm. 1963, S. 85/86. – W. Emrich, *Die Symbolik von Faust II. Sinn u. Vorformen*, Ffm./Bonn [3]1964. – Th. Stammen, *G. u. die Französische Revolution. Eine Interpretation der »Natürlichen Tochter«*, Mchn. 1966.

NOVELLE. Prosadichtung von Johann Wolfgang von Goethe (1749–1832), erschienen 1828. – Schon 1797 hatte Goethe den Plan eines Epos im Stil von *Hermann und Dorothea* konzipiert mit dem Titel *Die Jagd*. Er wurde auf Anraten Schillers und Wilhelm von Humboldts fallen gelassen, erst 1826 wiederaufgenommen und nun ohne Zögern zur Prosanovelle ausgestaltet. In Form und Thematik den *Wahlverwandschaften* und *Wilhelm Meisters Wanderjahren* verwandt, faßt dieses kleine und letzte Prosawerk die Anschauungen des alten Goethe über Kunst, Natur, Gesellschaft, Sitte und Frömmigkeit in einer hochstilisierten Form zusammen.

Eine den Errungenschaften der Französischen Revolution zugeneigte Adelsgesellschaft – der Fürst, seine Gemahlin, der Fürst-Oheim und der Junker Honorio – bildet das Zentrum der *Novelle*. Während der Fürst sich an einer Jagd beteiligt, werden die Fürstin, der Oheim und Honorio bei einem Spazierritt von einem Feuer überrascht, das unten in der Stadt in Jahrmarktsbuden ausgebrochen ist. Ein Tiger, der dabei entkommen ist, erreicht die Reitenden und bringt die Fürstin scheinbar in Gefahr, aus der sie Honorio jedoch durch zwei tödliche Schüsse auf das Tier rettet. Jammernd erscheint die Schaustellerfamilie – Mann, Frau und Kind –, untröstlich über den Tod des zahmen und harmlosen Tieres. Da kommt die Nachricht, daß auch der Löwe ausgebrochen ist und sich oben im Schloßhof der alten Stammburg niedergelegt hat. Aber nicht der Jagdzug, nicht Schüsse fangen ihn wieder ein, sondern in legendarisch-lyrischem Ausgang der *Novelle* überwindet allein das Wärterkind wie Daniel in der Löwengrube mit der gesetzlos gleitenden, süßen Melodie seiner Flöte und den kindlichfrommen Strophen eines kaum ausdeutbaren Liedes die Gewalt des Löwen und gibt damit den Beteiligten ein Beispiel gewaltloser Beherrschung des Elementaren in der Natur wie im Menschen selbst.

Wie andere Altersdichtungen Goethes entwirft die *Novelle* ein Gegenbild zur Ungestalt des Wilden, Elementaren, Chaotischen, das sich Goethe zeitlebens aufdrängte im Erlebnis selbstzerstörerischer Leidenschaften oder politischer Umwälzungen. Ein Modell für die ungebändigte und zu bändigende Gewalt fand er zumal in der Französischen Revolution vor. Die Erfahrung dieses Ereignisses, die sich bereits in *Hermann und Dorothea* und in der *Natürlichen Tochter* niedergeschlagen hatte, und der Wille, Erfahrungen dieser Art zu »*gewältigen*«, wirken, wie indirekt und vermittelt auch immer, noch in der *Novelle* fort. Schon deren Schauplatz ist geprägt von diesem Willen zur Formung des »Ungesetzlichen«: Die Natur ist kultiviert, sie ist »*wohlversorgt*« und »*wohlgebaut*«; wo sie es nicht ist, etwa in dem wüsten Gestein und Gestrüpp der verfallenen Stammburg, wird sie doch begehbar gemacht und in sorgfältig ausgeführten Ansichten als ein »*zufällig einziges Lokal*« festgehalten. In der Bändigung des Löwen durch das Kind wird die gewaltlose Beherrschung des Zerstörerischen zum Paradigma einer menschlichen Haltung. Honorio überwindet sich und die verhaltene Leidenschaft für seine Fürstin, wie das Kind den Löwen überwindet. Damit steht die *Novelle* am Ende einer Reihe Goethescher Dichtungen, in denen das Motiv der Entsagung, erst verhalten und dann immer dominanter, menschliches Dasein bestimmt, bis sie hier einen Grad sittlicher Reife und Tiefe erhält, der ihr alles Willentliche und Leidvolle nimmt: »*Entsagung ist kein Willensakt, sondern das Ergebnis einer Anschauung des Wahren, die der Seele ungewollt gelingt, einer Anschauung des Ganzen, so des eigenen Lebens wie der reinen Ordnung in der Welt, einer Anschauung Gottes also, die nach Goethes Sprachgebrauch nichts anderes ist als Frömmigkeit*« (E. Staiger). Diese Frömmigkeit in ihrer undogmatischen und naturnahen Form verkörpert in der *Novelle* die Wärterfamilie. Archaisch anmutend, in biblischen Tönen sprechend, steht sie ebenbürtig neben der hochzivilisierten Adelsfamilie. Ihr Bild gab Anlaß, die ganze *Novelle* christlich zu interpretieren (E. BEUTLER, B. v. WIESE). Schließlich spiegelt sich hier wie in der *Trilogie der Leidenschaft* das neue Erlebnis der Musik für den alten Goethe, die er in einem Brief aus Marienbad am 24. 8. 1832 an Karl Friedrich ZELTER als eine überwältigende Macht beschreibt, die ihn auseinanderfalte »*wie man eine geballte Faust freundlich flach läßt*«.

Die planvolle Ausschaltung alles möglicherweise Überraschenden bestimmt auch den Erzählverlauf der ersten Hälfte: Bevor die Gesellschaft auf die alte Stammburg reitet, macht der Oheim die Fürstin anhand von Skizzen und Ansichten mit dem Lokal vertraut; der Fürst hat die Gemahlin über das Treiben des Marktes unterrichtet, ehe sie ihn selbst in Augenschein nimmt, und der Oheim bereitet mit seiner wiederholten Erzählung von einem Jahrmarktsbrand das Ereignis vor und nimmt ihm seinen Schrecken. Doch wandelt sich mit dem Einbruch elementarer Mächte zu Beginn des zweiten Teils diese Erzählweise, sie wird beschleunigt, unruhig, erst jetzt eigentlich sinnlich und steigert sich bis zu dem höchsten Punkt, wo die Erzählung ins Lied übergeht. Das Gegenüber von »*Ungebändigtem*« und »*Gesetzlichem*« ist wirksam bis in Syntax und Satzrhythmus hinein. So wird etwa der Ritt von der Ebene durch die Gärten hinauf zu den unwirtlichen Felsen syntaktisch nachvollzogen: Den Weg durch die mäßig ansteigenden »*wohlversorgten Frucht- und Lustgärten*« beschreiben gleichmäßig lange, rhythmisch und syntaktisch wohlgegliederte Sätze; die Quelle wird nicht durch beschreibende Epitheta, sondern durch fünf vorangestellte Attribute rhythmisch lebendig (*»von einer oberwärts lebhaft auf einmal reich entspringenden Quelle gewässert«)*; in einfach konstruierten, parataktisch geschalteten Hauptsätzen wird während einer Pause die Landschaft geschildert, die sich dem umwendenden Blick in der Ebene auftut; wo der Weg im undurchdringlichen Gewirr der urzeitlichen Felsen endet, da blockiert auch der Rhythmus in Satzverkürzungen und syntaktischen Umstellungen die ruhige Bewegung.

Die berühmte Gattungsbestimmung, die Goethe in einem Gespräch mit ECKERMANN am 29. 1. 1827 zur Rechtfertigung des Titels der *Novelle* gegeben hat, ist mit maßgebend gewesen für die deutsche Novellendichtung im 19. Jh.: »*Wissen Sie was, wir wollen es die ›Novelle‹ nennen; denn was ist eine Novelle anders als eine sich ereignete unerhörte Begebenheit.*«

Wie vieles von Goethes Altersdichtung ist auch die *Novelle* vielfach verkannt worden. Festgelegt auf den Erlebnisbegriff des jungen und mittleren Goethe und befremdet von dem unsinnlichen, »*bedeutenden*« Altersstil hat noch GUNDOLF 1918 geurteilt: »*Sie gehört zu den absoluten Bildungspoesien, die aus der ästhetischen Freude an der gattungsmäßigen Ausfaltung eines Motivs, nicht aus einer seelischen Erschütterung oder einem Zweck stammen.*« Erst mit der energischen Hinwendung der Goethe-Philologie zum Spätwerk in den dreißiger Jahren wurden auch der Reiz und die Symbolkraft dieser Dichtung entdeckt. H. Hä.

AUSGABEN: Stg./Tübingen 1828 (in *Werke*, 1827 bis 1831, 40 Bde., 15; AlH). – WA, I, 18. – JC, 16. – Lpzg. 1920 (Ill. B. Hasler; IB, 296). – Bln. 1921 [Ill. M. Liebermann]. – Basel 1943 [Nachw. E. Staiger; Ill. I. Reiner]. – AA, 9. – HA, 6. – Wiesbaden 1961 (Ill. I. Reiner; IB, 296).

LITERATUR: B. Seuffert, *G.s »Novelle«* (in GJb, 19, 1898, S. 133–166). – A. v. Grolmann, *G.s »Novelle«* (in GRM, 9, 1921, S. 181–187). – K. May, *G.s »Novelle«* (in Euph, 33, 1932, S. 277–299; auch in H. Enders, *Werkinterpretation*, Darmstadt 1967, S. 63–90). – E. Beutler, *Ursprung und Gehalt von G.s »Novelle«* (in DVLG, 16, 1938, S. 324–352). – E. Staiger, *G.s »Novelle«* (in Trivium, 1, 1942, S. 4–30; auch in E. S., *Meisterwerke deutscher Sprache aus dem 19. Jh.*, Zürich [3]1957, S. 135–162; ern. in *Interpretationen*, Hg. J. Schillemeit, Bd. 4: *Deutsche Erzählungen von Wieland bis Kafka*, Ffm. 1966, S. 53–74; FiBü, 721). – E. Wäsche, *Honorio und der Löwe*, Säckingen 1947. – P. Stöcklein, *Wege zum späten G.*, Hbg. 1949, S. 58–64. – Staiger, 3, S. 184 ff. H. Himmel, *Metamorphose der Sprache. Das Bild der Poesie in G.s »Novelle«* (in Jb. des Wiener Goethe-Vereins, N. F. 65, 1961, S. 86–100). – H. Praschek, *Zur Entstehungsgeschichte der »Novelle« von G. Eine Analyse dreier unveröffentlichter Hss.* (in Forschungen und Fortschritte, 35, 1961, S. 302–306). – D. W. Schumann, *Mensch und Natur in G.s »Novelle«* (in Dichtung und Deutung, 1961, S. 131–142). – E. Edel, *J. W. G.s »Novelle«* (in WW, 16, 1966, S. 256–266).

PROMETHEUS. Dramatisches Fragment in zwei Akten von Johann Wolfgang von GOETHE (1749 bis 1832), entstanden im Sommer 1773, erschienen 1830. – Aus den vorliegenden beiden Akten ist der

Plan des Ganzen nicht zu erschließen, da sie kaum Handlung enthalten, sondern Prometheus in seinem Denken und Wirken vorstellen: Er ist der in stolzer Isolation lebende Sohn Jupiters und einer nicht genannten Mutter (nach dem von Goethe benutzten *Lexicon mythologicum* von HEDERICH war es Juno, also auch eine Göttin), der von sich erklärt: »*Ich bin kein Gott und bilde mir so viel ein als einer.*« Auch zu den Titanen gehört er nicht, denn auch ihnen hat er sich trotzig widersetzt. Er ist ein einsamer Schöpfer, der Statuen nach seinem Bilde formt und sie als seine Kinder um sich versammelt. Jupiter wäre bereit, ihnen Leben zu schenken – aber zuvor müßte sich Prometheus der Macht des Donners unterwerfen und gerade das ist ihm unmöglich. Da führt Minerva ihn zum Quell des Lebens, den auch Jupiter nicht verschließen kann, weil das Leben keinem Gott, sondern dem Schicksal untersteht. Gelassen nimmt der höchste Gott die Nachricht von diesem »Hochverrat« hin. Er wird Prometheus' Geschöpfen ihr Leben lassen. Sie sollen sich ruhig göttergleich wähnen – eines Tages werden sie der Götter bedürfen. – Der zweite Akt zeigt Prometheus unter seinen Geschöpfen. Er leitet sie väterlich an, sich Hütten zu bauen, heilt ihre Krankheiten und schlichtet ihren Streit. Er ist mit ihnen zufrieden, so wie sie sind. Auch ihre Unvollkommenheiten und bösen Neigungen empfindet er nicht als Auswüchse. Genau so hat er sie nach seinem Bilde geschaffen: »*Gleichet den Tieren und den Göttern.*« Im Gespräch mit Pandora, seinem liebsten und schönsten Geschöpf, versucht er die Spannung, die sich aus dieser doppelten Ähnlichkeit für die Natur der Menschen ergibt, zu lösen, indem er die extremsten Erfahrungen, die sie machen können, das selige Versinken in »*innereigenem Gefühle* «, in der Liebe, und das Vergehen im Tode miteinander gleichsetzt. Jedem höchsten Genuß folgt der Schlaf, und aus jedem Schlaf wacht der Mensch wieder auf, »*aufs neue zu fürchten, zu hoffen und zu begehren*«.

Mit diesen Worten endet das Fragment, und aus einer so vorbehaltlosen Bejahung der in den Wechsel von Hell und Dunkel als in ihr Wesensgesetz eingespannten menschlichen Natur ließ sich kaum ein dramatischer Konflikt entwickeln. Vielleicht hätten die Geschöpfe sich gegen ihr Geschick, leiden zu müssen, um selig sein zu können, auflehnen sollen. Vielleicht sollte Jupiter nicht vergeblich darauf warten, daß sie seiner Hilfe bedurften; aber eine solche Rehabilitierung der alten Götter ist sehr unwahrscheinlich. Vielleicht sollte Prometheus selbst erfahren, daß auch seine schöpferischen Kräfte Teil einer höheren Macht und ihr verpflichtet waren. Aber wie sie benennen? Das Werk bricht ab, bevor diese Frage gestellt wird, und Goethe verbannte es so radikal aus seinem Denken, daß das Manuskript jahrzehntelang aus seinem Blickfeld verschwand und ihm erst 1819 wieder in die Hände kam. Er selbst empfand es als »*wunderlich genug, daß jener von mir selbst aufgegebene und vergessene ›Prometheus‹ grade jetzt wieder auftaucht*« (an Zelter, 11. 5. 1826). Im gleichen Brief warnt er davor, das Manuskript »zu offenbar werden« zu lassen. Er fürchtet, »*es käme unserer revolutionären Jugend als Evangelium recht willkommen*«, und findet es dennoch merkwürdig, »*daß dieses widerspenstige Feuer schon 50 Jahre unter poetischer Asche fortglimmt, bis es zuletzt, real entzündliche Materialien ergreifend, in verderbliche Flammen auszubrechen droht.*« Offenbar kommt diese Befürchtung aus der Erinnerung an die Wirkung der sogenannten *Prometheus-Ode*, eines emphatischen Monologs, der laut *Dichtung und Wahrheit* zum Fragment gehörte, aber wohl, sei es vorwegnehmend oder zusammenfassend – die Datierung auf Herbst 1774 ist nicht ganz sicher – in einem einzigen stürmischen Anlauf das Kernthema, Prometheus' rebellische Absage an einen Herrschergott und seine stolze Selbstbehauptung, in freien Rhythmen gestaltet, die Strophen von wechselnder Zeilenzahl bilden. In der Ode zeigt sich noch unverhüllter als im Fragment, wovon Goethe sich lossagt: Vom Gott LAVATERS und JUNG-STILLINGS, der seine Existenz und seine Macht u. a. dadurch bewies, daß er Gebete um Geld erhörte, ein Gott, in dem Goethe nichts von dem fand, was er selbst als göttlich erlebte: den überschäumenden, unbegrenzten Schöpfer- und Liebesdrang, wie er außer in der Natur, vor allem im Künstler wirkt. Als dessen Urbild gilt seit SHAFTESBURY Prometheus. In seinem Aufsatz *Von Deutscher Baukunst* nimmt Goethe darauf Bezug. Im Jahre 1795 beschäftigte er sich nochmals mit dem Prometheus-Stoff; er plante im Anschluß an AISCHYLOS' *Gefesselten* einen *Befreiten Prometheus*, von dem nur wenige kurze Bruchstücke erhalten sind. Im *Pandora*-Fragment von 1808 griff er das Thema noch einmal, nun aber in ganz veränderter Gestalt, auf, führte es aber wiederum nicht zu Ende. KLL

AUSGABEN: Stg./Tübingen 1830 (in *Werke*, AlH 60 Bde., 1827–1842, 33). – WA, I, 39. – Mchn. 1920 (Drucke der Marées-Ges., 21). – JC, 15. AA, 4. – HA, 4 [Erl. W. Kayser].

LITERATUR: F. Saran, *G.s »Mahomet« u. »Prometheus«*, Halle 1914 (Bausteine zur Geschichte der neueren deutschen Literatur, 13). – C. Cierjacks *Gehalt u. Gestalt von G.s »Prometheus«-Fragment*, Diss. Hbg. 1927. – J. Richter, *Zur Deutung der G.schen Prometheusdichtung* (in FDH, 1928, S. 65 bis 104). – O. Walzel, *Das Prometheussymbol von Shaftesbury zu G.*, Mchn. ^{2}1932. – H.-G. Gadamer, *Die Grenze des Titanischen. »Prometheus« u. »Pandora«* (in H.-G. G., *Vom geistigen Lauf des Menschen*, Godesberg 1949, S. 9–27). – A. Fuchs, *Le »Prometheus«-Fragment. Apogée et dépassement du ›Sturm und Drang‹ goethéen (1773)* (in Bulletin de la Faculté des Lettres de Strasbourg, 30, 1951, S. 203–211). – H. Fischer-Lamberg, *Die »Prometheus«-Handschriften* (in JbGG, N. F. 14/15, 1952/53, S. 136–142). – C. Heselhaus, *»Prometheus« u. »Pandora«. Zu G.s Metamorphose-Dichtungen* (in *Fs. J. Trier*, Hg. B. v. Wiese u. K.-H. Borck, Meisenheim 1954, S. 219–253). – S. Burckhardt, *Sprache als Gestalt in G.s »Prometheus« u. »Pandora«* (in Euph, 50, 1956, S. 162–176). – E. Braemer, *G.s »Prometheus« u. die Grundpositionen des Sturm u. Drang*, Weimar 1959. – R. Trousson, Le *thème de Promethée dans la littérature européenne*, 2 Bde., Genf 1964. – P. Grappin, *G. et le mythe de Prométhée* (in EG, 20, 1965, S. 243–258).

REINEKE FUCHS. In zwölf Gesängen. Epos von Johann Wolfgang von GOETHE (1749–1832), erschienen 1794. – Der Stoff des bekannten Tierepos, mit dem Goethe schon in seiner Jugend vertraut war (vgl. den Brief an die Schwester vom 13. 10. 1765), fand seit dem frühen Mittelalter zahlreiche Bearbeiter. Mittellateinische (*Ecbasis captivi*, um 1040, und *Ysengrimus*, um 1150), französische (*Roman de Renart*, 13. Jh.), mittelhochdeutsche (*Reinhart Fuchs* von HEINRICH DEM GLÎCHEZAERE, Ende 12. Jh.) und niederländische (bes. die Delfter Fassung, 1485)

Darstellungen sind Vorstufen der berühmten niederdeutschen Volksdichtung *Reynke de vos* (1498). GOTTSCHEDS 1752 veröffentlichte Ausgabe und Prosaübersetzung dieser anonymen Lübecker Fassung benützte Goethe, als er 1793 auf dem Rückzug der Koalitionstruppen nach der Kanonade von Valmy und während der Belagerung von Mainz daran ging, die Geschichte von Reineke Fuchs und seinen Streichen in die klassische Form des Hexameterepos zu kleiden. Goethes rückblickende Äußerung, sein Epos sei eine »*zwischen Übersetzung und Umarbeitung schwebende Behandlung*« (*Annalen*, 1793) des überlieferten Stoffes, deutet die beiden Aspekte des Werks an. Der Vorlage folgen der Gang der Handlung, Einzelheiten des Geschehens und die direkten Reden mit ihren altertümlichen Ausdrücken und Redewendungen. Die virtuose Handhabung des Hexameters hingegen gestaltet die tradierte Volksdichtung zu einem durchaus eigenständigen Kunstwerk um, das Goethes zwiespältiges Verhältnis zur zeitgenössischen historischen Wirklichkeit vermittelt.

Reineke, der Fuchs, ist als einziger nicht zum Hoftag von Nobel, dem Löwen und König der Tiere, erschienen: Er fürchtet die Klagen seiner geschädigten Gegner, deren Wortführer Isegrim, der Wolf, Braun, der Bär, und Hinze, der Kater, sind. Seine Furcht hält den Fuchs aber nicht davon ab, Braun und Hinze, die der König nacheinander mit der Vorladung zum Gerichtstag in Reinekes Festung Malepartus schickt, in Hinterhalte zu locken, aus denen sie nur mit knapper Not entkommen. Erst Grimbart, der Dachs, ein naher Verwandter Reinekes, kann ihn zur Reise an den Hof bewegen. Dort wird er angeklagt und zum Tod am Galgen verurteilt; schon auf der Leiter stehend, gelingt es ihm, den macht- und geldgierigen Löwen mit dem Bericht von einer angeblichen Verschwörung und von einem verborgenen Schatz umzustimmen. Er wird rehabilitiert, die Notabeln und Erzfeinde Reinekes jedoch, Isegrim und Braun, wandern ins Gefängnis. Statt nach Rom zu gehen und sich dort vom Bann zu lösen, zieht sich Reineke auf seine Festung zurück, ermordet seinen Begleiter, den Hasen, und schickt den Widder Bellyn mit dessen Haupt zurück. Diese Freveltat, die Enttäuschung des betrogenen Königs und erneute Klagen der Tiere führen abermals zur Verfolgung des Übeltäters. Die Gegner rüsten sich zum Feldzug gegen Reineke, der jedoch ihre Absicht durchschaut und sich wieder vor Hof zu rechtfertigen versteht, unterstützt von seinen Freunden und der Königin selbst. Isegrim, der sich damit nicht zufrieden gibt, fordert Reineke zum Zweikampf, wird aber auf schimpfliche Weise besiegt. Reineke, zum ehrenwerten Reichskanzler ernannt, lebt fortan »*heiter und sorglos*« auf seiner Festung.

Nicht nur im Hinblick auf den äußeren Handlungsablauf, sondern auch seiner dichterischen Intention nach ist Goethes Epos zugleich »*Übersetzung und Umarbeitung*« der Vorlage. Wurde die »*unheilige Weltbibel*« *(Annalen)* einst als anthropomorphistische Tierallegorie der spätmittelalterlichen Feudalordnung verstanden, so will Goethe seinen Zeitgenossen einen »*Hof- und Regentenspiegel*« vorhalten, in dem »*das Menschengeschlecht sich in seiner ungeheuchelten Tierheit ganz natürlich vorträgt*« (*Campagne in Frankreich*, 1822). Damit aber hat sich die satirische Tendenz des Epos von der Parodie konkret historischer Gesellschaftsstrukturen auf die zeitlos gültige Karikatur allzumenschlicher Schwächen und Untugenden verlagert; die für den Leser des Originals durchschaubaren Anspielungen auf das mittelalterliche Minne- und Lehensrecht oder auf das Zeremoniell ritterlicher Turniere haben in Goethes *Reineke Fuchs* nur noch einen mittelbaren, symbolischen Bezug zur historischen Wirklichkeit. Von dieser Wirklichkeit aber wollte sich Goethe gerade distanzieren, indem er sich mit der Arbeit an dem heiteren Tierepos »*von der Betrachtung der Welthändel abzuziehen*« (Brief an F. H. Jacobi vom 2. 5. 1793) suchte. Die Kluft zwischen diesen »*Welthändeln*« und ihrer literarischen »*Gewältigung*« ist hier tiefer als in den *Unterhaltungen deutscher Ausgewanderten* (1795), *Herrmann und Dorothea* (1797) oder der *Natürlichen Tochter* (1803); vor der unbehaglichen Auseinandersetzung mit den »*ungeheuren, blutigen und blutdürstigen*« Ereignissen der Französischen Revolution flüchtet sich Goethe in die pausbäckig-reaktionäre Moral der Fabel: »*Zur Weisheit bekehre / Bald sich jeder und meide das Böse, verehre die Tugend! / ... Denn so ist es beschaffen, so wird es bleiben ... / Uns verhelfe der Herr zur ewigen Herrlichkeit! Amen.*« V. Ho.

AUSGABEN: Gotha 1793 (in Zerstreute Bll. von J. G. Herder, Slg. 5; Teildr.). – Bln. 1794 (in *Neue Schriften*, Bd. 2). – Lpzg./Altenburg 1822. – Stg. 1867 (Ill. W. v. Kaulbach; ern. Mchn. 1964; Faks.-Ausg.). – Bln. 1882, Hg. u. Anm. A. Bieling. – WA, I, 50. – JC, 6. – Mchn. 1913 (Hundertdrucke, 18). – Lpzg. 1919 (RUB, 61/61a). – Mchn. 1924 [Ill. L. Richter]. – AA, 3. – HA, 2. – Offenbach 1962 [Ill. K. Steinel]. – Lpzg. 1964 [Ill. J. Hegenbarth].

LITERATUR: K. Rosenkranz, *G. u. seine Werke*, Königsberg 1847; ern. ²1856, S. 251–254. – M. Lange, *G.s Quellen u. Hilfsmittel bei der Bearbeitung des »Reineke Fuchs«*, Dresden 1888. – J. Hofmann, *Allart van Everdingen u. G.s »Reineke Fuchs«* (in Zs. für Bücherfreunde, N. F. 12, 1920, S. 188–191). – E. Feise, *Der Hexameter in »Reineke Fuchs« u. »Hermann und Dorothea«* (in MLN, 50, 1935, S. 230 bis 237). – W. Kurrelmeyer, *Kaulbach's Illustrated Edition of G.'s »Reineke Fuchs«, 1846* (ebd., 57, 1942, S. 59–61). – K. Scheel, *G.s »Reineke Fuchs« u. seine Quellen* (in Mitt. aus dem Quickborn, 40, 1949, S. 43–45). – K. Viëtor, *G. Dichtung, Wissenschaft, Weltbild*, Bern 1949, S. 156/157. – H. Pyritz, *G. – Bibliographie*, Heidelberg 1955, S. 732/733. – Staiger, 2, S. 100/101. – K. Lazarowicz, *Verkehrte Welt. Vorstudien zu einer Geschichte der deutschen Satire*, Tübingen 1963, S. 257–303. – W. Promies, *Die Bürger und der Narr oder Das Risiko der Phantasie*, Mchn. 1966, S. 324.

RÖMISCHE ELEGIEN. Gedichtzyklus von Johann Wolfgang von GOETHE (1749–1832), entstanden 1788/90 im Anschluß an die Italienische Reise; erschienen 1795 (in der von SCHILLER herausgegebenen Zeitschrift ›Die Horen‹, wobei die vier umstrittenen erotischen Elegien weggelassen wurden). – Auf dem Hintergrund der frühen Erlebnislyrik Goethes, die alle verbindlichen Gedichttraditionen durchbricht, um dem Gefühl des lyrischen Ich Raum zu geben, erscheinen die *Elegien*, ihre antiken Distichen und die mythologischen Anleihen als eine erneute Hinwendung zu einer Dichtungstradition: die der augusteischen und neulateinischen Elegiker, und zugleich als Annäherung an die literarische Tendenz seiner Zeit: den Enthusiasmus für die Antike. Zwar bieten sich die *Elegien* als Spiegelung des Italienerlebnisses dar – der ursprüngliche Titel *Elegien, Rom 1788* hätte den biographischen Bezug verstärkt zum Ausdruck gebracht –, doch weicht die Welt der Gedichte ganz entschieden davon ab: Die Hauptgestalt des Zyklus, die junge Witwe Faustine, ist ebenso Fiktion wie das Bild des auf ihrem Rücken Verse skandierenden Dichters und wie die den Ereignissen vorauseilende Anspielung auf die Französische Revolution, die erst nach der Italienischen Reise, 1789, ausbrach. Der autonome Status der dichterischen Realität wird in den *Elegien* selbst betont, wenn dessen Verwechslung mit der faktischen Realität ausdrücklich kritisiert wird (II).

Zwei thematische Komplexe beherrschen den Zyklus: die Liebesidylle, deren Integration in die römische Umwelt versucht wird, und die Problematik der Erneuerung und Aneignung der römischen Antike durch den neuzeitlichen Dichter. Die verschiedenen Bereiche – die römische Welt, die antik und modern zugleich ist, und die Liebe, ihre vitale Erotik und formvollendete Stilisierung – lassen bereits durch die sprachliche Umkehrbarkeit des Namens »Rom« (Roma-Amor), ihren engen, jedoch kunstvoll verborgenen Bezug zueinander erkennen; vor allem aber sind sie in der Rolle des lyrischen Sprechers integriert, der als Wanderer und nordischer Fremdling, als Dichter und Liebender solche geheimen Bezüge erschließt, die in der ersten Elegie programmatisch formuliert werden. Doch ist die antithetische Struktur dieser Abhängigkeiten nicht zu übersehen: Die Liebe ermöglicht zwar den Zugang zur römischen Welt, bedarf zu ihrer eigenen Realisierung jedoch der Isolierung von dieser (XV), ebenso wie der Dienst an Amor, Hingabe und Erfüllung in der Liebe, Bedingung für den Dichter und seine Kunst ist (XIII), gleichzeitig aber die stilisierte Darstellung dieser Liebe, die Distanz voraussetzt, verhindert. Diese Gegensätze – Einheit mit der Geliebten im Gefühl der Liebe, »*die ohne prosodisches Maß verhallt*«, und der Verzicht auf sie, um den »*stillen Genuß reiner Betrachtung*« dichterisch zu formen – werden erst auf der Ebene des Zyklus als dessen »geheime« Mitte und Einheit erkannt. Aber die Liebe in den Elegien ist selbst auch widersprüchlich: Gerade die erfüllte Liebe, die als Ziel angestrebt und erreicht wird, ist mit der gesellschaftlichen Realität nicht in Einklang zu bringen. Die Furcht vor einer Entdeckung ihrer Liebe bedingt die Verkleidung des Geliebten, die Hintergehung der Verwandten, die heimlichen Treffpunkte der Liebenden und ihre in der Öffentlichkeit geheime Verständigung (XV), was schließlich zur Isolierung von der Umwelt, zur privaten Idylle, die allein ungefährdet ist, führt: »*Sind wir Liebende doch sich ein versammeltes Volk.*«

Die von ihren psychologischen Voraussetzungen abstrahierte und auf ihre konstante Bedingung – den Liebesakt – reduzierbare Komponente der Liebesidylle manifestiert sich als eine überzeitliche anthropologische Grundsituation, deren jeweilige kulturelle Ausprägung als historisch sich wandelnde Komponente aufgefaßt wird. Eben diese Struktur – paradigmatische Konstanz und historische Variabilität – gilt nun aber auch für den zweiten thematischen Komplex, der die griechisch-römische Antike und das Verhältnis des modernen Dichters zu ihr betrifft: Nicht als Lebensform, als welche sie einst historisch bedingt war, kann die Antike erneuert werden (das Scheitern der Vision des Dichters, VII), sondern nur als eine auf ihren paradigmatischen Charakter reduzierte Form der Kultur, die ihre anthropologische Bedeutung erst durch die Beziehung auf die jeweilige historische Situation erhält. Die griechisch-römische Antike des Augusteischen Zeitalters, auf die sich Goethe in den *Elegien* bezieht, spiegelt selbst schon diese spezifische kulturelle Situation, da sich auch in ihr die Eingliederung einer ursprünglich antiken Kultur – der griechischen – vollzog. Das gleiche strukturelle Schema, das die Liebe als dem kleinsten personalen Bereich in ihrem Bezug zur Umwelt konstituiert und die Antike als Schema einer Kultur überhaupt in ihrer Relation zum jeweiligen Kulturraum bestimmt, wiederholt sich schließlich nochmals im Verhältnis des Zyklus als einem ästhetisch-autonomen Bereich zur historischen Zeitsituation Deutschlands – so erklärt sich die Eliminierung alles Zeitbezogenen im Zyklus und die Metaphorisierung sozialer Termini (Triumvirn, Asyl, Staat, u. ä.). Daß diese Konzeption einer ästhetischen Gegenwelt zur Zeitsituation gleichfalls nur als eine historisch bedingte dichterische Lösung möglich war, beweisen die *Venetianischen Epigramme*, die ein Jahr später entstehen und die kritische Auseinandersetzung Goethes mit seiner Zeit darstellen.

M. Wün.

Ausgaben: Tübingen 1795 (in Die Horen, 2). – WA I, 1. – JC, 1. – AA, 1. – HA, 1.

Literatur: M. Blanc, *Étude littéraire sur »Élégies romaines« de G.*, Paris 1911. – E. Eggerking, *G.s »Römische Elegien«*, Diss. Bonn 1913. – H. v. Arnim, *Entstehung u. Anordnung der »Römischen Elegien« G.s* (in Deutsche Revue, 47, 1922, S. 121 bis 136). – R. Petsch, *G.s »Römische Elegien«* (in FDH, 1931, S. 167–207). – M. Kommerell, *G.s große Gedichtkreise* (in M. K., *Gedanken über Gedichte*, Ffm. 1943, S. 216–309, 224–249). – D. J. Enright, *G.'s »Roman Elegies«* (in Scrutiny, 15, 1947/48, S. 174–182). – E. F. Schuhmacher, *Die Seinsordnung in G.s u. R. A. Schroeders »Römische Elegien«. Eine wortstatistische Untersuchung, erweitert um Hölderlins »Menons Klage um Diotima« u. Rilkes »Duineser Elegien«*, Diss. Bonn 1952. – H. Pyritz, *G.-Bibliographie*, Heidelberg 1955, S. 596/597. – F. Klingner, *Liebeselegien, G.s römische Vorbilder* (in F. K., *Römische Geisteswelt*, Mchn. 1956, S. 401–411). – W. Wimmel, *Rom in G.s »Römischen Elegien« u. im letzten Buch des Properz* (in Antike u. Abendland, 7, 1958, S. 121–138). – G. Kaiser, *Wandrer und Idylle. Ein Zugang zur zyklischen Ordnung der „Römischen Elegien“* (in ASSL, 202, 1965, S. 1–27).

SONETTE. Zyklus von 18 Gedichten von Johann Wolfgang von Goethe (1749–1832), entstanden 1807/08, erschienen 1815. – Außer den beiden letzten Sonetten, die erst in der *Ausgabe letzter Hand* (1827) abgedruckt wurden, erschienen Goethes meist unterschätzte Sonette erstmals in der Ausgabe der *Werke* von 1815. Die Entstehung der Gedichte fällt zwar in die Zeit einer allgemeinen Sonettmode, die, durch die Brüder Schlegel propagiert, vor allem im Jenaer Freundeskreis Goethes (Zacharias Werner, F. W. Riemer) gepflegt wurde, muß aber primär im Zusammenhang mit den fundamentalen poetologischen Umorientierungen, die schließlich zu der sehr artistischen Lyrik des späten Goethe führen, gesehen werden. Allein die Wahl der in der deutschen Klassik verpönten Form des Sonetts ist Indiz für die seit Schillers Tod (1805) einsetzende gegenklassische Wendung Goethes, die sich auch im Zyklus selbst, in der Ironisierung der in den *Römischen Elegien* gefeierten Antike (Sonett XI) sowie der programmatischen Hinwendung zur italienischen Renaissance (PETRARCAS sonettistische Liebeslyrik, DANTES Idee der *vita nuova*), bezeugt. Auch die Mischung verschiedener Stil- und Sprachebenen, deren Spielraum von existentiellem Ernst über Formen der Ironie bis zur Ebene des Sprichwörtlichen und Alltäglichen reicht, ist, wie das Eindringen dramatischer Elemente in den dialogischen Sonetten, eine bemerkenswert unklassische und schon auf den *Divan* sowie die Lyrik HEINES verweisende Besonderheit dieses Zyklus. Das zentrale Motiv des »neuen Lebens« im ersten Sonett bedeutet demnach auch Erneuerung und Wandel eines lyrischen Stils.

Was die dargestellte Liebesbeziehung angeht, so wird zwar in der Auflösung der »Charade« (Herzliebe) eine erlebnishafte Grundlage dieser Liebe, Goethes Bekanntschaft mit Minchen Herzlieb, suggeriert, doch stehen derlei biographische Anspielungen, ähnlich wie die Zitate literarischer Personen und Daten (»Epoche«), zeichenhaft für bestimmte gegensätzliche Konzeptionen von Liebe bzw. von Liebeslyrik, die auch auf andere Weise, z. B. in den kontrastierenden Rollen von »Mädchen« und »Dichter« (als Repräsentanten einer eher unmittelbaren bzw. intellektuellen Form der Liebe), wiederkehren. Im ganzen gesehen überwiegt freilich die Haltung der Distanz: Sie äußert sich in der Eliminierung aller individualisierenden Details, in der Tendenz zu Abstraktion und Verallgemeinerung, auch in den vielfältigen Formen der Ironie, die nicht zuletzt den stark metaphorischen, zwischen Ernst und Scherz schwankenden Charakter der Sprache (vor allem in den letzten sechs Sonetten) bedingen.

Zentrales Thema des Zyklus, der im übrigen keinem kohärenten und auch kaum einem motivierten Handlungsweg folgt, ist die gegen jeden Willen aufbrechende Liebesleidenschaft (II), die in ihrem Absolutheitsanspruch jeden natürlichen Entwicklungsweg (»Wachstum«) sprengt und damit zum Paradigma jenes Phänomens des »Dämonischen« – einer zentralen Kategorie im Goetheschen Denken – wird, dessen Wirkungsweise modellhaft im ersten Sonett am Beispiel des Stroms demonstriert wird. Dieses für den Zyklus programmatische Sonett zeigt, daß der Einbruch des Dämonischen zwar in die Nähe des Tragischen führt, aber schließlich in einen Zustand mündet, der innerhalb bestimmter Grenzen (Bild des Sees) »neues Leben« verheißt und als Synthese der widerstreitenden Kräfte erscheint. Analog dazu konstituiert sich eine neue Form der Liebesbeziehung, die aus dem Konflikt zweier Extreme, der Leidenschaft und dem Verzicht auf sie, hervorgeht und auf eine innere Liebesbindung der Partner abzielt (z. B. XII), die wiederum beides verbindet, Leidenschaft und Bewußtheit, Unmittelbarkeit und Distanz. Mit dieser Konzeption transzendiert Goethe bewußt die von ihm selbst zitierte Petrarca-Tradition, deren Kennzeichen gerade das Bewußtsein der tragischen, weil unerfüllten Liebe ist, wobei solche Unterschiede im Zyklus selbst beredet werden (XVI).

Zur Liebesthematik tritt die Dichtungsthematik, die in der Frage nach der Übereinstimmung von Form und Inhalt laut wird, der Frage also, wie die strenge Form des Sonetts die Leidenschaftlichkeit des Inhalts bändigen, aber auch, wie das individuelle Gefühl sich gegenüber der vorgegebenen Form behaupten kann. Letztlich sind Liebe und Dichtungsthematik komplementäre Phänomene des Zyklus, insofern erstere durch Formen der Distanz bewältigt werden muß und der strengen Formung bedarf, während letztere gerade das Aufbrechen der Form, ihre Belebung, Erneuerung und Existentialisierung anstrebt. Solche Bemühungen werden dann auch in den formalen Experimenten des Zyklus greifbar, z. B. in der Überschreitung der Sonettform durch einen sich über drei Sonette hinziehenden Zusammenhang (der Brief der Geliebten), in den dialogisch zusammengehörenden Sonetten, aber auch in der Aufteilung des Einzelsonetts in verschiedene Sprecher.

Zu den Merkmalen dieser Gedichte gehört ferner eine ausgeprägte Diskussion zum Phänomen der Sprache: So wird die Leistung des Wortes besprochen, seine unzureichende Wirksamkeit und Nutzlosigkeit (XIII) sowie die Fähigkeit der Sprache zu ambivalenten Aussagen. Diese bedeuten einerseits immer mehr, als der Sprecher realisieren kann (XVII), andererseits vermögen sie nur unzureichend die Bedeutung des Gemeinten wiederzugeben, so unzureichend, daß die Geliebte einmal schweigt (IX) und dem Geliebten schließlich einen Brief über »Nichts« schicken will.

Indem verschiedene Formen der Kommunikation, eine mündliche, eine schriftliche und eine »poetische«, im Gedicht selber beredet und diskutiert werden, nähert sich der Sonettzyklus fundamentalen Problemen der Goetheschen Lyrik und bezeichnet damit den weiten Abstand zu einer ehemals problemlosen Erlebnislyrik. M. Wün.

AUSGABEN: Stg./Tübingen 1815 (in *Werke*, 20 Bde., 1815–1819, 2). – Stg./Tübingen 1827 (in *Werke*, AlH, 60 Bde., 1827–1842, 2; erw.). – WA, I, 1. – AA, 1. HA, 1.

LITERATUR: K. Fischer, *G.s Sonettenkranz* (in K. F., *Goetheschriften 4*, Heidelberg 1896). – J. Schipper, *Über G.s »Sonette«* (in Goethe-Jb., 17, 1896, S. 157–175). – P. Hankamer, *Spiel der Mächte, ein Kapitel aus G.s Leben u. G.s Welt*, Tübingen 1947. – H. Düwel, *Abwandlung u. Auflösung der Sonettform in der neueren deutschen Literatur* (in Wiss. Zs. der Univ. Rostock, 4, 1954/55, H. 1). – W. Muschg, *G.s Glaube an das Dämonische* (in DVLG, 32, 1958, S. 321–343). – B. v. Wiese, *Das Dämonische in G.s Weltbild* (in B. v. W., *Der Mensch in der Dichtung*, Düsseldorf 1958). – J. Müller, *G.s »Sonette«. Lyrische Epoche u. motivische Kontinuität*, Bln. 1966. – H. J. Schlütter, *Über G.s »Sonette«*, Bad Homburg v. d. H. 1969.

STELLA. Ein Schauspiel für Liebende. Drama in fünf Akten von Johann Wolfgang von GOETHE (1749 bis 1832), Uraufführung: Hamburg, 8. 2. 1776, Nationaltheater; Uraufführung der zweiten Fassung (*Stella. Ein Trauerspiel*): Weimar, 2. 2. 1805, Hoftheater; erschienen 1776 bzw. 1816. – Es geschieht nicht oft, daß eines der bedeutenden Dramen Goethes dem Verdikt seiner Zeitgenossen wie seiner literarhistorischen Nachlaßverwalter anheimfällt. Dem Verbot der Hamburger Aufführung dieses *Schauspiels für Liebende* lag wohl eine Kunstauffassung zugrunde, wie sie der streitbare Hauptpastor Johann Melchior GOEZE entrüstet vertrat: »*Ich dachte die Schaubühne hätte den Zweck, die Tugend als reizend und die Laster als abscheulich und verderblich vorzustellen.*« Doch auch das eher an den formalen Mitteln der Kunst als an ihren moralischen »Zwecken« interessierte Urteil Emil STAIGERS über *Stella* ist vernichtend: »*Es ist primitiv in seiner*

Struktur, unzulänglich in allem, was der klaren Motivierung bedurfte, schwach in der Führung der Dialoge, unscharf und gedankenarm.« Eine »Ehrenrettung« von Goethes Schauspiel, eine Harmonisierung seiner immanenten Widersprüche mag unangemessen sein; vielmehr gilt es, in der historischen Analyse der Dichtung diese Widersprüche zu erhellen.

Über die entstehungs- und motivgeschichtlichen Voraussetzungen gibt die Goethe-Forschung erschöpfend Auskunft. Unmittelbarster biographischer Anlaß ist Goethes unentschlossene Liebe zu Lili Schönemann, der auch der Erstdruck des Schauspiels mit einem persönlichen Vers *(»Im holden Thal, auf schneebedeckten Höhen ...«)* gewidmet ist; Ernst Beutler konnte diesen Bezug sogar noch durch frappierende Parallelen zwischen dem Gespräch Stella–Fernando im vierten Akt und entsprechenden Partien über Lili in *Dichtung und Wahrheit* vertiefen. In diesem Sinne kann auch Fernando, flatterhaft-treuloser Held wie Clavigo und Weislingen, als poetisch verschlüsseltes Selbstporträt des jungen Goethe verstanden werden. Über den engeren biographischen Umkreis hinaus weist das Motiv der Doppelliebe, des zwischen zwei Frauen unentschlossen stehenden Mannes. Zwar konnte Goethe ähnliche Konstellationen im Freundeskreis vorfinden (Bürger, Jacobi); aber schon in der Liebe Swifts zu Vanessa und Stella (!) erfuhr dieses Motiv jene poetische Stilisierung, die das erste »bürgerliche Trauerspiel«, Lessings *Miß Sara Sampson* (1755), und das sentimentale Rührstück *Amalia* (1765) von Christian Felix Weisse bestimmte.

Über ihren positivistischen Stellenwert hinaus sind diese literarhistorischen Bezüge von strukturierender Bedeutung für Goethes Schauspiel, das man darum nur mit Einschränkungen dem zeitgenössischen Drama des Sturm und Drang zuordnen kann. Am ehesten lassen sich in diesen epochalen Zusammenhang die genrehaften Szenen des ersten Akts integrieren. Gegenüber der Intensität des Gefühls, der monologischen Verklärung der Vergangenheit in den folgenden Akten schildern die Eingangsszenen den Bereich des tätigen, *»äußeren Lebens«* (W. Kayser), verkörpert durch die lebenstüchtig resolute Postmeisterin. Geschäftig empfängt sie ihre eben angekommenen Gäste, eine Madame Sommer, die ihre burschikos offenherzige Tochter Luzie der Baronesse Stella als Gesellschafterin anvertrauen möchte. Schon der Anblick des Posthauses versetzt Madame Sommer in schmerzliche Wehmut, läßt sie an die *»schönste Zeit unsers Lebens in freyer Welt«*, aber damit zugleich an ihre Verzweiflung denken, die sie erfüllte, als ihr Mann sie vor vielen Jahren verließ: *»Ich mangelte mir selbst, ein Gott mangelte mir.«* Diese pathetisch übersteigerte Klage kontrastiert mit der realistischen Einstellung der Postmeisterin, die den Tod ihres Mannes nüchterner betrachtet: *»O Madame, unser eins hat so wenig Zeit zu weinen, als leider zu beten.«* *»Ein Bild meines ganzen Schicksals«* hingegen erblickt Madame Sommer in Stellas Lebensgeschichte, die ihr die geschwätzige Postmeisterin erzählt. Diese Geschichte einer abenteuerlichen Entführung aus Liebe, glücklich verbrachter Jahre und trostloser Verlassenheit ist jedoch mehr als nur ein »Bild«: Sie hängt aufs engste mit Madame Sommers Schicksal zusammen, denn der Treulose ist ihr eigener Mann Fernando. Unerwartet und unerkannt steigt auch Fernando zur gleichen Zeit im Posthaus ab – auch er der verklärenden Rückerinnerung und der zaghaften Hoffnung auf eine Erneuerung seiner einstigen *»Glückseeligkeit«* hingegeben. Doch schnell spitzen sich die noch nicht überschauten Zusammenhänge zum scheinbar ausweglosen Konflikt zu. Stella, *»ganz Herz, ganz Gefühl«*, erkennt in Madame Sommer die verständnisvolle Schicksalsgefährtin und schwelgt mit ihr in der *»Erinnerung abgeschiedener Freuden«*, im *»Widerschein der goldenen Zeiten der Jugend und Liebe«*. Im Überschwang ihrer Empfindungen führt sie vor das Bild des verlorenen Geliebten die neue Freundin, die darin erschüttert ihren eigenen Mann erkennt. Vergeblich sucht sie zu entfliehen, als Fernando und Stella schwärmerischer Wiedersehensfreude hingegeben sind; ahnungslos will Stella Mutter und Tochter an ihrem Glück teilhaben lassen und bittet Fernando, sie zum Bleiben zu bewegen. Unvermutet steht Fernando in Madame Sommer seiner verlassenen Frau Cezilie gegenüber – und ebenso unerwartet entschließt er sich, mit ihr und Luzie zu fliehen. Doch auch diese Flucht mißlingt, Fernando sieht sich zu einem Geständnis gezwungen, bei dem Stella einen Zusammenbruch erleidet; verzweifelt will sich Fernando erschießen, da löst Cezilie den verworrenen Knoten durch einen Kompromiß, der allen Beteiligten entgegenkommt: Nach dem Vorbild des sagenhaften Grafen von Gleichen, den *»ein Gefühl frommer Pflicht von seiner Gemahlinn«* ins gelobte Land trieb, der dort gefangen und als Sklave gehalten wurde, mit der Tochter seines Herrn floh und heimgekehrt mit beiden Frauen eine glückliche Doppelehe führte – gemäß dieser parabolischen Lösung soll auch die Liebe Stellas, Cezilies und Fernandos *»seelig Eine Wohnung, Ein Bett, und Ein Grab«* fassen.

Nicht nur die Zeitgenossen entrüsteten sich über die »frivole« Pointe – auch Goethe war vom Schluß seines Schauspiels nicht befriedigt und ließ es in der 1803 entstandenen zweiten Fassung als *Trauerspiel* enden: Cäcilies harmonisierender Vorschlag kommt zu spät – Fernando erschießt sich, und Stella, die Gift genommen hat, stirbt, von allen verlassen, allein. Doch auch diese Schlußfassung vermag die dem Stück immanenten und auf der disparaten Konzeption der Figuren beruhenden Widersprüche nicht aufzuheben. Stella, Cezilie (oder Cäcilie) und Fernando sind keineswegs *»volle Individuen«* (Kayser) oder gar *»wurzellose Charaktere«*, die *»keinen geschichtlichen oder sozialen Lebensraum mehr (kennen), der sie klar umgrenzte und ihnen bestimmte tätige Aufgaben vorschriebe«* (B. v. Wiese); vielmehr repräsentieren sie bestimmte literatur- und geistesgeschichtliche Strömungen, die im Drama nicht mehr zur dichterischen Einheit finden. Fernando ist der exemplarische Sturm-und-Drang-Held, den es aus den »Fesseln« von Liebe und Ehe in die *»freye Welt«* drängt, der aber – wie es der Verwalter, sein leporellohafter Vertrauter, treffend formuliert – *»mit all dem freyen Muth«* nicht weiß, was er *»für Langerweile beginnen«* soll, und der sich dieser von Selbstmordgedanken begleiteten Langeweile nur entziehen kann, indem er sich *»wieder über Hals, über Kopf gefangen«* gibt. Auf dieser zeittypischen »Zerrissenheit« beruht auch die Ausweglosigkeit seiner Beziehungen zu Stella, Cezilie und seiner Tochter: *»Diese drei beste weibliche Geschöpfe der Erde – elend durch mich! – elend ohne mich! – Ach noch elender mit mir.«* Diese *»besten edelsten weiblichen Geschöpfe«*, verbunden zwar durch ihre gesellschaftlich bedingte Abhängigkeit vom Mann, der sie verließ, sind nicht nur in ihren Charakteren, sondern auch in ihren gleichsam »epochalen« Verhaltensweisen verschieden: Hier Stella, die »Empfindsame«, die ganz ihrer Liebe Hingegebene (»*Alles um Liebe, war die Loosung meines Lebens*«; 2. Fassung), die das Andenken an den verlorenen Geliebten über die Jahre hinweggerettet und wie einen musealen Schatz im Bilderkabinett oder in der anakreontischen »*Einsiedeley*« bewahrt und hegt – dort Cezilie, die »*redliche Hausfrau*«, die sich schmerzlich bewegt an glückliche Tage mit Fernando und zugleich prosaisch an gemeinsam genossene »*Eierkuchen und abgesottene Cartoffeln*« zu erinnern vermag, die sich aber im Verlauf des Schauspiels zur »*freie(n) Gemüts- und Verstandesheldin*« (*Über das Theater*) entwickelt. Ihr kühner Kompromiß einer Ehe zu dritt, der die Zeitgenossen ebenso schockierte wie die von LENZ in den *Soldaten* (1776) formulierte Idee einer »*Pflanzschule*« für Soldatenweiber, macht jenen Übergang zwischen Aufklärung, Sturm und Drang und Klassik bewußt, der Goethes Schauspiel kennzeichnet: Eine Mischung aus aufgeklärter Überlegung und klassisch entsagungsvoller Überlegenheit, ist diese utopische Wendung paradoxerweise zeitgemäßer als der tragische Schluß der zweiten Fassung, der, inkonsequent und auf voreiligen Mißverständnissen der Figuren beruhend, dem klassischen Begriff des Tragischen widerspricht und damit auf das obsolete bürgerliche Trauerspiel der Aufklärung zurückgreift. M. Schm.

AUSGABEN: Bln. 1776. – Lpzg. o. J. [1890] (RUB, 104). – Tübingen 1816 (in *Werke*, 20 Bde., 1815 bis 1819, 6; 2. Fssg.). – Stg. 1827 (in *Werke*, 60 Bde., 1827–1842, 16; AlH). – JC, 11 [Einl. u. Anm. F. Muncker]. – WA, I, 11. – AA, 4 [Einl. u. Red. E. Beutler]. – HA, 4 [Anm. W. Kayser].

LITERATUR: A. Metz, *G.s »Stella«. Eine zusammenfassende Studie* (in PJb, 126, 1906, S. 52–71). – B. Luther, *Das Problem in G.s »Stella«* (in Euph, 14, 1907, S. 47–66). – W. Kluge, *G.s »Stella«*, Diss. Erlangen 1922. – H. Loiseau, *»Stella« et l'opinion de son temps* (in Revue de l'Enseignement des Langues Vivantes, 44, 1927, S. 341–347). – K. Leisering, *Das »Stella«-Erlebnis G.s* (in Goethe, 5, 1940, S. 160 bis 177). – E. Beutler, *Zu G.s »Stella«* (in Das neue Forum, 1951/52, S. 97–100). – B. v. Wiese, *Die deutsche Tragödie von Lessing bis Hebbel*, Hbg. [4]1958, S. 69–72. – Staiger, 1, S. 174ff. – R. Bach, *Glanz der Hoffnung – Schwermut der Einsicht. Die beiden Fassungen der »Stella«* (in R. B., *Leben mit G.*, Mchn. 1960, S. 20–33). – W. Kayser, *Kunst u. Spiel. 5 G. - Studien*, Göttingen 1961.

TORQUATO TASSO. Schauspiel von Johann Wolfgang von GOETHE (1749–1832), erschienen 1790; Uraufführung: Weimar, 16. 2. 1807. – Die fragmentarische Weimarer Prosafassung des *Tasso* (entstanden 1780/81) ist nicht erhalten; Goethe hat sie während seiner Italienreise, ähnlich wie den ursprünglichen Text der *Iphigenie*, durch eine neue Fassung in Blankversen (fünffüßige Jamben) ersetzt. Dem Werk wurde die 1785 in Rom erschienene Tasso-Biographie des Abbate Pierantonio SERASSI zugrunde gelegt, was insofern von Bedeutung ist, als auf diesem Weg die Figur des Staatssekretärs Antonio ins Drama gelangte: Anders als im »Ur-Tasso«, der wohl ausschließlich die legendäre Liebesbeziehung des historischen TASSO, eines berühmten italienischen Dichters der Spätrenaissance (1544–1595), zu einer Prinzessin gestaltete, rückt jetzt das problematische Verhältnis des Dichters zur Gesellschaft ins Zentrum der Handlung. Die im Drama hervorbrechenden Konflikte dürfen zugleich als charakteristisch für den Wandel Goethes von seiner frühen zur klassischen Zeit gelten.

Schauplatz des Dramas, das die Einheit von Ort, Zeit und Handlung mit klassischer Strenge wahrt, ist Belriguardo, ein Lustschloß in der Nähe Ferraras. Hier überreicht Tasso seinem Gönner, dem Herzog Alfons, sein Epos *Gerusalemme liberata*. Die Schwester des Fürsten, die Prinzessin Leonore von Este, die in Gesellschaft ihrer Freundin Leonore Sanvitale in Belriguardo weilt, bekränzt Tasso aus diesem Anlaß mit einem Lorbeerkranz, den sie zuvor der Büste des Vergil zuerkannt hatte. Tasso mißt dieser wohl eher konventionell-höfischen Geste eine fast existentielle Bedeutung bei, wenn er in ihr die antike Einheit von »Held« und »Dichter«, von sozialer und poetischer Realität, erneuert sieht. Aber die tatsächliche Kluft zwischen der Späre des realen, gesellschaftlichen Lebens und dem ästhetischen Bereich wird gleich mit der Ankunft Antonios, des vielerfahrenen, weltgewandten Staatssekretärs, aufgedeckt. Die Prinzessin, Muse der Tassoschen Kunst, hat in einem intimen Dialog dem Dichter Zeichen ihrer Zuneigung gegeben; begeistert faßt Tasso den Entschluß, nicht nur ihrem Anspruch auf entsagungsvolle, verzichtbereite Liebe zu genügen, sondern gleichzeitig den Wünschen seiner fürstlichen Beschützer zu willfahren, und das heißt: Antonios Freundschaft zu erwerben, um seine Lebensferne, die sich in Mißtrauen, Argwohn, Verdächtigungen niederschlägt, zu überwinden. Offen vertraut er sich Antonio an, der ihn kalt in die Schranken seiner ästhetischen Existenz zurückweist. Tasso, der wider alle gesellschaftliche Regeln seinen Degen zieht, wird vorläufig auf sein Zimmer verbannt. Sein von neuem erwachtes Mißtrauen nimmt Züge eines Verfolgungswahns an, der in Selbstzerstörung und Selbstverlust zu münden droht. Allenfalls durch die künstlerische Bewältigung des Leids kann Tasso dieser Gefahr noch Herr werden.

Erträumt sich Tasso ein Gleichgewicht zwischen Kunst und Realität, so verknüpft die Gesellschaft längst nicht mehr aktiv die Kunst mit dem Leben. Kunst stellt sich ihr nur noch als Lebensersatz oder als dekoratives Spiel dar: Für Leonore Sanvitale ist sie das Medium eitler Selbstbespielung, für Antonio das Reich der schönen, aber unverbindlichen Illusionen, für die Prinzessin schließlich ein dem Bereich der »Sitte« untergeordnetes Refugium, das sie vor jeder Gefährdung ihrer Existenz durch die Außenwelt absichern soll. Die latenten Dissonanzen zwischen den verschiedenen Haltungen werden, so scheint es, harmonisiert durch die streng kodifizierten gesellschaftlichen Formen und durch eine hochstilisierte Sprache, deren preziöse Sentenzen und formelhafte Wendungen einen Bereich entpersönlichter Homogenität schaffen: Sprache und Verhaltensweise dieser Gesellschaft hätten demnach eine verschleiernde Funktion – erst jüngst hat eine vieldiskutierte *Tasso*-Inszenierung (Bremen, Peter Stein) das zu demonstrieren versucht.

Goethes Werk übt jedoch selbst schon implicite Kritik an dieser Verschleierungsfunktion. Antonio, eifersüchtig auf die Aura, die sich Tasso durch Poesie und Frauengunst erworben hat, bedient sich, um den Dichter willentlich mißzuverstehen, eben jener hochkultivierten und fein ziselierten höfischen Sprache. Tasso stürmt mit dem Flügelschlag emphatischen Vertrauens auf den Staatsmann los, und Antonio reagiert gemessen kühl; der Dichter, keinesfalls entmutigt, wirbt mit rückhaltsloser Offenheit um die Einweihung in praktisch-politisches Handeln, und der Staatsmann, des Dichters Kunst bezweifelnd, entzieht sich ihm nicht bloß mit gezielter Ironie, er bringt durch raffinierten geschmeidigen Hochmut Tasso sogar zur Weißglut. Hier nutzt Goethe die Möglichkeit, das Mißverhältnis zwischen dem schönen Schein der Sprachgebärde und den verborgenen Regungen der Psyche, zwischen dem kostbaren Faltenwurf des Stils und der Hinterlist der Gedanken spürbar zu machen. Natürlich vermag Antonio seine Abwehr auch sachlich zu legitimieren: Tasso, zu lange und zu intensiv in sich selber versunken, kann nicht im Sturm sich einer überpersönlichen praktischen Aufgabe verfügbar machen. Naiv will er die Extreme: differenziertes Innenleben und politisch heroische Selbsterweiterung, aneinander binden. Goethe läßt ein poetisches Genie, dem die politische Dimension ermangelt, und ein staatspolitisches Genie, das sich in versachlichender Diplomatie erschöpft, einander verfehlen. Diese Unvermitteltheit von Ästhetik und Politik darzustellen, darf als eine der zeitkritischen Intentionen des Dramas gelten; hier spielen Goethes Erfahrungen am Weimarer Hof herein, der repräsentativ für die damaligen kleinstaatlichen Verhältnisse in Deutschland ist.

Für Tasso hat der Dialog mit Antonio die verhängnisvollsten Konsequenzen. Zeichen dafür sind die Veränderungen des Orts der Handlung: Der ohnehin schmale und abgeschlossene Raum der Anfangsszenen (Lustschloß und Umgebung), der auch innerhalb der fürstlichen Existenz durch seinen Spielcharakter eine Ausnahmesituation beschreibt, reduziert sich für Tasso vom Garten über das Schloßinnere bis zum erzwungenen Aufenthalt in seinem Zimmer. Die von höfischer Etikette diktierte Zimmerhaft, mit der es der Fürst so ernst nicht meint, kann nur erneut den Argwohn des »unschuldigen« Dichters nähren; sein Verdacht, man wolle ihn loswerden, läßt ihn auch Leonores Angebot, mit ihr nach Florenz zu ziehen, damit er dort sein aufgeregtes Gemüt besänftige, gründlich mißverstehen. Zwar ist Leonore, wie Antonio, nicht ohne Falsch; indem sie Tasso zu sich einlädt, folgt sie dem Drang, in dessen Poesie sich selbst bespiegelt zu sehen. Aber in ihrem Antrag schlichtweg die Aufkündigung aller Sympathien des Hofes zu erblicken, ist sachlich ebenso unbegründet wie psychologisch aufschlußreich: Tassos Argwohn, der aus verschiedensten Quellen fließt – aus der tief empfundenen Abhängigkeit des Dichters vom politischen Mäzen, aus seiner Lebensferne, aus seinem empfindlichen Gespür für die scheinhaften Sprachgesten eines Antonio oder einer Leonore –, zeigt die ersten Spuren eines Verfolgungswahns. Um sich jedoch nichts anmerken zu lassen, bedient er sich nun selber jener künstlichen, höflich-liebenswürdigen Redeweise, hinter der auch Leonore ihre wahren Absichten verbirgt. Auf die ernsthaften Versöhnungsversuche Antonios, die er als doppelzüngiges Spiel mißdeutet, antwortet er seinerseits doppelzüngig. Seine Isolation von der Gesellschaft ist aufs äußerste gesteigert. So wird, und das ist die hohe sprachkritische Leistung des Dramas, die subtile Künstlichkeit des klassischen Stils von innen her, vom scheinhaften Verhalten der Figuren, in Frage gestellt. Der tragische Vorgang entlarvt die höfisch-klassische Sprache als adäquates Medium der Verschleierung, der Distanzierung und der doppelsinnigen Diplomatie, ein Medium, das den Personen die Unmittelbarkeit versagt und sie erst recht einander verfehlen läßt. »*Denn er weiß / So glatt und so bedingt zu sprechen, daß / Sein Lob erst recht zu Tadel wird und daß / Nichts mehr, nichts tiefer dich verletzt, als Lob / Aus seinem Munde.*«

Zwar scheint Tasso aus dem Schein herauszufinden, als die Prinzessin ihn endlich anredet und er ihrer unverstellten Zuneigung inne wird. Aber er möchte auch ein sinnliches Pfand dieser Zuneigung erhalten. Entsagung, die die Prinzessin ihm auferlegt hat, kann Tasso nach den schweren Heimsuchungen des Argwohns nicht länger üben. Aus seiner Umarmung muß sich jedoch die Prinzessin empört flüchten: Die Muse der Tassoschen Dichtkunst, aus Gründen des Selbstschutzes auf »Mäßigung« und »Entbehren« bedacht, entzieht sich Tasso auf dem Höhepunkt seiner Not – wiederum ein Zeichen dafür, wie künstlich beschnitten der Lebensbereich der Kunst ist. Tasso kann nur noch hoffen, seine tragische Situation durch die Sprache der Kunst zu bemeistern: »*Und wenn der Mensch in seiner Qual verstummt, / Gab mir ein Gott, zu sagen, wie ich leide.*« Ob damit ein Erkenntnisprozeß beginnt, der Tasso zu einem neuen Selbstverständnis hinführt, bleibt offen. Für Goethe jedenfalls, der mit den Worten des zeitgenössischen französischen Kritikers Jean-Jacques Ampère den Tasso »*einen gesteigerten Werther*« nannte, war das Drama eine produktive Selbstdarstellung, die ihm über bedrückende Weimarer Erfahrungen hinweghalf. KLL

Ausgaben: Lpzg. 1790. – WA, I, 10. – JC, 12. – AA, VI. – HA, V.

Verfilmungen: Italien 1909 (Regie: A. Ambrosio). Italien 1913.

Literatur: J. Petersen, *Heinrich von Kleist u. »Torquato Tasso«. Eine Studie über literarischen Einfluß*, Lpzg./Bln. 1917. – K. Beik, *Zur Entstehungsgeschichte von G.s »Torquato Tasso«*, Lpzg. 1918. – W. Gaede, *G.s »Torquato Tasso« im Urteil von Mit- u. Nachwelt*, Diss. Mchn. 1931. – E. M. Wilkinson, *G.'s »Tasso«, the Tragedy of Creative Artist* (in Publications of the English Goethe Society, 15, 1946, S. 96–127; in *Das deutsche Drama*, Hg. B. v. Wiese, Bd. 1, Düsseldorf 1958, S. 193–214). – W. Rasch, *G.s »Torquato Tasso«. Die Tragödie eines Dichters*, Stg. 1954. – W. Silz, *Ambivalence in G.'s »Torquato Tasso«* (in GR, 31, 1956, S. 243–268). – J. Mantey, *Der Sprachstil in G.s »Torquato Tasso«*, Diss. Bln. 1957. – G. Neumann, *Konfiguration. Studien zu G.s »Torquato Tasso«*, Mchn. 1965. – L. Ryan, *Die Tragödie des Dichters in G.s »Torquato Tasso«* (in Jb. der Deutschen Schiller-Gesellschaft, 9, 1965, S. 283–322). – L. Traverso, *Sul »Torquato Tasso« di G. e altre note di letteratura tedesca*, Urbino 1966. – H. Nahler, *Dichtertum u. Moralität in G.s »Torquato Tasso«* (in *Studien zur Goethezeit. Fs. f. L. Blumenthal*, Hg. H. Holtzhauer, B. Zeller u. H. Henning, Weimar 1968, S. 285–301).

TRILOGIE DER LEIDENSCHAFT. Gedichttrilogie von Johann Wolfgang von Goethe (1749 bis 1832), entstanden August 1823 *(Aussöhnung)*, 5. bis 12. 9. 1823 *(Elegie)* und 24./25. 3. 1824 *(An Werther)*; erschienen 1827. – Der biographische Anlaß der Trilogie ist der Goethe-Forschung bestens ver-

traut: Während eines Kuraufenthaltes nach schwerer Krankheit begegnete der 74jährige Dichter in Marienbad der neunzehnjährigen Ulrike von Levetzow wieder, die er dort schon 1821 kennengelernt hatte; leidenschaftliche Liebe erwacht in ihm, die sich nur mühsam hinter der Rücksichtnahme auf die gesellschaftlichen Konventionen verbirgt. Der Weimarer Großherzog übermittelt einen Heiratsantrag, der – zunächst nur als Scherz betrachtet – zurückgewiesen wird. Dieser Erlebnishintergrund wird jedoch in der Dichtung einem subtilen künstlerischen Distanzierungsprozeß unterworfen. Goethe umrahmt die berühmte [Marienbader] *Elegie* mit zwei Gedichten, die – eigentlich »Gelegenheitsgedichte« – mit dem biographischen Anlaß der *Elegie* nur wenig zu tun haben, dafür aber um so direkter auf ihre dichterische Konzeption bezogen sind. Persönliches Erleben ist so im besten Sinne aufgehoben, da überdies die entstehungsgeschichtliche Reihenfolge der Gedichte in der Anordnung der Trilogie umgekehrt ist.
An Werther, das erste, aber zuletzt (anläßlich einer geplanten Jubiläumsausgabe der *Leiden des jungen Werther*:) entstandene Gedicht, präludiert das große Thema der *Elegie*: die poetische Beschwörung der Vergangenheit. Es ist Werthers *»vielbeweinter Schatten«*, der aus gegebenem Anlaß den Dichter Bilanz zu ziehen nötigt: *»Zum Bleiben ich, zum Scheiden du erkoren, / Gingst du voran – und hast nicht viel verloren.«* In den drei folgenden Strophen wird in sentenzhaftem Präsens eine doppelte Antithetik aufgebaut: Das scheinbar »herrliche Los« des menschlichen Lebens wird durch vielfache Gegenwirkungen geschmälert, die Goethe mit dem Vokabular seiner naturwissenschaftlichen Studien bezeichnet; der Werther-»Jüngling« wird in der Konkretisierung seiner Liebe gehemmt, dem Glück des erfüllten »Augenblicks« steht zuletzt doch das endgültige Lebewohl entgegen. In der letzten Strophe, die in der unmittelbaren Anrede des berühmten »Schattens« und der Gegenwart und Vergangenheit verbindenden, Beschwörungsgeste auf die erste Strophe zurückgreift, wird nicht ohne Ironie an das Wertherfieber der siebziger Jahre erinnert und dies mit der ausweglos scheinenden Not der Leidenschaften und des tödlichen Scheidens konfrontiert. Lediglich in der dichterischen Aussage öffnet sich die Möglichkeit einer befreienden Kompensation: *»Verstrickt in solche Qualen, halbverschuldet, / Geb ihm ein Gott zu sagen, was er duldet.«*
Diese Schlußzeilen leiten über zum leicht veränderten *Tasso*-Motto der *Elegie: »Und wenn der Mensch in seiner Qual verstummt, / Gab mir ein Gott zu sagen, was ich leide.«* Die in Goethes Reinschrift abgesetzte Eingangsstrophe der Elegie verinnerlicht die Fremdanrede »An Werther« zur Selbstanrede, zur Selbstbefragung eines Gemüts, das in der wehmütigen Erinnerung an die verlorene Geliebte zwischen dem Paradies einer für den Augenblick erreichbaren Vergegenwärtigung und der »Hölle« des Bewußtseins von der Dauer der Trennung hin und her gerissen wird. Die Erscheinung der Geliebten wird in den beiden nächsten Strophen sofort in die Vergangenheit zurückgenommen als ein verlorenes Paradies, dessen Zeitlosigkeit sich als scheinhaftes »Als ob« im Hinblick auf die Realität des endgültigen Scheidens erweist: Die Vertreibung aus diesem Paradies ist schmerzliche Gegenwart. »Nun« ist das »Herz« in sich selbst verschlossen; ein erster, in einer Kette von Fragen vorgetragener Versuch, sich mit der Anschauung der in ständigem Wechsel und immerwährender Metamorphose befindlichen Welt zu trösten, schlägt fehl, denn die dort aufleuchtenden Analogien zur Geliebten (Wolkengebilde) bringen die Vergänglichkeit der Erscheinung nur noch deutlicher in Erinnerung.
Nur das Herz könnte vielleicht im »klar beweglichen« Erinnerungsbild die paradoxe Möglichkeit einer Dauer im Wechsel verwirklichen. In intensiver Vergegenwärtigung wird die vorher gemiedene »Schwelle« hoffnungsvoll überschritten: Die Geliebte, deren ermutigende, »begeisternde« Ausstrahlungskraft zuvor beschrieben wurde, erscheint. Doch der Leser wird nicht aus dem Bewußtsein entlassen, daß es sich um einen distanzierten poetischen Vorgang handelt, wenn mittels zweier aus dem religiösen Bereich stammender Vergleiche (*»Friede«*, s. *Phil.* 4,7 und *»fromm«*) das Gefühl der Liebe, die schließlich zur Auslöschung allen »Selbstsinns« führt, beschrieben wird. So wird denn auch die in höchster Steigerung der Einbildungskraft der Geliebten unterschobene Belehrung von der rechten Nutzung der Zeit im »Augenblick« als nutzloser Trost entlarvt: *»Du hast gut reden...«* Goethe desillusioniert im Rollenspiel versteckt die ihm teure Idee vom »höchsten«, *»prägnanten Augenblick«*. Die Gegenwart des Schmerzes über die tatsächliche Entfernung von der Geliebten nimmt erneut überhand; eine rationale oder willentliche Bewältigung ist nicht möglich, was bleibt, ist das Bild, das jetzt allerdings nicht mehr »klar beweglich« vor Augen steht, sondern in widersprüchlicher Trübung und Verworrenheit die Intensität der Leiden Werthers erneuert. – In den beiden wiederum deutlich abgesetzten Schlußstrophen der *Elegie* werden die Weggenossen, die Reisebekanntschaften Goethes, entlassen und zur forschenden Welterschließung aufgefordert, die Goethe auch in diesen Tagen der leidenschaftlichen Erregung nicht aufgegeben hatte (meteorologisches Tagebuch), die er sich in der *Elegie* aber als endgültigen Trost versagt hat. Früher der »Liebling« der Götter, fühlt er jetzt deren zerstörende Macht: *»Sie drängten mich zum gabeseligen Munde, / Sie trennen mich, und richten mich zugrunde.«*
In dieser »verworrenen«, »trüben« Welt, in der das Gesetz gilt *»Die Leidenschaft bringt Leiden«*, gewährt die Musik die kaum mehr erwartete *Aussöhnung* (das zuerst entstandene Schlußgedicht war zunächst als Huldigung an die Pianistin Maria Szymanowska gedacht, deren Spiel Goethe über den Abschied von Ulrike hinwegtröstete). Indem sie durch den Zauber ihrer Töne die dem Leben und der Liebe feindlichen Gegenwirkungen rückgängig macht, läßt die Musik das geschlagene Herz sich wieder voll Lebenshoffnung und Bereitschaft zur Selbsthingabe finden, auch wenn die Liebe wie die Töne kaum ewiges Glück, wohl aber Glück im erfüllten Augenblick zu geben vermögen.
Im Buch der Sprüche des *West-östlichen Divan* hat Goethe in einer Wechselrede die Wirkung der Leidenschaften auf die Dichtung angedeutet: *»Die Flut der Leidenschaft sie stürmt vergebens / Ans unbezwungne feste Land. / Sie wirft poetische Perlen an den Strand, / Und das ist schon Gewinn des Lebens.«* In der *Trilogie der Leidenschaften* scheint es nahezu umgekehrt zu sein: Goethe, überwältigt vom Schmerz, vermag erst in großem zeitlichem Abstand die ausweglose tragische Erfahrung zur *»Katharsis«* (E. M. Wilkinson), zur »Aussöhnung« zu führen. Näher besehen weist jedoch gerade die *Elegie* mit ihrer strengen Stanzenform – nur *An Werther* wechselt in der Strophenlänge –, ihrer

hohen Stilisierung, den verhaltenen Anspielungen auf die naturwissenschaftlichen Studien, vor allem aber mit der Ich-Doppelung und der damit gegebenen konstitutiven Zeitstruktur, im Vergangenen die Gegenwart, im Wechsel die Dauer aufscheinen zu lassen, Ansatzpunkte für die bewußte Distanzierung des nur im Glück des Augenblicks vereinbaren Gegensatzes auf. V. Ho. – KLL

Ausgaben: Lpzg. 1825 *(An Werther*, in *Die Leiden des jungen Werther)*. – Stg./Tübingen 1827 (in *Werke*, AlH, 60 Bde., 1827–1842, 3). – WA, I, 3. – JC, 2. – HA, 1.

Literatur: G. v. Graevenitz, *Die »Trilogie der Leidenschaft«* (in Goethe-Jb., 29, 1908, S. 71–87). – E. Castle, *Trilogie der Leidenschaft* (in ASSL, 48, 1925, S. 1–11; auch in E. C., *G.s Geist. Vorträge u. Aufsätze*, Wien 1926, S. 369–381). – K. Vietor, *G.s Altersgedichte* (in Euph, 33, 1932, S. 105–152). – G. Neco, *L'elegia di Marienbad. Esempio di poesia ›tragica‹ moderna* (in G. N., *Realismo e idealismo nella letteratura tedesca moderna*, Bari 1937, S. 61 bis 73). – R. Harder (in *Gedicht u. Gedanke*, Hg. H. O. Burger, Halle 1942, S. 152–168). – Ch. Du Bos, *Der Weg zu G.*, Olten 1949, S. 310–353. – G. Bianqis, *L'élégie de Marienbad* (in G. B., *Études sur G.*, Paris 1951, S. 121–142). – M. Kommerell, *Gedanken über Gedichte*, Ffm. 1956. – H. Leisegang, *»Marienbader Elegie«* (in *Beiträge zur Einheit von Bildung u. Sprache im geistigen Sein. Fs. zum 80. Geburtstag von E. Otto*, Hg. G. Haselbach u. G. Hartmann, Bln. 1957, S. 385–404). – E. M. Wilkinson, *G.s »Trilogie der Leidenschaft« als Beitrag zur Frage der Katharsis*, Ffm. 1957. – Staiger, 3, S. 108–127.

UNTERHALTUNGEN DEUTSCHER AUSGEWANDERTEN. Novellendichtung von Johann Wolfgang von Goethe (1749–1832), entstanden November 1794 bis September 1795, erschienen 1795 in Schillers Zeitschrift ›Die Horen‹. Kurz nach Beginn ihrer Freundschaft bat Schiller Goethe um Beiträge für seine neugegründete Zeitschrift. So entstanden die *Unterhaltungen* als dichterisches Nebenprodukt zu einer Zeit, als Goethe *Wilhelm Meisters Lehrjahre* ausarbeitete und mit Studien zur Farben- und Knochenlehre befaßt war. Ein weiterer entstehungsgeschichtlicher Anlaß sind die Auswirkungen der Französischen Revolution. Zwar versuchte Goethe eine weitergehende Verarbeitung dieses Ereignisses in der *Natürlichen Tochter* und in den *Wanderjahren*, doch steht auch dieses Werk mit den Zeitproblemen in Verbindung.

Die Rahmenhandlung spielt um 1793, als die Revolutionsarmee linksrheinische Gebiete besetzte und bis Frankfurt vordrang. Wie so viele »Ausgewanderte« verläßt *»eine edle Familie«*, die Baronesse von C. mit Kindern, Freunden und Hausangestellten, *»ihre Besitzungen in jenen Gegenden ..., um den Bedrängnissen zu entgehen, womit alle ausgezeichneten Personen bedroht waren...«*. Die Beziehung zur Revolution besteht also zunächst in einer Flucht, doch dringt unversehens das neue Gedankengut auch bei den Flüchtenden ein. Vor allem die Äußerungen des Vetters Karl, der als Anhänger der revolutionären Ideen auftritt, werden zum Anlaß heftiger Kontroversen und persönlicher Entzweiung. Auswirkungen der Revolution zerstören auch hier die bestehende Ordnung: *»Überhaupt ... weiß ich nicht, wie wir geworden sind ... Wie sehr hütete man sich sonst, in der Gesellschaft ... etwas zu berühren, was einem oder dem andern unangenehm sein konnte ... und tun wir jetzo nicht ... das Gegenteil ...? Haben wir jetzt nicht ... nötiger, eben jene gesellige Schonung auszuüben?«* Aus diesen Erwägungen heraus verbietet die Baronin beim Zusammensein *»alle Unterhaltung über das Interesse des Tages«*. Sie wünscht, daß Geschichten erzählt werden, von denen sie fordert: *»Lassen Sie uns wenigstens an der Form sehen, daß wir in guter Gesellschaft sind.«* So verlangt gerade die Gegenwart eine neue Form gesellschaftlichen Verhaltens: Es geht um *»Überwindung des Chaos durch geformte Wirklichkeit«* (Trunz), um die erste Verwirklichung einer neuen Gesellschaft durch die Kunst.

Die Geschichten selbst, die mit Ausnahme des *Märchens* ohne besondere Überschrift eingefügt sind, gliedern sich, je nachdem, ob die Baronin anwesend ist oder nicht, in zwei Teile, die zugleich einen Niveauunterschied bedeuten. In ihrer Abwesenheit werden Gespenster- und Liebesgeschichten erzählt, deren Darstellungsart sich in dem dann folgenden Gespräch der Zuhörer so ausnimmt: *»Überhaupt ... scheint mir, daß ... jedes Faktum an sich ... das Interessante sei ... eine einzelne ... Begebenheit ist interessant ... weil sie wahr ist.«* Der nächste Vormittag bringt »moralische« Geschichten; auch sie sollen *»wahr, natürlich und nicht gemein«* sein, doch wird das Wahre und Natürliche nicht mehr als besonderer Einzelfall geschildert, sondern als musterhafte Begebenheit. Der Erzähler betont später, alle Geschichten dieser Art lehrten dasselbe und so sei diese *»nicht die einzige moralische Geschichte, die ich erzählen kann«*, doch *»alle gleichen sich dergestalt, daß man immer nur dieselbe zu erzählen scheint«*. Die »natürliche« und »wahre« Erzählung ist hier zu einer musterhaften geworden. Nachdem vom selben Erzähler mehrere *»Parallelgeschichten«* gebracht wurden, gelingt am Abend mit dem *Märchen* (vgl. dort) eine neue Form: die eines vollendeten symbolischen Erzählens. Die Darstellungsform hat sich damit aus dem Musterhaften zum Symbolischen gesteigert. Die Novellenfolge, die ursprünglich größer angelegt war, endet schon hier, nach dem ersten Erzähltag. Doch ist deshalb einer sinnvollen Formung des Ganzen kein Abbruch geschehen. Die *»Steigerung des Erzählens«* (Trunz) in den drei Etappen: Vorabend, Vormittag und Abend hat im *Märchen* ihren Höhepunkt erreicht. Beispielhaft zeichnet die Geschichtenfolge den Weg der Kunst nach, wie Goethe ihn in seinem Aufsatz *Über einfache Nachahmung der Natur, Manier, Stil* (vgl. dort) theoretisch erläuterte. Die Einsicht in diese Folgerichtigkeit der Erzählformen wird durch die überleitenden dialogischen Passagen gefördert, in denen die Gesellschaft das Gehörte reflektiert.

Die Bedeutung der *Unterhaltungen* ist indes nicht darauf beschränkt, die Entwicklung einer höchsten Kunstform zu exemplifizieren oder der durch die Revolution veränderten Gesellschaftsordnung Rechnung zu tragen. Goethe, der Boccaccio schon seit seiner Leipziger Zeit, Bassompierre und die *Cent nouvelles nouvelles* kannte (und teilweise übersetzte), greift hier die Tradition der romanischen Novellistik auf, die bislang in Deutschland fremd war. Nicht nur die Rahmenhandlung, auch die einzelnen Geschichten sind in dieser Form gestaltet. Fast durchweg handelt es sich um knappe Erzählungen, in denen eine »Wendung« eintritt, die erklärt wird; auch inhaltlich (Prokurator- und Bassompierre-Geschichte) greifen sie auf die Vorlage zurück. Damit begründete Goethe in Deutschland eine Tradition, die vor allem in der Romantik und später bei STIFTER und STORM fortgeführt wurde. Zugleich übte sich Goethe hier in eine novellistische Technik ein, die er in den *Lehrjahren (Bekenntnisse einer schönen Seele)* und in den *Wahlverwandtschaften (Die wunderlichen Nachbarskinder)*, dann aber vor allem in den *Wanderjahren* in die Form des großen Romans integrierte. H. Ka.

AUSGABEN: Tübingen 1795 (in Die Horen, Nr. 1/2, 4, 7, 9). – WA, I, 18. – JC, 16. – AA, 9. – HA, 6.

LITERATUR: W. Kraft, *Von Bassompierre zu Hofmannsthal* (in RLC, 15, 1935, S. 481–490; 694 bis 725). – M. R. Jessen, *Spannungsgefüge u. Stilisierung in den G.schen Novellen* (in PMLA, 55, 1940, S. 445–471). – J. Hoffmeister, *Die Heimkehr des Geistes*, Hameln 1946, S. 94–161. – J. Jürgens, *Die Stufen der sittlichen Entwicklung in G.s »Unterhaltungen deutscher Ausgewanderter«* (in WW, 6, 1955/56). – Th. Ziolkowski, *G.s »Unterhaltungen deutscher Ausgewanderten«. A Reappraisal* (in MDZ, 50, 1958). – W. Emrich, *Die Symbolik von Faust II*, Ffm./Bonn ³1964. – G. Fricke, *Zu Sinn u. Form von G.s »Unterhaltungen deutschen Ausgewanderten«* (in *Formenwandel*, Hg. W. Müller-Seidel u. W. Preisendanz, Hbg. 1964, S. 273–293). – J. Müller, *Zur Entstehung der deutschen Novelle. Die Rahmenhandlung in G.s »Unterhaltungen deutschen Ausgewanderten« u. die Thematik der französischen Revolution* (in *Gestaltungsgeschichte u. Gesellschaftsgeschichte*, Hg. H. Kreuzer, Stg. 1969, S. 152–175).

VENETIANISCHE EPIGRAMME. Sammlung von 103 Epigrammen von Johann Wolfgang von GOETHE (1749–1832), unter dem Titel *Epigramme. Venedig 1790* erschienen 1795 in SCHILLERS ›Musenalmanach‹, zweite veränderte, um Epigramm 34 a (WA) vermehrte Fassung in den *Neuen Schriften*, Bd. 7, 1800. – Das Frühjahr 1790 verbrachte Goethe in Venedig wo er die Herzogin Anna Amalia erwartete. Große dichterische oder naturwissenschaftliche Arbeiten konnte er dort nicht weiterführen, zudem hatte er Christiane und seinen neugeborenen Sohn in Weimar zurückgelassen; ungeduldig und *»intoleranter gegen das Sauleben dieser Nation«* (3. 4. 1790 an HERDER) erwartete er die Heimkehr. In dieser Stimmung des Unmuts und der Langeweile, die hier zur *»Mutter der Musen«* (26) wurde, entstanden über hundert zum Teil *»freche«* Epigramme. Nachdem die Sammlung bis zum Oktober 1790 auf nahezu 160 angewachsen war, wählte Goethe 103 Epigramme aus, die 1796 anonym erschienen. Die Auswahl, um ein Epigramm vermehrt, wurde in der Fassung von 1800 beibehalten, doch hatte Goethe einzelne Gedichte nach Anregungen von August Wilhelm von SCHLEGEL vor allem metrisch umgearbeitet.
Die Thematik ist vielfältig: *»Traurig, Midas, war dein Geschick ... Mir im ähnlichen Fall geht's lust'ger; denn was ich berühre, Wird mir unter der Hand ... ein ... Gedicht«* (101). Goethes Hand berührt vielerlei: Er kritisiert Italien (etwa 4,17) und die Kirche (9,11), er schreibt Grimmiges über die Obrigen (55–59), ironisiert die »gute Gesellschaft« (75), die sich gegen Christiane stellte, er handelt von *»Frankreichs traurig Geschick«* (53), das er jedoch positiv abhebt von der übrigen Welt, wo die Sklaven stumm bleiben (57), er schimpft auf deutsche Sprache und Literatur (29, 33, 76), streift seine Naturwissenschaft (77, 78), von der niemand wissen will, und reflektiert selbstironisch seine gegenwärtige Kleinkunst (5, 27). Dennoch ist der Ton nicht verdrossen, sondern ein Horazsches *»ridende dicere verum«*, verbunden mit einer freien Erotik wie in den *Römischen Elegien*. Manche Epigramme werden auch zu Kurzelegien (34), doch unterscheiden sie sich von den *Römischen* durch die Beschränkung auf eine einzelne Gelegenheit, durch eine *»von außen kommende Determination durch die Gegenstände«* (Preisendanz).
Trotz eines deutlichen Kompositionswillens sind die Epigramme nicht nach Themen geordnet. Bunt verstreut sollen sie nach dem Muster der antiken Grabinschriften den *»Tod«* durch *»Fülle« »überwältigen«* (1). Nachdem das erste Gedicht die Buntheit des Lebens als Motto gesetzt hat, verdichtet das zweite die Situation des wandernden Dichters und zeigt zugleich, wie diese Dichtung aufzufassen sei: *»Da gesellten die Musen sich gleich zum Freunde; wir pflogen / Abgeriss'nes Gespräch, wie es den Wanderer freut.«* Die Buntheit »abgerissener« Einzelbilder wird durch das Motiv der Reise zusammengefaßt, das bis zuletzt relevant bleibt, wo der Dichter, der Heimkehr nahe, die Situation eines noch ungeborenen Kindes auf die seine verweisen läßt: *»Harre noch wenige Tage«* (102). Die Situation einer unerwünschten Reise wird zum Kompositionsprinzip, das in die Symbolik hineinführt: Das Rom Faustinens (4) und das Weimar Christianens (96, 98, 101) stilisiert der Dichter zur erotisch glücklichen Gegenwelt Venedigs, das ihm diesmal als Peststadt »Sardinien« erscheint, von der aus er sich nach dem »Tibur« erfüllter Liebe sehnt: *»Breit ist das Bette, doch leer. Ist überall Sardinien, wo man allein schläft, und Tibur..., wo dich die Liebliche weckt«* (26). Erinnerung und Hoffnung, Vergangenheit und Zukunft geben den Gelegenheitsgedichten weitere symbolische Dimensionen. Darauf macht das letzte Epigramm aufmerksam, das sowohl die Komposition der gelegentlichen Reise wie das dichterische Verfahren zusammenfaßt: *»Und so tändelt ich mir, von allen Freuden geschieden / In der Neptunischen Stadt Tage wie Stunden hinweg. Alles, was ich erfuhr, ich würzt es mit süßer Erinnrung, / Würzt es mit Hoffnung...«* (103). Aber nicht nur die abrundenden Epigramme, auch die Gruppe der Erotica werden zur Gliederung benutzt: »... *die erotischen Epigramme umschließen und gliedern die anderen«* (Jarislowsky). Nicht zuletzt damit greift das Werk auf antike Vorbilder zurück:
Nachdem Herder seit 1780 griechische Epigramme übersetzt und sich mit ihrer Form beschäftigt hatte, war auch Goethe *»in den Geschmack der Inschriften«* gekommen (17. 4. 1782, an Knebel). Herder hatte sich mit LESSING auseinandergesetzt, der an MARTIAL und dessen witziger Epigrammatik orientiert war. Er forderte nun Empfindungen und Durchdrungensein von Leben und statt der Prägnanz des Witzes numerische »Ein-heit«, Beschränkung auf *einen* Gedanken. Goethe hatte dieser Forderung schon in seiner ersten Epigrammsammlung *Antiker Form sich nähernd* Rechnung getragen, und in der programmatischen Lebensbuntheit und dem impressionistischen Ausdruck geschieht das auch hier. Dennoch war Goethe nun weniger an den griechischen Autoren orientiert als an CATULL (sekr. 16 WA), PROPERZ (80, 81), HORAZ (63, 97), VERGIL (34b) und vor allem an Martial, der als witzig, gallig und zu erotisch verurteilt wurde und den ein sekretiertes Gedicht (18) ausdrücklich verteidigt. Der Rückgriff auf römische Autoren bleibt nicht auf die Gattung und Formung beschränkt. Frei darüber verfügend greift Goethe vielmehr deren einzelne Motive auf: So geht etwa die Gegenüberstellung von

»Tibur« und »Sardinien« zurück auf ein Gedicht Martials, wonach »*in medio Tibure Sardinia est*«. Die überlieferten Motive werden zu »*Zeichen*« (Preisendanz) oder Symbolen, die die gegenwärtige Situation anspielungsreich aus dem Vorgegebenen deuten.

Die dichtungsgeschichtliche Bedeutung dieser vergleichsweise frühen Sammlung liegt in ihrer Komplexität, die Früheres aufgreift und Späterem verbindet: Hier wird Antike verarbeitet und das Gelegenheitsgedicht der Frühzeit damit verbunden und erhöht; hier werden literarische Vorbilder aufgegriffen und verändert, hier wird die späte Spruchlyrik vorbereitet und dem Gelegenheitsgedicht verbunden (eine Trennung von Spruchlyrik und »eigentlicher« Lyrik war Goethe fremd), hier werden Großelegien und Xenien vorbereitet, und so verwirklicht bereits dieses Werk jene späte Aussage Goethes, wonach die Gegenwart es erfordere, daß man »*Eigenes und Fremdes ... tüchtig zu bearbeiten und einer bedeutenden Individualität anzueignen weiß ... Und wie dies nun ... geschieht, so muß eine Übereinstimmung daraus entspringen, das, was man in der Kunst Stil zu nennen pflegt*« (Geschichte der Farbenlehre). Die Mischung aus Schärfe, Witz, Persönlichem, Parodie und Erotik hat vor allem auf Heine nachgewirkt.

H. Ka.

Ausgaben: Tübingen 1795 (in Musenalmanach für das Jahr 1796). – Bln. 1796. – Bln. 1800 (in *Neue Schriften*, Bd. 7; verm.). – WA, I, 1. – JC, 1. – AA, 1. – HA, 1.

Literatur: A. Bossert, *Les »Epigrammes vénitiennes« de G.* (in A. B., *Essais de littérature française et allemande*, Paris 1913, S. 65–80). – E. Maaß, *Die »Venetianischen Epigramme«* (in Jb. der Goethe-Gesellschaft, 12, 1926, S. 68–92). – J. Jarislowsky, *Der Aufbau in G.s »Venetianischen Epigrammen«* (ebd., 13, 1927, S. 87–95). – M. Nußberger, *G.s »Venetianische Epigramme« u. ihr Erlebnis* (in ZfdPh, 55, 1930, S. 379–389). – E. Jahn, *Ein Buch des Unmuts (G.s »Venetianische Epigramme«)* (in Goethe-Jb. Die Goethe-Gesellschaft in Japan, 6, 1937, S. 11–47). – W. Preisendanz, *Die Spruchform in der Lyrik des alten G. u. ihre Vorgeschichte seit Opitz*, Heidelberg 1952, S. 62–83.

VERSUCH DIE METAMORPHOSE DER PFLANZEN ZU ERKLÄREN. Aufsatz von Johann Wolfgang von Goethe (1749–1832), erschienen 1790. – Gegen das Vorurteil, das in ihm einen naturwissenschaftlich nur dilettierenden Künstler sehen wollte, betonte Goethe häufig, daß er »*Gelegenheit gefunden, einen großen Teil ... [seines] Lebens ... auf Naturstudien zu verwenden*« *(Der Verfasser teilt die Geschichte seiner botanischen Studien mit)*. Der Verlauf seiner naturwissenschaftlichen Studien spiegelt dabei die Geschichte dieser Wissenschaft, die in der Goethezeit einen großen Aufschwung erlebte. Ein naturkundlicher Unterricht war in Goethes Jugend nicht üblich. Nach ersten Begegnungen mit Medizinern während der Studienzeit wuchs Goethes Interesse an der Natur aus der Beschäftigung mit alchimistischen und naturphilosophischen Schriften im pietistischen Kreis von 1769. Er las Paracelsus und Gottfried Arnold, bald darauf Spinoza. Zu einem intensiveren Naturstudium führte ihn dann die praktische biologische und geologische Arbeit in Weimar. Dort erarbeitete er sich anhand von Rousseau, Linné, Gessner, Ruppe und anderen die Grundlagen der Wissenschaft seiner Zeit, und dies nicht nur zu privater Nutzung, sondern auch zur geselligen Diskussion im Weimarer Kreis. Während der italienischen Reise verstärkte sich Goethes Beschäftigung mit den Naturwissenschaften erheblich. Er hatte schon bald angefangen, die statischen Klassifikationsversuche in der Botanik zu kritisieren und betonte gegen Linné, die Pflanzenformen seien nicht ursprünglich determiniert, es sei ihnen vielmehr »*bei einer spezifischen Hartnäckigkeit eine glückliche Mobilität ... verliehen, um in so viele Bedingungen ... sich zu fügen und darnach bilden und umbilden zu können*« *(Der Verfasser ...)*. Diese morphologische Naturbetrachtung versuchte Goethe auf möglichst viele Bereiche anzuwenden, wobei eine »*Universalwissenschaft des Organischen*« geplant war (R. Steiner). Dabei faßt er jede lebendige Gestalt als »*ein bewegliches, ein werdendes, ein vergehendes. Gestaltenlehre ist Verwandlungslehre. Die Lehre von der Metamorphose ist der Schlüssel zu allen Zeichen der Natur*« (Definition der »Morphologie« von 1807).

Durch genaue Beobachtung der Formübergänge der Pflanzen und eine bewußt genetische Betrachtungsweise hatte Goethe in Italien die »*ursprüngliche Identität aller Pflanzenteile*« erkannt. In der *Pflanzenmetamorphose* zeigt er nun, wie sich die komplizierteren Formen der Pflanze stufenweise aus der einfachsten, den ersten Samenblättern, entwickeln. »*Alles ist Blatt und durch diese Einfachheit wird die größte Mannigfaltigkeit möglich*« *(Paralipomena I)*. Durch den Wechsel von Ausdehnung und Zusammenziehen in verschiedenen Sproßabschnitten entstehen der Reihe nach Keimblätter, Stengelblätter, Kelch, Krone, Staubwerkzeuge, Griffel, schließlich Blüte und Frucht mit der neuen Ausbildung des Samens. Dabei bezeichnet Goethe die »*successive gegliederte Steigerung*« *(Aphoristisches)* als »*fortschreitende*«, die Weiterbildung in Form eines Rückgangs auf bereits früher ausgebildete Formen als »*rückschreitende Metamorphose*«. Nachdem er in dieser Weise durch die »Polarität« von Ausdehnung und Zusammenziehung die Bildungsstufen einer einjährigen Pflanze »*von ihrer Entwicklung aus dem Samen bis zur neuen Bildung desselben*« dargelegt hat, zeigt er die Bildungsstufen ausgebildeter, nämlich mehrjähriger Pflanzen. Dabei bemerkt er, daß auf einer »Mutterpflanze« gleichsam weitere einjährige Pflanzen hervorgebracht werden. Der Unterschied zwischen dem Wachstum der einfachen und der Fortpflanzung der komplizierteren Pflanze bestehe im Gegensatz zur Ansicht Linnés nur darin, daß das einfache Wachstum eine sukzessive Fortpflanzung sei, während die Fortpflanzung durch zweierlei Geschlechter »auf einmal« geschehe. Die ausgebildetere Pflanze ist wiederum nur eine gesteigerte Metamorphose der einfachen. So bleiben es »*nur immer dieselbigen Organe, welche ... unter oft veränderten Gestalten*« nach den immer gleichen Bildungsgesetzen von Metamorphose, Polarität und Steigerung »*die Vorschrift der Natur erfüllen*«.

Die naturwissenschaftliche Bedeutung dieses Aufsatzes sah Goethe selbst zurecht darin, daß er über Linnés Präformations- oder »Einschachtelungslehre« hinausgekommen sei. Zudem legte er großen Wert auf die Überwindung der statischen Klassifikation und deren fertiger Terminologie. »*Aus dem Begriff der Metamorphose*« nämlich gehe hervor, daß die zum Teil kaum merklichen »*Abänderungen der Gestalt*« nicht »*mit einem Namen gestempelt werden können*« *(Aphoristisches)*. Gegen die Klassifikationen Linnés hatte Goethe daher eine »*unmittelbare Bildung des Ausdrucks an den jedesmaligen*

Gegenständen« proklamiert und gerechtfertigt, die ihn zu einer »*gegenständlichen*« Symbolik führte. Entsprechend schrieb Goethe im Vorwort zur *Farbenlehre* über die Bildungskomponente der Polarität, die im Wechsel von Ausdehnung und Zusammenziehen auch in der Pflanzenmetamorphose wichtig war: »*Man hat ein Mehr, ein Weniger, ein Wirken, ein Widerstreben ... ein Männliches, ein Weibliches überall bemerkt und genannt, und so entsteht eine Sprache, eine Symbolik, die man auf ähnliche Fälle als Gleichnis ... als unmittelbar passendes Wort anwenden ... mag.*«
Nicht nur wegen dieser neuen gegenständlichen Symbolik (vgl. P. Böckmann) ist die Bedeutung der Goetheschen Naturwissenschaft für seine Dichtung kaum zu überschätzen. Die Bildungsgesetze der Natur mit ihren Komponenten der Metamorphose, der Polarität und der Steigerung werden Goethe seit Italien zum »*Muster alles künstlichen*« Schaffens. Ein Beispiel dafür ist die Elegie *Metamorphose der Pflanzen.* In ähnlicher Weise schlägt sich Goethes Naturwissenschaft in der Formung des »Bildungsromans« *Wilhelm Meister* nieder; naturwissenschaftliche Analogien bestimmen die *Wahlverwandtschaften* und reichen u. a. weit hinein in die symbolische Formung des *Faust* – wo etwa der Bildungsweg Fausts im Jenseits ausdrücklich mit den Metamorphosen einer Raupe verglichen wird. Weitergewirkt hat die Verbindung ähnlich gelagerter Naturwissenschaft vor allem im Werk Stifters und – in veränderter Ausprägung – im Werk Thomas Manns. H. Ka.

Ausgaben: Gotha 1790. – Stg. 1831 [m. frz. Übers.]. – WA, II, 6. – JC, 39. – AA, 16. – HA, 13.

Literatur: G. Müller, *G.s Elegie »Die Metamorphose der Pflanzen«. Versuch einer morphologischen Interpretation* (in DVLG, 21, 1943, S. 67–98; auch in G. M., *Morphologische Poetik*, Hg. E. Müller u. H. Egner, Tübingen 1968, S. 356–387). – Ders., *Die Gestaltfrage in G.s Naturwissenschaft u. G.s Morphologie*, Halle 1947. – H. Fischer, *G.s Naturwissenschaft*, Zürich 1950. – A. B. Wachsmuth, *G.s Naturforschung u. Weltanschauung in ihrer Wechselbeziehung* (in JbGG, 14/15, 1952/53, S. 46–62; auch in A. B. W., *Geeinte Zwienatur. Aufsätze zu G.s naturwissenschaftlichem Denken*, Bln./Weimar 1966, S. 140–156). – A. Portmann, *G.s Naturforschung* (in NSRs, 21, 1953/54, S. 406–422; auch in A. P., *Biologie u. Geist*, Zürich 1956, S. 273–292). – P. Böckmann, *G.s naturwissenschaftliches Denken als Bedingung der Symbolik seiner Altersdichtung* (in Literature and Science, 1954, S. 228–236). – G. Overbeck, *G.s Lehre von der Metamorphose der Pflanze u. ihre Widerspiegelung in seiner Dichtung* (in Publications of the English Goethe-Society, 31, 1961, S. 38–59). – *Der Naturforscher G. in Selbstzeugnissen. Ein Beitrag zur Erkenntnis seiner Naturanschauung*, Hg. u. Anm. K. Rittersbacher, Freiburg i. B. 1968. – R. Michéa, »*La métamorphose des plantes*« *devant la critique* (in EG, 24, 1969, S. 194–209). – D. Kuhn, *Über den Grund von G.s Beschäftigung mit der Natur u. ihrer wissenschaftlichen Erkenntnis* (in Jb. der Deutschen Schiller-Gesellschaft, 15, 1971, S. 157–173).

VON DEUTSCHER BAUKUNST. Aufsatz von Johann Wolfgang von Goethe (1749–1832), als Flugschrift 1772 in Frankfurt anonym erschienen und dann in Herders Sammlung *Von Deutscher Art und Kunst* (1773), ferner in Gottfried Huths *Allgemeines Magazin für die bürgerliche Baukunst* von 1789 aufgenommen. 1824 wurde der Aufsatz von Goethe in ›Über Kunst und Altertum‹ (Band 4, Heft 3) wieder veröffentlicht und im vorhergehenden Heft derselben Zeitschrift mit einer gleichnamigen Studie *Von deutscher Baukunst* (Band 4, Heft 2, 1823) eingeleitet, die »*gleichsam das Vorwort*« zu dem Wiederabdruck genannt wurde. – In ihrem dithyrambischen Stil, ihrem Preis des Baumeisters Erwin von Steinbach und in der enthusiastischen Hochschätzung der bislang verachteten gotischen Architektur des Straßburger Münsters als »*Babelgedanken der Seele ... ganz, groß, und bis in den kleinsten Teil notwendig schön, wie Bäume Gottes*« kennzeichnet sich diese Studie als charakteristisches Dokument des Sturm und Drang. Sie stellt darüber hinaus einen Wendepunkt in der Bewertung der gotischen Baukunst dar, über die Goethe in diesem Aufsatz selbst sagt: »*Unter die Rubrik Gotisch, gleich dem Artikel eines Wörterbuchs, häufte ich alle synonymische Mißverständnisse, die mir von Unbestimmtem, Ungeordnetem, Unnatürlichem, Zusammengestoppeltem, Aufgeflicktem, Überladenem jemals durch den Kopf gezogen war.*« Demgegenüber löste der Anblick des Straßburger Münsters eine »*unerwartete Empfindung*« aus, die in den emphatischen Worten Ausdruck fand: »... *schauen die großen harmonischen Massen, zu unzählig kleinen Teilen belebt, wie in Werken der ewigen Natur, bis aufs geringste Zäserchen, alles Gestalt, und alles zweckend zum Ganzen.*« Im neunten und zwölften Buch von *Dichtung und Wahrheit* hat Goethe diesen Wandel in seiner frühen Kunstanschauung aus der Distanz des Alters geschildert.
Die besondere Note des Jugendaufsatzes und zugleich ein charakteristischer Ausdruck seiner vaterländischen Gesinnung besteht in dem Versuch, die am Straßburger Münster erfahrenen ästhetischen Qualitäten nicht als »gotisch«, sondern als »deutsch« zu benennen, womit gleichzeitig der Titel des Essays seine Erklärung findet und außerdem eine Kontroverse in der kunsthistorischen Stilbezeichnung einsetzt: »*Und nun soll ich nicht ergrimmen, heiliger Erwin, wenn der deutsche Kunstgelehrte, auf Hörensagen neidischer Nachbarn, seinen Vorzug verkennt, dein Werk mit dem unverstandenen Worte Gotisch verkleinert. Da er Gott danken sollte, laut verkündigen zu können: Das ist deutsche Baukunst, unsre Baukunst, da der Italiener sich keiner eignen rühmen darf, viel weniger der Franzose.*« Die hier erfahrene Kunstform wird als »*charakteristische Kunst*« gewürdigt, »*wirkend aus starker, rauher, deutscher Seele*«, vom »*Genius des großen Werkmeisters*« hervorgebracht. Indem so, wie vor allem noch im zwölften Buch von *Dichtung und Wahrheit* hervorgehoben wird, die Eigenständigkeit und Originalität dieser Kunst gegenüber der Baukunst der Griechen und Römer in Erscheinung tritt, zeigt sich eine deutliche Parallele zu der von Herder betonten Inkommensurabilität des Nordischen Dramas Shakespeares gegenüber der Attischen Tragödie, die vor allem in dem ebenfalls in *Von Deutscher Art und Kunst* veröffentlichten Aufsatz über *Shakespeare* zum Ausdruck kommt.
Die Umbenennung der Gotik in »deutsche Baukunst« bildet auch den Ausgangspunkt für die Studie *Von deutscher Baukunst* von 1823, die aber als Ganzes durch die inzwischen von Friedrich von Schlegel, Carl Friedrich von Rumohr, Georg Moller, vor allem aber durch Sulpiz Boisserée betriebene Erforschung der Gotik, auch durch das im Gefolge der Romantik breit erwachte Interesse an

dieser Kunstform veranlaßt wurde. Sie läßt sich als abschließende Stellungnahme Goethes zum Stil der Gotik verstehen. Seit dem Straßburger Erlebnis war Goethe von seinem Enthusiasmus für die Gotik abgerückt: »*Der Eindruck erlosch, und ich erinnerte mich kaum jenes Zustandes, wo mich ein solcher Anblick zum lebhaftesten Enthusiasmus angeregt hatte. Der Aufenthalt in Italien konnte solche Gesinnungen nicht wieder beleben, um so weniger, als die modernen Veränderungen am Dome zu Mailand den alten Charakter nicht mehr erkennen ließen; und so lebte ich viele Jahre solchem Kunstzweige entfernt, wo nicht gar entfremdet.*« Nun steht nicht mehr das Straßburger Münster, sondern der Kölner Dom im Zentrum der Betrachtung, den Goethe zunächst im Jahre 1810 in Zeichnungen und Grundrissen durch die Brüder Boisserée, dann im Verlauf von zwei Besuchen in Köln aus eigener Anschauung kennenlernte, aber doch nur mit Reserven würdigte: »*Ich will nicht leugnen, daß der Anblick des Kölner Doms von außen eine gewisse Apprehension in mir erregte, der ich keinen Namen zu geben wüßte. Hat eine bedeutende Ruine etwas Ehrwürdiges, ahnen, sehen wir in ihr den Konflikt eines ehrwürdigen Menschenwerks mit der stillmächtigen, aber auch alles nicht achtenden Zeit, so tritt uns hier ein Unvollendetes, Ungeheures entgegen, wo eben dieses Unfertige uns an die Unzulänglichkeit des Menschen erinnert, sobald er sich unterfängt, etwas Übergroßes leisten zu wollen.*« Den Bemühungen Boisserées gab Goethe in diesem Aufsatz freilich eine wertvolle Unterstützung. In seinen grundsätzlichen Stellungnahmen zur Gotik betonte Goethe nun mit Bezugnahme auf das Werk von François Blondel, *Cours d'architecture* (1675–1683), den Gedanken der Proportion, der in seiner rückblickenden Beurteilung auch das zentrale Motiv des Jugendaufsatzes gebildet hatte: »*Daß ich bei diesen erneuten Studien deutscher Baukunst des zwölften Jahrhunderts öfters meiner frühern Anhänglichkeit an den Straßburger Münster gedachte und des damals, 1773, im ersten Enthusiasmus verfaßten Druckbogens mich erfreute, da ich mich desselben beim späteren Lesen nicht zu schämen brauchte, ist wohl natürlich: denn ich hatte doch die innern Proportionen des Ganzen gefühlt, ich hatte die Entwicklung der einzelnen Zierraten eben aus diesem Ganzen eingesehen und nach langem und wiederholtem Anschauen gefunden, daß der eine hoch genug auferbaute Turm doch seiner eigentlichen Vollendung ermangle. Das alles traf mit den neueren Überzeugungen der Freunde und meiner eigenen ganz wohl überein, und wenn jener Aufsatz etwas Amphigurisches in seinem Stil bemerken läßt, so möchte es wohl zu verzeihen sein, da wo etwas Unaussprechliches auszusprechen ist.*« D. Be.

Ausgaben: o. O. [Ffm.] 1773 [recte Nov. 1772; anon]. – Hbg. 1773 (in *Von Deutscher Art u. Kunst. Einige fliegende Blätter*, Hg. J. G. Herder). – Weimar 1789 (in G. Huth, *Allgemeines Magazin für die bürgerliche Baukunst*, 2 Bde.). – Stg. 1824 (in Über Kunst u. Alterthum, 4, H. 3). – WA, I, 37. – JC, 30. – AA, 13. – Mchn. 1943, Hg. E. Beutler [m. Essay].

Literatur: E. H. Lehmann, *Die Anfänge der Kunstzeitschrift in Deutschland*, Lpzg. 1932. – W. Pinder, *G. u. die bildende Kunst* (in W. P., *Gesammelte Aufsätze*, Lpzg. 1938, S. 161–179). – A. Grisebach, *G. in Heidelberg u. der Kölner Dom* (in A. G., *G. u. Heidelberg*, Heidelberg 1949, S. 196ff.). – W. D. Robson-Scott, *G. and the Gothic Revival* (in Publications of the English Goethe Society, N. S. 25, 1956, S. 86–113). – Ders., *On the Composition of G.'s »Von deutscher Baukunst«* (in MLR, 54, 1959, S. 547–553).

DIE WAHLVERWANDTSCHAFTEN. Roman von Johann Wolfgang von Goethe (1749–1832), erschienen 1809. – Noch 1807 als Novelleneinlage für *Wilhelm Meisters Wanderjahre* geplant, wuchs die aus Goethes Neigung zu Wilhelmine Herzlieb entsprungene Dichtung schnell zu einem eigenen Roman an. Mit dem Romantitel und der »*chemischen Gleichnisrede*«, die er der Figurenkonstellation zugrunde legte, nahm Goethe auf einen Begriff aus dem Bereich der Naturwissenschaften Bezug, wie er seit der Abhandlung des schwedischen Chemikers Torbern Bergman *De attractionibus electivis* (1775) gebräuchlich war. Mit Wahlverwandtschaft bezeichnete man die Eigenschaft bestimmter chemischer Elemente, bei der Annäherung anderer Stoffe plötzlich ihre bestehenden Verbindungen zu lösen und sich mit den neu hinzugetretenen Elementen gleichsam »wahlverwandtschaftlich« zu vereinigen. Dieser chemische Vorgang wird in Teil I, Kap. 4, unter den Romanfiguren selbst erörtert: »*In diesem Fahrenlassen und Ergreifen, in diesem Fliehen und Suchen glaubt man wirklich eine höhere Bestimmung zu sehen; man traut solchen Wesen eine Art von Wollen und Wählen zu und hält das Kunstwort ›Wahlverwandtschaften‹ für vollkommen gerechtfertigt.*« Goethe übertrug dieses an den chemischen Elementen beobachtete Kräftespiel von Anziehung und Abstoßung auf menschliche Verhältnisse, um dabei das Problem von Freiheit und Notwendigkeit im sittlichen Bereich darzustellen. Denn während es sich bei dem Verhalten der chemischen Elemente trotz der anthropomorphen Vorstellung einer »Wahl« um »Naturnotwendigkeit« handelt, ergibt sich für den Menschen die Frage, ob er der gleichen Determination unterliege wie die anorganischen Stoffe oder ob er den elementaren Naturkräften ein sittliches Vermögen entgegenzustellen habe. Diesen Konflikt zwischen Natur- und Sittengesetz stellte der Dichter am Modellfall einer zerbrechenden Ehe dar. Dabei ordnete er die vier Hauptfiguren des Romans dem zugrunde gelegten chemischen Vorgang entsprechend an und nahm ihren Reaktionen gegenüber die beobachtende, fast distanzierte Haltung eines Naturforschers ein. So sind die dargestellten Ereignisse auch nicht psychologisch, sondern nur symbolisch zu verstehen. Eine Reduktion des vielschichtigen Symbolgehalts der *Wahlverwandtschaften* auf die äußere Handlung läßt gerade das Konstruierte, zum Teil Überspitzte dieses Roman-»Experiments« besonders deutlich hervortreten.

Eduard, der verwöhnte Angehörige einer »*müde und passiv gewordenen Aristokratie*« (K. May), hat endlich seine Jugendgeliebte Charlotte heiraten können, nachdem beide zu ersten konventionellen Ehen gezwungen worden waren. Sie ziehen sich auf Eduards Landgut zurück, um in der Einsamkeit ganz füreinander leben und das »*früh so sehnlich gewünschte, endlich spät erlangte Glück ungestört genießen*« zu können. Hier widmen sie sich gemeinsam der Neugestaltung der Parkanlagen, der Umwandlung der »rohen« Natur in eine kunstvoll geordnete Kulturlandschaft. Eduards Wunsch, seinen alten Freund Otto, einen in Not geratenen Hauptmann, zu sich auf das Schloß kommen zu lassen, wird von Charlotte in ahnungsvoller Besorgnis zunächst abgelehnt. Als jedoch Eduard, der nicht gewohnt ist, »*sich etwas zu versagen*«, auf seinem Vorhaben besteht, stellt auch Charlotte die Notwendigkeit dar, ihre Nichte und Pflegetochter Ottilie als häusliche Gehilfin zu sich zu nehmen. So kann das Kräftespiel der Wahlverwandtschaften beginnen, das sich den verschiedenartigen Charakteren entsprechend unterschiedlich auswirkt. Während der Hauptmann und Charlotte ihrer wachsenden Neigung entschlossen entgegenzutreten suchen, gibt sich Eduard seiner unbedingten und maßlosen Liebe zu Ottilie völlig hin. Das unschuldige »himmlische Kind« Ottilie lebt in ahnungsloser Unbewußtheit bald nur noch für Eduard, ja durch den geheimen Zwang der Wahlverwandtschaft paßt sie sich sogar seinen Fehlern an. Der Besuch eines in illegitimer Verbindung lebenden Paares begünstigt die wechselseitigen Neigungen, und der Vorschlag des Besuchers, dem verdienstvollen Hauptmann eine angemessenere Stellung zu verschaffen, sowie das Drängen seiner Geliebten, Ottilie aus dem Haus zu entfernen, läßt in beiden Paaren mit dem Gedanken an plötzliche Trennung die Leidenschaft vollends ausbrechen. Während einer nächtlichen Liebesumarmung begehen Eduard und Charlotte in der Phantasie Ehebruch: »*Eduard hielt nur Ottilien in seinen Armen; Charlotten schwebte der Hauptmann näher oder ferner vor der Seele, und so verwebten, wundersam genug, sich Abwesendes und Gegenwärtiges reizend und wonnevoll durcheinander.*« Am nächsten Morgen treten die Ehegatten dem Hauptmann und Ottilie »*gleichsam beschämt und reuig*« entgegen. Zwischen den beiden einander wahlverwandtschaftlich zugeordneten Paaren kommt es zum Liebesgeständnis. Doch Charlotte, von der heiligen Verpflichtung des Ehegelöbnisses überzeugt, entschließt sich zur Entsagung und glaubt dasselbe auch von Eduard verlangen zu können. Damit aber fordert sie dessen Trotz heraus. Zwar entfernt er sich nach der Abreise des Hauptmanns ebenfalls aus dem Schloß, zum Verzicht auf Ottilie aber ist er nach wie vor nicht bereit. Als er erfahren muß, daß Charlotte in jener Nacht des »*doppelten Ehbruchs*« ein Kind empfangen hat, zieht er verzweifelt in den Krieg: »*Er sehnte sich nach dem Untergang, weil ihm das Dasein unerträglich zu werden drohte.*« Mit einem Blick auf den hoffnungslosen Zustand von Ottilie schließt der erste Teil des Romans.

Der zweite Teil, der zunächst die Tätigkeit der beiden zurückgebliebenen Frauen schildert, ihre Teilnahme an der Neugestaltung des Friedhofs und an der Restaurierung einer alten Kapelle, steht von Anfang an im Zeichen des Todes. Die Gespräche mit dem Architekten, später mit Ottiliens ehemaligem Lehrer, bringen ebenso wie die Auszüge aus dem Tagebuch von Ottilie eine deutliche Verlangsamung des Handlungsablaufs. Das Interesse des Erzählers konzentriert sich ganz auf die rätselhafte Gestalt des jungen Mädchens, das einem »*verschwundenen goldenen Zeitalter*« anzugehören scheint und dessen Gedanken sich durch das Leid der Trennung von Eduard zunehmend auf Tod und Ewigkeit richten. Auch die Schilderung des ungestümen geselligen Treibens, das mit dem Besuch von Charlottes Tochter Luciane auf dem Schloß anhebt, dient nur dazu, durch das Gegenbild der egoistischen und gefallsüchtigen Luciane das demütige und hingabebereite Wesen von Ottilie hervorzuheben. Die Geburt des gemeinsamen Sohnes von Eduard und Charlotte verrät die Schuld der Eltern, denn das Kind weist von Anfang an eine erstaunliche Ähnlichkeit mit dem Hauptmann wie mit Ottilie auf. Von dieser Ähnlichkeit betroffen, offenbart der aus dem Krieg unversehrt zurückgekehrte Eduard Ottilie, die er mit dem Kind am Ufer des Sees überrascht hat, das Geheimnis des geistigen Ehebruchs. Nachdem er bereits mit dem Hauptmann seine Scheidung von Charlotte und eine neue Verbindung der beiden Paare besprochen hatte, erhält er nun auch von Ottilie die Zustimmung zur Ehe für den Fall, daß Charlotte Eduard entsage. »*Die Hoffnung fuhr wie ein Stern, der vom Himmel fällt, über ihre Häupter weg. Sie wähnten, sie glaubten einander anzugehören; sie wechselten zum erstenmal entschiedene, freie Küsse und trennten sich gewaltsam und schmerzlich.*« Ottiliens innere Erregung führt bei der Rückfahrt über den See die Katastrophe herbei: Der Kahn gerät ins Schwanken, und das Kind ertrinkt. Sein Tod, von Eduard als eine »Fügung« begrüßt, die nun auch das letzte Hindernis für seine Verbindung mit Ottilie beseitigt habe, bewegt auch Charlotte zum Verzicht. Sie erkennt ihre eigene Schuld, die darin bestanden hat, den unausweichlichen Gang des Schicksals durch ihren sittlichen Entschluß hemmen zu wollen: »*... durch mein Zaudern, mein Widerstreben habe ich das Kind getötet. Es sind gewisse Dinge, die sich das Schicksal hartnäckig vornimmt. Vergebens, daß Vernunft und Tugend, Pflicht und alles Heilige sich ihm in den Weg stellen; ... (es) greift zuletzt durch, wir mögen uns gebärden, wie wir wollen.*« Da aber führt Ottiliens Entschluß zur völligen Entsagung die Wendung herbei. Durch das unerhörte Ereignis plötzlich zur Einsicht in ihr Verschulden gelangt, begreift sie sich als einen vom Schicksal »*auf eine fürchterliche Weise*« gezeichneten Menschen, der überall Unheil um sich verbreitet, und will in tätiger Nächstenliebe für ihr Vergehen büßen. Die ungestüme Zudringlichkeit von Eduard jedoch, der sie auf der Rückreise ins Pensionat abfängt, versperrt ihr auch diesen letzten Weg ins Leben zurück. Von nun an verstummt sie, verweigert jede Speise und tötet sich durch Askese allmählich ab. So glaubt sie sich dem »*Heiligen*« zu nähern, das allein »*gegen die ungeheuren zudringenden Mächte beschirmen kann*«. Nach ihrem Tod wird sie wie eine Heilige und Märtyrerin verehrt. Eduard stirbt nur kurze Zeit nach ihr, und beide werden in jener Kapelle bestattet, die Ottilie bereits nach der Fertigstellung wie eine »*gemeinsame Grabstätte*« erschienen war. »*So ruhen die Liebenden nebeneinander. Friede schwebt über ihrer Stätte, heitere, verwandte Engelsbilder schauen vom Gewölbe auf sie herab, und welch ein freundlicher Augenblick wird es sein, wenn sie dereinst wieder zusammen erwachen.*«

Der legendenhafte Schluß des Romans verdeutlicht gerade mit seinem versöhnenden Ausblick über die Grenzen der Todes hinaus die Unlösbarkeit des Konflikts zwischen sittlicher Ordnung und elementarer Leidenschaft im irdischen Leben. Am ausweglos tragischen Schicksal Ottiliens wird die Unvereinbarkeit zweier einander gleichgeordneter Forderungen dargestellt. Ottilie kann die ihr persönlich auferlegte »Bahn« sittlichen Verhaltens mit der ebenso gesetzhaften Liebe zu Eduard nicht in Einklang bringen. Ihr Tod wird zur tragischen Notwendigkeit. Damit zeigt der Roman den Menschen der gleichen Naturgesetzlichkeit unterworfen wie die chemischen Elemente. In beiden herrsche »*nur Eine Natur*«, heißt es in Goethes Vorankündigung des Romans, da »*auch durch das Reich der heiteren Vernunftfreiheit die Spuren trüber leidenschaftlicher Notwendigkeit sich unaufhaltsam hindurchziehen, die nur durch eine höhere Hand, und vielleicht auch nicht in diesem Leben völlig auszulöschen sind*«

(*Morgenblatt für gebildete Stände*, 4. 9. 1809). Im Unterschied zu der Determiniertheit der Elemente durch das Naturgesetz hat der Mensch jedoch die Möglichkeit, durch den sittlichen Entschluß zur Entsagung seine geistige Freiheit zu behaupten. Die Entsagung, die in Goethes Spätwerk von der *Natürlichen Tochter* bis zu *Wilhelm Meisters Wanderjahren* zu einem beherrschenden Motiv wird, bewahrt den Menschen davor, sich von der Leidenschaft überwältigen zu lassen wie Eduard, der »*kein Maß mehr*« kennt und den das Bewußtsein, »*zu lieben und geliebt zu werden*« »*ins Unendliche*«, treibt. In der Entsagung bezeugt sich dieser naturhaften Getriebenheit gegenüber die geistige Kraft des Menschen. So deutete Goethe selbst Ottiliens Verzicht dahingehend, daß sich in ihr die sittliche Natur »*durch den Tod ihre Freiheit salviert*« habe. Damit sprach er jedoch keine moralische Wertung aus, wie er auch jede persönliche Stellungnahme für oder gegen die Ehe im Roman vermied. (Auch die eindeutige Befürwortung der Ehe durch Mittler, einen mit Eduard und Charlotte befreundeten Theologen, darf nicht als »*hoher ethischer Rigorismus*« [H. A. und E. Frenzel] mißverstanden werden.) Das Naturgesetz der Leidenschaft tritt gleichberechtigt neben die Gebote der Sittlichkeit. Deshalb kann sich Charlottes Verzicht auf die Liebesbeziehung zugunsten der sittlichen Ordnung der Ehe ebenso verhängnisvoll auswirken wie die dämonischen Leidenschaften selbst, und deshalb wird der naturgesetzliche Zwang der Wahlverwandtschaft auch durch Ottiliens Entschluß zur Entsagung nicht aufgehoben: Die magische Anziehungskraft zwischen Eduard und ihr bleibt auch nach ihrem Verzicht bestehen. Ottilie entsagt nicht ihrer Liebe, sondern nur der Erfüllung dieser Liebe im irdischen Leben. »*So ist der Sühne-Tod also nicht christlich gedacht, er ist das Mittel zur Verwirklichung der Wahlverwandtschaft jenseits irdisch-sittlicher Schranken*« (P. Hankamer).

Die Ausweglosigkeit von Ottiliens Schicksal, das Unaufhaltsame ihres Endes, verleihen dem »tragischen Roman« Züge der griechischen Schicksalstragödie. So legte Goethe auch besonderen Wert auf die Unerbittlichkeit und Schnelligkeit, mit der sich die Katastrophe zu vollziehen habe, und so definierte er jene unerforschliche, abgründige Macht, die er »*schicksalbringend gegen Vernunft und Verstand in der sittlichen Menschenwelt am Werke sah*« (P. Hankamer) und die selbst einen sittlich so hochstehenden Menschen wie Ottilie schuldlos schuldig werden lassen und damit zugrunde richten kann, gerade in Anlehnung an den griechischen Schicksalsbegriff als das »Dämonische«. Ottilie selbst muß sich als einen dem Dämonischen ausgelieferten Menschen erkennen, nachdem sie durch den Tod des Kindes aus dem vorbewußten Zustand paradiesischer Unschuld gerissen worden ist: »*Ich bin aus meiner Bahn geschritten, und ich soll nicht wieder hinein. Ein feindseliger Dämon, der Macht über mich gewonnen, scheint mich von außen zu hindern, hätte ich mich auch mit mir selbst wieder zur Einigkeit gefunden.*«

Goethe sah die rätselhafte Macht des Dämonischen, die er in seinem Roman als Naturgewalt der Wahlverwandtschaft die sittliche Ordnung der Ehe zerstören läßt, auch in zeitgeschichtlichen Ereignissen wie der Französischen Revolution oder den Napoleonischen Kriegen am Werk. Auf diese politischen Bezüge deutet vor allem die Symbolstruktur des Romans. Goethe fragte hier »*im exemplarischen Fall einer Privatgeschichte nach den die politischen Ereignisse bestimmenden Urphänomenen*« (P. Böckmann). So erkannten auch Goethes Zeitgenossen wie Solger, Savigny und Arnim in den *Wahlverwandtschaften* trotz der Typik der Gestaltung ein Bild ihrer »verwirrten Zeit«. Er habe »*soziale Verhältnisse und die Konflikte derselben symbolisch gefaßt*« darstellen wollen, äußerte Goethe 1808 zu Riemer.

So geht auch die Gesellschaftskritik des Romans aus symbolischen Bezügen, vor allem jedoch der vielschichtigen Zeitthematik hervor. Für die negativ geschilderten Vertreter einer veralteten Gesellschaftsordnung etwa ist es bezeichnend, daß sie sich die Zeit zu »vertreiben« suchen wie Luciane, die »*den Lebensrausch im geselligen Strudel*« vor sich »*herpeitscht*«, oder wie Eduard, für den die Arbeit eine andere Form des Müßiggangs darstellt, ein Mittel gegen die Langeweile, und der Tätigkeit nicht von Vergnügen trennen kann. Diesem gestörten Verhältnis zur Zeit steht das Nutzen der Zeit in der ernsten, zielgerichteten Tätigkeit des Hauptmanns und der dienstfertigen, selbstlosen Arbeit von Ottilie gegenüber, wie Goethe sie später in den *Wanderjahren* als Grundlage einer neuen Gemeinschaft forderte. Gerade am Hauptmann und an Ottilie wird jedoch auch die Gefahr eines Vergessens der Zeit deutlich, das den Einbruch des Dämonischen begünstigt: Mit seiner beginnenden Neigung zu Charlotte wird die Zeit selbst für den Hauptmann »*gleichgültig*« (er vergißt, seine »*chronometrische Sekundenuhr*« aufzuziehen!), und von Ottilie heißt es kurz vor der verhängnisvollen Wiederbegegnung mit Eduard am See: »*Sie vergaß Zeit und Stunde.*« Das Vergessen der Zeit erst macht die Nacht des geistigen Ehebruchs möglich, in der sich »*Abwesendes und Gegenwärtiges*« vermischen können, der gegenüber sich jedoch »*die Gegenwart ihr ungeheures Recht nicht rauben*« läßt. Die Zeit wird weiterhin in den Vorstellungen eines goldenen Zeitalters, einer Zeit vor dem Sündenfall thematisch, wie sie mit der Gestalt von Ottilie verknüpft werden. Auch die Zeitlosigkeit der Legende sowie der halb hoffnungsvolle, halb skeptische Blick in die Zukunft, mit denen der Roman endet, bezeugen die grundsätzliche Bedeutung der Zeitbezüge für die Struktur des Romans.

Bei Goethes Zeitgenossen stießen die *Wahlverwandtschaften* auf wenig Verständnis. Immer wieder wurde der Vorwurf der Immoralität gegen sie erhoben, auch von den Vertretern der romantischen Generation, die andererseits mit Recht in diesem Roman die stärkste Annäherung Goethes an ihre eigene Thematik erkannten und Ottiliens Sterben zum romantischen »Liebestod« verklärten. Im Unterschied zu *Wilhelm Meister* war die Nachwirkung des Romans im 19. Jh. sehr gering, obwohl die *Wahlverwandtschaften* mit ihrer Verknüpfung von Eheproblematik und Gesellschaftskritik am Anfang jener Reihe großer Eheromane des 19. Jh.s wie *Madame Bovary*, *Anna Karenina* oder *Effi Briest* stehen. Erst seit der Wende zum 20. Jh. setzte sich in stellvertretenden Äußerungen von Fontane, Hofmannsthal, Wassermann, Heinrich und Thomas Mann, Döblin und Walter Benjamin die Einsicht in die Modernität dieses Romans durch, die sich in seiner Symbolgestalt ebenso wie in seiner »*geistigen Konstruktion*« (Th. Mann) bezeugt und als »*beispielhaft für eine moderne Kunst*« gelten kann, »*die sich in wachsendem Maße von der subjektiven Erlebnisaussprache entfernt*« (P. Böckmann). H. Ei.

Ausgaben: Tübingen 1809, 2 Tle. – WA, I, 20. –

JC, 21. – AA, 9. – HA, 6 [Anm. B. v. Wiese]. – Stg. 1969 (RUB, 7835–7837).

Literatur: O. Walzel, *G.s »Wahlverwandtschaften« im Rahmen ihrer Zeit* (in Goethe-Jb., 27, 1906, S. 166–206). – A. François-Poncet, *»Les affinités électives« de G.*, Paris 1910 (dt.: *G.s »Wahlverwandtschaften«*, Mainz 1951). – F. Gundolf, *G.*, Bln. 1916. – W. Benjamin, *G.s »Wahlverwandtschaften«* (in Neue Deutsche Beiträge, 2, 1925, H. 1, S. 38–138; H. 2, S. 134–168; auch in W. B., *Illuminationen*, Ffm. 1969, S. 70–147). – Th. Mann, *Zu G.s »Wahlverwandtschaften«* (in NRs, 36, 1925, S. 391–401, auch in Th. M., *Reden u. Aufsätze*, Bd. 1, Ffm. 1960, S. 174–186). – Th. Lockemann, *Der Tod in G.s »Wahlverwandtschaften«* (in Jb. der Goethe-Gesellsch., 19, 1933, S. 37–61). – G. Schaeder, *Die Idee der »Wahlverwandtschaften«* (in Goethe, 6, 1941, S. 182–215). – P. Hankamer, *Spiel der Mächte. Ein Kapitel aus G.s Leben u. G.s Welt*, Stg./Tübingen 1948. – P. Stöcklein, *Wege zum späten G.*, Hbg. 1949, S. 7–55. – Staiger, 2, S. 475 bis 515. – H. G. Barnes, *Bildhafte Darstellung in den »Wahlverwandtschaften«* (in DVLG, 30, 1956, S. 41 bis 70). – H. J. Geerdts, *G.s Roman »Die Wahlverwandtschaften«. Eine Analyse seiner künstlerischen Struktur, seiner historischen Bezogenheiten u. seines Ideengehalts*, Weimar 1958. – W. Emrich, *Das Problem der Symbolinterpretation im Hinblick auf G.s »Wanderjahre«* (in W. E., *Protest u. Verheißung*, Bonn 1960, S. 48–66). – K. Dickson, *The Temporal Structure of »Die Wahlverwandtschaften«* (in GR, 41, 1961, S. 170–185). – W. Killy, *Wirklichkeit u. Kunstcharakter. Über »Die Wahlverwandtschaften« G.s* (in NRs, 72, 1961, S. 636–650). – W. Staroste, *Raumgestaltung u. Raumsymbolik in G.s »Wahlverwandtschaften«* (in EG, 16, 1961, S. 209–222). – G. Mahrahrens, *Narrator and Narrative in G.'s »Die Wahlverwandtschaften«* (in *Tribute. Presented to G. J. Hallamore*, Hg. R. Picozzi, Vancouver 1968, S. 94–127). – P. Böckmann, *Naturgesetz u. Symbolik in G.s »Wahlverwandtschaften«* (in Jb. des Freien Deutschen Hochstifts, 1968, S. 166–190). – J. Kolbe, *G.s »Wahlverwandtschaften« u. der Roman des 19. Jh.s*, Stg. 1968.

WEST-ÖSTLICHER DIVAN. Gedichtzyklus von Johann Wolfgang von Goethe (1749–1832), erschienen 1819, erweitert 1827. – Wie die Hinwendung zur klassischen Antike Goethes ersten großen Gedichtzyklus, die *Römischen Elegien*, bestimmt hatte, so gab ihm die Begegnung mit der orientalischen Poesie, vor allem die Lektüre des *Divan* des persischen Dichter Hāfeẓ (1317/25–1389/90, vgl. *Diwān-e Hāfeẓ*), den er im Juni 1814 in der deutschen Übersetzung von Joseph von Hammer-Purgstall kennenlernte, den geistigen Anstoß zu seinem *West-östlichen Divan*. Goethe behielt die persische Bezeichnung »Divan« für die Gedichtsammlung bei, während er mit »westöstlich« die Begegnung zweier Kulturen und zweier Literaturen, das Bekenntnis des westlichen zu einem östlichen Dichter, charakterisieren wollte. Wenn er auch in den Jahren bis zum Erscheinen des *Divan* durch intensives Studium orientalistischer Werke, so vor allem der Darstellungen von Olearius, Jones, Diez und Hammer, noch weitere orientalische Dichtungen, hauptsächlich Werke von Ferdousi, Enverī, Sa'di oder Ǧāmi, kennenlernte und ihnen zahlreiche Motive entlehnte, so blieb doch Hafis derjenige Dichter, dem er sich am tiefsten geistesverwandt fühlte, sein »Zwilling«, mit dem er in eigenen Nachdichtungen »wetteifern« wollte *(Unbegrenzt)*. Während Goethe den strengen Form- und Reimzwang von Hafis' persischen Ghaselen nur in wenigen Gedichten nachzuahmen suchte, empfand er vor allem die für die orientalische Dichtung charakteristische Verbindung von Leidenschaft und Geist, den Wechsel von mystischem Ergriffensein und Ironie, die hohe Bewußtheit eines geistreichen Spiels, das auch das Entlegenste in Beziehung setzen konnte, als seinem eigenen Altersstil verwandt: *»Der höchste Charakter orientalischer Dichtkunst ist, was wir Deutsche Geist nennen, das Vorwaltende des oberen Leitenden ... Der Geist gehört vorzüglich dem Alter oder einer alternden Weltepoche. Übersicht des Weltwesens, Ironie, freien Gebrauch der Talente finden wir in allen Dichtern des Orients« (Noten und Abhandlungen zu besserem Verständnis des West-östlichen Divans)*.

Zu der geistigen Anregung durch die Hafis-Lektüre kam das Gefühl körperlicher und geistiger Verjüngung, einer »wiederholten Pubertät«, die er später als ein Charakteristikum »genialer Naturen« definierte. Seit der Erstarrung nach Schillers Tod im Jahre 1805, da er sein dichterisches Werk als abgeschlossen ansah, empfand er zum ersten Mal ein Wiederaufleben seiner schöpferischen Kräfte. Er entschloß sich im Juli 1814 zu einer Reise in die Gegend um Rhein, Main und Neckar, wie sie nach dem Pariser Frieden wieder möglich geworden war. So ging dem geistigen Aufbruch des Dichters in den Osten, in die »Urheimat der Menschheit«, seine Reise in den Westen, in die Landschaften seiner Jugend, parallel. Schon während der Fahrt entstanden die ersten *Divan*-Gedichte. Dabei nahm Goethe in der Phantasie bereits das Liebeserlebnis vorweg, das später im *Buch Suleika* zur beherrschenden Mitte des Zyklus wurde: *»So sollst du, muntrer Greis, / Dich nicht betrüben, / Sind gleich die Haare weiß, / Doch wirst du lieben« (Phänomen)*. Im August begegnete er zum ersten Mal der »Suleika« seiner *Divan*-Gedichte, Marianne Jung, der künftigen Gattin eines alten Freundes, des Frankfurter Bankiers Johann Jakob von Willemer. Dieser hatte die vielseitig begabte Frau im Jahre 1800 als junge Tänzerin von der Frankfurter Bühne zu sich in sein Haus genommen. Aus der Leidenschaft zwischen Goethe und Marianne von Willemer, die vor allem im Herbst 1815, während eines zweiten Aufenthalts des Dichters auf der »Gerbermühle«, dem Landsitz Willemers bei Frankfurt, und während der letzten gemeinsamen Tage in Heidelberg Ende September voll zur Entfaltung kam, erwuchs ein großer Teil der *Divan*-Gedichte. In östlicher Verhüllung, in den Masken von »Hatem«, dem »sich Verschenkenden« und dem »Gegenliebe geschenkt wird«, und »Suleika«, der schönsten und zugleich geistreichsten Liebenden der islamischen Dichtung, wurde ein Liebesdialog in Gedichten geführt, die sich streng auf Motive aus dem *Divan* des Hafis bezogen und an dem Marianne von Willemer sich mit eigenen Gedichten beteiligte. So stammen einige der schönsten Gedichte aus dem *Buch Suleika*, wie die Lieder an den Ostwind und an den Westwind, von ihr. Goethe nahm sie mit nur geringfügigen Änderungen in seinen Zyklus auf, und die Autorschaft der Dichterin wurde erst 1869 durch eine Veröffentlichung von Herman Grimm bekannt. Nach dem endgültigen Abschied von Marianne entstanden noch einige der düstersten Gedichte des *Divan* wie *Hochbild* und *Nachklang*, dann wandte sich Goethe vor allem der umfangreichen Spruch- und Lehrdichtung des Zyklus zu. Doch schrieb er 1820, ein Jahr nach der ersten Veröffentlichung des *Divan*, noch fünf Gedichte für das *Buch des Paradieses*, die er 1827 in die Ausgabe letzter Hand aufnahm.

Goethe teilte seinen *West-östlichen Divan* in zwölf Bücher ein. Das *Buch des Sängers* stellt die Begegnung des westlichen Dichters mit der östlichen Kultur als einen geistigen Aufbruch und zugleich als »Flucht« (»Hegire«, bzw. »Hedschra«) vor den politischen Wirren der eigenen Zeit dar: »*Nord und West und Süd zersplittern, / Throne bersten, Reiche zittern / Flüchte du, im reinen Osten / Patriarchenluft zu kosten, / Unter Lieben, Trinken, Singen / Soll dich Chisers Quell verjüngen*« *(Hegire)*. Unter ständigem Bezug auf orientalische Bilder und Motive werden Osten und Westen in ein schwebendes Verhältnis zueinander gebracht, so daß die westliche Landschaft, die der Dichter durchreist, unvermittelt neben die orientalische treten kann. Wie die ganze Gedichtsammlung in der religiösen Thematik der letzten Bücher gipfelt, so steht auch am Ende des Einleitungsbuchs ein Gedicht mystisch-religiösen Gehalts, *Selige Sehnsucht*, das die Verwandlung zu einer neuen Existenz durch Selbstaufgabe in der Liebe preist.

Im *Buch Hafis* werden sodann die Besonderheit der östlichen Dichtung, ihr Verhältnis zur Religion, ihre Gegenstände und Formen dargestellt. Dabei erscheint die Originalität der schöpferischen Aneignung durch den westlichen Dichter gerade als Ergebnis seiner Nachahmung vorgegebener Muster: »*Nun töne Lied mit eignem Feuer! / Denn du bist älter, du bist neuer*« *(Unbegrenzt)*. Das *Buch der Liebe* handelt im Unterschied zum späteren *Buch Suleika* nicht von einem einzigen Liebespaar, sondern von »Musterbildern« aus der orientalischen Dichtung und Mythologie, deren Schicksal jeweils das Typische, das Allgemein-Menschliche, in den verschiedensten Formen der Liebe repräsentieren soll. Trotz aller Nähe zu den östlichen Vorbildern – so entspricht etwa das Gedicht *Lesebuch* fast wörtlich einem Werk des persischen Dichters NEẒĀMI – dringt gerade in diesem Buch auch die persönliche Leiderfahrung des vereinsamten Dichters durch: »*Eine Stelle suchte der Liebe Schmerz, / Wo es recht wüst und einsam wäre; / Da fand er denn mein ödes Herz / Und nistete sich in das leere.*« Die Bücher IV — VI *(Buch der Betrachtungen, Buch des Unmuts, Buch der Sprüche)* enthalten die Spruch- und Lehrdichtung aus der späteren Phase der *Divan*-Entstehung. Goethe griff hierbei nicht nur auf orientalische, sondern auch auf altdeutsche Sprüche zurück. Die drei Bücher handeln vom Verhältnis des Dichters zu seiner Umwelt, sie enthalten allgemeine Weisheitslehren und Alterseinsichten, aber auch praktische Lebensregeln und Ermahnungen, die in der sittlichen Forderung gipfeln: »*Gutes tun um des Guten willen.*« Im *Buch des Unmuts* rechnet der Dichter sarkastisch mit seinen Neidern und Spöttern, mit dem Haß und Unverstand der urteilslosen Menge ab. Ihnen allen hält er die geistige Überlegenheit der großen dichterischen Persönlichkeit und ihr Eigenrecht entgegen. Das *Buch Timur* stellt wiederum die Analogie zwischen den geschichtlichen Ereignissen, die die Lebenszeit von Hafis überschatteten, und den politischen Umwälzungen der eigenen Epoche her: Das große Gedicht *Der Winter und Timur*, das den Winterfeldzug des Timur Lenk gegen China zum Gegenstand hat, spielt auf den Feldzug Napoleons gegen Moskau an. Das *Buch Suleika*, das umfangreichste des Zyklus, enthält vor allem die Gedichte aus der Frankfurter und Heidelberger Zeit vom Herbst 1815. Ein einziges Paar, Hatem und Suleika, steht im Mittelpunkt eines Liebesgesprächs, das persönliche Erlebnisse in östliche Bilder und Formeln überträgt und von Turban, Sichelmond und Zypressen, von Wimpernpfeilen, Lockenschlangen und Mondgesicht, von »Bulbul«, der Nachtigall, und dem Wiedehopf »Hudhud«, dem Liebesboten zwischen Salomon und der Königin von Saba, handelt. Neben der oft scherzhaften Mischung von östlichen und westlichen Motiven, die für den gesamten Zyklus charakteristisch ist, sind Polarität und Wechselseitigkeit die beherrschenden Strukturelemente dieses Buchs. Es geht um das Spannungsverhältnis zwischen Alter und Jugend, Privatem und Öffentlichem, Chiffrierung *(Geheimschrift)* und offenem Bekenntnis im Gedicht. Selbstgewinn und Selbstverlust, Einheit und Doppelheit, Trennung und Wiedervereinigung in der Liebe sind die hauptsächlichen Themen des Buchs. Diese Antithetik vertritt bereits der Dialog, das geistreiche Frage- und Antwortspiel zwischen den Liebenden. Die Wechselseitigkeit der Liebe wird auch in der Symbolik des Reims thematisch *(»Denn was ich froh, aus vollem Herzen sprach, / Das klang zurück aus deinem holden Leben, / Wie Blick dem Blick, so Reim dem Reime nach«)* oder im Ballspiel-Motiv, wenn die Geliebte dem Dichter ihre Leidenschaft zuwirft »*als wär's ein Ball / Daß ich ihn fange, / Dir zurückwerfe / Mein gewidmetes Ich*«. Die Einheit in der Doppelheit symbolisieren Sonne und Mond des türkischen Wappens, vor allem jedoch das Blatt des »Gingo Biloba«, das, scheinbar in zwei gespalten, doch nur ein einziges ist, und dem Dichter so zum Bild für seinen Dialog mit Suleika werden kann. In solchen Stilisierungen repräsentieren Hatem und Suleika das Typische und Gesetzmäßige der Liebe, sie sind »*musterhaft in Freud und Qual*«.

Die Liebe steht auch im Zentrum des *Schenkenbuchs*. Goethe nahm hier ein zentrales Thema von Hafis auf, die Liebe des reifen Dichters zu einem schönen Knaben, den er zu seinem Schenken macht, doch stellte er dabei das pädagogische Verhältnis stärker in den Vordergrund. Beim Weingenuß lehrt der Dichter den anmutigen Knaben, »*in allen Elementen Gottes Gegenwart*« zu erkennen. Unter östlichem Himmel scherzt er mit dem »kleinen Schelm« über Gestalten der westlichen Mythologie wie Aurora und Hesperus, und er nimmt auch das andere Lieblingsthema des Hafis auf: den Rausch des Weins, der zugleich Ekstase und mystischen Aufschwung bedeutet. Die letzten drei Bücher wenden sich religiösen Themen zu. Das *Buch der Parabeln* umkreist in kurzen, gleichnishaften Gedichten, »*bildlichen Darstellungen mit Anwendung auf menschliche Zustände*« *(Noten und Abhandlungen)*, die alle ethischen oder religiösen Charakter tragen, das Motiv des Selbstopfers, der Selbstbeschränkung und des Verzichts zugunsten eines höheren Ganzen. In dem langen und feierlichen Gedicht *Vermächtnis altpersischen Glaubens*, das fast das ganze *Buch des Parsen* ausfüllt, erteilt ein sterbender Parse, ein Anhänger der Lehre Zarathustras, der ihn umstehenden Gemeinde letzte Ermahnungen im Sinne seines Sonnen- und Feuerkults. Das *Buch des Paradieses* schlägt, wie schon das Gedicht *Wiederfinden* im *Buch Suleika*, die Brücke zwischen irdischer und himmlischer Liebe. Es nennt zunächst, von islamischen Paradiesesvorstellungen ausgehend, die zum Eintritt ins Paradies Berechtigten. Neben den Glaubenshelden sind es vier »auserwählte Frauen« und vier »begünstigte

Tiere«. Doch begehrt auch der westliche Dichter Einlaß ins Paradies und beruft sich gegenüber der Paradieseswächterin, der »Huri«, auf seine Liebeswunden sowie auf seine Gedichte. Mit diesen Argumenten verknüpft er das letzte Buch mit den vorangegangenen, denn bereits das erste *Divan*-Gedicht hatte in der Gewißheit geschlossen: »*Wisset nur, daß Dichterworte / Um des Paradieses Pforte / Immer leise klopfend schweben / Sich erbittend ewges Leben*«. Die Huri trägt Züge Suleikas, und so sichern dem Dichter seine Liebesgedichte an Suleika schließlich auch den Einlaß ins Paradies. Im »*Anschaun ewger Liebe*« bringt das *Buch des Paradieses* »*Höheres und Höchstes*«, also Steigerung, zugleich aber schließt sich hier der Kreis der Gedichtsammlung durch die Wiederaufnahme früherer Themen.

Der Vielfalt der Themen und Motive, die schon durch die Spannweite zwischen Westlichem und Östlichem bestimmt wird, entspricht im *West-östlichen Divan* ein auffallender Wechsel der Töne, der von alltagssprachlichen, scherzhaften Wendungen bis zu Versen von höchstem Pathos und religiöser Ergriffenheit reicht. Diese Vereinigung des Heterogenen, oft Antithetischen, war nur in der Kunstform des Zyklus zu bewältigen, die in den Bildern von Kreis und Spirale selbst thematisch wird: »*Dein Lied ist drehend wie das Steingewölbe, / Anfang und Ende immer fort dasselbe, / Und was die Mitte bringt ist offenbar / Das was zu Ende bleibt und anfangs war*« (*Unbegrenzt*). Einheit und Geschlossenheit des Zyklus werden vor allem durch die Gestalt des Dichters selbst hergestellt, dessen Geist sich in den verschiedenen Büchern des *Divan* souverän nach allen Bereichen hin entfaltet. Sein Selbstgefühl, das sich im Übermacht- oder Kaiser-Motiv ausspricht, ist zunächst in seinem Dichtertum begründet, sodann aber in der Liebe, die ihn auch noch über den Kaiser stellt, denn dieser »*weiß nicht wie man liebt*«. Doch ist auch diese Überlegenheit des Dichters jener Dialektik unterworfen, die ein strukturbestimmendes Prinzip des ganzen Zyklus ist, der Dialektik von Selbstpreisgabe und Selbstgewinn: »*Wie sie sich an mich verschwendet, / Bin ich mir ein wertes Ich; / Hätte sie sich weggewendet, / Augenblicks verlör ich mich.*«

Zum anderen wird die Einheit des Zyklus durch die Wiederkehr der gleichen Motive in fast allen Büchern gewahrt. Sie stehen im Zeichen der Begegnung von Osten und Westen, doch das Medium dieser Begegnung ist wiederum der Geist des Dichters, der in weltweitem Überblick und zugleich mit spielerischer Leichtigkeit Westliches und Östliches überlegen zu vermischen, Scherz und Ernst virtuos miteinander abwechseln zu lassen versteht. Goethe entnahm dem vorgegebenen Bilder- und Formelschatz nur, was ihm besonders gemäß war, und er veränderte die jeweilige Vorlage auf durchaus originelle Weise: »*Spontan zu sein in einem ausgebildeten Stil: das ist hier Altersdichtung*« (Max Kommerell). Die tiefere Verwandtschaft zwischen den der orientalischen Poesie entlehnten Bildern und Gedanken und seiner eigenen Alterssicht sprach der Dichter selbst in einem Brief an Zelter vom 2. Mai 1820 aus: »*Diese mohammedanische Religion, Mythologie, Sitte geben Raum einer Poesie, wie sie meinen Jahren ziemt. Unbedingtes Ergeben in den unergründlichen Willen Gottes, heiterer Überblick des beweglichen, immer kreis- und spiralartig wiederkehrenden Erdetreibens, Liebe, Neigung, zwischen zwei Welten schwebend, alles Reale geläutert, sich symbolisch auflösend.*« H. Ei.

Ausgaben: Stg. 1819. – Stg./Tübingen 1827 (in *Werke*, 60 Bde., 1827–1842, 5; AlH; erw.). – WA, I, 6/7. – JC, 5. – AA, 3. – HA, 2.

Literatur: H. A. Korff, *Der Geist des »West-östlichen Divans«. Goethe und der Sinn seines Lebens*, Hannover 1922. – K. Burdach, *G. und sein Zeitalter*, Halle 1926. – H. H. Schaeder, *G.s Erlebnis des Ostens*, Lpzg. 1938. – E. Beutler, *Die Boisserée-Gespräche von 1815 u. die Entstehung des Gingo-Biloba-Gedichts* (in Goethe-Kalender auf das Jahr 1940, Lpzg. 1939, S. 114–162; auch in *E. B., Essays um G.*, Bd. 1, Lpzg. 1941, S. 248–285). – W. Schultz, *G.s Deutung des Unendlichen im »West-östlichen Divan«* (in Goethe, 10, 1947, S. 268–288). – W. Flitner, *G. im Spätwerk*, Hbg. 1947, S. 161–189. – H. A. Korff, *Die Liebesgedichte des »West-östlichen Divan«*, Lpzg./Stg. 1947. – H. Pyritz, *G. u. Marianne von Willemer*, Stg. [3]1948. – P. Böckmann, *Die Heidelberger Divan-Gedichte* (in P. B., *G. u. Heidelberg*, Heidelberg 1949, S. 204–239). – G. Konrad, *Form u. Geist des »West-östlichen Divan«* (in GRM, 32, N. F. 1, 1951, S. 178–192). – F. Strich, *G.s »West-östlicher Divan«*, Olten 1954 (auch in F. S., *Kunst u. Leben*, Bern/Mchn. 1960, S. 101–117). – H.-E. Haß, *Über die strukturelle Einheit des »West-östlichen Divan«* (in *Stil- u. Formprobleme in der Literatur. Vorträge des 7. Kongresses der Internat. Vereinigung für moderne Sprachen u. Literatur*, Heidelberg 1959, S. 309–318). – W. Müller-Seidel, *G. u. das Problem seiner Alterslyrik* (in *Unterscheidung u. Bewahrung. Fs. f. H. Kunisch*, Hg. K. Lazarowicz u. W. Kron, Bln. 1961, S. 159–176). – M. Rychner, *G.s »West-östlicher Divan«* (in M. R., *Antworten*, Zürich 1961, S. 64–101). – M. Mommsen, *Studien zum »West-östlichen Divan«*, Bln. 1962. – A. Fuchs, *Der »West-östliche Divan« als Buch der Liebe* (in A. F., *G.-Studien*, Bln. 1968, S. 82–96).

WILHELM MEISTERS LEHRJAHRE. Roman von Johann Wolfgang von Goethe (1749–1832), erschienen 1795/96. – Friedrichs Worte an Wilhelm am Schluß des Romans »*Du kommst mir vor wie Saul, der Sohn Kis, der ausging, seines Vaters Eselinnen zu suchen, und ein Königreich fand*« decken die Diskrepanz auf zwischen einer durch den Titel nahegelegten Erwartung für die Handlung und dem Geschehensablauf des Romans. Wilhelms Weg ist eben nicht das konsequente Durchschreiten einer Lehrzeit auf ein inhaltlich bestimmtes Ziel hin. Die Motivierung für diese Feststellung geben freilich seine Lehrmeister selbst mit der Maxime: »... *der Irrtum könne nur durch das Irren geheilt werden*« (VIII, 5). Wilhelms Weg zum Theater, auf dem er Bekanntschaft mit fast allen möglichen Formen des Theaterlebens, mit dem Puppenspiel, der Seiltänzergruppe, dem Liebhabertheater, dem Mysterienspiel, der Wanderbühne, dem Hoftheater, schließlich dem Schauspielhaus macht, erscheint denn auch als ein Irrweg. Er setzt ein mit Wilhelms Entschluß, das Elternhaus zu verlassen, um »*endlich einmal aufzutreten und den Menschen in das Herz hineinzureden, was sie sich so lange zu hören sehnten*« (I, 16). In diesem Entwurf seiner Existenz sieht Wilhelm als Angehöriger des bürgerlichen Standes die einzige Möglichkeit, das für sich zu erwirken, was dem »*Edelmann*« durch Geburt gegeben ist: eine »*personelle Ausbildung*« mit dem Ziel, eine »*öffentliche Person*« zu werden (V, 3). Der Brief an seinen Jugendfreund Werner, in dem er diese Überzeugung ausspricht und damit zugleich seine Entscheidung für den Schauspielerberuf rechtfertigt, zeigt, daß die

Ausführung jenes frühen Entschlusses, der durch die Liebe zur Schauspielerin Mariane zwar nicht angeregt, aber doch ausgelöst wurde, durch deren scheinbare Untreue nur für einige Jahre aufgehalten, aber nicht gänzlich verhindert werden konnte. Der Eifer, mit dem sich Wilhelm nun der Geschäfte seines Vaters annimmt, täuscht, da ihm der *»heitere Fleiß«* fehlt, *»der zugleich dem Geschäftigen Belohnung«* ist (II, 2). Auch das Autodafé seiner eigenen Schriften ist nicht ein Zeichen der Abkehr von seinem Weg, sondern eher ein weiterer Schritt auf ihm, da es von einem Gespräch über den Dichter begleitet wird, in dem Wilhelm dieselben Gedanken vorträgt, mit denen er in dem späteren Brief an Werner seinen Entschluß rechtfertigt. So erscheint es konsequent, wenn auch die Zufälligkeit der Begegnung darüber hinwegtäuschen will, daß er sich auf einer Geschäftsreise, die ihn näher mit den Gepflogenheiten des Handelswesens vertraut machen soll, des Restes einer Schauspielertruppe annimmt und ihnen die Mittel zur Neugründung einer Truppe zur Verfügung stellt. Sein Mitleid nötigt ihn überdies, einer Seiltänzergruppe ein *»interessantes Kind«* abzukaufen, Mignon, die von da an nur noch ihrem *»Meister«* dienen will. Hinzukommt ein *»seltsamer Gast«*, der Harfner. Das Glück der neugegründeten Truppe scheint gemacht, als ihr durch die Vermittlung eines in der Kunst dilettierenden Barons der Aufenthalt auf dem Schlosse eines Grafen zu Repräsentationszwecken ermöglicht wird. Vornehmlich Philine, deren Reize nicht ohne Eindruck auf Wilhelm geblieben waren, weiß sich einzurichten. Auch hier wird Wilhelms Weg zum Theater insofern gefördert, als er durch Jarno mit Shakespeare bekanntgemacht wird, dessen Lektüre *»seine ganze Seele in Bewegung«* bringt (III, 11). Und seine theatralische Lehrzeit scheint schließlich mit der Darstellung des Hamlet auf Serlos Bühne ihren Abschluß zu erreichen, wenngleich er bei der Unterzeichnung des Kontrakts bemerken mußte, daß Mignon *»ihn am Ärmel hielt und ihm die Hand leise wegzuziehen versucht hatte«* (V, 3). Serlos Schwester Aurelie aber, die *»hartnäckig«* an einem früheren Liebesverhältnis festhält und sich dadurch selbst vernichtet, schickt ihn auf einen anderen Weg, den Weg zu ihrem Liebhaber Lothario, den Wilhelm zur Rechenschaft ziehen will.

Nun betritt er den Kreis jener Turmgesellschaft, die ihn unerkannt leitete, seinen Irrweg zuließ, um ihn durch das Irren zu heilen. In Lothario lernt er einen *»heroisch-aktiven«* Menschen kennen, dem gegenüber er seine *»pathetische Rede«* nicht mehr anzubringen weiß, in Therese eine Frau, die mit *»Bestimmtheit«* und *»Gewandtheit«* einen genau abgegrenzten Lebensbereich auf das zweckmäßigste verwaltet, schließlich im Abbé jene Persönlichkeit, von der die pädagogischen Impulse der Gesellschaft ausgehen. In ihm erkennt Wilhelm auch den Unbekannten wieder, der schon zweimal seinen Weg kreuzte (I, 17; II, 9) und seinem Vertrauen an die Führung durch das Schicksal mit dem Hinweis begegnet war: *»Das Gewebe dieser Welt ist aus Notwendigkeit und Zufall gebildet; die Vernunft des Menschen stellt sich zwischen beide und weiß sie zu beherrschen; sie behandelt das Notwendige als den Grund ihres Daseins; das Zufällige weiß sie zu lenken, zu leiten und zu nutzen, und nur, indem sie fest und unerschütterlich steht, verdient der Mensch ein Gott der Erde genannt zu werden«* (I, 17). Wilhelms Weg war kein Irrweg. Sein angestrebtes Ziel: *»mich selbst, ganz wie ich da bin, auszubilden«* (V, 3) ist nahegerückt. Deutlich wird dies in der Gegenüberstellung mit Werner. Dieser *»schien eher zurück als vorwärts gegangen zu sein«*, Wilhelm hingegen ist *»in seinem Wesen gebildeter und in seinem Betragen angenehmer«* geworden (VIII, 1). So kann er am Ende des 7. Buches seinen *Lehrbrief* erhalten. Einige Rätsel lösen sich. In Natalie, der Schwester Lotharios, erkennt er die Amazone wieder, die ihm nach einem Überfall auf die Schauspielertruppe als *»Heilige«* erschienen war. Felix, den er für den Sohn Aureliens und Lotharios hielt, ist sein eigenes Kind von Mariane, die dessen Geburt nur kurze Zeit überlebte. Friedrich erscheint mit Philine und wird als Bruder Lotharios erkannt. Mignons Geschichte wird erzählt und gibt zugleich Aufklärung über den Harfner. In der Welt der Turmgesellschaft aber finden diese beiden *»romantisch-poetischen Gestalten«* (G. Lukács) keinen Lebensraum mehr.

Beim Übertritt Wilhelms in diese Welt fügt Goethe die *Bekenntnisse einer schönen Seele* ein, denen Aufzeichnungen Susanne von Klettenbergs zugrunde liegen. Der durch die *Bekenntnisse* gegebene Einschnitt im Roman verdeutlicht dessen Zweiteiligkeit, deren Grund in seiner Entstehungsgeschichte zu finden ist. Nach seiner Italienreise nahm Goethe das 1777–1785 entstandene Romankonzept *Wilhelm Meisters theatralische Sendung* für den ersten Teil der *Lehrjahre* auf und arbeitete es im Sinne der Turmgesellschaft um. Die Bildungsidee hebt das Theatralische auf. *»In bezug auf die Bildungsidee müßte man den ersten Teil ›Verwirrung‹ überschreiben und den zweiten Teil ›Leitung‹, und in bezug auf das Theatralische müßte man den ersten Teil als Theaterroman (in der Tradition des roman comique) und den zweiten Teil als utopischen Roman (im Sinne einer modernen Arcadia) ansehen«* (C. Heselhaus). Wenn dennoch die Verknüpfung der beiden Teile in ihrer Motivierung überzeugt, ist das nicht zuletzt SCHILLERS Einfluß auf die Umarbeitung zu verdanken. Seinem Briefwechsel mit Goethe können wir überdies wichtige Hinweise für die Deutung des Romans entnehmen. Vor allem ist der Hinweis auf die *»Bildsamkeit«*, die Wilhelm *»darstellt und ausdrückt«*, immer wieder aufgenommen worden. Dabei wird in der Feststellung dieser Charaktereigenschaft Wilhelms, die auch als *»durchgängige Bestimmbarkeit«* (W. v. Humboldt), als *»vielseitige Empfänglichkeit«* (F. Schlegel) beschrieben wird, eine Antwort auf die ebenfalls von Schiller aufgeworfene Frage nach der Einheit des Romans gefunden. Wilhelm ist der passive Held, der sich durch die *»bildende Kraft in der Welt«* (Körner) leiten läßt. Diese *»bildende Kraft«* aber ist zerlegt in verschiedene Kräfte, die als Begebenheiten und Figuren Wilhelms Weg bestimmen. Die Personen des Romans sind von dieser ihrer Funktion her konzipiert. Goethe selbst gibt für diese Interpretation die Berechtigung, wenn er notiert: *»Wilhelm aesthetisch sittlicher Traum – Lothario heroisch acktiver Traum – Laertes Unbedingter Wille – Abbe Pädagogisch prakt Traum – Philine Gegenwärtige Sinnlichkeit Leichtsinn – Aurelie Hartnäckich hartnäckiges Selbstquälendes festhalten ...«* Diese Rollenfunktion der Figuren aber konnte FONTANE veranlassen, von dem *»Schemenhaften«* der Gestalten zu sprechen, von den *»Richtungen und Prinzipien vertretenden Schatten«*. Die sich aus dieser Feststellung ergebende Kritik hat Goethe selbst schon abgewehrt, wenn er im siebenten Kapitel des fünften Buches als Aufgabe des Romans bestimmt, *»Gesinnungen und Begebenheiten«* vorzustellen. Was den Personen des Romans an Individualität abgeht, gewinnen sie als Träger von Gesinnungen zurück.

Entsprechend ist die Erzählweise auf die Verallgemeinerung des Geschehens gerichtet. Die augenblickliche Situation wird ständig im Sinne einer allgemeinen Sentenz erinnert. Eine Art Zusammenfassung bietet Wilhelms *Lehrbrief*, dessen »*allgemeine Sprüche nicht aus der Luft gegriffen*« sind und nur »*demjenigen leer und dunkel scheinen, der sich keiner Erfahrung dabei erinnert*« (VIII, 5). So wird der Roman – »*völlig unabhängig von einer einzelnen Individualität*« – »*offen für jede Individualität*«, so daß »*jeder Mensch im Meister* seine *Lehrjahre wiederfinden*« kann (W. v. Humboldt). Hinzukommt der »*leichte Humor*« (Schiller), das »*lachende Kolorit*« (Körner), die »*Ironie, die über dem ganzen Werke schwebt*« (F. Schlegel), für die die häufig auftretende Stilfigur der Litotes ein deutliches Indiz ist. Die so durch die Erzählhaltung geschaffene Distanz nötigt den Leser, die Geschichte Wilhelms als Beispielfall anzusehen, als Beispielfall freilich, der Wilhelms Absicht, »*sich selbst auszubilden*«, unter der Polarität von schicksalhafter und vernunftmäßiger Leitung vorstellt. Wilhelms Vertrauen auf die Führung durch das Schicksal wird zunehmend durch die Maxime des Abbé korrigiert: »*Jeder hat sein eigen Glück unter den Händen, wie der Künstler eine rohe Materie, die er zu einer Gestalt umbilden will*« (I, 17). Dies zeigt schon eine frühe Äußerung Wilhelms, wenn er – Popes *Essay on Man* zitierend – Philine gegenüber sagt: »... *der Mensch ist dem Menschen das Interessanteste und sollte ihn vielleicht ganz allein interessieren. Alles andere, was uns umgibt, ist entweder nur Element, in dem wir leben, oder Werkzeug, dessen wir uns bedienen*« (II, 4). Von hierher sind nun jene harmonisierenden Tendenzen in der Rezeptionsgeschichte des Romans mit Skepsis aufzunehmen, die dazu führten, Wilhelms Bildung als »*Entwicklung*« zu verstehen, als einen »*Reifungsvorgang*« (G. Müller), für den der »*Wachstumsprozeß in der vegetativen Welt*« (K. Viëtor) als Analogon gilt. Denn nicht Entfaltung ist das Prinzip dieser Bildung, sondern Gestaltung, die freilich nicht ausschließt, daß Wilhelm »*ein Königreich*« finden kann. Die Leitung durch die Vernunft aber bedingt eine Begrenzung des »*ästhetisch-sittlichen Traums*«. Auch hier erfüllt sich an Wilhelm eine Maxime der Turmgesellschaft: »*Der Mensch ist nicht eher glücklich, als bis sein unbedingtes Streben sich selbst seine Begrenzung bestimmt*« (VIII, 5). Es ist bezeichnend, daß an dieser »*Gesinnung*« des Romans Novalis' Kritik einsetzt, wenn er erkennt, daß hier das Romantische im Aufklärerischen aufgehoben wird: »*Die ökonomische Natur ist die wahre* – übrigbleibende«, und: »›*Wilhelm Meister*‹ *ist eigentlich ein* ›*Candide*‹, *gegen die Poesie gerichtet*«. Mignons und des Harfners Untergang sind deutliche Zeichen. Allerdings – und dies relativiert Novalis' Kritik – lauten die letzten »*stärkenden*« Worte bei Mignons Exequien: »*Wohl verwahrt ist nun der Schatz, das schöne Gebild der Vergangenheit! hier im Marmor ruht es unverzehrt; auch in euren Herzen lebt es, wirkt es fort*« (VIII, 7). In Novalis' *Heinrich von Ofterdingen* wäre die Erfüllung »*ein farbiger Nebel magischer Mystik*« gewesen, »*in dem sich jede Spur realistischer Auffassung der Wirklichkeit verloren hätte*« (G. Lukács). Goethes Konzeption ist eine andere. Schiller kann von Wilhelm sagen: »*Er tritt von einem leeren und unbestimmten Ideal in ein bestimmtes tätiges Leben, aber ohne die idealisierende Kraft dabei einzubüßen.*« In diesem Sinne kann *Wilhelm Meisters Lehrjahre* ein klassischer Roman genannt werden, insofern in ihm Romantik und Aufklärung in einem Korrelationsverhältnis miteinander verbunden sind. H. Gl.

Ausgaben: Bln. 1795/96, 4 Bde. – WA, I, 21–23. – JC, 17/18. – AA, 7. – HA, 7. – Bln./Weimar 1970 [Nachw. H. Poschmann].

Literatur: J. Minor, *Die Anfänge des »Wilhelm Meister«* (in Gjb, 9, 1888, S. 163–187). – M. Gerhard, *Der deutsche Entwicklungsroman bis zu G.s »Wilhelm Meister«*, Halle 1926. – E. Ermatinger, *G.s Frömmigkeit in »Wilhelm Meisters Lehrjahre«* (in E. E., *Krisen u. Probleme der neueren deutschen Dichtung*, Zürich 1928, S. 167–192). – K. May, *Weltbild u. innere Form der Klassik u. Romantik im »Wilhelm Meister« u. »Heinrich von Ofterdingen«* (in *Romantik-Forschungen*, Halle 1929, S. 185–203; auch in K. M., *Form u. Bedeutung*, Stg. 1957, S. 161–177). – Th. Mann, *G. als Repräsentant des bürgerlichen Zeitalters* (in NRs, 43, 1932; auch in Th. M., *Adel des Geistes*, Stockholm 1955, S. 90–126). – M. Wundt, *G.s »Wilhelm Meister« u. die Entwicklung des modernen Lebensideals*, Bln./Lpzg. 1932. – J. Rausch, *Lebensstufen in G.s »Wilhelm Meister«* (in DVLG, 20, 1942, S. 65–114). – G. Lukács, *»Wilhelm Meisters Lehrjahre«* (in G. L., *G. und seine Zeit*, Bern 1947, S. 31–47). – E. Ruprecht, *Das Problem der Bildung in G.s »Wilhelm Meister«* (in E. R., *Die Botschaft der Dichter*, Stg. 1947, S. 183–209). – G. Müller, *Gestaltung – Umgestaltung in »Wilhelm Meisters Lehrjahre«*, Halle 1948. – H. H. Borcherdt, *Der Roman der G.zeit*, Urach/Stg. 1949. – K. Viëtor, *G.*, Bern 1949, S. 129–150. – H. v. Hofmannsthal, *»Wilhelm Meister« in der Urform* (in H. v. H., *Prosa III*, Hg. H. Steiner, Ffm. 1952, S. 15–39). – K. Schlechta, *G.s »Wilhelm Meister«*, Ffm. 1953. – G. Storz, *G.-Vigilien*, Stg. 1953, S. 61ff. – H. Beriger, *G. und der Roman. Studien zu »Wilhelm Meisters Lehrjahren«*, Zürich 1955. – Staiger, 2, S. 128–174. – R. Pascal, *The German Novel*, Manchester 1956, S. 3–29. – W. Dilthey, *Das Erlebnis u. die Dichtung*, Stg. [13]1957, S. 204ff. – J. Steiner, *G.s »Wilhelm Meister«. Sprache u. Stilwandel*, Zürich 1959; [2]1966. – H.-E. Hass, *»Wilhelm Meisters Lehrjahre«* (in *Der deutsche Roman*, Hg. B. v. Wiese, Bd. 1, Düsseldorf 1963, S. 132–210). – W. Rasch, *Die klassische Erzählung G.s* (in *Formkräfte der deutschen Dichtung*, Göttingen 1963, S. 81–99). – C. Heselhaus, *Die Wilhelm-Meister-Kritik der Romantiker u. die romantische Romantheorie* (in *Nachahmung u. Illusion*, Hg. H. R. Jauß, Mchn. 1964, S. 113–127; 210–218). – G. Röder, *Glück und glückliches Ende im deutschen Bildungsroman. Eine Studie zu G.s »Wilhelm Meister«*, Mchn. 1968. – D. Turner, *»Wilhelm Meister's Apprenticeship« and German Classicism* (in *Periods of German Literature*, Bd. 2, Hg. J. M. Ritchie, Ldn. 1969, S. 87–114). – M. Kommerell, *»Wilhelm Meister«* (in M. K., *Essays, Notizen, poetische Fragmente*, Hg. I. Jens, Olten/Freiburg i. B. 1969, S. 81–186). – E. Braemer, *Zu einigen Problemen in G.s Roman »Wilhelm Meisters Lehrjahre«* (in *Studien zur Literaturgeschichte u. Literaturkritik. Fs. f. G. Scholz*, Bln. 1970, S. 143–200).

WILHELM MEISTERS WANDERJAHRE oder die Entsagenden. Roman von Johann Wolfgang von Goethe (1749–1832), erschienen 1821, in erweiterter Form 1829. – Schon beim Erscheinen des letzten Buches von *Wilhelm Meisters Lehrjahren* ist im Briefwechsel zwischen Goethe und Schiller (Juli 1796) von einer Fortsetzung des Romans, einem »Korrelat«, das die »Meisterschaft«

zum Ziel haben würde, die Rede. Seit 1807 erfolgte in immer neuen Schaffensperioden die Ausarbeitung: Zunächst entstanden mehrere Erzählungen, die in die Romanhandlung als exemplarische Novellen eingefügt werden sollten. Auch die *Wahlverwandtschaften* waren ursprünglich als eine derartige Einlage gedacht. 1821 erschien eine erste Fassung, die wesentliche Teile der Haupthandlung noch nicht enthielt. Die endgültige Fassung, die im Herbst 1828 abgeschlossen war, wurde 1829 in den Bänden 21 bis 23 der Ausgabe letzter Hand veröffentlicht.

Die thematische und strukturelle Andersartigkeit, die die *Wanderjahre* von den *Lehrjahren* absetzt, dringt auf die Revision zweier, komplementär sich verhaltender Einstellungen, die eine angemessene Aufnahme des Romans lange Zeit verhindert haben: die eine ausgebildet im Gefolge jenes Dichtungsverständnisses, das »*Einheit in der Mannigfaltigkeit*« als ästhetische Norm proklamierte; die andere entstanden im Zusammenhang der *Lehrjahre*, deren Rezeptionsgeschichte sich darstellt als Folge jenes Glaubens an eine organische Ganzheit, in deren Rahmen sich das Stufenglück der Bildung vollzieht. Für die erste Einstellung ist die Textgeschichte der *Wanderjahre* bezeichnend, in deren Verlauf immer wieder stets die Aphorismensammlungen, die Gedichte *Vermächtnis* und *Im ernsten Beinhaus war's* und die eingeklammerte Schlußbemerkung des Romans »*(Ist fortzusetzen)*« gänzlich oder partiell getilgt wurden. Diesem textgeschichtlichen Befund ist eine gewisse Logik nicht abzusprechen, wenn man ihn mit einem Romanbegriff in Zusammenhang bringt, in den der Dichtungsbegriff der »*ästhetischen Epoche*« eingegangen ist. Einer Auffassung, die Roman-»Kunst« am geschlossenen, zielgerichteten, in räumlichem und zeitlichem Nacheinander angelegten Erzählzusammenhang bemißt, konnte schon die Tilgung der Bezeichnung *Ein Roman* aus dem Titel der Fassung letzter Hand symptomatisch dafür sein, daß der Autor selbst die *Wanderjahre* der Gattung Roman nicht zuzurechnen schien. Indes hat der »Erzähler« in der ersten Leseranrede (Buch I Kap. 10) am Begriff »Roman« durchaus festgehalten, sich freilich von den Erwartungen des dem »*Geschichtlichen*« folgenden Lesers ironisch distanziert – in der kritischen Absicht, die von der Poetik der »Handlung« geleiteten Romankonventionen zu durchbrechen. Der Erzähler fällt an dieser Stelle in den Vortrag einer seiner Figuren ein und hindert sie am Vorlesen von »*Papieren*«, die als »*Didaktisches*« den Fluß des Geschehens zu stauen drohen: »*Unsere Freunde haben einen Roman in die Hand genommen, und wenn dieser hie und da schon mehr als billig didaktisch geworden, so finden wir doch geraten, die Geduld unserer Wohlwollenden nicht noch weiter auf die Probe zu stellen. Die Papiere, die uns vorliegen, gedenken wir an einem andern Orte abdrucken zu lassen und fahren diesmal im Geschichtlichen ohne weiteres fort, da wir selbst ungeduldig sind, das obwaltende Rätsel endlich aufgeklärt zu sehen.*« Die konziliante Ankündigung, er werde die Lesererwartung »*endlich*« erfüllen, dementiert der »Erzähler« freilich schon im nächsten Satz.

Solcher Verzicht auf Geschlossenheit und Zielstrebigkeit der Handlungsführung mußte die *Wanderjahre* als »Roman« fragwürdig erscheinen lassen. Bemühungen, sie gleichwohl unter die vom Autor beanspruchte Gattungsbestimmung zu subsumieren, machten entweder das Aufgeben des normativen Romanbegriffs oder einen Eingriff in den Text notwendig. So hat man Johann Peter ECKERMANNS Gesprächsaufzeichnung vom 15. 5. 1831 willig aufgegriffen, um die beiden Sammlungen von Sentenzen und Aphorismen, *Betrachtungen im Sinne der Wanderer* und *Aus Makariens Archiv*, aus dem Roman zu eliminieren: »*Den Gang des Romans sah man durch eine Menge rätselhafter Sprüche unterbrochen, deren Lösung nur von Männern vom Fach... zu erwarten war, und die allen übrigen Lesern, zumal Leserinnen, sehr unbequem fallen mußten.*« Eckermann stellte 1837 eine vermeintlich Goethes Intentionen treffende Version her, die der Weimarer Sophien-Ausgabe als Vorbild diente.

Die zweite Einstellung, die die romangeschichtliche Bedeutung der *Wanderjahre* verdeckt hat, ist aus der Rezeptionsgeschichte zu belegen. Sie zeigt: Die mit dem Bildungsroman etablierten Ordnungsvorstellungen waren so zwingend, daß bei aller fruchtbaren Einzelerkenntnis das »*Vorstellungsmodell einer Steigerung*« (H. Gidion) für die *Wanderjahre* im ganzen gültig blieb: sei es nun gefaßt als Entwicklung »*von der Novellen-Stufe zu der Roman-Stufe*«, indem »*die Rahmengeschichte der Bereich derer*« sein soll, »*die zu Entsagung und Vergeistigung gelangt sind, die Novellen der Bereich derer, die noch davor stehen oder erst dazu kommen*« (E. Trunz); sei es, entsprechend der Aufteilung des Romans in drei Bücher, als Stufung, in deren Verlauf Wilhelm Meister »*durch einige Urbilder humaner Lebensführung*« hindurchgeleitet und »*zur Reife seiner Lebensanschauung*« geführt, dann der »*Blick auf die Maßstäbe, die für die künftige Gesellschaft gültig sein sollen*« gelenkt wird und schließlich »*die Welt des Wandererbundes*« als Welt der »*Verwirklichung*« in den Vordergrund rückt (A. Henkel). – Gegen die Vorstellung von einem zielgerichteten Erzählzusammenhang hat sich Goethe selbst gewandt, als er Versuche von J. F. ROCHLITZ, »*das Ganze systematisch konstruieren und analysieren zu wollen*«, eine »*alberne Idee*« nannte; denn »*das Buch gebe sich nur für ein Aggregat aus*« (Gespräch mit Kanzler F. von MÜLLER am 18. 2. 1830). Diese nur beispielsweise angeführte Autormeinung sollte nun auch gegen Inhaltsangaben in der Art von »Romanführern«, die insgeheim einen zielgerichteten und am Modell der Bildungsidee orientierten Geschehenszusammenhang nahelegen, kritisch machen: Die Wanderschaft Wilhelms und seines Sohnes Felix, eine Folge von pädagogischen Stationen, wird von der »*Gemeinschaft der Entsagenden*« und deren Gebot des unablässigen Ortswechsels bestimmt. Wilhelm lernt an den Anschauungen und Schicksalen einer in Kontrasten angelegten Figurenwelt. Felix läßt er zur Ausbildung in der *Pädagogischen Provinz* zurück. Wilhelm selbst gibt schließlich sein ursprüngliches Ziel einer allseitigen Bildung auf, bekennt sich zur Ausübung eines einzigen gemeinnützigen Handwerks und läßt sich, nachdem er Befreiung vom Wandergelübde erhalten hat, zum Wundarzt ausbilden.

Eine Orientierungshilfe für den Leser des Romans ist in einer poetologischen Vorbemerkung zur eingeschalteten Novelle *Der Mann von fünfzig Jahren* (II, 3) angedeutet. In ihr wird das »*Gefallen*« des »*werten Publikums*«, »*sich stückweise unterhalten zu lassen*«, als Entsprechung zu einer Erzählhaltung gedeutet, die »*abgesondert scheinende Begebenheiten*« ihrem inneren Zusammenhang gemäß sich »*gegeneinanderbewegen*« (III, 14) läßt.

Abgesondert scheinende Stücke sind die im Roman wiederholt so genannten »*Bezirke*«:

der topographisch streng eingefriedete und durch die erzähltechnische Klammer zweier Briefe Wil-

helms an Natalie abgegrenzte Klosterbezirk St. Josephs des Zweiten (I, 2), in dem *»das Gebäude eigentlich die Bewohner gemacht hat«*: Bild eines ungefährdeten Lebens in der *»Nachfolge«* eines *»Musterbildes«*;
der in der Mitte eines *»stillen Ortes«* (I, 4) gelegene Kohlenmeiler, dessen Deutung als *»Sinnbild«* einer Erziehungsanstalt Wilhelms Versessenheit auf *»vollkommene Bildung«* (thematischer Anschluß an die *Lehrjahre*) dämpft und ihn auf die selbstgestellte Aufgabe der Ausbildung in einem beschränkten Handwerk, einer *»nützlichen Kunst«* zurückweist;
der Bezirk des aufgeklärten, philanthropischen Oheims (I, 5–7), in den über eine Staffel von Innenbezirken einzudringen den Wanderern Wilhelm und Felix nicht weniger beschwerlich ist als dem Leser, der über die eingesprengte Novelle *Die pilgernde Törin* (I, 5) und eine Suite von Briefen (I, 6) zu den Grundsätzen des Oheims (praxisorientierte *»allgemeine Menschlichkeit«*) und zur Lehre von der dreifachen Bedingtheit des Menschen (körperliche Leiden, *»ökonomische und sonst bürgerliche Beschränktheit«*, geistige und sittliche Verdüsterung) gelangt: ein weltliches Gegenstück zur Pädagogischen Provinz, welches *»utopisch genug«* genannt wird und deshalb gegen den emphatischen Entwurf einer *»neuen Welt«* in Amerika zu »bewegen« ist;
der durch die Erzählungen *Wer ist der Verräter?* (I, 8–9) und *Das nußbraune Mädchen* (I, 11) ausgesonderte erhabene Bezirk der Makarie (I, 10), dessen Geheimnis erst am Ende des Romans in der Form des Aphorismen-Archivs preisgegeben wird;
der dauerhafte Bezirk des alten Sammlers (I, 12), in dessen Sammlung von *»Gerätschaften, die schon einigen Generationen mochten gedient haben«*, das aus dem labyrinthischen Bezirk des Riesenschlosses geborgene Kästchen (I, 4) eingeht, welches so lange ungeöffnet bleiben soll, bis der Schlüssel zu ihm gefunden ist;
die hermetisch abgeschlossene Pädagogische Provinz (II, 1–2; ein Erziehungssystem, dem Ideen aus PLATONS *Staat*, aber auch Gedanken aus dem Werk ROUSSEAUS und PESTALOZZIS zugrunde liegen und das sein reales Vorbild in der Erziehungsanstalt Philipp Emanuel FELLENBERGS hat) mit vielfach gestuften, der Musik, dem Spiel, der Gemeinschaft zugeordneten Bereichen des Äußeren und dem davon abgegrenzten *»besonderen Bezirk«*, dessen letztes Innere, das *»Heiligtum des Schmerzes«* verschlossen bleibt; diesem Bezirk zugeordnet das in dreifachem Stufengang der Belehrung *(»Zeichen« – »symbolischer Anklang« – »oberste Deutung«)* entfaltete trinitarische Thema: von den Gebärdengrüßen zu Stufen der Bildung, von der Ehrfurcht zu ihrer negativen Erscheinungsweise in der Furcht, von den drei Religionen zu der einen, von den Artikeln des Credo zu den Bildergalerien – *»eine Art von Utopien«* also, von welcher der Romanfigur Lenardo in I, 11 noch scheint, *»als sei, unter dem Bilde der Wirklichkeit, eine Reihe von Ideen, Gedanken, Vorschlägen und Vorsätzen gemeint, die freilich zusammenhingen, aber in dem gewöhnlichen Laufe der Dinge wohl schwerlich zusammentreffen möchten«*;
der durch die Erzählung *Der Mann von fünfzig Jahren* (II, 3–5) abgelöste und in zwei Brieffolgen eingefaßte Bezirk des Großen Sees (II, 7) – Wiederbelebung des Mignon-Bereiches –, in dem Wilhelms Empfänglichkeit, mit des Malers *»Augen die Welt zu sehen«*, zu der eben erst brieflich fixierten Bitte um Befreiung vom Wandergelübde in ein kalkuliertes Widerspiel ge bracht ist;
die durch *Zwischenrede* abgetrennten und nach gattungstypologischen Gesichtspunkten streng geschiedenen Künstler-Regionen innerhalb der Pädagogischen Provinz (II, 8), aus der das Theater als Kunst, die *»eine müßige Menge«* voraussetzte, ausgeschlossen ist: ein platonischer Rigorismus der *»Gesetze«*, der den Widerspruch des »Erzählers« provoziert;
die Herberge der Auswanderer (III, 1), in der – abgesprengt durch eine Folge von Briefen, nachgeholten Vorgeschichten (so Wilhelms Studien als Wundarzt), Tagebuchaufzeichnungen (Lenardos) und eingeschalteten *»Geschichten« (Die neue Melusine* und *Die gefährliche Wette)* – der Anführer der Auswanderer die Emigration nach Amerika auf die Wanderbewegungen der Geschichte zurückbezieht, aus der er in der großen Wanderrede (III, 9) das utopische Projekt ableitet; *»gegen«* diese *»bewegt«* sich – durch die fragmentarische Erzählung *Nicht zu weit* und den Exkurs über die Grundsätze des Wandererbundes vom Kontext erneut abgelöst – die Beharrungsrede Odoards (III, 12), in welcher für das Kolonisationsprojekt in einer europäischen Provinz geworben wird;
die Bezirke der Spinner und Weber (III, 5) und der Schönen-Guten (III, 13), deren Idyllik von dem *»überhandnehmenden Maschinenwesen«* bedroht wird: Motivation vieler, sich der Auswanderer-Gesellschaft Lenardos und dem Handwerker-Bund Odoards anzuschließen;
der Schloß-Bezirk des egoistischen Amtmannes (III, 16), der aus dem Handwerkerkreis einige der fähigsten Kräfte für eine geplante Möbelfabrik abwirbt: *»Gegenbewegung«* zu den Utopien des amerikanischen und europäischen Projekts.

Diese die Struktur des Romans bestimmende Stückhaftigkeit, die durch die Einschaltung der Aphorismensammlungen und der Gedichte weiter verschärft wird, hat Folgen für die Figurengestaltung. Wenn beispielsweise der »Erzähler« im drittletzten Romankapitel mit der erstmaligen Aufnahme des Beinamens *»Meister«* an Wilhelms Identität erinnert, so wird die Demontage seiner Funktion als Held nur um so entschiedener bewußt gemacht. Wilhelm ist als Charakter nicht festgelegt, er ist vielmehr »Figur«, die in den jeweiligen Bezirken aufgeht. Damit wird das Modell der in geschichtlicher Kontinuität sich entfaltenden Einheit der Person aufgelöst und die erzähltechnische Bewältigung einer Thematik vorbereitet, auf deren soziologische Relevanz G. SIMMEL hinwies: Er sah in den Figuren der *Wanderjahre »Träger bestimmter, durch ihren Inhalt festgelegter Funktionen«*. Auf die Frage Wilhelms, ob denn nicht *»eine vielseitige Bildung für vorteilhaft und notwendig«* zu halten sei, antwortet Montan (der Jarno der *Lehrjahre*): *»... es ist jetzo die Zeit der Einseitigkeiten; wohl dem, der es begreift, für sich und andere in diesem Sinne wirkt«* (I, 4). Wilhelm selbst erhält vom Wandergelübde Dispens, damit er zum Wundarzt und zum *»notwendigsten Glied in unserer Kette«* (I, 7) ausgebildet werden kann. In diese moderne Problematik gehört auch, daß das Tagebuch Lenardos (III, 5; III, 13) eine *»Reiseerzählung«* protokolliert, die das Verknüpfungsprinzip des epischen Nacheinanders an einer neuen Thematik neu erprobt: Dargestellt wird eine Reise, deren Route ebenso unumkehrbar ist wie der Prozeß der Verarbeitung eines Rohmaterials zur Ware (H. Gidion). Es ist kennzeichnend, daß eben hier die Beschreibung der Schweizer Baumwoll-Heimindustrie durch Heinrich MEYER als fast unretuschierter, *»realer Zettel zu einem*

poetischen Einschlag« (Goethe an Meyer am 3. 5. 1810) in die Bauform des Nebeneinanders eingegangen ist.
Sosehr der Roman das in der Thematik wie in der Struktur wirksame Neue betont (womit er in die Nähe etwa von R. MUSILS *Der Mann ohne Eigenschaften* rückt), wird man ihn doch erst dann in seiner Eigenart treffen, wenn man die sorgfältige Konturierung der Figuren in ihren »*Eigenheiten*« und »*Grillen*« nicht verkennt. So entzieht sich Montan der eben erst ausgegebenen Maxime der »*Beschränkung*« und beansprucht für sich die als »wunderlich« geltende »*Eigenheit, mich nur um mein selbst willen zu verbrennen*«. Die Eigenheiten des Oheim-Bezirks, dessen Bewohner der »*Gemeinschaft der Entsagenden*« fernbleiben, erscheinen dem »Erzähler« ebenso ausdrücklich der wörtlichen Wiederholung wert wie Makariens »*eigenes*« Verhältnis zu den Gestirnen, das »*bei den Ihrigen als Krankheit*« gelte, »*wodurch sie augenblicklich gehindert sei, an der Welt und ihren Interessen teilzunehmen*«.
Dieser Gegensatz von privater »*Eigenheit*« und funktioneller Figurenhaftigkeit, von Individuellem und Allgemeinem ist nicht als kontradiktorischer Widerspruch mißzuverstehen. Beide Seiten werden als Momente des einen Prinzips dargestellt, das »*Leben*« heißt. Wenn Montan als Summe aller Weisheit die Formel »*Denken und Tun, Tun und Denken*« aufstellt und erklärt: »*Beides muß wie Aus- und Einatmen sich im Leben ewig fort hin und wider bewegen*« (II, 9), so gibt er ein Gleichnis, das unmittelbar an den *Entwurf einer Farbenlehre* anschließt: »*Ein graues Bild auf schwarzem Grunde erscheint viel heller, als dasselbe Bild auf weißem. Stellt man beide Fälle neben einander, so kann man sich kaum überzeugen, daß beide Bilder aus Einem Topf gefärbt seien. Wir glauben hier abermals die große Regsamkeit der Netzhaut zu bemerken und den stillen Widerspruch, den jedes Lebendige zu äußern gedrungen ist, wenn ihm irgend ein bestimmter Zustand dargeboten wird. So setzt das Einatmen schon das Ausatmen voraus und umgekehrt; so jede Systole ihre Diastole. Es ist die ewige Formel des Lebens...*« (§ 38 der 1. Abt.). Nach dieser Formel sind Makarien-Bereich und Montan-Bereich als »*ätherische Dichtung*« und »*terrestrisches Märchen*« einander komplementär zugeordnet; sie bedingen sich im Verhältnis zur »*Tat*«, der auszuweichen entweder »*Verflüchtigung*« oder »*Erstarrung*« bedeutet (III, 14). Diese Formel macht auch den Zusammenhang von mythischer Identifikation und utopischem Entwurf einsichtig und gibt eine Antwort auf die Frage nach geschichtlicher Kontinuität im Umbruch der Zeiten.
T.V.

AUSGABEN: Stg./Tübingen 1821. – Stg. 1829 (in *Werke*, 60 Bde., 1827–1842, 21–23; AIH; erw.). – WA, I, 24/25. – JC, 19/20. – AA, 8. – HA, 8.

LITERATUR: F. Spielhagen, *Beiträge zur Theorie u. Technik des Romans*, Lpzg. 1883. – G. Simmel, *G.*, Lpzg. 1913, S. 221 ff. – M. Wundt, *G.s »Wilhelm Meister« u. die Entwicklung des modernen Lebensideals*, Bln./Lpzg. 1913, S. 350 ff.; 493 ff. – F. Gundolf, *G.*, Bln. 1916, S. 714–743. – D. Fischer-Hartmann, *G.s Altersroman. Studien über die innere Einheit von G.s »Wilhelm Meisters Wanderjahre«*, Halle 1941. – K. Viëtor, F. H. Mautner u. E. Feise, *Ist fortzusetzen. Zu G.s Gedicht auf Schillers Schädel* (in *PMLA*, 59, 1944, S. 1156–1172). – G. Schaeder, *Gott und Welt*, Hameln 1947, S. 369 bis 404. – G. Baumann, *Maxime u. Reflexion als Stilform bei G.*, Karlsruhe 1949. – P. Stöcklein, *Das Spätwerk Platons u. G.s* (in P. S., *Wege zum späten G.*, Hbg. 1949, S. 211–237). – W. Emrich, *Das Problem der Symbolinterpretation im Hinblick auf G.s »Wanderjahre«* (in DVLG, 26, 1952, S. 331 bis 352; auch in W. E., *Protest u. Verheißung*, Ffm./Bonn 1960, S. 48–66). – A. Henkel, *Entsagung. Eine Studie zu G.s Altersroman*, Tübingen 1954 (Hermea, N.F. 3; [2]1964). – H. J. Schrimpf, *Das Weltbild des späten G.*, Stg. 1956. – C. David, *G.s »Wanderjahre« als symbolische Dichtung* (in SuF, 8, 1956, S. 113–128). – Staiger, 3, S. 128–178. – H. Emmel, *Formprobleme des Romans im Spätwerk Wielands u. G.s* (in *Stil- u. Formprobleme in der Literatur*, Hg. P. Böckmann, Heidelberg 1959, S. 267 ff.). – H. Blumenberg, *Paradigmen zu einer Metaphorologie* (in *Archiv f. Begriffsgeschichte*, 6, 1960). – W. Flitner, *G.s Erziehungsgedanken in »Wilhelm Meisters Wanderjahren«* (in Goethe, 22, 1960, S. 39–53). – H. Reiss, *»Wilhelm Meisters Wanderjahre«. Der Weg von der ersten zur zweiten Fassung* (in DVLG, 39, 1965, S. 34–57). – B. Peschken, *Entsagung in »Wilhelm Meisters Wanderjahren«*, Bonn 1968. – M. Karnick, *»Wilhelm Meisters Wanderjahre« oder die Kunst des Mittelbaren*, Mchn. 1968. – J. Strelka, *G.s »Wilhelm Meister« u. der Roman des 20. Jh.s* (in GQ, 41, 1968, S. 338–355). – H. Gidion, *Zur Darstellungsweise von G.s »Wilhelm Meisters Wanderjahren«*, Göttingen 1969. – C. H. Schädel, *Metamorphose u. Erscheinungsformen des Menschseins in »Wilhelm Meisters Wanderjahren«*, Marburg 1969. – P. Böckmann, *Voraussetzungen der zyklischen Erzählform in »Wilhelm Meisters Wanderjahren«* (in *Fs. D. W. Schumann*, Hg. A. R. Schmitt, Mchn. 1970).

JACOB GRIMM
(1785–1863)

DEUTSCHE GRAMMATIK von Jacob GRIMM (1785–1863), erschienen 1819–1837. – In der Vorrede zum ersten Band kennzeichnet Grimm die Art seines Werkes: »*Von dem Gedanken, eine historische Grammatik der deutschen Sprache zu unternehmen, ... bin ich lebhaft ergriffen worden.*« Die schöne und methodisch richtungweisende Vorrede betont das grundlegend Neue des Ansatzes, indem sie sich von der Sprachmeisterei und Sprachregelung der Aufklärer absetzt. Grimm will der Sprache nicht Gesetze geben, sondern ohne »Vor-Urteil« die der Sprachentwicklung innewohnenden Kräfte feststellen, die Gesetze ihres Wirkens aus den sprachlichen Zeugnissen herauslesen. Dabei gilt seine Liebe dem ältesten Sprachstand, der ursprünglichen Einheit des germanischen (deutschen) Stammes, den poesievollen, schöpferischen Anfängen.
Grimms geschichtliche Methode bewährt sich in der wissenschaftlichen Exaktheit seiner Etymologien, die sich grundsätzlich von dem mehr spekulativen, durch August Wilhelm SCHLEGEL in den ›Heidelberger Jahrbüchern‹ von 1815 scharf kritisierten Verfahren seiner Frühzeit unterscheidet. Die sorgfältige Beachtung der Lautgesetze ermöglicht es, die Wörter auf ihre älteste Gestalt zurückzuführen; diese wird dann in ihre Bauelemente zerlegt, und

erst der so gewonnene Wortkern darf als Faktor in die Sprachvergleichung eingesetzt werden.

Grimm gelingen in diesem Werk, in dem eine ungeheure Fülle von zum Teil aus handschriftlichen Quellen stammendem Material verarbeitet ist, eine Reihe bedeutsamer Entdeckungen. Er bestimmt den Unterschied von Ablaut und Umlaut, unterscheidet starke und schwache Flexion der Verben, sieht den scheinbaren Ablaut der ursprünglich reduplizierenden Verben, erkennt das Wesen der Präterito-Präsentien. Die wichtigste: er formuliert das Gesetz der Lautverschiebung. Mögen andere (z. B. der Däne RASK) auf diesem Gebiet schon vor ihm manches gefunden haben, Grimm sieht zwei Dinge als erster: die Lautverschiebungen erfassen alle Artikulationsstellen (labiale, dentale usw.) gleichmäßig; der Vorgang der ersten Lautverschiebung wiederholt sich bei der zweiten.

Das Werk ist nicht zu Ende geführt worden. Vom vierten Teil ist nur das erste Buch, nämlich die Syntax des einfachen Satzes, vollendet. Untersuchungen über den zusammengesetzten Satz, über die Konjunktionen und über die Wortfolge, die im Schlußband stehen sollten, sind nicht erschienen. – Schon die Zeitgenossen haben die Bedeutung des Werks erkannt. So schreibt Wilhelm von HUMBOLDT, einer der größten Sprachforscher des Jahrhunderts, über die Vorrede, daß ihn »*nie etwas über Sprache Geschriebenes so durch die Wahrheit der Behauptungen und die Schönheit des Ausdrucks angezogen*« habe (Brief an J. Grimm vom 28. 6. 1824). Die *Deutsche Grammatik* wurde das Vorbild aller folgenden Arbeiten Grimms, ja darüber hinaus der Eckpfeiler der germanischen Philologie, und das Jahr 1819 zur »*wichtigsten Jahreszahl*« (J. Dünninger) in ihrer Geschichte. Mit diesem Werk war für den Aufbau der historischen Geisteswissenschaften einer der tragfähigsten Grundsteine gelegt.

H. B.

AUSGABEN: Göttingen 1819 [Tl. 1]. – Göttingen ²1822 [Tl. 1 in 2 Büchern; revidiert u. erweitert]. – Göttingen 1826 [Tl. 2]. – Göttingen 1831 [Tl. 3]. – Göttingen 1837 [Tl. 4]. – Bln. 1870–1878, Hg. W. Scherer [Tl. 1 u. 2]. – Gütersloh 1890–1898, Hg. G. Roethe u. E. Schröder [Tl. 3u. 4].

LITERATUR: C. G. Andresen, *Register zu J. G.s »Deutsche Grammatik«*, Göttingen 1865. – R. v. Raumer, *Geschichte der germanischen Philologie*, Mchn. 1870, S. 499–522. – W. Scherer, *J. G.*, Bln. ²1885, S. 154ff. – F. Stroh, *Handbuch der Germanischen Philologie*, Bln. 1952, S. 88–97. – J. Dünninger, *Geschichte der Deutschen Philologie* (in DPhA, 1, Sp. 155f.). – W. Schoof, *J. G.s »Deutsche Grammatik« in zeitgenössischer Beurteilung* (in ZfdPh, 82, 1963, S. 363–377). – L. L. Hammerich, *J. G. und sein Werk* (in *Brüder G. Gedenken 1963*, Marburg 1963, S. 1–21).

JACOB GRIMM UND WILHELM GRIMM
(1785–1863 und 1786–1859)

DEUTSCHE SAGEN. Sammlung von lokalen und geschichtlichen Sagen der Brüder Jacob (1785–1863) und Wilhelm GRIMM (1786–1859), erschienen in zwei Teilen 1816 und 1818. – Das Werk ist das Ergebnis einer mehr als zehnjährigen Sammeltätigkeit, die maßgeblich durch den Kontakt der beiden Herausgeber mit Achim von ARNIM und Clemens BRENTANO beeinflußt wurde. Mit deren großer Volksliedersammlung, *Des Knaben Wunderhorn* (1805, 1808), an der sich auch die Brüder Grimm mit Hinweisen und Ratschlägen beteiligten, setzt die romantische Phase poetisch-freier, modernisierender Wiederbelebung älterer Märchen und Sagen ein, die in den strengeren, objektiv sichtenden Editionen der Brüder Grimm ihre Fortsetzung fand. Von dem in den *Deutschen Sagen* gesammelten Material hatten die Brüder schon 1808 in Arnims ›Zeitung für Einsiedler‹ (Nr. 19/20) zwei Sagen – *Der Glockenguß zu Breslau*, *Der Glockenguß zu Attendorn* – veröffentlicht. Das abgeschlossene Werk bietet insgesamt 585 Sagen, die – wie im ersten Band, den *Ortssagen* – zum kleineren Teil von zeitgenössischen Herausgebern übernommen und umgearbeitet, zum größeren Teil selbst aus älteren und neueren Quellen exzerpiert oder mündlich in Erfahrung gebracht wurden. Von den 363 Sagen des ersten Teils entlehnten die Autoren etwa 100, also etwa ein Sechstel der Gesamtmasse, zeitgenössischen Sammlungen, besonders den 1800 erschienenen *Volkssagen* von J. K. C. NACHTIGAL (1753 bis 1819; Pseudonym Otmar, daher die *Otmarische Sammlung*) und den *Idyllen und Volkssagen* (1815) von J. R. WYSS (1782–1830). Die Harzsagen Otmars und die Alpensagen von Wyß gingen nahezu unverändert in die Sammlung ein. Daneben wurden noch die Werke von G. BÜSCHING (1783 bis 1829) – *Sammlung deutscher Volkslieder* (1807) – und F. L. von DOBENECK (1771–1810) – *Des Deutschen Mittelalters ... Heroensagen* (1815) – verwertet. Als ergiebigste Quellen neben den moderneren Sammelwerken erwiesen sich Kompendien des 17. Jh.s, vor allem der *Anthropodomus Plutonicus, das ist eine neue Weltbeschreibung* (1667/68) von Johann PRÄTORIUS (1630–1680), während die Arbeiten von J. K. A. MUSÄUS (1735–1787) – *Volksmährchen der Deutschen* (1782–1786) – und C. B. NAUBERT (1756–1819) – *Neue Volksmährchen der Deutschen* (1789–1793) – wegen zu großer Freiheit der Bearbeitung wenig geschätzt wurden. Konnten sich die Herausgeber für den ersten Teil noch auf diese Vorarbeiten stützen, so ist der zweite Band – *Geschichtliche Sagen* – ausschließlich ihren eigenen Quellenstudien zu verdanken. Jacob Grimm exzerpierte während eines Aufenthaltes in Paris (1814) die Schriften des Goten JORDANES (6. Jh.), des Langobarden PAULUS DIACONUS (8. Jh.), des Franken GREGOR VON TOURS (6. Jh.) und des Sachsen WIDUKIND (10. Jh.), in Heidelberg (1817) die *Kaiserchronik* und mittelalterliche Legendensammlungen. Bei der stilistischen Redaktion von Vorlagen galt beiden Herausgebern die ältere Quelle stets als die wertvollere. Möglichste Treue der schriftlichen oder mündlichen Überlieferung gegenüber ließ sie auf alle »*unnötige Bräme und Stilverzierung*«, die häufig den ursprünglichen Sagenkern überwucherten, verzichten.

Die Aufteilung des Materials in Orts- und geschichtliche Sagen hängt eng mit der in der Vorrede zum ersten Band versuchten Abgrenzung des Begriffs der Sage zusammen. Was die im Unterschied zum mehr »*poetischen*« Märchen eher »*historische*« Sage auszeichne, sei die Besonderheit, »*daß sie an etwas Bekanntem und Bewußtem hafte, an einem Ort oder einem durch die Geschichte gesicherten Namen*«. Mit dem Märchen gemeinsam habe die Sage, im Gegensatz zur Geschichte, die Neigung, »*das sinnlich Natürliche und Begreifliche stets mit dem Unbegreiflichen* [zu] *mischen*«. Aus dieser Mischung von »Natürlichem« und »Übernatürlichem« gehe in der Regel eine solche »*Gewalt der Überraschung*« hervor, daß die »*überspannteste Kraft der aus sich bloß schöpfenden Einbildung*« dem Erfindungsreichtum von Sagen, Märchen und Legenden nicht gleichkomme. Die Bewunderung für diese Volksdichtung, die die Herausgeber, unter dem nachhaltigen Einfluß von HERDERS Idee der »*Volkspoesie*«, mit den jüngeren Romantikern teilten, verbindet sich, vor allem bei Jacob Grimm, mit dem keineswegs lediglich spekulativen Begriff eines unermüdlich schaffenden »*Volksgeistes*«. Er war überzeugt, daß in den ältesten Sagen »*die Taten und Geschichten gleichsam einen Laut von sich geben, welcher forthallen muß und das ganze Volk durchzieht, unwillkürlich und ohne Anstrengung, so treu, so rein, so unschuldig werden sie behalten, allein um ihrer selbst willen, ein gemeinsames teures Gut gebend, dessen ein jedweder teilhabe*« (*Gedanken wie sich die Sagen zur Poesie und Geschichte verhalten*, ›Zeitung für Einsiedler‹, 1808). So verstanden beide Herausgeber ihre Tätigkeit lediglich als ein »*leises Aufheben der Blätter und behutsames Wegbiegen der Zweige, um das Volk nicht zu stören*«. Der erste Band bietet lokal begrenzte Sagen oder regional verschieden ausgebildete und überlieferte Fassungen derselben Sagen, in denen der Mensch ausschließlich auf die geheimnisvollen, manchmal still, häufiger drohend oder rächend wirkenden Geschöpfe einer dämonisierten Natur (Hexen, Gespenster, Zwerge, Riesen, Nixen, Elfen, Kobolde, Elementar-, Wald- und Wassergeister) trifft. Der zweite Band erweitert den Begriff der Sage so, daß er sowohl einfache historische Tatbestände, in denen etwas Wunderbares, Unbegreifliches deutlich wird, als auch längere, novellenartige Chroniken umfassen kann, in denen die Grenzen zur von christlichen Vorstellungsbereichen beeinflußten Legende überschritten werden (z. B. Nr. 540, *Der Ritter mit dem Schwan*). Gerade diesem Teil der Sammlung verdanken Sagen wie die von Heinrich dem Löwen, vom Sängerkrieg auf der Wartburg, vom schlafenden Kaiser Barbarossa im Kyffhäuser, Lohengrin, Tannhäuser usw. ihre Volkstümlichkeit. Der Plan einer abschließenden theoretischen Analyse der Sage wurde nicht ausgeführt. Er ging in der *Deutschen Mythologie* (1835) von Jacob Grimm auf. H. H. H.

AUSGABEN: Bln. 1816–1818, 2 Tle. – Bln. 1865. – Bln. 1905, Hg. R. Steig. – Lpzg. 1911, Hg. A. Stoll. – Mchn. 1911, Hg. H. Floerke, 2 Bde. – Bln. 1914, Hg. H. Schneider, 2 Bde. – Mchn./Darmstadt 1956.

LITERATUR: S. Aschner, *Die »Deutschen Sagen« der Brüder G.*, Diss. Bln. 1909. – F. Panzer, *Studien zur germanischen Sagengeschichte*, 2 Bde., Mchn. 1910 bis 1912. – A. Jolles, *Einfache Formen. Legende. Sage. Mythe. Rätsel. Spruch. Kasus. Memorabile. Märchen. Witz*, Halle 1930; Tübingen ²1958. – H. Honti, *Volksmärchen und Heldensage. Beiträge zur Klärung ihrer Zusammenhänge*, Helsinki 1931. – P. Böckmann, *Die Welt der Sage bei den Brüdern G.* (in GRM, 23, 1935, S. 81–104). – V. Höttges, *Typenverzeichnis der deutschen Riesen- und Riesischen Teufelssagen*, Helsinki 1937. – F. Erfurth, *Die »Deutschen Sagen« der Brüder G.*, Diss. Münster 1938. – H.-F. Rosenfeld, *Zur Arbeitsweise der Brüder G. in den »Deutschen Sagen«* (in Deutsches Jb. für Volkskunde, 4, 1958, S. 82–90). – E. Lichtenstein, *Herders Idee der Naturpoesie in der Grimmschen Hermeneutik der Volksdichtung* (in E. L., *Bildungsgeschichtliche Perspektiven*, Ratingen 1962, S. 130–147). – W.-E. Peuckert, Art. *Sage* (in DPhA, 2, Sp. 2641–2676).

DEUTSCHES WÖRTERBUCH von Jacob (1785 bis 1863) und Wilhelm GRIMM (1786–1859), begonnen 1838; erste Lieferung 1852, Erscheinungsjahr des ersten Bandes 1854; vollendet 1961. – Nach ihrer Entlassung als Professoren der Universität Göttingen, weil sie gegen die Aufhebung der hannoverschen Verfassung durch den König protestiert hatten (1837), lebten die Brüder Grimm ohne feste Tätigkeit und ohne Einkünfte in Kassel. In dieser Lage kam ihnen der von Moritz HAUPT angeregte Plan des Verlegers Reimer, ein großes deutsches Wörterbuch zu schaffen, sehr gelegen: »*Wir haben uns in eine große, weite arbeit eingelassen, die uns auch äußerlich halt und stütze gewähren soll. Wir denken ein ausführliches deutsches wörterbuch von Luther an bis zu Goethe zu unternehmen ... Alle schriftsteller sollen dafür gründlich ausgezogen werden.*« (J. Grimm an Hupfeld, 28. 8. 1838)
Ein Jahr später ist das Unternehmen den Brüdern zuweilen schon eine Last: »*Noch jetzt kommen stunden genug, wo es mich gereut, daß wir uns auf ein so schweres werk eingelassen haben*« (J. Grimm an Lachmann, 26. 6. 1839); und nach zwanzig Jahren heißt es in einem Brief: »*Unterdessen auch haben sich manche andere und neue gegenstände vor mir aufgethan, deren behandlung mir weit näher zu herzen gienge als das wörterbuch, sie könnte ich erreichen, während das ende des wörterbuches unnahbar steht. Hätte ich diese ganze schwierige lage vorausgesehen, ich würde damals mit händen und füßen das wörterbuch abgewehrt haben.*« (J. Grimm an Dahlmann, 14. 4. 1858)
Von seinen noch in aufklärerischen Traditionen stehenden Vorgängern, den Wörterbüchern eines ADELUNG und CAMPE, unterscheidet sich das Grimmsche Werk durch das Fehlen jeder sprachregelnden Tendenz. Es sollte den gesamten Wortschatz der Jahrhunderte zwischen der zweiten Hälfte des 15. Jh.s und der Gegenwart umfassen, ohne daß eine Sprachperiode den Vorzug erhielt.
Die Artikel sind einheitlich aufgebaut: Zunächst wird das Wort verzeichnet, dann die Bedeutung durch das lateinische Äquivalent angegeben; Definitionen fehlen meist. Es folgt die etymologische Ableitung. Danach wird kurz die Vorgeschichte des Wortes während der althochdeutschen und der mittelhochdeutschen Zeit skizziert. Im Hauptteil wird dann die neuhochdeutsche Entwicklung nach Form und Bedeutung an Hand einer Fülle von Belegen dargestellt. Das Ideal der Brüder Grimm war, ein wissenschaftliches Werk zu schaffen, das dennoch zugleich dem einfachen Mann von Nutzen sein sollte. Daß aber ein Werk von der Gründlichkeit und Gelehrsamkeit dieses Wörterbuchs jemals die erwünschte Popularität erreichen könnte, daran zweifelte schon Wilhelm Grimm mit Recht und fragte, »*ob dem publikum ein in diesem sinne ausgearbeitetes, auf den bloß praktischen gebrauch nicht berechnetes werk behagen wird?*« (W. Grimm an Friedrich Blume, 22. 7. 1831) Das Material ist zu einem großen Teil von den Brüdern selbst zusammengetragen worden, doch stand ihnen eine Reihe von Mitarbeitern zur Seite; 1839 sind es bereits dreißig Helfer. So sammelte sich allmählich ein unermeßlicher Bestand von Wörtern an: »*Wie wenn tagelang feine, dichte flocken vom himmel niederfallen, ... werde ich von der masse aus allen ecken und ritzen auf mich andringender wörter*

gleichsam eingeschneit.« (Vorrede zum ersten Band) Jacob Grimm hat die Buchstaben *A, B, C, E* bearbeitet, den Buchstaben *F* noch bis zum Artikel *Frucht* vollendet; Wilhelm Grimm, der nach der Ansicht seines Bruders »*sehr hübsch und gewissenhaft, aber zu gelassen und langsam*« zu Werke ging (J. Grimm an Gervinus, 5. 2. 1859), führte nur einen Band (den Buchstaben *D*) aus.
Trotz mancher unkontrollierten, allzu kühnen Etymologien, trotz mancher Eigenmächtigkeit im Ansatz von Bedeutungen, trotz der oft kritisierten Unübersichtlichkeit und des nicht immer gutzuheißenden Auswahlprinzips ist das *Deutsche Wörterbuch* der Brüder Grimm schon allein seines Reichtums wegen eine unschätzbare Quelle für die Erkenntnis unserer Sprache, besonders auch der älteren neuhochdeutschen Literatur. Nach dem Tode J. Grimms veränderte sich das Gesicht des Werkes mehr und mehr. Die Verschiedenartigkeit der Bearbeiter und die Forderungen einer sich wandelnden Zeit prägten die folgenden Bände. Die schlimmste Krankheit des Werkes war seine »*Schwellsucht*«. 1908 wurde es durch Gustav ROETHE und Edward SCHROEDER auf eine neue Grundlage gestellt und von der Deutschen Kommission der Preußischen Akademie der Wissenschaften übernommen. Im Jahre 1961 konnte es nach über hundertjähriger Arbeit fertiggestellt werden. H. B.

AUSGABEN: Lpzg. 1854–1961, 16 Bde. in 32 Bdn. – *Quellenverzeichnis z. »Deutschen Wörterbuch«*, Göttingen 1910. – J. Grimm, *Vorreden z. »Deutschen Wörterbuch«*, Darmstadt, o. J.

LITERATUR: R. v. Raumer, *Geschichte d. German. Philologie*, Mchn. 1870, S. 648–654. – W. Scherer, *J. G.*, Bln. [2]1885, S. 305ff. – H. Herrigel, *Das »Deutsche Wörterbuch« der Br. Grimm* (in Das Innere Reich, 1, 1934/35). – F. Stroh, *Handbuch d. German. Philologie*, Bln. 1952, S. 101–107. – B. Beckmann, *Das »Deutsche Wörterbuch« in Gegenwart und Zukunft* (in Das Institut f. dt. Sprache u. Lit., Bln. 1954, S. 125–136). – A. Schirokauer, *Das Grimmsche Wörterbuch als Dokument der Spätromantik* (in Philobiblion, 1, 1957). – Ders., *Spätromantik im Grimmschen Wörterbuch* (in A. S., *Germanistische Studien*, Hbg. 1957). – J. Dünninger, *Geschichte d. Dt. Philologie* (in DPhA, 1, Sp. 157). – W. Schoof, *Zur Verlegergeschichte des Grimmschen Wörterbuches – unter Benutzung des Grimmschen Nachlasses* (in Börsenblatt f. d. dt. Buchhandel, 16, 1960, S. 1942–1947). – Ders., *Zum Abschluß d. Grimmschen Wörterbuches* (in NDH, 7, 1960/61). – W. Boehlich, *Ein Pyrrhussieg der Germanistik* (in Der Monat, 1961, Nr. 154; vgl. dazu H. Neumann u. T. Kochs, ebd., 1961, Nr. 158, und W. Boehlich, ebd., 1961, Nr. 159). – W. Pfeifer, *Das »Deutsche Wörterbuch«* (in Deutsches Jb. für Volkskunde, 9, 1963, S. 190–213). – T. Kochs, *Der Anteil Göttingens an der Geschichte des »Deutschen Wörterbuches« der Brüder G.* (in *Brüder G. Gedenken 1963*, Marburg 1963, S. 203–225). – H. Wanner, *Die Beziehungen zwischen den Brüdern G., ihrem Wörterbuch und der schweizerdeutschen Dialektlexikographie* (ebd., S. 435–450). – W. Betz, *Das neue »Deutsche Wörterbuch«. Konferenz über die 2. Auflage des »Grimm«* (in Zs. für deutsche Wortforschung, 19, 1963, S. 180–186).

KINDER- UND HAUSMÄRCHEN. Sammlung der Brüder Jacob (1785–1863) und Wilhelm GRIMM (1786–1859), erschienen in zwei Teilen 1812 und 1815; ein dritter Band mit Varianten und Anmerkungen – der erste wissenschaftliche Beitrag zur Märchenforschung – erschien 1822. – Angeregt durch Achim von ARNIM und Clemens BRENTANO, mit denen sie befreundet waren, sammelten die Brüder Grimm seit 1806 deutsche Märchen »*nach mündlicher Überlieferung*«, und zwar »*mit wenigen Ausnahmen fast nur in Hessen und den Main- und Kinziggegenden in der Grafschaft Hanau, wo wir her sind*«. Als Gewährsleute fungierten Mitglieder aus den Familien HAXTHAUSEN und DROSTE-HÜLSHOFF sowie verschiedene sogenannte »Märchenfrauen«. Der geschichtliche Augenblick, »*diese Märchen festzuhalten*«, schien deshalb gekommen, weil »*diejenigen, die sie bewahren sollen, immer seltener*« wurden und »*die Sitte darin*« immer mehr abnahm. Methodisch verfuhren die Brüder nach dem Grundsatz, alles »*durch den Mund des Volkes*« Überlieferte »*so rein als möglich ... treu und genau mit aller Eigentümlichkeit selbst des Dialekts, ohne Zusatz und sogenannte Verschönerung*« wiederzugeben; denn beide waren der Überzeugung, »*in diesen Volksmärchen lauter urdeutschen Mythus, den man für verloren gehalten*«, vor dem Vergessenwerden zu bewahren. Vor allem Jacob Grimm war es um eine Zurückgewinnung des authentischen Wortlauts der Märchentexte zu tun. In einer Briefdiskussion mit Arnim grenzte er das »Volksmärchen« – für ihn Inbegriff und Urgestalt von Poesie überhaupt – vom romantischen »Kunstmärchen« ab. Beim Volksmärchen handle es sich um »Naturpoesie«, die ihre Entstehung einem irrationalen Schöpfungsakt der kollektiven Volksseele, einem »*Sichvonselbstmachen*« verdanke. Das romantische Kunstmärchen dagegen sei bloße »Kunstpoesie«, ein Produkt subjektiv-persönlichen »*Zubereitens*«. So übe die Poesie des Volksmärchens »*schon Rechte, wonach die spätere nur in Gleichnissen strebt*«. Ein Vergleich der *Sammlung* von 1812 mit der handschriftlichen Fassung von 1810 zeigt jedoch, daß auch die Brüder Grimm auf ein gewisses »Zubereiten« der Märchentexte nicht verzichteten; nicht »*phonographische Wiedergabe*« liegt vor, »*sondern der Form nach eine poetische Leistung hohen Ranges*« (H. A. Korff). Der unsicheren mündlichen Überlieferung eine dichterisch überzeugende Gestalt gegeben und jenen typischen, anheimelnd-bezaubernden Märchenton gefunden zu haben, ist allein die sprachschöpferische Tat Wilhelms, der, wissenschaftlich weniger skrupulös als sein Bruder, ab 1815 die Herausgabe der Märchen übernahm.
Die Beschäftigung der Brüder Grimm mit dem Märchen geht nicht nur auf historisch-philologische Interessen zurück: »*Ihre Schatzhebungen waren keine antiquarischen Liebhabereien*« (F. Schultz). Beide motivieren ihre Sammlertätigkeit politisch, als Reaktion auf geschichtliche Vorgänge: Der »*herbste Schmerz*«, mit dem sie »*Deutschland in unwürdige Fesseln geschlagen*« und »*bis zur Vernichtung seines Namens aufgelöst*« sehen, veranlaßt sie zu dem Versuch, durch die Erforschung der nationalen Vergangenheit zugleich eine politische Utopie zu entwerfen: »*Man suchte nicht nur in der Vergangenheit einen Trost, auch die Hoffnung war natürlich, daß diese Richtung zu der Rückkehr einer andern Zeit etwas beitragen könne*« (Wilhelm Grimm).
Der wissenschaftlichen Forschung ist bis heute eine überzeugende Deutung des Phänomens Märchen nicht gelungen. Die Interpretationsansätze der Literaturwissenschaft, der Volkskunde und der

Psychologie haben durchweg die Tendenz, das Märchen zum Demonstrationsobjekt fachwissenschaftlicher, nicht durch Textanalyse gewonnener Schemata zu machen. So versucht der Freud-Schüler Franz RIKLIN am Märchen lediglich psychoanalytische Kategorien zu verifizieren. C. G. JUNG und seine Schule – Hedwig von BEIT, Marie-Louise von FRANZ – betrachten die im Märchen dargestellten Vorgänge als Beleg für ihre Theorie, durch Bewußtmachen des Unbewußten könne das entfremdete Individuum zu seiner »Ganzheit« zurückfinden. Nicht anders verhält es sich mit den anthropologischen Deutungen Rudolf STEINERS und seiner Schüler. Auch der Literaturwissenschaftler Max LÜTHI neigt dazu, eine dem Organismus-Denken der Goethe-Zeit verpflichtete Reife- und Bildungsidee ins Märchen hineinzuprojizieren.
Die Märchen stellen sich dar als Abwandlungen und Neukombinationen einer gewissen Anzahl stets wiederkehrender Motive, die wohl Metaphern für früh registrierte menschliche Leiderfahrungen und Wunschvorstellungen sind. Ihr konkreter Wirklichkeitsbezug läßt sich, einer vieldeutigen Verschlüsselung wegen, nicht mehr unmittelbar fassen. – So trachten Hexen und Stiefmütter *(Hänsel und Gretel)* unschuldigen Kindern nach dem Leben; ihre Bosheit scheint der mit Lustgewinn verbundene Racheakt zu sein für ein anonym zugefügtes Unrecht, das im Märchen verschwiegen wird. Nicht den Macht- und Besitzgierigen, die sich von niederer Zweckrationalität regieren lassen, wird die Erfüllung ihrer Wünsche zuteil; das Glück stellt sich vielmehr unverhofft, wie von selbst, bei denen ein, die, frei von selbstischen Interessen, den Durchgang durch das Leiden wagen und schon von der Verzweiflung bezwungen scheinen *(Wasser des Lebens)*. Abstoßend häßliche Gestalten, deren Symbolsinn eindeutig auf Geschlechtliches verweist, werden von reinen Mädchen zu ihrer wahren Gestalt – schönen reichen Prinzen – entzaubert *(Froschkönig; Schneeweißchen und Rosenrot)*. Daß immer wieder Unheil geschieht, ohne vorausgegangene individuelle Schuld, reflektiert eine allgemeine, mit gesellschaftlichem Sein gesetzte Fehlbarkeit *(Dornröschen)*. Doch »*endigt*« das Märchen »*immer, indem es eine unendliche Freude auftut*«. Der glückliche Ausgang wird stereotyp in sehr knapper Form mitgeteilt und wirkt nicht selten gezwungen, aufgesetzt; so als sei er selbst nur die beschwörende Geste, daß der Bann der Schuld, unter dem die geschichtliche Existenz des Menschen steht, einmal doch noch sich löse. Dieser – stets nur angedeuteten, nicht positiv auskonstruierten – Utopie einer entsühnten Welt, in der das Böse wie Rumpelstilzchen »*sich selbst mitten entzwei*« risse, verdanken Grimms Märchen ihre die Zeiten überdauernde Faszinationskraft. D. Bar.

AUSGABEN: Bln. 1812–1815, 2 Bde. – Bln. 1819 bis 1822, 3 Bde. [erw. Neuausg.]. – Lpzg. 1907–1909, Hg. u. Einl. R. Riemann, 3 Bde. *(Jubiläums-Ausg.)*. – Jena 1912 (*Märchen der Weltliteratur*, Hg. F. v. d. Leyen, 2 Bde.; ern. Düsseldorf 1962). – Mchn. 1913, Hg. u. Einl. F. Panzer, 2 Bde.; Wiesbaden ²1955; ³1961 [Vollst. Ausg. in der Urfassg.]. – Zürich 1946, Hg. C. Helbling, 2 Bde.; ern. 1962. – Mchn. 1963 [Einl. H. Grimm u. Vorw. der Brüder G. zur Ausg. 1819]. – Ffm. 1964 (*G.s Märchen in ursprünglicher Gestalt. Nach der Ölenberger Hs von 1810*, Hg. u. Nachw. M. Lemmer).

LITERATUR: K. Schmidt, *Die Entwicklung der Grimmschen »Kinder- u. Hausmärchen« seit der Urhs.*, Halle 1932. – E. Probst, *Die deutschen Illustrationen der G.schen Märchen im 19. Jh.*, Coburg 1935. – L. L. Snyder, *Nationalistic Aspects of the G. Brothers' Fairy Tales* (in Journal of Social Psychology, 33, 1951, S. 209–223). – E. Mudrak, *Die Brüder G. u. ihre Arbeit für die Märchen* (in *Volksgut im Jugendbuch*, Reutlingen 1952, S. 3–35). – O. Spieß, *Orientalische Stoffe in den »Kinder- u. Hausmärchen« der Brüder G.*, Walldorf 1952. – E. Seifert-Korschinek, *Untersuchungen zu G.s Märchen »Das Marienkind«*, Diss. Mchn. 1953. – W. Schoof, *Beiträge zur Stilentwicklung der G.schen Märchen* (in ZfdPh, 74, 1955, S. 424–433). – J. F. A. Ricci, *Essai d'interprétation de quelques contes de G.* (in EG, 12, 1957, S. 331–335). – J. de Vries, »*Dornröschen*« (in Fabula, 2, 1958/59, S. 110–121). – W. Schoof, *Zur Entstehung der G.schen Märchen*, Hbg. 1959. – M. Lüthi, *Die Herkunft des G.schen Rapunzelmärchens* (in Fabula, 3, 1959/60, S. 95–118). – W. Schoof, *Zur Stilentwicklung der G.schen Märchen* (in Pädagogische Provinz, 14, 1960, S. 151–154). – H. Birkhan, *Die Verwandlung in der Volkserzählung. Eine Untersuchung der Märchen der Brüder G.*, Diss. Wien 1962. – *Anmerkungen zu den »Kinder- u. Hausmärchen«*, neu bearb. v. J. Bolte, G. Polivka u. a., Hildesheim ²1963, 5 Bde. [fotomech. Nachdr.]. – F. Karlinger, *Les contes des frères G. Contribution à l'étude de la langue et du style*, Paris 1963. – W. Schoof, *Zur Geschichte des G.schen Märchenstils* (in Der Deutschunterricht, 15, 1963, H. 2, S. 90 bis 99). – Q. Gerstl, *Die Brüder G. als Erzieher. Pädagogische Analyse des Märchens*, Mchn. 1964. – F. v. d. Leyen, *Das dt. Märchen u. die Brüder G.*, Düsseldorf/Köln 1964. – M. J. C. Walker, *Die Poesie der Welt in den G.schen Märchen*, Diss. São Paulo 1964.

WILHELM HAUFF
(1802-1827)

MÄRCHEN von Wilhelm HAUFF (1802–1827), erschienen 1825–1828 in drei *Maehrchenalmanachen*. – Jeder Almanach enthält eine Rahmengeschichte *(Die Carawane; Der Scheikh von Alessandria und seine Sclaven; Das Wirtshaus im Spessart)*, die als Bindeglied zwischen den einzelnen Märchen fungiert. Hauff wählte die Almanachform in der Absicht, den Märchen wieder eine größere Publizität und ideelle Verbindlichkeit zu sichern. Dies geht aus der allegorischen zeitkritischen Einleitung zum ersten Almanach, *Märchen als Almanach*, schlüssig hervor: »Märchen«, die älteste Tochter der »Königin Phantasie«, klagt der Mutter ihr Leid. Seit sich die Menschen »kluger Wächter« – gemeint sind offenbar einige besonders unduldsame Literaturkritiker – bedienten, sei sie nicht mehr so willkommen wie früher. Der »Mode« und ihren »windigen Gesellen« gebe man nun auf Erden den Vorzug. Die Mutter rät Märchen, sich an die Kinder zu wenden und deren Aufmerksamkeit mit Hilfe eines neuen, farbenfrohen Kleides zu erobern: dem »Gewand eines Almanach«. Die Wächter verspotten das malerisch aufgeputzte Phantasiegeschöpf, schlafen aber ein, als es bunte Bilder in die Luft steigen läßt. Ein freundlicher Mann gewährt Märchen Einlaß und weist ihm einen Platz bei den Kindern an. Auf diese Weise evoziert Hauff den für seine Erzählhaltung und die Wirkungsintensität des Erzählten bedeutsamen Eindruck, als würden die Almanachmärchen sich gleichsam selbst erzählen, als seien sie jene bunten Bilder, die Märchen in die Luft steigen läßt. Die sechs Märchen des ersten Almanachs *(Kalif Storch*; *Geschichte vom Gespensterschiff*; *Geschichte von der abgehauenen Hand*; *Die Errettung Fatmes*; *Geschichte von dem kleinen Muck*; *Märchen vom falschen Prinzen)* wurzeln im orientalischen Milieu: Kaufleute ziehen durch die Wüste und verbringen die Abende in geselliger Runde mit Geschichtenerzählen. In *Kalif Storch* lassen sich Chasid, der Kalif von Bagdad, und sein Großwesir Mansur auf ein riskantes Abenteuer ein: Sie schnupfen ein Zauberpulver, sagen die Zauberformel »Mutabor« – und verwandeln sich in Störche. Um ihre menschliche Gestalt wiederzuerlangen, dürfen sie auf keinen Fall lachen und müssen sich, indem sie das Zauberwort murmeln, dreimal gegen Osten verneigen. Ihr Gelächter über die plumpen Tanzschritte einer Störchin hat jedoch zur Folge, daß sie das Zauberwort vergessen und fortan als Störche umherirren. Erlöst werden sie erst durch die Hilfe einer als Nachteule verzauberten indischen Prinzessin, die ihnen unter der Bedingung, daß der Kalif sie heiratet, den Weg zum bösen Zauberer Kaschnur zeigt, dem sie das Zauberwort ablauschen. – Als grausiger Kontrast schließt sich die Geschichte vom *Gespensterschiff* an, und auch die *Geschichte vom kleinen Muck* trägt eher groteske als heitere Züge. Die Rahmenerzählung nimmt eine überraschende Wendung: Der geheimnisvolle Fremde, der die Anregung zum Erzählen gab, entpuppt sich als der berüchtigte Räuber Orbasan, der in einigen Märchen eine Rolle spielte, also Märchenfigur und Märchenerzähler zugleich ist. Damit gewinnt auch die Rahmenerzählung Märchencharakter.

Eine ähnlich überraschende Pointe weist die Rahmenerzählung des zweiten Almanachs auf. Vor vielen Jahren ist Kairam, der Sohn des Scheiks von Alessandria, von den Franken entführt worden. Ein Derwisch hat dem Vater prophezeit, sein Sohn werde einst am Jahrestag seiner Entführung heimkehren. Jahr für Jahr veranstaltet der Scheik aus diesem Grund ein großes Fest und gibt, weil er seinen Sohn in der Sklaverei wähnt, zwölf Sklaven die Freiheit. Diese bedanken sich mit Geschichtenerzählen. Als das Fest zum fünfzehnten Mal stattfindet, erzählt einer der Sklaven, ein schöner junger Mann, die *Geschichte Almansors*, die Geschichte einer Entführung. Am Schluß wird deutlich, daß Almansor mit dem Erzähler identisch ist und daß sich hinter beiden der verlorene Sohn des Scheiks verbirgt. – Außer vier, von Hauff selbst stammenden Märchen *(Zwerg Nase*; *Abner, der Jude*; *Der Affe als Mensch*; *Geschichte Almansors)* enthält der zweite Almanach auch Märchen anderer Autoren: *Der arme Stephan* von Gustav Adolf Schöll, *Der gebackene Kopf* von James Morier sowie *Das Fest der Unterirdischen* und *Schneeweißchen und Rosenrot* von Wilhelm Grimm. *Zwerg Nase* und *Der Affe als Mensch* spielen in Deutschland und bezeugen die allmähliche Abkehr Hauffs von der orientalischen Märchenwelt und den Übergang zur Welt der Grimmschen Märchen, der im *Wirtshaus im Spessart* (mit einer Ausnahme) vollzogen wird. *Zwerg Nase* ist die Geschichte des kleinen Jakob, dessen Mutter auf dem Markt Gemüse und Kräuter feilbietet. Eines Tages schilt ein häßliches, boshaftes altes Weib mit langer Nase und Spinnenfingern die Ware »schlechtes Zeug«. Jakob belustigt vor allem die lange Nase. Zur Strafe versetzt ihn die Alte, als er sie in ihr wunderliches Haus begleitet, mit Hilfe eines seltenen Kräutleins in tiefen Schlaf. Als er wieder erwacht, läuft er nach Hause, wo man ihm mit Abscheu begegnet: Er hat sich in einen häßlichen Zwerg mit einer langen Nase verwandelt. Nun verdingt er sich als Küchenmeister bei einem Herzog, für den er eines Tages die »Pastete Souzeraine« zubereiten soll. Erst nach langem Suchen findet er das seltene Kräutlein »NiesmitLust«, eine der Hauptzutaten. Er riecht daran – und erhält seine natürliche Gestalt zurück.

Von düsterer Spannung ist die Rahmenerzählung des dritten Almanachs, *Das Wirtshaus im Spessart*, erfüllt. Eine Gruppe von Reisenden verbringt die Nacht in einem Wirtshaus mitten im sagenumwobenen, von Räubern durchstreiften Spessart. Um die Angst vor den Räubern zu bannen – die Wirtsleute scheinen deren Komplicen zu sein –, erzählt man sich Geschichten *(Sage vom Hirschgulden*; *Das kalte Herz*; *Saids Schicksal*; *Die Höhle von Steenfoll)*. *Das kalte Herz* ist ein Märchen aus dem Schwarzwald. Der arme Kohlenbrenner Peter Munk sehnt sich nach Reichtum und Ansehen. Das »Glasmännlein«, genannt Schatzhauser, gewährt ihm drei Wünsche. Statt Verstand und Klugheit wünscht sich der törichte Peter, ein flotter Tänzer zu sein, stets genauso viel Geld zu besitzen wie der »dicke Ezechiel«, den der mächtige Waldgeist »Holländer-Michel« reich gemacht hat, und Eigentümer der ertragreichsten Glashütte im ganzen Schwarzwald zu sein. Weil er jedoch Stammgast im Wirtshaus wird, geht es mit der Glashütte rasch bergab, und als der dicke Ezechiel sein ganzes Geld verspielt, ist Peter bettelarm. In seiner Verzweiflung fleht er den Holländer-Michel um Hilfe an. Dieser verspricht ihm Reichtum unter der Bedingung, daß er sein Herz hergibt und sich dafür ein steinernes einsetzen läßt. Mit dem Herz aus Stein ist Peter unempfindlich für menschliche Regungen geworden, führt ein Leben in Saus und Braus, verstößt seine alte Mutter und tötet seine junge Frau im Zorn, weil sie einen armen alten Mann mit Essen versorgte. Dieser, niemand anders als das Glasmännlein, zeigt ihm, wie er den Holländer-Michel überlisten und sein lebendiges Herz wiedererlangen kann. Obendrein gibt er dem Bußfertigen seine Frau und seine Mutter zurück. – Auch in der Rahmenerzählung wendet sich alles zum Guten: Dank der Unerschrockenheit des jungen Felix werden die Reisenden, die inzwischen Räubern in die Hände gefallen sind, befreit.

Hauffs Märchen zeichnet nicht die raffinierte Artistik, die poetische Hintergründigkeit der meisten romantischen Kunstmärchen, etwa Tiecks, aus. Sie entziehen sich der präzisen Einordnung in eine literarische Stilrichtung. Wie für E. T. A. Hoffmann, dessen Theorie er dem Sinn nach in das Rahmengespräch zu der Märchensammlung *Der Scheikh von Alessandria* übernommen hat, liegt auch für Hauff der eigentümliche Reiz des Märchens in der »*Einmischung eines fabelhaften Zaubers in das gewöhnliche Menschenleben*«. Von Hoffmann lernte er die genaue und greifbare Beschreibung des Wunderbaren (dies zeigt sich im *Kalten Herz* beispielsweise in dem sinnverwirrenden Gestaltwechsel des Schatzhausers zwischen Eichhörnchen und Mensch, in den andern Metamorphosen der beiden Geister, in den aufgereihten pochenden Herzen von Michels Opfern und in Peters wirklichkeitsnahen Träumen). Alle diese Elemente dienen bei Hauff allerdings hauptsächlich einer dekorativen Belebung der Oberfläche; das von Hoffmann virtuos gehandhabte Phantastische, das, überall durchbrechend und die Wirklichkeit unheimlich verformend, existentielle Beunruhigung hervorruft, wird verflacht zu einer Reihe von *coups de théâtre*.

Konkreter als sein Vorgänger bezieht Hauff die geographische Wirklichkeit der Märchenwelt ein, nützt den Stimmungseffekt der Naturgewalten und verwandelt sie zugleich in Märchenhandlung.

D. Ba. – KLL

AUSGABEN: Stg. 1826 [recte 1825] (in Mährchen-Almanach auf das Jahr 1826, enth. *Die Caravane*); Stg. 1827 (in Mährchen-Almanach auf das Jahr 1828; enth. *Der Scheikh von Alessandria und seine Sclaven*); Stg. 1828 (in Mährchen-Almanach auf das Jahr 1828; enth. *Das Wirtshaus im Spessart*). – Stg. 1830 (in *SS*, Hg. G. Schwab, 36 Bde., 25–30). – Stg. 1846 (in *SW*, Hg. ders., 18 Bde., 10–13; 4. Gesamtausg.). – Bln. 1879 (in *Prosaische u. poetische Werke*, 12 Bde., 2 u. 3). – Stg. 1891/92 (in *Werke*, Hg. v. F. Bobertag, 3 Bde., 3, Abt. 1). – Lpzg./Wien o. J. [1891–1902] (in *Werke*, Hg. M. Mendheim, 4 Bde., 2–4; krit.). – Bln. [u. a.] o. J. [1908] (in *Werke*, Hg. u. Einl. M. Drescher, 6 Tle., 1). – Mchn./Lpzg. 1911 (in *Werke*, ill. v. A. Kubin, 2 Bde., 1). – Lpzg. 1911. – Bln. 1939, Hg. K. Hobrecker [Ill.]. – Mchn. 1962 (in *Werke*, Hg. G. Spiekerkötter, 3 Bde., 1). – Mchn. 1967 [Ill. A. Kubin].

LITERATUR: J. Klaiber, *W. H. Ein Lebensbild des Dichters*, Stg. 1881. – H. Hofmann, *W. H.*, Ffm. 1902. – H. Graef, *W. H.*, Lpzg. 1906 (Beiträge zur Literaturgeschichte, 19). – J. Arnaudoff, *W. H.s Märchen und Novellen*, Diss. Mchn. 1915. – J. Klosse, *W. H.s »Märchen« in ihrem Verhältnis zum Volksmärchen*, Diss. Breslau 1923. – S. Wolff, *Der Einfluß der Romantik auf W. H.*, Diss. Würzburg 1923. – W. Scheller, *W. H.*, Lpzg. 1927. – H. Schulhof, *H. »Märchen«* (in Euph, 29, 1928). – A. Jaschek, *W. H.s Stellung zwischen Romantik und Realismus*, Diss. Ffm. 1956. – E. Martinez, *Guglielmo H.*, Florenz 1966.

JOHANN CHRISTIAN FRIEDRICH HÖLDERLIN
(1770–1843)

HYPERION oder der Eremit in Griechenland. Roman von Johann Christian Friedrich HÖLDERLIN (1770–1843), erschienen in zwei Bänden 1797–1799. – Im *Hyperion* wird das Gesamtthema von Hölderlins Werk in einer ersten umfassenden Begründung dargestellt: die Berufung zum prophetischen Dichtertum. Dieses Thema gewinnt allerdings das ihm eigene Gepräge erst im Durchgang durch die verschiedenen Fassungen des Romans. Die früheste noch erhaltene Fassung bildet das 1794 in SCHILLERS ›Thalia‹ erschienene *Fragment von Hyperion*, das als noch unfertiger Entwurf des Ganzen anzusehen ist. Der programmatisch formulierten Vorrede liegt das Bild der »exzentrischen Bahn« zugrunde, welches das menschliche Schicksal als von der Einheit allen Lebens abfallendes Streben deutet, das einen eigenen Mittelpunkt sucht und sich verselbständigen möchte (also in diesem Sinn »exzentrisch« ist), von der umfangenden Natur jedoch immer wieder »zurechtgewiesen« wird. Der unklare, diesen Gegensatz noch nicht vermittelnde Ausgang des *Fragments* spiegelt noch einige Unsicherheit Hölderlins wider, die in den bald vorgenommenen Umarbeitungen – der sogenannten »metrischen Fassung« (1794/95) und der daraus hervorgehenden Rahmenerzählung *Hyperions Jugend* (1795) – durch die Einwirkung der Persönlichkeit und der Philosophie FICHTES, mit dem Hölderlin 1794 in Jena in unmittelbarer Berührung stand, noch beträchtlich gesteigert erscheint. Zeitweilig suchte sich Hölderlin dem in Fichtes *Wissenschaftslehre* gegebenen Vorrang der Selbstkonstituierung des »Ich« vor jeglicher Einwirkung der »Natur« etwas gewaltsam anzupassen; aber schon in einer noch 1795 entstandenen weiteren Vorrede kündigte er Fichte die Gefolgschaft auf, und zwar im Namen einer objektiven Schönheit, die dem Menschen »*das Sein, im einzigen Sinne des Worts*« vergegenwärtige. Von diesem neuen Ansatz wurde die Endfassung weitgehend bestimmt. Mit ihr findet Hölderlin auch zur Form des Briefromans zurück, die zwar schon im ›Thalia‹-*Fragment* verwendet wurde, aber jetzt erst zu voller Wirksamkeit gelangt. Gegenüber der verbreiteten Vorstellung vom lyrischen Charakter dieses Werks ist das epische Formprinzip zu betonen, das sich gerade in der Briefform konsequent ausprägt. Der Roman wird von einem einzigen Briefschreiber erzählt und ist darin mit GOETHES *Werther* vergleichbar; aber Hyperion erzählt nicht aus einer immer neu ansetzenden, erlebnisnahen Unmittelbarkeit, sondern hat schon zu Beginn des Romans alle seine Erlebnisse hinter sich, auf die er nun zurückblickt und die in der erzählerischen Reflexion einen neuen Zusammenhang gewinnen.

Der erste Band stellt zunächst die zahlreichen Versuche Hyperions dar, jenes Einssein »*mit allem, was lebt*«, wie es in jeweils momentaner Versenkung in die Natur immer wieder ekstatisch erfaßt wird, vor dem unvermeidlichen Dahinschwinden zu bewahren und es zum gleichsam dauernden Besitz zu machen. Aber alle diese Versuche mißlingen, und Hyperion muß erkennen, daß die ersehnte Teilnahme am Leben der Gottheit den »*Kindern des Augenblicks*« verwehrt ist. Der zweite Teil des Bandes stellt die Auflösung dieser Diskrepanz durch die Schönheit dar. Diese begegnet Hyperion zuerst in der Person Diotimas (die Episode geht zum Teil auf die Freundschaft Hölderlins mit Susette Gontard, die auch in den Gedichten als Diotima angeredet wird, zurück), und dieser Eindruck befestigt sich ihm dann in seiner Reflexion über die Kultur des alten Athen. In dieser Reflexion erkennt er, wie die Schönheit – nämlich das »*Eine in sich selber unterschiedne*« –, die das Lebensprinzip eines ganzen Volkes war, auch für die Gegenwart zum Fundament eines neu zu realisierenden Staates werden könnte. Von solchen Hoffnungen beflügelt, nimmt er (zu Beginn des zweiten Bandes) am Befreiungskrieg der Griechen gegen die Türken teil, muß aber bald einsehen, daß der Schönheit durch Waffengewalt kein Platz auf Erden zu erkämpfen ist, da über den selbständig werdenden »exzentrischen« Mitteln das letzte und eigentliche Ziel verlorengeht. Hyperion sucht den Tod in der Schlacht, um so »*ungerufen der Natur ans Herz zu fliegen*«. Aber auch dieser Versuch mißlingt. Hyperion erwacht nun zu neuer Einsamkeit und Trauer: Die noch in ihrer Heimat weilende Diotima ist »*verwelkt*« – ihr Tod war unvermeidlich, seit Hyperions »Feuer« sie ihrer seligen Selbstgenügsamkeit entrissen hatte. Auch der Freund Alabanda, dessen revolutionäre politische Tätigkeit Hyperion anspornte, verzweifelt schließlich am Sinn seines zu eigenmächtigen Strebens und geht in den Tod. Aber die Überwindung dieser Trauer um den Freund und um die Geliebte enthüllt nun, wie die beiden Antriebe von Hyperions Wesen – die in Diotima verkörperte, ihn »zurechtweisende« Naturverbundenheit und das in Alabanda verkörperte »exzentrische« Streben – sich in dem Verlassenen vereinigen und vermitteln und ihn so aus dem Tiefpunkt der Trauer heraus zu einer Ruhe führen, die den »*Schmerz, am Herzen der Natur zu liegen*« und »Vertrauter« der Natur zu sein, bejaht *(»es ist kein andrer Gefährte, denn er«)*. Die Gesamtkomposition dient der Darstellung dieser Wendung, die aus der erzählerischen Reflexion hervorgeht.

Im Roman selbst wird nur mit einem Worte Diotimas angedeutet, daß für Hyperion die »*dichterischen Tage*« zu keimen beginnen, in denen er an Stelle des nicht gereiften »Lorbeers« und der verblühten »Myrten« seine »*zukünftige Schöne*« finden soll; aber diese Prophezeiung weist auf Hölderlins späteres Werk voraus. Die in der endgültigen (dritten) Vorrede angekündigte »*Auflösung der Dissonanzen in einem gewissen Charakter*« gewinnt mit dem Bewußtwerden des »Dichterberufs« schon die ersten Züge ihrer kommenden Gestalt.

L. Ry.

Ausgaben: Tübingen 1797 1799, 2 Bde. Bln. 1943 (in *SW*, Hg. N. v. Hellingrath, 6 Bde., 2). – Stg. 1957 (in *SW*, Hg. F. Beissner, 8 Bde., 1946 1958, 3; *Große Stuttgarter Ausg.*). – Stg. 1958 (in *SW*, 6 Bde., 1954–1962, 3; *Kleine Stuttgarter Ausg.*). – Bln. 1963 (in *SW*, Hg. P. Stapf). – Stg. 1965 (RUB, 559/560).

Vertonungen: Th. Fröhlich, *Hyperions Schicksalslied*, 1830 (für Singstimme u. Klavier). – J. Brahms, *Schicksalslied*, Bln. 1871 (für Chor u. Orchester). – W. Fortner, *Hyperions Schicksalslied*, Mainz 1940 (für tiefe Stimme mit Klavierbegleitung).

Literatur: F. Zinkernagel, *Die Entstehungsgeschichte von H.s »Hyperion«*, Straßburg 1907. R. Guardini, *H. Weltbild u. Frömmigkeit*, Lpzg. 1939; ern. Mchn. 1955. – K. Hildebrandt, *H.s u. Goethes Weltanschauung, dargestellt am »Hyperion« u. »Empedokles«* (in *H. Gedenkschrift zu seinem 100. Geburtstag*, Hg. P. Kluckhohn, Tübingen 1943, S. 134–173). – N. Fuerst, *Three German Novels in Education: I. H.'s »Hyperion«* (in MDU, 38, 1946, S. 339–347). – H. H. Borcherdt, *Der Roman der Goethezeit*, Urach/Stg. 1949, S. 334–362. – W. Killy, *Textkritischer Apparat zu H.s »Hyperion«*, Bln. 1951. – W. Schadewaldt, *H. u. Homer II* (in Hölderlin-Jb., 8, 1953, S. 1–53). – F. Beissner, *Über die Realien des »Hyperion«* (ebd., 9, 1954, S. 93–109). – P. Grappin, *Ardinghello et Hyperion* (in EG, 10, 1955, S. 200–213). – G. Lukács, *H.s »Hyperion«* (in G. L., *Goethe u. seine Zeit*, Bln. [3]1955, S. 145 bis 164). – M. Cornelissen, *Das Salamis-Fragment des »Hyperion«* (in Hölderlin-Jb., 12, 1961/62, S. 222 bis 231). – R. Eppelsheimer, *Hyperions ›Schicksalslied‹ im Gegensatz zu Hyperions Schicksal* (in ASSL, 199, 1962, S. 34–39). – L. Ryan, *H.s »Hyperion«. Exzentrische Bahn u. Dichterberuf*, Stg. 1965 (Germanist. Abh., 7). – R. Minder, *Dichter in der Gesellschaft*, Ffm. 1966, S. 63–83.

DER TOD DES EMPEDOKLES. Fragmente eines Trauerspiels von Johann Christian Friedrich Hölderlin (1770–1843), erschienen 1826 in den *Gedichten*; Uraufführung einer Bearbeitung von Wilhelm von Scholz): Stuttgart 1916, Hoftheater. – Den Plan zu einem Trauerspiel über den legendären Freitod des Philosophen, Arztes, Dichter-Sehers und Politikers Empedokles aus Akragas (Agrigent, das heutige Girgenti auf Sizilien) im 5. Jh. v. Chr. faßte Hölderlin 1797 in Frankfurt a. M. noch während der Arbeiten am zweiten Band seines *Hyperion*-Romans, doch dürfte er nicht vor der Flucht aus Frankfurt Ende September 1798 mit der Ausführung begonnen haben. Die Arbeit an dem Stück beschäftigte ihn vermutlich während des gesamten ersten Homburger Aufenthaltes bis Ende Mai 1800. Hölderlin hat das Drama nicht vollendet; überliefert sind Fragmente dreier Fassungen, die in überzeugender Reihenfolge und Textgestalt erst F. Beissner im vierten Band der »Großen Stuttgarter Ausgabe« (1961) vorgelegt hat. – Hauptquelle des Trauerspiels waren die von Diogenes Laertius im 3. Jh. n. Chr. gesammelten Lebensbeschreibungen, Lehren und Aussprüche antiker Philosophen, deren Lektüre Hölderlin in einem Brief vom 24. 12. 1798 an Isaak von Sinclair selbst bezeugt.

Hölderlin erwähnt Empedokles zum erstenmal am Schluß des *Hyperion* und in der zur gleichen Zeit konzipierten Ode »*Empedokles*«, verwirft aber dessen Vorbild. Er ist in seiner psychischen und materiellen Notlage gefährlich fasziniert vom freiwilligen Tod, der die Wiedergewinnung der Naturidentität, des Lebens, verheißt, und sucht nach einer überindividuellen, geschichtlich notwendigen Motivation für diese Tat. Der sog. »Frankfurter Plan« (1797) motiviert den Tod des Empedokles im Krater des Ätna noch individuell als Suche nach dem »*großen Akkord mit allem Lebendigen*« angesichts einer von der Natur entfremdeten Gesellschaft. Der Hinweis auf des Empedokles »*Verachtung alles sehr bestimmten Geschäfts*« und die skizzierte Kritik an den politischen Verhältnissen in Agrigent geben dem Freitod des sich distanzierenden Philosophen jedoch schon einen Zug von Demonstration, der über die individuelle Rettung hinausweist. Zentrales Thema der ersten, am vollständigsten überlieferten Fassung (zwei Akte mit 2050 Versen, die nahezu die gesamte Handlung umfassen) ist der Tod des Empedokles als beispielhafte Handlung für die Bürger Agrigents, die, von natur- und götterfernen Priestern verführt, den Seher vertreiben, ihn zurückrufen und, nach der Entlarvung der tödlichen Priesterherrschaft durch Empedokles' Schüler Pausanias, den Philosophen, der schon früher zugunsten der demokratischen »Partei« in die politischen Verhältnisse der Stadt eingegriffen hat, zum König ausrufen wollen. Empedokles weist die Krone zurück: »*Dies ist die Zeit der Könige nicht mehr.*« Er verweist das noch unmündige Volk auf sich selbst: »*Euch ist / Nicht zu helfen, wenn ihr selber Euch nicht helft.*« In seinem Vermächtnis an die Agrigentiner enthüllt er ihnen sein Geheimnis: Im frei gewählten Tod erneuere sich das Leben, das des einzelnen wie das des Volks. Sein freiwilliger Tod ist notwendig als Vorbild für Tod und Erneuerung des Gemeinwesens; er soll verdeutlichen, daß ängstliches Beharren in erstarrten, naturwidrigen Verhältnissen endgültigen Tod bedeutet, bewußte Tötung des Alten aber Wiedergeburt: »*Menschen ist die große Lust / Gegeben, daß sie selber sich verjüngen. / Und aus dem reinigenden Tode, den / Sie selber sich zu rechter Zeit gewählt, / Erstehn, wie aus dem Styx Achill, die Völker.*« Dieser reinigende Tod ist die Revolution. Empedokles' zwingender Aufruf: »*So wagts! was ihr geerbt, was ihr erworben / Was euch der Väter Mund erzählt, gelehrt, / Gesetz und Brauch, der alten Götter Namen, / Vergeßt es kühn, und hebt, wie Neugeborne / Die Augen auf zur göttlichen Natur...*« ist direkter Aufruf zur Revolution, entstanden angesichts der Revolutionskriege und der damit verbundenen Revolutionsversuche

in Schwaben, an denen Hölderlin zumindest intellektuellen Anteil hatte. Er gipfelt in der Gleichheitsforderung: *»gebt das Wort und teilt das Gut..., jeder sei, / Wie alle«*, die, noch über bürgerlichen Jakobinismus hinausgehend, an den Agrarkommunismus des Gracchus BABEUF erinnert, der, einige Monate bevor Hölderlin diese Verse schrieb, im Mai 1797 hingerichtet worden war. Mit diesem zentralen Vermächtnis begründet Empedokles den Freitod als geschichtlich notwendig, die *»Wende der Zeit«* herbeizuführen. Die erste Fassung des Trauerspiels ist in seinem zweiten Akt ausgeführt als Drama von der Notwendigkeit revolutionärer Erneuerung, das, überflüssig zu sagen, sich nicht etwa auf die Verhältnisse im Agrigent des 5. vorchristlichen Jahrhunderts bezieht, sondern im historischen und mythologischen Kleid die mühseligen und ängstlichen Revolutionsversuche in Schwaben widerspiegelt und zu begründen sucht.
Doch ist die erste Fassung des Trauerspiels in der Motivation des frei gewählten Todes widersprüchlich, denn Hölderlin hält hier noch an der klassischen Theorie der tragischen Schuld fest, die für Empedokles darin besteht, daß er als der Natur Vertrauter sich in einem Moment der Hybris als Herr der Natur gefühlt hat. Zwar motiviert diese Schuld den anfänglichen Sieg des seine Herrschaft durch Empedokles gefährdet sehenden Priesters Hermokrates, sie steht aber in Widerspruch zu der folgenden Motivation des Freitodes als beispielhafter Tat der Wiedergeburt. Diesen Widerspruch enthielt vermutlich auch die zweite Fassung, von der Hölderlin in einem Brief vom 4. 6. 1799 berichtet, daß sie bis auf den Schlußakt vollendet sei, von der aber lediglich der erste Akt und der Schluß des zweiten Akts überliefert sind. Die Lösung bringt erst die dritte Fassung (drei Szenen des ersten Akts und ein Entwurf des Schlußchors des ersten Akts überliefert), soweit sie sich zusammen mit dem »Plan der dritten Fassung« (Skizze des ersten Akts) und dem »Entwurf zur Fortsetzung der dritten Fassung« erschließen läßt. Aufschluß über die endgültige Konzeption des Dramas gibt die theoretische Abhandlung *Grund zum Empedokles*, die der dritten Fassung vorausging. Hölderlin gibt jetzt das Motiv der individuellen tragischen Schuld auf, Empedokles wird gesehen vor dem geschichtlichen Augenblick, in dem er die Zuspitzung der historischen Gegensätze von »Kunst« (hier generell als menschliche Hervorbringung, als Kultur, zu verstehen) und »Natur« verkörpert und sein Tod die Gegensätze versöhnt. Nicht mehr die Tat als Vorbild für das Volk ist gefordert, sondern das Opfer jenes Individuums, *»in dem sich ihr* (der Zeit) *unbekanntes Bedürfnis und ihre geheime Tendenz sichtbar und erreicht darstellt, von dem aus dann erst die gefundene Auflösung ins Allgemeine übergehen muß. So individualisiert sich seine Zeit in Empedokles, und je mehr sie sich in ihm individualisiert, je glänzender und wirklicher und sichtbarer in ihm das Rätsel aufgelöst erscheint, um so notwendiger wird sein Untergang.«*
Das Trauerspiel ist in dieser dritten Fassung völlig umgestaltet: Die Handlung beginnt bereits auf dem Ätna, auf dem sich Empedokles auf sein Opfer vorbereitet, sie sollte in zwei Auseinandersetzungen mit dem neu eingeführten Seher Manes gipfeln, von denen jedoch nur die erste ausgeführt ist. Empedokles findet in einem König, seinem Bruder, einen Gegenspieler, und ein Chor sollte nach antikem Vorbild die Ereignisse kommentieren.
Die wichtigste Veränderung aber ist, daß die Notwendigkeit des freiwilligen Todes in dieser Fassung nicht mehr zur Debatte steht, sondern vorausgesetzt wird. Der Seher Manes weiß um die erlösende Notwendigkeit des Opfertodes, doch er prüft, ob Empedokles der Berufene ist zu dieser Tat: *»Nur Einem ist es Recht, in dieser Zeit, / Nur Einen adelt deine schwarze Sünde«* und *»Der Eine doch, der neue Retter faßt / Des Himmels Strahlen ruhig auf, und liebend / Nimmt er, was sterblich ist, an seinen Busen, / Und milde wird in ihm der Streit der Welt.«* Durch den die Gegensätze aufhebenden und den Frieden bringenden Opfertod dieses *»Einen«* gewinnt das Drama mythische Züge. Die erlösende Tat ist nicht mehr aktuelles Beispiel für die Revolution des Volkes, sondern verheißendes Opfer. Diese Wendung ins Prophetische ist nur zu erklären als Reaktion auf das endgültige Scheitern der revolutionären Bewegung in Schwaben im Lauf des Jahres 1799 (im März Zurücknahme versprochener französischer Unterstützung durch das Direktorium, das die revolutionäre Politik zugunsten nationaler Expansion aufgibt, im November Auflösung der württembergischen Landstände und Verhaftung führender Republikaner).
Im Mythos dieses *»Einen«* kann jedoch weder die Übernahme des christlichen Mythos gesehen werden (Hölderlins Anmerkung zum »Entwurf der dritten Fassung« stellt klar, daß Empedokles der *»Berufene«* sei, *»der töte und belebe, in dem und durch den eine Welt sich zugleich auflöse und erneue«*), noch bedeutet der Opfertod Aufgabe der revolutionären Ideale oder Flucht in den Mythos und in subtile Todesmystik. Hölderlin hat auch in der dritten Fassung an den revolutionären Forderungen festgehalten, wie in allen seinen Dichtungen in der Sprache der Mythologie: Wiederherstellung des saturnischen, des Goldenen Zeitalters, Sturz des Gottes der Zeit (Kronion, Zeus) und allgemeine Feier des Friedens, so wie er das saturnische Zeitalter und die Feier der Saturnalien in der Ode *»Natur und Kunst oder Saturn und Jupiter«*, im Gedicht *»Wie wenn am Feiertage...«* und in der *»Friedensfeier«* besingt. Saturn und sein Zeitalter, im 18. Jh., besonders in den Ritualen der ersten französischen Republik, gefeiert als Sinnbilder fruchtbaren Lebens, der Republik, haben auch bei Hölderlin republikanisch-demokratischen Sinn. Der Sturz des Zeus, des Monarchen unter den Göttern, der seinen Vater Saturn und die Mutter Erde gebunden unter seiner Herrschaft hält, er ist der Sturz des monarchischen Prinzips, dessen Naturwidrigkeit Hölderlin in dem Brief an den revolutionären Freund Sinclair vom 24. 12. 1798 betont *(»Es ist auch gut, und sogar die erste Bedingung alles Lebens und aller Organisation, daß keine monarchische Kraft ist im Himmel und auf Erden«).*
Die Natur als Maß der menschlichen Dinge, Empedokles als ihr Vertrauter, sein Opfertod als Verheißung der Lösung der gegen das Leben errichteten monarchischen Schranken, die Strato, der Bruder des Empedokles und König von Agrigent, verkörpert – in dieser Konstellation sollte sich offensichtlich das Drama in seiner dritten Fassung entfalten. Es blieb unvollendet nach dem endgültigen Scheitern der schwäbischen Republik, aber der idealistische Mythos von dem *»Einen«*, der in der *»Wende der Zeit«* durch seinen Opfertod die Menschen wiederversöhnt mit den Göttern (den Mächten der Natur), birgt die Verheißung einer von naturwidriger Herrschaft freien und befriedeten Menschheit. M. Gl.

AUSGABEN: Tübingen 1826 (in *Gedichte*, Hg. G.

Schwab). – Stg. 1961 (in *SW*, Hg. F. Beißner, 8 Bde., 1946 ff., 4, I u. 4, II; *Große Stuttgarter Ausgabe*). – Stg. 1962 (in *SW*, 6 Bde., 1958–1962, 4; *Kleine Stuttgarter Ausgabe*). – Bln. 1963 (in *SW*, Hg. P. Stapf).

LITERATUR: W. Kranz, *Empedokles, antike Gestalt u. romantische Neuschöpfung*, Zürich 1949. – H. Rüppel, *H.s »Tod des Empedokles« als Trauerspiel. Die Bühnenbearbeitungen u. ihre Erstaufführungen nebst einer Bibliographie der Inszenierungen u. Kritiken seit 1916*, Diss. Mainz 1954. – F. Beißner, *H.s Trauerspiel »Der Tod des Empedokles« in seinen drei Fassungen* (in Neoph, 1958, S. 186–212; auch in F. B., *H., Reden u. Aufsätze*, Weimar 1961). – K. Pezold, *Zur Interpretation von H.s Empedokles-Fragmenten* (in Wissensch. Zs. der Univ. Lpzg., Gesellschafts- u. Sprachwiss. Reihe, 12, 1963, S. 519–524). – F. Beißner, *H.s »Empedokles« auf dem Theeter*, in Studi germanici 2, 1964, S. 46–61. – M. Hölscher, *Empedokles u. H.*, Ffm. 1965. – L. Ryan, *F. H.*, Stg. 1967, S. 49 ff., (ausführl. Literatur-Verzeichnis). – K.-R. Wöhrmann, *H.s Wille zur Tragödie*, Mchn. 1967. – P. Bertaux, *H. u. die Französische Revolution*, Ffm. 1969 (ed. suhrkamp, 344). – H.-W. Jäger, *Politische Methaphqrik im Jakobinismus u. im Vormärz*, 1971, S. 56 ff.

ERNST THEODOR AMADEUS HOFFMANN
(1776–1822)

DIE ELIXIERE DES TEUFELS. Nachgelassene Papiere des Bruders Medardus eines Capuziners. Herausgegeben von dem Verfasser der Fantasiestücke in Callots Manier. Roman von Ernst Theodor Amadeus HOFFMANN (1776–1822), in zwei Bänden erschienen 1815/16. – Im Jahre 1795 wurde in London Matthew Gregory LEWIS' Schauerroman *The Monk* veröffentlicht, der zwei Jahre später unter dem Titel *Der Mönch* ins Deutsche übersetzt wurde. Hoffmann selbst erwähnt dieses Buch, das auch im Text einmal genannt wird, als Vorbild der *Elixiere des Teufels*. Sein Einfluß beschränkt sich jedoch auf den äußeren Ablauf einzelner Handlungsabschnitte und eine Reihe von Schauermotiven. Bei einem Besuch des Bamberger Kapuzinerklosters im Frühjahr 1814 erfuhr Hoffmann zudem die Lebensgeschichte eines Paters, die ihn sehr beeindruckte und die er wahrscheinlich zum Teil in sein Buch übernahm. Ohne Zweifel hat der Roman auch autobiographische Züge, die sich aber aus einem Werk wie diesem nicht rein herauslösen lassen.

Hoffmann läßt den Mönch Medardus erzählen, wie er, ein hochbegabter, aber charakterlich wenig gefestigter Mensch, der Versuchung erliegt, von dem geheimnisvollen Teufelselixier zu trinken, das in seinem Kloster wie eine Reliquie gehalten wird. Dieser Trank entfesselt alle finsteren Mächte in ihm, und er entbrennt in verzehrender Leidenschaft zu Aurelie, einem Mädchen von *»himmlischem Liebreiz«*. Von seinem Prior in geistlicher Mission nach Rom gesandt, bricht er sein Gelübde und stürzt sich in die abenteuerliche Irrfahrt eines weltlichen Lebens, um die Geliebte zu suchen. Er begegnet ihr im Hause ihres Vaters, eines Barons, wird aber in ehebrecherische Beziehungen zu Euphemie, der Stiefmutter Aurelies, verwickelt, die er schließlich, selbst von ihr bedroht, ermordet. Als er sich darauf in *»wahnsinniger Liebe«* Aurelies bemächtigen will, tritt ihr Bruder Hermogen dazwischen, den er ersticht. Auf der Flucht aus dem Schloß gelangt er zu einem einsamen Forsthaus, in dem ihm ein wahnsinniger Mönch entgegentritt – sein Doppelgänger, der von nun an immer wieder seinen Weg kreuzt. Die nächste Station seiner Irrfahrt ist ein kleiner Fürstenhof, an dem er Aurelie wiedersieht. Sie erkennt in ihm, der hier in weltlicher Kleidung unter dem Namen Leonard auftritt, den Mörder ihres Bruders. Er wird verhaftet, doch sein Doppelgänger rettet ihn: dieser gesteht statt seiner die Tat und wird ins Gefängnis geworfen. Medardus kehrt an den Hof zurück, und nun offenbart Aurelie ihm ihre Liebe, obwohl sie durch seine Ähnlichkeit mit dem von ihr verabscheuten und gefürchteten Mönch Medardus weiterhin geängstigt ist. Am Morgen seiner Vermählung mit ihr begegnet Medardus der Karren, auf dem sein Doppelgänger zur Hinrichtung gefahren wird, und in einem Anfall von Entsetzen schreit er Aurelie die Wahrheit ins Gesicht. Bei dem Versuch, die Braut zu töten, verwundet er sie schwer und flieht dann wie von Sinnen aus der Residenz. Nach tiefer Bewußtlosigkeit erwacht er in einem römischen Kloster. Dort beginnt nun für ihn die Zeit der Buße und Kasteiung. Er liest die Aufzeichnungen eines in seinem Heimatkloster wohlbekannten geheimnisvollen Malers, der ihm von Kindheit an immer wieder begegnet ist, und entdeckt, daß er und alle andern wichtigen Personen seines Lebens einem durch Mord, Ehebruch und Blutschande gezeichneten Geschlecht angehören, dessen Stammvater jener Maler ist. Medardus kehrt in sein Heimatkloster zurück und wird am folgenden Tage Zeuge der Einkleidung Aurelies. Während der Zeremonie stürzt sein Doppelgänger, der dem Galgen entkommen ist, in die Kirche und ermordet Aurelie am Altar. Sterbend offenbart sie Medardus den Sinn ihrer beider Liebe, *»die nur über den Sternen thront und die nichts gemein hat mit irdischer Lust«* und so den Frevel ihres Stammes sühnen kann. Medardus aber tritt, von der Sünde gereinigt, *»in die Reihe der Brüder ein, wie sonst«*, zeichnet sein Leben auf und stirbt am Jahrestag von Aurelies Ermordung in den Armen des Priors.

Der geradlinige Fortgang der Fabel wird durch eine Unzahl rätselhafter und verworrener Episoden immer wieder aufgehalten und abgelenkt. Dieser durch das Moment der Verzögerung spannungsreiche Handlungsaufbau, die Schilderung grausiger Ereignisse und die geheimnisvollen Familienbeziehungen sind charakteristische Bestandteile des Unterhaltungsromans, besonders des Schauerromans. Jedoch lassen sich *Die Elixiere des Teufels* *»nicht in die Grenzen einer bloßen Unterhaltungsliteratur einschränken«* (W. Müller-Seidel). Das Geheimnisvolle, das Unheimliche und Entsetzliche wird nicht nur um seines stofflichen Reizes willen geschildert, die Handlung besteht nicht aus einer mehr oder weniger zufälligen Anhäufung von Ereignissen, sondern ordnet sich zum Lebensbericht, der zugleich Beichte ist und dem Helden aufgegebene *»Bußübung«*. Hier gewinnt die Ichform der Erzählung als die unmittelbare Darstellungsform der Beichte Bedeutung. Wie eng diese Form mit dem Inhalt des Erzählten zusammenhängt, wird an einem der zentralen Themen des Romans sichtbar: der Gefährdung und Zerstörung des Ichs durch das Böse. Bewußtlosigkeit und bis zum Wahnsinn führende Sinnesverwirrung sind Anzeichen dieser Identitätsauflösung, die ihre höchste Steigerung im

Auftreten des Doppelgängers erreicht. Dieser Vielheit des handelnden Ichs steht jedoch die Einheit des erzählenden Ichs gegenüber, ein Kontrast, in dem sich die Problematik des romantischen Ich-Begriffs widerspiegelt. S. A.-KLL

AUSGABEN: Bln. 1815/16, 2 Tle. – Mchn. 1908 (in *SW*, Hg. C. G. v. Maassen, 10 Bde., 1908–1928, 2; hist.-krit.). – Weimar 1924 (in *Dichtungen u. Schriften*, Hg. W. Harich,15 Bde., 4). – Mchn. 1961 [Nachw. W. Müller-Seidel, Anm. W. Kron, Ill. Th. Hosemann].

LITERATUR: O. Schissel von Fleschenberg, *Novellenkomposition in E. T. A. H.s »Elixieren des Teufels«. Ein prinzipieller Versuch*, Halle 1910. – W. Harich, *E. T. A. H. Das Leben eines Künstlers*, Bd. 1, Bln. ³1922, S. 267–290. – W. Horn, *Über das Komische im Schauerroman: E. T. A. H.s »Elixiere des Teufels« und ihre Beziehung zur englischen Literatur* (in ASSL, 78, 1923, 146, S. 153–163). – Ch. Fröhling, *Probleme der Ich-Spaltung in E. T. A. H.s »Elixieren des Teufels«* (in Aufstieg, 1929, H. 4, S. 12–16). – H. Koziol, *E. T. A. H.s »Die Elixiere des Teufels« und M. G. Lewis' »The Monk«* (in GRM, 26, 1938, S. 167–170). – J.-F.-A. Ricci, *Le problème de la vraisemblance dans les »Élixirs du diable« de E. T. A. H.* (in LangMod, 46, 1952, S. 28–34). – H. A. Korff, *Geist der Goethezeit*, Tl. 4, Lpzg. ²1955, S. 572–582. – K. Negus, *The Family Tree in E. T. A. H.'s »Die Elixiere des Teufels«* (in PMLA, 73, 1958, S. 516–520). - K. Kanzog, *E. T. A. Hoffmann u. K. Grosses »Genius«* (in Mitt. d. E.-T.-A.-Hoffmann-Ges., 7, 1960, S. 16–23).

DAS FRÄULEIN VON SCUDÉRI. Erzählung aus dem Zeitalter Ludwigs des Vierzehnten von Ernst Theodor Amadeus HOFFMANN (1776–1822), erschienen 1819. – Den Gesprächen der Serapionsbrüder sind die Quellen zu entnehmen, die Hoffmann für diese *»wahrhaft serapionistische«* Erzählung benutzte: eine Anekdote aus J. Ch. WAGENSEILS *Chronik von Nürnberg* (1697) liegt der Kriminalaffäre zugrunde, und der *Geschichte von dem venetianischen Schuster* entstammt das Urbild zu Cardillac, dem *»verruchtesten und zugleich unglücklichsten aller Menschen«*. Die Erzählung setzt im Jahre 1680 ein, im Paris Ludwigs XIV.: Höflinge und reiche Edelleute, die bei Cardillac, dem berühmtesten Goldschmied der Stadt, köstliche Geschmeide haben anfertigen lassen, werden regelmäßig nachts, auf dem Weg zur Geliebten, des Schmucks beraubt und ermordet. Sorgfältigsten Fahndungen zum Trotz bleiben die Juwelenräuber unauffindbar. Der König, der von den besorgten Kavalieren um besondere Schutzmaßnahmen gebeten worden ist, fragt Mademoiselle de Scudéri, die bei Hof wegen ihrer anmutigen Verse und Romane beliebte alte Dame, um ihre Meinung. Sie erwidert mit einem Vers: *»Un amant qui craint les voleurs, n'est pas digne d'amour.« (»Ein Liebender, der die Diebe fürchtet, ist der Liebe nicht würdig.«)* Die scherzhaft gemeinte Äußerung, die die Verbrecher indirekt zu verteidigen scheint, verwickelt die arglose alte Dame in einen geheimnisvollen Kriminalfall. An demselben Abend nämlich wird ihr von einem völlig verstörten jungen Mann ein Kästchen überbracht, worin sie einen prachtvollen Halsschmuck und einen Zettel mit dem von ihr improvisierten Vers findet. Die kostbare Machart des Geschmeides deutet auf Meister Cardillac, der auch, später herbeigerufen, bekennt, daß dieser Schmuck vor kurzer Zeit auf unerklärliche Weise aus seiner Werkstatt verschwunden sei; doch er bittet Mademoiselle de Scudéri, ihn als Geschenk anzunehmen. Einige Zeit später erschreckt sie der unbekannte Überbringer der Schatulle durch ein Schreiben mit der flehentlichen Bitte, den Schmuck innerhalb von zwei Tagen Cardillac zurückzugeben. Sie versäumt die Frist und findet den Goldschmied, als sie verspätet bei seiner Werkstatt anlangt, ermordet. Sein Gehilfe Olivier Brusson wird der Tat verdächtigt. Als die nächtlichen Morde nach seiner Verhaftung plötzlich aufhören, sieht man in ihm auch den gesuchten Raubmörder. Brusson ist mit Madelon, der Tochter Cardillacs, verlobt, die, überzeugt von seiner Unschuld, Mademoiselle de Scudéri um Hilfe bittet. Ein umfassendes Geständnis Oliviers bringt endlich volle Aufklärung: er fühlte sich, der zarten und empfindsamen Madelon zuliebe, verpflichtet, die grauenvolle Wahrheit zu verschweigen, daß deren Vater Cardillac selbst der Mörder seiner reichen Kunden war. Eine dunkle, dämonische Macht trieb den Goldschmied dazu, ein kostbares Geschmeide, woran er verbissen seine ganze Künstlerschaft gewandt hatte, nach dem Verkauf wieder an sich zu bringen, was ihm nur durch die Ermordung des neuen Besitzers möglich war. Als Olivier, zufällig Zeuge einer solchen Untat geworden, die Besessenheit Cardillacs, die jener mit der Überlassung des Geschmeides an die Scudéri überwunden zu haben glaubte, wieder aufflackern sah, schrieb er den warnenden Zettel, um die Dichterin nicht das nächste Opfer werden zu lassen. Doch auch ein königlicher Offizier namens de Miossens hat Cardillacs Geheimnis entdeckt: als der Goldschmied ihm auflauerte und ihn überfiel, tötete er den Räuber in Notwehr. – Die Scudéri, von Oliviers Unschuld überzeugt, erwirkt beim König seinen Freispruch.

Hoffmann läßt die Handlung unvermittelt mit dem ersten Besuch Oliviers bei der Scudéri einsetzen, führt dann den Leser mit ungewöhnlicher erzählerischer Virtuosität über die Vordergrundhandlung der historischen Szenerie und über die Rolle der Scudéri hin zur Zentralfigur des Goldschmieds, der jedoch bis zur Aufklärung seiner Verbrechen in zwielichtigem Dunkel bleibt. Mit scharfer Charakterisierungskunst bereitet der Autor die Auflösung des kriminalistischen Rätsels vor, das psychologisch mit der problematischen Existenz eines künstlerischen Genies in einem grotesk häßlichen Körper begründet wird. Als ein Vererbungsphänomen, das auf ein Erlebnis seiner Mutter während der Schwangerschaft zurückgeht – sie verliebte sich in den blitzenden Halsschmuck eines Offiziers –, wird Cardillacs *»böser Stern«* motiviert. Die *»Stimmen des Satans«* in ihm sind die seines besessenen, exzentrischen, hinter der Maske ehrbarer Bürgerlichkeit verborgenen Künstlertums, Stimmen, die erst dann schweigen, wenn er seine Schöpfungen auf mörderische Weise zurückerobert hat.

Der Dichter greift ein naturphilosophisches Thema seiner Zeit auf und zeigt durch die Darstellung schicksalhafter Verflechtungen, *»wie mit dem Keim der schönsten Blüte der Wurm mitgeboren werden kann, der sie zum Tode vergiftet«*. Doch weniger wissenschaftlichen Studien als vielmehr der unaufhörlichen und außergewöhnlich scharfen Selbstbeobachtung verdankt der Dichter seine Einfühlungsgabe in die seelische Zwangslage eines Künstlers, der sich von seinem Werk trennen soll. Typisch für Hoffmanns Erzählkunst ist das fatalistische Ausgeliefertsein seiner Gestalten an rätselhafte dämonische Mächte, an ein seltsames, unheilvolles Schicksal, dem sie unterworfen sind. S. A.

AUSGABEN: Ffm. 1819 (in Taschenbuch der Liebe und Freundschaft gewidmet, für das Jahr 1820). – Bln. 1820 (in *Die Serapionsbrüder*, Bd. 3). – Mchn. 1914 (in *SW*, Hg. C. G. v. Maassen, 10 Bde., 1908–1928, 7; hist.-krit.). – Weimar 1924 (in *Dichtungen und Schriften*, Hg. W. Harich, 15 Bde., 2). – Köln 1958 [Ill. J. Hegenbarth]. – Mchn. 1963 (in *Die Serapionsbrüder*; Nachw. W. Müller-Seidel; Anm. W. Segebrecht).

DRAMATISIERUNG: O. Ludwig u. J. K. Ratislav, *Das Fräulein v. Scuderi*, Wiesbaden o. J. [Bühnenms.].

VERTONUNG: P. Hindemith, *Cardillac* (Text: F. Lion; Oper; Urauff.: Dresden 1926; Neufassg.: Zürich 1952).

VERFILMUNGEN: *Mademoiselle de Scudery*, Italien 1911 (Regie: M. Caserini). – *Der Besessene*, Deutschland 1917. – Deutschland 1955 (Regie: E. York).

LITERATUR: R. Varnhagen v. Ense, *»Mlle. de Scudéry« von H.* (in *Rahel. Ein Buch des Andenkens für ihre Freunde*, Hg. K. v. Ense, Bln. 1834, Tl. 3, S. 13–15). – R. Schapire, *O. Ludwigs »Fräulein v. Scuderi«* (in ZfdU, 19, 1905, S. 650–663). – W. Harich, *E. T. A. H.*, Bd. 2, Bln. [3]1922, S. 74 bis 79. – K. W. Barthel, *Die dramatischen Bearbeitungen d. Novelle E. T. A. H.s »Das Fräulein v. Scuderi« und ihre Bühnenschicksale*, Diss. Greifswald 1929. – J. Pommier, *Autour d'Olivier Brusson* (in RLC, 13, 1933, S. 353–357). – M. Thalmann, *E. T. A. H.s »Fräulein v. Scudery«* (in MDU, 41, 1949, S. 107–116). – E. Walter, *Das Juristische in E. T. A. H.s Leben und Werk*, Diss. Heidelberg 1950. – T. Rosebrock, *Erläuterungen zu E. T. A. H.s »Das Fräulein v. Scudery«*, Hollfeld 1958. – H. Himmel, *Schuld und Sühne der Scuderi. Zu H.s Novelle* (in Mitt. d. E. T. A. H.-Ges., 7, 1960, S. 1–15). – K. Kanzog, *E. T. A. H.s Erzählung »Das Fräulein v. Scuderi« als Kriminalgeschichte* (ebd., 11, 1964, S. 1–11).

DER GOLDNE TOPF. Ein Mährchen aus der neuen Zeit von Ernst Theodor Amadeus HOFFMANN (1776–1822), erschienen 1814. – »*Am Himmelfahrtstage nachmittags um drei Uhr rannte ein junger Mensch in Dresden durchs Schwarze Tor und geradezu in einen Korb mit Äpfeln und Kuchen hinein, die ein altes häßliches Weib feilbot.*« Den weiterstürzenden Studenten Anselmus verfolgen die rätselhaften Worte des Äpfelweibs – »*Ja renne – renne nur zu, Satanskind – ins Kristall bald dein Fall – ins Kristall!*« –, die in ihm ein seltsames Grauen wecken. Wenig später wird ein Holunderbusch, unter dem er seine Pfeife raucht, zum Tummelplatz dreier goldgrüner Schlänglein, deren Tanz er als »*Dreiklang heller Kristallglocken*« hört, die mit menschlichen Stimmen verwirrende Worte singen und deren eine mit ihrem dunkelblauen, sehnsüchtigen Blick »*glühendes Verlangen*« in ihm entzündet. Zunächst mißtraut Anselmus seinen Sinnen und weiß nicht, »*ob er betrunken, wahnsinnig oder krank*« ist, und ein fröhlicher Abend in der nüchternen Gesellschaft des Konrektors Paulmann, dessen Tochter Veronika, die ein Auge auf Anselmus geworfen hat, und des Registrators Heerbrand vertreibt die »*Fantasmata*« – aber nur vorübergehend, wie sich bald herausstellt: Anselmus' Bekanntschaft mit dem Archivarius Lindhorst, für den er durch Heerbrands Vermittlung für ein paar Speziestaler arabische und koptische Manuskripte kopiert, führt ihn in ein Zauberreich, dessen exotische Wunder den Studenten zugleich ängstigen und beseligen. Von Lindhorst erfährt er, daß die drei Schlänglein dessen Töchter sind und daß die dunkelblauen Augen, die er nicht vergessen kann, Serpentina, der jüngsten, gehören. Im Hause des Archivars, hinter dessen Fassade sich ein in »*magisches blendendes Licht*« getauchter Palastgarten verbirgt, sieht Anselmus Serpentina wieder, deren Gestalt vor seinem Blick rätselhaft zwischen Schlänglein und Mädchen changiert; dort sieht er auch zum erstenmal den glückbringenden goldnen Topf, Serpentinas Mitgift, in dessen »*strahlend poliertem Gold*« sich »*in schimmernden Reflexen allerlei Gestalten*«, darunter auch die des Studenten selbst, bewegen. Von der Geliebten erfährt er, daß sich hinter der Maske des Archivars ein Salamander, ein Elementargeist, verberge, der als Strafe für eine in mythischer Vorzeit begangene Untat sich jetzt den »*kleinlichsten Bedrängnissen des gemeinen Lebens unterwerfen*« müsse, bis seine drei Töchter mit drei Jünglingen vermählt seien, die wie Anselmus »*ein kindliches poetisches Gemüt*« besäßen. Anselmus schwört Serpentina ewige Liebe, doch ein »*feindliches Prinzip*« greift störend ein. Das Äpfelweib, das der mythischen Verbindung einer Runkelrübe mit der Feder eines Drachens entstammt, versucht den goldnen Topf zu rauben. Ein Blick in ihren Metallspiegel, den sie in der »*Nacht des Äquinoktiums*« in Gegenwart der schaudernden Veronika und unter Assistenz grausiger akustischer und optischer Erscheinungen gegossen hat, wirft Anselmus zurück in die Nüchternheit des bürgerlichen Alltags und macht ihn glauben, er liebe die nur auf die soziale Stellung einer »Frau Hofrätin« bedachte Veronika. Sogleich verliert er sein allem Phantastischen aufgeschlossenes »*poetisches Gemüt*«: der Palastgarten Lindhorsts erscheint ihm als armseliges Treibhaus, die Bibliothek, an deren »*azurblauen Wänden und goldbronzenen Stämmen dicker Palmbäume*« er sich einst nicht sattsehen konnte, als ein geschmackloser, in grellen und unnatürlichen Farben ausgestatteter Raum. Als er trotz Lindhorsts Warnung ein Manuskript mit Tinte bekleckst, wird die Prophezeiung des alten Äpfelweibs wahr, und er fällt »*ins Kristall*«: Die Palmbäume in der Bibliothek verwandeln sich in feuerspeiende Riesenschlangen, und ihr Feuer erstarrt zu einer Kristallflasche, in der sich Anselmus als Gefangener wiederfindet. Jetzt erkennt er die erstickende Enge bürgerlichen Glücks – denn nichts anderes ist es, was ihm die Brust erdrücken will, während fünf andere »*Gefährten im Unglück*«, die gleich ihm in fünf Flaschen auf demselben »Repositorium« stehen, ihr Gefangensein gar nicht bemerken, sondern meinen, sich frei bewegen zu können und sich »*nie besser befunden*« zu haben. Anselmus entscheidet sich für Serpentina und wird mit ihr, nachdem das Äpfelweib in einer wild flammenden Schlacht von Lindhorst überwunden worden ist, in immerwährende Seligkeit nach Atlantis auf ein Rittergut entrückt, wo die im goldnen Topf erblühende Lilie ihr Glück beschützt und sich ihm »*der heilige Einklang aller Wesen als tiefstes Geheimnis der Natur offenbart*«. Veronika aber heiratet den zum Hofrat ernannten Heerbrand und sieht so ihre schönsten Träume in Erfüllung gehen. In einem abschließenden Zwiegespräch des Dichters mit Lindhorst, der während dieser Unterhaltung zu seiner Lust und um *»der werten Gesellschaft«* des Dichters *»zu genießen«*, in dem von ihm kredenzten Glas voll brennenden Arraks als Salamander auf und nieder steigt, deutet der Archivar Anselmus' Seligkeit als *»ein Leben in der Poesie«*. Habe denn nicht jeder Dichter daran teil, auch wenn das *»poetische Besitztum* [seines] *innern Sinns«*, das ihm in Atlantis zukomme, nur ein *»artiger Meierhof«* sei?

In seinem *Goldnen Topf* stellt Hoffmann der *»haltlosen«* Phantastik und der pseudo-orientalischen Kulisse in den *contes des fées* ein Gestaltungsprinzip entgegen, das seine Märchen von WIELANDS parodistischen Feenmärchen ebenso klar abhebt wie von den alogisch gereihten traumhaften Bildfolgen, in die GOETHE und NOVALIS die gegenständliche Welt auflösen. Hoffmann fordert, das Wunderbare müsse *»keck ins gewöhnliche Leben«* treten. Alltäglichen Menschen sollten, wie in *Tausendundeine Nacht*, *»tolle Zauberkappen«* übergeworfen werden, und eine *»Himmelsleiter«* müsse aus der wirklichen Welt so unmerklich in das *»fantastische Zauberreich«* führen, daß es nur als der schönere Teil des Lebens erscheine. Die »Wirklichkeit« des Märchengeschehens, durch seine Lokalisierung in Dresden, durch realistische Schauplätze, wie »Wohnzimmer«, »Elbbrücke«, »Linkesches Bad«, und Requisiten des bürgerlichen Alltags (Pfeife, Kaffeekanne, Punschterrine) glaubhaft gemacht, erweist sich als täuschende Nachahmung der Realität, gleichsam als Eisblume, die vor dem Hauch der poetischen Phantasie schmilzt und den Blick in die Tiefe freigibt, in Lindhorsts Palastgarten, in die Hexenküche des Äpfelweibs oder nach Atlantis.

Die teils hymnisch, teils ironisch distanziert vorgetragene Erzählung von der mythischen Herkunft des Archivars ist Gotthilf Heinrich SCHUBERTS *Ansichten von der Nachtseite der Naturwissenschaft* (1808) nachgebildet, in denen der Autor seine an SCHELLING orientierte Spekulation über die Naturgeschichte entwickelt, die er als eine durch den »Gedanken« verursachte Spaltung der ursprünglich heilen Welt in »Natur« und »Geist« beschreibt. Hoffmann schiebt diese Erzählung als »Märchen im Märchen« ein und hebt mit ihr das Geschehen in kosmische Bereiche, die sich grotesk im platten Rationalismus der Philister spiegeln. KLL

AUSGABEN: Bamberg 1814 (in *Fantasiestücke in Callots Manier*, Bd. 3). – Mchn./Lpzg. 1908 (in *SW*, Hg. C. G. von Maassen, 10 Bde., 1908–1928, 1). – Ffm. 1924 [Nachw. R. v. Schaukal; bibliophile Ausg.]. – Weimar 1924 (in *Dichtungen und Schriften*, Hg. W. Harich, 15 Bde., 3). – Lpzg. o. J. [ca. 1942] (RUB, 101/102). – Mchn. 1960 (in *Fantasie- u. Nachtstücke*; Nachw. W. Müller-Seidel; Anm. W. Kron). – Zürich 1963 (in *Meistererzählungen*, Hg. J. Fietz).

LITERATUR: W. Harich, *E. T. A. H. Das Leben eines Künstlers*, 2 Bde., Bln. ³1922. – H. Dahmen, *Studien zu E. T. A. H.s »Goldenem Topf«*, Diss. Marburg 1925. – P.-F. Scherber, *Bürger und Enthusiast als Lebensformen. Eine Studie zu E. T. A. H. u. seinem Märchen vom »Goldenen Topf«*, Diss. Erlangen 1925. – C. G. Jung, *Gestaltungen des Unbewußten*, Zürich 1950. – O. F. Bollnow, *»Der goldene Topf« und die Naturphilosophie der Romantik* (in Die Sammlung, 6, 1951, S. 203–216). – R. Mühlher, *Liebestod u. Spiegelmythe in E. T. A. H.s Märchen »Der goldene Topf«* (in R. M., *Dichtung der Krise*, Wien 1951, S. 41 95). – H. Ohl, *Der reisende Enthusiast. Studien zur Haltung des Erzählers in den »Phantasiestücken« E. T. A. H.s*, Diss. Ffm. 1955. – K. Rockenbach, *Bauformen romantischer Kunstmärchen. Eine Studie zur epischen Integration des Wunderbaren bei E. T. A. H.*, Diss. Bonn 1957. – K. Negus, *E. T. A. H.'s »Der goldene Topf«. Its Romantic Myth* (in GR, 34, 1959, S. 262 bis 275).

LEBENSANSICHTEN DES KATERS MURR NEBST FRAGMENTARISCHER BIOGRAPHIE DES KAPELLMEISTERS JOHANNES KREISLER IN ZUFÄLLIGEN MAKULATURBLÄTTERN. Fragmentarischer Roman von Ernst Theodor Amadeus HOFFMANN (1776–1822); der erste Band erschien 1819, der zweite 1821, der geplante dritte Band wurde nicht mehr begonnen.

Der Roman besteht aus zwei deutlich voneinander abgesetzten Teilen: der Lebensgeschichte des Katers Murr, die von ihm selbst erzählt und im Sinne der zahlreichen Romane vom Typus »Leben und Meinungen des ...« ausführlich mit Kommentaren und Reflexionen zur »Bildung aller Leser« versehen wird. sowie den unzusammenhängenden Bruchstücken aus der Biographie Kreislers, die Murr als Konzeptpapier verwandte und die der Setzer versehentlich mit abdruckte. Mit der Erfindung des schriftstellernden Katers setzt Hoffmann die Tradition der – oft satirischen – Tierdichtung fort; der *Gestiefelte Kater* Ludwig TIECKS wird von Murr selbst als Ahnherr genannt. Er hat jedoch im geliebten Kater des Autors auch ein reales Urbild. Solche Momente der Verfasser-Sympathie sind bei der gravitätisch-eitlen Selbstdarstellung des Katers, des bemühten Literaten, zu beachten. Die Satire des Erzählers gilt weniger der Tierfigur, sie orientiert sich vielmehr an den aus der Darstellung erwachsenden literar- und gesellschaftskritischen Momenten.

Der geradlinige, allerdings durch Einschübe aus der Kreisler-Biographie unterbrochene Bericht Murrs über die *Monate der Jugend*, die *Lebenserfahrungen des Jünglings*, die *Lehrmonate* und die *Reiferen Monate des Mannes* wird zur kritischen Auseinandersetzung mit den zeitgenössischen Trivialisierungen der »Bildungsidee«. *»Wie man sich zum großen Kater bildet«*, soll in einem gebrauchsfertigen Rezept vermittelt werden. Dabei sind die gängigen Bauelemente, Motive und Sprachformen des »Bildungsromans« (vgl. vor allem *Wilhelm Meister*) parodistisch verwendet: Murr erlebt eine »bildende« Jugendfreundschaft mit dem Pudel Ponto, eine »persönlichkeitsformende« Liebe zur Katze Miesmies, macht seine Erfahrungen als »Burschenschaftler«, versucht in der »großen Welt« der Hunde zu reüssieren und zieht sich schließlich in das friedvollere Dasein eines *homme de lettres* zurück. Der Kater betreibt mit besonderem Nachdruck seine Entwicklung zum Schriftsteller, was Hoffmann hinreichend Gelegenheit zur kritischen und parodistischen Auseinandersetzung mit den verschiedenen literarischen Richtungen und kulturellen Bemühungen der zurückliegenden Jahrzehnte gibt. Darüber hinaus wird im enthüllenden Spiegelbild des sich selbstgewiß-naiv produzierenden Katers die zeitgenössische Gesellschaft in ihren Werten und sprachlichen Gepflogenheiten analysiert: Aus

dem travestierten Bildungsroman wächst so der satirische Gesellschaftsroman.
Dem Spott auf die Bürgerwelt folgen im Kreisler-Teil die satirischen Angriffe auf die aristokratischen Gepflogenheiten am Hof des Duodezfürsten Irenäus. Das Geschehen um den Kapellmeister selbst führt jedoch über die Satire hinaus. Die Kreisler-Figur war Hoffmanns Lesern bereits hinlänglich bekannt, vor allem aus den dreizehn Stücken der *Kreisleriana*. Im Roman werden nun die Probleme des romantischen Künstlertums weiter verfolgt und präzisiert; die persiflierende Auseinandersetzung Kreislers mit dem eigenen Selbst ist auch als Selbstdarstellung Hoffmanns zu verstehen. Dabei kommt keine eigentliche Handlung zustande, weil das Geschehen durch die einzelnen Bruchstücke der Makulaturblätter nur unzusammenhängend erfaßt werden kann; das komplexe Schicksal Kreislers entzieht sich im Gegensatz zur platten Existenz des Katers der eindeutigen literarischen Fixierung. (Hoffmann gestaltet hier – im Anschluß an Tendenzen bei Sterne und Jean Paul – bereits Erzählprobleme, wie sie in der Literatur der Moderne relevant werden.) Die verwirrend-undurchsichtigen Handlungsmomente im Kreisler-Teil variieren und analysieren die dualistische Grundstruktur der Wirklichkeit, in die sich Kreisler gestellt sieht: Er schwankt zwischen der »reinen Liebe« zur musikbegeisterten Julia und der dämonischen Leidenschaft für die sinnliche Prinzessin Hedwiga. Er muß an der Person Julias erfahren, daß sich die »hohen Ideen« der Liebe und der Kunst in der Realität nie »rein« erhalten können (zumal hier trägt der Roman stark autobiographische, auf Hoffmanns Liebe zu Julia Marc zurückweisende Züge; vgl. *Nachricht von den neuesten Schicksalen des Hundes Berganza*): Julia ist einerseits ihrer intriganten Mutter, der Rätin Benzon, ausgeliefert, die sie aus Karrieregründen an den schwachsinnigen Prinzen Ignaz verheiraten will; andererseits verfolgt sie der Verlobte Hedwigas, Prinz Hektor, mit sinnlich-lüsternen Anträgen. Kreisler benutzt Ironie, Hohn und Sarkasmus als Maske und Waffe im Kontakt mit einer derart widersprüchlichen Welt. Auch im Kloster, beim Komponieren geistlicher Musik, findet er nicht die ersehnte Ruhe; in seinem Künstlertum bleibt er unausweichlich auf die Auseinandersetzung mit der Welt angewiesen. Erziehungsversuche seines Freundes Meister Abraham scheitern, und die eigenen schmerzlichen Anstrengungen aus den Kreisen, in denen er rastlos »kreiselt«, freizukommen, bringen den Kapellmeister dem Wahnsinn nahe.
Für die Auflösung seines Schicksals im geplanten dritten Band bieten die geschilderten Konstellationen keine eindeutigen Aufschlüsse. Die »Handlung« endet dort, wo sie begann – auch formal wird der Kreis zum »*symbolischen Diagramm*« für Kreislers Existenz (H. Singer). Ein fortführendes Moment ist dagegen im Humor des Erzählers zu suchen, der sich erst in der Verschränkung von Kater-Biographie und Kreisler-Geschichte entfaltet (W. Müller-Seidel). Daß Meister Abraham schließlich dem Kapellmeister seinen »hoffnungsvollen« Kater in Obhut gibt, damit er bei ihm die »höhere Bildung« lerne, deutet unter dem Aspekt der Bildungsmotivik darauf hin, daß im Miteinander der beiden – nur scheinbar völlig heterogenen – Teile des Romans dessen Einheit zu suchen ist. Sie wird in der humorvollen Spiegelung der Kreisler-Problematik im Kater-Bereich hergestellt. Diese erzählerische Struktur macht deutlich, daß die von Kreisler erstrebte Harmonie zwischen der Welt des Alltäglichen und der körperlichen Bedingtheiten einerseits und dem Bereich des Enthusiasmus und der freien Ideen andererseits in dem überlegenen Bewußtsein liegen könnte, das von der grundsätzlichen Unvereinbarkeit wie notwendiger Abhängigkeit beider Sphären weiß. Weder die Biedermannswelt Murrs noch die Extremforderungen des romantischen Künstlers gelten unbestritten. Wenn sich Kreislers anfängliche Abneigung gegen den Kater in eine gerechte Einschätzung der Möglichkeiten und Leistungen des »Tieres« wandelt, wenn er – wie Autor und Leser – an Murr Gefallen findet und in den Kater-Torheiten die eigenen und die seiner Umwelt erkennt, wird sichtbar, wie in der neuen Pflegestelle wohl nicht nur der Kater »gebildet« werden soll, sondern auch Kreisler selbst, indem er aus seinen »Kreisen« heraus in ein höheres Bewußtsein der humoristischen Weltsicht findet. Im Sinne solcher Verweisungsmomente spricht H. Singer zu Recht von einem »*in sich vollendeten Fragment*«.
Die Tageskritik reagierte reserviert auf den *Kater Murr*; man lobte insbesondere originelle Details und die skurrile Komposition des Romans. Seine Faszination illustrieren jedoch neben dem Fortsetzungsversuch Hermann Schiffs (*Nachlaß des Katers Murr*, 1826) die zahlreichen Anknüpfungen in der humoristischen und satirischen Literatur des 19. Jh.s, die sich vornehmlich an der Kater-Biographie orientieren (z. B. Immermann, *Münchhausen*; Heine, *Atta Troll*; Keller, *Spiegel, das Kätzchen*; Storm, *Bulemanns Haus*). Das unmittelbare Interesse des deutschen Publikums an Hoffmanns Roman erwachte erst nach der Jahrhundertwende, nachdem er in zahlreichen russischen, französischen, englischen und dänischen Übersetzungen schon zu einem Stück Weltliteratur geworden war. J. Schö.

Ausgaben: Bln. 1820–1822 [recte 1819–1821], 2 Bde. – Mchn. 1928 (in *SW*, Hg. C. G. v. Maassen, 10 Bde., 1908–1928, 9/10; hist.-krit.; m. Einl. u. Anm.; ill.). – Mchn. 1961, Hg. u. Nachw. W. Müller-Seidel. – Ffm. 1967 (in *Werke*, Hg. H. Kraft u. M. Wacker, 5 Bde., 3).

Literatur: F. Leppmann, *»Kater Murr« u. seine Sippe von der Romantik bis zu V. Scheffel u. G. Keller*, Mchn. 1908, S. 11–29. – H.-H. Borcherdt, *Der Roman der Goethezeit*, Stg. 1949, S. 511–522. – H. Granzow, *Künstler u. Gesellschaft im Roman der Goethezeit. Eine Untersuchung zur Bewußtwerdung neuzeitlichen Künstlertums in der Dichtung vom »Werther« bis zum »Kater Murr«*, Diss. Bonn 1959, S. 140–169. – H. Meyer, *Das Zitat in der Erzählkunst. Zur Geschichte u. Poetik des europäischen Romans*, Stg. 1961, S. 114–136 (auch in *Interpretationen*, Bd. 4: *Deutsche Erzählungen von Wieland bis Kafka*, Hg. J. Schillemeit, Ffm./Hbg. 1966, S. 179–195; FiBü, 721). – H.-G. Werner, *E. T. A. H. Darstellung u. Deutung der Wirklichkeit im dichterischen Werk*, Weimar 1962, S. 161–181 [Diss. Halle 1959; m. Bibliogr.]. – H. Singer, *E. T. A. H. »Kater Murr«* (in *Der deutsche Roman. Vom Barock bis zur Gegenwart*, Hg. B. v. Wiese, Bd. 1, Düsseldorf 1963, S. 301–328). – H. Loevenich, *Einheit u. Symbolik des »Kater Murr«. Zur Einführung in H.s Roman* (in Der Deutschunterricht, 16, 1964, S. 72–86). – K. Negus, *E. T. A. H.'s Other World. The Romantic Author and His ›New Mythology‹*, Philadelphia 1965, S. 158–167. –

Th. Kramer, *Das Groteske bei E. T. A. H.*, Mchn. 1966. – W. Segebrecht, *Autobiographie u. Dichtung. Eine Studie zum Werk E. T. A. H.s*, Stg. 1967 [Geleitw. W. Müller-Seidel; m. Bibliogr.].

MEISTER FLOH. Ein Märchen in sieben Abenteuern zweier Freunde von Ernst Theodor Amadeus HOFFMANN (1776–1822), erschienen 1822. – Der Autor nennt sein vielschichtiges Werk die »*phantastische Geburt eines humoristischen Schriftstellers*«. Ironisch verwendet er Erzählgut des romantischen Märchens und verschränkt auf komische, aber auch allegorische Weise die Welt der Blumenprinzessinnen und Edelprinzen mit der Alltagswelt Frankfurter Bürger. Dem scheinbar willkürlichen Zusammenhang liegt jedoch ein tieferer humoristischer Sinn zugrunde.

Peregrinus Tyss, der für alles Phantastische empfängliche Kaufmannssohn, lebt noch als heiratsfähiger Dreißiger in der Idylle seiner Kindheitserinnerungen. Bei der wohltätigen Bescherung der armen Familie Lämmerhirt bricht an einem Weihnachtsabend eine Folge der »*wunderbarsten, tollsten Ereignisse*« über ihn herein. Die hübsche Dörtje Elverdink (alias Prinzessin Gamaheh), Nichte des Flohbändigers und Magiers Leuwenhoek, flüchtet sich zu Peregrinus und umgarnt ihn mit ihrer Liebe, um wieder in den Besitz von Meister Floh zu kommen, auf dessen belebende Stiche sie durch ein phantastisches Geschick angewiesen ist. Doch Meister Floh, erfreut, daß er der Abhängigkeit von Leuwenhoek durch Zufall entronnen ist, bittet Peregrinus um Schutz. Als Gegenleistung bietet er dem Weltfremden ein Gedankenmikroskop an, das ihm ermöglicht, die Verstellungen seiner Mitmenschen zu durchschauen. So gefeit, widersteht Peregrinus allen Intrigen und den Versuchungen, Meister Floh preiszugeben. Zudem erfährt er immer mehr vom wundersamen Zusammenhang seines eigenen Schicksals mit den Geschicken der Figuren aus dem Märchenreich Famagusta, opfert schließlich seine vermeintliche Liebe zu Dörtje dem Freund George Pepusch, der als Distel Zeherit ältere Ansprüche auf die Blumenprinzessin hat, und findet gutbürgerliche Liebe, die zugleich »erhabne Poesie« ist, bei Röschen, der Tochter des Buchbinders Lämmerhirt. In der Liebesbeziehung mit Röschen verzichtet Peregrinus auch auf das Gedankenmikroskop, denn hier gelten andere Gesetze des Erkennens. Was selbst dem gescheiten und liebenswerten Meister Floh verschlossen bleibt, eröffnet sich Peregrinus nun im lösenden Traum: Er selbst ist der Märchenkönig Sekakis; die magischen Kräfte des Talismans in seiner Brust sind durch seine Liebe geweckt; alle Gegenspieler werden unschädlich gemacht, George und Dörtje aber von allen Irrtümern, die ihr Leben verstörten, erlöst. Sie sterben als blühende Distel und Blumenprinzessin einen verklärten Liebestod. Peregrinus hingegen – »*zum höchsten Leben entzündet*« – lebt mit seinem Röschen in bürgerlicher Beschaulichkeit, und »*die wundersame Geschichte von dem Meister Floh nimmt ein fröhliches und erwünschtes Ende*«.

Bei allen Möglichkeiten der allegorischen Ausdeutung des »*tollsten, wunderlichsten aller Märchen*« – wie sie von Hoffmanns Zeitgenossen versucht wurde – gilt es, die humoristische »Grundharmonie« der Erzählung zu verstehen. Die Situationskomik eines Duells mit Kinderpistolen, die grotesken Personenbeschreibungen, die bizarren Erfindungen stehen im Dienste des erzählerischen Humors, der den Zusammenklang der »*Dissonanz der Erscheinungen*« stiftet. Zum rechten Erkennen dieser Einheit des Heterogenen – es ist, wie Hoffmann sagt, der »*im ganzen Märchen vorherrschende Gedanke*« – sind alle Hauptfiguren aufgerufen. Leuwenhoek und sein Rivale, der Magier und Naturwissenschaftler Swammerdamm, die »*die Natur . . . erforschen, ohne die Bedeutung ihres innersten Wesens zu ahnen*«, d. h., ohne sie zu lieben, verfehlen die rechte Einsicht und verfallen damit der Gelehrtensatire. Dörtje und George ist die Erkenntnis ihrer präexistenten harmonischen Liebe durch Egoismus verstellt, sie können sich somit nicht aus eigener Kraft »erlösen«. Ähnlich sind Peregrinus' wohltätige Weihnachtsbescherungen Inszenierungen seiner zunächst vorherrschenden Eigenliebe. Erst seine Beschützerrolle gegenüber Meister Floh und dessen Gedankenmikroskop – es steht allegorisch für die unbestechliche Vernunft – erwecken in ihm das geforderte höhere Bewußtsein. Die letzte Erkenntnis und zugleich Lösung aller Verwicklungen folgt jedoch aus seinem liebenden Vertrauen zu Röschen. Solches Erkennen in Liebe findet seine formale Entsprechung im Humor, zu dessen Spielarten auch Meister Flohs heitere Überlegenheit angesichts einer schlimmen Welt gehört.

Als humoristischen Schriftsteller bezeichnete sich Hoffmann in seiner bedeutsamen Erklärung zu den gerichtlichen Anschuldigungen des preußischen Polizeidirektors v. Kamptz, der in der sogenannten Knarrpanti-Episode des Märchens eine persönliche Satire auf sein Vorgehen in der Demagogenverfolgung sah. Der Text wurde von der Zensur gekürzt – trotz des Autors beredter Argumentation für die Autonomie des Kunstwerks: auch Knarrpanti, führte Hoffmann aus, sei auf die Motivik des rechten Erkennens bezogen, die über die politische Tagessatire hinausgehe. – Die Reaktion der Tageskritik war zwiespältig, da man im zensierten Werk vergeblich die von Hoffmann angekündigte politische Aggressivität suchte. Gegenüber dem vollständigen Text wuchs dann freilich auch das tiefere Verständnis für das nur scheinbar harmlos-launige Märchen, dessen »inneren Kitt« (den HEINE vermißte) die Verbindung des allegorischen Erlösungsmotivs mit der Bewußtseins-Thematik im Humor des Erzählers herstellt. J. Schö.

AUSGABEN: Ffm. 1822 [zensiert]. – Bln. 1908, Hg. u. Nachw. H. v. Müller [vollst.]. – Bln./Lpzg. 1922 (in *SW*, Hg. L. Hirschberg, 14 Bde., 11). – Bln./Lpzg. 1927 (in *Werke*, Hg. G. Ellinger, 15 Tle., 10). – Vaduz 1947 (in *Die Märchen*; Ill. A. Kubin). – Freiburg i. B. 1965 (in *Werke*, Hg. G. Spiekerkötter, 5 Bde., 5). – Mchn. 1965 (in *Späte Werke*, Hg. u. Einl. W. Müller-Seidel).

LITERATUR: G. Ellinger, *Das Disziplinarverfahren gegen E.T.A.H.* (in DRs, 32, 1906, S. 79–103). – M. Voigt, *›Zeherit‹ in E. T. A. H.s »Meister Floh«* (in GRM, 6, 1914, S. 353–355). – G. Fittbogen, *E. T. A. H.s Stellung zu den ›demagogischen‹ Umtrieben und ihre Bekämpfung* (in PJb, 189, 1922, S. 79–92). – Ders., *Zu E. T. A. H.s »Meister Floh«* (ebd., 193, 1923, S. 213–220). – M. G. Gorlin, *Gogol und E. T. A. H.*, Lpzg. 1933. – W. H. McClain, *E. T. A. H. as Psychological Realist. A Study of »Meister Floh«* (in MDU, 47, 1955, S. 65–80). – N. Rockenbach, *Bauformen romantischer Kunstmärchen. Eine Studie zur epischen Integration des Wunderbaren bei E. T. A. H.*, Diss. Bonn 1957. – B. Tecchi, *Le fiabe di E. T. A. H.*, Florenz 1962.

NUSSKNACKER UND MAUSEKÖNIG. Phantastisches Märchen von Ernst Theodor Amadeus HOFFMANN (1776–1822), zuerst veröffentlicht 1816 im ersten Band der *Kinder-Mährchen* von K. W. CONTESSA, F. Baron de LA MOTTE FOUQUÉ und E. T. A. Hoffmann; 1819 in den ersten Band der *Serapions-Brüder* aufgenommen.

Das Märchen, das autobiographische Momente enthält – z. B. das Verhältnis Hoffmanns zu den Kindern seines Freundes E. Hitzig – führt zunächst in die Alltagswirklichkeit einer Weihnachtsbescherung im Hause des Medizinalrates Stahlbaum. Für dessen Kinder Fritz und Marie hat der Pate Droßelmaier, ein ironisches Selbstporträt des Verfassers, das gewohnte mechanische Spielzeug gebastelt. Doch Fritz spielt lieber mit seinen Soldaten und Marie mit einem gar nicht hübschen Nußknacker, der aber so »*wehmütig freundlich*« dreinschaut, daß sie die kleine Figur recht lieb gewinnt und sich bis tief in die Nacht hinein mit ihr beschäftigt. Schlag zwölf werden die Spielsachen lebendig, eine Unzahl von Mäusen kriecht aus dem Fußboden: Marie bekommt es mit der Angst zu tun, stößt in eine Glasscheibe und verletzt sich schwer. Sie wird Augenzeugin einer grotesken Schlacht zwischen dem Heer des Mausekönigs und den Puppen sowie Spielsoldaten, die der Nußknacker befehligt. Als ihr Liebling der Übermacht der Mäuse zu erliegen droht, sinkt das Mädchen in Ohnmacht. An ihrem Krankenbett erzählt Droßelmaier das »*Märchen von der harten Nuß*«, das die Häßlichkeit der Nußknacker erklären soll. Der Mausekönig hatte einst die Prinzessin Pirlipat in ein Gnomwesen verwandelt, nur der Genuß des süßen Kerns der Nuß Krakatuk kann ihr die ursprüngliche Gestalt zurückgeben. Ein junger Mann, der sich noch nie rasiert und keine Stiefel getragen hat, muß die überharte Nuß mit seinen Zähnen knacken. Nach langer Suche findet der königliche Hofuhrmacher – es ist Droßelmaier selbst – in Nürnberg die goldene Nuß und in seinem Neffen den geeigneten Jüngling. Die Prinzessin erhält ihre Schönheit zurück, weigert sich aber, ihren Retter zu heiraten, da ihn die heimtückische Frau Mauserink plötzlich in einen häßlichen Krüppel verzaubert hat. – Allmählich wird Marie klar, daß »ihr« Nußknacker die undankbare Prinzessin erlöste und nun in ständiger Fehde mit dem Mausekönig lebt. Der wiederum fordert unter Todesdrohungen für ihren Schützling von Marie allnächtlich Zuckerwerk und Spielsachen. Schließlich hat der zum Alptraum gewordene Spuk ein Ende: Der Nußknacker ersticht den Mausekönig, und als Marie ihm erklärt, daß sie an der Stelle der Prinzessin auch den mißgestalteten Retter geheiratet hätte, steht der hübsche Neffe Droßelmaiers vor der Tür, bittet um die Hand des Mädchens und bietet ihr die Mitherrschaft auf dem Marzipanschloß im Zuckerbäckerreich an.

Alltagswelt und skurrile Märchenwelt, Desillusion des Wunderbaren und komische Phantastik, Kinderperspektive und ironische Überlegenheit durchdringen sich in diesem »Kindermärchen«, dessen Fabulierfreude und »*fantastischer Übermut*« zwar den Gegensatz zwischen bürgerlicher Realität und Phantasiewelt nicht so schroff artikuliert wie z. B. im *Goldnen Topf*, doch die »reine«, von aller Wirklichkeit befreite Märchenstimmung kommt auch hier nie zustande. Selbst das »*spaßhafte*« Nuß-Märchen steckt voller satirischer Bezüge, und für Marie bedeutet die Begegnung mit dem Wunderbaren auch Angst, Grauen und Krankheit. Die Serapionsbrüder weisen im Rahmengespräch selbst auf diese den Kinderverstand übersteigenden Bezüge hin wie auch auf die »*feinen Fäden, die sich durch das Ganze ziehen, und in seinen scheinbar völlig heterogenen Teilen zusammenhalten*«. Sie verknüpfen sich im Motiv der erlösenden Kraft altruistischer Menschlichkeit: in Mariens Neigung zum ungestalten Nußknacker und in dessen Gegenliebe, die schließlich beide das »*schöne blanke Reich*« der Poesie nahezu ungetrübt im Konditorwaren-Reich genießen läßt. – Die unter dem Titel *Histoire d'un casse-noisette* 1845 erschienene französische Übersetzung des Märchens von Alexandre DUMAS Père gab dieser als ein eigenes Werk aus. Pëtr I. Čajkovskij verdankte Hoffmann den Stoff zu seinem Ballett *Der Nußknacker* (1892). J. Schö.

AUSGABEN: Bln. 1816 (in *Kinder-Mährchen. Von K. W. Contessa, Friedrich Baron de la Motte Fouqué und E. T. A. H.*, 2 Bde., 1). – Bln. 1819 (in *Die Serapionsbrüder*, 4 Bde., 1819–1821, 1). – Lpzg. 1906 (in *SW*, Hg. E. Grisebach, 15 Bde., 6). – Bln / Lpzg. 1927 (in *Werke*, Hg. G. Ellinger, 15 Bde., 5). – Mchn. 1954 [Ill. A. Ségur]. – Stg. 1958 (RUB, 1400). – Mchn. 1963 (in *Die Serapions-Brüder*, Hg. W. Müller-Seidel, Anm. W. Segebrecht; Ill. Th. Hosemann). – Ffm. 1967 (in *Werke*, Hg. H. Kraft u. M. Wacker, 4 Bde., 2).

VERTONUNGEN: C. Reinecke, *Nußknacker und Mausekönig*, Lpzg. 1870. – P. I. Čajkovskij, *Der Nußknacker* (Ballett; Urauff. Petersburg 1892). H. F. Schaub, *Nußknacker und Mausekönig* (Orchestersuite; Urauff. Bln. 1922).

LITERATUR: H. Todsen, *Über die Entwicklung des romantischen Kunstmärchens. Mit besonderer Berücksichtigung von Tieck und E. T. A. H.*, Diss. Mchn. 1906, S. 79–84. – H. v. Müller, *Die Märchen der Serapionsbrüder von E. T. A. H., Nachw.*, Bln. ²1920, S. 312–332. – O. Reimann, *Das Märchen bei E. T. A. H.*, Diss. Mchn. 1926. – N. Rockenbach, *Bauformen romantischer Kunstmärchen. Eine Studie zur epischen Integration des Wunderbaren bei E. T. A. H.*, Diss. Bonn. 1957. – B. Tecchi, *Una fiaba di E. T. A. H. Schiaccianoci e il re dei topi* (in AION, sez. Germ., 1, 1958, S. 13–26). – Ders., *Le fiabe di E. T. A. H.*, Florenz 1962. – K. G. Negus *E. T. A. H.'s Other World. The Romantic Author and His New Mythology*, Philadelphia 1965.

PRINZESSIN BRAMBILLA. Ein Capriccio nach Jakob Callot von Ernst Theodor Amadeus HOFFMANN (1776–1822), erschienen 1820. – Dieses »Spätwerk« des Autors wurde angeregt von »*Callots fantastisch karikierten Blättern*« zu *Commedia dell'arte*-Szenen; acht der Radierungen sind der Druckausgabe beigegeben. Mit dem Hinweis auf den Terminus »Capriccio« betont Hoffmann die Eigenart der Erzählung: er lege das »*kecke launische Spiel eines manchmal zu frechen Spukgeistes*« vor, man dürfe nicht alles gar so ernst nehmen, doch hinter den »*Ungereimtheiten und Spukereien*« zeige sich durchaus eine »*aus ... philosophischer Ansicht des Lebens geschöpfte Hauptidee*«.

Die Handlung beginnt am Vorabend des römischen Karnevals; das sich entwickelnde Ineinander von alltäglicher Liebesgeschichte, Maskentreiben und phantastischem Geschehen in einem mythischen Fabelreich wird zum Strukturprinzip: Das »*bunte Maskenspiel eines tollen märchenhaften Spaßes*«

hetzt *»allerlei Gestalten in immer schnelleren und schnelleren Kreisen dermaßen durcheinander, daß man sie ... gar nicht mehr zu unterscheiden vermag«.* Als Hauptfiguren erscheinen die zierliche Putzmacherin Giacinta und ihr Liebster, der geckenhafte, egozentrische Schauspieler Giglio, der nun von der Liebe zur ebenso reichen wie schönen äthiopischen Prinzessin Brambilla träumt. Er wird bei der Suche nach seinem Traumbild in eine Vielzahl grotesker und phantastischer Abenteuer verwickelt, man hält ihn schließlich für verrückt, sein Engagement wird gekündigt; auch Giacinta will nichts mehr von ihm wissen, denn sie hofft gleichfalls auf fürstliche Liebe und träumt vom assyrischen Prinzen Cornelio, dem Bräutigam der Prinzessin Brambilla, und von seinen unermeßlichen Reichtümern. Im Rausch von Gelagen, Umzügen und Tänzen hält sich schließlich Giglio für den Prinzen Cornelio und tötet sein früheres Schauspieler-Ich, den Doppelgänger, im Duell um die Gunst der Prinzessin Brambilla. Im Palast des Prinzen Bastaniello di Pistoja wird er endlich glücklich mit ihr vereint, erkennt in ihr seine Giacinta und wird so von seinem *»chronischen Dualismus«* geheilt.
Mit dem Karnevalsgeschehen um Verwechslung und Erkennen verschränkt sich die mythisierende Erzählung vom »Urdarsee«, die *»recht hineinleitet in den Kern der Hauptgeschichte«* (vgl. die Atlantis-Mythe im *Goldnen Topf*). Der König Ophioch des Reiches Urdargarten ist durch ewig grübelndes Nachsinnen in Melancholie verfallen; auch eine Ehe mit der von alberner Lachlust besessenen Königin Liris vermag ihn nicht zu kurieren. Erst der Blick in den *»wunderbaren sonnenhellen Spiegel des Urdarsees«* heilt das Herrscherpaar von seinen einseitigen Veranlagungen: Lachend erkennen sie sich selbst in *»verkehrter Abspiegelung«* und schauen eine *»neue herrliche Welt voll Leben und Lust«.* Doch Zaubermacht trübt den Urdarsee; seine »Klärung« und Giglios und Giacintas »Erlösung« aus ihren Verwirrungen sind in der Sinnstruktur des Capriccios aufeinander bezogen: Die beiden finden das mythische Reich Urdargarten im Palast Pistoja *»einlogiert«*, mit ihrer Vereinigung wird der Urdarsee wieder spiegelklar, so daß sie im fremden Ich, als Prinz und Prinzessin, sich selbst und die *»Faxen des ganzen Seins«* erkennen können.– In der Erzählung, die *»einem Märchen auf ein Haar gleicht«*, wird wiederholt davor gewarnt, *»zu sehr ins Allegorische zu fallen‹.* Eine rein allegorische Ausdeutung verfehlt den kunstvoll verwirrenden Aufbau des Capriccios. Im Mythos vom Urdarsee ist zweifelsohne die poetische Verfahrensweise des Humors allegorisch konkretisiert: als Möglichkeit, die bedrohliche *»Duplizität«* zwischen Wirklichkeit und Übersinnlichem, zwischen objektiver Vernunft und subjektiver Phantasie durch Reflexion in einer höheren harmonischen Anschauung aufzuheben. Diese poetische Verfahrensweise wirkt ins Erzählgeschehen selber hinein: Giglio und Giacinta sind zunächst *»Spielwerk«*, Protagonisten eines wirbelnden *Commedia dell'arte*-Geschehens, und schließlich doch fähig, »humorvoll« ihre eigene Rolle im Spiel des Seins zu durchschauen. Aber auch der Leser selbst ist bewußt in die Verwirrungen einbezogen: Statt nach rationalen Erklärungen für die phantastischen Vorfälle zu suchen, soll er sich *»willig dem Wunderbaren hingeben«.*
Die aus Hoffmanns vorausgegangenen Werken (vgl. *Der Sandmann*) bekannten irrationalen Erfahrungen des Dämonischen sowie des Identitätsverlustes sind hier »bewältigt« in dem alle Verwirrungen des Seins aufhebenden freien Spiel der poetischen Kraft des Humors: Die Erzählung wird zur Bühne, auf der eine höchst tiefsinnige *commedia dell'arte* der Selbst- und Welterkenntnis abrollt; sie ist als verkehrendes Spiegelbild mit dem Urdarsee identisch. Quasi als Regisseur der Ereignisse fungiert der Fürst Bastaniello in der Rolle des Scharlatans und Drahtziehers Celionati. Rein faktisch läßt sich das Geschehen auf seinen Versuch reduzieren, durch geschickte Intrigen Giglio, den Hauptakteur des verlogen pathetischen, auf bloßen Effekt abzielenden Theaters im Stile des Abbate Chiari, für die *»tolle Lustigkeit«* der Stegreif-Komödie zu gewinnen. Doch sind diese Vorgänge nur ein Teil von Hoffmanns meisterhaft »anschaulichem« Plädoyer für eine neue humoristische Kunst, dem sich auch die zahlreichen theoretisierenden Gespräche über Komik, Scherz und Humor unterordnen (Baudelaire bezeichnet in *De l'essence du rire* das Capriccio als *»un catéchisme de haute esthétique«*). – Viele der Zeitgenossen Hoffmanns konnten mit der *Prinzessin Brambilla* nichts anfangen, so auch der Freund J. E. Hitzig. Die ältere literarhistorische Forschung (G. Ellinger, H.-A. Korff) lehnte das Capriccio als überspannt und uneinheitlich ab; mittlerweile (W. Preisendanz) ist es jedoch als eines der bedeutendsten Werke humoristischer Erzählkunst gewürdigt. J. Schö.

Ausgaben: Tübingen 1820 (in Morgenblatt f. gebildete Stände, 14, Nr. 42). – Breslau 1821. – Bln./Lpzg. 1927 (in *Werke*, Hg. G. Ellinger, 15 Tle., 10). – Bln. 1961 (in *Poetische Werke*, 12 Bde., 10). – Mchn. 1965 (in *Späte Werke*, Hg. W. Müller-Seidel, Anm. W. Segebrecht; Ill. Th. Hosemann). – Ffm. 1967 (in *Werke*, Hg. H. Kraft und M. Wacker, 4 Bde., 3).

Vertonung: W. Braunfels, *Prinzessin Brambilla* (1908; Text: E. T. A. H.; Oper).

Literatur: J. May, *E. T. A. H.s theatralische Welt*, Diss. Erlangen 1950. – A. Schneider, *Le double prince. Un important emprunt de E. T. A. H. à G. Ch. Lichtenberg* (in Annales Universitatis Saraviensis, Philos. Lettres, 2, Saarbrücken 1953, S. 292–299). – R. Mülher, *»Prinzessin Brambilla«. Ein Beitrag zum Verständnis der Dichtung* (in Mitteilungen der E. T. A. Hoffmann-Ges., 5, 1958, S. 5–24). – B. Tecchi, *E. T. A. H.s »Prinzessin Brambilla«* (in *Weltbewohner und Weimaraner. Fs. für E. Beutler*, Hg. B. Reifenberg u. E. Staiger, Zürich/Stg. 1960, S. 301–316). – I. Strohschneider-Kohrs, *Die romantische Ironie in Theorie und Gestaltung*, Tübingen 1960, S. 362–420. – W. Sdun, *E. T. A. H.s »Prinzessin Brambilla«. Analyse und Interpretation einer erzählten Komödie*, Diss. Freiburg i. B. 1961. – P. Requadt, *Norden und Süden in der Allegorik von E. T. A. H.s »Prinzessin Brambilla«* (in P. R., *Die Bildersprache der deutschen Italiendichtung von Goethe bis Benn*, Bern/Mchn. 1962, S. 125–130). – W. Preisendanz, *Humor als dichterische Einbildungskraft*, Mchn. 1963, S. 50–56. – K. G. Negus, *E. T. A. H.'s Other World, the Romantic Author and His New Mythology*, Philadelphia 1965, S. 139–149. – Th. Kramer, *Das Groteske bei E. T. A. H.*, Mchn. 1966. – W. Segebrecht, *Autobiographie und Dichtung. Eine Studie zum Werk E. T. A. H.s*, Stg. 1967 [Geleitw. W. Müller-Seidel; m. Bibliogr.].

DIE SERAPIONS-BRÜDER. Erzählzyklus in vier Bänden von Ernst Theodor Amadeus HOFFMANN (1776–1822), erschienen 1819–1821. – Zu seinem dritten Erzählzyklus nach den *Fantasiestücken* (1814/15) und den *Nachtstücken* (1816/17) wurde Hoffmann durch den Berliner Verleger Reimer angeregt, der ihm im Februar 1818 eine Gesamtausgabe aller Erzählungen vorschlug, die bislang in Zeitschriften, Taschenbüchern und Almanachen verstreut erschienen waren. Bei der Zusammenstellung ganz unterschiedlicher Werke beschäftigte den Dichter von Anfang an die Frage ihrer sinnvollen Anordnung und Verknüpfung, und so erkundigte er sich umgehend bei seinem Verleger, ob es »*gerathener*« sei, »*die Sachen unter dem simplen Titel: Erzählungen gehn zu lassen oder eine Einkleidung zu wählen nach Art des Tiekschen Phantasus*«. In der Rahmenhandlung, für die Hoffmann sich schließlich entschied, treffen sich vier, vom *Vierten Abschnitt* an sechs literarisch interessierte Freunde in regelmäßigen Abständen und lesen dabei aus eigenen Werken vor. Hoffmann verteilte die achtundzwanzig zwischen 1813 und 1821 entstandenen Erzählungen und Märchen, unter denen nur → *Die Bergwerke zu Falun* (1819) und *Die Königsbraut* (1821) Erstveröffentlichungen sind, auf acht Zusammenkünfte der Freunde und ließ sie in vier Bänden mit dem Untertitel *Gesammelte Erzählungen und Mährchen. Herausgegeben von E. T. A. Hoffmann* erscheinen.

Trotz der ausdrücklichen Berufung auf TIECKS Erzählzyklus hatte Hoffmann bei der Abfassung seiner Rahmenhandlung im wesentlichen jene »Seraphinen-Abende« vor Augen, zu denen er sich in den Jahren 1814–1818 regelmäßig mit seinen Freunden FOUQUÉ, Hippel, HITZIG, Robert, Koreff, CHAMISSO und SALICE-CONTESSA getroffen hatte. So wurde der geplante Erzählzyklus zunächst auch unter dem Titel *Die Seraphinenbrüder* angekündigt. Die schließliche Änderung des Titels hatte ebenfalls einen biographischen Anlaß, und zwar die Rückkehr Chamissos von einer Weltreise am 14. November 1818, dem Tag des Heiligen Serapion. In Zusammenhang mit diesem rein zufälligen Datum entwickelte Hoffmann eine dichterische Theorie, das sogenannte »*serapiontische Prinzip*«, welches so umfassend konzipiert war, daß es die heterogensten Erzähltypen miteinander verknüpfen konnte: das Märchen mit der historischen Erzählung, die Gespenstergeschichte mit dem Kriminalbericht und der Künstlernovelle.

Die vier Freunde Theodor, Lothar, Ottmar und Cyprian, die in manchen Zügen an Hoffmann, Fouqué, Hitzig und Chamisso erinnern, sehen sich nach langer Trennung wieder und klagen über die »*unbezwingliche Macht der Zeit*«, die die alte »*Gemütlichkeit*« unter ihnen nicht mehr aufkommen lasse. Um den Widersinn ihres Versuchs einer bruchlosen Anknüpfung an Vergangenes zu entlarven, berichtet Cyprian den Freunden von seinen Erlebnissen mit dem wahnsinnigen Grafen P***, dem er vor Jahren in Süddeutschland begegnet sei. Dieser hochbegabte, zu einflußreicher Stellung bestimmte Weltmann war plötzlich von der fixen Idee besessen, mit dem Märtyrer Serapion identisch zu sein, »*der unter dem Kaiser Dezius in die Thebaische Wüste floh und in Alexandrien den Märtyrertod litt*«. Jeder Gebundenheit an Zeit und Raum spottend, hatte er sich als »Priester Serapion« in eine einsame Waldgegend zurückgezogen, die er für die Thebaische Wüste hielt. Allen rationalen Argumenten, mit denen Cyprian den Grafen zur Einsicht zu bringen hoffte, war der vermeintliche Serapion mit der »*Konsequenz seiner Narrheit*« begegnet, indem er sich auf die Subjektivität aller Wahrnehmungen berief und die Wirklichkeit nur als Produkt des Geistes gelten lassen wollte: »*Viele haben ... gemeint, ich bilde mir nur ein, das vor mir im äußern Leben wirklich sich ereignen zu sehen was sich nur als Geburt meines Geistes, meiner Fantasie gestalte. Ich halte dies nun für eine der spitzfündigsten Albernheiten die es geben kann. Ist es nicht der Geist allein, der das was sich um uns her begibt in Raum und Zeit, zu erfassen vermag? ... (und) so hat sich das auch wirklich begeben was er dafür anerkennt.*« Diese Absage an die objektive Wirklichkeit hatte bei Serapion jedoch eine Konzentration auf die Bilder seiner Vorstellungskraft bewirkt, die ihn zum »*geistreichsten, mit der feurigsten Fantasie begabten Dichter*« machte, dessen »*Gestalten ... mit einem glühenden Leben*« hervortraten, »*daß man fortgerissen, bestrickt von magischer Gewalt wie im Traum daran glauben mußte, daß Serapion alles selbst wirklich von seinem Berge erschaut*«. – Cyprians Zuhörer erklären Serapions Wahnsinn für ein gesteigertes Dichtertum und beschließen am Tag ihres Zusammentreffens nach langer Trennung, am Tag des Heiligen Serapion, ihren Freundesbund im Zeichen des Einsiedlers zu erneuern und sein »*wirkliches Schauen*« zum Grundgesetz ihrer Dichtungen zu erklären: »*Jeder prüfe wohl, ob er auch wirklich das geschaut, was er zu verkünden unternommen, ehe er es wagt laut damit zu werden ... Der Einsiedler Serapion sei unser Schutzpatron, er lasse seine Sehergabe über uns walten, seiner Regel wollen wir folgen als getreue Serapions-Brüder!*«

Damit wird die »*Callotsche Manier*« der vorangegangenen Erzählzyklen, in denen ein »*reisender Enthusiast*« die Umwelt aus der Optik seiner »*aufgeregten Fantasie*« wiedergegeben hatte, durch das »*serapiontische Prinzip*« ersetzt, das Hoffmanns bewußtere Bindung an die Realität umschreibt. Denn wenn den Freunden auch Serapions Sehertum beispielhaft ist, so erkennen sie doch zugleich in der einseitigen Verabsolutierung von Geist und Phantasie auf Kosten der Wirklichkeit die Ursache seines Wahnsinns: »*Armer Serapion, worin bestand dein Wahnsinn anders, als daß irgendein feindlicher Stern dir die Erkenntnis der Duplizität geraubt hatte, von der allein unser irdisches Sein bedingt ist ... du ... statuiertest keine Außenwelt, du sahst den versteckten Hebel nicht, die auf dein Inneres einwirkende Kraft; und wenn du mit grauenhaftem Scharfsinn behauptetest, daß es nur der Geist sei, der sehe, höre, fühle, der Tat und Begebenheit fasse, und daß also auch sich wirklich das begeben was er dafür anerkenne, so vergaßest du, daß die Außenwelt den in den Körper gebannten Geist zu jenen Funktionen der Wahrnehmung zwingt nach Willkür.*« Das serapiontische Prinzip zielt somit auf einen Ausgleich von Phantasie und Wirklichkeit, auf die Harmonie von Geist und Körper, Innen- und Außenwelt. Wo dieses Gleichgewicht gestört ist, kommt es zu jenen Krankheiten des Geistes und der Seele, die in den Berichten und Erzählungen der Serapions-Brüder immer wieder thematisch werden: in der Darstellung von Sonderlingen *(→ Rath Krespel, Der Baron von B., Der Baron von R.)*, Magnetiseuren und ihren automatenhaften Geschöpfen *(Eine Spukgeschichte, Der unheimliche Gast, Die Automate)*, von Kranken (Antonie in *Rath Krespel*, *Zacharias Werner*) oder der Leidenschaft und dem Wahn Verfallenen *(→ Das Fräulein von Scuderi,*

Spielerglück, Geschichte vom Einsiedler Serapion, Der Artushof). So wird das an der Gestalt des wahnsinnigen Serapion entwickelte »*Mißverhältnis des innern Gemüts mit dem äußern Leben*« zu einem zentralen Thema des Zyklus. Als Verkörperung der Wiederkehr von Vergangenem weist Serapion darüber hinaus auch auf die Gespenster- und Revenantgestalten des Zyklus *(Der unheimliche Gast, Die Brautwahl)* und bestimmt vor allem die Eigenart der Stoff- und Themenwahl vieler Erzählungen. Denn die Freunde beschließen, in ihren Erzählungen hauptsächlich auf bekannte Stoffe zurückzugreifen und diese neu zu gestalten, so daß nicht die Originalität der Erfindung, sondern die Ausführung, das »*wirkliche Schauen*« Serapions zum Kriterium ihrer Dichtungen erhoben wird. Sie beziehen sich auf bekannte Gemälde *(Die Fermate, Der Artushof, → Doge und Dogaresse)*, auf alte Chroniken wie auf zeitgenössische Berichte *(Der Kampf der Sänger, → Meister Martin der Küfner und seine Gesellen, Nachricht aus dem Leben eines bekannten Mannes, Die Brautwahl, → Das Fräulein von Scuderi, → Die Bergwerke zu Falun)*. Bei dieser Art von Nachahmung der Kunst in der Kunst geht es nicht um ein bruchloses Fortführen von Vergangenem, wie es Serapion in seinem Wahn, wie es die beiden Kantianer, die ein abgebrochenes Streitgespräch da wiederaufnehmen, wo sie vor zwanzig Jahren unterbrochen worden waren, wie es die Freunde zu Beginn ihres Zusammenseins selbst versucht hatten, sondern um lebendige Aneignung und Neugestaltung, die allein eine schöpferische Verwandlung ermöglichen. In diesem Sinn werden auch traditionelle epische Gattungen erneuert, wie die Novelle italienischen Stils *(→ Signor Formica)* oder das Märchen *(→ Nußknacker und Mausekönig, Das fremde Kind, Die Königsbraut)*.

Indem es Hoffmann gelingt, die disparatesten Erzählungen unter ein einziges künstlerisches Gesetz zu subsumieren, bewirkt die eher zufällig entstandene Rahmenhandlung eine erstaunliche »*Geschlossenheit des Zyklus*« (Walter Müller-Seidel). Zu dieser Geschlossenheit trägt neben den Ausführungen zum serapiontischen Prinzip auch die übrige Rahmenhandlung bei. Das gesellige Beisammensein der Freunde bestimmt mit seiner Forderung nach »*Gemütlichkeit*« zunächst die Anordnung der einzelnen Erzählungen, die das »*Schauerliche mit dem Heitern*« abwechseln und mehrere Zusammenkünfte mit einem Märchen schließen läßt, damit die Freunde in der »*frohesten*« und »*gemütlichsten Stimmung*« auseinandergehen können. Weiter leiten die verschiedenen Gespräche der Serapions-Brüder über Krankheit, Magnetismus, Somnambulismus und über die Nachtseiten der Natur, über Geselligkeit und Konversation, ihre Diskussionen über einzelne Dichter, über literarische Gattungen wie über allgemeine ästhetische Probleme zum jeweiligen Thema der folgenden Erzählung über. Das Gespräch selbst kann unversehens in Erzählung übergehen, wie andererseits einzelne Werke in Gesprächsform dargeboten werden *(Der Dichter und der Componist, Alte und neue Kirchenmusik)*, so daß es zu immer neuen Verzahnungen von Rahmen und Erzählung kommt. Die Rahmenfiktion verschiedener Erzählerpersönlichkeiten rückt zudem die einzelnen Dichtungen in eine andere Distanz als die isolierte Veröffentlichung. Dieser Abstand zum Erzählten wird durch die anschließende kritische Beurteilung von seiten der Freunde noch verstärkt, deren Bemerkungen über die mutmaßliche Wirkung des Erzählten auf den zukünftigen Leser oder Hörer darüber hinaus Fragen einer modernen Wirkungsästhetik vorwegnehmen.

Mit seiner Entscheidung für die zyklische Form knüpfte Hoffmann bewußt an die Tradition großer Erzählzyklen an, die – von Boccaccio über Marguerite d'Angoulême bis zu Goethe und Tieck – mit dem Erzählten zugleich auch immer die Kunst des Erzählens und seine Bedingungen reflektiert haben. H. Ei.

Ausgaben: Bln. 1819–1821, 4 Bde. (Bd. 1: *Geschichte vom Einsiedler Serapion, Rath Krespel, Die Fermate, Der Dichter und der Componist, Der Artushof, Die Bergwerke zu Falun, Nußknacker und Mausekönig*. Bd. 2: *Der Kampf der Sänger, Eine Spukgeschichte, Die Automate, Doge und Dogaresse, Alte und neue Kirchenmusik, Meister Martin, Das fremde Kind*. Bd. 3: *Die Brautwahl, Der unheimliche Gast, Das Fräulein von Scuderi, Spieler-Glück, Der Baron von B.* Bd. 4: *Signor Formica, Zacharias Werner, Die Königsbraut*). – Bln./Lpzg. 1927 (in *Werke*, Hg. G. Ellinger, 15 Tle., 5–8). – Mchn. 1963 (in *Sämtliche Werke*, Hg. W. Müller-Seidel u. F. Schnopp, 5 Bde., 3; Ill. Th. Hosemann).

Literatur: H. Meyer, *Der Typus des Sonderlings in der deutschen Literatur*, Amsterdam 1943, S. 78 bis 80. – O. Nipperdey, *Wahnsinnsfiguren bei E. T. A. H.*, Diss. Köln 1957. – J. Wirz, *Die Gestalt des Künstlers bei E. T. A. H.*, Diss. Basel 1958. – H.-G. Werner, *E. T. A. H. Darstellung u. Deutung der Wirklichkeit im dichterischen Werk*, Weimar 1962. – W. Segebrecht, *Autobiographie u. Dichtung. Eine Studie zum Werk E. T. A. H.s*, Stg. 1967 (Geleitw. W. Müller-Seidel). – L. Köhn, *Vieldeutige Welt. Studien zur Struktur der Erzählungen E. T. A. H.s und zur Entwicklung seines Werkes*, Tübingen 1966. – J. Voerster, *160 Jahre E. T. A. H.-Forschung, 1805–1965*, Stg. 1967.

WILHELM VON HUMBOLDT
(1767–1835)

IDEEN ZU EINEM VERSUCH, DIE GRENZEN DER WIRKSAMKEIT DES STAATS ZU BESTIMMEN. Staatsphilosophischer Essay von Wilhelm von Humboldt (1767 1835), entstanden 1792. – Nachdem Teilabdrucke dieser Untersuchung in der ›Berlinischen Monatsschrift‹ und in der von Schiller herausgegebenen ›Neuen Thalia‹ erschienen waren und die Zensur wegen der weiteren Publikation Schwierigkeiten gemacht hatte, Humboldt außerdem bald Bedenken trug, diese unausgereifte »grüne Frucht« der Öffentlichkeit vorzulegen, blieb das Manuskript ungedruckt, bis es schließlich fünfzehn Jahre nach Humboldts Tod aufgefunden und 1851 von Eduard Cauer herausgegeben wurde.

Die Eingrenzung der Aufgaben des Staats in dieser Frühschrift ergibt sich aus der Humanitätsidee Humboldts: »*Der wahre Zweck des Menschen*«, so beginnt das Werk, »*ist die höchste und proportionierlichste Bildung seiner Kräfte zu einem Ganzen.*« Diese Entfaltung der individuellen Kräfte ist nach Ansicht des Verfassers nur in einer freiheitlichen Atmosphäre möglich, die lediglich durch die Begrenztheit der Kräfte des einzelnen und das Recht eingeschränkt wird. Unter diesem Gesichtspunkt bestreitet er, daß der Staat das physische Wohl seiner Bürger fördern müsse; denn mit einer Unterstützung durch die öffentliche Hand laufe stets eine Erschlaffung der Energie der Bürger parallel, und die Folge sei, da staatliche Eingriffe immer die ursprüngliche Mannigfaltigkeit individueller Bestrebungen vereinheitlichen, eine geistige Verarmung. Humboldt sieht deshalb die beste Erziehungsmethode in der Freiheit, die jedem Individuum dadurch, daß es auftretende Schwierigkeiten selbst zu überwinden hat, zu Stärke und Geschicklichkeit verhilft. So ergibt sich als ausschließliche Aufgabe des Staats, die Sicherheit der Bürger innerhalb des Gemeinwesens und nach außen hin zu gewährleisten, ein Gedanke den schon Humboldts Lehrer Christian Wilhelm von Dohm vertreten hatte.

Nun hat jedoch der Staat schon des öfteren versucht, den Sicherheitsfaktor innerhalb der Gemeinschaft durch Einwirkung auf die Erziehung, die Religion und die allgemeinen Sitten zu erhöhen. Solche Maßnahmen lehnt Humboldt entschieden ab, da in der vom Staat gelenkten, vereinheitlichten Bildungspolitik der Mensch dem Bürger geopfert, die Denkfreiheit durch direkte Förderung einer bestimmten Religion eingeschränkt werde und eine systematisch angestrebte Hebung der Sittlichkeit insofern überflüssig sei, als der Mensch natürlicherweise viel eher zu wohltätigen als zu eigennützigen Handlungen veranlagt sei. – In seiner Erörterung der Sicherheit des Staats nach außen hin entwickelt Humboldt zwei Gesichtspunkte, die in der geschichtlichen Entwicklung der folgenden Jahrzehnte eine außerordentliche Rolle spielten, innerhalb seines eigenen Entwurfs jedoch episodisch, wenn nicht gar widersprüchlich wirken: die absolute »*widerspruchslose Macht*« des Staats und, um diese im entscheidenden Fall verwirklichen zu können, die staatliche Einheit.

Humboldt gibt hier einen Idealentwurf zu der damals viel behandelten Frage der besten Staatsverfassung. Keineswegs erhebt er damit zugleich den Anspruch, daß seine Theorie auch ohne weiteres realisierbar sei. Denn grundsätzlich – so betont er abschließend und geht darin über alle aufklärerischen Traditionen des Jh.s, über Rousseau und Kant hinaus – müsse bei jeder Neuerung die gegebene geschichtliche »Lage« berücksichtigt werden; man solle grundsätzlich im Hinblick auf die zeitlichen Umstände »*jede Reform von den Ideen und Köpfen der Menschen ausgehen*« lassen. Diese Ansicht äußerte er schon in den 1791 entstandenen *Ideen über Staatsverfassung, durch die neue Französische Konstitution veranlaßt*, und auch später, als er seine Meinungen über die Wirksamkeit des Staats längst revidiert hatte, hielt er an der durch die jeweiligen geschichtlichen Gegebenheiten bedingten Individualität aller neu zu schaffenden Verfassungen fest. A. U.

Ausgaben: Bln. 1792 (in Berlinische Monatsschrift, Jan., Okt., Nov.; enth. *Ideen über Staatsverfassung, durch die neue Französische Konstitution veranlaßt*; *Über die Sorgfalt des Staates für die Sicherheit gegen auswärtige Feinde*; *Über die Sittenverbesserung durch Anstalten des Staates*). – Bln. 1792 (*Wie weit darf sich die Sorgfalt des Staates um das Wohl seiner Bürger erstrecken?*, in Neue Thalia, Bd. 2, 5). – Breslau 1851, Hg. E. Cauer [m.Einl.]. – Bln. 1903 (in *GS*, Hg. A. Leitzmann, 17 Bde., 1903–1936, 1; hist.-krit.), – Nürnberg 1954, Hg. R. Pannwitz [m. Einl.]. – Stg. 1967 (Nachw. R. Haerdter; RUB, 1991/1992a).

Literatur: A. Mann, *Das Verhältnis des Staates zum Bildungswesen im Lichte der Staatswissenschaft seit W. v. H.*, Diss. Jena 1900. – O. Kittel, *W. v. H.s geschichtliche Weltanschauung im Lichte des klassischen Subjektivismus der Denker u. Dichter von Königsberg, Jena und Weimar*, Lpzg. 1901. – S. A. Kähler, *W. v. H. u. der Staat*, Mchn./Bln. 1927; ern. Göttingen 1963. – P. Binswanger, *W. v. H.*, Frauenfeld/Lpzg. 1937. – J. Reichl, *Die Staats- u. Volksidee W. v. H.s von den Freiheitskriegen bis zu seinem Austritt aus dem preußischen Ministerium*, Diss. Wien 1939. – O. Burchard, *Der Staatsbegriff W. v. H.s in seinen »Ideen ...«. Eine Untersuchung zum Problem Zwangsrechtsnormen u. Individualverantwortlichkeit*, Diss. Hbg. 1948. – E. Spranger, *W. v. H. u. die Reform des Bildungswesens*, Tübingen 1960.

JEAN PAUL
(d. i. Johann Paul Friedrich Richter, 1763–1825)

BLUMEN- FRUCHT- UND DORNENSTÜKKE ODER EHESTAND, TOD UND HOCHZEIT DES ARMENADVOKATEN F. ST. SIEBENKÄS IM REICHSMARKTFLECKEN KUHSCHNAPPEL

von Jean Paul (d. i. Johann Paul Friedrich Richter, 1763–1825). Humoristischer Roman mit Beigaben (u. a. → *Rede des toten Christus*), erschienen 1796/97. – Als Lenette, die sich ihres Hochzeitsputzes wegen um einen Tag verspätet hat, mit zwei Haubenköpfen und in Begleitung des Schulrates Stiefel endlich in der möbliert gemieteten Stube ihres wartenden Bräutigams in Kuhschnappel eintrifft, ist die quälend-komische Konstellation dieser Ehe bereits gegeben: hier der sich und die Welt verspottende, an den »*Teufelspapieren*« (in Wahrheit ein satirisches Jugendwerk Jean Pauls, 1789) arbeitende Armenadvokat, der »*aus den Alten und seinem Humor eine unleugbare Verachtung gegen das Geld*« geschöpft hat – dort eine den Dingen des Alltags im Guten und Bösen verhaftete Hausfrau par excellence, die »*durch unverdroßne Feg- und Bürst-Arbeit seine dithyrambische Karthause so sauber, grade und glatt ... wie eine Billardtafel*« herstellt, aber nicht einsieht, daß sie die Schriftstellerruhe ihres Gatten mit ihren Lappen zugrunde »*kartätscht*«. Die behenden Verführungskünste eines Everard Rosa von Meyern vermögen wohl dem Gleichgewicht des Siebenkäs, nicht aber der Naivität Lenettens etwas anzuhaben. Dem trockenen Biedersinn Stiefels neigt diese indes immer vertrauensseliger zu. Als jener in einem Zwist Partei ergreift, bricht der schwelende Ehekonflikt zum offenen Zerwürfnis auf: Siebenkäs und Lenette verkehren nur noch brieflich miteinander. Ihre wirtschaftliche Notlage geht indirekt auf einen skurrilen Scherz des Mannes zurück: er hat während des Studiums mit seinem ihm zum Verwechseln ähnlichen Freunde Leibgeber den Namen getauscht. Sein geiziger Vormund Blaise hat dies zum Anlaß genommen, eine ihm zustehende Erbschaft zurückzuhalten. Leibgeber nun, der die »*Teufelspapiere*« an den Verleger gebracht hat, ruft seinen Freund nach Bayreuth. Hier erlebt dieser ersten Schriftstellerruhm und eine uneingestandene Neigung zu Herrn von Meyerns gefühlstiefer Verlobten Nathalie; beides erfüllt ihn mit neuem Leben. Er läßt sich von Leibgeber dazu bestimmen, einen Scheintod zu inszenieren, Lenette auf seinem »*Sterbebett*« dem »*Pelzstiefel*« anzuvertrauen, an Leibgebers Stelle

unter erneutem Namenswechsel beim Grafen Vaduz als Inspektor anzutreten und durch eine geschickte Manipulation sowohl Lenette als Nathalie aus der Witwenkasse versorgen zu lassen. Leibgeber selbst wandert in das Ungewisse der Welt hinaus und als »Schoppe« in Jean Pauls *Titan* hinein. Am Grabe Lenettens aber finden Siebenkäs und Nathalie zueinander: »*O Gott! O du Engel – im Leben und Tode bleibst du bei mir. – Ewig, Firmian! sagte leiser Nathalie.*«
Vergleicht man den fünfzehn Jahre vor GOETHES *Wahlverwandtschaften* entstandenen Roman etwa mit Johann Karl WEZELS Versuch *Hermann und Ulrike* (1780), so möchte man ihn den ersten realistischen Eheroman der deutschen Literatur nennen. Wie stets bei Jean Paul ist eine derartige Kategorisierung jedoch nur bedingt möglich. Wohl wandelt sich das Verhalten der Partner, nicht aber eigentlich ihr Verhältnis zueinander oder gar ihr Wesen. Dieses ist von vornherein in humoristisch typisierender Verschärfung festgelegt; die »Lagen«, in denen sich Siebenkäs und Lenette aufreiben, bleiben ihrem Kern nach beharrlich stets die gleichen. Das Geschehen ist bereits von allem Anfang an auf die Trennung hin konzipiert. In der Tat bildet der Scheintod des Siebenkäs – einen frühen satirischen Entwurf des Jahres 1789 *(Meine lebendige Begrabung)* aufgreifend – das »*Senfkorn*«, dem der Roman entwachsen ist (Brief vom 2. Juni 1796). Jean Paul selbst hat das Werk wie auch die *Flegeljahre* der »deutschen Schule« zugerechnet (Vorschule, § 72) und sie als Romane der »Ebene« von den »niederländischen« idyllischer Tiefe, sowie den »italienischen« der Höhe abgesetzt. Stehen die *Flegeljahre* den Idyllen näher, so die Ehegeschichte den großen Romanen. Die Verbindung mit Nathalie, welche die Leiden des Helden ein für allemal beendet, deutet an, daß das Schicksal an Siebenkäs – der »*an die reifen Spitzen der abgeblühten Disteln angespießet ..., über deren Himmelblau und Honiggefäße er sonst geschwebet, blutig und hungrig und epileptisch um sich*« schlägt – »*wie am feinsten englischen Tuche jede kleine falsche Faser*« wegscheren und wegsengen wird, um ihn für eine höhere Sphäre vorzubereiten. Der Zweifel an der Erlebbarkeit des Unendlichen, der sich hier – zwischen *Hesperus* und *Titan* – in humoristischem Realismus ausdrückt, wird in einer Hoffnung auf die Zukunft wiederaufgehoben. Die Erzählung bindet die Erlebnissphären an verschiedene Ortschaften und soziologische Bereiche (Kuhschnappel, Bayreuth, Vaduz) und lehnt sich auch darin an die benachbarten großen Romane an.
Ein unmittelbares literarisches Vorbild läßt sich nicht nachweisen. Jean Paul nennt in den Vorarbeiten RICHARDSON und STERNE. Das ist aber nur sehr allgemein zu verstehen. Vereinzelte stoffliche Bezüge lassen sich zu SMOLLETTS *Peregrine Pickle* und einer Erzählung aus MUSÄUS' *Straußenfedern* herstellen. Umgekehrt scheint die Figur Leibgebers auf die Gestalt des Nachtwächters in den *Nachtwachen des Bonaventura* eingewirkt zu haben. Nachklänge sind auch aus TIECKS *Des Lebens Überfluß* wie aus STIFTERS *Feldblumen* herauszuhören. – Die zeitgenössische Kritik nahm das Werk mit einer teilweise von moralischen Bedenken diktierten Zurückhaltung auf. Erst 1818 kam es zu einer Neuauflage, in die Jean Paul Materialien für eine ursprüngliche geplante Fortsetzung eingearbeitet hat. In dieser Gestalt – oft unter Kupierung der Beigaben – gehört der *Siebenkäs* zu den meistgedruckten Werken des Dichters. Davon zeugen auch Übersetzungen ins Englische bzw. Amerikanische, ins Französische, Italienische und Russische. J. K.

AUSGABEN: Bln. 1796/97, 3 Bde. – Bln. 1818, 4 Bde. – Bln. 1826 (in *SW*, 61 Bde., 1826–1838, 11–14). – Weimar 1928 (in *SW*, I. Abt., Bd. 6, Hg. K. Schreinert). – Hbg. 1957, Hg. F. Burschell (Rowohlts Klassiker, 17). – Mchn. 1959 (in *Werke*, 6 Bde., 1959–1963, 2, Hg. G. Lohmann). – Darmstadt 1962 (in *Werke*, Hg. P. Stapf, 2 Bde., 1).

LITERATUR: K. Schreinert, *J. P.s »Siebenkäs«*, Weimar 1929. – H. A. Korff, *Siebenkäs und Leibgeber als Typen* (in Hesperus, 5, 1953, S. 21–24). – A. Krüger, *Die humoristische Darstellungsform im »Siebenkäs«* (ebd., S. 25–27). – W. Günther, *J. P.s »Siebenkäs«. Versuch einer Gesamtinterpretation*, Diss. Ffm. 1955. – H. Hesse, *Zu J. P.s »Siebenkäs«* (in *Festgabe f. E. Berend*, Weimar 1959, S. 15–20). – H. Dahler, *J. P.s »Siebenkäs«. Struktur und Gesamtbild*, Bern 1962 (Basler Studien, 28). – W. Steuber, *Der Humorist bei J. P. Eine Analyse der Gestalt Leibgeber-Schoppe*, Diss. Bern 1963. – E. Berend, *J.-P.-Bibliographie*, neu bearb. J. Krogoll, Stg. 1963 (Veröff. d. Schillerges., 26).

FLEGELJAHRE. Eine Biographie. Roman in vier »Bändchen« von JEAN PAUL (d. i. Johann Paul Friedrich Richter, 1763–1825), erschienen 1804/05. – Die Entstehungsgeschichte des Romans ist ähnlich kompliziert wie die des *Titan*, mit der sie sich im übrigen zeitlich überschneidet. Erste Pläne zeichneten sich bereits 1795 ab, aber erst 1803 ging das Manuskript der ersten drei Bände an den Verleger. Jean Paul gab die Absicht, den Roman fortzuführen, bis zu seinem Tode nicht auf. Diese Tatsache wird man im Auge behalten müssen, wenn auch der vorläufige Abschluß dem Roman die fast paradigmatische Gestalt der »offenen Form« verliehen hat und dieses »*Offene und Unbestimmte*« als geradezu zum Wesen der *Flegeljahre* gehörig angesehen werden kann (Herman Meyer).
Der Dichter fungiert in dieser fiktiven Biographie als vom Erblasser Van der Kabel testamentarisch gewünschter und vom Haßlauer Stadtrat eingesetzter Biograph des Universalerben. Als Honorar bezieht er für jedes Kapitel »*eine Nummer aus* [dem] *Kunst- und Naturalienkabinet*« des Verstorbenen, die zur jeweils abstrus irrelevanten oder symbolisch bedeutsamen Kapitelüberschrift wird.
Als das Testament Van der Kabels eröffnet wird, fahren »*sieben lange Gesichtslängen*« wie »*Siebenschläfer*« auf. Der verstorbene Haßlauer »*Krösus*« hatte nicht nur ein erstrebenswertes Vermögen, sondern auch ein Herz »*voll Streiche und Fallstricke*«, und der zynische Inspektor Harprecht, der eingebildete Kirchenrat Glanz, der Hofagent Neupeter, der Hoffiskal Knol, der Buchhändler Pasvogel, der Frühprediger Flachs, der Maler Fitte, sie alle erben vorderhand – nichts. Nur das Kabelsche Haus soll dem, der eher als seine sechs »*Nebenbuhler eine oder ein paar Tränen*« über den dahingegangenen Onkel vergießt, zugeschlagen werden und fällt schließlich, nach mühevollen Anstrengungen, an den Ärmsten, an Flachs. Universalerbe ist ein allen unbekannter junger Kandidat der Rechte, Gottwalt Peter Harnisch, genannt Walt, aus Elterlein, ein »*blutarmer, grund-guter, herzlichfroher Mensch*«. Allein, da er ein »*etwas elastischer Poet*« sei, habe er einige »*Nüsse vorher aufzubeißen*«: er soll den Lebensweg Van der Kabels *in nuce* noch einmal durchlaufen und für jeden Fehler, den er

dabei macht, einen Teil seines Erbes an die sieben »*Präsumptiv-Erben*« verlieren. Je eine Woche soll er bei jedem von ihnen wohnen, soll bestimmten praktischen Tätigkeiten nachgehen und darf vor allem sittlich nicht straucheln. – Am Tage seines Notariatsexamens wird dem dichtenden Träumer Walt sein Glück eröffnet. Er bricht sogleich in die Residenz auf. Sein Zwillingsbruder Quod Deus Vult (kurz: Vult), der sich mit vierzehn Jahren in übermütig-trotziger Jugendlichkeit von Hause fortgestohlen und einem herumziehenden Virtuosen angeschlossen hatte, hält sich konzertierend in Haßlau auf. Er läuft unerkannt nach Elterlein und verfolgt dort von einem Apfelbaum vor dem väterlichen Schulzenhaus aus die mehr schlechte als rechte Prüfung Walts, dessen leidenschaftliche Begeisterung für die »*himmlische Dichtkunst*« und rührende Dankbarkeit für das Van der Kabelsche Vermächtnis. Vult richtet es so ein, daß er in einem Wirtshaus auf dem Wege nach Haßlau mit Walt zusammentrifft. In seliger Wiedersehensfreude bauen die beiden »*Ätherschlösser*«. Der gewitzte – oft bitter-witzige – Vult will dem Bruder behilflich sein, die diesem »*arglosen Singvogel, der besser oben fliegen als unten scharren könne*« sehr befremdlichen Forderungen des Testaments zu erfüllen; so bald als möglich wollen sie zusammenziehen und gemeinsam – der Satiriker und der empfindsame Phantast – einen Roman verfassen: »Hoppelpoppel oder das Herz«. – Mit gutherzigem Ungeschick müht Walt sich durch seine testamentarischen Aufgaben. Daß er dabei Teil für Teil seines Erbes einbüßt, ficht seine menschenselige Einfalt nicht an. Über die Enttäuschung, die ihm seine um Freundschaft werbende Verehrung für den Grafen Klothar einträgt, hilft ihm die innige Neigung zu Wina, der Tochter General Zablockis, hinweg. In einem Konzert Vults hat er sie bereits aus der Ferne ins Herz geschlossen. Ein Auftrag, die erotischen Briefmemoiren Zablockis zu kopieren, bringt ihn der heimlich Geliebten näher, vollends eine ins Blaue hinein unternommene Reise, auf der er den General und seine Tochter trifft. Der Bruder hat ihn unterdessen, wie versprochen, beschützt und zweimal aus den gefährlichen Netzen der betörenden jungen Schauspielerin Jakobine gelöst. Er ist zu Walt gezogen und hat mit ihm an dem gemeinsamen Roman geschrieben. Da er jedoch selbst auch für Wina entbrannt ist, werden die Konflikte, die zwischen zwei so verschiedenen Menschen entstehen müssen und die durch Vults eifersüchtiges Liebesbedürfnis noch gesteigert werden, zur Qual. Auf einer Redoute als Walt maskiert, gewinnt Vult Wina das dem Bruder geltende »*Liebes-Ja*« ab und scheidet dann unbemerkt von ihm. Sein Flötenspiel und selige Erinnerungen wiegen den glücklichen Walt in Traum – »*noch aus der Gasse herauf hörte Walt entzückt die entfliehenden Töne reden, denn er merkte nicht, daß mit ihnen sein Bruder entfliehe*«. – Hier bricht der Roman ab.

Eine frühe Notiz in den Vorarbeiten zu den *Flegeljahren* bezeichnet als die »*Summa*« des Romans »*Poesie und Liebe im Kampf mit der Wirklichkeit*«. Jedoch: »*Der Kampf, der sich hier vollzieht ... ist primordial ein sprachlich-gestalthaftes Ereignis.*« (Herman Meyer) Im Geschehen des Romans wirken beide Bereiche nicht verändernd aufeinander ein, ihre Vereinigung ist nur scheinbar. Walt bleibt der »reine Tor«, der er von Anfang an ist; er wird nicht tüchtiger und auch nicht schlechter. Er steht am Ende als Sieger da, ein »*Fürst von Traumes Gnaden*« (M. Kommerell) – nicht weil seine Welt der Poesie und Liebe die Wirklichkeit erobert hätte, sondern weil diese innere Welt reicher ist als die äußere und stark genug, sich diese anzuverwandeln. Richtet man den Blick auf die hohen Ziele, die Jean Paul den schöpferischen Kräften Albanos im *Titan* steckte, so scheint in der »Innerlichkeit« dieses Sieges eine gewisse Resignation zu liegen, die wohl auch das Verhältnis der poetischen Welt des Dichters selbst zur Wirklichkeit bestimmte. Resignation spricht auch aus der schließlichen Trennung der Brüder. Die Vorarbeiten zeigen, daß die Gestalt Vults sich aus der ursprünglichen Konzeption Walts abgespalten hat, ähnlich wie im *Titan* die Roquairols aus der Albanos. Walt sollte die Wesenszüge beider in sich vereinen, und so spricht aus der Uneinigkeit der sich dennoch liebenden Brüder und aus ihrer Trennung die Hinnahme unlöslicher innerer Probleme.

Gehaltlich und sprachlich verbinden die *Flegeljahre* die humoristischen Züge der späten Idyllen mit den dithyrambischen der großen, in der Definition Jean Pauls »*hohen*« Romane und dem scharfen Witz der Satiren. Jean Paul hat in seiner *Vorschule der Ästhetik* diesen Mischtypus als »*deutsch*« bezeichnet und damit, ohne dies mit seinem sehr speziell gemeinten Terminus zu beabsichtigen, den geistesgeschichtlichen Ort seines Werkes angedeutet: den einer Station auf dem Wege zur Romantik. Nicht zufällig nimmt Walt mit seiner »Fahrt ins Blaue« die Reise von EICHENDORFFS Taugenichts voraus.

Das Werk fand zunächst ein nur geringes Echo – eine Folge der Befremdung, die das Erscheinen des *Titan* (1800–1803) ausgelöst hatte. Einzelne – wie Karoline Herder oder Ludwig TIECK – erkannten seinen Reiz, aber erst später verschaffte Tieck dem Werk die angemessene und dann stetig sich verstärkende Resonanz. Einige der »*Streckverse*« (oder »*Polymeter*«) Walts, die zu dem Poetischsten gehören, was Jean Paul geschrieben hat, haben eine Welle von – überwiegend drittrangigen – Vertonungen ausgelöst. Bedeutsamer sind die Anregungen, die Robert Schumann für seine »Papillons« aus dem Werk zog. Literarisch hat der Roman unleugbar weitergewirkt, doch ist diese Wirkung ihrer allgemeinen Natur wegen im einzelnen kaum zu verfolgen. J. K.

AUSGABEN: Tübingen 1804/05. – Lpzg. o. J. [1868]; ern. Lpzg. o. J. [1953] u. Stg. o. J. [1957] (RUB, 77–80). – Weimar 1934 (in *SW*, Hg. E. Berend, 1. Abt., Bd. 10; hist.-krit.). – Mchn. 1959 (in *Werke*, Hg. N. Miller u. a., 6 Bde., 1959–1963; Bd. 2, Hg. G. Lohmann).

LITERATUR: K. Freye, *J. P.s »Flegeljahre«. Materialien und Untersuchungen*, Bln. 1907 (Palaestra, 61). – W. Rasch, *Die Freundschaft bei J. P.*, Breslau/Oppeln 1929 (Arbeiten zur deutschen Lit.-Gesch., 1). – H. Jappe, *J. P.s »Flegeljahre«. Aus einer Darstellung der Freundschaft in seinem Werk und Wesen. Ein Beitrag zu einer Geschichte der Freundschaft im deutschen Geistesleben*, Diss. Köln 1930. – M. Kommerell, *J. P.*, Ffm. o. J. [1933; [3]1957]. – G. Voigt, *Die humoristische Figur bei J. P.*, Halle 1934. – E. Winkel, *Die epische Charaktergestaltung bei J. P. Der Held der »Flegeljahre«*, Hbg. 1940 (Dichtung, Wort und Sprache, 8). – H. Mielert, *J. P. und der romantische Mensch* (in GRM, 28, 1940, S. 188–202). – A. Krüger, *Die humoristische Bauweise der »Flegeljahre«* (in Hesperus, 7, 1954, S. 18–23). – F. Henrich, *J. P.s »Hesperus« und »Flegeljahre«. Versuch einer morphologischen Ein-*

ordnung auf dem Wege einer vergleichenden Zeitgestaltuntersuchung, Diss. Bonn 1955. – B. Baumgärtner, *Sprachstruktur in J. P.s Roman »Flegeljahre«*, Diss. Erlangen 1959. – Th. Geissendoerfer, *Das Naturgefühl in den »Flegeljahren«* (in *Festgabe f. E. Berend*, Weimar 1959, S. 34–37). – H. Meyer, *J. P.s »Flegeljahre«* (in H. M., *Zarte Empirie*, Stg. 1963, S. 57–112). – E. Berend, *J.-P.-Bibliographie.* Neu bearb. v. J. Krogoll, Stg. 1963 (Veröffentlichungen der dt. Schiller-Ges., 26). – G. Mayer, *Die humorgeprägte Struktur von J. P.s »Flegeljahren«* (in ZfdPh, 83, 1964, S. 409–426). – J. Schmeja, *Das Problem des Künstlers in J. P.s »Flegeljahren«*, Diss. Graz 1964. – P. H. Neumann, *J. P.s »Flegeljahre«*, Göttingen 1966 (Palaestra, 245).

HESPERUS, ODER 45 HUNDSPOSTTAGE. Eine Biographie. Roman von JEAN PAUL (d. i. Johann Paul Friedrich Richter, 1763–1825), erschienen 1795. – Nach Beendigung seines ersten Romans, der *Unsichtbaren Loge* (1792), den Jean Paul nun als *»corpus vile«* (minderwertiges Werk) empfand, an dem er das *»Romanmachen«* nur gelernt habe, begann er noch im selben Jahr nach verschiedenen Entwürfen mit der Niederschrift des *Hesperus*, die ihn dann zwei Jahre beschäftigte.

Viktor, der im Hause des Pfarrers Eymann zu St. Lüne aufgewachsen ist, kehrt – inzwischen Arzt geworden – in den kleinen Badeort zurück, um seinen Vater, Lord Horion, am Star zu operieren. Bei dieser Gelegenheit blüht auch seine Jugendfreundschaft mit dem Pfarrerssohn Flamin wieder auf. Während der geheilte Lord nach England reist, um den fünften verschollenen Sohn des Fürsten Jenner von Flachsenfingen zu suchen – die anderen vier scheinen unauffindbar –, geht Viktor als Hofarzt an die Residenz, wohin sein Freund soeben vom Fürsten als Regierungsrat berufen worden ist. Die Freundschaft der Jünglinge wird bald durch beider Liebe zu der ätherischen Klotilde, der angeblichen Tochter Le Bauts, getrübt. Viktor bedrückt diese unglückliche Verkettung; dazu kommt, daß er von dem Lord vor dessen Abreise nach England erfahren hat, Flamin sei in Wahrheit einer der verschollenen Söhne Jenners und zugleich ein Bruder Klotildes. Der junge Arzt sucht Ablenkung in dem intriganten, für ihn verlockenden Leben am Hofe. Erst die Gewißheit, daß Klotilde seine Empfindungen erwidert, enthebt ihn weiterer Anfechtungen. Die Liebenden verleben in der idealischen Parklandschaft Maienthals bei ihrem gemeinsamen indischen Lehrer Emanuel Dahore vier selige Tage, bis sie durch die immer wilder auflodernde Eifersucht Flamins gestört werden. Dieser wird, als Viktor nun auch förmlich um die Geliebte wirbt, das blind-willige Opfer einer Verschwörergruppe um den Fürsten. Die Ereignisse überstürzen sich: Flamin läßt sich zu einem Duell mit Le Baut verleiten und wird unter dem Verdacht, seinen Gegner getötet zu haben (was er auch selbst glaubt), in Gewahrsam genommen. Viktor erfährt inzwischen von dem sterbenden Emanuel, daß er der Sohn des Pfarrers Eymann ist. Als Bürgerlicher meint er, nun der Geliebten entsagen zu müssen, ja er will sogar, um Flamin zu retten, sein eigenes Leben hingeben. Der aus England zurückgekehrte Lord klärt jedoch alle Mißverständnisse auf; er führt eine Versöhnung zwischen den Freunden herbei, und Viktor erhält Klotilde zur Frau. Auf der »Insel der Vereinigung« treffen am Ende alle Beteiligten zusammen. Drei Engländer entpuppen sich als die Söhne des Fürsten, und schließlich findet sich der Erzähler des Romans selbst als *»das fünfte so lange gesuchte Kind des Fürsten«* auf der Insel wieder. Lord Horion sucht im Tode Ruhe.

Jean Paul verbindet in seinem von STERNE, FIELDING und WIELAND nachweislich beeinflußten Roman die Trivialform der Intrigenerzählung mit der »hohen« Form des Entwicklungsromans. Organisationsprinzip des Romans ist die aus der Intrige hervorgehende Krise, in der sich das Wesen des Helden entfaltet. Nicht die äußeren Stationen eines wechselvollen Lebenswegs werden für seine Entwicklung wichtig, sondern die einzelnen aus Feindseligkeit und Verschwörung entstehenden Krisensituationen. Dabei entspringt die verwirrende, scheinbar zerfließende Vielfalt der oft grotesk anmutenden Ereignisse einem bewußten Formwillen; sie ist Spiegelung der inneren Wirrnisse des Helden, der, ein Weltschmerzler wie Werther und Roquairol *(Titan)*, dennoch ihren Weg in den Tod nicht zu gehen braucht, sondern gerettet werden kann. Ein *»Trostbuch für Weltschmerzler«* nennt H. A. KORFF den Roman, der – so geht aus Jean Pauls Vorrede von 1794 hervor – wie Hesperus, der Abendstern, den am Leben Leidenden und Verzweifelnden mild zu innerer Ruhe leuchten und vor den so Getrösteten als Morgenstern verheißungsvoll aufgehen soll.

Der »empfindsamen« Thematik des Romans entspricht eine Sprache von so schwelgender Gefühlsseligkeit, wie sie in dieser Intensität bei Jean Paul sonst nicht begegnet. Auch ihr ist wohl der geradezu sensationelle Erfolg des Werks zu verdanken; kein Roman hatte seit dem *Werther* (1774) eine vergleichbare Begeisterung hervorgerufen. Selbst GOETHE und SCHILLER waren von, wenngleich zurückhaltendem, Wohlwollen. Wieland las den *Hesperus* gleich dreimal hintereinander, HERDER sah sich, wenn er darin geblättert hatte, zwei Tage außerstande, seinen Geschäften nachzugehen, GLEIM urteilte: *»Dieser Richter schreibt alle Romanschreiber nieder.«* Im 19. Jh. zeigten sich vor allem HAUFF, der frühe HEBBEL, STIFTER und Gottfried KELLER durch den Roman beeinflußt, der auch Stefan GEORGE zu seiner *Lobrede auf Jean Paul* (1896) anregte, die neues Interesse für den damals kaum noch beachteten Dichter wachrufen sollte.

KLL

AUSGABEN: Bln. 1795, 4 Bde. – Bln. 1819. – Weimar 1929 (in *SW*, Hg. E. Berend, 3 Abt., 1927ff.; Abt. 1, Bd. 3 u. 4, Hg. E. B. u. H. Bach; hist.-krit.). – Mchn. 1960 (in *Werke*, Hg. N. Miller, 6 Bde., 1959–1963, 1).

LITERATUR: H. Bach, *J. P.s »Hesperus«*, Lpzg. 1929 (Palaestra, 166). – E. Jaloux, *Du rêve à la réalité*, Paris 1932, S. 103–141. – M. Kommerell, *J. P.*, Ffm. o. J. [1933]; [3]1957. – H. Villiger, *Die Welt J. P.s, dargestellt an der Sprache des »Hesperus«*, Diss. Zürich 1949. – H. Buchmann, *Die Bildlichkeit in J. P.s »Schulmeisterlein Wuz«, »Die unsichtbare Loge«, »Hesperus«, »Titan«, »Flegeljahre«*, Diss. Köln 1953. – F. Henrich, *J. P.s »Hesperus« u. »Flegeljahre«. Versuch einer morphologischen Einordnung auf dem Wege einer vergleichenden Zeitgestaltuntersuchung*, Diss. Bonn 1955. – R. Wolf, *Studien zur Struktur von J. P.s »Hesperus«*, Diss. Münster 1959. – E. Berend, *J.-P.-Bibliographie*, neu bearb. u. ergänzt v. J. Krogoll, Stg. 1963 (Veröffentlichungen der dt. Schillergesellschaft, 26). – E. Fuhrmann, *J.-P.Bibliographie 1963–1965* (in Jb. der Jean-Paul-Ges., 1, 1966, S. 163–179).

LEBEN DES QUINTUS FIXLEIN, aus funfzehn Zettelkästen gezogen; nebst einem Musstheil und einigen Jus de tablette. Humoristische Idylle von JEAN PAUL (d. i. Johann Paul Friedrich Richter, 1763–1825), erschienen 1796. – Egidius Zebedäus Fixlein, Lehrer am Gymnasium von Flachsenfingen, verbringt, von seinem Pudel und einem seiner Quintaner begleitet, die Hundsferien in seinem Geburtsort Hukelum, wo seine Mutter in der Schloßgärtnerei beschäftigt ist. Seine Patin, die Frau Rittmeister von Aufhammer auf Schradek, verwendet sich für ihn, nachdem er sich an ihrem Krankenbett mit dem »Probeschuß« einer Vermahnpredigt qualifiziert hat, und verschafft ihm die Vokation auf das Konrektorat: Man hofft ja, Fixlein werde – wie alle Fixleins – mit 32 Jahren das Zeitliche segnen, so daß der Posten rasch wieder frei würde. Als seine Gönnerin stirbt, hinterläßt sie ihm nebst einem riesigen Bett ein großes Vermögen. Von seinem Glück und dem ungewohnten Wein berauscht, verlobt sich Fixlein auf der Stelle mit dem armen Edelfräulein Thienette. Nach dem Tod des Pfarrers wird er durch einen Kanzleiirrtum sogar als dessen Nachfolger auf die Pfarre von Hukelum berufen. Er fliegt nun »*gleichsam immer höher geschnellet auf einem Schwungbrete empor*« und nimmt alsbald »*unter einem Thronhimmel von Blütenträumen die Braut Christi in die eine Hand ... und seine eigne in die andre*«. Thienette genest eines Knaben, und bald schlingen sich Investitur und Taufe zu einer fröhlichen Festeskette. Dabei stellt sich das von der Mutter vertuschte wahre Alter Fixleins heraus: Für den verängstigten Pfarrer, der die ominöse Zahl schon überschritten glaubte, steigt damit »*in das helle glatte Meer, das ihn wiegend führte, schnaubend das Seeungeheuer des Todes aus dem vermoderten Abgrund herauf*« und treibt ihn wirklich in ein lebensgefährliches Fieber. Doch dem Erzähler, »Gevatter« Jean Paul, der sich ja auf die Phantasie der Menschen versteht, gelingt es, die hypochondrische »*Einbildung durch Einbildung*« zu kurieren. – Der vorangestellte *Musstheil für Mädchen* enthält zwei empfindsame kurze Erzählungen (*Der Tod eines Engels* und *Der Mond*); die angehängten fünf *Jus de tablette* (»Brühwürfel«) geben zumeist Materialien aus den Vorarbeiten zu der Idylle wieder (u. a. *Über die Magie der Einbildungskraft*; *Rektor Fälbel*).

Die humoristische Erzählung war von Jean Paul als Gegenstück zum vorangegangenen schwärmerisch-idealischen Roman *Hesperus* konzipiert. Zur Deutung gibt der Dichter selbst einen wichtigen Hinweis in der Vorrede (*Billett an meine Freunde*), wo er die (berühmt gewordenen) »*drei Wege, glücklicher zu werden*« darlegt: einen enthusiastisch-erhabenen der Vogelperspektive, einen komisch-idyllischen der Froschperspektive und einen humoristischen des Wechsels zwischen den beiden anderen. Fixlein soll als Beispiel für den zweiten dienen; sein Leben soll zeigen, »*daß man kleine sinnliche Freuden höher achten müsse als große, den Schlafrock höher als den Bratenrock ... Gelingt mir das: so erzieh' ich durch mein Buch der Nachwelt Männer, die sich an allem erquicken, an der Wärme ihrer Stuben und Schlafmützen.*«

Indem Jean Paul, der Parteigänger der Revolution, damit den Rückzug der deutschen Geister in die Pfarrhaus- und Provinzidylle ironisch preist und parodiert, verspottet er den behäbigen Duodez-Epikureismus des politisch entmündigten Winkelgelehrtentums. Es wirft ein bezeichnendes Licht auf die Willkür des deutschen Kleinstaatenabsolutismus, wenn der theologisch ausgebildete Held seine Berufung nur einer Namensverwechslung mit dem beim Landesherrn gut angeschriebenen Koch Füchslein zu verdanken hat. – Dennoch bleibt das Satirische in dem Werk, das wie kaum ein anderes das repräsentiert, was man als »humoristische Klassik« bezeichnen könnte, verglichen mit der frühen Idylle *Schulmeisterlein Wuz* (1793), mehr auf einzelne Stilelemente beschränkt: Übersprudelnd in seiner Witzmetaphorik und Sprachkomik, mengt es sich vor allem in Form von Einfällen, Interpolationen und Beilagen, die im Digressions- und Lexikalstil gehalten sind (vgl. die Aufführung der absonderlichen stubengelehrten »Werke« Fixleins, die u. a. eine »Druckfehler-Sammlung« und eine »Philologie auf statistisch-numerischer Basis« aufweisen) in das im übrigen durchaus empfindsam-phantastisch gestimmte Ganze. »*Die Teile müssen wirklich, aber das Ganze idealisch sein*«, mit diesem und ähnlichen Sätzen wird in *Magie der Einbildungskraft* nachträglich noch eine gewisse Verklärung des Idyllischen in dieser Idylle vorgenommen. Max KOMMERELL faßt den Unterschied zu Jean Pauls erster Idylle so zusammen: »*Die Beschränktheit ist nicht so bis zum Märchen getrieben und kann also mit den geschilderten Seelenerhebungen und auch mit der hier geringeren Selbstbespiegelung und -belächelung eher ins Reine gedacht werden.*« So stellt der Tod für Fixlein, obwohl er ihn nur in der Einbildung erfährt, eine weit ernstere Bedrohung seines idyllischen Friedens dar als für Wuz. Die den Aufbau der Erzählung kennzeichnende Ineinanderschlingung von Festes- und Todesmotiven unterstreicht den Einbruch der idealischen Phantasiewelt Jean Pauls in das lächerlich-prosaische Winkelglück Fixleins. KLL

AUSGABEN: Bayreuth 1796. – Bayreuth 1801 [erw.]. – Weimar 1930 (in *SW*, Hg. E. Berend, 3 Abt., 1927ff., Abt. 1, Bd. 5; hist.-krit.). – Mchn./Ffm. 1946 [Vorw. H. Müller]. – Mchn 1962 (in *Werke*, Hg. N. Miller, 6 Bde., 1959–1963, 4).

LITERATUR: M. Kommerell, *J. P.*, Ffm. 1933; [3]1957. – S. M. Kreienbaum, *Die Idyllendichtung J. P.s*, Diss. Ffm. 1933. – O. Mann, *J. P. und die deutsche bürgerliche Idylle* (in DuV, 36, 1935, S. 262 bis 271). – M. Thalmann, *J. P.s Schulmeister* (in MLN, 52, 1937, S. 341–347). – Th. Langenmaier, *Der junge J. P., mit einer Auswahl aus den »Grönländischen Prozessen« u. einer Einführung in »Quintus Fixlein« u. »Rektor Fälbel«* (in Hesperus, 2, Okt. 1951, S. 1–18). – H. Weidemann, *Die Komposition der Idyllen J. P.s*, Diss. Bln. 1953. – B. Cooper, *Comparison of »Quintus Fixlein« and »Sartor Resartus«* (in Transactions of the Wisconsin Academy of Sciences, Arts and Letters, 47, 1958, S. 253–272). – A. Krüger, *»Wuz« u. »Quintus Fixlein«. Eine vergleichende Betrachtung* (in Hesperus, 21, März 1961, S. 38–45). – R. Minder, *Das Bild des Pfarrhauses in der deutschen Literatur von J. P. bis G. Benn* (in R. M., *Kultur u. Literatur in Deutschland und Frankreich*, Ffm. 1962, S. 44–72; IB, 771). – C. Girault, *Réalité et magie dans »Quintus Fixlein«* (in EG, 18, 1963, S. 26–45).

LEBEN DES VERGNÜGTEN SCHULMEISTERLEIN MARIA WUZ IN AUENTHAL. Eine Art Idylle von JEAN PAUL (d. i. Johann Paul Friedrich Richter, 1763–1825), erschienen 1793 als Anhang zur *Unsichtbaren Loge*. – Der kleine Wuz tritt nach glücklicher Kindheit in das Alumnat zu Scherau ein, dessen strenge Ordnung ihm willkommene Gelegenheit bietet, sich in der »*Wuzischen Kunst, stets fröhlich zu sein*« zu üben. Den »*vielleicht durchdachtesten Paragraphen seiner Kunst*« arbeitet er als Sekundaner aus: Er erliegt den Reizen und dem roten Taschentuch der fünfzehnjährigen Justina. Nach dem Tode des Vaters bricht »*aus der zersprengten schwarzen Alumnus-Puppe ein bunter Schmetterling von Kantor ins Freie hinaus*«; und da Wuz so »*gescheit gewesen, daß er verliebt geblieben*«, kann er seine Justel nach »*elysischen Achtwochen*« auf »*Freuden-Meers Wogen*« in den Hafen der Ehe »einholen«. Nach genau 43 Jahren aber stürzt der Todesengel »*den blassen Leichenschleier*« auf das Angesicht des Schulmeisterleins, der nun den »*langen Traum des Lebens*« mit »*Entzückung*« vertauscht: »*immer lächelnder auseinander*« zieht sich der Mund des toten Wuz.

Die »*exzentrische*« Geschichte dieses liebenswürdig-beschränkten Sonderlings, »*dem der sinnliche Freudendünger die höhere Sonne vergütet*« (Brief an K. Ph. MORITZ vom 6. 7. 1792), bildet innerhalb von Jean Pauls Schaffen die Schwelle, über die er, aus der »*Essigfabrik*« der Jugendsatiren, zu seinen großen Romanen fand. Der Tod der Jugendfreunde A. L. v. Oerthel (1789) und J. B. Herrmann (1790) sowie die Vision des eigenen Todes am 15. 11. 1790 hatten ihn zur Einsicht geführt, er müsse »*die armen Menschen lieben . . . die so bald mit ihrem bisgen Leben niedersinken*« (Tagebuch vom 15. 11. 1790). Im *Wuz* gewinnt dieser Vorsatz erste literarische Gestalt: Die schonungslose Typensatire (vgl. die Stücke *Freudel* und *Fälbel* im 3. Teil des *Quintus Fixlein*) wird zur heiter-schwermütigen Charakteridylle. Die Erzählung beschränkt sich darauf, das kauzige Wesen des Helden ohne alle satirischen Untertöne zu entfalten. Zu Unrecht hat man an Wuz philisterhafte Züge erkennen wollen; seine verspielte Phantastik nähert sich vielmehr bereits in bedenklichem Maße jener eigenmächtigen Subjektivität, welche die Narren des Spätwerks *(Fibel, Komet)* die Wirklichkeit verkennen und dadurch sich selbst gefährden läßt. Im *Wuz* jedoch zeigt sich erstmals Jean Pauls neue humoristische Haltung seinem Helden gegenüber, von dessen lächerlichen Schrulligkeiten er sich zwar ironisch distanziert, dessen komisches Glück er aber angesichts des alle Menschen gleichmachenden Todes gelten läßt: »*... so fühlt' ich unser aller Nichts und schwur, ein so unbedeutendes Leben zu verachten, zu verdienen und zu genießen.*« Der Erzähler hat mit Wuz zwar die Sehnsucht nach dem Glück in einer »*dürftigen*« Welt gemeinsam, die resignierende Einsicht hingegen, daß »*wir sie* [die Wuzische Freude] *nie so voll bekommen*«, trennt ihn von seinem »kindischen« Helden.

Literarhistorisch gesehen ist diese »Art Idylle« als eine Verbindung der sogenannten *Characters* – kurzer moral-satirischer Darstellungen eines Charaktertypus im Gefolge THEOPHRASTS, LA BRUYÈRES und der Moralischen Wochenschriften des 18. Jh.s – mit der *Idylle* zu betrachten. Dabei erweitert Jean Paul den Typus zur individuellen Figur, während die sozialkritischen Momente in der Schilderung des zeitgenössischen Landschulmeister-Milieus die raum- und zeitlose ländliche Idylle des 18. Jh.s (Ewald v. KLEIST, Salomon GESSNER) aktualisieren. Das Schulmeisterlein kann auf eine zahlreiche literarische Nachkommenschaft blicken. Sie beginnt bereits im Werk Jean Pauls selbst *(Fixlein, Flegeljahre, Fibel)* und setzt sich über das Biedermeier bis ins 20. Jh. fort (vgl. KELLER, RAABE, SEIDEL, RIEHL, STEINHAUSEN, Hans HOFFMANN, Carl BUSSE). Bei den Zeitgenossen dagegen fand der *Wuz* kaum Beachtung, sieht man von Karl Philipp Moritz ab, der die Idylle begeistert begrüßte. Eine Neuauflage erfolgte erst 1821/22 zusammen mit der *Unsichtbaren Loge*. Nach dem Tod des Dichters wurde der *Wuz* jedoch rasch zu einem seiner beliebtesten und weitverbreitetsten Werke. Eine Fülle von Einzelausgaben, Aufnahmen in Anthologien und Lesebüchern sowie Übertragungen ins Englische, Französische und Tschechische zeugen davon. J. K. – KLL

AUSGABEN: Bln. 1793 (in *Die unsichtbare Loge. Eine Biographie*). – Weimar 1927 (in *SW*, Hg. E. Berend, 3 Abt., 1927ff.; Abt. 1, Bd. 1; hist.-krit.). – Mchn. 1960 (in *Werke*, Hg. N. Miller, 6 Bde., 1959–1963, 1). – Memmingen o. J. [1965; Ill. F. Fischer].

LITERATUR: H. Küpper, *J. P.s »Wuz«. Ein Beitrag zur literarhistorischen Würdigung des Dichters*, Halle 1928 (Hermea, 22). – M. Kommerell, *J. P.*, Ffm. o.J. [1933]; [3]1957. – H. Buchmann, *Die Bildlichkeit in J. P.s »Schulmeisterlein Wuz«, »Die unsichtbare Loge«, »Hesperus«, »Titan«, »Flegeljahre«*, Diss. Köln 1953. – H. Weidemann, *Die Komposition der Idyllen J. P.s*, Diss. Bln 1953. – S. Hallgren, *J. P. och hans genombrottsverk idyllen »Wuz«* (in *Goeteborgsstudier i litterarhistoria tillägnade Sverker Ek*, Göteborg 1954, S. 71–82). – A. Krüger, *»Wuz« u. »Quintus Fixlein«. Eine vergleichende Betrachtung* (in Hesperus, 21, 1961, S. 38–45). – R. Ayrault, *»Leben des vergnügten Schulmeisterlein Maria Wuz in Auenthal« ou Les débuts du poète J. P.* (in EG, 18, 1963, S. 3–12; dt.: *J. P. »Leben des vergnügten Schulmeisterlein Maria Wuz in Auenthal« oder Die Anfänge des Dichters J. P.*, in *Interpretationen*, Bd. 4, Hg. J. Schillemeit, Ffm. 1965, S. 75–86; FiBü, 721). – R. R. Wuthenow, *Gefährdete Idylle* (in Jb. der Jean-Paul-Ges., 1, 1966, S. 79–94.) – E. Berend, *J.-P.-Bibliographie*, neubearb. u. erg. v. J. Krogoll, Stg. o. J. [1963].

TITAN. Roman von JEAN PAUL (d. i. Johann Paul Friedrich Richter, 1763–1825), erschienen 1800 bis 1803 in vier Bänden, zusammen mit *Komischer Anhang zum Titan* (1800–1801, zwei Bände). – Die ersten Aufzeichnungen Jean Pauls zu seinem »Mammutroman« datieren aus dem Jahr 1792. Volle zehn Jahre hat ihn das »*liebste und beste unter seinen Werken*« beschäftigt, dessen eigentliche Niederschrift in die Jahre 1797 – 1802 fällt. Aus den frühen Skizzen lassen sich einige Motive erkennen, die Tendenz und Form des Romans schließlich bestimmen. Ursprünglich dachte Jean Paul an eine Art Erziehungsroman, dessen bürgerlicher Held ein »*gutes idealisches Genie in allem*« darstelle. Bei einer Erziehung in aufsteigender Linie sollte die Liebe der Hauptperson eine wichtige, aber nicht die zentrale Begebenheit des Romans sein. Entscheidend war Jean Pauls Änderung, nicht in der bürgerlichen Welt, sondern »*auf dem kalten Montblanc der vornehmen*« seine »*biographische Truppe*« spielen zu lassen (an Charlotte von Kalb 5. 12. 1796). Dadurch verhinderte er, daß der ursprüngliche Erziehungsroman in einem Liebesroman endete. Als Handlung setzte er eine »*auf Kindesvertauschung beruhende geheimnisvolle genealogisch-dynastische Verwicklung*« (Berend) durch. Der bürgerliche Held wird zum »*heimlichen Prinzen*«. Der höfischen Gesellschaft entsprechend sollte den ursprünglich vorgesehenen niederländischen (niederen) der italienische (hohe) Stil ersetzen, die komischen, räsonierenden, an

STERNE orientierten rührenden Ausschweifungen in den *Komischen Anhang zum Titan* verwiesen werden. Im ersten Bändchen des *Anhangs* sind in Form einer Zeitschriftenfolge einige satirische Digressionen Jean Pauls versammelt, während das zweite *Des Luftschiffers Giannozzo Seebuch* enthält. »*Ich lege viele meiner Urtheile einem über ganz Deutschland ... wegschiffenden Giannozzo, einem wilden Menschenverächter in den Mund, der blos in seinem Namen spricht*« (an Christian Otto 23. 1. 1801). Der erhabene Grundton der Erzählung wird trotz des *Komischen Anhangs*, abgesehen von dessen Korrespondenz mit dem Roman, nicht konsequent durchgehalten. Die Verwandlung des bürgerlichen idealischen Helden in einen zukünftigen Fürsten transformiert auch die kritische Tendenz des Romans. Statt der Satire auf das Bürgertum wird die Adelssatire vorrangig. Die Kritik des bürgerlichen Genies verändert Jean Paul in eine Kritik der höfischen Bildung – vom Standpunkt des Bildungsbürgertums aus. Dahinter steht nicht die Forderung nach einer Veränderung der gesellschaftlichen Verhältnisse, sondern die nach einer Veränderung der feudalen Erziehung. Durchgängiges Thema des Romans ist daher der »*Titanismus*«. Jeder Himmelsstürmer finde im *Titan* seine Hölle; eigentlich müßte dieser »Anti-Titan« heißen (an Friedrich Jacobi 14. 5. 1803). An Emilie von Berlepsch schreibt Jean Paul: »*Ach möcht' es mein Titan so klar darstellen, als es in mir steht, daß die ganze idealische Welt nur vom innern, nicht vom äussern Menschen betreten und beschauet werden kan*« (23. 6. 1797). So beschränkt Jean Paul im *Titan* seine Kritik am fürstlichen Absolutismus auf Ideologiekritik und wird zum Kritiker bürgerlicher Ideologie nur, sofern er am bürgerlichen Bewußtsein dessen Refeudalisierung begreift.

Nicht zutreffend ist die These, die Fabel des *Titan* bedeute an sich nicht eben viel (Staiger). In einem Brief der Fürstin Eleonore an ihren Sohn Albano ist sie noch einmal für den Leser zusammengefaßt (142. Zykel): Im Duodezfürstentum Hohenfließ scheint ein gewünschter Thronfolger auszubleiben. Im benachbarten Kleinstaat Haarhaar hofft man nicht nur dank verwandtschaftlicher Beziehungen zu Hohenfließ auf eine Erweiterung des Besitzes, sondern trachtet, als dort doch noch ein Erbfolger, Luigi, geboren wird, diesen umzubringen. Hinter die Mordpläne kommt das Herrscherpaar in Hohenfließ. Als die Fürstin wieder vor der Geburt eines Kindes steht, vereinbart sie mit ihrer Freundin, der Gräfin Cesara, die vor ihr mit einer Tochter, Linda, niederkommt, im Fall der Geburt eines Sohnes die Kinder auszutauschen. Die Fürstin bringt aber Zwillinge, Albano und Julienne, zur Welt. Der Fürst entscheidet, Albano solle zwar als Sohn des Grafen Cesara, aber unter seinen Augen bei dem rechtschaffenen Bürger Wehrfritz erzogen werden. Der Graf verlangt als Lohn für das Abkommen, daß Albano und Linda ein Paar werden. Wenn auch das »*Schicksal des Helden von geheimnisvollen Unbekannten zu unbekannten Zielen gelenkt wird*« (Berend), so gelingt dieses Spiel hinsichtlich der Verheiratung Albanos nicht.

Drei Jahre seiner frühesten Kindheit verbringt Albano mit seiner angeblichen Zwillingsschwester Linda auf Isola bella. Bis zum siebzehnten Lebensjahr wächst er in Blumenbühl im Haus des Landschaftsdirektors Wehrfritz mit dessen Tochter Rabette auf. Für seine Bildung sorgen der Magister Wehmeier und der Exerzitienmeister Falterle. Als Vorbild wird Albano der Sohn des Ministers Froulay, Roquairol, vorgehalten, mit dem befreundet zu sein und dessen liebenswerte Schwester Liane kennenzulernen Albano sich wünscht. Als weitere Lehrmeister gesellen sich der Harmonist Dian (Landbaumeister), der Komikus Schoppe (Titularbibliothekar) und der Lektor Augusti hinzu. Mit letzteren verweilt Albano kurze Zeit noch auf Isola bella, bevor er zum ersten Mal in die Residenzstadt Pestitz auf die Akademie darf. Er lernt Luigi, Liane und schließlich auch Roquairol kennen. Roquairols Freundschaft erwirbt er im Tartarus, Lianens Liebe im Elysium des fürstlichen Gartens Lilar. Der Hofprediger Spener klärt Liane über Albanos fürstliche Abkunft auf, und sie entsagt ihrer Liebe zu ihm. Roquairol verführt Albanos Pflegeschwester Rabette. Darüber kommt es zum Bruch der Freundschaft. Liane liegt im Sterben und bittet ihren Geliebten noch einmal zu sich. Nach ihrem Tod verfällt Albano in ein schweres Fieber, von dem ihn nur die Erscheinung Lianens in Gestalt der ihr ähnelnden Idoine befreit. Der Graf Cesara schickt Albano auf eine Kunstreise nach Rom. Auf Ischia trifft er mit Linda zusammen; er weiß nicht, daß sie seine angebliche Schwester sein soll. Der Plan einer Heirat Lindas mit Albano scheint dank der Liebe Lindas zu Albano aufzugehen. Da offenbart sich Julienne als die wirkliche Schwester Albanos. Albano kehrt nach Hohenfließ zurück. Dort kündigt Roquairol ein Theaterstück mit dem Titel »Der Trauerspieler« an.

Schon lang ist Roquairol in Linda verliebt, die seine Liebe nicht erwidert. In seinem Haß gegen Albano will er Linda betrügen und sich so für seine verschmähte Liebe rächen. Er ahmt in einem Schreiben an Linda Albanos Handschrift nach und bestellt Linda in den fürstlichen Park. Da Linda wegen einer Augenschwäche in der Nacht nichts sieht, Roquairol aber Albanos Stimme zu imitieren versteht, hofft er, Linda zu verführen. Es gelingt ihm alles nach Wunsch. In seinem »Trauerspieler« spielt Roquairol sein Leben und die letzte Szene mit Linda nach, um sich schließlich auf offener Bühne zu erschießen. Nach der Entdeckung ihres Irrtums reist Linda ab.

Luigi hatte die Thronfolge angetreten und sich mit der ältesten Fürstentochter Haarhaars vermählt. Schon seit der Geburt von schwächlicher Konstitution, stirbt er. Albano will nach Frankreich, um die französischen Revolutionäre zu unterstützen. Schoppe, der versucht, hinter die wahren genealogischen Verhältnisse zu kommen, wird ins Tollhaus gesteckt, fällt tatsächlich dem Wahnsinn anheim und stirbt beim Anblick seines Freundes und »Doppelgängers« Siebenkäs. Die tatsächlichen Verwandtschaftsverhältnisse werden Albano bekannt. Er verzichtet auf seine »Reise nach Frankreich« und übernimmt mit der Parole »*Freude am Throne, wo nur die geistige Anstrengung gilt*« (143. Zykel) die Regierung seines Kleinstaates. Idoine wird seine Braut. Mit einer Apotheose des Liebespaares und mit dem Appell an eine allgemeine Brüderlichkeit: »*wacht auf, meine Geschwister!*«, endet Jean Pauls höfischer Gesellschaftsroman.

Als allgemeine Lehre des Romans dürfte zutreffen, daß »*der Versuch, das Leben als Mechanismus zu begreifen und demgemäß zu lenken, an der Gegenmacht des Herzens zerbricht*« (Markschies). Zwar wird Albano durch verschiedene Regiefiguren (Graf Cesara, seine Erzieher) geleitet, aber der Held emanzipiert sich von dem intriganten Zusammenhang und von seiner Passivität! Eine Schauerapparatur Masken- und Attrappenwelt ist aufgeboten. Durch diese Fassade bricht Albano, während die meisten seiner Mitspieler einem fratzenhaften Titanismus verfallen. Gibt Albano ein Exempel recht bewahrter, so sein Gegenspieler Roquairol eines toter Innerlichkeit. Wird Schoppe das Opfer eines blinden philosophischen Egoismus, so Liane das einer selbstzerstörerischen Empfindsamkeit, während Linda an ihrem hohen Emanzipationsinteresse scheitert. Alle spielen Bewußtseinsrollen, ein Beweis für die individualistische Konzeption des Romans. Der Bürger begreift das gesellschaftliche bloß als ein theatralisches Leben.

Richtig ist, daß Jean Paul im *Titan* die »*Widersprüche und Spannungen zwischen aufklärerischer Satire, religiös-utopischer Hoffnung und resignierendem Pessimismus nie in einem klaren Programm vermitteln*« konnte (Widhammer). Dank seines Festhaltens an der Unlösbarkeit widerspruchsvoller ideologischer Inhalte rückt er jedoch von der Weimarer Verschleierungsliteratur ab. Der Welt der Höfe steht die Welt der Idylle gegenüber. Seinem Freund Christian Otto schreibt Jean Paul: »*Das Wort ›Idylle‹ ist die rechte Bezeichnung für alle Historien des J. Pauls: die Historie meines eignen Lebens führ' ich in mir selber idyllenhaft*« (31. 3. 1795). Der tatsächliche Ort der Jean Paulschen Bildungsideale bleibt im *Titan* die Idylle (s. Widhammer). Für sie und hinter ihr steht aber: bildungsbeflissenes Bürgertum. Jean Pauls Romankonstruktion gehorcht diesem Zusammenhang. Aus Einzelheiten schließt der Roman zu einem Ganzen zusammen, jede Einzelheit aber ist Allegorie für Innerlichkeit. Empfindsame Sprache und Sprache des Sturm und Drang hat Jean Paul verbunden; dem Geschichtsverlauf von schönem Schein und Katastrophe folgt das sprachliche Bewußtsein. In der Destruktion eines angeblich vorgegebenen Zusammenhangs bewährt sich Jean Pauls Sprache gegen die der Herrschenden.

Nachgesagt wurde Jean Paul mit dem *Titan* eine Annäherung an den Weimarer Klassizismus (Berend, Höllerer, Widhammer). Eine solche Annäherung ließe sich vom harmonisierenden Schluß und von der Auffassung einzelner Charaktere des Romans ableiten. Der Schluß erweist sich nicht nur als ein vom geschlossenen Roman geforderter Kompromiß, sondern er wird von der ästhetischen Konstruktion des Romans als schlecht utopischer denunziert. Das gleiche gilt für Charaktere wie Dian oder Albano. Gegen sie behält noch der aufrechterhaltene widerspruchsvolle Romanzusammenhang recht – auch gegen einen subjektiven Willen des Autors. H. V.

Ausgaben: Bln. 1800–1803, 4 Bde. – Bln. 1800/01 (*Komischer Anhang zum Titan*, 2 Bde.). – Weimar 1933 (in *SW*, Hg. E. Berend, 3 Abt., 1927ff.; 1. Abt., Bd. 8/9; hist.-krit.; Einl. E. Berend). – Mchn. 1961 (in *Werke*, Hg. N. Miller, 6 Bde., 1959–1963, 3; Nachw. W. Höllerer).

Literatur: R. Rohde, *J. P.s »Titan«. Untersuchungen über Entstehung, Ideengehalt u. Form des Romans*, Bln. 1920 (Palaestra, 105; Nachdr. NY/Ldn. 1967). – M. Kommerell, *J. P.s Verhältnis zu Rousseau. Nach den Hauptromanen dargestellt*, Marburg 1924. – H. Garte, *Kunstform Schauerroman. Eine morphologische Begriffsbestimmung des Sensationsromans im 18. Jh. von Walpoles »Castle of Otranto« bis J. P.s »Titan«*, Lpzg. 1935. – E. Staiger, *J. P.: »Titan«. Vorstudien zu einer Auslegung* (in E. S., *Meisterwerke deutscher Sprache aus dem 19. Jh.*, Zürich/Bln. 1943, S. 57–99; [3]1957). – W. Rehm, *Roquairol. Eine Studie zur Geschichte des Bösen* (in W. R., *Begegnungen u. Probleme*, Bern 1957, S. 155–242). – H. L. Markschies, *Zur Form von J. P.s »Titan«* (in *Gestaltung. Umgestaltung. Fs. zum 75. Geburtstag von H. A. Korff*, Lpzg. 1957, S. 189–205). – H. Söhnlein, *Die Fabel des »Titan«. Ein Versuch zu ihrer Entschlüsselung* (in Hesperus, 1962, S. 32–43). – B. Böschenstein, *Antikes im »Titan«* (in B. B., *Studien zur Dichtung des Absoluten*, Zürich 1968, S. 51–58). – Ders., *Grundzüge von J. P.s dichterischem Verfahren dargestellt am »Titan«* (in Jb. der Jean-Paul-Gesellschaft, 3, 1968, S. 27–47). – H. Widhammer, *Satire u. Idylle in J. P.s »Titan«. Mit besonderer Berücksichtigung des Luftschiffers Giannozzo* (ebd., S. 69–105).

DIE UNSICHTBARE LOGE. Eine Biographie. Roman von Jean Paul (d. i. Johann Paul Friedrich Richter, 1763–1825), erschienen 1793. – Nach seinen beiden umfangreichen satirisch-aphoristischen Werken, den *Grönländischen Prozessen* (1783) und der *Auswahl aus des Teufels Papieren* (1789), machte sich Jean Paul an seinen ersten Roman. Er sandte seine wahrscheinlich noch unbetitelte Lebensbeschreibung nach einer Überarbeitung am 7. Juni 1792 an Karl Philipp Moritz, den Verfasser philosophisch-pädagogischer Romane. Moritz, der dem Werk zu einem Verleger verhalf, soll über Autor und Manuskript befunden haben: »*Das begreif ich nicht, der ist noch über Goethe, das ist ganz was Neues.*« Über den Titel *Die unsichtbare Loge* sagte Jean Paul in der *Vorrede zur zweiten Auflage* (1822): Er »*soll etwas aussprechen, was sich auf eine verborgne Gesellschaft bezieht, die aber freilich so lange im Verborgnen bleibt, bis ich den dritten oder Schlußband an den Tag oder in die Welt bringe.*« Tatsächlich spielt eine Geheimgesellschaft im Roman eine wichtige Rolle, obwohl Jean Paul bei der Namensgebung sicher auch »*auf das damalige allgemeine Interesse für das geheime Ordenswesen*« (E. Berend), vorzüglich der Freimaurer, spekulierte. Die in seinen Briefen vielfach für den Roman stehende Bezeichnung *Mumien* brachte er als Nebentitel unter, der auf sein »*ägyptisches Predigen der Sterblichkeit*« hinweisen sollte.

Die Unsichtbare Loge blieb Fragment. Jean Paul hat kaum ernsthaft daran gedacht, die »*geborne Ruine*« zu vollenden, äußerte er doch schon Anfang 1792, er habe »*jetzt etwas besseres im Kopf*« (an Christian Otto), nämlich den *Hesperus*. Ein Zuendeführen des halbabgebrochenen Plans hätte, wollte sich Jean Paul nicht mit einem harmonisierenden scheinhaften Schluß begnügen, eine Radikalisierung der politischen Handlung, zumal angesichts der Französischen Revolution, mit sich bringen müssen. Statt dessen zeichnet sich schon im erzählerischen Frühwerk Jean Pauls Wendung ab, seine satirisch-revolutionären Tendenzen idyllisch-utopisch zu beschränken. Bezeichnenderweise werden dem Roman eine »*Art Idylle*«, das *Leben des vergnügten Schulmeisterlein Maria Wutz in Auenthal*, und die empfindsame Vision *Ausläuten oder Sieben letzte Worte* »*beigeleimt*« (an Karl Philipp Moritz).

Die Fabel des Romans konzentriert sich um den Lebenslauf des »romantischen Helden« Gustav. Es handelt sich dabei aber keineswegs um einen bloßen Erziehungsroman, vielmehr werden – unter Inanspruchnahme einer genealogischen Verwicklung – dessen Einzelheiten mit den Elementen des aufklärerischen Staatsromans verschmolzen.

Der Obristforstmeister von Knör will seine Tochter

Ernestine nur unter der Bedingung einem Mann zur Frau geben, daß dieser sie im Schachspiel besiege. Demgegenüber verlangt ihre Mutter, daß Ernestine ihr erstes Kind acht Jahre lang unter der Erde, angeleitet von einem herrnhutischen Erzieher, aufwachsen lasse. Der Rittmeister von Falkenberg, der nichts so sehr wie Schach und Herrnhutismus haßt, gewinnt dank eines von Ernestine provozierten »Zufalls« die Partie. Kurz nach seiner »Auferstehung« wird der achtjährige Gustav von Falkenberg, im Wald verirrt, von der ehemaligen Geliebten seines Vaters, der jetzigen Frau von Röper, aufgegriffen und wegen seiner Ähnlichkeit mit ihrem verschollenen Sohn Guido entführt und nach drei Tagen wieder ins väterliche Schloß geschickt. Falkenbergs verbringen die Winter in der Fürstenstadt Scheerau. Gustav wird mit dem fast gleichaltrigen Amandus bekannt und befreundet. Nach der herrnhutischen erhält er durch den Hofmeister Jean Paul eine musische Erziehung. Schließlich steckt man ihn, um ihm seine bisherige sentimentale Erziehung auszutreiben, ins Kadettenhaus zu Scheerau. Dort wird er unter der Regie des Höflings Herrn von Oefel in sämtlichen militärischen Disziplinen geschult. Nach dieser Ausbildung führt Oefel seinen Schützling am Hof des Fürsten von Scheerau ein. Hier trifft Gustav wieder auf Beata, die angebliche Schwester des verschollenen Guido, die ebenfalls den literarisch-musikalischen Unterricht Jean Pauls genossen hat. Amandus, Gustavs Rivale um die Gunst Beatas, wird von einer Krankheit hinweggerafft. Gustav lernt Ottomar, einen natürlichen Sohn des Fürsten, kennen. Immer stärker wird Gustav ins Hofleben hineingezogen. Während Beata den Fürsten abweist, erliegt Gustav den Verführungskünsten der Regentin Bouse. Gustav und Beata finden sich, nach einigen Verwicklungen, in dem traumhaften Ort Lilienbad. Der Roman bricht ab mit der Nachricht, daß Gustav im Gefängnis sitzt, da er mit einer angeblichen Verschwörergruppe, zu der auch Ottomar gehöre, ausgehoben wurde.

Mit der Verführung Gustavs durch die Regentin wird der pietistische Erziehungsplan vollkommen desavouiert. Jean Paul verknüpft mit dem pietistischen Prinzip des Weltentzugs das der Rousseauschen Pädagogik, das heranwachsende Kind möglichst von allen Einflüssen der Umwelt freizuhalten. Im Versuch einer Gegenerziehung äußert sich der Widerstand gegenüber dem, was gesellschaftlich, und besonders in der Erziehung, verhängt ist. Gustavs unterirdisches Heranwachsen verweist im Bild der Höhlenerziehung auf gesellschaftliche Unterdrückung, die Jean Paul an anderer Stelle mit einem im Salzbergwerk geborenen und erzogenen Arbeiter demonstriert, der die Oberwelt zwar nie betreten hat, aber doch zuweilen an der Ein- und Ausfahrt einen Blitz des überirdischen Tages zu sich hat hinunterleuchten sehen. Gustavs weiteren Lebensweg kennzeichnet folgerichtig die Illusion über die bestehende Gesellschaft und deren Desillusionierung. Keineswegs trifft zu, Jean Paul habe mit Gustavs Erziehung und Auferstehung eine aufklärerische Tendenz »*in ihr gerades Gegenteil verkehrt*« (Berend). Gegenüber der Bildung eines Schwärmers und der von Gustav schließlich abgelehnten Ausbildung zum Offizier und intriganten Höfling bewahrheitet sich vielmehr die literarisch-wissenschaftliche Erziehung, vermittelt durch den bürgerlichen Hofmeister.

Aus drei verschiedenen Lokalitäten setzt sich der Ort der Handlung des Romans zusammen: aus der satirisch beschriebenen der Residenz, der idyllischen des Falkenbergschen Schlosses und der paradiesischen Lilienbads. Zusammengehalten werden die idyllischen, kritischen und utopischen Details durch Jean Pauls emphatische Beschreibung der Welt als Kerker und Labyrinth, für die, wie der »Vorredner« behauptet, die umständliche Art der Erzählung die einzig angemessene und interessanteste sei und in der sich von Schauplatz zu Schauplatz der Zögling Gustav allmählich vorantastet. H. V.

AUSGABEN: Bln. 1793, 2 Bde. – Bln. ²1822 *(Die unsichtbare Loge. Eine Lebensbeschreibung)*. – Weimar 1929 (in *SW*, Hg. E. Berend, 3 Abt., 1927ff., 1. Abt., Bd. 2; hist.-krit.). – Mchn. 1960 (in *Werke*, Hg. N. Miller, 6 Bde., 1959–1963, 1).

LITERATUR: W. G. Heckmann, *Die beiden Fassungen von J. P.s »Unsichtbarer Loge«*, Gießen 1920. – M. Kommerell, *J. P.s Verhältnis zu Rousseau. Nach den Hauptromanen dargestellt*, Marburg 1924. – Ders., *J. P.*, Ffm. 1933; ³1957. – H. Garte, *Kunstform Schauerroman. Eine morphologische Begriffsbestimmung des Sensationsromans im 18. Jahrhundert von Walpoles »Castle of Otranto« bis J. P.s »Titan«*, Lpzg. 1935. – H. Buchmann, *Die Bildlichkeit in J. P.s »Schulmeisterlein Wuz«, »Die unsichtbare Loge«, »Hesperus«, »Titan«, »Flegeljahre«*, Diss. Köln 1953. – H. Kügler, *Kindheit u. Mündigkeit. Die Grundproblematik der Erziehung bei J. P., dargestellt an der »Levana«, der »Unsichtbaren Loge« und dem »Titan«*, Diss. Freiburg i. B. 1954.

VORSCHULE DER AESTHETIK. – Poetologisches Werk von JEAN PAUL (d. i. Johann Paul Friedrich Richter, 1763–1825), das nach des Autors eigenen Auskünften im ›Vaterblatt‹ in der Zeit vom 31. Oktober 1803 bis zum 16. Juli 1804 verfaßt wurde. Die ersten beiden Abteilungen erschienen zur Michaelismesse des Jahres 1804, während der dritte Teil etwas später – doch ebenfalls noch 1804 – herauskam. Das Werk war erfolgreich und erlebte 1813 bei Cotta eine revidierte Auflage, die einige Ergänzungen aufweist, auch in der Bewertung der beiden literarischen Schulen, der »Alten« (»Nicolaiten«) und der »Jungen« (»Schlegeliten«), die Gewichte etwas zugunsten der Alten verschiebt, im ganzen aber, wie vor allem René WELLEK betont, eine Auffassung der Poesie entwickelt, die mit der Friedrich von SCHLEGELS im wesentlichen identisch ist. 1818 erschien ein unerlaubter Wiener Nachdruck. 1825 verfaßte Jean Paul die *Kleine Nachschule zur ästhetischen Vorschule*, die der Einteilung des ersten Werks folgt, insgesamt aber gegenüber der Phantasie eine gemessenere Haltung einnimmt. 1862 wurde in Paris eine französische Übersetzung *(Poétique ou Introduction à l'esthétique)* veröffentlicht.

Der Begriff »Vorschule« soll den propädeutischen Charakter des Werks zum Ausdruck bringen und ist nach Jean Pauls eigenen Angaben als »*Proscholium*« aufzufassen: »*Wollte ich denn in der Vorschule etwas anderes sein als ein ästhetischer Vorschulmeister, welcher die Kunstjünger leidlich einübt und schulet für die eigentlichen Geschmacklehrer selber?*« Freilich behandelt das Werk, das in der für Jean Paul typischen metaphorischen Sprache verfaßt, auch von seinem eigentümlichen Witz durchwoben ist, nicht so sehr die Gebiete der Ästhetik, sondern eher der Poetik, und zwar in lockerer, unsystematischer Folge. – Die erste Abteilung be-

schäftigt sich mit der Poesie überhaupt, der Phantasie, dem »Genie«, der Unterscheidung zwischen klassischer und romantischer Poesie und gipfelt in der Herausarbeitung des literarischen »Humors«, der »*humoristischen Poesie*«, zu deren Bestimmung Jean Paul zweifellos der berufene Autor war. – Wie die erste Abteilung durch die Wesensbestimmung des Humors ihre besondere Note erhält, ist die zweite Abteilung, die sich mit dem Witz, den literarischen Gattungen und dem Stil beschäftigt, durch die in ihr enthaltene Theorie des Romans ausgezeichnet – ebenfalls ein Thema, bei dem Jean Paul durch die theoretischen und historischen Ausführungen hindurch eine Darstellung seiner eigenen Dichternatur gibt. Die dritte Abteilung enthält drei in humoristischem Ton verfaßte Kollegs, eine *Miserikordia-Vorlesung für Stilistiker*, eine *Jubilate-Vorlesung für Poetiker* und eine *Kantate-Vorlesung über die poetische Poesie*, die in einem Preis Herders kulminiert und den höchsten Zweck der Poesie mit den Worten umreißt: »*Sie kann spielen, aber nur mit dem Irdischen, nicht mit dem Himmlischen. Sie soll die Wirklichkeit, die einen göttlichen Sinn haben muß, weder vernichten, noch wiederholen, sondern entziffern. Alles Himmlische wird erst durch Versetzung mit dem Wirklichen, wie der Regen des Himmels erst auf der Erde, für uns hell und labend.*«
In diesen Sätzen spiegelt sich die für Jean Paul charakteristische Auffassung des poetischen Schaffensprozesses, der weder in einer rein phantasiebetonten Verachtung der Wirklichkeit *(»poetische Nihilisten«)* noch in einer bloßen Nachahmung der Wirklichkeit *(»poetische Materialisten«)* zur Erfüllung kommt, sondern auf der innigen Durchdringung der beiden entgegenstehenden Elemente des Unendlichen und der Wirklichkeit beruhen soll, den Himmel auf die Erde herabzaubert, oder die Erde zum Himmel verklärt. Die Kunst ist mit anderen Worten eine neue Erschaffung und Offenbarung der Wirklichkeit, ein dämonisches Wesen, das Genialität, göttliche Schöpferkraft des Geistes voraussetzt und in dieser Vereinigung des Himmlischen und Irdischen »Schönheit« hervorbringt, die ein Wunder, etwas »Wunderbares« darstellt: »*Wie das organische Reich das mechanische aufgreift, umgestaltet und beherrscht und knüpft, so übt die poetische Welt dieselbe Kraft an der wirklichen und das Geisterreich am Körperreich. Daher wundert uns in der Poesie kein Wunder, sondern es gibt da keines, ausgenommen die Gemeinheit.*« – Auf dieser Dialektik des Unendlichen und Endlichen beruht auch Jean Pauls Bestimmung des Humors, die ein besonderes Glanzstück des Werks darstellt. Humor ist nach einer berühmt gewordenen Formulierung »*das umgekehrte Erhabene*«, er setzt das Endliche wie in einem Hohlspiegel in den »*Kontrast mit der Idee*«: »*Wenn der Mensch, wie die alte Theologie tat, aus der überirdischen Welt auf die irdische herunterschauet: so zieht diese klein und eitel dahin; wenn er mit der kleinen, wie der Humor tut, die unendliche ausmisset und verknüpft: so entsteht jenes Lachen, worin noch ein Schmerz und eine Größe ist.*« In dieser Herausarbeitung literarischer Techniken, Gattungen, Kategorien, wie auch in der Charakterisierung von poetischen Kräften und Typen liegt die Größe und Bedeutung des Werks. E. Be.

Ausgaben: Hbg. 1804, 3 Bde. – Stg./Tübingen [2]1813 [verb. u. verm.]. – Breslau 1825 (in *Kleine Bücherschau. Gesammelte Vorreden u. Rezensionen, nebst einer kleinen Nachschule zur ästhetischen Vorschule*, 2 Bde.). – Weimar 1935 (in *SW*, Hg. E. Berend, 3 Abt., 1927ff.; 1. Abt., Bd. 11; hist.-krit.). – Mchn. 1963 (in *Werke*, Hg. N. Miller, 6 Bde., 1959–1963, 5).

Literatur: E. Berend, *J. P.s Verhältnis zu den literarischen Parteien seiner Zeit*, Diss. Bln. 1909. – Ders., *J. P.s Ästhetik*, Bln. 1909. – K. Zimmermann, *J. P.s Ästhetik des Lächerlichen*, Diss. Lpzg. 1912. – M. Beare, *Die Theorie der Komödie von Gottsched bis J. P.*, Diss. Bonn 1928. – H. Tutter, *Die Poetik der Komödie von Gottsched bis J. P.*, Diss. Wien 1944. – T. Hauk, *J. P.s »Vorschule der Ästhetik« im Verhältnis zu Hamanns Kunstlehre*, Diss. Wien 1946. – Th. Langenmaier, *J. P.s »Vorschule der Ästhetik«. Eine Rechtfertigung des Dichters aus seinem Werk* (in Hesperus, 11, 1956, S. 7 bis 19). – E. Behler, *Eine unbekannte Studie Friedrich Schlegels über J. P.s »Vorschule der Ästhetik«* (in NRs, 68, 1957, S. 647–653). – G. Wilkending, *J. P.s Sprachauffassung in ihrem Verhältnis zu seiner Ästhetik*, Marburg 1968.

HEINRICH VON KLEIST
(1777–1811)

AMPHITRYON. Lustspiel von Heinrich von Kleist (1777–1811), erschienen 1807; Uraufführung: Berlin 1898. – Kleist kannte zwar Rotrous Lustspiel *Les Sosies* (1638), seine unmittelbare Vorlage aber war Molières Situationskomödie *Amphitryon* (1668), die wiederum auf Plautus' Komödie *Amphitruo* zurückgeht. Kleist übernimmt den Text Molières fast wörtlich, und nur wenige, aber entscheidende Veränderungen machen sein Werk zu einer ganz und gar originalen Schöpfung, die weit entfernt ist vom Geist der Zeit, den Molière gestaltete. Kleist hat gegenüber Molière vor allem die Gestalt der Alkmene erhöht und ihr vier neue Szenen gegeben (2. Akt: 4. bis 6. Szene; 3. Akt: Schlußszene). Die Elemente gesellschaftlicher Satire, das Komische und Burleske verlegt er in die Parallelhandlung des Dienerpaars Sosias–Charis; das bei Molière nur geistreich-witzige Verhältnis Alkmene–Amphitryon–Jupiter erscheint umgewandelt in eine psychologisch sehr differenzierte und das Tragische, bisweilen auch das Komische streifende Liebes- und Gefühlsproblematik, deren Zentralfigur Alkmene, deren Ursache Jupiter ist. Die innige Verflochtenheit von Schein und Sein wird besonders in der meisterhaft komponierten fünften Szene des zweiten Akts deutlich. Für Alkmene muß alles ein großes Rätsel bleiben. Doch hat sie ein »unfehlbares«, ein »innerstes« Gefühl, das über die Wirklichkeit triumphiert, ohne ihr recht eigentlich Herr zu werden. Ihrem liebenden und treuen Herzen ist es unmöglich, einen Unterschied zwischen Gemahl und Geliebtem zu machen, den ihr der um seine Wirkung besorgte, ein wenig eifersüchtige und ein wenig eitle Jupiter suggerieren will. Vor die Wahl gestellt, gälte ihre Ehrfurcht Jupiter und ihre Liebe Amphitryon, versichert Alkmene. Aber das ist Theorie. Die Distanz zum Gott, auch wenn er in der Gestalt des Amphitryon erscheint, ist nur eine gedachte: in Jupiter erkennt Alkmene nur Amphitryon, wenn der Gott als dieser vor sie hintritt. Sie liebt unbewußt den Gott, vor welchem sie schaudernd zurückwiche, gäbe er sich zu erkennen. Und sie tut instinktiv das Richtige. Denn für Jupiter ist dieses in der Einheit mit sich selbst lebende Gefühl, das die Realität besiegt, indem es das Irreale als Reales begreift, ohne solches zu verstehen, die Probe, die seine eigene Existenz, seine Schöpfung nach einer für beide Seiten qualvollen, da im Unwirklichen sich vollziehenden Prüfung besteht. Alkmenes entwaffnende Liebe zerstreut sein Mißtrauen: »*Mein süßes, angebetetes Geschöpf! / In dem so selig ich mich, selig preise! / So urgemäß, dem göttlichen Gedanken, / In Form und Maß, und Sait und Klang, / Wie's meiner Hand Äonen nicht entschlüpfte!*« Und es ist dieselbe unwandelbare Treue, dieselbe Konsequenz ihres liebenden Herzens, welche Alkmene in der Schlußszene vom irdischen Amphitryon sich ab- und dem zuwenden läßt, der so sprach und liebte wie Jupiter, wie ein zum Gott erhobener Amphitryon.

Der Gott rehabilitiert sich, indem er sich selbst offenbart und die Thebaner auf die Knie zwingt. Alles Menschliche und alles Menschlich-Fragwürdige ist von ihm abgefallen. Alkmene aber läßt er in banger Verwirrung zurück. Für eine so unwirkliche Wirklichkeit, wie sie sich Alkmenes liebevollem und zu allem bereitem Herzen darbietet, hat sie nur ein zugleich verwirrtes und klarsichtiges »*Ach!*«, eine sowohl offene als auch den nicht nur für Alkmene schwer deutbaren Sinn des Geschehenen treffend kommentierende Frage, mit der das Stück schließt. Alkmenes »innerer Friede« ist gestört, die »*Goldwaage ihrer Empfindung*« betrogen, aber betrogen durch einen Gott. Der Gott mußte so sein, denn »*auch der Olymp ist öde ohne Liebe*«. Göttliches muß sich in den Bereich seiner Schöpfung begeben, um sich zu beweisen, und Menschliches muß Göttlichem begegnen, wenn es leben will, wie es ihm aufgetragen ist. Die Liebe eines Gottes zu einem Menschenkind wird erwidert, wenn das Göttliche sich tief ins Menschliche hinabläßt. Daß aus solcher Verbindung neues Leben entsteht, ist eine Gabe des Gottes an die Menschen – und ist doch selbst etwas zutiefst Menschliches, zu dem der Gott sich hingezogen fühlt. W. v. S.

AUSGABEN: Dresden 1807, Hg. A. H. Müller. – Lpzg. ²1938 (in *Werke*, Hg. G. Minde-Pouet, Bd. 3). – Mchn. 1961 (in *Sämtl. Werke u. Briefe*, 2 Bde., 1).

LITERATUR: F. Stoessl, *Wachstum u. Wandlung eines poet. Stoffs* (in Trivium, 2, 1943, S. 93–117). – H. W. Nordmeyer, *K.s »Amphitryon«. Z. Deutung d. Komödie* (in MDU, 38, 1946, S. 1–19; 165 bis 176; 268–283; 349–359; MDU, 39, 1947, S. 89 bis 125). – H. Jacobi, *Amphitryon in Deutschland u. Frankreich*, Diss. Zürich 1952. – G. Blöcker, *H. v. K. oder Das absolute Ich*, Bln. 1960. – H. G. Gadamer, *D. Gott d. innersten Gefühls* (in NRs, 72, 1961, S. 340–349). – P. Szondi, *»Amphitryon«. K.s Lustspiel nach Molière* (in Euph, 55, 1961, S. 249–259). – B. v. Wiese, *Die dt. Tragödie von Lessing bis Hebbel*, Hbg. ⁵1961. – W. Müller-Seidel, *D. Vermischg. d. Komischen m. d. Tragischen in K.s Lustspiel »Amphitryon«* (in Jb. d. dt. Schillerges., 5, 1961, S. 118–135). – B. v. Wiese, *H. v. K.s Tragik und Utopie* (in *H. v. K. Vier Reden zu seinem Gedächtnis*, Hg. W. Müller-Seidel, Bln. 1962, S. 63).

JERONIMO UND JOSEPHE. Eine Szene aus dem Erdbeben zu Chili, vom Jahr 1647. Novelle von Heinrich von KLEIST (1777–1811), erschienen 1807. – Diese zuerst in Cottas ›Morgenblatt für gebildete Stände‹ veröffentlichte und 1810 unter dem Titel *Das Erdbeben in Chili* selbständig erschienene Novelle ist die erste gedruckte und eine der frühesten Erzählungen Kleists überhaupt (nach *Der Findling* und vermutlich auch nach *Die Verlobung in St. Domingo* entstanden).

Unvermittelt wird gleich mit dem ersten Satz der Novelle die doppelte Katastrophe des Einzelnen und der Gemeinschaft thematisch eingeführt. »*In St. Jago, der Hauptstadt des Königreichs Chili, stand gerade in dem Augenblick der großen Erderschütterung vom Jahre 1647, bei welcher viele tausend Menschen ihren Untergang fanden, ein junger, auf ein Verbrechen angeklagter Spanier, namens Jeronimo Rugera, an einem Pfeiler des Gefängnisses, in welches man ihn eingesperrt hatte, und wollte sich erhenken.*« Darauf folgt die Vorgeschichte: Ein angesehener Edelmann hat Jeronimo, seinen Hauslehrer, wegen des allzu »*zärtlichen Einverständnisses*« mit seiner Tochter Josephe entlassen und das Mädchen zur Strafe in ein Karmeliterkloster gesteckt. Heimlich hat der Liebhaber die Verbindung wiederaufgenommen und »*in einer verschwiegenen Nacht den Klostergarten zum Schauplatz seines vollen Glückes gemacht*«. Bei der feierlichen Fronleichnamsprozession wird Josephe von den einsetzenden Wehen auf den Stufen der Kathedrale überrascht. Kaum hat sie ihr Kind im Gefängnis zur Welt gebracht, wird den beiden jungen Menschen der Prozeß gemacht und die Mutter, trotz des Fürspruchs der Äbtissin, die sie liebgewonnen hat, zum Tode verurteilt. – Am Tage der Hinrichtung, als sich die ganze Stadt gaffend an den Fenstern drängt, »*um dem Schauspiel, das der göttlichen Rache gegeben wurde ... beizuwohnen*«, und als der verzweifelte Jeronimo seine Geliebte schon für verloren hält und sich erhängen will, bricht urplötzlich die »*zerstörende Gewalt der Natur*« über die Stadt herein. Das berstende Gefängnis gibt Jeronimo den Weg frei, und auf seiner Flucht vor stürzenden Häusern und sich öffnenden Straßen wird er Zeuge der grauenvollen Zerstörung (die der Dichter in einer atemlos gedrängten Reihe von »Hier«-Sätzen beschwört). Vor den Toren der Stadt dankt er Gott »*für seine wunderbare Errettung*«, freut sich selbstvergessen einen Augenblick lang »*des lieblichen Lebens voll bunter Erscheinungen*« und erinnert sich plötzlich wieder Josephes. Lange irrt er auf der Suche nach ihr herum und erblickt sie schließlich in einem einsamen Tal an einer Quelle mit ihrem Kind, das sie aus dem brennenden, hinter ihr zusammenstürzenden Kloster hatte retten können. Nun finden die Unglücklichen im Tal eine »*Seligkeit, als ob es das Tal von Eden gewesen wäre*«. Am Morgen werden sie von der mit Josephe befreundeten Familie des Don Fernando freundlich aufgenommen, so wie überall »*der menschliche Geist selbst wie eine schöne Blume aufzugehen*« schien, »*als ob die Gemüter seit dem fürchterlichen Schlage, der sie durchdröhnt hatte, alle versöhnt wären*«. In einer begeisterten Steigerung ihres Lebensgefühls drängt es nun auch die beiden Liebenden, »*ihr Antlitz vor dem Schöpfer in den Staub zu legen*«, und sie schließen sich trotz der bösen Ahnungen von Don Fernandos zurückbleibender Frau am Nachmittag den Menschen an, die zum Dankgottesdienst in die einzige unversehrte Kirche strömen. »*Niemals schlug aus einem christlichen Dom eine solche Flamme der Inbrunst gen Himmel.*« Doch der Prediger sieht im Erdbeben eine Strafe Gottes und überantwortet schließlich namentlich die Seelen der beiden Liebenden als der verwerflichsten Sünder »*allen Fürsten der Hölle*«. Die aufgeputschten

Christen erkennen die beiden, und trotz des heldenhaften Muts, mit dem Don Fernando seine Freunde verteidigt, dringt *»die satanische Rotte«*, angestachelt von einem, der sich als Jeronimos Vater ausgibt (es vielleicht sogar ist), mit *»ungesättigter Mordlust«* ihnen nach. Beide und dazu, auf Grund einer Verwechslung, das Kind Don Fernandos, werden vom rasenden Mob erschlagen. Fernando nimmt sogleich das fremde Kind an Sohnes Statt zu sich; wenn er den Knaben später mit dem eigenen Sohn *»verglich, und wie er beide erworben hatte, so war es ihm fast, als müßt er sich freuen«*.

Mit diesem vieldeutigen Satz endet eine in mancher Hinsicht rätselhafte Erzählung. Denn stärker noch als in anderen seiner Prosawerke tritt der Erzähler Kleist hier hinter dem Geschehen zurück. Nur im scheinbar perspektivisch bedingten, dabei aber blitzartig die Situation erhellenden Wechsel sprachlicher Wendungen und im strukturellen Aufbau der Erzählung setzt der Dichter wiederholt Akzente, die seine innere Parteinahme deutlich offenbaren. Die Anmaßung einer göttlichen Richterrolle und ein engherziger religiöser Fanatismus stehen dem ungetrübten natürlichen Gefühl der in ihrem Herzen kindlich-unschuldigen Liebenden und dem kurzen paradiesischen Zustand der zu elementarer Menschlichkeit geläuterten Menge gegenüber. Die vom Dichter geträumte Insel der Seligkeit wird umrahmt von den Höllen am Beginn und Ende der Erzählung – eine sehr eigenartige, spannungsreiche Tektonik. Die zerstörerische Kraft der Natur am Anfang wird am Ende von der Wildheit der Menschen noch überboten.

Die Frage, ob eine unbegriffene Gottheit den eruptiven Untergang einer bisher gültigen Ordnung gewollt hat, bleibt in den einander widersprechenden Tatsachen unbeantwortet. Die häufigen »Als ob«-Sätze betonen diese ungelöste Frage, deren Undurchdringlichkeit den Menschen unweigerlich auf sich selbst verweist und so hervorhebt, daß zumindest die von Menschen ausgelösten Untaten mit Gott nichts zu tun haben. Wenn die rein Empfindenden in dieser Novelle auch tragisch an der von keiner eindeutigen Instanz abhängigen Wirklichkeit zerbrechen, so bleibt doch die momentan erfüllte irdische Glückseligkeit als positives Ideal, das schnell verschüttet, aber auch wiedergewonnen werden kann, in Don Fernandos Seelengröße und in dem angenommenen Kind als inneres Pfand und als sichtbare Spur erhalten. Mit ihrer sparsamen, vorwärtsdrängenden, bei aller zusammenpressenden Verschachtelung unerbittlich genauen Sprache und der doppelt schmerzhaften Steigerung ihrer strukturellen Symmetrie gehört die Novelle zu den geschlossensten und reifsten Prosawerken des Dichters. K. E.

AUSGABEN: Bln. 1807 (in Morgenblatt für gebildete Stände, Nr. 217–221). – Bln. 1810 (*Das Erdbeben in Chili*, in *Erzählungen*, 2 Bde., 1810/11, 1). – Lpzg. 1905 (in *Werke*, Hg. E. Schmidt, 5 Bde., 1904–1906, 3; m. Komm.). – Lpzg. ²1938 (in *Werke*, Hg. ders. u. G. Minde-Pouet, 7 Bde., 1936–1938, 6). – Mchn. ⁴1965 (in *SW und Briefe*, Hg. H. Sembdner, 2 Bde., 2).

LITERATUR: S. Walter, *Die Rolle der führenden u. schwellenden Elemente in Erzählungen des 19. u. 20. Jh.s*, Diss. Bonn 1952, S. 37–45. – K. O. Conrady, *K.s »Erdbeben von Chili«. Ein Interpretationsversuch* (in GRM, N. F. 4, 1954, S. 185–195). – H. M. Wolff, *H. v. K. Die Geschichte seines Schaffens*, Bern 1954, S. 42–46. – D. Nedde, *Untersuchung zur Struktur von Dichtung an Novellen H. v. K.s*, Diss. Göttingen 1955. – J. Klein, *K.s »Erdbeben in Chili«* (in Der Deutschunterricht, 8, 1956, H. 3, S. 5–11). – W. Müller-Seidel, *Versehen u. Erkennen. Eine Studie über H. v. K.*, Köln/Graz 1961. – W. Silz, *H. v. K. Studies in His Works and Literary Character*, Philadelphia 1961, S. 13 28. B. v. Wiese, *H. v. K. »Das Erdbeben in Chili«* (in B. v. W., *Die deutsche Novelle von Goethe bis Kafka*, Bd. 2, Düsseldorf 1962, S. 53–70). – J. M. Ellis, *K.'s »Das Erdbeben in Chili«* (in Publications of the English Goethe Society, 33, 1963, S. 10–55). W. Gausewitz, *K.s »Erdbeben«* (in MDU, 55, 1963, S. 188–194). – J. Kunz, *Die Gestaltung des tragischen Geschehens in K.s »Erdbeben in Chili«* (in *Gratulatio. Fs. f. Ch. Wegner*, Hg. M. Honeit u. M. Wegner, Hbg. 1963, S. 145–170). – R. Ayrault, *H. v. K.*, Paris 1966.

DAS KÄTHCHEN VON HEILBRONN oder Die Feuerprobe, ein großes historisches Ritterschauspiel in fünf Akten von Heinrich von KLEIST (1777–1811), entstanden 1807/08; Uraufführung: Wien, 17. 3. 1810, Theater an der Wien. – Anregungen zu dem Stoff empfing Kleist, wie H. SEMBDNER nachgewiesen hat, aus der englischen Volksballade *Childe Waters* (in BÜRGERS Nachdichtung *Graf Walter*), aus GOETHES *Götz von Berlichingen*, WIELANDS Erzählungen und G. H. SCHUBERTS *Ansichten von der Nachtseite der Naturwissenschaften*. – Jambischer Vers und Prosa wechseln sich in dem Drama ab.

Ein von kaiserlichen Räten und Rittern gebildetes Femegericht muß den Grafen Friedrich Wetter vom Strahl von der Anklage des Heilbronner Waffenschmieds Theobald Friedeborn freisprechen, dessen fünfzehnjährige Tochter Käthchen (wegen ihrer Schönheit im Volksmund das Käthchen von Heilbronn genannt) mit teuflischer Zauberkunst an sich gefesselt zu haben. Der Graf hatte nicht verhindern können, daß ihm das Käthchen aus unergründlichem Drang auf Schritt und Tritt in blinder Ergebenheit gefolgt war und um keinen Preis mehr zu ihrem Vater hatte zurückkehren wollen. Ein von dem Grafen selbst vorgenommenes Kreuzverhör läßt die Unschuld des Mädchens klar werden, vertieft aber das Rätsel ihres Wesens.

Die Nachricht, daß der Rheingraf vom Stein, der Verlobte Kunigundes von Thurneck, ihm in deren Namen wegen strittiger Güter Fehde ansage, reißt den Grafen aus wehmütigen Gedanken über den Liebreiz Käthchens. Der Burggraf von Freiburg, ein früherer Verlobter Kunigundes, hat diese dem Rheingrafen entführt, um sich für die erlittene Abweisung zu rächen. Wetter, der die Gefesselte zufällig in einer Köhlerhütte findet, befreit sie, führt sie auf sein Schloß und beschließt, von ihrer Dankbarkeit und Verzichterklärung geblendet, ihr nicht nur den umstrittenen Besitz zu schenken, sondern sie auch zu heiraten, zumal auf sie, die dem sächsischen Kaiserhaus entstammt, ein Traum des Grafen in der Silvesternacht hinzudeuten scheint, in dem ein Engel ihm eine Kaiserstochter zur Frau verheißen hatte. – Käthchen hat inzwischen durch einen fehlgeleiteten Brief erfahren, daß der Rheingraf, um sich an Kunigunde zu rächen, zu einem Angriff auf die Burg Thurneck rüstet, wo gerade die Hochzeit vorbereitet wird. Die Schroffheit Wetters (die seine unwillkürliche Neigung nicht verdecken kann) hindert Käthchen daran, ihn rechtzeitig zu warnen. Die Burg geht in Flammen auf, und Käthchen, die von Kunigunde mit mörderischer Gleichgültigkeit in die Flammen geschickt wird, um angeblich ein Bild des Grafen, in Wahrheit aber ein Futteral mit der bewußten Schenkungsurkunde aus dem Feuer zu holen, entgeht, von einem Cherub beschützt, auf wunderbare Weise dem Feuertod und überreicht Kunigunde das verlangte Bild, das – gerechte Ironie eines eigenmächtigen Schicksals – zufällig nicht in dem gesuchten Futteral aufbewahrt war. Der Rheingraf wird in die Flucht geschlagen und von Wetter verfolgt. – Unter einem Holunderbusch vor dem Schloß Wetterstrahl, wo sie das nachträglich aus der Asche aufgelesene Futteral abgeben will, liegt Käthchen im Schlaf. Graf Wetter, der ihre Neigung, im Schlaf zu reden, kennt, spricht Käthchen an und erfragt von ihr, was ihr selbst nicht bewußt ist: in der Silvesternacht habe ihr geträumt, der Graf sei von einem Engel in ihre Schlafkammer geführt worden und habe sie als seine Braut begrüßt. So findet er in Käthchens Traum die Lösung seines eigenen Rätsels. – Vor aller Welt will Wetter nun bekennen, daß Käthchen die Tochter des Kaisers und ihm zur Frau bestimmt ist. Auch als Käthchens Vater ihn beim Kaiser verklagt, bleibt der Graf bei seiner Überzeugung und besiegt im Zweikampf, der als Gottesurteil den Streit entscheiden soll, seinen Kläger kampflos. Dieser Ausgang zwingt endlich den Kaiser, sich eines nächtlichen Abenteuers in Heilbronn zu erinnern und die Vaterschaft einzugestehen. Käthchens ehrenhafter Erhöhung folgt die schimpfliche Demaskierung Kunigundes. Käthchen hat sie (schon im 4. Akt) im Bade belauscht und unter blendend kunstvoller Verkleidung ein Scheusal entdeckt. Käthchen entgeht einem Giftanschlag Kunigundes, deren wahre Natur nun auch der Graf durchschaut. »*Giftmischerin*« ist sein letztes Wort, das er ihr nachschleudert, als sie, schon im Brautschmuck, ohnmächtig vor Wut zusehen muß, wie an ihrer Stelle das mit dem kaiserlichen Brautkleid angetane, aber noch immer unwissende und inmitten des plötzlichen Glanzes in Ohnmacht sinkende Käthchen schließlich als Katharina, Prinzessin von Schwaben, vom Grafen Wetter vom Strahl zur Hochzeit geführt wird.

Das *Käthchen von Heilbronn* nimmt in Kleists dramatischem Werk eine Sonderstellung ein: Es hat, dank seiner barocken Fülle romantischer und märchenhafter Motive, »*seiner bunten Handlung*« und »*seines lockeren Aufbaus*«, mehr »*von dem Charakter eines dialogisierten Romans als eines Dramas*«, sosehr auch seinen »*hemmungslos ausschweifenden Hyperbelreden*« eine hochgespannte affektbetonte Dramatik eignet (H. J. Weigand). Seine Einheit erhält es durch das spannungsreiche Verhältnis zwischen den beiden Hauptgestalten, das sich erst am Ende zur Harmonie und zum Glück ihres anfänglichen Traums in der Sylvesternacht erhebt. Die Erfüllung des im Traum Versprochenen ist der einzigartigen Idealität Käthchens zu verdanken, durch die sie zu einer Präfiguration der Kleistschen Marionette wird (vgl. *Über das Marionettentheater*). Von allen dramatischen Gestalten Kleists unterscheidet sie sich dadurch, »*daß sie den übertragischen Zustand der Unschuld nicht verläßt. Sie ist damit wirklich als die reinste Verkörperung der Grazie zu betrachten; im Grunde ist sie das schon mit märchenhaften Zügen ausgestattete Symbol einer vom Sündenfall unberührten Daseinsart*« (Müller-Seidel). Bis heute hat die Verklärung des Gefühls, des Traums und des Unbewußten, die in Käthchens Gestalt vollkommenen Ausdruck findet, die Interpretation der späteren Dramen einseitig bestimmt. Es wurde übersehen, daß auch das unmittelbarste Gefühl, wie im Falle Penthesileas und Alkmenes, Ausdruck tiefer Zweideutigkeit und Verwirrung sein kann, daß auch der Traum, wie im Falle Homburgs, als eine Art Selbstbespiegelung sich darstellen kann. Dem Prinzen von Homburg ist der Graf vom Strahl darin verwandt, daß anstelle der Wahrheit des Gefühls zunächst eine ichhafte »*Verbohrtheit*«, eine »*maßlose Überschätzung des eigenen Ich*« dominiert, die seinem »*romantischen Idealismus*« und »*Weltschmerz*« wesentlich zugehört (H. J. Weigand). Nur das jeder Gefährdung überlegene, ungetrübte Gefühl Käthchens kann zuletzt auch die Wahrheit des Gefühls im Grafen freisetzen und zugleich das Böse (Kunigunde) zum ohnmächtigen Hexenwesen entzaubern, so daß, ähnlich wie im Märchen, der Traum über die Wirklichkeit siegt. Käthchens Unschuld als Chiffre eines paradiesischen Urzustands, die Verwirrungen und Versehen des Grafen, seine Selbsterkenntnis schließlich als möglicher Anfang neuer Unschuld deuten die drei Stufen an, die Kleist in seinem *Marionettentheater* als die Stufen in der Geschichte der Welt eingehend beschrieben und in wechselnder Gestalt im dramatischen Vorgang seiner Werke gespiegelt hat.

W. v. S. – KLL

Ausgaben: Dresden 1808 (*Fragment aus dem Schauspiel Das Käthchen von Heilbronn oder Die Feuerprobe*, in Phöbus, 1, H. 4/5). – Dresden 1808 (*Zweites Fragment des Schauspiels Das Käthchen von Heilbronn*, ebd., H. 9/10). – Bln. 1810. – Lpzg. 1938 (in *Werke*, Hg. E. Schmidt, erw. G. Minde-Pouet, 7 Bde., 1936–1938, 5). – Stg. 1950 (RUB, 40). – Mchn. ³1964 (in *SW u. Briefe*, Hg. H. Sembdner, 2 Bde., 1).

Vertonung: H. Pfitzner, 1905 (Bühnenmusik).

Literatur: R. Stolze, *K.s »Käthchen von Heilbronn« auf der deutschen Bühne*, Bln. 1923. – E. Blaesing, *K.s »Käthchen von Heilbronn«. Gestalt u. Gehalt*, Diss. Marburg 1945. – H. M. Wolff, *Käthchen von Heilbronn u. Kunigunde v. Thurneck* (in Trivium, 9, 1951, S. 214–224). – H. Adolf, *K.s Kunigunde, Jung-Stilling, and the Motif of the Paradox* (in JEGPh, 52, 1953, S. 312–321). – H. J. Weigand, *Zu K.s »Käthchen von Heilbronn«* (in *Studia philologica et litteraria in honorem L. Spitzer*, Hg. A. G. Hatcher u. K. L. Selig, Bern 1958, S. 413–430). – W. Müller-Seidel, *Versehen und Erkennen. Eine Studie über H. v. K.*, Köln/Graz 1961. – H. Schwerte, *»Das Käthchen von Heilbronn«* (in Der Deutschunterricht, 13, 1961, H. 2, S. 5–26). – E. L. Stahl, *H. v. K.s Dramas*, Oxford 1961, S. 92–102. – B. v. Wiese, *Tragische u. märchenhafte Existenz bei H. v. K.* (in B. v. W., *Die dt. Tragödie von Lessing bis Hebbel*, Hbg. ⁶1964, S. 309–326). – S. Streller, *Das dramatische Werk H. v. K.s*, Bln. 1966, S. 125–140 (Neue Beitr. zur Lit.wiss., 27).

DIE MARQUISE VON O ... Novelle von Heinrich von Kleist (1777–1811), erschienen in ›Phöbus‹ 1808. – Sinnfällig demonstriert der erste Satz in Kleists meisterhafter Erzählung seine dichterische Verfahrensweise: »*In M..., einer bedeutenden Stadt im oberen Italien, ließ die verwitwete Marquise von O..., eine Dame von vortrefflichem Ruf, und Mutter von mehreren wohlerzogenen Kindern, durch die*

Zeitungen bekanntmachen: daß sie, ohne ihr Wissen, in andere Umstände gekommen sei, daß der Vater zu dem Kinde, das sie gebären würde, sich melden solle; und daß sie, aus Familienrücksichten, entschlossen wäre, ihn zu heiraten.« Wiederholt setzt Kleist an den Erzählbeginn ein rätselhaftes Faktum, eingefaßt in die für ihn typische »*Struktur des Widerspruchs*« (W. Müller-Seidel): Daß eine verwitwete Dame »von vortrefflichem Ruf« auf unerklärliche Weise schwanger geworden ist, klingt ebenso paradox wie die Charakterisierung des Michael Kohlhaas als »*einer der rechtschaffensten zugleich und entsetzlichsten Menschen seiner Zeit*«. Virtuos, nach Art des Kriminalromans, verwendet Kleist diese Stilfigur des Paradoxen zugleich als spannungssteigernden Kunstgriff: Um den Leser in Bann zu schlagen und seine Erwartung auf eine Lösung dramatisch zu steigern, stellt Kleist die befremdliche Annonce der Marquise an den Anfang und rollt dann erst deren Vorgeschichte auf.

Bei der Besetzung einer Zitadelle in Oberitalien bewahrt ein russischer Offizier die Tochter des Kommandanten, die verwitwete Marquise von O..., vor der Vergewaltigung durch russische Soldaten: »*Der Marquise schien er ein Engel des Himmels zu sein.*« Er führt sie in ein sicheres Gemach, »*wo sie auch völlig bewußtlos niedersank*«. Noch ehe die Marquise ihrem Beschützer, dem Grafen F., danken kann, zieht dieser weiter. Die Marquise fühlt sich alsbald von Unpäßlichkeiten befallen, die – wie sie scherzhaft äußert – an »*gesegnete Leibesumstände*« denken ließen. Überraschend wird die Ankunft des Grafen F. gemeldet, der sich sogleich nach dem Befinden der Marquise erkundigt und ihr unvermittelt einen Heiratsantrag macht. Die Marquise, obgleich ursprünglich entschlossen, sich nicht wieder zu vermählen, läßt sich durch sein Bitten und Drängen ein bedingtes Versprechen abnötigen, das nach seiner Rückkehr eingelöst werden soll. Inzwischen zwingt der körperliche Zustand die Marquise, einen Arzt zu konsultieren. Er bestätigt ihr, daß sie schwanger sei. Aus der unmenschlichen Reaktion des Vaters – er weist die Marquise in rasendem Zorn aus dem Haus – erwächst in ihr der Stolz eines schuldfreien Bewußtseins: »*Durch diese schöne Anstrengung mit sich selbst bekannt gemacht, hob sie sich plötzlich, wie an ihrer eigenen Hand, aus der ganzen Tiefe, in welche das Schicksal sie herabgestürzt hatte, empor.*« Um ihrem ungeborenen Kind jeden »*Schandfleck in der bürgerlichen Gesellschaft*« zu ersparen, greift sie nach heftigen inneren Kämpfen zu jenem unerhörten Mittel, den Vater durch eine Annonce in den »Intelligenzblättern« ihrer Stadt ausfindig zu machen. In einer anonymen Antwort im Anzeigenblatt kündigt der Vater des Kindes einen Termin an, wann er sich im Hause des Kommandanten einfinden wolle. Wie der Leser ahnt, zeigt sich der Graf, aber der Enträtselung des ersten rätselhaften Faktums folgt ein zweites rätselhaftes Faktum. Die Marquise, mit ihren Eltern wieder versöhnt, weigert sich voller Abscheu, diesen Mann zu heiraten: »*... auf einen Lasterhaften war ich gefaßt, aber auf keinen – Teufel!*« Ihre Weigerung kann nur durch eine Sonderklausel, den Verzicht des Grafen auf alle Rechte eines Gatten, aufgehoben werden. Nach der Trauung bezieht der Graf eine eigene Wohnung und betritt viele Monate nicht das Haus des Kommandanten; zur Taufe des neugeborenen Sohnes überträgt er diesem und der Marquise sein gesamtes Vermögen. Er läßt nicht davon ab, mit den »*sprachlosen Beweisen des echten Gefühls*« (Müller-Seidel) um seine Gemahlin zu werben, und feiert, nach Verlauf eines Jahres, endlich die zweite, wirkliche Hochzeit. Kleist wartet mit der Enträtselung des zweiten rätselhaften Faktums bis zum letzten Satz: Vom Grafen danach gefragt, warum sie ihn einst als Teufel von sich gewiesen habe, antwortet die Marquise, »*er würde ihr damals nicht wie ein Teufel erschienen sein, wenn er ihr nicht, bei seiner ersten Erscheinung, wie ein Engel vorgekommen wäre*«.

Die Gefühlsverwirrung der Marquise äußert sich im Widerspruch des doppelten Versehens: Der Graf ist – als ihr Retter– weder ein Engel noch – als ihr Verführer – schlechthin ein Teufel. Vielmehr ist er – als Mensch – in ungelösten Spannungen gefangen, verstrickt in das unentflechtbare »*Ineinander des Göttlichen mit dem Gebrechlichen*« (Müller-Seidel). Der Krieg – Sinnbild der auseinandergebrochenen Ordnung der Welt – entbindet in ihm die Humanität des Beschützers, den dämonischen Trieb des Verführers, aber auch eine außerordentliche Liebe. Sie überdauert noch den Tadel der bürgerlichen Gesellschaft, den die Marquise durch ihren stummen Protest fast bis zuletzt gegen den Grafen ausdrückt. Zwar zeichnet sich auch die Marquise dadurch aus, daß sie einem wahren Gefühl, der Liebe zu ihrem »unbürgerlichen« Kind, die unbedingte Treue hält – mag immer auch die Gesellschaft (in Gestalt der Eltern) ihr deswegen alle Sympathie entziehen. So hebt sie den ungeklärten Widerspruch zwischen dem Bewußtsein ihrer Unschuld und dem Faktum der Schwangerschaft in der Mutterliebe heroisch auf. Doch erschöpft sich in dieser »*existentiellen Verbundenheit mit dem Schicksal*« keineswegs der Sinn der Novelle, wie behauptet wurde (Fricke). Denn die Klärung dieses Widerspruchs, die Enthüllung des Vaters, drängt die Marquise in einen zweiten, schärferen: in den Gegensatz zwischen ihrer Liebe als Mutter und ihrem Abscheu als Gattin. Sie ist, bei aller unkonventionellen Liebe zu dem unerwarteten Kind, ein Opfer gesellschaftlicher Konventionen, wenn ihre anfängliche distanzlose Verklärung des Grafen in eine unkontrollierte Verteufelung seines »ungesetzlichen« Fehltritts umschlägt. Indem aber der Graf, durch ein Äußerstes an Hingabe, sie aus dem Widerspruch zwischen Mutterliebe und Gattenhaß in die »*Einheit des Gefühls*« (Müller-Seidel) führt, wird sie sich auch ihrer ursprünglichen spontanen Liebe zu ihm bewußt: Ausdruck dieser Liebe war, in jener ersten Begegnung, ihre Ohnmacht – wie stets bei Kleist Metapher eines unbewußten, echten Gefühls. Erkennend, daß die Ambivalenz und Spannweite menschlicher Existenz sich jeder abstrakt-einseitigen Fixierung entziehen, befreit die Marquise ihr ursprüngliches, aus gesellschaftlichen Gründen verdrängtes Liebesgefühl. Auf einen Bewußtseinsakt dieser Art, auf die Erfahrung des authentischen Gefühls dank der Erkenntnis von Widersprüchen hat Kleist seine Figuren im erzählerischen wie dramatischen Werk angelegt.

Der skizzierte innere Vorgang schlägt sich in Aufbau und Diktion der Erzählung nieder. Der dramatische Einsatz schafft sogleich eine Aufgipfelung, drängt auf eine Lösung und läßt episches Behagen nicht aufkommen. Kunstvoll spannt Kleist die jäh geweckte Erwartung des Lesers, indem er die atemberaubende Folge der Ereignisse in indirekten Reden spiegelt, die des Rätsels Lösung immer wieder verschweigen: So sehr entzieht sich der ungeheure Widerspruch konventioneller Mitteilung. Die Lösung des »äußeren Rätsels« (Kommerell), jene sprachlose Enthüllung der Vaterschaft, drängt die

Spannung auf einen Kulminationspunkt und läßt sie dann doch nicht abklingen; nicht epische Entspannung, sondern dramatische Stauung des Erzählrhythmus kennzeichnet den Stil Kleists. Zur Lösung des »inneren Rätsels« (Kommerell) der Marquise muß die Erzählung neu einsetzen: Ihre vielkritisierte Zweiteilung ist daher legitim, adäquater Ausdruck eines doppelten Widerspruchs, den erst der letzte Satz durch die Erkenntnis der Marquise rein aufhebt. – Das Motiv der Erzählung, das sich in Michel de MONTAIGNES Essay über die Trunksucht findet, drängte sich Kleist wohl bei der Lektüre der Novelle *Macht des Blutes* (vgl. *Novelas ejemplares*) von CERVANTES auf. KLL

AUSGABEN: Dresden 1808 (in Phöbus, H. 2). – Bln. 1810 (in *Erzählungen*, 2 Bde., 1). – Lpzg. 1905 (in Werke, Hg. E. Schmid, 5 Bde., 1904–1906, 3). – Lpzg. 1938 (in *Werke*, Hg. E. S. u. G. Minde-Pouet, 7 Bde., 1936–1938, 6). – Mchn. [4]1965 (in *SW und Briefe*, Hg. H. Sembdner, 2 Bde., 2).

DRAMATISIERUNG: F. Bruckner, *Marquise von O.* (Urauff.: Darmstadt, 25. 2. 1933).

VERTONUNG: H. W. Henze, *Julietta* (Text: H. Erbse; Oper; Ffm. 1959).

LITERATUR: L. Bianchi, *Studien über K.* 1: *»Die Marquise von O...«*, Bologna 1920. – F. Füller, *Das psychologische Problem der Frau in K.s Dramen u. Novellen*, Diss. Bonn 1921. – G. Fricke, *Gefühl u. Schicksal bei H. v. K.*, Bln. 1929. – M. Kommerell, *Geist u. Buchstabe der Dichtung. Goethe, K., Hölderlin*, Ffm. 1940. – W. Müller-Seidel, *Die Struktur des Widerspruchs in K.s »Marquise von O...«* (in DVLG, 28, 1954, S. 497–515). – H. M. Wolff, *H. v. K., die Geschichte seines Schaffens*, Bern 1954. – S. Bokelmann, *Betrachtungen zur Satzgestaltung in K.s Novelle »Die Marquise von O...«* (in WW, 8, 1957/58, S. 84–89). – K. Hamburger, *Die Logik der Dichtung*, Stg. 1957, S. 79–83). – R. Pouilliart, *Sur une source de Barbey d'Aurevilly* (in Les Lettres Romanes, 12, 1958, S. 426–429). – W. Müller-Seidel, *Versehen u. Erkennen. Eine Studie über H. v. K.*, Köln/Graz 1961. – W. Silz, *H. v. K. Studies in His Works and Literary Characters*, Philadelphia 1961. – J. L. Laurenti, *La narrativa di H. v. K.*, Udine 1962. – A. Horodisch, *Eine unbekannte Quelle zu K.s »Die Marquise von O...«* (in Philobiblon, 7, 1963, S. 136–139). – H. J. Kreutzer, *Die dichterische Entwicklung H. v. K.s. Untersuchungen zu seinen Briefen u. zu Chronologie u. Aufbau seiner Werke*, Bln. 1968 (Phil. Studien u. Quellen, 41; Diss. Hbg. 1964).

MICHAEL KOHLHAAS. Aus einer alten Chronik. Erzählung von Heinrich von KLEIST (1777–1811), erschienen 1810; einen Teil veröffentlichte Kleist schon 1808 in seiner Zeitschrift ›Phöbus‹ (darin sind alle Hinweise auf Sachsen als den Ort der Handlung getilgt). – Kleists unmittelbare Quelle war die *Diplomatische und curieuse Nachlese der Historie von Ober-Sachsen und angrentzenden Ländern* (1731) von Christian SCHÖTTGEN und Georg Christoph KREYSIG, in der die »Nachricht von Hans Kohlhasen« aus dem *Microchronologicum* (ab 1595) des Peter HAFFTIZ mitgeteilt wird. Dem historischen Hans Kohlhasen, Kaufmann in Cölln an der Spree, wurden am 1. 10. 1532 auf Anordnung eines Junkers von Zaschwitz zwischen Wittenberg und Leipzig zwei Pferde gestohlen. Nach langem, erfolglosem Rechtsstreit veröffentlichte Kohlhase 1534 einen Fehdebrief, steckte Wittenberg in Brand und ließ sich auch durch einen Appell LUTHERS nicht von seinem Feldzug abbringen. Schließlich wurde er nach Berlin gelockt und dort am 22. 3. 1540 hingerichtet. Seine Pferde hatte man ihm vorher zurückgegeben. Seine Frau überlebte ihn um mehrere Jahre.

Kleist hält sich nur zum Teil an diese historischen Fakten. Mit einer Koppel Pferde in Sachsen unterwegs, wird der im Brandenburgischen ansässige Roßhändler Michael Kohlhaas bei der Burg des Junkers Wenzel von Tronka widerrechtlich aufgehalten: Unter dem Vorwand, er habe keinen Paß, nötigt der Burgvogt Kohlhaas auf Befehl seines Herren, zwei Rappen als Pfand zurückzulassen. In Dresden darüber belehrt, daß die Paßforderung völlig willkürlich gewesen sei, will Kohlhaas seine Rappen auf der Tronkenburg abholen, muß aber feststellen, daß die Tiere durch Feldarbeit und schlechte Unterbringung völlig heruntergekommen sind. Seine Beschwerde wird höhnisch abgewiesen. Seinen Knecht Herse, der gegen die mißbräuchliche Verwendung der Pferde protestiert hatte, findet er, von den Bedienten des Junkers übel zugerichtet, zu Hause vor. Kohlhaas verklagt den Junker beim Gericht in Dresden auf Wiederauffütterung der Rappen und Erstattung der Krankenkosten für Herse. Nahezu ein Jahr vergeht, ehe er erfährt, daß seine Klage aufgrund der Intrige zweier einflußreicher Verwandter des Junkers, Hinz und Kunz von Tronka, niedergeschlagen worden ist. *»Ein richtiges, mit der gebrechlichen Einrichtung der Welt schon bekanntes Gefühl«* heißt Kohlhaas nichts unversucht zu lassen, um auf ordentlichem Wege Recht zu bekommen. Doch als es ihm weder mit Hilfe der Unterstützung eines befreundeten Stadthauptmanns noch des persönlichen Einsatzes seiner Frau Lisbeth – beim Versuch, dem Kurfürsten von Brandenburg eine Petition zu überreichen, wird sie von einem Wachsoldaten niedergestoßen – gelingt, Gerechtigkeit zu erlangen, und als seine Frau an den Folgen der Verletzung gestorben ist, zögert Kohlhaas nicht länger: Mit sieben Knechten überfällt er die Tronkenburg und äschert sie ein. Der Junker soll angeblich nach Wittenberg entflohen sein. Kohlhaas zieht mit seinem ständig anwachsenden Kriegshaufen vor die Stadt und verlangt die Auslieferung seines Feindes. Mehrmals fällt er brandschatzend in Wittenberg ein, um seiner Forderung Nachdruck zu verleihen. Seine Kampftaktik ist so unkonventionell und flexibel, daß es selbst einem 500 Mann starken Heer unter Führung Friedrichs von Meißen nicht gelingt, das Häuflein des, wie er sich pathetisch nennt, *»Statthalters Michaels, des Erzengels«*, zu besiegen. Während man in Dresden kopfscheu die nächsten Schritte berät, verfaßt Martin Luther einen flammenden Aufruf an Kohlhaas, worin er ihn als einen Frevler wider Gott und die Obrigkeit anprangert. Es kommt zu einem heimlichen Gespräch zwischen dem Reformator und dem Mordbrenner, mit dem Ergebnis, daß Luther beim Kurfürsten von Sachsen eine Amnestie für Kohlhaas erwirkt. Sofort entläßt dieser seine Spießgesellen, begibt sich nach Dresden, wo nun endlich seiner Klage gegen den Junker stattgegeben werden soll. Beim Wiederaufrollen seines Falles ergeben sich unvorhergesehene Schwierigkeiten. Nach einer für die Tronkas schmachvollen Szene auf offenem Marktplatz triumphieren diese und ihre einflußreichen Freunde bei Hof erneut mit einer Reihe von Winkelzügen über das unbeirrbare Rechtsgefühl des Roßkamms:

Er geht in eine Falle und wird in den Kerker geworfen. Zwar setzt der Kurfürst von Brandenburg, sein für ihn zuständiger Landesherr, seine Auslieferung durch, doch da der sächsische Hof inzwischen den Kaiser in Wien angerufen hat, erhält der Fall Kohlhaas auch für die Obrigkeit in Berlin die Bedeutung eines mit Strenge zu statuierenden Exempels. Obwohl zum allgemeinen Erstaunen kein geringerer als der Kurfürst von Sachsen plötzlich alle Hebel in Bewegung setzt, um das Leben des Mannes zu retten, gegen den er wortbrüchig geworden ist, wird Kohlhaas zum Tode verurteilt. Der Kurfürst hatte herausgefunden, daß Kohlhaas eine Kapsel bei sich trägt, in der sich ein für die Geschicke seines Hauses hochbedeutsamer Zettel befindet. (Einst hatte er sich in Begleitung vom Kurfürsten von Brandenburg in einem Marktflecken von einer Zigeunerin weissagen lassen. Diese hatte ihre Prophezeiung jedoch vor ihm verheimlicht, auf einen Zettel geschrieben und ihm bedeutet, nur von dem Mann mit dem Federhut, den er dort vor dem Kircheneingang stehen sehe, könne er den Zettel einlösen. Bei dem Mann mit dem Federhut handelte es sich um niemand anders als Kohlhaas, dem die Alte den Zettel mit der Bemerkung zusteckte, er werde ihm »dereinst das Leben retten«.)
Als Kohlhaas zum Schafott geführt wird, erkennt er in der Menge den Kurfürsten, der sich verkleidet und inkognito in Berlin aufhält, tritt auf ihn zu und verschlingt, indem er den verhaßten Souverän unverwandt anblickt, den ominösen Zettel, nicht ohne ihn vorher gelesen zu haben. Dann läßt er sich widerstandslos enthaupten. Zuvor darf er noch seine wohlgenährten Rappen in Augenschein nehmen und zu seiner Genugtuung erfahren, daß seiner Klage gegen den Junker stattgegeben worden ist. Der Kurfürst von Brandenburg erweist dem rechtschaffenen Verbrecher nachträglich seine Reverenz: Er schlägt seine beiden kleinen Söhne zu Rittern und gibt sie auf eine Pagenschule.
Daß Kohlhaas zu Beginn als *»einer der rechtschaffensten zugleich und entsetzlichsten Menschen seiner Zeit«* apostrophiert wird, weist auf die paradoxe Thematik der Erzählung selbst hin, eine Paradoxie, die am Schluß, wenn Kohlhaas kurz vor seiner Hinrichtung die lang ersehnte Gerechtigkeit zuteil wird, besonders eklatant hervortritt. Kohlhaas lehnt sich erst auf, als er die Willkür nicht mehr nur als menschliche Schwäche, sondern als entschiedene Bosheit im einzelnen und im System begreifen muß. Erst das Zusammenspiel unterschiedlichster Faktoren erzwingt die Zuspitzung des Handlungsablaufs. Das verabsolutierte Rechtsgefühl des Kohlhaas ist von seiner strikten Wahrheitsliebe diktiert, aber diese Unbedingtheit des Gefühls führt zu Unrecht und Unmenschlichkeit. Nicht die das Recht gewissenlos manipulierenden hohen Herren bei Hofe trifft der Rachefeldzug des Kohlhaas, sondern das gemeine Volk. Kohlhaas versieht sich in der Wahl des rechten Landesherrn, und dieser von der Doppelstaatlichkeit bedingte Fehlgriff läßt sich im weiteren Verlauf des lawinenartig anschwellenden Unheils nicht mehr korrigieren. Ähnlich wie der Prinz von Homburg wird Kohlhaas zum *»Erneuerer des Gesetzes aus dem Ungesetzlichen«* (G. Blöcker). Die Einführung des Wunderbaren (präsent in der alten Zigeunerin) – keineswegs ein entbehrliches Anhängsel, sondern ein Motiv, das die Doppelstaatlichkeit in ihrer Schlüsselfunktion für das Werkverständnis unterstreicht – stellt das letzte Glied einer Kette von Horizontausweitungen des Inhalts dar, die in der privaten Sphäre beginnen und neben dem lokalpolitischen auch den theologischen und staatspolitischen Bereich einbeziehen. Die trotz der verwirrenden Detailfülle atemlose und denkbar geradlinige Ereignisfolge bietet sich als *»abstandslose, unmittelbare Übertragung des wesentlich im Element der Zeit selber ablaufenden Lebens«* dar (G. Fricke). Retardation und Akzeleration bestimmen den Grundrhythmus von Kleists periodisch gegliederter Syntax. *»Der mit dem Rücken zum Publikum stehende Erzähler«* (W. Kayser) verbindet in seiner Bemühung um erzählerische Prägnanz die Tonart der Chronik mit der des juristischen Dokuments. KLL

AUSGABEN: Dresden 1808 (in Phöbus, 1, H. 6; Frgm.). – Bln. 1810 (in *Erzählungen*, 2 Bde., 1810/11, 1). – Stg. 1885 (in *Werke*, Hg. Th. Zolling, 4 Bde., 4). – Lpzg. 1905 (in *Werke*, Hg. E. Schmidt, 5 Bde., 1904–1906, 3; krit., m. Komm.). – Lpzg. [2]1938 (in *Werke*, Hg. ders. u. G. Minde-Pouet, 7 Bde., 1936–1938, 6). – Stg. o. J. [1965] (Nachw. B. Markwardt; RUB, 218). – Mchn. [4]1965 (in *SW* u. Briefe, Hg. H. Sembdner, 2 Bde., 2).

DRAMATISIERUNGEN: G. A. v. Maltitz, *Hans Kohlhas*, Trauerspiel, Bln. 1828.– K. R. Proelß, *Michael Kohlhaas*, Trauerspiel, Dresden 1863. – A. Bronnen, *Michael Kohlhaas*, Schauspiel (Urauff.: Frankfurt/Oder, 5. 10. 1929). – W. Gilbricht, *Michael Kohlhaas*, Drama (Urauff.: Berlin 1936, Deutsches Theater).

VERTONUNG: P. v. Klenau, *Michael Kohlhaas*, (Oper; Urauff.: Stg. 1933).

LITERATUR: H. Meyer-Benfey, *Die innere Geschichte des »Michael Kohlhaas«*, Lpzg./Wien 1908. – R. Schlösser, *Die Quellen zu H. v. K.s »Michael Kohlhaas«*, Bonn 1913. – J. Körner, *Recht und Pflicht. Eine Studie über K.s »Michael Kohlhaas« u. »Prinz Friedrich von Homburg«*, Lpzg./Bln. 1926. – G. Fricke, *Gefühl u. Schicksal bei H. v. K.*, Bln. 1929 (Neue Forschungen, 3). – A. Schultze-Jahde, *Kohlhaas u. die Zigeunerin* (in Jb. d. Kleist-Ges., 1933–1937, S. 108–135). – F. Heber, *»Michael Kohlhaas«. Versuch einer neuen Textinterpretation* (in WW, 1, 1950/51, S. 98–102). – H. Geyer, *Eine querulatorische Reaktion: K.s Kohlhaas* (in H. G., *Dichter des Wahnsinns*, Göttingen/Ffm./Bln. 1955 S. 115–144). – C. E. Passage, *»Michael Kohlhaas«: Form Analysis* (in GR, 30, 1955, S. 181–197). – G. Fricke, *K.s »Michael Kohlhaas«* (in G. F., *Studien u. Interpretationen*, Ffm. 1956, S. 214–238). – B. v. Wiese, *H. v. K. »Michael Kohlhaas«* (in B. v. W., *Die dt. Novelle von Goethe bis Kafka*, Düsseldorf 1956, S. 47–63). – W. Kayser, *K. als Erzähler* (in W. K., *Die Vortragsreise*, Bern/Mchn. 1958, S. 169–183). – J.-J. Anstett, *A propos de »Michael Kohlhaas«* (in EG, 14, 1959, S. 150–156). – J. M. Lindsay, *Kohlhaas and K. Two Men in Search of Justice* (in GLL, N.S., 13, 1959/60, S. 190–194). – G. Blöcker, *H. v. K. oder Das absolute Ich*, Bln. 1960. – W. Silz, *H. v. K., Studies in His Works and Literary Character*, Philadelphia 1961, S. 173–197. – J. K.-H. Müller, *Die Rechts- u. Staatsauffassung H. v. K.s*, Bonn 1962. – P. Horwath, *»Michael Kohlhaas«. K.s Absicht in der Überarbeitung des Phöbus-Fragments* (in MDU, 57, 1965, S. 49–59). – Ph. B. Miller, *Time, Place and Syntax in K.'s »Michael Kohlhaas«*, Diss. Yale Univ. 1965 (vgl. Diss. Abstracts, 27, 1966, Nr. 1343 A). – D. G. Dyer, *Junker Wenzel v. Tronka* (in GLL, 18, 1964/65, H. 4, S. 252–257). – J. M. Ellis, *Der Herr läßt regnen* *über Gerechte u. Ungerechte: K.s »Michael Kohlhaas«* (in MDU, 59, 1967, S. 35 40). – G. H. Hertling, *K.s »Michael Kohlhaas« u. Fontanes »Grete Minde«: Freiheit und Fügung* (in GQ, 40, 1967, 1, S. 24 40). E. Marson, *Justice and the Obsessed Character in »Michael Kohlhaas«, »Der Prozeß« and »L'Étranger«* (in Séminar, 2, 1967, S. 21–33). – J. Goheen, *Der lange Satz als Kennzeichen der Erzählweise in »Michael Kohlhaas«* (in WW, 17, 1967, S. 239–246).

PENTHESILEA. Tragödie in Versen (24 Auftritte) von Heinrich von KLEIST (1777–1811), erschienen 1808; Uraufführung: Berlin, 25. 4. 1876, Königliches Schauspielhaus. – In grauer Vorzeit fielen Äthiopierstämme in das Skytherland ein, töteten alle Männer und bemächtigten sich ihrer Frauen. Diese schwuren blutige Rache, ermordeten in einer Nacht die Eindringlinge und gründeten einen Frauenstaat, der um seines Fortbestands willen von Zeit zu Zeit erwählte Jungfrauen aussendet, die aus einem von Mars bestimmten Volk eine Schar Männer erkämpfen und gefangen in das Amazonenreich bringen. Dort wird ein großes Liebesfest gefeiert, nach dessen Ende die Gefangenen wieder entlassen werden. – Während des Kriegs um Troja greifen nun die Amazonen unter der Führung ihrer Königin Penthesilea in das Kampfgeschehen ein, ohne sich doch, zur Verwirrung der streitenden Völker, zu einer der beiden Parteien zu bekennen. Obwohl es nach dem Gesetz der Amazonen verboten ist, daß sich Jungfrauen bestimmte Männer auswählen, sucht Penthesilea im Schlachtgewühl immer wieder den Griechen Achilles, der in gleicher Weise von ihr angezogen scheint und sie im Kampf zu stellen strebt. Auch als der Zweck des Amazonenzugs erreicht, die erforderliche Schar von Jünglingen gefangen ist, gibt die Königin es nicht auf, sich den einen ersehnten Helden siegreich zu gewinnen. Immer wieder wendet sich das Schlachtenglück, bis es schließlich Achill gelingt, Penthesilea zu überwinden. Ihre Vertraute Prothoe überredet jedoch den Siegreichen, die in eine tiefe Ohnmacht Gesunkene bei ihrem Erwachen vorerst zu schonen und sie glauben zu machen, nicht er, sondern sie selbst sei der Sieger. Über solchem trügerischen Grund entfaltet sich der idyllische Zauber der Liebesszene des 15. Auftritts. Bald aber wird durch das Vordringen der Amazonen, die ihre Königin befreien wollen, Penthesilea ihre wahre Lage offenbart. In erneutem Kampfgewühl wird sie von Achill getrennt. Dieser fordert sie nun durch einen Herold noch einmal zum Zweikampf; doch will er sich ihr nur zum Scheine stellen und freiwillig unterliegen, da sie ja nur den lieben darf, den sie mit dem Schwert überwunden hat. Penthesilea verkennt indessen diese Absicht; in sinnloser Haßliebe zieht sie mit allen Schrecken des Krieges Achill entgegen und stürzt sich, nachdem sie ihm einen Pfeil durch den Hals geschossen hat, mit einer Hundemeute auf ihn, um ihn zu zerfleischen. In den Kreis der von Abscheu und Mitleid bewegten Amazonen zurückgekehrt, stirbt sie dem Geliebten nach.

Thomas MANN hat einmal (in seinem Chamisso-Essay) das »*Überzarte*« und das «*Brutale*« als »*Komplementärbedürfnisse der reizsüchtigen romantischen Konstitution*« bezeichnet. Die gleichzeitige Tendenz zu elfenhafter Zartheit und exotischer Atrozität prägt kaum eine Dichtung so sehr wie Kleists *Penthesilea*. Die Titelgestalt wird im Drama selbst ständig durch extreme Gegensätze gekennzeichnet. Mit einer Leier vergleicht sie sich selbst, die im Zuge des Nachtwinds still für sich den Namen des Geliebten flüstert (9. Auftr.); und doch zerfleischt sie diesen am Ende mit ihren eigenen Zähnen: »*... Küsse, Bisse. / Das reimt sich, und wer recht von Herzen liebt, / Kann schon das eine für das andre greifen*« – so lautet Penthesileas hellsichtiger, ob seiner Paradoxie berühmter Kommentar. »*Halb Furie, halb Grazie*« nennt Achilles sie (21. Auftr.); und noch, nachdem das Entsetzliche geschehen ist, vergleicht die erste Priesterin sie mit einer Nachtigall. Der Gegensatz, den sie selbst verkörpert, reizt Penthesilea auch an Achilles: Der Gedanke zieht sie an, den »*Lieben, Wilden, Süßen, Schrecklichen*«, der Hektor zu Tode schleifte, mit Rosen zu bekränzen (15. Auftr.). – Was der junge Friedrich von SCHLEGEL in seiner Abhandlung *Über das Studium der griechischen Poesie* prophezeit hatte: daß die moderne Dichtung, die von der »*Kategorie des Interessanten*« geprägt sei, immer mehr zum Schockanten und Gräßlichen tendiere, scheint durch Kleists Schauspiel bestätigt zu werden. Es birgt bereits eine spätere Tendenz der Rezeption antiker Mythen in sich, die in ausdrücklichem Gegensatz zum klassischen Bild des Griechentums dessen wahres Wesen in Hysterie und lyrisch überglänzten, mit moderner seelischer Differenziertheit sich verbindenden Krudelitäten sucht (vgl. HOFMANNSTHALS *Elektra*). Kein Wunder, daß GOETHE die *Penthesilea* mit solcher Schärfe ablehnte; hier wurde gewiß nicht ohne Absicht eine förmliche Gegenwelt zu seiner *Iphigenie* beschworen, in der gleichsam das Skythentum des Thoas und der von ihm humanisierte Diana-Kult ins Barbarisch-Blutige zurückverwandelt wurde (auch die Amazonen stammen ja von den Skythen ab und verehren die Diana). Kleist hat aber die archaische Wildheit seines Stoffes (auf den er durch HEDERICHS *Lexicon mythologicum* aufmerksam wurde) auf unerhört kühne Weise psychologisch begründet; daß er dabei modernste psychopathologische Erkenntnisse vorwegnahm, ist von jeher bewundert worden. In der Verschränkung kriegerischer und erotischer Bilder scheint sich die Vorstellung der Liebe als eines Kampfes der Geschlechter, die Nähe von Eros und Geschlechtshaß auszudrücken. George STEINER hat geistreich bemerkt, das Stück sei wie ein Schwerttanz aufgebaut: Der Grieche und die Amazone treten vor und weichen zurück in mörderischer Werbung. Ausdrücklich ist einmal bei Kleist davon die Rede, daß Penthesilea Achill im funkelnden Kriegsschmuck und voller Kampflust »*entgegen tanzt*« (7. Auftr.). Paradoxe Bilder dieser Art antizipieren Penthesileas tragische Situation, jenen unaufhebbaren Widerspruch zwischen der amazonischen Lebensordnung mit ihrer rituellen Erotik und der individuellen Liebe, aus dem die Königin, als sie sich jener beiden allein sinngebenden Lebensmächte gleichzeitig beraubt sieht, nur noch in das Chaos des Wahnsinns, der Rache als mänadisch rasender Selbstbehauptung stürzen kann.

»Tragik« als metaphysische Krise, als Riß im Sinngefüge der Welt ist dem Wort wie der Idee nach eine Entdeckung und Schöpfung des 19. Jh.s, die sich gern in dem mythischen Bild der Antinomie in der Götterwelt ausdrückt (vgl. z. B. auch GRILLPARZERS *Des Meeres und der Liebe Wellen*). Bei Kleist sind es Diana und Mars, in deren Gehorsam sich der Amazonenstaat stellt; dessen Gesetz will den namenlosen, für die rituellen Orgien bestimmten Geschlechtspartner, den Mars der Jungfrau in der Schlacht bestimmt. Aphrodite aber, zu der Penthesilea (im 9. Auftr.) aufseufzt, und der »*Gott der Liebe*«, der sie »*ereilt*« hat (15. Auftr.), geben ihr ein, den namentlich bekannten Helden zu wählen, zu suchen, zu lieben. Diese Antinomie wird ihr lange nicht bewußt, zumal da die sterbende Mutter ihr bereits in merkwürdiger Ausnahme von dem Gesetz Achill als von Mars bestimmten Partner verheißen hat. So kann sie im 15. Auftritt, dieser trügerisch idyllischen Insel innerhalb des reißenden Stromes der tragischen Vorgänge, das heilige Gesetz ihres Volkes mit der Bestimmung ihres Herzens versöhnt wähnen, da sie glaubt, sich Achilles mit dem Schwert erkämpft zu haben. Die große Liebesszene bildet eine Brücke des schönen Scheins über dem tragischen Abgrund der Welt, zwischen den beiden in Wirklichkeit nicht zu vereinenden Lebensmächten. Auch im *Prinzen von Homburg* wird in der Idylle des Schlußbildes eine solche Brücke des schönen Scheins geschlagen; aber sie bedeutet hier innerhalb des Kunstwerks die echte Aufhebung des tragischen Gegensatzes, das befreiende Ende einer zur Komödie verwandelten Tragödie, während in der *Penthesilea* die Brücke zerbricht und die Gestalten ins Bodenlose hinabstürzen. Der Moment, in dem die Königin erfahren muß, daß nicht sie, sondern Achill siegreich war, bedeutet das qualvolle Aufdämmern des Bewußtseins, daß ihre Liebe sie in eine tödliche Selbstentzweiung getrieben hat. Noch einmal sucht sie in den erschütternden Bittrufen am Ende des 15. Auftritts das Unvereinbare zu vereinen, den Geliebten in ihre Heimat zu locken, »*wo Dianas Tempel aus den Wipfeln ragt*«; doch dann bricht der Gegensatz offen hervor, treten die beiden Pole ihrer Existenz in vernichtende Spannung zueinander. Dem Achill ist sie entrissen; von den Ihren, die unter Aufopferung der ganzen Kriegsernte ihre Königin aus den Händen des Überwinders befreit haben, wird sie verstoßen, da sie die Befreiungstat nur beklagt und sich damit um ihrer Liebe willen in Gegensatz zum Amazonenstaat stellt. In diesem ausweglosen Moment wähnt sie sich nun auch noch in jener Liebe betrogen, in ihrem Heiligsten geschändet (ein typisch Kleistsches Motiv), als sie die Kampfesforderung Achills vernimmt, die in Wahrheit als freiwillige, liebende Unterwerfung gemeint ist. Der Sturm, der in ihrem Innern tobt, läßt sie Achills wahre Absicht verkennen; zu spät, erst nach der alles vernichtenden Tat durchschaut sie die wahren Zusammenhänge. Mit dieser Verknüpfung von tödlichem Versehen und einem Erkenntnisakt, der die Katastrophe transzendiert, greift Kleist auf ein Urthema tragischer Dichtung zurück, das zugleich in seinem Gesamtwerk als dominierender Formzug hervortritt.

Kleists Trauerspiel findet bis heute nur selten den Weg auf die Bühne – trotz seiner starken Spannung, welche vor allem durch die äußerste räumlich-zeitliche Konzentration des Geschehens bewirkt wird, das in seinen 24 Auftritten (ohne Akteinteilung und Unterbrechung der zeitlichen Kontinuität) wie ein Katarakt vorüberbraust. Doch bedeutet die Einheit des Schauplatzes eine weitgehende Verlegung der eigentlichen Aktion in die »verdeckte Handlung«, die durch Teichoskopie und andere traditionelle Berichtsformen reportiert wird. Dadurch scheint sich Penthesilea vom Theater zu entfernen – so hinreißend, so genuin dramatisch die elementar lodernde Sprache auch sein mag, eine Sprache, die vollkommen dem inneren Vorgang anverwandelt ist und in der Geschichte des deutschen Dramas kaum ihresgleichen findet an gestauter und entfesselter Gewalt, stoßender Heftigkeit und affektiver Schlagkraft. Kleist, der den Leser ohnehin nie »*mit fertigen Sprachgebilden und Satzfiguren*« konfrontiert, sondern sie vor ihm »*entstehen*« läßt, ihn niemals »*zur Betrachtung geschlossener sprachlicher Architekturen*« anhält, »*sondern zum Mitvollzug von Entwicklungsreihen*«, ihm »*seelische Bewegung und körperliche Aktion*« stets unmittelbar als »*Sprachbewegung*« mitteilt (G. Blöcker) – Kleist hat im Falle der *Penthesilea* diese Sprachbewegung aufs äußerste gespannt und ins bedrängende Extrem getrieben, wenn er, um Beispiele anzuführen, »*die wilde Jagd der Amazonen und ihren Massensturz in einer Sprachlawine, einem wahren Satzgepolter einfängt*«, wenn »*Penthesileas Jubel, als Achill sich ihr scheinbar ergibt ... zum Sprachtaumel*« wird – ihr »*Gefühl sprengt das Satzgefüge und reißt die logische Wortfolge auseinander*« –, wenn »*die Motorik innerer Vorgänge*« nach außen gekehrt wird durch Wortwiederholung wie bei Penthesileas Verfluchung des Rosenfestes, wenn die »*kunstvolle Häufung von Bindewörtern*« zum emotionalen Verknüpfungsakt wird wie beim »*Bericht Meroes über den halb zu Tod gejagten und schließlich niedergemetzelten Achill*« (G. Blöcker). Ihre moderne tiefenpsychologische Dimension erreicht diese Sprache aber dadurch, daß sie nicht nur Ausdruck des unmittelbaren Gefühls ist (Penthesileas Liebe zu Achill), sondern unlösbar verschränkt damit auch Ausdruck des von der Umwelt festgelegten, die Wahrheit des Gefühls verstellenden Bewußtseins (Amazonentum). Das schwankende, doppelbödige Selbstverständnis der Heldin schlägt sich in Reden nieder, die, einer Einsicht Max Kommerells zufolge, abgestuft sind »*nach ihrer Treue oder Untreue gegen das Unbewußte ... Eine Szene der Penthesilea, die neunte, ist von dieser Abstufung so beherrscht, daß derselbe Mensch hier eigentlich zwei Sprachen spricht, eine Sprache, in der er seine Gefühle nach einer geprägten Denkform auslegt, eine andere, die nicht mehr von ihm gewählt, sondern ihm gegeben, die Ursprünglichkeit des Inneren aufschließt.*« – Es ist mehr als ein impressionistischer Einfall, wenn die Sprachgestalt dieses Dramas, die atemlose Folge ineinander verschlungener Dialoge als »*dionysische Verbalmusik*« (Blöcker) charakterisiert wurde: Zwei bedeutende Werke der Musikliteratur, Hugo Wolfs Tondichtung und Othmar Schoecks Oper, wurden durch den symphonischen Charakter dieser Dichtung Kleists angeregt, dem die Musik stets die »*Wurzel*« und »*algebraische Formel*« aller Künste war. D. Bo.

Ausgaben: Dresden 1808 (Organisches Fragment, in Phöbus, H. 1). – Tübingen/Dresden 1808; Faks. Ffm. 1967, 2 Bde. [Bd. 2 enth. Dokumentationen u. Zeugnisse, Hg. H. Sembdner]. – Stg. 1885 (in *Werke*, Hg. Th. Zolling, 4 Bde.). – Lpzg. 1904 (in *Werke*, Hg. E. Schmidt, 5 Bde., 1904–1906, 2; krit.; m. Komm.). – Lpzg. 1938 (in *Werke*, Hg. ders. u. G. Minde-Pouet, 7 Bde., 1936–1938, 4). – Ffm./Hbg. 1961 [Nachw. A. Henkel]. – Mchn. [4]1965 (in *SW u. Briefe*, Hg. H. Sembdner, 2 Bde., 1).

Vertonungen: H. Wolf, *Penthesilea*, 1883–1885 (Symphonische Dichtung). – O. Schoeck, *Penthesilea* (Text: H. v. Kleist; Oper; Urauff.: Dresden, 8. 1. 1927, Staatsoper).

Literatur: B. Schulze, *K.s »Penthesilea« oder Von der lebendigen Form der Dichtung*, Lpzg. 1912. – M. Kommerell, *Geist u. Buchstabe der Dichtung. Goethe, Schiller, K., Hölderlin*, Ffm. [2]1942. – E. Blühm, *Die Wandlungen des K.bildes, vornehmlich aufgewiesen* an der *Auffassung der »Penthesilea«*, Diss. Greifswald 1951. – I. Kohrs, *Das Wesen des Tragischen im Drama H.s v. K. dargestellt an Interpretationen von »Penthesilea« u. »Prinz Friedrich von Homburg«*, Marburg 1951. – K. May, *K.s »Penthesilea«* (in K. M., *Form u. Bedeutung*, Stg. 1957, S. 243–253). – G. Fricke, *K. »Penthesilea«* (in *Das deutsche Drama vom Barock bis zur Gegenwart*, Hg. B. v. Wiese, Bd. 1, Düsseldorf 1958, S. 363–384). – G. Blöcker, *H. v. K. oder Das absolute Ich*, Bln. 1960. – D. Dyer, *The Imagery in K.'s »Penthesilea«* (in Publications of the English Goethe Society, 31, 1961, S. 1–23). – W. Müller-Seidel, *Versehen u. Erkennen. Eine Studie über H. v. K.*, Köln/Graz 1961. – B. v. Wiese, *Tragische u. märchenhafte Existenz bei H. v. K.* (in B. v. W., *Die deutsche Tragödie von Lessing bis Hebbel*, Hbg. [5]1961, S. 309–326). – P. B. Salmon, *Hellenistic Diction in K.'s »Penthesilea«* (in GLL, 15, 1961/62, S. 89–99). – F. Gundolf, *»Penthesilea«* (in F. G., *Dem lebendigen Geist*, Heidelberg/Darmstadt 1962, S. 239–259). – H. Turk, *Dramensprache als gesprochene Sprache. Untersuchungen zu K.s »Penthesilea«*, Bonn 1965. – W. Müller-Seidel, *H. v. K. Aufsätze u. Essays*, Darmstadt 1967.

PRINZ FRIEDRICH VON HOMBURG. Schauspiel in fünf Akten von Heinrich von Kleist (1777 bis 1811), entstanden 1809–1811; Uraufführung: Wien, 3. 10. 1821, Burgtheater. – Der nachtwandelnde Prinz von Homburg flicht sich im Schloßgarten von Fehrbellin einen Lorbeerkranz; der Kurfürst, der ihn mit der Hofgesellschaft beobachtet, nimmt ihm den Kranz aus der Hand, schlingt zum Scherz seine Halskette darum und reicht ihn seiner Nichte Natalie. Als der Prinz sich ihr leidenschaftlich zuwendet, ja sie als Braut anredet, weist der Kurfürst ihn schroff zurück, und die erschrokkene Hofgesellschaft entweicht; nur ein Handschuh Natalies bleibt in den Händen des immer noch träumenden Prinzen zurück. – Als am nächsten Morgen der Feldmarschall seinen Offizieren den Plan der Schlacht gegen die Schweden erläutert, ist der Prinz geistesabwesend, denn er hat entdeckt, daß Prinzessin Natalie ihren Handschuh vermißt – denselben, den er nachtwandelnd von ihrer Hand gezogen hat. In der folgenden Schlacht stürzt er sich, durch jenes Traumerlebnis in das Hochgefühl versetzt, vom Glück zu Außerordentlichem berufen zu sein, mit der Reiterei voreilig in die Schlacht, obwohl ihm untersagt ist, in den Kampf einzugreifen, bevor ihm durch einen Boten der Befehl dazu erteilt wurde. Gerade die Insubordination des Prinzen trägt aber wesentlich zum glänzenden Sieg Brandenburgs bei. Der Kurfürst indessen läßt den »Sieger von Fehrbellin« vor ein Kriegsgericht stellen, das ihn zum Tode verurteilt. Als der Prinz erfährt, daß es dem Kurfürsten mit der Vollstrekkung des Urteils ernst ist und er auf dem Wege zur Kurfürstin, die er um ihre Fürsprache bitten will, das für ihn bestimmte Grab sieht, verfällt er in solche Todesangst, daß er vor der Kurfürstin und Natalie nur noch um das nackte Leben fleht, ja sogar jeden Anspruch auf die Hand der Prinzessin (mit der er sich nach der Schlacht heimlich verlobt hat) aufgibt. – Erschüttert unternimmt Natalie einen letzten Versuch, das Leben des Geliebten zu retten; der Kurfürst ist auch zur Begnadigung bereit, vorausgesetzt, der Verurteilte selbst erklärt den Spruch des Kriegsgerichts für ungerecht. Als der Prinz jedoch ein Schreiben dieses Inhalts aus den Händen Natalies empfängt, erkennt er, selber zur Entscheidung aufgerufen, die Rechtmäßigkeit des Urteils an und verkündet vor dem versammelten Offizierskorps, das vom Kurfürsten die Begnadigung fordert, er sei bereit zu sterben. – Diese Anerkennung des Gesetzes ermöglicht es nun dem Kurfürsten, Gnade vor Recht ergehen zu lassen. In der letzten Szene des Dramas verwandelt er die Traumvision des Prinzen in Wirklichkeit: Ruhmeskranz, Fürstenkette und Braut werden ihm nun tatsächlich zuteil.

In Kleists Quelle, den *Mémoires pour servir a l'histoire de la Maison de Brandebourg* von König Friedrich II. von Preussen, ist ein Ausspruch des Großen Kurfürsten überliefert, mit welchem er dem Prinzen von Homburg seine Insubordination gnädig verzieh: »*Si je vous jugeois selon la rigueur des lois militaires, vous auriez mérité de perdre la vie.*« (»*Wenn ich Sie nach der Strenge des Militärgesetzes aburteilen würde, so hätten Sie den Tod verdient.*«) Kleist verwendet für die szenische Erläuterung dieses staatspolitischen Exempels eine Fülle von theatralisch äußerst wirksamen Situationen, die eine Verwandtschaft mit dem Urdrama des Gerichtsprozesses aufweisen (dessen Modell auch dem *Zerbrochenen Krug* und dem ersten Akt des *Käthchens von Heilbronn* zugrunde liegt): Verhörsituationen, Plädoyers, Rededuelle zwischen Anklage und Verteidigung (so zwischen dem Kurfürsten und dem Oberst Kottwitz, dem Fürsprecher Homburgs) usw. Die Spannung des Schauspiels resultiert wie in Schillfrs *Maria Stuart* und anderen politischen Dramen der Weltliteratur aus der Ungewißheit, ob ein verhängtes Todesurteil tatsächlich vollstreckt wird oder nicht. Hier wie dort ist der Titel des Dramas mit dem Namen des »Angeklagten« identisch; dieser und der jeweilige oberste »Richter« (Elisabeth in *Maria Stuart*, der Kurfürst im *Prinz von Homburg*) sind die beiden Pole, zwischen denen die signifikante tragische Spannung besteht.

Bei dem »Fall« Homburg geht es um das Prinzip der Subordination: Der Prinz hat, wie der Kurfürst ihm vor der Schlacht mahnend vorhält, früher bereits zwei Siege verscherzt; trotz der Warnung, nicht auch den dritten durch Leichtsinn zu gefährden, mißachtet der Prinz den Schlachtbefehl. Der Kurfürst muß darauf bestehen, »*daß dem Gesetz Gehorsam sei*« (2,9); dem Vaterland kann es nicht gleich gelten, »*ob Willkür darin, ob drin die Satzung herrsche*« (4,1). Im Namen von »*Kriegszucht*« und »*Gehorsam*« gilt es nun, ein Exempel zu statuieren. Der Prinz nimmt das Todesurteil zunächst nicht ernst, hält es für eine bloße Formalität: »*Das Kriegsrecht mußte auf den Tod erkennen; / so lautet das Gesetz, nach dem es richtet*«; nachdem jedoch getan ist, »*was Pflicht erheischte*«, wird der Kurfürst, so wähnt Homburg, dem »Herzen« gehorchen und auf die Vollstreckung des Urteils verzichten (3,1). Das geschieht ja in der Tat am Ende des Dramas, doch erst, nachdem der Prinz eine bedeutsame Wandlung vollzogen hat, die in seiner Anerkennung und »existentiellen« Erfahrung der Notwendigkeit des Gesetzes besteht. Der Wendepunkt ist jener Moment, da die Entscheidung über Gerechtigkeit und Ungerechtigkeit des Urteils in seine eigenen Hände gelegt, er also vom Kurfürsten zum Richter über sich selber ernannt wird; nun erst erkennt er, daß er sich schuldig gemacht hat und ist zur Sühne bereit. So wie er auf die erste Nachricht von der bevorstehenden Vollstreckung des Urteils hin und beim Anblick des für ihn bestimmten Grabes in Todesangst verfiel, so läßt er sich nun, ehe er dem Offizierskorps seine Entscheidung verkündet

»das heilige Gesetz des Kriegs, / das ich verletzt im Angesicht des Heers, / durch einen freien Tod« zu verherrlichen (5,7), noch einmal den Kirchhof öffnen, um das Grabgewölbe zu sehen. Die Fassung, mit der er dem Tod jetzt begegnet, hat ihren Grund in dem *»Triumph / ... über den verderblichsten / der Feind' in uns, den Trotz, den Übermut«*, wie er in dieser Szene zu den Offizieren sagt. Die religiösen Formeln, deren er sich hier bedient, deuten darauf hin, daß ihm das Gesetz, dem er sein Leben opfert, der Widerschein einer göttlichen Bestimmung ist. Die Selbstbezogenheit, die den Prinzen früher prägte, seine Ichverkrampfung hat sich zugleich mit der ihr entsprechenden Todesangst gelöst.

Diese Läuterung vollbringt aber im Ablauf des Schauspiels das Wunder der Auflösung der Tragödie in die Komödie. Die Schatten des tragischen Ernstes, die bis zum Ende des vierten Akts auf der Handlung lasteten, weichen im letzten Aufzug gelöster Heiterkeit; der Auftritt Kottwitzens läßt echt lustspielhafte Momente, märkischen Humor, aufkommen. Auch der Kurfürst verliert zunehmend seine Unerbittlichkeit, den tödlichen Ernst des Richters und nimmt Züge olympischer Heiterkeit an. Er offenbart sich – ein typisches Komödienmotiv – als gleichsam allwissender Gott, als geheimer Regisseur des Geschehens, der dem Prinzen zu tief ins Herz gesehen hat, um nicht das in seinem innersten Wesen verankerte, wenngleich verschüttete Rechtsgefühl zu kennen und zu wissen, wie er sich am Ende entscheiden – so aber auch die Begnadigung ermöglichen wird: Die Gnade setzt ja die unbedingte Anerkennung des Rechts durch den Prinzen voraus. – So scheint der *Prinz von Homburg* als staatspolitisches Drama zu enden; der »Fall« ist für alle Seiten, sowohl vom Standpunkt der Billigkeit als auch von dem des Rechts, befriedigend, rational einsichtig gelöst.

Hinter dieser Handlungsschicht lagert jedoch eine andere, die auch stilistisch einen Kontrapunkt zur Nüchternheit des politischen Dramas setzt. Es ist die somnambule Welt des Prinzen, aus der dieser die Antriebe für sein Handeln in der Wirklichkeit empfängt. Mit wahrhaft nachtwandlerischer Sicherheit stürzt er sich unter Berufung auf die Ordre, die er vom »Herzen« empfangen hat, in die Schlacht. Dies Herz, das »Gefühl«, wie es unverhüllt im Traum zutage trat, ist seit je Gegenstand divergierender wissenschaftlicher Auslegungen. Es wurde lange Zeit vielfach als subjektivistische Willkür kritisiert, von der sich der Prinz zur Anerkennung von Gesetz und Staat emporläutere. Noch G. Fricke sprach in seinem bahnbrechenden Kleist-Buch (1926) in einem moralischen Sinn von der *»Selbstsucht des endlichen Ich«*, aber seine »existentielle« Deutung des Gefühls, das die Kleistschen Figuren so unverkennbar beseelt, sein Verständnis des Gefühls als dominierender Qualität der Existenz, als Organ der Welterfahrung, schuf zugleich die Möglichkeit, auch Homburgs unbewußtes, unwillkürliches Sein umzuwerten. So geht B. von Wiese von einer durchaus positiven, verklärenden Sicht der Gefühls- und Traumsphäre des Prinzen aus und läßt ihn zu einem Ebenbild des Käthchen von Heilbronn werden: » ... *es wäre gänzlich abwegig, diesen Eingangszustand und alle sich daran anschließenden Folgezustände als Ausdruck bloßer Ichverfallenheit und gesetzesloser Willkür zu deuten. Dieser nachtwandlerische Prinz ist Marionette im Sinne des Kätchen«*. Über diese Alternativen: Schuld der Willkür und Schuldlosigkeit des Unwillkürlichen, sucht W. Müller-Seidel hinauszugelangen, indem er den »reinen« Traum Käthchens, ihren märchenhaften Zustand der Unschuld abhebt vom *»Schein des Gefühls, das der inneren Wahrheit ermangelt«. »Die unwillkürliche Schuld ist das Ungeheuerliche, das hier der Erläuterung bedarf. Es gibt sie nicht nur im ›Prinzen von Homburg‹. ›Kann man auch Unwillkürliches verschulden?‹ fragt Alkmene, und es ist eine zentrale Frage in der Dichtung Kleists die hier gestellt wird ...«* Aber auch um den rein negativen »Schein des Gefühls« handelt es sich nicht mehr ausschließlich, sobald man sowohl auf den grundlegenden Unterschied wie auf die innere Verwandtschaft zwischen der Anfangsszene und dem schönen, versöhnten Schlußbild achtet. *»Denn am Ende«*, so führt Max Kommerell aus, *»ist die Welt und der Träumer so, wie sein Schlaf beide erschaffen hat... Der Schwärmer fand den Lorbeer, er bestand die Schlacht, er empfängt das doppelte Symbol der höchsten fürstlichen und weiblichen Gunst...«* Ins Zentrum scheint daher Kommerells paradoxe Formulierung zu treffen, daß der Prinz eingangs des Dramas zwar *»befremdlich hingedehnt ist in der Wollust der Selbstversunkenheit«*, ihm gleichwohl aber auch *»die Wahrheit des Selbst«* träumt. Es geht nur darum, diese anfänglich erträumte Wahrheit in einem Erkenntnisprozeß vom Schein der Selbstbezogenheit zu reinigen und das »verwirrte Gefühl« zu sich selbst zu befreien. Eben diesen Erkenntnisprozeß leistet der Prinz, wenn ihm mit der Wahrheit des Gesetzes zugleich das Moment des Fragwürdigen, Scheinhaften, Ichbefangenen an seinen unbewußten Wunschträumen aufgeht: *»Er reicht sich so heiter dem als gerecht begriffenen Gesetz dar, weil es ihm Mittel ist zu seiner Selbsterfüllung jenseits dieses und jeden Gesetzes.« »Das Geisterhafte«* – das Geisterhafte des Anfangs – *»hat sich mit der Wahrheit eines Menschen gesättigt, der vor dem Tode sich selber begriff«* (Kommerell) – gerade noch rechtzeitig sich selber begriff. Als der dramatische Held am Ende des Schauspiels die Verwirklichung der Vision des Anfangs nicht glauben will und fragt: *»Ist es ein Traum?«*, antwortet Kottwitz: *»Ein Traum, was sonst?«* Kleists Beinahe-Tragödie schließt mit einem traumhaften Wunsch- und Hoffnungsbild gegen Tragik und Tod; der Zauber der Schlußszene entfaltet sich über dem Ostinato des Totenmarsches, der hinter der Szene von Trommeln geschlagen wird. Der Prinz, dem schon *»dämmernd alles Leben«* untergegangen ist, der sich in sicherer Erwartung des Todes bereits vom Licht der Unsterblichkeit umflossen glaubt, sieht sich plötzlich in ein Diesseits zurückversetzt, das freilich kaum weniger überwirklich ist als das Jenseits, an dessen Grenze er zu stehen wähnte. – Eine dünne Brücke des schönen Traumscheins über dem tragischen Abgrund der Welt schließt Kleists letztes Drama; nicht lange nach seiner Entstehung schied sein Dichter in ähnlicher Todeseuphorie, wie sie den Unsterblichkeitsmonolog des Prinzen (5,10) erfüllt, freiwillig aus dem Leben. D. Bo.

Ausgaben: Bln. 1821 (in *Hinterlassene Schriften*, Hg. L. Tieck). – Lpzg. 1905 (in *Werke*, Hg. E. Schmid, 5 Bde., 1904–1906, 3). – Lpzg. o. J. 1938 (in *Werke*, Hg. ders. u. G. Minde-Pouet, 7 Bde., 1936–1938, 5). – Bln. 1964, Hg. R. Samuel u. D. Coverlid. – Mchn. [4]1965 (in *SW u. Briefe*, Hg. H. Sembdner, 2 Bde., 1).

Vertonungen: P. Graener, *Der Prinz von Homburg*, Bln. 1935. – H. W. Henze, dass. (Text: I. Bachmann; Oper; Urauff.: Hbg. 1960).

Literatur: H. Meyer-Benfey, *Das Drama H. v.*

K.s, Bd. 2, Göttingen 1913, S. 353–515 [Anm. S. 578–589]. – M. Kommerell, *Geist u. Buchstabe der Dichtung. Goethe, Schiller, K., Hölderlin*, Ffm. 1937, S. 180–254; [4]1956. – I. Becker, *Die Todesstrafe in der Dichtung H. v. K.s*, Diss. Freiburg i. B. 1945. – F. Hafner, *H. v. K.s »Prinz Friedrich von Homburg«*, Zürich 1952. – W. Höllriegl, *Das Lösungsdrama*, Diss. Tübingen 1953, S. 107–118. – A. Schlagdenhaufen, *L'univers existentiel de K. dans »Le prince de Hombourg«*, Paris 1953. – E. G. Fürstenheim, *The Sources of K.'s »Prinz Friedrich von Homburg«* (in GLL, N. F. 8, 1954/55, S. 103–110). – G. Fricke, *K.s »Prinz von Homburg«. Versuch einer Interpretation* (in G. F., *Studien u. Interpretationen*, Ffm. 1956, S. 239–263). – F. Koch, *H. v. K. Bewußtsein u. Wirklichkeit*, Stg. 1958, S. 193–262. – W. Müller-Seidel, *K. »Prinz von Homburg«* (in *Das deutsche Drama vom Barock bis zur Gegenwart*, Hg. B. v. Wiese, Bd. 1, Düsseldorf 1958, S. 385–404). – G. Blöcker, *H. v. K. oder Das absolute Ich*, Bln. 1960, S. 147–159. – G. Mathieu, *The Struggle for a Man's Mind. A Modern View of K.'s »Prinz Friedrich von Homburg«* (in GLL, N. F. 13, 1960, S. 169–177). – W. Müller-Seidel, *Versehen u. Erkennen. Eine Studie über H. v. K.*, Köln/Graz 1961, S. 179–186. – P. Salm, *›Confidence‹ and the ›Miraculous‹ in K.'s »Prinz von Homburg«* (in GQ, 34, 1961, S. 238–247). – W. Silz, *H. v. K. Studies in His Works and Literary Character*, Philadelphia 1961, S. 199–246. – W. Wittkowski, *Absolutes Gefühl u. absolute Kunst in K.s »Prinz von Homburg«* (in Der Deutschunterricht, 13, 1961, S. 27–71). – A. Henkel, *Traum u. Gesetz in K.s »Prinz von Homburg«* (in NRs, 73, 1962, S. 438–464). – J. K. H. Müller, *Die Rechts- u. Staatsauffassung H. v. K.s*, Bonn 1962. – H.-G. Thalheim, *K.s »Prinz Friedrich von Homburg«* (in Weimarer Beitr., 11, 1965, S. 483–550). – S. Streller, *Das dramatische Werk H. v. K.s*, Bln. 1966. – M. Garland, *K.'s »Prinz Friedrich von Homburg«. An Interpretation through Word Pattern*, Den Haag/Paris 1968.

ÜBER DAS MARIONETTENTHEATER. Aufsatz von Heinrich von KLEIST (1777–1811), erschienen in vier Fortsetzungen in den ›Berliner Abendblättern‹ vom 12. bis 15. Dezember 1810. – Seit Beginn des 20. Jh.s hat die Abhandlung Kleists als ein »*von Verstand und Anmut glänzendes Stück Philosophie*« (H. von Hofmannsthal), als theoretische Darlegung »*von Wesen und Bedeutung seiner eigenen Dichtung*« (P. Böckmann) oder gar als »*eine Art von moderner Ästhetik*« (W. Müller-Seidel) jene Beachtung gefunden, die ihr zu Kleists Lebzeiten nahezu völlig versagt geblieben ist.

Geschrieben als Bericht über einen auf das Jahr 1801 datierten Dialog zwischen dem Erzähler und einem Tänzer der Oper, kann man im formalen Aufbau eine Einlösung jener Überlegungen sehen, die Kleist in seinem Aufsatz *Über die allmähliche Verfertigung der Gedanken beim Reden* (entstanden ca. 1805/06) anstellte: Die Gedanken werden nicht streng systematisch, sondern dialektisch aus der Dialogsituation entwickelt, es gibt illustrative »*Regieanweisungen*« (C. Heselhaus), nicht zu Ende geführte Einfälle, und selbst das Resümee aus den zunächst als »*Paradoxe*« empfundenen Darlegungen des Tänzers vollzieht der Erzähler noch »*ein wenig zerstreut*«.

Zentrales Thema der Schrift ist die Gefährdung von »Anmut« und »Grazie« durch das reflektierende Bewußtsein. In dieser Problematisierung des Bewußtseins steht der Aufsatz sicherlich unter dem Einfluß der idealistischen Philosophie (KANT, SCHELLING) und den philosophisch-ästhetischen Reflexionen der Romantiker; seine Originalität bezieht er jedoch aus dem Bild der Marionette und ihrer neuartigen symbolischen Umdeutung. Sie ist nicht mehr Symbol für das Mechanisch-Determinierte als das eigentlich Unmenschliche. Auch geht ihre positive Bestimmung nicht darin auf, lediglich ein Korrektiv für allzu exaltierte Schauspielkunst zu sein. Die Marionette, deren Glieder als reine Pendel auf mechanische Weise nur dem Gesetz der Schwere gehorchen, wird vielmehr zum Gegenbild aller »*Ziererei*«, die immer dort erscheint, wo sich »*die Seele (vis motrix) in irgend einem anderen Punkte befindet, als in dem Schwerpunkt der Bewegung*« und somit die »*natürliche Grazie des Menschen*« zerstört. Zwei in den Bericht eingefügte Anekdoten – einmal die Wiederaufnahme des antiken Narziß-Mythos, zum anderen die Schilderung eines fechtenden Bären – werfen einiges Licht auf das Verständnis, das Kleist mit den Begriffen »Anmut« und »Grazie« verbindet. Sie sind – im Gegensatz etwa zu SCHILLERS Auffassung in seinem Aufsatz *Über Anmut und Würde* (1793) – nicht durch die moralische Kategorie der Sittlichkeit, sondern als unbewußtes naturgemäßes Tun des einzelnen bestimmt, zu dessen Repräsentanten die Marionette wird. Daß dabei »*eine beunruhigende Mischung von rationalistischer Mechanik und romantischer Vergeistigung*« den Dialog durchzieht, hat Walter SILZ sicherlich zu Recht kritisch angemerkt. Die Kleistsche Marionette hat in der Tat nur noch wenig gemein mit ihrem konkreten Vorbild von der Puppenbühne, sie wird zusehends zur mythischen, nicht ganz widerspruchsfreien Formel eines von keiner Reflexion verdorbenen Lebens vor dem »Sündenfall«.

Eine unvermittelte Rückkehr in dieses Paradies durch einfache Negation des Bewußtseins ist für Kleist jedoch ausgeschlossen; eine Versöhnung von Grazie und Bewußtsein wird nur dann möglich, »*wenn die Erkenntnis gleichsam durch ein Unendliches gegangen ist*«. Denn die Grazie erscheint am reinsten »*in demjenigen menschlichen Körperbau, der entweder gar keins oder ein unendliches Bewußtsein hat, d. h. in dem Gliedermann, oder in dem Gott*«. Dieser Gott, der neben der Marionette am anderen Ende der »*ringförmigen Welt*« steht, ist jedoch kaum an christlichen Gottesvorstellungen orientiert, so daß auch die Wiedergewinnung der Grazie nicht – wie geschehen – mit der christlichen Heilserwartung erklärt werden kann. – Die Frage, ob diese Versöhnung als »*das letzte Kapitel von der Geschichte der Welt*« jedoch nur in der Utopie oder aber schon in ihrer ästhetischen Antizipation durch das Genie zu schreiben ist, bleibt in Kleists Aufsatz allerdings unbeantwortet. G. Wit.

AUSGABEN: Bln. 1810 (in Berliner Abendblätter, 12.–15. 12.). – Lpzg. 1905 (in *Werke*, Hg. E. Schmidt, 7 Bde., 7). – Mchn. [2]1962 (in *SW u. Briefe*, Hg. H. Sembdner, 2 Bde., 2). – Reinbek 1964 (in *SW u. Briefe*; RKl, 163/64; m. einem Essay v. C. Grützmacher).

LITERATUR: J. L. Schücking, *Die Marionette bei E. T. A. Hoffmann u. H. v. K.* (in Puppentheater, 1, 1923). – G. Fricke, *Gefühl u. Schicksal bei H. v. K.*, Bln. 1929 (Neue Forschungen, 3). – E. Lämmerzahl, *Der Sündenfall in der Philosophie des deutschen Idealismus*, Bln. 1934 (NDF, V, Abt. Phil., 3). – A. Rohrer, *Das Kleistsche Symbol der Marionette u.*

sein Zusammenhang mit dem Kleistschen Drama, Diss. Münster 1948. – E. Dabcovich, *Die Marionette* (in Humanismus u. Technik, 1, 1953). – L. Mester, *Die Seele in der Bewegung. Deutung der Figuren ›Puppe‹, ›Tänzerin‹ u. ›Engel‹ bei H. v. K., P. Valéry u. R. M. Rilke* (in Die Sammlung, 8, 1953). – J. Kunz, *K.s Gespräch »Über das Marionettentheater«* (in ZfdA, 85, 1954/55). – H. Riethmüller, *Wunder u. Traum bei H. v. K.*, Diss. Tübingen 1955. – P. Weigand, *Th. Mann's »Tonio Kröger« and K.'s »Über das Marionettentheater«* (in Symposion, 12, 1958). – G. Blöcker, *H. v. K. oder Das absolute Ich*, Bln. 1960, S. 189ff. – W. Müller-Seidel, *Versehen u. Erkennen. Eine Studie über H. v. K.*, Köln/Graz 1961, S. 28ff. – W. Silz, *H. v. K., Studies in His Works and Literary Character*, Philadelphia 1961. – H. Eisenreich, *H. v. K.s »Über das Marionettentheater«* (in H. E., *Reaktionen*, Gütersloh 1964). – W. Oelmüller, *Lessing u. Hamann. Prolegomena zu einem künftigen Gespräch* (in *Colloquium Philosophicum. Studien J. Ritter zum 60. Geburtstag*, Basel/Stg. 1965, S. 299ff.). – P. Böckmann, *K.s Aufsatz »Über das Marionettentheater«* (in P. B., *Formensprache*, Hbg. 1966). – J. McGlashery, *K.'s »Über das Marionettentheater«* (in GLL, 20, 1966/67). – *K.s Aufsatz über das Marionettentheater. Studien u. Interpretationen*, Hg. H. Sembdner, Bln. 1967. – H. J. Kreuzer, *Die dichterische Entwicklung H. v. K.s. Untersuchungen zu seinen Briefen u. zu Chronologie u. Aufbau seiner Werke*, Bln. 1968, S. 30f.; 205f. – M. Durzak, *»Über das Marionettentheater« von H. v. K., Bemerkungen zur literarischen Form* (in FDH, 1969).

DIE VERLOBUNG IN ST. DOMINGO. Novelle von Heinrich von Kleist (1777–1811), erschienen 1811 im zweiten Band der *Erzählungen*. – Eine erste Fassung dieser Novelle, die Walter Muschg als *»die krönende Vollendung von Kleists erzählender Kunst«* bezeichnet hat, entstand vermutlich bereits 1801 während Kleists ersten Aufenthalts in Paris. Nachträglich verlegte er die Geschichte, die ursprünglich im Milieu der Französischen Revolution spielte (so C. Hohoff), in die mittelamerikanischen Kolonien, nach St. Domingo (spanische Bezeichnung der Insel Haiti) zur Zeit des Negeraufstandes.

Congo Hoango, *»ein fürchterlicher alter Neger«*, hat seinen Herrn, wiewohl dieser sich ihm sehr wohltätig erwiesen hatte, umgebracht und zieht mit einer Horde bewaffneter Neger raubend und mordend durch die Gegend. Im ursprünglichen Hauptgebäude der Pflanzung, das einsam an einer Landstraße liegt, bleiben zurück seine Gefährtin, die Mulattin Babekan, und ihre Tochter, die fünfzehnjährige Mestizin Toni. Die nahezu hellhäutige Toni wird benutzt als Lockvogel für vorbeireisende Weiße, die auf der Flucht zum rettenden Hafen in dem einsamen Haus ein Asyl zu finden hoffen. Durch alle möglichen Gefälligkeiten und Liebenswürdigkeiten werden sie in dieser Täuschung bestärkt und hingehalten bis zur Rückkehr Congos, der sie *»in seiner unmenschlichen Rachsucht«* sofort tötet. – An die Tür dieses Hauses klopft spät eines Abends ein junger Schweizer, Gustav, der mit seinen Angehörigen in Nachtmärschen den Hafen zu erreichen versucht. Toni zieht den halb Widerstrebenden und Mißtrauischen ins Haus, die beiden Frauen bewirten ihn und bieten ihm und seiner Familie für einige Tage Obdach an. – Während bereits zu Beginn der Novelle, in typisch Kleistscher Manier, mit einem einzigen Satz der gesamte Handlungshintergrund mit Ort, Zeit und Umständlichkeiten abgesteckt wird, bringt das abendliche Gespräch zwischen Gustav, Babekan und Toni zum Abschluß der Exposition ausführliche Informationen über die Lage der Schwarzen und Weißen auf der Insel und ihr Verhältnis zueinander. Der »äußere« Problemhorizont ist damit sichtbar gemacht, ebenso der »innere« durch eine genaue Charakterisierung der beiden Hauptfiguren Toni und Gustav.

Gustav wird zwar durch sein abstraktes Humanitätsideal dazu geführt, die Tyrannei der Weißen über die Schwarzen zu verurteilen, aus Abscheu über einige Exzesse lehnt er aber den Aufstand ab. Er klammert sich verzweifelt an die Unverletzbarkeit persönlicher Beziehungen, obwohl doch sie in Zeiten zusammenbrechender sozialer Ordnungen zuallererst tangiert werden. Und das, worauf diese Beziehung, im Kleistschen Kontext, beruhen müßte, ist er nicht imstande zu geben: absolutes Gefühl und unbedingtes Vertrauen in den anderen Menschen. Dieses absolute Gefühl wird verkörpert von der jungen Toni, einer der lieblichsten Mädchenfiguren, die Kleist geschaffen hat, und am ehesten dem Käthchen von Heilbronn vergleichbar. Sie als einzige macht in der Novelle eine Entwicklung durch, die während des abendlichen Gesprächs beginnt und mit sparsamen Seitenbemerkungen angedeutet wird – ein Vorgang, der übrigens als Paradebeispiel für Max Kommerells Bemerkung gelten kann, Kleist sei *»der Dichter, der mit den Mitteln der Sprache in Gebärden dichtet«*. Zunächst bewegt sich Toni wie eine anmutige Puppe, die willenlos den Anweisungen ihrer Mutter folgt, doch dann kommt der entscheidende Moment, wo sie »verwirrt« vor sich niedersieht. Ihre demütige Gebärde in der sehr reizvollen Fußwaschungsszene, allein mit Gustav, verrät noch nicht sicher, ob sie von Kunst oder Gefühl getragen wird. Schließlich aber legt sie sich *»nach einem flüchtigen, träumerischen Bedenken, unter einem überaus reizenden Erröten, das über ihr verbranntes Gesicht aufloderte, an seine Brust«*. Die Entwicklung erreicht ihren Höhepunkt nicht in der Liebesszene, die nur leise angedeutet wird, sondern in Tonis langem Weinen danach, ein Weinen, das synonym steht für die Ohnmacht, den Schlaf oder Traum anderer Figuren Kleists. Von diesem Punkt an handelt sie mit einer schlafwandlerischen Sicherheit. Bei ihrem Vorhaben, den Geliebten und seine Familie zu retten, hat sie nur noch gleichsam technische Probleme zu lösen, die sich ihr im Verlauf der weiteren Entwicklung stellen – eine Entwicklung, die aus einer Unmenge von Komplikationen und scheinbar retardierenden Momenten besteht, die aber, nachdem der innere Widerspruch »Vertrauen – Mißtrauen« gesetzt ist, unaufhaltsam und zwanghaft auf die Katastrophe zuläuft. Der Eindruck der Zwanghaftigkeit wird verstärkt durch eine Projektion und Spiegelung der kommenden Katastrophe in einer Episode, die Kleist mit größter kompositorischer Raffinesse in das Gespräch zwischen Gustav und Toni eingebaut hat. Gustav erzählt von seiner Braut Marianne in Straßburg, die eine wunderbare Ähnlichkeit mit Toni besaß. Als er vor das Revolutionstribunal gebracht werden sollte und unauffindbar war, schleppte man sie statt dessen auf die Guillotine. Im letzten Moment erreichte er den Richtplatz, doch sie rettete ihn, indem sie ihn verleugnete, und wurde selbst hingerichtet.

Congo kehrt unerwartet früh zurück, und Toni muß zur Rettung Gustavs Mittel ergreifen, die ihn an Verrat glauben lassen: Sie fesselt den Schlafenden ans Bett, vorgeblich, um das Vorhaben Congos zu unterstützen, und holt heimlich Gustavs Familie herbei. Im Durcheinander der Befreiungsszene erschießt der vor Wut rasende Gustav die vermeintliche Verräterin Toni, ihre letzten Worte, zugleich der Schlüsselsatz der ganzen Novelle, sind: *»Du hättest mir nicht mißtrauen sollen!«* Gustav bricht über ihrer Leiche zusammen und erschießt sich, der Rest der Familie kann sich in Sicherheit bringen.

Kleist hat in dieser Novelle mit einer Schärfe wie sonst nur in dem Drama *Die Familie Schroffenstein* die Antithese »Vertrauen gegen Mißtrauen« – »Gefühl gegen Erkenntnis« herausgestellt (beide Werke wurden auch zur selben Zeit konzipiert). Dabei wird die äußere Welt zum bloßen Anlaß relativiert: Der Negeraufstand und die Nachwehen der Französischen Revolution sind eine großartige, aber letztlich austauschbare Kulisse. Nicht eine zwangsläufige Verknüpfung von »äußerem« (Schwarz-Weiß) und »innerem« (Vertrauen-Mißtrauen) Konflikt bildet den Motor der tragischen Entwicklung, sondern die meisterhaft geschilderte Psychologie der Hauptcharaktere. Da die Vereinzelung und Selbstentfremdung der Menschen, die die Grundlage der Atmosphäre des Mißtrauens und der tragischen Mißverständnisse bildet, nicht historisch, sondern existentiell verstanden werden, kann der einzige Ausweg aus dem Konflikt, der angedeutet wird, nur ein Weg zurück sein: in die Idylle eines Schweizer Landgutes. Mit dieser Position steht Kleist am Anfang einer langen folgenreichen Entwicklung: *»Kleists Dichtung ist eine erste bürgerliche Dichtung der Krise«* (H. Mayer). S. Schu.

AUSGABEN: Bln. 1811 (u. d. T. *Die Verlobung*, in Der Freimüthige oder Berlinisches Unterhaltungsblatt für gebildete, unbefangene Leser, Nr. 60–68). – Wien 1811 (in Der Sammler; Fassg. f. Körners Dramatisierung). – Bln. 1811 (in *Erzählungen*, Bd. 2). – Bln. 1846/47 (in *AS*, Hg. L. Tieck, 2 Bde., 2). – Lpzg. 1905 (in *Werke*, Hg. E. Schmid, 5 Bde., 1904–1906, 3). – Lpzg. o. J. [1938] (in *Werke*, Hg. ders. u. G. Minde-Pouet, 7 Bde., 1936–1938, 6). – Mchn. [4]1965 (in *SW u. Briefe*, Hg. H. Sembdner, 2 Bde., 2).

DRAMATISIERUNG: Th. Körner, *Toni*, 1812.

VERTONUNG: W. Egk, *Die Verlobung in San Domingo* (Oper; Urauff.: München, 27. 11. 1963).

LITERATUR: G. Feierfeil, *»Die Verlobung in St. Domingo« von H. v. K. u. Theodor Körners »Toni«*, Brauna 1892. – K. Günther, *Die Konzeption von K.s »Verlobung in St. Domingo«* (in Euph, 17, 1910, S. 69–95; 313–323). – O. Hahne, *Die Entstehung von K.s »Verlobung in St. Domingo«* (ebd., 33, 1921, S. 233–254). – W. Muschg, *K.*, Zürich 1923. – G. Fricke, *Gefühl u. Schicksal bei H. v. K.*, Bln. 1929. – M. Kommerell, *Die Sprache u. das Unaussprechliche. Eine Betrachtung über H. v. K.* (in M. K., *Geist u. Buchstabe der Dichtung*, Ffm. [2]1942). – M. Lintzel, *Liebe u. Tod bei H. v. K.* (in Berichte über die Verhandlungen der Sächsischen Akad. d. Wissenschaften, 97, 1949/50, H. 8). – G. Lukács, *Die Tragödie H. v. K.s* (in G. L., *Deutsche Realisten des 19. Jh.s*, Bln. [4]1953). – J. Pfeiffer, *Wege zur Erzählkunst*, Hbg. 1953, S. 13–20. – J. Kunz, *K. – »Die Verlobung in St. Domingo«* (in Mitt. Univ.bund Marburg, 1960, S. 18–36). – H.-P. Herrmann, *Zufall u. Ich. Zum Begriff der Situation in den Novellen H. v. K.s* (in GRM, 11, 1961, S. 69–99). – W. Müller-Seidel, *Versehen u. Erkennen. Eine Studie über H. v. K.*, Köln/Graz 1961. – H. H. Holz, *Macht u. Ohnmacht der Sprache. Untersuchungen zum Sprachverständnis u. Stil H. v. K.s*, Ffm. 1962. – H. Mayer, *H. v. K. Der geschichtliche Augenblick*, Pfullingen 1962.

DER ZERBROCHENE KRUG. Lustspiel in einem Akt von Heinrich von KLEIST (1777–1811), entstanden 1803–1806; Uraufführung: Weimar, 2. 3. 1808. – Die Anregung zu dieser Komödie erhielt der Dichter in der Schweiz: 1802 gelobte er im Scherz, zusammen mit WIELAND und ZSCHOKKE, vor einem Kupferstich von Le Veau (La cruche cassée, nach einem verschollenen Gemälde von Debucourt), *»seine eigentümliche Ansicht«* (Zschokke) darüber schriftlich auszuführen. Einige Motive und Situationen übernahm er zudem aus Christian Felix WEISES Einakter *Der Krug geht solange zu Wasser, bis er zerbricht, oder Der Amtmann* (1786). 1803 wurden in Dresden die ersten drei Szenen niedergeschrieben, vorläufig fertiggestellt wurde die Komödie 1805 in Berlin, endgültig 1806 in Königsberg. Wie bei seinen anderen Dramen, hat Kleist auch keine Aufführung des *Zerbrochenen Krugs* auf der Bühne erlebt. Der Mißerfolg der Weimarer Uraufführung, der einzigen Inszenierung zu Kleists Lebzeiten, geht zu Lasten GOETHES, der die Bedeutung des Stückes kaum erkannt und den Einakter in drei Akte zerstückelt hatte, obwohl er eine *»rasch durchgeführte Handlung«* vermißte. Erst seit 1820 wurde der *Zerbrochene Krug* auf der Bühne heimisch. Schon bald gehörte die Rolle des Dorfrichters Adam zu den größten und begehrtesten Charakterrollen des deutschen Dramas.

Der zerbrochene Krug ist das Lustspiel vom Dorfrichter Adam, der sich gezwungen sieht, über seine eigene Verfehlung zu Gericht zu sitzen. In einem Dorf bei Utrecht trifft der Schreiber Licht diesen Richter morgens in der Gerichtsstube jämmerlich zugerichtet an, wofür Adam die fadenscheinigsten Erklärungen abgibt. Licht hat erfahren, daß der Gerichtsrat Walter, der auf Revisionsreise im Nachbardorf mit eisernem Besen gekehrt hat, bald eintreffen werde. Adam, der Licht erzählt, er habe geträumt, selbst angeklagt zu sein, hat Angst vor Walters Ankunft und dem anbrechenden Gerichtstag: Er kann kaum das Nötigste veranlassen – da ist Walter schon zur Stelle, um der Sitzung beizuwohnen; peinlich für den Dorfrichter, weil seine Perücke nicht aufzufinden ist und ihr Verlust ihn hinfort zu immer neuen, durchsichtigeren Lügen treibt. Die Personen, über die Adam nun zu Gericht sitzen soll, sind Frau Marthe Rull, ihre Tochter Eve, der Bauer Veit Tümpel und Ruprecht, dessen Sohn, den Frau Marthe beschuldigt, im Zimmer von Eve in der vorausgegangenen Nacht einen wertvollen Krug zerschlagen zu haben. Ruprecht, der mit Eve verlobt war, schimpft sie jetzt eine Metze, während Richter Adam noch vor der Verhandlung das eingeschüchterte Mädchen unter Hinweis auf ein Papier, das er bei sich trage, zu beeinflussen sucht. Erst nach Walters wiederholten Ermahnungen beginnt der Richter mit dem Verhör, in dessen Verlauf er von Frau Marthe Rull eine umständliche und genaue Beschreibung des Kruges erhält, schließlich den Bericht über die vergangene Nacht, in der ein Tumult sie in die Kammer der Tochter gelockt habe. Dort habe sie, inmitten der Scherben des Krugs, Ruprecht und die händeringende Eve angetroffen, die ihr geschworen habe, daß Ruprecht der Übeltäter sei. Doch die Tochter wehrt sich gegen die Behauptung, schwört im Gegenteil jetzt darauf, dies nicht geschworen zu haben. Das entspricht der Aussage Ruprechts: Er sei zwar bei Eve gewesen, habe dort aber einen anderen Mann vorgefunden, ihn in der Dunkelheit nicht erkannt und, als er floh, ihm zweimal die Türklinke auf den Kopf geschlagen. Als er den Flüchtenden verfolgen wollte, habe dieser ihm eine Handvoll Sand in die Augen geworfen. Der Dorfrichter, der sich immer weniger wohl in seiner Haut fühlt und die Verhandlung möglichst rasch zu Ende bringen möchte, stößt auf den Widerspruch Walters, als er meint: *»Die Sache eignet gut sich zum Vergleich.«* Adams Verhalten ist zu sonderbar, als daß es nicht längst den Argwohn des Gerichtsrats hervorgerufen hätte, der schließlich, als Adam dem Mädchen unzweideutig droht, er werde die Schuld dem Ruprecht oder dem Flickschuster Lebrecht – dessen Namen Ruprecht hatte fallen lassen – und keinem Dritten in die Schuhe schieben, dem Richter klipp und klar erklärt, er habe *»zulängst hier auf dem Stuhl gesprochen«*. Doch da Eve den Namen dessen, der den Krug zerbrach, noch immer nicht nennt und behauptet, *»des Himmels wunderbare Fügung«* verschließe ihr *»den Mund in dieser Sache«*, beginnt die Verhandlung sich festzufahren. Da nennt Frau Marthe Rull als Zeugin die Muhme Brigitte. Inzwischen drängt Adam seinem Gast Speis und Trank auf und versucht mit den plumpesten Mitteln, den Gerichtsrat für sich einzunehmen und den Verdacht von sich abzulenken. Doch schon die Ankunft der Muhme entscheidet die Verhandlung: Sie bringt die Perücke des Richters mit, die im Spalier der Frau Marthe hing. Zudem hat Frau Brigitte Fußspuren im Schnee verfolgt, die zum Haus des Richters führten. Ihre Behauptung, der Klumpfuß des Teufels habe diese Spur hinterlassen, verfängt freilich nicht. So fällt dem völlig in die Enge getriebenen Adam nichts Besseres ein, als Ruprecht zu verurteilen, was, da Walter ihn wohlweislich gewähren läßt, zur Folge hat, daß Eve endlich das erlösende *»Der Richter Adam hat den Krug zerbrochen«* ausspricht. »Blitz-Hinketeufel« Adam flieht, Eve wirft sich Walter zu Füßen und fleht ihn an, Ruprecht vor der »Konskription« zu retten, denn der Richter habe sie durch ein – wie sich herausstellt, gefälschtes – Papier zu erpressen versucht: Ihr Verlobter solle nach Ostindien eingezogen werden, von wo *»von drei Männern einer nur«* zurückkehre. Um ein *»erlogenes Krankheitszeugnis«*, das Ruprecht vom Kriegsdienst befreie, auszufertigen, sei Adam in ihr Zimmer geschlichen, habe dort aber *»so Schändliches«* von ihr gefordert, *»daß es kein Mädchenmund wagt, auszusprechen«*. Sofort suspendiert Walter den verlogenen Richter, setzt den Schreiber in dessen Rechte ein, will aber die härteste Strafe vermeiden, falls er die Kasse in Ordnung fände. Ruprecht und Eve versöhnen sich – Frau Marthe Rull aber wird sich an die nächste Instanz, nach Utrecht, wenden, damit auch dem Kruge »sein Recht« geschehe.

Kleists Lustspiel lebt aus seinen prallen Charakteren, an der Spitze der Dorfrichter, eine beinah tragische Figur – Ankläger und Angeklagter, Verfolger und Verfolgter, gerissen und doch erbärmlich: »Adam«, der mit aller Macht und Tücke »Eve« begehrt, dabei Lüge und Ungerechtigkeit nicht scheut und vom »Walter« der Gerechtigkeit entdeckt wird, der »Licht« an die Stelle des Dunkel verbreitenden Richters setzt. Große Interpreten der Rolle des Adam (von Jannings bis Qualtinger) haben schon immer die Tragik dieser Figur dargestellt. Doch derber Humor, Witz, eine üppige Erfindungskraft auch im scheinbar belanglosesten Detail und der versöhnliche Ausgang des Stücks verhindern, daß die Komödie in eine Tragödie umschlägt. – Symbolisch wie die Namen sind auch die Gegenstände: die Perücke, das Zeichen von Amt und Würde, das dem Richter im entscheidenden Augenblick fehlt, oder der Krug, der für Eves Jungfräulichkeit steht. Deshalb muß auch der Krug, als Eves Unschuld erwiesen ist, zum Schluß sein Recht bekommen.

Zwei Absichten, die enthüllende Walters und die verbergende Adams, sind aufs engste verknüpft und schaffen, wiewohl das eigentliche Ereignis der Bühnenhandlung vorausgeht, eine starke Spannung. Auf Parallelen zum *König Ödipus* hat Kleist selbst hingewiesen; auch der Klumpfuß des Dorfrichters weist auf SOPHOKLES hin (griech. *oidipos*: Schwellfuß). Aber während bei Sophokles der Dramenaufbau seine Entsprechung im analytischen Enthüllungswillen des Ödipus hat, unternimmt Adam ein gegenläufiges Spiel, das die Verwirrung der Tatbestände durch die Erfindung immer neuer entlastender Zusammenhänge zum Ziel hat. Das Spiel Adams und die analytische Bauform treten damit in einen ironischen Kontrast. Adam ist gesteigerte Spielfigur – eine Spielerfigur, die den Mitspielern ihre vorgebliche Integrität vorspielt. Auch Tartuffe oder Richard III. sind Spielerfiguren, aber während bei ihnen das Kalkül das Lügenspiel diktiert, wird Adam durch eine verzweifelte Spielfreude zu seinen phantastischen Einfällen inspiriert. Die Not des Augenblicks zwingt ihn dazu, die Lüge zu improvisieren; und im gleichen Maße, wie diese Improvisationen lawinenartig an Umfang gewinnen, findet er eine Art von Selbstsicherheit. Beflügelt von der eignen Suggestionskraft, weitet er seine Variationen über die Wahrheit zu geradezu künstlerischen Gebilden aus. Jedoch läßt die poetische Ausweitung die Lüge als ein doppelsinniges Phänomen erscheinen: Sie macht die Täuschung durchsichtig und hebt sich als Lüge wieder auf. Adam findet zuweilen ein subjektives Gefallen an der Wahrheit, etwa wenn er Ruprechts Bericht vom Sandwurf voller Schadenfreude kommentiert: *»Verdammt! der traf!«*

Das zwingt zu einer besonderen Betrachtung der Dialogstruktur. Denn die Sprache Adams, die eher ein »falsches Sagen« als ein »Sagen des Falschen« (M. Kommerell) ist, hat ein Aneinandervorbei-Reden zur Folge, das zum eigentlichen Vorgang des Dramas wird. Der Dialog wird streckenweise zum Abbild sinnloser Beziehungen, am deutlichsten im zweiten Auftritt: Wortfetzen, die keine Verbindung zwischen den Partnern mehr herstellen, verselbständigen sich und gewinnen ihren Sinnzusammenhang erst wieder für das zuhörende Publikum. Denn über der Handlung bildet sich ein Bedeutungsfeld, das in Wortspielen und Schlüsselworten das wirkliche Verhältnis der Personen zueinander zeigt und damit die Wahrheit blitzartig aufscheinen läßt. – Mit der Erkenntnis, daß Kleists Lustspiel bereits auf die erst später virulente Sprachthematik vorausdeutet, wird auch GUNDOLFS Kritik entkräftet, daß dieses Werk *»meisterlicher Mache«* nur vom Können, nicht aber vom Müssen zeuge.

M. T. – KLL

AUSGABEN: Dresden 1808 (in Phöbus, März; Fragm.). – Bln. 1811. – Bln. 1846 (in *AS*, Hg. L. Tieck, 2 Bde., 1). – Lpzg./Wien 1904 (in *Werke*, Hg. E. Schmidt, 5 Bde., 1904–1906, 1). – Lpzg. [2]1938 (in *Werke*, Hg. ders. u. G. Minde-Pouet,

7 Bde., 1936–1938, 4). – Stg. 1959 (RUB, 91). – Mchn. [4]1965 (in *SW und Briefe*, Hg. H. Sembdner, 2 Bde., 2).

LITERATUR: H. Meyer-Benfey, *Das Drama H. v. K.s*, Bd. 1, Göttingen 1911. – W. v. Gordon, *Die dramatische Handlung in Sophokles' »König Ödipus« u. K.s »Zerbrochenem Krug«*, Halle 1926. – F. Gundolf, *H. v. K.*, Bln. 1922. – W. Muschg, *K.*, Zürich 1923. – M. Kommerell, *H. v. K., Die Sprache u. das Unaussprechliche* (in M. K., *Geist u. Buchstabe der Dichtung*, Ffm. 1940). – R. F. Wilkie, *A New Source for K.'s »Der zerbrochene Krug«* (in GR, 23, 1948, S. 239–248). – I. A. Graham, *»The Broken Pitcher«. Hero of K.'s Comedy* (in MLQ, 16, 1955, S. 99–113). – J. O. Kehrli, *Wie »Der zerbrochene Krug« von H. v. K. entstanden ist*, Bern 1957. – H.-J. Schrimpf, *K. »Der zerbrochene Krug«* (in *Das deutsche Drama*, Hg. B. v. Wiese, Bd. 1, Düsseldorf 1958, S. 339–362; ern. 1962). – W. Schadewaldt, *»Der zerbrochene Krug« von H. v. K. u. Sophokles' »König Ödipus«* (in W. S., *Hellas u. Hesperiden*, Bd. 2, Zürich 1960; [2]1970, S. 333–340). – W. Müller-Seidel, *Versehen u. Erkennen. Eine Studie über H. v. K.*, Köln/Graz 1961. – E. v. Reusner, *Satz, Gestalt u. Schicksal in der Dichtungsstruktur K.s*, Bln. 1961. – F. Martini, *K.s »Der Zerbrochene Krug«. Bauformen des Lustspiels* (in Jb. der Deutschen Schiller-Gesellschaft, 9, 1965, S. 373–419). – M. Schunicht, *H. v. K. »Der zerbrochene Krug«* (in ZfdPh, 84, 1965, S. 550–562). – H. Arntzen, *Die Komödie des Bewußtseins. K.s »Zerbrochener Krug« u. »Amphitryon«* (in H. A., *Die ernste Komödie*, Mchn. 1968, S. 178–245). – K. L. Schneider, *H. v. K.s Lustspiel »Der zerbrochene Krug«* (in *Das deutsche Lustspiel*, Hg. H. Steffen, Bd. 1, Göttingen 1968, S. 166–180). – *H. v. K.*, Hg. H. Sembdner, Mchn. 1969.

FRIEDRICH DE LA MOTTE FOUQUÉ
(1777–1843)

UNDINE. Erzählung von Friedrich de LA MOTTE FOUQUÉ (1777–1843), erschienen 1811. – Die *Undine* des heute fast vergessenen Fouqué, in zahllosen Auflagen erschienen und in alle Weltsprachen übersetzt, gehört zu den volkstümlichsten Kunstmärchen der Romantik. Im Nachwort zu seinen *Ausgewählten Werken* weist der Dichter auf die unmittelbare Quelle hin: PARACELSUS. Auf dem Umweg über seinen Lehrer A. W. v. SCHLEGEL war Fouqué auf NOVALIS gestoßen, der für die Romantiker die Wunderwelt Jakob BÖHMES entdeckt hatte. In den Schriften des schlesischen Mystikers fand Fouqué mancherlei Hinweise auf Paracelsus, bis ihm der Zufall dessen Werk über die Elementargeister in die Hände spielte: *Liber de nymphis, sylphis, Pygmaeis et Salamandris et de caeteris spiritibus*. Paracelsus' Elementargeister, unterschieden nach »Wasserleutten« (Nymphen, Undinen), »Bergleutten« (Pygmäen, Gnome), »Feuerleutten« (Vulkane, Salamander) und »Windleutten« (Sylphen, Silvestres), sind übernatürliche Wesen, weder ganz Natur noch ganz Geist. Sie sind mit allen menschlichen Eigenschaften ausgestattet, aber es fehlt ihnen die menschliche Seele. Nur die Elementargeister des Wassers können menschliche Gestalt annehmen. Undine ist ein solches Wesen. Heiratet ein Wassergeist einen Menschen, gelangt er in den Besitz einer Seele; er verliert sie indessen wieder, wenn sein Gemahl ihn über Wasser beleidigt. Als Beweis führt Paracelsus eine *Historie von der Nymphe im Stauffenberg* an. Fouqué übernimmt diese Motivkonstellation in seiner *Undine*.

In neunzehn kurzen Kapiteln erzählt Fouqué von der schicksalhaften Liebe des schönen Meerfräuleins Undine zu dem jungen Ritter Huldbrand von Ringstetten, den das Wüten der entfesselten Elemente zwingt, längere Zeit in der einsam gelegenen Fischerhütte am Ufer des Sees zu verweilen, wo die ungebärdige Undine bei alten Fischersleuten lebt. Fouqué zeichnet die elementare Natur in dichten, farbsatten Stimmungsbildern. Der Ritter verliebt sich in die schöne Waise, die seltsame Beziehungen zu den Elementen unterhält. Die Elemente selbst, allen voran das Wasser, greifen in die Handlung aktiv ein, personifiziert in Geistern und Kobolden Durch ihre Heirat weiß sich Undine endlich im Besitz einer menschlichen Seele, eine tiefe Wandlung geht in ihr vor: Aus dem launenhaften, ungebrochenen Naturgeschöpf wird eine liebende und leidende Frau. Die seelenlose, naiv-unschuldige Natur verwandelt sich in schuldhaft-leidendes Menschsein. In dieser Metamorphose vollzieht sich – entsprechend der romantischen Naturphilosophie – der Bruch zwischen Geist und Natur, der Sündenfall der unbewußten Natur in die bewußte menschliche Existenz. Der Preis für die Seele ist das irdische Leid, ihr Lohn die Unsterblichkeit. Undines Geschichte unter den Menschen wird zu einer Leidensgeschichte. Mit dieser Einsicht geht Fouqué weit über den alten Volksglauben hinaus.

Nach der Hochzeitsnacht offenbart Undine ihrem Ritter die geheimnisvolle Welt der Elementargeister, der sie durch ihre Herkunft angehört. Das Walten der elementaren Mächte, verkörpert in dem polternden Wassergeist Kühleborn, Undines proteischen Oheim, greift immer wieder in die Geschicke des Paares ein. Die Natur wehrt sich dagegen, um den Preis menschlichen Leides auf eine höhere Daseinsstufe gehoben zu werden. Undines Glück scheint dauerhaft und tief, bis Bertalda in ihr Leben tritt, die böse Gegenspielerin, deren Reizen Huldbrand verfällt. Kühleborn kann das Schicksal der zerbrechlichen und reinen Undine nicht aufhalten, sie muß zugrunde gehen in einer unvollkommenen Welt des Leides, die zu lieben verlernt hat. Bei einer Donaufahrt zu dritt geschieht, was als Kernmotiv schon bei Paracelsus angelegt ist: Huldbrand beleidigt seine Gemahlin auf dem Wasser; Undine verschwindet in den seufzenden Fluten. Aber auch den treulosen Huldbrand ereilt nach den Gesetzen der Elementargeister das Geschick, als er – seiner ins Geisterreich zurückgekehrten Gemahlin vergessend – Bertalda heiraten will. Undine tritt ein letztes Mal auf, um den untreuen Geliebten in ihrer Umarmung zu ersticken.

Fouqué verlegt das Geschehen in ein historisch nicht fixierbares, phantastisches Mittelalter, vergleichbar den zierlichen Miniaturen in alten Handschriften. Er erzählt im Ton von Märchen und Volksbüchern, betont schlicht und naiv. Bisweilen schleichen sich schon jene Manierismen in seine Prosa ein, die Fouqués spätere Werke so ungenießbar machen, klischeehafte Schwarzweißmalerei, stereotype Charakteristiken, allzu stimmungshafte Impressionen, Sentimentalität und handlungsfremde Reflexionen, die er bieder dem Leser mitteilt. Auch fehlt dem Märchen die tiefe mythische Weltschau anderer Märchen aus dem Kreis der Romantiker, von Novalis über TIECK bis zu E. T. A. HOFFMANN. – Dennoch fand GOETHE die *Undine*

»*allerliebst*«, und seine Zeitgenossen nahmen sie begeistert auf. Willibald ALEXIS' Prophezeiung, daß die Erzählung in die klassischen Märchenbücher der Deutschen eingehen werde, hat sich erfüllt. Bald nach dem Erscheinen des Werks komponierte E. T. A. Hoffmann eine Undinen-Oper (1815) nach einem Szenarium von Fouqué. Ein weiteres Opernlibretto schrieb Fouqué für den Komponisten Christian Friedrich Johann Girschner. Ein Undinen-Ballett wurde 1836 in Berlin aufgeführt. Die bühnenwirksamste Bearbeitung aber blieb bis auf den heutigen Tag Albert Lortzings Oper *Undine*. Jean GIRAUDOUX schrieb 1939 ein dreiaktiges Schauspiel (vgl. *Ondine*) nach der berühmten Erzählung Fouqués, die neben ihrer Volkstümlichkeit von großer stoffgeschichtlicher Bedeutung ist.
M. Ke.

AUSGABEN: Bln. 1811 (in Die Jahreszeiten, Frühlingsh.). – Bln. 1811. – Halle 1841 (in *AW*, 12 Bde., 8; AIH). – Mchn. 1919 (Ill. H. Arndt; Phoebus-Bücher, 16). – Mchn. 1924. – Lpzg. 1930, Hg. A. Müller (DL, R. Romantik, Bd. 14/1). – Lpzg. 1942 (RUB, 491). – Stg. o. J. [1966] (Perlenkette, 65).

VERTONUNGEN: E. T. A. Hoffmann, *Undine* (Oper; Urauff.: Bln., 3. 8. 1816, Kgl. Schauspielhaus). – Ch. F. J. Girschner, *Undine* (Oper; Urauff.: Bln., 19. 5. 1830 [z. T.]; vollst. Auff.: Danzig, 21. 3. 1837). – H. Schmidt, *Undine* (Ballett; Urauff.: Bln. 1836, Kgl. Theater). – G. A. Lortzing, *Undine* (Oper; Urauff.: Magdeburg, 21. 4. 1845). – F. Ashton u. H. W. Henze, *Ondine* (Ballett; Urauff.: Ldn., 27. 10. 1958; Sadler's Wells).

LITERATUR: M. Koch, *F. u. J. Frh. v. Eichendorff*, Stg. 1894, S. 65ff. – W. Pfeiffer, *Über F.s »Undine«. Nebst einem Anhang, enthaltend F.s Operndichtung »Undine«*, Heidelberg 1903. – O. Floeck, *Die Elementargeister bei F. u. anderen Dichtern der romantischen u. nachromantischen Zeit*, Bielitz/Heidelberg 1909. – H. v. Wolzogen, *E. Th. A. Hoffmanns u. F.s »Undine«* (in Der Wächter, 5, 1922, S. 263–265). – J. Haupt, *Elementargeister bei F., Immermann u. Hoffmann*, Lpzg. 1923. – L. Le Sage, *Die Einheit von F.s »Undine«. An Unpublished Essay in German by J. Giraudoux* (in RomR, 42, 1951, S. 122–134). – D. B. Green, *Keats u. L. M. F.'s »Undine«* (in Delaware Notes, 27, 1954, S. 33–48). – A. Schmidt, *F. u. einige seiner Zeitgenossen*, Karlsruhe 1958.

NOVALIS
(d. i. Georg Friedrich Philipp Freiherr von Hardenberg, 1772–1801)

DIE CHRISTENHEIT ODER EUROPA. Aufsatz von NOVALIS (d. i. Georg Friedrich Philipp Freiherr von Hardenberg, 1772–1801), ersch. 1826. – Der 1799 entstandene, ursprünglich für das von den Brüdern SCHLEGEL herausgegebene ›Athenäum‹ bestimmte Essay erschien erst 1826, da GOETHE zunächst von einer Veröffentlichung abgeraten hatte.
Novalis' gleichzeitige Quellenstudien zum *Heinrich von Ofterdingen*, die Konzeption der *Hymnen an die Nacht* sowie die Lektüre von SCHLEIERMACHERS *Reden über die Religion* sind in diesem Aufsatz deutlich erkennbar. In vollendet poetischer Sprache, die dem Essay hohen künstlerischen Rang verleiht, zeichnet Novalis ein Bild des Abendlandes, wie es sich seit dem Mittelalter unter dem Einfluß der Reformation und der modernen Wissenschaften entwickelt hat. Der Aufsatz gipfelt in einer visionären Schau des zukünftigen Europa, dessen Bestand schicksalhaft gebunden ist an ein aus der Idee der Freiheit gelebtes Christentum.
Einleitend wird das Mittelalter – für die Romantiker eine harmonische Gott-Welt-Mensch-Einheit – als die »*echtchristliche*« Zeit beschworen, in der »*kindliches Zutrauen*« die Menschen erfüllte. Doch bald muß dieses Zutrauen dem Egoismus, dem Drang zum Wohlbefinden weichen. »*Glauben und Liebe*« machen »*den derbern Früchten, Wissen und Haben, Platz*«. Auch »*die Geistlichkeit war stehngeblieben im Gefühl ihres Ansehns und ihrer Bequemlichkeit*«. Die Folgen, Religionsstreit und Reformation, sind ihrerseits der Grund dafür, daß die »*fremde irdische Wissenschaft in die Religionsangelegenheit*« eindringt. Das Wort Gottes wird, durch die Schuld Luthers und seiner Nachfolger, der trockenen Buchstabengelehrsamkeit ausgeliefert; Gegenreformation, Szientismus, die Philosophie »*und ihre Mystagogen*« lösen einander in verhängnisvollem Wechsel ab. Der Rationalismus tötet den Sinn für alles Geheimnisvolle und Wunderbare, und man ist bestrebt, »*die Geschichte zu einem häuslichen und bürgerlichen Sitten- und Familiengemälde zu veredeln*«. Und »*Gott wurde zum müßigen Zuschauer des großen rührenden Schauspiels, das die Gelehrten aufführten*«. Die Aufklärung, der Triumph des Verstandes, führt zur Französischen Revolution. Hier setzt die Peripetie ein mit der Frage: »*Soll die Revolution die französische bleiben, wie die Reformation die lutherische war?*« Novalis fordert nun eine zweite, geistige Reformation, die alle Erkenntnisse des Menschen zu seinem Wohle und zur Sicherung eines ewigen Friedens nutzt, dessen Zeichen schon erkennbar seien. »*Der Herzschlag der neuen Zeit*« ist die Bereitschaft, den durch Schicksal und Geschichte geläuterten Glauben in seiner alten Reinheit wieder »*lebendig und wirksam*« werden zu lassen, einen Glauben, dessen Wesen »*echte Freiheit*« ist.
Der Europa-Aufsatz, das glanzvollste Zeugnis romantischer Geschichtsschau, ist gleichermaßen religiöses, historisches und politisches Dokument, das eine verwirklichte *civitas Dei* zum Ziel hat. In ihm stellt sich der Begriff »Europa« dem abendländischen Menschen als historische Aufgabe, deren Lösung nicht im Rationalismus, sondern in der Besinnung auf die religiöse Substanz der europäischen Kultur gesucht werden muß.
C. G.

AUSGABEN: Bln. 1826 (in *Schriften*, Hg. F. Schlegel u. L. Tieck, 2 Bde.). – Heidelberg 1953 (in *Werke, Briefe, Dokumente*, Hg. E. Wasmuth, 4 Bde., 1953–1957, 1). – Mchn. 1962 (in *Werke und Briefe*, Hg. A. Kelletat).

LITERATUR: R. Samuel, *Die poetische Staats- und Geschichtsauffassung F. v. Hardenbergs, Studien zur romantischen Geschichtsphilosophie*, Ffm. 1925. – E. Hederer, *F. v. Hardenbergs »Christenheit oder Europa«*, Zeulenroda 1936. – R. Schneider, *Der Dichter vor der Geschichte*, Heidelberg 1946. – T. Haering, *N. als Philosoph*, Stg. 1954. – P. Küpper, *Die Zeit als Erlebnis des N.*, Köln/Graz 1959. – H. W. Kuhn, *Der Apokalyptiker und die Politik. Studien zur Staatsphilosophie des N.*, Freiburg i. B. 1961. – R. Samuel, *Die Form von F. v. Hardenbergs Abhandlung »Die Christenheit oder Europa«* (in *Stoffe – Formen – Strukturen, Fs. f. H. H. Borcherdt*, Mchn. 1962, S. 284–302).

FRAGMENTE. Naturwissenschaftlich-philosophisch-aphoristische Schriften von NOVALIS (d. i. Friedrich Leopold Freiherr von Hardenberg, 1772 bis 1801). Der Titel ist die gebräuchliche Sammelbezeichnung für die in zahlreichen Manuskriptkonvoluten, undatierten Einzelblättern und Heften überlieferte Masse von Notizen, Skizzen, Aufzeichnungen, Exzerpten und längeren ausgearbeiteten Studien, aus der Novalis selbst lediglich zwei umfangreichere Fragmentfolgen publizierte – *Blüthenstaub* (Mai 1798 im ersten Band der von Friedrich und August Wilhelm SCHLEGEL herausgegebenen Zeitschrift ›Athenäum‹) und *Glauben und Liebe oder Der König und die Königin* (Juli 1798 in der Zeitschrift ›Jahrbücher der Preußischen Monarchie unter der Regierung von Friedrich Wilhelm III.‹). Sie blieben, sieht man von verstreuten, unbedeutenden Jugendgedichten und der Prosafassung der *Hymnen an die Nacht* (›Athenäum‹, 1800) ab, die einzigen Veröffentlichungen zu Lebzeiten des Autors. Die erste, von Friedrich Schlegel und Ludwig TIECK veranstaltete zweibändige Gesamtausgabe seiner Schriften (1802) bot zunächst unter dem Titel *Vermischte Fragmente* 570 aphoristische Bruchstücke, die, ohne Berücksichtigung ihres Zusammenhangs und ihres Stellenwertes in den Notizheften und den geschlossenen Zyklen, in drei Hauptgruppen – I. *Zur Philosophie*; II. *Ästhetik und Literatur*; III. *Moralische Ansichten* – zusammengefaßt wurden. Diese Ausgabe ([5]1837) wurde 1846 von Ernst v. BÜLOW um einen dritten Band vermehrt, der den bisherigen Bestand um weitere 610 Fragmente bereicherte. In welchem Ausmaß Fragen der Interpretation und des Textverständnisses von der Lösung textkritischer Probleme abhängig waren, erwies, neben einer sich am neugeordneten Handschriftenmaterial des Nachlasses orientierenden Ausgabe von Ernst HEILBORN (1901), die erste historisch-kritische Ausgabe, die 1929 von Paul KLUCKHOHN und Richard SAMUEL ediert wurde und eine Fülle noch unveröffentlichten Materials – zumal die naturwissenschaftlichen Studien – erschloß. Sie gibt zudem mit Hilfe von graphologischen Gutachten eine zuverlässige Chronologie der Schriften. Nachdem der 1930 versteigerte Novalis-Nachlaß 1960 nahezu vollständig im Freien Deutschen Hochstift (Frankfurt am Main) versammelt werden konnte, macht eine von Samuel betreute, noch nicht abgeschlossene zweite Auflage der Ausgabe von 1929 (1960ff.) weitere Fragmente, Exzerpte und Pläne zugänglich, so daß nach mehr als hundertfünfzig Jahren Probleme wie das der Datierung, der Zuordnung zu bestimmten Fragmentkomplexen oder das der Echtheit (etwa gegenüber frei- oder umformulierten Exzerpten) als weitgehend gelöst bezeichnet werden dürfen. Diese Edition ersetzt darüber hinaus andere, ältere wie die von Ewald WASMUTH (1943, [2]1953 bis 1957), der, einer Notiz von Novalis in den *Philosophischen Studien* von 1795/96 folgend (*»Systematik. Enzyklopädik. Prophetik«)*, drei *»Stufen ... auf dem Weg zur Realisierung seines Werkes«* unterscheidet und die Gesamtmasse der Aufzeichnungen in Hinsicht auf die aus diesen drei Begriffen rekonstruierten *»originalen Pläne«* ordnet. Das Hauptergebnis der editorischen Bemühungen der letzten Jahrzehnte besteht in der Erkenntnis ihres Zusammenhangs und ihrer Systematik. *»Die durch Schlegel, Tieck und Bülow geschaffene Tradition vom ›fragmentarischen‹ Denker Novalis, die bis heute noch nicht überwunden ist, ist nicht länger haltbar.«* (R. Samuel)

»Es sind Bruchstücke des fortlaufenden Selbstgesprächs in mir – Senker«, schreibt Novalis am 26. 12. 1797 an F. Schlegel, um die Eigenart der dem Freund übersandten Studien zu kennzeichnen. *»Als Fragment erscheint das Unvollkommene noch am erträglichsten – und also ist diese Form der Mitteilung dem zu empfehlen, der noch nicht im Ganzen fertig ist – und doch einzelne Merckwürdige Ansichten zu geben hat.« (Teplitzer Fragmente)* *»Literarische Sämereien«* nennt im Schlußstück (Nr. 129) der Sammlung *Blüthenstaub* der Autor die von ihm vorgelegten Bruchstücke, unter denen sich ruhig manches *»taube Körnchen«* finden lassen möge, wenn nur einiges davon aufgehe.

Die *Fragmente* bilden das geniale, großangelegte Modell eines Denkprozesses, an dem sich Weltbild und Denkstruktur der frühromantischen Epoche exemplarisch studieren lassen. Als Entstehungszeit sind die Jahre 1795–1800 anzusehen. Innerhalb dieses Zeitraums werden von den Herausgebern dreizehn größere Gruppen unterschieden: *Frühe Prosaarbeiten* (Abt. I); *Philosophische Studien der Jahre 1795/96, Fichte-Studien* (Abt. II); *Philosophische Studien des Jahres 1797, Hemsterhuis- und Kant-Studien* (Abt. III); *Vermischte Bemerkungen und Blüthenstaub* (Abt. IV); *Glauben und Liebe* und *Politische Fragmente* (Abt. V); *Vorarbeiten zu verschiedenen Fragmentsammlungen* (*Logologische Fragmente, Poëticismen, Teplitzer Fragmente*, Abt. VI); *Dialogen und Monolog*, 1798/99 (Abt. VII); *Freiberger naturwissenschaftliche Studien* (Abt. VIII); *Das allgemeine Brouillon* von 1798/99 (Abt. IX); *Randbemerkungen zu Friedrich Schlegels ›Ideen‹* (Abt. X); *Die Christenheit oder Europa* (Abt. XI); *Fragmente und Studien 1799/1800* (Abt. XII) und *Technische Aufzeichnungen und Schriften aus der Berufstätigkeit* (Abt. XIII).

Inhaltlich umfassen die *Fragmente* nahezu alle Gebiete menschlichen Wissens und zeigen ein staunenerregendes Bild der universalen Denkerpersönlichkeit des Autors, der sich ernsthaft und intensiv mit Naturwissenschaften, Philosophie und Geisteswissenschaften, mit praktisch-technischen Problemen (Bergbau, Salinenwesen) ebenso wie mit erkenntnistheoretischen und ästhetisch-künstlerischen Fragen auseinandergesetzt hat. *»Romantische Gelehrsamkeit – und romantische Geschicklichkeit – Kombinations- und Variationsfertigkeit« (Allgemeines Brouillon)* – diese kurze Notiz beleuchtet blitzartig die ungeheure Versatilität und die methodische Sprunghaftigkeit eines Geistes, der die Gesamtheit der von ihm ergriffenen Materialien und Stoffe mit dem *»Zauberstab der Analogie«* berührt, sich anverwandelt und umsetzt.

Sieht man von einigen zumeist unvollendeten Jugendaufsätzen ab, von denen lediglich zwei – *Von der Begeisterung* und *Kann ein Atheist auch moralisch tugendhaft aus Grundsätzen seyn?* – Interesse beanspruchen können, so dürfen die Fichte-Studien und Exzerpte der Jahre 1795/96 als Ausgangspunkt für das philosophische Denken von Novalis gelten, ein Ausgangspunkt, der von ihm später zwar überschritten, jedoch nie eigentlich aufgegeben wurde. Der Autor machte FICHTES persönliche Bekanntschaft erst im Mai 1795, wenn auch anzunehmen ist, daß er dessen philosophische Arbeiten seit seiner Studienzeit in Jena (1792) kannte. Seine Studien beziehen sich auf nahezu alle Schriften Fichtes, vor allem aber auf die *Grundlage der gesammten Wissenschaftslehre* (1794/95) und *Über den Begriff der Wissenschaftslehre oder der sogenannten Philosophie* (1794), aus denen längere

Exzerpte erhalten sind. Im folgenden Jahr (1797) schloß sich eine intensive Auseinandersetzung mit den Schriften des holländischen Philosophen Franz HEMSTERHUIS (1721–1790) an, dessen Einfluß – und zumal dessen Lehre vom »*organe moral*« – den der *Wissenschaftslehre* Fichtes zurückdrängte. Mit den *Vermischten Bemerkungen*, aus denen der *Blüthenstaub*-Komplex hervorging, und der Fragmentfolge *Glauben und Liebe* – in der Novalis am Modell des seit 1797 regierenden preußischen Königspaares Friedrich Wilhelm III. und Luise seine Ideen vom poetischen Staat, von der symbolischen Repräsentation des Geistes im Volk und vom »*echten Republikanismus*« entwickelte, der auf der »*allgemeinen Teilnahme am ganzen Staate*« beruhe – findet der Autor zu der für ihn bezeichnenden Form des andeutenden, »*transitorischen*« Fragments (im Gegensatz zu der des sentenzartigen, rationaleren Aphorismus, der in seiner Geschlossenheit eher dem Ausdruckswillen der Aufklärung entsprach). In den Vorarbeiten zu anderen, unvollendeten Fragmentsammlungen, besonders den *Logologischen Fragmenten* und den *Poëticismen*, verstärkt sich eine Neigung, die Novalis selbst seinen »*Mysticismus*« und deren Ergebnisse er »*mystische Fragmente*« in einer neuzuerfindenden »*Tropen- und Rätselsprache*« nannte. »*Die Welt muß romantisirt werden. So findet man den urspr*[ünglichen] *Sinn wieder. Romantisiren ist nichts, als eine qualit*[ative] *Potenzirung. Das niedre Selbst wird mit einem bessern Selbst in dieser Operation identificirt. So wie wir selbst eine solche qualit*[ative] *Potenzenreihe sind. Diese Operation ist noch ganz unbekannt. Indem ich dem Gemeinen einen hohen Sinn, dem Gewöhnlichen ein geheimnißvolles Ansehn, dem Bekannten die Würde des Unbekannten, dem Endlichen einen unendlichen Schein gebe so romantisire ich es – Umgekehrt ist die Operation für das Höhere, Unbekannte, Mystische, Unendliche – dies wird durch diese Verknüpfung logarythmisirt – Es bekommt einen geläufigen Ausdruck. Romantische Philosophie. Lingua romana. Wechselerhöhung und Erniedrigung.*« (*Poëticismen*, Nr. 105, 1798)

Aus den späteren Fragmentgruppen ragt neben dem *Allgemeinen Brouillon* und dem großen, für die Veröffentlichung im ›Athenäum‹ bestimmten, von den Brüdern Schlegel jedoch abgelehnten Aufsatz → *Die Christenheit oder Europa* in der Abt. VII der sprachphilosophische *Monolog* (ca. 1799) hervor. In dem kaum zwei Druckseiten umfassenden Text wird der romantische Begriff der Ironie – Hauptziel der »symphilosophierenden« Bestrebungen des von Novalis, Tieck, SCHELLING, SCHLEIERMACHER und den Brüdern Schlegel gebildeten Kreises der Frühromantiker – nicht nur als Gegenstand spekulativ-philosophischen Denkens diskursiv »beredet«, sondern konkret, nämlich im Akt des Sprechens über die Sprache und ihre rätselhaften Leistungen, demonstriert.

Erst die neuere Forschung hat nachdrücklich dargelegt, wie genau die literarische Form des Fragments den Konzeptionen der Romantiker entspricht, in deren Augen selbst das Bruchstück eigenständigen Kunstwert besitzt. Für F. Schlegel ist das Fragment die »*eigentliche Form der Universalphilosophie*«, »*Randglosse zu einem Text des Zeitalters*«. Es hat dabei formal durchaus ästhetischen Forderungen zu genügen. »*Ein Fragment muß gleich einem Kunstwerke von der umgebenden Welt ganz abgesondert und in sich selbst vollendet sein wie ein Igel.*« (F. Schlegel) Die *Fragmente* von Novalis sind als wesentlicher Bestandteil des Gesamtwerks weniger vom isolierten inhaltlichen Wort als von ihrer »poetisierenden« Funktion her zu werten und als prinzipiell unabschließbarer Versuch »*dialektischen Begreifens der Welt*« zu interpretieren, »*indem immer wieder das lebendige und notwendige Wechselverhältnis von Intuition und Erfahrung*« (Th. Haering) sich erneuert. C. G. – KLL

AUSGABEN: Bln. 1802 (in *Schriften*, Hg. F. Schlegel u. L. Tieck, 2 Bde., 2; [5]1837; Bd. 3: 1846, Hg. E. v. Bülow; enth. weitere 610 Fragmente). – Bln. 1901 (in *Schriften*, Hg. E. Heilborn, 2 Bde.). – Lpzg. o. J. [1928] (in *Briefe und Werke*, Hg. P. Kluckhohn u. R. Samuel, 4 Bde., 2 u. 3; Stg. [2]1960ff.; hist.-krit.). – Bln. 1943 (in *Briefe und Werke*, Hg. E. Wasmuth, 4 Bde., 2 u. 3; Heidelberg [2]1953 1957).

LITERATUR: M. Besset, *N. et la pensée mystique*, Paris 1947. – U. Flickenschild, *N.' Begegnung mit Fichte u. Hemsterhuis*, Diss. Kiel 1947. – W. Kirchner, *Die persönliche Stileinheit der Weltanschauung des N.*, Diss. Würzburg 1949. – A. Nivelle, *Die Auffassung der Poesie in den Fragmenten des N.* (in Tijdschrift vor Levende Talen, 15, 1949, S. 138 bis 155). – G. Bonarius, *Zum magischen Realismus bei Keats und N.*, Gießen 1950. – H. Kuhn, *Poetische Synthesis oder Ein kritischer Versuch über romantische Philosophie und Poesie an N.' Fragmenten* (in Zs. f. philos. Forschung, 5, 1950/51, S. 161–178; 358–384). – P. E. Müller, *N.' Märchenwelt*, Diss. Zürich 1953. – J. Striedter, *Die Fragmente des N. als ›Präfigurationen‹ seiner Dichtung*, Diss. Heidelberg 1953. – R. Meyer, *N. Das Christus-Erlebnis und die neue Geistesoffenbarung*, Stg. 1954. – Th. Haering, *N. als Philosoph*, Stg. 1954. – I. Trosiener, *Der Wechselbezug von Einzelnem und Ganzem in den Fragmenten des N.*, Diss. Freiburg i. B. 1955. – R. W. Schmidt, *Die Endzeitvorstellungen bei N. Studien zum Problem der Eschatologie in der deutschen Romantik*, Diss. Wien 1956. – H. S. Reiss, *The Concept of the Aesthetic State in the Work of Schiller and N.* (in Publications of the English Goethe Society, N. S., 26, 1957, S. 28–51). – M. Dyck, *N. and Mathematics*, Chapel Hill 1960. – P. Schroers, *N.' »Blütenstaub«. Schicksal einer Dichterhandschrift* (in Philobiblon, 4, 1960, S. 13 bis 20). – I. Strohschneider-Kohrs, *Die romantische Ironie in Theorie und Gestaltung*, Tübingen 1960 (Slg. Hermea, N. F., 6). – H. W. Kuhn, *Der Apokalyptiker und die Politik. Studien zur Staatsphilosophie des N.*, Freiburg i. B. 1961. – H.-J. Mähl, *Die Idee des Goldenen Zeitalters im Werk des N. Studien zur Wesensbestimmung der frühromantischen Utopie und zu ihren ideengeschichtlichen Voraussetzungen*, Diss. Hbg. 1961. – C. Träger, *N. und die ideologische Restauration. Über den romantischen Ursprung einer methodischen Apologetik* (in SuF, 13, 1961, S. 618 bis 660). – J. Stieghahn, *Magisches Denken in den Fragmenten F. v. Hardenbergs*, Diss. Bln. 1962. – H.-J. Mähl, *N. u. Plotin. Untersuchungen zu einer neuen Edition u. Interpretation des »Allgemeinen Brouillon«* (in FDH, 1963, S. 139–250). – K. Hamburger, *Philosophie der Dichter*, Stg. 1966. – H. Ritter, *Der unbekannte N. F. v. H. im Spiegel seiner Dichtung*, Göttingen 1966. – M. Dick, *Die Entwicklung des Begriffes der Poesie in den Fragmenten des N.*, Bonn 1967 (Mainzer philos. Forschungen, 7).

GEISTLICHE LIEDER. Sammlung von fünfzehn Gedichten von NOVALIS (d. i. Friedrich Leopold Freiherr von Hardenberg, 1772–1801), entstanden in den Jahren 1799/1800, zum Teil vor, zum Teil nach den *Hymnen an die Nacht*; postum erschienen 1801. – »*Die Christenheit muß wieder lebendig und wirksam werden und sich wieder eine sichtbare Kirche ohne Rücksicht auf Landesgrenzen bilden, die alle nach dem Überirdischen durstige Seelen in ihren Schoß aufnimmt und gern Vermittlerin der alten und neuen Welt wird.*« Diese Formulierung aus dem Schlußabschnitt seines Aufsatzes *Die Christenheit oder Europa* (1799) bezeichnet aufs genaueste die Stellung der *Geistlichen Lieder* im Gesamtwerk des Dichters, die der neuen Gemeinde »*gereinigter Christen*« durch »*Erregung des heiligen Intuitionssinnes*« dazu verhelfen wollen, sich zu sammeln. Darüber hinaus entwarf Novalis den Plan eines neuen Gesangbuchs, in dem der Zyklus seinen Platz finden sollte. »*Einfach müssen Lieder und Predigten sein und doch hochpoetisch.*« Dieser Forderung entsprechend, die aus der Ablehnung allen moralisch-dogmatischen Charakters entsprang, wie Novalis ihn noch in den Liedern Lavaters zu spüren glaubte, bedient sich der Dichter in den *Geistlichen Liedern* – mit Ausnahme des siebten, *Hymne* betitelten und in freien Rhythmen geschriebenen Gedichts – schlichter, volksliedähnlicher, vier-, sechs- und achtzeiliger Strophenformen. Sie stehen der Tradition des protestantischen Kirchenlieds, vor allem pietistischer Prägung, in solchem Maße nahe, daß schon 1808 sechs der Lieder in das *Bergische Gesangbuch* aufgenommen wurden, durch Vermittlung Schleiermachers wenig später auch in das *Berliner Gesangbuch* (und zwar Nr. 1: *Was wär ich ohne dich gewesen*, Nr. 3: *Wer einsam sitzt in seiner Kammer*, Nr. 4: *Unter tausend frohen Stunden*, Nr. 5: *Wenn ich ihn nur habe*, Nr. 6: *Wenn alle untreu werden* und Nr. 9: *Ich sag es jedem, daß er lebt*).

Einzig der in der Mitte des Zyklus stehenden reimlosen *Hymne*, die schon 1798, früher als alle anderen Gedichte, entstanden und den *Hymnen an die Nacht* und Hölderlins späten Elegien verwandt ist, fehlt diese einfache Kunstlosigkeit. Sie umkreist das höchste sakrale Mysterium des Christentums, das des Abendmahls, und erneuert alte, mystisch-theosophische Vorstellungen wie die der »*Geistleiblichkeit*«, die nach Jakob Böhme vor allem Novalis' Zeitgenosse Franz von Baader in Schriften wie *Über die Eucharistie* und den *Fermenta cognitionis* wiederaufgriff. »*Wenige wissen / Das Geheimnis der Liebe, / Fühlen Unersättlichkeit / Und ewigen Durst.*« Die im Abendmahl vollzogene Annäherung und Vereinigung des Menschen mit Gott, Ziel aller Mystik, beruht auf dem Geheimnis der Transsubstantiation, dem »*Arcanum ... geistlich zu essen*« (Böhme), einem symbolischen Stofflichwerden des göttlichen Geistes. Eines der aus derselben Zeit (Juli/August 1798) stammenden *Teplitzer Fragmente* (Nr. 428) entwickelt dieselbe Vorstellung: »*In der Freundschaft ißt man in der Tat von seinem Freunde, oder lebt von ihm. Es ist ein echter Trope, den Körper für den Geist zu substituieren – und bei einem Gedächtnismahle eines Freundes in jedem Bissen mit kühner übersinnlicher Einbildungskraft sein Fleisch, und in jedem Trunke sein Blut zu genießen.*« In der *Hymne* entspricht diesem Stofflichwerden des göttlichen Geistes und seiner künftigen universalen Materialisierung eine Vergeistigung alles »*Absolut Lebendigen*«, in dem er sich ausspricht, aller Natur im Liebesmahl: »*Einst ist alles Leib, / Ein Leib, / In himmlischem Blute / Schwimmt das selige Paar. – / O! daß das Weltmeer / Schon errötete, / Und in duftiges Fleisch / Aufquölle der Fels!*« Diese Verklärung und Vergöttlichung auf Erden, die Gottwerdung des Menschen, vollzieht sich als Neu- und Wiedergeburt am »*Tisch der Sehnsucht*«, an dem der Mensch, im Zeichen versöhnender Liebe, zum Teil des göttlichen »*Weltorganismus*« wird.

Die Christus-Auffassung von Novalis ist in den *Geistlichen Liedern* eher vom Bild des auferstandenen als von dem des gekreuzigten, leidenden Heilands geprägt. Sie geht weniger aus einem der naiv-sinnlichen Phantasie gegenwärtigen Kanon von bildlichen Vorstellungen, wie ihn die pietistische Jesusfrömmigkeit kennt, hervor, als aus dem verinnerlichten, ruhigen Bewahren und Festhalten des Göttlichen in der eigenen Seele. Dem entspricht, daß jeder metaphorische Ausdruck nahezu vollkommen fehlt, was nur als Tendenz zur Reinigung und Entäußerung vor der Unmittelbarkeit der Erfahrung gedeutet werden kann. Wirklich ist Christus kaum als historisch konkrete, sondern beinahe überall als mystisch gegenwärtige Gestalt begriffen, als universaler Vermittler gottebenbildlichen Wesens, als »*Begriff der Wiedergeburt*«, als metaphysisch-objektive Macht im menschlichen Innern, die als höheres, gesteigertes Selbstbewußtsein empfunden und erlebt wird: »*Mit ihm erst bin ich Mensch geworden; / Das Schicksal wird verklärt durch ihn ... / Da kam ein Heiland, ein Befreier, / Ein Menschensohn, voll' Lieb und Macht; / Und hat ein allbelebend Feuer / In unserm Innern angefacht. / Nun sahn wir erst den Himmel offen / Als unser altes Vaterland, / Wir konnten glauben nun und hoffen, / Und fühlten uns mit Gott verwandt.*« (Nr. 1) Ein Lieblingsgedanke von Novalis, der auch in seinem Roman *Heinrich von Ofterdingen* ausgeführt wird, klingt im zweiten Lied an: Christus, als Symbol der Einheit von Mythos, Poesie und Religion, bedeutet die Wiederkehr des reinen poetischen Geistes auf Erden, der erst im erlösten Menschen sich zu voller Blüte entfaltet. »*Endlich kommt zur Erde nieder / Aller Himmel selges Kind, / Schaffend im Gesang weht wieder / Um die Erde Lebenswind ...*« In den beiden letzten Gedichten, Marienliedern von schlichter, frommer Zartheit, ist Christus in Kindesgestalt Symbol einer Liebe, die Wirklichkeit gewordener Ausdruck göttlichen Lebens in der Welt ist. – Die *Geistlichen Lieder* wurden, abgesehen von den Melodien, die ihnen die regionalen Gesangbücher unterlegen, häufig vertont, das fünfte (*Wenn ich ihn nur habe*) allein mehr als zwanzigmal. H. H. H.

Ausgaben: Tübingen 1802 (recte 1801; in Musenalmanach auf das Jahr 1802, Hg. A. W. Schlegel u. L. Tieck; enth. Nr. 1–7). – Bln. 1802 (in *Schriften*, Hg. F. Schlegel u. L. Tieck, 2 Bde., 2; [5]1837). – Bln. 1901 (in *Schriften*, Hg. E. Heilborn, 2 Bde., 1). – Lpzg. o. J. [1929] (in *Schriften*, Hg. P. Kluckhohn u. R. Samuel, 4 Bde., 1; Stg. [2]1960; hist.-krit.). – Bln. 1943 (in *Briefe und Werke*, Hg. E. Wasmuth, 3 Bde., 2). – Heidelberg 1953 (in *Werke, Briefe, Dokumente*, Hg. ders., 4 Bde., 1953–1957, 1).

Literatur: R. Woerner, *N.' »Hymnen an die Nacht« und die »Geistlichen Lieder«*, Diss. Mchn. 1895. – P. Spring, *The Religion of N.*, Wooster/O. 1921. – K. J. Obenauer, *Hölderlin–N.*, Jena 1925. – W. Herzog, *Mystik und Lyrik bei N.*, Stg. 1928 [zugl. Diss. Jena]. – M. Greiner, *Das frühromantische Naturgefühl in der Lyrik von Tieck und N.*, Lpzg. 1930. – W. Creydt, *Die Entwicklung F. v. Hardenbergs als Lyriker*, Bln. 1932. – I. v. Minnigerode, *Die Christusanschauung des N.*, Stg. 1941, S. 70–113. – F. Hiebel, *N.*, Mchn. 1951, S. 204 bis 237; 329ff. – R. Meyer, *N. Das Christus-Erlebnis und die neue Geistesoffenbarung*, Stg. 1954. – B. Haywood, *N., the Veil of Imagery*, Cambridge/Mass. 1959. – H. Ritter, *Die »Geistlichen Lieder« des N. Ihre Datierung und Entstehung* (in Jb. d. dt. Schiller-Ges., 4, 1960, S. 308–342).

HEINRICH VON OFTERDINGEN. Fragmentarischer Roman von NOVALIS (d. i. Georg Friedrich Philipp Freiherr von Hardenberg, 1772–1801), erschienen 1802. Vollendet sind der erste, *Die Erwartung* betitelte Teil und das Anfangskapitel des zweiten *(Die Erfüllung)*, dessen geplante Weiterführung ein Konvolut handschriftlicher Notizen und ein von TIECK aus Gesprächen mit Novalis und aus dessen Nachlaß rekonstruierter Bericht über die Fortsetzung überschaubar machen.

Auf den Roman als poetische Gattung, der seinem Wesen nach eine »*Enzyklopädie des ganzen geistigen Lebens eines genialischen Individuums*« (F. v. Schlegel, *Kritische Fragmente*, Nr. 78) sein müsse und der allein imstande sei, die Idee des »*unendlichen Progresses*« (J. G. Fichte) vollkommen auszudrücken, den das Ich auf dem Wege zu einer höheren, einheitstiftenden Totalität von Natur und Geist durchlaufe, richtete die romantische Literaturtheorie ihr Hauptinteresse – ein Interesse, das von GOETHES *Wilhelm Meisters Lehrjahre* (1795/96), dem so bewunderten Vorbild, nachhaltig beeinflußt wurde. Auch Novalis hatte das Goethesche Werk enthusiastisch begrüßt. Seine Begeisterung schwächte sich jedoch in dem Maße ab, wie der Plan zu einem eigenen Roman festere Umrisse annahm, bis er *Wilhelm Meisters Lehrjahre* schließlich als »*poetisierte bürgerliche und häusliche Geschichte*« verwarf und ihr den *Heinrich von Ofterdingen* – tief beeindruckt von Tiecks Roman *Franz Sternbalds Wanderungen* (1798) – entgegenzusetzen beschloß. Sein eigener »bürgerlicher« Roman sollte »*vielleicht Lehrjahre einer Nation enthalten*«. Jedoch: »*Das Wort Lehrjahre ist falsch, es drückt ein bestimmtes Wohin aus. Bei mir soll es aber nichts als Übergangsjahre vom Unendlichen zum Endlichen bedeuten*« (Brief an Karoline v. Schlegel, 27. 2. 1799). Die ursprüngliche Konzeption eines Entwicklungs- und Bildungsromans verfestigte sich indessen im Sommer 1799, als Novalis in spätmittelalterlichen Legendensammlungen – dem *Leben der Heiligen Elisabeth* und der *Düringischen Chronik* des Johannes ROTHE und der *Mansfeldischen Chronik* des Cyriacus SPANGENBERG – auf die historisch nicht belegbare Gestalt des zu den zwölf »Meistern« zählenden Minnesängers Heinrich von Ofterdingen stieß.

Der erste Teil des im christlich verklärten Hochmittelalter spielenden Romans – *Die Erwartung* – beschreibt die aus erster Berührung mit fremden Lebensbereichen gewonnenen »Welterfahrungen« des Helden, die ihn zum Dichter reifen lassen. Heinrich wächst als Sohn bürgerlicher Eltern im thüringischen Eisenach auf und wird vom Hofkaplan des Landgrafen auf den »*Lehrstand*« vorbereitet. Der Roman setzt mit einem Ereignis ein, das selbst im Dunkel bleibt: Ein fremder Reisender hat dem gerade zwanzigjährigen Heinrich von geheimnisvollen Fernen, von wunderbaren Schätzen und von einer Wunderblume erzählt. Diese »*blaue Blume*« – ein tiefsinniges Symbol, das als Chiffre zarter, weltversponnener Sehnsucht zugleich »*Symbol des Erkennens*« (J. Hecker) ist – erscheint ihm im Traum als lockendes Ziel und wandelt sich zu einem »*blauen ausgebreiteten Kragen*«, in dem ein Mädchengesicht schwebt; Heinrich fühlt, daß dieser Traum »*in seine Seele wie ein weites Rad hineingreift und sie in mächtigem Schwunge forttreibt*«. Seine Mutter unternimmt mit dem Sohn und einigen befreundeten Kaufleuten eine Reise zu ihrem Vater nach Augsburg, um Heinrichs Melancholie zu vertreiben. Diese Reise eröffnet ihm das große Panorama der Welt und trägt zu dem »*leisen Bilden der inneren Kräfte*« bei, die den »*Geist der Poesie*« entfalten. Mit dem Wesen des Handels machen ihn die Reisegefährten vertraut, ein Aufenthalt auf einer fränkischen Ritterburg bringt ihm die kriegerische Welt der Kreuzzüge nahe, eine dort gefangengehaltene Morgenländerin, Zulima, entdeckt ihm ihr Leid und beschwört in Liedern und Beschreibungen die »*romantischen Schönheiten der fruchtbaren arabischen Gegenden*«, und ein alter böhmischer Bergmann weiht ihn in die Gefahren und geheimen Eigenheiten des Bergbaus ein, jenes »*ernsten Sinnbilds des menschlichen Lebens*«, und vermittelt Heinrich überdies die Bekanntschaft eines Einsiedlers, des Grafen von Hohenzollern, der ihn in das Wesen der geschichtlichen Welt einführt. Er deutet ihm die »*allmähliche Beruhigung der Natur*«, die sich langsam dem Menschen annähere und ihre bildenden und geselligen Kräfte hervorkehre. Bei ihm entdeckt Heinrich auch einige alte Chroniken, deren eine ihm sein »*Ebenbild in verschiedenen Lagen*« und vorausdeutend Gestalten aus seinem Traum zeigt. Alle diese Erlebnisse erwecken in ihm eine dunkle, bilderreiche Sehnsucht; »*die Blume seines Herzens ließ sich zuweilen wie ein Wetterleuchten in ihm sehen*«. In Augsburg angekommen, lernt er im heiteren Freundeskreis des Großvaters den Dichter Klingsohr und dessen anmutige Tochter Mathilde kennen, zu der er eine tiefe Zuneigung faßt. Klingsohr weiht ihn endlich in das Wesen des »*romantischen Morgenlandes*«, der Poesie, ein, deren wichtigste Provinz, die Liebe, ihm Mathilde erschließt. Träumend wird ihm bewußt, daß jenes Mädchengesicht, zu dem der Kelch der blauen Blume sich zusammenschloß, das Mathildes war; derselbe Traum kündigt ihm jedoch an, daß er sie verlieren, später aber erneut und für immer gewinnen werde. Den ersten Teil beschließt ein von Klingsohr erzähltes allegorisches Märchen von Eros und Fabel. »*Sonderbar, daß eine absolute, wunderbare Synthesis oft die Achse des Märchens – oder das Ziel desselben ist*« (*Das allgemeine Brouillon*, Nr. 990). Diese für die auf Vermittlung und universale Einheit aller Antinomien gerichtete Intention der romantisch-idealistischen Philosophie und Poetik bezeichnende Formulierung nimmt zugleich die geplante Weiterführung im zweiten Teil vorweg, der mit der Aufhebung der Grenzen von Realität und Traum selbst märchenhaft werden sollte.

Im Märchen von Eros und Fabel liegt das Astralreich Arcturs in Eis erstarrt und seine Tochter Freya (Friede) in ewigem Schlaf, seit der gewaltige Held Eisen (Krieg) sein Schwert in die Welt geschleudert hat und seine Gemahlin Sophie (Weisheit) zu den Menschen hinabgestiegen ist. Mutter und Vater (Herz und Sinn) haben den Knaben Eros (Liebe) gezeugt, während die kleine Fabel (Poesie) einem heimlichen Verhältnis des Vaters mit der Amme Ginnistan (Phantasie) entstammt. Ginnistan reist mit Eros zum Mond, ihrem Vater, und verführt Eros, während »zu Hause« der Schreiber (der nüchterne Verstand, die Aufklärung) die Herrschaft an sich reißt, die Mutter fesselt und auf einem Scheiterhaufen verbrennt. Nur die kleine Fabel entkommt in die Unterwelt und überlistet die Parzen. Sophie löst die Asche der geopferten Mutter in ihrer Wasserschale und gibt sie allen zu trinken, die daraufhin *»die freundliche Begrüßung der Mutter in ihrem Innern mit unsäglicher Freude«* vernehmen. Die fröhliche Fabel bricht endlich im Reiche Arcturs den Bann, bringt das Eis zum Schmelzen und führt ihren Milchbruder Eros der erwachenden Freya zu, die, mit ihm vereint, als Königin das neue goldene Zeitalter beherrscht.

Der zweite Teil – *Die Erfüllung* – wird von einem Prolog der Astralis eröffnet, die – ein geheimnisvoll-allegorisches Wesen – aus der *»ersten Umarmung Heinrichs und Mathildens«* als der neue *»siderische Mensch«* entstand. Mathilde ist, wie Heinrichs Traum es angedeutet hatte, gestorben; verzweifelt verläßt er Augsburg als Pilger und hört bald darauf die Stimme der Toten, die ihm als Begleiterin ein armes Hirtenmädchen, Cyane, die Tochter des Grafen von Hohenzollern, ankündigt. Diese führt den von Staunen Überwältigten zu einem alten Einsiedler und Arzt, Sylvester, der ihm die *»unmittelbare Sprache«* der Natur in Blumen und Pflanzen deutet und die Ankündigung des goldenen Zeitalters wiederholt, das dann anbrechen werde, *»wenn die Natur züchtig und sittlich geworden«* sei, wenn als *»Geist des Weltgedichts«* das Gewissen, jener *»eingeborene Mittler des Menschen«* zu einer jenseitigen Welt, herrsche.

Die Fortsetzung des Werks hat Novalis in zum Teil widersprüchlichen Notizen angedeutet, deren eine die wahrscheinliche Kapitelanordnung des zweiten Teils beschreibt: (I) *Das Gesicht* (später *Das Kloster oder Der Vorhof*), (II) *Heldenzeit*, (III) *Das Altertum*, (IV) *Das Morgenland*, (V) *Der Kaiser*, (VI) *Der Streit der Sänger* und (VII) *Die Verklärung*. Heinrich sollte nach dem Tod Mathildes zunächst ein Kloster besuchen, später in der Schweiz und in Italien *»in bürgerliche Händel«* verstrickt und selbst Feldherr werden und die Welt griechischer Mythologie und persischer Märchen in deren Ursprungsländern kennenlernen. Nach Deutschland an den Hof des Kaisers (Friedrichs II.?) zurückgekehrt, sollte er mit ihm Gespräche über Regierung und Kaisertum führen und an einem großen Fest *»aus lauter allegorischen Szenen zur Verherrlichung der Poesie«* teilnehmen, bei dem der Sängerkrieg auf der Wartburg zu einem Streit über *»formlose«* und *»förmliche«* Poesie (Natur- und Kunstpoesie) modifiziert werden sollte. *»Der Schluß* [Heinrichs Verklärung] *ist Übergang aus der wirklichen Welt in die geheime – Tod – letzter Traum und Erwachen. Überall muß hier schon das Überirdische durchschimmern – Das Märchenhafte.«* Heinrich pflückt die blaue Blume und erlebt zahllose Verwandlungen; die Figuren des ersten Teils und die des allegorischen Märchens kommen in vielfachen Umdeutungen wieder – *»das ganze Menschengeschlecht wird am Ende poetisch. Neue goldene Zeit.«*

Erhöhung und stufenweise Verklärung der Poesie war Novalis' Ziel im *Heinrich von Ofterdingen*. Bereits in der *Atlantis*-Legende des ersten Teils werden in der Beschreibung eines Gesangs zugleich alle Motive des ganzen Werkes zusammengefaßt: *»Er handelte von dem Ursprunge der Welt ... von der allmählichen Sympathie der Natur, von der uralten goldenen Zeit und ihren Beherrscherinnen, der Liebe und Poesie, von der Erscheinung des Hasses und der Barbarei und ihren Kämpfen mit jenen wohltätigen Göttinnen, und endlich von dem zukünftigen Triumph der letzteren ... der Wiederkehr eines ewigen goldenen Zeitalters.«* Poesie soll hier aus der alten, ungebrochenen Einheit von Sänger, Priester und Prophet hervorgehen, an der auch verschiedene späte Fragmente des Autors entschieden festhalten. Wenn sie aber auch hier als »Naturpoesie« erscheint, so legt doch gerade in der Unterredung Heinrichs mit Klingsohr, in dessen Poetik sich der immer noch starke Einfluß Goethes verrät, sein Lehrer Wert darauf, daß sie als *»strenge Kunst«* mit *»Besonnenheit«*, fern allem nur genießerischen Subjektivismus, bei geradezu ökonomisch-haushälterischer *»Bekanntschaft mit den Mitteln«* geübt werden müsse.

Novalis selbst stellt in einem seiner späten *Fragmente* (Nr. 104) einen Kanon jener Mittel auf, die sein »bürgerlicher« Roman erfordere: es sind *»eine gewisse Altertümlichkeit des Stils, eine richtige Stellung und Ordnung der Massen, eine leise Hindeutung auf Allegorie, eine gewisse Seltsamkeit, Andacht und Verwunderung, die durch die Schreibart durchschimmert«*, zu denen noch eine fließende, verhaltene Musikalität der Sprache tritt. Abkömmling des klassischen Bildungsromans, wie ihn etwa Wielands *Agathon* oder Goethes *Wilhelm Meister* verkörpern, ist *Heinrich von Ofterdingen* in dem Sinne, daß sein Held sich zwar auch an verschiedenartigen Wirklichkeitsbereichen »ausbildet«, aber nicht nur an ihnen: »Bildung« wird bei Novalis zu einem eher unbestimmten »Innewerden« von etwas lange Vergessenem, das in Gestalt von Phantasie, Traum und Ahnung einen bedeutsamen Riß in den *»geheimnisvollen Vorhang«* legt, *»der mit tausend Falten in unser Inneres hereinfällt«* – ein langsamer Prozeß der Auffindung von Verschüttetem, den ein *Blütenstaub-Fragment* des Autors (Nr. 18) so ausdrückt: *»Nach Innen geht der geheimnisvolle Weg. In uns, oder nirgends ist die Ewigkeit mit ihren Welten, die Vergangenheit und Zukunft.«* H. H. H.

Ausgaben: Bln. 1802, Tl. 1. – Bln. 1802 (in *Schriften*, Hg. F. Schlegel u. L. Tieck, 2 Bde.; ^{5}1837). – Bln. 1901 (in *Schriften*, Hg. E. Heilborn, 2 Bde., 1). – Lpzg. o. J. [1928] (in *Schriften*, Hg. P. Kluckhohn u. R. Samuel, 4 Bde., 1; Stg. ^{2}1960ff.; hist.-krit.). – Bln. 1943 (in *Briefe u. Werke*, Hg. E. Wasmuth, 4 Bde., 1; Heidelberg ^{2}1953). – Hbg. 1963 (m. Essay v. C. Grützmacher; RKl, 130/131). – Ffm. 1963 (Nachw. A. Henkel; EC, 88). – Stg. 1965 (Nachw. W. Frühwald; RUB, 8939–8941).

Literatur: R. Haym, *»Heinrich v. Ofterdingen«* (in R. H., *Die romantische Schule*, Bln. 1870; Darmstadt 1961; ern. in *Interpretationen. Deutsche Romane von Grimmelshausen bis Musil*, Ffm. 1966; FiBü, 716). – G. Gloege, *N.' »Heinrich v. Ofterdingen« als Ausdruck seiner Persönlichkeit*, Lpzg. 1911. K. Woltereck, *Goethes Einfluß auf »Heinrich v. Ofterdingen«*, Bern 1914. – O. Walzel, *Die Formkunst von H.s »Heinrich v. Ofterdingen«* (in GRM, 7, 1919, S. 403 444; S. 465–479). – K. J. Obenauer, *Das Märchen von Eros u. Fabel* (in K. J. O., *Hölderlin N.*, Jena 1925, S. 231 bis 290). – H. Bruneder, *Der Sprachrhythmus des »Heinrich v. Ofterdingen«* (in DVLG, 2, 1926, S. 378 386). – T. Holländer, *Klingsor, eine stoffgeschichtliche Untersuchung*, Diss. Wien 1927.
K. May, *Weltbild u. innere Form der Klassik u. Romantik in »Wilhelm Meister« u. »Heinrich von Ofterdingen«* (in *Romantik-Forschungen*, Halle

1929, S. 185 203; ern. in K. M., *Form u. Bedeutung*, Stg. 1957, S. 116 177). – J. Hecker, *Das Symbol der blauen Blume im Zusammenhang mit der Blumensymbolik der Romantik*, Jena 1931 (Germanist. Forschungen, 17). – A. Béguin, *L'âme romantique et le rêve*, Marseille 1937. – W. Korff, *Das Märchen als Urform der Poesie. Studien zum Klingsohr-Märchen des N.*, Diss. Erlangen 1941. A. Reble, *Märchen u. Wirklichkeit bei N.* (in DVLG, 19, 1941, S. 70 110). A. J. M. Bus, *Der Mythus der Musik in N.'»Heinrich von Ofterdingen«*, Diss. Amsterdam 1947. L. Albrecht, *Der magische Idealismus in N.' Märchentheorie u. Märchendichtung*, Hbg. 1948. H. H. Borcherdt, *Der Roman der Goethezeit*, Urach/Stg. 1949, S. 363 bis 382. A. Nivelle, *Der symbolische Gehalt des »Heinrich von Ofterdingen«*, Brüssel 1950. – M. Diez, *Metapher u. Märchengestalt*, III: *N. u. das allegorische Märchen* (in PMLA, 48, 1953, S. 488 507). P. E. Müller, *N.' Märchenwelt*, Diss. Zürich 1953. E. E. Reed, *N.' »Heinrich von Ofterdingen« als ›Gesamtkunstwerk‹* (in PQ, 33, 1954, S. 200 211). J. Rosteutscher, *Das ästhetische Idol im Werk von Winckelmann, N., Hoffmann, Goethe, George u. Rilke*, Bern 1956. P. Kluckhohn, *Neue Funde zu F. v. H.s Arbeit am »Heinrich von Ofterdingen«* (in DVLG, 32, 1958, S. 391 409). – E. Godde, *Stifters »Nachsommer« u. der »Heinrich von Ofterdingen«*, Diss. Bonn 1959. P. Küpper, *Die Zeit als Erlebnis des N.*, Köln/Graz 1959. H. Ritter, *Die Entstehung des »Heinrich von Ofterdingen«* (in Euph, 55, 1961, S. 163 195). L. O. Frye, *The Reformation of the Heavens in N.' The Klingsohr-Märchen, and Giordano Bruno*, Diss. Univ. of Austin/Tex. 1962. (vgl. Diss. Abstracts, 23, 1962/63, S. 3887). D. Löffler, *»Heinrich von Ofterdingen« als romantischer Roman*, Diss. Lpzg. 1963. R. Samuel, *N.' »Heinrich von Ofterdingen«* (in *Der deutsche Roman*, Hg. B. v. Wiese, Bd. 1, Düsseldorf 1963, S. 252 300). H. Ritter, *Der unbekannte N. F. v. H. im Spiegel seiner Dichtung*, Göttingen 1966.

HYMNEN AN DIE NACHT. Gedichtzyklus von Novalis (d. i. Georg Friedrich Philipp Freiherr von Hardenberg, 1772 1801), erschienen 1800. Hardenbergs sechs große *Hymnen an die Nacht* sind uns in zwei Fassungen überliefert, einer vorwiegend in Versen geschriebenen handschriftlichen und der vorwiegend in rhythmischer Prosa geschriebenen Druckfassung, deren handschriftliche Vorlage verloren ist, die aber mit Sicherheit von Novalis selbst stammt. Seit Tieck beschäftigt die mit den Problemen von Entstehung und Datierung eng verknüpfte Deutung der Hymnen ungezählte Forschergenerationen: sie ist heute, zur Zeit einer radikalen Wandlung des Novalisbildes, umstrittener denn je. Die alte Datierungskontroverse (1797 oder 1799) ist durch Heinz Ritters Untersuchungen einer differenzierteren Einsicht gewichen: Demnach ist die dritte Hymne als »Urhymne« anzusprechen und in Zusammenhang mit Hardenbergs Erlebnis am Grab der Geliebten entstanden (Tagebuch, 13. Mai 1797); die frühen Hymnen, d. h. die Hymnen 1, 2, 4a und 5b, entstanden zwischen Herbst 1797 und Weihnachten 1798; die überlieferte Handschrift wurde im Dezember 1799/Januar 1800 geschrieben; die Athenäumsfassung an der Wende Januar/Februar 1800. Diese Genesis ermöglicht den Schluß, daß an den Hymnen die innere Entwicklung Hardenbergs vom Herbst 1797 bis weit in die *Ofterdingen*-Zeit hinein abzulesen ist, begünstigt aber auch die einer ganzheitlichen Interpretation noch immer entgegenstehende Fragmenttheorie, wonach besonders die sechste Hymne noch nicht die von Novalis intendierte Gestalt erhalten habe.

Die Feststellung der zahlreichen bisher nachgewiesenen literarischen Einflüsse auf die Bildsprache der Hymnen könnte dazu verführen, die Deutung im Nachweis solcher Einflüsse (Young, Herder, Goethe, Schiller, Hemsterhuis u. a.) für erschöpft zu halten. Die Forschung hat sich jedoch von dem geistesgeschichtlichen Deutungstyp R. Ungers wie auch von der durch P. Kluckhohn repräsentierten Erlebnisdeutung weiterentwickelt zu einer regen Diskussion biographischer, geistesgeschichtlicher und religiöser Elemente in der übergreifenden Gestalteinheit des Kunstwerks (Samuel, Ritter, Ziegler, Rehm). Die auf M Kommerells ganzheitlicher Interpretation der Athenäumsfassung basierende Symboldeutung von H.-J. Mähl ist das vorläufig letzte Wort der Literaturwissenschaft zu dieser Frage.

Die erste Hymne setzt ein mit dem Preis des Lichts, das alles Naturhafte atmet: Anorganisches und Organisches, Beseeltes und Unbeseeltes, Stein, Pflanze und Tier, *»vor allem aber der herrliche Fremdling ... König der irdischen Natur«*. Durch die Bezeichnung als »Fremdling« wird der Mensch jedoch nicht dem Lichtreich zugeordnet, sondern der Nacht, in der wie der zweite Gesang der ersten Hymne deutlich macht – die Sehnsucht der Kreatur nach dem Licht aufbricht. Der dritte Gesang verkündet dann in jähem Erkennen, was in der Sprache der beiden ersten Gesänge verborgen schlummerte, die Nacht als das Element allen Lebens. Damit sind die beiden die Hymnen beherrschenden Weltsymbole Hardenbergs bezeichnet. Licht und Dunkel, Tag und Nacht; ihnen entsprechen Diesseits und Jenseits, Leben und Tod Das Nachtsymbol wird sogleich näher umschrieben und, nach Kommerell, nicht allein als *»ein Inhalt des Begreifens (Welt oder innere Welt), sondern eine Form des Begreifens (Organ)«* charakterisiert *»Himmlischer, als jene blitzenden Sterne, dünken uns die unendlichen Augen, die die Nacht in uns geöffnet.«* Ein mystischer Zirkel ist erschlossen, der mit alten mystischen Metaphern beschrieben wird: Erst die mystische Erkenntnis der Nacht erschließt das Organ, das es erlaubt, *»unbedürftig des Lichts ... die Tiefen eines liebenden Gemüts«* zu durchschauen. Der Zirkel führt von der Erkenntniserfahrung der spezifisch idealistischen Komponente mystischen Unio-Verlangens zurück zu ihrer Beschreibung und eröffnet darin die Möglichkeit zu ihrem erneuten und intensivierten Vollzug Im Beiwort jedes Beiwort ist für Novalis *»dichterisches Hauptwort«* »liebend« erscheint das Ziel des mystischen Erkennens und zugleich die Kraft, die zu dieser Erkenntniserfahrung, der mystischen Brautnacht, führt. Erst die Nacht enthüllt das Bild der Geliebten, denn sie ist die *»liebliche Sonne der Nacht«*. In der sprachlichen Fügung, in der Genitivmetapher, sind Licht und Dunkel nicht mehr geschieden, sondern zum umfassenden Weltsymbol vereint, somit vorausdeutend auf die von Novalis gemeinte Einheit des neuen Menschen in einer neuen Welt. *»Zeitlos und raumlos«* nennt die zweite Hymne die Herrschaft der Nacht, und das dem Ablauf der Zeit unterworfene Licht ist jetzt das entweihende Element des Tags. Die dritte Hymne, die das Quellenerlebnis des Dichters am Grab der Geliebten gestaltet, bringt keine neue Entfaltung des inneren Geschehens, sondern kündet vom Akt der Einweihung, von der *unio* mystisch-idealistischer Art selbst. Dem Autobiographisch-Erlebnishaften hat der Dichter dieses zentrale Erleben durch die Einbettung der Hymne in das Innere des Zyklus ferngerückt, und er hat damit zugleich den zeit- und raumlosen Ort dieses Geschehens verdeutlicht. Erst die vierte Hymne entfaltet die innere Handlung weiter und leitet über von der Innen- zur Außenperspektive, vom Mythos der Nacht zum Mythos der Geschichte, vom Grab Sophiens zum Grab Christi. Wie das Grab der Geliebten Symbol ist für die Erkenntniserfahrung des Dichters, so ist das Grab Christi Symbol seiner mythischen Geschichtsprophetie. Auf dem »*Grenzgebürge der Welt*«, dem spezifischen Ort des Dichters bei Novalis, auf jener Grenzscheide zwischen äußerer und innerer Welt, zwischen zerfallender Tages- und dämmernder Nachtwelt, wird für den Blick des Sängers das Grab der Geliebten zum Symbol dafür, daß die Idee der todestrunkenen Liebe die Welt geheimnisvoll zusammenhält. So bereitet die vierte Hymne nicht allein der fünften den Weg, sondern greift schon hinüber auf die Schlußhymne, wo der ganz nach innen gerichtete Blick des Dichters zurückkehrt in die umdüsterte Gegenwart, die Zeit vor der Wiedergeburt: »*Noch reiften sie nicht diese göttlichen Gedanken – Noch sind der Spuren unserer Offenbarung wenig.*«

Der Perspektivenwechsel der fünften Hymne, die dadurch gesetzte Zäsur innerhalb des zyklischen Geschehens, ist von jeher das Problem, das die Forschung am meisten beschäftigt hat. In triadischem Schritt, Schillers Gedicht *An die Götter Griechenlands* (1788) deutlich kontrastierend, singt die fünfte Hymne von der Entwicklung der Menschheit. Die heitere Welt der Antike, eine orphische Welt, ist hier das versunkene goldene Zeitalter, »*ein ewig buntes Fest der Himmelskinder und der Erdenbewohner rauschte das Leben, wie ein Frühling, durch die Jahrtausende hin*«. Dieser kindhafte Urzustand, die harmonische Einheit des Bewußtseins, wird zerstört durch den Einbruch der Erkenntnis vom Schrecken des Todes, der nur noch ästhetisch beschönigt werden kann. »*Doch unenträtselt blieb die ewge Nacht, / Das ernste Zeichen einer fernen Macht.*« So bricht die Zwischenzeit an, die Zeit der »*dürren Zahl und des strengen Maßes*«, der Novalis deutlich Züge der eigenen, vom Licht des »*mathematischen Gehorsams*«, d. h. der Aufklärung, beherrschten Gegenwart verliehen hat. Dieses Licht ist nicht mehr Aufenthalt der Götter, die Nacht wird nun zum Schoß der Offenbarung: »*... ins tiefre Heiligtum, in des Gemüts höhern Raum zog mit ihren Mächten die Seele der Welt.*« Mit der Geburt Christi wird der Anbruch einer neuen Zeit verkündet, seine Auferstehung überwindet den Tod und errichtet das neue, goldene Reich im »*Tempel des himmlischen Todes*«. Dieses neugeborene goldene Zeitalter ist eine das Wissen um die Schrecken des Todes umgreifende und daher höhere und vollkommenere Stufe der Menschheitsentwicklung. An der Wiege Christi steht ein Sänger »*von ferner Küste, unter Hellas heiterm Himmel geboren*«; er bedeutet »*die symbolische Anwesenheit des Novalis in seiner Vision*« (M. Kommerell), in ihm verbinden sich das Grab Sophiens und das Grab Christi zum Symbol des Liebestodes. Es wird deutlich, daß der Triadenschritt der fünften Hymne keine historische Entwicklung der Weltzeit meint, sondern ebenfalls eine symbolische Funktion (H.-J. Mähl) hat. Die Hymnen erschließen sich durch die hervorgehobene Gestalt des Sängers als Mythos von der Überwindung des Todes in der durch die Liebe erweckten Poesie.

Die sechste, *Sehnsucht nach dem Tode* überschriebene Hymne ist in einer Vornotiz Hardenbergs als »*Aufruf*« gekennzeichnet; sie wendet sich von der Vision einer goldenen Zukunft zurück zur götterlosen Gegenwart. In ihr bricht die Sehnsucht nach der Vorzeit auf, die Sehnsucht aber ist der Gruß, den die toten Geliebten vom jenseitigen Ufer der Welt entgegensenden. Die sechste Hymne ist integraler Bestandteil des Zyklus, weil sie den Weg aus der Gefangenschaft der unerlösten Zeitlichkeit zu Wiedergeburt und zeitloser Erlösung zeigt; es ist ein Weg nach innen, in das Gemüt, die innere Welt, an dessen Ende der Traum des Todes steht. So werden die beiden prägenden Symbole von mystischer Erkenntniserfahrung und mythischer Geschichtsvision – Sophie und Christus – zum übergreifenden, todessehnsüchtigen Erlösungssymbol verschmolzen: »*Hinunter zu der süßen Braut, Zu Jesus, dem Geliebten –*«

Da nach Mähl alle Gestaltungstendenzen der Hymnen darauf zuführen, ein zeit- und raumloses Modell der neuen Zeit zu schaffen, wird der Zyklus selbst in seiner triadisch-symbolischen Einheit Gestaltsymbol der inneren Welt in ihrer Gesamtheit. In der Schlußhymne erfüllt sich das durch die Antithetik der beiden Teile (Hymnen 1–4: Hymne 5) bedrohte Formgesetz des Zyklus in Harmonie; die von Novalis gemeinte und verkündete neue Welt wird in der Gestalt der Dichtung damit präsent. Solche Poesie ist im Sinne Novalis' fähig, die Außenwelt zu beseelen und fortschreitend zu poetisieren. Es scheint, daß der Dichter dieser nicht nur verkündenden, sondern erlösenden Funktion der Poesie auch existentielle Bedeutung beigemessen hat. W. Fr.

Ausgaben: Bln. 1800 (in Athenäum, Bd. 3). – Lpzg. 1929 (in *Schriften*, Hg. P. Kluckhohn u. R. Samuel, 4 Bde., 1 u. 3; Stg. ²1960, Hg. dies., H. Ritter u. G. Schulz; hist.-krit.). – Bln. 1943 (in *Briefe und Werke*, Hg. E. Wasmuth, 3 Bde., 2; ern. Heidelberg 1953, u. d. T. *Werke, Briefe, Dokumente*, 4 Bde., 1953–1957, 1).

Literatur: R. Unger, *Herder, N. u. Kleist. Studien über die Entwicklung des Todesproblems in Denken u. Dichten vom Sturm u. Drang zur Romantik*, Ffm. 1922. – R. Samuel, *Die poetische Staats- u. Geschichtsauffassung Friedrich v. Hardenbergs (N.). Studien zur romantischen Geschichtsphilosophie*, Ffm. 1925 (Deutsche Forschungen, 12). – A. Ullner, *Entstehungsgeschichte von N.' »Hymnen an die Nacht«*, Diss. Ffm. 1926. – H. Ritter, *N.' »Hymnen an die Nacht«. Ihre Deutung nach Inhalt u. Aufbau auf textkritischer Grundlage*, Heidelberg 1930.
M. Kommerell, *N. »Hymnen an die Nacht«* (in *Gedicht u. Gedanke*, Hg. H. O. Burger, Halle 1942, S. 202–236). – H. Kamla, *N.' »Hymnen an die Nacht«. Zur Deutung u. Datierung*, Kopenhagen 1945. – M. Besset, *N. et la pensée mystique*, Paris 1947. – K. Ziegler, *Die Religiosität des N. im Spiegel der »Hymnen an die Nacht«* (in ZfdPh, 70, 1947–1949, S. 396–417; 71, 1951/52, S. 256–276). – W. Rehm, *Orpheus. Der Dichter u. die Toten. Selbstdeutung u. Totenkult bei N. – Hölderlin – Rilke*, Düsseldorf 1950. – E. Biser, *Abstieg u. Auferstehung. Die geistige Welt in N.' »Hymnen an die Nacht«*, Heidelberg 1954. – H. Ritter, *Die Datierung der »Hymnen an die Nacht«* (in Euph, 52, 1958, S. 114–141). – P. Küpper, *Die Zeit als Erlebnis*

des N., Köln/Graz 1959. – H.-J. Mähl, *Die Idee des goldenen Zeitalters im Werk des N. Studien zur Wesensbestimmung der frühromantischen Utopie u. zu ihren ideengeschichtlichen Voraussetzungen*, Diss. Hbg. 1965.

FRIEDRICH VON SCHILLER
(1759–1805)

DIE BRAUT VON MESSINA ODER DIE FEINDLICHEN BRÜDER. Ein Trauerspiel mit Chören.

Drama in fünf Akten von Friedrich von SCHILLER (1759–1805), Uraufführung: Weimar, 19. 3. 1803. – Die Handlung spielt in Messina, »*wo sich Christentum, griechische Mythologie und Mohamedanismus wirklich begegnet und vermischt haben*« (Brief Schillers an KÖRNER vom 10. 3. 1803). Die beiden feindlichen Brüder Don Manuel und Don Cesar werden nach langem Streit durch ihre Mutter Isabella miteinander versöhnt. Sie will ihnen ihre bis dahin verborgen gehaltene Schwester Beatrice zuführen, die auf Befehl des verstorbenen Vaters, des Fürsten von Messina, als Kind hätte getötet werden sollen, von der Mutter aber insgeheim einem Kloster zur Pflege übergeben worden war. Zwei scheinbar widersprüchliche Deutungen eines Traumes hatten in Beatrice die Ursache zum Untergang des ganzen Geschlechtes, aber auch zur Wiedervereinigung der beiden entzweiten Brüder sehen wollen. Es stellt sich nun heraus, daß die Geliebte, die Don Manuel seiner Mutter als Schwiegertochter vorstellen will, seine leibliche Schwester ist. Don Cesar, der sie beim Leichenbegängnis des Vaters, dem sie heimlich als Zuschauerin beigewohnt hat, sah, liebt sie ebenfalls. Er tötet seinen Bruder Manuel, als er Beatrice in seinen Armen findet. Der entsetzten Mutter gelingt es sowenig wie der Schwester, Don Cesar vom Selbstmord, mit dem er seine Tat sühnen will, zurückzuhalten.

Schiller macht in diesem Drama bewußt den Versuch, antikes Theater zu aktualisieren. Die Handlung erinnert (in bestimmten Konstellationen der Personen zueinander z. T. bis ins Detail) an die *Phönizierinnen* des EURIPIDES (Eteokles/Polyneikes – Manuel/Cesar), die Schiller teilweise übersetzt und 1789 in der ›Thalia‹ als Fragment veröffentlicht hatte, an den *Ödipus* des SOPHOKLES (das ausgesetzte Kind Ödipus/Beatrice) und an die *Perser* des AISCHYLOS (Atossa/Isabella). Wie die antiken Dramen endet das Stück mit dem Untergang des Geschlechtes. Formal zeigt sich der Rückgriff auf die Antike nicht nur im ursprünglichen Verzicht auf Akteinteilung (das Stück wurde erst später in fünf Aufzüge gegliedert), in der Verwendung des klassischen Tragödienverses, des fünffüßigen reimlosen Jambus (neben den hymnischen und odenartigen Versmaßen der zum Teil gereimten Chöre), nicht nur in der Übernahme des Chores, »*welcher einheimisch und ein lebendiges Gefäß der Tradition ist*« (Schillers Brief an Körner vom 10. 3. 1803), sondern auch im analytischen Aufbau (Sophokles: *König Ödipus*): das Geschehen auf der Bühne setzt erst in dem Augenblick ein, als die Mutter die beiden Brüder miteinander versöhnt hat. Der Handlungszusammenhang wird für den Zuschauer indirekt aus Berichten der Personen oder des Chores erschlossen. Die Funktion des Chores wird durch seine Aufgliederung in die Anhängerschaften der feindlichen Brüder seinem antiken Vorbild gegenüber stark variiert; auch greift er teilweise aktiv in das Geschehen auf der Bühne ein.

Die Entstehung des Dramas geht bis ins Frühjahr 1799 zurück, wenn nicht gar bis zum Oktober 1797, als Schiller sich mit dem *König Ödipus* des Sophokles beschäftigte. Am 21. 3. 1799 unterhielt sich Schiller mit GOETHE in Jena über den neuen Dramenplan – damals noch *Die feindlichen Brüder*. Anfang Mai 1801 ist das Stück ganz konzipiert, aber noch fehlt Schiller der zu einer »*poetischen Arbeit ... nötige Grad von Neigung*« (Brief an Körner vom 13. 5. 1801). Von Mitte August 1802 an beschäftigt ihn die *Braut von Messina* dann immer stärker. Fertig ist das Drama am 1. Februar 1803. Schiller stellte der Buchausgabe des Trauerspiels eine Abhandlung *Über den Gebrauch des Chores in der Tragödie* voran, in der er dessen Aufgabe bestimmt: »*indem er die Reflexion von der Handlung absondert*«, reinigt der Chor das Geschehen auf der Bühne im poetischen Sinn. Er hat geradezu die Aufgabe, »*die moderne gemeine Welt in die alte poetische*« zu verwandeln, denn während er in der »*alten Tragödie mehr ein natürliches Organ*« gewesen ist, wird er in der modernen »*zu einem Kunstorgan*« und »*hilft die Poesie hervorbringen*« (vgl. auch *Über Anmut und Würde*). G. W.

AUSGABEN: Tübingen 1803. – Stg. 1904 (in *SW*, Säkular-Ausg., Hg. E. v. d. Hellen, 16 Bde., 7; Einf. O. Walzel). – Mchn. 1959 (in *SW*, Hg. G. Fricke u. H. G. Göpfert, 5 Bde., 1958/59, 2).

LITERATUR: E. Maas, »*Die Braut v. Messina*« *u. ihr griech. Vorbild* (in DRs, Jan. 1908). – H. Düntzer, *S.s* »*Braut v. Messina*«, Lpzg. [2]1910. – K. Burdach, *S.s Chor-Drama u. d. Geburt d. trag. Stils aus d. Musik* (in K. B., *Vorspiel*, Bd. 2, Halle 1926). – K. Dieckmann, »*Die Braut v. Messina*« *auf d. Bühne u. im Wandel d. Zeit*, Helsingfors 1935. – J. Appelbaum, *Goethe's* »*Iphigenie*« *and S.'s* »*Braut von Messina*« (in Publ. of the Engl. Goethe Soc., N. S. 17, 1948, S. 43–73). – S. Atkins, *Gestalt als Gehalt in S.s* »*Braut v. Messina*« (in DVLG, 33, 1959, S. 529 bis 564). – W. Vulpius, *Schiller-Bibliographie 1893 bis 1958*, Weimar 1959, S. 310–315. – H. Seidler, *S.s* »*Braut v. Messina*« (in Lit.-wiss. Jb., 1, 1960, S. 27–52).

DOM KARLOS, INFANT VON SPANIEN.

Drama von Friedrich von SCHILLER (1759–1805), Uraufführung: Hamburg, 29. 8. 1787 (mit Friedrich Ludwig Schröder als Don Carlos, in einer eigens von Schiller angefertigten Theaterbearbeitung). – Die verzweigte und komplizierte Geschichte des Erstdruckes spiegelt die verschiedenen Stufen des häufig abgeänderten Gesamtplanes wider. Schiller veröffentlichte große Teile des *Dom Karlos* in der ›Rheinischen Thalia‹ (später ›Thalia‹) seines Leipziger Verlegers Göschen. Der erste Akt erschien in Bruchstücken mit zusammenfassenden Inhaltsangaben der nicht abgedruckten Teile im ersten Heft (Mitte März 1785); Akt 2, 1–3, im zweiten Heft (Mitte Februar 1786); Akt 2, 4–16, im dritten Heft (Ende April/Anfang Mai 1786); Akt 3, 1–9, im vierten Heft (Anfang Januar 1787).

»*Die Ursache*« für diese zahlreichen Vorabdrucke war, den Bemerkungen der *Vorrede* zufolge, »*keine andere als der Wunsch des Verfassers, Wahrheit darüber zu hören*«. Die erste Buchausgabe erschien Ende Juni 1787. Ihr folgten bis zu Schillers Tod noch verschiedene Bearbeitungen, die den Text wechselnden Theaterbedingungen anpaßten und vor allem um fast ein Viertel kürzten. In der Ausgabe von 1801 änderte Schiller den Titel in *Don Karlos*, heute meist *Don Carlos* geschrieben, 1805 setzte er den Untertitel *Ein dramatisches Gedicht* hinzu.

Die Anregungen zum *Don-Carlos*-Stoff verdankt der Dichter wohl dem Mannheimer Theaterintendanten von Dalberg. Die Entstehungsgeschichte reicht bis zum März 1783, dem sogenannten Bauerbacher Entwurf, zurück; damals entschloß sich Schiller, zunächst zwischen verschiedenen Dramenplänen wie *Imhof* und *Maria Stuart* schwankend, zur Bearbeitung des *Carlos*-Themas. Als Quellen dienten vor allem die *Histoire de Dom Carlos, fils de Philippe II* (in der Ausgabe Amsterdam 1691) des Abbé César Vichard de SAINT-RÉAL (1639–1692) und die *Memoiren* des Pierre de Bourdeille, Seigneur de BRANTÔME (1527–1614) von 1589. Trotz eingehender Quellenstudien hält Schiller sich jedoch nur sehr vage an die historischen Tatsachen. Das gilt sowohl für die Auswahl und die Charakterisierung der Personen als auch für ihr Alter. Die eigentlich wichtigste Person in Schillers Drama, der Marquis von Posa, spielt z. B. bei Saint-Réal kaum eine Rolle. So trägt eine historisch-vergleichende Orientierung zum Verständnis des Dramas auch nicht viel bei. – Die Liebe des Infanten Don Carlos zu seiner jugendlichen Stiefmutter Elisabeth von Valois, die ursprünglich ihm selbst anverlobt war, wird von dieser zurückgewiesen. Dennoch wird seinem Vater, Philipp II., hinterbracht, daß zwischen ihnen eine verwerfliche Beziehung bestehe. Marquis Posa, der aus den vom Glaubenskrieg verwüsteten flandrischen Provinzen zurückkommt, überzeugt den Jugendfreund Carlos von der Notwendigkeit, die unterdrückten Provinzen im Interesse der Menschlichkeit der Macht Philipps zu entreißen. Um den Prinzen von dem Verdacht der schuldhaften Liebe zu befreien und ihn so ganz für seine große Aufgabe zu gewinnen, spielt er dem König, der sich hartnäckig weigert, dem Infanten anstelle des Herzogs von Alba den Befehl über die niederländischen Provinzen anzuvertrauen, einen Brief in die Hände, der ihn selbst, Posa, der unerlaubten Beziehung zur Königin bezichtigt. Posa wird erschossen, aber noch kurz vor seinem Tode kann er Don Carlos über die wahren Hintergründe unterrichten. Von der Königin, der sich Posa anvertraut hat, wird er erfahren, daß alles vorbereitet ist, was zur Revolution in Flandern nötig ist: er soll sich an die Spitze der Truppen stellen. Aber auch dies erfährt der König – durch Alba – und übergibt Don Carlos dem Großinquisitor.

Don Carlos steht inhaltlich den Jugenddramen Schillers – *Die Räuber*, *Die Verschwörung des Fiesko zu Genua*, *Kabale und Liebe* – noch sehr nahe, wenn sich formal auch bereits deutlich der Schritt zum historischen Drama der späteren Zeit *(Wallenstein, Maria Stuart)* ankündigt, so besonders in der Verwendung des Blankverses. Die Hauptgestalt ist nicht so sehr Don Carlos als vielmehr Marquis Posa, oder zumindest sind es, wie Schiller selbst es verstanden wissen wollte, beide gemeinsam. Ein späterer, aber wieder fallengelassener Plan spricht sogar von Posa als einzigem Helden. Posa lebt – darin typisch für das klassische Humanitätsideal des ausgehenden 18. Jh.s – für die Abschaffung jeglicher Unterdrückung, für die Verwirklichung von Freiheit, wie »die Natur« sie kennt. In der berühmt gewordenen Szene des dritten Aktes fordert er von Philipp die Freiheit des Denkens, seine Gestalt ist zum Symbol des Wunsches nach Freiheit geworden: »*Gehn Sie Europens Königen voran. / Ein Federstrich von dieser Hand, und neu / Erschaffen wird die Erde. Geben Sie / Gedankenfreiheit.*« Die mitreißende Sprache des Dramas hat ihm immer wieder über manche Schwächen der Komposition hinweggeholfen.

Die Zeitgenossen griffen Schiller zum Teil heftig an. In seinen für das Verständnis des Dramas bedeutsamen *Zwölf Briefen über Don Karlos* (erschienen in WIELANDS ›Teutschem Merkur‹, Nr. 1 bis 4 im Juliheft, Nr. 5–12 im Dezemberheft 1788) verteidigt der Autor sein Drama, vor allem die Gestalt des Marquis Posa, gegen die scharfen Rezensionen der Vorabdrucke in den ›Thalia‹-Heften. G. W.

AUSGABEN: Mannheim 1785 (in Rheinische Thalia, H. 1; 1. Akt). – Lpzg. 1786/87 (in Thalia, 1, H. 1–4; H. 1: 1. Akt; H. 3: 2. Akt; H. 4: 3. Akt; unvollst.). – Lpzg. 1787. – Lpzg. 1801 *(Don Karlos Infant von Spanien)*. – Hbg./Altona 1808 (*Dom Carlos Infant von Spanien*, für die Bühne bearb. vom Autor selbst, Hg. Albrecht). – Stg. 1880, Hg. W. Vollmer [Neudr. der Ausg. 1787]. – Stg. 1904 (in *SW*, Hg. E. v. d. Hellen, 16 Bde., 1904/05, 4; *Säkular-Ausg.*). – Mchn./Bln. 1910/11 (in *SW*, Hg. C. Höfer, 22 Bde., 1910–1926; Bd. 2, 3, 4; *Horen-Ausg.*). – Mchn. 1959 (in *SW*, Hg. G. Fricke u. H. G. Göpfert, 5 Bde., 1958/59, 2). – Hbg. 1960, Hg. u. Nachw. G. Storz (RKl, 72/73; mit den *Briefen über Don C.* und Materialien).

VERTONUNG: G. Verdi, *Don Carlos*, 1867 (Text: J. Méry u. C. du Locle; Oper).

LITERATUR: G. du Long, *Les adaptions dramatiques de »Don Carlos«*, Paris 1921. – K. Ehlers, *Die Bühnenbearbeitungen von S.s »Don Karlos«. Ein Beitrag zur Entstehungsgeschichte des »Don Karlos«*, Bln. 1923 (Germanische Studien, 26). – F. Backhof, *S.s »Don Carlos« und das Problem der Leidenschaft*, Diss. Erlangen 1925. – F. W. C. Lieder, *The »Don Carlos« Theme*, Cambridge/Mass. 1930. – P. Ernst, *Der Zusammenbruch des deutschen Idealismus*, Mchn. ³1931, S. 231–287. – C. J. Burkart, *Die Bühnenbearbeitungen des »Don Karlos« von S. Jambenfassung*, Bruchsal 1933 [zugl. Diss. Heidelberg]. – A. Nessel, *Das »Don-Carlos«-Problem bei S. und dessen Revision durch die neuere Geschichtsforschung*, Diss. Wien 1933. – A. Thomas, *»Don Karlos« und »Hamlet«*, Bonn 1933 (Mnemosyne, 15). – C. Giardini, *»Don Carlos«*, Mchn. 1936. – L. Pfandl, *Philipp II.*, Mchn. 1938 (vgl. hierzu HZ, 164, 1941, S. 316–331). – B. v. Wiese, *Die Dramen S.s. Politik und Tragödie*, Lpzg. 1938. – R. Ayrault, *S. et Montesquieu. Sur la genèse du »Don Carlos«* (in EG, 3, 1948, S. 233–240). – W. Vulpius, *S.-Bibliographie*, Weimar 1959, S. 332–338. – Kămuran Sipal, *Gestalten und Probleme im »Don Carlos«* (in Studien d. dt. Sprache u. Literatur, 2, 1955, S. 123–144). – G. Storz, *Der Dichter F. S.*, Stg. 1959. – B. v. Wiese, *F. S.*, Stg. 1959. – G. Storz, *Die Struktur des »Don Carlos«* (in Jb. d. dt. Schiller-Ges., 4, 1960, S. 110–139). – O. Seidlin, *S.s »Trügerische Zeichen«. Die Funktion der Briefe in seinen frühen Dramen* (ebd., 4, 1960, S. 247ff.; ern. in O. S., *Von Goethe zu Thomas Mann*, Göttingen 1963; Kleine Vandenhoeck-R., 170). – M. Schunicht, *Intrigen und Intriganten in S.s Dramen* (in ZfdPh, 82, 1963, S. 271–292). – G. Storz, *Der Bauerbacher Plan zu »Don Carlos«* (in Jb. d. dt. Schiller-Ges., 8, 1964, S. 112–129).

DER GEISTERSEHER. Aus den Papieren des Grafen von O... Romanfragment von Friedrich von SCHILLER (1759–1805), erschienen 1787 in der Zeitschrift ›Thalia‹. – Die Frage nach den Quellen hat für dieses Werk, mit dem der Dichter das Thema des Geistersehers scheinbar ganz unvermittelt aufnimmt, besondere Bedeutung, doch ihre Beantwortung muß sich auf Vermutungen beschränken. Nahe liegt die Anregung durch die Gestalt des bekannten Betrügers Alexander Graf Cagliostro (1743–1795), dessen Treiben in einer aufsehenerregenden Schrift Elisa von der RECKES, *Nachricht von des berüchtigten Cagliostro Aufenthalt in Mitau* (1786), enthüllt wurde. Auch die Entgegnung des Prinzen Friedrich Heinrich Eugen von Württemberg auf diesen Aufsatz, die sich mit der Möglichkeit des Verkehrs mit Geistern befaßt, mag von Einfluß gewesen sein. Daneben spielt das Zeitgeschehen in diesem politische und weltanschaulich-konfessionelle Themen berührenden Roman eine Rolle, so z. B. die Umtriebe des Jesuitenordens, die 1773 zu seiner Aufhebung durch Papst Clemens XIV. geführt hatten. Literarische Vorbilder jedoch sind nicht zu ermitteln. Wahrscheinlich haben die im März 1783 bei der Meininger Bibliothek bestellten, aber nicht näher bezeichneten Bücher »*über Jesuiten, Religionsveränderungen, Bigottismus, seltne Verderbnisse des Charakters, unglückliche Opfer des Spiels*« (Brief an W. F. H. Reinwald) auf den *Geisterseher* gewirkt, obgleich sie der Vorbereitung eines nicht über seine Planung hinaus gelangten Dramas, *Friedrich Imhof*, galten.

Der schwärmerische und melancholische Prinz von ..., Mitglied eines protestantischen Fürstenhauses, hält sich in Venedig, wie er glaubt, inkognito auf und macht dort die Bekannschaft des Grafen von O ..., der die unheimlichen Begebenheiten der nun folgenden Zeit aufzeichnet. Während eines abendlichen Spaziergangs auf dem Markusplatz werden beide Herren von einem maskierten Mann in armenischer Kleidung verfolgt, der schließlich die dunklen Worte hervorstößt: »*Wünschen Sie sich Glück, Prinz, um neun Uhr ist er gestorben*«, und spurlos verschwindet. Sechs Tage später erhält der Prinz die Nachricht, daß am nämlichen Abend um neun Uhr sein Vetter gestorben sei, der zwischen ihm und dem Thron seines alten und kränklichen Oheims stand. Im folgenden entwickelt sich eine unüberschaubare Intrige, in deren Mittelpunkt jener unheimliche Armenier zu stehen scheint, der den Tod des Thronfolgers vorausgesagt hat. Rätselhafte Vorkommnisse, die ihren Ursprung offenbar im Übersinnlichen haben, verwirren den Prinzen so, daß er einer Geisterbeschwörung durch einen sizilianischen Magier (der sich später selbst als Taschenspieler entlarvt) zustimmt. Die Séance wird jedoch gewaltsam durch das Erscheinen eines zweiten Geistes unterbrochen, der, wie der Sizilianer am nächsten Tag dem Prinzen gesteht, das Machwerk jenes Armeniers sein muß, der auch in sein Leben und das einer nahestehenden adligen Familie gespenstisch eingegriffen habe. Obgleich der Prinz zunächst all diese Vorgänge als Teil einer gegen ihn gerichteten Intrige durchschaut, deren Ziel er allerdings nicht erkennt, geht in seinem Wesen ein merkwürdiger Wandel vor. Er, der vorher ernst und zurückhaltend, bescheiden und haushälterisch war, stürzt sich in einen Trubel wilder Feste, tritt der anrüchigen Gesellschaft »Bucentauro« bei, »*die unter dem äußerlichen Schein einer edeln vernünftigen Geistesfreiheit die zügelloseste Lizenz der Meinungen wie der Sitten begünstigte*«, und macht hohe Spielschulden, die ihn, da das Fürstenhaus sich von ihm lossagt, schließlich den Kabalen des Marchese Civitella und seines Oheims, des Kardinals A ... i, ausliefern. Graf von O..., der den Prinzen inzwischen verlassen mußte, erfährt dies aus Briefen des Barons von F..., eines Vertrauten des Prinzen, wie auch, daß dieser in Leidenschaft zu einer schönen Katholikin entbrannt sei. Das Romanfragment endet mit der auf einen Brief des Barons hin überstürzten Reise des Grafen von O ... nach Venedig, wo er sich Aufschluß über das erhofft, was der Brief nur andeutet: der Prinz habe Civitella im Duell tödlich verletzt und werde von den Häschern des Kardinals gesucht; in einem Kloster halte er sich verborgen, verzweifelt über die rätselhafte Ermordung der Geliebten, die ihn noch auf dem Sterbebett vergebens zum Katholizismus zu bekehren versuchte. In Venedig angekommen, erfährt der Graf jedoch, daß der Marchese genesen, der Kardinal versöhnt sei: »*Erinnern Sie sich des Armeniers, der uns voriges Jahr so zu verwirren wußte? In seinen Armen finden Sie den Prinzen, der seit fünf Tagen – die erste Messe hörte.*«

Aus verschiedenen Hinweisen innerhalb der Erzählung ist zu entnehmen, daß das Ziel der Intrige nicht allein die Konversion des Prinzen zum Katholizismus und damit Roms Einflußnahme auf ein protestantisches Fürstenhaus ist, sondern ein Verbrechen, auf das der Prinz offensichtlich vorbereitet wird und das ihn wahrscheinlich auf einen Thron heben soll, auf den er keinen Anspruch hat. Das Thema der politischen Intrige, deren scheinbar wirre, in Wirklichkeit planvoll verschlungene Wege den Dichter immer wieder faszinierten, steht also auch in diesem Werk im Zentrum »*und stammt mitten aus Schillers eigener Welt, wie es zu Beginn seiner Laufbahn der ›Fiesco‹, an ihrem Ende der ›Demetrius‹ erkennen läßt*« (G. Storz). Der Roman hatte – zum nicht geringen Unbehagen des Dichters – großen Erfolg. Gerade dieser Erfolg aber, der eher auf die Sensationslust als auf den guten Geschmack des Publikums zurückzuführen war, sich allzusehr am Stofflichen orientierte und in den Augen des Dichters, der das Werk unter vornehmlich formalen Gesichtspunkten betrachtet wissen wollte, auf einem Mißverständnis beruhte, lähmte seine Arbeitskraft so sehr, daß der Roman unvollendet blieb. Am 26. 7. 1800 noch schrieb Schiller an seinen Verleger Friedrich Gottlieb Unger in Berlin: »*Zur Vollendung des Geistersehers fehlt mir leider die Stimmung gänzlich, ich wollte eben so gut einen ganz neuen Roman schreiben als diesen alten beendigen.*« Unter den Fortsetzungen des Werks, an denen sich mehrere Zeitgenossen versuchten ist die von Ernst Friedrich FOLLENIUS (1796) die bekannteste. KLL

AUSGABEN: Lpzg. 1787 (in Thalia, 1/2, H. 4–8). – Lpzg. 1789 (*Der Geisterseher. Eine Geschichte aus den Memoiren des Grafen von O****). – Stg. 1904 (in *SW*, Hg. E. v. d. Hellen, 16 Bde., 1904/05, 2; Einl. R. Weissenfels; *Säkular-Ausg.*). – Mchn./Bln. 1911 (in *SW*, Hg. C. Höfer, 22 Bde., 1910–1926, 3; *Musarion-Ausg.*). – Weimar 1954 (in *Werke*, Bd. 16, Hg. H. H. Borcherdt; *National-Ausg.*). – Lpzg. 1955 (RUB, 70/70a). – Mchn. 1959 (in *SW*, Hg. G. Fricke u. H. G. Göpfert, 5 Bde., 1958/59, 5).

BEARBEITUNG: E. F. Follenius, *Der Geisterseher. Aus den Memoiren des Grafen* von O. Zweiter und dritter Theil von X** Y*** Z. [d. i. E. F. Follenius], Straßburg 1796. – Dass., Bln. 1922 [Einl. F. Runkel].

LITERATUR: A. v. Hanstein, *Wie entstand S.s »Geisterseher«?*, Bln. 1903 (Forschungen zur neueren Literaturgesch., 22). – H. Mörtl, *Das philosophische Gespräch in S.s »Geisterseher«* (in ZfÖG, 64, 1913, H. 12, S. 1057–1059). – H. Sachs, *S.s »Geisterseher«* (in H. S., *Gemeinsame Tagträume*, Lpzg./Wien/Zürich 1924, S. 41–129). – E. Weizmann, *Die Geisterbeschwörung in S.s »Geisterseher«* (in JbGG, 12, 1926, S. 174–193). – O. Einfalt, *S.s »Geisterseher«. Fortsetzungen, Nachahmungen und Bearbeitungen im 18. und 19. Jh.*, Diss. Wien 1940. – M. Baumgartner, *F. S.s »Geisterseher« und seine Fortsetzungen*, Diss. Wien 1943. – H. H. Borcherdt, *Der Roman der Goethezeit*, Urach/Stg. 1949, S. 128 ff. – D. J. Ashe, *Coleridge, Byron and S.'s »Der Geisterseher«* (in NQ, 3, 1956, S. 436 bis 438). – G. Storz, *Der Dichter F. S.*, Stg. ²1959, S. 178–196. – W. Bußmann, *S.s »Geisterseher« und seine Fortsetzer. Ein Beitrag zur Struktur des Geheimbundromans*, Diss. Göttingen 1961. – K. Negus, *The Allusions to S.'s »Geisterseher« in E. Th. A. Hoffmann's »Das Majorat«* (in GQ, 32, 1961, S. 341–355). – B. v. Wiese, *F. S.*, Stg. ³1963. – M. Greiner, *Die Entstehung der modernen Unterhaltungsliteratur. Studien zum Trivialroman*, Reinbek 1964, S. 126–140 (rde, 207). – H. Koopmann, *F. S.*, Bd. 1, Stg. 1966, S. 66–68 (Slg. Metzler, 50).

GESCHICHTE DES ABFALLS DER VEREINIGTEN NIEDERLANDE VON DER SPANISCHEN REGIERUNG. Historisches Werk von Friedrich von SCHILLER (1759–1805), erster und einziger Teil erschienen 1788. – Aus den historischen Studien zum *Don Carlos* (seit 1783) und der Begeisterung über Robert WATSONS *Histoire du regne de Philippe II, roi d'Espagne, traduite de l'anglois* (1777) erwuchs 1785 der Plan zu dem historischen Werk über den Aufstand der Niederlande gegen die spanische Fremdherrschaft; die *»Gründung der niederländischen Freiheit«* schien dem Dichter des *Don Carlos* ein so bedeutsamer Vorgang, daß er nicht zuletzt deshalb das 16. Jh. zum *»glänzendsten«* der Weltgeschichte erklärte. Zunächst hatte Schiller nur beabsichtigt, den Gegenstand in einem Aufsatz zu behandeln, den er in einer von ihm selbst angeregten *Geschichte merkwürdiger Verschwörungen und Rebellionen aus mittleren und neueren Zeiten* mit Beiträgen anderer Verfasser 1787 veröffentlichen wollte. Aber ein immer umfangreicheres Quellenstudium, die ermunternde Zustimmung WIELANDS und nicht zuletzt die Aussicht auf die Jenaer Professur für Geschichte, von der sich Schiller eine Verbesserung seiner materiellen Lage erhoffte, bestimmten ihn, den geplanten Aufsatz zu einem abgerundeten Werk zu erweitern, das etwa sechs Bände umfassen sollte. Ende Oktober 1788 erschien der erste – eigentlich als Einleitung zu dem Gesamtwerk gedachte – Band, dem Schiller trotz allen guten Vorsätzen keine weiteren folgen ließ. Der zweiten Ausgabe, die überarbeitet, gekürzt (u. a. um die *Vorrede*) und nunmehr in vier statt in drei Bücher unterteilt 1801 erschien, fügte er zwei *Beilagen* an: *Prozeß und Hinrichtung der Grafen von Egmont und von Hoorne* und *Belagerung von Antwerpen durch den Prinzen von Parma in den Jahren 1584 und 1585*.

Das Werk beschreibt die politischen Ereignisse von der Einsetzung der Inquisition (1522) bis zur Abreise der Herzogin von Parma aus den Niederlanden (1567); eine breite Ausmalung der die eigentliche Revolution erst begründenden Epoche wird verbunden mit der Schilderung der Schicksale Oraniens und Egmonts, des Kardinals Granvella und des Geusenbundes. Vorbereitet wird diese eingehende Darstellung durch die Beschreibung der niederländischen Geschichte seit der römischen Besatzungszeit: *»Die Geschichte der Welt ist sich selbst gleich wie die Gesetze der Natur und einfach wie die Seele des Menschen. Dieselben Bedingungen bringen dieselben Erscheinungen zurück. Auf eben diesem Boden, wo jetzt die Niederländer ihrem spanischen Tyrannen die Spitze bieten, haben vor fünfzehnhundert Jahren ihre Stammväter, die Batavier und Belgen, mit ihrem römischen gerungen.«* Schiller ist darin der Geschichtsphilosophie des frühen 18. Jh.s verpflichtet, daß er eine Gesetzmäßigkeit in den historischen Abläufen zu erkennen glaubt; diese wiederum werden freilich häufig genug vom Zufall in Gang gesetzt, eine Einsicht, der sich der Dramatiker Schiller nicht verschließen kann: *»Der Mensch verarbeitet, glättet und bildet den rohen Stein, den die Zeiten herbeitragen; ihm gehört der Augenblick und der Punkt, aber die Weltgeschichte rollt der Zufall.«* Er räumt allerdings ein, man könne angesichts historischer Fortschritte außer dem Zufall auch *»einem höhern Verstand«* Bewunderung zollen. Soziologische, geographische, kulturhistorische, kirchen- und wirtschaftsgeschichtliche Betrachtungen unterbauen die Darstellung der niederländischen Frühgeschichte und runden zugleich die Epochenbeschreibung; der Leser wird informiert über Bevölkerungsdichte und -struktur, über Eigentumsverhältnisse, Handelsstraßen, Umschlagplätze und -volumen, ja, sogar über die klimatischen Eigenheiten des Landes.

Die Prinzipien und Thesen von Schillers Geschichtsschreibung treten klar zutage in den eingestreuten allgemeinen Reflexionen und in der direkten, appellativen Anwendung des historisch Erfaßten auf die politische Gegenwart und Zukunft. (Besonders diese Zeitbezogenheit trug Schiller die enthusiastische Umarmung des Republikaners Wieland ein.) Sie lassen sich in drei Hauptpunkten zusammenfassen: 1. Die Höhe einer Kultur ist bedingt durch die Gunst der geographischen Lage, den bestimmten herausfordernden Charakter der physischen Umwelt und durch die freiheitlichen Zustände, die den Wettstreit der Einzelinteressen zum Wohl des Ganzen fördern. Die glänzenden Verhältnisse der Niederlande geben davon ebenso Zeugnis wie, umgekehrt, die triste Geistes- und Staatsverfassung der durch den Despotismus verkümmerten Spanier. 2. Das stärkste Hindernis für den Fortschritt der Vernunft und damit der Gesellschaft ist die Verweigerung der »Gedankenfreiheit«, die erzwungene Orthodoxie. Sie dient nur als Vorwand und Mittel zu rigoroser Machtpolitik und zur Konservierung der Tyrannei; das lehrt die Betrachtung der spanischen Inquisition. 3. Das Naturrecht legitimiert die Erhebung der Unterdrückten gegen ungerechte, die despotische Willkür sichernde Verträge. Die Bezeichnung »Rebell« wird darum für die niederländischen Revolutionäre zum Ehrentitel, der – von Schiller sehr anschaulich charakterisierte – Guerillakrieg gegen die gewaltige spanische Kriegsmaschinerie erscheint gerecht. – Diese Grundgedanken lehnen sich an solche ROUSSEAUS und VOLTAIRES an, aber auch – wie vor allem die

Berücksichtigung der Umwelteinflüsse auf die Entwicklung eines Volkes beweist – an Auffassungen HERDERS und WINCKELMANNS. Dadurch gewinnt das Werk seine Parteilichkeit und seinen geschichtspädagogischen Einschlag. In der zweiten Ausgabe von 1801 milderte Schiller aus Enttäuschung über den Verlauf der Französischen Revolution und wohl auch wegen seiner Verbindung zum Weimarer Hof die aktuelle Tendenz und strich bedauerlicherweise einen Satz wie diesen: »*Die Kraft, womit das niederländische Volk handelte ..., ist auch uns nicht versagt, wenn die Zeitläufte wiederkehren und ähnliche Anlässe uns zu ähnlichen Taten rufen.*«

Schillers erstes großes Geschichtswerk fand bei den Zeitgenossen allgemeinen Beifall; lediglich KÖRNER hielt die Arbeit daran für eine unzulässige Ablenkung von den dichterischen Aufgaben des Freundes. Dessen Verhältnis zur Historiographie war zwiespältig: Er glaubte einerseits, es liege nur an ihm, der bedeutendste Historiker seiner Zeit zu werden, andererseits empfand er die dramatische Kunst als seine eigentliche Berufung, so daß er sich – obwohl der Erfolg seines Werks und GOETHES Empfehlung ihm den Lehrstuhl in Jena eingetragen hatten – später nur noch der literarischen Arbeit widmete. Im 19. Jh., nachdem durch NIEBUHR und RANKE die objektiv-pragmatische Geschichtswissenschaft begründet worden war, kam Kritik an Schillers historischer Methode auf. Man übersah dabei freilich, daß es diesem bei all seiner Quellen- und Literaturkenntnis (er hatte u. a. CAESAR, TACITUS, COMINES, GROTIUS und die Akten über den Prozeß gegen Egmont und Hoorne studiert) zuallererst um die Darlegung der geschichtlichen Leitideen und die Auseinandersetzung des einzelnen und der Gesellschaft mit schicksalhaften Mächten und politischer Willkür zu tun war.

Schillers eigentliche und auch für das 19. Jh. verpflichtende Leistung als Historiker ist jedoch die sprachliche Gestaltung des geschichtlichen Stoffes. Er ist der erste deutsche Geschichtsschreiber, der die Historiographie in den Rang einer Kunst erhob. Beispielhaft und gültig bleiben die scharfen Charakteristiken großer Persönlichkeiten und historischer Massenbewegungen. Der Epiker Schiller erreicht die höchste Meisterschaft in dem lakonischen, federnd-antithetischen Stil, in dem er etwa den Prozeß gegen Egmont und Hoorne oder die Belagerung Antwerpens beschreibt. Wie wichtig dem Dichter die künstlerische Form des Werks erschien, bezeugt ein Satz aus der *Vorrede* von 1788: »*Meine Absicht bei diesem Versuche ist mehr als erreicht, wenn er einen Teil des lesenden Publikums von der Möglichkeit überführt, daß eine Geschichte historisch treu geschrieben sein kann, ohne darum eine Geduldprobe für den Leser zu sein, und wenn er einem andern das Geständnis abgewinnt, daß die Geschichte von einer verwandten Kunst etwas borgen kann, ohne deswegen notwendig zum Roman zu werden.*« H. W. J. – KLL

AUSGABEN: Lpzg. 1788. – Stg. 1905 (in *SW*, Hg. E. v. d. Hellen, 16 Bde., 1904/05, 14; *Säkular-Ausg.*; vgl. in Bd. 13: R. Fester, *Einleitung in S.s historische Schriften*). – Mchn./Bln. 1911 (in *SW*, Hg. C. Höfer, 22 Bde., 1910–1926, 5; *Horen-Ausg.*). – Mchn. 1922. – Basel 1945 (in *Historische Schriften*, Hg. E. Bonjour, 2 Bde., 1). – Mchn. 1958 (in *SW*, Hg. G. Fricke u. H. G. Göpfert, 5 Bde., 1958/59, 4).

LITERATUR: E. F. Koßmann, *S.s »Geschichte der merkwürdigsten Rebellionen« und »Abfall der Niederlande«. Studien zur Entstehungs- und Druckgeschichte* (in Euph, 6, 1899, S. 511–536). – G. Funk, *S.s »Geschichte des Abfalls ...«*, Lpzg. 1904. – R. Fester, *S.s Historische Schriften als Vorstudien des Dramatikers* (in DRs, 138, 1909, S. 48–58). – M. Henschel, *S.s Geschichtsphilosophie in seinen historischen Werken*, Diss. Breslau 1913. – L. Stemberger, *S. und die französische Geschichtsschreibung*, Diss. Wien 1931. – H. v. Srbik, *Geist und Geschichte vom deutschen Humanismus bis zur Gegenwart*, Bd. 1, Salzburg/Mchn. 1950, S. 152–157. – G. Fricke, *S. und die geschichtliche Welt* (in G. F., *Studien und Interpretationen*, Ffm. 1956, S. 95 bis 118). – E. Bonjour, *S. als Historiker* (in E. B., *Die Schweiz und Europa*, Bd. 1, Basel 1958, S. 247 bis 262). – R. Schneider, *S. Sendung und Freiheit in der Geschichte* (in Hochland, 48, 1955/56, S. 13 bis 23; ern. in R. S., *Pfeiler im Strom*, Wiesbaden 1958, S. 91–105). – G. Mann, *S. als Geschichtsschreiber* (in G. M., *Geschichte und Geschichten*, Ffm. 1961, S. 63–84). – Th. Schieder, *S. als Historiker* (in Th. S., *Begegnungen mit der Geschichte*, Göttingen 1962, S. 56–79).

GESCHICHTE DES DREYSSIGJÄHRIGEN KRIEGS. Historisches Werk von Friedrich von SCHILLER (1759–1805), erschienen 1791–1793. – Auf Anregung des Verlegers Georg Joachim Göschen begann Schiller 1789 mit der Arbeit an seiner *Geschichte des dreyßigjährigen Kriegs*, deren Thema, sich an die kurz zuvor beendete *Geschichte des Abfalls der Vereinigten Niederlande* anschließend, seinen Interessen entgegenkam, zumal zwei wichtige Gestalten dieses Krieges, Gustav Adolf und Wallenstein, schon früher seine Aufmerksamkeit gefunden hatten. Die durch Krankheit mehrfach unterbrochene Arbeit, von vornherein freilich mit weniger Begeisterung begonnen als die an seinem ersten historischen Werk, wurde Schiller bald zu drückender Last und fand mit dem dritten Teil einen nur summarischen Abschluß.

Der Darstellung des Dreißigjährigen Krieges vom Prager Fenstersturz (23. 5. 1618) bis zum Westfälischen Frieden (24. 10. 1648) schickt Schiller eine Betrachtung der Wechselbeziehungen zwischen Glaubensbewegungen und Politik voraus, exemplifiziert an jenen religiösen und politischen Vorgängen des 16. Jh.s, die mit dem Augsburgischen Religionsfrieden (25. 9. 1555) ihren Anfang nahmen und schließlich zum Ausbruch des Krieges führten. Zweierlei stellt er dabei besonders heraus: daß gerade die kirchliche Trennung zu einer sonst kaum erreichbaren engeren Vereinigung von Staaten gleichen Glaubens führte und daß den protestantischen Fürsten eine durch ihre religiöse Überzeugung sich legitimiert fühlende Streitmacht aufs glücklichste zuwuchs, die auch zur Erlangung rein politischer Ziele ausgenutzt werden konnte. Ersteres führte dazu, daß Europa sich in »*diesem fürchterlichen Kriege ... zum ersten Mal als eine zusammenhängende Staatengesellschaft*« erkannte, letzteres zu dem paradoxen Sachverhalt: »*Was den Regenten bloß als Mittel zu ihrem Zweck wichtig war, war der Zweck ihrer Untertanen; was der Zweck der Regenten war, war den Untertanen das Mittel, den ihrigen zu erreichen.*«

Unter den zahlreichen Quellen Schillers lieferte Michael Ignaz SCHMIDTS *Geschichte der Teutschen* (1778ff.) die Grundlage. Für die Gestalt Wallensteins griff Schiller vor allem auf Jean-François

SARASINS *Conspiration de Valstein* (1645; in der Übersetzung von F. W. RAMBACH), Christoph Gottlieb von MURRS *Beyträge zur Geschichte des dreyßigjährigen Krieges* (1790), Samuel von PUFENDORFS *Commentarium de rebus Suecicis libri XXVI* (1686) und *Histoire de Suède* (1732) sowie auf Franz Christoph KHEVENHILLERS *Annales Ferdinandei* (Teil 10–12, 1724–1726) zurück. Die umfangreiche und gewissenhafte Quellenarbeit Schillers entsprang dem Streben nach historischer Treue und Unparteilichkeit, der die tendenziöse Darstellung im *Abfall der Niederlande* noch fernstand. Die Sympathie für den Protestantismus und die reichsfürstliche Freiheit ist zwar unverkennbar, doch werden diese Parteien nicht zu Vorbildern erhoben wie die niederländischen Rebellen in der früheren Schrift. Macht sich auch in der Überbewertung der religiösen Motive für die kriegerischen Handlungen, die wohl hauptsächlich auf die benutzten Quellen zurückzuführen ist, im ganzen eine gewisse Einseitigkeit bemerkbar – obgleich Schiller zu Beginn seines Werks die sich gegenseitig ausnutzenden Verfolger politischer und religiöser Ziele in einem gewissen Gleichgewicht darstellt –, so lassen doch der universalhistorische Gesichtspunkt, unter dem das Werk geschrieben ist, und die realpolitischen Einsichten den Fortschritt gegenüber dem noch teilweise im Geschichtsdenken der Aufklärung befangenen *Abfall der Niederlande* erkennen.

Im Verlaufe der Arbeit am *Dreißigjährigen Krieg* verschiebt sich Schillers Interesse immer mehr von den Ereignissen auf die Charaktereigenschaften der Menschen, die sie auslösen, und unter ihnen wieder ist es neben Gustav Adolf vor allem Wallenstein, dessen vieldeutige Persönlichkeit Schiller zunehmend fasziniert. Mögen Uneinheitlichkeiten und Brüche in der Darstellung der zentralen Gestalten auch zum Teil ihre äußerliche Ursache in den widersprüchlichen Quellen haben, die sorgsam gegeneinander abzuwägen Schiller bei der Fülle des Stoffs und dem Zeitdruck, unter dem er arbeitete, nicht Gelegenheit hatte, so kommt andererseits in dem *»düsteren, in vielen Farben facettierten Konterfei«* Wallensteins (H. Koopmann) neben dem Historiker schon der Dichter Schiller zu Worte, der sich bereits zur Zeit seiner Arbeit am *Dreißigjährigen Krieg* mit Plänen zu seinem Drama *Wallenstein* trug. Die Tatsache, daß Wallenstein, dessen Verrat nie eindeutig bewiesen werden konnte, dem Historiker bis zuletzt rätselhaft bleiben mußte, gab gerade dem Dichter Anreiz, sich an dieser Gestalt zu versuchen, und es ist in diesem Zusammenhang bedeutsam, daß die dichterische Gestaltung nach Meinung späterer Historiker der Wahrheit näher kommt als die historische Darstellung.

Schillers *Geschichte des dreyßigjährigen Kriegs* wurde bei ihrem Erscheinen enthusiastisch gerühmt (so von Johannes von MÜLLER und Ludwig Thimoteus SPITTLER), und auch im 19. Jh. stand den scharfen Kritiken RANKES und GERVINUS' die Anerkennung großer Historiker, wie TREITSCHKES und DROYSENS, gegenüber. – Literarisch reicht das Werk, in dem die freie Variation der in den Quellen wiedergegebenen Reden und Gespräche, ihre dramatische Zuspitzung und szenische Abrundung zu den Höhepunkten Schillerscher Prosa zählen, an die großen Dramen heran und beruht *»wie diese auf der Gewißheit von ›des Fatums unsichtbarer Hand‹, von der ›richtenden Nemesis‹, die jenseits aller Vernunft das tragisch verstrickte Menschenwesen beherrscht«* (H. G. Göpfert). KLL

AUSGABEN: Lpzg. 1791 (1. Teil, Buch 1 u. 2, in Historischer Calender für Damen für das Jahr 1791; Ill. D. Chodowiecki); Lpzg. 1792 (Buch 3 [Anfang], ebd., 1792; Vorw. C. M. Wieland; Ill. J. Penzel); Lpzg. 1793 (Buch 3 [Schluß], 4 u. 5, ebd., 1793; Ill. J. Penzel). – Lpzg. 1793, 3 Bde. – Lpzg. 1802, 2 Bde. – Stg./Bln. 1905 (in *SW*, Hg. E. v. d. Hellen, 16 Bde., 1904/05, 15; *Säkular-Ausg.*; vgl. in Bd. 13: R. Fester, *Einleitung in Sch.s historische Schriften*). – Mchn./Bln. 1912 (in *SW*, Hg. C. Höfer, 22 Bde., 1910–1926, 8; *Horen-Ausg.*). – Basel 1945 (in *Historische Schriften*, Hg. E. Bonjour, 2 Bde., 2). – Mchn. 1958 (in *SW*, Hg. G. Fricke u. H. G. Göpfert, 5 Bde., 1958/59, 4). – Gütersloh 1966, Hg. H. Reinoß.

LITERATUR: E. Cosentius, *Zur Quellenfrage von S.s »Gesch. d. 30j. Krieges«* (in ASSL, 104, 1900, S. 122; 106, 1901, S. 241–257). – G. Funk, *S.s »Gesch. d. 30j. Krieges«*, Lpzg. 1905. – C. Krüger, *Eine Kritik über S.s »Gesch. d. 30j. Krieges« aus dem Jahre 1796* [J. L. Quetin] (in Euph, 23, 1921, S. 56–59). – R. Fischer, *S.s Gestaltung böhmischer Geschichte* (in ZDLG, 5, 1959, Sonderh., S. 196 bis 208). – Vgl. ferner Art. *Geschichte des Abfalls ...*

DIE JUNGFRAU VON ORLEANS. Eine romantische Tragödie in fünf Aufzügen von Friedrich von SCHILLER (1759–1805), Uraufführung: Leipzig, 11. 9. 1801. – Die Geschichte des lothringischen Bauernmädchens, das im mehr als hundertjährigen Krieg zwischen Frankreich und England (1339 bis 1453) die französischen Truppen 1429/30 von Sieg zu Sieg geführt hatte, dann in die Hand der Engländer gefallen und 1431 als Hexe verbrannt worden war, kannte Schiller vermutlich aus SHAKESPEARES *Heinrich VI.*, gewiß aus PITAVALS *Causes célèbres et intéressantes, avec les jugemens qui les ont décidées*, 1734–1743 *(Berühmte und interessante Rechtsfälle mit den dazugehörigen Urteilen)*, zu dessen deutscher Ausgabe (1792–1795) er ein Vorwort geschrieben hatte. Wahrscheinlich war er auch mit VOLTAIRES satirischem Epos *La pucelle d'Orléans* (1755), gegen das sein Gedicht *Das Mädchen von Orleans* (1801) gerichtet ist, genau vertraut. – Schillers Hinwendung zu dem historischen Stoff erfolgte unter der Voraussetzung seiner poetischen Maxime, *»immer nur die allgemeine Situation, die Zeit und die Personen aus der Geschichte zu nehmen und alles übrige poetisch frei zu erfinden«* (Brief an Goethe, 20. 8. 1799). Damit ist von vornherein die Tragödie aus den strengen Grenzen des Geschichtsdramas gerückt, sie konnte, wie Schiller glaubte, zu einer *»reinen Tragödie«* werden, in der die geschichtliche Welt noch mehr zurücktritt als in den vorangegangenen Dramen, so daß sie nur noch den Rahmen und die Staffage liefert für den Schicksalsweg einer Figur, in der allein sämtliche dramatischen Konflikte konzentriert werden.

Der Prolog des Stücks schildert die fast hoffnungslose Lage Frankreichs, Johannas göttliche Berufung und ihren Aufbruch aus der ländlichen idyllischen Heimat. – In seinem Hoflager erreicht den über die Kriegslage verzweifelten König Karl VII. die Nachricht von einem überraschenden Sieg der Franzosen, den eine Jungfrau, *»schön zugleich und schrecklich anzusehen«*, herbeigeführt habe. Bald darauf erscheint Johanna am Hofe und offenbart ihre göttliche Sendung: den Feind zu vernichten und Karl VII. zur Krönung nach Reims zu führen. Mit dem Segen der Kirche versehen stellt sie sich an die Spitze des Heeres, das sie von Sieg zu Sieg führt. Sie erfüllt, mit eigener Hand kämpfend, ihren göttlichen Auftrag, bis ihr der englische Feldherr Lionel begegnet; in plötzlicher Liebe zu ihm entbrannt, bringt sie es nicht über sich, ihn zu töten. Die Verletzung des göttlichen Gebots führt eine jähe Wende in Johannas Schicksalsweg herauf: Von Schuldgefühlen gepeinigt, erlebt sie die glanzvolle Krönung Karls VII., bei der sie unversehens teuflischer Künste angeklagt und verbannt wird. Sie gerät in die Gefangenschaft Isabeaus, der mit den Engländern verbündeten Mutter Karls, kann sich aber nach inbrünstigem Gebet von ihren schweren Ketten befreien. Aufs neue zieht sie in den Kampf, wird in einer siegreichen Schlacht verwundet und stirbt, die Vision des himmlischen Reichs vor Augen.

Die Tragik des Stücks erwächst aus dem Konflikt der Menschlichkeit Johannas mit dem von ihr angenommenen Gebot, nicht menschlich zu sein: keinen Feind zu schonen und jeder irdischen Liebe zu entsagen. Indem sie einen Feind liebt und den schon Besiegten nicht tötet, verstößt sie gegen dieses Gebot und wird schuldig; die Übereinstimmung mit der Göttlichkeit wird der Humanität geopfert. Bis zu diesem Zeitpunkt hat Johanna gezeigt, daß sie ihre Mission erfüllen kann: Sie hat mit eigener Hand die Gegner getötet, sie hat mehrere Liebesanträge zurückgewiesen. Es überrascht, daß sie plötzlich einer Versuchung erliegt, die durch keine frühere Konfliktsituation vorbereitet ist und nicht recht motiviert scheint. Doch liegt eben hier die Voraussetzung für ihre spätere Erhöhung, denn Johanna hatte so lange kein Verdienst, wie sie mit dem göttlichen Willen eins war und keine ernsten Anfechtungen zu bestehen hatte; erst durch den »Fall« in die Menschlichkeit wird es ihr möglich, Größe zu beweisen: Sie muß sich nun aus eigener Kraft, *»von den Göttern deseriert«* (Schiller an Goethe, 3. 4. 1801), aus den irdischen Verstrickungen lösen und zu einer Märtyrer- und Prophetenrolle erheben. Als Gefangene widersteht sie, eingedenk der göttlichen Forderung, der Werbung Lionels, und so kann ihr Tod zu einem übertragischen Akt der Verklärung werden. Indem die Geschichte in die Legende übergeht, das Wunder sichtbar geschieht und der Himmel seine *»goldnen Tore«* öffnet, wird das Drama zu einem romantischen »Festspiel« (B. v. Wiese), das den Sieg einer religiösen Idee über die unreine Geschichtswirklichkeit feiert.

Schillers Tragödie, die an der klassischen Bauform der fünf Akte festhält, verzichtet auf einen dramatischen äußeren Handlungsablauf; die nahtlose Verfugung rasch wechselnder Szenen, die den *Wallenstein* und die *Maria Stuart* auszeichnet, wird durch einen Zeitverlauf gebrochen, der sich dem der »Erzählung« nähert: *»Zwischen den Akten, ja zwischen den einzelnen Szenen bleiben freie Räume, die szenischen Vorgänge setzen jedesmal neu, zu einem beliebigen Zeitpunkt ein«* (G. Storz). Dieser epische Zug im Ablauf des Geschehens, die lose Verknüpfung relativ selbständiger Handlungsmomente, ist wenigstens teilweise bedingt durch die geschichtsphilosophische Konzeption eines ursprünglichen Paradieses, seines Verlusts und seiner Wiedergewinnung, die, in der klassisch-romantischen Epoche immer wieder entworfen, auch dem Lebensweg Johannas zugrunde liegt. Die erste Phase dieses Dreischritts tritt gleich in der breit entfalteten, bewußt vor den Beginn des ersten Aktes gelegten Exposition deutlich hervor: Sie vergegenwärtigt die vorgeschichtliche, in der Auflösung begriffene Idylle, aus der Johanna auszieht, um über den Weg durch die Geschichte zuletzt in eine höhere, übergeschichtliche Idylle einzukehren, die symbolisch durch ihre göttliche Schlußvision versinnbildlicht wird. Wie Schiller die streng klassische Einheit und Geschlossenheit der Handlung mit dem Prolog und dem zum Überirdischen hin offenen Schluß durchbricht, so handhabt er auch das Versschema, den für das klassische Drama typischen Blankvers, mit souveräner Freiheit. Die Darstellung der wechselnden Stimmungen, der inneren Spannungen, des Widerstreits von Göttlichem und Menschlichem, die Darstellung auch einer ins Allgemeine stilisierten Individualität erlaubt nicht nur, sondern fordert geradezu die formale Variation. Schiller führte Trimeter in den Blankvers ein, den auch Reimpaare schmücken, Stanzen, die in Liedstrophen übergehen, markieren die Höhepunkte in Johannas Monologen. So erweitern epische und lyrisch-stimmungshaltige Formzüge das Dramatische im engeren Sinn, das überdies eine Tendenz zum Opernhaften hat: Breit ausgeführte Tableaus (der pomphafte Krönungszug), zahlreiche Theatereffekte visueller und akustischer Art (Blitze, ein schwarzer Ritter, unheimliche Donnerschläge), die dem Drama seine Bühnenwirksamkeit sichern, bilden ein sinnliches Gegengewicht zur Abstraktheit des inneren tragischen Vorgangs, der dem Zuschauer eine ungewöhnliche Intensität des gedanklichen Mitvollzugs abverlangt. N. Oe.

AUSGABEN: Bln. 1801 (in Kalender auf das Jahr 1802). – Stg. 1879. – Stg. 1904 (in *SW*, Hg. E. v. d. Hellen u. a., 16 Bde., 1904/05, 6; *Säkular-Ausg.*). – Mchn./Bln. 1917 (in *SW*, Hg. C. Höfer, 22 Bde., 1910–1926, 17; *Musarion-Ausg.*). – Mchn. 1959 (in *SW*, Hg. G. Fricke u. H. G. Göpfert, 5 Bde., 1958/59, 2; [4]1965).

VERTONUNGEN: G. Verdi, *Giovanna d'Arco* (Text: T. Solera; Oper; Uraufl.: Mailand, 15. 2. 1845, Teatro alla Scala). – P. I. Čajkovskij, *Orleanskaja Dewa* (Text: P. I. T.; Oper; Urauff.: Petersburg, 13./25. 2. 1881).

LITERATUR: L. Ritter, *F. v. S.s »Jungfrau von Orleans«. Der Versuch einer Deutung*, Lpzg. 1938. – G. Storz, *Jeanne d'Arc u. S. Eine Studie über das Verhältnis von Dichtung u. Wirklichkeit*, Freiburg i. B. 1947. – J. F. Kilga, *Joan of Arc bei Shakespeare, S. u. Shaw*, Diss. Wien 1952. – G. Storz, *S. »Jungfrau von Orleans«* (in *Das deutsche Drama*, Hg. B. v. Wiese, Bd. 1, Düsseldorf 1958, S. 322 bis 338). – Ders., *Der Dichter F. S.*, Stg. 1959, S. 345 bis 366; [3]1963. – B. v. Wiese, *F. S.*, Stg. 1959, S. 728 bis 746. – H. Rüdiger, *S. u. das Pastorale* (in Euph, 53, 1959, S. 229–251). – E. v. Jan, *Das Bild der Jeanne d'Arc in den letzten 10 Jahren* (in RJb, 12, 1961, S. 136–150). – H. Ide, *Zur Problematik der S.-Interpretation. Überlegungen zur »Jungfrau von Orleans«* (in Jb. der Wittheit zu Bremen, 8, 1964, S. 41–91). – G. Kaiser, *Johannas Sendung. Eine These zu S.s »Jungfrau von Orleans«* (in Jb. der dt. Schiller-Ges., 10, 1966, S. 205–236).

KABALE UND LIEBE. Bürgerliches Trauerspiel in fünf Akten von Friedrich von SCHILLER (1759 bis 1805), Uraufführung: 13. 4. 1784 durch die Großmannsche Schauspielergesellschaft in Frankfurt a. M. – Die Gattung des bürgerlichen Trauerspiels ist in Deutschland am eindrucksvollsten durch LESSINGS *Miß Sara Sampson* (1755) und *Emilia Galotti* (1772), durch Schillers *Kabale und Liebe* (der etwas reißerische Titel trat auf Vorschlag Ifflands an die Stelle des von Schiller ursprünglich geplanten: *Louise Millerin*) und durch HEBBELS *Maria Magdalena* (1846) repräsentiert. Ihre Entstehung ist gebunden an ein historisch-gesellschaftliches Moment: die Entfaltung des bürgerlichen Selbstbewußtseins. Überzeugend spiegelt sich dieses erstmals in DIDEROTS *»drame bourgeois« Le père de famille* (1761) und in LILLOS *The London Merchant* (1731), zwei Dramen, die nachhaltigen Einfluß auf die Geschichte des bürgerlichen Trauerspiels in Deutschland ausgeübt haben. Die klassisch-aristotelische Forderung, in der Tragödie dürften nur hohe Standespersonen agieren, wird durchbrochen und dem Bürger die Würde des Tragischen zuerkannt. An den Standesgegensätzen, die sein Handeln entscheidend bestimmen, entfaltet sich eine Gesellschaftskritik, die dem Drama einen neuen realistischen Akzent verleiht. Sprachliches Indiz dafür ist die Ablösung des feierlichen Tragödienverses durch die Prosa. Sie wird in Schillers *Kabale und Liebe* durch die Vielzahl charakteristischer Sprachgebärden zum Reflex politischer und sozialer Zustände, die Schiller im Württemberg des Herzogs Karl August selbst bedrängt hatten. Es spricht für den Rang von Schillers zeitkritischem Bewußtsein, daß er die gesellschaftliche Wirklichkeit zur ersten Bedingung der Tragik seiner Heldin machte und eben damit über die zu seiner Zeit vielgespielten bürgerlichen Rührstücke – etwa Otto v. GEMMINGENS *Teutschen Hausvater* – hinausgelangte.

Gleich mit dem ersten Auftreten der Heldin zeichnet sich ihr tragischer Zwiespalt ab. Die Neigung zu Ferdinand, einem jungen Major von hohem Adel, stürzt Luise, die Tochter des Musikus Miller, in einen ihr deutlich bewußten Konflikt: *»Der Himmel und Ferdinand reißen an meiner blutenden Seele.«* Ihrer Liebe widerstreitet ihr religiöses Bewußtsein, das von durchaus zeitbedingter, patriarchalischer Struktur ist: Sowohl der Vater Ferdinands wie der alte Miller, die beide eine Verbindung zwischen Adel und Bürgertum scharf ablehnen, gelten der Bürgerstochter als Repräsentanten des göttlichen Vaters, so unangemessen gerade hier diese pathetische Verklärung sein mag. Erscheint nämlich der Musikus Miller in seiner derb-volkstümlichen, aus plastischen Redensarten und Gemeinplätzen zusammengesetzten Sprache als ein aufrechter, aber im Standesdenken und konventioneller Moral befangener Mann, so enthüllt sich Ferdinands Vater, der Präsident, als despotischer, für den korrumpierten Adel repräsentativer Intrigant, der aus eigensüchtigen Interessen den Sohn mit der einflußreichen Lady Milford verheiraten will. Daß Ferdinand sich gegen dieses Ansinnen zur Wehr setzt, seinem Vater den Gehorsam aufkündigt und Luise zur Flucht mit ihm überreden will, vertieft nur deren religiös motivierten Konflikt. Seiner Sprachgewalt – das Pathos rhetorischer Fragen, übersteigerter Vergleiche und heftiger Exklamationen ist typisch für den Helden in Schillers Jugenddramen – begegnet Luise durch eine *»Unstetheit und Sprunghaftigkeit«* der Redeweise, eine immer wieder ins Schweigen mündende »Sprachnot«, die ihre »Gewissensnot«, ihr inneres Widerstreben, anzeigt: *»Nicht weil sich unüberwindliche, von Gott gesetzte Standesunterschiede auftun, ist sie zu Verzicht und Opfer im Irdischen entschlossen, sondern weil die Beseitigung dieser Unterschiede nur unter der Bedingung eines Frevels möglich ist«* (Müller-Seidel), eines Frevels, der in der Flucht, im Bruch der Vaterbindung also beschlossen läge. Fasziniert von seiner revolutionären, die Standesgegensätze aufhebenden Leidenschaft mißdeutet Ferdinand Luises wachsende Abwehr als Mangel an Liebe. Ein Verdacht steigt in ihm auf, der scheinbar bestätigt wird durch die *»satanisch feine«* Intrige, die der Präsident und sein Sekretär Wurm spinnen. Der Musikus und seine Frau werden festgenommen. Vom Tod, so erklärt man Luise, könne sie ihre Eltern nur durch einen an den Hofmarschall von Kalb gerichteten Liebesbrief retten. Wurm verpflichtet sie zugleich unter Eid, den erzwungenen Brief als ein von ihr aus freiem Entschluß verfaßtes Schriftstück auszugeben. Diese »Kabale« führt zwingend die Katastrophe herbei: Ferdinand, dem man den Brief in die Hände spielt, wird von rachsüchtiger Verzweiflung übermannt; Luise, um der Eltern willen an Ferdinand schuldig geworden, hofft, im gemeinsamen Tod mit dem Geliebten sich vom Eid zu befreien und sterbend die Unschuld ihrer Liebe wiederherzustellen; dieses Vorhaben durchkreuzt der Vater, der ihr den Selbstmord als schuldhaften Bruch der Vaterbindung ins Bewußtsein ruft; den ironisch bitteren Anklagen Ferdinands hat sie nichts entgegenzusetzen als das Schweigen und die durch den Eid geforderte Lüge. Was immer sie unternimmt oder unterläßt, um ihre Reinheit zu bewahren – es schlägt gegen sie aus. Ihre Situation ist ausweglos tragisch; Handeln wie Nichthandeln führen zuletzt in die unabwendbare Schuld: *»Verbrecherin, wohin ich mich neige.«* Erst das tödliche Gift, das Ferdinand sich und Luise verabreicht, entbindet Luise der Verpflichtung gegenüber dem Eid und setzt sie in den Stand, die Wahrheit zu sagen, die Ferdinand, zu spät, von seiner Verblendung befreit. Sterbend wird Luise jener göttlichen Vergebung inne, die, konstitutives Motiv im bürgerlichen Trauerspiel, die Katastrophe transzendiert und eine ins reale Leben nicht mehr zurückwirkende Versöhnung stiftet. Ferdinand, dem Luise vergeben hat, vergibt, bewegt von ihrem Beispiel, am Ende noch seinem Vater.

Daß Schillers Stück Einblicke vermittelt in die historische Wirklichkeit, der es entstammt, ist von Literarhistorikern immer wieder vermerkt worden. Es ist nach den Worten Erich AUERBACHS, *»wie kaum ein anderes ein Dolchstoß in das Herz des Absolutismus«*. An der berühmten Szene zwischen dem Kammerdiener und Lady Milford oder am Dialog zwischen der Lady und Ferdinand, läßt sich diese These unschwer belegen. Auftritte dieser Art sind durch ihre grellen Effekte, ihre leidenschaftlichen Wortwechsel, extreme, sich überstürzende Emotionen und übersteigerte Antithesen charakteristisch für den pathetischen Stil von Schillers Jugenddichtung überhaupt. Allerdings hat dieses Pathos auch die Kritik herausgefordert, das Trauerspiel sei zuletzt *»nicht Wirklichkeit, sondern Melodram ... das Zufällige Persönliche und Rührende des besonderen Falles«* dränge sich auffällig in den Vordergrund (Auerbach). Gerade aber die kritisierte *»rührende Unschuld«* Luises ist ein Reflex gesellschaftlicher Wirklichkeit: Die religiös verklärte, unverletzliche Vaterbindung weist ebenso auf die herrschende autoritäre Struktur der Zeit und ihre Tendenz zu – pietistisch gefärbter – Innerlichkeit zurück wie Luises Festhalten am erpreßten Eid. Da er bei Gott geschworen ist, wagt sie nicht, ihn zu verletzen, wird aber damit zum Werkzeug der Herrschenden, die das Gewissen des einzelnen zum Faktor in einem gewissenlosen Kalkül machen. Die absolute ethische Unbedingtheit und Innerlichkeit, als die sich das Bürgerliche hier versteht, wirkt am Ende selber der von Luise ersehnten Utopie entgegen: daß »*die Schranken des Unterschieds einstürzen... von uns abspringen all die verhaßten Hülsen des Standes Menschen nur Menschen sind*«. G. Sa.

Ausgaben: Mannheim 1784. – Stg. 1905 (in *SW*, Hg. E. v. d. Hellen, 16 Bde., 1904/05, 3; *Säkular-Ausg.*). – Mchn./Lpzg. 1910 (in *SW*, Hg. C. Höfer, 22 Bde., 1910–1926, 2; *Horen-Ausg.*). – Bln. 1955, Hg. K. Tudyka [Faks. der Erstausg. mit zeitgenöss. Werkrez. u. Auff.kritiken]. – Weimar 1957 (in *Werke*, 1943ff., Bd. 5, Hg. H. O. Burger u. W. Höllerer; *National-Ausg.*). – Mchn. 1958 (in *SW*, Hg. G. Fricke u. H. G. Göpfert, 5 Bde., 1958/59, 1). – Mannheim 1963 (*Das Mannheimer Soufflierbuch*, Hg. u. Interpretation, H. Kraft). – Freiburg i. B. 1964 (in *Bürgerl. Trauerspiel u. soziales Drama*; Nachw. W. Müller-Seidel; Klassische deutsche Dichtung, 15).

Vertonung: G. Verdi, *Luisa Miller* (Text: S. Cammarano; Oper; Urauff.: Neapel, 8. 12. 1849, Teatro San Carlo).

Verfilmungen: Deutschland 1907. – *Louise Miller*, Frankreich 1911 (Prod.: Pathé Frères). – *Aschermittwoch. Ein Spiel von Kabale u. Liebe*, Deutschland 1920 (Regie: O. Rippert). – *Luise Millerin*, Deutschland 1922 (Regie: C. Froelich). – Deutschland 1959 (Regie: M. Hellberg).

Literatur: P. Böckmann, *Die innere Form in S.s Jugenddramen* (in Euph, 35, 1934, S. 439–480). – J. Müller, *Der Begriff des Herzens in S.s »Kabale und Liebe«* (in GRM, 22, 1934, S. 429–437). – E. Auerbach, *Musikus Miller* (in E. A., *Mimesis*, Bern 1946, S. 382–399; Bern/Mchn. ³1964, S. 404 bis 421). – F. Funke, *Die Darstellung der Liebe in den Dramen S.s*, Diss. Lpzg. 1950. – I. Appelbaum Graham, *Passions and Possessions in S.'s »Kabale und Liebe«* (in GLL, N. S. 6, 1952, S. 12–20). – F. Martini, *S.s »Kabale und Liebe«. Bemerkungen zur Interpretation des ›Bürgerlichen Trauerspiels‹* (in Der Deutschunterricht, 4, 1952, H. 5, S. 18 bis 39). – J. Müller, *S.s »Kabale und Liebe« als Höhepunkt seines Jugendwerks* (in J. M., *Wirklichkeit und Klassik. Beiträge zur dt. Literaturgeschichte von Lessing bis Heine*, Bln. 1955, S. 116–148). – W. Müller-Seidel, *Das stumme Drama der Luise Millerin* (in GJb, 17, 1955, S. 91–103). – H. Stubenrauch, *Musikus Miller im Turm. S.s unbekannte Bühnenbearbeitung von »Kabale und Liebe«* (in Weimarer Beitr., 1, 1955, S. 233–245). – E. Riesel, *Studien zu Sprache u. Stil von S.s »Kabale und Liebe«*, Moskau 1957. – W. Binder, *S. »Kabale und Liebe«* (in *Das dt. Drama. Vom Barock bis zur Gegenwart. Interpretationen*, Hg. B. v. Wiese, Bd. 1, Düsseldorf 1958, S. 248–268). – R. R. Heitner, *A Neglected Model for »Kabale und Liebe«* (in JEGPh, 57, 1958, S. 72–85). – H. O. Burger, *Die bürgerliche Sitte. S.s »Kabale und Liebe«* (in H. O. B., *Dasein heißt eine Rolle spielen. Studien zur dt. Literaturgeschichte*, Mchn. 1963, S. 194 bis 210). – K. Lohmann, *S.s »Kabale und Liebe«* (in *Germanistik in Forschung und Lehre*, Hg. R. Henß u. H. Moser, Bln. 1965, S. 124–129). – W. Malsch, *Der betrogene Deus iratus in S.s Drama »Louise Millerin«* (in *Collegium philosophicum. Studien. Fs. J. Ritter*, Basel/Stg. 1965, S. 157–208). – R. R. Heitner, *»Luise Millerin« and the Shock Motif in S.'s Early Dramas* (in GR, 41, 1966, S. 27–44). – H. Koopmann, *F. S. I. 1759–1794*, Stg. 1966, S. 36–45 (Slg. Metzler, 50). – H. Kraft, *Die dichterische Form der »Louise Millerin«* (in ZfdPh, 85, 1966, S. 7 21).

MARIA STUART. Ein Trauerspiel in fünf Akten von Friedrich von Schiller (1759–1805), Uraufführung: Weimar, 14. 6. 1800, Hoftheater. – Die klassischen Dramen Schillers folgen seiner Intention, »*das Realistische zu idealisieren*«, d. h., »*eine mittlere Gattung von Stoffen herzustellen, welche die Vorteile des historischen Dramas mit dem erdichteten vereinigt*«. Geschichte, von Schiller als Prozeß ökonomisch-politisch bedingter Selbstentfremdung des Menschen analysiert (*Briefe über die ästhetische Erziehung des Menschen*), erzwingt von der Phantasie die Bindung an das Objekt und zugleich dessen Ästhetisierung: Durch Vers (Jambus), Symbolik und poetisch-bilderreiche Szenerie erstellt Schiller das »heitere Reich« der Kunst, das den Zuschauer von der Versklavung durch die prosaische Wirklichkeit befreien soll. Noch mehr »*Freiheit gegenüber der Geschichte*« als im *Wallenstein* verschafft sich Schillers Phantasie bereits in der *Maria Stuart*, seinem nächsten Drama. Wichtige Figuren wie Mortimer, wichtige Verhältnisse wie das zwischen Leicester und Maria, die entscheidende Begegnung zwischen Maria und Elisabeth hat der Historiker Schiller frei erfunden; auch Beichte und Verklärung der schottischen Königin, die, lange gefangengehalten, im Jahre 1587 als Thronrivalin Elisabeths hingerichtet wurde, sind nicht erwähnt in den von Schiller benutzten Quellen (u. a. Georg Buchanans *Rerum Scoticarum historia*, 1582; David Humes *History of England*, 1754–1761, dt. 1762; Rapin de Thoyras *Histoire d'Angleterre*, 1724, und Wilhelm von Archenholtz' Aufsatz *Geschichte der Königin Elisabeth von England*, 1789).

Das Stück setzt in dem Augenblick ein, da Maria Stuart aufgrund zweifelhafter Zeugenaussagen zum Tode verurteilt wird: Sie habe, so wird ihr vorgeworfen, einen Anschlag auf Elisabeth, Königin Englands, unterstützt. Das Urteil treibt das Unrecht auf die Spitze, das Maria, der Katholikin, seit ihrer Ankunft im protestantischen England widerfährt. Schutzsuchend war sie ihrer blutbefleckten, von Schuld und zügellosen Liebesverhältnissen gezeichneten Regierung in Schottland entronnen und nach England geflohen, dort aber, als die legitime Thronrivalin, ins Gefängnis geworfen worden. Mortimer, der Neffe ihres Kerkermeisters, der in Frankreich seinem puritanischen Glauben abgeschworen hat, möchte, von der sinnlichen Schönheit Marias und der katholischen Religion gleichermaßen fasziniert, die Gefangene retten. Sein Plan scheint nicht aussichtslos: Elisabeth, die um des guten Rufes willen das willkürliche Urteil nicht unterzeichnen möchte, erliegt Mortimers Verstellungskunst und dingt ihn als heimlichen Mörder ihrer Rivalin. Mortimer vertraut sich dem Günstling Elisabeths, Leicester, an, der, enttäuscht von einer langen vergeblichen Werbung um die Hand Elisabeths, an der Seite Maria Stuarts eine neue Erfüllung sucht. Durch Mortimers doppeltes Spiel weiß er Maria vorerst in Sicherheit. Er will die Zeit durch diplomatisches Kalkül nutzen: Ein Zusammentreffen zwischen Elisabeth und Maria soll die englische Königin zu einem Gnadenakt bewegen. Aber auf den unmenschlichen Hochmut Elisabeths in der entscheidenden Unterredung reagiert Maria mit schneidendem Hohn. Sie schmäht die Rivalin als illegitimen Bastard. Ein Anschlag, der wenig später auf Elisabeth unternommen wird und das

Volk in rasenden Aufruhr versetzt, liefert der Königin den ersehnten Vorwand, das Todesurteil zu unterzeichnen. Den Zeitpunkt seiner Vollstreckung anzugeben hütet sie sich. Leicester hat, um sich von allem Verdacht zu reinigen, dem Urteil zugestimmt. Er vollstreckt es zusammen mit Burleigh, Elisabeths skrupellosem Berater, Symbol der Staatsräson. Kurz zuvor hat Mortimer, von Leicester verraten, sich getötet. Die Hinrichtung Marias erfolgt in dem Augenblick, da unvermutet die belastenden Zeugenaussagen öffentlich widerrufen werden. Während Elisabeth scheinheilig alle Schuld von sich wälzt und Burleigh wegen übereilter Urteilsvollstreckung aus ihren Diensten entläßt, flieht Leicester, von Gewissensskrupeln gepeinigt, nach Frankreich.

Schiller zeigt die Existenz des Menschen unter der Herrschaft des Scheins – des Scheins als seiner zweiten Natur, als des Schleiers, hinter dem das Sein verhüllt ist. Weil Elisabeth den guten Schein wahren will, die Gunst der öffentlichen Meinung sich erhalten muß, zögert sie, das rechtswidrige Todesurteil ihres Parlaments zu unterzeichnen. Mortimer soll am Schleier ihrer Unschuld weben und, gleichsam aus privater Initiative, Maria Stuart ermorden. Dieses Spiel mit dem Schein hat eine für Schillers Dramenstil typische formale Konsequenz: Das dramatische Geschehen retardiert, sein Ausgang erscheint plötzlich offen, den Parteigängern der Stuart bietet sich die Möglichkeit, die Schachzüge ihrer Feinde zu durchkreuzen. Aber der Spielraum, den Mortimer und Leicester für ihre Rettungstat gewinnen, verengt sich sogleich auf tragische Weise. Die entscheidende Unterredung zwischen den Königinnen, auf die Leicester alle Hoffnung setzte, geleitet Maria nicht ins Leben zurück, sondern führt im Gegenteil ihr Ende rascher herbei. Die klassische Technik der illusionserzeugenden Verzögerung und der tragischen Beschleunigung, die Technik der dramatischen Ironie also, ist in dieser Szene konzentriert entfaltet. Schiller hat sie genau in die Mitte seines Dramas gelegt. Damit hat er dessen streng symmetrische Form betont, die ihr spannungsgeladenes Gleichmaß aus spiegelbildlichen Kontrasten gewinnt: Gehört der erste Akt ganz der zum Tode verurteilten Maria, so zeigt der zweite Elisabeth im Glanz der Werbung des französischen Königs; der dritte Akt führt die beiden Frauen zusammen und läßt sie sogleich wieder auseinandertreten – auf Elisabeths physischen Triumph über Maria durch die Unterzeichnung des Todesurteils im vierten Akt folgt im letzten Marias menschlicher Triumph über Elisabeth.

Außerdem kehrt Schiller durch die zentrale Stellung der Unterredung das zentrale Motiv des Scheins sinnfällig hervor. Er entlarvt nämlich Marias Schönheit und Würde als bloße Oberflächenphänomene. Ertrug Maria bisher ihre Gefängnishaft auch mit »edler Fassung«, erblickte sie darin auch eine Buße für ihre fluch- und schuldbeladene Jugend, so ist von einer Läuterung doch wenig zu merken. Das ist den herkömmlichen Deutungen dieses Stücks als eines Läuterungsdramas entgegenzuhalten. Wie Maria zuletzt nach heroischer »Mäßigung«, die hochfahrenden Beleidigungen Elisabeths zuschanden macht, ihrem »langverhaltenen Groll« über die rechtswidrige Gefängnishaft die Zügel schießen läßt und, im Beisein Leicesters, ein Äußerstes an befreiender Rachelust und triumphierendem Hohn aufbietet: das weist Schiller als Psychologen aus, der die Dialektik von Frustration und Aggressivität mit unbestechlichem Blick erfaßt. Marias ganz unchristliche Reaktion zeigt, wie sehr ihre sinnliche Schönheit noch trügt: Sie täuscht das entsprechende Innere, die Schönheit der Seele nur vor. An ihrem verdeckten, noch ungeläuterten Lebensdrang nährt sich Mortimers lebenstolle Raserei; seine bedenkliche, erotisch vermittelte Waghalsigkeit steht fast allegorisch für die Ambivalenz der Schönheit Marias. Erst in einem erhabenen Willensakt angesichts des unaufschiebbaren Todes erhebt Maria sich zu einer »schönen Seele« im Schillerschen Sinn; die moralische »Pflicht«, etwa die verzeihende, versöhnliche Haltung gegenüber Elisabeth, ist keine vergebliche Anstrengung mehr, sondern zur »Neigung«, zur zweiten Natur geworden. Die szenische Entfaltung von Kleinodien und Kostbarkeiten, Marias prächtiger Aufzug in der Todesstunde, der festliche Akt der Beichte und der Kommunion spiegeln die paradiesische Koinzidenz von äußerer und innerer Schönheit. Nur um den Preis des Todes stellt sich diese Koinzidenz ein – Elisabeth dagegen ist bis zuletzt dem Schein als dem Medium geschichtlichen Lebens, als dem Instrument politischer Herrschaft verhaftet. Die tragische Kunst aber, die das Schöne zu ihrem Thema macht, wird selber, durch ihre Darstellungsweise, zum Inbegriff des Schönen. Nicht nur in der Schlußszene konvergieren Thema (»schöne Seele«) und Form (szenische Prachtentfaltung, lyrisch-feierliche Absolution), schon in Mortimers Romerzählung stellt Schiller die Thematik der Schönheit in betont prächtiger Form dar. Die katholische Religion, hier stets Symbol der Kunst, hatte mittels ihrer »*heiteren Wunderwelt*« den puritanischen Engländer zu ihren »*hohen Glaubenslehren*« hingezogen – im Medium seiner »*entzückten Sinne*« ergriff er den »*Geist der Wahrheit*«. Poetische Bilderfülle und lyrischer Rhythmus – Mortimers Bericht erinnert an die »*Arie der Oper*« (Storz) – versinnlichen, plastisch-musikalisch, seinen Erkenntnisvorgang. Damit entspricht die Kunst Schillers theoretisch fundierter Konzeption vom gesellschaftsbildenden »Idealschönen«. Einen Bewußtseinsakt sinnlich darzustellen, so nämlich, daß der entfremdete Zuschauer seiner Zeit, der »*sinnliches und geistiges Vermögen*« nicht mehr zu versöhnen wußte, harmonische Totalität erlangte, war die politsche Intention seiner klassischen Kunst.

Hinweise zur Stoffgeschichte:
Der Lebensweg der schottischen Königin erwies sich als einer der ergiebigsten Stoffe für die dramatische europäische Produktion. Absoluter Höhepunkt ist Schillers bühnenwirksame Gestaltung, die dem ambivalenten Charakter Marias – ihrer doppelgesichtigen Existenz als schöne Sünderin und erhabene Märtyrerin – eine faszinierende Aura verleih.. Nur einen Aspekt betonen die Märtyrertragödien des 16. und 17. Jahrhunderts. Sie werden auf der einen Seite repräsentiert durch das Jesuitendrama, das mit kräftigen lehrhaften Akzenten aufwartet (*Stuarta Tragoedia* von Adrian de ROULERS, 1593), auf der anderen Seite durch das stark schematisierende Renaissancedrama eines Carlo RUGGIERO (*La reina di Scotia*, 1604) und Federico della VALLE (*La reina di Scotia*, 1628). Wie bei Schiller wird hier die Vorgeschichte Marias in analytischer Technik, durch Rückblenden, kurz skizziert; vordringlichste Tendenz aber ist die Stilisierung der schottischen Königin zur beispielhaften katholischen Glaubenszeugin. Künstlerisch am anspruchsvollsten verfuhr hier der Holländer Joost van den VONDEL in seiner *Maria Stuart of gemartelde Majesteit* (1640), der die strengen dramatischen Vorschriften der Renaissance (die drei Einheiten

des ARISTOTELES) mit der rhetorisch wirksamen Einführung eines halb religiösen Chors und mit lyrisch-elegischen Momenten verschränkte. Solche Momente waren vor allem schon bei Antoine de MONTCHRESTIEN hervorgetreten: *L'Ecossoise ou Le desastre*, 1605). Der Franzose zeichnete zum erstenmal Maria Stuart als schöne verführerische Frau – in wohltönenden poetischen Ergüssen und vielen monologischen Tiraden, die den Rahmen der Handlung immer wieder sprengen. Demgegenüber verzichtet das historische Epos des großen spanischen Dramatikers Félix Lope de VEGA CARPIO (vgl. *Corona trágica, vida y muerte de la Serenissima Regina de Escocia, Maria Estuarda*, 1627) fast auf alle Poesie zugunsten eines streng apologetischen Tons, der über fünf Bücher hinweg durchgehalten wird. In abstrakter Antithetik wird unausgesetzt Maria als katholische Heilige, ihre protestantische Gegenspielerin Elisabeth aber als Teufelswerkzeug beschworen. – Diese religiös fundierte Antithetik gibt als erster der Engländer John BANKS preis (*The Island Queen or Mary Queen of Scots*, 1684); gleichmäßig verteilt er seine Sympathien auf die beiden Heldinnen deren Antagonismen er psychologisch zu motivieren suchte.
Als literarhistorisch folgenreicher erwies sich M. REGNAULTS *Marie Stuart, reine d'Écosse* (1639). Seine Erfindung des Mannes zwischen den Rivalinnen prägt von hier an die Maria-Stuart-Dramen: »*Graf Norfolk, den Elisabeth liebt und den sie zum König machen will, ist heimlich mit Maria verlobt, will sie befreien und zettelt eine Verschwörung gegen Leben und Thron Elisabeths an, deren Entdeckung zur Kathastrophe führt*« (Frenzel). Unabweisbar sind hier die Parallelen zur Mortimer-Handlung in Schillers Tragödie, deren Vorläufer, J. RIEMERS *Von hohen Vermählungen* (1679) und A. von HAUGWITZ' *Schuldige Unschuld oder Maria Stuarda* (1683), sich nur gelegentlich in den Rang eines Kunstwerks erheben. – Schillers Dramatisierung faßt jahrhundertelang vorherrschende Tendenzen in der Behandlung des historischen Stoffes zusammen: die Blickrichtung auf die letzten, von Buße und Leid gezeichneten Lebensjahre der schottischen Königin. Mit der architektonisch gebauten, das Spannungsverhältnis der beiden Rivalinnen in symmetrischen Kontrasten spiegelnden Tragödie des deutschen Klassikers schienen die dramatischen Möglichkeiten dieser Lebensphase voll ausgeschöpft.
Die folgenden dramatischen Versuche richteten sich von nun an vornehmlich auf die – melodramatisch gefärbte – Regierungszeit Marias in Schottland. Sie war bereits Gegenstand der italienischen fünfaktigen Tragödie *Maria Stuarda*, 1789 (der Verfasser Vittorio ALFIERI verwarf sie selbst als sein mißlungenstes Werk – »*la sola che il poeta non avrebbe voluto aver fatta*«), und erregte breites literarisches Interesse durch Walter SCOTTS vielgelesenen Roman *The Abbot* (1820). Das Jugendwerk des Polen Juliusz SŁOWACKI, *Maria Stuart* (1830), legt davon Zeugnis ab. Słowackis romantisierende Phantasie entzündete sich an dem – historisch beglaubigten – Dreiecksverhältnis, das Maria zum Sänger Riccio, zu ihrem zweiten Gatten Henry Darnley und zu Bothwell, dem Nachfolger Darnleys, pflegte. Die Heldin ist im Geiste SHAKESPEARES konzipiert: eine leidenschaftliche, verbrecherische Frau, die an Lady Macbeth erinnert. In geschmeidiger Dialogführung und in Versen mit starker melodischer Linie beschwört Słowacki emotional aufgeladene Skandale: die Ermordung des Sängers durch den prosaischen, von Eifersucht gepeinigten Darnley und den Racheakt des Schauder erregenden Bothwells, den Maria, erotisch fasziniert, zum Mörder Darnleys dingt. – Die skandinavische Literatur des 19. Jh.s ist in der Gestaltung des historischen Stoffes am eindringlichsten durch eine norwegische Variante, durch Bjørnstjerne BJØRNSONS *Maria Stuart i Skotland* (1864) repräsentiert – die englische Literatur tritt durch die umfängliche Trilogie von SWINBURNE (vgl. *Mary Stuart*) hervor. Die Trilogie, bestehend aus *Chastelard* (1865), *Bothwell* (1874) und *Mary Stuart* (1881), hält sich vielerorts peinlich genau an historische Details und verrät die hohe Begabung des Lyrikers Swinburne. Poetische Schönheit des Ausdrucks, harmonischer Wortklang, Alliterationen und Lust an weitschweifigen Tiraden mit dithyrambischen Akzenten ersetzen die fehlenden, spezifisch dramatischen Qualitäten: den souverän gegliederten Aufbau, die sichere Charakterisierung von Personen und die bühnenwirksame Durchdringung des Historischen durch die Phantasie. Eine der letzten Gestaltungen des Stoffes, Maxwell ANDERSONS *Mary of Scotland* (1933), bleibt im rein Theatralischen stecken: Das dramatische Potential des Stoffs erstickt in einem Übermaß an Rhetorik, szenischem Aufwand und pathetischer Intrigenverknüpfung. G. Sa.

AUSGABEN: Tübingen 1801. – Stg. 1904 (in *SW*, Hg. E. v. d. Hellen, 16 Bde., 1904/05, 6, Hg. J. Petersen; *Säkular-Ausg.*). – Mchn/Bln. 1920 (in *SW*, Hg. C. Höfer, 22 Bde., 1910–1926, 16; *Horen-Ausg.*). – Weimar 1948 (in *Werke*, Bd. 9, Hg. B. v. Wiese; *National-Ausg.*). – Mchn. 1959 (in *SW*, Hg. H. G. Göpfert u. G. Fricke, 5 Bde., 1958/59, 2). – Stg. 1960 (RUB, 64).

VERTONUNG: D. M. G. Donizetti, *Buondelmonte (Maria Stuarda)* (Text: G. Bardari; Oper; Urauff.: Neapel, 19. 10. 1834, Teatro San Carlo). – G. Vierling, *Maria Stuart* (Ouvertüre, op, 14, Bln. 1856).

VERFILMUNGEN: USA 1913 (Produzent: Th. A. Edison). – Deutschland 1921 (Regie: R. Dworsky). – Deutschland 1927 (Regie: R. Fehér). – Österreich 1959 (Regie: A. Stöger u. L. Lindtberg).

LITERATUR: K. Kipka, *S.s »Maria Stuart« im Auslande. Ein Versuch der Literaturvergleichung u. Bibliographie* (in StvLg, 1905, S. 195–245). – A. Cüppers, *S. »Maria Stuart« in ihrem Verhältnis zur Geschichte*, Münster 1906. – K. Kipka, *Maria Stuart im Drama der Weltliteratur*, Lpzg. 1907. – G. Hildebrand, *S.s »Maria Stuart« im Verhältnis zu den historischen Quellen*, Strehlen 1909. – R. Buchwald, *»Maria Stuart« u. die »Jungfrau von Orléans«. Die klassische Kunstform als Träger der sittlichen Ideen u. der religiösen Symbole* (in Zs. f. deutsche Bildung, 17, 1941, S. 215–230). – B. v. Wiese, *S. s »Maria Stuart«* (in Zs. f. Deutschkunde, 56, 1942, S. 11–19). – A. Beck, *S. »Maria Stuart«* (in *Das deutsche Drama*, Hg. B. v. Wiese, Bd. 1, Düsseldorf 1958, S. 305–321; ern. 1964). – R. Ayrault, *La figure de Mortimer dans »Maria Stuart« et la conception du drame historique chez S.* (in EG, 14, 1959, S. 313 bis 324). – B. v. Wiese, *F. S.*, Stg. [2]1959, S. 711–728. – G. W. Field, *S.'s »Maria Stuart«* (in University of Toronto Quarterly, 29, 1959/60, Nr. 3, S. 326–340). – C. David, *Le personnage de la reine Élisabeth dans la »Maria Stuart« de S.* (in Deutsche Beiträge zur geistigen Überlieferung, 4, 1961, S. 9–22). – E. Frenzel, *Stoffe der Weltliteratur*, Stg. 1962, S. 411 bis 414 (Kröners Taschenausg., 300). – W. Witte, *S.'s »Maria Stuart« and Mary, Queen of Scots* (in

Stoffe. Formen. Strukturen. Studien zur Deutschen Literatur, Hg. A. Fuchs u. H. Motekat, Mchn. 1962, S. 238–250). – F. Politi, *S. »Maria Stuart«. Arte e problematica in Mortimer* (in F. P., *Studi di letteratura tedesca e marginalia*, Bari 1963, S. 7–157). – G. Storz, *S.s »Maria Stuart«* (in *Interpretationen. Deutsche Dramen von Gryphius bis Brecht*, Hg. J. Schillemeit, Bd. 2, Ffm. 1965; FiBü, 699). – A. Beck, *S.s »Maria Stuart«* (in A. B., *Forschung u. Deutung. Ausgewählte Aufsätze zur Literatur*, Hg. U. Fülleborn, Ffm. 1966, S. 167–187). – H. Koopmann, *F. S.*, Bd. 2, Stg. 1966, S. 47–55.

DIE RÄUBER. Schauspiel in fünf Akten von Friedrich von SCHILLER (1759–1805), erschienen 1781; Uraufführung: Mannheim, 13. 1. 1782, Nationaltheater. – Schiller ließ sein Schauspiel zunächst auf eigene Kosten drucken und anonym unter der fingierten Ortsangabe »Frankfurt und Leipzig« erscheinen. Der Widerhall, den es sogleich beim Publikum fand, war ungewöhnlich. Der Mannheimer Theaterdirektor von Dalberg, der es zur Aufführung annahm, forderte von Schiller nicht nur Kürzungen, Milderungen und die Verlegung ins ausgehende Mittelalter, sondern erlaubte sich selber drastische Eingriffe. Der triumphale Erfolg der Uraufführung versöhnte Schiller mit diesen einschneidenden Änderungen. Aufgrund der Bühnenfassung erschien das Drama 1782 bei Schwan in Mannheim mit dem Untertitel: *»Ein Trauerspiel. Neue, für die Mannheimer Bühne verbesserte Auflage«* – in dieser Ausgabe nahm Schiller die Eingriffe v. Dalbergs wieder zurück. Ein anderer Verleger in Mannheim, Tobias Löffler, veröffentlichte 1782 auf der Grundlage der ersten Edition eine von Schiller redigierte, gemilderte und weniger kraftvolle »zwote Auflage«, deren pathetische, nicht von Schiller stammende Titelvignette – ein zum Sprung ansetzender Löwe und die Inschrift *»In Tirannos«* – Berühmtheit erlangt hat.

Die Räuber gehören zu den wenigen Dramen des Sturm und Drang, die bis heute zur Interpretation und zur Darstellung auf dem Theater herausfordern. Das mag gewiß aus der unzerstörten Anziehungskraft zu erklären sein, die abenteuerliche Entstehung, lebensgeschichtliche Bedeutung (Schillers Flucht aus Württemberg) und früher Ruhm diesem Werk verliehen haben – gewiß aber auch aus der unmittelbaren theatralischen Wirkung, die heute noch von den *Räubern* ausgeht. Von ihr auf ein zeitloses Gedankengut im Drama zu schließen, wäre ein idealistisches Mißverständnis. Vielmehr schuldet das Werk seine mitreißende Wirkung dem Umstand, daß durchaus zeitbedingte Ideen in die dramatische Antithese einer Doppelhandlung eingeschleust sind und in einer energiegeladenen, vom Pathos des Affekts vorwärtsgetriebenen Sprache sich Ausdruck verschaffen – derart, daß die Zuschauer unmittelbar der dramatischen Entstehung von Entschlüssen und Taten beizuwohnen meinen.

Als zeitbedingt erweist sich gleich, im ersten Auftritt des ersten Akts, die Gestalt des Franz, lange Zeit als ein ausschweifend böser Charakter gedeutet und einem schulmeisterlichen moralischen Verdikt anheimgegeben. Franz Moor ist aber keine moralisch definierbare, individuell gemeinte Person, sondern wie alle Figuren des Dramatikers Schiller Träger einer Idee, Verkörperung eines Prinzips. In Franz kristallisiert Schiller *in extremis* den Grundzweifel, auf dem sein Drama erbaut ist: den metaphysischen Zweifel an der Ordnung der Welt, an einer die Existenz Gottes bezeugenden »Natur«. In den *Philosophischen Briefen*, ungefähr zur selben Zeit konzipiert wie *Die Räuber*, hat Schiller durch Begriffe wie *»Skeptizismus«*, *»Freidenkerei«*, *»Materialismus«* jene Tendenz aufklärerischer Philosophie charakterisiert, die noch in die Selbstgespräche des Franz Moor hineinreicht: *»Ich habe große Rechte, über die Natur ungehalten zu sein, und bei meiner Ehre! ich will sie geltend machen. – Warum bin ich nicht der erste aus Mutterleib gekrochen? Warum nicht der einzige? Warum mußte sie mir diese Bürde von Häßlichkeit aufladen? Gerade mir? ... Wirklich, ich glaube, sie hat von allen Menschensorten das Scheußliche auf einen Haufen geworfen und mich daraus gebacken!«* Aus der Willkür der Natur, manifestiert in der häßlichen Erscheinung Franzens und in seiner Benachteiligung als zweitgeborener, von der Erbfolge des gräflichen Hauses Moor ausgeschlossener Sohn, folgt die Willkür seines Denkens und Verhaltens. Es zeugt vom kühnen Realismus des jungen Schiller, daß er Geist und Moral dergestalt determiniert sieht durch Geburt und soziale Ordnung. Franz verwirft mit höhnischer Intelligenz die für ihn repressive Idee der *»Blutliebe«*, *»diesen possierlichen Schluß von der Nachbarschaft der Leiber auf die Harmonie der Geister ... von einerlei Kost zu einerlei Neigung«*, und wirft sich selber, auf Kosten des Vaters und des erstgeborenen Bruders, zum Herrn auf: *»Frisch also! mutig ans Werk! – Ich will alles um mich her ausrotten, was mich einschränkt, daß ich nicht Herr bin. Herr muß ich sein, daß ich das mit Gewalt ertrotze, wozu mir die Liebenswürdigkeit gebricht.«* Die Gewalt aber, mit der Franz operiert, stellt ihm seine Zeit zur Verfügung: Es ist die Gewalt der aufklärerischen, tabubrechenden Vernunft, von Franz zur List, zur kühl und genial auskalkulierten Intrige pervertiert. Die intrigenreichen *»Räsonnements, mit denen er sein Lastersystem aufzustutzen versteht«*, sind, so formuliert es Schiller in seiner Selbstrezension der *Räuber*, *»das Resultat eines aufgeklärten Denkens und liberalen Studiums«*.

Die Funktion der Intrige im Werk des jungen Schiller hat Paul BÖCKMANN dargestellt, und Oskar SEIDLIN beschrieb eine typische Form der Intrige in zahlreichen Dramen Schillers: das Fälschen und Fingieren von Briefen. Hier, im ersten Aufzug des ersten Akts, hat Franz einen Brief Karls, Lieblingssohn des alten Moor, durch den schriftlichen Bericht eines angeblichen Gewährsmannes ersetzt. Ihm zufolge ist der geniale ältere Bruder, einst bezaubernd durch Gestalt, Geist und edlen Charakter, zu einer Ausgeburt der Hölle verkommen. Wahr ist, daß Karl nach stürmischen, von Schulden und provozierenden Streichen gezeichneten Studentenjahren in Leipzig einen Brief an seinen Vater geschrieben hat, worin er sein Elend und seine Reue rückhaltlos bekennt – Schiller variiert hier das biblische Motiv des verlorenen Sohns. Daß der Vater den grob gefälschten Brief nie in Zweifel zieht, die seinem Sohn angedichteten Laster schmerzerfüllt für bare Münze hält und die Antwort an Karl dem Neider Franz überläßt, weist ihn, wie Schiller in seiner Selbstrezension sagt, als *»klagend und kindisch«* aus, *»mehr Betschwester als Christ«*. Im zweiten Auftritt des ersten Aufzugs stellt Schiller sogleich Karl vor – so daß die beiden ersten Auftritte (die Exposition) gleichsam modellhaft die dramatische Technik der *Räuber* entfalten, ihre zweisinnige, antithetisch konstruierte Handlungsführung – jenen permanenten, durch heftige Steigerungen und Katastrophen führenden Wechsel der Szenen um Franz und Karl, dem das Schauspiel sowohl seine effekt-

vollen Kontraste wie sein leidenschaftlich forciertes Tempo verdankt.
Karl stellt sich in der enthusiastischen Manier der Stürmer und Dränger zunächst als freiheitsdürstender, vom zeittypischen Ekel an den provinziellen kleinbürgerlichen Zuständen in Deutschland erfaßter Rebell dar, ist aber zugleich geleitet von einer Idyllensehnsucht im Stile ROUSSEAUS: »*Im Schatten meiner väterlichen Haine, in den Armen meiner Amalia lockt mich ein edler Vergnügen. Schon die vorige Woche hab ich meinem Vater um Vergebung geschrieben, ... und wo Aufrichtigkeit ist, ist auch Mitleid und Hilfe.*« Statt dessen erhält Karl den von unerbittlicher Mitleidlosigkeit durchherrschten, angeblich auf Befehl des Vaters verfaßten Brief des Bruders. Wie schon der alte Moor, so läßt sich nun auch Karl von der Fälschung des Franz sofort prellen – beide trauen einander die fingierte Schandtat blindlings zu. Diese Blindheit auf seiten des Sohnes wie des Vaters enthüllt die spezifische Schwäche ihrer vermeintlich so idealen, von Liebe getragenen Beziehung. Weil aber, den Hinweisen Benno von WIESES zufolge, für den jungen Schiller die Vater-Sohn-Beziehung immer stellvertretend ist für die Beziehung zwischen Gott(vater) und Mensch, das heißt für die Ordnung der Welt, so erweist sich das Moment der Blindheit bei Karl und dem Grafen Moor erneut als eine Metapher für den dramatischen Grundzweifel des Dichters. Das hierin verborgene Problem des »autoritativen Halts« ist in einer neueren Interpretation (Hans SCHWERTE) zum Mittelpunkt des Dramas erklärt worden: »*Der Flächigkeit einer bloßen Familientragödie gab Schiller vom ersten Augenblick ... die Tiefendimension des theologischen Konflikts. Hinter Wort und Dasein des Vaters tauchen Wort und Dasein Gottes auf, hinter der Tragödie des verlorenen Vaters entfaltet sich die Tragödie der bezweifelten Allmacht, ja der Anwesenheit Gottes, d. h. der Vaterschaft Gottes.*« Durch die Ordnung der Welt geht ein furchtbarer Riß; die Intrige des Franz, selber schon Produkt der heillosen Störung, deckt diesen Riß schonungslos auf: Der Blindheit des Vaters und des Lieblingssohnes ist eine eigene unberechenbare Dynamik immanent, die sich in einem anmaßenden Vergeltungsdrang niederschlägt (das negative Moment der blasphemischen Anmaßung, der antigöttlichen »superbia« bei den Helden des jungen Schiller hat Adolf BECK hervorgehoben): »*Siehe, da fällts wie der Star von meinen Augen! was für ein Tor ich war, daß ich ins Käficht zurückwollte! – Mein Geist dürstet nach Taten, mein Atem nach Freiheit – Mörder, Räuber! – mit diesem Wort war das Gesetz unter meine Füße gerollt – Menschen haben Menschen vor mir verborgen, da ich an Menschheit appellierte, weg dann von mir Sympathie und menschliche Schonung! – Ich habe keinen Vater mehr, ich habe keine Liebe mehr, und Blut und Tod soll mich vergessen lehren, daß mir jemals etwas teuer war! Kommt, kommt! ... es bleibt dabei, ich bin euer Hauptmann!*«
Die Szene, in der dieser Entschluß fällt, ist typisch für die pathetischen Aufgipfelungen, auf die das Drama des Sturm und Drang ständig zutreibt. Explosionsartige Gebärden – Moor, so will es die Bühnenanweisung, »*tritt herein in wilder Bewegung und läuft heftig im Zimmer auf und nieder*«, wenig später »*schäumend auf die Erde stampfend*« – explosionsartige, durch Ausrufe, Superlative und rhetorische Parallelismen charakterisierte Sprachgesten übersetzen unmittelbar die destruktiven Affekte, die sich der Personen bemächtigt haben. Zwar scheint Karls Vergeltungsdrang legitim – er, der Leidende, tritt in den böhmischen Wäldern als Retter der Leidenden und Unterdrückten und als Richter der Tyrannen und Ausbeuter auf. Aber die tief gestörte Ordnung, gegen die er kämpft, wirft ihr Zwielicht auch über seine Taten: Er muß sie mit Kumpanen vollbringen, die nichts weiter sind als korrupte Räuber und Mörder (Spiegelberg), und er muß sie durch Mittel vollbringen, die auch Unschuldige vernichten (die Rettung des Freundes Roller vor dem Galgen schließt den Tod von Kindern, schwangeren Frauen und Greisen ein). Schillers religiös gefärbter Zweifel an der Weltordnung – hier klingt er schon in jener Dialektik von Mittel und Zweck an, die Max KOMMERELL als die Grundfigur seiner klassischen Dramen ausgewiesen hat: Der edle Zweck ist auf unedle Werkzeuge und Umstände angewiesen, die ihn gleichsam kompromittieren. Jeder Tat haftet der Makel jener ungerechten, gestörten Welt an, die sie bekämpfen wollte; jeder Täter muß sich auf diese Weise in Schuld verstricken. Das ist der Grund, warum Karl von seinem Handwerk ablassen will, warum er, Gefangener eines unbestechlichen Gewissens, die paradiesische Unschuld der Kindheit sich in Erinnerung ruft, mit unvergleichlich lyrischem Ton in jener Szene am Donauufer, die HÖLDERLIN so bewundert hat: »*Seht doch, wie schön das Getreide steht! – Die Bäume brechen fast unter ihrem Segen! – Der Weinstock voll Hoffnung ... Daß ich wiederkehren dürfte in meiner Mutter Leib! ... Es war eine Zeit, wo sie mir so gern flossen – o ihr Tage des Friedens! Du Schloß meines Vaters – ihr grünen, schwärmerischen Täler! O all ihr Elysiumszenen meiner Kindheit!*« Karls Entschluß, seiner Sehnsucht nachzugeben und unerkannt noch einmal das väterliche Schloß und die Geliebte aufzusuchen, wird hervorgerufen durch die melodramatische Erzählung des Räubers Kosinsky, die ein Spiegelbild seines eigenen Schicksals ist: eine jener epischen Einlagen, durch die Schiller in den *Räubern* die dramatischen Handlungsteile verklammert.
Im väterlichen Hause hat inzwischen Franz Moor durch ein »*Originalwerk*« an kühl auskalkulierten Intrigen den Vater in lähmende Verzweiflung und, wie er fälschlich meint, in den Tod gestürzt. Damit läßt sich die Zeitkritik, die in Schillers metaphysischen Grundzweifel eingewandert ist, genauer bezeichnen: Wenn er in Karls unreflektiertem Entschluß, Räuber zu werden, indirekt die zeitgenössische Idee vom genialen, den Leidenschaften anheimgegebenen Stürmer und Dränger kritisiert, so kritisiert er in Franzens bösen Räsonnements die mögliche Perversion des vom »Herzen« isolierten aufklärerischen Verstands. Einzig Amalia, Karls Geliebte, hat sich den Schachzügen des Bruders widersetzt. Nicht nur ist ihre unbedingte Treue zu Karl der idealistische Gegenpol im Drama zu den Metaphern einer erschütterten Weltordnung – auch die realistische Kraft, mit der sie Franz Widerstand leistet, bewahrt sie vor der allgemeinen Verblendung. Anstatt sie als unwirkliches künstliches Wesen von hochgespielter Empfindsamkeit zu charakterisieren, wie man es immer noch zu tun pflegt, wäre sie gerechter als Sinnbild bewußten Leids darzustellen, dessen Ausmaß durch das Erscheinen Karls unerträglich wird. Schiller hat die Ankunft des älteren Bruders genial zur Steigerung und Verschärfung des dramatischen Tempos auszunutzen vermocht. Die beiden letzten Akte erzwingen in einem unerhörten *accelerando* die Katastrophe. Zunächst errät Franz den verkleideten Bruder, ersinnt einen Mordplan, fürchtet bei hereinbrechender Nacht zusehends um das eigene Leben und gerät in eine Ge-

wissensangst, die er mit dem Verstand heftig zu übertäuben versucht. Ist schon sein verzweifeltes Hin und Her zwischen der Erfahrung und der Leugnung des Gewissens von bewegender Dramatik, so stellt sein Dialog mit dem Pfarrer Moser zur mitternächtlichen Stunde, dieser Handel um die Unsterblichkeit der Seele, eine erregende, gespenstische Situation von höchstem künstlerischem Rang dar. Franz nimmt wohl als erster Atheist in der modernen Literatur JEAN PAULS *»Es ist kein Gott«* vorweg, um desto intensiver die Existenz Gottes zu erfahren – und zwar in der für den jungen Schiller typischen Form der *»rachekundigen Nemesis«*. Das vom Gewissen etablierte Prinzip der strafenden Gerechtigkeit Gottes wölbt sich als sinngebender Überbau über die sinnverlassene, von einem prinzipiellen Zweifel in Frage gestellte Welt. (Hier spielen ohne Zweifel pietistisch gefärbte, in Alt-Württemberg intensiv ausgeprägte Erlebnisformen mit herein.)

Während Franz sich, ohne feig zu Kreuze zu kriechen, noch in derselben Nacht erdrosselt, bringt sich Karl dem sittlich-theologischen Prinzip bewußt zum Opfer dar. Auf die noch ganz verrätselte erste Wiederbegegnung mit Amalia folgt, in einer Reihe rasch aufgetürmter Katastrophen, Karls Einsicht in den so leicht durchschaubaren Betrug seines Bruders (*»oh ich blöder, blöder, blöder Tor!«*), dann die Entdeckung des Vaters in einem Hungerturm (eines der melodramatischen Versatzstücke der *Räuber* aus dem Bereich der Trivialliteratur), dann das für den Vater tödliche Bekenntnis des Räuberhandwerks, eingelagert in die ekstatische Erkennungsszene mit Amalia, die ganz expressionistisch und zugleich realistisch kühn in ihrer emotional geladenen Paradoxie wirkt: *»Mörder! Teufel! Ich kann dich Engel nicht lassen.«* Amalias verzweifelter Wunsch zu sterben entsteht zugleich mit ihrer Einsicht in die tragische Schuld Karls, der durch einen Eid wider seinen Willen an die Räuberbande gekettet ist. Er muß die Geliebte töten – eine unüberbietbare Steigerung seiner Schuld – und richtet dann sich selbst, erkennend, daß *»zwei Menschen wie ich den ganzen Bau der sittlichen Welt zugrund richten würden«*. Sein berühmter Entschluß, sich einem armen Tagelöhner auszuliefern und diesem dadurch zu einer großen Belohnung zu verhelfen (*»dem Mann kann geholfen werden«*), bezeichnet einen Sühneakt, der *»die mißhandelte Ordnung wiederum heilen«* soll.

Das auf der Karlsschule heimlich niedergeschriebene Drama geht auf eine Erzählung Christian Friedrich Daniel SCHUBARTS, eines Landsmannes von Schiller, zurück (*Zur Geschichte des menschlichen Herzens*, 1775). Andere, sehr intensive literarische Einflüsse hebt Schiller in seiner Selbstbesprechung hervor, indem er auf die verschiedenen, miteinander kontrastierenden Stilebenen seines Stückes hinweist. In der Tat vereinigt es die divergierenden literarischen Impulse, die Schiller durch eindringliche Lektüre empfing. Die empfindsame, lyrische Diktion des *Werther* und des *Ossian*, Enthusiasmus und Feierlichkeit der Oden KLOPSTOCKS, Anklänge an die *Bibel*, die gesellschaftsfeindliche Natur- und Idyllenvorstellung eines Rousseau werden in eine pathetisch-erhabene Sprachhaltung integriert, die gelegentlich auf Dramen des Sturm und Drang zurückweist (GOETHES *Goetz von Berlichingen*, GERSTENBERGS *Ugolino*, KLINGERS *Zwillinge* – typisch für diese Epoche ist vor allem das Motiv der feindlichen Brüder – LEISEWITZ' *Julius von Tarent*) und die noch geltenden Normen des klassischen französischen Theaters außer Kraft setzt (darauf spielt Schiller selbst in seiner *Vorrede* zu den *Räubern* an; besonders der Einfluß SHAKESPEARES, als dessen legitimen Erben in der deutschen Literatur die erste Kritik Schiller feierte, macht hier sich geltend).

Bereits zu Ostern 1782 ließ Schiller eine *Selbstbesprechung* veröffentlichen, die von begeisterten Anhängern des Stücks heftig kritisiert wurde. Die gereizte Reaktion von Herzog Karl Eugen – er untersagte Schiller, der ohne Erlaubnis einer Aufführung in Mannheim beigewohnt hatte, kategorisch das Dichten und drohte mit einer Festungsstrafe – veranlaßte Schiller zu dem ebenso mutigen wie abenteuerlichen Entschluß, am 22. September 1782 aus Stuttgart über die Grenze nach Mannheim zu fliehen. G Sa.

AUSGABEN: Ffm./Lpzg. 1781; Nachdr. Ffm. 1967, Hg. u. Einl. H. Kraft u. H. Steinhagen, 2 Bde. (Faks.-Drucke dt. Lit.; Faks.-Ausg.). – Mannheim 1782. – Lpzg. 1868 (RUB, 15; ern. Stg. 1964; m. Nachw.). – Stg./Bln. 1905 (in *SW*, Hg. E. v. d. Hellen u. a., 16 Bde., 1904/05, 3; *Säkular-Ausg.*). – Mchn./Lpzg. 1910 (in *SW*, 22 Bde., 1910–1926, 1; *Horen-Ausg.*). – Bln. 1921 (Einl. O. Zarek, Ill. K. Richter; Die Bücher des Dt. Theaters, 11). – Oxford 1949, Hg. C. P. Magill u. L. A. Willoughby. – Weimar 1953 (in *Werke*, Hg. J. Petersen u. H. Schneider, 1943 ff.; Bd. 3, Hg. H. Stubenrauch; *National-Ausg.*). – Mchn. 1958 (in *SW*, Hg. G. Fricke u. H. G. Göpfert, 5 Bde., 1958/59, 1). – Reinbek 1965, Hg. W. Hess, Essay G. Storz (RKl, 177/178).

BEARBEITUNGEN: R. Buchwald, *Die Räuber. Ein Schauspiel in 5 Akten*, Lpzg. 1943 [Bühnen-Ms.]. – L. Krell, *Die Räuber. Ein Schauspiel*, Mchn. 1947 [Ill. J. Blisch].

VERTONUNGEN: G. Verdi, *I Masnadieri* (Text: A. Maffei; Oper; Urauff.: Ldn., 22. 7. 1847, Her Majesty's Theatre). – G. Klebe, *Die Räuber* (Text: ders.; Oper; Urauff.: Düsseldorf, 3. 6. 1957, Deutsche Oper am Rhein).

VERFILMUNGEN: Deutschland 1907. – Deutschland 1913. – USA 1913. – USA 1914. – Deutschland 1967 (Regie: G. Keil).

LITERATUR: W. Liepe, *Der junge S. und Rousseau. Eine Nachprüfung der Rousseaulegende um den »Räuber« - Dichter* (in ZfdPh, 51, 1926, S. 299–328; ern. in W. L., *Beiträge zur Literatur- u. Geistesgeschichte*, Neumünster 1963, S. 29–64). – P. Böckmann, *Die innere Form in S.s Jugenddramen* (in Dichtung u. Volkstum, 35, 1934, S. 439–480). – G. Storz, *Die Urform des Schiller-Dramas: »Die Räuber«* (in Schwäbischer Schillerverein, 39, 1934/35, S. 26–52). – P. Böckmann, *Formgeschichte der deutschen Dichtung*, Bd. 1, Hbg. 1949, S. 668–694. – W. Müller-Seidel, *Das Pathetische und das Erhabene in S.s Jugenddramen*, Diss. Heidelberg 1949. – E. Blochmann, *Das Motiv vom verlorenen Sohn in S.s Räuberdrama* (in DVLG, 26, 1952, S. 76–99). – R. Minder, *S. et les »pères souabes«. Remarques à propos des »Räuber«* (in EG, 10, 1955, S. 145–154). – H. Mayer, *S.s Vorreden zu den »Räubern«* (in Goethe, 17, 1955, S. 45–59; auch in H. M., *Deutsche Literatur u. Weltliteratur. Reden u. Aufsätze*, Bln. 1957, S. 414–431). – A. Beck, *Die Krisis des Menschen im Drama des jungen S.* (in Euph, 49, 1955, S. 163–202; auch in *S. in unserer Zeit. Beiträge zum Schillerjahr 1955*, Weimar 1955, S. 119–153). – M. Kommerell, *S. als Gestalter des handelnden Menschen* (in M. K., *Geist u. Buchstabe der Dichtung. Goethe, S., Kleist, Hölderlin*, Ffm.

[4]1956, S. 132–174). – W. Vulpius, *S.-Bibliographie, 1893–1958*, Weimar 1959, S. 8–15, 291–307; 323 bis 330. – B. v. Wiese, *F. S.*, Stg. 1959. – O. Seidlin, *S.s »trügerische Zeichen«: Die Funktion der Briefe in seinen frühen Dramen* (in Jb. der Dt. Schiller-Ges., 4, 1960, S. 247–269; ern. in O. S., *Von Goethe zu Th. Mann. 12 Versuche*, Göttingen 1963, S. 94–119). G. Kraft, *Historische Studien zu S.s Schauspiel »Die Räuber«. Über eine mitteldeutsch-fränkische Räuberbande des 18. Jh.s*, Weimar 1959 (Beiträge zur dt. Klassik. Abh., 10). – M. Rouché, *Nature de la liberté, légitimité de l'insurrection dans »Les brigands« et »Guillaume Tell«* (in EG, 14, 1959, S, 403–410). – H. Schwerte, *S.s »Räuber«* (in Der Deutschunterricht, 12, 1960, H. 2, S. 18–41; ern. in *Interpretationen*, Hg. J. Schillemeit, Bd. 2, Ffm./Hbg. 1966; FiBü, 699). E. Staiger, *Das große Ich in S.s »Räubern«* (in *Theater–Wahrheit u. Wirklichkeit. Freundesgabe zum 60. Geburtstag von K. Hirschfeld*, Zürich 1962, S. 90–103). – H. Budenbender, *Das Familiendrama Sickingen. Sein Verlauf u. sein möglicher Zusammenhang mit S.s »Räubern«* (in Mitt. des Hist. Ver. der Pfalz, 61, 1963, S. 161 200). – W. Grenzmann, *Der junge S. »Die Räuber« »Kabale und Liebe«*, Paderborn 1964. – P. Michelsen, *Studien zu S.s »Räubern«*, Tl. 1 (in Jb. der Dt. Schiller-Ges., 8, 1964, S. 57–111). – K. S. Guthke, *Räuber Moors Glück u. Ende* (in GQ, 39, 1966, S. 1–11). – W. Vulpius, *S.-Bibliographie, 1959–1963*, Bln./Weimar 1967, S. 8–11; 37/38; 91–97; 102–104.

ÜBER ANMUT UND WÜRDE. Philosophischer Essay von Friedrich von SCHILLER (1759–1805), erschienen 1793 in Schillers Zeitschrift ›Neue Thalia‹. – Mangel an Beiträgen für seine Zeitschrift veranlaßte Schiller im Mai/Juni 1793 zur Abfassung der Abhandlung. Sie kann als erstes größeres Zeugnis seiner Bemühungen um eine philosophische Klärung des Schönheitsbegriffs gelten. »... *die Kantische Theorie, die in seiner Critik der aesthetischen Urteilskraft aufgestellt ist, war die nächste Veranlassung für mich, diesen Begriff zu entwickeln*« (Brief vom 7. 3. 1793 an den Maler und Kunsttheoretiker Johann Heinrich RAMBERG). Gedacht war dabei zunächst an eine »*kunstmäßige Einkleidung*« in Gesprächsform, ein Plan, der seit Dezember 1792 im Briefwechsel mit Christian Gottfried KÖRNER unter dem Namen »Kallias« erörtert wird, bis Schiller am 24. 10. 1793 mitteilt, er gedenke »*die Theorie der Schönheit ... in einer Reihe von Briefen an den Prinzen von Augustenburg zu entwickeln*«, aus denen dann die Schrift *Über die ästhetische Erziehung des Menschen* (1795) hervorgegangen ist. Hatte KANT »*die Unmöglichkeit eines objectiven Princips für den Geschmack*« (Brief Schillers vom 25. 1. 1793 an Körner) behauptet, so glaubt Schiller, »*ein bejahendes objectives Merkmal der Freyheit in der Erscheinung*« gefunden zu haben (5. 5. 1793 an Körner). Im Umkreis dieser theoretischen Überlegungen stellt die Abhandlung *Über Anmut und Würde* die erste ausführliche Niederschrift dar. Nur aufgrund intensiver Vorarbeit im brieflichen Dialog mit Körner sowie seiner Vertrautheit mit der ästhetischen Diskussion seit BAUMGARTEN und SHAFTESBURY war es Schiller trotz seines angegriffenen Gesundheitszustandes möglich, den Zeitschriftenbeitrag in knapp sechs Wochen fertigzustellen. Dem Freund schreibt er am 20. 6. 1793, nach Abschluß der Arbeit: »*Betrachte sie als eine Art von Vorläufer meiner Theorie des Schönen.*« – Dem vorläufigen Charakter entspricht die zweckmäßige Einschränkung des Aufsatzes, der eine »*Analytik des Schönen*« in Aussicht stellt, auf die im Titel erscheinenden ästhetischen Begriffe »Anmut« und »Würde«. Im Unterschied zu den Briefen *Über die ästhetische Erziehung des Menschen*, die die Schönheitstheorie einem staats- und geschichtsphilosophischen Rahmen einfügen, behandelt Schiller seinen Gegenstand hier unter systematischem Aspekt.

Ausgehend von einer Auslegung der griechischen »Allegorie«, die der Göttin der Schönheit als Attribut einen Anmut verleihenden Gürtel und die Grazien zum Gefolge gibt, entwickelt Schiller seine Definition der Anmut als vom Subjekt hervorgebrachte Schönheit der Bewegung. Als deren Gegenstück erweist sich die »*architektonische Schönheit*« als von der Natur hervorgebrachte (statische) Schönheit des menschlichen Körperbaus. Dessen einer Vernunftidee entsprechende Zweckmäßigkeit und technische Vollkommenheit will Schiller, anders als Kant (§ 16 der *Kritik der Urteilskraft*), aufs strengste unterschieden wissen von der sinnlichen Erscheinung, die allein ihm Gegenstand des ästhetischen Urteils ist. Das Problem eines mittelbaren Zusammenhangs zwischen Sinnenwelt und Vernunft bestimmt die folgenden Überlegungen: Die sinnliche Erscheinung als (von der Vernunft) »*unabhängiger Natureffekt*«, wird von der Vernunft »*übersinnlich behandelt*«, mit einer »*höheren Bedeutung*« versehen und so zum Ausdruck eines Vernunftbegriffs gemacht. So gelingt es Schiller, die Gegensätze zu vermitteln: Die Schönheit empfängt ihre Existenz von der Sinnenwelt und erhält »*Bürgerrecht*« in der Vernunftwelt. Entsprechend fungiert der Geschmack als Vermittler, der »*dem Materiellen die Achtung der Vernunft*« und »*dem Rationalen die Zuneigung der Sinne erwirbt*«. – Der naturgesetzlich bestimmten architektonischen Schönheit des Gliederbaus steht allein beim Menschen eine Schönheit des Spiels gegenüber, die in seiner Personhaftigkeit begründet ist. Anmut wird jetzt philosophisch definiert als »*Schönheit der Gestalt unter dem Einfluß der Freyheit*«. Sie manifestiert sich »*in demjenigen, was bey absichtlichen Bewegungen unabsichtlich, zugleich aber einer moralischen Ursache im Gemüth entsprechend ist*«. Die Physiognomik, die Schiller dann anhand der Kriterien von »*stummer*« und »*sprechender Bildung*« skizziert, ist Einsichten verpflichtet, die er schon in § 22 seiner Dissertation *Versuch über den Zusammenhang der thierischen Natur des Menschen mit seiner geistigen* (1780) ausgesprochen hatte.

Mit den Reflexionen über »*die menschliche Bildung unter dem Regiment des Geistes*«, die wiederholt politische Herrschaftsformen zum Vergleich heranziehen, nähert sich Schiller dem Zentrum seiner Erörterung. Er deduziert dreierlei mögliche Verhältnisse zwischen dem sinnlichen Teil des Menschen und seinem vernünftigen Teil: Herrschaft der Sinne über die Vernunft (Ochlokratie), Herrschaft der Vernunft über die Sinne (Monarchie) und die Harmonie beider (liberale Regierung). In den beiden ersten Fällen übt jeweils ein Teil Gewalt über den andern. Allein der dritte liefert die Bedingung für die Schönheit des Spiels, den Zustand, »*wo Vernunft und Sinnlichkeit – Pflicht und Neigung – zusammenstimmen*«. Hier setzt nun die bei aller Verehrung unmißverständlich formulierte Distanzierung von Kants moralischem Rigorismus ein: Der Sinnlichkeit, deren Ansprüche »*im Felde der reinen Vernunft, und bey der moralischen Gesetzgebung*« nicht berücksichtigt werden können, räumt Schiller einen Platz ein »*im Felde der Erscheinung, und bey der wirklichen Ausübung der Sittenpflicht«* – damit setzt er die Schönheit ins Gebiet der praktischen Vernunft. Statt auf die einzelne sittliche Handlung legt Schiller den Akzent auf den Menschen als sittliches Wesen, welches er nicht im Widerspruch zu seiner Doppelnatur als *»vernünftig sinnliches Wesen«* sein kann und soll. Gegenüber der *»imperatifen Form des Moralgesetzes«* bei Kant plädiert Schiller für eine Sittlichkeit, die zugleich schön ist; der Mensch *»soll seiner Vernunft mit Freuden gehorchen«*. Erst diese Übereinstimmung von Pflicht und Neigung ist für Schiller das *»Siegel der vollendeten Menschheit«* und Zeichen der »schönen Seele«. In ihr harmonieren Sinnlichkeit und Vernunft, *»und Grazie ist ihr Ausdruck in der Erscheinung«*. Die philosophische Diktion steigert sich beim Entwurf dieses Ideals zu einer hymnisch bewegten Sprache. Indessen – Schiller bleibt sich bewußt, daß dies *»bloß eine Idee«* ist, dem Menschen zwar aufgegeben, aber nie ganz erreichbar aufgrund der *»physischen Bedingungen seines Daseyns selbst, die ihn daran verhindern«*.

So wirkt es wie eine unausdrückliche Rückkehr zu Kant und seinen Gedanken über das Erhabene, wenn Schiller unter der Überschrift »Würde« wieder auf jenen Fall zu sprechen kommt, in dem die *»Gesetzgebung der Natur durch den Trieb ... mit der Gesetzgebung der Vernunft aus Principien in Streit«* gerät. Der Wille wird als diejenige Instanz beschrieben, die beim Menschen als Naturkraft zwar frei, als moralische Kraft aber verpflichtet ist, sich zu der vernünftigen zu schlagen. Er handelt dann gegen die Neigung, nicht mehr moralisch schön, sondern moralisch groß. Die schöne Seele *»geht ins heroische über«*. Der Ausdruck solcher Geistesfreiheit in der Erscheinung ist Würde. – Nach dieser Definition sucht Schiller, zunächst wieder unter dem Gesichtspunkt der Bewegung, dann in Beziehung auf das seiner Schrift zugrundeliegende Menschenbild, die beiden ästhetischen Begriffe gegeneinander abzugrenzen. *»Überhaupt gilt hier das Gesetz, daß der Mensch alles mit Anmuth thun müsse, was er innerhalb seiner Menschheit verrichten kann, und alles mit Würde, welches zu verrichten er über seine Menschheit hinaus gehen muß.«* In einer letzten Anstrengung um ein synthetisches, die Einheit der widersprüchlichen Prinzipien gewährleistendes Menschenbild entwirft Schiller schließlich das Ideal eines Anmut und Würde in sich vereinigenden Menschen, wofür ihm die Skulpturen der griechischen Antike Inbegriff und Bestätigung bedeuten. *»Sind Anmuth und Würde, jene noch durch architektonische Schönheit, diese durch Kraft unterstützt, in derselben Person vereinigt, so ist der Ausdruck der Menschheit in ihr vollendet, und sie steht da, gerechtfertigt in der Geisterwelt, und freygesprochen in der Erscheinung.«*

Die Abhandlung hat hier, auch in sprachlicher Hinsicht, ihren Höhepunkt erreicht. Was folgt, macht eher den Eindruck eines Anhängsels, in dem mit psychologischem Scharfsinn die Wirkungen der beiden ästhetischen Phänomene Anmut und Würde (Wohlgefallen bzw. Achtung) erwogen und im Anschluß daran ihre graduellen Abstufungen bis zu den Höchstformen des Bezaubernden bzw. der Majestät und zu den Perversionen in Ziererei bzw. Gravität analysiert werden. Der aus den Umständen der Entstehung erklärliche etwas unvermittelte Schluß vermag der Bedeutung der Schrift als erste theoretische Manifestation von Schillers klassisch-idealistischem Menschenbild und Schönheitsbegriff keinen Abbruch zu tun. H. Lk.

AUSGABEN: Lpzg. 1793 (in Neue Thalia, 3, 2. Stück). – Lpzg. 1793. – Lpzg. 1800 (in *Kleinere prosaische Schriften*, 2. Tl.). – Stg. 1904 (in *SW*, Hg. E. v. d. Hellen u. a., 16 Bde., 1904/05, 11; *Säkular-Ausg.*). – Mchn./Lpzg. 1913 (in *SW*, 22 Bde., 1913/14, 9; *Horen-Ausg.*). – Bern 1947 (Parnaß-Bücherei, 66). – Mchn. 1959 (in *SW*, Hg. G. Fricke u. H. G. Goepfert, 5 Bde., 1958/59, 5). – Weimar 1962/63 (in *Werke*, 1943ff.; Bd. 20/21, Hg. B. v. Wiese; *National-Ausg.*).

LITERATUR: A. Wislicenus, *S.s »Über Anmut und Würde«*, Lpzg. 1909. – K. Hamburger, *S.s Fragment »Der Menschenfeind« und die Idee der Kalokagathie* (in DVLG, 30, 1956, S. 367–400; ern. in K. H., *Philosophie der Dichter*, Stg. 1966). – B. v. Wiese, *F. S.*, Stg. 1959, S. 462–478. – H. Koopmann, *F. S.*, 2 Bde., Stg. 1966 (Slg. Metzler, 50/51). – *Dichter über ihre Dichtungen. F. S. von den Anfängen bis 1795*, Hg. B. Lecke, Mchn. 1969, S. 584–598.

ÜBER DIE ÄSTHETISCHE ERZIEHUNG DES MENSCHEN, IN EINER REIHE VON BRIEFEN.

Philosophisch-ästhetische Abhandlung von Friedrich von SCHILLER (1759–1805), geschrieben 1793 an den Herzog Friedrich Christian von Holstein-Augustenburg, erschienen 1795 in Schillers Zeitschrift ›Die Horen‹. – Das Werk entstammt der Periode theoretischer Besinnung zwischen dem *Don Carlos* (1787) und der *Wallenstein*-Trilogie (1798). Seine Vorstufe bildet eine Folge von Briefen, die Schiller 1793 an den dänischen Erbprinzen richtete als Dankesbezeugung für das dreijährige Stipendium, das ihm von diesem in einer durch Krankheit bedrängten Lage ausgestellt worden war. Diese Briefe hat Schiller 1795 in z. T. stark überarbeiteter und erweiterter Form in den ›Horen‹ veröffentlicht.

Die Besonderheit der Abhandlung besteht in der beständigen Konkurrenz zweier Zielsetzungen. Die Briefe sind einerseits Schillers dritter Anlauf zu einer transzendentalphilosophischen Deduktion des Schönheitsbegriffs im Anschluß und Unterschied zu KANT, ein theoretisches Anliegen, das zuerst im Briefwechsel mit Ch. G. KÖRNER auftaucht *(Kallias, oder über die Schönheit)*. Die unmittelbar vor den Briefen an den Augustenburger entstandene Abhandlung *Über Anmut und Würde* (1793) hat Schiller selbst als *»eine Art von Vorläufer meiner Theorie des Schönen«* bezeichnet (Brief vom 20. 6. 1793 an Körner), und im Brief vom 9. 2. 1793 kündigt er dem dänischen Prinzen *»Ideen über die Philosophie des Schönen«* an. Andererseits enthalten diese Vorstufen zu einer *»Analytik des Schönen«*, sobald sie dessen Wirkungen berücksichtigen, einen Ansatz, der von den *»Principien der schönen Kunst«* (20. 6. 1793 an Körner) weiterführt zu der Frage nach der Funktion des Schönen. Dies ist das zweite Anliegen der Abhandlung: eine Ortsbestimmung der Kunst innerhalb der Kulturentwicklung der Menschheit allgemein und speziell in Schillers eigener historischer Situation nach der Erfahrung der Französischen Revolution. Deshalb stellt Schiller seine Philosophie des Schönen hier von Anfang an in einen staats- und geschichtsphilosophischen Rahmen. – Der Prinz hatte Schiller *»die Freiheit des Vortrags«* zur Pflicht gemacht, und die Briefgattung – eine der Zeit geläufige Form der ästhetischen Diskussion (MENDELSSOHN, LESSING, HERDER u. a.) – kam einer nicht streng systematischen Verfahrensweise entgegen. Die tatsächliche Struktur der

Brieffolge ist denn auch bestimmt von der Spannung zwischen analytischen Partien, deduktiver Erörterung und konstruktivem idealem Entwurf, der sich als Selbstzweck durchzusetzen strebt.
Dies gilt schon für die Briefe 1-10. Die Kritik am eigenen Zeitalter wird begleitet von dem Versuch, ein positives Gegenkonzept zu entwerfen, demzufolge »*der Mensch in der Zeit zum Menschen in der Idee sich veredelt*«. Griechenland kann hierfür zwar als Ideal, aber nicht mehr als historische Möglichkeit gelten, denn der seit »*jenem schönen Erwachen der Geisteskräfte*« erfolgte Fortschritt der Verstandeskultur ist irreversibel. In Schillers geschichtsphilosophischer Spekulation kommt nun der Kunst die zentrale Rolle zu, als ein Werkzeug der Kultur den Staat der Vernunft vorbereitend zu ermöglichen, und zwar durch Ausbildung des Empfindungsvermögens; denn die einseitige Aufklärung des Verstandes, so hat sich gezeigt, genügt nicht, um die tatsächliche Ohnmacht der Vernunft gegenüber der Politik aufzuheben. Aus der Erkenntnis der realen Zustände erwächst das Projekt ihrer Veränderung, das im 9. Brief eine begeisterte Formulierung erfährt. In betonter Absetzung von den Formen der Anpassung an den Zeitgeist (Regelhaftigkeit bzw. erschlaffendes Vergnügen als Ziele der Kunst), in deutlicher Distanzierung auch von einer »*unmittelbar auf die Gegenwart und auf das handelnde Leben*« gerichteten Kunst, die »*auf die dürftige Geburt der Zeit den Maßstab des Unbedingten anwendet*«, fordert Schiller von der Kunst, »*aus dem Bunde des Möglichen*« (Reich der Phantasie) »*mit dem Nothwendigen*« (Reich der Vernunft und des sittlich Wahren) »*das Ideal zu erzeugen*«. Umgeben von solchen »*Symbolen des Vortrefflichen*« wird der Mensch allmählich erzogen, »*bis der Schein die Wirklichkeit und die Kunst die Natur überwindet*«. Das visionär entworfene Programm bedarf einer Fundierung, um welche sich die folgenden Briefe bemühen. Gegenüber möglichen Einwänden empirischer Art betont Schiller den reinen Vernunftbegriff der Schönheit, der seiner Theorie zugrunde liegt. Um ihn abzusichern, begibt er sich eine Zeitlang auf den »*transcendentalen Weg*«, der es erlauben soll, die Funktion der Kunst und der Schönheit aus dem Begriff der Menschheit abzuleiten. Die Anthropologie der Briefe 11-15 basiert auf dem für Schiller kennzeichnenden dualistischen Denkschema, das auf Vermittlung durch Synthese zielt. Der Trieb, der die Vielfalt der Materie in die Einheit der Vernunft zu überführen strebt, ist, als Formtrieb, das Gegenstück zum sinnlichen oder Stofftrieb, der sich in der momentanen Empfindung je einzelner Fälle erfüllt. Die Verbindung beider Triebe im Spieltrieb bezweckt die Selbständigkeit (moralische Freiheit) der Person zugleich mit der Fülle des Daseins. Ein Gegenstand, dessen Anschauung den Menschen diese ideale Einheit empfinden ließe, »*würde ihm zu einem Symbol seiner ausgeführten Bestimmung, folglich ... zu einer Darstellung des Unendlichen dienen*«. Ein solcher Gegenstand ist, als ideale Synthese von Leben und Gestalt, Dasein und Form, die »*lebende Gestalt*«, die mit Schillers Definition der Schönheit identisch ist. Die Anschauung dieses Schönen erfolgt »*zugleich in dem Zustand der höchsten Ruhe und der höchsten Bewegung*«, d. h. im ästhetischen Zustand. Dieser ideale Zustand des Gleichgewichts ist Ausgangs- und Zielpunkt für eine (nicht zu Ende geführte) Typologie des Schönen anhand seiner verschiedenen Wirkungsweisen auf dem »*Schauplatz der Wirklichkeit*« (Brief 16-22). In Brief 23 projiziert Schiller seine Ergebnisse nochmals auf den Gang der Geschichte: Die Menschheit soll sich vom physischen Zustand über den ästhetischen Zustand in den logisch-moralischen erheben. Dagegen entwirft Brief 26 die für Schillers Kunsttheorie fundamentale Möglichkeit, den Bereich der Schönheit mittels der Einbildungskraft zu erweitern. Da diese frei (autonom) ist, vermag sie der gegebenen Wirklichkeit jederzeit den schönen Schein als Werk des Menschen entgegenzusetzen. Im Unterschied zum logischen Schein (Betrug) ist der ästhetische Schein als Spiel stets aufrichtig, weil er »*sich von allem Anspruch auf Realität ausdrücklich lossagt*«. Dies Reich des Schönen ist zugleich der Ort, an dem das Individuum mit der Gattung in Einklang stehen kann; es ist der mittlere Zustand zwischen dem vom Bedürfnis des einzelnen regierten dynamischen Staat der Kraft und dem der Gattung angemessenen ethischen Vernunftstaat, der nicht durch Gesetze des Verstandes erzwungen, sondern nur über die ästhetische Freiheit realisiert werden kann – ein Ergebnis, das mit der Anfangsthese der Abhandlung übereinstimmt.
Der scheinbare Widerspruch des Werks, daß nämlich an seinem (von Schiller als vorläufig verstandenen) Ende der ästhetische Staat zugleich als Mittel und als Zweck erscheint, läßt sich wohl folgendermaßen erklären: Der Fluchtpunkt der theoretischen Linie blieb zwar kantisch, wenn nicht mehr als »Analytik des Schönen«, so doch als der ethische Vernunftstaat. Aber auf dem Wege dorthin, der ja durch die ästhetische Erziehung verlaufen sollte, lag für Schiller zugleich, als Ergebnis intensiven Nachdenkens über die Rolle der Kunst, die Klärung seines Selbstverständnisses als Dichter. Dies Anliegen überlagert in Form idealer Entwürfe immer wieder die deduktive Erörterung und war anscheinend dringlicher als das anspruchsvolle philosophische Vorhaben, das schließlich zugunsten poetischer Werke liegenblieb. (Den letzten größeren Versuch einer theoretischen Klärung bildet die Abhandlung *Über naive und sentimentalische Dichtung*, 1795/96, die den idealistischen Geschichtsentwurf mittels der Kategorien des Naiven und des Sentimentalischen konkretisiert und anstelle der allgemeinen Philosophie des Schönen die Theorie einzelner Gattungen der poetischen Darstellung treten läßt.) Die Briefe *Über die ästhetische Erziehung des Menschen* dokumentieren in ihrer vorliegenden Gestalt zwar nicht einen prinzipiellen Wandel des utopischen theoretischen Konzepts, wohl aber Schillers praktisches Votum zugunsten der je aktuellen befreienden Leistung der Kunst. »*So ist die ästhetische Freiheit der ethischen zugleich unter- und überlegen. Sie ist ihr unterlegen, weil sie immer nur leitbildhafte Vorbereitung, bloße Vorwegnahme im Phantasie-Bereich des Möglichen ist, innerhalb der Wirklichkeit aber nur ›Schein‹ bleibt. Sie ist ihr überlegen, weil sie*« (zwar noch nicht die Gattung, aber wenigstens schon) »*das Individuum in Freiheit setzt ...*« (B. v. Wiese, Kommentar der *Nationalausgabe*, Bd. 21). Mit dieser Kunsttheorie hat Schiller den Boden für die Kunstreligion der Romantik ebenso bereitet, wie er damit am Anfang der Entwicklung zur modernen Dichtung steht. Die Vorstellung von der Erziehung des Menschen knüpft andererseits an utopische Gedanken der Aufklärung an, eine Tradition, in deren Konsequenz die Philosophie Herbert MARCUSES auf Schillers Idee der ästhetischen Erziehung zurückgreifen kann. H. Lk.

AUSGABEN: Tübingen 1795 (in Die Horen, 1., 2. u.

6. Stück). – Lpzg. 1801 (in *Kleinere prosaische Schriften*, Bd. 3). – Stg./Bln. 1904 (in *SW*, Hg. E. v. d. Hellen, 16 Bde., 1904/05, 11; *Säkular-Ausg.*). – Mchn./Lpzg. 1913 (in *SW*, 22 Bde., 1910–1926, 10; *Horen-Ausg.*). – Mchn. 1959 (in *SW*, Hg. G. Fricke u. H. G. Goepfert, 5 Bde., 1958/59, 5). – Weimar 1962/63 (in *Werke*, 1943ff.; Bd. 20/21, Hg. B. v. Wiese; *National-Ausg.*).

LITERATUR: W. Böhm, *S.s »Briefe über die ästhetische Erziehung ...«*, Halle 1927 (DVLG, Buchr., 11). – E. Lichtenstein, *S.s »Briefe über die ästhetische Erziehung« zwischen Kant und Fichte* (in AfGPh, 39, 1929, S. 102–114; 274–294). – E. Spranger, *S.s Geistesart gespiegelt in seinen philosophischen Schriften und Gedichten*, Bln. 1941. – E. M. Wilkinson, *Zur Sprache und Struktur der »Ästhetischen Briefe«* (in Akzente, 6, 1959, S. 389–418). – H. Meyer, *S.s philosophische Rhetorik* (in Euph, 53, 1959, S. 313–350). – G. Rohrmoser, *Zum Problem der ästhetischen Versöhnung. S. und Hegel* (ebd., S. 351–366). – W. Rasch, *Schein, Spiel und Kunst in der Anschauung S.s* (in WW, 10, 1960, S. 2–13). – B. v. Wiese, *F. S.*, Stg. [3]1963. – E. Lohner, *S. und die moderne Lyrik*, Göttingen 1964. – H. Koopmann, *F. S.*, 2 Bde., Stg. 1966 (Slg. Metzler, 50/51). – C. L. Price, *W. v. Humboldt und S.s »Briefe über die ästhetische Erziehung ...«* (in Jb. der Dt. Schillerges., 11, 1967, S. 358–373).

ÜBER DIE TRAGISCHE KUNST. Abhandlung von Friedrich von SCHILLER (1759–1805), erschienen 1792 in der von Schiller herausgegebenen Zeitschrift ›Neue Thalia‹. – Die Schrift ist von Schiller wohl als Fortsetzung der früheren *Über den Grund des Vergnügens an tragischen Gegenständen* (1792 im 1. Stück der ›Neuen Thalia‹) gedacht; beide gehen zurück auf Arbeiten an einer Theorie der Tragödie seit Sommer 1790, über die Schiller auch eine Vorlesung gehalten hat.

Unmittelbar nach seiner Begegnung mit KANT, mit dessen *Kritik der Urteilskraft* (1790) er sich seit 1791 auseinandersetzte, entwickelt Schiller hier – »*bloß allein aus eigenen Erfahrungen und Vernunftschlüssen*«, wie er einschränkend sagt – seine Vorstellungen über Aufgabe und Leistung der Tragödie. – Die bewußte Anlehnung an Kant, besonders an dessen Theorie des Erhabenen, ist vor allem darin zu sehen, daß Schiller »*das Vergnügen des Mitleids*«, worin er den höchsten »*Zweck*« der tragischen Kunst erblickt, weniger ästhetisch als moralisch begründet: Den befriedigten »*Trieb der Tätigkeit, von welchem unser Vergnügen an traurigen Rührungen seinen Ursprung*« ziehe, versteht er als »*freie Wirksamkeit der Vernunft*«. Auf LESSINGS *Hamburgische Dramaturgie* (1767–1769) und MENDELSSOHNS *Briefe über die Empfindungen* (1755) stützt sich Schiller vor allem, wenn er auf die Wirkungsbedingungen beim Zuschauer und damit auf die theatralischen Mittel selbst eingeht. – Der Weg, über den der Tragödiendichter an sein Ziel führt, ist die Illusion *(»Verwechslung«)*. Sie wird aufgebaut durch auswählende »*Nachahmung der Natur*«, durch Versinnlichung einer Handlung (ARISTOTELES, *Poetik*). Der erfundene oder poetisch nachgestaltete Handlungszusammenhang soll getragen sein von der – als gegeben vorausgesetzten – allgemeinen psychologischen Erfahrung, daß »*der mitgeteilte Affekt überhaupt ... und vorzüglich der traurige ... etwas Ergötzendes für uns habe*«. Ausführlich werden die Umstände abgewogen, welche »*die zum Mitleid so unentbehrliche Täuschung*« stören können, und die Kunstgriffe, welche durch Gradation der Eindrücke (Wirkungsästhetik) die Anschaulichkeit so geschickt bemessen helfen, daß schließlich der Kampf zwischen der Verhaftung unseres Gemüts an die dargestellten Leiden *(»Sinnlichkeit«)* und unserer moralischen Freiheit ihnen gegenüber *(»Sittlichkeit«)* zugunsten der »*Selbsttätigkeit*« entschieden werden mag. Das auf den Menschen als Gattung, nicht als Individuum bezogene Vergnügen des Mitleids soll uns in den Stand setzen, »*mit uns selbst wie mit Fremdlingen umzugehen*«.

Zwar schließt sich Schiller in der Diskussion der theatralischen Mittel weitgehend an frühere eigene Entwürfe an, aber seine Vorstellungen von der Funktion der Tragödie und der Kunst überhaupt haben sich gewandelt. Eine über die »*weltliche*« hinausreichende »*Gerichtsbarkeit*« wird der Bühne nicht mehr zugemutet, kein »*schauervoller Unterricht*« auf dem Theater erwartet (vgl. *Was kann eine gute stehende Schaubühne wirken?*, 1784). Die ausdrückliche Kritik der vorliegenden Schrift an Gestalten wie dem Franz Moor der *Räuber* (1781) soll unser Vergnügen an der »*Zweckmäßigkeit*«, mit der ein großer Bösewicht seine Ziele verfolgt, nicht abschneiden, es aber aufheben im höheren Vergnügen des Mitleids. Durchaus mit Aristoteles und Lessing gibt Schiller so der tragischen Handlung größeres Gewicht gegenüber dem tragischen Helden. Damit werden aber auch die Konfliktsituationen zunehmend weniger in der Entscheidung des einzelnen begründet, sondern letztlich mit dem »*Zwang der Umstände*«, denn »*derjenige welcher leidet*« und »*derjenige, welcher Leiden verursacht*« müssen gleichermaßen unser Mitleid fordern.

Es würde historischen Sinn vermissen lassen, wollte man heute die Schillersche – über die Tragödienhandlung vermittelte – »*erquickende Vorstellung der vollkommenen Zweckmäßigkeit im Großen und Ganzen der Natur*« von BRECHT her beurteilen und dessen am Bewußtsein der Veränderbarkeit gesellschaftlicher Zustände orientierte Kritik der Einfühlung und des Illusionstheaters anlegen. Von kleineren Widersprüchen abgesehen (z. B. die Funktion von »*Sittensprüchen*« in dramatischer Illusion) ist aber wohl Schillers Kritik am Schicksalsbegriff der antiken Tragödie, der die Vernunft nicht befriedigen könne, nach wie vor umstritten, obwohl hier noch am ehesten Bezüge zum nichtaristotelischen Theater zu entdecken wären. Schillers Theorie des Tragischen ist vor allem im 19. Jh. wirksam gewesen (u. a. bei Friedrich HEBBEL).

Bemerkenswert in Schillers Abhandlung ist eine, wenn auch nur am Rande vorgetragene, Ortsbestimmung der Kunst im Ensemble gesellschaftlich-kultureller Äußerungen. Er nimmt dabei gewisse poesiefeindliche Tendenzen der Aufklärung ebenso auf, wie er auf HEGELS Wort vom »*Ende der Kunst*« (Einleitung in die *Vorlesungen zur Ästhetik*) vorauszudeuten scheint: Von der Behauptung, daß »*die moderne Kultur überhaupt der Poesie nicht günstig*« sei, will der Dramatiker Schiller jedoch die Tragödie weitgehend ausgenommen wissen, denn sie ruhe »*mehr auf dem Sittlichen*«. Später, vor allem in den Briefen *Über die ästhetische Erziehung* (1795), betont Schiller dann stärker den Charakter der Kunst als Spiel, als Möglichkeit und sieht darin eine wesentliche Bedingung zu Freiheit und Sittlichkeit.

H. Kl.

AUSGABEN: Lpzg. 1792 (in Neue Thalia, 1, 2.

Stück). – Lpzg. 1802 (in *Kleinere prosaische Schriften*, Bd. 4). – Stg./Bln. 1905 (in *SW*, Hg. E. v. d. Hellen, 16 Bde., 1904/05, 11; *Säkular-Ausg.*). – Mchn./Lpzg. 1913 (in *SW*, 22 Bde., 1913–1924, 9; *Horen-Ausg.*). – Mchn. 1959 (in *SW*, Hg. G. Fricke u. H. G. Goepfert, 5 Bde., 1958/59, 5). – Weimar 1962 (in *Werke*, 1943ff.; Bd. 20/21, Hg. B. v. Wiese; *National-Ausg.*).

LITERATUR: P. Hensel, *Schiller als Philosoph und seine Beziehungen zu Kant*, Festgabe der KSt, Hg. H. Vaihinger u. B. Bauch, Bln. 1905. – G. Wagner, *Die Schicksalserfahrung S.s*, Diss. Göttingen 1948. – H. Reiner, *Pflicht und Neigung. Die Grundlagen der Sittlichkeit erörtert und neu bestimmt mit besonderem Bezug auf Kant u. S.*, Meisenheim/Glan 1951. – J. W. Appelbaum, *S.'s View of Tragedy in the Light of His General Aesthetic Theory*, Diss. Ldn. 1951/52. – G. Lukács, *Zur Ästhetik S.s. Die Probleme der objektiven Dialektik und die Schranke des Idealismus* (in *S. in unserer Zeit*, Weimar 1957, S. 269–293). – E. Bock, *Über das Verhältnis von Ethik und Ästhetik in S.'s philos. Schriften*, Diss. Lpzg. 1958. – G. Rohrmoser, *Theodizee und Tragödie* (in WW, 9, 1959, S. 329–338). – H. Rheder, *Zum Problem der ›Erschütterung‹ in S.s Dichtung und Gedankenwelt* (in *S. 1759/1959*, Hg. J. R. Frey, Urbana 1959, S. 104–128). – B. v. Wiese, *Die deutsche Tragödie von Lessing bis Hebbel*, Hbg. [7]1967. – H. Koopmann, *F. S.*, 2 Bde., Stg. 1966 (Slg. Metzler, 50/51).

ÜBER NAIVE UND SENTIMENTALISCHE DICHTUNG. Philosophisch-ästhetische Abhandlung von Friedrich von SCHILLER (1759–1805), zuerst in drei Folgen veröffentlicht in der Zeitschrift ›Die Horen‹ 1795/96, mit dem Gesamttitel erstmals erschienen 1800.

Das für das 18. Jh. typische Interesse am »Naiven«, also an den vermeintlich unbearbeiteten Gegenständen der Natur als Landschaft und an der durch Zivilisation scheinbar nicht verfälschten menschlichen Natur (am Kind, in ländlichen Sitten und vor allem in der Poesie des Altertums), interpretiert Schiller als Kompensation einer Entfremdung von Gefühl und Reflexion, Phantasie und Rationalität, zivilisatorischem Zwang und Freiheit, Einzelmensch und Gesellschaft. Es handele sich nicht nur um ein ästhetisches Interesse an solchen Gegenständen, sondern um ein moralisches an der durch diese Gegenstände dargestellten Idee des »*Daseins nach eigenen Gesetzen*«, der »*ewigen Einheit mit sich selbst*«, deren Verlust durch die Erfahrung des Naiven beschämend bewußt werde. – Das »Naive« bezeichnet also nicht natürliche Gegebenheiten, sondern deren »sentimentalische« Erfahrensweise.

Schon deswegen sei es sinnlos, dieses Interesse durch eine »Rückkehr zur Natur« befriedigen zu wollen. Entzweiung und Entfremdung der gesellschaftlichen Kräfte und individuellen Vermögen seien vielmehr geschichtlich notwendige Vorgänge, »*das große Instrument der Kultur, aber auch nur das Instrument, denn solange dieselbe dauert, ist man erst auf dem Wege zu dieser*«. – An die Stelle des zweistufigen Geschichtsschemas ROUSSEAUS tritt das dreistufige des deutschen Idealismus. An die Stelle des unvermittelten Gegensatzes von unveränderlicher Vollkommenheit (in der Welt des Naiven) und stets unvollkommener Veränderung (in der Verstandeskultur) tritt der bewußte und gewollte Fortschritt zur verwirklichten Freiheit in einer höheren Kultur, in der die Einheit von Natur und Vernunftbestimmung wiederhergestellt ist, so daß »*das Ziel, zu welchem der Mensch durch Kultur strebt, demjenigen, welches er durch Natur erreicht, unendlich vorzuziehen ist*«.

Auf die dabei auftretende Frage, wie ein solcher Zustand durch die freie Selbstbestimmung des Menschen erreicht werden könne, solange Freiheit nur postuliert, nicht aber bereits verwirklicht und gesellschaftlich vermittelt ist, antwortete Schiller bereits in den Briefen *Über die ästhetische Erziehung des Menschen* (1795) mit einer Theorie der ästhetischen Versöhnung: Die Kunst sollte der Träger des Postulats wiederherzustellender menschlicher Totalität sein, freilich zugleich bereits Medium des Vollzugs dieser Versöhnung. Wie diese zukunftsgerichtete Kunst begrifflich zu beschreiben wäre, stellt das zentrale Problem in *Über naive und sentimentalische Dichtung* dar. Eine solche Kunst konnte nicht länger an einem kanonischen Vorbild gemessen werden. Zwar hatte schon HERDER die Historizität jeder Kunst betont; diese Einsicht war aber für die Dichtungstheorie folgenlos geblieben: Das Dichtergenie, das Gefühlsunmittelbarkeit und Originalität gerade gegen die historische Eigenart der Epoche, nämlich Vernunft und Reflexion, geltend zu machen hatte, wurde nach wie vor an einer Ursprünglichkeit gemessen, die vor aller Geschichte lag. Andere Ästhetiker, wie SULZER und GARVE, machten dagegen gerade die absichtsvolle Bewußtheit der Zivilisation und ihre abstrakte Begrifflichkeit zur Norm auch der Dichtung und fanden alle naive Poesie »*verächtlich*« (Garve), wobei man sich auf PERRAULT und den Ausgang der »Querelle des Anciens et des Modernes« in Frankreich berief. Schiller aber kam es darauf an, eine Kunst gedanklich zu erfassen, die Abstraktion und Reflexion nicht negierte, sondern mit Poetizität wieder vereinigte und »*auch unter den Bedingungen der Reflexion die naive Empfindung, dem Inhalt nach, wieder herstellt*«. – Mit dem Begriff des »Sentimentalischen« gelang es erstmals, eine positive Kategorie für die Beschreibung moderner Kunst bereitzustellen.

»*So wie nach und nach die Natur anfing, aus dem menschlichen Leben als Erfahrung ... zu verschwinden, so sehen wir sie in der Dichterwelt als Idee und als Gegenstand aufgehen.*« Naive Dichtung ist durch »*Nachahmung des Wirklichen*« der sie umstellenden Natur bestimmt, sentimentalische Dichtung durch »*Darstellung des Ideals*«. Je nach dem Verhältnis von Ideal und Wirklichkeit unterteilt sich die sentimentalische Dichtung in die satirische, elegische und idyllische Dichtart. Dabei wird besonders der Idylle die Überwindung der Entzweiung zugetraut, sofern sie »*unserer Mündigkeit*« gerecht wird, indem sie »*jene Hirtenunschuld auch in Subjekten der Kultur*« darstellt und so nicht nach Arkadien zurück, sondern nach Elysium führt.

Wiewohl wesentliche Struktureigenschaften der romantischen und der späteren modernen Poesie, wie Reflexionscharakter und Stilpluralismus, von Schiller erstmals zureichend begriffen werden, bleibt die geschichtsphilosophische Begründung der Kategorie des »Sentimentalischen« am Ende doch unbefriedigend. Ebenso wie die Kunst jene Versöhnung, auf die sie doch erst vorbereiten soll, schon vollzieht und damit in Gefahr gerät, kulturelle Aktivität stillzustellen, schwankt die Bedeutung des »Sentimentalischen« zwischen der Bezeichnung einer Übergangsepoche der Kunst und einem überhistorischen Typus, der die Entzweiung darstellend scheinbar bewältigt, eben darum aber nicht überwindet. Schiller selbst lenkt schließlich in eine psychologische Typenlehre zurück, wo dann auch der naive Dichter eine bleibende Möglichkeit darstellt, was mit den Mustern der Genie-Ästhetik, GOETHE und SHAKESPEARE ebenso wie BODMER und OSSIAN, belegt wird. Die »Natur« ist die verlorene und erstrebte, und dennoch im Künstler allemal wirksam; das »Ideal« ist die ausstehende Versöhnung der Wirklichkeit selbst und subjektive Antizipation dieser Versöhnung in der Kunst; »Darstellung« ist reflektierender Hinweis und ästhetische Realität zugleich.

Die Romantik bemängelte, daß Schiller mit dem »Sentimentalischen« eine spezifisch ästhetische Kategorie der modernen Kunst noch immer verfehlt habe. In der Tat ist sentimentalische Kunst keine Kunst des interesselosen Wohlgefallens; sie ist »*zwar Conditio sine qua non von dem poetischen Ideale, aber sie ist auch eine ewige Hinderniß desselben*« (Schiller an W. v. Humboldt, 25. 12. 1795). Eben dieses Schwanken zwischen moralischem Anspruch und ästhetischer Resignation wurde im 19. Jh. folgenreich. H. D. W.

AUSGABEN: Tübingen 1795/96 (in Die Horen, 1795, 11. u. 12. Stück; 1796, 1. Stück). – Lpzg. 1800 (in *Kleinere prosaische Schriften*, Bd. 2). – Stg. 1905 (in *SW*, Hg. E. v. d. Hellen, 16 Bde., 1904/05, 11/12; *Säkular-Ausg.*). – Mchn./Lpzg. 1913 (in *SW*, 22 Bde., 1913–1924, 12; *Horen-Ausg.*). – Mchn. 1959 (in *SW*, Hg. G. Fricke u. H. G. Goepfert, 5 Bde., 1958/59, 5). – Stg. 1960 (RUB, 7756/57). – Weimar 1962/63 (in *Werke*, 1943ff.; Bd. 20/21, Hg. B. v. Wiese; *National-Ausg.*).

LITERATUR: G. Lukács, *Geschichte und Klassenbewußtsein*, Bln. 1923. – H. Meng, *S.s Abhandlung »Über naive und sentimentalische Dichtung«, Prolegomena zu einer Typologie des Dichterischen*, Frauenfeld/Lpzg. 1936 (Wege zur Dichtung, 25). – M. Havenstein, *Wahrheit und Irrtum in S.s Unterscheidung von naiver und sentimentalischer Dichtung* (in ZfÄsth, 32, 1938). – P. Weigand, *A Study of S.'s Essay »Über naive und sentimentalische Dichtung«, and a Consideration of Its Influence in the Twentieth Century*, NY 1952. – M. Schütz, *Die problematische Seite des Sentimentalischen bei S.*, Diss. Freiburg i. B. 1954. – R. Marleyn, *The Poetic Ideal in S.'s »Über naive und sentimentalische Dichtung«* (in GLL, N. S. 9, 1955/56). – D. Henrich, *Der Begriff der Schönheit in S.s Ästhetik* (in Zs. f. phil. Forschung, 1957, S. 527–547). – W. Binder, *Die Begriffe ›naiv‹ und ›sentimentalisch‹ von S.s Drama* (in Jb. d. Dt. Schillerges., 4, 1960). – G. Rohrmoser, *Zum Problem der ästhetischen Versöhnung, S. u. Hegel* (in Euph, 1959, S. 129–144). – B. v. Wiese, *F. S.*, Stg. [3]1963. – J. Hermand, *S.s Abhandlung »Über naive und sentimentalische Dichtung« im Lichte der Popularphilosophie des 18. Jh.s* (in PMLA, 1964, S. 428 bis 441). – H. Koopmann, *F. S.*, 2 Bde., Stg. 1966 (Slg. Metzler, 50/51). – H. R. Jauß, *Schlegels und S.s Replik auf die »Querelle des anciens et des modernes«* (in H. R. J., *Literaturgeschichte als Provokation*, Ffm. 1970; ed. suhrkamp, 418).

DIE VERSCHWÖRUNG DES FIESCO ZU GENUA. Ein republikanisches Trauerspiel von Friedrich von SCHILLER (1759–1805), Uraufführung: Bonn 1783. – Schillers zweites Drama entstand innerhalb weniger Monate. Auf den Stoff hatte ihn der Mannheimer Intendant von Dalberg im Januar 1782 während seines ersten Besuches in Mannheim aus Anlaß der Uraufführung der *Räuber* aufmerksam gemacht, und Schiller, dem viel an einer engeren Beziehung zum Mannheimer Theater lag, hatte den Hinweis dankbar aufgegriffen, zumal er den Fiesco-Stoff möglicherweise schon aus den *Merkwürdigkeiten von Johann Jakob Rousseau* (1779), der Lebensbeschreibung ROUSSEAUS von Helferich Peter STURZ, kannte. Schiller arbeitete sein neues Drama unter schwierigen persönlichen Bedingungen – immerhin hatte Herzog Karl Eugen ihm nach den *Räubern* jede dichterische Tätigkeit rigoros verboten – rasch aus. Seine Quellen waren Kardinal de RETZ, *La conjuration du comte Jean-Louis de Fiesque*, DU PORT DU TERTRE, *Histoire des conjurations, conspirations et révolutions célèbres*, MAILLY, *Histoire de la république de Gênes*, HÄBERLIN, *Gründliche Historisch-Politische Nachricht von der Republik Genua*, und ROBERTSON, *History of the Reign of the Emperor Charles V.* Als er Anfang September 1782 die Flucht aus Stuttgart plante, war sein Drama bereits fertiggestellt. Er nahm es nach Mannheim mit, stieß aber dort auf wenig Verständnis, und Dalberg forderte ihn auf, das Stück umzuschreiben. Im November 1782 lag die Fassung vor, in der das Drama allgemein bekannt wurde.

Das Stück spielt im Genua des Jahres 1547. Die beginnende Verschwörung der Nobili gegen die tyrannische Herrschaft des Dogen Andrea Doria und seines »bäurisch-stolzen« Neffen Gianettino, wie sie vor allem von dem »verschworenen Republikaner« Verrina und einigen anderen »Mißvergnügten« und aufrührerischen Bürgern geplant wird, ist noch führerlos; man sucht Fiesco zu gewinnen, der es scheinbar mit der Partei des Doria hält, sehr zum Unwillen seiner Frau Leonore, die sich von Dorias Schwester gedemütigt fühlt. Fiesco weiß durch den Mohren, den Doria als Mörder gedungen hat, von dem Anschlag des Dogen auch gegen ihn. Er spielt den Mohren geschickt gegen die Partei des Doria aus und setzt sich schließlich an die Spitze der Verschwörer. Verrina ist jedoch entschlossen, in Fiesco keinen zweiten Tyrannen zu dulden, und beschließt seinen Tod – »*Wenn Genua frei ist, stirbt Fiesco!*« Leonore, der Fiesco vor der Julia Imperiali Genugtuung hat widerfahren lassen, erkennt Fiescos »Herrschsucht« und ahnt sein Ende. Sie findet, als sie maskiert am Kampf teilnimmt, den Tod von Fiescos Hand. Fiesco erklärt sich zum Herzog; Verrina aber stürzt ihn aus republikanischer Empörung ins Wasser, und das Stück schließt mit dem vieldeutigen Satz von Verrina: »*Ich geh' zum Andreas.*«

Schiller hatte freilich auch damit keinen Erfolg bei Dalberg. Aber er konnte sein Drama immerhin dem Mannheimer Buchhändler Schwan verkaufen – und dort erschien es im April 1783. Doch damit ist die Textgeschichte des *Fiesco* noch nicht beendet. Schiller hat das Drama noch ein zweites Mal für die Mannheimer Bühne bearbeitet, als er in Mannheim als Theaterdichter angestellt war und in kurzer Zeit drei Stücke zu liefern hatte. In der sogenannten »Mannheimer Bühnenfassung« wurde es am 11. 1. 1784 gespielt, auch als *Trauerspiel*, obwohl Schiller vieles gemildert und vor allem den Schluß umgeschrieben hatte: Fiesco erliegt nicht mehr der Versuchung, selbst Herzog zu werden, sondern wird zum überzeugten Republikaner und ist erst damit Genuas »*glücklichster Bürger*«. Daneben existiert noch eine dritte, Dresdener Fassung, die möglicher-

weise auch von Schiller stammt; sie wurde 1786 in Leipzig gespielt und ist mit ihrem wiederum tragischen Schluß (Fiesco wird von Verrina erdolcht, als er sich auf dem Markt von Genua zum Herzog ausrufen läßt) der ersten Fassung wieder stark angenähert.
Schiller hat sein Drama als »*republikanisches Trauerspiel*« bezeichnet, und er verrät hier zweifellos ein beträchtliches Gespür für die politische Welt. Aber es ist unschwer zu erkennen, daß das Politische darin wie auch das Historische nur ein neuer dramatischer Spielraum ist, zumal die verschiedenen Schlüsse zeigen, daß es Schiller im Grunde allein auf den Charakter des Helden ankam – nicht zufällig endet die Revolution in der ersten Fassung mit seinem Tod, und wie Verrinas Gang zum Andreas Doria ausgeht, interessiert im Rahmen des Schillerschen Dramas nicht mehr. Um so stärker ist das Interesse auf Fiesco konzentriert, dessen innere Widersprüchlichkeit schon das Personenverzeichnis ankündigt: »*stolz mit Anstand – freundlich mit Majestät – höfisch-geschmeidig und ebenso tückisch*«. Schiller hatte sich mit seinen *Räubern* bereits am Sujet des erhabenen Bösewichts versucht, am Gemälde einer verirrten großen Seele; sein psychologisches Interesse läßt sich bis in die Karlsschulzeit zurückverfolgen, und schon die Räuber, und Räuber Moor vor allem, interessierten Schiller als Menschen, nicht als soziologisches Phänomen. Im *Fiesco* artikuliert sich dieses Interesse Schillers zweifellos von neuem, und es ist bis zu *Kabale und Liebe*, *Don Carlos* und *Wallenstein* hin zu verfolgen. Der tragische Konflikt, der den Dichter interessierte, lag in Fiesco selbst, nicht etwa im Verhältnis Fiescos zu seinen Mitverschwörern oder zur Staatsform der Republik bzw. der Tyrannis. Es kommt hinzu, daß Schiller sich hier im historischen Drama als einem weiteren Bereich der Schauspielkunst versuchen wollte wie später in *Kabale und Liebe* im Bereich des bürgerlichen Trauerspiels. So wie er *Kabale und Liebe* gleichsam als Experimentierfeld betrachtete, um zu prüfen, »*ob er sich auch in die bürgerliche Sphäre herablassen könne*«, so waren Geschichte und Politik, traditionelle Bereiche der hohen Tragödie also, der Spielraum, in dem der junge Schiller sich jetzt bewähren wollte, sicherlich nicht zuletzt deswegen, um sich auch auf diesem Gebiet als erfolgreicher Dramatiker auszuweisen.
Das Stück selbst gibt ebenfalls deutlich zu erkennen, daß Schillers eigentliches Interesse auf die Person des Grafen von Lavagna konzentriert war und auf den Konflikt in ihm, wie er sich im dritten Akt (2. Szene) darstellt. In den *Räubern* gab es noch zwei Gegenspieler; hier findet der Kampf zweier Mächte in Fiesco selbst statt, da er den Zwiespalt zwischen Caesar und Brutus in sich austrägt. Sein dramatischer Gegenspieler Verrina registriert diesen inneren Kampf und seinen Ausgang sorgfältig, kommt aber über Reaktionen nicht hinaus. So endigt Fiesco quasi als erhabener Verbrecher ähnlich wie Karl Moor in einer dramatisch fast zu sehr durchkonstruierten Welt.
Großer Erfolg war dem Stück zunächst nicht beschieden. Das Drama wurde in Mannheim, Frankfurt und Bonn nur wenige Male aufgeführt; Iffland und GOETHE haben das Trauerspiel kritisiert bzw. geringgeschätzt; nur HÖLDERLIN rühmte als einer von wenigen die »*wahren Karaktere, und glänzenden Situationen*« und Schillers »*magische Farbenspiele der Sprache*«. H. Koo.

AUSGABEN: Mannheim 1783. – Stg./Bln. 1905 (in *SW*, Hg. E. v. d. Hellen, 16 Bde., 1904/05, 3; *Säkular-Ausg.*). – Mchn./Lpzg. 1910 (in *SW*, 22 Bde., 1910–1926, 2; *Horen-Ausg.*). – Mchn. 1958 (in *SW*, Hg. G. Fricke, u. H. G. Goepfert, 5 Bde., 1958/59, 1).

LITERATUR: H. A. Korff, *Geist der Goethezeit*, Bd. 1, Lpzg. 1923; ²1954, S. 208–211. – P. Böckmann, *Die innere Form in S.s Jugenddramen* (in Euph, 35, 1934, S. 439–480). – G. Storz, *Das Drama F. S.s*, Ffm. 1938, S. 87–97. – B. v. Wiese, *Die Dramen S.s*, Lpzg. 1938, S. 26–37. – K. May, *S.*, Göttingen 1948, S. 33–42. – C. Heselhaus, *Die Nemesis-Tragödie. »Fiesko« – »Wallenstein« – »Demetrius«* (in Der Deutschunterricht, 1952, H. 5, S. 40–59). – *Theater-Fiesko. Die letzte neuaufgefundene Fassung der »Verschwörung des Fiesko zu Genua«*, Hg. H. H. Borcherdt, Weimar 1952 (vgl. dazu H. Stubenrauch, in DLZ, 76, 1955, S. 183–187). – B. v. Wiese, *Die deutsche Tragödie von Lessing bis Hebbel*, Hbg. ²1952, S. 365–387; ⁷1967. – L. Blumenthal, *Aufführungen der »Verschwörung des Fiesko zu Genua« zu S.s Lebzeiten (1783–1805)* (in Goethe-Jb., 17, 1955, S. 60–90). – E. Müller, *Der Herzog u. das Genie*, Stg. 1955, S. 302–328. – G. Storz, *Der Dichter F. S.*, Stg. 1959, S. 171–189. – F. L. Büttner, *S., die »Fiesko«-Aufführungen Bondinis u. der sogenannte ›Theater-Fiesko‹* (in Kleine Schriften d. Gesellsch. f. Theatergesch., 20, 1964, S. 3–35). – A. Beck, *Die Krisis des Menschen im Drama des jungen S.* (in A. B., *Forschung u. Deutung*, Ffm. 1966, S. 119 bis 166). – H. Koopmann, *F. S.*, Bd. 1, Stg. 1966, S. 27–36. – D. Schlumbohm, *Tyrannenmord aus Liebe* (in RJb, 18, 1967, S. 97–122). – E. Staiger, *F. S.*, Zürich 1967.

WALLENSTEIN, ein dramatisches Gedicht. Tragödie in drei Teilen von Friedrich von SCHILLER (1759–1805), Uraufführung: *Das Lager*, Weimar, 12. 10. 1798, *Die Piccolomini*, Weimar, 30. 1. 1799, *Wallensteins Tod*, Weimar, 20. 4. 1799; erschienen 1800. – Die Wallenstein-Trilogie leitet die klassische Schaffensphase des Dramatikers Schiller ein. Mit dem Stoff der Tragödie hatte er sich anläßlich seiner *Geschichte des Dreyssigjährigen Kriegs* (erschienen 1791–1793) vertraut gemacht und ihn seitdem nicht wieder aus dem Blickfeld verloren. Im Herbst 1796 ließ er sich dann ernsthaft auf die dramatische Gestaltung ein, die er im März 1799 abschloß; den Entschluß, die eigentliche Handlung in zwei selbständige Teile, *Die Piccolomini* und *Wallensteins Tod*, zu gliedern, faßte er erst während der Arbeit am Drama. Offenbar hat Schiller, der Dichter, anders als Schiller, der Historiker, von Anfang an Wert darauf gelegt, Schicksal und Schuld des Feldherrn abhängig zu machen von seiner Zeit, dem geschichtlichen Augenblick, den äußeren Umständen. So kündigt es zumindest der Prolog zur Trilogie an: »*Doch euren Augen soll ihn jetzt die Kunst, / Auch eurem Herzen, menschlich näherbringen... / Sie sieht den Menschen in des Lebens Drang / Und wälzt die größre Hälfte seiner Schuld / Den unglückseligen Gestirnen zu.*«
Die Trilogie bedeute, so wurde gesagt, »*den Gipfel von Schillers dramatischer Dichtung*« (G. Storz). Erst anläßlich des 150. Todesjahres und des 200. Geburtsjahres Schillers hat man sich jedoch mit dem »*Wunderwerk von Komposition*« eingehend befaßt und die Organisation der Handlung, die Verfugung der Akte, Abfolge oder Simultaneität der Szenen scharfsinnig durchleuchtet (G. Storz). Neben die Deutungen des Gehalts traten Formen-

analysen. Schiller selbst hat die Entstehung der Form der Tragödie in Briefen (vor allem an GOETHE) ausführlich kommentiert, so die Verwandlung der dramatischen Prosa in Jambenverse (seit November 1797) oder die späte Sublimierung des Wallensteinschen Sternenglaubens (kurz vor der Aufführung der *Piccolomini*); genauestens registriert hat er aber auch die von der Lektüre SHAKESPEARES oder des SOPHOKLES *(Ödipus)* ausgehenden Impulse, die ihn zu symbolischer Gestaltung anregten.

Im Prolog wirft Schiller einen Blick auf die Zeit, in der die Tragödie spielt. Aus dem »*finstern*« Hintergrund des Dreißigjährigen Kriegs tritt die Person Wallensteins, »*des Glückes abenteuerlicher Sohn*«, bewundert und geschmäht hervor: »*Von der Parteien Gunst und Haß verwirrt / Schwankt sein Charakterbild in der Geschichte.*« Der vieldeutige Charakter des Feldherrn, der die Forscher und Interpreten noch heute in Bann schlägt, erzeugt Unruhe gleich im ersten Teil der Trilogie, *Wallensteins Lager*. Mit knappen Strichen, durch epische Reihung malerischer Szenen entwirft Schiller das Bild eines bunt zusammengewürfelten Heers, welches einzig durch die Gestalt des Feldherrn zusammengehalten wird. Er gilt als unbesiegbar, Symbol der Fortuna, und der Aberglaube der Soldaten dichtet an dem faszinierenden Rätsel weiter, das den obersten Befehlshaber des kaiserlichen Heeres umspielt, freilich nicht bloß glanzvoll, blendend umspielt: Kritische Stimmen werden in der altertümlichen (erst spät eingefügten) Kapuzinerpredigt vereinigt und zur Anklage gesteigert. Die kontroverse Parteinahme der Generäle Wallensteins klingt in den herzhaften Knittelversen der Soldaten an, die zuletzt ihrem Selbstgefühl verwegen Ausdruck verschaffen im Reiterlied von der Freiheit.

Der archaisierende, volkstümliche Knittelvers im *Lager* wird im zweiten Teil der Trilogie, den *Piccolomini*, durch den klassischen Tragödienvers ersetzt. Der herzogliche Feldherr hat seine Heerführer und ihre Truppen nach Pilsen beordert und zugleich Gemahlin und Tochter dorthin kommen lassen. Eingefunden hat sich in Pilsen auch der kaiserliche Kriegsrat Questenberg, der gleich im zweiten Auftritt mit einigen Obersten, Illo, Buttler, Isolani, in Streit über Wallensteins Politik gerät. In der Parteinahme der Heerführer leuchtet die von Wallenstein ausgehende Faszination auf, in der geschmeidigen Gegenoffensive Questenbergs die Kritik des Kaisers. Daß diese Kritik bereits zur Ordre der Absetzung Wallensteins gediehen ist, weiß vorläufig nur Octavio Piccolomini: Offiziell der Freund Wallensteins, insgeheim Interessenvertreter des kaiserlichen Hofs, soll er die Entmachtung Wallensteins in Pilsen vorbereiten und an seiner Stelle den Oberbefehl über das Heer an sich reißen. Daß die Konzentration der Truppen vor Pilsen auf den »*nahen Ausbruch*« einer »*Empörung*« Wallensteins gegen den Kaiser deutet, steht für Octavio und Questenberg außer Zweifel. Ihrer vorsichtigen, verschleierten Kritik an Wallenstein widersetzt sich emphatisch der Sohn Octavios, Max Piccolomini. Als Begleiter Theklas, der Tochter Wallensteins, eben erst von einer Reise zurückgekehrt, seiner ersten Reise durch friedliche, vom Krieg unberührte Länder, hat Max die Vision eines allgemeinen paradiesischen Friedens. Erhofft er sich diesen Frieden von Wallenstein, für ihn der faszinierende Vertreter neuer Ideen, der Beschützer von »*Europas großem Besten*«, so beschwört Octavio einen Frieden in den »*alten, engen Ordnungen*«, im Rahmen der kaiserlichen Tradition. In der antithetischen Figurenkonstellation der ersten Auftritte kommen die negativen und die enthusiastischen Deutungen der Gestalt Wallensteins unversöhnlich zum Ausdruck. Noch bevor der Feldherr selber auf der Szene erscheint, ist die dramatische Erwartung der Zuschauer aufs höchste gespannt.

Wallensteins erster Auftritt zeigt den angeblich so Freien und Mächtigen in unvermuteter Bedrängnis. Zu einigen schlimmen Gerüchten und Berichten aus Wien stimmt die bedrückende Erzählung seiner Gattin über den Empfang am kaiserlichen Hof: Wallensteins Sturz wird heimlich inszeniert – und diese Kunde scheint dem Feldherrn ein Verhalten aufzudrängen, das seinen eigentlichen Absichten zuwiderläuft: »*O! sie zwingen mich, sie stoßen / Gewaltsam, wider meinen Willen, mich hinein.*« Die wenig später stattfindende Verhandlung zwischen Wallenstein, seinen Obersten und dem Kriegsrat Questenberg kann den Feldherrn in seinen Befürchtungen nur bestätigen: Der kaiserliche Auftrag Questenbergs zielt auf die Zersplitterung und Schwächung der Wallensteinschen Heeresmacht. In der Auseinandersetzung mit Questenberg werden die Ursachen der Differenzen zwischen dem Kaiser und seinem obersten Befehlshaber bloßgelegt: Einst hatte Wallenstein als Feldherr des Kaisers sich bewährt, zu dessen Gunsten und auf Kosten der Reichsfürsten Krieg geführt, der Kaiser aber hatte ihn auf dem »*Regenspurger Fürstentag*«, offenbar unter dem Druck der Reichsfürsten, schmählich fallenlassen, ihm jedoch Jahre später in höchster Bedrängnis von neuem das Kommando anvertraut, anscheinend nicht damit rechnend, daß Wallenstein sich für die erlittene Schmach durch eine neue politische Strategie entschädigen würde: »*Seitdem es mir so schlecht bekam, / Dem Thron zu dienen, auf des Reiches Kosten, / Hab ich vom Reich ganz anders denken lernen. / Vom Kaiser freilich hab ich diesen Stab, / Doch führ ich jetzt ihn als des Reiches Feldherr, / Zur Wohlfahrt aller, zu des Ganzen Heil, / Und nicht mehr zur Vergrößerung des Einen!*«

Die Reichspolitik Wallensteins scheint sich durch eine übergreifende, auf das »Reichsganze« gerichtete Perspektive auszuzeichnen, jedenfalls ist die von ihm intendierte »*Wohlfahrt aller*« mit der Idee eines allgemeinen Friedens verknüpft: »*Nichts will er, als dem Reich den Frieden schenken; / Und weil der Kaiser diesen Frieden haßt, / So will er ihn – er will ihn dazu zwingen! / Zufriedenstellen will er alle Teile, / Und zum Ersatz für seine Mühe Böhmen, / Das er schon innehat, für sich behalten.*« So läßt sich Octavio vernehmen, und es gibt keinen Grund, das von Wallensteins Hauptfeind zitierte Motiv, Frieden im Zeichen einer neuen Ordnung zu schaffen, in Zweifel zu ziehen. Die intensive Auseinandersetzung der Forschung um das politische Ziel Wallensteins ließe sich demnach von hier aus klären – zu klären bliebe dann die schwierigere Frage, welche Wege Wallenstein zu diesem Ziel einschlagen und welchen materiellen Anspruch er für seine Mühe erheben will. An dieser Frage entzünden sich nicht bloß ganze Dialogreihen – sie führt auch mitten in den tragischen Vorgang hinein.

Octavio deutet in seiner Erklärung darauf hin, daß der Herzog sich »*zum Ersatz für seine Mühe*« die böhmische Krone aufs Haupt setzen wolle, und in seinem großen Monolog bekennt Wallenstein selber, ihm habe »*das Gaukelbild der königlichen Hoffnung*« vor Augen geschwebt. Der Kaiser freilich, Repräsentant der alten Ordnung, ist nicht willens, Wallensteins Idee einer neuen Ordnung zu billigen, noch kann er dem ohnehin Mächtigen eine gesteigerte Machtfülle in Gestalt des Königreiches Böhmen zugestehen. Wallenstein muß eine unberechenbare, den Kaiser überraschende Strategie ersinnen – und daher führt er Verhandlungen mit den Schweden, den »Reichsfeinden«, und deren Verbündeten, den Sachsen: Zweck ist, sich »zum Schein« mit den Feinden zu verbinden, mit ihrer Hilfe sich Böhmen zu sichern, den Kaiser einzuschüchtern, im übrigen aber sie gegeneinander auszuspielen. Wallenstein hat die Macht und die Freiheit, diese schwierige Strategie anzuknüpfen. Aber das Gefühl der Macht und der Freiheit hat sich gelegentlich auch schon verselbständigt, und spielerisch, gleichsam versuchsweise, hat Wallenstein den Gedanken erwogen, im Ernst mit dem Feind zusammenzugehen und dadurch die Chance auf die Eroberung der böhmischen Königskrone zu erhöhen – würden die Schweden doch die Garantie für die Krone bei einer entsprechenden Gegenleistung Wallensteins auf Kosten des Reichs jederzeit geben. Von der Faszination dieser Überlegung unterrichtet Wallenstein den Zuhörer in seinem Monolog. Der Macht und der Freiheit bedarf er, will er eine neue Ordnung im Zeichen des Friedens herstellen. Aber in der Macht und in der Freiheit lauert auch die Dynamik des Eigeninteresses und der Selbstgefälligkeit (*»die Freiheit reizte mich und das Vermögen«*): Der Gedanke des Verrats drängt sich dem Helden auf. Er spielt zwar nur damit (*»in dem Gedanken bloß gefiel ich mir«*) und bleibt sich seiner eigentlichen reinen Absicht bewußt, auch als er dem Gedanken in einem Augenblick der Erregung Ausdruck verleiht. Aber seine Äußerungen bleiben nicht geheim, und den Gegnern Wallensteins ist es gleichgültig, ob sie einem Gedankenspiel entsprangen, im Affekt und im Bewußtsein der Unschuld gesagt wurden und ob Wallenstein im »Grunde« nicht bessere Absichten hegte: Für die Vertreter der alten Ordnung ist das spielerisch das hingesagte Wort der gewünschte Anlaß, um den Vertreter einer neuen Ordnung des Hochverrats zu bezichtigen. *»Jetzt werden sie, was planlos ist geschehn, / Weitsehend, planvoll mir zusammenknüpfen, / Und was der Zorn, und was der frohe Mut / Mich sprechen ließ im Überfluß des Herzens, / Zu künstlichem Gewebe mir vereinen, / Und eine Klage furchtbar draus bereiten, / Dagegen ich verstummen muß.«*

So heißt es im Monolog, und damit wird die Determinationskette sichtbar, die dem Drama seine Struktur verleiht. Von der Kränkung durch den Kaiser auf dem Regensburger Fürstentag bis zur Idee einer neuen Friedensordnung, von der machtvollen Freiheit, die zur Verwirklichung der Idee nötig ist, bis zur verhängnisvollen Dynamik des Eigeninteresses, das sich aus der Freiheit entfaltet und im Gedankenspiel, im Wort und in der willkürlichen Auslegung des Worts sich äußert – zieht sich die Kette der Notwendigkeit. In seinem klarsichtigen Monolog täuscht sich Wallenstein nur einmal: Er hat gerade von der Gefangennahme Sesins, seines schwedischen Unterhändlers, des Mitwissers seiner doppelsinnigen Strategie gehört, und erwartet, daß Sesin »plaudern« und daß der Wiener Hof ihn verklagen wird – ihm entgeht, daß der »Ankläger«, Octavio, bereits gehandelt hat. Erst an Sesins Gefangennahme geht ihm das Verhängnis auf, das in der Gestalt Octavios längst zugegen ist.

Octavio Piccolomini also, Wallensteins Vertrauter und Anwalt der Tradition, hat des Feldherrn doppelsinnige Worte längst einsinnig als Hochverrat ausgelegt und die Entmachtung des »Verräters« in die Wege geleitet. Als Wallenstein zu Beginn des Dramas von dem Entschluß des Wiener Hofes erfährt, als sein Schwager Terzky ihn angesichts der drohenden Absetzung beschwört, sich nun im Ernst mit den Schweden zu verbünden, da wehrt sich Wallenstein zu spät gegen dieses Ansinnen, weist er Terzky zu spät mit der Bemerkung in die Schranken, er wolle mit den Schweden nur zum Schein und nur zugunsten des Reichs zusammengehen, fordert er Terzky zu spät mit aller Entschiedenheit auf, sein doppelsinniges Gedankenspiel nicht einsinnig zu mißdeuten. Zu spät – denn Octavio zieht bereits seine Fäden, um Wallenstein bei den Generälen als Verräter zu verklagen. Sein Dialog mit Max legt Zeugnis davon ab, wie starrsinnig er an seiner Ausdeutung der doppelsinnigen Äußerungen Wallensteins festhälten In unversöhnlichen Stichomythien, einem charakteristischen Stilelement der Dialoge im *Wallenstein*, ringen Sohn und Vater um das richtige Verhalten gegenüber den doppeldeutigen Worten des Feldherrn. Die staatskünstlerische Willkür, deren Octavio sich schuldig macht, wird von Max scharfsinnig aufgedeckt: *»O! diese Staatskunst, / Wie verwünsch ich sie! / Ihr werdet ihn durch eure Staatskunst noch / Zu einem Schritte treiben – Ja, ihr könntet ihn, / Weil ihr ihn schuldig wollt, noch schuldig machen.«*

Wenn Wallenstein auf die Kunde von der drohenden Absetzung zunächst nur insoweit reagiert, als er sich der bedingungslosen Parteinahme seiner Generäle schriftlich versichern will (die Bankettszene im 4. Akt der *Piccolomini*), im übrigen aber zu keiner bestimmten Tat sich entschließen kann, so hat das einen sehr rätselhaften Grund: Das Zögern wird ihm durch seinen Sternenglauben nahegelegt. Handeln will er erst, wenn die günstige Sternenkonstellation eingetroffen ist, in der Venus und Jupiter, seine *»Segenssterne«*, die feindlichen Sterne Saturn und Mars beherrschen. Die Analyse der Attribute, die diesen Sternen beigelegt sind, erschließt folgenden Symbolgehalt: Im astrologischen Turm (III, 4) ist Venus als *»schöne Frau«* dargestellt – als Symbol des Schönen ist sie Jupiter zugeordnet, der als *»heitrer Mann mit einer Königsstirn«* auftritt – und *»heiter«* assoziiert in der Trilogie mit der Freiheit, dem unbeschränkten Vermögen, der Zeitlosigkeit. Symbolisieren Jupiter und Venus eine paradiesische Friedenswelt, so steht umgekehrt Saturn, als *»grämlich finstrer Greis«* für die *»alten, engen Ordnungen«* und Mars für die Friedlosigkeit. Die günstige, von Venus und Jupiter beherrschte Sternenkonstellation in der Geschichte wiederkehren zu lassen könnte Wallensteins Intention sein, zumal die Königsstirn Jupiters dabei zugleich seinem Wunsch nach gesteigerter Machtfülle Rechnung trüge. Doch entschleiert dieses Vorhaben zugleich Wallensteins Wunsch nach absoluter Berechenbarkeit des geschichtlichen Geschehens. Wenn die Auskunft der Herzogin wahr ist, so hat sich Wallenstein erst nach dem unvermuteten Sturz beim *»Regenspurger Fürstentag« »den dunklen Künsten«* zugewandt: Die Sternenschau sollte ihn von jetzt an vor Zufällen schützen, die seine Existenz gefährden. Der Mythos der Berechenbarkeit verschränkt sich ihm mit der rationalen Analyse der historisch-politischen Vorgänge. Weil Wallenstein die Geschichte als mythisch, als unberechenbares Verhängnis erfuhr, antwortet er auf sie durch eine entsprechende Mythisierung.

Wallensteins Mythos wird im dritten Teil der Trilogie, *Wallensteins Tod,* vor allem durch zwei Vorgänge desillusioniert: durch die Gefangennahme Sesins, des Mitwissers seiner doppelsinnigen Verhandlungstaktik, und durch die Intrige Octavios. Zu Beginn von Wallensteins Tod ist die erwartete Sternenkonstellation eingetreten, der Feldherr endlich zum Handeln bereit – da lähmt ihn die Nachricht von der Gefangennahme Sesins. Plötzlich scheut er vor dem Entschluß zur Tat wieder zurück, offenbar deshalb, weil dieser »*böse Zufall*« ihm ein neues, unerwünschtes Handeln aufzwingt: Der schwedische Unterhändler wird »plaudern«, und der Wiener Hof wird Wallensteins doppeldeutige Verhandlungstaktik einseitig auslegen und ihn absetzen; falls er nicht von der politischen Bühne abtreten will, muß er das Bündnis mit den Schweden ernsthaft eingehen und zum Reichsverräter werden: »*So hab ich / Mit eignem Netz verderblich mich umstrickt, / Und nur Gewalttat kann es reißend lösen.*« Die Kette der Determinationen erweitert sich um ein neues Glied und schließt sich verhängnisvoll um Wallenstein zusammen. Schien die Sternenkonstellation ein Handeln zu gewährleisten, das seiner neuen Friedensidee und zugleich dem Wunsch nach höherer Machtfülle dienen konnte, so nötigt ihn die Gefangennahme Sesins zum »*harten Schritt, den mein Bewußtsein tadelt*«. Allenfalls als symbolischer Zielpunkt, nicht aber als Rechnungsfaktor können die Sterne fungieren, die Ideologie des absoluten Kalküls ist außer Kraft gesetzt. Dennoch hält Wallenstein in veränderter Gestalt an ihr fest. Er beschwört von neuem das Horoskop Octavios und das Schicksalszeichen, das ihn Octavio zum Freund machen hieß. In dem Maße, wie Wallenstein sich diesem mythischen Kalkül überliefert, zerstört Octavio es durch seine Intrige. Diesem Mißverhältnis entspringt die dramatische Ironie, ein für den dritten Teil der Trilogie charakteristischer Stilzug. Wallenstein zieht Octavio in das militärische Geheimnis des Hochverrats, und Octavio, das verräterische Herz verbergend, macht ihm im Gegenzug die Generäle abspenstig, ja, bringt sie gegen ihn auf. »*Und ich erwart es, daß der Rache Stahl / Auch schon für meine Brust geschliffen ist*«, bekannte Wallenstein, als er nach langem Zögern zum Hochverrat sich entschlossen hatte. Als der »Rache Stahl« erwählt Octavio durch einen ausgeklügelten Schachzug Buttler, und Buttlers Schachzüge wiederum treiben Wallenstein Schritt für Schritt in die Enge. Wallenstein, bislang von unüberwindlichem Mißtrauen gegenüber Buttler beherrscht, fällt in der Situation wachsender Verlassenheit auf das Maskenspiel des unvermuteten »Freundes« herein: Die dramatische Ironie ist hier so schlagend, so genau kalkuliert, daß der Rächer Buttler als Werkzeug einer höheren Macht erscheint. Gleichsam als gegenläufige Kraft zur Desillusionierung der Wallensteinschen Mythenbildung inszeniert Schiller einen neuen Mythos: Als »Nemesis«, als ausgleichende Gerechtigkeit, die des Helden »Schuld« rächt, ist er von der Forschung häufig herbeizitiert worden (B. v. Wiese, C. Heselhaus). In die Fänge dieser Nemesis gerät auch Octavio, den die Beförderung zum »*Fürsten Piccolomini*« gleichzeitig mit der Nachricht vom Tod seines Sohnes ereilt: Octavios an die Kaisertreue gebundenes, intrigenkundiges Machtinteresse hat sich gleichsam selbst gerichtet.

Die Kunde vom Tod des jungen Piccolomini durchzieht leitmotivisch die letzten beiden Akte. Erfolgten in den vorausgehenden Aufzügen die Aktionen Schlag auf Schlag, vermittelte ihr rascher, von dramatischer Ironie gezeichneter Wechsel den Eindruck reißenden Zeitensturzes, sekundiert von den aufgeregten Klängen der Kriegstrommel und der Hörner, der lauten Befehle und des Trennungsschmerzes, so wirkt demgegenüber die dramatische Bewegung der abschließenden Szenen gedämpfter und verhaltener, fast lautlos, zeitlich gedehnt durch den lastenden Druck der Intrigen, die Buttler zur Ermordung Wallensteins inszeniert. Die Klagen über den Tod des jungen Piccolomini steigern diesen Eindruck lastender Stille und eines unwiderruflichen Endes. Thekla hält Max die Treue, indem sie sein Grab aufsucht, um dort zu sterben – ihrem Nachruf auf das durch Max symbolisierte »*Schöne*« folgt der Erinnerungsmonolog Wallensteins, eine von der Trauer über den Untergang des Schönen und vom Schmerz der Schuld durchzogene Elegie. Am Ende rücken die drei Gestalten, die sich anfangs so nahe schienen, wieder zusammen (vgl. O. Seidlin). Nicht zufällig war Max für Wallenstein stets der »*Bringer irgend einer schönen Freude*« und Wallenstein umgekehrt für Max das Symbol einer neuen Zeit im Zeichen des Friedens: Was Max und Thekla auf ihrer idyllischen Friedensreise erfahren hatten, hofften sie durch das politische Handeln Wallensteins in der Geschichte wiederzufinden. Dieser Hoffnung entsprang auch des jungen Piccolomini visionäre Hymne auf Wallensteins Segenssterne, Jupiter und Venus. Kraft ihrer Erfahrung der Zeitlosigkeit, des Friedens, kraft ihres ursprünglichen Gefühls und ihrer spontanen Sprache waren die beiden Liebenden Symbole idyllischen Seins gewesen – ein Gegenpol zum dramatischen Geschehen, der das Tragische nur um so schärfer hervortreten ließ. Als Symbol unschuldigen Denkens mußte Max freilich auch blind sein für die verhängnisvolle Dialektik des Wallensteinschen Handelns. Die entfremdende Kraft des Eigeninteresses und des Machtgefühls, die in der Freiheit des Handelns von Anfang an zugegen ist, hatte er nur als moralische Willkür Wallensteins begreifen können – als bewußter Verrat an der Idee einer neuen schönen Zeit. Daher trennte er sich von Wallenstein und wählte den Tod in der Schlacht. Diese Polarität von paradiesischer Symbolik und geschichtlicher Dramatik verleiht der Trilogie äußerste Spannweite. Jetzt, angesichts des Todes Piccolominis, blickt Wallenstein auf die Idee des Schönen zurück und mißt daran skeptisch sein künftiges Handeln, freilich nur für Augenblicke: In der Begegnung mit dem Jugendfreund Gordon wird er vom Mythos seiner Jugend, dem Glauben, Auserwählter des Schicksals zu sein, eingeholt, und er verwandelt den Tod Piccolominis diesem Mythos an. Der Untergang des Max erscheint ihm als der Preis, den er dem Schicksal entrichten mußte, um von neuem Liebling des Schicksals sein zu dürfen. Begeistert von der Schwungkraft dieses mythischen Kalküls fällt er, höchste Aufgipfelung der dramatischen Ironie, den Schergen Buttlers zum Opfer. Der gegenläufige Mythos der »Nemesis« triumphiert zweifach im Tode Wallensteins und in der Verlassenheit Octavios.

Den »*Anblick der Notwendigkeit*«, die den Helden schuldig werden läßt und seinen Untergang herbeiführt, schuf der Dramatiker Schiller nicht aus analytischer Geschichtsbetrachtung, sondern aus einem stilisierten, dem Tragödiengesetz angepaßten Geschichtsmythos. Dieser ist mit existentiellem Ernst zum Bildungsgut gemacht worden – gewiß nicht im Sinne des Klassikers Schiller, der Kunstinhalte nicht als ideologische Lebenshilfen verstand, sondern sie an eine bestimmte Kunstform gebunden sah, deren Spielcharakter er bewußt zu machen gedachte. »*Ernst ist das Leben, heiter ist die Kunst*«, lautet der Schlußvers des Prologs zum *Wallenstein* und auf der Geschiedenheit von Kunst und Leben hatte Schiller auch während der Arbeit an der Trilogie insistiert. War ihm anfangs daran gelegen, den ungeschmeidigen Stoff in eine »*tragische Fabel*« zu verwandeln, die sich mit dynamischer »*Stätigkeit*« und »*Präcipitation*« entfaltete und den Zuschauer unweigerlich in ihren Bann schlagen mußte, so verwandelte er später, besorgt um dessen »*Gemüthsfreyheit*«, die wirklichkeitsnahe Prosa der Fabel in den stilisierenden Rhythmus der Jambenverse, und dieser Umbildung verdankte er neue »epische« Elemente, poetischen »*Schmuck*« wie Metaphern und Vergleiche, auch eine gewisse Breite in den Reden der Personen: Der episch ausladende Rhythmus sollte die dramatische Fabel nicht schwächen, sondern ergänzen, aus der Distanz intensiver erfahrbar machen und ihren Kunstcharakter hervorheben, dadurch aber die Gefühls- und Bewußtseinskräfte des Zuschauers zur freien »spielerischen« Entfaltung bringen G. Sa.

AUSGABEN: Tübingen 1800 [einzelnes bereits im Musenalmanach auf das Jahr 1798, in der Allgemeinen Zeitung u. in Janus 1798 u. 1799 ersch.]. – Lpzg. 1896 (in *SW*, Hg. L. Bellermann, 14 Bde., 1895–1897, 4; ern. 1922). – Stg./Bln. 1905 (in *SW*, Hg. E. v. d. Hellen u. a., 16 Bde., 1904/05, 5; *Säkular-Ausg.*). – Mchn./Lpzg. 1914 (in *SW*, 22 Bde., 1910–1926, 15; *Horen-Ausg.*). – Weimar 1949 (in *Werke*, Hg. J. Petersen u. H. Schneider, 1943ff.; Bd. 8; *National-Ausg.*). – Mchn. 1959 (in *SW*, Hg. G. Fricke, H. G. Göpfert u. H. Stubenrauch, 5 Bde., 1958/59, 2). – Mchn. 1968 (in *SW*, Hg. J. Perfahl, B. v. Wiese u. H. Koopmann, 5 Bde., 1).

LITERATUR: L. Bellermann, *S.s Dramen*, Bln. 1891. – H. Gumbel, *Die realistische Wendung des späten S.* (in Jb des Freien Dt. Hochstifts, 1932/33, S. 131 bis 162). – W. Dilthey, *Klopstock, S., Jean Paul* (in W. D., *Von deutscher Dichtung und Musik*, Lpzg. 1933, S. 325–427). – H. Schneider, *Vom Wallenstein zum Demetrius*, Stg. 1933. – H. A. Vowinckel, *S., der Dichter der Geschichte. Eine Auslegung des Wallenstein*, Bln. 1938. – K. May, *Idee und Wirklichkeit im Drama*, Göttingen 1948. – W. Paulsen, *Goethes Kritik am »Wallenstein«* (in DVLG, 28, 1954, S. 61–83). – K. S. Guthke, *Die Sinnstruktur des »Wallenstein«* (in Neoph, 42, 1958, S. 109–127). – G. Storz, *Der Dichter F. S.*, Stg. 1959, S. 255–314. – B. v. Wiese, *F. S.*, Stg. 1959, S. 625–677. – H. Singer, *Dem Fürsten Piccolomini* (in Euph, 53, 1959, S. 281–302). – P. Böckmann, *Gedanke, Wort u. Tat in S.s Dramen* (in Jb der dt. Schillergesellschaft, 4, 1960, S. 2–41). – C. Heselhaus, *Wallensteinisches Welttheater* (in Deutschunterricht, 12, 1960, H. 2, S. 42–71). – G. W. F. Hegel, *Über »Wallenstein«* (in *Meister der deutschen Kritik 1730–1830*, Hg. G. F. Hering, Mchn. 1961, S. 303–305). – O. Seidlin, *Wallenstein. Sein und Zeit* (in O. S., *Von Goethe zu Th. Mann*, Göttingen 1963, S. 120–135). – O. J. Matthijs Jolles, *Das Bild des Weges u. die Sprache des Herzens. Zur strukturellen Funktion der sprachlichen Bilder in S.s »Wallenstein«* (in Deutsche Beitr. zur geistigen Überlieferung, 5, 1965, S. 109–142). – H. Schwerte, *Simultaneität u. Differenz des Wortes in S.s »Wallenstein«* (in GRM, 15, 1965, S. 15–25). – G. Sautermeister, *Idyllik u. Dramatik im Werk F. S.s* (in Studien zur Poetik u. Geschichte der Literatur, Stg. 1971).

WAS HEISST UND ZU WELCHEM ENDE STUDIERT MAN UNIVERSALGESCHICHTE?

Antrittsvorlesung von Friedrich von SCHILLER (1759–1805), erschienen 1789 in WIELANDS Zeitschrift ›Der Teutsche Merkur‹ und als Sonderdruck der akademischen Buchhandlung in Jena. – Am 21. Januar 1789 war Schiller u. a. auf Betreiben GOETHES und der Frau von Stein in Jena zum Professor der Geschichte ernannt worden. Am 26. Mai 1789 hielt er eine zweistündige Antrittsvorlesung über Universalgeschichte. Die Vorlesung vom 26. Mai beschäftigte sich ausführlich mit dem Unterschied zwischen dem »Brotgelehrten« und dem »philosophischen Kopf«; Schillers Absage an das »*unfruchtbare Einerlei der Schulbegriffe*« war jedoch nicht an seine professoralen Kollegen gerichtet, wenn es zum Teil auch so mißverstanden wurde, sondern an die Studenten. Der Hymnus auf den »philosophischen Geist« war andererseits in vielem nur Einleitung in das Problem der Universalgeschichte, das Schiller am folgenden Tage erörterte. Diese zweite Vorlesung ist ebenso vom weltbürgerlichen Optimismus des aufgeklärten 18. Jh.s wie vom Glauben an die fast unbeschränkten Möglichkeiten der Universalgeschichte getragen. Wenn den Universalhistoriker, so meint Schiller, auch vor allem nur das interessiert, was zur gegenwärtigen Vervollkommnung der Welt beigetragen hat, so vermag er die Bruchstücke des historischen Wissens doch »*zum System, zu einem vernunftmäßig zusammenhängenden Ganzen*« zu ordnen. Und die Vorlesung gipfelt in der Feststellung: »*Unser menschliches Jahrhundert herbeizuführen haben sich – ohne es zu wissen oder zu erzielen – alle vorhergehenden Zeitalter angestrengt.*«

Schiller hat für seine Vorlesung einige universalhistorische Darstellungen ausgewertet: etwa August Ludwig von SCHLÖZERS *Vorstellung seiner Universalhistorie* (Göttingen/Gotha 1772), Edward GIBBONS *The History of the Decline and Fall of the Roman Empire* (London 1776ff.) und HERDERS *Ideen zur Philosophie der Geschichte der Menschheit* (1784ff.) sowie einige andere allgemeine historische Darstellungen. Streng historisch ist Schillers Vorlesung jedoch gewiß nicht angelegt; die geschichtsphilosophischen Momente überwiegen, und sie zeigen, wie sehr Schiller hier noch im Bann der Aufklärung stand. Jedoch lassen sich in seiner geschichtsphilosophischen Begründung der Universalgeschichte durchaus die Ansätze einer eigenen Geschichtsanschauung erkennen, die von einem philosophischen Begriff der Geschichte ausgehend das Problem der Universalgeschichte neu erörtert.
H. Koo.

AUSGABEN: Weimar 1789 (in Der Teutsche Merkur). – Jena 1789. – Stg./Bln. 1904/05 (in *SW*, Hg. E. v. d. Hellen, u. a., 16 Bde., 13; *Säkular-Ausg.*). – Mchn./Lpzg. 1912 (in *SW*, 22 Bde., 1910–1926, 6; *Horen-Ausg.*). – Mchn. 1959 (in *SW*, Hg. G. Fricke u. H. G. Göpfert, 5 Bde., 1958/59, 4); [4]1966).

LITERATUR: F. W. Kaufmann, *S.s Geschichtsphilosophie auf Grund seiner historischen Schriften* (in MDU, 32, 1940, S. 1–8). – H. v. Srbik, *Geist u. Geschichte vom deutschen Humanismus bis zur Gegenwart*, Mchn./Salzburg 1950, S. 152–157. – W. Grossmann, *S.'s Philosophy of History in His Jena*

Lectures of 1789/90 (in PMLA, 69, 1954, S. 156 bis 172). – R. Schneider, *S. Sendung u. Freiheit in der Geschichte* (in Hochland, 48, 1955/56, S. 13 23). – B. v. Wiese, *S.*, Stg. 1959, S. 338–342. – Ders., *S. as Philosopher of History and as Historian* (in *S. Bicentenary Lectures*, Ldn. 1960, S. 83–103). – H. Koopmann, *F. S.*, Bd. 1, Stg. 1966, S. 79 (Slg. Metzler, 50). – E. Staiger, *S.*, Zürich 1967, S. 39/40.

WAS KANN EINE GUTE STEHENDE SCHAUBÜHNE EIGENTLICH WIRKEN? Theoretische Schrift von Friedrich von Schiller (1759–1805), erschienen 1785. – Eine leicht veränderte Fassung seines Traktats über die mögliche Wirkung des Theaters auf Individuum und Gesellschaft hat Schiller 1802 veröffentlicht – unter dem ebenso berühmten wie mißverstandenen Titel *Die Schaubühne als eine moralische Anstalt betrachtet.* Die Schrift läßt sich nur im Hinblick auf ihre ursprüngliche Funktion als Rede angemessen beurteilen, als Rede *Vom Wirken der Schaubühne auf das Volk*, wie Schiller sie zunächst betitelt hat, »*gehalten zu Mannheim in der öffentlichen Sitzung der kurpfälzischen deutschen Gesellschaft am 26. des Junius 1784 ...*« Ein zeitlich begrenzter Vortrag, der ein so weitgespanntes Thema Aspekt für Aspekt zu durchmessen sich unterfängt, muß seiner Form nach additiv sein. Ihm haftet notwendigerweise etwas von dem linkischen Gestus des Aufzählens an. Schiller vermag es, diesen Nachteil zeitweise vergessen zu machen, indem er die Vortragssituation ausnutzt und durch rhetorische Stilfiguren gespanntes Aufmerken erzwingt. Aus parallelen Satzbildungen, Fragen, Wiederholungen, kontrastierenden Begriffen und Superlativen schlägt er rednerisches Feuer. Bilder, Vergleiche, beweiskräftige Fingerzeige auf bekannte Theaterstücke sollen seine Thesen vor der Blässe des Unwirklichen schützen. Denn Schiller ersinnt die ungewissen Wirkungsmöglichkeiten einer noch unsicher tastenden Institution: In den Anfangsgründen steckt der Versuch, die alte reisende Schauspielergesellschaft durch »*eine gute stehende Schaubühne*« zu ersetzen – eben jenes Nationaltheater, an dessen Errichtung maßgebliche Geister der Zeit, Lessing, Schiller, Goethe, ein unermüdetes Interesse bekunden. Was an »*Menschen- und Volksbildung*« sie leisten könnte, unter welchen Bedingungen sie als eine der »*ersten Anstalten des Staates*« zu gelten hätte, versucht Schiller im einzelnen zu bestimmen. Diese utopische Intention setzt seine Rede in einen Gegensatz zu der früheren Schrift *Über das gegenwärtige teutsche Theater* (1782), die von prinzipieller Skepsis geleitet war: »*Bevor das Publikum für seine Bühne gebildet ist, dürfte wohl schwerlich die Bühne ihr Publikum bilden.*« Parallelen zu Louis-Sebastien Merciers Schrift *Du théâtre ou Nouvel essai sur l'art dramatique* (1773) lassen sich leicht ziehen, so daß man mit B. v. Wiese Schillers Kenntnis der Thesen des Franzosen voraussetzen darf. Zugleich scheinen sich Schiller die Ideen eines Sulzer, Mendelssohn, Lessing *(Hamburgische Dramaturgie)*, einflußreiche Ästhetiker der Epoche der Aufklärung, unmittelbar aufgedrängt zu haben. Von der Individualität seiner Jugendschrift zeugt aber, daß in ihr wesentliche Argumente der klassischen Theaterschriften vorgebildet sind.

Pathetisch gesellt Schiller eingangs die »Schaubühne« zu den staatserhaltenden Kräften der Gesetzgebung und der Religion. Sowohl durch »*Schrecken und Rührung*« (Trauerspiel) wie durch »*Scherz und Satire*« (Lustspiel) erzieht sie den Zuschauer zur Ausübung von Pflicht und Tugend – eine typische Argumentationsweise aufklärerischer Poetik. Noch dort, wo das Theater durch kritische Darstellung von Torheiten und Verbrechen Toren und Verbrecher nicht zu bekehren vermag, vermittelt es wenigstens dem arglosen Zuschauer Einblicke in die arglistige Psychologie des Bösen. Gleichsam Warnsignale aussendend, wird es zum »*Wegweiser durch das bürgerliche Leben*«.

Diesen Charakter einer auf Vorsicht, Vorbeugung und Defensive gerichteten Lebenshilfe prägt Schiller dem Theater entschieden ein. Wie in späteren Schriften beschwört er das sogenannte »Schicksal« herauf – die zum unerklärbaren und undurchschaubaren Mythos umgedachte erklärbare und durchschaubare Geschichte – und mißt der Schaubühne die Rolle zu, die Zuschauer in »*unausbleibende Verhängnisse*« rechtzeitig einzuüben. Die im ästhetischen Bereich der Tragödie erlernte Fassung und Würde soll für tragische Situationen im realen Leben zur Verfügung stehen. Dichtung und stoische Ethik, Tragödie und lebenskluge Abwehrstrategie werden direkt miteinander verknüpft.

Der spätere Titel der Schrift – *Die Schaubühne als eine moralische Anstalt betrachtet* – scheint auszudrücken, daß Schiller nur Formen »*sittlicher Bildung*« ins Auge faßt. Der Begriff »moralisch« hat hier aber auch eine theologische und eine intellektuelle Dimension. Theologisch, insofern Schiller die Bühne als Stätte göttlichen Gerichts, des Schuldigwerdens, der Gewissensnot, der rächenden Gerechtigkeit, auffaßt – eine über die aufklärerische Dramenpoetik hinauszielende Intention, der Schillers Jugenddramen, am auffallendsten die *Räuber*, folgen. Intellektuell, insofern der Schaubühne die »*Aufklärung des Verstandes*« obliegt. An ihr ist Schiller aufgrund der Erfahrung interessiert, daß »*die größere Masse des Volkes an Ketten des Vorurteils und der Meinung gefangenliegt, die seiner Glückseligkeit ewig entgegenarbeitet*«. Die Menschen aus der Unmündigkeit zu befreien – zum Anwalt dieser prinzipiellen Absicht des Zeitalters der Aufklärung macht Schiller das Theater, und in seine Argumentation mischt sich der für seine aufklärerischen Zeitgenossen charakteristische Ton utopischer Emphase: »*Die Schaubühne ist der gemeinschaftliche Kanal, in welchen von dem denkenden bessern Teile des Volks das Licht der Weisheit herunterströmt und von da aus in milderen Strahlen durch den ganzen Staat sich verbreitet. Richtigere Begriffe, geläuterte Grundsätze, reine Gefühle fließen von hier durch alle Adern des Volks; der Nebel der Barbarei, des finstern Aberglaubens verschwindet, die Nacht weicht dem siegenden Licht.*« Als Beispiel für einen wirkungsvollen Aufklärungsprozeß zitiert Schiller mit einem Seitenblick auf Lessings *Nathan der Weise* die »*Duldung der Religion und Sekten*«, und im Geiste Lessings erhebt er die Schaubühne zum Modellfall einer künftigen besseren Erziehung: »*... hier könnten unsere Väter eigensinnigen Maximen entsagen, unsere Mütter vernünftiger lieben lernen.*«

Die Energie des Schillerschen Gedankens bezeugt sich darin, daß er komplementär zur »*Bildung der Sitten*« und zur »*Aufklärung des Verstandes*« die Sublimierung der Sinne und Leidenschaften intendiert. Ansatzweise ist in dieser Trias etwas von der Idee der Totalität enthalten, die der klassische Schiller in den Mittelpunkt seines Denkens rücken wird. Ihr liegt die Erfahrung zugrunde, daß die Menschen, die in spezialisierter Berufssphäre ihre Fähigkeiten nur partiell entwickeln, in ihrer freien Zeit nach

extremen Entschädigungen verlangen. Ausgleich im Sinne einer harmonischen Ausbildung aller Kräfte stiftet Schiller zufolge einzig die Kunst: »*Der Mann von Geschäften ist in Gefahr, ein Leben, das er dem Staat so großmütig hinopferte, mit dem unseligen Spleen abzubüßen – der Gelehrte, zum dumpfen Pedanten herabzusinken – der Pöbel zum Tier. Die Schaubühne ist die Stiftung, wo sich Vergnügen mit Unterricht, Ruhe mit Anstrengung, Kurzweil mit Bildung gattet, wo keine Kraft der Seele zum Nachteil der andern gespannt, kein Vergnügen auf Unkosten des Ganzen genossen wird.*« Dieser Vorstellung einer höheren Harmonie des Individuums gesellt Schiller den Entwurf einer Versöhnung der Gesellschaft zu. Denn der »*Nationalgeist eines Volks*«, den hervorzubringen der Nationalbühne zufällt, wird idealistisch als eine Synthese aufgefaßt, welche »*alle Stände und Klassen in sich vereinigt*«. Versöhnung aber, als Resultante verschiedener Theaterwirkungen jenseits der realen ökonomischen und politischen Gegensätze begriffen, ist nicht mehr legitime Utopie, sondern bloße Illusion – mag der Theatersaal noch so glänzend und berauschend sie vorwegnehmen: »*Und dann endlich – welch ein Triumph für dich, Natur – so oft zu Boden getretene, so oft wieder auferstehende Natur – wenn Menschen aus allen Kreisen und Zonen und Ständen, abgeworfen jede Fessel der Künstelei und der Mode, herausgerissen aus jedem Drange des Schicksals, durch eine allwebende Sympathie verbrüdert, in ein Geschlecht wieder aufgelöst, ihrer selbst und der Welt vergessen und ihrem himmlischen Ursprung sich nähern. Jeder einzelne genießt die Entzückungen aller, die verstärkt und verschönert aus hundert Augen auf ihn zurückfallen, und seine Brust gibt jetzt nur einer Empfindung Raum – es ist diese: ein Mensch zu sein.*«
In den Briefen *Über die ästhetische Erziehung des Menschen* wird Schiller Ideen dieser Jugendschrift aus einem dreifachen Kontext, einem philosophischen, politischen und wirtschaftsgeschichtlichen, analytisch entfalten. Sein Rekurs sowohl auf KANT wie auf die Französische Revolution und auf die Entwicklung von Wissenschaft und Ökonomie verleiht dort seinem Versuch einer Ortsbestimmung der Kunst im ausgehenden 18. Jahrhundert einen schwer zu enträtselnden Tiefsinn. G. Sa.

AUSGABEN: Mannheim 1785 (in Rheinische Thalia, H. 1, Hg. F. v. Schiller). – Lpzg. 1802 (*Die Schaubühne als eine moralische Anstalt betrachtet*, in *Kleinere prosaische Schriften*, Bd. 4). – Stg./Bln. 1905 (in *SW*, Hg. E. v. d. Hellen, 16 Bde., 11; *Säkular-Ausg.*). – Mchn./Lpzg. 1910 (in *SW*, 22 Bde., 1910–1926, 2; *Horen-Ausg.*). – Mchn. 1959 (in *SW*, Hg. G. Fricke u. H. G. Göpfert, 5 Bde., 1958/59, 5). – Weimar 1962 (in *Werke*, 1942ff., Bd. 20/21, Hg. B. v. Wiese; *National-Ausg.*).

LITERATUR: M. Martersteig, *Die ethische Aufgabe der Schaubühne. Eine Schillerrede*, Lpzg. 1912. – L. Mis, *S. Mercier, S. u. O. Ludwig* (in Euphorion, 29, 1928, S. 190–221). – W. Tappe, *Zwei Theaterschriften des jungen S. »Über das gegenwärtige dt. Theater« u. »Die Schaubühne als eine moralische Anstalt betrachtet«* (in Der neue Weg, 59, 1930, H. 9, S. 175f.). – R. Buchwald, *S. Erstes Buch des jungen S.*, Wiesbaden 1953, S. 439–443. – G. Scholz, *Der Dramenstil des Sturm u. Drang im Lichte der dramaturgischen Arbeiten des jungen S. Stuttgarter Aufsatz 1782 u. Mannheimer Rede 1784. Interpretation unter Berücksichtigung der frühen Dramen der sog. klassischen Periode*, Diss. Rostock 1958. – B. v. Wiese, *F. S.*, Stg. 1959, S. 110–114. – W. Krauss, *Über die Konstellation der Aufklärung in Deutschland I u. II* (in Sinn u. Form, 13, 1961, S. 65–100; 223–288).

WILHELM TELL. Schauspiel in fünf Akten von Friedrich von SCHILLER (1759–1805), Uraufführung: Weimar, 17. 3. 1804, Hoftheater. – Der Stoff, aus dem Schiller das Schauspiel formte, waren die historischen Ereignisse in den Waldstätten zwischen 1291 und 1315 und die nordische Apfelschuß-Sage, die sich z. B. in den *Gesta Danorum* (10. Buch, um 1200) des SAXO GRAMMATICUS und in der *Thiðreks saga* findet. Aus der Zeit von 1512/13 datiert das *Urner Tellenspiel*, aus der Mitte des 16. Jh.s die handschriftliche Fassung des Ägidius TSCHUDI *Chronicon Helveticum* ... (Erstdruck 1734), ein Geschichtsbuch, dessen »*treuherzigen, herodotischen, ja fast homerischen Geist*« Schiller im Jahre 1802 rühmend hervorhebt. Es ist die Hauptquelle bei seiner dramatischen Gestaltung, die er 1802 plant und Anfang 1804 abschließt.
Gleich mit der ersten Szene schlägt Schiller die Zuschauer und Leser in seinen Bann durch einen grellen dramatischen Effekt: In die Idylle bricht schroff die Geschichte ein. Man hört den »*Kuhreihen und das harmonische Geläut der Herdenglocken*«, hört einen Fischerknaben, der das »*Paradies*«, einen Hirten, der den Kreislauf der Natur, einen Alpenjäger, der kühn die Gefahr »*auf schwindlichtem Weg*« besingt, bis unversehens die sonnenbeschienene Landschaft sich verändert, »*Schatten von Wolken*« metaphorisch eine tödliche Gefahr anzeigen: Baumgarten ist auf der Flucht vor des Kaisers Reitern, die ihm nachsetzen, weil er des Kaisers Burgvogt erschlug, der sich an seinem Weib vergehen wollte. Die österreichische Fremdherrschaft provoziert die Notwehr der Schweizer, deren Existenzweise naiv-idyllisch war, nicht der verändernden Kraft der Geschichte ausgesetzt, sondern vom Kreislauf der Natur umfangen: »*Denn so wie ihre Alpen fort und fort / Dieselben Kräuter nähren, ihre Brunnen / Gleichförmig fließen, Wolken selbst und Winde / Den gleichen Strich unwandelbar befolgen, / So hat die alte Sitte vom Ahn / Zum Enkel unverändert fort bestanden.*« – Das natürliche Gleichmaß des Lebens wird aufgehoben durch den destruktiven Herrschaftsanspruch Österreichs, den die vereinigten Lande Schwyz, Uri, Unterwalden mit gezielter Politik so entschlossen niederschlagen, daß sie sich eine neue Freiheit, eine neue Idylle erobern: So durchsichtig ist hier der kulturphilosophische Dreischritt: erste Idylle – Geschichte – zweite Idylle, der auch den Bauplan der klassischen ästhetischen Schriften Schillers (vgl. besonders *Über naive und sentimentalische Dichtung*) regiert. Weniger leicht durchschaubar sind die dramatischen Formen, die Personenkonstellationen und die Symbole, in denen Schiller diesen Dreischritt versinnbildlicht.
Baumgarten wird nicht von Ruodi, dem Steuermann, gerettet, sondern von Tell, dem Jäger, der den Verfolgten kühn durch die stürmische See steuert. Jahrzehntelang galt Tell nicht als Rätsel oder wenigstens als komplexe Figur, sondern als »*schlichter einfacher Landmann*«, als »*Mann der That, nicht des Rats*« (L. Bellermann), als »*der Redliche, der Bürger, der Hausvater*« (v. Wiese). Erst Fritz MARTINI hat diese Figur der Schillerschen Philosophie zugeordnet und ihr »*ästhetische Totalität*« zugebilligt: »*unbeschränkte Aktivität der ganzen Per-*

son in der Fülle ihrer Kräfte«, so daß Tell unversehens zu der Idealgestalt emporwuchs, die Schiller in seinen Briefen *Über die ästhetische Erziehung des Menschen* entworfen hatte. Aber das Schauspiel stellt weder einen statischen, eindimensionalen Charakter noch einen fertigen »totalen« Menschen vor, sondern eine sich wandelnde Existenz, der im dramatischen Prozeß neue Qualitäten zuwachsen.

Kein Zweifel, daß Tell sich durch eine ideale Tatkraft hervorhebt. Auf seine tollkühne Rettung Baumgartens anspielend, fragt ihn seine Frau: »*Dachtest du denn gar nicht / An Kind und Weib?*« und Tell antwortet: »*Lieb Weib, ich dacht' an euch, / Drum rettet' ich den Vater seinen Kindern.*« Diese Kraft der unmittelbaren Vergegenwärtigung macht ihn zum idealen Repräsentanten idyllischer Seinsweise. Kurze Zeit nach der Rettungstat geht er mit einem Schweizer Freund, Stauffacher, an der Zwingburg vorüber, die Österreich als Gefängnis für die Eidgenossen ausersehen hat, und kurz und bündig ermahnt er den rebellischen Stauffacher zu »*Geduld und Schweigen*«, indem er die österreichischen Gewalttaten mit Naturvorgängen, mit einem »Föhn« und einer »gereizten« Schlange, vergleicht, die von selbst, spurlos, wieder verschwinden, sofern man sich nur »still« zurückziehe: »*Dem Friedlichen gewährt man gern den Frieden.*« Hierin täuscht sich Tell. Denn Baumgarten ist gegen seinen Willen aus seinem Frieden gerissen worden, und auch die Zwingburg ist Zeichen einer provozierenden, wachsenden Gewaltpolitik gegen die friedliebenden Eidgenossen. Tells an Naturvorgängen orientiertes Denken kann nicht ermessen, was die geschichtliche Stunde geschlagen hat. Sein naiv idyllisches Vertrauen macht ihn blind gegen das Unerhörte und Neue, gegen die geschichtliche, destruktive Gewalt: »*Ein solches war im Lande nie erlebt, / Solang ein Hirte trieb auf diesen Bergen.*« Als Stauffacher ihn zu gemeinsamem Handeln auffordert, winkt er aus dem Selbstgefühl des »Starken« ab, der ausschließlich seiner persönlichen Tatkraft, nicht aber der Reflexion und dem Dialog vertraut: »*Doch was ihr tut, laßt mich aus eurem Rat, / Ich kann nicht lange prüfen oder wählen; / Bedürft ihr meiner zu bestimmter Tat, / Dann ruft den Tell, es soll an mir nicht fehlen.*« Tells naiv idyllische Seinsweise äußert sich in einer idealen Tatkraft, aber auch in einem naturgebundenen, ungeschichtlichen Denken, in der Skepsis gegen die vermittelnde Reflexion und den gemeinsamen Dialog.

Das scheinbar so harmonisch ablaufende Schauspiel ist von leidenschaftlicher Spannung erfüllt, weil die Schweizer insgesamt sich anders verhalten als Tell, der einzelne. Indem die unterdrückten Eidgenossen sich miteinander bereden, erheben sie den Dialog zum rettenden Prinzip. Gertrud, Stauffachers Frau, hat ihren Mann von passiver Verzweiflung befreit, weil sie ihm den Rat gab, mit anderen über die österreichische Fremdherrschaft zu diskutieren, und Stauffacher, ein Schwyzer, spricht daraufhin mit Walter Fürst, einem Bürger Uris, und mit Melchtal, einem Flüchtling aus Unterwalden: Aus dem Dialog Gertrud – Stauffacher geht der Dialog Stauffacher – Walter Fürst – Melchtal hervor, der sich zu einem umfassenden, allgemeinen Dialog, dem Rütli-Schwur, erweitert. Die Tyrannenmacht soll an einem bestimmten Tag gemeinsam gebrochen werden – und diesem Entschluß hat sich jeder einzelne bedingungslos zu fügen: »*Bezähme jeder die gerechte Wut / Und spare für das Ganze seine Rache, / Denn Raub begeht am allgemeinen Gut, / Wer selbst sich hilft in seiner eignen Sache.*« In diesen dialogisch aufklärenden Prozeß fügt sich auch die vielfach mißverstandene Liebesbeziehung ein: Berta von Bruneck befreit Rudenz, den Parteigänger Österreichs, von seiner Verblendung und gewinnt den Adligen für die Sache seines Volks, indem sie ihm zeigt, daß ihrem privaten Glück das allgemeine Glück vorgeordnet sein muß: »*Kämpfe / Fürs Vaterland, du kämpfst für deine Liebe!*«

So enthüllt sich als Grundfigur des Schauspiels die spannungsreiche Relation zwischen Tell und den Eidgenossen, dem einzelnen und der Gesellschaft, dem Selbstgefühl und der Solidarität, der verschwiegenen Tat und der öffentlichen Rede. Diese Grundfigur verändert sich mit dem dramatischen Prozeß, der sich aus der vielzitierten Apfelschuß-Szene entfaltet: Tell wird von Geßler gezwungen, das Leben seines Kindes aufs Spiel zu setzen, um das Leben dieses Kindes und sein eigenes zu retten. Seines naiv idyllischen Vertrauens in die Umwelt beraubt, in die geschichtliche Stunde brutal hineinversetzt, entschließt er sich zum Mord an Geßler, dem Repräsentanten fremder Herrschaft. Aber noch ehe Tell, den Banden Geßlers bei einer stürmischen Seefahrt listig entronnen, den Mord ausführt, umkreist er ihn lange und rückhaltlos in seinem Monolog, spiegelt er die drohende Tat an seinem vormals ungetrübten idyllischen Dasein, legitimiert er vor sich selber diese Tat, prüft und bedenkt er sie, er, der zuvor nicht auf das »Prüfen« sich verstand und vom »Bedenken« nicht viel hielt. Der Tatkräftige ergänzt seine ursprüngliche Spontaneität durch die vermittelnde Reflexion – und parallel dazu ergänzt er seine kurz angebundene, sentenziöse Sprechweise durch die ausschweifend variierende, unerbittlich forschende Rede. So lernt er seinen privaten Mord als idealen Dienst am Allgemeinen verstehen, im Gegensatz zu den tragischen Helden Schillers, die in ihrem Monolog der schuldbefleckten Dialektik des Handelns ins Auge sehen – und was Tell hier durch Reflexion lernt, kommt ihm in der Begegnung mit Parricida zustatten: Er vermag es, dessen Mord als Ausfluß privater Willkür zu entlarven und damit Parricidas trübe Verwirrung aufzulösen. Mit der Einsicht in seine Schuld schimmert aber für Parricida die Möglichkeit einer Erlösung auf, die Tell ihm anzeigt. Diese vielkritisierte Szene hat ihren doppelten Sinn darin, daß hier dem Schuldigsten eine Hoffnung eröffnet wird durch das dialogisch gewendete Wort eines Mannes, der ursprünglich wortkarg gewesen ist – und nur seiner Tatkraft vertraut hat: »*Das schwere Herz wird nicht durch Worte leicht.*«

Gewinnt Tell im dramatischen Prozeß die Dimension der Reflexion und der dialogischen Rede, so gewinnen die Eidgenossen die Dimension der spontanen Tat und der individuellen Freiheit. Die Apfelschuß-Szene deckt ihnen die unberechenbare Kraft der Geschichte auf, macht ihren gemeinsamen Entschluß hinfällig, fordert sie zum situationsgerechten Handeln heraus: »*Die Stunde dringt, und rascher Tat bedarf's – / Der Tell ward schon ein Opfer eures Säumens –.*« Weil die Eidgenossen ihren ursprünglichen abstrakten Entschluß dem Drängen des adligen Rudenz opfern, opfert dieser ihnen zuletzt seine Privilegien: »*Und frei erklär' ich alle meine Knechte.*« Aus der schrankenlosen Solidarität, die sich bewährt hat in der Vertreibung der Unterdrückten und der Rettung Bertas, entspringt die Freiheit aller.

Die neue Solidarität ist zugleich so individuell geartet, daß die Eidgenossen akzeptieren, was sie zuvor ausgeklammert hatten: die Selbsthilfe, die verschwiegene Tat des einzelnen (Tell). Umgekehrt hat die Selbsthilfe Tells so allgemeinen Charakter, daß sie unterstützt, was Tell zuvor aus distanzierter Skepsis relativiert hatte: solidarisches Handeln.

Entgegen der weitverbreiteten Meinung, die dem Schauspiel unterstellt, es beschreibe einen Kreislauf, Tell und die Schweizer würden aus der naiven Idylle gerissen und über den Weg durch die Geschichte in diese Idylle zurückkehren, rollt hier ein dynamischer Prozeß ab, in dessen Verlauf der einzelne und die Gesellschaft aus ihrem Absolutheitsanspruch heraustreten, sich gegenseitig relativieren und ergänzen und kraft ihrer neuen Qualitäten in eine noch nie dagewesene, vielseitige, politische Idylle eintreten. Schiller hat diese Idylle auch den *»ästhetischen Staat«* genannt, worin die einzelnen Menschen *»bey der höchsten Universalisierung«* ihres *»Betragens«* zugleich ihre *»Eigenthümlichkeit retten«* (Briefe *Über die ästhetische Erziehung des Menschen*), die Allgemeinheit und die Individualität sich produktiv durchdringen. Unter Berufung auf Schiller hat HEGEL diese Idee des fortschrittlichen bürgerlichen Humanismus zum Motor seines Philosophierens erhoben.

Indem das Schauspiel eine ideale Synthese, einen utopischen Glücksfall vor Augen führt, gewinnt es märchenhafte Züge, und Schiller tritt als märchenhafter Regisseur hervor, weil er, hinter der Chiffre »Gott« sich versteckend, das individuelle Handeln Tells und das solidarische Handeln der Gemeinschaft glücklich, just im richtigen Augenblick, ineinandergreifen läßt. Aber das Märchen ist mit Zügen ausgestattet, die in die zeitgenössische Realität des Schillerschen Theaterpublikums hineinwirken sollen: Wie in den klassischen Tragödien gesellt Schiller in zahlreichen Szenenanweisungen zum Wort die Musik und das Bild. Die Selbstentfremdung der Zeitgenossen aufzuheben, ihre auseinanderweisenden sinnlichen und geistigen Kräfte zu versöhnen, war Schillers theatralische Intention. Sein »Volksstück« wollte, indem es geistige Vorgänge durch Klänge und Bilder unterstützte, die allzu aufgeklärten, höheren Schichten mit sinnlicher Energie begaben, und es wollte, indem es in Klängen, in Bildern, in überraschend einfacher, faßlicher Sprache abstrakte Vorgänge darbot, den wenig aufgeklärten, niederen Schichten zur Erkenntnis verhelfen – vor allem zur Erkenntnis der Freiheit.

So idealistisch die versöhnende Intention des Volksdichters blieb, der mit seinem Schauspiel *»die Bühnen von Deutschland erschüttern«* wollte, so sinnlich greifbar inszeniert er diese Erkenntnis der Freiheit. Dramatische, atemlose Tempi – Baumgarten auf der Flucht vor den Unterdrückern, Tell auf der Flucht in die Freiheit, Rudenz' Einbruch in die resignierte Versammlung um den sterbenden Attinghausen – wechseln mit epischen Tempi, jenen Dialogen, worin die Freiheit entschlossen herbeizitiert und mit pathetischem Ritual beschworen wird – aber auch mit jenem unverblümten Appell zur Gewalt, vor dem die Herrschenden sich immer fürchten werden: *»Nein, eine Grenze hat Tyrannenmacht, / Wenn der Gedrückte nirgends Recht kann finden, / Wenn unerträglich wird die Last – greift er / Hinauf getrosten Mutes in den Himmel / Und holt herunter seine ew'gen Rechte, / Die droben hangen unveräußerlich / Und unzerbrechlich, wie die Sterne selbst – (...) Zum letzten Mittel, wenn kein andres mehr / Verfangen will, ist ihm das Schwert gegeben –.«*

G. Sa.

AUSGABEN: Tübingen 1804. – Stg./Bln. 1904 (in *SW*, Hg. E. v. d. Hellen u. a., 16 Bde., 1904/05, 7, Hg. O. Walzel; *Säkular-Ausg.*). – Mchn./Lpzg. 1924 (in *SW*, 22 Bde., 1910–1926, 20; *Horen-Ausg.*). – Mchn. 1959 (in *SW*, Hg. G. Fricke u. H. G. Göpfert, 5 Bde., 1958/59, 2; [4]1965).

BEARBEITUNGEN: M. Pichat, *Guillaume Tell*, Paris 1830. – C. A. Bernoulli, *Der Meisterschütze*, Jena 1915. – F. Chavannes, *Guillaume le fou*, Paris 1916.

VERTONUNGEN: G. Rossini, *Guillaume Tell* (Text: V. J. Étienne de Jouy u. F. Bis; Oper; Urauff.: Paris, 3. 8. 1829, Opéra). – H. Huber, *Tell*, Winterthur 1881 (Symphonie). – J. Rieter, *Der Tell* (Text: M. Millenkovich-Morold, Oper; Urauff.: Wien, 3. 11. 1917, Volksoper).

VERFILMUNGEN: England 1900 (Regie: W. Paul). – Frankreich 1903 (Regie: L. Nonguet). – Deutschland 1934 (Regie: H. Paul). – USA 1939 (Regie: F. Féher). – Italien 1948 (Regie: G. Pastina). – Österreich 1956 (Regie: J. Gielen).

LITERATUR: L. Bellermann, *S.s Dramen*, Bln. 1891. – G. Kettner, *»Wilhelm Tell«. Eine Auslegung*, Bln. 1909. – R. Leroux, *L'idéologie politique dans »Guillaume Tell«* (in EG, 10, 1955, S. 128–144). – H. G. Thalheim, *Notwendigkeit u. Rechtlichkeit der Selbsthilfe in S.s »Wilhelm Tell«* (in Goethe-Jb., N. F. 18, 1956, S. 216–257). – W. F. Mainland, *S. and the Changing Past*, Ldn. 1957. – G. W. Field, *S.'s Theory of the Idyl in »Wilhelm Tell«* (in GQ, 32, 1959, S. 302–315). – G. Storz, *Der Dichter F. S.*, Stg. 1959, S. 402–430. – B. v. Wiese, *F. S.*, Stg. 1959. – F. Martini, *»Wilhelm Tell«. Der ästhetische Staat u. der ästhetische Mensch* (in Der Deutschunterricht, 12, 1960, S. 90–118; auch in *Fs. für B. Markwardt*, Bln. 1961, S. 253–275). – E. Braemer u. U. Wertheim, *Studien zur deutschen Klassik*, Bln. 1960. – W. Kohlschmidt, *Tells Entscheidung* (in *Schiller. Gedenkreden im Jahr 1959*, Hg. B. Zeller, Stg. 1961). – E. Staiger, *S.*, Zürich 1967. – W. Jack, *Bemerkungen zum »Wilhelm Tell«* (in 2. Bundesgymnasium Klagenfurt. Bericht über das Schuljahr 1970/71, Klagenfurt 1971, S. 35–63; m. Bibliogr.). – G. Sautermeister, *Dramatik u. Idylle im Werk F. S.s*, Stg. 1971.

AUGUST WILHELM VON SCHLEGEL
(1767–1845)

GESCHICHTE DER DEUTSCHEN SPRACHE UND POESIE. Vorlesungen von August Wilhelm von SCHLEGEL (1767–1845), gehalten an der Universität Bonn ab Wintersemester 1818/19; erschienen 1913. – Schon der erste Herausgeber der Werke Schlegels, Eduard BÖCKING, beabsichtigte 1852 eine Veröffentlichung des Vorlesungsmanuskripts und zog, da er sich als Jurist die nötigen germanistischen Kenntnisse nicht zutraute, Karl SIMROCK zur Unterstützung heran, doch kam es nicht zur Drucklegung. Erst im Jahre 1913 unternahm Josef KÖRNER die Veröffentlichung des unübersichtlichen und marginalienreichen Manuskripts. Mit Recht bemerkt er in seiner Einleitung, daß diese Vorlesungen des späten Schlegel weder die Bedeutung der 1801–1804 in Berlin gehaltenen *Über schöne Literatur und Kunst* noch die des Kollegs *Über dramatische Kunst und Literatur* (1808 in Wien) erreichen, doch sind sie eine aufschlußreiche Quellenschrift für die Geschichte der deutschen Philologie. – Schlegels Vorlesungen gehen zum Teil auf frühere Kollegs und Schriften zurück, in der Hauptsache jedoch auf Forschungsarbeiten der vorangegangenen fünfzehn Jahre, deren Ergebnisse in sieben Heften aufgezeichnet sind. Neben Notizen zur Heldensage und zu den *Nibelungen* (fünf Hefte) finden sich in je einem Heft sprachgeschichtliche Bemerkungen *(Etymologica)* und eine Sammlung verschiedenster Aufzeichnungen *(Miscellanea)*. Die Hefte enthalten außerdem zum Teil Ratschläge und Ergänzungen Friedrich von SCHLEGELS.

Die Vorlesungen geben eine in sieben Zeitabschnitte gegliederte »*Übersicht der Geschichte unserer Sprache und Literatur von der ältesten Vorzeit an bis auf das gegenwärtige Menschenalter*«. Der Schwerpunkt liegt dabei auf sprachgeschichtlichen Details. Nach einem Lob der Redekunst als eines »*gesellschaftlichen Austauschs*« von Gedanken und Gefühlen folgt die Feststellung, daß die deutsche Sprache eine »*Ursprache*« sei, unendlich entwicklungsfähig und zur Zeit am »*echtesten und reinsten*« im Munde der Gebildeten und Gelehrten aufbewahrt. Am ausführlichsten ist die Darstellung der älteren Literatur bis zum Ausgang des Mittelalters. Die Germanen sind für Schlegel die Ureinwohner Deutschlands, zu nicht feststellbarer Zeit aus Asien, dem »*Ursitz des Menschengeschlechts*« eingewandert. Ein »*Onomasticon Theotiscum*«, ein altdeutsches Namenbuch, müsse geschrieben werden, um in den Deutschen den Stolz auf das Eigene wachzuhalten. Die *Germania* des TACITUS wird als Quelle ausführlich benutzt. Die gotische Sprache ist nach Schlegel die »*Muttersprache*« der Deutschen; auf sie hat sich die etymologische Untersuchung der deutschen Stammesdialekte zu gründen. Das *Hildebrandslied* hält Schlegel nicht für heidnisch, an OTFRID tadelt er die »*Weitschweifigkeit*«. An den *Nibelungen*, die allein mit künstlerischer Einfühlung behandelt werden, rühmt Schlegel »*Tiefe und Konsequenz, individuelle Lebendigkeit in der Schilderung der Charaktere. Ihre Größe und eiserne gediegene Kraft.*« Er referiert über Handschriften und Ausgaben der Dichtung, lehnt modernisierte Bearbeitungen ab, weil sie den Rhythmus des Originals verfälschten, und empfiehlt die *Nibelungen* als Schullektüre. »*In fünfzig Jahren wird die Sprache der Nibelungen weniger veraltet sein als jetzt*«, das Gedicht wiege »*die ganze übrige Literatur des Mittelalters auf*«, die Schlegel daher auch zwar *in extenso*, aber ohne tiefere Begeisterung behandelt. Der *Parzival* ist zu »*idealisch und mystisch*«, ohne Leidenschaft; an den spätmittelalterlichen Versdichtungen werden die »*stillstehenden Beschreibungen*« getadelt, die vierhebigen Reimpaarverse mehrfach als »*Dreschflegeltakte*« bezeichnet. Wärmere Worte findet Schlegel erst wieder für Jakob BÖHME, dessen Werk bei einer Übersetzung DANTES als Stilvorbild zu benutzen sei. Nach der Ritter- und der »*volksmäßigen*« Dichtung (Hans SACHS) gerät die Literatur bei WECKHERLIN und OPITZ in die Hände von Gelehrten. Nach kurzen Skizzen einiger Dichter schließt das Manuskript mit den lediglich notierten Namen Voss, BÜRGER, STOLBERG, GOETHE, HERDER, Johannes von MÜLLER und SCHILLER.

Wirksam wurde für die Linguistik Schlegels Einteilung der Sprachen in drei Klassen: in aufsteigender historischer Linie folgen Sprachen ohne Formenbildung, Sprachen mit Bildungssilben und Sprachen mit Flexionen aufeinander. Zur letzten Gruppe zählt Schlegel das Deutsche, doch sei es organische Sprache und unabhängig von den vorausgehenden Gruppen entstanden, indem die Gestalt der Worte aus eigenen, inneren Bildungskräften hervorgewachsen sei.

Der Vorlesungstext ist nur am Anfang zum Vortrag ausgearbeitet, im weiteren Verlauf stichwortartig zusammengefaßt. Der Kritiker und geistreiche Ästhet der früheren Jahre ist dem Wissenschaftler gewichen, vor dessen schöngeistige Interessen sprachgeschichtliche und literarhistorische getreten sind. Fast alle Quellen hat Schlegel selbst gelesen; er bespricht die Ausgaben und setzt sich mit den Forschern und Literaturliebhabern seiner Zeit auseinander, unter anderen mit ADELUNG, BOISSERÉE, BENECKE, GÖRRES und Jacob GRIMM. Dem Leser wird sich der scheinbar karge, an stofflichen Details allerdings reiche Text nur erschließen, wenn er ihn gleichsam als Destillat romantischer Literaturbetrachtung, vor allem der der jungen Brüder Schlegel, versteht. In der *Geschichte der deutschen Sprache und Poesie* haben sich Enthusiasmus und geistige Entdeckerfreude zu festgegründeten (wenn auch durch die Forschungen Karl LACHMANNS und Jacob Grimms weitgehend überholten) Überzeugungen abgeklärt. D. Ba.

AUSGABE: Bln. 1913, Hg. J. Körner (DLD, 147).

LITERATUR: W. F. Schirmer, *A. W. S. Drei Vorträge* (in W. F. S., *Kleine Schriften*, Tübingen 1950, S. 153–200). – W. Richter, *A. W. S. Wanderer zwischen Weltpoesie und altdeutscher Dichtung*, Bonn 1954 [Rektoratsrede]. – R. Wellek, *Geschichte der Literaturkritik, 1750–1830*, Darmstadt 1959, S. 294 bis 329. – F. Finke, *Die Brüder S. als Literarhistoriker*, Diss. Kiel 1961.

ÜBER DRAMATISCHE KUNST UND LITERATUR. Vorlesungen von August Wilhelm von SCHLEGEL (1767–1845), gehalten in Wien 1808, erschienen in drei Bänden 1809–1811. – Diese Vorlesungen gelten als das Hauptwerk A. W. Schlegels, der in ihnen – einige Jahre nach der Auflösung des Romantikerkreises in Jena – Methode und Tendenz der frühromantischen Kritik exemplarisch demonstrierte und mit ihnen die ästhetischen Doktrinen der Romantik in der gebildeten Öffentlichkeit endgültig einbürgern konnte. Die siebenunddreißig Vorlesungen sind nach einer systematischen Einleitung (1–3) chronologisch geordnet. Dabei ist der Beschäftigung mit der griechischen Bühne ein Großteil der Vorlesungszeit gewidmet (4–14 und *Anhang über die szenische Anordnung des griechischen Schauspiels*); Römer (15) und Italiener (16) werden nur kurz gestreift. Ein zweiter Schwerpunkt liegt bei der Auseinandersetzung mit der französischen Klassik (17–24), ein dritter bei der ausführlichen Interpretation der Werke SHAKESPEARES und der Darstellung des englischen Theaters überhaupt (25–34), während sowohl CALDERÓN (35) wie der gesamte Verlauf der Geschichte des deutschen Dramas bis zur Gegenwart (36 und 37) nur mehr eine knappe Charakteristik erfahren.

Nach dem Leitsatz Friedrich SCHLEGELS »*Die Wissenschaft der Kunst ist ihre Geschichte*« *(Gespräch über Poesie)* verfahrend, geht es dem romantischen Kritiker um geschichtliches Verstehen als Ermöglichung und Modell ästhetischer Urteilsbildung. Die am Ende erhobene Forderung nach einem historischen Schauspiel als einem Vehikel, »*die unzerstörbare Einheit als Deutsche fühlen zu lassen*«, welche den Anstoß zur Abfassung zahlloser Geschichtsdramen gab, ist darum eine konsequente Weiterführung des zu sublimer und allseitig informierter Interpretation entwickelten Geschichtssinnes auf dem Gebiet der produktiven Kunst, während deren Bindung an die Eigenstruktur der Gegenwartswirklichkeit außerhalb des Blickfeldes bleibt.

Schlegels Maxime »*Das ganze Spiel lebendiger Bewegung beruht auf Einstimmung und Gegensatz*« (1. Vorlesung) ermöglicht ihm eine gleichgewichtige Würdigung der antiken wie der modernen, der klassischen wie der romantischen Poesie; seine auf HERDER gründende These »*Das Genie ist eben die bis auf einen gewissen Grad bewußtlose Wahl des Vortrefflichen, also Geschmack in seiner höchsten Wirksamkeit*« erlaubt eine bewegliche Eleganz der Argumentation, die ästhetische Normen durch die Überzeugungskraft konkreter Kunstwerke legitimiert und der persönlichen Vorliebe für einzelne Dramen durch poetologische Prinzipien zu Hilfe kommt. Einige Glanzstücke des Buches wie die Deutung von *Macbeth* und *King Lear* können noch heute als Modelle für eine »Kunst der Interpretation« gelten, wenngleich für Schlegel die Kontinuität des eigenen Verstehens mit den Lebenskräften der literarischen Tradition noch nicht zweifelhaft geworden war. Auf die Deutungen trifft das Urteil von David Friedrich STRAUSS über die Vorlesungen in besonderem Maße zu: »*Sie sind gehaltvoll ohne schwerfällig, lehrreich ohne trocken, gemeinverständlich ohne seicht zu sein.*« E. Ri.

AUSGABEN: Heidelberg 1809–1811, 3 Bde. – Wien 1825, 4 Bde. – Lpzg. 1846, 3 Bde. (in *SW*, Hg. E. Böcking, 12 Bde., 1846/47, 5/6). – Stg. 1966 (*Vorlesungen über dramatische Kunst und Literatur*, in *Kritische Schriften und Briefe*, Hg. E. Lohner, 6 Bde., 1962–1967, 5/6).

LITERATUR: J. Körner, *Die Botschaft der deutschen Romantik an Europa*, Augsburg 1929. – Ders., *Krisenjahre der Frühromantik. Briefe aus dem Schlegelkreis*, Brünn 1937. – *A. W. S. Kritische Schriften*, Ausw., Einl. u. Erl. E. Staiger, Zürich/Stg. 1962. – R. W. Ewton, *The Literary Theories of A. W. S.*, Diss. Rice Univ. 1966 (vgl. Diss. Abstracts, 27, 1966/67, S. 1054 A). – H.-D. Dahnke, *Berliner u. Wiener Vorlesungen u. die romantische Literatur* (in Weimarer Beiträge, 14, 1968, S. 782–796).

FRIEDRICH VON SCHLEGEL
(1772–1829)

GESCHICHTE DER ALTEN UND NEUEN LITTERATUR. Vorlesungen gehalten zu Wien im Jahre 1812. Darstellung der Literaturen der Welt von Friedrich von SCHLEGEL (1772–1829), erschienen 1815. – Das dem Fürsten Metternich gewidmete Werk entstand aus sechzehn im Jahre 1812 an der Universität Wien gehaltenen Vorlesungen. Ein großer Teil von Schlegels früheren Untersuchungen und theoretischen Studien zur Geschichte der Dichtung, zu Philosophie und Philologie, insbesondere zur griechischen Antike, zum Sanskrit und zur mittelalterlichen Kunst und Literatur, gingen in dieses »*große Gemälde von der Entwicklung des menschlichen Geistes*« ein. Der Begriff »Literatur« umfaßt hier alle Zeugnisse, in denen sich der Geist eines Volkes oder einer Epoche sprachlich manifestiert; Literatur ist der »*Inbegriff aller intellektuellen Fähigkeiten und Hervorbringungen einer Nation*«. Zu einer Geschichte der Literatur gehören daher für Schlegel »*alle jene Künste und Wissenschaften ... welche das Leben und den Menschen selbst zum Gegenstand haben*«.

Zu Beginn weist der Verfasser nachdrücklich auf den Schaden hin, der einer nur auf »Zwecke« gerichteten Gesellschaft dadurch erwächst, daß sie intellektuelles und praktisches Leben streng voneinander trennt, und er versucht zu zeigen, »*wie bedeutend eine nationale Geistesbildung oft auch in den Lauf der großen Weltbegebenheiten und in die Schicksale der Staaten eingreift*«. Er setzt den Gang des Geistes, »*sein allmähliches Emporsteigen, volles Aufblühen und dann wieder erfolgtes Sinken oder Verlöschen*«, in Parallele zu den gesellschaftlich-politischen Verhältnissen eines Volkes, zum Beispiel des griechischen und des römischen, und eines Zeitalters, zum Beispiel des heidnischen und des christlichen, indem er in chronologischer Folge die bedeutendsten Schriftsteller der großen europäischen Nationen charakterisiert. Eine umfassende Darstellung der Geistesbildung bei den Hebräern, Persern und Indern dient der Erhellung der verschiedenen Einflüsse, unter denen sich der Übergang von der Antike zur Neuzeit vollzog. Schlegel analysiert das *Alte Testament*, den »*Inbegriff der Geisteswerke*« der Hebräer, vergleicht die mosaische Überlieferung mit der Religionslehre der Perser und versucht einen ersten Gesamtüberblick über Kultur und Lebensgewohnheiten der Inder zu geben. Die Geschichte der Literatur des Mittelalters eröffnet er dann mit einer Studie über die epochale Wirkung und Bedeutung des *Neuen Testaments*, in dem er den Höhepunkt aller geistesgeschichtlichen Erscheinungen sieht: »*Durch dieses göttliche Licht von oben, welches das Evangelium in seiner Einfalt und Klarheit in die Welt gebracht hat, wird der künstlerische Verstand und philosophische Scharfsinn der Griechen, der praktische Weltverstand der Römer, und der prophetische Tiefsinn der Hebräer erst zu einem vollständigen Ganzen wahrhafter Erleuchtung und Einsicht für das Leben wie für die Wissenschaft vollendet und beschlossen.*« Schlegel gibt dann einen Überblick über die europäische Literatur und Philosophie vom Mittelalter bis zum Beginn des 19. Jh.s, wobei er versucht, die spezifische Geistesart der großen Nationen näher zu charakterisieren: Der Italiener zeichnet sich vor allem durch »*Kunstsinn und Fantasie*« aus, der Franzose durch »*Vernunft und Rhetorik*«, der Engländer durch »*kritischen Verstand und historische Darstellung*« und der Spanier durch »*mächtiges Nationalgefühl und lebendige Poesie*«; der deutsche Geist jedoch strebe zu den »*verborgenen Prinzipien des inneren Lebens*«, wo jene geistigen »*Elementarkräfte*« der europäischen Nationen romanischer Abstammung vereinigt seien. Die Vorlesungen zur Geschichte der Literatur schließen mit Schlegels Aufforderung, Glauben und Wissen wieder zu vereinen, damit »*jenes Eine Licht*« des Göttlichen in einer »*höheren geistigen Poesie der Wahrheit*« hervortrete.

Der Autor machte mit diesem Werk – wie mit der vorangegangenen *Geschichte der Poesie der Griechen und Römer* (1798) – als erster HERDERS Erkenntnis, daß zum Verständnis der Dichtung die Kenntnis der Geschichte ihres Werdens notwendig sei, in vollem Ausmaß für die Literaturgeschichte fruchtbar. Nach dem Vorbild der kunsthistorischen Schriften WINCKELMANNS tritt an die Stelle der kausalen Geschichtsauffassung die organische, die vor allem die verschiedenen Voraussetzungen, Verzweigungen und Wechselwirkungen innerhalb der geschichtlichen Entwicklung berücksichtigt. Außerdem gewinnt der von Herder vertretene historische Relativismus Bedeutung, der besagt, daß jedes Werk von Ort und Zeit seiner Entstehung abhängig und also einmalig ist. Auch der Gedanke, daß der Literatur im öffentlichen Leben eine praktische Mission zukomme – vielleicht das entscheidende Motiv, dem die *Geschichte* ihre Entstehung verdankt –, lag damals gewissermaßen in der Luft, besonders in Wien, wo Adam MÜLLER ähnliche Thesen vertrat, und in Italien, wo ALFIERI und FOSCOLO mit ihren Dichtungen in öffentliche Angelegenheiten eingriffen. Schlegel verknüpft diese Idee mit wesentlichen Motiven der historischen Ideologie seiner Pariser und Wiener Jahre, wie sie auch in den anderen Werken dieses Zeitraums, in der Zeitschrift ›Europa‹, in den *Ansichten und Ideen von der christlichen Kunst* und in seiner Lebens- und Geschichtsphilosophie zum Ausdruck kommen: die religiöse, geistige und nationale Spaltung Europas, der Katholizismus als Weg zu ihrer Überwindung, die altindische Kunst als Vorbild für die europäische Einigung, das Mittelalter als das Goldene Zeitalter christlich-abendländischer Geschichte. Besonders stark betont der Autor in diesem Werk, auf TACITUS fußend, die Rolle des germanischen Elements, des »*freien nordischen Geistes*«. Auch hier erscheint, wie in der ›Europa‹, das Christentum deutscher Prägung als die Idealform europäischen Geistes, der Schlegel denn auch am Ende seines Werkes die Aufgabe einer neuerlichen Einigung des Abendlandes zuschreiben möchte. So verbinden sich mit der Europa-Idee auf eigentümliche Weise die Keime einer nationalistischen Ideologie, die bis in die Gegenwart fortwirkte

Die Widersprüchlichkeit der Schlegelschen Thesen, vor allem aber ihre Verquickung mit der Restaurationspolitik Metternichs, forderte den Widerspruch vieler liberaler Zeitgenossen heraus, so auch den HEINES, der die Vorzüge und Schwächen des Schlegelschen Historismus treffend in dem Urteil zusammenfaßte: »*Friedrich Schlegel übersieht hier die ganze Literatur von einem hohen Standpunkt aus, aber dieser hohe Standpunkt ist doch immer der Glockenturm einer katholischen Kirche ... Mir ist, als dufte der Weihrauch des Hochamtes aus diesem Buche, und als sähe ich aus den schönsten Stellen desselben lauter tonsurierte Gedanken hervorlauschen. Indessen, trotz dieser Gebrechen, wüßte ich kein besseres Buch dieses Faches. Nur durch Zusammenstellung der Herderschen Arbeiten solcher Art könnte man sich eine bessere Übersicht der Literatur aller Völker verschaffen.*« (*Die romantische Schule*, II) Durch die Vermittlung Heines und Madame de STAËLS erlangte Schlegels Literaturgeschichte, die bei den deutschen Literaturwissenschaftlern zunächst wenig Anerkennung fand, vor allem in Frankreich und Italien starke Verbreitung. Verglichen mit den literaturgeschichtlichen Lehr- und Handbüchern der Zeit, die sich nahezu ausschließlich auf chronologische oder systematische Sammlung des Materials beschränken und eine genaue Kenntnis der literarischen Quellen vermissen lassen, beeindruckt dieses Werk durch seine »*einzigartige Universalität*« (H. Eichner). Seine geistesgeschichtliche und wissenschaftlich-methodische Bedeutung, die Beherrschung einer riesigen Stoffmenge und die Reduktion auf das Wesentliche und Gültige wurden erst von HAYM, DILTHEY, MINOR und WALZEL entsprechend gewürdigt. In jüngster Zeit unterstrich vor allem der Schlegel-Forscher H. EICHNER die überragende Leistung des Verfassers: »*Im ganzen genommen hat sich nicht nur die von ihm entwickelte literaturhistorische Methode, sondern auch der von ihm aufgestellte Kanon zu einem erstaunlichen Grade bewährt.*« KLL

AUSGABEN: Wien 1815, 2 Bde. – Wien 1822 (in *SW*, 10 Bde., 1822–1825, 1/2). – Wien 1846 (in *SW*, 15 Bde., 1/2). – Regensburg 1911, Hg. M. Speyer [m. Schlußkapitel v. W. Kosch]. – Mchn./Paderborn/Wien 1961 (in *Krit. F. S.-Ausg.*, Abt. 1, Bd. 6, Hg. H. Eichner).

LITERATUR: E. Dietzel, *Die Entstehung der literarhistorischen Anschauung F. S.s*, Diss. Halle 1923. – J. Baxa, *F. S.s Vorlesungen über die Geschichte der alten u. neuen Literatur (1812) im Urteile der Wiener Polizeihofstelle* (in Der Wächter, 8, 1927, S. 354 bis 360). – M. Groben, *Zum Thema: F. S.s Entwicklung als Literaturhistoriker u. Kritiker*, Diss. Köln 1934. – B. Minssen, *Der ältere F. S. Untersuchungen auf Grund der Umarbeitungen der »Geschichte der alten und neuen Literatur« von 1822*, Diss. Breslau 1939. – H. Eichner, *F. S.'s Theory of Romantic Poetry* (in PMLA, 71, 1956, S. 1018–1041). – E. Behler, *F. S.s Theorie der Universalpoesie* (in Jb. d. dt. Schillerges., 1, 1957, S. 211–252). – J. Müller, *Das Goethebild in F. S.s Literaturtheorie* (in *Fs. H. Besseler*, Hg. E. Klemm, Lpzg. 1961, S. 517–528). – F. Finke, *Die Brüder S. als Literarhistoriker*, Diss. Köln 1961. – E. Klin, *Die frühromantische Literaturtheorie F. S.s*, Breslau 1964.

GESPRÄCH ÜBER DIE POESIE. Ästhetische Schrift von Friedrich von SCHLEGEL (1772–1829), erschienen 1800. – Dieses bedeutende kunsttheoretische Werk der Frühromantik ist abgefaßt als Aufzeichnung eines Gesprächs unter Freunden (Amalia, Camilla, Antonio, Andrea, Lothario, Ludoviko und Markus), denen Karoline und August Wilhelm von SCHLEGEL, SCHELLING, FICHTE und SCHLEIERMACHER einige Züge geliehen haben. Die Weise, wie hier in geselliger Form Probleme der Kunst erörtert werden, ist kennzeichnend für das »Symphilosophieren« in jener »*absolut ästhetischen Gesellschaft*« (R. Haym), in der es nach einer Äußerung von Dorothea von SCHLEGEL »*gar kunterbunt hergehe mit Witz und Philosophie und Kunstgesprächen und Herunterreißen*«. Im Zentrum des hier mitgeteilten Gesprächs steht der Versuch, die historischen Erscheinungsformen und die »*verborgene Wurzel und Quelle*« der Kunst und Poesie näher zu bestimmen. – Andrea eröffnet die Reihe von vier Gesprächsbeiträgen, an die sich jeweils eine lebhafte Diskussion anschließt, mit der Darstellung und Würdigung der *Epochen der Dichtkunst* von der Antike bis zu GOETHE. Er endet mit dem Postulat, daß man den »*hohen Geist*« der alten Dichtkunst wissenschaftlich erforschen und verlebendigen müsse, um – am Vorbild geschult – eine neue Poesie begründen zu können. Der Einfluß von Fichtes *Wissenschaftslehre* (1794) ist unverkennbar: »*Die Kunst ruht auf dem Wissen und die Wissenschaft der Kunst ist ihre Geschichte.*« Alle Gesprächspartner sind sich darin einig, daß das Ziel einer solchen historischen Auseinandersetzung eine »*Kunstschule der Poesie*« sein müßte; ob sich Poesie allerdings lehren und lernen lasse, erscheint ihnen fraglich. Im Gegensatz zu Andreas

literaturgeschichtlichem Rückblick untersucht Ludoviko in seiner *Rede über die Mythologie und symbolische Anschauung* die Voraussetzungen für die Wiedergewinnung eines einheitlichen geistigen Mittelpunkts aller zukünftigen Kunst und Poesie. Er geht von der Feststellung aus, daß die Grundlage, auf welcher alle Kunst beruht, die Mythologie sei, und beklagt deren Fehlen in der modernen Dichtkunst. Einen bedeutenden Ansatzpunkt für eine solche neue »*symbolische Erkenntnis und Kunst*«, die im einzelnen auf die »*notwendigen Gesetze für den Gang des Ganzen*« gerichtet ist, sieht er im Idealismus, dem »*Geist jener intellektuellen Wiedergeburt*«, der alle Wissenschaft und Kunst ergreifen wird. Das Ziel wäre ein »*System der allumfassenden Einheit*«, wie es sich bereits in der »*wissenschaftlichen Phantasie*« der Naturphilosophie abzeichnet, aber erst in der Poesie ganz entfaltet und vollständig dargestellt werden könne: »*Poesie ist der wesentliche Anfang, der innere Kern und die Vollendung jener lebendigen Naturoffenbarung und Weltanschauung.*« In der anschließenden Diskussion wird die Einheit von Kunst und Wissenschaft durch eine neue Symbolik noch unterstrichen und die Aufgabe der Poesie als »*neue Offenbarung der Natur*« hervorgehoben. Gegen Amalias Vorwurf, Jean Pauls Romane seien keine Romane, sondern nur ein »*buntes Allerlei von kränklichem Witz*« und außerdem sentimental, wendet sich Antonio in seinem *Brief über den Roman.* Er verteidigt das Arabeske und Groteske als »*ganz bestimmte und wesentliche Form oder Äußerungsart der Poesie*« und verweist dabei auf den »*genialischen Witz*« bei Ariost, Cervantes, Shakespeare, Sterne und Diderot. Das »Sentimentale« bestimmt Antonio im Gegensatz zu einer platten Gefühligkeit als »*geistiges Gefühl*«, als »*Geist der Liebe*«, der in der romantischen Dichtkunst überall »*unsichtbar sichtbar*« schweben müsse, indem er durch die Phantasie in der Arabeske, im Witz oder in der Ironie zur Darstellung gelangt. Mit der Verteidigung des Arabesken und Sentimentalen gibt Antonio zugleich eine nähere Bestimmung des »Romantischen« und des Romans. Bedeutete, der Ableitung des Wortes von »Roman« entsprechend, etwa noch bei Jean Paul »romantisch« lediglich soviel wie »aus einem Roman stammend«, »fiktiv«, »erfunden«, so betont Schlegel – unter dem Einfluß der *Fragmente* von Novalis – hier gerade, »*daß das Romantische nicht sowohl eine Gattung ist als ein Element der Poesie, das mehr oder minder herrschen und zurücktreten, aber nie ganz fehlen darf*«. Zudem unterscheidet er in dieser Phase, der Zeit des ›Athenäum‹ (1798–1800), noch »romantisch« und »modern« am Beispiel von Lessings Drama *Emilia Galotti*, das modern, aber nicht romantisch sei, und findet gerade bei Shakespeare, Cervantes und in der italienischen Märchenpoesie romantische Elemente. Ein romantisches Buch ist nach Schlegel der Roman, den er sich als ein Gemisch von »*Erzählung, Gesang und anderen Formen*« und als ein »*verhülltes Selbstbekenntnis*« des Verfassers vorstellt. Der Roman soll dem Inhalt nach Bekenntnis und der Form nach Arabeske sein. In dem *Versuch über den verschiedenen Styl in Goethe's früheren und späteren Werken* beschäftigt sich Markus mit der künstlerischen Entwicklung des großen Vorbildes. Er unterscheidet drei Perioden in Goethes Schaffen: das Überwiegen des Subjektiven im *Götz von Berlichingen*, die objektive Ausführung im *Tasso* und die »*idealische Haltung*« in *Hermann und Dorothea*. Er kommt dann auf den *Wilhelm Meister*, die »*erschöpfende Quelle des künstlerischen Nachdenkens*«, zu sprechen. Dieses Werk, das sich durch die »*Verbindung des Klassischen und des Romantischen*« auszeichnet, ist in zweierlei Hinsicht bedeutsam: es ist ein individuelles Werk und zugleich Vorbild für eine Gattung. Der Beitrag über Goethe endet mit der Aufforderung, sich dessen »*universelle Tendenz*« und »*progressive Maximen*« zu eigen zu machen; auf diese Weise könnte er »*der Stifter und das Haupt*« einer neuen Poesie sein, die Antike und Moderne umfassen müßte. Am Ende des Gesprächs verdeutlicht Lothario noch, daß Poesie als »*dichtende Phantasie*« letztlich immer auch göttliche Offenbarung sei.
Mit diesem programmatischen Werk erreicht die romantische Kunsttheorie einen ersten Höhepunkt. Es leitet eine Phase der deutschen Literatur ein, die August Wilhelm von Schlegel folgendermaßen kennzeichnete: »*Die Poesie der Alten war die des Besitzes, die unsrige ist die der Sehnsucht; jene steht fest auf dem Boden der Gegenwart, diese wiegt sich zwischen Erinnerung und Ahndung.*« S. E.

Ausgaben: Bln. 1800 (in Athenäum, Bd. 3; Nachdr. Darmstadt 1960). – Wien 1823 (in *SW*, 10 Bde., 1822–1825, 5). – Wien 1882 (in *F. S. 1794–1802. Seine prosaischen Jugendschriften*, Hg. J. Minor, 2 Bde., 2). – Bln. 1923 (in *AW*, Hg. E. Sauer). Lpzg. 1931 (in *Kunstanschauung der Frühromantik*, Hg. A. Müller; DL, R. Romantik, 3).

Literatur: O. Walzel, *Frühe Kunstschau F. S.s* (in O. W., *Romantisches*, Bonn 1934, S. 7–110). H. E. Hugo, *An Examination of F. S.'s »Gespräch über die Poesie«* (in MDU, 40, 1948, S. 221–231). H. Eichner, *F. S.'s Theory of Romantic Poetry* (in PMLA, 71, 1956, S. 1018–1041). – E. Behler, *F. S.s Theorie der Universalpoesie* (in Jb. d. dt. Schillerges., 1, 1957, S. 211–252). – I. Strohschneider-Kohrs, *Die romantische Ironie in Theorie u. Gestaltung*, Tübingen 1960, S. 7–88. – E. Klin, *Die frühromantische Literaturtheorie F. S.s*, Breslau 1964. – D. Starr, *Über den Begriff des Symbolismus in d. dt. Klassik u. Romantik unter bes. Berücksichtigung v. F. S.*, Reutlingen 1964. – K. K. Polheim, *Die Arabeske. Ansichten u. Ideen aus F. S.s Poetik*, Mchn./Wien/Paderborn 1966 [m. Bibliographie].

LUCINDE. Roman von Friedrich von Schlegel (1772–1829), erschienen 1799 als erster Teil eines größer geplanten, Fragment gebliebenen Werks. – Das wegen seiner »Frivolität«, seiner »Enthüllungen« und seiner ungewöhnlichen Struktur damals vielgeschmähte Buch (in einem Zwischentitel *Bekenntnisse eines Ungeschickten* genannt) kann als die allegorisch-symbolische Umsetzung von Schlegels eigener Romantheorie gelten, wie sie in den »Athenäums«-*Fragmenten* und im *Brief über den Roman* zum Ausdruck kommt. Eine »*Theorie des Romans*«, heißt es dort, »*würde selbst ein Roman sein müssen*«. In diesem Sinn ist *Lucinde*, was Form und Gehalt anbelangt, ein ganz und gar modernes Buch, ein geistreicher Roman des Romans, der als Dithyrambus an die Unendlichkeit endet. An die Stelle der durchgängigen, in sich geschlossenen Handlung, der Entwicklung von Charakteren und Situationen ist die »*reizende Verwirrung*«, die »*künstlich geordnete*«, scheinbare romantisch-ironische Systemlosigkeit getreten, die »offene« Romanform, wie sie im 20. Jh. Verfeinerung und Vollendung erfuhr. Das mit hohem Kunstverstand gebaute Werk besteht aus einem Mittelteil, den *Lehrjahren der Männlichkeit*, der von jeweils sechs z. T. miteinander korrespondierenden Abschnitten flankiert wird. Diese heterogenen, aus Erzählung, Szene, Brief und Betrachtung bestehenden, in innerer und äußerer Perspektive und Tonlage wechselnden Einzelteile fügen sich harmonisch zu einem Ganzen und erfüllen damit Schlegels Postulat, wonach »*die romantische Poesie ... alle getrennten Gattungen der Poesie wieder ... vereinigen und die Poesie mit der Philosophie und Rhetorik in Berührung ... setzen*« will. Dem für die damalige Zeit unerhört kühnen, die klassische (und realistische) Romanform zertrümmernden Verfahren entspricht die Kühnheit der Wahl eines im Autobiographischen verankerten Stoffs. (In der Gestalt des Julius sah man den Verfasser, in jener der Lucinde Dorothea Veit, die ältere Tochter Moses MENDELSSOHNS und spätere Ehefrau Schlegels, die er 1797 im Salon der Henriette HERZ kennengelernt hatte.) Auch hierin folgt Schlegel den Gegebenheiten der eigenen Poetik, wonach »*das beste in den besten Romanen nichts anderes ist als ein mehr oder minder verhülltes Selbstbekenntnis des Verfassers, der Ertrag seiner Erfahrung, die Quintessenz seiner Eigentümlichkeit*«.

Vorgeschichte und Angelpunkt des vielschichtigen Romangeschehens bietet der Abschnitt *Lehrjahre der Männlichkeit*, der allegorisch vertieft und erweitert ist von den ihn umrahmenden Betrachtungen, die das Hauptthema durch poetologische Themen oder durch die Themen Liebe, Tod, Vaterschaft paraphrasieren. Ein Mann gibt in diesem Abschnitt seiner Ehepartnerin, mit der ihn eine himmelstürmende, Geist und Seele gleicherweise umfassende Liebe verbindet, Rechenschaft über seine Vergangenheit. Er hat eine Reihe von Abenteuern hinter sich, versuchte durch Verführung, Libertinage, Umgang mit einem »*beinah öffentlichen Mädchen*« und durch Männerfreundschaften der Langeweile und des Lebensüberdrusses Herr zu werden. In auswegloser Situation wird ihm das Erlebnis der Liebe zuteil. Auch wenn die Angebetete (in der man Caroline, die Braut und spätere Frau von Schlegels Bruder August Wilhelm sehen will) bereits vergeben ist und er verzichten muß, wird die »*Vergötterung seiner erhabenen Freundin für seinen Geist ein fester Mittelpunkt und Boden einer neuen Welt*«. Endgültigen Frieden, Freude und die totale Erfüllung findet er schließlich in seiner Liebe zu Lucinde. »*Aus dem zerrissenen Problematiker ist durch die romantische Ehe der harmonisch-klassische Mensch geworden*« (Korff). In der übermütigen Beschwingtheit, mit der Julius auf seinen Weg von der tastenden Liebe zur erfüllten Ehe zurückblickt, finden der oft forciert hymnisierende Ton (einer eher apoetischen, fast abstrakt wissenschaftlichen Sprache), das überschwengliche Lob des Glücks als Versöhnung von Ich und All rechtfertigende Erklärung. Nicht dem Ideal der freien Liebe gilt der verherrlichende Elan, sondern dem die sinnlich-körperliche und die geistig-seelische Liebe als Einheit betrachtenden romantischen Eheideal, dem, im Gegensatz zum Manichäismus des 18. Jh.s, das Liebeserleben ein religiöses Erleben ist. Die eheliche Liebe wird zur »*wunderbaren sinnreich bedeutenden Allegorie auf die Vollendung des Männlichen und Weiblichen zur vollen ganzen Menschheit*«. Wenn der Autor durch Julius das Glück preist, das jener in der Verbindung mit der einzigartigen Frau gefunden hat, so preist er damit zugleich die Ehe als Glücksgemeinschaft, als Mittel zur klassischen Selbstverwirklichung und Selbstvollendung in einem die Totalität des Seins umfassenden humanistischen Sinn.

Diese tiefste Absicht Schlegels ist im Verlauf des von anonymen Schmähschriften und gehässigen Rezensionen begleiteten literarischen Skandal, dem das Buch ausgesetzt war, nicht zur Geltung gekommen. Der einzige Zeitgenosse Schlegels, der seine Anschauungen begriff, billigte und verteidigte, war Friedrich SCHLEIERMACHER, dessen 1800 erschienene *Vertraute Briefe über Lucinde*, aus freundschaftlicher Verbundenheit entstanden, eine bis heute kaum übertroffene kongeniale Würdigung des Romans darstellen. O. F. B.

AUSGABEN: Bln. 1799. – Lpzg. 1907 (mit Schleiermachers *Briefen*). – Mchn. u. a. 1962 (in *Kritische F. S.-Ausgabe*, Hg. E. Behler, J.-J. Anstett u. H. Eichner, 1958ff.; 1. Abt., Bd. 5, Hg. u. Einl. H. Eichner). – Ffm. 1964 (mit Schleiermachers *Briefen*; IB, 759).

LITERATUR: R. Haym, *F. S. und »Lucinde«* (in PJb, 24, 1869, S. 261–295). – J. Rouge, *Erläuterungen zu S.s »Lucinde«*, Halle 1905. – J. Körner, *Neues vom Dichter der »Lucinde«* (in PJb, 183, 1921, S. 309 bis 330; 184, 1922, S. 37–56). – W. Pfeiffer-Belli, *Antiromantische Streitschriften und Pasquille (1798 bis 1804)* (in Euph, 26, 1925, S. 602–630). – P. Kluckhohn, *Die Auffassung der Liebe im 18. Jh. und in der deutschen Romantik*, Halle ²1931. – O. Mann, *Der junge F. S.*, Bln. 1932. – P. Böckmann, *Die romantische Poesie und ihre Grundlage bei F. S. und L. Tieck* (in FDH, 1934/35, S. 56–176). – E. H. Zeydel, *Notes on F. S.'s »Lucinde«* (in JEGPh, 41, 1942, S. 152–162). – W. Paulsen, *F. S.s »Lucinde« als Roman* (in GR, 21, 1946, S. 173–190). – J.-J. Anstett, *»Lucinde – eine Reflexion«. Essai d'interprétation* (in EG, 3, 1948, S. 241–250). – H. Eichner *F. S.'s Theory of Romantic Poetry* (in PMLA, 71, 1956, S. 1018f.). – O. Pöggeler, *Hegels Kritik der Romantik*, Bonn 1956. – G. Beckers, *Die Apotheose schöpferischen Müßiggangs in F. S.s »Lucinde« in ihrer Beziehung zu G. Büchners »Leonce und Lena« und Kierkegaard* (in G. B., *Versuche zur dichterischen Schaffensweise der Romantiker*, Kopenhagen 1961). – E. Behler, *F. S. und Hegel* (in Hegel-Studien, 2, 1963, S. 203–250). – E. Klin, *Das Problem der Emanzipation in F. S.s »Lucinde«* (in Weimarer Beiträge, 9, 1963, S. 76–99). – H. A. Korff, *Geist der Goethezeit*, Bd. 3, Lpzg. ⁸1966, S. 84–96.

LUDWIG TIECK
(1773–1853)

DER BLONDE ECKBERT. Märchennovelle von Ludwig TIECK (1773–1853), erschienen 1797. – Die Erzählung repräsentiert den seltenen und jedenfalls späten Typ des »tragischen Märchens«, in dem der Held nicht mit Hilfe geheimnisvoller Mächte sein Glück sucht und findet, sondern den eigenen Dämonen verfällt. Bertha, die mit dem Ritter Eckbert auf einer Burg im Harz lebt, erzählt Walther, dem Freund ihres Mannes, die Geschichte ihrer Kindheit: als kleines Mädchen, das seinen Eltern davonläuft, trifft sie in einer Waldhütte eine Alte, die dort mit einem sprechenden Vogel und einem Hündchen zusammenlebt. Nach einigen Jahren möchte sie die Welt kennenlernen, nimmt der Alten ihre Perlen und den Vogel fort und läuft davon. Der Vogel aber quält sie mit seinem melancholischen Lied »*Waldeinsamkeit / Wie liegst du weit*...« so sehr, daß sie ihn schließlich erdrosselt. – Ein tiefes Grauen überkommt sie, als Walther beim Abschied den Namen des Hündchens erwähnt, auf den sie sich vergeblich zu besinnen versuchte. Sie fühlt sich überall verfolgt und geht, von Ängsten gepeinigt, zugrunde. Eckbert tötet Walther, dem er die Schuld am Tod seiner Frau gibt. Er lebt lange einsam auf seiner Burg, bis er sich einem jungen Ritter, Hugo, anschließt, in dem er aber plötzlich Walther wiedererkennt. Als er sich im Wald verirrt und einen Bauern nach dem Weg fragt, sieht er sich wieder dem Ermordeten gegenüber. Einmal hört er einen Vogel das Lied *Waldeinsamkeit* singen, eine gebeugte Alte kommt ihm entgegen und offenbart ihm, sie selbst habe sich in die Ritter Hugo und Walther verwandelt, und Bertha sei niemand anderes als seine Schwester gewesen. Darauf verfällt Eckbert dem Wahnsinn und stirbt. – Es geht in diesem straff und – von der rückgreifenden Jugendgeschichte Berthas abgesehen – stetig und linear erzählten Märchen nicht um eine bestimmte Moral, in dem Sinn etwa, daß jedes Unrecht sich von selbst räche, sondern Thema ist der Verfolgungswahn, der dem schlechten Gewissen entspringt. Tieck verwandelt die »*subjektiven Angsthalluzinationen in Wirklichkeiten*« (H. A. Korff), er verrätselt die Umwelt. Gebannt von der unheimlichen Atmosphäre, in der diese Menschen, von ihren ihnen selbst unbegreiflichen Ängsten gequält, in einer dämonischen Natur leben, fragt sich der Leser, was denn die »wahre Welt« sei. Bertha stirbt, weil sie die qualvolle Erfahrung machen muß, daß ein Fremder die verborgensten Dinge ihres Lebens kennt; Eckbert wird wahnsinnig, weil die Gestalten um ihn her ihre Identität verlieren. Es gibt in diesem Märchen keine zuverlässige, durch Erfahrung verfügbar gewordene Wirklichkeit mehr. Man erlebt sie lediglich in der Gestalt, in der sie jene Gequälten erleben, und hat Teil an ihrem Schauder und Schrecken. B. D. U. – P. W. W.

Ausgaben: Bln. 1797 (in *Volksmährchen*, Hg. P. Leberecht [d. i. L. Tieck], Bd. 1). – Bln. 1812 (in *Phantasus*, Bd. 1). – Bln. 1828 (in *Schriften*, 28 Bde., 1828–1854, 4). – Mchn. 1964 (in *Werke*, Hg. M. Thalmann, Bd. 2). – Stg. 1952, Nachw. K. Nußbächer (RUB, 7732).

Literatur: H. A. Korff, *Geist der Goethezeit*, Bd. 3, Lpzg. 1940, S. 488–491. – A. Gottrau, *D. Zeit im Werk d. jungen Tieck*, Diss. Zürich 1947. – K. J. Northcott, *A Note on the Levels of Reality in T.s »Der blonde Eckbert«* (in GLL, N. S. 6, 1952/53, S. 292–294). – M. Thalmann, *L. T. Der romantische Weltmann aus Berlin*, Mchn. 1955, S. 74–96. – V. C. Hubbs, *T., Eckbert u. d. kollektive Unbewußte* (in PMLA, 71, 1956, S. 686–693). – E. Staiger, *L. T. u. d. Ursprung d. dt. Romantik* (in NR, 71, 1960, H. 4, S. 596–622). – R. Immerwahr, *»Der blonde Eckbert« as a Poetic Confession* (in GQ, 34, 1961, S. 103–117). – M. Thalmann, *Das Märchen und die Moderne*, Mchn. 1961, S. 35–58.

FRANZ STERNBALDS WANDERUNGEN. Eine altdeutsche Geschichte. Roman von Ludwig Tieck (1773–1853), erschienen 1798. – Das Fragment gebliebene und künstlerisch unausgewogene Werk steht in engem Zusammenhang mit den *Herzensergießungen eines kunstliebenden Klosterbruders* (1796), einer gemeinsamen Veröffentlichung Tiecks und Wilhelm Heinrich Wackenroders, deren eines Stück, *Brief eines jungen deutschen Malers in Rom an seinen Freund in Nürnberg*, den *Sternbald* deutlich vorwegnimmt. Romantische Kunstauffassung und romantisches Künstlertum sind Thema des Werks, das wohl zu Unrecht allgemein in die Reihe der an *Wilhelm Meister* anschließenden Entwicklungsromane gestellt wird. Zwar ist das Grundschema dieser Gattung – ein junger Mensch durchläuft während einer längeren Reise oder Wanderschaft verschiedene Bildungs- und Erlebnisbereiche – auch im *Sternbald* beibehalten, doch bewirken die empfangenen Eindrücke keine innere Entwicklung des Helden, der der unentschiedene, von Stimmungen abhängige Träumer bleibt, der er von Anfang an ist. Seine Wanderungen sind nicht Bildungsreise, Mittel zum Zweck, sie werden um ihrer selbst willen geschildert, und aus ihnen spricht das romantische Urmotiv vom Wandern. Die Handlung besteht aus einer lockeren Folge einzelner Episoden, unterbrochen von eingeschobenen Erzählungen, Gedichten, Kunstbetrachtungen, Landschaftsschilderungen, die zur Allegorie des Unendlichen erhoben werden, und der Beschreibung musikalischer Empfindungen als Ausdruck der unstillbaren Sehnsucht des Wanderers. Die Epoche, in der Tieck seinen Roman ansiedelt, dient als Atmosphäre schaffende Kulisse: das Mittelalter – für die Romantiker hauptsächlich das Nürnberg Dürers – wird Spiegelbild einer bestimmten Kunst- und Lebensanschauung, wie sie der romantischen Wunschvorstellung entsprach.

Der junge, verträumte und schwärmerische Maler Franz Sternbald verläßt seinen Meister Albrecht Dürer, um nach den Niederlanden zu Lucas van Leyden und nach Italien zu wandern. Ruhelos und schwankend zweifelt er zuweilen an seiner Berufung, ja an der Kunst selber. »*Mein Geist ist zu unstet, zu wankelmütig, zu schnell von jeder Neuheit ergriffen. Ich wollte gern alles leisten, darüber werde ich am Ende gar nichts tun können.*« Sternbald will das Undarstellbare malen, er wünscht sich, »*ein Werk hinzuzaubern, das gleichsam ein Bild der Unendlichkeit ist*«. In Florestan, dem ebenfalls das Wandern Lebensinhalt und Selbstzweck geworden ist, trifft der grüblerisch-ernste Franz einen Freund voll sinnlicher Lebensfreude, mit dem er die Wanderschaft in den Süden fortsetzt. Italien – am Italienbild von Heinses *Ardhingello* ausgerichtet – erscheint ihm als eine der deutschen Kunstfrömmigkeit entgegengesetzte, in ihrer Sinnlichkeit berauschende Welt, die sich seinem schwärmerischen Blick in den leuchtenden Farben Tizians und Correggios zeigt. Dem deutschen Kunstideal beinahe abtrünnig, erfährt er vor dem »Jüngsten Gericht« Michelangelos eine Bekehrung, die ihn schließlich zum sittlichen Ernst der nordischen Kunst zurückführen sollte. Der unausgeführte Plan des Autors sah seine Rückkehr und gleichzeitige Läuterung vor, die symbolisch an Dürers Grab vollzogen werden sollte.

Die Urteile der Zeitgenossen über den Roman waren unterschiedlich. Während Friedrich Schlegel sich im 418. Athenäums-Fragment begeistert äußerte, war Goethes Urteil vernichtend: »*Es ist unglaublich, wie leer das artige Gefäß ist.*« »*Er vermißte da den rechten Gehalt, und das Künstlerische käme als eine falsche Tendenz heraus*«, berichtet Karoline Schlegel (14. 10. 1798). Ästhetische Höhepunkte des Romans sind vor allem die sprachmusikalischen Landschaftsschilderungen, doch werden auch hier die »*Dinge mehr angetönt als er-*

griffen, die Gefühle im verwehenden Klang berührt« (F. Schultz). Trotz seiner Mängel nimmt der *Sternbald* dennoch in der Geschichte des deutschen Künstlerromans einen wichtigen Platz ein. In ihm wurden erstmals die Grundstrukturen des romantischen Kunstwollens, die Unendlichkeitssehnsucht, als deren allegorische Entsprechung die Landschaft gilt, dichterisch formuliert. Sein Einfluß auf die Malerei und Kunsttheorie der Romantik ist nicht zu unterschätzen. C. G. – KLL

AUSGABEN: Bln. 1798, 2 Bde. – Bln. 1843 (in *Schriften*, 28 Bde., 1828–1854, 16). – Mchn. 1963 (in *Frühe Erzählungen und Romane*, Hg. M. Thalmann). – Mchn. 1965, Hg. M. Thalmann (Die Fundgrube, 4). – Stg. 1966, Hg. A. Anger (RUB, 8715–8721).

LITERATUR: J. O. E. Donner, *Der Einfluß »Wilhelm Meisters« auf den Roman der Romantiker*, Bln. 1893, S. 34–64. – H. Roetteken, *Die Charaktere in T.s Roman »Franz Sternbalds Wanderungen«* (in ZvLg, 6, 1893, S. 188–242). – M. Schaum, *Das Kunstgespräch in T.s Novellen*, Diss. Gießen 1925. – H. Neugebauer, *Das Genußproblem in T.s »Lovell« u. »Sternbald« ,u. in Schlegels »Lucinde«*, Diss. Wien 1927. – K. Brömel, *L. T.s Kunstanschauungen im »Sternbald«*, Diss. Lpzg. 1928. – J. B. C. Grundy, *T. and Runge*, Straßburg 1930. – E. H. Zeydel, *L. T., the German Romanticist, a Critical Study*, Princeton 1935, S. 100–104. – A. Kamphausen, *»Franz Sternbalds Wanderungen«* (in Zs. d. dt. Ver. f. Kunstwissensch., 3, 1936, S. 404–420). – R. Minder, *Un poète romantique allemand: L. T.*, Paris 1936. – S. Petróczy, *Künstlertypen bei T.*, Fünfkirchen 1936. – H. H. Borcherdt, *»Franz Sternbalds Wanderungen« v. L. T.* (in H. H. B., *Der Roman der Goethezeit*, Urach/Stg. 1949, S. 402–413). – K. Betzen, *Frühromantisches Lebensgefühl in L. T.s Roman »Franz Sternbalds Wanderungen«*, Diss. Tübingen 1959. – M. Thalmann, *L. T. »Der Heilige von Dresden«. Aus d. Frühzeit d. dt. Novelle*, Bln. 1960. – R. Alewyn, *Ein Fragment d. Fortsetzung v. T.s »Sternbald«* (in FDH, 1962, S. 58–68). – E. Bosch, *Dichtung über Kunst bei L. T.*, Diss. Mchn. 1962. – J. Trainer, *L. T. From Gothic to Romantic*, Den Haag 1964 (Anglica Germanica, 8).

DER GESTIEFELTE KATER. Ein Kindermährchen in drey Akten mit Zwischenspielen, einem Prologe und Epiloge von Ludwig TIECK (1773–1853), erschienen 1797; Uraufführung: Berlin, 20. 4. 1844, Kgl. Schauspielhaus. – Der Märchenstoff wurde der Erzählung *Le chat botté* aus dem berühmten Märchenbuch *Contes de ma mère l'Oye* (1697) von Charles PERRAULT entnommen. Das Stück ist eine *»hochaktuelle Satire«*, deren *»einziger Inhalt ein mißglückender Theaterabend ist, der halb scheiternde Versuch einer fiktiven Theatergruppe, das Märchenstück eines fiktiven Autors vor einem fiktiven Publikum aufzuführen«* (H. Kreuzer).
Der Inhalt des als Spiel im Spiel aufgeführten Märchenstücks ist im wesentlichen der des fünfzehn Jahre später durch die Brüder GRIMM bekannt gewordenen Kindermärchens, das ebenfalls auf den *Chat botté* Perraults zurückgeht. Gottlieb, dem jüngsten von drei Brüdern, scheint nach dem Tode des Vaters das geringste Erbe zuzufallen: der Kater Hinze. Doch verspricht ihm dieser, ihm zu seinem Glück, ja sogar zu einem Königreich zu verhelfen, wenn er ihm nur ein Paar Stiefel anmessen ließe. Gottlieb opfert dafür sein letztes Geld, und dem also gestiefelten Kater gelingt es tatsächlich, seinem Besitzer mit großem Geschick und durch viele kluge Streiche nicht nur das Land des bösen Nachbarkönigs in die Hand zu spielen, sondern ihm als angeblichem Grafen von Carabas auch die Gunst des guten Landesherrn und dessen so schöner wie schöngeistiger Tochter zu gewinnen.
Die Aufführung dieses Märchens geht nun aber keineswegs glatt vonstatten. Das Publikum spart nicht mit Zwischenbemerkungen und meldet während der zum Teil recht unwahrscheinlichen Vorgänge auf der Bühne Bedenken an: das Stück biete einem keinen *»festen Standpunkt«*, und man könne unmöglich in eine *»vernünftige Illusion«* hineinkommen. Der Dichter muß auf der Bühne erscheinen, um die Wogen der Empörung zu glätten, was aber erst dem hinzugerufenen »Besänftiger« des Königs mit seinem Glockenspiel und einem Arsenal tanzender Bären und anderer possierlicher Tiere und durch die Einlage eines ganz unprogrammgemäßen »Balletts« gelingt. Zu Beginn des dritten Akts hebt sich der Vorhang zu früh, so daß der Dichter im Gespräch mit dem Maschinisten auf der Bühne überrascht wird. Nun muß der Hanswurst vortreten und das befremdete Publikum erneut beruhigen, was er dazu benutzt, sich zur Empörung des Dichters über die Kargheit seiner Rolle zu beklagen. Im Epilog schließlich stellt sich der Dichter noch einmal dem unbefriedigten und kritischen Publikum, woraufhin *»aus dem Parterre mit verdorbenen Birnen und Äpfeln und zusammengerolltem Papier nach ihm geworfen«* wird (Regieanweisung), bis er sich endgültig zurückzieht. – Zu den beiden einander überschneidenden Spielebenen des Märchens und des Theaterabends gesellt sich als dritte die Wirklichkeit des Dichters Tieck selbst; so, wenn bei einer Disputation am Königshof der Hofgelehrte Leander behauptet, in dem *»neuerlich erschienenen Stück: Der gestiefelte Kater«* sei *»das Publikum gut ... gezeichnet«*, und darauf das Publikum empört ruft: *»Es kömmt ja kein Publikum in dem Stück vor.«*
Dieses In- und Durcheinander der Wirklichkeitsbereiche, das dauernde »Aus-der-Rolle-Fallen« der agierenden Personen, dient der satirischen Absicht Tiecks, dessen Stück sich vornehmlich gegen die Mißstände des zeitgenössischen Theaterbetriebs und die Borniertheit eines auf seine Bildung pochenden Publikums wendet, das sich für die Rührstücke IFFLANDS und KOTZEBUES begeistert und aufwendigen Dekorationen mehr Aufmerksamkeit schenkt als dem Geschehen auf der Bühne. So wird am Ende des *Gestiefelten Katers* die im Verlauf des Stückes mehrfach zitierte Kulisse zum Finale der *Zauberflöte* heruntergelassen, die den größten Beifall erntet, während das Stück ausgepfiffen wird. – Zu den polemischen Ausfällen gegen das Theater kommen außerdem satirische Anspielungen auf die zeitgenössische Trivialliteratur (den empfindsamen und den Gespensterroman) und politische Seitenhiebe gegen die Französische Revolution, die Kleinstaaterei und vor allem, in der Gestalt des Königs, gegen die Dummheit und Borniertheit der Fürsten.
Tieck fand die Vertauschung der Spielebenen schon in Komödien des Dänen Ludvig HOLBERG, vor allem in *Ulysses af Ithacia eller En Tydsk Comoedie (Ulysses von Ithacia oder Eine deutsche Komödie*, 1725). Darüber hinaus macht sich der Einfluß der phantastischen Märchenkomödien Carlo GOZZIS und der Fastnachtsspiele von Hans SACHS und GOETHE bemerkbar. Ein Vorläufer des *Gestiefelten*

Katers ist der 1795 entworfene Schwank *Hanswurst als Emigrant*, in dem der von GOTTSCHED geächtete Hanswurst wieder eingesetzt wird. Inhaltlich und stilistisch aufs engste mit dem *Gestiefelten Kater* verbunden ist die zum Teil gleichzeitig entstandene, aber erst 1799 vollendete Märchenkomödie *Prinz Zerbino*. – Das Stück hat literarisch überaus stark gewirkt, und so sind nicht nur E. T. A. HOFFMANNS Kater Murr und SCHEFFELS Hidigeigei Nachfahren des Katers Hinze, auch zahlreiche spätere Dramen, wie BRENTANOS *Gustav Wasa*, GRABBES *Scherz, Satire, Ironie und tiefere Bedeutung* oder PLATENS *Romantischer Ödipus*, zeigen sich von Tiecks Lustspiel beeinflußt.
So nahe Tiecks *Gestiefelter Kater* seiner Anlage nach auch dem antiillusionistischen Theater des 20. Jh.s steht – eine Tatsache, der er seine gelegentliche Wiederaufnahme in den Spielplan moderner Bühnen verdankt –, ist er doch durch einen grundsätzlichen Unterschied von dem *»im extremsten Sinne ›offenen‹ Schauspiel«* (H. Kreuzer) geschieden: Tiecks Illusionsdurchbrechung ist auf fiktive Zuschauer bezogen und ist so Gegenstand seines Stückes – die des »offenen« Schauspiels wendet sich an das reale Publikum und wird damit zum Prinzip der Aufführung selbst. Verbunden sind jedoch beide Spielarten durch die Tradition des alten Improvisationstheaters, das sie auf unterschiedliche Weise neu zu beleben versuchen. KLL

AUSGABEN: Bln. 1797 (in *Volksmärchen*, Hg. P. Leberecht, 3 Bde., 2). – Bln. 1812–1816 (in *Phantasus*, 3 Bde., 2; erw.). – Bln. 1828 (in *Schriften*, 28 Bde., 1828–1854, 5). – Lpzg. 1892 (in *Werke*, Hg. G. L. Klee, 3 Bde., 1). – Stg. 1964 (RUB, 8916). – Mchn. 1964 (in *Die Märchen aus dem Phantasus. Dramen*, Hg. M. Thalmann).

LITERATUR: J. Wolf, *Les allusions politiques dans le »Chat botté« de L. T.* (in RGerm, 5, 1908, S. 158–201). – G. Brodnitz, *Der junge T. u. seine Märchenkomödien*, Mchn. 1912. – L. Faerber, *Das Komische bei L. T.*, Diss. Gießen 1917. – R. Minder, *Un poète romantique allemand: L. T.*, Paris 1936. – M. Kurz, *L. T.s u. H. Laubes Stellung z. Schauspielkunst*, Diss. Mchn. 1951. – R. M. Immerwahr, *The Esthetic Intent of T.'s Fantastic Comedy*, Saint Louis 1953. – I. Strohschneider-Kohrs, *Die romantische Ironie in Theorie u. Gestaltung*, Tübingen 1960, S. 283–319 (Hermaea, N. F., 6). – H. G. Beyer, *L. T.s Theatersatire »Der gestiefelte Kater« u. ihre Stellung i. d. Lit.- u. Theatergeschichte*, Diss. Mchn. 1960. – H. Kreuzer, *T.s »Gestiefelter Kater«* (in Der Deutschunterricht, 15, 1963, H. 6, S. 33–44).

PHANTASUS. Sammlung von dreizehn Märchen, Erzählungen, Schauspielen und Novellen in drei Bänden von Ludwig TIECK (1773–1853), erschienen 1812–1816. – Auf dem Höhepunkt der Romantik beginnt Tieck seine für die Entwicklung der romantischen Poesie repräsentativen Dichtungen zu sammeln. Nach dem Vorbild von BOCCACCIOS *Decamerone* konzipiert er eine selbständige, dialogisch strukturierte Rahmennovelle, um den Leser in Form eines »kleinen Romans« in die frühromantische Kunst- und Weltanschauung einzuführen. Ein geselliger Kreis romantisch gesinnter und empfindender Freunde, bestehend aus den Damen Clara, Emilie, Auguste, Rosalie und den Herren Manfred, Friedrich, Theodor, Lothar, Anton, Ernst und Willibald, trifft sich auf Reisen, auf Landgütern, bei Tisch. Die Gesprächsthemen sind vielfältig; sie reichen von der altdeutschen Vergangenheit über Freundschaft, Liebe, Landschaft, Gärten, Erziehung, kulinarische Genüsse bis zu Literatur, Theater und Ästhetik. Die sieben Herren, die sich in den Vortrag der Phantasus-Werke teilen, personifizieren *»verschiedene Stimmungen des Autors selbst, im Ernst und Scherz, im Schwärmerischen und Humoristischen bis zum Pedantischen hinab«*. Der ursprüngliche Plan, sieben Rezitatoren siebenmal ein Drama oder eine Geschichte, also insgesamt 49 Werke vorlesen zu lassen, blieb unausgeführt.
Dem ersten, dem »Märchen-Band«, steht das Titel-Gedicht *Phantasus* (1811) voran. Im Traum erscheint dem verzweifelten Poeten der Knabe Phantasus, eine allegorische Gestalt, die ihm das Auge öffnet fürs romantische Märchenland. Ernst formuliert in den programmatischen Rahmengesprächen einen Grundzug der romantischen Ästhetik: *»Wir träumen ja auch nur die Natur, und möchten diesen Traum ausdeuten; auf dieselbe Weise entfernt und nahe ist uns die Schönheit, und so wahrsagen wir auch aus dem Heiligthum unsers Innern wie aus der Welt des Traumes heraus.«* Die Freunde feiern GOETHE, SCHILLER, JACOBI, JEAN PAUL, die Brüder SCHLEGEL und NOVALIS als Vorläufer und Künder der romantischen Poesie. Der spöttische Theodor meint, daß die Dichter *»aus witziger Willkür mit der Wirklichkeit spielen und die Geburten der Dunkelheit als das Rechte und Wahre anerkennen wollen«*. Die zum Vortrag gelangenden Märchen aus dem *»Gebiet der Räthsel und Wunder«* mischen willkürlich das Liebliche mit dem Schrecklichen, das Kindliche mit dem Seltsamen. Romantische Märchen entstehen, *»indem wir die ungeheure Leere, das furchtbare Chaos mit Gestalten bevölkern und kunstmäßig den unerfreulichen Raum schmücken; diese Gebilde aber können dann freilich nicht den Charakter ihres Erzeugers verläugnen«*.
Von den frühen Märchen, die der Autor in seine Sammlung aufgenommen hat, bilden → *Der blonde Eckbert* (1797), *Der getreue Eckart und der Tannenhäuser* (1799) und → *Der Runenberg* (1804) eine Gruppe für sich, deren gemeinsames Kennzeichen es ist, *»daß im Schrecklichen eine gewisse Lieblichkeit wohnen könne, die dem Reiz des Grauenhaften eine Art von Rührung und Wehmuth beigeselle«*. Unbegreifliche Angstzustände quälen die Helden in einer rätselhaften Umwelt, Halluzinationen, die aus den Abgründen der Seele und den Tiefen der Erinnerung aufsteigen und in einer dämonischen Natur bedrohliche Gestalt annehmen. Im Eckbert-Märchen gipfeln die Motive von Schuld, Angst, Entfremdung, Inzest und Identitätsverlust in Wahnsinn und Mord. Das Doppelmärchen *Der getreue Eckart und der Tannenhäuser* erzählt zum einen von der unwandelbaren Treue des Ritters Eckart zu seinem Herzog, die auch den magischen Lockungen im Venusberg standhält, zum anderen die 400 Jahre später spielende Geschichte vom Tannhäuser, dem Traum und Wahnsinn die Bilder von unglücklicher Liebe, Mord am Nebenbuhler, Teufelspakt und Abstieg in den Venusberg vorgaukeln: Der Abstieg in den Berg symbolisiert den Abstieg in die Seele. Als der Freund Tannhäusers Erzählung in den Bereich der Einbildung verweist, setzt dieser das Imaginierte in die Tat um. Sage und Fiktion verdichten sich zu Spiegelbildern der menschlichen Seele. Auch im *Runenberg* trägt das Wunderbare Züge des Schreckens und Grauens und verwandelt die Natur in eine dämonische Seelenlandschaft. – Eine zweite Gruppe besteht aus Neuschöpfungen: *Liebeszauber*,

Die Elfen und *Der Pokal* (alle 1812). Im *Liebeszauber* verzerrt sich die Wirklichkeit zur grauenhaften Fratze, zu einem aus Wahnsinn, krankhaften Phantasmagorien, Lebensekel und Todessehnsucht komponierten Gespenstertanz. In *Die Elfen* verschmilzt das Alltägliche mit der romantischen Phantasiewelt der Elfen und Elementargeister. Der zweiteilige *Pokal* erzählt spiegelbildlich das Schicksal zweier Liebender, die sich in der Jugend auf den Orakelspruch eines Zauberpokals hin verloren haben, um sich im Alter wiederzufinden, eine »*schauerliche Geistergeschichte*« mit versöhnlich resignativem Schluß. Inmitten dieser Märchenerzählungen findet sich die 1797 entstandene *Wundersame Liebesgeschichte der schönen Magelone und des Grafen Peter aus der Provence*, ein Volksbuchstoff, den Tieck dem Prosaroman von Veit WARBECK (1535) entlehnt. Er schmilzt moderne Gefühlsweisen in den Stoff ein, verdichtet die Atmosphäre und romantisiert den Stimmungs- und Naturraum; er will »*die alte Geschichte mit neuem Lichte bekleiden*«. Neben dem Erzählton verändert er geringfügig auch den Inhalt. Ein leichter Schatten fällt auf die Treue des Ritters, das Wiedersehen spielt sich in einer Schäferhütte ab. Daß die Geschichte, wie in der Rahmenhandlung kritisch bemerkt wird, »*zu freigeisterisch und ungläubig*« sei, macht gerade ihren besonderen Reiz aus.

Den Dramenband eröffnen Reflexionen über das Problem, Novellen zu Dramen umzuformen, die mehr sind als nur »*dialogisierte Novellen*«: »*Damit Erzählung oder Sage Schauspiel werde, muß ein neues Element hinzu treten, welches das Ganze allseitig durchdringt und im Mittelpunkt des Gedichtes seine Beglaubigung findet: dazu Individualität und scheinbare Willkür, zugleich eine Aufopferung alles dessen, was die Novelle reizend macht.*« Als Vorbilder für seine Dramentechnik nennt Tieck GOZZI, ARISTOPHANES, HOLBERG, FLETCHER und Ben JONSON. Der poetische Scherz *Leben und Tod des kleinen Rothkäppchens* (1800) eröffnet den zweiten Band mit dem Versuch, »*ein Mährchen von der höchsten Albernheit, mit welchem die Wärterinnen fast zuerst die Kinder zu fürchten machen, in einer Tragödie darzustellen*«. In der phantastischen Manier Gozzis durchdringen sich Wunderbares und Komisches, Kindliches und Schreckliches. Frei nach PERRAULTS *La barbe bleue* in den *Contes de ma mère l'Oye* (1697) ist → *Ritter Blaubart* (1797) gestaltet. Auch in diesem »Ammenmärchen« verschmelzen Scherz und Ernst zur Groteske. Die Komödie → *Der gestiefelte Kater* (1797) nach Perraults *Le chat botté*, eine Satire auf den zeitgenössischen Theater- und Literaturbetrieb, gehört zu Tiecks erfolgreichsten Stücken und wird zuweilen noch heute aufgeführt. Die antiillusionistischen, als Triebkräfte der Satire wirkenden Formelemente der wechselnden Wirklichkeitsbereiche und Spielebenen, die Technik des Theaters im Theater und das permanente Aus-der-Rolle-Fallen zerstören die Fiktion des Märchenspiels total. Eine ähnliche Position in Tiecks dramatischem Schaffen nimmt *Die verkehrte Welt* (1799) ein. Eine satirische Absage an Schillers Wiederbelebung der antiken Schicksalsidee stellt das eigens für den *Phantasus* geschriebene Drama *Leben und Thaten des kleinen Thomas, gen. Däumchen* (1812) dar, das recht willkürlich den alten Märchenstoff mit der Artussage verknüpft.

Den dritten und letzten Band nimmt zur Gänze das zweiteilige Märchenlustspiel → *Fortunat* (1815/16) ein, das stofflich auf das Volksbuch *Fortunatus* aus der zweiten Hälfte des 15. Jahrhunderts zurückgeht. Um beide Teile voneinander abzuheben, läßt Tieck sie an zwei Tagen von zwei Personen vorlesen. Der erste Teil erzählt Fortunats Aufstieg zu Macht, Ansehen und Reichtum mit Hilfe eines Glücksbeutels, den er umsichtig zu nutzen weiß; der zweite Teil zeigt das glücklose Leben und Sterben seiner Söhne Ampedo und Andalosia, die das anvertraute Erbe leichtsinnig verschleudern. Tieck hebt den scharfen Kontrast zwischen beiden Teilen besonders hervor, die mit verkehrter Symmetrie den in den Rahmengesprächen formulierten Protest gegen das klassische Schicksalsdrama in die Formenwelt des romantischen Dramas übersetzen und den fatalistischen Schicksalsbegriff durch die harmonische Ergänzung von Glück und Verdienst ersetzen. M. Ke.

AUSGABEN: Bln. 1812–1816, 3 Bde.; ern. 1844/45. Bln. 1828 (in *Schriften*, 20 Bde., 1828–1846, 4/5). Lpzg. 1892 (in *Werke*, Hg. G. L. Klee, 3 Bde., 2). – Bln. 1911, Hg. K. G. Wendriner, 3 Bde. – Mchn 1964, Hg. u. Anm. M. Thalmann.

LITERATUR: R. Haym, *Die romantische Schule. Ein Beitrag zur Geschichte des deutschen Geistes*, Bln. 1870. – K. Brodnitz, *Der junge T. u. seine Märchenkomödien*, Mchn. 1912. – T. Hertel, *Über T.s »Getreuer Eckart« und »Tannhäuser«*, Diss. Marburg 1917. – M. Thalmann, *Probleme der Dämonie in L. T.s Schriften*, Weimar 1919 (Forschungen z. neueren Literaturgesch., 53). – P. Kimmerich, *L. T. als Novellendichter in seiner entwicklungsgeschichtlichen Bedeutung*, Diss. Bonn 1921. – P. J. Arnold, *T.s Novellenbegriff* (in Euph, 23, 1921, S. 258–271). – M. Schaum, *Das Kunstgespräch in T.s Novellen*, Gießen 1925. – E. Pfeiffer, *Shakespeare u. T.s Märchendramen*, Diss. Bonn 1932. – R. Lieske, *T.s Abwendung von der Romantik*, Bln. 1933, S. 56 bis 64. – E. H. Zeydel, *L. T., the German Romanticist*, Princeton 1935. – R. Minder, *Un poète romantique allemand. L. T. (1773–1853)*, Paris 1936. – G. Dippel, *Das Novellenmärchen der Romantik in seinem Verhältnis zum Volksmärchen*, Diss. Ffm. 1953. – M. Thalmann, *L. T., der romantische Weltmann aus Berlin*, Bern/Mchn. 1955. – K. Peuker, *Drei Märchennovellen aus T.s »Phantasus« als Einführung in die Romantik* (in Pädagog. Provinz, 12, 1958, S. 191–199). – M. Thalmann, *L. T. »Der Heilige von Dresden«. Aus der Frühzeit der deutschen Novelle*, Bln. 1960. – D. Stephan, *Das Problem des novellistischen Rahmenzyklus*, Diss. Göttingen 1960. – P. G. Klussmann, *Die Zweideutigkeit des Wirklichen in L. T.s Märchennovellen* (in ZfdPh, 83, 1964, S. 426–452).

PRINZ ZERBINO oder die Reise nach dem guten Geschmack, gewissermaßen eine Fortsetzung des gestiefelten Katers. »Ein deutsches Lustspiel« in sechs Akten von Ludwig TIECK (1773–1853), erschienen 1799. – In diesem breitgeratenen Lustspiel variiert Tieck ein Lieblingsthema der romantischen Theatersatire: die literarische Polemik gegen die erstarrte Aufklärung und den von ihren Anhängern hartnäckig verteidigten Kunstgeschmack.

Kronprinz Zerbino leidet an einer seltsamen Krankheit, einer Art Geistesschwäche mit allen Symptomen antirationalistischen Wahnsinns, der von unmäßiger Lesewut herrührt. Im imaginären Marionettenstaat König Gottliebs aber herrscht die Aufklärung; selbst der zum Hofrat avancierte Narr glaubt, »*daß die Aufklärung der Menschheit ungemein nützlich sei*«. Die ärztliche Kunst versagt vor Zerbinos phantastischer Tollheit. Während der senile König mit Bleisoldaten spielt, berät die »Gelehrte Gesellschaft zur Beförderung der Aufklärung«, wie dem epidemisch um sich greifenden poetischen Wahnsinn beizukommen sei. Der tiefsinnige Zauberer Polykomikus eilt herbei und verordnet dem kranken Prinzen als Kur die »Reise zum guten Geschmack«. Aber Zerbino und sein Begleiter Nestor suchen vergebens nach dem kuriosen Reiseziel. Sie treffen auf eine allegorische Schmiede, wo das Werkzeug gefertigt wird, mit dem das Feld der Wissenschaften gepflügt und nach der Wahrheit gegraben werden soll. In einer allegorischen Mühle sehen sie, wie all die großen Werke und Tugenden in einen Trog geschüttet und kleingemahlen werden. Der Müller sammelt im Archiv der Zeit und des guten Geschmacks die größte Kleie und schönste Grütze. Veit Weber und Christian Heinrich Spieß, die ungekrönten Häupter der zeitgenössischen Trivialliteratur, sind zu Handwerksgesellen degradiert. Endlich erreichen die Reisenden den Garten der Poesie, wo das romantische Märchenland in betörendem Glanz schillert. Nestor fühlt sich schon als Märtyrer der Aufklärung und schlägt das Ansinnen der romantischen Muse aus, den Kranken doch in den Garten zu führen. Nacheinander erscheinen die Ahnen der Romantik: Dante, Ariost, Gozzi, Petrarca, Tasso, Böhme, Cervantes, Hans Sachs, Goethe und Shakespeare – vergeblich: In greifbarer Nähe des guten Geschmacks entschließt sich der Prinz zur Rückkehr in die väterliche Residenz, wo die Aufklärung in schönster Blüte steht. Aber das Theaterspielen behagt Zerbino nicht mehr, er fällt aus der Rolle und kurbelt mit Hilfe der Maschinerie das Stück einfach zurück, Szene um Szene. Der Autor läßt sich in eine Schlägerei mit seinem Titelhelden ein, Leser, Setzer und Kritiker protestieren. Der unterlegene Prinz muß weiterspielen und in die Residenz zurückkehren. Zwar hat er den guten Geschmack verfehlt, aber er ist kuriert und sehr gebildet. Das Zeitalter jedoch ist der Satire nicht günstig, und der mutwillige Zerbino wandert für Monate ins Gefängnis, bis eine aufklärerische Kommission ihn wegen erwiesener Vernunft freispricht. Auf die Frage, was er von der Poesie halte, erwidert er lapidar: »*Daß sie eine Narrheit ist.*«

Die poetische Narrheit verweist Tieck in Nebenhandlungen wie die Liebesgeschichte zwischen Cleon und Lila, Helikanus und Cleora, romantisch illuminierte Verspassagen, die scharf mit den satirischen Prosaszenen kontrastieren. Vers und Prosa lösen einander ab wie Romantik und Aufklärung. Der formbewußte Autor nutzt souverän die formalen Möglichkeiten der Sprache. Er parodiert die Allegorie und macht sie ironisch zum Vehikel der romantischen Theatersatire. Im Gegensatz zu Stücken wie *Der gestiefelte Kater* (1797) und *Die verkehrte Welt* (1799) setzt er die Technik des Spiels im Spiel sparsamer ein und verzichtet auf das mitspielende Publikum. Die Illusion bleibt gewahrt bis zum Punkt, wo der Darsteller des Zerbino aus der Rolle fällt und das Theater als Theater parodiert. Die Schwäche des Stücks liegt in seiner Länge und Figurenfülle: Die Satire verliert dadurch an Vehemenz und Wirkung. M. Ke.

AUSGABEN: Lpzg./Jena 1799. – Jena 1799/1800 (in *Romantische Dichtungen*, 2 Bde., 1). – Bln. 1828 (in *Schriften*, 20 Bde., 1828–1846, 10).

LITERATUR: R. Haym, *Die romantische Schule. Ein Beitrag zur Geschichte des deutschen Geistes*, Bln. 1870. – K. Brodnitz, *Der junge T. u. seine Märchenkomödien*, Mchn. 1912. – L. Färber, *Das Komische bei L. T.*, Diss. Mainz 1917. – E. Pfeiffer, *Shakespeare u. T.s Märchendramen*, Diss. Bonn 1932. – E. H. Zeydel, *L. T., the German Romanticist*, Princeton 1935. – R. Minder, *Un poète romantique allemand. L. T. (1773 1853)*, Paris 1936. – H. W. Hewett-Thayer, *T.'s Revision of His Satirical Comedies* (in GR, 12, 1937, S. 160–163). – R. M. Immerwahr, *The Esthetic Intent of T.'s Fantastic Comedy*, St. Louis 1953. – M. Thalmann, *L. T., der romantische Weltmann aus Berlin*, Bern/Mchn. 1955. – H. G. Beyer, *L. T.s Theatersatire »Der gestiefelte Kater« u. ihre Stellung in der Literatur- u. Theatergeschichte*, Diss. Mchn. 1960. – H. Kreuzer, *T.s »Gestiefelter Kater«* (in Der Deutschunterricht, 15, 1963, H. 6, S. 33–44).

VOLKSMÄHRCHEN. Märchensammlung von Ludwig TIECK (1773–1853), erschienen 1797 mit der Fiktion »herausgegeben von Peter Leberecht«. – Das Erscheinen der *Volksmärchen*, schon 1795 als »*wunderbare und abentheuerliche Geschichten*« im zweiten Teil des teilweise noch aufklärerischen Intentionen verpflichteten *Peter Lebrecht*-Romans angekündigt und mit diesem durch den fiktiven Herausgeber-Namen, wohl im Interesse des Verlegers Carl August Nicolai, einen äußerlichen Zusammenhang wahrend, markiert den Beginn der eigentlich romantischen Dichtung Tiecks und gibt in vielem entscheidende Anstöße der romantischen Dichtung überhaupt. Hier bekundet sich ein erstes starkes Echo auf die Streitschrift HERDERS für die Volkspoesie, der sie – »*mit Treue aufgenommen, mit Helle angeschaut, mit Fruchtbarkeit bearbeitet*« – nicht in nationaler, sondern literarischer Begeisterung als eine »*Fundgrube für den Dichter*« bezeichnet (*Von Ähnlichkeit der mittleren englischen und deutschen Dichtkunst*, 1777). Der orientalische Zauber- und Geisterapparat, dessen sich Tieck für frühere Märchenversuche bedient hatte, wird von deutsch-mittelalterlichen Stoffen verdrängt wozu Göttinger Studien und Anregungen WACKENRODERS Anstoß gegeben hatten. In zeitlicher Nachbarschaft zu den ironisch-aufklärerischen *Volksmärchen der Deutschen* (1782–1786) von MUSÄUS und zu GOETHES *Märchen* (1795) entstanden, war das Genre »Volksmärchen« für Tieck ein charakteristisches Medium, womit er einerseits das literaturpolitische Ziel verfolgte, die sensationslüsterne Unterhaltungsliteratur zu verdrängen, andererseits sein Programm einer Einbürgerung des Wunderbaren und einer Romantisierung des Gewöhnlichen, das er im Aufsatz *Shakespeare's Behandlung des Wunderbaren* (1793) entwickelt hatte, praktisch realisierte. Ironische Spiegelung der zeitgenössischen Gesellschaft und ihres Kunstverständnisses ist ein thematischer Grundzug.

In die Sammlung nahm Tieck recht Verschiedenartiges auf: Die Umarbeitung eines eigenen Werks, des Dramas *Karl von Berneck* (vgl. dort), ein Fremdkörper im ganzen Sammelwerk, steht neben neuer artistischer Schöpfung (*Der blonde Eckbert*, vgl. dort) und der prosaischen, lyrischen oder dramatischen Bearbeitung von Stoffen oder Erzählungen (*Ritter Blaubart*, *Der Gestiefelte Kater*, vgl. dort) sowie Volksbuchbearbeitungen. Nicht mit der Pietät vor dem Alt-Überlieferten, von der sich die Brüder GRIMM und GÖRRES bei ihren Märchen und Volksbuchsammlungen leiten ließen, sondern mit der Lust am Scherzhaft-Übertriebenen geht Tieck an die Stoffe heran. Waren die *Volksmärchen* Schöpfungen aus einer neuen poetischen Stimmung, die die melancholische Zerrissenheit von Tiecks früherer Schaffensperiode ablöste, so sieht er bei der Anrede an den »einsamen« oder »kranken« Leser in der Naivität der »altfränkischen Bilder« – den »*sonderbaren Genuß*« gewährt, »*Dein Jahrhundert und die Gegenstände um Dich her aus dem Gedächtnisse zu verlieren*«.

Der Ritter Blaubart. Ein Ammenmärchen in vier Akten, geschrieben 1796 und für den *Phantasus* im Sinne theatralischer Wirkung umgearbeitet, eröffnet die Sammlung. In der schlichten Dramatisierung des von PERRAULT in den *Contes de ma mère l'Oye* erzählten Märchenstoffes geht es um den kaltblütigen Frauenmörder Peter Berner und seine Frau Agnes, die, während er in den Krieg gezogen ist, neugierig das ihr verbotene siebente Zimmer des Schlosses öffnet und grausige Entdeckungen macht. Mit knapper Not entgeht sie dem blutdürstigen Zorn ihres zurückgekehrten Gemahls, der selbst dem Dolch zum Opfer fällt. Vielfältige episodische Szenen sind um die Haupthandlung gruppiert, innerhalb deren der Dialog wesentliches Kunstmittel bleibt. Nuancierte Psychologie und holzschnitthafte Typik, burleske Komik und differenzierte Stimmungsmalerei kontrastieren reizvoll; die Anlehnung an SHAKESPEARE und an GOZZI ist spürbar. Die satirischen Anspielungen auf geistesgeschichtliche Aktualitäten (z. B. FICHTES Transzendentalphilosophie) verbinden sich mit der Intention, die Gattung des Ritterstücks überhaupt zu parodieren, und mit der spielerisch-marionettenhaften Auffassung des eigentlich düsteren Stoffes.

An den Volksbüchern rühmte Tieck, daß sie »*mehr wahre Empfindung*« hätten und »*ungleich reiner und besser geschrieben*« seien »*als jene beliebten Modebücher*«. Ohne eigentlich parodistische Laune verstärkt Tieck bei seiner Bearbeitung der drei in die Sammlung aufgenommenen Volksbücher deren ironische oder sentimentale Elemente. *Die Geschichte von den Heymons Kindern in zwanzig altfränkischen Bildern*, die Tieck im Anschluß an den *Ritter Blaubart* und den *Blonden Eckbert* nacherzählt, gewinnt in seiner treuherzig-einfachen Wiedergabe – nach A. W. v. SCHLEGELS Wort – den Charakter einer »Heldenkomödie«. Flüchtig arbeitend, kürzt Tieck erheblich, im ganzen vorteilhaft, zeigt aber bei seinen Erweiterungen, insbesondere was die Stimmungsschilderung und psychische Analyse angeht, daß die Überlieferung von den männlich-wilden Kämpfen zwischen Karl dem Großen und den Söhnen des Ritters Heymon von Dordone wie dem treuen Pferd Bayart hier nur noch Material eines sentimentalisch gesinnten Redaktors ist.

Nachdem Tieck im zweiten Band der *Volksmärchen* den *Gestiefelten Kater* und die *Wundersame Liebesgeschichte der schönen Magelone und des Grafen Peter aus der Provence* (vgl. den Sammelartikel *Die schöne Magelone*) vorgestellt hatte, bringt er am Schluß die Improvisation *Ein Prolog*. Diese lustigen »Scherben« nach Art der durch Goethes Schwankdichtungen wiederbelebten Versschmiedemanier machen die bei Publikum und Personal einsetzenden Vorbereitungen zu einer Theateraufführung zum Thema einer kleinen Dialogposse, deren Witz – wie so oft bei Tieck – sich aus der Karikierung der Zuschauer und ihrer Erwartungen wie der Ironisierung der Transzendentalphilosophie Fichtes, nicht zuletzt auch aus der penetranten Reimerei ergibt.

Im dritten Band folgt nach dem Trauerspiel *Karl von Berneck* die *Denkwürdige Geschichtschronik der Schildbürger in zwanzig lesenswürdigen Kapiteln*. Die freie Bearbeitung der Vorlage berichtet von vertriebenen griechischen Staatsmännern und Philosophen, die, wie Tieck gegen die Allegoriensucht gerichtet erklärt, wirklich gelebt haben und die wohlüberlegt den Entschluß fassen, Narren darzustellen: Das Rathaus ist aus bedachten Gründen ohne Fenster gebaut, aber, als der Mangel allzu fühlbar ist, versucht man mit Säcken Licht hineinzutragen. Das Kapitel *Von der Verfassung, der Religion, der Philosophie der Schildbürger; Zustand der Künste und Sitten* mit seinen vielen Skurrilitäten steckt voller Anspielungen auf Zeitverhältnisse. Nachdem schließlich der ganze Staat wegen Verdachts auf revolutionäre Gesinnung im Gefängnis sitzt, beschließt man, alle Gesetze aufzuheben und die Tugend zum einzigen Maßstab zu machen. Doch der Besuch des benachbarten Königs zeigt, daß statt prätendierter Weisheit die Sucht nach Geld wenigstens einen der Mitbürger beherrscht. Vor auswärtiger Bedrohung zerstreuen sich schließlich die Schildbürger in alle Welt. Unter der Maske des Geschichtsschreibers macht Tieck nach eigenem Zeugnis zum Kern seiner Aufklärungssatire »*das Hereinziehen einiger ganz moderner Thorheiten, die Anspielungen auf unser gesunkenes Theater, und dergleichen*«. Vor allem die rationalistische Literaturauffassung der Zeit führt, als geistige Mode der Schildbürger-Gesellschaft dargestellt, zu lächerlichen Konsequenzen. Ebenso parodiert Tieck das Rezensionswesen und die Unduldsamkeit der aufklärerischen Toleranzprediger; aber auch die leicht wiederzuerkennenden Publikumslieblinge IFFLAND und KOTZEBUE bleiben nicht verschont. Wenn Tieck im Einleitungskapitel noch einmal die Qualitäten der alten Volksbücher im Gegensatz zu der abgeschmackten moralischen Aufklärungsliteratur beschwört, formuliert er damit sein neues poetisches Programm. Obgleich Nicolai die Chronik noch edierte – er soll sie erst nach dem Druck gelesen haben –, war diese doch ein Anlaß für den Bruch zwischen dem aufklärerischen Verleger und dem romantischen Dichter. Der Eklat hat zumindest den vorzeitigen Abschluß der auf mehrere Bände angelegten *Volksmärchen* verursacht.

Die *Volksmärchen* wurden als »*Unwissenheit und Aberwitz*« (so die ›Jenaische Allgemeine Litteratur-Zeitung‹, 1797, S. 565) von einem Teil der Tageskritik abgelehnt. Aber es fehlte auch – nach Köpkes Mitteilung – nicht an Beifall, wenngleich der von Nicolai erwartete große Erfolg ausblieb. A. W. v. Schlegel widmete der Sammlung eine eingehende und anerkennende Rezension, in der er besonders *Ritter Blaubart* und *Der blonde Eckbert* würdigt und schon auf die Bedeutung Goethes und Shakespeares für Tieck aufmerksam macht (in ›Athenäum‹, 1798). Inhalte und Formen, mit denen Tieck hier erstmalig experimentierte, sollte er in seinen romantischen Komödien- und Märchendichtungen weiterentwickeln. Mit Tieck beginnt auch, was im Heidelberger Kreis, bei ARNIM und GÖRRES sich als Interesse für die Volksbücher geltend macht. G. O.

AUSGABE: Bln. 1797, 3 Bde.

LITERATUR: R. Haym, *Die Romantische Schule. Ein Beitrag zur Geschichte des deutschen Geistes*, Bln. 1870. – B. Steiner, *L. T. und die Volksbücher*, Bln. 1893. – R. Benz, *Märchen-Dichtung der Romantiker. Mit einer Vorgeschichte*, Gotha 1908. – H. A. Korff, *Geist der Goethezeit*, Bd. 3, Lpzg. 1940, S. 454 bis 494; [7]1966. – P. G. Klussmann, *Die Zweideutigkeit des Wirklichen in L. T.s Märchennovellen* (in ZfdPh, 83, 1964, S. 426–452).

WILHELM HEINRICH WACKENRODER (1773-1798)

HERZENSERGIESSUNGEN EINES KUNSTLIEBENDEN KLOSTERBRUDERS. Sammlung kunsttheoretischer Schriften von Wilhelm Heinrich WACKENRODER (1773 1798) und Ludwig TIECK (1773 1853), anonym erschienen 1796. – Der Anteil Tiecks an dieser Publikation ist von geringer Bedeutung, da er sich, wie die *Nachschrift* am Schluß des ersten Teils seines Romans *Franz Sternbalds Wanderungen* (1798) erweist, neben der äußerlichen Überarbeitung des Bandes auf lediglich vier (unwesentliche) der insgesamt achtzehn Stücke beschränkt (und zwar die Vorrede *An den Leser dieser Blätter*, *Sehnsucht nach Italien*, *Brief des jungen Florentinischen Malers Antonio an seinen Freund Jacobo in Rom* und *Brief eines jungen deutschen Malers in Rom an seinen Freund in Nürnberg*). Diese kleine Veröffentlichung, die zusammen mit den 1799 postum von Tieck herausgegebenen *Phantasien über die Kunst für Freunde der Kunst* und einem umfangreichen Briefwechsel mit Tieck das Gesamtwerk Wackenroders ausmacht, kann als erstes und im eigentlichen Sinne initiatorisches literarisches Dokument der deutschen Frühromantik bezeichnet werden. Der überwiegende Teil der kurzen Erzählungen des Bandes bietet nach Art der Viten legendärer Heiliger stilisierte Malerbiographien (Dürer, Raffael, Leonardo da Vinci, Michelangelo, Piero di Cosimo), die sich eng, teilweise sogar wörtlich, an Giorgio VASARIS *Vite de' più eccelenti architetti, pittori e scultori* (1550) und Joachim von SANDRARTS *Teutsche Academie der edlen Bau-, Bild- und Mahlerey-Künste* (1675 bis 1679) anschließen – Autoren, deren einfachen, unprätentiösen Chronistenstil Wackenroder mit Hilfe der Fiktion eines kunstbegeisterten Mönchs als Erzähler wiederzubeleben versucht. Daneben finden sich drei theoretische Aufsätze (*Von zwei wunderbaren Sprachen und deren geheimnisvoller Kraft*; *Einige Worte über Allgemeinheit, Toleranz und Menschenliebe in der Kunst*; *Wie und auf welche Weise man die Werke der großen Künstler der Erde eigentlich betrachten und zum Wohl seiner Seele gebrauchen müsse*) und, als Abschluß, eine kaum verhüllte autobiographische Erzählung – *Das merkwürdige musikalische Leben des Tonkünstlers Joseph Berglinger* –, die insofern den Rahmen der historischen »Malerchronik« sprengt, als sie sich einer zeitgenössischen, problematischen und scheiternden Künstlerexistenz zuwendet, die als Modell für nahezu alle späteren romantischen Künstlererzählungen, zumal die Tiecks und E. T. A. HOFFMANNS, stehen darf.

»*Die Kunst ist über dem Menschen: wir können die herrlichen Werke ihrer Geweiheten nur bewundern und verehren, und, zur Auflösung und Reinigung aller unserer Gefühle, unser ganzes Gemüt vor ihnen auftun.*« Diese Formulierung Wackenroders rückt Kunst in unmittelbare Nähe zur Religion; Kunst wird sogar selbst Religion und nimmt deren Stelle ein, wo die Kraft des Wortes, die lediglich zur Bezeichnung »*irdischer Dinge*« ausreicht, versagen muß. »*Das Unsichtbare, das über uns schwebt*« vermag allein die Kunst, als Mittlerin der »*göttlichen Flamme*«, herabzuziehen »*in unser Gemüt*«. Folgerichtig setzt Wackenroder, darin HAMANN nicht unähnlich, allen echten Kunstgenuß dem Gebet gleich und behält ihn den seltenen »*Momenten der verklärten Anschauung*« vor. Das Geheimnis der Schönheit ist weder in Worten aufzulösen noch in einem durchdachten Regelkanon, der zwar die mechanisch-technische Dimension eines Kunstwerks erfassen mag, nicht aber den beseelenden, enthusiastischen »*Kunstgeist*«, in dem sich das Transzendente durch das Medium der großen Künstlerpersönlichkeit unverhüllt zeigt. Dieser Auffassung von Kunst als ursprüngliche Offenbarung entspricht auch die eigentümliche, hinnehmende Passivität sowohl des Kunstgenusses, der eine »*stille und ruhige Fassung des Gemüts*« erfordert, als auch der schöpferischen Produktivität. Dieses Ideal schlichter Kunstfrömmigkeit findet Wackenroder vor allem in der italienischen Malerei der Renaissance und in der deutschen Kunst des 15. und 16. Jh.s verwirklicht – eine Perspektive, der die spätere Romantik auf dem Wege zur Entdeckung älterer Kunstepochen entscheidende Impulse verdankt.

Wie sehr diese Kunstauffassung aber schon bei Wackenroder selbst fragwürdig wird, zeigt neben den *Phantasien über die Kunst* vor allem die abschließende Musiker-Erzählung. Berglinger hat von Jugend auf unter der nicht zu überbrückenden Diskrepanz zwischen seinem »*angebornen ätherischen Enthusiasmus*« und dem »*niedrigen Elend dieser Erde*« gelitten. Jede Flucht aus der Wirklichkeit in die »*dämmernden Irrgänge poetischer Empfindung*« enthüllt sich als kurzer, schnell verfliegender Rausch. Als er aber »*hinter den Vorhang*« tritt, sich die »*mühselige Mechanik*« der musikalischen Kunstgrammatik mit Erfolg, wenn auch widerstrebend zu eigen macht und, als Kapellmeister einer fürstlichen Residenz, der Kunstfeindlichkeit seiner Umwelt direkt ausgesetzt ist, verschärft sich der Widerspruch von Realität und sie überfliegender Einbildungskraft bis zum unauflösbaren, offenen Konflikt. Das »*doppelte Wesen von Geist und Leib*«, an dem alle romantischen Künstlerfiguren scheitern, läßt ihn, nach der Komposition einer großen Passionsmusik, an einer Nervenschwäche sterben. Die magische, suggestiv-flüchtige und illusionistische Seite aller Kunst, die diese Erzählung bereits unüberhörbar andeutet, tritt in den *Phantasien* immer unverhüllter hervor, und zwar so stark, daß Wackenroder schließlich mit an E. T. A. Hoffmann erinnernden Formulierungen von der »*furchtbaren, orakelmäßig-zweideutigen Dunkelheit*« der Musik und von der Kunst als »*lieblichem Spielwerk*« spricht, über das »*die Engel im ferngerückten Himmel*« mitleidig lächeln.

Die erstaunliche Wirkung der *Herzensergießungen*, deren Dürer-Kapitel Tieck in den Kunstgesprächen seines *Sternbald*-Romans weiter ausführte, bekräftigt nichts besser als die gereizte, sarkastische Reaktion GOETHES, der sich dem »*klosterbrudersierenden, sternbaldisierenden Unwesen*« der jüngeren Romantikergeneration entschieden widersetzte: »*Es* [das Büchlein] *bezog sich auf Kunst und wollte die Frömmigkeit als alleiniges Fundament derselben festsetzen. Von dieser Nachricht waren wir wenig gerührt; denn wie sollte auch eine Schlußfolge gelten, eine Schlußfolge wie diese: einige Mönche waren Künstler, deshalb sollen alle Künstler Mönche sein!*« (*Annalen*, 1802). Ungeachtet dieser ironischen Ablehnung beeinflußte Wackenroders Schrift vor allem die Malervereinigung der »Nazarener« (Friedrich Overbeck, Peter von Cornelius, Schnorr von Carolsfeld, Wilhelm Schadow u. a.). H. H. H.

AUSGABEN: Bln. 1797 [recte 1796]. – Bln. 1814 (*Phantasien über die Kunst von einem kunstliebenden*

Klosterbruder, Hg. L. Tieck; zus. m. *Phantasien über die Kunst für Freunde der Kunst*). – Jena 1910 (in *Werke u. Briefe*, Hg. F. von der Leyen, 2 Bde., 1). – Lpzg. 1921, Hg. O. Walzel. – Bln. 1938 (in *Werke u. Briefe*). – Oxford 1948, Hg. A. Gillies [m. Bibliogr.]. – Mchn. 1949, Hg. H. H. Borcherdt. – Stg. 1955 (Nachw. R. Benz; RUB, 7860/61). – Heidelberg 1967 (in *Werke und Briefe*, Hg. L. Schneider).

LITERATUR: R. Wenzel, *W.s Weltanschauung*, Diss. Münster 1925. – B. Tecchi, *W. H. W.*, Florenz 1927 (dt.: *W. H. W.*, Bad Homburg 1962). – G. Fricke, *W.s Religion der Kunst* (in *Fs. f. P. Kluckhohn u. H. Schneider*, Tübingen 1948, S. 345 bis 371). – H. A. Korff, *Geist der Goethezeit*, Bd. 3, Lpzg. [2]1949, S. 58–69. – L. Zametzer, *Der Unendlichkeitsbegriff in der Kunstauffassung der Frühromantik bei F. Schlegel u. W. H. W.*, Diss. Mchn. 1955. – H. Apfelstedt, *Selbsterziehung u. Selbstbildung in der deutschen Frühromantik. F. Schlegel, Novalis, W., T.*, Diss. Mchn. 1958. – D. Hammer, *Die Bedeutung der vergangenen Zeit im Werk W.s. Unter Berücksichtigung der Beiträge T.s*, Diss. Ffm. 1960. – W. Kohlschmidt, *W. u. die Klassik. Versuch einer Präzisierung* (in *Unterscheidung u. Bewahrung, Fs. f. H. Kunisch*, Bln. 1961, S. 175–184). – M. Brion, *L'Allemagne romantique. Kleist, Brentano, W., T., C. v. Günderode*, Paris 1962, S. 171–228. – J. Mittenzwei, *W.s Flucht in den musikalischen Elfenbeinturm* (in J. M., *Das Musikalische in der Literatur. Ein Überblick von Gottfried v. Straßburg bis Brecht*, Halle 1962, S. 107–112). – K. Thornton, *W.'s Objective Romanticism* (in GR, 1962, 37, S. 161–173). – H. J. Schrimpf, *W. H. W. u. K. Ph. Moritz. Ein Beitrag zur frühromantischen Selbstkritik* (in ZfdPh, 1964, 83, S. 385–409).

ANONYME WERKE
KLASSIK UND ROMANTIK

NACHTWACHEN. Von Bonaventura. Roman, erschienen 1804 in einem unbedeutenden Periodikum, dem ›Journal von neuen deutschen Original-Romanen‹ des Verlegers F. DIENEMANN in Penig/Sachsen. – Das Pseudonym des Autors ist bis heute nicht aufgelöst; als Verfasser hat man mit mehr oder weniger stichhaltigen Gründen BRENTANO, Friedrich von SCHLEGEL, SCHELLING und dessen Gattin Caroline sowie E. T. A. HOFFMANN, Friedrich Gottlob WETZEL oder Gotthilf Heinrich SCHUBERT (den Verfasser der 1808 erschienenen *Ansichten von der Nachtseite der Naturwissenschaft*) nachzuweisen versucht. Neuere Forschungen, vor allem die von W. PAULSEN, vermuten jedoch hinter dem Pseudonym einen unbekannten Schriftsteller, dessen Persönlichkeit und Biographie sich ebensowenig greifen lassen wie weitere Werke. Bezeichnenderweise herrscht bereits unter den Zeitgenossen einige Verwirrung; so schrieb etwa JEAN PAUL, dessen Einfluß auf den Verfasser sich allerdings deutlich erkennen läßt: »*Lesen Sie doch die ›Nachtwachen‹ von Bonaventura, d. h. von Schelling. Es ist eine treffliche Nachahmung meines Gianozzo; doch mit zuvielen Reminiszenzen und Lizenzen zugleich*« (an P. Thierot, 14. 1. 1805). Der Protagonist des Werks, Nachtwächter und satirischer Poet zugleich, der als Findelkind nach seinem Fundort den Namen Kreuzgang erhalten hat, entfaltet in einer Folge von sechzehn »*Nachtwachen*«, während deren er in »*dieser kalt prosaischen Zeit*« mit Pike und Horn sein »*ehrliches Handwerk*« ausübt und die Stunden abruft, seine Vexierbilder des »*allgemeinen Irrenhauses*« einer an kalter Vernünftigkeit erkrankten Welt, in der die mechanischen »*Larven*« derart überhandgenommen haben, daß sie »*aus ihren eigenen Mitteln alle Fächer und sogar die Poesie besetzen können*«. Der alte literarische Topos des vernünftigen Narren, dem es von seiner Umwelt erlaubt wird, ihre Tollheiten und Schwächen zu geißeln, weil sie ihn zur völligen Wirkungslosigkeit neutralisiert hat, wird hier gesteigert zum Bild des sich existentiell bedroht fühlenden und an seiner »*absoluten Verworrenheit*« leidenden Menschen, der sich ausschließlich als ein »*mit Vorsatz widersinnig gestimmtes Saitenspiel*« erfährt: »*Eins ist nur möglich; entweder stehen die Menschen verkehrt, oder ich. Wenn die Stimmenmehrheit hier entscheiden soll, so bin ich rein verloren.*« Als roter Faden zieht sich durch die »*Fels- und Waldstücke*« seiner aggressiv-satirischen Nachtbelustigungen Kreuzgangs eigene chaotische Lebensgeschichte: In der Schusterwerkstatt seines Ziehvaters erlernt er zunächst dessen Handwerk, bevor er erste »*poetische Flugblätter*« – z. B. eine Leichenrede anläßlich einer Kindstaufe – herausgibt, wird seiner Pamphlete wegen inhaftiert und macht sich dann als Bänkelsänger durch »*Mordgeschichten*« und »*kleine episodische Ergötzlichkeiten*« so viele Feinde, daß ein Injuriengerichtshof ihn ins Irrenhaus einweisen läßt. Dort verlebt er seinen einzigen »*Wonnemonat*« in der Liebe zu einer ehemaligen Schauspielerin, die, als er mit ihr an einem Hoftheater als Hamlet und Ophelia auftritt, wahnsinnig wird und sich aus der gespielten Rolle nicht mehr »*herausstudieren*« kann. Sie stirbt nach der Geburt eines toten Kindes, während sich Kreuzgang, aus dem Irrenhaus wieder unter die »*Vernünftigen*« verstoßen, an ein Marionettentheater verdingt, dessen Puppenbestand jedoch aufgrund eines Zensuredikts, das »*alle Satire im Staat ohne Ausnahme*« verbietet, konfisziert wird. So entschließt er sich, einen eben vakanten Nachtwächterposten anzunehmen, in dessen Ausübung er nun seiner »*Vorliebe für die Tollheit*« vollends die Zügel schießen läßt, indem er etwa »*in der letzten Stunde des Säkulums*« sich einfallen läßt, durch einen »*falschen jüngsten Tages-Lärm*« seine Mitbürger in panische Weltuntergangs-Verwirrung zu stürzen. Die Erfahrung der ständigen Zerrissenheit, seines Widerspruchs in sich selbst – »*Ein paar Male jagte man mich aus Kirchen, weil ich dort lachte, und ebensooft aus Freudenhäusern, weil ich drin beten wollte*« – läßt ihn annehmen, er sei vom Teufel mit einer eben kanonisierten Heiligen erschaffen worden – eine Vermutung, die fast zutreffend ist: Seine Mutter gibt sich ihm während eines Streifzuges auf dem Kirchhof als zigeunerhaftes, wahrsagendes »*braunes Böhmerweib*« zu erkennen und zeigt ihm das Grab seines Vaters, eines Alchimisten, dem, als er Kreuzgang mit ihr zeugte, der Teufel beigestanden habe. Am Schluß des Werkes steht als groteske Überhöhung des nahezu alle Nachtwachen durchziehenden Vanitas-Pathos die absolute Negation: »*Und der Widerhall im Gebeinhaus ruft zum letzten Male – Nichts!*«
Wenn auch das Werk den frühromantischen Umkreis, dem es entstammt, keineswegs verleugnet – es zeigen sich gedankliche Einflüsse sowohl von FICHTE und Schelling wie auch von NOVALIS –, so ist doch die nächtlich-lemurenhafte Dimension, in

der es angesiedelt ist, nicht im geringsten mit der »*mondbeglänzter Zaubernächte*« bei TIECK oder EICHENDORFF vergleichbar. Die satirischen Partien der *Nachtwachen* verweisen ebenso wie der gebrochene, mit Einschüben durchsetzte Erzählfluß eher auf Jean Paul und seine bizarre Metaphorik, ohne allerdings deren idyllisch-bramarbasierende, behagliche Komponente aufzunehmen. Eines der charakteristischen Symbole, mit denen der Autor menschliches Verhalten ausdrückt, ist das der Marionette, der gefühllosen, von einem fremden Willen bewegten Gliederpuppe. Im selben Umkreis sind auch das Motiv der Larve – »*das Gegenteil zwischen Kleid und Mann*« – und das der vorgeschriebenen »Rolle« beheimatet, die auf der Bühne der Welt »agiert« wird, und schließlich das der zwiebelartigen Einhülsung und Verschachtelung des eigentlichen menschlichen Wesens-»Kernes«, der aus der paradoxen Perspektive des Nachtwächtertums freigelegt wird, eines Nachtwächtertums allerdings, das den konventionellen Rahmen romantischer Dichtung sprengt. KLL

AUSGABEN: Penig/Sachsen 1804 (in Journal von neuen deutschen Original-Romanen, 3). – Lindau/Lpzg. 1877, Hg. A. Meissner. – Bln. 1904, Hg. H. Michel (DLD, 133). – Heidelberg 1955 [Nachw. A. v. Grolmann]. – Stg. 1964, Hg. W. Paulsen (RUB, 8926/8927).

VERTONUNG: G. Malipiero, *Die Verwandlungen des Bonaventura* (Uraufführung: Rom 1966).

LITERATUR: F. Schultz, *Der Verfasser der »Nachtwachen von Bonaventura«*, Bln. 1909. – E. Frank, *C. Brentano, Der Verfasser der »Nachtwachen von Bonaventura«* (in GRM, 4, 1912, S. 417–440). – S. Gölz, *Die Formen der Unmittelbarkeit in den »Nachtwachen von Bonaventura«*, Diss. Ffm. 1955. – J. Stachow, *Studien zu den »Nachtwachen von Bonaventura« mit besonderer Berücksichtigung des Marionettenproblems*, Diss. Hbg. 1958. – O. Sölle-Nipperdey, *Untersuchungen zur Struktur der »Nachtwachen von Bonaventura«*, Göttingen 1959. – W. Kohlschmidt, *Das Hamlet-Motiv in den »Nachtwachen des Bonaventura«* (in *German Studies Presented to W. H. Bruford*, Ldn. 1962, S. 163 175; auch in W. K., *Dichter, Tradition und Zeitgeist*, Bern/Mchn. 1965, S. 93 102). W. Paulsen, *B.s »Nachtwachen« im literarischen Raum. Sprache und Struktur* (in Jb. der deutschen Schillerges., 9, 1965, S. 447 510). – J. L. Sammons, *The »Nachtwachen von Bonaventura«. A Structural Interpretation*, Ldn./Den Haag/Paris 1965. – R. Brinkmann, *»Nachtwachen von Bonaventura«. Kehrseite der Frühromantik?*, Pfullingen 1966. – P. Küpper, *Unfromme Vigilien. »Bonaventuras Nachtwachen«* (in *Fs. f. R. Alewyn*, Hg. H. Singer u. B. v. Wiese, Köln/Graz 1967).

VI. Vom Realismus zum Naturalismus. 19. Jahrhundert

LUDWIG BÖRNE
(d. i. Löb Baruch, 1786–1837)

BRIEFE AUS PARIS. Kritische Berichte und Kommentare von Ludwig BÖRNE (d. i. Löb Baruch, 1786–1837), erschienen 1832–1834 (der dritte Teil in Paris, da die Veröffentlichung in Deutschland verboten worden war). – Die 115 zwischen 1830 und 1833 geschriebenen Briefe sind an Börnes Freundin Jeanette Wohl in Frankfurt gerichtet. Sie wurden mit der Absicht der Veröffentlichung verfaßt und enthalten politische, gesellschaftliche und kulturelle Betrachtungen über Ereignisse in Frankreich und Deutschland nach der Julirevolution 1830.
Kurz nach der Revolution war Börne in der – schnell enttäuschten – Hoffnung nach Paris gereist, die republikanische Staatsform werde sich nun in Europa endgültig durchsetzen. Deshalb blieb er in seinen Äußerungen über die Monarchie zunächst noch maßvoll: »*Nicht schonen soll man verbrecherische Könige, aber weinen soll man, daß man sie nicht schonen dürfe*« (12. 9. 1830). Die Korrumpierung der konstitutionellen Julimonarchie in Frankreich und die erfolgreiche Unterdrückung jeder liberalen Regung in Deutschland waren schließlich die Ursachen für seine leidenschaftliche Wendung zum liberalen Republikanismus: »*Die Mäßigung ist jetzt noch in meiner Gesinnung, wie sie es früher war; aber sie soll nicht mehr in meinen Worten erscheinen*« (19. 11. 1831). Unermüdlich geißelt er in einer zustoßenden, metaphernreichen Sprache die Manipulationen der französischen Finanzaristokratie, denen alle politischen Errungenschaften der Revolution in Frankreich zum Opfer zu fallen drohten, aber auch deutsche Unterwürfigkeit, Willkür der Fürsten, Beschränkung der bürgerlichen Freiheiten, E. M. ARNDTS mythischen Nationalismus, den Antisemitismus des deutschen Bürgertums. Sein politischer Scharfblick ließ ihn prophezeien: »*Das deutsche Volk wird einst gerächt werden; seine Freiheit wird gewonnen werden; aber seine Ehre nie. Denn nicht von ihnen selbst, von anderen Völkern wird die Hilfe kommen*« (14. 12. 1832).
Börnes staatspolitische Konzeption ist vom radikalen Liberalismus der englischen Staatsphilosophie (John LOCKE, Adam SMITH) sowie von den jakobinischen Ideen der Französischen Revolution von 1789 geprägt. Er fordert die unumschränkte Autonomie des Volkswillens und verläßt sich auf die natürliche moralische Qualität des Volkes: »*Ich finde wahre menschliche Bildung nur im Pöbel und den wahren Pöbel nur in den Gebildeten*« (16. 2. 1831). Der Egoismus ist – und damit steht Börne ganz in der liberalen Tradition – der Antrieb des individuellen und daher auch des gesellschaftlichen Lebens. Aber, so meint er, innerhalb des Republikanismus werde dem Egoismus eine natürliche Grenze gezogen; denn »*die Person hat die Verantwortlichkeit aller ihrer Handlungen auf sich allein zu nehmen und dieses Gefühl wird auch der lasterhaften Natur Schranken setzen*« (15. 2. 1833). – Börne half auf seine Weise mit, die neuen Prinzipien auf geistiger und politischer Ebene zu realisieren: »*Wir sind keine Geschichtsschreiber, sondern Geschichtstreiber*« (30. 1. 1831) und: »*Ich will nicht schreiben mehr, ich will kämpfen*« (19. 11. 1831). Die Aufgabe, die Börne in diesem Zusammenhang der Literatur zuwies: mit kämpferischem Elan zum Zeitgeschehen Stellung zu nehmen, mußte ihn in einen extremen Gegensatz zur deutschen Klassik bringen. Von hier aus ist seine fanatische Feindschaft gegen GOETHE zu begreifen. So schreibt er in einem Briefe (20. 11. 1830): »*Seit ich fühle, habe ich Goethe gehaßt, seit ich denke, weiß ich warum.*« Auch HEINE fiel schließlich solchem Extremismus zum Opfer: »... *man weiß, daß er an der Wahrheit nur das Schöne liebt ... Wer schwache Nerven hat und Gefahren scheut, der diene der Kunst, der absoluten, die jeden rauhen Gedanken ausstreicht, ehe er zur Tat wird, und an jeder Tat feilt, bis sie zu schmächtig wird zur Missetat*« (25. 2. 1833).
Die *Briefe* bleiben wichtig: als historische Quelle für die Jahre um 1830, als Zeugnis eines heißblütigen Demokraten und leidenschaftlichen Patrioten und letztlich als klassisches Dokument des frühen deutschen Journalismus. R. Rr.

AUSGABEN: Hbg. 1832 (*Briefe aus Paris, 1830–1831*, in *GS*, Bd. 9/10). – Hbg. 1833 (*Briefe aus Paris, 1831–1832*, in *GS*, Bd. 11/12). – Paris 1834 (*Briefe aus Paris, 1833–1834*, in *GS*, Bd. 13/14). – NY 1858, 2 Bde. – Bln. 1912 (in *GS*, Hg. L. Geiger u. a., Bd. 6/7). – Köln 1963 ff. (in *SS*, Hg. J. u. P. Rippmann, 4 Bde.).

LITERATUR: K. Hunger, *L. B.s politische Ideen*, Diss. Erlangen 1922. – G. Ras, *B. und Heine als politische Schriftsteller*, Groningen 1926. – W. Humm, *B. als Journalist*, Diss. Zürich 1937. – F. Koch, *B. und Heine* (in F. K., *Idee u. Wirklichkeit*, Düsseldorf 1956, S. 23–60). – H. Bock, *L. B. Vom Gettojuden zum Nationalschriftsteller*, Bln. 1962.

GEORG BÜCHNER
(1813–1837)

DANTON'S TOD. Dramatische Bilder aus Frankreichs Schreckensherrschaft. Drama in vier Akten von Georg BÜCHNER (1813–1837), geschrieben »*in höchstens fünf Wochen*« (Januar/Februar 1835); erschienen 1835; Uraufführung: Berlin, 5. 1. 1902, Belle-Alliance-Theater. – Büchner wurde zu dem Drama durch ein intensives Studium der Geschichte der Französischen Revolution angeregt. Es entstand, während er wegen der Gründung einer politischen Studentengruppe, der »Gesellschaft der Menschenrechte«, und der Veröffentlichung einer radikalen sozialistischen Flugschrift, des ›Hessischen Landboten«, der polizeilichen Verfolgung ausgesetzt war. Unmittelbar nach Abschluß des Manuskripts konnte er nur durch schnelle Flucht der Verhaftung entgehen. *Dantons Tod* ist seine erste Dichtung und die einzige, die zu seinen Lebzeiten gedruckt wurde. Auf Wunsch des Verlegers wurde der Text jedoch, um der Zensur zuvorzukommen, von Karl GUTZKOW – möglicherweise auch noch von einem anderen – an über hundert Stellen geändert. Gutzkow selbst schrieb: »*Der echte Danton von Büchner ist nicht erschienen. Was davon herauskam, ist ein notdürftiger Rest, die Ruine einer Verwüstung.*« Auch der Untertitel stammt nicht von Büchner und wurde ohne sein Wissen hinzugefügt.

Der Autor wählt für sein Stück einen Ausschnitt aus der Spätphase der Französischen Revolution (24. März bis 5. April 1794), in der sie in ihr Gegenteil, eine selbstmörderische Diktatur, umzuschlagen beginnt und zwei überragende Revolutionsführer, Robespierre und Danton, zu entschiedener Gegnerschaft zwingt, der Danton dann zum Opfer fällt. Als Quellen benutzte Büchner vor allem die *Histoire de la Révolution française* (1823–1827) von M. A. THIERS und die *Histoire de la Révolution française* ([2]1824) von A. F. MIGNET, daneben chronikartige Werke von L. S. MERCIER (*Le nouveau Paris*, 1799), H. RIOUFFE (*Mémoires sur les prisons*, 1823) und C. STRAHLHEIM (*Die Geschichte unserer Zeit*, 1826 bis 1830). Dieses Material ist in einem ungewöhnlichen Ausmaß in das Werk eingegangen: große Teile der Reden ROBESPIERRES und SAINT-JUSTS vor dem Nationalkonvent und DANTONS vor dem Revolutionstribunal sind unverändert übernommen. Der Grund hierfür ist wohl Büchners Überzeugung, daß es die »*höchste Aufgabe*« des dramatischen Dichters sei, der »*Geschichte, wie sie sich wirklich begeben, so nahe als möglich zu kommen*« (Brief an die Eltern vom 28. 7. 1835). Entscheidender jedoch ist, daß sich ihm beim Studium der Quellen eine kraß anti-idealistische, skeptische Geschichtsauffassung geradezu aufdrängte, wie er in einem Brief an seine Braut (November 1833[?]) berichtet: »*Ich studierte die Geschichte der Revolution. Ich fühlte mich wie zernichtet unter dem gräßlichen Fatalismus der Geschichte. Ich finde in der Menschennatur eine entsetzliche Gleichheit ... Der einzelne nur Schaum auf der Welle, die Größe ein bloßer Zufall, die Herrschaft des Genies ein Puppenspiel, ein lächerliches Ringen gegen ein ehernes Gesetz ... Das Muß ist eines von den Verdammungsworten, womit der Mensch getauft worden.*« Die Bedeutung dieser pessimistischen, jedes individuelle Heldentum in Frage stellenden Sätze für *Dantons Tod* wird dadurch bestätigt, daß der Autor sie (lediglich gekürzt) als Formulierungen Dantons in eine der Schlüsselszenen des Dramas übernahm.

Büchner verzichtet auf eine ausgedehnte Exposition, vergegenwärtigt die Vorgeschichte aber an zentralen Stellen des Stücks fragmentarisch als quälende Erinnerungen Dantons: dieser hat zusammen mit Robespierre, der jetzt an der Spitze des mit umfassenden Vollmachten ausgestatteten Wohlfahrtsausschusses steht, die Revolution entscheidend vorangetrieben und als Justizminister im Jahre 1792 die »Septembermorde« an klerikalen und royalistischen Abgeordneten und Häftlingen gebilligt, sich dann aber dem gemäßigten Flügel angeschlossen, der für eine rasche Beendigung des Blutvergießens eintritt. Die Handlung des Dramas setzt jedoch erst zu einem Zeitpunkt ein, an dem Danton alle politische Aktivität bereits aufgegeben hat. Seine Skepsis kontrastiert scharf mit dem Bild des dynamischen, ungebrochenen Revolutionärs, das Dantons Anhänger beschwörend aufrechterhalten. Sie sind sich darin einig, daß die Revolution ins Stadium der »*Reorganisation*« treten und das Chaos einer neuen, elastischen Staatsform weichen müsse, die »*sich dicht an den Leib des Volkes schmiegt*«. Das universale Glücksversprechen, mit dem die Revolution die geknechteten Volksmassen gewann, soll durch eine neue Ethik erfüllt werden – »*der göttliche Epikur und die Venus mit dem schönen Hintern müssen statt der Heiligen Marat und Charlier die Türsteher der Republik werden*«. Aber Danton, der bestürmt wird, das politische Konzept seiner Anhänger vor dem Nationalkonvent durchzusetzen, zögert und lehnt desillusioniert ab. Seine Tragik, die sich schon in den ersten Szenen des ersten Akts andeutet, erwächst nicht etwa daraus, daß seine durch überhelles »Bewußtsein« gebrochene Tatkraft sich gegen die Robespierres nicht durchzusetzen vermöchte, sondern aus dem Verzicht auf jedes politische »Programm«, auf Veränderung durch Handeln. Dantons Gegenspieler Robespierre, der in den folgenden Szenen des ersten Akts als Redner vor einer aufgebrachten Volksmenge und vor dem Jakobinerklub auftritt, beugt dagegen jeden Widerstand durch seine asketische Strenge und die kalte, konsequente Rationalität seines entfesselten Machtwillens. »*Die Waffe der Republik ist der Schrecken, die Kraft der Republik ist die Tugend ... der Schrekken ist ein Ausfluß der Tugend, er ist nichts andres als die schnelle, strenge und unbeugsame Gerechtigkeit.*« Er wirft der Gruppe um Danton vor, daß sie das Erbe des Aristokratismus angetreten habe; ihre »*Lasterhaftigkeit*« sei um so gefährlicher, je bereitwilliger sie der Freiheit diene. Dantons Anhänger, die ihn warnen wollen, finden ihn bei Marion, einer Dirne des Palais Royal. Was Robespierre in seinem totalitären, abstrakten Tugendutopismus Dantons »*Lasterhaftigkeit*« nannte, ist im Gegenteil ein verfeinerter Sensualismus, eine eingestanden gegenrevolutionäre Genußbereitschaft. Danton weiß, daß sie ihm schaden wird; denn aus vorrevolutionärem Ressentiment haßt das Volk »*die Genießenden wie ein Eunuch die Männer*«.

Mittelpunkt des ersten Akts ist der als politische Auseinandersetzung beginnende große Dialog zwischen Danton und Robespierre. Während dieser sich wiederum nur bemüht, in Danton den Vertreter einer parasitären Ideologie dadurch vernichtend zu treffen, daß er das Laster zum Hochverrat erklärt, entlarvt Danton die kleinbürgerliche Tugendrechtschaffenheit Robespierres als verbitterte, anmaßende Genußfeindschaft, die nur das »*elende Vergnügen*« kennt, andere schlechter zu finden als sich selbst. Robespierre, von Dantons empörter Frage nach der Legitimität einer über eine regulative Ethik hinausgehenden »*Moral*« tief betroffen, zaudert zunächst, läßt sich aber von seinem entschlossenen Parteigänger Saint-Just bald umstimmen und billigt die schon vorbereiteten Maßnahmen gegen Danton.

Der Beginn des zweiten Akts macht deutlich, wie wenig Danton an Auflehnung und Kampf denkt. Seine illusionslose Erkenntnis der absurden »*Immergleichheit*« des Lebens und sein Lebensekel vertiefen sich zum quälenden Bewußtsein des eigenen »*Gestorbenseins*«. Auf die Frage, warum er sich zum »*toten Heiligen*« der Revolution habe degradieren lassen, begnügt er sich mit der Antwort, sein »*Naturell*« sei nun einmal so. Seine Langeweile schlägt um in Sehnsucht nach dem »*Asyl im Nichts*«, nach endgültiger Ruhe. Er bleibt untätig im Vertrauen auf sein unantastbares Ansehen im Volk: »*Sie werden's nicht wagen!*« In zwei Szenen des zweiten Akts wird diese Haltung aus seiner politischen Vergangenheit begründet, die, wenn auch für seine Gegner ohne Angriffspunkt, ihm selbst in der Erinnerung zur Qual wird. Von Deputierten des Nationalkonvents gewarnt, entschließt sich Danton zunächst, ein vorbereitetes Versteck als Fluchtmöglichkeit zu nutzen, kehrt aber auf halbem Wege um, getrieben vom Zwang eines »*Gedächtnisses*«, das ihm die persönliche Sicherheit unerträglich machen würde und das ihm seine unauflösbare Verflochtenheit in den historischen »Zwang« der Revolution bestätigt: »*Wir haben nicht die Revolution gemacht, sondern die Revolution hat uns gemacht.*« Er und seine Freunde werden verhaftet. Vor dem Nationalkonvent weist Robespierre den Einspruch mehrerer Delegierter ab, und Saint-Just übertrifft ihn noch, indem er Dantons Satz, die Revolution fresse ihre eigenen Kinder, ironisch gutheißt: »*Sie zerstückt die Menschheit, um sie zu verjüngen.*«

Die Hauptszenen des dritten und vierten Akts spielen in der Conciergerie, dem Untersuchungsgefängnis, und vor dem Revolutionstribunal. Danton und seine Anhänger warten zusammen mit anderen Häftlingen auf ihre Hinrichtung. Obwohl die Entscheidung bereits gefallen ist – die »Entwicklung« des Dramas besteht in seiner unaufhaltsam fallenden Tendenz –, bäumt sich Danton noch einmal auf, als das mechanisch-bürokratische »*Mühlwerk*« des Scheinprozesses zu arbeiten beginnt. Seine energische Verteidigung wird jedoch endgültig zunichte gemacht, als es gelingt, ihm eine Verschwörung im Gefängnis zu unterstellen. Die Gespräche der Eingekerkerten kreisen um den bevorstehenden Tod. Der Engländer Thomas Payne, wie Danton Vorkämpfer der Revolution, führt einen philosophischen Beweis des Atheismus, der sich auf die Untilgbarkeit des Leides – den »*Riß in der Schöpfung*« – und die Unvollkommenheit der Schöpfung beruft. Danton, in leidenschaftlicher Todesbereitschaft, verzweifelt endlich sogar an der Möglichkeit des Sterbens selber: »*Wir sind alle lebendig begraben und wie Könige in drei- oder vierfachen Särgen beigesetzt ... Wir kratzen fünfzig Jahre lang am Sargdeckel. Ja, wer an Vernichtung glauben könnte! dem wäre geholfen. – Da ist keine Hoffnung im Tod; er ist nur eine einfachere, das Leben eine verwickeltere, organisiertere Fäulnis, das ist der ganze Unterschied.*« Sein Selbstverständnis zeigt in diesen letzten Szenen alle Merkmale eines radikalen Nihilismus – den rationalen Vorbehalt gegenüber jedem traditionellen Wertsystem, die Leugnung eines anthropomorphen Gottesbegriffs und die kategorische Ablehnung jedes »Sinns«: »*Die Welt ist das Chaos, das Nichts ist der zu gebärende Weltgott.*«

Danton stirbt als Opfer der Revolution, die er selbst mit ins Werk gesetzt hat und deren Rettung er in ihrer Beendigung erblickte. Seine pessimistische Passivität, die er mit Hamlet teilt, entfremdet ihn dem Leben, und eine Feststellung Nietzsches, dessen Moralkritik der Büchners in manchem ähnelt, gilt auch für Danton: »*Die Erkenntnis tötet das Handeln, zum Handeln gehört das Umschleiertsein durch die Illusion.*« Der Prozeß des Nichtig-Werdens seines Daseins, wie ihn das Drama enthüllt und der Danton zur fortschreitenden Revolution in Widerspruch bringt, ist nicht die Folge einer zynischen Generalisierung von »Selbstunwerterlebnissen«, sondern geht aus der reflektierten Erfahrung der »Wertlosigkeit« oder »Wertvergänglichkeit« überhaupt hervor – aus dem »*Blick, der das Leben nicht mehr versteht, weil er es verstanden hat*« (P. Szondi).

Innerhalb der deutschen Dramatik seiner Zeit ist *Dantons Tod* eine einzigartige dichterische Leistung. »*Was ist Immermanns monotone Jambenklassizität, was ist Grabbes wahnwitzige Mischung des Trivialen mit dem Regellosen gegen diesen jugendlichen Genius!*« schrieb Karl Gutzkow bald nach Erscheinen des Werkes in einer Rezension, in der er als erster dessen dramaturgische Eigenart charakterisierte. »*Man darf sagen, daß in Büchners Drama mehr Leben als Handlung herrscht ... Büchner gibt statt eines Dramas, statt einer Handlung, die sich entwickelt, die anschwillt und fällt, das letzte Zucken und Röcheln, welches dem Tod vorausgeht. Aber die Fülle von Leben, die sich hier vor unseren Augen noch zusammendrängt, läßt den Mangel der Handlung, den Mangel eines Gedankens, der wie eine Intrige aussieht, weniger schmerzlich entbehren. Wir werden hingerissen von diesem Inhalt, welcher mehr aus Begebenheiten als aus Taten besteht.*«

Tatsächlich überwindet Büchner in *Dantons Tod* die überlieferte Form des klassischen Dramas, und dies nicht allein mit dem Verzicht auf die traditionelle »Handlung«, sondern ebenso in der Gestaltung der Personen und der Sprache. Die »realistische« Kunstauffassung, die sein Stück bis ins einzelne prägt, hat er in einem Brief vom 28. 7. 1835 formuliert: »*Wenn man mir übrigens noch sagen sollte, der Dichter müsse die Welt nicht zeigen, wie sie ist, sondern wie sie sein sollte, so antworte ich, daß ich es nicht besser machen will als der liebe Gott, der die Welt gewiß gemacht hat, wie sie sein soll.*« Heftig lehnt er die »*sogenannten Idealdichter*« ab und meint damit vor allem Schiller – den klassischen Schiller, dessen pathetisch-rhetorischem Stil in *Dantons Tod* eine volkstümliche, oft drastische und obszöne Sprache und neuartige Dialoggestaltung gegenübersteht. Als Danton aufgefordert wird, das von seinen Anhängern dargelegte Programm im Konvent zu vertreten, antwortet er lediglich: »*Ich werde, du wirst, er wird. Wenn wir bis dahin noch leben! sagen die alten Weiber. Nach einer Stunde werden sechzig Minuten verflossen sein. Nicht wahr, mein Junge?*« Danton verzichtet darauf, die von seinen Freunden in theoretischer Rede entwickelten Ansichten in derselben intellektuell argumentierenden Form zu widerlegen. Statt dessen wechselt der Dichter unvermittelt die Sprachebene und läßt Danton spielerisch und – scheinbar – unsinnig nur konjugieren und Redensarten aneinanderreihen, er läßt ihn »*seine Reaktionen nicht mehr schildern, sondern sie in Worten unmittelbar produzieren*« (H. Krapp) und erweitert so die Ausdrucksmöglichkeiten des dramatischen Dialogs bis in den Grenzbereich »logischer« Aussagen.

H. H. H.

Ausgaben: Ffm. 1835 (in *Phönix, Frühlingszeitung für Deutschland.* April/Mai; unvollst.). – Ffm. 1835. – Ffm. 1850 (in *Nachgelassene Schriften*, Hg. L. Büchner). – Ffm. 1879 (in *SW und handschriftlicher Nachlaß*, Hg. K. E. Franzos; erste unzensierte Ausg.; krit.). – Bln. 1909 (in *GW*, Hg. P. Landau, 2 Bde., 1). – Lpzg. 1916 (in *GW. Nebst einer Auswahl seiner Briefe*, Einl. W. Hausenstein). – Bln. 1917 (*Dantons Tod. Ein Drama*; m. Ill. v. E. Stern). – Lpzg. 1922 (in *Werke und Briefe. Gesamtausgabe*, Hg. F. Bergemann; krit.; Ffm. [9]1962). –

Mchn. 1948 (in *GW*, Hg. K. Edschmid; erw. u. rev. Mchn./Wien/Basel 1963).

LITERATUR: A. Landsberg, *G. B.s »Dantons Tod«*, Diss. Bln. 1900. – L. Marcuse, *G. B. und seine drei besten Bühnenwerke*, Bln. 1921. – A. Jaspers, *G. B.s Trauerspiel »Dantons Tod«*, Diss. Marburg 1921. – R. Jelikoff, *G. B. und sein »Dantons Tod«*, Hildesheim 1926. – R. Majut, *Aufriß und Probleme der modernen Büchnerforschung* (in GRM, 17, 1929, S. 356–372). – K. Viëtor, *Die Quellen von B.s Drama »Dantons Tod«* (in Euph, 34, 1933, S. 357–379). – Ders., *Die Tragödie des heldischen Pessimismus* (in DVLG, 12, 1934, S. 173–209). – F. Bergemann, *Entwicklung und Stand der G. B.-Forschung* (in Geistige Arbeit, 4, 1937, 8, S. 5–7). – A. H. J. Knight, *Some Considerations Relating to G. B.'s Opinions on History and the Drama and to His Play »Dantons Tod«* (in MLR, 42, 1947, S. 70 bis 81). – H. Oppel, *Die tragische Dichtung G. B.s*, Stg. 1951. – F. Bergemann, *G. B.-Schrifttum seit 1937* (in DVLG, 25, 1951, S. 112–121). – F. Werner, *G. B.s Drama »Dantons Tod« und das Problem der Revolution* (in Welt als Geschichte, 12, 1952, S. 167 bis 176). – H. D. Poster, *Geistiger Gehalt und dramatischer Aufbau in »Dantons Tod« von G. B.*, Diss. NY 1952. – R. Thieberger, *»La mort de Danton« de G. B. et ses sources*, Paris 1953 [enth. dt. u. frz. Text]. – R. Gunkel, *Neues zur Textkritik von G. B.s »Dantons Tod«* (in Leuvense Bijdragen, 45, 1955, S. 57–61). – F. Heyn, *Die Sprache B.s*, Diss. Marburg 1955. – A. Bach, *Verantwortlichkeit und Fatalismus in G. B.s Drama »Dantons Tod«* (in WW, 6, 1955/56, S. 217–229). – E. Friedrich, *G. B. und die Französische Revolution*, Winterthur 1956. – W. Martens, *Zum Menschenbild G. B.s, »Woyzeck« und die Marionszene in »Dantons Tod«* (in WW, 8, 1957/58, S. 13–20). – W. Höllerer, *B. »Dantons Tod«* (in *Das deutsche Drama. Vom Barock bis zur Gegenwart*, Hg. B. v. Wiese, Bd. 2, Düsseldorf 1958, S. 65–88). – K. Zobel, *Die innere Form in G. B.s Dramen* (in Germanistische Abh., 1959, S. 179–189). – P. Szondi, *»Dantons Tod«* (in NRs, 71, 1960, S. 652–657; ern. in P. S., *Versuch über das Tragische*, Ffm. 1961). – W. Martens, *Ideologie und Verzweiflung. Religiöse Motive in B.s Revolutionsdrama* (in Euph, 54, 1960, S. 83–108). – A. Bach, *Das dramatische Bild in G. B.s Tragödie »Dantons Tod«* (in *Unterscheidung und Bewahrung. Fs. für H. Kunisch*, Hg. K. Lazarowicz u. W. Kron, Bln. 1961, S. 1–11). – G. Baumann, *G. B. Die dramatische Ausdruckswelt*, Göttingen 1961. – W. R. Lehmann, *Robespierre – ›ein impotenter Mahomet‹?* (in Euph, 57, 1963, S. 210–217). – A. Beck, *Unbekannte französische Quellen für »Dantons Tod« von G. B.* (in FDH, 1963, S. 489 bis 538). – E. Frenzel, *Mussets »Lorenzaccio« – ein mögliches Vorbild für »Dantons Tod«* (in Euph, 58, 1964, S. 59–68). – R. Roche, *Stilus demagogicus: Beobachtungen an Robespierres Rede im Jakobinerklub* (in WW, 14, 1964, S. 244–254). – W. Viehweg, *G. B.s »Dantons Tod« auf dem deutschen Theater*, Mchn. 1964. – B. v. Wiese, *G. B. Die Tragödie des Nihilismus* (in B. v. W., *Die dt. Tragödie von Lessing bis Hebbel*, Hbg. [6]1964). – H. Koopmann, *»Dantons Tod« und die antike Welt* (in ZfdPh, 84, Sonderheft 1965, S. 22–41).

DER HESSISCHE LANDBOTE. Erste Botschaft. Sozialrevolutionäre Flugschrift von Georg BÜCHNER (1813 1837) und Friedrich Ludwig WEIDIG (1791 bis 1837), datiert *»Darmstadt, im Juli 1834«*, gedruckt mit einer Auflage von wahrscheinlich 300 Exemplaren in einer illegalen Druckerei in Offenbach. Die Geschichte der Veröffentlichung und der politischen Hintergründe dieses Pamphlets wirft ein grelles Licht auf die Bemühungen des deutschen Bürgertums in der ersten Hälfte des 19. Jh.s, sich der Fesseln des feudalistischen Absolutismus zu entledigen, die die französische Bourgeoisie in der großen Revolution von 1789 und der Julirevolution von 1830 bereits weitgehend abgestreift hatte. Großherzog Ludwig I., als Herrscher Hessens einer der mehr als 30 deutschen Duodezfürsten, hatte zwar am 18. 3. 1820 dem Land eine Verfassung und ein Zweikammerparlament mit außerordentlich beschränkten Wirkungsmöglichkeiten – gegeben; sein Nachfolger, Ludwig II., bemühte sich jedoch nach Kräften um die Erhaltung des Status quo und die Unterdrückung der an sich nur sporadisch in Erscheinung tretenden bürgerlichen Opposition. So ließ er 1830 einen Bauernaufstand in Södel (Oberhessen), an den auch der *Hessische Landbote* erinnert, brutal niederschlagen. Als im Januar der junge Medizinstudent Georg Büchner in Gießen die Bekanntschaft des Butzbacher Rektors und protestantischen Theologen WEIDIG machte, gründete er mit diesem zusammen die »Gesellschaft der Menschenrechte« nach dem Vorbild der Straßburger »Société des droits de l'homme et du citoyen«; ihr Ziel sollte es sein, versprengte oppositionelle und revolutionäre Kräfte zu sammeln. Weidig, der bereits seit Anfang Januar 1834 eine Reihe von Flugschriften – *Leuchter und Beleuchter für Hessen, oder der Hessen Nothwehr* (5 Folgen) – verbreitet hatte, unterzog Büchners im Mai 1834 abgeschlossene Kampfschrift einer grundlegenden Redaktion Er durchsetzte nicht nur das Manuskript an den Gelenkstellen mit biblischen Wendungen und Zitaten, um seine Wirkung auf die Bauern und Handwerker zu erhöhen, sondern merzte auch Büchners Angriff auf das liberale Besitzbürgertum aus, verschärfte dagegen die Polemik gegen die Aristokratie, fügte einen neuen Schluß hinzu und ersetzte immer da, wo Büchner den Begriff *»die Reichen«* verwendet hatte, diesen durch *»die Vornehmen«* – eine Änderung, die Büchners Stoßrichtung in der Tat entscheidend verfälscht.

Büchner ist deutlich von den Theoretikern der französischen Revolution geprägt, vor allem von SAINT-SIMON, an dessen scharfe Trennung von gesellschaftlich produktiven und unproduktiven Klassen die Flugschrift anknüpft, wenn sie nach einem (von Weidig hinzugefügten) *Vorbericht* und nach der berühmten Losung *»Friede den Hütten! Krieg den Palästen!«* mit einer schroffen Gegenüberstellung von besitzenden und ausgebeuteten Klassen einsetzt, einer mit archaischer Wucht formulierten, bilderreichen Antithese, an der die gesamte Schrift hindurch festgehalten wird: *»Im Jahre 1834 siehet es aus, als würde die Bibel Lügen gestraft ... Das Leben der Vornehmen ist ein langer Sonntag: sie wohnen in schönen Häusern, sie tragen zierliche Kleider, sie haben feiste Gesichter und reden eine eigene Sprache ... Das Leben des Bauern ist ein langer Werktag ... sein Schweiß ist das Salz auf dem Tische des Vornehmen.«* Es folgt eine auf der Steuerstatistik beruhende Aufschlüsselung des Staatshaushalts nach Ministerien und Ressorts, die in ihren Ergebnissen die sozialkritischen Tendenzen der Frühschriften von MARX und ENGELS (*Die Lage der arbeitenden Klassen in England*, 1845) vorwegnimmt. So bezeichnet Büchner das Gesetz als das *»Eigentum einer unbedeutenden Klasse von Vor-*

nehmen und Gelehrten, die sich durch eigenes Machwerk die Herrschaft zuspricht«, die Justiz als »*Hure der deutschen Fürsten*«, die Verfassung und die Wahlgesetze als »*Verletzungen der Bürger- und Menschenrechte der meisten Deutschen*« und die staatliche Ordnung als leicht durchschaubares Instrument von Knechtung und Erpressung. »*Der Fürst ist der Kopf des Blutigels, der über euch hinkriecht, die Minister sind seine Zähne und die Beamten sein Schwanz.*« Die Schrift schließt mit einer kurzen Skizze der Geschichte der beiden französischen Revolutionen von 1789 und 1830, die in Deutschland nicht nur ohne Echo geblieben, sondern auch mit Hilfe völlig unzulänglicher Reformen abgewendet worden seien. Büchners leidenschaftlicher, mit schneidender agitatorischer Härte vorgetragener Aufruf zur Stürzung des »*Häufleins eurer Presser, die nur stark sind durch das Blut, das sie euch aussaugen*« wurde von Weidig zu großen Teilen durch die hymnische Vision eines neuen »*Reiches der Gerechtigkeit*« und eine Polemik gegen die »Tyrannen« ersetzt.

Büchners politische Vorstellungen kommen Marx' späterer Analyse der Dynamik des Klassenkampfes bereits sehr nahe. »*Das Verhältnis zwischen Armen und Reichen ist das einzige revolutionäre Element in der Welt; der Hunger allein kann die Freiheitsgöttin ... werden*« (Brief an Gutzkow, 1835[?]). Eine grundlegende Umgestaltung der gesellschaftlichen Wirklichkeit erwartete er folgerichtig auch nicht von der reformistisch-fortschrittlichen Tagespublizistik der HEINE, BÖRNE und GUTZKOW, die »*nie über den Riß zwischen der gebildeten und ungebildeten Gesellschaft hinauskommen*« werde, sondern nur von der politischen Aktivierung der großen Volksmassen. Er wollte sich durch diese Flugschrift nicht zuletzt davon überzeugen, »*inwieweit das deutsche Volk geneigt sei, an einer Revolution Anteil zu nehmen*« (A. Becker, 1. 11. 1837). Ebenso symptomatisch wie die Aufnahme der Flugschrift selbst – die Bauern händigten sie größtenteils der Polizei aus – ist auch die Geschichte des anschließenden Hochverratsprozesses. Am Tage der Auslieferung des Blattes (31. 6. 1834) werden Weidig und sein Kreis durch einen Regierungsspitzel denunziert, und ein Untersuchungsrichter, Conrad Georgi, wird bestellt. Büchner flieht im September 1834 in seine Heimatstadt Darmstadt, beginnt dort mit der Ausarbeitung seines *Danton*-Dramas und geht im März 1835 nach Straßburg. Weidig, Becker und mehrere andere werden im April 1835 in Untersuchungshaft genommen und in einem sich jahrelang hinschleppenden geheimen Verfahren von Georgi zermürbt. Während Becker ein umfassendes Geständnis ablegt, bleibt Weidig trotz folterähnlicher Verhöre standhaft und setzt am 23. 2. 1837, wenige Tage nach Büchners Tod in Zürich, in völliger physischer Zerrüttung seinem Leben im Kerker ein Ende. Das ungeheure Aufsehen, das sein Tod erregte, zwang die großherzoglich-hessische Regierung, durch ein Pro-domo-Gutachten des Hofgerichtsrates Friedrich Noellner 1844 ihr Vorgehen zum Teil bekanntzumachen – ein Vorgehen, das in erschreckendem Maße die Berechtigung der leidenschaftlichen Anklagen des *Landboten* erweist, der als »*Produkt des frechsten, zügellosesten Republikanismus*« konfisziert worden war. H. H. H.

AUSGABEN: o. O. [Offenbach] 1834. – o. O. [Marburg] 1834. – Ffm. 1879 (in *SW u. handschriftlicher Nachlaß*, Hg. K. E. Franzos; krit.). – Bln. 1909 (in *GW*, Hg. P. Landau, 2 Bde., 1). – Lpzg. 1916 (in *GW. Nebst einer Auswahl seiner Briefe*; Einl. W. Hausenstein). – Lpzg. 1922 (in *Werke u. Briefe GA*, Hg. F. Bergemann; krit.; Ffm. [9]1962). – Lpzg. 1947 [Einl. ders.]. – Ffm. 1965, Hg. H. M. Enzensberger (enth. Texte, Briefe, Prozeßakten; slg. insel, 3).

LITERATUR: R. Majut, *Aufriß u. Probleme der modernen B.forschung* (in GRM, 17, 1929, S. 356 bis 372). – K. Viëtor, *G. B. als Politiker*, Bern/Lpzg. 1939; [2]1950. – H. Mayer, *G. B. u. seine Zeit*, Wiesbaden 1946, S. 112–181; [2]1960. – L. Büttner, *G. B. Revolutionär u. Pessimist. Ein Beitrag zur Geistesgeschichte des 19. Jh.s*, Nürnberg 1948. – K. Viëtor, *G. B. Politik, Dichtung, Wissenschaft*, Bern 1949, S. 7–92. – F. Bergemann, *G. B. Schrifttum seit 1937* (in DVLG, 25, 1951, S. 112–121). – H. Oppel, *Stand u. Aufgaben der B.forschung* (in Euph, 49, 1955, S. 91–109). – E. Friedrich, *G. B. u. die französische Revolution*, Winterthur 1956. – E. Johann, *G. B. Dargestellt in Selbstzeugnissen u. Bilddokumenten*, Hbg. 1958, S. 53–81 (rm, 18).

LENZ. Erzählung von Georg BÜCHNER (1813–1837), erschienen 1839 – Büchner schrieb diese Erzählung 1835 als Beitrag für die von Karl GUTZKOW und Ludolf WIENBARG redigierte Zeitschrift ›Deutsche Revue‹. Da dieses Organ des Jungen Deutschland schon bald von der Zensur verboten wurde, konnte *Lenz* erst postum, aus dem von Minna Jaeglé (der Verlobten des Dichters) verwalteten Nachlaß veröffentlicht werden. Als Quelle benützte Büchner Briefe des Sturm-und-Drang-Dramatikers Michael Reinhold LENZ (1751–1792) und ein Tagebuch des Pfarrers Johann Friedrich Oberlin aus Waldbach (im Steintal bei Straßburg), bei dem Lenz sich vom 20. 1. bis 8. 2. 1778 aufhielt. Der Text dieser Vorlagen wird zum Teil wörtlich, oder nur leicht stilisiert, übernommen.

Lenz wandert, von »*namenloser Angst*« getrieben, »*durchs Gebirg*« zu Pfarrer Oberlin nach Waldbach, wo er Ruhe zu finden hofft vor dem aufsteigenden Wahnsinn. Abrupt und unkontrollierbar wechselt die ihn umgebende Natur ihre Physiognomie: Bald glaubt er sich verloren in die leere Unendlichkeit einer apokalyptischen Todeslandschaft, dann wieder scheint die Umwelt zu schrumpfen, wird »*klein wie ein wandelnder Stern*« und schließlich »*so eng, daß er an alles zu stoßen fürchtete*«, doch nur, um sich unverzüglich von neuem ins Gigantische zu zerdehnen. Das Kontinuum der Zeit ist für Lenz in zusammenhanglose »Augenblicke« zerfallen; die Konturen des Raumes verschwimmen ins Vieldeutige. Die Sprache reproduziert kommentarlos Lenz' desorientiertes, von Halluzinationen heimgesuchtes Bewußtsein: Kurze, prädikatlose Hauptsätze stehen neben weit ausholenden, mühsam zu Ende gesponnenen Perioden; die Satzverbindungen sind brüchig; absolut gesetzte, außer allem syntaktischen Zusammenhang stehende Appositionen dominieren. – Lenz wird ruhiger nach seiner Ankunft im Pfarrhaus, er erzählt, spricht mit Mägden und Knechten, geht dann still in seine Kammer. Dort packt ihn neue Angst: »*... er war sich selbst ein Traum.*« Instinktiv beginnt er sich zu kasteien; »*der Schmerz*«, den er sich zufügt, »*fing an, ihm das Bewußtsein wieder zu geben*«. Mehrmals stürzt er sich aus dem Fenster und versucht, im Brunnentrog sich zu ertränken, um dann plötzlich – ohne Übergang – wieder ruhiger zu werden. Er zeichnet, liest die Bibel, reitet mit Oberlin aus, und eines Sonntags predigt er sogar: »*Er sprach einfach mit den Leuten; sie*

litten alle mit ihm, und es war ihm ein Trost, wenn er über dieses von materiellen Bedürfnissen gequälte Sein, diese dumpfen Leiden gen Himmel leiten konnte.« Die Illusion der Leidensgemeinschaft mit anderen verschafft ihm für Augenblicke ein *»süßes Gefühl unendlichen Wohls«*, das jedoch rasch wieder dem Wissen um die radikale Vereinzelung des Menschen weicht. Leid, Isolation, Zerrissenheit nehmen für Lenz, unter der Last des Augenblicks, die Dimension eines kosmisch überzeitlichen Verhängnisses an: *»Das All war für ihn in Wunden; er fühlte tiefen, unnennbaren Schmerz davon.«*
Nur einmal noch, als Christoph Kaufmann, der befreundete Dichter, zu Besuch kommt, spricht Lenz gelöst. Dieses Gespräch über Kunst wird zum *»eigentlichen Ruhepunkt«* (B. v. Wiese) der Erzählung. Büchner legt Lenz sein eigenes literarästhetisches Programm in den Mund. Leidenschaftlich wird die Abstraktheit des Idealismus als *»schmählichste Verachtung der menschlichen Natur«* angeprangert. Lenz fordert, Wirklichkeit müsse so dargestellt werden, daß die Aura ihres Geschehens mitkomponiert sei: *»Ich verlange in allem – Leben, Möglichkeit des Daseins, und dann ist's gut; wir haben dann nicht zu fragen, ob es schön, ob es häßlich ist. Das Gefühl, daß, was geschaffen sei, Leben habe, stehe über diesen beiden und sei das einzige Kriterium in Kunstsachen.«* Nur bei Goethe, Shakespeare und im deutschen Volkslied, meint Lenz, fänden sich Beispiele solcher Kunst. – Unwillig bricht er das Gespräch ab, als Kaufmann ihn auffordert, nach Hause zu seinem »Vater« zurückzukehren. Wieder ist für ihn *»die Welt verhunzt«*, von neuem packt ihn die Angst. Um nicht allein in Waldbach bleiben zu müssen, begleitet er Oberlin ein Stück auf dessen Reise zu Lavater in die Schweiz, reitet dann aber allein zurück. Unterwegs, in Fouday, übernachtet Lenz bei armen Leuten, in deren Hütte ein todkrankes Mädchen liegt und im Fieber phantasiert. Das Bild des Mädchens verfolgt ihn bis nach Waldbach; bald glaubt er seine Mutter darin zu erkennen, bald Friederike (Lenz hatte sich nach Goethes Weggang aus Straßburg mit Friederike Brion verlobt). *»Wie ein Büßender«*, das Gesicht mit Asche beschmiert und einen alten Sack umgewunden, eilt er zurück nach Fouday. Doch kommt er zu spät: Das Kind liegt *»im Hemde auf Stroh«* gebettet und ist tot. Vergebens versucht er die Tote – wie Jesus den Lazarus – ins Leben zurückzurufen. Diese Erfahrung seiner Ohnmacht treibt ihn zu wilden Gotteslästerungen: *»Es war ihm, als könnte er eine ungeheure Faust hinauf in den Himmel ballen und Gott herbeireißen und zwischen seinen Wolken schleifen; als könnte er die Welt mit Zähnen zermalmen und sie dem Schöpfer ins Gesicht speien.«* Entsetzliche Schuldgefühle bedrängen ihn: Er glaubt, Mörder des Kindes zu sein. Tagsüber klagt er hinfort über »Langeweile«, und nachts quält er sich in seinem Bett; man hört ihn *»winseln, mit hohler, fürchterlicher, verzweifelnder Stimme«*. Nach mehreren Selbstmordversuchen bringt man ihn gewaltsam nach Straßburg. Der weitere Verlauf seiner Leiden wird nicht erzählt; mit dem trostlosen Satz *»So lebte er hin ...«* bricht Büchner ab.
Lenz galt lange als Fragment; erst neuere Forschung hat wahrscheinlich gemacht, daß die Erzählung in dieser Form als abgeschlossen zu betrachten ist. Nicht ein zufälliges, sondern ein *»notwendiges Fragment«* (B. v. Wiese) liegt vor. Daß Wirklichkeitserfahrung unabschließbar geworden sei und also fragmentarisch bleiben muß, ist ein zentrales Motiv der Erzählung. Zum beherrschenden Stilprinzip wird deshalb die diskontinuierliche Aneinanderreihung zufälliger Wirklichkeitsausschnitte, die, wie in Büchners Dramen (vgl. *Leonce und Lena*), sich nicht zu einem final gerichteten Vorgang zusammenfügen. Die Welt stellt sich nicht mehr als globaler, auf ein frei sich entfaltendes Individuum zugeschnittener Sinnzusammenhang dar, sondern als totales Chaos. Darauf reagiert das erkennende Bewußtsein mit Schizophrenie. Mehr, als der Negativität des Bestehenden das Pathos der Verzweiflung entgegenzusetzen, vermag das entmachtete Individuum nicht. Die entfremdete Gesellschaft, deren – mittelbares – Produkt Lenz' Wahnsinn ist, erscheint nur verschlüsselt in der Metapher einer dämonisch entfesselten Natur. Büchner geht es nicht um die Darstellung eines exzentrischen Psychopathen, sondern die Krankheit des Lenz steht für die Leiderfahrung einer ganzen Epoche, die in vergleichbarer Intensität vielleicht nur im Werk Heines und Grillparzers ihren Niederschlag gefunden hat. D. Bar.

Ausgaben: Lpzg. 1839 (in Telegraph f. Deutschland, 2; Vorw. u. Nachw. K. Gutzkow). – Lpzg. 1842 (in *Mosaik. Novellen u. Skizzen*, Hg. K. Gutzkow). – Ffm. 1850 (in *Nachgelassene Schriften*, Hg. L. Büchner). – Ffm. 1879 (in *SW u. handschriftlicher Nachlaß*, Hg. K. E. Franzos; krit.). – Bln. 1909 (in *GW*, Hg. P. Landau, 2 Bde., 2). – Lpzg. 1922 (in *Werke u. Briefe. GA*, Hg. F. Bergemann; krit.; Ffm. [9]1962). – Stg. 1965 (RUB, 7955). – Ffm. 1966 (in *SW u. Briefe*, Hg. F. Bergemann).

Literatur: K. Voss, *G. B.s »Lenz«. Eine Untersuchung nach Gehalt u. Formgebung*, Diss. Bonn 1922. – H. Pongs, *B.s »Lenz«* (in DuV, 36, 1935, S. 241–253; ern. in H. P., *Das Bild in der Dichtung*, Bd. 2, Marburg 1939, S. 254–265; ern. 1963). – K. Viëtor, *»Lenz«. Erzählung von G. B.* (in GRM, 25, 1937, S. 2–15; ern. in *G. B.*, Hg. W. Martens, Darmstadt 1965, S. 178–196). – H. Mayer, *G. B. u. seine Zeit*, Wiesbaden 1946, S. 255–272; ern. 1960. – K. Viëtor, *G. B. Politik, Dichtung, Wissenschaft*, Bern 1949, S. 159–173. – H. Oppel, *Die tragische Dichtung G. B.s*, Stg. 1951, S. 24–36. – A. Schöne, *Interpretationen zur dichterischen Gestaltung des Wahnsinns in der deutschen Literatur*, Diss. Münster 1952, S. 28–58. – H. Thiele, *G. B.s »Lenz« als sprachliches Kunstwerk* (in Der Deutschunterricht, 8, 1956, H. 3, S. 59–70). – G. Baumann, *G. B. »Lenz«. Seine Struktur u. der Reflex des Dramatischen* (in Euph, 52, 1958, S. 153–173). – Ders., *G. B. Die dramatische Ausdruckswelt*, Göttingen 1961, S. 118–147. – B. v. Wiese, *G. B. »Lenz«* (in B. v. W., *Die deutsche Novelle*, Bd. 2, Düsseldorf 1962, S. 104–126). – H. P. Pütz, *B.s »Lenz« u. seine Quelle. Bericht u. Erzählung* (in ZfdPh, 84, 1965, S. 1–22; Sonderheft).

LEONCE UND LENA. Komödie in drei Akten von Georg Büchner (1813–1837), erschienen 1842. – Büchner beteiligte sich mit diesem von ihm selbst als »Lustspiel« bezeichneten Stück 1836 an einem Preisausschreiben des Cotta Verlags, überschritt jedoch den vorgeschriebenen Einsendetermin und erhielt das Manuskript ungeöffnet zurück. Uraufführung: 31. 5. 1885, durch die Münchner Liebhabertruppe »Intimes Theater«.
Leonce, der Sohn König Peters vom Reiche Popo,

liegt in seinem Garten und stellt Betrachtungen über Monotonie und Nonsens des Erdendaseins an: »*Was diese Leute nicht alles aus Langeweile treiben! Sie studieren aus Langeweile, sie verlieben, verheiraten und vermehren sich aus Langeweile und sterben endlich aus Langeweile, und das ist der Humor davon – alles mit den wichtigsten Gesichtern, ohne zu merken, warum, und meinen Gott weiß was dazu.*« Langeweile, Lebensüberdruß, *ennui* – das sind zentrale Themen in der zeitgenössischen europäischen Weltschmerzdichtung eines BYRON, LAMARTINE, MUSSET, LENAU oder LEOPARDI, die von Büchner ironisch aufgegriffen und abgewandelt werden.

Leonces müde Revolte gegen die naturgesetzten Schranken der menschlichen Existenz– »*O, wer sich einmal auf den Kopf sehen könnte! Das ist eins von meinen Idealen ... O, wer einmal jemand anders sein könnte! Nur 'ne Minute lang*« – ist nur verfremdeter Ausdruck des Leidens an einer sozial bedingten Misere. Die arrogante Maßlosigkeit seiner Ansprüche – eine Parodie auf die Unendlichkeitssehnsucht der Romantik – ist nur subjektive, melancholisch getönte Rache an einer Gesellschaftsordnung, die der Phantasie keinen Raum läßt, sondern die einen zu unmenschlichem Müßiggang, die andern zu unmenschlicher Arbeit verdammt. Leonce findet in Valerio einen Gleichgesinnten, der »*noch Jungfrau in der Arbeit*« ist und nichts als »*eine ungeheure Ausdauer in der Faulheit*« besitzt. – Inzwischen philosophiert Leonces Vater, König Peter, seinen Kammerdienern beim Ankleiden etwas vor: »*An-sich ist an sich, versteht ihr? Jetzt kommen meine Attribute, Modifikationen, Affektionen und Akzidentien: wo ist mein Hemd, meine Hose? – Halt, pfui! der freie Wille steht da vorn ganz offen. Wo ist die Moral: wo sind die Manschetten? Die Kategorien sind in der schändlichsten Verwirrung.*« Seine Meditation gipfelt in der – FICHTE parodierenden – Erkenntnis: »*Ich bin ich.*« Die Staatsräte, um ihre Meinung zu diesem Resultat befragt, antworten im Chor – mit angemessener Ambivalenz und zur Zufriedenheit ihres Herrn: »*Ja, vielleicht ist es so, vielleicht ist es aber auch nicht so.*« – Bei Kerzenlicht und gedämpfter Musik nimmt Leonce Abschied von seiner Geliebten Rosetta. Die Scheinromantik dieser Stimmungsszene wird immer wieder durchbrochen durch sein Eingeständnis, er langweile sich: »*Sieh zu den Fenstern meiner Augen hinein! Siehst du, wie schön tot das arme Ding ist?*« Beide sehnen sich aus dieser Welt hinaus, während Valerio unter einem Tische sitzt und schmatzend sich ein Stück Braten einverleibt. Als ein Staatsrat verkündet, daß Lena vom Reiche Pipi, die für Leonce vorgesehene Braut, andern Tages erwartet werde, suchen die beiden Müßiggänger unverzüglich das Weite, um nicht gar durch Heirat und Übernahme der Regierungsgeschäfte ein »*nützliches Mitglied der menschlichen Gesellschaft*« zu werden, denn, meint Leonce: »*Lieber möchte ich meine Demission als Mensch geben.*« – Zur gleichen Stunde bricht Lena zusammen mit ihrer triefnasigen Gouvernante ins Reich König Peters auf. Unterwegs treffen die beiden Grüppchen zusammen. Leonce ist von Lenas natürlicher Anmut bezaubert. Lena, die – ohne Bewußtsein – am bloßen Dasein leidet *(»ich glaube, es gibt Menschen, die unglücklich sind, nur weil sie sind«)*, träumt die Liebe zu Leonce als Tod, als Aufhebung der quälenden Existenz in weltlose Poesie: »*Ich brauche Tau und Nachtluft, wie die Blumen.*« Leonce küßt sie und will sich, um das Glück des Augenblicks ewig festzuhalten, in den Fluß stürzen. Valerio jedoch hindert ihn daran, mokiert sich über dergleichen »*Leutnantsromantik*« und stellt die alte zynische Übereinkunft, daß alles sinnlos und Liebe nicht möglich sei, wieder her. – Am Hofe von König Peter sind inzwischen die Hochzeitsvorbereitungen in vollem Gang. Ein Landrat studiert mit ausgehungerten Bauern das vorgeschriebene Vivat-Gejubel ein, während Leonce, Lena, die Gouvernante und Valerio die – allseits in Sichtweite gelegene – Landesgrenze des Liliput-Königreichs überschreiten. Valerio kündigt das maskierte Brautpaar als »*die zwei weltberühmten Marionetten*« an: »*Nichts als Kunst und Mechanismus, nichts als Pappendeckel und Uhrfedern!*« Nach dem väterlichen Segen werden die Masken abgenommen; beiderseits ist die Enttäuschung groß: Man fühlt sich »betrogen«. Das Spiel des Zufalls, inszeniert, um die Determiniertheit des Daseins zu sprengen, ging selber der allgewaltigen Notwendigkeit und dem öden Immergleichen ins Garn. König Peter zieht sich in den Ruhestand zurück, denn er muß schrecklich viel »*denken, ungestört denken!*«, und Leonce übernimmt die Regierung. Seine erste Amtshandlung ist, das Spiel mit Rücksicht auf das Publikum abzubrechen. Zugleich verkündet er: »*Morgen fangen wir in aller Ruhe und Gemütlichkeit den Spaß noch einmal von vorne an.*« Zu guter Letzt, als ironische Pointe, entwirft Leonce das utopische Bild eines epikureischen Musenstaates, in dem Valerio als Staatsminister darüber wachen wird, daß keiner zuviel arbeitet: »*Wir lassen alle Uhren zerschlagen, alle Kalender verbieten und zählen die Stunden und Monden nur nach der Blumenuhr, nur nach Blüte und Frucht.*«

Zentrale Stilelemente – die marionettenhafte Determiniertheit der Figuren, ihr Sprechen in Epigrammen und geistreichen Kalauern, die Parzellierung des dramatischen Vorgangs in ein Nebeneinander gleichgewichtiger, monomanisch das Motiv der Vergeblichkeit variierender Szenen – sowie die Thematik der Langeweile und das Automatenmotiv hat Büchners einzige Komödie mit seinen Trauerspielen *Dantons Tod* und *Woyzeck* gemein. Der Text von *Leonce und Lena* präsentiert sich als kunstvolles Kaleidoskop literarischer Anspielungen und Zitate, die ironisch und desillusionierend auf Werke der europäischen Romantik Bezug nehmen. Das Handlungsgerüst seines Stücks übernahm Büchner aus Clemens BRENTANOS Lustspiel *Ponce de Leon* und Alfred de MUSSETS Komödie *Fantasio*. Resignierende, von Trauer, Schwermut und Leid grundierte Heiterkeit ist typisch für den Komödienstil jener Epoche, der, neben Büchner, von GRABBE (vgl. *Scherz, Satire, Ironie und tiefere Bedeutung*) und GRILLPARZER (vgl. *Weh dem, der lügt!*) am eindrucksvollsten repräsentiert wird.

D. Bar.

AUSGABEN: Hbg. 1838 (in Telegraph für Deutschland, Nr. 76–80). – Lpzg. 1842 (in *Mosaik. Novellen u. Skizzen*, Hg. K. Gutzkow). – Ffm. 1850 (in *Nachgelassene Schriften*, Hg. L. Büchner). – Ffm. 1879 (in *SW u. handschriftlicher Nachlaß*, Hg. E. K. Franzos; krit.). – Bln. 1909 (in *GW*, Hg. P. Landau, 2 Bde., 1). – Lpzg. 1916 (in *GW. Nebst einer Auswahl seiner Briefe*, Einl. W. Hausenstein). – Lpzg. 1922 (in *Werke u. Briefe. Gesamtausgabe*, Hg. F. Bergemann; krit.; Ffm. [8]1962). – Mchn. 1948 (in *GW*, Hg. K. Edschmid; erw. u. rev. Mchn./Basel/Wien 1963). – Stg. 1962 (*Woyzeck*.

Ein Fragment – Leonce u. Lena, Hg. u. Nachw. O. C. A. Zur Nedden; RUB, 7733). – Hbg. 1967 (in *SW u. Briefe*, Hg. W. Lehmann, 4 Bde., 1967ff., 1; *Hamburger Ausg.*; hist.-krit.).

VERTONUNGEN: J. Weismann, *Leonce u. Lena* (Text: ders.; Oper; Urauff.: Freiburg i. B. 1925). – W. Eisenmann, *Leonce u. Lena* (Bühnenmusik; Teilauff.: Internationale Musiktage Braunwald 1950).

LITERATUR: A. Renker, *G. B. u. das Lustspiel der Romantik. Eine Studie über »Leonce u. Lena«*, Bln. 1924. – H. Plard, *A propos de »Leonce u. Lena«. Musset et B.* (in EG, 9, 1954, S. 26–36; dt.: *Gedanken zu »Leonce u. Lena«. Musset u. B.*; in *G. B.*, Hg. W. Martens, Darmstadt 1965, S. 289–304). – L. R. Shaw, *Symbolism of Time in B.'s »Leonce and Lena«* (in MDU, 48, 1956, S. 221–230). – H. Krapp, *Der Dialog bei B.*, Mchn. 1958. – G. Waldmann, *G. B.s Lustspiel »Leonce u. Lena« als realistische Selbstreductio ad absurdum des Romantisch-Idealistischen* (in Pädagogische Provinz, 13, 1959, S. 339–349). – G. Baumann, *G. B. Die dramatische Ausdruckswelt*, Göttingen 1961. – G. Beckers, *G. B.s »Leonce u. Lena«. Ein Lustspiel der Langeweile*, Heidelberg 1961 (Probleme der Dichtung, 5; gekürzte Fassg. der Diss. Hbg. 1955). – G.-L. Fink, *»Leonce et Lena«. Comédie et réalisme chez B.* (in EG, 16, 1961, S. 223–234; dt.: *»Leonce u. Lena«. Komödie u. Realismus bei G. B.*; in *G. B.*, Hg. W. Martens, Darmstadt 1965, S. 488–506). – R. Hauser, *G. B.s »Leonce u. Lena«* (in MDU, 53, 1961, S. 338–346). – G. Penzoldt, *G. B.*, Velber 1965 (Friedrichs Dramatiker des Welttheaters, 9). – J. Schröder, *G. B.s »Leonce u. Lena«. Eine verkehrte Komödie*, Mchn. 1966 (Zur Erkenntnis der Dichtung, 2; Diss. Freiburg i. B. 1961). – L. Büttner, *B.s Bild vom Menschen*, Nürnberg 1967.

WOYZECK. Ein als Bruchstück hinterlassenes Drama von Georg BÜCHNER (1813–1837), in vier schwer zu entziffernden Handschriften überliefert; Uraufführung: München, 8. 11. 1913, Residenztheater. Das Werk wurde erst 42 Jahre nach dem Tod des Dichters von Karl Emil FRANZOS aus dem Nachlaß veröffentlicht, hundert Jahre nach Büchners Geburt zum ersten Mal aufgeführt. – Das Unzulängliche der für die Rezeptionsgeschichte wichtigen Ausgabe von Franzos spiegelt sich bereits in der Titelgebung: *Wozzeck. Ein Trauerspiel-Fragment.* Franzos unterliefen zahlreiche Lesefehler; nach Gutdünken ließ er aus oder dichtete phantasiereich hinzu und wich in der Anordnung der Szenen von der handschriftlichen Vorlage ab, wobei er sich – wie die meisten Herausgeber nach ihm – an der klassischen Poetik orientierte. Wenn noch immer in zahlreichen zeitgenössischen Ausgaben am Anfang die Rasierszene steht und gegen Ende die durch nichts gerechtfertigte Annahme, daß Woyzeck im Teich »ertrinkt«, so geht das auf Franzos und den ästhetischen Bewußtseinsstand des Jahres 1879 zurück. Die wissenschaftliche und im eigentlichen Sinn textkritische Auseinandersetzung mit *Woyzeck* begann erst 1920 mit Georg WITKOWSKI, dem es nicht um einen spielbaren Text ging, sondern ausschließlich um Entzifferung. Fritz BERGEMANN gelang es in seiner grundlegenden und verdienstvollen kritischen Ausgabe von 1922, die Textverhältnisse weiter zu klären und zu verbessern. Erst seit 1926 bietet Bergemann in seinen Insel-Ausgaben einen spielbaren Text, wobei allerdings die verschiedenen Entstehungsstufen kontaminatorisch miteinander vermengt und charakteristische Arrangements von Franzos übernommen werden. Dieses Herstellungsverfahren stieß in jüngster Zeit auf die Kritik von Walter MÜLLER-SEIDEL, Ursula PAULUS, J. ELEMA u. a. Die historisch-kritische Büchner-Ausgabe von Werner R. LEHMANN (1967) versucht, das Fragment textkritisch vollständig zu erschließen; sie bietet das Textmaterial in drei Formen: 1. in der chronologischen Folge der »Entstehungsstufen«; 2. als Synopse und 3. als Lese- und Bühnenfassung.

Woyzeck gehört zu den meistgelesenen und -gespielten Texten der dramatischen Weltliteratur des 19. Jh.s. Das Stück führt die Szenentechnik des Sturm-und-Drang-Theaters weiter und begründet zusammen mit *Dantons Tod* und einigen Dramen GRABBES neue form- und themengeschichtliche Traditionszusammenhänge. Wie kein anderes Werk des 19. Jh.s hat es auf die Dichtungsgeschichte des 20. Jh.s eingewirkt; es inspirierte Alban Berg zu seiner *Wozzeck*-Oper (1923) und regte Naturalisten wie Expressionisten zu schöpferischer Auseinandersetzung mit Büchner an. HAUPTMANN, WEDEKIND und HEYM verehrten in dem Autor des *Woyzeck* ihr Vorbild und den Vorläufer eigener Bestrebungen. Auch RILKE und HOFMANNSTHAL sahen in diesem Werk *»eines der höchsten Produkte«*, *»ein Schauspiel ohnegleichen«*. BRECHTS frühe Dramen, besonders *Baal*, aber auch Max FRISCHS *Andorra* sind eindrucksvolle Zeugen einer künstlerischen Büchner-Rezeption, die vom *Woyzeck* ausgeht. In der Geschichte des deutschen Dramas rangiert das rätselhafte Fragment zugleich als vehementer Beginn des sozialen Dramas. In einem keineswegs wohlmeinenden Aperçu scheint schon Gottfried KELLER auf einen solchen Zusammenhang hinweisen zu wollen, indem er Büchner in die Nähe von ZOLA rückt. Das ist zwar übertrieben und akzentuiert nur die Abneigung Kellers gegenüber dieser »Art von Realistik«. Unbestreitbar bleibt jedoch, daß mit dem Woyzeck ein neuer Menschentyp in die Welt des Dramas eindringt; Büchner rechnet ihn der sozialen Kategorie *»der Geringsten unter den Menschen«* zu; damit wird die schon vom Bürgerlichen Trauerspiel nicht mehr anerkannte Ständeklausel suspendiert. In *Leonce und Lena* werden herrscherliche Personen zum Gegenstand der Ironie, der Parodie, der karikierenden Komödie und zum Objekt der Satire. Im *Woyzeck* wird einer, der bis dahin allenfalls in der Burleske seinen Platz hätte finden können, zur zentralen Gestalt einer erschütternden Tragödie. Was Büchner schon in einer antiidealistischen Passage seines *Danton* gedanklich hatte durchspielen lassen, im *Woyzeck* geschieht es: *»die erbärmliche Wirklichkeit«* wird Gegenstand einer auf Erkenntnis dringenden Poesie.

Den Stoff fand Büchner in den beiden gerichtsmedizinischen Gutachten, die der Königlich Sächsische Hofrat Dr. Clarus im Zusammenhang mit dem Leipziger Mordfall Woyzeck anzufertigen hatte. Die Beiträge, die sich mit dem »Gemüthszustand« (1821) und der »Zurechnungsfähigkeit« (1823) des Mörders befassen, lernte Büchner aus der ›Zeitschrift für Staatsarzneikunde‹ kennen, zu deren Mitarbeitern auch sein Vater gehörte. Diese Beiträge haben als Büchners Hauptquellen zu gelten. Sie berichten detailliert über den Hergang der Tat und das Leben des 41jährigen Inquisiten. Zur Tatzeit war der ehemalige Perückenmacher, Diener und

Soldat Woyzeck Gelegenheitsarbeiter, der zuletzt so wenig Geld besaß, daß er im Freien kampieren mußte. Am Abend des 21. Juni 1821 stach er mit einer abgebrochenen Degenklinge die 46jährige Baaderswitwe Woost im Hausgang ihrer Wohnung nieder. Als Motiv galt Eifersucht. Drei Jahre nach der Tat, am 27. August 1824, wurde er in seiner Geburtsstadt Leipzig öffentlich durch das Schwert hingerichtet. Der Fall erregte Aufsehen und löste in der Wissenschaft einen heftigen Streit aus, der sich an der damals vieldiskutierten Frage nach der Zurechnungsfähigkeit und den methodischen Möglichkeiten ihrer Beantwortung entzündete. Es gibt verläßliche Anhaltspunkte dafür, daß Büchner das gesamte Material kannte. Es kam ihm darauf an, aus den Dokumentationen zitierbare Einzelheiten zu gewinnen, die für den Realitätsbezug der Poesie und die dunkle Poesie dieses Realitätsbezuges einstehen konnten. Wie schon im *Lenz* mustert er die psychiatrischen Befunde, die Inhalte der Halluzinationen und Phantasmagorien, die sich aufs engste mit der Bilder- und Vorstellungswelt der *Bibel*, des pietistischen Erbauungsbuches, des Märchens, des Sprichworts, Rätsels und des Aberglaubens verbinden. Die Vorgänge verlegt Büchner in die ihm vertraute, geliebte und verhaßte hessische Welt, indem er die Personen seines Stücks, Woyzeck, Marie, Andres, die Großmutter und die Kinder eine mundartlich kolorierte Sprache sprechen läßt. Daß Woyzeck nicht nur als betrogener Liebhaber und als der mißbrauchte Mensch, sondern auch als der Mörder das Interesse Büchners fand, steht außer Frage. Wie das einsam und sinnlos gewordene Leben des armen Woyzeck im Drama hätte zu Ende gehen sollen, wird ungewiß bleiben. Es gibt genügend Hinweise dafür, daß es Büchner selbst noch nicht gewußt hat, so wie er sich an zahlreichen Stellen auch darüber im unklaren blieb, wie er die einzelnen Figuren des Dramas akzentuieren und benennen sollte; in den ersten Phasen der Textentstehung heißt der Held »Louis« und seine Geliebte »Margreth«, auch »Woyzecke« genannt, später dann heißen sie »Franz« und »Louise«, wobei allerdings nicht übersehen werden darf, daß gelegentlich auch der Familienname »Woyzeck« schon auftaucht, der in der überlieferten Endstufe dann ebenso dominiert wie der Vorname »Marie«.

Unter den Handschriften zum Stück findet sich ein Manuskript, das in der künstlerischen Ausarbeitung besonders weit gediehen ist. Diese Handschrift H4 enthält die letzte, beste und vom Autor halbwegs autorisierte Fassung. Von den 17 Szenen, die H4 überliefert, gehen 14 aus den Entwürfen der Handschriften H1 und H2 hervor. Daß es sich bei H1 und H2 um Vorstufen zu H4 handelt, ergibt sich daraus, daß Büchner alle Szenenentwürfe, die von ihm für H4 verwertet wurden, in H1 und H2 durchgestrichen hat. Nach übereinstimmender Auffassung der modernen Textkritik sind Wortlaut und Szenenfolge von H4 unbedingt zu respektieren; es darf nicht auf etwas zurückgegriffen werden, was Büchner augenfällig verworfen hat. Die Vorzüge von H4 werden freilich dadurch beeinträchtigt, daß auch diese Handschrift lückenhaftes Fragment geblieben ist. H4 führt nur bis zu jener Kasernenszene, in der Woyzeck »*in seinen Sachen*« kramt und seine Habseligkeiten verteilt. Es fehlt also der Schluß mit der Mordtat und dem, was sich weiter daraus ergibt; es fehlen einige Zwischenpartien, die Büchner lediglich durch Szenenüberschriften, nicht abgeschlossene Szenenentwürfe und unbeschriebene, zur Auffüllung vorgesehene Räume markierte. Die Tatsache, daß die entsprechenden Parallelstellen in H1 und H2 nicht durchgestrichen sind, deutet darauf hin, daß Büchner auf dieser Grundlage hatte weiterarbeiten und zu einer neuen Form gelangen wollen. Die entstehungsgeschichtlichen Befunde sind insofern nicht unerheblich, als sie Hinweise für die Interpretation und die Herstellung einer wenn auch nicht endgültigen, so doch möglichen Spielfassung bieten. Die Beschreibung ist der erste Schritt zur Interpretation.

H1 beginnt damit, die dramatischen Konfliktsituationen zu skizzieren, die sich aus äußeren Ereignissen und inneren Motivationen ergeben: Hierzu zählt als Grundvoraussetzung, daß die weibliche Hauptfigur ihren Verführer kennenlernt; daß der Verführer, aufgrund seiner Stellung in der militärischen Hierarchie über Louis (Woyzeck) verfügen und ihn fortschicken kann, was zur Folge hat, daß Margreth sich ihm zuwendet. Dies Ereignis löst in Louis Unruhe, Angst und Eifersucht aus; er wird mißtrauisch, geht ins Wirtshaus und überrascht die beiden beim Tanz. Damit kommt das nun rasch zum Ende, zum Mord hinführende Eifersuchtsdrama in Gang, wobei Büchner schon auf dieser Stufe, etwa in der Szene *Freies Feld* (H1, 6), charakteristische Motivelemente bereitstellt, die das zwanghaft Determinierte seines Tuns deutlich machen sollen; der Mord wird nicht als Tat gedeutet, sondern als ein Ereignis, für das Woyzeck als freier Verursacher nicht in Betracht kommt. – Im Mittelpunkt dieser balladesken Szenenfolge, die bereits alles Wesentliche enthält, steht die Erzählung der Großmutter, jene berühmte Märchenkontrafaktur, deren Aufgabe es ist, den Vorgang des Woyzeck-Dramas zu kommentieren. Die Kontrafaktur bezieht sich auf die fromme Märchenlegende *Die Sterntaler* und auf das Märchen *Die sieben Raben* der Brüder GRIMM. Im Unterschied zu den Kindern der Grimmschen Märchen findet das Kind, von dem die Großmutter erzählt, selbst im Himmel nur Enttäuschung, Tortur und Marter – eine Vorstellung, an der auch in H4 festgehalten wird: »*Unseins ist doch einmal unseelig in der und der andern Welt, ich glaub' wenn wir in Himmel kämen so müßten wir donnern helfen.*« Die Motiv- und Themenelemente werden von Büchner sorgfältig verteilt und kunstvoll miteinander verbunden. Die Handschrift H2 mit ihren neun Szenen nimmt Bezug auf diese Problematik; es liegt in ihrer Absicht, H1 zu erweitern und zu ergänzen. Das Neue, das mit Hilfe dieser szenischen Zusätze hineingebracht wird, ist die Thematik des sozialen Dramas. Damit erhält Woyzecks Verlust der Wirklichkeit, der Prozeß seiner Selbstentfremdung, eine zusätzliche Motivation, die über das hinausgeht, was H1 mit der Eifersuchtshandlung erreichen konnte. Es spielen hier besonders die burlesken und karikaturistischen Szenen eine Rolle, in denen der Hauptmann und der Doktor auftreten.

Dieser sozial- und bewußtseinskritische Zug, an dem auch H4 ganz entschieden festhält, wird noch weiter vorangetrieben und radikalisiert in der auf einem losen Blatt (H3) überlieferten Szene *Der Hof des Professors*. Dieser Szene kommt eine Schlüsselfunktion zu. Sie muß im Zusammenhang gesehen werden mit den physiologischen Experimenten, die an Woyzeck vorgenommen werden, indem man ihn systematisch mit Erbsen traktiert. In der Einzelszene aus H3 kollabiert Woyzeck. Der Doktor erläutert diesen Sachverhalt: »*Meine Herrn ... sehn Sie, der Mensch, seit einem Vierteljahr ißt er nichts als Erbsen, beachten Sie die Wirkung, fühlen*

Sie einmal was ein ungleicher Puls, da und die Augen.« Und an anderer Stelle, im Hinblick auf das »*seit ein paar Tagen*« ausfallende Haar: »*ja die Erbsen, meine Herren*«. – »*Beachten Sie die Wirkung*«: das könnte als Motto über der Standessatire der Hauptmann- und Doktorszenen stehen. Der Hauptmann und der Doktor, dieser gräßlich in die Karikatur getriebene Robespierre, der von einer wissenschaftlichen Revolution träumt, für den der Mensch nur einen Zweck, aber keinen Sinn hat, sie charakterisieren und dekuvrieren sich gegenseitig; sie stellen sich bloß in dem, was sie sagen, in dem, was sie tun, und ganz besonders in dem, was sie Woyzeck antun. »*Beachten Sie die Wirkung*«: das könnte als Motto über dem ganzen Drama stehen. Es kommt Büchner ganz ersichtlich darauf an, erst unvermittelt Wirkungen zu zeigen, Wirkungen kommentarlos zu demonstrieren, ehe er die Ursachen dieser Wirkungen im Gesellschaftlichen und Zwischenmenschlichen expliziert und erkennbar werden läßt. Der Leser sieht sich schon in der ersten Szene von H4 und H2 *(Freies Feld. Die Stadt in der Ferne)* rätselhaften Wahnzuständen gegenübergestellt, die ihm Fragen abnötigen; Fragen, die der dramatische Text in seinem Fortgang verständlich machen will. Dieses Kompositionsprinzip beachtet Büchner in *Dantons Tod*, im *Lenz*, in *Leonce und Lena* und im *Woyzeck*. Woyzeck hat keinen einzelnen Gegner. Er hat deren unzählige. Sein Gegner ist die Welt. Ehe er unterliegt, wird er systematisch depotenziert: physiologisch verstümmelt. Dieses Geschäft besorgt ausgerechnet der, der im Namen der Revolution und der Freiheit die Freiheit abschafft, indem er sie unmöglich macht – der Doktor. Die Physiologie als Universalmetapher des Schicksals und der zerstörenden Gegnerschaft: In der Geschichte der Dramenmotive ist das ein neuer Einfall. Der intermittierende Wahnsinn, dem Woyzeck endlich erliegt und der seine Zurechnungsfähigkeit aufhebt, wird gedeutet als Antwort auf das Unverständliche eines Schicksals, das ihn in zahllosen Formen trifft. Es widerfährt ihm von der Geliebten, der verführenden Verführten, die nicht anders kann, weil auch sie getrieben wird; es trifft ihn in der balladesken Gestalt des Tambours, der immer wieder als Sexualkreatur gesehen wird, als »brünstiges Rind« und »bärtiger Löwe«; es begegnet ihm sogar in der schuldlosen Ahnungslosigkeit des eigenen Kindes, das sich von ihm abwendet, so daß am Ende nur noch übrig bleibt, was das Märchen der Großmutter thematisch antizipiert: Erstarrung und Einsamkeit.

Die Textgestaltung des *Woyzeck* ist noch immer Gegenstand wissenschaftlicher Kontroversen. Der philologische Umgang mit diesem Stück hat Möglichkeiten und Grenzen. Die Möglichkeiten würden ungenutzt bleiben, wenn man das Textmaterial lediglich als ein historisches, gelehrt-antiquarisches Präparat behandelte und dabei übersähe, daß die Philologie außerstande ist, einen Prozeß rückgängig zu machen, der seit 1897 eine unbestreitbare Realität ist. Ehe der *Woyzeck* ein philologisches Problem wurde, war er ein ästhetisches. Im Kulturbewußtsein existiert er als ein spielbares und aufführbares Textstück. Und es hieße die philologische Entmythologisierung des Textes entschieden zu weit treiben, wollte man die aufeinander zustrebenden Textstücke der verschiedenen Entwicklungsstufen auf alle Zeit auseinanderreißen. Die Grenzen des philologischen Umgangs werden indes unstatthaft überschritten, wenn man glaubt, aus dem fragmentarisch überlieferten Material eine sakrosankte Lese- oder Bühnenfassung herstellen zu können. Nach Lage der Dinge und der Überlieferungsgeschichte wird es wohl immer mehrere vertretbare und plausible Lösungen geben; denn wir kennen nicht nur eine Intention Büchners, sondern mehrere, nämlich die Intentionen seiner einzelnen, nie zu Ende gebrachten Fassungen, die sich bruchlos nie ineinanderfügen lassen. W. R. L.

AUSGABEN: Ffm. 1879 (in *SW u. handschriftlicher Nachlaß*, Hg. K. E. Franzos; krit.). – Bln. 1909 (in *GW*, Hg. P. Landau, 2 Bde., 2). – Lpzg. 1920, Hg. G. Witkowski; krit.). – Lpzg. 1922 (in *Werke u. Briefe. GA*, Hg. F. Bergemann; krit.; Ffm. [9]1962). – Ffm./Bln. 1963, Hg. H. Mayer. – Freiburg i. B. 1964 (in *Bürgerliches Trauerspiel u. soziales Drama*, Hg. W. Müller-Seidel). Hbg. 1967 (in *SW u. Briefe*, Hg. W. R. Lehmann, Bd. 1; hist. krit.). – Ffm. 1969, Hg. E. Krause [krit.]. – Manchester 1971 (*Dantons Tod and Woyzeck*, Hg. M. Jacobs; komm. Ausg.)

VERTONUNGEN: A. Berg, *Wozzeck* (Oper; Urauff.: Bln. 14. 12. 1925, Staatsoper). – K. Pfister, *Wozzeck* (Opernballade; Urauff.: Mchn. 1949).

VERFILMUNG: Deutschland 1947 (Regie: G. C. Klaren).

LITERATUR: L. Marcuse, *G. B. u. seine drei besten Bühnenwerke*, Bln. 1921. – K. Viëtor, *G. B. Politik, Dichtung, Wissenschaft*, Bern 1949. – H. van Dam, *Zu G. B.s »Woyzeck«* (in Akzente, 1, 1954, S. 82 bis 99). – H.-H. Reuter, *G. B. u. sein »Woyzeck«* (in Der Deutschunterricht, 10, 1957, S. 122–139). – H. Mayer, *G. B. u. seine Zeit*, Wiesbaden [2]1960. – E. Johann, *G. B. in Selbstzeugnissen u. Bilddokumenten*, Reinbek 1958 (rm, 18). – G. Baumann, *G. B. Die dramatische Ausdruckswelt*, Göttingen 1961. – F. H. Mautner, *Wortgewebe, Sinngefüge u. Idee in B.s »Woyzeck«* (in DVLG, 35, 1961, S. 521–557). – G. L. Fink, *Volkslied u. Verseinlage in den Dramen B.s* (ebd., S. 558–593). – B. v. Wiese, *G. B. Die Tragödie des Nihilismus* (in B. v. W., *Die deutsche Tragödie von Lessing bis Hebbel*, Hbg. [5]1961). – J. Elema, *Der verstümmelte »Woyzeck«* (in NPh, 49, 1965, S. 131 bis 156). – L. Völker, *Woyzeck u. die Natur* (in Revue des Langues Vivantes, 23, 1966, S. 611–632). – L. Büttner, *B.s Bild vom Menschen*, Nürnberg 1967. – E. Dosenheimer, *Das deutsche soziale Drama von Lessing bis Sternheim*, Darmstadt 1967. – U. Segebrecht-Paulus, *Genuß u. Leid im Werk G. B.s*, Diss. Mchn. 1969. – W. R. Lehmann, *Repliken. Beiträge zu einem Streitgespräch über den »Woyzeck«* (in Euph, 65, 1971, S. 58–83).

ANNETTE VON DROSTE-HÜLSHOFF
(1797–1848)

DAS GEISTLICHE JAHR. Gedichtzyklus von Annette von DROSTE-HÜLSHOFF (1797–1848), erschienen 1851. – Die ersten 25 Gedichte *(Am Neujahrstage* bis *Am Ostermontage)* entstanden 1820, die folgenden 47 *(Am ersten Sonntage nach Ostern* bis *Am letzten Tage des Jahres)* erst 1839. Zunächst sollte der Zyklus nur die Festtage des Kirchenjahres umfassen, wurde dann aber um die Sonntage, die nicht zugleich Kirchenfeste sind, erweitert. In den Evangelien, deren Anfangsworte jeweils dem Tagesnamen beigegeben und die gedanklicher Ausgangspunkt des einzelnen Gedichts sind, folgte die Dichterin der in Münster und Paderborn gebräuchlichen Mainzer Agende. So entstand der erste Teil des *Geistlichen Jahres*, den sie mit einem Widmungsschreiben am 9. Oktober 1820 ihrer Mutter überreichte: »*... mein Werk ist jetzt ein betrübendes, aber vollständiges Ganze ... ich habe ihm die Spuren eines vielfach gepreßten und geteilten Gemütes mitgeben müssen ... Es ist für die geheime, aber gewiß sehr verbreitete Sekte jener, bei denen die Liebe größer wie der Glaube.*« Danach brach die Dichterin die Arbeit plötzlich ab, und erst neunzehn Jahre später vollendete sie auf Drängen ihrer Freunde Christoph Bernhard Schlüter und Wilhelm Junkmann den Zyklus. Der zweite Teil ist nur im Entwurf mit zahllosen Korrekturen überliefert und war, wie auch der erste, zunächst nicht zur Veröffentlichung bestimmt.

Statt, wie ursprünglich beabsichtigt, zu einem Erbauungsbuch für die fromme Seele, war schon der erste Teil zu einer Beichte der um religiöse Wahrheit ringenden Dichterin, zum Geständnis der Glaubensschwäche eines modernen Menschen geworden. Neben konventionell wirkenden Gedichten in der Tradition des geistlichen Volkslieds tragen viele der Sonntagslieder den Charakter individueller Bekenntnisse, aus denen »*immer wieder ... der apostolische Rettungsruf: ›Ich glaube, Herr, hilf meinem Unglauben!‹*« ertönt (J. Schwering). Die persönliche Erfahrung religiöser Ungeborgenheit ist immer gegenwärtig, auch wenn die Gefühle der Angst und Schuld aus Glaubensnot durch ein bewußt starres Festhalten an den gewohnten Formen der Frömmigkeit am Ende meist gewaltsam zurückgedrängt oder, in der Hoffnung auf die verzeihende Liebe und Gnade Gottes, für Augenblicke überwunden werden. *Am fünften Sonntage in der Fasten* ist – weit ab von aller klassisch-romantischen Dichtung – die Grunderfahrung des 19. Jh.s von der Gott entfremdeten Menschennatur ergreifend ausgesprochen: »*Hab ich grausend es empfunden / Wie in der Natur ... / Oft dein Ebenbild verschwunden / Auf die letzte Spur: / Hab ich keinen Geist gefunden, / Einen Körper nur!*« – Im zweiten Teil findet das Hauptthema des Zyklus – die als Schuld erlebte Gottferne, »*die Spannung zwischen dem Verlangen nach ewiger Geborgenheit ... und dem Instinkt eines Menschen des 19. Jahrhunderts, der alles nicht mit Händen Greifbare verleugnet*« (E. Staiger) – erschütternden Ausdruck in dem Gedicht *Am dritten Sonntage nach Ostern:* »*Ich seh dich nicht! / Wo bist du denn, o Hort, o Lebenshauch? / Kannst du nicht wehen, daß mein Ohr es hört? ... / O bittre Schmach: / Mein Wissen mußte meinen Glauben töten!*« Einen anderen Themenkreis bilden Gedichte, die zur Einkehr und Buße mahnen, aufrütteln sollen und Sendungscharakter haben (z. B. *Am vierten Sonntage nach Ostern*); wieder andere betonen »*das Hineingestelltsein in den Widerstreit von Nacht und Helle*« (C. Heselhaus). Höhepunkte der religiösen Bekenntnisdichtung des *Geistlichen Jahres* sind das Schlußgedicht *(Sylvester)* mit der Bitte »*O Herr, ich falle auf das Knie: / Sei gnädig meiner letzten Stund!*« und die unvergeßliche Strophe aus dem Lied *Am siebenundzwanzigsten Sonntage nach Pfingsten*, die an Brentanos *Frühlingsschrei eines Knechtes aus der Tiefe* und Gottfried Kellers *Winternacht* erinnert:

»Sei Menschenurteil in Unwissenheit
Hart wie ein Stein, du, Herr, erkennst das Winden
Der Seele, und wie unter Mördern schreit
Zu dir ein Seufzer, der sich selbst nicht finden
Und nennen kann. Kein Feuer brennt so heiß,
Als was sich wühlen muß durch Grund und Steine,
Von allen Quellen reißender rinnt keine,
Als die sich hülflos windet unterm Eis.«

Der Gedichtzyklus ist das Zeugnis einer tiefen, undogmatischen, überkonfessionell christlichen Religiosität. Diese Charakterisierung kennzeichnet jedoch zugleich die Ursache für seine künstlerischen Schwächen. Der Dichterin, deren lyrisches Werk aus der Schärfe der sinnlichen Wahrnehmung, aus dem gesehenen Bild lebt, mußte die abstrakte Gedankenlyrik im Grunde fremd sein. Dem Bedürfnis, sich zu bekennen und im Bekenntnis Erlösung zu suchen, stellt sich in manchen Gedichten merkbar das Unvermögen zu künstlerischer Gestaltung des Gedankens entgegen. Ungenau oder inkonsequent durchgeführte Bilder (z. B. *Am zweiten Weihnachtstage*), Anhäufungen von Metaphern (z. B. *Am zwanzigsten Sonntage nach Pfingsten*), Ungeschicklichkeiten, ja Geschmacklosigkeiten *(»Ich lange mit des Wurmes Dehnen / Sehnsüchtig nach der Arzenei«)* sind die Folge. Auch die formale Vielfalt der 72 Gedichte, die, sich nur ein einziges Mal in Versmaß und Strophenform wiederholend, einen Blick in »*eine große Werkstätte des Strophenbaus*« (W. Kayser) gewähren, ist stellenweise mit störenden Satzverschachtelungen und unnatürlichen Wortstellungen erkauft. Heißt es so auch zu Recht von den Gedichten des *Geistlichen Jahres*, sie hätten »*so originell sie sind ... niemals ausgereicht, Annetten in der Ruhmeshalle deutscher Dichterinnen den ersten Platz zu sichern*« (B. Pelican), so geben sie – besonders dort, wo ihre Diktion in die Form des Chorals gebunden ist *(Am fünften Sonntage in der Fasten)* – doch ergreifende Kunde von einem um den Glauben ringenden »*Gemüt in seinen wechselnden Stimmungen*« (Widmungsschreiben an die Mutter):

»Zerrissen in den Gründen
Bin ich um meine Sünden,
Und meine Reu' ist groß!
O, hätt' ich nur Vertrauen,
Die Hütte mein zu bauen
In meines Jesu Schoß.«

K. Re.

Ausgaben: Stg./Tübingen 1851, Hg. B. Schlüter u. W. Junkmann; [3]1876. – Bln. 1912 (in *SW*, Hg. J. Schwering, 6 Tle. in 3 Bdn., 2). – Münster 1920, Hg. F. Jostes [krit.]. – Mchn. 1925 (in *SW*, Hg. K. Schulte-Kemminghausen, B. Badt u. K. Pinthus, 4 Bde., 1925–1930, 2/2; krit.). – Lpzg. 1939 (in *SW*, Hg. W. Kayser). – Münster 1939, Hg. C. Schröder; [2]1951. – Mchn. 1955 (in *SW*, Hg. C. Heselhaus; [4]1963).

Literatur: B. Pelican, *A. Freiin v. D.-H.*, Freiburg i. B. 1906, S. 31ff.; 125ff. – G. P. Pfeiffer, *Die Lyrik der A. v. D.-H.*, Bln. 1914. – C. Flaskamp, *Das »Geistliche Jahr« der A. Freiin v. D.-H.*, Mchn. 1915. – E. Staiger, *A. v. D.-H.*, Horgen-Zürich/Lpzg. 1933, S. 34–47 (Wege zur Dichtung, 14; Frauenfeld [2]1962). – K. Möllenbrock, *Die religiöse Lyrik der D. und die Theologie der Zeit. Versuch einer theologischen Gesamtinterpretation und theologiegeschichtlichen Einordnung des »Geistlichen Jahres«*, Bln. 1935. – J. Müller, *Die religiöse Grundhaltung im »Geistlichen Jahr« der A. v. D.-H.* (in DuV, 1936, S. 459ff.). – C. Heselhaus, *A. v. D.-H. Die Entdeckung des Seins in der Dichtung des 19. Jh.s*, Halle 1943, S. 83ff.; 101ff. – C. Schröder, *Zur Textgestaltung des »Geistlichen Jahres« der D.* (in

Jb. d. Droste-Ges., 1, 1947, S. 111–128). – C. Heselhaus, *Das »Geistliche Jahr« der D.* (ebd., 2, 1948 bis 1950, S. 88–115). – M. Bruneder, *Das Glaubensproblem bei A. v. D.-H.*, Diss. Wien 1948. – E. Eilers, *Probleme religiöser Existenz im »Geistlichen Jahr«. Die D. und S. Kierkegaard*, Werl 1953. – J. Nettesheim, *Die geistige Welt Christoph Bernhard Schlüters und seines Kreises im »Geistlichen Jahr« A.s von D.-H.* (in LJb, 1, 1960, S. 149–184). – K. Klein, *Die Glaubensanfechtung und ihre Überwindung. Die geistliche Not im »Geistlichen Jahr« der D.* (in K. K., *Glaube an der Wende der Neuzeit*, Mchn. 1962, S. 246–313). – W. Gössmann, *Das »Geistliche Jahr« A. v. D.-H.s* (in Hochland, 55, 1962/63, S. 448–457).

DIE JUDENBUCHE. Ein Sittengemälde aus dem gebirgichten Westfalen. Erzählung von Annette von Droste-Hülshoff (1797–1848), erschienen 1842. – Der Novelle liegt eine wahre Begebenheit zugrunde, die der Dichterin seit ihrer Kindheit aus Erzählungen über ihre westfälische Heimat vertraut war und die ihr Onkel August von Haxthausen unter dem Titel *Geschichte eines Algierer Sklaven* nach Gerichtsakten aufzeichnete und 1818 veröffentlichte. Indem die Droste eine Vorgeschichte dazu erfindet, gelingt es ihr, das historisch beglaubigte Ereignis als Folge einer Störung der menschlichen Gemeinschaft darzustellen, in der *»die Begriffe von Recht und Unrecht einigermaßen in Verwirrung geraten waren«*. Das Verhängnisvolle dieser allgemeinen gesellschaftlichen Situation enthüllt sich in einem individuellen Schicksal, das sich in einer Reihe von ungewöhnlichen Ereignissen zunehmend verdichtet und dramatisch zuspitzt.

Die Geschichte spielt um die Mitte des 18. Jahrhunderts in einem westfälischen Dorf, das *»inmitten tiefer und stolzer Waldeinsamkeit«* liegt und in dem Holz- und Jagdfrevel an der Tagesordnung sind. Den begangenen Rechtsverletzungen begegnet man jedoch *»weniger auf gesetzlichem Wege, als in stets erneuten Versuchen, Gewalt und List mit gleichen Waffen zu überbieten«*. So ist Friedrich Mergel bereits durch seine Herkunft für seinen späteren Lebensweg geprägt. In seinem Elternhaus herrscht *»viel Unordnung und böse Wirtschaft«*; sein Vater ist ein chronischer Säufer und wird zu den *»gänzlich verkommenen Subjekten«* gezählt. Nachdem ihm seine erste Frau weggelaufen ist, heiratet er die stolze und fromme Margret Semmler, die jedoch auch bald den verwahrlosten Verhältnissen im Mergelschen Hause unterliegt, so daß Friedrich schon vor seiner Geburt *»unter einem Herzen voll Gram«* getragen wird. Es dauert nicht lange, bis auch das gesunde Kind in das Unheil, das der Vater verbreitet, hineingezogen wird. Als Friedrich neun Jahre alt ist, kommt der Vater in einer *»rauhen, stürmischen Winternacht«* nicht nach Hause; man findet ihn tot im Brederholz. Nach diesem schauerlichen Ereignis haftet dem scheuen und verträumten Jungen in den Augen seiner Altersgenossen etwas Unheimliches an. Er gerät auch wirklich mehr und mehr in den Bannkreis verhängnisvoller Mächte, die in dem *»unheimlichen Gesellen«* Simon Semmler Gewalt über ihn gewinnen. Unter dem Einfluß seines Onkels verschafft sich der häufig verspottete und gering geachtete Junge einen *»bedeutenden Ruf«* im Dorf: Wegen seiner Tapferkeit und seines *»Hangs zum Großtun«* wird er bewundert und zugleich gefürchtet. Sein ständiger Begleiter, Johannes Niemand, Simons Schweinehirt, verkörpert gleichsam sein abgelegtes Ich, er ist *»sein verkümmertes Spiegelbild«*. Je gewaltsamer Friedrich sich jedoch von dem Makel seiner Herkunft zu befreien sucht, desto mehr zieht er das Unheil auf sich. Er wird – ohne daß man ihm vor Gericht etwas nachweisen kann – mitschuldig an dem Tod des Oberförsters Brandes, der von den Blaukitteln, einer besonders listigen Holzfrevlerbande, im Brederholz erschlagen wird, und begeht schließlich aus verletztem Ehrgefühl einen Mord an dem Juden Aaron, nachdem dieser ihn wegen einer Restschuld von zehn Talern öffentlich bloßgestellt hat.

Da Friedrich jedoch mit seinem »Schützling« Johannes Niemand flieht, kann er des Mordes nicht überführt werden, ja der Recht sprechende Gutsherr ist später sogar geflissentlich bemüht, *»den Fleck von Mergels Namen zu löschen«*. Nach 28 Jahren – der Mord ist längst verjährt – kehrt Mergel als alter, *»armseliger Krüppel«* aus türkischer Gefangenschaft in die Heimat zurück, gibt sich als Johannes Niemand aus und verdient sich sein Gnadenbrot mit leichten Botengängen. Das Brederholz meidend und doch unwiderstehlich von ihm angezogen, erhängt er sich schließlich an der sogenannten Judenbuche. In seinem Selbstmord erfüllt sich der an den Judenmord mahnende Spruch, den die Glaubensgenossen Aarons zu seiner Rache in den Stamm eingehauen hatten: *»Wenn du dich diesem Orte nahest, so wird es dir ergehen, wie du mir getan hast!«*

Entsprechend der Buche, der die Juden die Rache an dem Mörder anvertrauen, erscheint die Natur in der Novelle stets als Richter und Zeuge; sie ist nicht Stimmung oder Kulisse, sondern wesenhaft *»mitverschuldet und mitgesegnet, Quell der Beunruhigung und Versuchung, Quell der Sicherheit und Bestärkung«* (H. Kunisch). Die Droste veranschaulicht durch diese enge Verbindung zwischen dem Handeln des Menschen und der ihn umgebenden Natur, daß, verliert er sein »inneres« Rechtsgefühl, er zugleich die kreatürliche Einheit von Mensch und Natur stört, die – wie aus dem Gesamtwerk der christlichen Dichterin hervorgeht – in der göttlichen Seinsordnung festgelegt ist. Bezeichnenderweise geschehen in der *Judenbuche* alle furchtbaren Ereignisse in der Nähe der Buche im Brederwald, während einer stürmischen oder monderhellten Nacht. Der Brederwald wird zu einem magischen Raum, die Buche zum *»Dingsymbol für ein Geschehen des Unheils«* (B. v. Wiese). Der sachlich-nüchterne, durch genaue Zeitangaben äußerst distanzierte Berichtstil läßt die ständige Bedrohung des Menschen in einer scheinbar gesicherten Wirklichkeit durch die Macht des Dunklen und Irrealen noch unheimlicher hervortreten. S. E.

Ausgaben: Stg. 1842 (in Cottasches Morgenblatt, Nr. 96–111). – Stg. 1879 (in *GS*, Hg. L. L. Schücking, 3 Bde., 2). – Dortmund 1925, Hg. K. Schulte-Kemminghausen [m. Vorarbeiten]. – Mchn. 1925 (in *SW*, Hg. K. Schulte-Kemminghausen, 4 Bde., 1925–1930, 3). – Mchn. 1955 (in *SW*, Hg. C. Heselhaus; ern. 1966). – Münster 1961.

Literatur: H. Schulte, *A. v. D.-H. u. ihre Novelle »Die Judenbuche«*, Diss. Marburg 1924. – E. Wolf, *Vom Wesen des Rechts in deutscher Dichtung*, Ffm. 1946. – W. Gausewitz, *Gattungstradition u. Neugestaltung: A. v. D.-H.s »Judenbuche«* (in MDU, 40, 1948, S. 314–320). – L. Hoffmann, *Die Erzählkunst der Droste in der »Judenbuche«*, Diss. Münster 1948. – R. Hauschild, *Die Herkunft u. Textgestaltung der hebräischen Inschrift in der »Judenbuche« der A. v.*

D.-H. (in Euph, 46, 1952, S. 85–99). – B. v. Wiese, *Die deutsche Novelle von Goethe bis Kafka*, Düsseldorf 1956, S. 154–175. – L. H. C. Thomas, »*Die Judenbuche*« *by A. v. D.-H.* (in MLR, 54, 1959, S. 56–65). – J. Klein, *Der Ansatz zum modernen Realismus: A. v. D.-H.*, »*Die Judenbuche*« (in J. K., *Geschichte der deutschen Novelle von Goethe bis zur Gegenwart*, Wiesbaden 1960, S. 197–201). – F. Kleinwächter, »*Die Judenbuche*«, *von der lebendigen Gegenwart einer historischen Novelle* (in Germania Judaica, 1963, Nr. 3/4, S. 18–20). – L. W. Tusken, *A. v. D.-H.'s* »*Die Judenbuche*«. *A New Study of His Background*, Diss. Univ. of Colorado 1966 (vgl. Diss. Abstracts, 27, 1966/67, S. 1066 A).

MARIE VON EBNER-ESCHENBACH
(1830–1916)

DAS GEMEINDEKIND. Roman von Marie von Ebner-Eschenbach (1830–1916), erschienen 1887. – In diesem sozialkritischen Roman, dem man die Worte der Autorin voranstellen könnte: »*Es gäbe keine soziale Frage, wenn die Reichen von jeher Menschenfreunde gewesen wären*«, wird das Schicksal zweier Kinder erzählt, deren Vater wegen Mordes gehenkt worden ist und deren Mutter eine zehnjährige Haft im Zuchthaus verbüßen muß. Während das hübsche Mädchen Milada das Mitleid einer Gutsbesitzerin erregt und auf deren Kosten in einer städtischen Klosterschule erzogen wird, fällt ihr Bruder Pavel der Gemeinde des mährischen Dorfes zur Last, die nur widerwillig ihrer Pflicht nachkommt. Den schlechten Ruf seiner Eltern läßt man ihn so spürbar fühlen, daß er immer mehr verstockt und schließlich das Musterbeispiel eines schwer erziehbaren Jungen wird, der die Schule schwänzt, sich herumprügelt und sogar stiehlt. So ist es nicht verwunderlich, daß auf ihn Verdacht fällt, als er dem Bürgermeister eine Medizin bringt, an der dieser wenig später stirbt, und er bald als »*Giftmischer*« verschrien ist. Dieser Schimpfname bleibt ihm, obwohl sich später seine Unschuld erweist. Als sich die Geschwister nach Jahren wiedersehen, ist Milada erschüttert über die Verwahrlosung ihres Bruders. Ihrem Einfluß ist es zu danken, daß sich nun in Pavel langsam ein Wandel vollzieht: er beginnt fleißig zu lernen, sucht sich in der Gemeinde nützlich zu machen, weicht allen Prügeleien aus und bezwingt seinen Menschenhaß, obwohl er auch weiterhin beschimpft und verspottet wird. Unbeirrbare Rechtschaffenheit, die einmal auch die Achtung seiner Mitmenschen finden wird, ist der Sinn seines Lebens geworden. Sein Charakter hat sich gefestigt, und er hat seinen Platz im Dorfe und im Leben gefunden, an der Seite seiner Mutter, die er nach der Verbüßung ihrer Zuchthausstrafe trotz aller bösen Nachrede bei sich aufnimmt.

Der Roman, den man zu den gelungensten Arbeiten der Autorin zählt, will zeigen, daß ein junger Mensch, auch wenn er auf Grund seiner Herkunft und seiner sozial unterdrückten Stellung zu völliger Verwahrlosung, ja Kriminalität verurteilt scheint, sich vor dem Untergang bewahren kann, wenn er dem Appell an sein besseres Ich folgt und sich den Kräften der Selbsterziehung anvertraut. Die Realistin Ebner-Eschenbach wendet sich damit gegen die Milieutheorie des Naturalismus und gegen deterministische Vererbungstheorien. B. B.

Ausgaben: Bln. 1887, 2 Bde. – Bln. 1920 (in *SW*, 6 Bde., 2). – Lpzg. 1928 (in *SW*, 12 Bde., 1). Mchn. 1956, Hg. J. Klein. – Mchn. 1961 (in *GW*, Hg. E. Gross, 9 Bde., 6). – Wien 1964 (in *AW*, 3 Bde., 1; Vorw. K. Eigl).

Literatur: K. Offergeld, *M. v. E.-E. Untersuchungen über ihre Erzählungstechnik*, Diss. Münster 1917. – H. A. Koller, *Studien zu M. v. E.-E.*, Diss. Zürich 1920. – S. Sahánek, *Das tschechische Dorf bei M. v. E.-E.* (in Xenia Pragensia, 1929). – E. Fischer, *Die Soziologie Mährens in der zweiten Hälfte des 19. Jh.s als Hintergrund der Werke M. v. E.-E.s*, Lpzg. 1939.

THEODOR FONTANE
(1819–1898)

EFFI BRIEST. Roman von Theodor Fontane (1819–1898), begonnen 1890, in zwei Teilen erschienen 1894/95 in der ›Deutschen Rundschau‹. – Die Fabel des Romans geht auf eine Begebenheit zurück, die sich im Bekanntenkreis Fontanes zugetragen hatte. Den eigentlichen Anstoß zur Ausführung gab jedoch erst die Begegnung mit einem jungen Mädchen in einem »*Hänger, blau und weiß gestreifter Kattun und Matrosenkragen*«. »*Ich glaube, daß ich für meine Heldin keine bessere Erscheinung und Einkleidung finden konnte*«, sagt der Autor in einem Brief an den Verleger Hans Hertz, und so schildert er Effi in den ersten und letzten Kapiteln seines Romans.

Im Hause des Ritterschaftsrats von Briest auf Hohen-Cremmen hält ein Jugendfreund Frau von Briests, Baron von Innstetten, um die Hand der Tochter des Hauses an. Die Stellung Innstettens – er ist Landrat des Kreises Kessin in Hinterpommern –, seine vielversprechende berufliche Zukunft, sein Ruf als »*Mann von Charakter ... und guten Sitten*« machen eine Verbindung wünschenswert, und so folgt die siebzehnjährige und noch kindliche Effi dem mehr als zwanzig Jahre Älteren in sein Kessiner Haus, ohne eine rechte Vorstellung von der Ehe zu haben, ja ohne den zeremoniellsteifen Innstetten eigentlich zu lieben. Nachdem das Ungewohnte der neuen Umgebung zunächst anregend auf Effi gewirkt hat, beginnt sie bald, von ihrem Mann oft allein gelassen, sich in dem gesellschaftlich unergiebigen Kessin zu langweilen. Ihr wird schmerzlich bewußt, was ihr in ihrer Ehe fehlt: »*Huldigung, Anregungen, kleine Aufmerksamkeiten*«, denn »*Innstetten war lieb und gut, aber ein Liebhaber war er nicht*«. Zudem wird sie durch merkwürdige Spukgeräusche und -erscheinungen geängstigt, ohne bei ihrem Mann Verständnis und Trost zu finden. Die Geburt einer Tochter läßt Effi reifer und fraulicher werden; aber auch das Kind kann sie aus ihrer inneren Vereinsamung nicht befreien. Allmählich und fast gegen ihren Willen entwickelt sich eine Liebesbeziehung zwischen ihr und dem neuen Bezirkskommandanten Crampas, einem erfahrenen, leichtsinnigen »*Damenmann*«, dem »*alle Gesetzmäßigkeiten ... langweilig*« sind. Das Verhältnis bleibt jedoch ohne Leidenschaft, das Verbotene und Heimliche ihres Tuns ist Effis offener Natur zuwider. So begrüßt sie es als Erlösung, daß Innstetten nach Berlin versetzt wird und die Beziehung zu Crampas damit ein unauffälliges Ende findet. Das Ehepaar verlebt ruhige und harmonische Jahre in Berlin, da findet Innstetten eines Tages während der Abwesenheit seiner

Frau die Briefe, die Crampas in Kessin an Effi geschrieben hat. Er fühlt sich tief in seiner Ehre verletzt, und wenn auch keinerlei Gefühl von Haß oder Rachsucht in ihm aufkommt, sieht er doch keinen anderen Weg zur Wiederherstellung seines Ansehens vor sich selbst und der Welt, als Crampas zum Duell zu fordern. Crampas fällt. Obwohl Innstetten sich der Fragwürdigkeit des geltenden Ehrbegriffes bewußt ist, obwohl er erkennt, daß *»alles einer Vorstellung, einem Begriff zuliebe«* geschehen ist, *»eine gemachte Geschichte, halbe Komödie«* war, kann er sich doch über die Gebote der Gesellschaft nicht hinwegsetzen: *»Und diese Komödie muß ich nun fortsetzen und muß Effi wegschicken und sie ruinieren, und mich mit ...«* Er läßt sich von seiner Frau scheiden; das Kind bleibt bei ihm. Da Effis Eltern ihr aus gesellschaftlichen Rücksichten die Zuflucht in Hohen-Cremmen verweigern, lebt sie fortan zusammen mit dem Kindermädchen ihrer Tochter Annie in einer bescheidenen Berliner Wohnung. Dort findet auf ihr wiederholtes Bitten ein Wiedersehen mit der nun zehnjährigen Annie statt. Aber die Begegnung ist schmerzlich und bitter: das Kind ist der Mutter entfremdet und verhält sich, offensichtlich vom Vater dazu angehalten, abweisend. Nach diesem Besuch bricht Effi, die schon lange kränkelt, zusammen. Auf Vermittlung ihres Arztes holen die Eltern die Todkranke endlich heim. Dort klingt ihr Leben in ruhigem Frieden aus: sie versöhnt sich innerlich mit ihrem Mann und gesteht ihm zu, *»daß er in allem recht gehandelt ... Denn er hatte viel Gutes in seiner Natur und war so edel, wie jemand sein kann, der ohne rechte Liebe ist.«* Dem vereinsamten, freudlos dahinlebenden Innstetten aber bleibt nur das Bewußtsein, *»daß es ein Glück gebe, daß er es gehabt, aber daß er es nicht mehr habe und nicht mehr haben könne«*.

Fontane geht es in seinem Roman nicht um eine Anklage, weder gegen eine der Personen noch gegen die Gesellschaft. Die Frage der Schuld bleibt offen, das Geschick Effis und Innstettens ist durch die Charaktere und Verhältnisse determiniert. Sowenig sich Effi in ihrer seelischen Isolierung dem Verhängnis entziehen kann, sowenig ist es dem korrekten, prinzipientreuen Innstetten möglich, anders als nach den Normen der Gesellschaftsordnung zu handeln. Und schließlich mündet alles Suchen nach einer Schuld in die Frage Frau von Briests: *»... ob sie nicht doch vielleicht zu jung war?«*

Fontane erzählt die Geschichte Effi Briests fast im Plauderton, ohne Pathos und mit liebenswürdiger Ironie. Der Dialog ist mit naturalistischer Lebensnähe und zugleich Lebenswärme geführt; wie in kaum einem andern Werk Fontanes *»entwickelt und entscheidet er, was geschieht«* (F. Martini), und doch zeichnet auch ihn aus, was für den ganzen Roman und die Erzählweise Fontanes überhaupt gilt: das, was in den Redenden und Handelnden vorgeht, was sich entwickelt und was entschieden wird, ist nicht eigentlich Gegenstand des Gesprochenen oder Erzählten, sondern deutet sich in ihm nur an; so auch die für die Romanhandlung bestimmenden Beziehungen zwischen Effi und Crampas: Effis lange, einsame Spaziergänge, ihr verändertes Wesen und Aussehen – viel mehr erfährt der Leser nicht. Und doch geht gerade von solchen Passagen eine überaus starke Wirkung aus. Sie machen das traumhafte, fast unbewußte Hineingleiten Effis in ihr Schicksal erst ganz begreiflich.

KLL

AUSGABEN: Bln. 1894/95 (in DRs, Bd. 81 u. 82). – Bln. 1895. – Bln. 1927 [Ill. M. Liebermann]. – Mchn. 1959 (in *SW*, Hg. E. Gross u. K. Schreinert, 1959ff., Bd. 7). – Mchn. 1963 (in *SW*, Hg. W. Keitel, Abt. 1, Bd. 4). – Zürich 1964 [Nachw. M. Rychner].

VERFILMUNGEN: *Der Schritt vom Wege*, Deutschland 1939 (Regie: G. Gründgens). – *Rosen im Herbst*, Deutschland 1956 (Regie: R. Jugert).

LITERATUR: F. Landshoff, *Th. F.s »Effi Briest«. Die Kunstform eines Romans*, Diss. Ffm. 1924. – M. Bonwit, *Effi Briest und ihre Vorgängerinnen Emma Bovary und Nora Helmer* (in MDU, 40, 1948, S. 445–456). – H. Barnasch, *Zur Analyse der Komposition: »Effi Briest«* (in Du, 1953, S. 643 bis 649). – T. E. Carter, *A ›Leitmotiv‹ in F.'s »Effi Briest«* (in GLL, N. S., 10, 1956/57, S. 38–42). – J. P. M. Stern, *»Effi Briest«; »Madame Bovary«; »Anna Karenina«* (in MLR, 52, 1957, S. 363–375). – E. Heinkel, *Epische Literatur im Film. Eine Untersuchung im besonderen Hinblick auf die doppelte Filmfassung von Th. F.s »Effi Briest«*, Diss. Mchn. 1958. – M. E. Gilbert, *F.s »Effi Briest«* (in Du, 11, 1959, S. 63–75). – F. K. Schneider, *The Concept of Realism in the Novel. A Re-examination*, Diss. Washington 1959 (vgl. Diss. Abstracts, 20, 1959/60, S. 2785/86). – P. Meyer, *Die Struktur der dichterischen Wirklichkeit in F.s »Effi Briest«*, Diss. Mchn. 1961. – J. Schillemeit, *Th. F., Geist und Kunst seines Alterswerkes*, Zürich 1961. – H. Roch, *F., Bln. und das 19. Jh.*, Bln. 1962. – L. R. Furst, *»Madame Bovary« and »Effi Briest«. An Essay in Comparison* (in RJb, 12, 1963, S. 124–135). – P. Demetz, *Formen des Realismus: T. F.*, Mchn. 1964.

FRAU JENNY TREIBEL ODER »WO SICH HERZ ZUM HERZEN FIND'T«. Roman aus der Berliner Gesellschaft von Theodor FONTANE (1819 bis 1898), erschienen 1892. – Das Buch, das als der witzigste Roman Fontanes gilt, soll nach den Worten des Autors *»das Hohle, Phrasenhafte, Lügnerische des Bourgeoisstandpunktes ... zeigen, der von Schiller spricht und Gerson meint«* (Brief an den Sohn Theo, 9. 5. 1888). Exponentin dieses Standpunkts ist die Berliner Kommerzienrätin Jenny Treibel, in die Köpenicker Straße aufgestiegene Tochter eines Kolonialwarenhändlers aus der Adlerstraße, die *»fürs Romantische, Ideale, Poetische, Ästhetische, Ethische und Etepetetische«* schwärmt (P. Schlenther), ohne dabei jedoch zu vergessen, daß materielle Sicherheit der einzige ernstzunehmende Wertmaßstab ist. Sie lädt Corinna, die Tochter ihres Jugendfreundes, des jetzigen Professors Willibald Schmidt, zu einem Diner ein. Dort entfaltet die intelligente und geistreiche Corinna ihren ganzen Charme und Witz, zum Entzücken des jungen Engländers Mr. Nelson, der Ehrengast des Abends ist. Tatsächlich aber brennt sie dieses Feuerwerk nur ab, um Leopold Treibel, den jüngeren Sohn der Gastgeber, für sich einzunehmen, wie ihr Vetter Marcell Wedderkopp, der sie liebt, mit schmerzlicher Eifersucht beobachtet. Auf dem Heimweg gibt sie Marcell zu verstehen, daß sie entschlossen ist, den ihr geistig und an Vitalität weit unterlegenen Leopold zu heiraten, um sich damit eine bessere gesellschaftliche Position zu erobern.

Auf einem Ausflug nach Halensee findet sich einige Tage später die Gesellschaft wieder zusammen. Jenny, am Arm Willibald Schmidts promenierend, gedenkt mit Tränen in Aug' und Stimme der vergangenen Zeiten und beteuert, daß sie *»in einfacheren Verhältnissen und als Gattin eines in der Welt der Ideen und vor allem auch des Idealen stehenden Mannes wahrscheinlich glücklicher geworden wäre«* – ganz im Sinne des Gedichts, das ihr Willibald einst widmete und in dem er nur dort wahres Leben sah, *»wo sich Herz zu Herzen find't«*. Währenddessen entlockt Corinna Leopold geschickt ein Liebesgeständnis und verlobt sich mit ihm. Frau Jenny ist außer sich. Sie *»vergißt ihr Sprüchlein von den Herzen, die sich finden, und wird praktisch«* (P. Schlenther). Ihr heftiger Widerstand richtet sich weniger gegen die Person Corinnas als gegen die Tatsache ihrer Mittellosigkeit. Zwar versucht der alte Treibel, *»der ein guter und auch ganz kluger Kerl«* ist, seiner Frau das Empörende und Überhebliche ihres Standpunktes klarzumachen, aber dann siegt doch der Bourgeois in ihm: *»Wenn sie am Ende doch recht hat?«* Nun erscheint Jenny eine von ihr bis dahin weit von sich gewiesene Verlobung ihres Sohnes mit Hildegard Munk, der Schwester ihrer Schwiegertochter Helene, immer noch wünschenswerter als eine Verbindung mit Corinna, denn Hildegard entstammt immerhin der Familie eines wohlhabenden Hamburger Holzhändlers. Leopold, der Corinna aufrichtig liebt, beteuert ihr in täglichen Briefen zwar stets aufs neue seine Entschlossenheit, sich gegen die Mutter durchzusetzen, doch ist er zu weich und energielos, um dem Entschluß die Tat folgen zu lassen. Corinna, tief gelangweilt und sich allmählich über die Beweggründe der Kommerzienrätin – die auch beinahe ihr eigenes Handeln bestimmt hätten – klar werdend, gibt Leopold frei und heiratet Marcell, der als Archäologe und zukünftiger Professor ihrer eigenen Welt angehört. Auf der Hochzeit finden sich die beiden Familien Treibel und Schmidt wieder in alter Freundschaft vereint, denn man will *»vergeben und vergessen, hüben und drüben«*, die Räson, die *»Spielregel«*, nach der die bürgerliche Gesellschaft lebt (L. Mackensen), hat gesiegt.

Frau Jenny Treibel »steht unter Fontanes Romanen durchaus auf eigener Linie. Man könnte sagen: es ist das berlinischste unter allen seinen Werken. Denn in keinem andern prägt sich der Berliner Witz in seiner kennzeichnenden Verbindung von Gutmütigkeit und Spottsucht so deutlich aus wie hier« (L. Mackensen), vor allem auch in den vielen Gesprächen, zu denen der Autor seine Personen immer wieder zusammenführt. Mehr andeutend als ausführend, geben die Dialoge dennoch ein klares und umfassendes Bild der Sprechenden und der Welt, in der sie leben. Sie ist auch Fontanes eigener Lebenskreis, und so spricht aus Willibald Schmidts ironischer Ablehnung des bourgeoisen Protzentums der Autor selbst, tragen Frau Jenny und Corinna Züge der Schwester und der Tochter Fontanes. KLL

AUSGABEN: Bln. 1892 (in DRs, Bd. 70 u. 71). – Bln. 1893. – Gütersloh 1950 [Nachw. L. Mackensen]. – Mchn. 1959 (in *SW*, Hg. E. Gross u. K. Schreinert, 1959ff., Bd. 7). – Mchn. 1963 (in *SW*, Hg. W. Keitel, Abt. 1, Bd. 4).

LITERATUR: M. E. Gilbert, *Das Gespräch in F.s Gesellschaftsromanen*, Lpzg. 1930. – E. Croner, *F.s Frauengestalten*, Langensalza ²1931. – A. Robinson, *Problems of Love and Marriage in F.'s Novels* (in GLL, 5, 1951/52, S. 279–285). – Th. L. Lowe, *The Problems of Love and Marriage in the Novels of Th. F.*, Diss. Univ. of Pennsylvania 1955 (vgl. Diss. Abstracts, 15, 1955/56, S. 1855). – J. Schillemeit, *T. F. Geist und Kunst seines Alterswerkes*, Zürich 1961.

IRRUNGEN WIRRUNGEN. Roman von Theodor FONTANE (1819–1898), erschienen 1888. – In einem kleinen Häuschen, das zu der nahe Wilmersdorf gelegenen Dörrschen Gärtnerei gehört, leben um die Mitte der siebziger Jahre des 19. Jh.s die alte Waschfrau Nimptsch und ihre Pflegetochter Lene, freundschaftlich verbunden mit dem Ehepaar Dörr. Mittelpunkt dieses kleinen Kreises wird für einen kurzen Sommer der junge Baron Botho von Rienäcker, der Lene in aufrichtiger Liebe zugetan ist. Beide wissen jedoch, daß ihre Verbindung nicht von Dauer sein kann, daß die Gesellschaft und ihre Ordnung stärker sein werden. Mit diesem Wissen – vor allem Lene, die stärkere und klarere, gibt sich keiner auch nur vorübergehenden Täuschung hin leben sie ganz ihrem gegenwärtigen Glück, dessen Höhepunkt, eine Landpartie spreeaufwärts nach »Hankels Ablage«, auch gleichzeitig die unumgängliche Trennung näherbringt. Das glückliche Zusammensein wird durch die »Gesellschaft« jäh gestört: Drei Kameraden Bothos treffen mit ihren »Damen« ein. Lene wird nun in die Rolle eines »Standesverhältnisses« gedrängt, und es gelingt beiden Liebenden nicht, ihre Beziehung vor der gesellschaftlichen Normierung zu bewahren. Kurz darauf wird Botho auf seine Familienpflichten hingewiesen: sein Gut durch die Heirat mit einer reichen Kusine zu sanieren. Botho ist wie Lene im Innersten davon überzeugt, daß er nicht gegen die bestehende Gesellschaftsordnung leben kann. *»Ordnung ist doch das Beste, die Grundbedingung, auf der Staat und Familie beruhen, wer dauernd dagegen verstößt, geht zugrunde.«* Die Trennung ist da. Botho heiratet seine lustige und oberflächliche Kusine und führt mit ihr eine nicht einmal unglückliche, konventionelle Ehe. Auch Lenes Weg führt einige Jahre später in die Ehe mit einem Laienprediger, einem älteren und ehrenhaften Mann, dessen Neigung stark genug ist, das Vergangene, das ihm Lene gestanden hat, zu überwinden. So sind Botho und Lene, ganz ohne Aufhebens, in ihre Ordnung zurückgekehrt; doch das leichthin von Bothos Freund Pitt gesprochene Wort – *»es tut weh, und ein Stückchen Leben bleibt daran hängen. Aber das Hauptstück ist doch wieder heraus, wieder frei«* – trifft für sie nicht zu. Das Glück ihrer kurzen Liebe ist ihnen unvergeßlich, aber auch der Schmerz der Trennung bleibt allgegenwärtig. Das Leben geht weiter, aber alles ist ohne Glanz, das »Hauptstück« ist »hängengeblieben«.

Die Erzählung stieß auf heftige Ablehnung bei der Leserschaft. Sie nahm Anstoß an der unbefangenen Darstellung des Liebesverhältnisses zwischen einem Adligen und einer kleinen Plätterin, deren Gefühle der Dichter auch noch *»einfach, wahr und natürlich«* nannte und damit auf eine Wertstufe hob, die ihnen nach der herrschenden Moral nicht zustand. Daß sich Fontanes Gesellschaftskritik, wie in allen seinen Werken, auch hier hinter der scheinbaren Anerkennung der bestehenden Standeshierarchie verbirgt, darf nicht darüber hinwegtäuschen, daß diese Kritik gleichwohl vorhanden ist. Sie richtet sich gegen einen Sittenkodex, der zwei Menschen, die sich in tiefer Neigung gefunden haben, zwingt, ihr Glück gesellschaftlichen Vorurteilen zu opfern. Das Thema der unstandesgemäßen Liebe hat Fontane wenig später in *Stine* (1888) noch einmal ungleich bitterer und tragisch gestaltet. In *Irrungen Wirrungen* aber ist alles auf Nüchternheit und Klarheit gestimmt, alle Bewegung bleibt unter der Oberfläche, und alles Leid wird Resignation, die jedoch nichts von der Heiterkeit hat, die man ihr bei Fontane gern zuschreibt. KLL

AUSGABEN: Lpzg. 1888. - Mchn. 1959 (in *SW*, Hg. E. Groß u. K. Schreinert, 1959ff., Bd. 3). - Mchn. 1962 (in *SW*, Hg. W. Keitel, 1962ff., Abt. I, 2).

LITERATUR: O. Pniower, *»Irrungen, Wirrungen«* (in O. P., *Dichtungen u. Dichter*, Bln. 1912, S. 332 bis 336). - S. Resinkow, *Das Gesellschaftsbild im Romanwerk F.s*, Diss. Madison 1942. - H. J. M. Lange, *Die gesellschaftlichen Beziehungen in den Romanen Th. F.s*, Diss. Halle 1950. - M. Schmitz, *Die Milieudarstellung in den Romanen aus F.s reifer Zeit*, Diss. Bonn 1950. - G. Lukács, *Der alte F.* (in G. L., *Deutsche Realisten des 19. Jh.s*, Bln. 1952, S. 262-307). - M. Zerner, *Zur Technik von F.s »Irrungen, Wirrungen«* (in MDU, 45, 1953, S. 25 bis 34). - H. Oelschläger, *Th. F. Sein Weg zum Berliner Gesellschaftsroman*, Diss. Marburg 1954. - Th. L. Lowe, *The Problems of Love and Marriage in the Novels of Th. F.*, Diss. Univ. of Pennsylvania 1955 (vgl. Diss. Abstracts, 15, 1955/56, S. 1855). - G. Friedrich, *Die Frage nach dem Glück in F.s »Irrungen, Wirrungen«* (in Der Deutschunterricht, 11, 1959, H. 4, S. 76-87). - W. Müller-Seidel, *Gesellschaft u. Menschlichkeit im Roman Th. F.s* (in Heidelberger Jahrbücher, 4, 1960, S. 108-127). - J. Schillemeit, *Th. F. Geist u. Kunst seines Alterswerkes*, Zürich 1961, S. 22-46. - W. Killy, *Abschied vom Jahrhundert. F.s »Irrungen, Wirrungen«* (in W. K., *Wirklichkeit u. Kunstcharakter*, Mchn. 1963, S. 193-211). - P. Demetz, *Formen des Realismus: Th. F.*, Mchn. 1964.

SCHACH VON WUTHENOW. Erzählung aus der Zeit des Regiments Gensdarmes von Theodor FONTANE (1819-1898), erschienen 1882 in der ›Vossischen Zeitung‹, in Buchform 1883. - Privates und Gesellschaftliches sind in dem frühen Werk Fontanes, dem *»einsamen Gipfel der deutschen historischen Erzählung«* (G. Lukács), eng aufeinander bezogen. Fontane greift auf Geschehnisse des Jahres 1806, der Zeit vor der Jenaer Schlacht, und auf ein eher privates Ereignis aus dem Jahr 1815 zurück, um die Gesellschaft Berlins vor dem Untergang Preußens - durchaus stellvertretend für die zeitgenössische Gesellschaft - kritisch darzustellen. Er verknüpft die Vorgänge um das Verhältnis des altadligen Preußen Schach zu der blatternarbigen früheren Schönheit Victoire von Carayon mit den öffentlich-politischen Geschehnissen um das preußische Eliteregiment Gensdarmes, das nach der Schlacht bei Jena aufgelöst wurde.
Die Offiziere des Regiments, unter ihnen Schach als *»einer der Besten«*, treffen im Salon der Mutter Victoires und beim Prinzen Louis Ferdinand mit dem Zeitkritiker und Napoleonverehrer von Bülow zusammen und werden von ihm, der mit seinem Verleger *»die politische Meinung der Hauptstadt ... terrorisierte«*, in Debatten verwickelt. Zentrale Ereignisse der öffentlichen wie privaten Sphäre bestätigen die scharfsinnige Kritik Bülows. In einer Diskussion um das Lutherdrama *Weihe der Kraft* von Zacharias WERNER, das 1806 in Berlin uraufgeführt wurde, entwickelt er im Widerspruch zu der religiös erstarrten und naiven Ablehnung des »Bühnenluther« durch die Offiziere seine politischen Theorien, die auf eine Parallelisierung der »Episode Luther« mit der »Episode Preußen« hinauslaufen. Anläßlich dieser Aufführung veranstalten die Offiziere trotz Schachs Einspruch eine »Maskerade« in Theaterkostümen, mit der sie parodistisch das Drama Werners - wie Schach erkennt, aber auch dessen Zentralgestalt als »Mummenschanz-Luther« - bloßstellen. Hinter dem *»widerlichen Spiel«*, das nur aus der Sicht Victoires geschildert wird, steht die Überzeugung der Offiziere, *»daß das neuerdings von seiner früheren Höhe herabgestiegene Regiment eine Art patriotischer Pflicht habe, sich mal wieder ›als es selbst‹ zu zeigen«*. Diese Demonstration von Selbstbewußtsein und Patriotismus, von der sich Schach bewußt distanziert, beweist durch ihre Form die Berechtigung von Bülows kritischer Theorie.
Daß Schach, unter dem Eindruck der Gedankenspielerei des Prinzen über die paradoxe *beauté du diable*, die geistvolle Victoire verführt und die Heirat solange hinauszögert, bis ihn eine Vorladung an den Hof dazu bewegt, sich den Regeln der *honnêteté* zu beugen; daß er auf der Heimfahrt von der Hochzeit Selbstmord begeht, nachdem ihm durch Karikaturen und Schmähschriften die gesellschaftliche Problematik dieser Ehe bewußt wurde, bestätigt Bülows These von der *»falschen Ehre«* Preußens. Als deren Symptom diagnostiziert und verurteilt Bülow den »Fall Schach« in seinem Brief vor Ende der Erzählung. Seine Perspektive wird ergänzt in dem abschließenden Brief der Victoire, die aus einer religiös-romantisierenden Stimmung heraus Schachs Verhalten ganz individuell zu deuten versucht. Ähnlich wie ihre sentimental gefärbten Aussagen werden diejenigen Bülows - wie auch die der Mehrzahl der anderen Figuren - durch pointierte Erzählerkommentare relativiert: *»Wider Wissen und Willen war er [Bülow] ein Kind seiner Zeit und romantisierte.«*
Fontanes Gesellschaftskritik erfolgt nicht nur im Medium des Bülowschen Geistes, sondern ist auch, indirekter und allgemeiner, im Erzählvorgang insgesamt wirksam, in Gesprächssituationen, Gruppierungen der Figuren und der distanzierten Darstellung ihrer Denkweise. In intellektuell und redensartlich feinst nuancierten Diskussions- und Konversationsszenen, die erstmals im Werk Fontanes in diesem Umfang erscheinen, beleuchtet er aus verschiedenen Perspektiven die zentralen Themen von Ehre und Schönheit und läßt die Figuren die Ereignisse reich facettiert kommentieren. Zusätzlich motiviert der Autor das punktuell dargestellte Handeln der Zentralfigur aus sowohl individuell-psychologischer wie gesellschaftlicher Sicht. Schach ist einerseits der scheinhaften Gesellschaft überlegen. In einem zentralen Gespräch begeistert er sich für die absolut bindenden Gelübde der längst untergegangenen Tempelherren. Andererseits verdeutlicht sein fluchtartiger Besuch auf dem Landgut, mit dem Fontane einen psychologischen Vorgang szenisch umsetzt, Schachs Unfähigkeit, selbständig zu einer von den gesellschaftlichen Normen gelösten eigenen kritischen Position zu gelangen. *»Die Rücksicht auf den Schein«*, die laut Schach dem Prinzen fehlt, wird zum verbindlichen Maßstab seines Verhaltens. Er geht, dem königlichen Gebot folgend, seine Schein-Ehe in dem Bewußtsein ein, sie nicht leben zu wollen. Das von der Gesellschaft anerkannte konsequente Schein-Dasein mündet in die konsequente Negation der Existenz in seinem Selbstmord. Dieser vom Leser

zu erschließende Zusammenhang offenbart die Problematik der Figur, die durch die widersprüchlichen Briefe am Ende der Erzählung noch einmal betont wird.
Durch den Rückzug in das von einem komischen Dialog zwischen Kutscher und Groom überspielte Pathos seines Endes lehnt sich Schach in einem vereinzelten »Protest« gegen die gesellschaftliche Bestimmtheit seines Lebens auf und tritt der Kritik des theoretisierenden Bülow aktiv gegenüber. Zugleich wird dieser Kritiker durch Schachs Tod, der keineswegs als »tragisch« zu verstehen ist, auch bestätigt. Daß Schachs und Bülows gegensätzliche Reaktionen auf die gesellschaftlichen Zustände sich ergänzen und aufeinander bezogen sind, führt zu der für Fontane charakteristischen Offenheit der Erzählung. U. Di.

AUSGABEN: Bln. 1882 (in Vossische Ztg.). – Lpzg. 1883. – Lpzg. 1929 (IB, 148). – Mchn. 1959 (in *SW*, Hg. E. Gross, 6 Bde., 1959ff., Abt. 1, Bd. 2). – Mchn. 1959 (zus. m. *Graf Petöfy* u. *Ellernklipp*). – Mchn. 1962 (in *SW*, Hg. W. Keitel, 1962ff., Abt. 1, Bd. 1). – Ffm./Bln. 1966, Hg. P. P. Sagave (Dichtung u. Wirklichkeit, 23; Text u. Dokumentation).

LITERATUR: E. Behrend, *Die historische Grundlage von T. F.s Erzählung »Schach von Wuthenow«* (in DRs, 50, 1924, S. 168–182). – J. Kuczynski, *»Schach von Wuthenow« und die Wandlung der deutschen Gesellschaft um die Wende der siebziger Jahre* (in Neue dt. Literatur, 2, 1954, H. 7, S. 99–110). – B. v. Wiese, *T. F.: »Schach von Wuthenow«* (in B. v. W., *Die deutsche Novelle von Goethe bis Kafka*, Bd. 2, Düsseldorf 1962, S. 236–260). – G. Lukács, *Deutsche Literatur in zwei Jahrhunderten*, Neuwied/Bln. 1964, S. 489–491. – P. Demetz, *Formen des Realismus. T. F.*, Mchn. 1964, S. 153 bis 164. – W. Müller-Seidel, *Der Fall des »Schach von Wuthenow«* (in *T. F.s Werk in unserer Zeit*, Potsdam 1966, S. 53–66). – H.-H. Reuter, *F.*, 2 Bde., Bln. 1967. – H. Nürnberger, *T. F. in Selbstzeugnissen u. Bilddokumenten*, Reinbek 1968 (rm, 145).

DER STECHLIN. Roman von Theodor FONTANE (1819–1898), erschienen 1897 in der Zeitschrift ›Über Land und Meer‹, in Buchform veröffentlicht 1899. – Im Entwurf eines Briefes an den Redakteur, der den Vorabdruck des in neun größere Abschnitte und 46 Kapitel gegliederten Romans übernahm, hat Fontane selbst sein letztes, *»in artistischer Beziehung ... am weitesten über seine Epoche«* hinausragendes Werk (Thomas Mann) charakterisiert: *»Der Stoff, soweit von einem solchen die Rede sein kann – denn es ist eigentlich bloß eine Idee, die sich einkleidet – dieser Stoff wird sehr wahrscheinlich ... Ihre Zustimmung erfahren. Aber die Geschichte, das was erzählt wird. Die Mache! Zum Schluß stirbt ein Alter und zwei Junge heiraten sich; – das ist so ziemlich alles, was auf 500 Seiten geschieht. Von Verwicklungen und Lösungen, von Herzenskonflikten oder Konflikten überhaupt, von Spannungen und Überraschungen findet sich nichts. – Einerseits auf einem altmodischen märkischen Gut, andrerseits in einem neumodischen gräflichen Hause (Berlin) treffen sich verschiedene Personen und sprechen da Gott und die Welt durch. Alles Plauderei, Dialog, in dem sich die Charaktere geben, mit und in ihnen die Geschichte. Natürlich halte ich dies nicht nur für die richtige, sondern sogar die gebotene Art einen Zeitroman zu schreiben, bin mir aber gleichzeitig zu sehr bewußt, daß das große Publikum sehr anders darüber denkt und die Redaktionen (durch das Publikum gezwungen) auch«* (Briefentwurf an Adolf Hoffmann, Berlin 1897). Die Skepsis Fontanes bezüglich der Rezeption erfüllte sich zunächst weitgehend; heute jedoch hat sich gegenüber vielen Mißverständnissen allgemein die Hochschätzung des Romans behauptet, die Thomas MANN ihm bereits 1910 entgegenbrachte. *Der Stechlin* gilt als *»eines der weisesten Spiele, die mit der deutschen Sprache gespielt wurden«* (M. Rychner). Diese Aufwertung beruht auf der veränderten Einschätzung der sprachlichen Gestaltung, der den Roman durchgängig bestimmenden Gespräche und Konversationen, die die *»Handlungsarmut«* – ein *»wesentliches Darstellungselement der Fontaneschen Erzählweise«* (W. Müller-Seidel) – bedingen. Die erzählerische Abstinenz von Urteilen wie von psychologischen Motivationen, die Beschränkung auf Regiebemerkungen zur Konstellation und zum Aussehen der Figuren und die auch innerhalb der Gespräche bewußte Aussparung von privaten seelischen Vorgängen mußte zunächst beim Publikum auf Ablehnung stoßen. Der zeittypischen Kritik Conrad WANDREYS an der ganz auf szenische Darstellung gerichteten Romanform, in der die Schilderung oft durch mehrfache Figurenkommentare zum gleichen Geschehen gebrochen wird, widersprach jedoch bereits Thomas Mann: Statt des angeblichen *»Versagens der Gestaltungskraft«*, der Verselbständigung der Fontaneschen Gesprächstechnik, welche die *»Menschenwelt des Stechlin nebulos«* erscheinen lassen (Wandrey), sieht Mann durch die *»Verflüchtigung des Stofflichen«* ein *»artistisches Spiel von Geist und Ton«* gelingen, das die *»zeleste Lebensmusik dieser Plaudereien«* ermöglicht.
In den Gesprächen und Causerien steht das Verhältnis von Alt und Neu im Vordergrund. Oft nur beiläufig und scheinbar nebensächlich werden Begriffe wie das »Revolutionäre«, »Heldische«, die »Freiheit« und die gesellschaftlichen Probleme der Zeit erörtert oder auch nur auf sie angespielt. Die Meinung, man könne daraus ein *»Fontane-Brevier«* mit *»prächtiger Spruchweisheit«* (Wandrey) zusammenstellen, verfehlt dabei den Roman ebenso wie die Versuche, im Anschluß an die in den Gesprächen entfaltete Gesellschaftskritik und den von Fontane wiederholt betonten *»politischen (!!) und natürlich auch märkischen«* Inhalt (an E. Heilborn, 12. 5. 1897) das politische Programm des Autors aus den Unterhaltungen der Figuren herauslösen zu wollen. Denn die zentrale Sprachmotivik, die auf die Sprachkritik NIETZSCHES und die Sprachskepsis in der Dichtung um 1900 verweist, stellt alle formulierten Stellungnahmen in dem Roman in Frage. Die Sentenz der Hauptfigur, des Dubslav von Stechlin, *»Wenn ich das Gegenteil gesagt hätte, wäre es ebenso richtig«*, die, im Zusammenhang mit seiner insistierenden Frage nach dem *»richtigen Wort«* und auch seiner Sammlung von Wetterfahnen gesehen, keineswegs Zeichen eines *»nihilistischen Skeptizismus«* (Lukács) ist, erweist die Geringschätzung gegenüber fixierten »Meinungen« und das Interesse an den »Gesinnungen« der Figuren. Die Wahl der Adligen als Hauptgestalten ist nicht als politische Vorentscheidung Fontanes gemeint – vielmehr läßt sich an den Angehörigen eines festgefügten, geschichtlich geprägten Standes mit einer eigenen Sprachkultur am deutlichsten die den Autor interessierende gesellschaftliche Thematik entfalten, bei der im *Stechlin* die richtige Relation von menschlichem

Sprechen in der Konversation und politischem Reden im Sinn aller Stellungnahmen zu öffentlich interessierenden Gegenständen im Vordergrund steht. In bezug auf diese Thematik erscheint die zitierte, humoristisch gemeinte Einschränkung des Gesagten durch Dubslav (und ebenso vergleichbare Äußerungen anderer Figuren) als ein Beleg der menschlichen Gesinnung, der Offenheit für fremde Meinungen und die Tendenzen der Zeit: Dubslav von Stechlins »*Selbstironie ... überhaupt hinter alles ein Fragezeichen*« zu setzen, gehört unmittelbar zu seinem »*schönsten Zug*«: einer »*tiefen, so recht aus dem Herzen kommenden Humanität*«.
Dem Junker Dubslav von Stechlin, dessen »*Weltfahrten ... immer nur zwischen Berlin und Stechlin*« lagen, entspricht in dieser Hinsicht – trotz mancher differierender Meinung – ein Angehöriger des städtischen Hochadels: der ehemalige Gesandte Graf Barby, der Schwiegervater von Stechlins Sohn Woldemar wird. Die paarweise Gegenüberstellung der Figuren wiederholt sich bei den Regimentskameraden Woldemars, dem kritisch-mokanten Czako und dem fast sektiererisch frommen Rex, die mit ihren Kommentaren aus der Sicht des Militärs einen zeitgeschichtlich wichtigen Teil der Gesellschaft repräsentieren. Ebenso sind die Töchter Barbys, Armgard, die spätere Frau Woldemars, und Melusine nebeneinandergestellt. Die Zuordnung von je zwei Figuren, die sich z. B. auch an den Dorfpolizisten und weiteren Nebenfiguren zeigt, schließt eine eindeutige Identifizierung des Autors mit einer einzelnen Gestalt aus. Jede der Figuren erscheint durch ihre gesellschaftliche Stellung konstituiert (so wird als eine der ersten Angaben zur Hauptfigur deren finanzielle Abhängigkeit von einem jüdischen Gläubiger mitgeteilt); doch kann jede an ihrem Ort ein Positivum repräsentieren, sofern sie nicht auf Prinzipien und enge Glaubenssätze festgelegt oder durch lächerliche Sprachformeln, Redeklischees und eine mechanische Wiederholung bestimmter Wendungen komisch entlarvt wird. Die Vermittlung der positiven Elemente in den verschiedenen Sprachhaltungen steht im Zentrum des Romans – und darum bemühen sich auch die überlegenen Figuren, indem sie den Zusammenprall gegensätzlicher Meinungen zu entschärfen suchen.
Unter den Figuren bildet Pastor Lorenzen in mehrfacher Hinsicht eine Ausnahme. Der von ihm vertretene christliche Sozialismus, dessen Abhängigkeit von zeitgenössischen Propagandisten dieser Richtung (Stöcker) im Roman differenzierend diskutiert wird, spiegelt Fontanes eigene politische Einstellung. Lorenzen vertritt beruflich den Glauben, den die komisch bis satirisch gezeichneten Figuren – voran sein Vorgesetzter, Superintendent Koseleger – in besonderer Erstarrung und Fragwürdigkeit repräsentieren. Einerseits Erzieher und Lehrer des jungen Stechlin – eines zukünftigen Junkers der traditionellen Führungsschicht –, unternimmt er andererseits als Vermittler des traditionsbeladenen Bibelwortes in der abgeschiedenen Pfarrei seine »*Ritte ins Bebelsche*« – wie es einmal der alte Stechlin nennt, d. h., Lorenzen propagiert trotz seiner privaten Bindung an den Adel die Ideen einer sozialistischen Zukunft.
Fontanes Interesse am vierten Stand, der im Roman nur durch Randfiguren vertreten ist, belegen viele Briefe, die eine Kritik am Adel oft unverhüllter aussprechen als der Roman. Im *Stechlin* ging es ihm auch weniger um Klassenfragen als darum, eine Möglichkeit zu suchen, wie eine individuell realisierte Menschlichkeit über die geschichtlich aufbrechenden Klassengegensätze hinweg sich glaubwürdig formulieren und vermitteln ließe. Eine ähnliche Vermittlungsabsicht deutet schon der Titel des Romans an: Der Name eines märkischen Sees – mit dem des Dubslav von Stechlin, der »*auf seinen See ... stolz*« ist, identisch – ist das erklärte »*Leitmotiv*« (an C. R. Lessing, 8. 6. 1896). Die geographisch bestätigte »*Besonderheit*« des Stechlin-Sees, den Fontane in dem 1862 erschienenen ersten Band der *Wanderungen durch die Mark Brandenburg* als »*geheimnisvoll, einem Stummen gleich, den es zu sprechen drängt*« beschreibt, beruht in der Spannung zwischen seiner abgeschiedenen Lage und den »*großen Beziehungen*«, die er »*in einer halbrätselhaften Verbindung*« zur »*großen Weltbewegung*« unterhält. Wie zu Anfang des ersten Romankapitels geschildert und in den Gesprächen wiederholt erwähnt, reagiert der Stechlin auf Vulkanausbrüche oder Erdbeben von Island bis Java mit dem Aufsteigen eines Wasserstrahles. Durch diese – inhaltlich undefinierte – Mahnung an den »*Zusammenhang der Dinge*« erfüllt der See in der Natur eine Funktion, die in Parallele zu der Aufgabe Lorenzens in dem Roman steht. Dabei beweisen die vom Erzähler hergestellten Bezüge zwischen der geschichtlich an ihre Zeit gebundenen Figur und ihrem geologischen, zeitenthoben exemplarischen Pendant, daß es sich bei Lorenzens Stellungnahme weniger um eine »Meinung« als um eine über den Moment hinausreichende »Gesinnung« handelt. Der See wird durch seine Funktion innerhalb dieser Zusammenhänge zum »*perspektivisch vermittelten*« (Ohl) Symbol in den engen Grenzen des Geschehnisraumes.
Wie zwei Ereignisse aus den dargestellten sechs Monaten preußischer Geschichte zeigen, die Fontane in seiner lakonischen Inhaltsangabe unerwähnt läßt, geschah die lokale und zeitliche Begrenzung des Romans bewußt: Während die Niederlage der Hauptfigur bei ihrer von Standesgenossen gewünschten Kandidatur zur Reichstagswahl (Stechlin unterliegt einem Sozialdemokraten) zum sozialen Panorama ausgeweitet wird, ist die militärische Mission Woldemars von Stechlin in England nur ganz kurz referiert. Fontanes »*Zeitroman*« schildert die »*große Weltbewegung*« nicht durch lokale Erweiterung des Geschehens, sondern spiegelt sie in den Gesprächen der Figuren um Dubslav von Stechlin, den Angehörigen des »*Adels, wie er bei uns sein sollte*« (an C. R. Lessing, 8. 6. 1896). Zur Vermittlung zwischen der »Welt« und dem begrenzten Geschehnisraum tragen dabei auf den verschiedenen Ebenen des gedeuteten Naturgeschehens und des notwendig am historischen Moment orientierten Programms vor allem die Mahnung des Sees und die Äußerungen des Pastor Lorenzen bei: Auf den »*Zusammenhang der Dinge*« bedacht, erörtert er in einer von Berufs- und Standesgrenzen unbeschränkten – nach eigener Aussage »*sehr menschlichen, ja für einen Pfarrer beinah lästerlichen*« – Sprache mit dem alten Stechlin und den anderen menschlich offenen Vertretern des Alten, des Adels, die Ideen einer neuen Zeit, in der – wie es am Ende des den Roman abschließenden Briefs an den Pastor heißt – »*nicht nötig (ist), daß die Stechline weiterleben, aber es lebe der Stechlin*«.

U. Di.

AUSGABEN: Stg. 1898 (in Über Land und Meer. Deutsche Illustrierte Zeitung, 79). – Bln. 1899. – Mchn. 1959 (in *SW*, Hg. E. Groß u. K. Schreinert,

1959ff., Bd. 8). – Mchn. 1966 (in *SW*, Hg. W. Keitel, 1962ff., Bd. 5). – Mchn. 1967. – Mchn. 1968 (in *Werke*, Hg. K. Schreinert, 3 Bde., 2). – Mchn. 1969 (in *Romane*; Nachw. u. Komm. F. Martini; Erl. H. Platschek).

LITERATUR: C. Wandrey, *Th. F.*, Mchn. 1919. – J. Petersen, *F.s Altersroman* (in Euph, 29, 1928, S. 1–74). – A. Rosenthal, *F. als Erzieher. Zu seinem »Stechlin«* (in Politik u. Gesellschaft, 1928, S. 43 bis 57). – E. Behrend, *Th. F.s Roman »Der Stechlin«*, Marburg 1929. – M. Rychner, *Welt im Wort. Literarische Aufsätze*, Zürich 1949, S. 256–285 (auch in *Interpretationen III. Deutsche Romane von Grimmelshausen bis Musil*, Hg. J. Schillemeit, Ffm. 1966; FiBü, 716). – D. Barlow, *Symbolism in F.'s »Der Stechlin«* (in GLL, 8, 1954/55, S. 182–191). – S. Holznagel, *Jane Austens »Persuasion« u. Th. F.s »Der Stechlin«, eine vergleichende morphologische Untersuchung*, Bonn 1956. – P. Böckmann, *Der Zeitroman F.s* (in Der Deutschunterricht, 11, 1959, S. 59–81). – Th. Mann, *Der alte F.* (in Th. M., *GW*, Bd. 9, Ffm. 1961). – H. Meyer, *Das Zitat in der Erzählkunst*, Stg. 1961, S. 155–185. – J. Schillemeit, *Th. F. Geist u. Kunst seines Alterswerkes*, Zürich 1961, S. 106–119. – R. Schäfer, *F.s Melusine-Motiv* (in Euph, 56, 1962, S. 19–104). – W. Müller-Seidel, *F. »Der Stechlin«* (in *Der deutsche Roman vom Barock bis zur Gegenwart*, Bd. 2, Düsseldorf 1963, S. 146–189). – P. Demetz, *Formen des Realismus: Th. F. Kritische Untersuchungen*, Mchn. 1964. – G. Lukács, *Der alte F.* (in G. L., *Werke*, Bd. 7, Bln./Neuwied 1964, S. 452–498). – B. Hildebrandt, *F.s Altersstil in seinem Roman »Der Stechlin«* (in GQ, 38, 1965, S. 139–156). – R. Minder, *Über eine Randfigur bei F.* (in NRs, 77, 1966, S. 402–413). – H. Nürnberger, *Th. F. in Selbstzeugnissen u. Bilddokumenten*, Reinbek 1968 (rm, 145). – H. Ohl, *Bild u. Wirklichkeit. Studien zur Romankunst Raabes u. F.s*, Heidelberg 1968. – H.-H. Reuter, *Th. F.*, 2 Bde., Bln. 1968; Mchn. 1968. – H. Strech, *Th. F.: Die Synthese von Alt und Neu. »Der Stechlin« als Summe des Gesamtwerks*, Bln 1970 (Philol. Studien u. Quellen, 54).

VOR DEM STURM. Roman aus dem Winter 1812 auf 13. Historischer Roman von Theodor FONTANE (1819–1898), erschienen 1878. – Der erste Roman Fontanes wollte den »*Sieg des Realismus*« gegen eine »*falsche Romantik*« durchsetzen. Als historischer Roman erfüllte er die Forderung des Autors, ein Leben widerzuspiegeln, »*an dessen Grenze wir selbst noch standen oder von dem uns unsere Eltern noch erzählten*«. Das *Zeit- und Sittenbild aus dem Winter 12 auf 13* – so der ursprüngliche Untertitel – sollte als »Vielheitsroman« ein Panorama der märkischen Adels-, Bürger- und Bauernwelt vor Beginn der Befreiungskriege geben. Die Absicht, »*das große Fühlen, das damals geboren wurde*« in seiner Wirkung auf »*die verschiedenartigsten Menschen*« zu schildern, bedingt den porträtierenden, additiven, episodenreichen Charakter des Werkes. Dessen lockere Fügung wird weniger durch die immer wieder retardierende Haupthandlung als durch eine Fülle von Verweisungen und beziehungstiftenden Andeutungen, durch teils parallel, teils antithetisch aufeinander bezogene Personengruppierungen zusammengehalten.

Mittelpunksfigur in dem unerschöpflichen Personal, das in volkhafter und aristokratischer Zusammensetzung die Idee des Ausgleichs repräsentiert, ist Lewin von Vitzewitz; seine Verbindung mit der Tochter eines herumziehenden Schauspielers ist der Zielpunkt der Handlung. Das Stammschloß Hohen-Vietz bildet ein Zentrum der zwar zeitlich und örtlich engbegrenzten, aber durch panoramaartige Blickführung ausgeweiteten Fabel. Das Geschichtlich-Allgemeines und Privat-Intimes einschließende Geschehen wird durch Elemente aus Milieu, Kulturgeschichte, Literatur und Ethnographie angereichert.

Die breite Schilderung der Weihnachtstage auf Gut Hohen-Vietz, zu denen der Student Lewin von Berlin aus anreist, leitet den Roman ein. In Gesprächen zwischen Lewin, einer männlich-ehrlichen Natur, und dem charakterfesten, draufgängerischen Vater Berndt von Vitzewitz werden das Schicksal Napoleons nach dem Rückzug aus Rußland und die möglichen Reaktionen Preußens (offener, vom König geführter Befreiungskampf oder versteckter Guerillakrieg) erörtert. Die Bewohner von Haus Hohen-Vietz – Renate von Vitzewitz und die herrnhuterische Tante Schorlemmer – werden ebenso wie die Vergangenheit des Hauses oder die Geschichte des Oderbruchs liebevoll breit dargestellt. Das Dorf wird mit seinen Bewohnern, darunter Schulze Kniehase, seine Pflegetochter Marie und die Botenfrau Hoppenmarieken, vorgeführt – besonders intensiv der märkische »Tendenzsammler« Pastor Seidentopf, dem ein ausführlich geschilderter Besuch des Herrenhauses und einiger Honoratioren der Gegend gilt. Nach Schloß Guse in den Kreis der dem »dix-huitième-siècle« zugetanen Gräfin Pudagla mit ihrer Verehrung für »prince Henri« führt ein anderer Ausflug. Kathinka und Tubal von Ladalinski, Tochter und Sohn eines borussisierten polnischen Aristokraten, deren eheliche Verbindung mit den Kindern des alten Vitzewitz ein Familienplan ist, treffen auf Gut Hohen-Vietz ein.

Mit einem von Lewin und Tubal glücklich abgewendeten Überfall auf Hoppenmarieken kündigt sich die beginnende Ordnungslosigkeit an. In Unterredungen des alten Vitzewitz mit Schulze Kniehase wird die Volkserhebung vorbereitet, deren Bedeutung anläßlich der Aufführung eines französischen Tell-Stücks auf Schloß Guse besprochen wird. Eine Neujahrsvisite Berndts von Vitzewitz und des Geheimrats von Ladalinski bei Prinz Ferdinand in Berlin, dem Bruder Friedrichs II., bringt noch einmal die abwartende Politik Hardenbergs und des Königs in ihrem Gegensatz zu dem selbstsicheren Landadel wie zur kampfbereiten Volksstimmung zur Sprache. Auch die Bürger Berlins politisieren, sei es im Wirtshaus, sei es bei einem Fest, das Frau Hulen, die Wirtin Lewins gibt. Die Kapitulation Yorks überrascht eine Ballgesellschaft bei den Ladalinskis.

Ganz mit Privatem ist Lewin beschäftigt: Er, der seinen Studien nachgeht und literarische Ressourcen besucht, leidet unter der unerwiderten Liebe zur phantasiereichen, aber bindungslos-subjektiven Kathinka, die schließlich mit einem polnischen Grafen nach Polen und in den »Schoß der Kirche« zurückkehrt. Lewin bricht zusammen; in dörflicher Abgeschiedenheit findet er seine Gesundheit und Festigkeit wieder. – Ähnlich unglücklich verläuft die Liebe Renates von Vitzewitz zu Tubal Ladalinski, der ihr zwar seine Neigung gesteht, aber auch von Marie angezogen wird. Überlagert und schließlich verhängnisvoll entschieden werden die privaten Verwicklungen durch den Überfall auf die französische Besatzung in Frankfurt von seiten der lebusischen Bevölkerung.

Da die russische Hilfeleistung ausbleibt und die adligen Heerführer ehrgeizig und einsichtslos handeln, geht die Kampagne für die Märker unglücklich aus. Bei den schweren Verlusten ist das Schicksal Lewins von Vitzewitz, seine Gefangennahme, verhältnismäßig erträglich, wenn auch nicht ungefährlich: Dem drohenden Tode durch Erschießen kommen die Seinen durch eine Befreiungsaktion zuvor. Tubal allerdings findet, ein Opfer der Freundschaft und eine Sühne, dabei den Tod. Lewin erkennt, daß er in Marie die »Prinzessin« gefunden hat, die nach einer alten Weissagung dem Hause Glück bringt. Renate tritt verzichtend in ein Damenstift ein.

Die Bucheinteilung der Erstausgabe, auf die der gekürzte Vorabdruck in der Zeitschrift ›Daheim‹ und fast alle späteren Ausgaben verzichten, deutet mit den Überschriften *Hohen-Vietz*, *Schloß Guse*, *Alt-Berlin*, *Wieder in Hohen-Vietz* den Wechsel der Schauplätze als äußeres Kompositionsprinzip an. Genauer erhebt Fontane, in der Absicht, die Pluralität der Gesellschaft vorzuführen, das Nebeneinander, selten auch Zueinander von »Lebenskreisen« (man hat deren acht unterschieden) zum Gesetz der epischen Entfaltung. Stand am Anfang der Konzeption die Absicht, den Roman des preußischen Freiheitshelden Schill zu schreiben, scheint dann der geplante Titel *Lewin von Vitzewitz* auf die Tradition des hergebrachten »Einheitsromans« mit einem Mittelpunktshelden zu verweisen, so zeigt die endgültige Ausführung, inwieweit Fontane – die Vorbilder Scott, Gutzkow und Alexis im Zeichen Thackerays überwindend – dem historischen Roman eine neue Dimension gewinnt, indem er nämlich Geschichte im Licht sozialer und individueller Psychologie darstellt.

Dennoch erreicht das Werk trotz des Einsatzes der technischen Mittel, die der Romancier bis zur Meisterschaft zu entwickeln wußte (Gespräch, Anekdote, Porträt), als Komposition nicht die Höhe späterer kritisch-realistischer Gesellschaftsromane. Die strukturelle, stilistische und stoffliche Nähe zu den kulturgeschichtlichen Skizzen *Wanderungen durch die Mark Brandenburg* (1862), die Verwendung abgegriffener romantisch-balladesker Elemente und eine oft zum Selbstzweck werdende Charakteranalyse beeinträchtigen die künstlerische Gesamtwirkung. Es fehlt die poetische Konzentration im Symbol, die von Fontane selbst in den Ausführungen über das »*Spiegeln aller Dinge*« beschworen ist. Insofern die geschichtsbildenden Bewegungen nur als Erfahrungen im durchschnittlichen und privaten Leben der Menschen erfaßt werden, die Schilderung den Zuständen, gerade nicht den Veränderungen gilt und im Miteinander des Großen und des Kleinen jedes Pathos – dem Romanthema entgegen – dekuvriert wird, präludiert *Vor dem Sturm* Fontanes spätere Gesellschaftsromane. G. O.

Ausgaben: Lpzg. 1878 (in Daheim, 14). – Bln. 1878, 4 Bde. – Mchn. 1957, Hg. E. Groß. – Mchn. 1959 (in *SW*, Hg. E. Groß u. K. Schreinert, 1959ff., 1. Abt., Bd. 1). – Mchn. 1962 (in *SW*, Hg. W. Keitel, 1962ff., 1. Abt., Bd. 3). – Mchn. 1969 [Tb].

Literatur: C. Wandrey, *Th. F.*, Mchn. 1919, S. 104 bis 136. – F. Walter, *Th. F.s »Vor dem Sturm« u. seine Stellung zur Romantik*, Diss. Münster 1924. – F. Behrend, *Zu F.s »Kajarnak der Grönländer«* (in Euph, 30, 1929, S. 249–254). – C. Sieper, *Der historische Roman u. die historische Novelle bei Raabe u. F.*, Weimar 1930. – E. Biehahn, *F.s »Vor dem Sturm«. Die Genesis des Romans u. seine Urbilder* (in Frankfurter Oderzeitung, 19., 23./24., 26. bis 28. 7. 1938). – A. Faure, *Eine Predigt Schleiermachers in F.s »Vor dem Sturm«* (in ZsTh, 17, 1940, S. 221–279). – Ch. Putzenius, *Th. F.s erster Roman »Vor dem Sturm« als Spiegel der Welthaltung des Dichters*, Diss. Hbg. 1947. – P. Hoffmann, *Zu Th. F.s »Vor dem Sturm«* (in ASNS, 185, 1948, S.107 bis 117). – I. Schrader, *Das Geschichtsbild F.s u. seine Bedeutung für die Maßstäbe der Zeitkritik in den Romanen*, Limburg 1950. – H. Ritscher, *F. Seine politische Gedankenwelt*, Göttingen 1953. – A. Boßhart, *Th. F.s historische Romane*, Diss. Zürich 1957. – A. Carlsson, *Preußen vor dem Sturm. Zu Th. F.s erstem Roman* (in NZZ, 30. 3. 1963). – W. Monecke, *Der historische Roman u. Th. F.* (in *Fs. für U. Pretzel*, Hg. W. Simon u. a., Bln. 1963, S. 278–288). – P. Demetz, *Formen des Realismus: Th. F. Kritische Untersuchungen*, Mchn. 1964, S. 51 bis 76. – H.-H. Reuter, *Th. F.*, Bd. 2, Bln. 1968, S. 529–601.

WANDERUNGEN DURCH DIE MARK BRANDENBURG. Reisebilder von Theodor Fontane (1819–1898), erschienen in vier Teilen 1862–1882: Tl. 1, *Die Grafschaft Ruppin* (1862; 1864 mit diesem Titel); Tl. 2, *Das Oderland* (1863); Tl. 3, *Ost-Havelland. Die Landschaft um Spandau, Potsdam, Brandenburg* (1872); Tl. 4, *Spreeland. Beeskow-Storkow und Barnim-Teltow* (1882); hinzugerechnet wird ferner der ohne den gemeinsamen Titel 1888 erschienene Band *Fünf Schlösser. Altes und Neues aus Mark Brandenburg*. – Die Bände umfassen Reisefeuilletons sowie historische Aufsätze über die Mark Brandenburg. Mit letzteren demonstrierte Fontane, im Gegensatz zu der gelehrten landeskundlichen Forschung seiner Zeit, die vielfach außerordentlich trocken vorgetragen wurde, wie selbst scheinbar spröde Stoffe für den Laien interessant und ansprechend dargeboten werden können – »*durch Kunst des Stils und Klarheit*«.

Fontane beginnt im ersten Band mit der Landschaft, aus der er stammt, dem Ruppiner See und den dort liegenden Orten, wobei die Biographien Hans Joachim von Zietens, des Husarengenerals Friedrichs II., des Großen, und des Feldmarschalls Karl Friedrich von dem Knesebeck eingebaut werden. Ein umfangreicher Abschnitt über Fontanes Geburtsstadt Neuruppin schließt sich an, in dem Örtlichkeitsbeschreibungen, Regiments- und Stadtgeschichte mit Schilderungen bekannter und unbekannter Bürger, wie Karl Friedrich Schinkels, des Gastwirts Michel Protzen oder des Predigers der Paul-Gerhardt-Zeit, Andreas Fromm, abwechseln. Eine Kapitelserie über Rheinsberg folgt mit der seltsamen, zwielichtigen Gestalt des mit seinem Bruder, Friedrich II., verfeindeten Prinzen Heinrich und seinem Hof, einem Sammelpunkt der Fronde gegen Berlin/Potsdam. In den Landschaftsschilderungen der Ruppiner Schweiz kommt Fontane zum erstenmal auf den Menzer Forst und den Stechlinsee zu sprechen, jenes Gebiet, in dem er seinen letzten Roman, *Der Stechlin*, lokalisiert. Er wird angeregt von der eigentümlichen Atmosphäre dort, ähnlich wie von Lindow, dessen Damenstift in *Vor dem Sturm* und im *Stechlin* einen Schauplatz abgibt. Den zweiten Band eröffnet er mit der Beschreibung einer Dampferfahrt, *Von Frankfurt bis Schwedt*. Das ihm durch verwandtschaftliche Beziehungen wohlbekannte Oderbruch, Schauplatz von *Unterm Birnbaum*, dessen früherer Zustand, seine Eindeichung und Kolonisation wird als nächstes behandelt; ein reizvolles Kapitel über *Freienwalde* a. O., seine Landschaft, Sage und Geschichte schließt sich an. Im Kapitel *Möglin* gedenkt Fontane des bedeutenden Landwirts Albrecht Thaer, in *Quilitz* des Staatsministers Hardenberg; im Anschluß an einen Besuch der Festung Küstrin a. O. wird eingehend über den Katte-Prozeß gehandelt und erwogen, ob »*Gesetz oder Willkür*«, »*Gerechtigkeit oder Grausamkeit*« vorwalteten. Der dritte Band beginnt mit einem großen Abschnitt über *Die Wenden und die Kolonisation der Mark durch die Zisterzienser*; es folgt die Schilderung der Spandauer und Potsdamer Gegend; über Potsdam selbst schrieb Fontane nicht, da ihm dies Thema zu häufig behandelt und zu stark vorgeprägt schien. Der Band schließt mit *Der Schwilow und seine Umgebungen*. Schilderungen des großen Sees, seiner Ufer und Ortschaften wechseln mit Darlegungen über Werderschen Obsthandel und Transportfragen sowie über die in der Umgegend angesiedelten großen Ziegeleien und ihre Fertigungsmethoden. Der vierte Band enthält eine Reihe von Wanderfahrten wie *In den Spreewald*, *Eine Pfingstfahrt in den Teltow*, das südlich von Berlin gelegene Gebiet, und die Segelfahrt von Köpenick an dem großen Waldgebiet der Dubrow vorbei nach Teupitz. Kleine Novellen (z. B. *Der Fischer von Kaniswall*) werden eingeflochten. Die östlichen Randgebiete Berlins: Köpenick, Müggelsee und Müggelberge, Friedrichsfelde und Rahnsdorf werden mit unterschiedlicher Themenstellung angegangen, *Berlin in den Tagen der Schlacht von Großbeeren* (Befreiungskriege, 1813) aufgrund eines zeitgenössischen Berichts gezeigt. In dem Band *Fünf Schlösser* wird nicht mehr »gewandert«. Fontane selbst bezeichnet im Vorwort die fünf Aufsätze – *Quitzöwel*, die Geschichte der Fronde des alteingesessenen Geschlechts der Quitzows gegen die Hohenzollern, *Plaue* und seine Vergangenheit, *Hoppenrade* und das ungewöhnliche Geschick der »Krautentochter«, *Liebenberg* und die Hertefelds, *Dreilinden*, das Jagdschloß des Prinzen Friedrich Karl – als »*historische Spezialarbeiten, Essays*« über eine »*durch fünf Jahrhunderte hin fortlaufende Geschichte von Mark Brandenburg*«.

Der Gedanke, die Mark zu bereisen und zu beschreiben, lag, angeregt durch die Reisebeschreibungen der »Jungdeutschen« in der Luft. Das »*Leib- und Magenblatt*« des jungen Fontane, der ›Berliner Figaro‹, worin seine ersten Veröffentlichungen erschienen, machte schon 1842 mit Hinweis auf den märkischen Schriftsteller Willibald Alexis einen derartigen Vorschlag. Fontane erst verwirklichte diese Idee. Schon im Tagebuch von 1856/57, als er in England journalistisch tätig war, äußert die Absicht, mit seinen Erfahrungen als Reiseberichterstatter auch die Mark zu erschließen. Dieser Plan festigte sich 1858 während der Schottland-Reise, als er während der Fahrt über den Lochleven-See eine Vision des Rheinsberger Sees hatte. Nach Deutschland zurückgekehrt, begann er die Arbeit sogleich; er unternahm eine Fahrt in den als lohnendes Reiseziel schon damals bekannten Spreewald. Freunde und Fachkundige begleiteten ihn, zahlreiche Orts- und Sachkenner unterstützten ihn mit ihrem Wissen. Er selbst nennt und würdigt im *Schlußwort* als die wichtigsten Helfer im Land die Adligen, die Lehrer und die Pfarrer. Aber der Kreis war noch größer. Er reichte vom Lübbenauer Gurkenhändler bis zum Berliner Professor. Mit den Besichtigungen und Erkundigungen an Ort und Stelle geht die Beschaffung und Benutzung einer Fülle von Quellenmaterial einher, wobei Fontane persönliche Äußerungen wie Memoiren, Briefe, Chroniken gegenüber amtlichen Akten und Urkunden bevorzugt. Die Skala der in den verschiedenen Kapiteln angeschnittenen Themen ist ungewöhnlich breit: Typische Landschaftsformen der Mark und ihre Eigenart werden ebenso vorgeführt wie die dort seit alters betriebenen Gewerbe, Fischfang, Bienenzucht und Wiesenwirtschaft; Fontane untersucht die besonderen Arbeitsbedingungen bei der Torfgewinnung im Luch und erörtert kritisch die Lebensbedingungen und Besitzverhältnisse der Bevölkerung, die Erscheinungen der Industrialisierung, des aufkommenden Frühkapitalismus und des Proletariats.

Die einzelnen Kapitel wurden zuerst als Feuilletons in verschiedenen Zeitungen und Zeitschriften veröffentlicht. Die heute vorliegende Gestalt der *Wanderungen* ist das Ergebnis eingehender Überarbeitung, Erweiterung und kritischer Auswahl. In der Erstausgabe von 1862 beschränkte sich der Inhalt des Bandes noch nicht auf eine Landschaft, der Titel lautete einfach *Wanderungen durch die Mark Brandenburg*. Erst bei der zweiten Auflage (1864) tauchte im Zusammenhang mit dem Gedanken einer Erweiterung der Sammlung das geographische Ordnungsprinzip auf. Infolge der damit notwendig gewordenen Umordnung wurde die Chronologie der Entstehung völlig verwischt. Endgültige Gestalt erreichten die Bände im wesentlichen in der »Wohlfeilen Ausgabe« von 1892, die zahlreiche Auflagen erlebte: Es scheint, daß die *Wanderungen* in den Jahren, in denen Berlin deutsche Hauptstadt geworden war, einem Wunsch nach Orientierung über »Land und Leute« entgegenkamen. Fontane geriet zeitweilig in Gefahr, als »Wanderer durch die Mark Brandenburg« festgelegt zu werden. Seine Romane fanden bis zum Durchbruch mit *Effi Briest* weit zögernder Aufnahme, ein Umstand, der sich heute zugunsten des Erzählwerks verändert hat.

Die *Wanderungen* bedeuteten für den Romanschriftsteller Fontane wichtige künstlerische Vorbereitung, zudem wurden sie für ihn ein unersetzliches, reiches Reservoir, aus dem er immer wieder für seine Erzählungen schöpfte, von kleinen Gesprächsthemen über Einzelszenen, die z. T. wörtlich übernommen wurden, bis zu den Darstellungen des märkischen Lebens in den Romanen *Vor dem Sturm*, *Effi Briest* und *Stechlin*. Sie haben aber auch ihren Eigenwert als liebevolle und zugleich kritische Darstellung der landschaftlichen, ethnischen und wirtschaftlichen Eigenart der Mark, ihres geschichtlichen Werdeganges und der besonderen Lebensbedingungen ihrer Bewohner. J. N. F.

Ausgaben: Bln. 1862–1882, 4 Tle. – Bln. 1888 *(Fünf Schlösser. Altes und Neues aus Mark Brandenburg)*. – Mchn. 1960 (in *SW*, Hg. E. Groß u. K. Schreinert, 1959ff., Abt. 2, Bd. 9–13a). – Mchn. 1966–1968 (in *SW*, Hg. W. Keitel, 1962ff., Abt. 2, Bd. 1–3). – Mchn. 1971. Hg. E. Groß u. K. Schreinert, 5 Bde.

Literatur: M. Krammer, *Th. F.s Erinnerungen an Hermann Wagener. Ein Nachtrag zu den »Wanderungen durch die Mark Brandenburg«* (in DRs, 48, 1922, S. 50–53). – A. Hahn, *Th. F.s »Wanderungen durch die Mark Brandenburg« u. ihre Bedeutung für das Romanwerk des Dichters*, Breslau 1935. – J. Fürstenau, *Th. F.s »Ländchen Friesack«* (in Brandenburg. Jahrbücher, 1938, H. 9, S. 55–62). – Dies.,

F. u. die märkische Heimat, Bln. 1941. – J. Neuendorff-Fürstenau, *Th. F. der märkische Wanderer* (in Märkische Heimat, 1, 1956, S. 5-22). – E. Howald, *F.s »Wanderungen durch die Mark Brandenburg«* (in NZZ, 19. 11. 1960; auch in E. H., *Deutsch-französisches Mosaik*, Zürich/Stg. 1962, S. 269-289). – H. Fricke, *Th. F.s »Wanderungen durch die Mark Brandenburg« als Vorstufe seiner epischen Dichtung* (in Jb. f. Brandenburgische Landesgeschichte, 13, 1962). – A. Zahn-Harnack, *Th. F. Der Dichter der Mark* (in A. Z.-H., *Schriften u. Reden*, Bln. 1964, S. 165–174). – H.-H. Reuter, *Zwischen Neuruppin u. Berlin. Zur Entstehungsgeschichte von F.s »Wanderungen durch die Mark Brandenburg«* (in Jb. der Deutschen Schiller-Gesellschaft, 9, 1965, S. 511 bis 540). – Ders., *F.*, Bd. 1, Mchn. 1968, S. 340–385. – H. Fricke, *Th. F. als Begründer erweiterter Landesgeschichte in Brandenburg* (in Jb. f. Brandenburgische Landesgeschichte, 20, 1969, S. 16–24). – W. Ribbe, *Zeitverständnis u. Geschichtsschreibung bei Th. F.* (ebd., S. 58–70).

JEREMIAS GOTTHELF
(d. i. Albert Bitzius, 1797-1854)

DER BAUERNSPIEGEL ODER LEBENSGESCHICHTE DES JEREMIAS GOTTHELF, VON IHM SELBST BESCHRIEBEN. Roman von Jeremias GOTTHELF (d. i. Albert Bitzius, 1797 bis 1854), erschienen 1837, in einer überarbeiteten Neufassung 1839. – Gotthelfs Frühwerk schildert an Hand der Biographie des armen Verdingbuben Jeremias die politischen, sozialen und sittlichen Mißstände im Berner Bauerntum in der ersten Hälfte des 19. Jh.s.

Früh erfährt der Held, der kleine Miasl, »*geboren in der Gemeinde Unverstand, in einem Jahre, welches man nicht zählte nach Christus*«, Zwietracht und Armut. Nach dem Tod des Vaters nimmt sich die Gemeinde des Jungen an, der nun als »Güterbub« von Hof zu Hof zieht. Weder die Schule, die Jeremias nur widerwillig besucht, noch seine verschiedenen Dienststellen, an denen er nur Hartherzigkeit, Selbstsucht und Gaunerei kennenlernt, sind dazu angetan, seine wachsende Verbitterung aufzuhalten. Aus düsterer Trostlosigkeit und Haß gegen eine verständnislose, ungerechte Welt flüchtet Jeremias in ein Liebesverhältnis mit Anneli. Als diese ein Kind erwartet, verhindert die bittere Armut der beiden jungen Leute die Eheschließung. Bei der Entbindung sterben Mutter und Kind. Jeremias, in seiner Verzweiflung gegen Gott und Welt rebellierend, wird eingesperrt, kann aber ausbrechen und flüchtet in den französischen Militärdienst. Am Tiefpunkt seiner Existenz trifft er in dem Napoleonischen Gardisten Bonjour einen gütigen, weisen Menschen, der den jungen Vagabunden zu christlichem Gottvertrauen und sittlicher Lebenshaltung erzieht. Nachdem sich Jeremias von einer Verwundung bei den Barrikadenkämpfen der Juli-Revolution von 1830 erholt hat, kehrt er gereift in seine Heimat zurück. Dort wird er unfreundlich empfangen; ein schweres Nervenfieber bringt ihn an den Rand des Todes. Wieder genesen und durch die Hinterlassenschaft Bonjours von der drängendsten Not erlöst, erkennt Jeremias seine eigentliche Bestimmung, nämlich zu bessern, zu helfen und zu erziehen. In einem Gasthaus nimmt er sich der Kinder an, unterhält und belehrt die Gäste, wobei er gegen Aberglauben und Sektierertum, gegen politischen Unverstand und Radikalismus ankämpft, und schreibt seine Lebensgeschichte. Eine abschließende Notiz teilt seine Aussicht auf die Stellung eines Gemeindeschreibers mit – Hoffnung auf ein bescheidenes Glück im Dienst der Gemeinschaft.

Der Roman erregte so großes Aufsehen, daß der Dichter das bedeutungsvolle Pseudonym »Jeremias Gotthelf« in Zukunft beibehielt. Die Wendung des Politikers und Reformers Bitzius, des begeisterten Anhängers PESTALOZZIS, zur Schriftstellerei war keine biedermeierliche Flucht vor der Wirklichkeit; vielmehr hatte er die ihm gemäße Waffe gefunden: das *Wort*. Gotthelf gestand rückblickend oft, daß ihn nur der Wunsch zu erziehen und zu reformieren zum Schreiben getrieben und daß er sich auf diesem Felde allerdings ungehobelt »*wie ein kecker Husar in Feindesland*« benommen habe (Brief an Gersdorf, 1843). Wie in seinen anderen politischen Zeitromanen *Leiden und Freuden eines Schulmeisters* (1838), *Zeitgeist und Berner Geist* (1852) vermischt sich das Erz der epischen Begabung mit der Schlacke polemischer Tendenz; der *Bauernspiegel* ist ein erbitterter Angriff, ein Zerrspiegel der Zeit, und der düsteren Atmosphäre des Romans entspricht der bis zum Banalen krasse stilistische Realismus, der zudem noch starke Annäherungen an den alemannisch-schweizerischen Dialekt zeigt. – Aus dem persönlichen Engagement des Dichters erklären sich auch die bekenntnishaften Züge des Romans: der Weg eines Unterdrückten und Enttäuschten zur Bescheidung, zum Wirken im Stillen, zum geschriebenen Wort. H. P.

AUSGABEN: Burgdorf 1837. – Ebd. 1839 [rev.]. – Erlenbach/Zürich 1921 (in *SW*, Hg. R. Hunziker u. H. Bloesch, Bd. 1). – Basel 1948 (in *Werke*, Hg. W. Muschg, Bd. 1).

LITERATUR: G. Muret, *J. G. in seinen Beziehungen z. Deutschl.*, Mchn. 1913 [enth. Reaktion d. zeitgenöss. Kritik].

DIE SCHWARZE SPINNE. Novelle von Jeremias GOTTHELF (d. i. Albert Bitzius, 1797–1854), erschienen 1842 in der Sammlung *Bilder und Sagen aus der Schweiz*. – Von den klischeehaften Produkten der Trivial- und Schauerromantik, an die Titel und Zentralmotiv anknüpfen (z. B. August LANGBEIN, *Die schwarze Spinne*, 1821), wie von der idyllischen Biedermeierliteratur der Zeitgenossen hebt sich Gotthelfs allegorisierend didaktische Novelle durch ihre kunstvolle Komposition deutlich ab. Ein aktualisierender dreiteiliger Rahmen und die zweiteilige, Vergangenheit und Gegenwart aufeinander beziehende Binnenhandlung sind durch das mehrfach abgewandelte Motiv der Taufe und das »Dingsymbol« (B. v. Wiese) des schwarzen Fensterpfostens eng miteinander verzahnt. – Im Rahmengeschehen, einer pastoralen Idylle von homerischer Luzidität, schildert Gotthelf ein sonntägliches Tauffest in einem reichen Emmentaler Bauernhof. Die Frage an den Großvater, warum in dem schönen Haus ein uralter, schwarzer Fensterpfosten stehengelassen worden sei, setzt die eigentliche Erzählung in Gang, deren unheimliche, dämonisch irrlichternde Atmosphäre mit der heiteren Ungetrübtheit des Rahmens kontrastiert. Der Erzähler greift Jahrhunderte zurück, in eine Vergangenheit, die in Gestalt des Pfostens bis in die Gegenwart hineinragt.

Die leibeigenen Bauern von Sumiswald seufzen unter der unmenschlich harten Fronarbeit für den Ritter Hans von Stoffeln, der nach einem aufwendigen Schloßbau seine Untertanen zwingt, innerhalb eines Monats einen Schattengang von hundert Buchen zu pflanzen. Da bietet der Teufel in der Maske des grünen Jägers seine Hilfe an – um den Preis der Seele eines ungetauften Kindes. Für die entsetzten Bauern schließt Christine, ein gottloses, wildes Weib, den Satanspakt, in der Hoffnung, den Teufel am Ende doch noch überlisten zu können. Während die Arbeit am Schattengang mit gespenstischer Eile vorangeht, schwindet das Grauen der Bauern vor dem unheimlichen Helfer: »*Sie begannen zu rechnen, wieviel mehr wert sie alle seien als ein einzig ungetauft Kind, sie vergaßen immer mehr, daß die Schuld an einer Seele tausendmal schwerer wiege als die Rettung von tausend und abermal tausend Menschenleben.*« Der Tag rückt näher, an dem ein Weib ein Kind gebären soll. Nach der Geburt nimmt der gottesfürchtige Priester unverzagt den Kampf mit dem Bösen auf und tauft das Neugeborene. Das Mal auf Christines Wange aber – vom Teufelskuß herrührend, der mythischen Vermählung mit dem Bösen – schwillt an, immer mehr einer giftigen Kreuzspinne gleichend. Nach der zweiten, vom Priester siegreich bestandenen Prüfung, platzt das scheußliche Mal und wirft unzählige kleine, schwarze Spinnen aus, die Tod und Verderben über das Tal bringen. Christine leidet Höllenqualen, als eine weitere Geburt im Dorf bevorsteht; zugleich aber wächst die Bereitschaft der Bauern, das geforderte Opfer zu bringen. Der Priester gewinnt indes auch diesen letzten Kampf – Christine verwandelt sich in die Schwarze Spinne, die mordgierig die Menschen anfällt, »*und das Sterben daran war schrecklicher als man es je erfahren, und schrecklicher noch als das Sterben war die namenlose Angst vor der Spinne, die allenthalben war und nirgends*«. Ein gottergebenes Weib – Inbegriff von »*Mutterliebe und Muttertreue*« – opfert endlich ihr Leben und sperrt die Spinne mit einem Zapfen in das vorbereitete Loch im Fensterpfosten ein. – Die Erzählung blendet kurz auf den Rahmen zurück und variiert im zweiten Teil die Motivmuster des ersten. Zwei Jahrhunderte später haben sich Reichtum und Wohlstand im Tal ausgebreitet, aber auch Hochmut und Hoffart. Von »*hoffärtiger Ungeduld*« getrieben, baut Christen, ein Nachkomme jener opferbereiten Mutter, ein neues, prächtiges Haus; das alte mit dem verhängnisvollen Pfosten überläßt er dem Gesinde, das an einem Weihnachtsabend auf dem Höhepunkt eines wilden Gelages die Spinne befreit. Wieder wütet der Schwarze Tod, bis Christen sein Leben opfert, die Spinne einfängt und wieder in den Fensterpfosten einsperrt. Generationen rechtschaffener Bauern folgten, und »*man fürchtete die Spinne nicht, denn man fürchtete Gott*«.
Der Großvater, die Erzählerfigur der Rahmenhandlung, schließt seine Geschichte mit der lehrhaften Anmerkung, daß der stehengebliebene schwarze Fensterpfosten zugleich »*den alten Sinn, der ins alte Holz die Spinne geschlossen*« bewahren solle. Bei der sich anschließenden Diskussion der Taufgäste verweist der junge Götti den vorlauten Vetter, der am Wahrheitsgehalt solcher Geschichten zweifelt, auf eine andere, der Predigt nahestehende Sinnebene der Überlieferung und hebt damit gleichfalls das didaktische Moment hervor: »*Sei jetzt daran wahr, was da wolle, so könne man viel daraus lernen.*« Der Ernst der Erzählung bewirkt, daß bei der Fortsetzung des Taufschmauses – in feiner Kontrastierung zu seinem ausgelassenen Beginn – »*manche verständige Rede*« gewechselt wird, »*bis groß und golden am Himmel der Mond stund*«.
Eine Entmythologisierung zumindest hinsichtlich des Aberglaubens, ungetaufte Kinder verfielen dem Teufel, hat die Geschichte auch im Sinn Gotthelfs nötig, wenn sie ihre Lehre von der angemessenen Vermittlung zwischen Altem und Neuem der Gegenwart näherbringen will. Nicht nur der Rahmen, sondern auch der zweite Teil der Binnenerzählung unterstützt diese Aktualisierungstendenz. Unfähig zum lebendigen, Altes und Neues verbindenden Glauben waren allerdings die unter dem Frondienst leidenden Vorfahren: Unselbständig und dem starren Aberglauben verfallen, meiden sie den offenen Konflikt und versuchen sich aus der Affäre zu ziehen, indem sie eine Randexistenz wie Christine als Ersatzopfer vorschieben. Doch wie diese werden sie selbst zu Geprellten, ihre Kollektivverdrängung fällt potenziert als quasi alttestamentliches Strafgericht auf sie zurück, wobei im Umkreis des küssenden und Kinder heischenden »Grünen« wie der »gebärenden« Spinne die Verteufelung des Geschlechtlichen als eine besondere Ausprägung der Sozialmotivik sichtbar wird. Gegenüber Christine als einer negativen Opfergestalt durchbrechen der Priester, die junge Mutter und Christen in legendenhaftem Martyrium den kollektiven Teufelskreis. Sie verkörpern so das im Sinn des Erzählers lebendig zu erhaltende Alte, welches das ebenso seit alters latent im Menschen liegende Dämonische zu bannen vermag, das der Erzähler in der Tiersymbolik, im Einbezug der elementaren Naturgewalten und der Gestaltung phantastisch-grotesker Auftritte gestaltet. Die Sprachkraft der wegen ihres lehrhaften Charakters eher allegorischen als symbolischen Erzählung, die der Versinnlichung dient wie sie andererseits eine quasi politische Tendenzverkündigung mit eher rückwärtsgewandter Neigung unterstützt, wurde jahrzehntelang kaum beachtet. Seit den dreißiger Jahren existiert indes eine Fülle von Deutungen, Nachdichtungen und Vertonungen.

V. Ho. – KLL

AUSGABEN: Solothurn 1842 (in *Bilder und Sagen aus der Schweiz*, Bd. 1). – Mchn./Bern 1912 (in *SW*, Hg. R. Hunziker u. H. Bloesch, 24 Bde., 1911–1932, 17). – Lpzg. 1924 (Geleitw. E. Korrodi; RUB, 6489/6490; ern. Stg. 1961; Nachw. K. Nussbächer; ern. 1966). – Basel 1942 (Vorw. W. Muschg. u. Ill. E. Früh). – Basel 1952 (in *Werke*, Hg. W. Muschg, 20 Bde., 1948–1953, 17). – Mchn. 1960 (in *Erzählungen*, Hg. u. Nachw. H. Helmerking). – Mchn. 1963 (zus. m. *Elsi, die seltsame Magd* u. *Der Besenbinder von Rychiswyl*, in *Die schwarze Spinne. 3 Erzählungen*). – Stg. 1968.

VERTONUNGEN: H. Sutermeister, *Die Schwarze Spinne* (Text: A. Rösler; Funkoper; Urauff.: Radio Bern, 1936; Kammeroper; Urauff.: St. Gallen, 1949; neubearb.). – W. Burkhard, *Die Schwarze Spinne* (Text: R. Faesi u. G. Boner; Oper; Urauff.: Zürich, 1949).

LITERATUR: W. Muschg, *G. Die Geheimnisse des Erzählers*, Mchn. 1931. – K. Fehr, *J. G.s »Schwarze Spinne« als christlicher Mythos. Untersuchungen zu den Gestaltungsgesetzen des Dichters*, Zürich/Lpzg. 1942. – R. Schneider, *Und vergib uns unsere Schuld. Essay über »Die schwarze Spinne«* (in R. S., *Im Schatten Mephistos. Drei Essays*, Stg. 1949, S. 33–44). – G. H. Graber, *»Die schwarze Spinne«. Menschheitsentwicklung u. Frauenschick-*

sal, Schwarzenberg/Bern ²1952. – W. Muschg, *J. G. Eine Einführung in seine Werke*, Bern/Mchn. 1954; ²1960 (Slg. Dalp, 63). – W. Günther, *J. G. Wesen u. Werk*, Bln./Mchn. 1954. – G. T. Hughes, *»Die schwarze Spinne« as Fiction* (in GLL, 9, 1955/56, S. 250–260). – B. Huber-Bindschedler, *Die Symbolik in G.s Erzählung »Die schwarze Spinne«*, Zürich/St. Gallen 1956. – B. v. Wiese, *J. G.: »Die schwarze Spinne«* (in B. v. W., *Die deutsche Novelle von Goethe bis Kafka. Interpretationen*, Bd. 1, Düsseldorf 1956, S. 176–195). – R. E. Keller, *Language and Style in J. G.'s »Die schwarze Spinne«* (in GLL, N. S. 10, 1956/57, S. 2–13). – F. Sengle, *Zum Wandel des G.bildes* (in GRM, N. F. 7, 1957, S. 244–253). – A. Schöne, *Säkularisation als sprachbildende Kraft. Studien zur Dichtung deutscher Pfarrersöhne*, Göttingen 1958 (Palaestra, 226). – H. Hömke, *Die Interpretation von G.s Novelle »Die schwarze Spinne« im Unterricht* (in WW, 9, 1959, S. 169–176). – H. Bausinger, *Sitte u. Brauch. Zu G.s Erzählung »Die schwarze Spinne«* (in Der Deutschunterricht, 14, 1962, H. 2, S. 100–114). – J. Hermand, *Napoleon u. »Die schwarze Spinne«* (in MDU, 54, 1962, S. 225–231). - J. Batt, *J. G.s Erzählungen* (in SuF, 16, 1964, S. 603–619). – K. Fehr, *J. G.*, Stg. 1967 (Slg. Metzler, 60). – A. Reber, *Stil u. Bedeutung des Gesprächs im Werke J. G.s*, Bln. 1967 (QFgV, N. F. 20).

ULI DER KNECHT. – ULI DER PÄCHTER. Ein Volksbuch. Doppelroman von Jeremias GOTTHELF (d. i. Albert Bitzius, 1797–1854), erschienen 1846 und 1849; der erste Teil erschien zuerst 1841 unter dem Titel *Wie Uli der Knecht glücklich wird. Eine Gabe für Dienstboten und Meisterleute.* – Im Vorwort des *Zweiten Teils* verdeutlichte Gotthelf die Intention dieses zwischen GOETHES *Wilhelm Meister* und KELLERS *Grünem Heinrich* stehenden konservativ rustikalen Bildungsromans: *»Der erste Teil dieses Buches enthielt die Geschichte eines Knechtes, welcher durch Treue aus einem Knechte zum Meister wurde. Dieser zweite Teil enthält die Geschichte eines Meisters, welcher in den Banden der Welt lag und welchen der Geist wirklich freimachte. Der erste Teil war den einen zu weltlich; was nun dieser Teil den einen oder andern sein wird, läßt der Verfasser dahingestellt. Der Verfasser behauptet nicht, das Rechte getroffen, sondern bloß das: mit ehrlichem Willen nach dem Rechten gestrebt zu haben.«*

Der erste Teil des Romans zeigt Uli im Dienstverhältnis zum Bodenbauer, der – trotz modernistischer Strömungen auch in der Schweiz – den Typ des rechtschaffenen und traditionsbewußten Bauern repräsentiert. Dieser nimmt Anstoß am moralisch bedenklichen Leben seines Knechtes, da er sich als rechter »Meister« für seine Dienstleute, Gott und den Menschen verantwortlich fühlt. In einem nächtlichen Gespräch öffnet der Bodenbauer Ulis Herz für ein materiell erfolgreiches und zugleich gottgefälliges Leben, das in der freudigen Bejahung der Arbeit, in der Erlangung eines guten Rufes durch Pflichterfüllung und im Gedanken an Gott bestehe. Diese Lehren üben auf Uli, der bereit ist, über die mittelmäßigen Dienstleute hinauszuwachsen, große Anziehungskraft aus. Allerdings hat auch dieser bäuerliche »Wilhelm Meister« in einer Welt, die christliche Werke nicht mehr unbedingt anerkennt, allerlei Fährnisse zu bestehen. So entgeht er nur mit Hilfe seines Meisters den Anschlägen des Resli-Bauern, verliert teilweise sein Geld durch Spekulation und entkommt mit Mühe heiratslustigen Frauen.

Nachdem diese Prüfungen überstanden sind, Uli sich einen guten Namen und eine beträchtliche Rücklage erworben hat – die Mitte des Romans ist erreicht –, vermittelt der Bodenbauer aus uneigennützigen Beweggründen seinem Knecht die Meisterstelle bei seinem Vetter Joggeli in der Glungge, wo Meister und Dienstleute ihn wiederum einer harten Prüfung unterziehen, indem sie seinen Plänen und Befehlen nur mißmutig zustimmen und Folge leisten. Der heimliche und offene Kampf mit Joggeli und dem Gesinde veranlaßt Uli schließlich, das Dienstverhältnis aufzukündigen. Nur durch das Einschreiten der Glunggenbäuerin und Vrenelis, dem unehelichen Kind eines Verwandten, wird der Frieden wiederhergestellt, die Ernte eingebracht und das Liebesmahl der »Sichelten« gehalten, wozu sich auch die ganze Bauernfamilie einfindet: der Sohn Johannes, der einen Gasthof mehr schlecht als recht führt und des Vaters Geldmittel verspekuliert, mit seiner putzsüchtigen Frau Trinette, die in einem ständigen Streit mit Elisi, des Johannes Schwester, liegt.

Mit der Zeit fragt sich Uli nach dem Sinn seines unermüdlichen Fleißes, und der schöne Hof verleitet ihn zu dem Gedanken, sich an das launische Elisi zu hängen, um als »Tochtermann« das Anwesen zu übernehmen. Doch Elisi findet bei einer Badefahrt in den Gurnigel an einem bankrotten Baumwollhändler Gefallen, der es versteht, Elisi, Mutter und Joggeli zu täuschen und auszunutzen. Nach Ulis mißratenen Heiratsplänen bringt es die Glunggenbäuerin fertig, auf einer Fahrt zum Vetter Johannes, dem Bodenbauer, Vreneli und Uli näherzubringen, nachdem sie mit Hilfe des Johannes für Uli einen Pachtvertrag ausgehandelt hat. Der erste Teil des Romans endet schließlich mit der Hochzeit der beiden – nicht ohne den erhobenen Zeigefinger des moralisierenden Erzählers: *»Aber nicht an einem Tage, sondern nach manchem harten Kampfe gelangten sie auf ebene Bahn und wurden des Zieles sicher. Merke dir das, lieber Leser!«*

Programmatisch eröffnet Gotthelf den zweiten Teil seines Romans mit einer Betrachtung, die die Gefahrenmomente der menschlichen »Pilgerfahrt« aufzeigt: *»Drei Siege muß er erkämpfen, will er dem vorgesteckten Ziele sich nahen, bei seinem Scheiden sagen können: ›Vater es ist vollbracht, in Deine Hände befehle ich meinen Geist.‹«* Die drei wichtigsten Lebensabschnitte bestehen in der ehelichen Bindung und deren Wahrung, der Auseinandersetzung mit der Welt um Anerkennung und Ehre und schließlich in der Überwindung der Welt und des »alten Adam«, was soviel wie eine *»Emanzipation der Seele«* oder einen *»Kampf um das Himmelreich«* bedeutet. Hatte Uli am Ende des ersten Teils die erste Etappe seines Bildungsziels erreicht, indem er Vreneli zur Frau nahm, so muß er nun in der Welt materiell und moralisch bestehen.

Gotthelf schildert zunächst, wie Uli als Pächter mit der Geldnot und der Angst um die Erhaltung seines Guts zu kämpfen hat und wie infolge dieser steten Sorge schließlich der Glaube an Vreneli in ihm stirbt. Er öffnet sich den Einflüsterungen Joggelis und stellt billige Arbeitskräfte ein, läßt sich gutmütig mit Wirt und Müller ein, die ihn auf raffinierte Weise ausnehmen. Daneben muß er sich mit Joggelis Sohn und dem »Tochtermann« auseinandersetzen. Während Uli sich der »Welt« überläßt, erträgt Vreneli das grobe Wesen Ulis mit Langmut und Liebe und steht ihrem Mann in der Bewirtschaftung des Hofes nicht nach. Doch am Neujahrsmorgen des vierten Pachtjahres ist Vreneli am Ende ihrer Kraft angelangt: »*Es ist nicht mehr wie ehemals, die böse Welt kam über uns und zwischen uns, und mir ist's als stehe vor uns ein groß, groß Unglück; noch ist Nacht darum, ich höre wohl sein Schnauben, aber seine Gestalt sehe ich nicht*...« Das von Vreneli geahnte Unglück kündigt sich bald an: Der Pachtzins ist nicht völlig abzahlbar, hohe, nicht eintreibbare Außenstände liegen bei Wirt und Müller, ein ungerechter Kuhhandel bringt Uli einen Prozeß, den er zwar gewinnt, aber den Kontrahenten, der ihn verflucht, stürzt er damit ins Elend. Der Fluch erfüllt sich bereits auf dem Heimweg, als ein Hagelschauer fast die gesamte Ernte Ulis vernichtet. Uli fühlt sich von Gott bestraft und bricht unter der Last der moralischen und materiellen Not zusammen. Ein schweres Nervenfieber bringt ihn in Todesgefahr, doch aus dieser tiefsten existentiellen Krise geht er als neuer Mensch hervor. Seine wirtschaftliche Lage verschlechtert sich dagegen sehr schnell: Nach dem Tod der Base bestürmen die Kinder Joggeli um das Erbe. Schließlich ist der Bestand des Hofes durch eine Bürgschaft Joggelis für den Tochtermann nicht mehr gesichert, da die Bürgschaft eingetrieben werden soll. Es kommt zur Versteigerung des Hofes, den wider Erwarten ein entfernter Verwandter, Hagelhans im Blitzloch, erwirbt. Der aber wird zum Retter des bedrängten Pächterpaares, ja am Ende erweist er sich gar als Vater Vrenelis.

Gotthelf führt mit seinem Doppelroman den Leser in die Welt schweizerischer Bauern des 19. Jh.s, über die der »Zeitgeist«, nach Gotthelf das Widerchristliche und Widernatürliche, hereingebrochen ist. Im Unterschied zu der einseitigen Polemik in *Zeitgeist und Bauerngeist* (1852) ist das Romanwerk jedoch nicht als bloßer Protest gegen die Fortschrittsgläubigkeit der Zeit zu verstehen, sondern als Ausdruck der Enttäuschung über den Verlust echter Menschlichkeit in eben dieser vermeintlich fortschrittlichen Zeit. So zeigen die beiden Teile Menschen, die sich trotz mancher Schwächen um das Gute in einer egozentrisch denkenden Welt bemühen. Der Mensch weiß sich bei Gotthelf in der existentiellen Verbundenheit mit Gott. Ihm bedeuten Unfälle nicht Schicksalsschläge, sondern Prüfung und Aufforderung zum weiteren gerechten Leben. Der Schöpfer erhält zwar das Attribut der Güte, aber das Verhältnis des *creator* zur *creatura* wird wesentlich als ein moralisch-praktisches gesehen: Lohn und Strafe werden den Menschen von ihm je nach Verdienst zugeteilt. Schon im irdischen Leben kann sich Treue zu Gott im materiellen Wohlstand erweisen. »*Der Glaube ... ist vornehmlich ein Tun, eine tätige Lebensheiligung*« (W. Günther).

Der Roman illustriert dieses Weltbild in pädagogischer Absicht: Er will unterhalten, belehren, den Sinn des Lebens sichtbar machen und nachahmenswerte Beispiele darbieten: »*Daher wird dem Volksschriftsteller, welcher nicht für große Helden, nicht einmal für eidgenössische, schreibt, erlaubt sein, das sogenannte Kleine, aber den Weisen das Wichtigste, auch mit den gewichtigsten Worten darzustellen, welche ihm zu Gebote stehen.*« Stets kommentiert der Autor wie hier die Handlungssituation und weist damit über das Konkrete, einmalige Geschehen hinaus, auf die allgemeinverbindliche Anschauung einer konservativen Utopie, die das Bauerntum zum Vorbild wahren Menschentums stilisiert.

R. Go.

Ausgaben: Zürich/Frauenfeld 1841 (*Wie Uli der Knecht glücklich wird. Eine Gabe für Dienstboten und Meisterleute*). – Bln. [2]1846 (*Uli der Knecht*; umgearb. Fassg.). – Bln. 1847 (*Uli der Knecht*). – Bln. 1849 (*Uli der Pächter*). – Bln. 1856 (*Uli der Knecht. – Uli der Pächter*, in *GS*, 24 Bde., 1856–1858, 2/3). – Erlenbach-Zürich 1921 (in *SW*, Hg. R. Hunziker u. H. Bloesch, 24 Bde., 1911–1932, 4 u. 11). – Basel 1948 (in *Werke*, Hg. W. Muschg, 20 Bde., 1948–1953, 4/5). – Erlenbach-Zürich 1962, Hg. W. Juker.

Verfilmung: Schweiz 1954 bzw. 1955 (Regie: F. Schnyder).

Literatur: W. Muschg, *G. Die Geheimnisse des Erzählers*, Mchn. 1931; [2]1967. – I. Bockleth, *Der Zusammenhang von Volksmoral u. Volkserziehung in den Bauernromanen des J. G.*, Diss. Tübingen 1953. – H. Freier, *Die Natur im Werke J. G.s*, Diss. Tübingen 1953. – W. Kohlschmidt, *Die Welt des Bauern im Spiegel von Immermanns »Münchhausen« u. G.s »Uli«* (in W. K., *Die entzweite Welt. Studien zum Menschenbild in der neueren Dichtung*, Gladbeck 1953, S. 33–49). – H. M. Waidson, *J. G. An Introduction to the Swiss Novelist*, Oxford 1953. – W. Muschg, *J. G. Eine Einführung in seine Werke*, Mchn. 1954; [2]1960 (Slg. Dalp, 63). – G. Keller, *Besprechung von »Uli dem Knecht« u. »Uli dem Pächter« (1849)* (in *Meisterwerke dt. Literaturkritik*, Hg. H. Mayer, Bd. 2/1, Bln. 1956). – F. Sengle, *Zum Wandel des Gotthelfbildes* (in GRM, N. F. 7, 1957; auch in F. S., *Arbeiten zur dt. Literatur 1750 bis 1850*, Stg. 1965). – W. Günther, *Neue Gotthelf-Studien*, Bern 1958. – W. Kohlschmidt, *G.s Gegenwärtigkeit* (in W. K., *Dichter, Tradition u. Zeitgeist* Bern/Mchn. 1965). – K. Fehr, *J. G.*, Stg. 1967 (Slg. Metzler, 60). – A. Reber, *Stil u. Bedeutung des Gesprächs im Werke J. G.s*, Bln. 1967.

ZEITGEIST UND BERNER GEIST. Roman in zwei Teilen von Jeremias Gotthelf (d. i. Albert Bitzius, 1797–1854), erschienen 1851/52. – Gotthelfs umfangreiches episches Alterswerk ist als politisches Testament des Dichters zu verstehen. Im Rahmen eines didaktischen Tendenzromans will Gotthelf die sittlichen Gefahren aufdecken, die das Volk unter dem verhaßten radikalen bernischen »*Freischaren Regiment*« bedrohten, und das Ideal des rechten Lebens dagegensetzen. Der Roman entstand aus einer ungedruckt gebliebenen pamphlethaften Erzählung, *Die Versöhnung des Ankenbenz und des Hunghans, vermittelt durch Professor Zeller*, die gegen den Eingriff des Staates in kirchliche Rechte (Anlaß war die 1846 erfolgte Berufung des Junghegelianers Eugen Zeller auf den theologischen Lehrstuhl der Universität Bern) protestierte, und erstrebte als ein kritisches Zeitgemälde durch einfache Handlungsführung und anschauliche Sprache breiteste Wirkung, ja sollte ursprünglich die konservative Partei bei den Frühjahrswahlen des Jahres 1850 unterstützen.

Weniger in einem Panorama des Volkslebens, wie es der Titel erwarten läßt, als in der individuellen Geschichte zweier Bauernfamilien, gesehen vor ihrem landschaftlichen und soziologischen Hintergrund, werden die Zeitbewegungen geschildert. In dem altväterisch-patriarchalischen Ankenbenzbauern und dem freisinnig-politischen Hunghansbauern begegnen sich die gegensätzlichen Moralauffassungen: die guten alten Sitten und die modernen Verirrungen. Innerlich dadurch miteinander

verbunden, daß sie »*im gleichen Wasser getauft*« sind, entfremden sich die beiden Bauern immer mehr in der Entwicklung ihrer Gesinnungen. Hunghans, der seine Zeit mit radikalen und liberalen Freunden zumeist im Wirtshaus verbringt, versäumt Familie und Arbeit. Seine Frau siecht dahin, sein ältester Sohn, ein renommistischer Militär und Verschwender, verliert den Verstand, vom Alkohol zerrüttet und vom Gespött seiner Kameraden zermürbt.
Gegen dieses dunkle Gemälde hebt sich hell das Bild des Lebens nach dem bewährten »Berner Geist« ab. Zwar sieht sich Ankenbenz, um das Gedeihen von Haus und Hof bemüht, in seinem Festhalten an den christlichen Vätersitten zunächst zunehmend isoliert. Doch kann seine Persönlichkeit, gestärkt durch gediegenen Reichtum, sich die Achtung im Volk zurückerringen. Der vom häuslichen Leid und dem finanziellen Ruin zur Einkehr gebrachte Hunghans erneuert schließlich die Freundschaft mit Ankenbenz; der Ausblick auf die Heirat von dessen Tochter mit dem jüngeren Sohn des gewandelten Bauern kennzeichnet das versöhnliche Ende. Der »Berner Geist« kann glaubensstark, von seinen Traditionen gehalten, in die Zukunft sehen.
Die epische Bewegung des Romans resultiert aus den Spannungen zwischen dem »Zeitgeist« und dem »Berner Geist«, die sich in episodischen Zusammenstößen entladen, nicht allerdings in sensationellen, effektvollen Geschehnissen, sondern in menschlichen Begegnungen. Den Ablauf verdichten gelegentlich genrehafte Kleinmalerei und epische Bildszenen. In Nebenfiguren – u. a. tritt Gotthelf unvermittelt selber auf – spiegeln sich die Prinzipien der Hauptcharaktere wider, Parallelepisoden und Zwischenhandlungen lockern das Grundmuster auf. Doch beschränkt sich die Handlung im ganzen auf die Darstellung der bäuerlichen Lebenswelt: Gegenseitige Besuche, politische Versammlungen, Gottesdienste, Wirtshausrunden wechseln miteinander ab. Diese Gelegenheiten werden reichlich zur gesprächsweisen Darlegung der Gesinnungen und zur mahnenden Entfaltung des wahren Weges genutzt. Zur Sprache kommen die Zeitfragen: die Postenjägerei der Beamten, die sich auf Kosten des Volkes vergnügen; die Verdrängung der Geistlichen durch die Schullehrer; das Eindringen des Staates in die naturgegebenen Ordnungen; die Fragwürdigkeit juristischer Praktiken, insbesondere der Eidesleistung; die Überschätzung von Bildung und Wissenschaft; die Zersetzung der Ehe, insgesamt die Demoralisierung der Öffentlichkeit als Folge des Abfalls vom Christentum.
Im Zeichen einer »christlichen Freiheit« kämpft Gotthelf gegen die allgegenwärtige Politisierung des Lebens und die Illusionen der politischen Ideologie. Sein Plädoyer gilt dem organischen Zusammenhang von Staat, Kirche und Familie, der Gleichheit und dem Fortschritt, wie sie sich in der patriarchalischliebenden Familiengemeinschaft, dem gesunden bäuerlichen Wirtschaftswachstum darstellen. Weil Gotthelf die dämonische Macht des Antichristen in den modernen Zeiterscheinungen sieht, ist ihm die eingängige Schwarz-Weiß-Technik, die erregt übertreibende Karikatur wichtiger als ein ausgefeiltes Kunstprodukt. Dem heutigen Leser ist der Roman nicht nur wegen der hier wieder stärkeren mundartlichen Einsprengsel, sondern auch wegen der zahlreichen politischen Anspielungen wohl nur mit Hilfe eines guten Kommentars zugänglich.
Obwohl Gotthelf nicht in klischeehafter Antithetik Gut und Böse personifiziert, sondern als sittliche Möglichkeiten in die Handlung einbindet, ist doch die Bedenkenlosigkeit augenfällig, mit der er die politischen Gegner auch als moralisch minderwertig darstellt. Der Mangel an epischer Integration bei polemischen Ausfällen oder bei Nebenfiguren wie die glanzlose Verwendung alter Motive lassen sich nicht übersehen. Seine Stärke bezieht der Tendenzroman aus der drastisch-sinnlichen Sprache mit ihren Elementen aus Volks-, Bibel- und Hochsprache; satirischer und komischer Stil wechseln einander ab.
Während Gottfried KELLER den Roman »demagogisch« nannte, wird heute vielfach die prophetische Gewalt des Werks gerühmt. Das Urteil über seine politische Gesinnung schwankt zwischen »revolutionär« (F. Martini) und »reaktionär« (J. Hermand). In einer Zeit jedenfalls, als sich schon der immanentharmonisierende »poetische Realismus« – Gotthelf selbst wird ihm mit früheren Werken zugerechnet – ankündigt, lebt dieser Altersroman noch aus weit älteren literarischen Traditionen. G. O.

AUSGABEN: Bln. 1851/52. – Erlenbach-Zürich 1926 (in *SW*, Hg. R. Hunziker u. H. Bloesch, 24 Bde., 1911 bis 1932, 13). – Basel 1951 (in *Werke*, Hg. W. Muschg, 20 Bde., 1948–1953, 12/13). – Erlenbach-Zürich 1959, Hg. W. Juker.

LITERATUR: W. Muschg, *G. Die Geheimnisse des Erzählers*, Mchn. 1931; [2]1967. – W. Günther, *Der ewige G.*, Erlenbach-Zürich 1934, S. 224–232. – P. Baumgartner, *J. G.s »Zeitgeist und Berner Geist«*, Bern 1945. – I. Bockleth, *Der Zusammenhang von Volksmoral u. Volkserziehung in den Bauernromanen des J. G.*, Diss. Tübingen 1953. – B. Ch. Bäschlin, *J. G. u. der politische Radikalismus* (in DRs, 80, 1954, S. 1010–1015). – J. D. Demagny, *Les idées politiques de J. G. et de G. Keller et leur évolution*, La Celle-Saint-Cloud 1954. – F. Huber-Renfer, *J. G. als Politiker* (in *Führer zu G. und G.-stätten*, Bern 1954, S. 136–153). – W. Muschg, *J. G. Eine Einführung in seine Werke*, Mchn. 1954; [2]1960 (Slg. Dalp, 63). – G. Keller, *Besprechung von »Zeitgeist und Berner Geist«* (in *Meisterwerke dt. Literaturkritik*, Hg. H. Mayer, Bd. 2/1, Bln. 1956). – J. Maybaum, *Gottesordnung und Zeitgeist. Eine Darstellung der Gedanken J. G.s über Recht u. Staat*, Bonn 1960. – R. Clifford Jespersen, *J. G. and the Christian Order. A Study of G.'s Social Philosophy as It Relates to His Theology*, Diss. Stanford 1966. – K. Fehr, *J. G.*, Stg. 1967 (Slg. Metzler, 60).

CHRISTIAN DIETRICH GRABBE
(1801–1836)

DON JUAN UND FAUST. Tragödie von Christian Dietrich GRABBE (1801–1836), Uraufführung: Detmold, 29. 3. 1829. – Grabbe sucht in dichterischen Symbolfiguren das Doppelantlitz des europäischen Menschen, das nordische und das romanische, darzustellen. Den beiden Hauptgestalten des Werkes ordnet er eine Frau zu, die für Don Juan nur ein neues verlockendes Abenteuer, für Faust aber das unerreichbare Wunschbild möglichen Glücks bedeutet. – Don Juan gesteht in Rom Donna Anna seine Liebe; auch sie liebt ihn, bleibt aber ihrem Verlobten Don Octavio treu. Bei einem Ball nach der Hochzeit Octavios und Donna Annas begegnet Don Juan Faust, der ebenfalls entschlossen ist, Anna für sich zu gewinnen. Don Juan tötet Octavio im Duell; als er aber die Braut rauben will, ist sie schon in der Gewalt Fausts, der sie von seinem ständigen Gefährten, einem dämonischen Ritter, dem Teufel, in ein Zauberschloß auf den Gipfel des Montblanc hat entführen lassen. Don Juan bricht mit seinem Begleiter Leporello auf, um Donna Anna zu finden. Sie lebt inzwischen in Fausts Machtbereich, weist aber die Werbung des Entführers ab, dessen leidenschaftlicher Erkenntnisdrang sich in blinde Gier verkehrt hat *(»Sein Geist / Schnaubt nach der Liebe, wie nach Blut der Tiger«)*. Faust läßt Don Juan und Leporello, die sich zum Montblanc emporgekämpft haben, von einem Sturm nach Rom zurückwehen; als er jedoch spürt, daß Donna Anna eigentlich Don Juan liebt, wünscht er in seiner Verzweiflung ihren Tod, ein Wunsch, der sogleich in Erfüllung geht. Darauf sucht er seinen Rivalen auf, um ihm den Tod der Geliebten mitzuteilen; aber Don Juan zeigt sich weniger erschüttert, als Faust erwartet hat. Er preist vielmehr das Leben, das ihm noch andere Schönheiten im Überfluß biete, die Faust in seiner Ruhelosigkeit nicht erkennt. Während geheimnisvolle, dämonische Mächte ihn bedrohen, setzt Don Juan gelassen sein heiteres, festliches Leben fort, und noch in dem Feuerregen, durch den der Ritter ihn und Leporello vernichtet, ruft er seinen Wahlspruch: »*König und Ruhm, und Vaterland und Liebe.*« Faust war schon vorher dem Teufel verfallen.

Grabbe stellt zwei Titanen einander gegenüber: Don Juan verkörpert unwiderstehliche Lebenskraft und romanischen Sensualismus. Faust dagegen, der Grübler aus dem Norden, möchte zum Übermenschen werden; er strebt nach Erkenntnis, um im Bunde mit dem Teufel unbegrenzte Macht zu gewinnen. In seinem spitzfindigen Pakt äußert sich sein unstillbarer Wissensdrang; er verlangt vom Teufel nicht, daß er ihn glücklich machen, sondern nur, daß er ihm zeigen solle, wie er hätte glücklich werden können. Die Größe des Universums, die ihm der Ritter bei einem nächtlichen Flug durch den Himmel enthüllt, will er erkennen, um die »Pulse der Natur« zu spüren. Seine Sehnsucht nach dem Unendlichen macht ihn auch für die Liebe empfänglich, obgleich er durch sie doch immer wieder in den animalisch-menschlichen Bereich herabgezogen wird und seine Maßlosigkeit eher lächerlich wirkt, als daß sie Gegenliebe erwecken könnte.

Der Gedanke, die beiden in Faust und Don Juan verkörperten Extreme des europäischen Menschenbildes in einem Drama einander gegenüberzustellen, ist genial. Aber das Stück ist, obwohl es wirkungsvolle Bühneneffekte aufbietet, kein geschlossenes Kunstwerk, sondern mehr eine magisch-phantastische Vision, deren Schönheiten auf einzelne, besonders gelungene Szenen beschränkt bleiben. Allen im Stoff angelegten Kontrastmöglichkeiten zum Trotz zerfällt es in zwei Dramen: die Konflikte ergeben sich nicht aus dem Zusammenstoß der beiden Zentralgestalten und Rivalen, die einander nur zweimal begegnen, sondern die Don Juan und Faust zugeordneten Handlungsstränge laufen parallel nebeneinander her. Die Gestalt Don Juans ist von Grabbe mit mehr innerem Gewicht ausgestattet als die des Faust, aus der die ungestüme Kritik des Autors am deutschen Idealismus und seinem über die empirische Wirklichkeit hinausdrängenden Unendlichkeitsstreben stellenweise ein Zerrbild macht. – Lortzing komponierte für die Uraufführung eine Bühnenmusik.

G. Gb. – KLL

Ausgaben: Ffm. 1829. – Emsdetten 1960 (in *Werke u. Briefe*, Hg. A. Bergmann, Bd. 1; hist.-krit.).

Literatur: H. Press, *C. D. G.s Tragödie »Don Juan und Faust« auf der Bühne*, Diss. Mchn. 1921. – F. Gaupp, *G.s Heldentypus im Verhältnis zu dem Charakter des Dichters und den literarischen Vorbildern*, Diss. Breslau 1923. – F. J. Schneider, *Das tragische Faustproblem: »Don Juan und Faust«* (in DVLG, 8, 1930, S. 539–557). – H. Imig, *Das Problem der Religion in G.s »Don Juan und Faust«*, Diss. Münster 1935. – B. v. Wiese, *G.s Faustbild* (in Das Reich, 27, 1941). – G. Jahn, *Übermensch, Mensch und Zeit in den Dramen C. D. G.s*, Diss. Göttingen 1951. – M. E. B. Ferm, *Vom ›edlen‹ und ›dämonischen‹ Verbrecher zum Übermenschen bei G.*, Diss. Wien 1954. – H. H. Krummacher, *Bemerkungen zur dramatischen Sprache in G.s »Don Juan und Faust«* (in *Festgabe für E. Berend*, Weimar 1959).

NAPOLEON ODER DIE HUNDERT TAGE.

Drama in fünf Akten von Christian Dietrich Grabbe (1801–1836), entstanden 1829/30; Uraufführung (mit verstümmeltem Text): Wien, 12. 8 1868, Theater an der Wien; mit vollständigem Text: Frankfurt a. M., 2. 9. 1895, Opernhaus.

Unmittelbar vor den Ereignissen der französischen Juli-Revolution von 1830 und fast ein Jahrzehnt nach dem Tod Napoleons I. kennzeichnen historische Distanz und politische Aktualität die dargestellte Wirklichkeit dieses Stücks. Nur im äußeren Ablauf beschränkt es sich auf Napoleons Herrschaft der »Hundert Tage«. Hinter der Zeitspanne zwischen Napoleons Rückkehr von Elba (1. 3. 1815) und der Schlacht bei Waterloo (18. 6. 1815) werden vielmehr die historischen Voraussetzungen und Folgen, das Wechselspiel der europäischen Geschichte zwischen Revolution und Restauration zu Beginn des 19. Jh.s sichtbar.

Diese doppelte Optik bestimmt vor allem die ersten beiden Akte, die die politische Atmosphäre im bourbonisch regierten Frankreich vergegenwärtigen, an die Zeit der großen Revolution erinnern und zugleich auf die bevorstehende Ankunft Napoleons vorausdeuten. Auf verschiedenen Ebenen spiegelt sich das differenzierte politische Bewußtsein der Zeit: In genrehaften Volksszenen, in den Auftritten kaisertreuer Kriegsveteranen und alter adeliger Emigranten, in Audienzen des Königs und schließlich in Napoleons Exil kommt die Unzufriedenheit mit den herrschenden Verhältnissen, die Hoffnung auf ihre Verbesserung, aber auch die Furcht vor einer Verschlechterung zur Sprache – ausgelöst durch Gerüchte und Nachrichten von der Wiederkehr des geliebten, gehaßten Kaisers. Zu Beginn des dritten Akts hat die Verwirrung in Paris ihren Höhepunkt erreicht. Das von geschäftstüchtigen Agitatoren aufgeputschte Volk schwankt zwischen schwärmerischer Begeisterung – »*Lang lebe der König!*« – und unversöhnlichem Haß – »*Der verfluchte bourbonische Heuchler! Ihm nach – fanget, fesselt ihn!*« Unter seinem Anführer Jouve – einer von Grabbe erfundenen Figur – läßt das Proletariat der Vorstädte die jakobinische Anarchie wiederaufleben. Doch der Revolutionsgeist ist wie seine allegorische Verkörperung, die »Göttin der Vernunft«, »*recht gealtert*«. Dem vom Jubel des Volkes begleiteten Einzug Napoleons folgt erneut die Restauration der autoritären Herrschaftsformen – »*der alte Brei*

in neuen Schüsseln«, wie Jouve, Idealist und Zyniker, auf dem »Maifeld« (IV, 1) resigniert feststellt. Um seine einstige Macht wiederherzustellen und auszubauen, stürzt sich Napoleon erneut in Kriegsvorbereitungen. Doch auch er ist nicht mehr der alte, sieggewohnte Feldherr. Nach wechselndem Kriegsglück wird die französische Armee von den Truppen der preußisch-englischen Allianz bei Waterloo vernichtend geschlagen. Napoleons Stern erlischt endgültig.
Grabbes Schauspiel ist kein Entwicklungs- oder Schicksalsdrama. Auf dem »*Feld der Ehre*« wie auf dem »*Feld der Eitelkeit*« (III, 3) eher monologisch als dialogisch fixiert, ist Grabbes Napoleon kein psychologisch gedeuteter »Held«, sondern ein Reflex seines eigenen Mythos. Es ist die Geschichte, der im Widerspiel zwischen der titanischen Größe des einzelnen und der untergründigen Macht der Masse die Hauptrolle zugewiesen wird und die Grabbe als sinn- und zusammenhanglosen Kreislauf des Alten und Neuen, von Restauration und Revolution darstellt: »*'s ist ja doch alles Komödie*«, ist ein Schlüsselsatz dieser pessimistischen Geschichtskonzeption. Und als Komödie weit mehr denn als Tragödie bietet sich Grabbes Drama der Geschichte dar. Das klassische Fünfakt-Schema wird überlagert von der epischen Gestaltung der einerseits bilderbogenartig breitangelegten, andererseits wie im filmischen Zeitraffer sprunghaft wechselnden Szenen, in denen ein vielschichtiges Spiel mit Elementen des Mimischen und Grotesken, mit Formen des Spiels im Spiel, mit der ironischen Kommentierung und Desillusionierung opernhafter Auftritte entfacht wird. Der bewußte Affront gegen die klassische Ästhetik und die Georg Büchner (vgl. *Danton's Tod*) verwandte Modernität der epischen Dramaturgie heben indes nicht die prinzipielle Problematik des »historischen Dramas« auf: Selbst dem kruden Realismus der Schlachtenszenen entzieht sich das komplexe Phänomen »Geschichte« letztlich und erweist sich somit als theatralisch nicht realisierbar. M. Schm.

Ausgaben: Ffm. 1831. – Detmold 1874 (in *SW*, Hg. O. Blumenthal, 4 Bde., 3; krit.). – Lpzg. 1908 (in *SW*, Hg. O. Nieten, 6 Bde., 3). – Stg. 1960 (RUB 258/259). – Emsdetten 1963 (in *GA*, Hg. A. Bergmann, 6 Bde., 1960ff., 2; hist.-krit.). – Ffm./Bln. 1963, Hg. F. Sieburg (Dichtung u. Wirklichkeit, 4; m. Materialien u. Bibliogr.).

Bearbeitung: E. Keiser, *Napoleon oder die Hundert Tage*, Lpzg./Wien 1936 (Roman).

Vertonung: E. v. Boreck, *Napoleon* (Text: ders.; Oper; Urauff.: Gera 1942; Frgm.).

Literatur: K. Lelbach, *Napoleon in der Auffassung und in den Versuchen künstlerischer Gestaltung im Drama bei Grillparzer, G. u. Hebbel*, Diss. Bonn 1914. – H. Becker, *Ch. D. G.s Drama »Napoleon oder die hundert Tage«*, Diss. Marburg 1921. – R. A. Hees, *Die Technik in G.s Dramen »Die Hohenstaufen« u. »Napoleon«*, Diss. Gießen 1922. – M. Schiker, *G.s »Napoleon« und die Bühne*, Diss. Lpzg. 1922. – R. Kaprolat, *Ch. D. G.s Drama »Napoleon oder die hundert Tage«. Eine Interpretation*, Detmold 1939 (Schriftenr. d. Grabbe-Ges., 2). – F. Martini, *G., »Napoleon oder die hundert Tage«* (in *Das deutsche Drama*, Hg. B. v. Wiese, Düsseldorf 1958, Bd. 2, S. 43–64). – W. Höllerer, *Zwischen Klassik u. Moderne*, Stg. 1958, S. 17–57. – D. Schmidt, *Die Problematik des Tragischen in den historischen Dramen G.s*, Diss. Würzburg 1965, S. 162–183. – B. v. Wiese, *Die deutsche Tragödie von Lessing bis Hebbel*, Hbg. [7]1967, S. 499–505.

SCHERZ, SATIRE, IRONIE UND TIEFERE BEDEUTUNG. Lustspiel in drei Akten von Christian Dietrich Grabbe (1801–1836), entstanden 1822, erschienen 1827 in einer gemäßigten Fassung; Uraufführung: Wien, 7. 12. 1876, Akademie-Theater (Privatvorstellung). – Weil in der Hölle geputzt wird, ist der Teufel auf die Erde gekommen, wo er – trotz heißesten Sommerwetters – vor Kälte schlottert. Vier Naturhistoriker entdecken ihn im Wald und schleppen das vermummte, halb erfrorene Bündel auf das Schloß des Barons von Haldungen. Während man über den rätselhaften Fund disputiert, kommt der Höllenfürst wieder zu sich und setzt sich sogleich ins prasselnde Kaminfeuer. In der Absicht, Verwirrung und Böses anzustiften, kauft er die hübsche, aufgeweckte Liddy, die mit dem – verschuldeten – Herrn von Wernthal verlobte Nichte des Barons, dem nur an der Mitgift interessierten Bräutigam ab, um sie dem wüsten Freiherrn von Mordax zuzuschanzen, der sich ihrer aber erst dann bemächtigen darf, wenn er dreizehn Schneidergesellen umgebracht hat. Doch als der Teufel sich ein neues Hufeisen anpassen läßt, errät der Schmied alsbald, mit wem er es zu tun hat. Der verschmitzte, dem Alkohol übermäßig ergebene Schulmeister gibt darauf einen mannshohen Käfig in Auftrag, den er im Wald aufstellt und mit Casanovas soeben erschienenen berüchtigten *Memoiren* als Köder versieht. Während der aus Italien zurückgekehrte Herr von Mollfels, der ebenso mißgestaltet wie geistvoll und Liddy von ganzem Herzen zugetan ist, die Geliebte mit Waffengewalt vor dem gewalttätigen Zugriff des Wüstlings rettet, geht der Teufel prompt in die Falle. Da taucht, in Gestalt eines jungen, verführerischen Weibes und in Begleitung Kaiser Neros, ihres »Dieners«, »des Teufels Großmutter« auf, befreit den zeternden Enkel und bringt ihn in die Hölle zurück, wo der Putz inzwischen beendet ist. Liddy wird die Gattin des treuen Mollfels. – Die zahlreichen satirischen Seitenhiebe auf die von dem albernen Modedichter Rattengift repräsentierte zeitgenössische Literatur – u. a. auf Müllner, Houwald, van der Velde und Blumenhagen – finden ihren Abschluß und Höhepunkt in dem selbstironischen Auftritt des Autors, der sich vom Schulmeister folgendermaßen charakterisieren läßt: »*Das ist der vermaledeite Grabbe, oder wie man ihn eigentlich nennen sollte, die zwergigte Krabbe, der Verfasser dieses Stücks! Er ist so dumm wie ein Kuhfuß, schimpft auf alle Schriftsteller und taugt selber nichts, hat verrenkte Beine, schielende Augen und ein fades Affengesicht!*«
Mit der schillernden Mischung aus drastischer Situationskomik (vgl. die Rüpelszenen), Sprachsatire und Groteske intendierte Grabbe in der Nachfolge Tiecks eine Erneuerung der aristophanischen Komödie, die in der Dichtungstheorie der Zeit eine wesentliche Rolle spielte. Die Hinwendung zu diesem Komödientyp impliziert die Abkehr von jener Tradition des empfindsamen Lustspiels, die in Lessings *Minna von Barnhelm* ihren Ausgangspunkt hat. Ironisch läßt Grabbe seinen dünnblütigen Rattengift sagen: »*I du mein Gott ... Solch einen grobkomischen Auftritt? Heutzutage muß die Komik fein sein, so fein, daß man sie gar nicht mehr sieht ... Überhaupt ist der Deutsche viel zu gebildet und zu vernünftig, als daß er eine kecke, starke Lustigkeit*

ertrüge!« Als eine burleske Flurbereinigung des epigonalen Literaturbetriebs, als turbulentes Satyrspiel erstarrter Dramenformen entpuppt sich das Stück unter diesem Aspekt. Allein in der desillusionierenden »romantischen Ironie«, in der bizarren Verbindung des Heiteren mit dem Ernsten, des Hohen mit dem Niederen sieht Grabbe angemessene Darstellungsformen der Wirklichkeit und Gesellschaft seiner Zeit (die buntgewürfelte Schloßrunde spiegelt in etwa Grabbes Berliner Kreis; Wernthal und Mordax sind Vehikel einer dezidierten Adelssatire). Wenn der Teufel in einem berühmt gewordenen Satz die Welt *»als ein mittelmäßiges Lustspiel, welches ein unbärtiger, gelbschnabeliger Engel, der..., wenn ich nicht irre, noch in Prima sitzt, während seiner Schulferien zusammengeschmiert hat«* charakterisiert, so entspricht dies in etwa dem Weltbild des Autors. Mit seiner *»äußeren tollkomischen Erscheinung«* (an Kettembeil, 1827), mit seinen gepfefferten, schlagkräftigen Dialogen, seinem *»düster-heiteren Vexierspiel zwischen Autor und Publikum«* (B. v. Wiese), seinem gelegentlich an HEINE erinnernden phantasievollen Witz (CASANOVA z. B. wird als der *»Napoleon der Unzucht«* und *»General der sieghaften Niederlagen«*, KLOPSTOCKS *Messias* als *»altes unfehlbares Schlafmittelchen«* apostrophiert) hat das Stück bis heute wenig von seinem jugendlichen Elan und seiner urwüchsigen Komik eingebüßt; als eines der wenigen nichtklassizistischen Lustspiele der deutschen Literatur hat es sich im Repertoire der großen Bühnen zu behaupten vermocht. R. M.

AUSGABEN: Ffm. 1827 (in *Dramatische Dichtungen*, 2 Bde., 2). – Bln. 1902 (in *SW*, Hg. E. Grisebach, 4 Bde., 1; krit.; m. Biogr.). – Mchn. 1907, Bearb. M. Halbe (Urauff.: München, 27. 5. 1907, Schauspielhaus). – Lpzg. 1910 (in *Werke*, Hg. A. Frahz u. P. Zaunert, 3 Bde., 1; krit.) – Emsdetten/Westf. 1960 (in *Werke u. Briefe*, Hg. A. Bergmann, 6 Bde., 1960ff., 1). – Stg. 1965 (Nachw. A. Bergmann; RUB, 397).

LITERATUR: H. Riedel, *G. als Komiker, unter besonderer Berücksichtigung von »Scherz, Satire...«*, Diss. Lpzg. 1920. – F. Metz, *G.s Lustspiel »Scherz, Satire...«*, Diss. Marburg 1924. – M. Kessel, *C. D. G.s romantischer Teufel* (in M. K., *Essays u. Miniaturen*, Stg. 1947, S. 26–59). – M. Determann, *Der zeitgeschichtliche Hintergrund in G.s Lustspielen und im »Cid«*, Diss. Münster 1956. – G. Kaiser, *G.s »Scherz, Satire...« als Komödie der Verzweiflung* (in Der Deutschunterricht, 11, 1959, H. 5, S. 5–14). – G. F. Hering, *G. und Shakespeare* (in G. F. H., *Der Ruf zur Leidenschaft*, Köln 1959, S. 193–215). – A. Christensen, *Titanismus bei G. u. Kierkegaard* (in OL, 14, 1959, S. 184–205). – A. Bittner, E. Makosch u. H. P. Sollmann, *G.s »Scherz, Satire...« – eine obere Grenze des Schulspiels* (in Pädagog. Provinz, 14, 1960, S. 297–305). – B. v. Wiese, *Die deutsche Tragödie von Lessing bis Hebbel*, Hbg. [5]1961, S. 463. – R. C. Cowen, *Satan and the Satanic in G.'s Drama* (in GR, 39, 1964, S. 120–136). – H. Mayer, *G. und die tiefere Bedeutung* (in Akzente, 12, 1965, S. 79–95). – R. A. Nicholls, *Qualities of the Comic in G.'s »Scherz, Satire...«* (in GR, 41, 1966, S. 89–102). – W. Steffens, *C. D. G.*, Velber 1966 (Friedrichs Dramatiker d. Weltliteratur, 21). – M. Edwards, *G.'s »Jest, Satire, Irony and Deeper Significance«. An Introduction* (in Drama Survey, 5, 1966/67, S. 100–122). – H.-M. Gerresheim, *C. D. G.* (in *Deutsche Dichter des 19. Jh.s. Ihr Leben u. Werk*, Hg. B. v. Wiese, Bln. 1969, S. 174–199).

FRANZ GRILLPARZER
(1791–1872)

DER ARME SPIELMANN. Erzählung von Franz GRILLPARZER (1791–1872), erschienen 1848. – Die schon von Adalbert STIFTER als Meisterwerk gewürdigte Erzählung verbindet kunstvoll den »Rahmen« persönlicher Betrachtung mit der eigentlichen Handlung, in die der Erzähler immer wieder einbezogen wird: er, *»ein leidenschaftlicher Liebhaber der Menschen, vorzüglich des Volkes«*, besucht ein großes Jahrmarktsfest in einer Wiener Vorstadt, denn: *»Von dem Wortwechsel weinerhitzter Karrenschieber spinnt sich ein unsichtbarer, aber ununterbrochener Faden bis zum Zwist der Göttersöhne, und in der jungen Magd, die, halb wider Willen, dem drängenden Liebhaber seitab vom Gewühl der Tanzenden folgt, liegen als Embryo die Julien, die Didos und die Medeen.«* – Hier auf dem Fest trifft er einen armen alten Geiger, der ihm seine Lebensgeschichte erzählt:

Sohn eines hohen und einflußreichen Staatsbeamten versagt er, weich, träumerisch und nach innen gewandt, vor den Anforderungen der Wirklichkeit, wird von dem ehrgeizigen und jähzornigen Vater von der Schule genommen und muß nun als kleiner Schreiber in einem Büro arbeiten. Aber auch hier entzieht er sich der lauten und rohen Umwelt; nur sein Geigenspiel und Barbara, die Tochter eines Pastetenbäckers, die er schüchtern und demütig liebt, sind ihm Zuflucht und Lebensinhalt. Barbara jedoch, den untüchtigen Mann halb verachtend, von seiner »Seelenschönheit« dennoch tief berührt, heiratet schließlich, als der Spielmann sich nach dem Tode seines Vaters um sein reiches Erbe kläglich hat betrügen lassen, einen Schlachtermeister. Der Spielmann zieht seither geigend durch Wien. – Viele Jahre später trifft der Erzähler Barbara an des Geigers Totenbett. Sie hat ihn nie vergessen. Als der Erzähler die Geige als Andenken kaufen will, verweigert sie ihm dies heftig: *»Mein letzter Blick traf die Frau. Sie hatte sich umgewendet, und die Tränen liefen ihr stromweise über die Backen.«*

Das Thema der Erzählung klingt in einigen Dramen Grillparzers aufs neue an: die Innerlichkeit eines zwar besonderen, aber schwachen Menschen, der dem Leben nicht gewachsen ist. Der Spielmann ist eine zugleich lächerliche und tragische, immer aber rührende Figur, der nicht mehr als die Hoffnung bleibt, einst – nach dem irdischen Dasein – an einen Ort zu kommen *»wo wir nach unsern Absichten gerichtet werden und nicht nach unsern Werken«*. Den Zwiespalt zwischen Gedanke und Tat, das Mißverhältnis von innerer Haltung, idealer Vorstellung und äußerer Erscheinung rafft Grillparzer in das doppelt verwandte Symbol der Geige, die in der stillen und melancholischen Handlung eine wichtige Stelle einnimmt. Ist dem armen Spielmann sein Geigenspiel Zuflucht vor der fordernden Welt, so zeigt es ihm zugleich die Kluft zwischen Wollen und Vermögen, zwischen dem innerlich Gehörten und dem wirklichen Klang, der unzulänglich, traurig und fern der Vollendung bleibt. KLL

AUSGABEN: Wien 1848 (im Almanach »Iris« auf das Jahr 1848). – Wien 1930 (in *Werke*, 1. Abt., Bd. 13, Hg. A. Sauer u. R. Backmann; Apparat in Bd. 22;

hist.-krit.). – Mchn., angekündigt (in *SW*, Bd. 3, Hg. P. Frank u. K. Pörnbacher).

LITERATUR: B. Seuffert, *G.s Spielmann* (in *Festschrift A. Sauer*, Stg. 1925, S. 291ff.). – H. Pongs, *Möglichkeiten d. Tragischen in d. Novelle*, Bln. 1932, S. 75ff. – K. Vancsa, *G.s »Der arme Spielmann« u. Stifters »Der arme Wohltäter«; Versuch einer vergleichenden Interpretation* (in *Festschrift für E. Castle*, Wien 1955, S. 99–107). – B. v. Wiese, *Die dt. Novelle v. Goethe bis Kafka*, Darmstadt 1956, S. 134–153. – R. Brinkmann, *F. G., »Der arme Spielmann«. Der Einbruch der Subjektivität* (in R. B., *Wirklichkeit und Illusion*, Tübingen 1957, S. 87 bis 145). – R. Koskimies, *Die Theorie der Novelle* (in Orbis Litterarum, 14, 1959, H. 2/4, S. 65–88).

EIN BRUDERZWIST IN HABSBURG. Trauerspiel in fünf Aufzügen von Franz GRILLPARZER (1791–1872), nach bis 1825 zurückreichenden Vorarbeiten 1848 beendet, veröffentlicht mit in den sechziger Jahren ständig fortgesetzten Umarbeitungen aus dem Nachlaß 1872; Uraufführung: Wien 1872. – Genaues Studium der historischen Quellen die auch SCHILLER für seinen *Wallenstein* benutzte, hat Grillparzer befähigt, in diesem Stück mit sicheren Strichen ein Bild der Zeit unmittelbar vor Ausbruch des Dreißigjährigen Krieges zu zeichnen.

In Prag residiert Kaiser Rudolf II., jener seltsame Habsburger, der, in Spanien aufgewachsen, Kunst und Wissenschaft liebt und sich mit Astrologie und Alchimie beschäftigt; ein strenger Katholik, aber duldsam den ketzerischen Lutheranern gegenüber, menschenfeindlich und jähzornig, aber mitleidig, wenn es sich um unschuldige Opfer handelt: ein aus Einsicht in die moralische Fragwürdigkeit politischer Aktivität willensschwacher Herrscher, der sich jedoch seiner kaiserlichen Würde stets bewußt ist. (Sein Festhalten an überkommenen Ordnungen und sein Abscheu vor jeder Art von Aufruhr und Revolution entspricht Grillparzers eigenen politischen Überzeugungen.) Matthias, der Bruder Rudolfs und Heerführer im Krieg gegen die Türken, erhebt sich unter dem Einfluß des machtlüsternen Bischofs Klesel gegen den Kaiser; er schließt einen Separatfrieden, verbündet sich mit den Hussiten und führt sein Heer gegen Prag. Dort lebt der Kaiser einsam im Hradschin, plant zusammen mit dem ihm befreundeten Herzog Julius von Braunschweig die Gründung eines Ordens der Friedensritter und bemerkt die Gefahr zu spät. Er wird im Schloß gefangengehalten, und Matthias regiert von Wien aus. Die Erzherzöge unterstützen ihn aber nur zum Teil. Als Rudolf stirbt, wird Matthias Kaiser, schreckt aber vor dieser Aufgabe zurück. Dieser umfangreiche Handlungsstrang ist verflochten mit einem zweiten, dessen Held Don Cäsar ist, des Kaisers natürlicher Sohn, der in einer unglücklichen Haßliebe zum Mörder seiner Geliebten wird. Von einer Begnadigung will Kaiser Rudolf nichts wissen. Er selbst wirft den Schlüssel zum Gefängnis, in dem der zur Ader gelassene Don Cäsar verbluten muß, in den Brunnen des Schlosses: Durch die gerechte Strafe soll die göttliche Ordnung wiederhergestellt werden.

In diesem Stück gestaltet Grillparzer den tragischen Zwiespalt zwischen dem Menschen Rudolf, der die überkommene heilige Ordnung des Staates nicht durch Taten stören möchte, weil diese ihn, wie alles geschichtliche Handeln, notwendigerweise in Schuld verstricken würden – und dem Kaiser Rudolf, der gerade durch seine Passivität diese Ordnung gefährdet. Die kaiserliche Würde allein soll das göttliche Gefüge des Reichs zusammenhalten, als die persönlichen und machtpolitischen Interessen der Gegenspieler es bedrohen. Aber »*... das Bewußtsein, daß im Handeln, / Ob so nun oder so, der Zündstoff liegt, / Der diese Mine donnernd sprengt gen Himmel*«, bringt Rudolf in Gegensatz zu den Erfordernissen seines kaiserlichen Amtes, das die widerstreitenden Mächte im Staat eben nicht allein durch die bloße Strahlkraft seiner Würde versöhnen kann. – Grillparzers Sprache, die den für das klassische Drama obligatorischen fünffüßigen Jambus benutzt, verzichtet hier, wie auch in nahezu allen anderen Stücken seit *Sappho* und der Trilogie *Das goldene Vließ*, vollständig auf deklamatorisches Pathos und bemüht sich, den psychologischen Beziehungen der Hauptpersonen zueinander differenziert nachgebend, um genaue Begründung und Erläuterung des vorwiegend gedanklichen Details. Dem entspricht dramaturgisch die Verlagerung des Hauptgewichts vom – trotz sehr genauem Quellenstudium frei behandelten – historischen Verlauf auf den Entscheidungsprozeß in dem Kaiser Rudolf als »nachdenklicher« Held den dramatischen Grundkonflikt Grillparzers vorzuleben hat, den Konflikt zwischen kontemplativer Innerlichkeit und schuldhaftem Handeln, der auf der Voraussetzung beruht, daß Entschlossenheit zumeist nur Gewissenlosigkeit bedeute. KLL

AUSGABEN: Stg. 1872 (in *SW*, Bd. 7, Hg. H. Laube u. J. Weilen). – Wien 1927 (in *Werke*, 1. Abt., 6, Hg. A. Sauer u. R. Backmann; Apparat in Bd. 21; hist.-krit.).

LITERATUR: A. Bistricky, *G.s »Bruderzwist ...« i. Spiegel seiner polit. u. geschichtl. Auffassung*, Diss. Wien 1947. – W. Naumann, *G.s Drama »Ein Bruderzwist ...«* (in Euph., 48, 1954, S. 412–434). – G. A. Wells, *The Problem of Right Conduct in G.'s »Ein Bruderzwist ...«* (in GLL, N. S. 11, 1957/58, S. 161–172). – G. Baumann (in *Das deutsche Drama*, Hg. B. v. Wiese, Bd. 1, Düsseldorf [2]1960, S. 422–450; m. Bibliogr.). – U. Helmensdorfer, *G.s Bühnenkunst*, Bern 1960, S. 69–100. – M. Roscheck, *G.s Staatsauffassung*, Diss. Köln 1961. – B. v. Wiese, *Die dt. Tragödie v. Lessing bis Hebbel*, Hbg. [5]1961.

KÖNIG OTTOKARS GLÜCK UND ENDE. Tragödie in fünf Akten von Franz GRILLPARZER (1791–1872), Uraufführung: Wien, 19. 2. 1825, Burgtheater. – Zensurschwierigkeiten verhinderten eine frühere Veröffentlichung des Dramas, das Grillparzer im Jahre 1823 geschrieben hatte. Der endgültigen Konzeption des Stückes ging eine intensive Beschäftigung mit dem historischen Stoff voraus. Als Quellen dienten Grillparzer dabei vor allem die Biographie des Böhmenkönigs Ottokar im *Österreichischen Plutarch* (1807ff.) von Josef von HORMAYR sowie die mittelhochdeutsche Reimchronik Ottokars von HORNECK (1318), den der Autor in seinem Drama selbst auftreten läßt. Grillparzer plante zunächst eine epische Behandlung des Stoffes; balladische Strophen eines Gedichts *Rudolf und Ottokar* fanden sich im Nachlaß des Dichters. Neben den Quellenwerken hat auch das zeitgenössische Wiener Volkstheater, in dem nationalhistorische Sujets beliebt waren, Grillparzers Stoffwahl mit angeregt. Spuren dieser Theatertradition sind in dem Drama ebenso nachweisbar wie die Einwirkungen der Technik des spanischen Barocktheaters. – Zeitgeschichtlich bedeutungsvoll ist die vom Dichter intendierte Analogie zu der Gestalt Napoleons. Die Wahl des historischen Stoffes und der parabelartig-demonstrative Aufbau des Dramas lassen deutlich werden, daß weder die Kategorien eines individuellen Schicksals noch die einer psychologisch motivierten Charakterentwicklung für Grillparzers Gestaltungsabsichten revelant sind. Mit der Wendung zur Geschichtsdramatik im *König Ottokar* wird für Grillparzer das der Historie zugrundeliegende Allgemeine, das Typische und Beispielhafte des menschlichen Handelns entscheidend, wie es etwa in einer frühen Notiz zum Drama, »*Übermut und sein Fall – König Ottokar*«, angedeutet wird.

Die Handlung nimmt ihren Ausgang von dem Rechtsbruch, den Ottokar durch die Auflösung seiner Ehe mit Margarete von Österreich begeht. Es entspricht Grillparzers Idee des menschlichen Handelns in der Geschichte, daß dieser Rechtsbruch in seiner Dramenkonzeption bereits als Folge eines anderen Gelöbnisbruches erscheint; denn Margarete hatte beim Tode ihres ersten Gatten Heinrich künftige Ehelosigkeit gelobt. Der Autor läßt Margarete diese Verkettung des aufeinanderfolgenden Unrechts erkennen und aussprechen: »*Doch war's Gelübd', ich hätt' es halten sollen / ... Er [i. e. Ottokar] soll vor Unrecht sich bewahren; / Denn auch das kleinste rächt sich.*« Die Ottokar zugeordnete Figur der Margarete vertritt nicht den traditionellen Typus der nur leidenden Märtyrerin. Mit der vollendeten Tatsache der Ehescheidung, die trotz aller Rechtfertigungsversuche als »Unrecht« bestehen bleibt, ist der innere Bezugspunkt von Ottokars Niedergang gegeben, der späterhin nur noch äußere Gestalt annimmt. Scheinbar jedoch vollzieht sich ein glänzender Aufstieg. Die neue Heirat mit der ungarischen Königstochter und die politisch-militärischen Erfolge bestätigen diese Täuschung Ottokars, der der Hybris des vom Recht sich lossagenden Machtmenschen erliegt: »*So hoch ein Mensch mag seine Größe setzen, / So hoch hat Ottokar gesetzt die seine.*« Grillparzer macht dabei die Figur des Zawisch, der die Verhältnisse durchschaut, Ottokar aber in der Illusion verharren läßt, zum Träger der dramatischen Ironie. – Der Punkt des äußeren Umschwungs ist bereits im zweiten Akt gegeben: Die erhoffte Kaiserwürde fällt an Rudolf von Habsburg, der in der Folge kontrapunktisch zu der Figur Ottokars als Inkarnation und Allegorie des Rechtmäßigen in dem Maße aufsteigt, in dem Ottokars machtpolitischer Einfluß abnimmt. Aber gleichzeitig damit geht die Erkenntnis des Unrechts, vorher nur in der Optik des Geschehens selbst sichtbar, in das Bewußtsein des Protagonisten ein: »*Geblendet war ich, so hab ich gefehlt!*« – Grillparzers desillusionierter Held gewinnt in der tragischen Erkenntnis der Täuschung ästhetische Würde. Dieses aus dem religiösen spanischen Theater stammende Prinzip des *desengaño*, der Aufhebung schuldiger Verblendung durch das Erkennen, macht die strukturelle Mitte des Dramas aus, die mit der Entgegensetzung von »Recht« einerseits (Rudolf) und hybridem »Unrecht« auf der anderen Seite (Ottokar) nur unzulänglich bezeichnet wäre. U. H.

AUSGABEN: Wien 1825. – Wien 1931 (in *SW*, Hg. A. Sauer u. R. Backmann, 42 Bde., 1909–1948, 1. Abt., Bd. 3; hist.-krit.). – Stg. 1951 (RUB, 4382). – Mchn. 1960 (in *SW*, Hg. P. Frank u. K. Pörnbacher, 4 Bde., 1960–1965, 1).

LITERATUR: K. Glossy, *Zur Geschichte des Trauerspiels »König Ottokars Glück u. Ende«* (in Jb. der Grillparzer-Ges., 9, 1898, S. 213–247). – F. Sengle, *Das deutsche Geschichtsdrama*, Stg. 1952, S. 101 bis 105. – F. Schreyvogl, *Das Österreichische an »König Ottokars Glück u. Ende«* (in Jb. der Grillparzer-Ges., 3. Folge, Bd. 2, 1956, S. 183–185). – E. Staiger, *G.s »König Ottokar«* (in E. S., *Meisterwerke deutscher Sprache. Interpretationen*, Zürich ³1957, S. 163–185). – W. Naumann, *G. »König Ottokars Glück u. Ende«* (in *Das dt. Drama vom Barock bis zur Gegenwart*, Hg. B. v. Wiese, Bd. 1, Düsseldorf 1958, S. 405–421). – K. Partl, *F. Schillers »Wallenstein« u. F. G.s »König Ottokars Glück u. Ende«. Eine vergleichende Interpretation auf geschichtlicher Grundlage*, Bonn 1960 (Abh. zur Kunst-, Musik- u. Literaturwiss., 8). – H. Geitz, *G.'s Turn to the Historical Drama »König Ottokars Glück u. Ende«*, Diss. Univ. of Wisconsin 1961 (vgl. Diss. Abstracts, 22, 1961/62, S. 868/869). – J. Müller, *F. G.*, Stg. 1963, S. 38–44 (Slg. Metzler, 31). – W. Silz, *G.'s »Ottokar«* (in GR, 39, 1964, S. 243–261). – R. Schneider, *G.s Epilog auf die Geschichte* (in R. S., *Dämonie u. Verklärung*, Freiburg i. B. 1965).

DES MEERES UND DER LIEBE WELLEN. Trauerspiel in fünf Aufzügen von Franz GRILLPARZER (1791–1872). Seit 1820 beschäftigte sich Grillparzer mit der Sage von Hero und Leander; zwischen 1826 und 1828 schrieb er die ersten vier Akte (bis IV, 2); nach einer plötzlichen Unterbrechnung wurde das Werk im Februar 1829 abgeschlossen. Uraufführung: Wien, 3. 4. 1831, Burgtheater. – Das Drama war Grillparzers erster großer Mißerfolg beim Wiener Publikum: Nach vier Vorstellungen bereits wurde es abgesetzt. Erst LAUBES Neuinszenierung von 1851 machte es zum populärsten, meistgespielten Stück Grillparzers.

Selbstzufrieden und geborgen lebt Hero im Dienst der Göttin Aphrodite. Sie schmückt den Tempel für das bevorstehende Fest ihrer Weihe zur Priesterin. Heros Eltern müssen Abschied für immer von der Tochter nehmen, denn jede Berührung mit der Außenwelt ist ihr hinfort untersagt. Auch Ehelosigkeit ist Pflicht. Bei der heiligen Handlung selbst kommt es zu einem Zwischenfall: Heros Blick trifft den Leanders, der sich mit seinem Freunde Naukleros unter den Zuschauern befindet. Hero stört das Zeremoniell durch ihre Verwirrung; Leander fällt von Stund an in trübsinniges Brüten. Wenig später begegnen die beiden Freunde Hero beim Wasserholen. Leander wagt nicht, sie anzusprechen. Aus übergroßer Scham wirbt er schließlich allzu stürmisch. Der Priester kommt dazu, als Hero den Liebeskranken aus ihrem Krug trinken läßt, und vertreibt die Eindringlinge unter Drohungen aus dem heiligen Bezirk. Leander ist jedoch zur Rückkehr um jeden Preis entschlossen. Der Priester geleitet Hero in ihr Turmgemach und ermahnt sie zu innerer Sammlung. An die Stelle des dramatischen Worts tritt, wie oft bei Grillparzer, die Geste, wenn Hero nun ihren Mantel ablegt zum Zeichen der Absage an das äußere Leben. Der dramatische Vorgang jedoch kehrt diese Deutung um: Hero setzt sich, in naiver Unschuld, der Gewalt des Wirklichen aus, das in Gestalt der Liebe zu Leander auf sie eindringt. Dieser steht unversehens leibhaftig vor ihr. Tollkühn hat er das Meer durchschwommen und ihren Turm erklettert. Wie Leanders Drängen und Heros Widerstreben über alle Stufen der Annäherung bis zum vereinenden Kuß geführt wird, gehört bis heute zum Faszinierendsten an Stimmungskunst im dramatischen Werk Grillparzers. – Der Abschied wird indes vom Tempelhüter beobachtet und dem Priester gemeldet. Am Abend des folgenden Tages stellt Hero, wie verabredet, das Öllämpchen ins Fenster. Beim Warten auf den Geliebten schlummert sie, träumerisch dessen Ankunft vorwegnehmend, übermüdet ein. Unterdessen löscht der Priester das Licht, und Leander kommt um in den Wellen. Am anderen Morgen entdeckt Hero die angeschwemmte Leiche. In wilder, hemmungsloser Trauer klagt sie den Priester an, einem abstrakten Prinzip zuliebe – um *»Unrecht abzuhalten«* – zum Verräter am Leben überhaupt geworden zu sein: *»Sein Leben war das Leben, deines, meins, / Des Weltalls Leben.«* Von Schmerz überwältigt stirbt Hero.

Grillparzer hielt, auch nach dem Erfolg, an seiner *»Überzeugung von den Kompositionsfehlern«* der letzten beiden Akte fest. Vor allem dem Priester glaubte er nicht gerecht geworden zu sein. Diese Gestalt verweist, neben der Metaphorik des Meeres, allegorisch auf die anonymen Zwänge einer Gesellschaft, die das Individuum vor die zynische Alternative stellt, entweder den Rückzug in das Nichts einer welt- und gesellschaftslosen Innerlichkeit anzutreten oder sich ohnmächtig den Verfügungen einer für Individuelles blinden öffentlichen Gewalt zu überlassen. Der lyrisch klingende Titel schlägt um in Ironie: Die versprochene Romantik wird, als unzeitgemäß, verweigert. Nach August Wilhelm von SCHLEGELS Definition des romantischen Dramas (in der 25. der *Vorlesungen über dramatische Kunst und Litteratur*) müßte der *»über dem Werke schwebende Hauch des Märchenhaft-Romantischen«* (A. Sauer), um wahrhaft romantisch zu sein, sich manifestieren als *»Ausdruck des geheimen Zuges zu dem immerfort nach neuen und wundervollen Geburten ringenden Chaos, welches unter der geordneten Schöpfung, ja in ihrem Schoße sich verbirgt: der beseelende Geist der ursprünglichen Liebe schwebt hier von neuem über den Wassern«.* Das Gegenteil jedoch ist in *Des Meeres und der Liebe Wellen* der Fall: Unversöhnbar klaffen am Ende die Gegensätze auseinander. Liebe und Stimmungszauber deuten nicht, wie Schlegel fordert, auf eine insgeheim alle Widersprüche durchwaltende Einheit und Harmonie, sondern erscheinen stets im Zeichen einer trauerdurchwirkten Utopie, als nicht Gewährtes, abgeschnitten von der Lust des Sich-Entfaltens. D. Bar.

AUSGABEN: Wien 1840. – Wien/Lpzg. 1925 (in *SW*, Hg. A. Sauer u. R. Backmann, 42 Bde., 1909 bis 1948, Abt. 1, Bd. 4; Anm. in Bd. 19; hist.-krit.). – Mchn. 1960 (in *SW*, Hg. P. Frank u. K. Pörnbacher, 4 Bde., 1960–1965, 1). – Stg. 1960 (RUB, 4384).

VERTONUNG: E. Frank, *Hero* (Text: F. Grillparzer, bearb. v. F. Vetter; Oper; Urauff.: Wien 1884).

LITERATUR: M. H. Jellinek, *Die Sage von Hero u. Leander in der Dichtung*, Bln. 1890. – H. Teuschert, *G. u. die antike Literatur*, Diss. Wien 1933. – K. K. Klein, *Über G. s Tragödie »Hero«* (in Revista Limbii şi Culturii Germane, 1, 1941/42, S. 15–33). – I. Knauer, *Frauenzeichnung u. Frauenpsychologie bei F. G.*, Mchn. 1946 [Diss. Mchn. 1947]. – M. E. Atkinson, *G.'s Use of Symbol and Image in »Des Meeres und der Liebe Wellen«* (in GLL, N. S. 4, 1950/51, S. 261–277). – H. v. Hofmannsthal, *Einleitung einer neuen Ausgabe* (in H. v. H., *GW. Prosa II*, Stockholm/Ffm. 1951, S. 31–35). – H. Seidler, *Zur Sprachkunst in G.s Hero-Tragödie* (in *Fs. M. Enzinger*, Hg. H. Seidler, Innsbruck 1953, S. 167–184). – A. Mulot, *G.'s »Hero«* (in WW, 5, 1954/55, S. 139–143). – H. Politzer, *Der Schein von Heros Lampe* (in MLN, 72, 1957, S. 432–437). – D. Lasher-Schlitt, *G.s »Hero«. Eine psychologische Untersuchung* (in Jb. der Grillparzer-Gesellsch., 3, 1960, S. 106–114). – J. Kaiser, *G.s dramatischer Stil*, Mchn. 1961. – J. Müller, *F. G.*, Stg. 1963 (Slg. Metzler, 31). – B. v. Wiese, *Die Bedrohung des Menschen durch die Liebe* (in B. v. W., *Die deutsche Tragödie von Lessing bis Hebbel*, Hbg. [6]1964, S. 421–433). – U. Fülleborn, *Das dramatische Geschehen im Werk F. G. s. Ein Beitrag zur Epochenbestimmung der deutschen Dichtung im 19. Jh.*, Mchn. 1966. – G. Kleinschmidt, *Illusion u. Untergang. Die Liebe im Drama F. G.s*, Lahr 1967. – E. E. Papst, *G. »Des Meeres u. der Liebe Wellen«*, Ldn. 1967.

SAPPHO. Trauerspiel in fünf Akten von Franz GRILLPARZER (1791–1872), Uraufführung: Wien, 21. 4. 1818, Burgtheater. Der Autor wurde, des großen Erfolges wegen, öffentlich geehrt. – Sappho kehrt von Olympia, wo sie in der Dichtkunst den Sieg errang, unter dem Jubel des Volkes in ihre Heimatstadt zurück. Ihr zur Seite auf dem Triumphwagen steht der Jüngling Phaon. Im Zusammenhang des Dramas repräsentieren beide zwei einander problematisch entgegengesetzte Bereiche: Phaon das »Leben«, Sappho die »Kunst«. Es geht darum, der Kunst einen legitimen Platz in der bürgerlichen Gesellschaft zu sichern. Phaon ist es von Sappho zugedacht worden, die Kunst aus ihren *»wolkennahen Gipfeln / In dieses Lebens heitre Blütentäler / Mit sanft bezwingender Gewalt herabzuziehn«*. Die Symbiose von Kunst und Leben soll durch ein Liebesfest zeichenhaft vollzogen werden. Doch steht schon vor dem Versuch einer Annäherung die Unvereinbarkeit der Standpunkte fest: Zwischen Dichter und Bürger *»gähnt verschlingend«* eine *»weite Kluft«*.

In Phaons Einstellung zur Kunst ist schon der blinde Respekt vor einem unbegreiflich Hohen mit dem aggressiven Mißtrauen des Kleinbürgers gegen den außerhalb der Gesellschaft stehenden Künstler fatal im Bund. Sappho ihrerseits projiziert alles, was ihr die Unsicherheit der eigenen Position versagt, emphatisch auf Phaon. Schritt für Schritt deckt das Drama auf, daß eine Vereinigung nicht zustande kommen kann, weil die Beziehungen zwischen beiden Bereichen fundamental gestört sind. Phaon hält denn auch Sappho nicht die Treue, sondern fühlt sich mehr von Melitta, ihrer Sklavin, angezogen. Als Melitta beim Schmücken des Saales für das bevorstehende Liebesfest durch eine ungeschickte Bewegung zu Fall kommt, fängt Phaon sie auf und küßt sie unwillkürlich. Sappho wird Zeuge dieser Szene. Verzweifelt zieht sie sich in eine Grotte zurück und macht – paradoxerweise – ihr eigenes Leiden sich zum Vorwurf: Die Kompliziertheit ihrer Person, in der sich doch nur die Problematik der Situation ausdrückt, nimmt sich neben der natürlichen Unschuld der beiden Liebenden wie Schuld und Versagen aus. Doch ist Melittas und Phaons Naivität nur scheinbar ungebrochen: *»Gleicher Schmerz«*, zu dessen geistiger Analyse sie im Gegensatz zu Sappho allerdings unfähig sind, hat sie zueinander getrieben. Sappho versucht den Schein ihres Glücks eifersüchtig zu zerstören. Phaon flieht mit Melitta, als diese entführt werden

soll. Sappho läßt beide wieder einfangen; dabei wird Melitta verletzt. Diese Vorgänge demonstrieren einen Teufelskreis: Das Unrecht, das die Umstände am einzelnen verüben, vermag sich wie Erbsünde zu perpetuieren, weil es als individuelle Schuld verkannt wird. Die Sühne der Schuld, wo immer sie einzelnen auferlegt wird, bleibt ein Akt des Unrechts und schafft nur neue, noch komplexere Schuldverhältnisse. So, wenn Phaon nun Sappho der Unmenschlichkeit anklagt und ihrer Dichtung deshalb einen auf die konkrete Lebenspraxis beziehbaren Wahrheitswert abspricht. Er weist der Kunst die Rolle zu, die sie in Metternichs Polizeistaat auch wirklich spielen mußte: zum Bestehenden den apologetisch untermalenden, unverbindlich konsumierbaren Begleittext zu finden. Eine Versöhnung im Stil der Iphigenien-Humanität, zu der Sappho von Melitta aufgefordert wird, ist – auch wenn Grillparzer in diesem Drama *»mit Goethes Kalbe gepflügt«* zu haben vorgab – nicht mehr möglich, weil der vorliegende Konflikt über den persönlichen Verfügungsbereich der Beteiligten hinausreicht. So flieht Sappho im Ornat der hohen Dichterin *»mit starrem Blick«* auf einen in die *»graue Unermeßlichkeit«* des Meeres hinausragenden Felsen und stürzt sich, nach Abschiedsworten in einer Sprache, von der es heißt, daß sie der Dichterin nicht mehr gehöre, in den Abgrund.
Dieses äußerlich streng klassisch komponierte Versdrama gibt durch die innere Organisation seiner Motive zu verstehen, daß eine Lösung der Konflikte im Sinn der klassischen Tragödie unmöglich ist. Dank der durchgehaltenen Spannung von intendierter, aber nicht mehr realisierbarer Form und dem resignativ gebrochenen Lyrismus seiner Sprache behielt es poetische Lebenskraft bis heute. D. Bar.

AUSGABEN: Wien 1819. – Wien 1909 (in *SW*, Hg. A. Sauer u. R. Backmann, 42 Bde., 1909–1948, Abt. 1, Bd. 1; hist.-krit.). – Mchn. 1960 (in *SW*, Hg. P. Frank u. K. Pörnbacher, 4 Bde., 1960–1965, 1). – Stg. 1965 (RUB, 4378).

VERTONUNG: H. Kaun, *Sappho* (Text: F. Grillparzer; Oper; Urauff.: Lpzg., 27. 10. 1917, Stadttheater).

LITERATUR: R. Backmann, *Zur Entstehungsgeschichte der »Sappho«* (in *G.-Studien*, Hg. O. Katann, Wien 1924). – H. Teuschert, *G. und die antike Literatur*, Diss. Wien 1933. – H. Rüdiger, *Sappho. Ihr Ruf und Ruhm bei der Nachwelt*, Lpzg. 1933. – T. C. Dunham, *The Monologue as Monodrama in G.'s Hellenic Dramas* (in JEGPh, 27, 1938, S. 513–523). – D. Yates, *G.'s »Sappho«* (in *German Studies Presented to H. G. Fiedler*, Oxford 1938, S. 459–492). – A. D. Klarmann, *Psychological Motivation in G.'s »Sappho«* (in MDU, 40, 1948, S. 271–278). – R. B. Brundrett, *The Rôle of the Ego in G.'s »Sappho« and Schiller's »Jungfrau«* (in GQ, 31, 1958, S. 16–23). – S. C. Harris, *The Figure of Melitta in G.'s »Sappho«* (in JEGPh, 60, 1961, S. 102–110). – J. Kaiser, *G.s dramatischer Stil*, Mchn. 1961. – J. Müller, *F. G.*, Stg. 1963 (Slg. Metzler, 31). – U. Fülleborn, *Das dramatische Geschehen im Werk F. G.s. Ein Beitrag zur Epochenbestimmung der deutschen Dichtung im 19. Jh.*, Mchn. 1966. – G. Kleinschmidt, *Illusion und Untergang. Die Liebe im Drama F. G.s*, Lahr 1967.

DER TRAUM EIN LEBEN. Dramatisches Märchen in vier Akten von Franz GRILLPARZER (1791 bis 1872), begonnen 1817/18 (erster Akt), vollendet 1826–1831; Uraufführung: Wien, 4. 10. 1834, Burgtheater (letzter großer Bühnenerfolg Grillparzers); erschienen 1840. – Märchenelemente verbinden sich in diesem Stück mit der Tradition des Barock, dem Einfluß des Wiener Vorstadttheaters (Zauberposse), dem Stoff von VOLTAIRES *Le blanc et le noir*, 1764 *(Der Weiße und der Schwarze)*, und CALDERÓNS *La vida es sueño*, 1636 *(Das Leben ein Traum)*.
Der erste Akt und der Schluß des vierten Akts umrahmen das Traumgeschehen, das die eigentliche Handlung des Dramas bildet. In die Idylle, in der der reiche Landmann Massud mit seiner Tochter Mirza lebt, ist Unruhe eingebrochen. Trotz der Bande, die Rustan, ihren Verlobten, mit Mirza verbinden, drängt es ihn, einen unsteten, umhergetriebenen und in sich gespaltenen Charakter, aus dem engbegrenzten Lebenskreis hinaus. Ihn verlangt es nach Abenteuern, großen Taten und Ruhm: *»Sich hinabzustürzen dann / in das rege, wirre Leben...«* Sein Negersklave Zanga verkörpert für ihn die Verlockungen des freien Lebens. Samarkand wird ihm zum Inbegriff der Welt der Abenteuer. Rustan bittet Massud um Urlaub, bleibt jedoch auf Bitten Massuds und Mirzas noch eine Nacht. Das Lied des Derwisch von der Schattenhaftigkeit des Lebens weckt in ihm andere Bilder, leitet ihn hinüber in die Welt des Traums: Eine Berggegend tut sich auf mit Felsen und Brücke, Rustan und sein Begleiter Zanga wissen sich ihrem Ziel Samarkand nahe. Die Gelegenheit zur ersten Heldentat bietet sich Rustan bald, doch sein Speer verfehlt die Schlange, die den König von Samarkand bedroht und die nun von einem geheimnisvollen »Mann vom Felsen« getötet wird. Vor dem König rühmt sich Rustan selbst der Tat und tut damit den verhängnisvollen ersten Schritt in die Welt des Trugs und Scheins, der er fortan mehr und mehr verfällt: Die Ermordung des »Mannes vom Felsen«, Täuschung über seine eigene Herkunft, zweifelhafter Ruhm in der Befreiung Samarkands verstricken ihn immer mehr in Lüge und Ruhmsucht, denn das Ziel ist für ihn die Herrschaft und die Hand Gülnares, der Tochter des Königs. Der Verdacht, den »Mann vom Felsen« ermordet zu haben, treibt ihn zum Mord am König, der Verdacht am Königsmord schließlich führt ihn zur Gewalt- und Unrechtsherrschaft, durch die allein er alle Zeugen gegen sich ausschalten kann. Aber das Netz der Beweise gegen Rustan wird immer dichter, und als sich auch Gülnare gegen ihn stellt, gibt es keinen Ausweg als die Flucht, die ihn zurückführt in die Waldgegend, wo er dem König zuerst begegnet ist. Die Verfolger bedrängen ihn von allen Seiten, es bleibt nur der Sturz von der Brücke, auf der er den »Mann vom Felsen« ermordet hat, und dieser Sturz läßt Rustan aus seinem bedrängenden Traum erwachen. – Er findet sich wieder bei Massud und Mirza, in jener Welt, die er jetzt freiwillig annimmt. Unter dem Eindruck des Traums erkennt er die Scheinhaftigkeit des Ruhms und angemaßter Größe. Mit der Freilassung Zangas wird der Schlußstrich unter das Leben in Abenteuer und Schuld gezogen.
Für Grillparzers Zauberstück in der Tradition der Wiener Volksbühne gilt in besonderer Weise, was Hugo von HOFMANNSTHAL (*Rede auf Grillparzer*, 1922) von allen Dramen des Dichters sagte, daß nämlich jedes *»dem Stil nach völlig ein Gebilde für sich ist. Jedes ... erschiene innerhalb der dramatischen Gattung als die Vertretung einer Gattung für sich.«* Es ist das einzige »dramatische Märchen«

Grillparzers, nirgendwo sonst ist eine so bunte, exotisch schillernde Welt dargestellt. Aber die formale Gestaltung zeigt unverwechselbar Grillparzers Handschrift: die große Bedeutung der Szenen- und Bühnenanweisungen sowie der Gesten und der Requisiten (Schlange, Dolch, Brücke, Mantel, Becher), das Auftreten allegorischer Figuren (»brauner« und »bunter« Knabe als Allegorien für Wirklichkeit und Traum). In vielfältiger Weise werden die zahlreichen Verknüpfungen von Traum und Wirklichkeit angedeutet: Die Parallelitäten von Personen, Ereignissen und zwischenmenschlichen Beziehungen bilden gemeinsam mit Motivzusammenhängen, Rückerinnerungen und vor allem der psychologischen Motivierung ein dichtes Beziehungsgefüge zwischen der Rahmen- und der Traumhandlung. Auch die Bogenform des Stücks (die Bezogenheit des Anfangs auf das Ende, der Traum als eingeschobene »Prüfung« zur Erprobung der Ausgangsthese) ist typisch für Grillparzers Dramenaufbau. Das Versmaß der vierhebigen Trochäen, teils gereimt, teils reimlos, das im Rhythmus das Vorwärtsdrängende, sich Überstürzende der Handlung zum Ausdruck bringt, findet sich bereits in Grillparzers *Ahnfrau* (1817).

Wenn bei Calderón, auf dessen Drama *Das Leben ein Traum* Grillparzer schon mit der Umkehrung der im Titel ausgesprochenen Behauptung – *Der Traum ein Leben* – ganz offen anspielt, die gelebte Wirklichkeit als ein Traum genommen wird und die Nichtigkeit alles Irdischen vor der einzig gültigen Wirklichkeit des Ewigen, Jenseitigen aufgedeckt wird, so verschiebt sich dieses zentrale Argument bei Grillparzer in entscheidender Weise: Die Gefahren, die in Rustans zwiespältigem Charakter angelegt sind (*»Und was jetzt verscheucht der Morgen, lag als Keim in dir verborgen«)*, werden im Traum in gesteigerter Form durchlebt und durch diese Projektion der inneren Abgründe nach außen gebannt und überwunden. Wenn bei Calderón die Erkenntnis die religiöse Dimension öffnet, so erreicht zwar auch Rustan eine Stufe der Erkenntnis, die die Täuschung überwunden hat, aber es ist eine Erkenntnis, die ihm hilft, seinen Platz im Diesseits zu finden. Dabei kann man in Rustan weder ein Symbol der Menschheit schlechthin sehen (notwendiges Schuldigwerden durch Handeln) noch einfach einen Repräsentanten für Grillparzers resignative Haltung (Idealisierung der biedermeierlichen Beschränkung auf den privaten Lebensbereich). Der Wahrheitsgehalt des Stücks geht über den Erkenntnishorizont Rustans hinaus und wird faßbar im Lied des Derwisch, das Rustan nachspricht, ohne daß er seinen Sinn begreift: die Entlarvung der scheinhaften *»Worte, Wünsche, Taten«* auf dem Hintergrund von Leben und Tod. Eine Welt des Scheins wird im Traum aufgebaut, um dadurch der Wahrheit des Seins einen Schritt näherzukommen. Die Form des Traummärchens erlaubt es, daß diese Desillusionierung auf untragische Weise geschieht. I. Am.

AUSGABEN: Wien 1840. – Wien/Lpzg. 1936 (in *SW*, Hg. A. Sauer u. R. Backmann, 42 Bde., 1909 bis 1948, Abt. 1, Bd. 5; Anm. in Bd. 20; hist.-krit.). – Mchn. 1961 (in *SW*, Hg. P. Frank u. K. Pörnbacher, 4 Bde., 1960–1965, 2).

LITERATUR: S. Hock, *»Der Traum ein Leben«*, Stg. 1904. – E. Hock, *G.s Drama »Der Traum ein Leben«* (in Zs. für Deutschkunde, 54, 1940, S. 49–65). – W. Schäfer, *Der Traum bei Dichtern des 19. Jahrhunderts: G., Hebbel, Ludwig, Keller*, Diss. Tübingen 1952. – W. Naumann, *G. und das spanische Drama* (in DVJS, 28, 1954, S. 345–372, auch in W. N., *F. G. Das dichterische Werk*, Stg. [2]1967, S. 128–155). – R. B. O'Connelle, *Rivas' »El desengaño en un sueño« and G.'s »Der Traum ein Leben«* (in PQ, 40, 1961, S. 569–576). – E. Frey-Staiger, *G. Gestalt u. Gestaltung des Traums*, Diss. Zürich 1966. – U. Fülleborn, *Das dramatische Geschehen im Werk F. G.s*, Mchn. 1966. – R. Immerwahr, *Das Traum-Leben-Motiv bei G. und seinen Vorläufern in Europa und Asien* (in Arcadia, 2, 1967, S. 277–287).

EIN TREUER DIENER SEINES HERRN. Trauerspiel in fünf Akten von Franz GRILLPARZER (1791–1872), Uraufführung: Wien, 28. 2. 1828, Burgtheater; erschienen 1830. – Der Wiener Hof gab 1825, anläßlich der Krönung von Kaiserin Karoline Auguste zur Königin von Ungarn, bei Grillparzer ein Festspiel in Auftrag. Grillparzer verzichtete, da der Stoff des »Treuen Diener« behördlicherseits mißfiel. Die Niederschrift des Dramas fällt in den Herbst 1826, im Anschluß an eine Deutschlandreise; die geplante Widmung an Goethe unterbleibt aus Selbstzweifel. Die Uraufführung, welcher der Kaiser beiwohnt, findet unter großem Beifall statt. Franz I. läßt dem Autor durch Polizeipräsident Sedlnitzky mitteilen, er wolle das Stück als Privatbesitz erwerben; weitere Aufführungen und Druck hätten deshalb zu unterbleiben. Grillparzer lehnt ab. Das Stück wird daraufhin stillschweigend vom Spielplan gestrichen.

Bancbanus ist Paladin bei König Andreas von Ungarn. Otto von Meran, der Bruder von Königin Gertrude, stellt Bancbans junger schöner Frau Erny nach. An der Spitze einer johlenden Menge bespöttelt er den alten Mann. Doch Bancbanus reagiert nicht, sondern begibt sich – wie befohlen – zu Hofe. Der König zieht in den Krieg und bestimmt Bancbanus – nicht Otto, wie Gertrude gewünscht hätte – zu seinem Statthalter. Demütig nimmt er das Amt an: *»Ich bin ein schwacher Mann!«* Sogleich bereitet Otto, mit Unterstützung der Königin, einen neuen Anschlag auf Erny vor. Auf einem Fest gelingt ihm beinahe die Verführung. Erny droht gegen ihren Willen seiner erotischen Faszination zu erliegen. Hilfesuchend flüchtet sie zu Bancbanus, der im Vorsaal unbeirrt seines Amtes waltet. Der weise Mann versteht ihre Not und ermutigt sie, dem Verführer mit Verachtung zu begegnen. Otto fühlt sich betrogen. Verzweiflung befällt ihn und macht ihn körperlich krank. Abermals mit Hilfe der Königin lockt er Erny auf sein Zimmer. Nicht Liebe verlangt er, sondern Vertrauen. Er ist gefangen in einem Teufelskreis: Um Vertrauen zu erzwingen, übt er fortgesetzt Treubruch. Um nicht Opfer seiner Zudringlichkeiten zu werden, ersticht sich Erny. Die Gewalt, die Otto an Erny übt, wird jedoch dargestellt als Reflex einer anonymen Gewalt, die die Umstände zuvor schon an Otto übten. Man drängt nun Bancbanus zur Rache. Dieser aber stellt die Interessen der Gesellschaft über sein persönliches Leid. Er fürchtet den Bürgerkrieg. Seine Absage an die Gewalt ist in eine Geste gelegt: Er zieht das Schwert gegen die Rebellen unter den eigenen Gefolgsleuten und bricht dabei zusammen. Doppelsinnig demonstriert die Gebärde einerseits die Machtlosigkeit des einzelnen, zum andern aber auch die Ohnmacht von Gewaltanwendung überhaupt. Statt sich zu rächen, verhilft Bancbanus Otto, der Königin und dem kleinen Kronprinzen zur Flucht vor seinen eigenen Leuten. Bei einem Handgemenge mit den Verfolgern trifft ein Dolch, der nach Otto geworfen wurde, tödlich die Königin. Bancbanus rettet den Thronfolger; in einen Winkel gekauert breitet er schützend seinen Mantel über ihn. König Andreas kehrt unerwartet früh zurück und findet das Land in Aufruhr. Bancbanus gelingt in letzter Minute die Schlichtung des Zwists, weil das Volk für ihn Partei ergreift. Der König, wie im spanischen barocken Trauerspiel irdischer Repräsentant Gottes, schickt sich an, Gericht über die Schuldigen zu halten. Doch Bancbanus rechtfertigt das Geschehene. Das individuelle Verschulden der Beteiligten habe ihren Fluchtpunkt in einem allgemeinen Schuldzusammenhang, der keiner Rechtsprechung faßbar sei. Der König sieht ein und vergibt die Schuld als menschlich. Bancbanus erbittet sich statt aller Rangerhöhung die Gunst, dem Königskind das Händchen küssen zu dürfen. Väterlich ermahnt er ihn zu »Milde«, »Gerechtigkeit« und »Pflichttreue«.

Form und Sprache des Dramas sind klassischen Vorbildern verpflichtet. Grillparzer befürchtete, dieses *»bis zum Übermaß loyale Stück«* könne als *»Apologie knechtischer Unterwürfigkeit«* mißverstanden werden. Nicht um Kadavergehorsam wird jedoch geworben, sondern um jene »Treue« in den Beziehungen zwischen Individuum und Gesellschaft, die der Polizeistaat Metternichs schuldig blieb. D. Bar.

Ausgaben: Wien 1830. – Wien 1931 (in *SW*, Hg. A. Sauer u. R. Backmann, 42 Bde., 1909–1948, Abt. 1, Bd. 3; hist.-krit.). – Wien 1958. – Mchn. 1960 (in *SW*, Hg. P. Frank u. K. Pörnbacher, 4 Bde., 1960–1965, 1). – Stg. 1966; ern. 1968 (RUB, 4383).

Literatur: H. Roselieb, *G. und die Barocke* (in Jb. der österr. Leo-Gesellschaft, 4, 1927, S. 165–195). – K. Vancsa, *G.s »Ein treuer Diener seines Herrn«* (in Jb. für Landeskunde von Niederösterreich, N.F. 21, 1928, S. 337–347). – O. Katann, *Gesetz im Wandel*, Innsbruck 1932, S. 64–72. – H. W. Reichert, *The Characterization of Bancbanus in G.'s »Ein treuer Diener seines Herrn«* (in StPh, 46, 1949, S. 70–78). – E. Howald, *Ernys Schuld. Zum Problem der dichterischen Gestaltung bei G.* (in E. H., *Humanismus und Europäertum*, Zürich/Stg. 1957, S. 230 bis 247). – K. Schaum, *Zum Problem des Tragischen in G.s »Treuem Diener«* (in GQ, 31, 1958, S. 6–15). – U. Helmensdorfer, *»Ein treuer Diener seines Herrn«* (in U. H., *G.s Bühnenkunst*, Bern 1960, S. 30–68). – K. Schaum, *G.s Drama »Ein treuer Diener seines Herrn«* (in Jb. der Grillparzer-Gesellschaft, 3, 1960, S. 72–94). – G. Baumann, *»Ein treuer Diener seines Herrn«* (in Grillparzer-Forum, 1, 1965, S. 26–36). – H. Politzer, *Verwirrung des Gefühls. F. G.s »Ein treuer Diener seines Herrn«* (in DVjS, 39, 1965, S. 58–86).

WEH DEM, DER LÜGT! Lustspiel in fünf Akten von Franz Grillparzer (1791–1872), entstanden 1834–1837; Uraufführung: Wien, 6. 3. 1838, Burgtheater (der völlige Mißerfolg führt zu Grillparzers Rückzug vom Theaterleben); erschienen 1840. Als Quelle diente die *Historia Francorum* des Gregor von Tours. – Die auch sonst von Grillparzer gern verwendete Rahmenform bestimmt den Aufbau dieses Dramas: Die Aufgabenstellung im ersten Akt entspricht der Lösung im letzten, und die Durchführung der gestellten Aufgabe im Mittelstück bildet das eigentliche dramatische Geschehen. Reflexion und Betrachtung bestimmen den Rahmen, Handlung und dramatische Spannung die Binnenhandlung. Wahrhaftigkeit als absolute Forderung als Ausgangsbasis; Wahrheitsstreben in der Angefochtenheit des Handelns, in der Wirrnis des bewegten Lebens, das Wahrhaftigkeit nur in gebrochenen Formen verwirklichen kann; Modifizierung der Forderung nach Wahrhaftigkeit als Frucht der Erkenntnis irdischer Bedingungen – das sind die drei Stufen der Entwicklung der dramatischen Handlung.

Gregor, Bischof im Frankenland zur Zeit der Merowinger, ist strenger Verfechter des Gebotes absoluter Wahrhaftigkeit, als Gott und der Natur allein entsprechend. Aber sein unbedingtes »Weh dem, der lügt« wird den Bedingungen der Wirklichkeit nicht gerecht. Gregors Küchenjunge Leon erkennt die Spannung zwischen der sittlichen Norm und den Anforderungen der Wirklichkeit. Er will den Neffen des Bischofs, Attalus, aus der Gefangenschaft der germanischen Barbaren durch »Herauslügen« befreien, wogegen sich der Bischof streng verwahrt. *»Und wenn nun euer Neffe drob vergeht?«* fragt Leon. *»So mag er sterben und ich sterbe mit.«* Die Aufgabe besteht also darin, Attalus unter strikter Einhaltung der Wahrheit zu befreien. – Leon verdingt sich zu diesem Zweck als Küchenjunge bei Kattwald, Graf im Rheingau, der Attalus gefangenhält. Er macht keinen Hehl daraus, daß er Attalus befreien will, aber die Direktheit und Dreistigkeit seiner Worte ist so entwaffnend, daß ihn niemand ernst nimmt. Kattwalds Tochter Edrita, gegen ihren Willen von ihrem Vater zur Vermählung mit dem triebhaft-dumpfen Galomir bestimmt, wird zur Verbündeten der Franken, hilft den beiden zur Flucht und schließt sich selbst ihnen an. Die Hindernisse, die es zu überwinden gilt, werden immer bedrohlicher, aber in höchster Gefahr zeigt sich immer wieder ein Ausweg. Die Verknüpfung von Wahrhaftigkeit und göttlicher Führung wird besonders deutlich, als Leon dem Fährmann Kattwalds, der sie allein retten kann, die Wahrheit sagt, daß er nämlich vor Kattwald fliehe, und gegen alle Wahrscheinlichkeit gerade dadurch gerettet wird. Noch einmal scheint alles verloren, als Kattwalds Knechte die Fliehenden vor Metz einholen. Leons Gebet *»Und so begehr ich denn, ich fordre Wunder«*, zwingt das Wunder herbei: Aus den Toren von Metz treten den Flüchtlingen nicht, wie erwartet, Feinde entgegen, sondern Franken, die die Stadt am Tage zuvor eingenommen haben, allen voran Gregor, der nun als Richter, aber mit gewandeltem Verstehen der Spannung zwischen absoluter Forderung und den Möglichkeiten der Wirklichkeit, das Geschehene prüft. Noch eine letzte Prüfung der Wahrhaftigkeit wird Leon abverlangt: das Geständnis seiner Liebe zu Edrita, die mit ihrer Liebe zu Leon zugleich den Schritt in den Bereich höherer Humanität tut und den christlichen Glauben annimmt.

Grillparzers Zentralproblem der Spannung zwischen Bedingtheit alles Menschlichen und Unbedingtheit des Göttlichen wird hier im Hinblick auf die Wahrheitsfrage gestaltet, und die Konstellation der Figuren ist wesentlich durch ihr verschiedenes Verhältnis zu Wahrheit und Lüge bestimmt. In immer neuen Situationen wird die Komplexität der Wahrheitsfrage durchgespielt, die Ambivalenz auch der vermeintlichen Wahrhaftigkeit aufgezeigt, wie Edrita klar erkennt: *»Hast du die Wahrheit immer auch gesprochen* (die Hand aufs Herz legend), *hier fühl ich dennoch, daß du mich getäuscht.«* Wenn Leon zunächst durch unverblümte Wahrheitssprache täuscht, also nur formal am Gebot der Wahrhaftigkeit festhält, sie in Wirklichkeit aber zum Zweck der Täuschung einsetzt, gelingt ihm der Durchbruch zur unbedingten Wahrhaftigkeit im Gottvertrauen gerade in dem Augenblick, in dem er dem Fährmann ohne Rücksicht auf die Folgen die Wahrheit bekennt. Die rettende Kraft der Wahrheit zeigt sich gerade jetzt, da nach menschlichem Ermessen alles verloren ist. Leons Entwicklung ist damit in gewissem Sinne der des Bischofs gegenläufig, denn dieser muß erkennen, daß die absolute göttliche Seinsordnung in der *»buntverworrenen Welt«*, im Zwang des Handelns nicht zu verwirklichen ist, und bejaht sie zum Schluß in ihrem Sosein, wenn auch aus abgeklärter Distanz, ohne die Blickrichtung auf die Klarheit der Gotteswelt aufzugeben. – Grillparzers Lustspiel entbehrt nicht der komischen Züge in Situationen, Charakteren und Sprache, aber im ganzen wird es nicht von Komik getragen, sondern von einem Humor, der die Schwächen der Welt aufdeckt, um sie in höherer Sicht im Glauben an die göttliche Seinsordnung zu bejahen. I. Am.

AUSGABEN: Wien 1840. – Wien/Lpzg. 1936 (in *SW*, Hg. A. Sauer u. R. Backmann, 42 Bde., 1909–1948, Abt. 1, Bd. 5; Anm. Bd. 20; hist.-krit.). – Mchn. 1961 (in *SW*, Hg. P. Frank u. K. Pörnbacher, 4 Bde., 1960–1965, 2). – Stg. 1959 (RUB, 4381).

LITERATUR: O. Katann, *»Weh dem, der lügt« u. das Problem der Wahrhaftigkeit* (in *G.-Studien*, Hg. ders., Wien 1924, S. 184–220). – R. Kampmann, *Devise u. Leben in G.s »Weh dem, der lügt«*, Diss. Marburg. 1944. – Th. C. van Stockum, *G.s blijspel »Weh dem, der lügt« en zijn probleem* (in Mededelingen d. Kgl. Ned. Akad. van wetenschappen, afd. letterkunde, 1950, Nr. 9). – E. Hock, *G.s Lustspiel »Weh dem, der lügt«* (in WW, 4, 1953/54, S. 12–23). – F. Martini, *»Weh dem, der lügt« oder Von der Sprache im Drama* (in *Die Wissenschaft von deutscher Sprache und Dichtung. Fs. f. F. Maurer*, Hg. S. Gutenbrunner u. a., Stg. 1963, S. 438–457). – H. Seidler, *G.s Lustspiel »Weh dem, der lügt«* (in Jb. der Grillparzer-Ges., 3, Bd. 4, 1965, S. 7–29; auch in H. S., *Studien zu G. u. Stifter*, Wien/Köln 1970, S. 66–84). – J. L. Bandet, *G.s »Weh dem, der lügt«* (in *Das deutsche Lustspiel*, Hg. H. Steffen, Bd. 1, Göttingen 1968, S. 144–165). – F. Forster, *G.s Theorie der Dichtung u. des Humors*, Wien 1970. – *F. G. »Weh dem, der lügt«. Erläuterungen u. Dokumente*, Hg. K. Pörnbacher, Stg. 1970 (RUB, 8110).

FRIEDRICH HEBBEL
(1813–1863)

AGNES BERNAUER. Ein deutsches Trauerspiel in fünf Akten von Friedrich HEBBEL (1813–1863); Uraufführung: München, 25. 3. 1852, Hoftheater. – Dem Drama liegt die oft behandelte Geschichte der schönen Baderstochter Agnes Bernauer zugrunde, die 1342 die Ehe mit dem Sohn des Herzogs von Bayern einging und später aus Gründen der Staatsräson in die Donau gestürzt wurde. *»Längst hatte ich die Idee, auch die Schönheit einmal von der tragischen, den Untergang durch sich selbst bedingenden Seite darzustellen«*, heißt es im Tagebuch des Autors. Aber während er 1851 in kaum drei Monaten das Stück niederschrieb, wandelte es sich unter seinen Händen. (*»In der Kunst belehrt das Kind den Vater, das Werk den Meister.«*) Es wurde zur Darstellung des ewigen Konflikts zwischen dem Recht des Einzelnen und den Interessen der Gemeinschaft. Zunächst charakterisiert Hebbel in wenigen Zügen die Bürgerstochter Agnes, seine lebendigste Frauengestalt, und läßt den Zuschauer die reine, übermächtig aufbrechende Liebe zwischen ihr und dem jungen Herzog Albrecht miterleben, deren Kraft alle ständischen Bedenken zunichte macht. Wenn sie *»sich offen wider mich empören: ich schickte dein Bild statt eines Heeres, und sie kehrten schamrot zum Pfluge zurück«*, ruft Albrecht, während Agnes von Anfang an ein Gefühl drohender Gefahr beherrscht. Danach führt Hebbel die Person des alten Herzogs ein, der sich gleich nach der Hochzeit seines Sohns von drei unbestechlichen Juristen ein Todesurteil für Agnes hat ausschreiben lassen und es jahrelang verbarg, bis er es angesichts des drohenden Kriegs nach dem Tod des kränklichen Neffen, den er als Thronfolger eingesetzt hatte, hervorholt und im Namen der Witwen und Waisen und der zerstörten Städte unterschreibt. *»Das große Rad ging über sie weg – nun ist sie bei dem, der's dreht«*, sagt er nach der Vollstreckung des Urteils. – Es ist Hebbel gelungen, auch das Handeln des alten Herzogs Ernst so einleuchtend zu begründen, daß es als seine grausame Pflicht erscheint, die er erst nach langem Zögern und gegen sein eigenes Mitgefühl erfüllt. Als der junge Herzog, in blinder Verzweiflung mit den ihm ergebenen Truppen durchs Land ziehend, Aufruhr und Zerstörung um sich verbreitet, stellt sich der Vater ihm entgegen und bringt ihn zu der Einsicht: *»Ihre Brüder sind's, die du erwürgst, nicht die meinigen.«* Er übergibt dem noch Widerstrebenden den Herzogsstab und unterwirft sich im voraus dem Urteil, das der Sohn nach Jahresfrist über ihn aussprechen soll. – Hebbel hat den Konflikt so angelegt, daß für eine dritte Lösung – im Sinn einer fortschrittlicheren Staatsräson – kein Raum bleibt. Das mag der Zuschauer als barbarisch empfinden; dennoch ist *Agnes Bernauer* als eines der stärksten Dramen des Autors, klar und knapp im Aufbau, von einer lichten Natürlichkeit der Sprache, die bei Hebbel nicht häufig zu finden ist, ein Drama ohne pathetische Szenen, aber mit Menschen, deren Handlungsweise sich Anteilnahme erzwingt. Mit Recht schrieb der Dichter, während er bei der Arbeit war: *»Das Stück steigert sich sehr, und durch die einfachsten Motive.«* H. De.

AUSGABEN: Wien 1852 [Bühnenms.]. – Wien 1855. – Bln. 1901 (in *SW*, Hg. R. M. Werner, Bd. 3; hist.-krit.). – Stg. 1960 (RUB, 4268).

LITERATUR: K. Schramm, *H.s »Agnes Bernauer« auf d. Bühne*, Diss. Ffm. 1937. – G. Fricke, *H.s »Agnes Bernauer«* (in G. F., *Studien u. Interpretationen*, 1956, S. 327–353). – P. G. Klussmann, *H., »Agnes Bernauer«* (in *Das dt. Drama*, Hg. B. v. Wiese, Bd. 2, Wiesbaden 1958, S. 141–156). – W. Wittkowski, *Menschenbild u. Tragik in H.s »Agnes Bernauer«* (in GRM, N. F. 8, 1958, S. 232–259). – H. Kreuzer, *»Agnes Bernauer« als H.s »moderne Antigone«* (in H.-Jb. 1961, S. 36–70). – *Hebbel in neuer Sicht*, Hg. H. Kreuzer, Stg. 1963.

GYGES UND SEIN RING. Eine Tragödie in fünf Akten von Friedrich HEBBEL (1813–1863), erschienen 1856; Uraufführung: Wien, 25. 4. 1889, Burgtheater. – Hebbel wurde im Frühjahr 1854 auf die von HERODOT (5. Jh. v. Chr.) in seinen *Historien* erzählte Geschichte von Gyges, der die

Gemahlin seines Freundes Kandaules auf dessen Wunsch heimlich unverschleiert sieht, aufmerksam gemacht und faßte sogleich den Plan, eine Tragödie zu schreiben, die *»sich ganz für das théâtre français eignen wird: aus einer uralten Fabel des Herodot hervorgesponnen, abenteuerlich bunt in den Situationen, sich bis zum letzten Moment in der Handlung steigernd und dennoch griechisch einfach in den Charakteren, dabei knapp im Zuschnitt und rapid im Verlauf«* (Brief an S. Engländer, 6. 5. 1854). Die um das Märchenmotiv des Zauberrings, das sich zuerst in PLATONS Überlieferung des Gyges-Stoffes *(Politeia)* findet, bereicherte Handlung des Dramas ist *»mythisch und vorgeschichtlich; sie ereignet sich innerhalb eines Zeitraumes von zwei Mal vier und zwanzig Stunden«* (Vorbemerkung): Kandaules, der aus dem Geschlechte der Herakliden stammende König von Lydien, der als ebenso kühner wie unbedachter Neuerer wenig Rücksicht nimmt auf die Ehrfurcht seines Volkes vor Traditionen, bemerkt erste Anzeichen der Unzufriedenheit, als er versucht, *»die alten Heiligtümer zu verdrängen«*, und Krone und Schwert seines Ahnen Herakles umschmieden läßt. Doch während er sich gegen seine Untertanen durchsetzen kann, wird ihm seine »moderne« Einstellung gegenüber Althergebrachtem im privaten Bereich zum Verhängnis. Als sein griechischer Freund Gyges ihm einen unsichtbar machenden Ring schenkt, drängt er Gyges, ihn im Schutze der Zaubermacht des Ringes nachts in das Gemach seiner Gemahlin Rhodope zu begleiten und ihm deren Schönheit zu bestätigen: *»Ich brauche einen Zeugen, daß ich nicht / Ein eitler Tor bin, der sich selbst belügt, / Wenn er sich rühmt, das schönste Weib zu küssen, / Und dazu wähl ich dich.«* Damit verstößt er gegen die in der indischen Heimat seiner Frau heilige Sitte, daß nur der Vater der Braut und später ihr Ehegatte sie entschleiert sehen darf. Die nächtliche Szene selbst ist ausgespart; erst danach erfährt der Zuschauer, daß Gyges, sogleich das Unehrenhafte seines Tuns erkennend, noch im Schlafgemach den Ring abgenommen und sich sichtbar gemacht hat, um sich der rächenden Hand des Kandaules darzubieten, der zur Wahrung der Ehre Rhodopes gezwungen gewesen wäre, ihn zu töten. Doch Kandaules verbarg Gyges, indem er sich vor ihn stellte, und auch am Morgen nimmt er das Anerbieten seines Freundes nicht an; Gyges will sich daher von Kandaules trennen und nach Ägypten reisen. Rhodope aber hat Verdacht geschöpft und läßt sich von Kandaules nicht lange täuschen; nach und nach erfragt sie die Wahrheit und erfährt schließlich, was sie am meisten verletzen muß: daß Gyges nicht heimlich, sondern mit Wissen, ja auf Wunsch des Kandaules ihr Schlafgemach betreten hat. Nun bleibt ihr, wenn sie ihre Selbstachtung bewahren will, nichts mehr übrig, als Gyges aufzufordern, ihren Gatten im Zweikampf zu töten. Kandaules fällt mit der Einsicht, daß er *»schwer gefehlt«* hat: *»Man soll nicht immer fragen: Was ist ein Ding? Zuweilen auch: Was gilt's?«* Als Gyges, dem inzwischen die Krone Lydiens angetragen wurde, mit Rhodope vor dem Altar der Göttin Hestia getraut worden ist, nimmt sich Rhodope das Leben, um dem mythischen Gesetz der absoluten Reinheit zu genügen: *»Ich bin entsühnt, / Denn keiner sah mich mehr, als dem es ziemte, / Jetzt aber scheide ich mich [sie durchsticht sich] so von dir!«*

Die Tragödie, eines der geschlossensten und sprachlich geschliffensten Stücke Hebbels, wurde schon von den Zeitgenossen wegen der sublimen Gestaltung des Konflikts und dessen psychologisch-moralischer Dialektik bewundert, so von GRILLPARZER mit den Worten: *»Wie ist das filtriert! Wie ist das filtriert!«* Der Autor selbst kommentierte sein Werk mit den Sätzen: *»Ich hoffe, den Durchschnittspunkt, in dem die antike und die moderne Atmosphäre weitgehend ineinander übergehen, nicht verfehlt und einen Konflikt, wie er nur in jener Zeit entstehen konnte und der in den entsprechenden Farben hingestellt wird, auf eine allgemein menschliche, allen Zeiten zugängliche Weise gelöst zu haben«* (Brief an F. von Uechtritz, 14. 12. 1854). Was Hebbel als der *»Durchschnittspunkt«*, als die überzeitliche Problem-Konstellation erscheinen mußte, war der Zusammenstoß eines schon einem neuen Äon zugewandten Individuums mit den festen Werten und Traditionen seiner Zeit. Kandaules rührt sowohl mit seiner aufklärerischen Haltung als König wie auch mit seiner Mißachtung dessen, was seiner Frau als heiligste Sitte gilt, an das von der Zeit Geheiligte und für die Menschen fraglos Geltende, an den *»Schlaf der Welt«*: *»Ich weiß gewiß, die Zeit wird einmal kommen, / Wo alles denkt wie ich; was steckt denn auch / In Schleiern, Kronen oder rost'gen Schwertern, / Das ewig wäre?«* Vor allem aber zerstört er durch die Verletzung der Sitten und Riten den Einklang des Menschen mit der Weltordnung und mit sich selbst: Rhodopes Schleier ist *»ein Teil ihres Wesens«*, und sie muß daher Kandaules' und Gyges' Tat als eine tödliche, sie ins Innerste treffende Schmach empfinden, als eine Bedrohung des religiösen Grundes, aus dem ihre Sittlichkeit erwächst. Ausgelöst wird allerdings Kandaules' Handlungsweise nicht nur durch die seine Existenz zerreißende *»Spannung von Tradition und Evolution«* (B. von Wiese), durch seine Mißachtung für *»Schleier, Kronen oder rost'ge Schwerter«*, sondern auch durch seine Eitelkeit und unbedachte Prahlsucht, aus der heraus er in Rhodope nur ein Ding, einen kostbaren Gegenstand sieht. Mit dem geschichtsphilosophisch zu deutenden Aspekt des Geschehens als eines Weltprozesses verknüpft ist also die individualpsychologisch-realistische, die *»Gesetze der menschlichen Seele«* (Brief an S. Engländer, 23. 2. 1863) berücksichtigende Begründung und Deutung der menschlichen Reaktion auf das Geschehen. Die Unvereinbarkeit des Welt- und Selbstverständnisses von Kandaules und Rhodope löst die Katastrophe aus; der tragische Ausgang des Konflikts stellt die Ordnung der Welt wieder her.

Die antik-idealistische Stilisierung läßt das Stück in die Nähe RACINES und der antikisierenden Dramen GOETHES, insbesondere der *Iphigenie*, rücken, mit denen es auch den leicht rhetorischen Ton der Sprache gemeinsam hat; doch mit der genauen psychologischen Motivierung, die Hebbel dem Handeln seiner Gestalten gibt, ist ein entscheidendes Element moderner realistischer Dramatik eingeführt. J. Dr.

AUSGABEN: Wien 1856. – Lpzg. [ca. 1890] (RUB, 3199). – Bln. 1901 (in *SW*, Hg. R. M. Werner, Abt. I, Bd. 3; [3]1911; *Säkular-Ausg.*). – Lpzg. 1905, Hg. ders. (Die Meisterwerke der deutschen Bühne, 36). – Mchn. 1964 (in *Werke*, Hg. G. Fricke, W. Keller u. K. Pörnbacher, 1963ff., 2). – Ffm./Bln. 1965, Hg. H. G. Rötzer (Dichtung und Wirklichkeit, 22; m. Dokumentation).

LITERATUR: E. Dosenheimer, *Das zentrale Problem*

in der Tragödie F. H.s, Halle 1925 (DVLG, Buchr. 4). – G. Osswald, »*Gyges und sein Ring*«, Diss. Kiel 1935. – K. Ziegler, *Mensch und Welt in der Tragödie H.s*, Bln. 1938. – K. Witte, »*Gyges und sein Ring*«. *Bericht über eine öffentliche Disputation im klass.-philol. Seminar der Univ. Erlangen*, Erlangen 1947. – P. Eggstein, *F. H.s Drama* »*Gyges und sein Ring*«. *Eine Interpretation*, Mchn. 1948 [zugl. Diss. Zürich]. – E. J. Görlich, *H. und der antike Mythos* (in Der Wächter, 30/31, 1948/49, S. 91–96). – W. Naumann, »*Gyges und sein Ring*« (in MDU, 43, 1951, S. 253–270). – D. Cölln, *Rhodope in H.s Drama* »*Gyges und sein Ring*« (in Hebbel-Jb., 1955, S. 67–84). – H. Kreuzer, *F. H.s* »*Gyges und sein Ring*«. *Die Einheit der Konzeption* (ebd., 1959, S. 75–102). – H. Stolte, *H.s* »*Gyges und sein Ring*« *im Lichte historischer Erfahrungen* (ebd., 1959, S. 52–74). – K. Reinhardt, »*Gyges und sein Ring*« (in K. R., *Vermächtnis der Antike*, Hg. C. Becker, Göttingen 1960, S. 175–183). – B. Nagel, *Die Tragik des Menschen in H.s Dichtung. Zum Verständnis der Tragödie* »*Gyges und sein Ring*« (in Hebbel-Jb., 1962, S. 15–93). – H. Kreuzer, *H.s* »*Gyges und sein Ring*« *im Rahmen der Stoffgeschichte* (in *H. in neuer Sicht*, Hg. H. K., Stg. 1963, S. 294–314). – J. L. Hodge, *Rhodope. By Any Other Name?* (in MLN, 79, 1964, S. 435 bis 439). – B. v. Wiese, *Die deutsche Tragödie von Lessing bis H.*, Hbg. [6]1964. – A. Meetz, *F. H.*, Stg. [2]1965, S. 71–76. – H. Matthiessen, »*Gyges und sein Ring*« (in Hebbel-Jb., 1965, S. 129–155).

HERODES UND MARIAMNE. Tragödie in fünf Akten von Friedrich HEBBEL (1813–1863), Uraufführung: Wien, 14. 9. 1849, Burgtheater. – Ähnlich wie in *Gyges und sein Ring* geht es auch hier um die tragische Situation, in die eine Ehe trotz der Liebe der Gatten gerät, als die Frau in entwürdigender Weise vom Mann »*zum Ding herabgesetzt*« wird. Herodes, der König von Judäa, ein orientalischer Despot voller Mißtrauen gegen seine Umgebung, hegt Argwohn auch gegen seine Frau Mariamne, obwohl sie ihm den politischen Mord an ihrem Bruder Aristobulos verziehen und so ihre unverbrüchliche Liebe und Treue bewiesen hat. Als Herodes nach Alexandria reisen muß, um mit Marcus Antonius, dem Gegner Octavians, gefährliche Verhandlungen zu führen, verlangt er von Mariamne, sie solle ihm schwören, sich zu töten, falls er nicht zurückkäme. Tief verletzt durch diesen Versuch, noch über seinen Tod hinaus über sie zu verfügen wie über einen Gegenstand, den er als seinen kostbarsten Besitz mit ins Grab nehmen möchte, verweigert sie ihm den Schwur, den sie allerdings später – nun aber aus freiem Entschluß – doch leistet, als in Abwesenheit des Königs ein Komplott gegen ihn geschmiedet wird und ihre intrigante Mutter Alexandra versucht, sie gegen den Gatten aufzuhetzen. Als sie jedoch erfährt, daß Herodes sie vor seiner Abreise »*unter's Schwert gestellt*«, d. h. für den Fall seines Todes seinen Statthalter Joseph beauftragt hat, sie umzubringen, damit sie gewiß keines anderen Frau mehr werden könne, ist ihr bisher unbedingtes Vertrauen zu Herodes schwer erschüttert. »*Das ist ein Frevel, wie's noch keinen gab*«, ein Frevel gegen ihre Freiheit und menschliche Unantastbarkeit, ja, gegen die Menschheit überhaupt: »*Du hast in mir die Menschheit / Geschändet, meinen Schmerz muß jeder teilen ...*«

Vergeblich macht Herodes nach seiner Rückkehr den Versuch, sein Verhalten zu rechtfertigen. Es ergibt sich jedoch bald eine Gelegenheit für Mariamne, ihren Mann, nachdem sie ihm noch einmal verziehen hat, auf die Probe zu stellen, als dieser in den Krieg zieht. »*Jetzt werd ich's sehn, ob's bloß ein Fieber war, / Das Fieber der gereizten Leidenschaft, / Das ihn verwirrte, oder ob sich mir / In klarer Tat sein Innerstes verriet!*« Wieder muß sie erfahren, daß Herodes den furchtbaren Befehl gab; in ihrer Liebe und in ihrem Stolz gleich tief getroffen, will sie sich zuerst den Tod geben, faßt dann aber den Entschluß zu furchtbarer Rache. Obwohl es scheint, daß Herodes auf dem Feldzug gefallen ist, veranstaltet sie ein Fest, das ihre Hochzeit noch übertreffen soll. Als Herodes überraschend zurückkehrt, schreit sie ihm ins Gesicht »*Hier wird gejubelt über deinen Tod!*« und nimmt widerspruchslos das Todesurteil hin. Doch vertraut sie dem Römer Titus noch die Wahrheit an und überantwortet damit Herodes, der nach ihrem Tod von ihrer unbedingten Liebe und von ihrem unabänderlichen Entschluß, seinen Vertrauensbruch nicht zu überleben, erfährt, der ewigen Verzweiflung und Reue, die ihn jedoch nicht daran hindern, von seiner Verfügungsgewalt über den Menschen noch einmal schrecklich Gebrauch zu machen: In Mariamnes Todesstunde hat er von den drei Königen aus dem Morgenlande erfahren, daß der kommende König geboren ist. Um seine Krone, »*die jetzt an Weibes Statt mir gelten soll*«, zu retten, gibt er den Befehl zum bethlehemitischen Kindermord – eine letzte Gewaltmaßnahme der »*untergehenden, ihrem Schicksal noch im Erliegen trotzenden und krampfhaft zuckenden alten Welt*«, wie Hebbel in einer Besprechung der seinem Stück stofflich verwandten Tragödie *Ludovico* (1849) von MASSINGER (in der Übersetzung von DEINHARDSTEIN) bemerkt.

Die in regelmäßigen Blankversen geschriebene Tragödie, deren Quellen die *Jüdischen Altertümer* und die *Geschichte des jüdischen Volkes und seiner Hauptstadt Jerusalem* des FLAVIUS JOSEPHUS sind, hielt der Autor selbst für sein Meisterwerk. Das Stück hat, trotz Hebbels Anspruch, es sei »*eine Tragödie der absoluten Notwendigkeit*«, sehr unterschiedliche Deutungen erfahren. Die größten Schwierigkeiten bei der Interpretation macht die Frage nach dem Zusammenhang der persönlichen Tragödie von Herodes und Mariamne mit der Geschichte, dem historischen Zeitpunkt des Geschehens, der ja durch die in der Schlußszene des Dramas auftretenden Heiligen Drei Könige besonders akzentuiert wird. Als geschichtliches Drama im Hegelschen Sinne deuteten vor allem Á. SCHEUNERT, O. WALZEL und A. M. WAGNER das Stück; Herodes ist demnach der letzte Repräsentant despotisch-heidnischer Maßlosigkeit, nicht nur im Politischen, sondern auch in seiner Liebe zu Mariamne. Deren höhere Denkart, ihr Gefühl für das Recht auf Freiheit jedes einzelnen Menschen, der als »*Ebenbild Gottes, nicht als Ding oder Besitz*« (A. Meetz) betrachtet werden soll, macht sie, vor allem nach J. KÖRNERS Interpretation, zur fortschrittlichen, dem neuen christlichen Äon angemessenen und dem Despoten Herodes menschlich überlegenen Gestalt.

Dagegen weist L. RYAN in seiner Interpretation darauf hin, daß auch Mariamne »*ihren Partner im wesentlichen als Gegenstand der eigenen Berechnung*« benutzt: »*Herodes wird von Mariamne wie Mariamne von Herodes auf die ›Probe‹ gestellt.*« Beide sind geprägt von der historischen Situation, der gespannten und unsicheren politischen Lage des von Messiaserwartungen beunruhigten Landes; Herodes insbesondere muß grausam handeln in der *»Atmosphäre, in der er atmete«*, auf dem *»dampfenden vulkanischen Boden, auf dem er stand«*. Seiner Maßlosigkeit antwortet die ebenso rigorose, von in christlichem Sinne verzeihender Liebe weit entfernte ethische Unbedingtheit Mariamnes; diese *»Dialektik der Maßlosigkeit«* (L. Ryan) führt schließlich die Tragödie herbei. Der Schlußszene mit ihrem in den Gestalten der Heiligen Drei Könige (die zudem genau im Moment der Hinrichtung Mariamnes auftreten) angelegten Hinweis auf die geschichtlich aufsteigende christliche Idee der Versöhnung und des menschlichen Maßes fehlt die organische Verbindung mit dem vorherigen dramatischen Vorgang; sie bleibt daher auch künstlerisch fragwürdig, und der in allen Dramen Hebbels zu beobachtende Versuch, *»die ›hohe Tragödie‹ an die Geschichte zu binden, ohne sie jedoch an die Geschichte preiszugeben«*, hat hier etwas Forciertes. J. Dr.

AUSGABEN: Wien 1850. – Bln. 1901 (in *SW*, Hg. R. M. Werner, Abt. 1, Bd. 2; [3]1911; *Säkular-Ausg.*). – Gütersloh 1963 (in *GW*, Hg. A. Meetz, 2 Bde., 1). – Mchn. 1963 (in *Werke*, Hg. G. Fricke, W. Keller u. K. Pörnbacher, 5 Bde., 1963–1966, 1).

LITERATUR: J. Körner, *H.s Hauptwerk (»Herodes u. Mariamne«)* (in FDH, 1928, S. 178–236). – F. Weichenmayr, *Dramatische Handlung u. Aufbau in H.s »Herodes u. Mariamne«*, Halle 1929. – M.-L. Hiller, *H.s »Herodes u. Mariamne« auf der Bühne 1849–1925*, Bln. 1930. – K. Ziegler, *Mensch u. Welt in der Tragödie H.s*, Bln. 1938, S. 56–102. – K. May, *H.s »Herodes u. Mariamne«* (in K. M., *Form u. Bedeutung*, Stg. 1957, S. 299–311). – D. Barlow, *Mariamne's Motives in H.'s »Herodes u. Mariamne«* (in MLR, 55, 1960, S. 213–220). – R. Gruenter, *H.s »Herodes u. Mariamne«* (in *Das deutsche Drama vom Barock bis zur Gegenwart*, Hg. B. v. Wiese, Bd. 2, Düsseldorf [2]1960, S. 123 bis 140). – H. Stolte, *H.s »Herodes u. Mariamne« als Bekenntnisdichtung* (in Hebbel-Jb., 1961, S. 90 bis 117). – L. Ryan, *H.s »Herodes u. Mariamne«. Tragödie u. Geschichte* (in *H. in neuer Sicht*, Hg. H. Kreuzer, Stg. 1963, S. 247–266). – B. v. Wiese, *Die deutsche Tragödie von Lessing bis H.*, Hbg. [6]1964. – G. Kleinschmidt, *Die Person im frühen Drama H.s. »Judith«, »Genoveva«, »Herodes u. Mariamne«, »Maria Magdalena«*, Lahr 1965.

JUDITH. Tragödie in fünf Akten von Friedrich HEBBEL (1813–1863), Uraufführung: Berlin, 6. 7. 1840, Königliches Hoftheater. – Hebbel schrieb sein erstes, damals als sehr kühn empfundenes Drama in der kurzen Zeit vom 3. 10. 1839 bis zum 28. 1. 1840. In der als Manuskript gedruckten ersten Fassung (1840) war das Drama in drei Akte gegliedert. Vorarbeiten und Entwürfe reichen in das Jahr 1837 zurück, ohne daß der Dichter sich zu jener Zeit schon auf die Judith-Fabel festgelegt hätte. Als einzige Quelle benutzte er das apokryphe *Judithbuch* des *Alten Testaments* (vgl. *Deuterokanonische Bücher*).

Mit der Wahl dieses biblischen Stoffs setzt Hebbel eine bis zum humanistischen Drama zurückreichende motivgeschichtliche Tradition fort. Seinen dramentheoretischen Ideen entsprechend sucht er den pseudo-mythischen Vorgang zu humanisieren; Entscheidungen des menschlichen Gefühls treten an die Stelle der göttlichen Inspiration. Auch Hebbels Judith glaubt zunächst im Dienst einer religiös-patriotischen Idee zu handeln, doch unbewußt fühlt sie sich von Anfang an zu Holofernes, dem übermächtigen, gottähnlichen Individuum und Widersacher, hingezogen und deutet sich ihr heimliches Begehren in einen göttlichen Auftrag um. Als ihr klar wird, wie sehr sie sich, völlig in seinen Bann geraten, von diesem Auftrag entfernt hat, als auch ihr aufbrechender Haß und ihre offene Drohung ohnmächtig bleiben und sie sich durch Holofernes immer tiefer gedemütigt fühlt, weil er aus maßloser, auf Überwältigung gerichteter Selbstherrlichkeit in ihr nur ein Ding und nicht die ebenbürtige Seele sehen will, wird sie zu ihrer furchtbaren Tat schließlich nur noch vom Verlangen nach persönlicher Rache getrieben. – Das von Hebbel wiederholt aufgenommene Thema des Geschlechterdualismus, den er als im Grunde unüberbrückbaren Wesensgegensatz verstand, ist auch für die Konzeption der *Judith* wichtig geworden: *»Nur dadurch wird die Tat der Judith menschlich, daß sie sich selbst rächt, daß sie Mord gegen Mord setzt«*, erläutert er selbst seine Absicht. Durchaus neu und ganz Hebbels eigene Erfindung ist die sexualpsychologische Motivierung der unbewußten Reaktionen der *»jungfräulichen Witwe« Tagebuch* v. 7. 3. 1840). In diesem Zusammenhang erhält das Motiv des Traums eine besondere Funktion: Er verrät die verborgenen Triebkräfte, die Judiths Handeln entscheidend bestimmen. Judiths Tragödie erwächst aus der Erkenntnis, daß die zunächst unbewußten psychologisch-erotischen Motive ihrer Tat die religiös-idealistischen überlagert und zur Scheinhaftigkeit degradiert haben. Daß sie sich – in der Gebetsszene zu Beginn des dritten Akts – traumsicher zugunsten des eigenen Begehrens entschloß, bleibt ihr selber lange verborgen. Erst als sie nach der Tat zur Besinnung kommt (im großen Gespräch mit Mirza), tritt das wahre Motiv eindeutig in ihr Bewußtsein: *»Nichts trieb mich als der Gedanke an mich selbst.«* Sie verlangt als öffentlichen Lohn (und als heimliche Sühne) für die Tat ihren eigenen Tod, falls sie von Holofernes ein Kind empfangen habe.

Judiths Verwirrung der Gefühle hat in Hebbels Drama nur die sich allerdings beinahe verselbständigende Unterfunktion, verständlich zu machen, wie eine Frau überhaupt dazu kommen kann, derart wider ihre Natur zu handeln. In der Hauptsache geht es ihm um *»die Tat eines Weibes, also den ärgsten Kontrast, dieses Wollen und Nicht-Können«* (*Tagebuch*); das Versagen der Männer zwingt Judith, wie so manche große Frauengestalt bei Hebbel, ihre eigentliche Bestimmung (*»Durch Dulden Tun: Idee des Weibes« – Tagebuch*) zu verfehlen, und läßt sie an der ihr ungemäßen Tat zerbrechen, mit der sie verstoßen hat gegen *»die ewige Ordnung der Natur, die die Gottheit selbst nicht stören darf, ohne es büßen zu müssen«* (*Tagebuch*). Auch Judith wird ein Opfer des tragischen Antagonismus zwischen dem handelnden und damit seine Grenzen überschreitenden Individuum und den Gesetzen des *»Weltprozesses«*, den darzustellen nach Hebbels Theorie die Aufgabe des modernen Dramatikers ist. *»Die Gottheit selbst, wenn sie zur Erreichung großer Zwecke auf ein Individuum unmittelbar einwirkt und sich dadurch einen willkürlichen Eingriff … ins Weltgetriebe erlaubt, kann ihr Werkzeug von der Zermalmung durch dasselbe Rad, das es einen Augenblick aufhielt oder anders lenkte, nicht schützen«* (*Tagebuch*). Der frevelhafte Eingriff in die

Gesetze des »Weltgetriebes« fordert die Vernichtung des Individuums.
Charakteristisch für diese Schaffensperiode Hebbels ist die Polemik gegen SCHILLER; er kündigt seine erste dramatische Arbeit als »*eine neue Jungfrau von Orleans*« an, die Schillersche gehöre ins »*Wachsfigurenkabinett*«. Die neueren Interpretationen des Hebbelschen Dramas gehen weit auseinander; manche Literarhistoriker betrachten es als nihilistisch-pessimistischen Ausdruck der absoluten Einsamkeit und der Ohnmacht des Menschen (G. FRICKE, B. v. WIESE, K. ZIEGLER); für andere ist Judith eins der notwendigen Opfer auf dem Weg des mündig werdenden und sich durch moralische Selbstverantwortung selbst befreienden Menschen (W. WITTKOWSKI, M. VANHELLEPUTTE). – Hebbels *Judith* wurde von Johann NESTROY (*Judith und Holofernes*, 1849) und Georg KAISER (*Die jüdische Witwe*, 1911) parodiert. U. H. – KLL

AUSGABEN: Hbg. 1841. – Bln. 1901 (in *SW*, Hg. R. M. Werner, 28 Bde., 1901–1916, 1 Abt., Bd. 1; hist.-krit.). – Bln. 1911 (in *SW*, Hg. ders., 18 Bde., 1911–1914, 1. Abt., Bd. 1; hist.-krit.; *Säkular-Ausg.*). – Stg. 1950 (RUB, 3161). – Mchn. 1963 (in *Werke*, Hg. G. Fricke, W. Keller und K. Pörnbacher, 1963–1967, 1).

VERTONUNG: E. N. v. Reznicek, *Holofernes* (Text: E. N. v. R.; Oper; Urauff.: Bln., 27. 10. 1923, Deutsches Opernhaus).

LITERATUR: A. Kerr, *Judith u. Holofernes* (in A. K., *Die Welt im Drama*, Bln. 1917, Bd. 5, S. 162–166). – H. Stern, *H.s »Judith« auf der deutschen Bühne*, Bln. 1927. – K. Ziegler, *Mensch u. Welt in der Tragödie H.s*, Bln. 1938. – J. D. Wright, *H.'s Theory of Tragic Guilt and Its Application in »Judith« and »Agnes Bernauer«*, Diss. University of Wisconsin 1942 (vgl. Univ. of Wisconsin Summaries of Doctoral Diss., 7, 1943, S. 320–322). – G. Fricke, *Gedanken zu H.s »Judith«* (in Hebbel-Jb., 1953, S. 9–27; ern. in G. F., *Studien u. Interpretationen*, Ffm. 1956, S. 310–326). – W. Wittkowski, *Das Tragische in H.s »Judith«* (in Hebbel-Jb., 1956, S. 7–27; ern. in *H. in neuer Sicht*, Hg. H. Kreuzer, Stg. 1963, S. 164–184). – W. Vontin, *»Judith«. Götze aus Erz u. Ton. H.s Kritik an seinem Jugendwerk u. ihre Auswirkungen* (in Hebbel-Jb., 1960, S. 54–99). – M. Vanhelleputte, *La modernité de la »Judith« de H.* (in EG, 18, 1963, S. 419–431). – B. v. Wiese, *Die deutsche Tragödie von Lessing bis H.*, Hbg. [6]1964, S. 572–580. – K. Ziegler, *»Judith«* (in *Das deutsche Drama*, Hg. B. v. Wiese, Bd. 2, Düsseldorf [2]1964, S. 101–122). – G. Kleinschmidt, *Die Person im frühen Drama H.s*, Lahr 1965.

MARIA MAGDALENE. Bürgerliches Trauerspiel in drei Akten von Friedrich HEBBEL (1813–1863), entstanden 1843; Uraufführung: Königsberg, 13. 3. 1846. Der Titel des Dramas sollte ursprünglich »Klara« lauten; der biblische Name (Magdalene statt Magdalena ist ein Druckfehler auf dem Titelblatt des Erstdrucks, der sich so einbürgerte, daß Hebbel selber den Namen in dieser Form gebrauchte) der reuigen Sünderin weist auf eine tragische Beziehung der Heldin zu ihrer Umwelt voraus. – Neunzig Jahre Geschichte der Gattung des bürgerlichen Trauerspiels in Deutschland liegen zurück, als Hebbel in seinem Vorwort zu *Maria Magdalene* »Übelstände«, die die Gattung »in Mißkredit« gebracht haben, feststellt. Es sind seiner Ansicht nach vor allem zwei: Statt Tragik in der Unfähigkeit der bürgerlichen Personen, sich von sich selbst und ihrer Welt zu distanzieren, innerlich zu begründen, werde vergeblich versucht, sie durch »Äußerlichkeiten« – wie Standeskonflikte verbunden mit »Liebesaffären« – zu schaffen (Kritik an SCHILLERS *Kabale und Liebe*); zum andern glaubt Hebbel, daß die verstärkte Einbeziehung des »Absurden« und »Lächerlichen« dem Drama als der »Spitze aller Kunst« nicht angemessen sei. Diese grundsätzliche Kritik der Gattung zeigt, daß sich Hebbel in einer Spätphase der Tradition des bürgerlichen Trauerspiels befindet: Einerseits weist er durch die »Verinnerung« des bürgerlichen Sujets in die Zukunft, andererseits behält er die von der klassizistischen Poetik geforderte Reinheit der dramatischen Gattung wie ihre Überbewertung gegenüber anderen Gattungen bei. Das Neue gegenüber dem Drama der Goethezeit soll seiner Intention nach ein verstärkter Zeitbezug sein, nämlich Darstellung der »Dissonanzen« und der »Gebrochenheit«, die in den »Übergangszuständen« der Zeitenfolge das Verhältnis von Individuum »*zur Idee, d. h. ... zu dem alles bedingenden sittlichen Zentrum*« charakterisieren.
Die für den Typus des bürgerlichen Trauerspiels konstitutive Vater-Tochter-Beziehung ist in ihrer Bedeutung für den tragischen Ablauf des Hebbelschen Stücks gegenüber früheren Vertretern der Gattung noch gewachsen. Klara, die Tochter des Tischlers Meister Anton, der seine Familie und Umgebung mit engherziger Rechtschaffenheit tyrannisiert, hat sich nicht durch eine entschiedene Partnerbeziehung wie Sara Sampson oder Luise Millerin von dem väterlichen Haus getrennt; sie hat sich zwar Leonhard, ihrem Bräutigam, hingegeben, aber ohne Liebe in einem Augenblick, als ihre Jugendliebe zu einem Sekretär wiederaufleben wollte. Das periphere Mutter-Sohn-Verhältnis schafft die Zuspitzung der Tragödie. Karl, der Bruder Klaras, wird unter dem Verdacht des Diebstahls verhaftet, die Mutter trifft der Schlag: So sieht sich Klara noch ausschließlicher auf ihren prinzipientreuen Vater verwiesen, der ihr mit Selbstmord droht, falls auch sie ihm Schande bereite. Rückhalt findet Klara weder bei dem Sekretär, der nicht darüber hinwegkommt, daß sich Klara seinem unwürdigen Nebenbuhler hingegeben hat, noch bei ihrem Bräutigam, dem sie sich bittend hinwirft; unzufrieden mit Klaras Aussteuer und von der Aussicht auf eine lukrative Heirat fasziniert, hat sich Leonhard von Klara unter dem Vorwand losgesagt, die Familie sei durch die Verhaftung Karls ihrer Bürgerehre verlustig gegangen. Während der Sekretär Leonhard zu einem Pistolenduell fordert und erschießt, ertränkt sich die von allen isolierte Klara in einem Brunnen, weil sie weiß, daß ihr Vater – auch nach der erfolgten Rehabilitierung seines Sohnes – ihren Fall nie verstehen wird. Erst durch den Tod seiner Tochter kommt der »*eiserne Alte ... zu einer Ahnung seines Mißverhältnisses zur Welt, zum Nachdenken über sich selbst*«, wenn er sagt: »*Ich verstehe die Welt nicht mehr!*«
Ein derartiges »Mißverhältnis« ist in Hebbels Trauerspiel für das Bürgertum mit seiner moralistischen Engherzigkeit, gewinnsüchtigen Berechnung und mangelnden Courage, also für den Vater wie für Leonhard und den Sekretär, bezeichnend. Während sich Klaras Bruder durch den Entschluß, auf See zu gehen, von dieser Welt, die Motive wie »Enge, »Grab« und »Kerker« charakterisieren, lösen will, kann sich Klara vor der völligen Isolie-

rung nicht retten. Sie ist dabei zugleich Opfer ihres Vaters und Opfer der ganzen sie umgebenden Gesellschaft. Im Monologischen des Dialogs – man versteht sich nicht mehr, redet aneinander vorbei – und im unreflektiert geschwätzigen Umgang mit der Sprache der Luther-Bibel spiegelt Hebbel die Verständnislosigkeit und Uneigentlichkeit dieser Gesellschaft. Die Tragik derer, die ihr angehören, leitet er aus einem Mangel an jener Selbstbewußtheit her, die allein das feste bürgerliche Normensystem relativieren und durchbrechen könnte. Klara gelingt es nicht, »*aus der schroffen Geschlossenheit, womit die aller Dialektik unfähigen*« bürgerlichen »*Individuen sich in dem beschränktesten Kreis gegenüberstehen*« auszubrechen; noch im Leiden an der Gesellschaft und durch ihren Selbstmord bleibt sie an deren Normen gebunden. – Teilweise in der 48er Revolution, endgültig aber in den Gründerjahren geht dieses Normensystem in die Brüche: Als Besitzbürgertum ist die bürgerliche Welt kein möglicher Gegenstand mehr für die Tragödie. Statt dessen wird der vierte Stand Konfliktträger: Aus dem bürgerlichen Trauerspiel wird das soziale Drama (G. Hauptmann). Dabei werden die von Büchner und Hebbel vorgezeichneten Formen des mangelnden Bewußtseins und ihrer Bedeutung für die Konstitution des Tragischen in einem Ausmaß wichtig, daß Tragik, die im strengen Sinn an Bewußtheit gebunden bleibt, nicht mehr möglich ist und Formen des »Lächerlichen« und »Absurden«, die von Hebbel noch verbannt wurden, aus dem Bereich der Komödie in die Tragödie einbezogen werden. V. Ho.

Ausgaben: Hbg. 1844. – Bln. 1901 (in *SW*, Hg. R. M. Werner, Abt. 1, Bd. 2; [3]1911; *Säkular-Ausg.*). – Stg. 1960 (RUB, 3173). – Gütersloh 1963 (in *GW*, Hg. A. Meetz, 2 Bde., 1). – Mchn. 1963 (in *Werke*, Hg. G. Fricke, W. Keller u. K. Pörnbacher, 5 Bde., 1963–1967, 1).

Literatur: P. Zinke, *Die Entstehungsgeschichte von H.s »Maria Magdalena«*, o. O. 1910. – G. Pogge, *H.s »Maria Magdalena« u. das Problem der inneren Form im bürgerlichen Trauerspiel*, Diss. Hbg. 1925. – H. Sievers, *H.s »Maria Magdalena« auf der Bühne*, Bln. 1923 (Hebbel-Forschungen, 23). – J. D. Wright, *H.'s Klara. The Victim of a Division in Allegiance and Purpose* (in MDU, 38, 1946, S. 304 bis 316). – W. A. Berendsohn, *F. H.s »Maria Magdalena« u. K. Larsens dänische Übersetzung. Abriß einer Stilcharakteristik* (ebd., 47, 1947, S. 274–295). – G. Brychan Rees, *F. H. »Maria Magdalena«*, Oxford 1948. – E. Dosenheimer, *Das deutsche soziale Drama von Lessing bis Sternheim*, Konstanz 1949. – K. May, *H.s »Maria Magdalene«* (in K. M., *Form u. Bedeutung*, Stg. 1957, S. 273 bis 298). – W. Fischer, *H. »Maria Magdalena«*, Ffm./Bln./Bonn [2]1963. – M. Stern, *Das zentrale Symbol in F. H.s »Maria Magdalene«* (in WW, 9, 1959, S. 338–349; auch in *H. in neuer Sicht*, Hg. H. Kreuzer, Stg. 1963, S. 228–246). – B. v. Wiese, *Die deutsche Tragödie von Lessing bis H.*, Hbg. [5]1961, S. 572–600. – P. M. Mitchell, *Zur Widmung von »Maria Magdalena«. Zwei Briefe H.s* (in ZdPh, 82, 1963, S. 515–518). – G. Favier, *Lecture de H. Remarques sur le personnage de la mère dans »Maria Magdalena«* (in EG, 20, 1965, S. 18–33). – G. Kleinschmidt, *Die Person im frühen Drama H.s »Judith«, »Genoveva«, »Herodes und Mariamne«, »Maria Magdalena«*, Lahr 1965.

DIE NIBELUNGEN. Ein deutsches Trauerspiel in drei Abteilungen *(Der Gehörnte Siegfried, Siegfrieds Tod, Kriemhilds Rache)* von Friedrich Hebbel (1813–1863), entstanden zwischen 1855 und 1860, Uraufführung des ersten und zweiten Teils: Weimar, 31. 1. 1861, Hoftheater; des dritten Teils am 18. 5. 1861 (ebd.). – Hebbel wich einer dramatischen Bearbeitung des Nibelungenstoffs (vgl. *Nibelungenlied*) lange Zeit aus, nachdem die vorausgegangenen Versuche eines Raupach (*Der Nibelungen-Hort*, 1834) oder eines de La Motte Fouqué (vgl. *Der Held des Nordens*, 1810) den dichterischen Kern des Stoffs verfehlt hatten. F. Th. Vischer, der maßgebende Ästhetiker der Zeit, hatte außerdem davor gewarnt, das Epos von den »Riesenmännern« und »Eisenweibern« in eine dramatische Form zwingen zu wollen. Hebbel dagegen war von dem Stoff, der viele Motive seines früheren dramatischen Schaffens enthielt, immer wieder fasziniert, er sah in dem Dichter des *Nibelungenlieds* einen »*Dramatiker vom Wirbel bis zum Zeh*« und lehnte sich eng an die Vorlage an. Die Fülle des Stoffs zwang ihn schließlich zur trilogischen Aufteilung und, besonders im ersten Teil, zu langatmigen Monologen, Rückblenden und Kommentaren.

Das Versdrama weist drei Schichten auf: eine mythische (Brunhild – Siegfried), eine heroische (germanische Helden) und eine christliche (Dietrich). Im mythischen Bereich macht sich Siegfried schuldig, weil er auf die Empfindungen seines Herzens achtet, anstatt auf seine mythische Verbundenheit mit Brunhild Rücksicht zu nehmen und die ihm Wesensverwandte zu freien. Er setzt seine übermenschlichen Kräfte für Gunther ein, um so Kriemhild zu gewinnen, und erniedrigt dadurch Brunhild zum Tauschobjekt. Sein Versuch, den überlebten Mythos durch menschliche Liebe zu überwinden, scheitert ebenso an seinem unmenschlichen Vorgehen wie an der Rache Brunhilds, die Hagen ausführt. Die Ansätze zu psychologischer Durchdringung, die Hebbels Siegfried-Bild zeigt, werden im heroischen Bereich zusehends entfaltet, z. B. in der eindringlichen Konfrontation Hagens mit Kriemhild im letzten Teil der Trilogie. Kriemhild fordert zwar Wahrheit und Recht angesichts Siegfrieds Tod, wird dabei aber von einem unerbittlichen Rachegelüst bewegt, das Hagen durch seine diabolischen, sentenzhaften Provokationen noch steigert, wobei er die aussichtslose Situation der Burgunder an Etzels Hof kühl einkalkuliert.

O. Walzel sieht in dem Schlußwort Dietrichs »*Im Namen dessen, der am Kreuz erblich!*« und seiner Herrschaftsübernahme einen Versuch, durch das Christentum eine neue Ordnung zu schaffen, schätzt hier aber sowohl die Schlußszene als auch die Gestalt Dietrichs, des Markgrafen Rüdiger und des Pfarrers zu hoch ein. Klaus Ziegler, der den Untergang und die Selbstvernichtung der Burgunder zugleich als Bejahung der Wirklichkeit auffaßt, einer Wirklichkeit, deren typische Daseinsform der Kampf um die Macht ist, relativiert sowohl die mythische Urwelt als auch die in der Gestalt Dietrichs von Bern sich manifestierende christliche Idee als dritte Schicht des Dramas zu Randerscheinungen. Erwägenswert ist die These K. Mays, der zwar am traditionellen Interpretationsschema (Übergang vom mythologischen Zustand in das Stadium der Glaubenslosigkeit und zum Beginn des christlichen Zeitalters) festhält, als ausschlaggebendes Motiv des Kampfes aber nicht die Macht, sondern den Treuebegriff ansieht – Hagens Treue gegenüber der Sippe und seinem König, Kriemhilds Treue gegenüber ihrem Mann. Eine dialektische Deutung dieses Dramas wird Hebbel wohl am ehesten gerecht, der nach ausgedehntem Studium HEGELS zu der Einsicht kam, *»daß die Geschichte über die Vernichtung hinweg immer wieder zu neuen, sinnvollen Welten weiterschreitet«*. In diesem überindividuellen Gefüge bedeutet der schicksalhafte Untergang des einzelnen nur eine Stufe in einem weltgeschichtlichen Vorgang und erhält von daher einen tieferen Sinn. Nach Hebbel hat denn auch *»die Symbolform des Dramas die Aufgabe, tragische und geschichtliche Notwendigkeit miteinander zu verschmelzen und sowohl das Gesetz der Welt als auch seine wechselnde Erscheinung zu gestalten«* (B. v. Wiese). – Die begeisterte Aufnahme dieser Tragödie beim Publikum, das hier die nationale Idee und die Unterwerfung des einzelnen unter den Staat dargestellt sah, zeigt, wie sehr Hebbel damit, ohne politische Ziele bezwecken zu wollen, dem Geist der Epoche zwischen dem Scheitern der Revolution von 1848 und der Gründerzeit entgegengekommen war. Kurz vor seinem Tode, 1863, wurde ihm für dieses Werk als langersehnte Anerkennung seiner dichterischen Tätigkeit der Schillerpreis zuerkannt. Während der Gründerzeit entsteht eine ganze Reihe von Nibelungenstücken in der Nachfolge Hebbels, und 1876 bringt Richard WAGNER in Bayreuth den *Ring des Nibelungen* zur Uraufführung. R. Br.

AUSGABEN: Hbg. 1862, 2 Bde. – Bln. 1901 (in *SW*, Hg. R. M. Werner, Abt. 1, Bd. 4; hist.-krit.; ³1911; *Säkular-Ausg.*). – Stg. 1960 (RUB, 3171/3172). – Hbg. 1963 (in *Werke*, Hg. H. Stolte, 2 Bde., 1; *Jubiläums-Ausg.*). – Mchn. 1964 (in *Werke*, Hg. G. Fricke, W. Keller u. K. Pörnbacher, 5 Bde., 1963–1967, 2). – Ffm./Bln. 1966 (in *Die Nibelungen. Vollständiger Text und Dokumentation*, Hg. H. de Boor; Dichtung und Wirklichkeit, 16).

LITERATUR: C. Weitbrecht, *Die Nibelungen im modernen Drama*, Zürich 1892. – E. Meinck, *F. H.s u. Richard Wagners Nibelungen-Trilogien*, Lpzg. 1905. – J. Stuhrmann, *Die Idee und die Hauptcharaktere der »Nibelungen«*, Paderborn ³1910. – O. Walzel, *F. H. u. seine Dramen. Ein Versuch*, Lpzg. 1913; ³1927 (Aus Natur- u. Geisteswelt, 408). – E. Schmidt, *Quellen u. Gestaltung von H.s »Nibelungen«*, Diss. Breslau 1921. – W. Landgrebe, *H.s »Nibelungen« auf der Bühne*, Oldenburg 1927. – K. Ziegler, *Mensch u. Welt in der Tragödie F. H.s*, Bln. 1938; Darmstadt ²1966 (Neue Forschungen, 32). – K. May, *H.s »Nibelungen« im Wandel des neueren H.bildes* (in Dichtung und Volkstum, 41, 1941, S. 22–43). – B. v. Wiese, *Die deutsche Tragödie von Lessing bis H.*, Hbg. ⁵1961, S. 601–639. – O. Kayser, *Die Nibelungensage bei H. u. Wagner* (in Hebbel-Jb., 1962, S. 143–159). – A. Meetz, *F. H*, Stg. 1962 (Slg. Metzler, 18). – J. Hermand, *H.s »Nibelungen«. Ein deutsches Trauerspiel* (in *H. in neuer Sicht*, Hg. H. Kreuzer, Stg. 1963, S. 315 bis 333).

JOHANN PETER HEBEL
(1760–1826)

SCHATZKÄSTLEIN DES RHEINISCHEN HAUSFREUNDES. Prosastücke von Johann Peter HEBEL (1760–1826), erschienen 1811. – Diese umfangreiche Sammlung von Kurzgeschichten, Anekdoten und Schwänken vereinigt nahezu alle Beiträge, die Hebel von 1803 bis 1811 zunächst als Mitarbeiter, dann als Herausgeber des Badischen Landkalenders ›Rheinländischer Hausfreund‹ verfaßte. Der Titel könnte auf idyllische Heimatkunst schließen lassen. Aber darüber reichen Hebels Prosastücke, die teilweise volkstümliches Erzählgut verarbeiten, weit hinaus. Die zahlreichen Anspielungen auf historische Ereignisse und auf das Zeitgeschehen, die Schauplätze seiner Geschichten, die über ganz Europa verteilt sind, in der Türkei und in Amerika liegen, verleihen seinem »Lesebuch« Urbanität, Weltoffenheit, und erweisen sich in eins damit als erzählerische Kunstgriffe: Macht die Einflechtung faktischer Begebenheiten die Erzählungen glaubwürdiger, so bewegt der bunte Wechsel der Orte die Phantasie des Lesers und verschafft jeder Geschichte eine spezifische unverwechselbare Atmosphäre.

Aus Hebels Erzählungen ließe sich ein perfekter Katalog der »Sünden«, Fehler und Wunderlichkeiten herstellen, die in zwischenmenschlichen Verhältnissen gedeihen, aber auch, parallel dazu, ein ansehnlicher Kalender entsprechender Tugenden: Stets schildert Hebel menschliche Schwächen in der Absicht, ihnen durch praktische Humanität abzuhelfen – darin tradiert er den optimistischen Besserungswillen aus dem Zeitalter der Aufklärung. Hochmut und Doppelzüngigkeit werden an Naivität, redlicher Gesinnung und Treue zuschanden; autoritäre Attitüden an kaltblütiger Courage *(Der Barbierjunge von Segringen, Wie man in den Wald schreit, also schreit es daraus)*; suspekte, im Umkreis der Besitzideologie und des Konkurrenzkampfs entwikkelte Verhaltensweisen – Gewinnsucht, Geiz, die Neigung zum Übervorteilen und zum blinden Sparen – scheitern am Mutterwitz, an der Klugheit und an der Geistesgegenwart aufgeweckter Einzelner *(Der falsche Edelstein, Die zwei Postillione, Der Wasserträger)* Gerade diesen Tugenden gilt Hebels Sympathie; er bringt sie in Gestalt überraschender Einfälle oder intelligenter Überlistungen zur Geltung: Das macht die Moral seiner Geschichten, das oft zweimalige *»Merke«* so unpedantisch und heiter *(Der silberne Löffel)*. Wie wenig diese Moral mit bürgerlicher Enge zu tun hat, zeigt Hebels unverhohlenes Vergnügen an den Streichen und Gaunereien des Heiners und des Zundel-Frieders – zwei Spitzbuben, deren Schlagfertigkeit und Scharfsinn ihn faszinieren (vgl. *Der Heiner und der Brassenheimer Müller; Wie der Zundel-Frieder eines Tages aus dem Zuchthaus entwich und glücklich über die Grenzen kam)*. Indirekt bekundet sich darin Hebels Protest gegen öffentliche Scheinmoral, sein Widerspruchsgeist, der seine Geschichten so erfrischend unkonventionell macht, ihnen Beweglichkeit, entwaffnende Ungezwungenheit verleiht. Diese Qualitäten treten durch charakteristische Stilzüge unmittelbar hervor: durch die indirekten Reden und Widerreden, die er in den erzählten Vorgang einstreut, durch die Pointen, die er in Dialoge und Berichte einblendet – und zwar unauffällig und unaufdringlich, gleichsam aus dem Stegreif. Diese kunstvolle Absichtslosigkeit und Beiläufigkeit ist ein dominierendes Stilmittel Hebels; es bewährt sich gerade an solchen Erzählungen, deren Inhalt das Rührende streift: Aus seiner Scheu vor dem affektgeladenen Wort, aus seiner Kunst der unpathetischen Anspielung gehen so ergreifende Meisterwerke wie *Unverhofftes Wiedersehen* hervor. Satirischer Schärfe enthält er sich; auch dort, wo ein gesellschaftskritischer Fingerzeig statthaft wäre, neigt er leicht zum versöhnlichen Lächeln: So zeigt er denn gelegentlich ein gewisses Einverständnis mit dem Bestehenden, rät er seinen Lesern zum gelassenen Ertragen fragwürdiger Verhältnisse, indem er soziale Unterschiede relativiert und in resignativer »Volksweisheit« entschärft *(Kannitverstan)*. Doch ist auch solcher »Trost« durchaus unsentimental, einbezogen in Hebels humoristisch gebrochenes Verhältnis zur Welt.

Wenn dieser Humor nie etwas distanziert Überlegenes an sich hat, sondern unbefangen wirkt und gleichsam gesättigt ist von Wirklichkeit, so mag das an der Volkssprache liegen, aus der Hebel mit Vorliebe schöpft: Ihre Redewendungen, plastischen Vergleiche und syntaktischen Eigentümlichkeiten geben seinem Stil jene Unmittelbarkeit und sinnliche Kraft, die GOETHES Rezension an ihm rühmte. Beispielhaft zeigt Hebels Prosa, »*daß neuere deutsche Prosa*«, nach einem Wort Walter BENJAMINS, »*eine höchst gespannte, höchst dialektische Auseinandersetzung zwischen zwei Polen ist. Einem konstanten und einem variablen: der erste ist das Deutsch der Lutherbibel und der zweite die Mundart. Wie sich bei Hebel beide durchdringen, das ist der Schlüssel seiner artistischen Meisterschaft.*« Daß man Hebels Name vor allem mit einfachen Leserschichten und mit Schullesebüchern verbindet, ist Folge akademischen Bildungshochmuts. Er sieht an Hebels wahrhaft unauffälliger Kunst vorbei, die seiner eigenen anspruchsvollen Vorstellung vom idealen Volksschriftsteller gerecht wird: »*... so leicht alles hingegossen scheint, so gehört bekanntlich viel mehr dazu, etwas zu schreiben, dem man die Kunst und den Fleiß nicht ansieht, als etwas, dem man sie ansieht, und das in der nämlichen Form um den Beifall der Gebildeten zugleich und der Ungebildeten ringt.*« G. Sa.

AUSGABEN: Karlsruhe 1808–1811 (in Der Rheinländische Hausfreund oder: Neuer Kalender, mit lehrreichen Nachrichten und lustigen Erzählungen; Ausz.). – Tübingen 1811. – Bln./Stg. 1883 (in *Werke*, Hg. O. Behaghel, 2 Tle., 2; DNL, 142/2). – Lpzg. o. J. [1900] (RUB, 142–144). – Zürich 1943 (in *Werke*, Hg. W. Altwegg, 3 Bde., 2; Atlantis-Ausg.; ern. Freiburg i. B./Zürich 1958). – Stg. 1950 (Nachw. W. Fronemann; RUB, 6705; Ausw.). – Basel/Stg. 1959 (in *Werke*, Hg. O. Kleiber, 3 Bde., 1958/59, 2/3). – Mchn. 1961 (in *Poetische Werke*; Nachw. Th. Salfinger; Ill. C. Stauber, K. H. Schmolze u. L. Richter; ern. 1964). – Ffm. 1968 (in *Werke*, Hg. E. Meckel, Einl. R. Minder, 2 Bde., 1).

LITERATUR: J. W. v. Goethe, *Allemannische Gedichte von J. P. H.* (in Jenaische Allg. Literaturztg., 37, 13. 2. 1805, Sp. 289–294; auch in HA, 12, S. 261–266). – H.-G. Oeftering, *Naturgefühl u. Naturgestaltung bei den alemannischen Dichtern von Beat L. Muralt bis Jeremias Gotthelf*, Bln. 1940 (Germanische Studien, 226). – S. Löffler, *J. P. H. Wesen u. Wurzeln seiner dichterischen Welt*, Frauenfeld/Lpzg. 1944 (Wege zur Dichtung, 44; zugl. Diss. Zürich). – W. Benjamin, *J. P. H. Zu seinem 100. Todestag* (in W. B., *Schriften*, Hg. Th. W. u. G. Adorno u. F. Podszus, Bd. 2, Ffm. 1955, S. 279 bis 283). – G. Hess, *J. P. H.* (in *Die großen Deutschen*, Bd. 2, Bln. 1956, S. 378–386). – M. Heidegger, *H., der Hausfreund*, Pfullingen 1957. – C. J. Burckhardt, *H.s Gestalt u. seine Dichtung* (in Universitas, 15, 1960, S. 1067–1074). – E. Bloch, *H., Gotthelf u. bäurisches Tao* (in E. B., *Verfremdungen*, Bd. 1, Ffm. 1962, S. 186–210; Bibl. Suhrkamp, 85). – *Theodor Heuss, Carl J. Burckhardt, Wilhelm Hausenstein, Benno Reifenberg, Robert Minder, Werner Bergengruen, Martin Heidegger über J. P. H.*, Tübingen 1964. – *Hebeldank. Bekenntnis zum alemannischen Geist in 7 Reden beim »Schatzkästlein«*, Hg. H. Uhl, Freiburg i. B. 1964. – E. Bloch, *Nachwort zu H.s »Schatzkästlein«* (in *Literarische Aufsätze*, Ffm. 1965, S. 172–183; *Gesamtausgabe*, Bd. 9). – U. Däster, *J. P. H. Studien zu seinen Kalendergeschichten*, Aarau 1968. – W. Muschg, *Pamphlet u. Bekenntnis. Aufsätze u. Reden*, Hg. u. Ausw. P. A. Bloch u. E. Muschg-Zollikofer, Olten/Freiburg i. B. 1968, S. 74–81.

HEINRICH HEINE
(1797–1856)

ATTA TROLL. Ein Sommernachtstraum. Satirisches Versepos in 27 Kapiteln von Heinrich HEINE (1797–1856), erschienen in der von Heines Freund Heinrich LAUBE redigierten ›Zeitung für die elegante Welt‹ 1843; in Buchform veröffentlicht 1847, »*lediglich aufgestutzt und nur äußerlich geründet*«, im Grunde jedoch unfertig »*wie alle großen Werke der Deutschen, wie der Kölner Dom, der Schellingsche Gott und die preußische Konstitution*«. – Der Autor betont in der Vorrede seine Abneigung gegen die in Blüte stehende »*politische Dichtkunst*«, die die mißliche »*Antithese von Talent und Charakter*« hervorgebracht habe und mit ihr jenes »*vage, unfruchtbare Pathos, jenen nutzlosen Enthusiasmusdunst, der sich mit Todesverachtung in einen Ozean von Allgemeinheiten stürzte*«. »*Der leere Kopf pochte jetzt mit Fug auf sein volles Herz, und die Gesinnung war Trumpf.*« Seine satirische Erbitterung richtet sich nicht unmittelbar auf die »*heiligsten Menschheitsideen*« selbst, sondern auf die »*temporelle Bärenhaut*«, in der sie auftreten, auf die verzerrten Abbilder, in die schlecht geschliffene Spiegel sie verwandelten. Das Gedicht selbst ist eine nicht einheitliche, aber stellenweise sehr witzige Satire auf politische und literarische Zustände in Deutschland. Ernst und Ironie, leise Trauer und gekünstelte Sentimentalität, berechtigte Kritik und persönliche Ausfälle verbinden sich untrennbar wie immer bei Heine.

Held des Gedichtes ist der seither zum Begriff gewordene »deutsche Bär« Atta Troll, »*Tendenzbär; sittlich / Religiös; als Gatte brünstig; / Durch Verführtsein von dem Zeitgeist, / Waldursprünglich Sansküllotte; / Sehr schlecht tanzend, doch Gesinnung / Tragend in der zott'gen Hochbrust; / Manchmal auch gestunken habend; / Kein Talent, doch ein Charakter!*« Der Bär predigt Zusammenarbeit und Gleichheit aller Tiere und preist deren Begabungen: »*Schreiben Esel nicht Kritiken? / Spielen Affen nicht Komödien? / Gibt es eine größre Mimin / Als Batavia, die Meerkatz'? / Singen nicht die Nachtigallen? / Ist der Freiligrath kein Dichter? / Wer besäng' den Löwen besser / Als sein Landsmann, das Kamel?*« (Ein Zitat aus FREILIGRATHS Gedicht *Der Mohrenfürst* dient dem Epos als Motto.) Unerträglich erscheint dem patriotisch-ernsten Bären das Lächeln der Menschen, dessen Frivolität sogar das Tanzen entweiht hat, »*diesen frommen Akt des Glaubens*«, der doch »*ein Beten mit den Beinen*« zu sein hat. Im zweiten Teil tritt der Autor selbst auf, der nun Atta Troll jagt, das letzte Geschöpf der Romantik, von der er sich dadurch lossagt, daß er ihre mißratene Ausgeburt vernichtet. In den Pyrenäen hat er noch einmal eine Vision des Gespenster-

heeres, der wilden Jagd, in der Könige und Nixen, Dichter, Feen und Fabelgestalten in buntem Reigen den Zauber vergangener romantisch-toller *»Nachtgesichte«* und *»Traumgebilde«* beschwören, bevor Atta Troll seinen kläglichen Tod sterben muß. Im letzten Kapitel jedoch, das August VARNHAGEN VON ENSE gewidmet ist, klingt etwas von echter Sehnsucht nach den eigenen dichterischen Anfängen im Kreise CHAMISSOS, BRENTANOS und FOUQUÉS mit, deren Epigonen – besonders die schwäbische Dichterschule – er eben noch vernichtend getroffen hat: *»Ja, mein Freund, es sind die Klänge / Aus der längst verschollnen Traumzeit; / Nur daß oft moderne Triller / Gaukeln durch den alten Grundton.«*
Geschrieben ist das Epos in den durch Heines virtuose Behandlung berühmt gewordenen, später häufig nachgeahmten reimlosen Vierzeilern aus vierfüßigen Trochäen. Der für die Widersprüche in seiner Natur so bezeichnende Schluß verrät die ihm jederzeit verfügbare kritisch-sensible Schärfe, die sich alle nur affirmative Zustimmung in der distanzierenden Maske von Ironie und Witz verbot: *»Andre Zeiten, andre Vögel! / Andre Vögel, andre Lieder! / Sie gefielen mir vielleicht, / Wenn ich andre Ohren hätte!«* G. F. A. – H. H. H.

AUSGABEN: 1843 (in Zeitung f. d. elegante Welt, Nr. 1–10, Jan. bis März; Kap. 1–24). – Hbg. 1847. – Lpzg./Wien 1887–1890 (in *SW*, Hg. E. Elster, 7 Bde., 2). – Bln. 1911, Hg. R. M. Meyer. – Lpzg. 1912 (in *Werke*, Hg. O. Walzel, 11 Bde., 1910–1920; 2). – Hbg. 1923 (in *Werke in Einzelausg.*, Bd. 7, Hg. G. A. E. Bogeng, Einl. A. Döblin). – Mchn. 1925 (in *SW*, Hg. F. Strich, 11 Bde., 1925 bis 1930; 7). – Bln. 1961 (in *Werke u. Briefe*, Hg. H. Kaufmann, 10 Bde., 1961–1964; 1).

LITERATUR: J. N. Beam, *Richard Strauss' »Salome« and H.'s »Atta Troll«* (in MLN, 22, 1907, S. 13 f.): – A. Paul, *H. H.s »Atta Troll«, eine literarisch-polit. Satire* (in ZfdPh, 56, 1931, S. 244–269). – J. Lülsdorf, *Salome. D. Wandlung einer Schöpfung H.s in d. frz. Lit.*, Diss. Hbg. 1953. – J. Feuerlicht, *H. and His »Atta Troll« in Spain* (in MDU, 49, 1957, S. 83–86). – W. Welzig, *H. als Dichter d. Sentimentalität*, Diss. Wien 1958. – S. S. Prawer, *H., the Tragic Satirist. A Study of the Later Poetry 1827 to 1856*, Cambridge 1961.

BUCH DER LIEDER. Gedichtsammlung von Heinrich HEINE (1797–1856), erschienen 1827. – Dieser Band hatte, ebenso wie die ein Jahr zuvor erschienenen *Reisebilder*, einen ungewöhnlichen Erfolg und erlebte schon zu Heines Lebzeiten dreizehn Auflagen. In der endgültigen Fassung hat der Autor den Teilen *Junge Leiden*, *Lyrisches Intermezzo* und *Die Heimkehr* die Gedichte *Aus der Harzreise* und die beiden Zyklen *Die Nordsee* hinzugefügt.
Das deutsche romantische Lied – ein Begriff, der so unübersetzbar ist, daß er im Ausland als Fremdwort gebraucht wird – ist mit Heines Namen eng verbunden. Mit Ausnahme GOETHES hat kein anderer deutscher Lyriker eine derartig breite Resonanz gefunden, die auch in den ungezählten Vertonungen seiner Lieder von zeitgenössischen deutschen und ausländischen Komponisten deutlich wird (Schumann, Schubert und Brahms vor allem vertonten die Texte des Dichters). Die scheinbar volksliedhaft einfachen, bittersüßen Gedichte des jungen Heine – ihr Thema ist zumeist die verlorene oder hoffnungslose, immer aber unglückliche Liebe – sind von jener leichten, fließenden Musikalität, die der Vertonung entgegenkommt. Doch sind viele seiner Gedichte durchaus nicht so »natürlich«, wie sie zunächst wirken, und jedenfalls sind sie keine »naiven« Kunstwerke. Es ist für den jungen Heine charakteristisch, daß echtes Gefühl und beabsichtigte Sentimentalität oft kaum unterscheidbar ineinander übergehen. Der Ausdruck bleibt zuweilen typisierend und schemenhaft, weil die Verse allzu glatt dahinfließen und der Autor seine Traurigkeit nur zu gern genießerisch pflegt, um sie dann wieder ironisch zu belächeln *(»Und als ich euch meine Schmerzen geklagt, / Da habt ihr gegähnt und nichts gesagt; / Doch als ich sie zierlich in Verse gebracht, / Da habt ihr mir große Elogen gemacht«* oder *»Aus meinen großen Schmerzen / Mach' ich die kleinen Lieder; / Die heben ihr klingend Gefieder / Und flattern nach ihrem Herzen«)*. Aber die deutsche Sprache ist selten so mühelos gehandhabt worden und hat selten so gelöst geklungen wie in seinen besten Gedichten – *»Ich stand in dunklen Träumen«*, *»Ein Fichtenbaum«*, *»Ich hab im Traum geweinet«*, *»Ich will meine Seele tauchen«*, *»Hör ich das Liedchen klingen«*, *»Und wüßten's die Blumen«* u. a. Eindrucksvoller als manche allzu sentimentale Klage sind neben den hervorragenden Balladen im Zyklus *Junge Leiden (Don Ramiro, Belsazar, Die Grenadiere)*, die schon auf die reife Kunst des *Romanzero* (1851) hinweisen – die manchmal nur einstrophigen, traurigen kleinen Gedichte, die zeitlose Kümmernisse besingen und von denen eines so endet:

»Es ist eine alte Geschichte,
Doch bleibt sie immer neu;
Und wem sie just passieret,
Dem bricht das Herz entzwei.«

KLL

AUSGABEN: Hbg. 1827. – Hbg. [5]1844 [AlH]. – Lpzg./Wien 1887 (in *SW*, Hg. E. Elster, 7 Bde., 1887–1890, 1). – Lpzg. 1911 (in *SW*, Hg. O. Walzel, 11 Bde., 1910–1920, 1). – Bln. 1921 [Faks.]. – Mchn. 1925 (in *SW*, Hg. F. Strich, 11 Bde., 1925 bis 1930, 3). – Manchester 1952, Hg. R. Tymms [m. Anm. u. Bibliogr.]. – Bln. 1961 (in *SW*, Hg. H. Kaufmann, 10 Bde., 1961–1964, 1; auch Mchn. 1964; Kindler-Tb., 1001/02).

LITERATUR: E. Elster, *Das Vorbild d. freien Rhythmen H.s* (in Euph, 25, 1924, S. 63–85). – C. Andler, *Le »Buch d. Lieder«* (in EG 1, 1946, S. 337–359; 2, 1947, S. 72–91). – A. J. Schüssler, *Die engl. Übers. v. H. H.s »Buch d. Lieder«*, Diss. Mainz 1953. – W. A. Berendsohn, *H.s »Buch d. Lieder«. Struktur u. Stilidee* (in Heine-Jb., 1962, S. 26–38). – S. Teichgräber, *Bild und Komposition in H. H.s »Buch der Lieder«*, Diss. Freiburg i. B. 1963.

DEUTSCHLAND. EIN WINTERMÄRCHEN. Verssatire von Heinrich HEINE (1797–1856), erschienen 1844. – In diesem zeitkritischen Werk gibt Heine die Eindrücke einer Reise wieder, die er im Herbst 1843 durch Deutschland unternommen hatte. Für die Hamburger Ausgabe des in Paris geschriebenen Werkes fügte er ein Vorwort bei, in dem er dem Vorwurf, sein eigenes Nest beschmutzt zu haben, zuvorzukommen suchte – vergebens, wie sich bei der mit Empörung aufgenommenen Veröffentlichung der Gedichte herausstellte.
Inkognito kommt der seit dreizehn Jahren in Frankreich im Exil lebende Dichter an die deutsche

Grenze; während ein kleines Harfenmädchen rührend von den Freuden des »*Jenseits, wo die Seele schwelgt / Verklärt in ew'gen Wonnen*« singt, durchstöbert der preußische Zollbeamte das Gepäck des Reisenden nach Waren und »*konfiszierlichen Büchern*«. (»*Ihr Toren, die ihr im Koffer sucht! / Hier werdet Ihr nichts entdecken! / Die Konterbande, die mit mir reist, / Die hab ich im Kopfe stecken!*«) Die erste Station ist Aachen, die Stadt Karls des Großen; es folgt ein Aufenthalt in Köln. Heine besucht den Dom, »*des Geistes Bastille*«, in der nach dem Willen der römischen Kirche »*die deutsche Vernunft verschmachten*« solle, und er läßt in Gedanken Bilder aus Vergangenheit und Gegenwart der Stadt vorüberziehen: die Dunkelmänner und ihren Streit mit Hutten, die Reformation und schließlich den vom Kölner Dombauverein betriebenen Weiterbau des unvollendet gebliebenen Gotteshauses. »*Er ward nicht vollendet – und das ist gut. / Denn eben die Nichtvollendung / Macht ihn zum Denkmal von Deutschlands Kraft / Und protestantischer Sendung.*« Ein Gespräch mit dem alten »Vater Rhein« schließt sich an, den Franzosen und Deutsche gleichermaßen als »ihren« Strom beanspruchen und der entsprechend wehklagt. In der Nacht träumt der Dichter, er gehe wieder durch die Straßen Kölns. Auf Schritt und Tritt folgt ihm dabei eine unheimliche, dunkle Gestalt, ein Doppelgänger, unter dessen Mantel ein Beil blinkt. Auf Befragen gibt die Erscheinung sich zu erkennen: »*Ich bin dein Liktor, und ich geh / Beständig mit dem blanken / Richtbeile hinter dir – ich bin / Die Tat von deinen Gedanken.*« Entsetzt erwacht der Dichter aus diesem Traum, der ihm das Bedrohliche der Wunscherfüllung vor Augen rückt. – Über Hagen, den Teutoburger Wald und Paderborn geht die Reise weiter. Vom Schwanken der Postkutsche eingeschläfert, träumt der Dichter von einer Unterhaltung mit Kaiser Barbarossa im Kyffhäuser. Er klärt den Kaiser über die politische Entwicklung auf und berichtet ihm von der Revolution in Frankreich und dem Ende Ludwigs XVI., Dinge, die dem mittelalterlichen Herrscher äußerst befremdlich erscheinen. Das Gespräch endet damit, daß der Dichter dem Kaiser seine despektierlichen »*geheimsten Gedanken*« über die kaiserliche Person und Wiederkehr offenbart – »*Im Traum, im Traum versteht sich ...*«. – Schließlich erreicht Heine über Minden und Harburg das Ziel seiner Reise: Hamburg, die Wohnung seiner alten Mutter, die Buchhandlung seines Verlegers Campe. Er ist erschüttert über die schrecklichen Verwüstungen und Veränderungen, die der große Brand von 1842 angerichtet hat, und weicht sorgsam allen Fragen seiner Mutter nach Politik und Gegenwartsproblemen aus. Eine Traumbegegnung mit Hammonia, »*Hamburgs beschützender Göttin*«, beschließt die Dichtung. In ihren Armen kann sich der Dichter allen Groll von der Seele reden: seinen Ärger über Zensur und Zollbehörde, den Gram um Deutschlands Rückständigkeit, die Sehnsucht nach der trotz allem geliebten Heimat. Die Göttin gewährt ihm zum Trost einen Blick in die Zukunft – die sich dem Dichter jedoch nur im Kübel des Stuhls Karls des Großen offenbart, »*worauf er saß in der Nacht*«, und er wendet sich schaudernd ab vom deutschen »*Zukunftsdunst*«. Mit der Hoffnung auf ein »*neues Geschlecht, / Ganz ohne Schminke und Sünden, / Mit freien Gedanken, mit freier Lust ...*« klingt das Werk aus.

Heines Deutschland-Satire, eingeteilt in 27 Kapitel, ist einer der schärfsten zeitkritischen Ausfälle des Dichters gegen sein Vaterland und die dort herrschenden Mißstände und zugleich erschütterndes Zeugnis seiner schmerzlichen Liebe zu diesem Vaterland. Alles, was seinen deutschen Zeitgenossen »heilig« war: militantes Nationalgefühl, Burschenschaft und Franzosenhaß, Vielstaaterei und die Schwärmerei für das Mittelalter, wird von ihm angegriffen und mit einem ironischen Witz ad absurdum geführt, hinter dem der Dichter »*verschämten Gemüts*« die »*Wunde*« der Vaterlandsliebe verbirgt.

Die Sprache der in jambo-trochäischem Versmaß geschriebenen Gedichte ist nüchtern-alltäglich, oft in Jargon übergehend *(»Von wegen des verwünschten Lieds, / Von wegen der Blamage«; »Du irrst dich, ich bin nicht so eine.«; »Ich glaube, in die Krone / Stieg ihr der Rum ...«)*, dabei von fast tänzerischer Leichtigkeit und Musikalität; der pointiert gesetzte Reim unterstreicht die oft unvermutete, witzige Wendung des Gedankengangs *(»Ja, daß es uns früher so schrecklich ging / In Deutschland, ist Übertreibung; / Man konnte entrinnen der Knechtschaft, wie einst / In Rom, durch Selbstentleibung.«)* – Noch heute gilt dies geniale und dichterisch reiche Kunstwerk als eine der bedeutendsten Schöpfungen Heines. M. Be. – KLL

AUSGABEN: Hbg. 1844 (in *Neue Gedichte*). – Hbg. 1844. – Lpzg./Wien 1887–1890 (in *SW*, Hg. E. Elster, 7 Bde., 2). – Lpzg. 1912 (in *SW*, Hg. O. Walzel, 11 Bde., 1910–1920, 2). – Charlottenburg 1915, Hg. F. Hirth [Faks. d. Hs.]. – Hbg. 1923 (in *Werke in Einzelausgaben*, Hg. A. E. Bogeng; Bd. 7, Einl. A. Döblin). – Mchn. 1925 (in *SW*, Hg. F. Strich, 11 Bde., 1925–1930, 7). – Bln. 1961 (in *Werke und Briefe*, Hg. H. Kaufmann, 10 Bde., 1961–1964, 1; auch Mchn. 1964; Kindler Tb., 1003/04).

LITERATUR: G. Schirges, »*Deutschland. Ein Wintermärchen*«. *Von H. H.* (in Telegraph f. Deutschland, Jg. 1844, Nr. 169, S. 673f.). – A. Sakheim, *Das Wintermärchen in Rußland* (in Aus fremden Zungen, Bd. 5, 1905, S. 51f.). – L. L. Hammerich, *H. H.: »Deutschland, ein Wintermärchen«*, Kopenhagen 1921. – A. H. Krappe, *Notes sur »Deutschland, ein Wintermärchen« de Henri Heine* (in Neoph, 17, 1931, S. 110–115). – E. Vermeil, *H. Ses vues sur l'Allemagne et les révolutions européennes*, Paris 1939. – G. Lukács, *H. und die ideologische Vorbereitung der 48er Revolution* (in Geist und Zeit, 1956, S. 319–345). – W. Rose, *H.'s Political and Social Attitude* (in W. R., *H. Two Studies*, Oxford 1956, S. 1–93). – A. Leschnitzer, *Vom Dichtermartyrium zur politischen Dichtung. H.s Weg zur Demokratie* (in *Zur Geschichte und Problematik der Demokratie. Fs. für H. Herzfeld*, Bln. 1958, S. 665 bis 693). – P. Demetz, *Marx, Engels und die Dichter*, Stg. 1959, S. 106–114. – H. Kaufmann, *Politisches Gedicht und klassische Dichtung. H. H.: »Deutschland. Ein Wintermärchen«*, Bln. 1959. – W. Berendsohn, *Das Wort als geistige Waffe. H.s politische Dichtung »Deutschland. Ein Wintermärchen«*, Dortmund 1960. – E. Galley, *H. H.*, Stg. 1963, S. 48ff. (Slg. Metzler, 30).

HARZREISE. Reisebeschreibung von Heinrich HEINE (1797–1856), erschienen 1826, durch die preußische Zensur stark entstellt, in der Berliner Zeitschrift ›Der Gesellschafter oder Blätter für Geist und Herz‹, im gleichen Jahr als erster Teil der mehrbändigen *Reisebilder* (1826–1830) in Hamburg vollständig veröffentlicht. – Dieses erste

Prosastück Heines, das seinen Namen in der literarischen Öffentlichkeit bekannt machte, schildert eine Fußreise von Göttingen, wo der Dichter studiert hatte und wegen eines Duells relegiert worden war, durch den Harz; sie führte ihn im September und Oktober 1824 über Northeim, Osterode, Clausthal und Goslar zum Brocken und ins Ilsetal.

Zu nachtschlafender Zeit verläßt Heine die Stadt Göttingen, »*berühmt durch ihre Würste und Universität*«. Mit genußvoller Spottsucht geißelt er das philiströse, altkluge Gehabe der akademischen Zunft und die Sauf- und Rauflust der studentischen Verbindungen, die »*in Sitten und Gebräuchen noch immer wie zur Zeit der Völkerwanderung dahinleben*«. Die frische Morgenluft erquickt sein Herz und macht ihn übermütig, vergessen sind Pandekten, »*selbstsüchtige Rechtssysteme*« und die ewige Angst vor dem Examen. Einem ältlichen Trio, bestehend aus einem Herrn und zwei Damen, das eine Unterkunft in Göttingen sucht, empfiehlt er das »*Hotel de Brühbach*«. So aber wird dort der Karzer von den Studenten genannt. Einem wandernden Schneidergesellen gegenüber gibt sich Heine als Kosmopolit aus, der auf Kosten des türkischen Kaisers herumreise, um Rekruten anzuwerben. Bei dem Schneidergesellen handelte es sich jedoch in Wahrheit um den Handlungsreisenden Karl Dörne, der dieses Zusammentreffen 1826 im ›Gesellschafter‹ als *Seitenstück zu H. Heines Harzreise* sehr unterhaltsam schilderte. Er war nicht der einzige, der sich in einem der bissigen Porträts wiedererkannte. Der »*schwarze, noch ungehenkte Makler, der dort* [in Hamburg] *mit seinem spitzbübischen Manufakturwarengesicht herumläuft*« wurde später sogar auf offener Straße tätlich, um sich an Heine für die Bloßstellung zu rächen. Die gesamte prominente Gelehrtenschaft der Zeit muß sich wohlgezielte Seitenhiebe gefallen lassen. Auch dort, wo sich dem Dichter in freier Luft die Brust weitet und die Seele erhebt, begegnet ihm das muffige Spießertum und die filzige Engstirnigkeit der Philister. Das herrliche Naturschauspiel eines Sonnenuntergangs – »*es war, als ständen wir, eine stille Gemeinde, im Schiffe eines Riesendoms und der Priester erhöbe jetzt den Leib des Herrn und von der Orgel herab ergösse sich Palestrinas ewiger Choral*« – quittiert ein junger Kaufmann mit dem Ausruf: »*Wie ist doch die Natur im allgemeinen so schön!*« Doch seinem geliebten Lehrer, dem Historiker Georg Sartorius und dessen »*historischen Tröstungen*« setzt Heine ein ehrendes Denkmal, und mit Freude entdeckt er in einem Gästebuch den »*vielteuren*« Namen Adelbert von Chamisso. Höhepunkte der Wanderung sind ein Besuch in der Münze von Clausthal, eine lebensgefährliche Kletterpartie in das Clausthaler Bergwerk und die Besteigung des Brocken, dessen wuchtige Erhabenheit ihn zu einem ironischen Vergleich mit dem deutschen Charakter anregt. Die eigentliche Reisebeschreibung schließt mit dem Besteigen des Ilsensteins ab, doch geht aus den erhaltenen Paralipomena zur *Harzreise* hervor, daß ursprünglich eine Fortsetzung des Werks beabsichtigt war.

Die *Harzreise* ist ein Gemisch aus trockenem Witz, schärmerischer Naturschilderung, beißender Zeitsatire, realistisch detaillierter Umweltsbeschreibung und lyrischen Stimmungsbildern. Im Mittelpunkt der Betrachtungen steht der jugendliche Dichter selbst, der seine persönlichen Erfahrungen und Ressentiments mit einer bitterbösen Schärfe niederschreibt, die noch nicht gemildert ist durch jene geheime Qual, jene verschämt verborgene »*Wunde*« der Vaterlandsliebe, die spätere Werke, wie die Verssatire *Deutschland. Ein Wintermärchen* (1844), über ihre zeitkritische Bedeutung hinaus zum Kunstwerk erhebt. – Die Gedichteinlagen wurden 1827 von Heine in sein *Buch der Lieder* aufgenommen.
W. v. S.

Ausgaben: Bln. 1826 (*Harzreise. Geschrieben im Herbst 1824*, in Der Gesellschafter, 10, Nr. 11 bis 26). – Hbg. 1826 (in *Reisebilder*, Bd. 1). – Lpzg./Wien 1887 (in *SW*, Hg. E. Elster, 7 Bde., 1887 bis 1890, 3). – Lpzg. 1912 (in *SW*, Hg. O. Walzel, 11 Bde., 1910–1920, 4). – Hbg./Bln. 1920, Hg. F. Hirth [Faks. d. Ausg. 1826]; ern. Freudenstadt 1947. – Mchn. 1925 (in *SW*, Hg. F. Strich, 11 Bde., 1925 1930, 2). – Stg. 1955, Hg. M. Windfuhr (Nachw. F. Sengle; RUB, 2221). – Bln. 1961 (in *Werke u. Briefe*, Hg. H. Kaufmann, 10 Bde., 1960 1964, 3; auch Mchn. 1964; Kindler Tb. 1009/1010).

Literatur: H. Hofmann, *Zu H.s »Harzreise«* (in Euph, 6, 1899, S. 97–112). – B. Diederich, *Von Gespenstergeschichten, ihrer Technik u. ihrer Literatur*, Lpzg. 1903, S. 78–81. – B. J. Vos, *Notes on H.* (in MLN, 23, 1908, S. 25–29; 39–43). – H. J. Forman, *In the Footpoints of H.*, Ldn. 1910. – E. Löwenthal, *Studien zu H.s »Reisebildern«*, Bln./Lpzg. 1922 (Palaestra, 138). – O. Williams, *The Heine of the »Harzreise«* (in Cornhill Magazine, 59, 1925, S. 407–422). – G. Tschich, *Der Impressionismus im Prosastil von H.s »Reisebildern«*, Diss. Kiel 1928. – F. Bogaerts, *Hauptmotive der »Harzreise«*, Diss. Brüssel 1935. – J. Müller, *Beim Lesen von H.s »Harzreise«* (in Neue deutsche Literatur, 3, 1955, S. 95–103). – J. Müller, *Über H.s »Harzreise«* (in J. M. *Wirklichkeit u. Klassik*, Bln. 1955, S. 443–454). – E. Galley, *H. H.*, Stg. 1963, S. 18ff. (Slg. Metzler, 30). – J. L. Sammons, *H.'s Composition »Die Harzreise«* (in Heine-Jb., 6, 1967).

DER RABBI VON BACHERACH. Romanfragment von Heinrich Heine (1797–1856), erschienen 1840. – Durch seine Mitarbeit 1822/23 im Berliner »Verein für Kultur und Wissenschaften der Juden« war Heine, der eine eigentlich jüdische Erziehung nie genossen hatte, mit Fragen der jüdischen Leidensgeschichte und der Judenemanzipation vertraut geworden. In dieser Umgebung entstand der Plan zum *Rabbi*, an dessen Ausführung er sich 1824 in Göttingen machte. Er betrieb ein intensives Studium der historischen Quellen. Dabei erwies sich die ursprüngliche Novellenkonzeption (vgl. Brief an Christiani, 24. 5. 1824) bald als zu begrenzt und wich dem Versuch eines historischen Romans in der Manier Walter Scotts. Doch die Arbeit ging wegen der »*Sprödigkeit des Stoffes*« (an Moser, 25. 6. 1824) nur stockend voran und wurde Ende 1825 abgebrochen. Zu diesem Zeitpunkt lag das erste Kapitel ganz und vom zweiten wahrscheinlich ein Arbeitsmanuskript vor. Berufliche Sorgen, Konversion, der Umzug nach Paris, das immer stärkere Engagement für politische Tagesfragen, ein gewisses Desinteresse an Scott, bedingt durch den wachsenden Einfluß von Cervantes (vgl. Heines Versuch eines pikarischen Romans im *Schnabelewopski*), vor allem aber die wachsende Distanz zu den Ideen des Kulturvereins verhinderten in der Folge immer wieder die Fortsetzung des Romanplans. Erst die Judenverfolgungen 1840 in Damaskus veranlaßten

Heine dazu, das Manuskript hervorzuholen. Er überarbeitete aus kritischer Distanz vor allem das zweite Kapitel, schrieb ein neues, das dritte Kapitel, und fügte das Ganze als »*zeitgemäße Materialienzutat*« (an Campe, 28. 3. 1840) dem vierten Band seines *Salons* bei. Heines Hinweis, der fragmentarische Zustand seines *Rabbi* sei einem Brand 1833 im Haus seiner Mutter zuzuschreiben, bei dem der größte Teil des fertigen Manuskripts vernichtet worden sei, ist von der Forschung als literarische Fiktion erkannt worden.
Dieser komplizierte Entstehungsvorgang, der bis heute noch nicht in allen Einzelheiten durchschaubar ist, hat im Fragment selbst seinen Niederschlag gefunden und erklärt dessen Uneinheitlichkeit. So setzt das erste Kapitel düster, passionsartig ein. In breitem, chronikalem Stil berichtet Heine vom tragischen Schicksal der Juden im Spätmittelalter. Beim idyllisch geschilderten Passahfest der kleinen Judengemeinde von Bacherach am Rhein schmuggeln zwei Flagellanten eine Kindsleiche in das Haus des Rabbi Abraham, um die Juden des Ritualmordes bezichtigen zu können. Der Rabbi, ein gelehrter und gebildeter Mann, »*ein Muster gottgefälligen Wandels*«, entdeckt die Leiche frühzeitig. Und da er glaubt, der Anschlag gelte nur ihm, verläßt er mit seiner Frau Sara heimlich Bacherach und flieht nach Frankfurt, ohne seinen Verwandten und Freunden die schreckliche Entdeckung mitzuteilen. – Das zweite Kapitel spielt im wesentlichen im Ghetto von Frankfurt. Die beiden Flüchtlinge feiern in der Synagoge ihre Errettung. Hier erfährt aber der Rabbi, daß die Flagellanten entgegen seiner Hoffnung die ganze jüdische Gemeinde Bacherachs niedergemacht haben. Doch diese düstere Seite der Erzählung wird bereits in diesem Kapitel durch parodistisch-satirische Züge aufgehellt. Schon die beiden jüdischen Ghettowächter Nasenstern und Jäckel, die die Flüchtlinge erst nach langem Palaver ins Ghetto lassen, verschieben die Erzählung ins Burleske. Stärker noch kommt diese, wohl aus der letzten Entstehungsphase stammende Erzählschicht in der Art zum Ausdruck, wie Heine die reichen, eitlen, klatschsüchtigen Jüdinnen auf der Frauenempore der Synagoge karikiert. Das abschließende dritte Kapitel ist vollends in dieser heiter-satirischen Tonart geschrieben. Sara und Abraham treffen nach dem Gottesdienst den zum Christentum konvertierten spanischen Ritter Don Isaak Abarbanel, einen Jugendfreund des Rabbi, den die hochgerühmte Garküche der Schnapper-Elle ins Ghetto gelockt hat. Mit »*übertriebener Grandezza*« macht Abarbanel der unförmigen Garköchin den Hof. In dieser Szene, mit der das Fragment endet, entfaltet sich voll Heines witziger Stil.
Scharfe Kontraste bestimmen das Prosastück. Ursprünglich als »*düsteres Martyrlied*« angelegt (Gedicht an Moser, 1824), wendet es sich bald ins Komische und Satirische. Heine überläßt sich völlig dem witzigen, virtuosen Spiel mit der Sprache. Der objektivierende Chronikstil des ersten Kapitels, der der Tragik des angeschlagenen Themas adäquat gewesen wäre, ist nicht durchgehalten. Dieser unvermittelte Gegensatz hat autobiographischen Stellenwert: Er ist ein indirektes Zeugnis der inneren Entwicklung Heines. H. Str.

AUSGABEN: Hbg. 1840 (in *Der Salon*, 4 Bde., 1834 bis 1840, 4). – Lpzg. 1887, Hg. O. F. Lachmann (RUB, 2350). – Lpzg. 1914 (in *SW*, Hg. O. Walzel, 11 Bde., 1910–1920, 5). – Mchn. 1925 (in *SW*, Hg. F. Strich, 11 Bde., 1925–1930, 6). – Bln. 1929 [Ill. M. Liebermann]. - Bln. 1937 (Bücherei des Schocken Verlags, 80; Nachw. E. Loewenthal; Ill. L. Schwerin). – Bln. 1961 (in *Werke und Briefe*, Hg. H. Kaufmann, 10 Bde., 1961–1964, 4; auch Kindler Tb, 1013/1014). – Mchn. 1968 (in *SW*, Hg. K. Briegleb, 1968 ff., 1).

LITERATUR: G. Karpeles, *H. H. u. »Der Rabbi von Bacherach«*, Wien 1895. – L. Feuchtwanger, *H.s »Rabbi von Bacherach«. Eine kritische Studie*, Diss. Mchn. 1907. – E. Loewenthal, *H.s Fragment »Der Rabbi von Bacherach«* (in Der Morgen, 12, 1936, S. 168–175; ern. in Heine-Jb. 1964, S. 3–16). – I. Tabak, *Judaic Lore in H.*, Baltimore 1948; [2]1956. – P. Westra, *H. H. et le Judaisme* (in Revue des Langues Vivantes, 16, 1950, S. 30–39). – D. Lasher-Schlitt, *H.'s Unresolved Conflict and »Der Rabbi von Bacherach«* (in GR, 27, 1952, S. 173–187). – H. Uyttersprot, *H. en het jodendom* (in Revue des Langues Vivantes, 18, 1952, S. 86 bis 126). – G. Wilhelm u. E. Galley, *H. Bibliographie*, 2 Tle., Weimar 1960. – M. A. Bernhard, *Welterlebnis u. gestaltete Wirklichkeit in H. H.s Prosaschriften*, Diss. Mchn. 1962. – J. L. Sammons, *H.'s »Rabbi von Bacherach«. The Unresolved Tensions* (in GQ, 37, 1964, S. 26–38). – K. H. Brokerhoff, *Über die Ironie bei H. H.*, Düsseldorf 1964. – F. Finke, *Zur Datierung des »Rabbi von Bacherach«* (in Heine-Jb., 1965, S. 26–32). – S. Seifert, *H. Bibliographie*, 1954–1964, Bln. 1968. – M. Windfuhr, *H. H. Revolution u. Reflexion*, Stg. 1969, S. 183–192.

REISEBILDER. Von Heinrich HEINE (1797–1856), erschienen in vier Teilen 1826–1831. – Die Texte, die Heine nach und nach unter dem Titel *Reisebilder* zusammenstellte und veröffentlichte, bilden zusammen mit dem *Buch der Lieder* den Teil seines Werkes, der das Urteil über ihn in Deutschland bestimmt hat. In der Anordnung der zweiten Auflage, die für die weiteren Ausgaben gültig blieb, umfassen die *Reisebilder* folgende Arbeiten: Bd. 1: *Die Heimkehr. – Die Harzreise. – Die Nordsee, 1. und 2. Abt.*; Bd. 2: *Die Nordsee, 3. Abt. – Ideen. Das Buch Le Grand. – Neuer Frühling*; Bd. 3: *Italien 1828. I. Reise von München nach Genua. II. Die Bäder von Lucca*; Bd. 4: *Italien 1828. III. Die Stadt Lucca. – Englische Fragmente.* – Seiner Gepflogenheit entsprechend, dieselben Texte in mehreren Bänden unterzubringen, hat Heine sämtliche Gedichte des ersten Bandes als eigene Zyklen in das 1827 erscheinende *Buch der Lieder* (vgl. dort) aufgenommen. Ebenso wurde der Zyklus *Neuer Frühling* später zu den *Neuen Gedichten* gestellt. Charakteristisch für die Stücke der *Reisebilder* ist die feuilletonistisch-kritische Prosa, dementsprechend verschwindet die Lyrik, die im ersten Band noch vorherrschte, nach dem zweiten Band ganz.
Anstoß und Kern zu einer Sammlung von Reisedarstellungen bildet die → *Harzreise*, die Heine im Anschluß an seine Wanderung durch den Harz im Sommer 1824 niederschrieb und zunächst als Zeitschriftenbeitrag 1826 im ›Gesellschafter‹ von der Zensur entstellt und gekürzt, in demselben Jahr in der von ihm gewünschten Form zusammen mit den Gedichten der *Heimkehr* und der *Nordsee* als *Reisebilder. 1. Teil* veröffentlichte. Der ironisch-kritische Stil der *Harzreise* mit ihren satirischen Angriffen auf Universität und Studentenleben, auf zeitgenössische Persönlichkeiten und Ereignisse wird kennzeichnend auch für die späteren *Reise-*

bilder-Bände. Sie ist jedoch noch deutlich sichtbar romantischen Traditionen verpflichtet, etwa in dem Wechsel von Prosa und Lyrik, in der wenn auch schon lächerlich gemachten Betonung des Gefühls, in ihrer fragmentarischen Form; auch hält sie sich noch an die Gattungsbestimmungen einer Reiseschilderung. – Doch schon im zweiten Teil (1827) ist der Schritt zu einer neuen Form vollzogen. In Briefen an seine Freunde spricht Heine in dieser Zeit immer wieder von dem neuen Ton, den neuen Themen, die der zweite Band bringen werde, von offener, rücksichtsloser Kritik an allem Bestehenden, von seiner politischen Aufgabe. Die dritte Abteilung der *Nordsee*, ein Prosastück in Essayform, befaßt sich nur noch einleitend mit dem Badeleben auf der Insel Norderney und mit deren Bewohnern. Die wahren Themen des Stückes sind Heines erster deutlicher Angriff auf den Adel und sein Bekenntnis zu Napoleon. Ferner versucht Heine hier, sich die Gestalt GOETHES zu vergegenwärtigen. Der für Heine enttäuschende Besuch in Weimar hatte ja die tatsächliche Harzwanderung abgeschlossen. Aber erst jetzt vermag Heine den Eindruck, gerecht abwägend, zu verarbeiten und kann Goethe die Anerkennung nicht verweigern. Das Napoleon-Thema, in der *Nordsee* präludiert, wird im Hauptstück dieses Bandes, *Ideen. Das Buch Le Grand*, voll ausgespielt und verzahnt mit der eigenen Jugendbiographie und den verschlüsselt angedeuteten und leitmotivisch wiederholten Hinweisen auf seine Jugendlieben. Napoleon ist Heine als der Vertreter der großen Revolution das Symbol des emanzipierten, fortschrittlichen Staatsmannes. Und in Erfüllung dieser Revolutions- und Freiheitsidee sieht er selbst die Aufgabe seiner politischen Schriftstellerei. In biblischen Wendungen die Gestalt Napoleons überhöhend, vergleicht er dessen Einzug in Düsseldorf mit Christi Einzug in Jerusalem. (Später, schon im vierten Teil der *Reisebilder*, revidiert Heine sein Napoleon-Bild, beeinflußt von der kritischeren Haltung der VARNHAGENS und ihres Kreises.) In reizvoller Verdoppelung der Perspektive schildert Heine das Napoleon-Erlebnis nicht nur aus seiner eigenen Sicht, sondern noch einmal aus dem Blickwinkel eines französischen Soldaten, des nach Jahren aus Rußland zurückkehrenden Trommlers Le Grand. – Am Tag der Auslieferung dieses Bandes floh Heine nach England, um dort die gefürchtete Reaktion der Behörden abzuwarten. Und tatsächlich boten die Napoleon-Begeisterung, das offene Eintreten für die Revolution, die scharfe Adels- und Kleruskritik und nicht zuletzt eine Satire auf die Zensoren (Kap. 12 der *Ideen* enthält außer den Worten »*Die deutschen Zensoren – – – Dummköpfe*« nur Zensurstriche) genug Ärgernis für die österreichische, hannoversche und mecklenburgische Zensur, um das Buch in diesen Staaten zu verbieten, was die Aufmerksamkeit erst recht steigerte.

Der dritte und vierte Teil der *Reisebilder* (1830/31) steht unter dem zusammenfassenden Titel *Italien. 1828*. Heine war, nachdem er bald nach Erscheinen des zweiten Bandes die Redaktion der ›Neuen allgemeinen politischen Annalen‹, einer Cottaschen Zeitschrift, in München übernommen hatte, im Sommer 1828 nach Italien gereist. So finden sich in den beiden Stücken des dritten Bandes *(Reise von München nach Genua* und *Die Bäder von Lucca)* auch Berichte, assoziativ aneinandergereihte Eindrücke, kleine Reisebegebenheiten, endlich Menschen- und Kunstbeschreibungen. Den Kern aber bilden Polemiken gegen einzelne Personen des literarischen und öffentlichen Lebens, Angriffe, deren rücksichtslose Schärfe Heine später teilweise selbst gern zurückgenommen hätte. Heine war in München mit vielen bedeutenden Persönlichkeiten aus Staat, Kirche und Adel bekannt, aber zugleich selbst heftig angegriffen worden, auch seiner jüdischen Herkunft wegen. Außerdem war er enttäuscht darüber, daß ihm eine Professur an der Münchner Universität verweigert wurde. So sieht er sich nun aufgerufen, gegen Mißstände im gesellschaftlichen und kulturellen Bereich literarisch vorzugehen. Seine schärfste Polemik führt er gegen PLATEN: Dieser war in den *Xenien* angegriffen worden, die IMMERMANN gegen Literaten seiner Zeit, gegen MÜLLNER, RAUPACH, FOUQUÉ, CLAUREN, die SCHLEGELS und gegen die Nachahmer des *Divan*-Stils, RÜCKERT und Platen, verfaßt, und die Heine 1827 im zweiten Teil der *Reisebilder*, im Anschluß an den dritten (Prosa-)Teil der *Nordsee* veröffentlicht hatte. Daraus entspann sich eine erbitterte literarische und persönliche Fehde zwischen Heine und Platen, die weit über den ursprünglichen Anlaß hinausführte. Zunächst versuchte Platen in seinem satirischen Lustspiel *Der romantische Ödipus* (1829) neben Immermann, den er als Repräsentanten der romantischen Dichtung wählte, besonders auch Heine – ohne Kenntnis von dessen Schriften – zu treffen. Darauf antwortete Heine im zehnten und elften Kapitel der *Bäder von Lucca*. Schon die Einführung seines Opfers Platen muß es lächerlich machen: In Lucca kämpft der dumme und schöngeistige Banause Gumpelino, anstatt endlich die ersehnte Nacht bei seiner angebeteten, schon etwas abgetakelten Julia zu verbringen, mit den Folgen eines in Überdosis eingenommenen Abführmittels und liest dazu Platens Gedichte, was ihn restlos über die entgangenen Freuden hinwegtröstet. Heine kann mit einer gründlichen Kenntnis der Platenschen Schriften aufwarten und die empfindlichen Stellen des Gegners, etwa seine Überbetonung metrischer Perfektion, sicher treffen, er scheut aber auch nicht davor zurück, die homosexuelle Neigung seines Gegners sarkastisch zu verspotten. Daß es Heine jedoch nicht nur um die Person Platens ging, daß er vielmehr »*in ihm nur den Repräsentanten seiner Partei gezüchtigt, den frechen Freudenjungen der Aristokraten und Pfaffen*« (an Varnhagen, 3. 1. 1830), daß diese Kontroverse das Aufeinanderprallen zweier gegensätzlicher und zeitbedingter Grundhaltungen darstellte, geht aus vielen Briefen Heines deutlich hervor, wurde von den Zeitgenossen aber weder durchschaut noch verstanden, so daß sich Heine mit diesem Ausfall bei Feinden und Freunden sehr geschadet hat.

Der vierte Teil des Werks schließlich, von Heine 1831 mit dem Titel *Nachträge zu den Reisebildern* veröffentlicht, knüpft mit *Die Stadt Lucca* unmittelbar an die durch die Platen-Kapitel abgebrochene Handlung der *Bäder von Lucca* an. Der Tenor des Stückes, in dem es wieder fast ausschließlich um Religions- und Adelskritik geht, insbesondere um die fatale Verquickung von Klerus und Adel, um die Staatskirche, die jede liberale Bestrebung erstickt, ist bestimmt von den Ereignissen der Julirevolution (1830), von der sich Heine auch für Deutschland das Ende der Restauration und eine gründliche Änderung der Verhältnisse erhofft. Die letzten Texte, die *Englischen Fragmente*, die Heine größtenteils schon einzeln als Zeitschriftenaufsätze veröffentlicht hatte, vermitteln ein mosaikartiges Bild von den Zuständen des englischen Staates, der parlamentarischen Regierung, dem

Rechtswesen, dem Staatshaushalt, sie lassen soziale Fragen zu Wort kommen, sie geben Charakteristiken des englischen Volkes in allen seinen Klassen und heben einige Persönlichkeiten hervor (Walter Scott, George Canning, William Cobbett, Francis Burdett, Robert Peel, Wellington). Im ganzen ist Heines Urteil über England negativ. Die Emanzipation, das Hauptziel auch dieser Schrift, sieht er in England nicht verwirklicht. Fortschritt und notwendige Revolution findet er nur bei den Franzosen, dem *»auserlesenen Volk der neuen Religion«*, der Freiheit. Im Mai 1831 entzieht sich Heine einer möglichen Verfolgung seitens der Behörden durch seine Übersiedlung nach Paris.
Im Verhalten der Zensur gegenüber den Reisebildern, ihren ständigen Eingriffen und wiederholten Verboten, spiegelt sich deutlich die Engstirnigkeit des politischen Denkens und die Empfindlichkeit gegenüber jeder Art von Kritik in der Restaurationszeit. Das Werk wurde 1836 von der katholischen Kirche auf den Index gesetzt. Neben den revolutionären Themen der *Reisebilder* begründet ihre ironisch-pointierte, feuilletonistisch-kritische Prosa innerhalb des literarischen Epigonentums der auslaufenden Klassik und Romantik in den zwanziger Jahren des 19. Jh.s einen neuen Stil und ein neues Genre. Sie wurden richtungweisend für die jungdeutschen Schriftsteller; mit ihrer Verflechtung von Lyrik, Erzählung, politischer Abhandlung, Feuilleton und Autobiographie brachten sie Auflockerung in die starr festgelegten Gattungen und trugen dazu bei, daß sich die Kluft zwischen Kunst und Leben, Literatur und Öffentlichkeit verringerte. H. Hä.

AUSGABEN: Hbg. 1826 (Bd. 1; enth.: *Die Heimkehr; Harzreise; Die Nordsee. Erste Abt.*); Hbg. 1827 (Bd. 2; enth.: *Die Nordsee. Zweite u. dritte Abt.; Ideen. Das Buch Le Grand; Briefe aus Berlin*); Hbg. 1830 (Bd. 3; enth.: *Italien. 1828, Tl. I: Reise von München nach Genua; Tl. II: Die Bäder von Lucca*); Hbg. 1831 (Bd. 4 m. d. T. *Nachträge zu den Reisebildern*; enth.: *Italien. 1828, Tl. III: Die Stadt Lucca; Englische Fragmente; Schlußwort*). – Hbg. ^{2}1830 bis 1834 (Bd. 1 enth.: *Die Heimkehr; Harzreise; Die Nordsee. Erste u. zweite Abt.*; nicht aufgenommen sind die Gedichte *Götterdämmerung; Ratcliff; Dona Clara; Almansor; Die Wallfahrt nach Kevlaar*. Bd. 2 enth.: *Die Nordsee. Dritte Abt.; Ideen. Das Buch Le Grand; Xenien* [von Immermann]; *Neuer Frühling*. Bd. 3 u. 4 wie Erstaufl.). – Hbg. ^{5}1856, 4 Bde. – Lpzg. 1912–1914 (in *SW*, Hg. O. Walzel, 11 Bde., 1910–1920, 4/5). – Hbg./Bln. 1922–1924, Hg. G. A. E. Bogeng, 2 Bde. – Mchn. 1925 (in *SW*, Hg. F. Strich, 11 Bde., 1925 bis 1930, 1–3). – Bln. 1961 (in *Werke und Briefe*, Hg. H. Kaufmann, 10 Bde., 1961–1964, 3; auch Kindler-Tb., 1009/10; 1011/12). – Mchn. 1969 (in *SW*, Hg. K. Briegleb; Bd. 2, Hg. G. Häntzschel).

LITERATUR: K. Hessel, *H.s »Buch Le Grand«* (in Vierteljahresschrift für Literaturgeschichte, 5, 1892, S. 546–572). – J. Ransmeier, *H.s »Reisebilder« und Laurence Sterne* (in ASSL, 118, 1907, S. 289–317). – E. Loewenthal, *Studien zu H.s »Reisebildern«*, Bln./Lpzg. 1922 (Palaestra, 138). – G. Tschich, *Der Impressionismus im Prosastil von H.s »Reisebildern«*, Diss. Kiel 1928. – W. Wadepuhl, *H.-Studien*, Weimar 1956. – E. Galley, *H. H.*, Stg. 1963 (Slg. Metzler, 30). – G. Weiß, *H.s Englandaufenthalt (1827)* (in Heine-Jb., 1963, S. 3–32). – M. Windfuhr, *H. H. Revolution und Reflexion*, Stg. 1969.

DIE ROMANTISCHE SCHULE. Literaturgeschichtliche Schrift von Heinrich HEINE (1797 bis 1856), in der endgültigen Fassung erschienen 1835. – 1832 bat Victor BOHAIN, der Herausgeber der in Paris erscheinenden Zeitschrift ›Europe Littéraire‹, Heine, für die französischen Leser eine leicht faßliche Abhandlung über die neuere deutsche Literatur in der Art einer Fortsetzung zu Madame de STAËLS *De l'Allemagne* (1810) zu schreiben. Heine sagte zu unter der Bedingung, die Staël kritisch beurteilen zu dürfen. Die erste Fassung, die außer den ersten beiden Büchern auch die Abschnitte 1 und 2 des dritten Buches der endgültigen Fassung enthielt, erschien von März bis Mai 1833 in der obigen Zeitschrift unter dem Titel *L'état actuel de la littérature en Allemagne. De l'Allemagne depuis Madame de Staël*. Im selben Jahr erschien in Paris und Leipzig die deutschsprachige Version *(Zur Geschichte der neueren schönen Literatur in Deutschland)*. Bereits 1833 plante Heine eine Fortsetzung, die auch die Literatur des Jungen Deutschland einschließen sollte, doch blieb es in der Folge bei Erweiterungen zum dritten Buch. Ende 1835 (Druckvermerk 1836) erschien diese zweite Fassung unter dem neuen und präziseren Titel *Die Romantische Schule*. Der geschäftliche Erfolg, den Heine sich erhofft hatte, blieb jedoch aus. Das Werk kam zu Lebzeiten des Autors über die erste Auflage nicht hinaus.
Heines Schrift, Pendant zu seiner Abhandlung *Zur Geschichte der Religion und Philosophie in Deutschland*, ist keine streng systematische Darstellung, sondern gleicht eher einer Folge miteinander verknüpfter Essays. In der Thematik folgt sie zwar dem Werk der Staël, doch ist die zugrunde liegende Tendenz eine gänzlich andere. *»Frau von Staël«*, schreibt Heine, *»hat ... in der Form eines Buches, gleichsam einen Salon eröffnet, worin sie deutsche Schriftsteller empfing und ihnen Gelegenheit gab, sich der französischen zivilisierten Welt bekannt zu machen.«* Sie huldigte einer Schule von Schriftstellern (Brüder SCHLEGEL, BRENTANO, TIECK u. a.), die er abwertend als die »romantische« bezeichnet. Damit habe sie dem französischen Publikum ein einseitiges Bild vermittelt. Heine sieht es als seine wichtigste Aufgabe an, dieses romantisch-idealistische Bild zu korrigieren, ja zu denunzieren. Ihm ist die *»Wiedererweckung der Poesie des Mittelalters«* mit ihrer Betonung des Unendlichen, des Mystischen, des Phantastisch-Wunderbaren, der Allegorie und Parabel, des christlichen Spiritualismus mit seiner *»Wollust des Schmerzes«* ein Greuel. *»Obscurantismus«* nennt er die Hinwendung der Romantiker zum Katholizismus; *»Religion und Heuchelei sind Zwillingsschwestern«*, lautet sein apodiktisches Urteil. Heine orientiert sich in seiner Kritik deutlich am Gedankengut der Saint-Simonisten, vor allem des Prosper ENFANTIN, der dem lebens- und sinnenfeindlichen Spiritualismus einen vergeistigten Sensualismus entgegensetzte.
Den Schwerpunkt des ersten Buches bildet die Auseinandersetzung mit GOETHE. Heine bewundert dessen Werk, nennt ihn den *»König unserer Literatur«*, rügt jedoch seine politische Gleichgültigkeit. Mit Goethes Tod (1832) habe die Epoche der klassisch-romantischen Kunst, die *»Goethesche Kunstperiode«*, ein Ende gefunden. *»Heine ist überzeugt, am Wendepunkt zweier Zeiten zu stehen und durch seine Schrift die Heraufkunft der neuen Zeit befördern zu können«* (P. Bürger). Die politische und geistige Situation der Zeit verlange Offenheit für die Gegenwart. Dazu ist es aber nach Heines

Ansicht notwendig, die – unpolitischen – Geister der Vergangenheit endgültig zu verabschieden, die von den Romantikern immer noch beschworen werden. »*Das deutsche Mittelalter liegt nicht vermodert im Grabe, es wird vielmehr manchmal von einem bösen Gespenste belebt und tritt am hellen, lichten Tage in unsere Mitte und saugt uns das rote Leben aus der Brust.*« Aus dieser Sicht erklärt sich der vehemente, ja bösartige Angriff, den Heine im zweiten und dritten Buch seiner Schrift gegen die »*Häuptlinge*« der romantischen Bewegung und ihre Gefolgsleute führt, gegen die Schlegels, gegen Tieck, GÖRRES, SCHELLING, NOVALIS, E. T. A. HOFFMANN, Brentano u. viele andere. Dieser Gruppe von Schriftstellern mit ihrer Flucht in die Vergangenheit, ihrer »*Manier, die Gegenwart mit dem Maßstabe der Vergangenheit zu messen*« (über A. W. v. Schlegel), hält er Autoren wie LESSING, HERDER, SCHILLER, JEAN PAUL und die Vertreter des Jungen Deutschland als Vorbilder entgegen.
Heines Polemik mit ihrer Mischung von sachlichen und persönlichen Argumenten scheut nicht die persönliche Diffamierung. So schreibt er über A. W. v. Schlegel, der mit am schärfsten kritisiert wird: »*Der Chef der Romantiker heuratete die Tochter des Kirchenrat Paulus zu Heidelberg, des Chefs der deutschen Rationalisten. Es war eine symbolische Ehe, die Romantik vermählte sich gleichsam mit dem Rationalismus; sie blieb aber ohne Früchte.*« – Ein hervorstechendes Signum dieser Polemik, die am Kriterium objektiver, wissenschaftlicher Distanz nicht gemessen werden darf, ist ein witzig-ironischer, assoziationsreicher Aphorismenstil. Hierfür ist der Essay die adäquate, von Heine meisterlich gehandhabte Form. H. Str.

AUSGABEN: Paris 1833 (*État actuel de la littérature en Allemagne*, in L'Europe Littéraire, Journal de la Littérature Nationale et Étrangère, 8 Art., 1. 3. bis 24. 5.). – Paris 1833 (*Zur Geschichte der neueren schönen Literatur in Deutschland*). – Paris/Lpzg. 1833 (*Zur Geschichte der Literatur in Deutschland*, 2 Bde.). – Hbg. 1836 [recte 1835] (*Die romantische Schule*). – Lpzg. 1910 (in *SW*, Hg. O. Walzel, 11 Bde., 1910–1915, 7). – Mchn. 1925 (in *SW*, Hg. F. Strich, 11 Bde., 1925–1930, 4). – Bln. 1961 (in *Werke u. Briefe*, Hg. H. Kaufmann, 10 Bde., 1961–1964, 5; auch Mchn. 1964; Kindler Tb., 1017/1018).

LITERATUR: S. Born, *Die romantische Schule in Deutschland u. in Frankreich*, Heidelberg 1879. – H. Hüffer, *Das älteste Manuskript der »Romantischen Schule«* (in H. H., *H. H. Gesammelte Aufsätze*, Tl. 2, Hg. E. Elster, Bln. 1906, S. 180–190). – E. Simon, *H. u. die Romantik* (in *Essays Presented to Leo Baeck on the Occasion of His Eightieth Birthday*, Ldn. 1954, S. 127–157. – B. Fairley, *H. H. An Interpretation*, Oxford 1954 (dt.: *H. H. Eine Interpretation*, L. Hofrichter, Stg. 1965). – G. Lukács, *H. H. u. das Ende der Kunstperiode* (in Geist u. Zeit, 1956, Nr. 1, S. 40–46). – W. Welzig, *H. als Dichter der Sentimentalität*, Diss. Wien 1958. – P. Bürger, *Der Essay bei H. H.*, Diss. Mchn. 1959. – F. Strich, *H. H. u. die Überwindung der Romantik* (in F. S., *Kunst u. Leben. Vorträge u. Abhandlungen zur deutschen Literatur*, Bern/Mchn. 1960, S. 118–138). – S. S. Prawer, *H. The Tragic Satirist. A Study of the Later Poetry 1827 to 1856*, Cambridge 1961. – E. Galley, *H. H.*, Stg. 1963 (Slg. Metzler, 30). – K. H. Brokerhoff, *Über die Ironie bei H. H.*, Düsseldorf 1964. – E. Galley, *Der »Neunte Artikel« von H.s Werk »Zur Geschichte der neueren schönen Literatur in Deutschland«. Eine ungedruckte Vorarbeit zur »Romantischen Schule«* (in Heine-Jb., 1964, S. 17–36). – P. K. Kurz, *Künstler, Tribun, Apostel. H. H.s Auffassung vom Beruf des Dichters*, Mchn. 1967. – S. Seifert, *H.-Bibliographie, 1954-1964*, Bln./Weimar 1968. – M. Windfuhr, *H. H. Revolution u. Reflexion*, Stg. 1969, S. 150–159.

ROMANZERO. Gedichtzyklus von Heinrich HEINE (1797–1856), erschienen 1851. – Die drei Bücher des *Romanzero* – *Historien, Lamentationen, Hebräische Melodien* – haben zentrale Themen gemeinsam, unterscheiden sich aber voneinander nach ihrem Aussagemodus. *Geoffroy Rudèl und Melisande von Tripoli*, ein Gedicht des ersten Buchs, stellt z. B. das Motiv der Liebessehnsucht, ein für Heine typisches Motiv, in einer Episode »*aus des Minnesanges Zeiten*« dar. Dieses Formprinzip historischer Verkleidung und Distanzierung, für das erste Buch sehr charakteristisch, weicht im zweiten einer direkteren, fast bekenntnishaften Darstellungsform, in der das lyrische Ich stärker hervortritt: So teilt es seine Liebessehnsucht in den Gedichten *Der Ungläubige* und *Der Abgekühlte* unmittelbarer, ohne sich in einer Rolle zu verbergen, mit. Im dritten Buch neigt Heine wieder zur objektivierenden, historisch distanzierenden Darstellungsform, wenn er z. B. in dem Gedicht *Jehuda ben Halevy* das Sehnsuchtsmotiv in die unglückliche Liebe des Dichters Jehuda ben Halevy zum fernen Jerusalem übersetzt.
Dieser Wechsel der Darbietungsweise, der von Heines Vorliebe für artistisches Experimentieren zeugt, zerstört keineswegs die Einheit des *Romanzero*. Vielmehr enthüllen sich die miteinander verwandten Stilmittel des Kontrasts, der Ambivalenz und der Paradoxie als die dominierenden Bauelemente fast aller Gedichte, somit als die Bindeglieder der drei Bücher. In dem für seine Dichtung charakteristischen, Ernst und Ironie mischenden Tonfall, in ambivalenter, zwischen Schmerz und Lächeln, Resignation und Spott spielender Ausdruckshaltung verklammert Heine unversöhnbare Gegensätze. Dominierend ist der Widerspruch zwischen realer und traumhafter Welt, den er in die Abfolge seiner Gedichte hineinträgt (auf das hoffnungsvolle vom *Ungläubigen* folgt das desillusionierende vom *K.-Jammer*) oder den er im Gedicht selber, etwa in den Strophen über den Alltag und Sonntag der Juden, entfaltet (*Prinzessin Sabbat*). Poetische und prosaische Situationen, Phantasie und Wirklichkeit bleiben in ungelöster Spannung nebeneinander bestehen oder relativieren sich gegenseitig. So dringt in dem Gedicht *Böses Geträume* der Gedanke nüchterner Eheschließung in romantische Phantasien ein, und die Strophen vom *Weißen Elefant* verfremden das romantische Sehnsuchts- und Melancholiemotiv durch einen halbpoetischen Elefanten, einen »*vierfüßigen Werther*«, der »*nur Dampfnudeln und Ossian*« liebt. In solcher Koppelung banaler und stimmungshaltiger Begriffe schlägt Heines Lust an Wort- und Bildwitzen durch, zugleich aber das Bewußtsein, daß die Autonomie romantischer Gefühlswelt längst untergraben ist: daher häuft er denn auch romantische Sprachformeln, bis sie wie hohle, unzeitgemäße Requisiten wirken. So schafft Heine durch desillusionierende Kontraste, durch komischen Witz und destruktive Übertreibung Beispiele für jene Vermischung verschiedener Stilebenen, die auf das moderne Gedicht vorausweist. Antizipiert wer-

den moderne Stilmittel auch in der Verbindung disparater Assoziationen und Bilder *(Jehuda ben Halevy, Unvollkommenheit)*, im blitzartigen Ineinanderschieben der Zeiten *(Nächtliche Fahrt)*, in der Sprunghaftigkeit des Erzählstils *(Der Apollogott, Der Ex-Nachtwächter)*. Nicht nur wird damit das vertraute, von einem Einzelerlebnis aus organisierte Gedichtganze in Frage gestellt, auf den Titel des Werks selber fällt ein ironisches Licht; viele Gedichte des *Romanzero* erweisen sich geradezu als Parodien auf die herkömmliche epische Geradlinigkeit und Naivität der Romanze, einer der Ballade verwandten romantischen Dichtungsform.
Die dissonanten Gebilde im *Romanzero* sind gewiß auch Resultat von Heines vielberedeter »Zerrissenheit«, die einen biographischen und einen zeitgeschichtlichen Grund hat. Die schwere Krankheit, die ihn an seine Pariser »*Matratzengruft*« fesselte, dürfte Ursprung sowohl seiner Todesvisionen *(Gedächtnisfeier, An die Engel)* wie auch jener Erinnerungen sein *(Waldeinsamkeit, Rückschau)*, die mit der Jugend zugleich die Romantik fernrücken und auffallend mit seiner Sehnsucht nach neuer Liebe kontrastieren *(Der Ungläubige, Der Abgekühlte)*. Parallel zum physischen Elend verschärfte sich Heines Leiden an der Epoche; ihm verschafft er mehrmals Ausdruck in der unmißverständlichen Kritik an den restaurativen und antidemokratischen Tendenzen zeitgenössischer Politik *(Maria Antoinett, Im Oktober 1849, Enfant Perdu)*. Es ist möglich, daß diese Verflechtung von privatem und allgemeinem Unglück zuletzt Heines Interesse an religiösen Fragen intensiviert hat *(Auferstehung)* – ein allerdings souveränes unparteiliches Interesse, das sich auch kurz vor dem Tod nicht durch eine bestimmte Religionsgemeinschaft, sie sei christlicher oder jüdischer Art, fesseln ließ *(Disputation)*. G. Sa.

AUSGABEN: Hbg. 1851. – Lpzg. 1913 (in *SW*, Hg. O. Walzel, 11 Bde., 1910–1915, 3). – Mchn. 1925 (in *SW*, Hg. F. Strich, 11 Bde., 1925–1930, 8). – Bln. 1961 (in *Werke und Briefe*, Hg. H. Kaufmann, 10 Bde., 1961–1964, 2; auch Mchn. 1964; Kindler-Tb., 1005/1006).

LITERATUR: R. M. Meyer, *Der Dichter des »Romanzero«* (in R. M. M., *Gestalten u. Probleme*, Bln. 1905, S. 151–163). – H. Herrmann, *Studien zu H.s »Romanzero«*, Bln. 1906. – A. Meißner, *Die Matratzengruft. Erinnerungen an H. H.*, Hg. G. Weberknecht, Stg. 1921. – B. Ott, *H. et l'histoire dans le »Romanzero«* (in Revue de l'Enseignement des Langues Vivantes, 47, 1930, S. 193–200). – C. Andler, *Le »Romanzero« de H.* (in EG, 2, 1947, S. 152–172). – W. Rehm, *Experimentum medietatis. Studien zur Geistes- u. Literaturgeschichte des 19. Jh.s*, Mchn. 1947. – C. Andler, *La poésie de H.*, Paris/Lyon 1948. – B. Fairley, *H. H. An Interpretation*, Oxford 1954 (dt.: *H. H. Eine Interpretation*, L. Hofrichter, Stg. 1965). – W. Höllerer, *H. als Beginn* (in Akzente, 3, 1956, S. 116–129). – W. Victor, *Zum H.schen »Romanzero«* (in W. V., *Verachtet mir die Meister nicht*, Weimar 1960, S. 442–446). – S. S. Prawer, *H. The Tragic Satirist. A Study of the Later Poetry 1827 to 1856*, Cambridge 1961. – E. Galley, *H. H.*, Stg. 1963 (Slg. Metzler, 30). – K. H. Brokerhoff, *Über die Ironie bei H. H.*, Düsseldorf 1964. – K. J. Fuhrmann, *Die Gestalt des Dichters u. die Bestimmung der Dichtung bei H. H.*, Würzburg 1966. – P. K. Kurz, *Künstler, Tribun, Apostel. H. H.s Auffassung vom Beruf des Dichters*, Mchn. 1967. – S. Seifert, *H.-Bibliographie, 1954–1964*, Bln./Weimar 1968

ARNO HOLZ
(1863–1929)

PAPA HAMLET. Drei Erzählskizzen von Arno HOLZ (1863–1929) und Johannes SCHLAF (1862 bis 1941), erschienen 1889. – Im Winter 1887/88 bahnte sich die folgenreiche Zusammenarbeit zwischen Holz und Schlaf an, die in den drei Prosastücken dieses Erzählbandes – *Der erste Schultag, Ein Tod* und *Papa Hamlet* – ihren ersten schöpferischen Ausdruck fand. Die beiden Autoren verbargen sich hinter dem norwegischen Pseudonym Bjarne F. Holmsen und vermochten diese Fiktion eine Zeitlang aufrechtzuerhalten. So prägnant in den beiden übrigen Erzählskizzen die Situation eines Schulanfängers, der einem sadistischen Lehrer ausgeliefert ist, bzw. zweier Studenten, die die Nacht am Bett eines sterbenden Duellanten verbringen, beschrieben wird, für die Entwicklungsgeschichte des deutschen Naturalismus fällt nur die Titelerzählung ins Gewicht, der Schlafs *Ein Dachstubenidyll* zugrunde liegt. Die Wandlung von einer zwar alltäglichen, aber noch von konventionellen Sprachformen durchsetzten Erzählung (Urfassung) zum typischen Sprachgestus naturalistischer Prosa (Endfassung) läßt sich bis ins kleinste Detail verfolgen. Erst in der Endfassung kristallisiert sich der Kontrast zwischen der Existenz eines gescheiterten Schauspielers, des »*großen, unübertroffenen Hamlet*«, wie es ironisch heißt, und den idealistisch klingenden *Hamlet*-Zitaten heraus. Protagonist der Erzählung ist ein Schmierenschauspieler, der mit seiner schwindsüchtigen Frau in Schmutz, Hunger und Kälte ein erbärmliches Dachstubendasein fristet, bis er in einem Wutanfall sein schreiendes, kränkelndes Kind erwürgt und am Alkohol zugrunde geht. Ein Komödiant bis zum bitteren Ende, beklagt er mit pathetischen Sentenzen und willkürlichen *Hamlet*-Zitaten gestenreich sein jämmerliches Schicksal.
Die Skizze spiegelt geradezu idealtypisch jene Kunsttheorie wider, die Holz in seiner ästhetischen Schrift von 1891, *Die Kunst, ihr Wesen und ihre Gesetze*, ausgearbeitet hat und die zum Dogma des Naturalismus wurde: »*Die Kunst hat die Tendenz, wieder die Natur zu sein. Sie wird sie nach Maßgabe ihrer jedweiligen Reproduktionsbedingungen und deren Handhabung.*« Kraft einer geradezu seismographischen Sprachsensibilität gelingt es den beiden Autoren, visuelle und akustische Eindrücke technisch exakt wiederzugeben und den von seiner Umwelt determinierten Menschen phänomenologisch zu beschreiben. Holz und Schlaf entdecken als erste die künstlerische Ausdrucksfähigkeit der Alltagssprache, die rhythmischen Valenzen des subliterarischen Idioms. Gesten, Bewegungen, Interjektionen, Lautfetzen, Anakoluthe und Stummelsätze verdrängen die syntaktisch-semantische Kongruenz der Sprache. Die erzählte Realität löst sich fast ganz im Gespräch auf, der Dialog überwuchert die wenigen impressionistischen Beschreibungen. Erzählte Zeit und Erzählzeit werden weitgehend identisch. Neben neuen Sprachformen – sogar die Interpunktion wird zum Stilmittel – erschließen Holz und Schlaf der deutschen Literatur bisher unbekannte, von der klassischen Ästhetik totgeschwiegene Stoff- und Themenbereiche: Das soziale Elend des groß-

städtischen Industrieproletariats und die triste Schattenwelt von Armut und Laster. Mit Gerhart HAUPTMANNS skandalumwittertem Erstlingsdrama *Vor Sonnenaufgang* (1889), das dem Dichter »Holmsen« gewidmet ist und im Erscheinungsjahr der Erzählung zur Uraufführung kam, brach sich der Naturalismus in Deutschland endgültig Bahn.

M. Ke

AUSGABEN: Lpzg. 1889. - Neuwied/Bln. 1962 (in A. H., *GW*, Hg. W. Emrich u. Anita Holz, 7 Bde., 1961–1964, 4). – Stg. 1963; Nachw. F. Martini (RUB, 8853/8854).

LITERATUR: S. Zweig, *J. S.* (in LE, 4, 1901/02, S. 1377–1388). – A. H., *J. S. Ein notgedrungenes Kapitel*, Mchn. 1905. – *J. S. Leben u. Werk*, Hg. L. Bäte u. K. Meyer-Rotermund, Querfurt 1933. – K. Turley, *A. H. Der Weg eines Künstlers*, Lpzg. 1935. L. Bäte, *J. S.* (in DRs, 70, 1947, S. 117–120). – H. Motekat, *A. H. Persönlichkeit u. Werk*, Kitzingen 1953. – F. Martini, *A. H. »Papa Hamlet«* (in F. M., *Das Wagnis der Sprache*, Stg. 1954, S. 104–132). – W. Emrich, *A. H. u. die moderne Kunst* (in W. E., *Protest u. Verheißung*, Ffm./Bonn ²1963, S. 155 bis 168). – D. Schickling, *Interpretationen u. Studien zur Entwicklung u. geistesgeschichtlichen Stellung des Werkes von A. H.*, Diss. Tübingen 1965.

PHANTASUS. Lyrischer Zyklus von Arno HOLZ (1863–1929), in zwei Heften erschienen 1898/99. – Einen großen Teil der Gedichte des *Phantasus*-Zyklus hatte Holz bereits in verschiedenen repräsentativen Zeitschriften und Anthologien der Jahrhundertwende publiziert (›Jugend‹, ›Pan‹, ›Moderner Musen-Almanach auf das Jahr 1893‹).
Der auf eine romantische Tradition (TIECK) zurückweisende Titel des Werkes ist der Name einer Gestalt der antiken Mythologie. Bei Holz wird Phantasus, ein Sohn des Schlafes, der durch seine vielfältigen Verwandlungskünste die menschlichen Träume erzeugt, zur Allegorie der dichterischen Existenz stilisiert. Das Thema des *Phantasus* ist das phantasiegelenkte Bewußtsein des Dichters selbst, das sich durch eine Fülle von Metamorphosen aller Erscheinungen bemächtigt. Zu dieser poetischen Selbstdarstellung erklärt Holz: »*Das letzte ›Geheimnis‹ der ... Phantasuskomposition besteht im wesentlichen darin, daß ich mich unaufhörlich in die heterogensten Dinge und Gestalten zerlege.*«
Zwei Ebenen stehen in diesem dichterischen Bewußtsein einander gegenüber. Auf der einen Seite steht die Welt des Berliner Alltags mit zahlreichen lokalen Anspielungen und Impressionen. Modernes Großstadtleben, Industriezeitalter, ironisierte Stimmungen des Fin de siècle und Bildungsphilistertum im Rahmen der bourgeoisen Gesellschaft der Wilhelminischen Epoche – all diese Motive erscheinen reflexartig in den Umweltnotierungen der Gedichte. Diesen »naturalistischen« Milieuspiegelungen steht eine künstliche Sphäre gegenüber, in deren poetische Unwirklichkeit das lyrische Ich seine Glücksvisionen, Wunschträume des Vergessens und der Identitätsentgrenzung, mythisierte Vergangenheit und elegisches Leiden an der desillusionierenden Gegenwart projiziert. Die Darstellung dieser Ebene ist gekennzeichnet durch immer wiederkehrende romantisierende Motive und Chiffren; dazu gehören z. B. das Lied des Vogels, der Farb- und Klangzauber exotischer Fernen, Märchen und Mythos sowie eine requisitenreiche ästhetische Scheinwelt mit jugendstilhaften Park-, Schloß- und Insellandschaften.
Das zentrale Strukturprinzip der *Phantasus*-Dichtung besteht darin, daß diese beiden Ebenen kontrastieren, entweder innerhalb eines Gedichts oder in aufeinanderfolgenden Gedichten. Im universalen Bewußtsein des Dichters sollen sich beide Ebenen zu jener Einheit zusammenschließen, die Holz im lyrischen Werk Walt WHITMANS entdeckt zu haben glaubte. Im Programm seiner *Phantasus*-Lyrik fordert Holz eine Universaldichtung als »Gesamtorganismus«, der dem »naturwissenschaftlichen Zeitalter« gemäß sei.
Der naturwissenschaftliche Hintergrund des *Phantasus* ist vor allem durch die biogenetischen Theorien Ernst HAECKELS bestimmt; das lyrische Ich durchwandert alle Entwicklungsstadien der lebenden Substanz, indem es sie in Metamorphosen nachvollzieht (vgl. das Eingangsgedicht des Zweiten Heftes: »*Sieben Billionen Jahre vor meiner Geburt / war ich eine Schwertlilie*«). In einer Selbstinterpretation heißt es bei Holz: »*Wie ich vor meiner Geburt die ganze physische Entwicklung meiner Spezies durchgemacht habe, wenigstens in ihren Hauptstadien, so seit meiner Geburt ihre psychische. Ich war ›alles‹, und die Relikte davon liegen ebenso zahlreich wie kunderbunt in mir aufgespeichert.*«
Gegenüber seiner vorangehenden lyrischen Produktion – *Das Buch der Zeit. Lieder eines Modernen* (1886) –, die zwar thematische Neuerungen brachte, aber den epigonalen Formen GEIBELS verpflichtet blieb, bedeutet *Phantasus* einen entscheidenden Schritt zur Formerneuerung der Lyrik, die Holz auch in seiner gleichzeitig erschienenen Schrift *Revolution der Lyrik* (1899) theoretisch forderte. Zentrum seiner Lyriktheorie ist der Begriff des Rhythmus, der als lyrisches Formelement absolut gesetzt wird und an die Stelle der älteren konventionellen Mittel wie Reim und Strophenform tritt. Als formale Konsequenz des rhythmischen Prinzips erklärt Holz die Anordnung seiner Zeilen um eine imaginäre Mittelachse; die Zeilen sind so gedruckt, daß ihre räumliche Mitte mit der Mitte der Seite übereinstimmt.
Der atomisierend-impressionistische lyrische Stil des *Phantasus* ist ein Pendant zur Technik des von Holz und Johannes SCHLAF gemeinsam für Drama und Prosa entwickelten naturalistischen »*Sekundenstils*«. In späteren Fassungen der Dichtung versuchte Holz dem Programm der quasi wissenschaftlich registrierten Empfindungstotalität noch näherzukommen. Er entwickelte dabei eine barocke Sprachphantasie, welche die Gegenstände mit äußerstem Nuancenreichtum und minuziöser Präzision darstellt – oder fast schon wieder auflöst. In dieser Sprachaufschwellung schlägt sich eine extreme Gegenposition zu der von Holz scharf kritisierten preziösen Sprachaskese Stefan GEORGES nieder (die letzte vom Autor selbst veröffentlichte Fassung des *Phantasus* von 1925 umfaßt drei Bände). Im experimentellen Impuls seiner Sprachgebung antizipiert Holz hier Techniken der Lyrik des 20. Jh.s.

U. H

AUSGABEN: Bln. 1898/99, 2 H. - Lpzg. 1916. – Bln 1925 (in *Das Werk*, 10 Bde., 1924/25, 7–9). – Neuwied/Bln. 1961/62 (in *Werke*, Hg. W. Emrich u Anita Holz, 7 Bde., 1961–1964, 1–3). - Stg. 1968 (RUB, 8549/8550).

LITERATUR: R. Schaukal, *A. H.* (in LE, 5, 1902/03 Sp. 881–887). – O. Walzel, »*Phantasus*« (in Frankfurter Ztg., 17. 12. 1916). – H. L. Stoltenberg, *A. H u. die deutsche Sprachkunst* (in ZfÄsth, 20, 1926 S. 156–180). - W. Milch, *A. H. Theoretiker, Kämp-*

fer, Dichter, Bln. 1933. K. Turley, *A. H. Der Weg eines Künstlers*, Lpzg. 1935. E. Funke, *Zur Form des »Phantasus«* (in GR, 15, 1940, S. 50–58). – F. Kleitsch, *Der »Phantasus« von A. H.*, Würzburg-Aumühle 1940 [zugl. Diss. Bln.]. – A. Döblin, *A. H. Die Revolution der Lyrik. Eine Einführung in sein Werk u. eine Auswahl*, Wiesbaden 1951. – H. G. Rappl, *Die Wortkunsttheorie von A. H.*, Diss. Köln 1957. – W. Emrich, *A. H. u. die moderne Kunst* (in W. E., *Protest u. Verheißung*, Ffm./Bonn 1960, S. 155–168). – C. Heselhaus, *Der »Phantasus«-Rhythmus* (in C. H., *Deutsche Lyrik der Moderne von Nietzsche bis Yvan Goll. Die Rückkehr zur Bildlichkeit der Sprache*, Düsseldorf 1961). – K. Geisendörfer, *Motive u. Motivgeflecht im »Phantasus« von A. H.*, Diss. Würzburg 1962. – K. Lichtenstein, *Der »Phantasus« von A. H. in seiner formalen Entwicklung*, Diss. Wien 1963. – W. Emrich, *A. H. Sein dichterisches Experiment* (in NDH, 10, 1963, H. 94, S. 43–58). K. Geisendörfer, *Die Entwicklung eines lyrischen Weltbildes im »Phantasus« von A. H.* (in ZfdPh, 82, 1963, S. 231–248). A. Brandstetter, *Gestalt u. Leistung der Zeile im »Phantasus« von A. H.* (in WW, 16, 1966, S. 13–18). – I. Strohschneider-Kohrs, *Sprache u. Wirklichkeit bei A. H.* (in Poetica, 1, 1967, S. 44–66).

KARL LEBERECHT IMMERMANN
(1796–1840)

DIE EPIGONEN. Familienmemoiren in neun Büchern. Roman von Karl Leberecht Immermann (1796–1840), erschienen 1825–1836. – In einem Brief an seinen Bruder Ferdinand schreibt Immermann im April 1830 über den Roman: *»Er hat jetzt den Namen bekommen: ›Die Epigonen‹, und behandelt ... den Segen und Unsegen des Nachgeborenseins. Unsere Zeit, die sich auf den Schultern der Mühe und des Fleißes unserer Altvordern erhebt, krankt an einem gewissen geistigen Überflusse. Die Erbschaft ihres Erwerbes liegt zu leichtem Antritte uns bereit, in diesem Sinne sind wir Epigonen. Daraus ist ein ganz eigentümliches Siechtum entstanden, welches durch alle Verhältnisse hindurch darzustellen die Aufgabe meiner Arbeit ist. Das Schwierigste bei derselben ist ... aus diesem verwünschten Stoffe ein heiteres Kunstwerk zu bilden; denn der Abweg in eine trübe Lazarettgeschichte liegt sehr nahe.«* Diesen Abweg hat Immermann vermieden, und das mit kühlem Skeptizismus entwickelte Motiv der gesellschaftlich-kulturellen Erschöpfung wird durch die Andeutung einer möglichen Heilung aufgehoben. Hermann, der Held des Romans, durchschaut und bekämpft die Kränklichkeit seiner Zeit, die er selbst auf Grund seiner eigentümlichen gesellschaftlichen Mittelstellung am meisten zu spüren bekommt. *»Mit Sturmesschnelligkeit eilt die Gegenwart einem trockenen Mechanismus zu; wir können ihren Lauf nicht hemmen, sind aber nicht zu schelten, wenn wir für uns und die Unsrigen ein grünes Plätzchen abzäunen und diese Insel solange wie möglich gegen den Sturz der vorbeirauschenden industriellen Wogen befestigen.«*

Dem Autor gelingt es, in dem Werk allerlei miteinander zu verbinden: die Memoiren einer adeligen und einer durch Ehebruch mit ihr verwandten bürgerlichen Familie, die mit viel Geschick vorgenommene kulturkritische Analyse und den individuellen Bildungsgang Hermanns. Er ist vermeintlich der Sohn eines Bremer Senators, in Wirklichkeit aber, wie sich erst am Schluß herausstellt, das uneheliche Kind eines Aristokraten. Auf der Wanderung zu seinem Oheim, einem großen Fabrikherrn, trifft er mit einem Herzogspaar zusammen, auf dessen Erbschaft der Oheim nach altverbrieftem Recht Anspruch erhebt. Als Hermann zu vermitteln versucht, wird er selbst in allerhand Abenteuer verwickelt. Er liebt die Herzogin und ihre Schwägerin Johanna, verlobt sich mit Kornelie, der Pflegetochter seines Oheims, verbringt mit seinem Schützling »Flämmchen« eine Liebesnacht, nicht, wie er glaubt, mit Johanna, die in Wahrheit seine Stiefschwester ist. Schuldgefühle wegen des vermeintlichen Inzests treiben ihn vorübergehend fast zum Wahnsinn, ehe er Kornelie schließlich doch heiraten kann.

Von Goethe übernimmt Immermann das Schema des Bildungsromans. Wie Wilhelm Meister unternimmt Hermann, um dem ungeliebten praktischen Beruf zu entgehen, Reisen, durch die er mit verschiedenen Schichten der Gesellschaft in Berührung kommt, kehrt auf Schlössern ein und gerät in Beziehung zur Kaufmannswelt. Auch ähneln mehrere Personen Goethes Gestalten: in Flämmchen erkennt man unschwer Mignon, in Kornelie Natalie wieder. Doch kann man nicht von Nachahmung sprechen, da Hermanns Bildungserlebnisse ganz eigener Natur sind: In einem studentischen Kreis lernt er die Aufgeblasenheit und politische Unvernunft der Burschenschafter, in der Berliner Gesellschaft Antisemitismus und Kunstsnobismus kennen, in dem Arzt Wilhelmi entdeckt er den schroffen Materialisten und in Johannas Gatten Medon den brutalen, vor keiner Bosheit zurückschreckenden Machtpolitiker. Der Adel ist für ihn lediglich eine »*Ruine*«, und an seinen lächerlichen Ritterspielen, die eine vergangene Zeit heraufbeschwören sollen, beteiligt er sich nur, um die Gastfreundschaft nicht zu verletzen. Er ist einer der wenigen, die die Scheinhaftigkeit und den erheuchelten Ernst ihrer Zeit, sowohl des untergehenden privilegierten Feudalismus als auch des aufsteigenden Industrialismus, entlarven und über den Ekel an ihrer Zeit hinaus zu einer neuen Wahrheit vordringen, wo nicht mehr »*Gespenster*«, sondern wieder »*Götter*« walten. Zwar weiß auch er: »*Wir armen Menschen! Wir Frühgereiften! Wir haben keine Knospen mehr, keine Blüten; mit dem Schnee auf dem Haupt werden wir schon geboren.*« Dennoch resigniert er nicht wie andere Figuren des Werkes, obwohl er dazu Grund genug hätte; denn auch die Existenz seines Oheims erweist sich als brüchig: dessen einziger Sohn entstammt dem Ehebruch seiner von ihm als tugendhaft eingeschätzten Gattin, und Hermann selbst muß sich über seine illegitime Herkunft aufklären lassen. »*Das Erbe des Feudalismus und der Industrie fällt endlich einem zu, der beiden Ständen angehört und keinem.*« Aber er betrachtet sein Eigentum in stolzer Bescheidenheit nur als »*Depositar für kommende Geschlechter*«. Ob sein Plan, die neu entstandenen Fabriken eingehen zu lassen und die Ländereien dem Ackerbau zurückzugeben, eine sehr realistische Lösung ist, mag bezweifelt werden. Immerhin ist er ein bewundernswerter Versuch, aus dem Teufelskreis einer problematischen Entwicklung auszubrechen. Der umfangreiche Roman endet mit einem idyllischen Bild menschlicher Gemeinschaft, »*über welche das Abendrot sein Licht goß*«, und läßt die Möglichkeit offen, daß im Vergehen immer schon ein Neuanfang mitenthalten ist. W. v. S.

AUSGABEN: Bln. 1825 (*Bruchstück aus einem Roman, »Leben und Schicksale eines lustigen Deutschen«*, in Der Gesellschafter oder Blätter für Geist und Herz, 56 61. Bl., 8.–16. April). – Stg./Tübingen 1830 (*Der Lieutenant und das Fräulein, Anekdote aus der Praxis eines Arztes*, in Morgenblatt für gebildete Stände, Nr. 89–92, 14.–17. April). – Düsseldorf 1836 (in *Schriften*, 14 Bde., 1835–1843, Bd. 5–7). – Bln. o. J. [1883] (in *Werke*, Hg. R. Boxberger, 20 Bde., Bd. 5–8). – Lpzg./Wien 1906 (in *Werke*, Hg. H. Maync, Bd. 1).

LITERATUR: E. Spohr, *Die Darstellung der Gestalten in I.s »Die Epigonen«*, Diss. Greifswald 1915. – B. v. Wiese, *Zeitkrisis und Biedermeier in Laubes »Das junge Deutschland« und I.s »Epigonen«* (in DuV, 36, 1935, S. 163–197). – E. Grütter, *I.s »Epigonen«, ein Beitrag zur Geschichte des deutschen Romans*, Diss. Zürich 1951. – A. Moritz, *Die Raumstruktur in I.s »Epigonen«. Eine Untersuchung der epischen Raumgestaltung am Beispiel eines Zeitromans*, Diss. Göttingen 1955. – M. Windfuhr, *I.s erzählerisches Werk*, Gießen 1957. – H. Mayer, *Von Lessing bis Th. Mann*, Pfullingen 1957, S. 247–273. – B. v. Wiese, *K. I. als Kritiker seiner Zeit* (in B. v. W., *Der Mensch in der Dichtung*, 1958, S. 208–220). – M. Windfuhr, *Der Epigone. Begriff, Phänomen und Bewußtsein* (in Archiv f. Begriffsgeschichte, 4, 1958/59, S. 182 bis 209).

MÜNCHHAUSEN. Eine Geschichte in Arabesken. Humoristischer Roman von Karl Leberecht IMMERMANN (1796–1840), erschienen 1838/39. – Der *Münchhausen* – neben den *Epigonen* Immermanns bedeutendstes Werk – teilt mit diesem wenige Jahre zuvor erschienenen Roman die zeitkritische Intention. Viele Anspielungen und Seitenhiebe auf zeitgenössische Autoren wie HEGEL, GÖRRES, D. F. STRAUSS, J. KERNER, PÜCKLER-MUSKAU, GUTZKOW und andere sind zwar heute kaum mehr unmittelbar verständlich, haben aber als grundsätzliche Ideologiekritik – Immermann wendet sich polemisch gegen die Auswüchse des subjektivistischen, von der Goethezeit ererbten Idealismus – an Aktualität nichts eingebüßt. Neben dem satirisch-ironischen *Münchhausen*-Teil (Buch 1, 3, 4, 6), in dem alle Formen dieses Subjektivismus und seiner Pervertierungen bar jeder stringenten Handlung durchgespielt werden, steht der *Oberhof*-Teil (Buch 2, 5, 7, 8), der – seiner losen Verknüpfung mit dem Ganzen des Romans wegen – immer wieder herausgelöst und gesondert veröffentlicht wurde.

Münchhausen, der sich als Enkel des berühmten Lügenbarons ausgibt, kommt mit seinem Diener Karl Buttervogel, dem *»einzigen praktischen Charakter dieses Buches«*, zu dem halb verfallenen Schloß Schnick-Schnack-Schnurr, wo er sich als Erzähler der absonderlichsten Abenteuer unentbehrlich zu machen weiß. Die abstruse Exotik der Ereignisse, die, wie versichert wird, alle wirklich geschehen sind, wird von Münchhausen in einer grotesk anmutenden wissenschaftlichen Terminologie vorgetragen, deren pompöser Beweiskraft sich keiner der Zuhörer zu entziehen vermag. Sein Publikum besteht aus einem senilen Baron mit gänzlich antiquierten Standesvorstellungen, der nichts Angenehmeres kennt, als sich das Gehirn mit Münchhausens Lügengeschichten vollstopfen zu lassen, dessen empfindsamer Tochter Emerentia, die seit Jahrzehnten auf die Werbung eines Fürsten aus dem längst erloschenen Hechelkramschen Geschlecht wartet, und dem Schulmeister Agesel, der über der Beschäftigung mit Phonetik den Verstand verloren hat. Obwohl alle von einer fixen Idee besessen sind, läßt jeder sich bereitwillig von Münchhausen überzeugen, daß er der einzige Normaldenkende sei. Münchhausen nutzt diese Situation, um alle gleichermaßen an der Nase herumzuführen, vor allem mit seinem phantastischen Projekt einer »Luftverdichterkompanie«. Die Manipulierbarkeit derer, die keinen Realitätsbezug mehr haben, da sie entweder nur in der Vergangenheit oder nur in der Zukunft leben, ist der einzige Genuß, den Münchhausen noch kennt. Er selbst klammert sich an nichts, da er die abgenutzten Ideale seiner Zeit durchschaut hat. Nur die Freude an der eigenen Überlegenheit bleibt ihm, *»das selige Behagen, mit allen stolzen Torheiten der Zeit zu tändeln, zu scherzen, zu spielen«*. Münchhausen ist für Immermann der Prototyp des bindungslosen modernen Menschen, dessen hypertrophiertes Bewußtsein jede Gefühlsregung und alle Spontaneität im Keim erstickt und der auf eine Zerstörung der Person hinsteuert, deren fleischgewordener Ausdruck Münchhausens eigene Existenz ist: Geheimnisvoll wird angedeutet, daß er nicht – wie alle Menschen – geboren wurde, sondern Produkt eines chemischen Prozesses sei. Das Resultat einer solchen Bewußtseinshaltung ist Nihilismus: *»Woher kommen wir als aus dem Nichts? – Wohin werden wir gehen anders als ins Nichts?«* Folgerichtig läßt der Dichter denn auch Münchhausen ins Nichts verschwinden, als dessen erzählerische Funktion beendet ist. Nur noch Gerüchte geben über sein weiteres Leben Auskunft.

Im *Oberhof*-Teil treten Satire und Ironie fast völlig zurück. Die restaurative Tendenz bestimmt in diesem Teil sowohl die Figurengestaltung als auch Komposition und Sprachgebung. Alles, was auf dem Oberhof und in seinem Umkreis geschieht, sei es nun eine Hochzeit oder das geheime Femegericht der Bauern, verläuft nach den uralten Regeln des »Herkommens«. Die zentrale Gestalt, in der sich dieses Ideal des Überindividuellen verkörpert, ist der Hofschulze – eine Gestalt, die einem der Bauernromane Jeremias GOTTHELFS entstammen könnte. Immermann ist sich, bei aller Idealisierung des Bauernstandes, des Vergangenheitscharakters solcher Lebensformen durchaus bewußt; denn am Ende des Romans findet auch die Tradition des Femegerichts, in dem sich die Eigenständigkeit der Oberhofbauern am deutlichsten manifestierte, ihr Ende. Das Hauptargument dafür aber, daß der Oberhof nicht letzte Norm sein kann, wird von dem Liebespaar, das die Handlung der Oberhofgeschichte bestimmt, geliefert. Zwar ist der Oberhof der Ort, an dem sie, *»außer dem Pferch der Zivilisation«*, sich gefunden haben; aber gerade das »Herkommen« wird von ihnen immer wieder zugunsten eines Höheren, der Liebe, überwunden. Die Standesschranken zwischen dem Grafen Oswald und dem Findelkind Lisbeth werden übersprungen wie die gesellschaftlichen Formen bei der Verlobung und Hochzeit.

Immermann selbst gibt in einem Brief am Ende des Romans zu verstehen, worin das Neue dieser Liebesgeschichte liegt: *»Mein Sinn stand darauf ... der Liebe zu folgen bis zu dem Punkte, wo sie den Menschen für Haus und Land, für Zeit und Mitwelt reif, mündig, wirksam zu machen beginnt.«* Realitätsbezogenheit der Liebe wird verlangt, nicht ein romantisches Schwärmen, wie Emerentia es im *Münchhausen*-Teil vorführt. Eine Grundeinstellung Immermanns ist damit charakterisiert: Die Tätigkeit soll innerhalb der gegebenen Welt den Vorrang haben vor einem zeitenthobenen und versponnenen Ästhetentum. – Die poetischen Sünden der zeitgenössischen und romantischen Schriftsteller, die selbst nur Ausflüsse eines krankhaften Subjektivismus sind, werden durch Übersteigerung ad absurdum geführt: Illusionsdurchbrechung durch Auftreten des Autors, Potenzierung der Erzählebenen, Konfusion des Aufbaus und endlose Einführungen entlarven die Willkürlichkeit des parodierten Musters. Das *Fragment einer Bildungsgeschichte* mit dem Titel *Ich*, eine Parodie auf den deutschen Bildungsroman, wendet sich gegen die Übersteigerung des klassischen Persönlichkeitskults. Stil und Aufbau des *Oberhof*-Teils dagegen sind geschlossener. Dem Subjektivismus Münchhausens, der seine Geschichten bis zur Unverständlichkeit verschachtelt, wird jenes Gesetz der organischen Entwicklung entgegengesetzt, das den inneren Rhythmus der Oberhofgeschichte beherrscht. Freilich entgeht Immermann bei der Darstellung der Bauernwelt nicht immer der Gefahr, ins Sentimentale abzugleiten. Auch wirkt – vor allem am Schluß des Romans – der Versuch des Autors, Komisches und Tragisches nach Shakespeares Vorbild zusammenzubringen, gewollt und verkrampft.

Durch die dialektische Bezogenheit des *Oberhof*-Teils auf den *Münchhausen*-Teil, dessen Komposition an E. T. A. Hoffmanns *Kater Murr* geschult ist, gelingt es jedoch, den Reflex der Offenheit und Unabschließbarkeit prosaischer Wirklichkeitserfahrung, wie sie für den nachklassischen Roman typisch ist, auch in die scheinbar harmonische Geschlossenheit der Idylle hineinzutragen.

G. Le.

Ausgaben: Düsseldorf 1838/39 (in *Schriften*, 14 Bde., 1835–1843, 8–11). – Naunhof/Lpzg. 1940, Hg. O. Weitzmann [m. Erl.]. – Bln. 1955. – Bln. 1961 *(Der Oberhof)*.

Literatur: S. v. Lempicki, *I.s Weltanschauung*, Bln. 1910. – W. Schweizer, *Die Wandlungen Münchhausens*, Lpzg. 1921. – H. Fehrlin, *Die Paralipomena zu I.s »Münchhausen«*, Diss. Bern 1923. – N. Göke, *Untersuchung der literarischen u. stofflichen Quellen von I.s »Münchhausen«*, Münster 1925. – W. Kohlschmidt, *Entzweite Welt*, Gladbeck 1953, S. 33–49. – J. Wassermann, *I.s »Münchhausen«* (in Der magische Schrein, 1956, S. 161 bis 169). – M. Windfuhr, *I.s erzählerisches Werk*, Gießen 1957. – B. v. Wiese, *Der Mensch in der Dichtung*, Düsseldorf 1958, S. 208–220. – Ders., *I. »Münchhausen«*. (in B. v. W., *Der deutsche Roman*, Bd. 1, Düsseldorf 1963, S. 353–406). – M. Scherer, *I.s »Münchhausen«-Roman* (in GQ, 36, 1963, S. 236–244). – B. v. Wiese, *I.s »Münchhausen« u. der Roman der Romantik* (in *Formenwandel. Fs. P. Böckmann*, Hbg. 1964, S. 363–382). – D. Statkow, *Über die dialektische Struktur des I.-Romans »Münchhausen«* (in Weimarer Beiträge, 11, 1965, S. 195–211).

GOTTFRIED KELLER
(1819–1890)

DER GRÜNE HEINRICH. Roman von Gottfried Keller (1819–1890), nach Plänen von 1842/43 entstanden 1846–1850, erschienen 1854/55 in vier Bänden; in einer zweiten, umgearbeiteten Fassung erschienen 1879/80. – Neben Goethes *Wilhelm Meister* und Stifters *Nachsommer* gilt dieser Roman als der bedeutendste deutsche Bildungsroman des 19. Jh.s. Das wesentlich Neue an Kellers Werk ist, daß hier Humanität als Bildungsziel innerhalb des Erfahrungsbereichs der alltäglichsten, unscheinbarsten und gewöhnlichsten Begebenheiten, Situationen und Umstände verwirklicht werden soll. Für den Schriftsteller bedeutete dies die Notwendigkeit, einen »realistischen« Stil zu begründen, der sowohl der prosaischen Wirklichkeit als auch der Forderung nach poetischer Gestaltung gerecht wird. Wie sehr Keller sich darum bemühte, »*das Gewöhnliche und jedem Naheliegende darzustellen, ohne jedoch gewöhnlich und platt oder langweilig zu sein*«, geht schon daraus hervor, daß er nach fünfundzwanzig Jahren das Werk einer Umarbeitung unterzog, die mehr noch auf eine strukturelle und stilistische als auf eine gehaltliche Veränderung zielte. Der Autor erzählt im *Grünen Heinrich*, dessen Stoff in den Grundzügen seiner eigenen Kindheit und Jugend entnommen ist, die Lebensgeschichte eines Künstlers, der bei dem Versuch, seiner Bestimmung oder dem, was er dafür hält, gegen alle Widerstände zu folgen, an der Realität scheitert. Der Konflikt liefert zugleich das strukturbildende Prinzip – Keller nennt es das »*Schema*« – des ganzen Romans, insofern als zwischen den scheinbar nur episodischen Einzelheiten der Erzählung ein auf die Grundproblematik des Helden bezogener Sinnzusammenhang deutlich wird.

Die Schilderung von Heinrich Lees Lebensweg gliedert sich in zwei Abschnitte: Kindheit und Jugend, Aufenthalt in der Fremde und Heimkehr. Nach dem frühen Tod des Vaters wächst Heinrich, der wegen der Farbe seines Wamses der »grüne« genannt wird, bei der stets um den Sohn besorgten, gottesfürchtigen Mutter in einfachen Verhältnissen auf. In den Episoden aus Heinrichs Kindheit, die – wie es in der Urfassung heißt – »*ein Vorspiel des ganzen Lebens ist und bis zu ihrem Abschlusse schon die Hauptzüge der menschlichen Zerwürfnisse im kleinen abspiegelt*«, zeigt sich ein Grundzug von Heinrichs Wesen in der besonderen Neigung des Kindes, die Wirklichkeit aus der inneren Anschauung zu sehen und zu erklären. So hält der Knabe die vom oberen Stockwerk des Hauses in der Ferne sichtbaren weißen Bergkuppen, da sie über der Erde zu schweben scheinen, für etwas Lebendiges und Mächtiges, für Wolken, wovon ihn auch niemand abzubringen vermag. Ein langes, hohes Kirchendach dagegen ist für ihn ein Berg. Auch seine Vorstellung von Gott ist bestimmt durch »*ganz innerliche Anschauungen*«. Einmal glaubt er, der »*glänzende goldene*« Turmhahn, ein andermal ein »*prächtig gefärbter*« Tiger sei Gott. Die Gebilde seiner Phantasie gewinnen bei Heinrich zusehends den Vorrang vor der Wirklichkeit. So gelingt es dem Siebenjährigen z. B., mit einer erfundenen Geschichte dem Lehrer und dem Pfarrer glaubhaft zu machen, vier ältere Mitschüler hätten ihn gezwungen, unanständige Wörter auszusprechen; und als die Jungen bestraft werden, empfindet er Befriedigung darüber, »*daß die poetische Gerechtigkeit meine Erfindung so schön und sichtbarlich abrundete*«. Die Poetisierung der Realität geht nicht immer so glimpflich aus wie in diesem »*Kinderverbrechen*«. Als er sich später einmal an die Spitze eines gegen einen Lehrer gerichteten Demonstrationszuges setzt

– nicht aus Überzeugung, sondern von dem Vorgang fasziniert: »*Mir schwebten sogleich gelesene Volksbewegungen und Revolutionsszenen vor*« –, wird er von der Schule verwiesen. Er bildet sich nun autodidaktisch weiter und wendet sich der Landschaftsmalerei zu. Bei dem Kunstmaler Habersaat lernt er zunächst nach der Natur zu malen. Bald jedoch befreit er sich von der »*Naturwahrheit*« und malt phantastische Bilder, wobei es ihm – wie in dem »Kinderverbrechen« – gelingt, seine Erfindungen für die Wirklichkeit auszugeben. Verstärkt wird diese Neigung durch Heinrichs Beschäftigung mit Jean Paul, der ihn »*von einem Geiste träumerischer Willkür und Schrankenlosigkeit besessen*« macht. Erst durch die Lektüre von Goethes Werken wird ihm klar, daß nicht das »*Unbegreifliche und Unmögliche, das Abenteuerliche und Überschwengliche*« »*poetisch*« ist; was der Künstler braucht, ist vielmehr die »*hingebende Liebe an alles Gewordene und Bestehende, welche das Recht und die Bedeutung jeglichen Dinges ehrt und den Zusammenhang und die Tiefe der Welt empfindet*«. Heinrichs Bemühung, die Dinge nun in ihrer Eigengesetzlichkeit zu erfassen, findet Unterstützung durch den Maler Römer, in dem er einen »*wirklichen Meister*« gefunden hat, der ihn hart in die Schule nimmt und keine »*wunderliche Fiktion*« duldet. Aber immer wieder regt sich die »*Erfindungslust*« des Schülers und beginnt die »*gemeine Naturwahrheit*« zu überwuchern.

Das Schwanken zwischen Phantasiebild und Wirklichkeit, Geist und Natur bestimmt auch Heinrichs Doppelliebe zu Anna und Judith, die er bei seinen Verwandten auf dem Dorf kennenlernt. In der zarten und blassen Anna glaubt er den »*besseren und geistigeren Teil*« seiner selbst zu lieben, während die »*kräftige und stolze*« Judith seine »*sinnliche Hälfte*« anlockt, ihn verwirrt und verführt. Annas Anziehungskraft beruht darauf, daß sie ihm ermöglicht, sich ein Bild von der heiligenden Wirkung der Liebe zu machen, weshalb er das Mädchen auch vorwiegend in Bildern sieht (»*zarte Knospe*«, »*Elfe*«, »*Himmelsbote*«, »*heilige Cäcilie*«) und lieber Briefe an sie schreibt, als daß er ihr nahezukommen sucht. Manchmal erscheint sie ihm auch wie eine »*fast wesenlose Gestalt*«, ein »*urfremder, wesenloser Gegenstand*«. Die ältere, erfahrene Judith dagegen bedeutet für ihn die »*blühendste Wirklichkeit*«, das »*Leben und Weben der Liebe*«, aber sobald er sich außerhalb ihres Bannkreises befindet, beschäftigt sie seine ganz von Anna in Anspruch genommene Phantasie nur wenig. »*Als ich Anna geküßt, war es gewesen, als ob ich eine wirkliche Rose berührt hätte; jetzt aber küßte ich eben einen heißen, leibhaften Mund ...*« Tief verwirrt von der Erfahrung, daß, unabhängig von seinem Willen, beide Frauen Macht über ihn haben, vermag er sich von keiner von beiden zu lösen: »*Ich fühlte mein Wesen in zwei Teile gespalten ...*« Erst als Anna stirbt, entscheidet er sich für das Andenken an sie, als die »*edlere und höhere Hälfte der Liebe*«, und reißt sich von Judith und damit von der Realität los.

Daß er zu Unrecht das Bild der Liebe über die Wirklichkeit stellte, wird Heinrich bezeichnenderweise erst viel später, in der Kunststadt München, in die er als Zwanzigjähriger gekommen ist, um dort seinen Malerberuf auszuüben, klar. Das »*Bild*« Annas verbleicht vor der »*Gestalt*« der Judith in ähnlicher Weise, wie seine Kunstprodukte vor der Wahrheit des Seins. Wie seine Liebe, ist seine Malerei ein »*Herausspinnen einer fingierten, künstlichen, allegorischen Welt aus der Erfindungskraft, mit Umgehung der guten Natur*«. Als er erkennt, daß er nie ein großer Maler werden wird, beschließt er verzweifelt, der Kunst zu entsagen, und schlägt sich so lange als Gelegenheitsarbeiter durch, bis er etwas Geld für den Weg zurück in seine Vaterstadt verdient hat, wo die Mutter in großer Sorge um den Sohn auf eine Nachricht wartet. Abgerissen und ausgehungert gelangt er unterwegs zu einem Schloß, wird von einem Grafen freundlich aufgenommen und verliebt sich leidenschaftlich, doch ohne es ihr zu gestehen, in dessen Nichte Dortchen Schönfund, die ihn mit der atheistischen Philosophie Feuerbachs bekannt macht. Hier begibt sich ein »*Glückswandel*«. Heinrich kommt plötzlich durch seine Bilder noch zu einem kleinen Vermögen; doch auch diese Anerkennung vermag an seiner zunächst aus Verzweiflung getroffenen Entscheidung, den Künstlerberuf aufzugeben, nichts mehr zu ändern; er wiederholt sie aus freier Wahl und will hinfort im öffentlichen Dienst sinnvolle Arbeit für die menschliche Gemeinschaft leisten. Als er nach Monaten zu Hause ankommt, liegt seine Mutter, durch die Sorge um ihn zermürbt, im Sterben. Dem Sohn wird klar, daß er an der »*Unverantwortlichkeit der Einbildungskraft*« nicht nur als Künstler, sondern auch moralisch gescheitert ist. In der Urfassung ist bei seiner Ankunft die Mutter schon tot, und er selbst geht bald darauf an der unseligen Verschlungenheit von Schuld und ehrlichem Wollen zugrunde. Keller hat in der zweiten Fassung diesen »*zypressendunklen Schluß*« geändert und Heinrichs Schuld gemildert. Er bescheidet sich und nimmt ein Amt im Staatsdienst an. Erst die erneute Begegnung mit der seinetwegen aus Amerika zurückgekehrten Judith, die ihm von nun an treu zur Seite steht, vermag die Schatten, die seine »*ausgeplünderte Seele*« erfüllen, zu vertreiben. Die Freundin, in der sich »*Selbsterhaltungstrieb*« und »*große Opferfähigkeit*« glücklich vereinen, gibt ihm Frieden durch ihre Liebe und Menschlichkeit. Die Abwandlung des Schlusses ist die einschneidendste, aber nicht die einzige inhaltliche Änderung, die die zweite Fassung von der ersten unterscheidet. Neu sind die beziehungsreiche Geschichte des Albertus Zwiehan, die Hulda-Episode, die Figur des Gilgus. Anstößig Wirkendes – wie die herrliche Szene der badenden Judith – wurde gestrichen, »*das subjektive und eitle Geblümsel*«, die allzu spontanen Gefühlsäußerungen, die zeitkritischen Ansichten, Urteile und Polemiken, vor allem gegen Schule, Staat und Kirche, mußten einer distanzierten Betrachtung weichen. Persönlich gefärbte Epitheta fielen ganz weg oder wurden durch sachlichere ersetzt, kommentierende Einschübe und Reflexionen des Erzählers sind eingeschränkt oder in direkte Rede umgeschrieben oder ganz entfernt. Die stärkste Veränderung aber erfuhr die formale Anlage des Ganzen: während Keller in der ersten Fassung, die mit Heinrichs Reise nach München beginnt, nur die an einer späteren Stelle eingefügte Jugendgeschichte von diesem selbst erzählen läßt, entschied er sich später für die einheitliche Verwendung der Ichform, wozu ihn vor allem die Literaturhistoriker HETTNER und KUH anregten. Dieser entscheidende Eingriff, aus dem sich die chronologische Anordnung des Stoffes und vielfach auch eine andere Motivierung des Erzählten ergab, unterstrich die Fiktion, daß der Held Selbsterlebtes berichtet und steht im Zusammenhang mit einer allgemein stärkeren Konzentrierung des Ganzen auf die Hauptfigur. Die erste Fassung hat der späteren die frische Unmittelbarkeit und lyrische Intensität voraus, die zweite erreichte mit Hilfe der »*größeren Ökonomie und Knappheit*« künstlerische

Ausgewogenheit und eine Einheit von Gehalt und Gestalt, von sachlicher Aussage und poetischer Verklärung, der dieser Roman seinen Rang als Meisterwerk des »poetischen Realismus« verdankt.

S. E.

AUSGABEN: Braunschweig 1854/55, 4 Bde. [erste Fassg.]. – Stg. 1879/80, 4 Bde. [zweite Fassg.]. – Stg./Bln. 1914, Hg. E. Ermatinger, 2 Bde. [erste Fassg.]. – Erlenbach/Zürich 1926 (in *SW*, Hg. J. Fränkel u. C. Helbling, 24 Bde., 1926–1948; zweite Fassg. in Bd. 3 6; erste Fassg. in Bd. 16–19). – Mchn. 1956 (in *SW u. ausgew. Briefe*, Hg. C. Heselhaus, 3 Bde., 1956 1958, 1; erste Fassg.; zweite Fassg. ab Bd. 3). – Mchn. 1959 [zweite Fassg.]. – Ffm./Hbg. 1961, Hg. A. Henkel (EC, 39; erste Fassg.). – Mchn. 1966, Hg. J. Müller [zweite Fassg.].

LITERATUR: K. Laserstein, *Die Gestalt des bildenden Künstlers in der Dichtung*, Bln./Lpzg. 1931. – W. Muschg, *G. K. u. J. Gotthelf* (in FDH, 1936/40, S. 159–198). K. Heesch, *G. K.s »Grüner Heinrich« als Bildungsroman des deutschen Realismus*, Hbg. 1939. – H. Schumacher, *Die Architektur von K.s »Grünem Heinrich«*, Diss. Zürich 1941. G. Lukács, *G. K.*, Bln. 1946 (auch in G. L., *Deutsche Realisten des 19. Jh.s*, Bln. 1956, S. 146–228). J. Hofmiller, *Über den Umgang mit Büchern*, Mchn. 1948, S. 146 156. – M. Schatz, *Die Zeitgestaltung in K.s »Grünem Heinrich«*, Diss. Bonn 1948. – O. Hochenegger, *Ein Vergleich zwischen K.s »Grünem Heinrich« u. Mörikes »Maler Nolten« unter besonderer Berücksichtigung ihrer Beziehungen zur Romantik*, Diss. Wien 1949. – H. W. Reichert, *Basic Concepts in the Philosophy of G. K.*, Chapel Hill 1949 (Studies in Germanic Languages and Literatures, 1). – W. Benjamin, *G. K.* (in W. B., *Schriften*, Hg. T. W. u. G. Adorno u. F. Podzus, Bd. 2, Ffm. 1955). A. Dürst, *Die lyrischen Vorstufen des »Grünen Heinrich«*, Bern 1955 (Basler Studien zur deutschen Sprache u. Literatur, 17). – Th. Würtenberger, *Rechtsphilosophie in K.s »Grünem Heinrich«* (in *Fs. f. G. Kisch*, Stg. 1955, S. 283 309). – H. W. Reichert, *Caricature in K.'s »Der grüne Heinrich«* (in MDU, 48, 1956, S. 371 ff.). – R. Pascal, *G. K. – »Green Heinrich«* (in R. P., *The German Novel*, Manchester 1956, S. 30–51). – A. Hauser, *G. K. Geburt u. Zerfall der dichterischen Welt*, Zürich 1959 (ZBLG, 15). F. Martini, *Deutsche Literatur im Zeitalter des bürgerlichen Realismus*, Stg. 1962, S. 565–575; 597–599. – W. Preisendanz, *»Der Grüne Heinrich«* (in *Der deutsche Roman. Vom Barock bis zur Gegenwart*, Hg. B. v. Wiese, Bd. 2, Düsseldorf 1963, S. 76–127). – H. Laufhütte, *Wirklichkeit u. Kunst in G. K.s Roman »Der grüne Heinrich«, 2. Fassg.*, Diss. Kiel 1964. – M. Wehrli, *G. K.s Verhältnis zum eigenen Schaffen*, Bern 1965 (Basler Studien zur deutschen Sprache u. Literatur, 29).

KLEIDER MACHEN LEUTE. Erzählung von Gottfried KELLER (1819–1890), erschienen 1874 im zweiten Teil des Novellenzyklus *Die Leute von Seldwyla*. – Ein arbeitsloser Schneidergeselle aus Seldwyla, Wenzel Strapinski, hat sich auf die Wanderschaft begeben, darf unterwegs aber bald in einer vornehmen Kutsche Platz nehmen, die mit ihm in das Nachbarstädtchen Goldach einfährt. Der dem herrschaftlichen Wagen entsteigende Schneider wird vom Kutscher als Herr von aristokratischer Herkunft ausgegeben, und Wenzel, der durch sein romantisch-melancholisches Aussehen, vor allem aber durch seinen langen und kostbar wirkenden, samtgefütterten Mantel Aufsehen erregt, gilt bald als ein polnischer, mit Reichtümern gesegneter Graf, den die neugierige und gewinnsüchtige Bürgerschaft fürstlich bewirtet und gebührend feiert. Das verträumte Schneiderlein fördert das für ihn märchenhafte Mißverständnis nicht von sich aus, findet aber auch nicht den Mut, es aufzuklären. Die wachsende Neigung zur Amtstochter Nettchen verführt ihn endgültig dazu, die allseitige Bewunderung freundlich hinzunehmen und aus der glanzvollen gesellschaftlichen Erhöhung Nutzen zu ziehen. Sein natürlich-vornehmes Wesen und sein »fürstlicher« Aufzug erwecken bald zärtliche Gefühle in der Amtstochter, die in Wenzel den Märchenprinzen erblickt, den sie in ihren romantischen Träumen herbeisehnte. Doch auf dem prächtig zugerüsteten Verlobungsfest, das Wenzel mit einem Spielgewinn finanzieren will, wartet dem Paar eine Abordnung aus Seldwyla mit einer schadenfrohen Entlarvungskomödie auf. In einer auf ihn zielenden allegorischen Pantomime über das Wortspiel »*Leute machen Kleider – Kleider machen Leute*« sieht sich der Kostümgraf entdeckt und flieht verzweifelt in die Winternacht hinaus. Halb erfroren findet ihn Nettchen, die ihm nachgefahren ist, im Schnee. Durch kluge Fragen bringt sie ihn zum Sprechen, erkennt nach anfänglicher Entrüstung, daß Unschuld und Wahrhaftigkeit sich hinter seiner romantischen Verirrung verbergen, und setzt gegen den Widerstand des Vaters, und ohne den Spott der Bürger zu fürchten, die Heirat durch. Wenzel rechtfertigt glänzend das in ihn gesetzte Vertrauen: Er wird ein angesehener Tuchherr in Seldwyla, später in Goldach, der seinen Besitz, aber auch seinen Leibesumfang und die Zahl seiner Kinder nach Belieben erweitert.

Wie in den anderen Erzählungen seines Zyklus deckt Keller auch hier das komplexe Verhältnis zwischen Täuschung und Realität, zwischen Schein und Sein unter gesellschaftskritischem Aspekt auf, so aber, daß der freie Humor als dominierende Erzählhaltung alle Ansätze zu satirischer Schärfe überspielt und eine freundliche Distanz des Erzählers zu seinen Gestalten ermöglicht. Der wandernde Schneider, eine typisch spätromantische Figur, kommt durch seinen vornehmen Mantel und die melancholische Blässe seines Angesichts dem heimlichen Wunschbild der Kleinstädter entgegen – einem Wunschbild, das nur die exzentrische Kehrseite ihrer kleinbürgerlichen Enge ist und das es im ersten Teil der Erzählung den beiden jungen Leuten gestattet, sich dem romantischen Schein uneingeschränkt zu überlassen Die unvermeidliche Entlarvung dieser Täuschung stürzt das Liebespaar in eine Verzweiflung, in der erst die befreiend-heitere Wende, der Aufbruch in eine wahre menschlichere Wirklichkeit erfolgen kann. In Nettchen, die sich, allen maskenhaften Konventionen zum Trotz, tapfer zu Wenzel bekennt, kristallisiert sich Kellers Ideal praktischer Humanität: »*So feierte sie erst jetzt ihre rechte Verlobung aus tief entschlossener Seele, indem sie in süßer Leidenschaft ein Schicksal auf sich nahm und Treue hielt.*« Nicht in einer träumerisch-weltfremden Gebärde und im aristokratischen Habitus erscheint das Wunderbare – zeichenhaft hierfür steht der Mantel, den Keller wie zahlreiche andere Details in den Rang eines dem Allegorischen angenäherten Dingsymbols zu erheben wußte –, sondern das Wunder ereignet sich einzig in einer der gesellschaftlichen Wirklichkeit kritisch zugewandten Haltung, die durch unverstelltes Gefühl und unbeirrbare Tatkraft beglaubigt ist: *»Was als romantischer Traum mit dem Vorzeichen des Betruges begann, wird durch die Unabhängigkeit des natürlichen Gefühls in die bürgerliche Ordnung überführt. Die Absage an die romantische Utopie bedeutet den Eintritt in das Wunderbare, das im Natürlichen dieser Wirklichkeit hinter dem Spiel der Masken möglich ist«* (Martini). KLL

AUSGABEN: Stg. 1874 (in *Die Leute von Seldwyla*, 2 Bde., 2). – Lpzg. 1921 (IB, 322). – Erlenbach-Zürich 1927 (in *SW*, Hg. J. Fränkel u. C. Helbling, 24 Bde., 1926–1948, 8). – Lpzg. 1937 (in *Die Leute von Seldwyla*). – Zürich 1942 (in *GW*, 10 Bde., 5). – Mchn. 1957 (in *SW u. ausgew. Briefe*, Hg. C. Heselhaus, 3 Bde., 1956–1958, 2). – Mchn. 1960 (in *Erzählungen*).

LITERATUR: P. Wüst, *Entstehung und Aufbau von K.s »Kleider machen Leute«* (in Mitt. der Lit.-hist. Ges. Bonn, 9, 1914, H. 4/5). – W. Höllerer, *G. K.s »Leute von Seldwyla« als Spiegel einer geistesgeschichtlichen Wende*, Diss. Erlangen 1949. – B. Lange-Stichtenoth, *Untersuchungen zur Erzählkunst G. K.s an »Die Leute von Seldwyla«*, Diss. Göttingen 1956. – B. v. Wiese, *Die deutsche Novelle von Goethe bis Kafka*, Düsseldorf 1956, S. 238–249. – J. L. McHale, *Die Formen der Novellen »Die Leute von Seldwyla« von G. K. und die »Schwarzwälder Dorfgeschichten« von B. Auerbach*, Bern 1957. – K. S. Guthke, *G. K. und die Romantik* (in Der Deutschunterricht, 11, 1959). – L. Kirchberger, *»Kleider machen Leute« und Dürrenmatts »Panne«* (in MDU, 52, 1960, S. 1–8). – B. A. Rowley, *K.: »Kleider machen Leute«*, Ldn. 1960. – F. Martini, *Deutsche Literatur im bürgerlichen Realismus, 1848–1898*, Stg. 1962, S. 586f. – R. Wildbolz, *G. K.s Menschenbild*, Bern/Mchn. 1964. – M. Kaiser, *Literatursoziologische Studien zu G. K.s Dichtungen*, Bonn 1965.

DIE LEUTE VON SELDWYLA. Novellensammlung von Gottfried KELLER (1819–1890), erster Teil erschienen 1856, zweiter Teil 1873/74. – Zu den repräsentativen Werken der deutschen Erzählkunst zwischen 1840 und 1900 zählen Kellers zehn Seldwyler Geschichten. Sie sind – wie das epische Schaffen in diesem Zeitraum insgesamt – am bündigsten durch den Begriff »poetischer Realismus« zu charakterisieren. Er bezeichnet das bei STIFTER, RAABE, STORM und FONTANE hervortretende Wechselverhältnis zwischen Imagination und Empirie, subjektivem Weltentwurf und gesellschaftlichem Wesen. Jähe politische und ökonomische Veränderungen – die Seldwyler Geschichten entstehen nach der Revolution von 1848/49, in der Zeit des Übergangs *»von handwerklicher Gebundenheit zu neuzeitlichem Spekulationsgeist«* (Martini) – decken schlaglichtartig das Abhängigkeitsverhältnis zwischen Subjekt und Geschichte auf. Dem entspricht ein Zuwachs an Empirischem, an gegenständlicher Welt im epischen Werk, der am massivsten sich bei Keller ausbreitet, ohne Zweifel gefördert durch seinen vielberedeten »Materialismus«. Jedenfalls sichern die politisch und ökonomisch grundierten Zeitfragen die thematische Einheit seiner Geschichten, die sich alle auf demselben Schauplatz entfalten: Seldwyla – die *»civitas dei helvetica«* (Benjamin) –, eine nach dem literarischen Motiv der Narrengemeinschaft entworfene Stadt mit dem liberalistischen Einschlag von törichter Unternehmungslust und fahrlässigem Müßiggang, Kalkül und politischer Unmündigkeit, Konkurrenzneid und Bestechlichkeit, ist der atmosphärische Hintergrund, aus dem die Hauptfiguren in vorbildlich entschlossener Gegenwendung oder als komisch übertriebene Sinnbilder heraustreten.

Die dominierenden Tendenzen der Zeit erfaßt Kellers Blick am schärfsten in der Form der Groteske. Seine Novelle *Die drei gerechten Kammmacher* (1856; vgl. auch Bd. II, Sp. 1607) spiegelt die wachsende Geltung des Ökonomischen an drei Gesellen, von denen jeder besessen auf die Übernahme eines Kammachergeschäftes zusteuert. Dieselbe einfallslose Arbeit, dieselbe manische Sparsamkeit und dumpfe Ungeselligkeit regiert sie, macht den einen zum mechanischen Doppelgänger des anderen, einzig noch zur *»Regung der Eifersucht, der Besorgnis, der Furcht«* fähig. Was der liberalistische Konkurrenzkampf an Angst potentiell in sich birgt, das Sich-Belauern und Sich-Beriechen, ist von Keller ebenso unfehlbar erspürt wie seine Tendenz zu besinnungsloser Dynamik. Die Groteske, daß ein total Äußerliches – ein halbstündiger Wettlauf – über den künftigen Inhaber des Geschäfts entscheiden soll, hat ihren sinnbildlichen Wahrheitsgehalt darin, daß die Kammacher zu austauschbaren Marionetten ihres blindlings entfesselten ökonomischen Wettlaufs veräußerlicht sind. – Wie weit die wirtschaftliche und gesellschaftliche Wirklichkeit selbst in das scheinbar Persönlichste und Intimste hineindringt, geht aus dem Gang der Handlung in *Romeo und Julia auf dem Dorfe* (1856; vgl. Bd. V) hervor. Den beiden Kindern der tödlich verfeindeten Familien wird der *»gute Grund und Boden«* zur Ehe, zur bürgerlichen Erfüllung ihrer jäh erwachten Leidenschaft, entzogen. Das Bewußtsein davon wirft sie nur um so mehr auf ihren einzigen Besitz – ihre tiefe Passion – zurück. Aber wie stets bei Keller ist selbst hier noch *»im menschlich Elementaren die Dimension der Bürgerlichkeit gegenwärtig«* (Preisendanz). Mit unfehlbarem psychologischem Takt hat Keller die tragische Wendung im Schicksal seiner Figuren aus ihrem immer unbezwinglicheren tiefbürgerlichen Wunsch hergeleitet, wie zwei »richtige« Brautleute ihre Trauung zu vollziehen und, als »Eheleute«, im Angesicht des Todes sich zu vereinen.

Nicht mehr in *Romeo und Julia auf dem Dorfe*, wohl aber noch in den *Kammachern* klingt jener Humor an, der *»in der Erzählkunst des poetischen Realismus einen so weiten Spielraum gewinnt«*. Er ist Kellers dominierende Erzählperspektive – auf die poetische Verklärung der entfremdeten Empirie zielend und daher *»poetischer Vermittler zwischen autonomer Einbildungskraft und verbindlicher, von außen aufgedrungener Wirklichkeit«* (Preisendanz). So entwirft Kellers Phantasiekraft erfinderisch, mit epischem Behagen, poetische Sinnbilder der ernüchternden, ökonomisch bedingten Phantasielosigkeit der drei Kammacher. Das nimmt der Satire auf *»ihre sanfte schnöde Herz- und Gefühllosigkeit«* nichts an Realität, wohl aber an bitterer Schärfe, weil der poetische »überflüssige« Glanz, den Kellers phantasievolles Ausschmücken seinen Episoden und Dingen verleiht, zurückstrahlt noch auf die ödesten Figuren. Daß Kellers Blick so ausdauernd auf dem sinnlichen Detail, auf Berufs- und Dingwelt, auf den trivialsten Verrichtungen seiner Personen ruht, ist nicht bloß ein Indiz für deren Verflochtensein mit der Umwelt; auch liefert diese Umwelt nicht nur sinnbildliche Korrelate für Seelenlage und Geist der Figuren. Sondern Kellers Humor, der seine Lust am Einfall, an der Arabeske, am erfinderischen Sich-Verbreitern hat, erstattet dem Beschriebenen einen ästethischen Überschuß, jene Aura, die ein verklärendes Licht auch auf das Entfremdetste wirft. Dieses unmerkliche Mischen des Verschiedenartigsten – des poetischen, arabeskenhaften Verklärens und des unbestechlichen Entlarvens – bestimmt seinen Stil bis ins einzelne. In leicht umständlichen Satzgebilden versteckt er unauffällig, wie nebenbei, scharfzüngige Pointen, wechselt unmerklich von der verblasenen Perspektive der Figuren zur illusionslosen des Erzählers, von ihrem pathetisch verblümten Selbstverständnis zu seinem ernüchternden Eingriff, von eitler Verstiegenheit in Wort und Tat zu lächelnder Desillusionierung.

Es ist das Signum dieses Humors, daß er einen Zug ins Didaktisch-Utopische ausbildet. Die Erziehungsnovelle par excellence *Frau Regel Amrain und ihr Jüngster* (1856; vgl. auch Bd. III, Sp. 255) zeichnet das Heranwachsen eines Knaben in selbständige Episoden ein, deren Gefahrenpunkt jeweils die Mutter durch souveränen Weitblick und entschlossenes Eingreifen überwinden hilft. Am Ende hat sich der junge Mann, gleichsam von selbst, zum edlen Charakter und politisch wachen Bürger erzogen, in bewußter Selbstbehauptung, trotz des liederlichen Gegenbeispiels einer ganzen, der Seldwyler, Gesellschaft. Das Individuum, anstatt in Privatinteressen sich zu vereinzeln und kleinbürgerlichem Mittelmaß zu willfahren, entfaltet sich im Blick auf ein idealeres, erst herzustellendes Gemeinwesen, unter dem Aspekt des Politischen. Das ist die Perspektive des verklärenden, ins Utopische vorausgreifenden Humors. Erhoffte sich Keller von Novellen dieser Art eine volkserzieherische Wirkung, so läßt sich daran das Neue im epischen Schaffen seiner Zeit ermessen: die politische gesellschaftsbildende Intention von Dichtung. »*Dichter und Politiker gehören jetzt im Realismus ähnlich zusammen, wie in der Klassik Dichter und Philosophen zusammen gegangen waren*« (Heselhaus).

Ganz dem inneren Vorgang anverwandelt ist dieses lehrhaft-gesellschaftliche Moment des Kellerschen Humors in den Novellen *Pankraz der Schmoller* (1856; vgl. Bd. V) und *Kleider machen Leute* (entstanden seit 1860; vgl. auch Sp. 553). Beide entfalten gleichsam modellhaft einen hervorstechenden Typus seiner Erzählstruktur: den Umschlag aus dem fast Tragischen in das Versöhnte. Es ist inhaltlich der Umschlag aus dem romantischen Schein in wirklichkeitsoffene Humanität. Pankraz der Schmoller verliebt sich aus der Distanz in ein ausnehmend schönes weibliches Wesen; ungesellig und verstockt, zum Gespräch unfähig, geht ihm erst spät Dummheit und Eitelkeit des vornehmen Fräuleins auf, fast zu spät: Längst hat sich seine hochromantische Einbildungskraft verselbständigt und webt, seiner rationalen Einsicht zum Trotz, aus der Ferne am Bild der Geliebten weiter, in kranker selbstvergessener Sehnsucht. Erst auf dem Gipfelpunkt des Realitäts- und Selbstverlusts – ironisch exotisches Sinnbild ist die tödliche Gefährdung durch einen Löwen – erwacht er zu sich selbst und zu höherer praktischer Geselligkeit. – Die Lebensferne unzeitgemäßer Romantik demonstriert ebenso schlagend der novellistisch pointierte Handlungsverlauf in *Kleider machen Leute*. Das Liebesverhältnis zwischen Nettchen und Wenzel Strapinski entzündet sich am märchenhaft-exotischen Aufzug des Schneidergesellen, einem romantischen Trugbild, dem selbstverständlich auch die gelangweilte sensationslüsterne Kleinbürgerschaft prompt verfällt. Erst in der tödlichen Gefahr, in die ein satirisches Entlarvungsmanöver die Verliebten stürzt, erfolgt die befreiend heitere Wende. Nettchen, anstatt am Schneider irre zu werden, ergründet geduldig sein wirkliches, besseres Wesen und hält, den Leuten zum Trotz, ohne Furcht vor ihren inhumanen Vorstellungen von Ehre und Schande, entschlossen zu ihm. Darin realisiert sie als einzelne, was noch nicht gesellschaftliche Realität ist: Kellers Ideal einer praktischen, Romantisches und Kleinbürgerliches transzendierenden Humanität.

Kellers Humor, der »*nicht goldene Politur der Oberfläche*« (Benjamin) ist, sondern, von den fahlen Reflexen des Tragischen umspielt, erst in der Tiefe der Selbstentfremdung sich sammelt, ist am maßvollsten in dieser Novelle ausgebildet. Sie hält darum, zusammen mit *Pankraz der Schmoller* und *Frau Regel Amrain*, etwa die Mitte zwischen den erzählerischen »Grenzfällen«, zwischen der Stilform der Groteske *(Die drei Kammacher)* und der Tragödie *(Romeo und Julia auf dem Dorfe)*, zwischen spielerisch effektvollen Übertreibungen ins Märchenhafte (*Spiegel das Kätzchen*, 1856; vgl. auch Bd. VI) bzw. schwankhaft Komödiantische (*Der Schmied seines Glückes* und *Die mißbrauchten Liebesbriefe*, beide 1855 entstanden, erschienen 1874) und Kellers gedanklich beschwerten moralistischen Beispielgeschichten (*Dietegen* und *Das verlorene Lachen*, beide 1874 erschienen). An dieser Vielfalt konträrer Formen mag man die erstaunliche Spannweite seines Erzählens ermessen, das zwischen den entferntesten Polen sich bewegt: »*Keller erzählt am Rande der extremen Lagen*« (Martini). Er ist allerdings auch der Versuchung durch das unverbindliche Extrem erlegen. Im zweiten Teil der Sammlung, der nur in *Kleider machen Leute* die poetische Höhe des ersten ganz erreicht, übertreibt Keller gelegentlich seinen großzügigen Umgang mit der regelhaften, auf dramatische Zielstrebigkeit und pointierte Peripetie ausgerichteten Novellenform. Schlägt sonst sein Vergnügen am Episodischen und an der »*bauchigen Arabeske*« (Benjamin), an der barocken Entfaltung der Dingwelt und der gelassenen Reflexion den Novellen zum Glück aus, indem es die entspannenden Strahlungspunkte des Humors und spannungssteigernde Verzögerungen in einem schafft, so gereicht es den Erzählungen dort zum Nachteil, wo es zur spaßhaften Ungezwungenheit oder zum problembeladenen Reflektieren forciert ist. Der *Schmied seines Glückes* variiert in einer zwanglosen Folge possenhafter Begebenheiten stets dieselbe Pointe: Ein Seldwyler Müßiggänger verstrickt sich selber im feingesponnenen Netz seines Kalküls, seiner Spekulation auf Besitz und Reichtum – eine typische Tendenz der Zeit –, bis er, durch seine Fehlschläge kuriert, das launische Glück zuletzt in bescheidener praktischer Tätigkeit sucht. Mit verwandten komödiantischen Effekten und moralistischer Schlußwendung warten *Die mißbrauchten Liebesbriefe* auf. Sie parodieren in burlesker Überzeichnung das zeitgenössische Literatenunwesen, das im widrigen Konkurrenzneid die Unwahrheit seines romantischen Pathos bloßstellt. Mit satirischem Lächeln inszeniert Keller ein Literatenschicksal, dem er dann, in sehr durchsichtiger pädagogischer Absicht, durch eine künstliche Handlungsverknüpfung das Ethos praktischer Tätigkeit entgegenstellt. Mit diesen Geschichten, deren forcierte Lustigkeit sich unvermittelt in moralischen Ernst auflöst, kontrastieren die beiden letzten, schon vom spröderen, reflexiv-umständlichen Altersstil gezeichneten Erzählungen: *Dietegen* (entstanden seit 1860), der Entwurf eines romantisierenden Geschichtsbilds und einer episodisch breiten Liebesgeschichte, in der Güte und unverstelltes Gefühl aus dem Schein und der Krise herausführen – und *Das verlorene Lachen* (geschrieben 1873/74), eine in selbständige Szenen aufgelöste Ehegeschichte – sie präludiert den *Martin Salander* –, die privateste Verstörungen aus dem allgemeineren gesellschaftlichen Unwesen und aus Entfremdungen öffentlicher Institutionen ableitet. Es rufen aber noch diese Geschichten, wenn auch nur sporadisch, jenes Gemischte eines Stils in Erinnerung, das HOFMANNSTHAL an den *Leuten von Seldwyla* rühmte, so *»die ganz unglaublichen Übergänge vom Lächerlichen ins Ergreifende, vom Patzigen, widerlich Albernen ins Wehmütige«*, die ihren Reflex im *»Mischen vieler Ausdrucksschichten vom Zarten und Innigen bis zum Drastischen und Knollig-Gröblichen«* haben – für die Literatur des poetischen Realismus ein *»bedeutender Gewinn an intimer Tonlage, an Nuancen des Seelischen und Sinnlichen, an gegenständlicher und seelischer Realität«* (Martini). G. Sa.

AUSGABEN: Braunschweig 1856. – Stg. 1873/74, 4 Bde. [erw.]. – Erlenbach-Zürich 1927 (in *SW*, Hg. C. Helbling u. J. Fränkel, 24 Bde., 1926–1948, 7 u. 8). – Mchn. 1957 (in *SW u. ausgewählte Briefe*, Hg. C. Heselhaus, 3 Bde., 1956–1958, 2; ern. 1963). – Mchn. 1961.

LITERATUR: M. Held, *Auf goldenen Spuren: der Schauplatz von K.s »Die Leute von Seldwyla«*, Zürich 1920. – W. Höllerer, *G. K.s »Leute von Seldwyla« als Spiegel einer geistesgeschichtlichen Wende*, Diss. Erlangen 1949. – B. Lange-Stichtenoth, *Untersuchungen zur Erzählkunst G. K.s an »Die Leute von Seldwyla«*, Diss. Göttingen 1956. – J. L. McHale, *Die Form der Novellen »Die Leute von Seldwyla« von G. K. und der »Schwarzwälder Dorfgeschichten« von B. Auerbach*, Bern 1957. – H. Richter, *Einsatz und Anfangshöhe der K.schen Novellistik. Eine literar-historische Untersuchung der ersten Seldwyler Novellen G. K.s*, Diss. Jena 1957. – Ders., *Seldwyla u. die Wirklichkeit* (in Weimarer Beitr., 4, 1958, S. 172–201). – Ders., *G. K.s frühe Novellen*, Bln. 1960. – W. Preisendanz, *Humor als dichterische Einbildungskraft. Studien zur Erzählkunst des poetischen Realismus*, Mchn. 1963. – F. Martini, *Deutsche Literatur im bürgerlichen Realismus. 1848–1898*, Stg. 1964, S. 575 bis 588. – O. E. Newton, *The Male-Female Relationships in K.'s Novellen with Special Reference to »Die Leute von Seldwyla«*, Diss. Louisiana State Univ. 1964 (vgl. Diss. Abstracts, 26, 1965/66, S. 6047). – W. Benjamin, *G. K.* (in W. B., *Angelus Novus*, Ffm. 1966, S. 384–395).

MARTIN SALANDER. Roman von Gottfried KELLER (1819–1890), erschienen 1886 in der Zeitschrift ›Deutsche Rundschau‹. – In seinem letzten Werk greift Keller noch einmal das Thema der bürgerlich-demokratischen Ordnung und der Erziehung des einzelnen zum politisch mündigen Mitglied der Gesellschaft auf. Aus kritischem Mißtrauen gegenüber der Entwicklung, die die Schweizer Demokratie in der Zeit der Gründerjahre nahm, breitet er sein sozialpädagogisches Anliegen mit einer um »Realismus« bemühten, zuweilen schwerfällig und langatmig wirkenden Detailtreue aus, die weit vom humordurchwirkten epischen Behagen seiner frühen Werke entfernt ist. Angesichts der Nivellierungserscheinungen in den demokratischen Institutionen, wo der Geist des aufkommenden Kapitalismus zu herrschen beginnt, und angesichts der Verschärfung der Klassengegensätze ist der idealistische Optimismus, mit dem der Autor in der ersten Fassung des *Grünen Heinrich* die bürgerlich-republikanische Zukunft gepriesen hatte, grimmiger Skepsis, ja Bitterkeit und Enttäuschung gewichen. – Der Kaufmann Martin Salander wurde durch eine Bürgschaft für seinen gewissenlosen Jugendfreund Louis Wohlwend früh um sein ganzes Vermögen gebracht. Um sich eine neue Existenz aufzubauen, wanderte er nach Brasilien aus. Als er nach siebenjähriger Abwesenheit zu Frau und Kindern nach Münsterburg zurückkehrt, trifft ihn ein neuer Schlag: Abermals sind seine Papiere durch Machenschaften Wohlwends wertlos geworden. Salander gibt jedoch nicht auf, sondern geht für weitere drei Jahre nach Südamerika und gründet, nach erneuter Heimkehr, mit Unterstützung seiner tatkräftigen Frau Marie ein rasch aufblühendes Handelshaus. Als aktiver Demokrat setzt er sich für den besonnenen Gebrauch der errungenen politischen Freiheiten ein, muß aber schließlich einsehen, daß die Vertreter der vielgepriesenen »neuen Zeit« im Grunde nur skrupellose Geschäftemacher und Karrieristen sind. Bitter enttäuschen ihn vor allem die Ehemänner seiner beiden Töchter Netti und Setti, die Zwillinge Isidor und Julian Weidelich, die ihre Parteizugehörigkeit mit dem Würfel entscheiden und schließlich wegen Unterschlagung im Gefängnis landen; auch die ebenso schöne wie dümmliche Myrrha, die eine späte Leidenschaft in ihm entfacht, hält nicht, was sie verspricht. Nur der skeptische, aber aufrechte Wirklichkeitssinn seines Sohnes Arnold bereitet Salander auf seine alten Tage noch Freude und tröstet ihn über manche unerfüllte Hoffnung hinweg: *»Ruhig fuhr nun das Schifflein Martin Salanders zwischen Gegenwart und Zukunft dahin, des Sturmes wie des Friedens gewärtig, aber stets mit guten Hoffnungen beladen. Manches Stück mußte er noch als gefälschte Ware über Bord werfen; allein der Sohn wußte unbemerkt die Lücken so wohl zu verstauen, daß kein Schwanken eintrat und das Fahrzeug widerstandsfähig blieb den bösen Klippen gegenüber, welche bald hie, bald dort am Horizonte auftauchen.«*

Der Bruch in der Gestalt des eigentümlich starr und farblos geratenen Sohnes – die geplante Fortsetzung des Romans: »Arnold Salander«, wurde nicht ausgeführt – zeigt, wie sehr der Glaube des späten Keller an eine bessere Zukunft von Zweifel und Resignation überschattet war. Lebendiger gezeichnet sind die negativen Figuren des Romans: die gesinnungslosen Schwiegersöhne und der niederträchtige Wohlwend. Es entspricht den polemisch-didaktischen Intentionen Kellers, daß er aus den Gegenspielern Salanders Karikaturen macht, die ebensowenig »realistisch« sind wie die stereotype Tugendhaftigkeit der Familie Salander. Die – von Rührseligkeit nicht immer freie – Familiengeschichte gewinnt nicht die Dimensionen eines sozialkritischen Gesellschaftsromans. Eine »idyllische Gestaltungstendenz« (F. Martini) herrscht vor in Kellers Darstellung der Schweizer Verhältnisse und bewirkt, daß immer wieder die aktuelle, zeitbezogene Problematik des Romans, die im Vorwurf angelegt ist, durch den Verweis auf ein – ungeschichtlich gedachtes – Allgemein-Menschliches verdrängt wird. Mit dieser unpolitischen, eher moralistischen Akzentuierung der Konflikte steht Kellers Alterswerk den lehrhaften Sittengemälden GOTTHELFS, mit denen es den ethischen Utopismus und die konservative Grundhaltung teilt, näher als dem zeitgenössischen europäischen Gesellschaftsroman. KLL

AUSGABEN: Bln. 1886 (in DRs, Nr. 46–48). – Bln. 1886. – Bern/Lpzg. 1943 (in *SW*, Hg. J. Fränkel u. C. Helbling, 24 Bde., 1926–1948, 12; hist.-krit.). – Lpzg. 1950, Hg. P. Beyer. – Mchn. 1958 (in *SW u. ausgewählte Briefe*, Hg. C. Heselhaus, 3 Bde., 1956–1958, 3; ern. 1963). – Mchn. 1960 (in *Erzählungen*; *GW in Einzelausgaben*).

LITERATUR: R. Fürst, *G. K.s »Martin Salander«*, Lpzg. 1903. – A. v. Grolmann, *G. K. »Martin Salander«* (in A. v. G., *Europäische Dichterprofile*, Bd. 1, Düsseldorf 1947, S. 93–106). – H. Ahl, *»Martin Salander«* (in DRs, 76, 1950, S. 579–584). – J. M. Ritchie, *»Martin Salander«. Eine Untersuchung von K.s Alterswerk*, Diss. Tübingen 1954. – Ders., *The Place of »Martin Salander« in G. K.'s Evolution as a Prose Writer* (in MLR, 52, 1957, S. 214–222). – P. Marti, *»Zeitgeist und Bernergeist« und »Martin Salander«* (in Schweizer Monatshefte, 39, 1959/60, S. 1228–1246). – M. Merkel-Nipperdey, *G. K.s »Martin Salander«. Untersuchungen zur Struktur des Zeitromans*, Göttingen 1959 (Palaestra, 228; vgl. dazu H. W. Reichert in JEGPh, 60, 1961, S. 532ff.; G. Baumann in ASSL, 198, 1961/62, S. 183/184). – W. Kohlschmidt, *Louis Wohlwend u. Niggi Ju. Eine vergleichende Studie zum Zeitgeistmotiv bei K. u. Gotthelf* (in W. K., *Dichter, Tradition u. Zeitgeist. Gesammelte Schriften zur Literaturgeschichte*, Bern/Zürich 1965, S. 337–348).

ROMEO UND JULIA AUF DEM DORFE. Novelle von Gottfried KELLER (1819–1890), erschienen 1856. – Im Novellenzyklus *Die Leute von Seldwyla* bildet *Romeo und Julia auf dem Dorfe* eine Ausnahme. Thematisch SHAKESPEARES berühmtem Drama von Liebe und Tod zweier Veroneser Adliger verpflichtet (vgl. *An Excellent Conceited Tragedie of Romeo and Juliet*) – hat diese Erzählung nicht teil an Kellers lächelnder Skepsis und zeugt nirgends von seiner Lust am episch-behaglichen Ausspinnen. Vielmehr ist Kellers epischer Atem hier nur mehr mäßigendes Pausenzeichen, beschwichtigender Vermittler zwischen den aufgeregten Grundklängen einer namenlosen Sehnsucht und einer todgeweihten Seligkeit. Man hat den Umstand, daß diese Liebesgeschichte in einem Zuge durchzulesen unmöglich ist, weil sie den Leser stets wieder zum betroffenen Innehalten zwingt, als Zeugnis einer allgemein menschlichen, d. h. zeitlosen Tragik buchen wollen. Statt dessen ist das Werk Schauplatz geschichtlicher, stets noch aktueller Vorstellungsreihen und Verhaltensweisen, so sehr, daß der Gehalt des Spätbürgerlichen in Liebesverhältnissen modellhaft in ihm zum Ausdruck gelangt. Es macht seinen Tiefsinn aus, daß es das scheinbar Natürlichste und Zeitunabhängigste – die leidenschaftliche Zuneigung zweier Menschen – in seiner geschichtlichen Gebundenheit anschaut und von seinen historischen Voraussetzungen her entfaltet. Das vor allem ist der Grund, weshalb dieses Werk als eine *»unvergängliche Novelle«* (W. Benjamin) bezeichnet werden darf.
Gleich den Eingang der Novelle hat Keller in seine überindividuelle, auf gesellschaftliche Verhältnisse erweiterte Perspektive gerückt. Zwei Bauern, Manz und Marti, gute Nachbarn aus einem Dorf bei Seldwyla, pflügen an einem Sommermorgen gelassen ihre Äcker um. Der Erzähler läßt es sich angelegen sein, sie nicht als Individuen vorzuführen, sondern bis in Gang, Gebärde und Kleidung als die nahezu ununterscheidbaren Darsteller einer bestimmten ökonomischen Lebensform. So auswechselbar ihre Erscheinungen, so identisch ihre Handlungen: zum Abschluß seines Tagewerks reißt jeder noch eine tüchtige Furche in das fremde Stück Land, das ihre beiden Äcker voneinander trennt. Von da an erliegen sie der dämonischen Anziehungskraft des wirtschaftlichen Privatinteresses, auf dem bislang ihr Reichtum und ihre Ehre ruhten: weder sind sie bereit, den vermutlichen Eigentümer des fremden Stücks Land, einen armen heimatlosen Teufel, in seine Rechte zu setzen, noch können sie sich schließlich selbst über den stark geschmälerten Ackerstreifen einigen. Nach öffentlicher hartnäckiger Versteigerung, aus der Manz als Gewinner hervorgeht, bleibt die Streitfrage ungelöst, wer von beiden das beachtliche Dreieck, das Marti wenige Tage zuvor wider alle eingeschliffenen Vorstellungen von Symmetrie aus dem mittleren Ackerstück herausgepflügt hat, sich aneignen dürfe, genauer: welcher der beiden Rivalen das Recht habe, dieses Dreieck zu einem Quadrat zu erweitern und seinem Lande anzugliedern. Beide Bauern bleiben, was sie waren: austauschbare Träger privater Erwerbszwecke, und als solche müssen sie, da zufällig der Eigennutz des einen den des anderen tangiert, jetzt auf Tod und Leben sich befehden. Glück und Elend der auf dem Privatbesitz ruhenden Existenz werden von Keller als total veräußerlichte, zutiefst ineinander verschränkte Dinge dargestellt gemäß der dieser Besitzform immanenten, blind und magisch wuchernden Dynamik. Beide können ihre Selbstachtung und Selbstbestätigung nur im Zusammenhang mit den wirtschaftlichen Kategorien des Gewinns und des Verlusts, des Übervorteilens und Erwerbens sehen. Weil jeder seine Ehre darein setzt, ein lächerliches Stück Land sich nicht abmarkten zu lassen, verstricken sie sich in einen unehrenhaften Rechtshandel, in dessen Verlauf sie verarmen und zu haltlosen Subjekten verkommen.
Von dieser traurigen Wende sind unmittelbar betroffen die Kinder der Bauern, Sali und Vrenchen. Beider Schicksal hat Keller dialektisch aus dem ihrer Väter herausentwickelt. Ihrem frühen zärtlichen Verhältnis (Keller zeigt sie gleich anfangs als kindliche Spielgefährten) mußte, mit der Feindschaft der Erwachsenen, eine wachsende Fremdheit folgen. Die aber ist nur aufgezwungener Schein, durchwirkt von verschwiegener, ihrer selbst nicht bewußter Vertrautheit. Denn im Verlauf eines wüsten Streits zwischen den beiden Alten, ausgetragen auf einem schwankenden Steg an einem finsteren stürmischen Regenabend, erhellt ein greller Wolkenriß die Gegend, und die beiden, inzwischen halb erwachsenen Kinder sehen, zum ersten Mal seit vielen Jahren, einander in das *»so wohlbekannte und doch so viel anders und schöner gewordene Gesicht«*. Kaum je ist das blitzhafte liebende Erkennen, der *coup de foudre*, so bildlich, im wahrsten Sinn des Wortes dargestellt worden wie an dieser Stelle – auch fernab sämtlicher herkömmlicher Klischees. Denn hier waltet kein Zufall, kein austauschbares Aufeinandertreffen zweier beliebiger Personen hat statt, sondern ein innerer lebensgeschichtlicher Zweck setzt sich durch. *»Es*

war mir immer«, gesteht bald darauf Sali, »*als ob ich dich einst lieb haben müßte, und ohne daß ich wollte oder wußte, hast du mir doch immer im Sinn gelegen*«; und Keller fügt später hinzu: Beide sahen »*in sich zugleich das verschwundene Glück des Hauses, und beider Neigung klammerte sich nur um so heftiger ineinander*«.
Damit ist das überindividuelle Moment dieser Liebe benannt: Einer ist dem anderen Sinnbild des entstehenden, auf Besitz und Ehre ruhenden bürgerlichen Glücks, das einst ihre Väter ihnen gewährt hatten. Wenn das Bewußtsein dieses früheren gemeinsamen Glücks ihr Verhältnis erst eigentlich stiftet, so wirft das Bewußtsein seiner Unwiederbringlichkeit die beiden besitzlosen Kinder nur um so unbedingter auf dieses Verhältnis, ihren einzigen Besitz, zurück. Derart sieht Keller die tiefste Leidenschaft, die gemeinhin als etwas Naturwüchsiges, Unkonventionelles angeschaut wird, bedingt und zugleich gesteigert durch gesellschaftliche Sachgehalte. Nicht nur ist, wie zutreffend bemerkt wurde, stets bei Keller »*im menschlich Elementaren die Dimension der Bürgerlichkeit gegenwärtig*« (W. Preisendanz), sondern diese Dimension verhilft erst dem sogenannten Elementaren zu seiner spezifischen Gestalt, einer magischen todgeweihten Unbedingtheit. Das mag an der Idee jener Lebensform ermessen werden, in welcher das Bürgerliche, zumal seit dem 19. Jahrhundert im Zuge der gescheiterten Revolutionen, am sinnfälligsten sich niederschlägt, seinen Rückzug ins Private am angestrengtesten legitimiert: der für ein ganzes Leben gedachten Ehe. Vom ersten Augenblick an, da Romeo und Julia, er zwanzig, sie achtzehn Jahre zählend, sich wieder sehen, hat Keller diese Idee der Ehe laut werden lassen und aus ihr das Schicksal der Liebenden entfaltet. Das Eingedenken des entschwundenen Glücks der Eltern verwandelt sich ihnen, den Verarmten, Verstoßenen, in das Traumbild eines dauerhaften bürgerlichen Lebens zu zweit. Und je gebieterischer dieses Traumbild an sie heranrückt, um so stärker schlägt die Leidenschaft über ihnen zusammen. Im Schutze einer Idee, die zwei Menschen für einander bestimmt und einen zum »Eigentümer« des anderen macht, erwacht erst deren ganzer Eros. Wie Sali zum erstenmal das Mädchen seine künftige Frau nennt, dann Vrenchen phantasievoll vor einer älteren Freundin eine Ehe mit Sali vorspielt, eine Wirtin die beiden auf ihrem Gang durch das Land als Brautleute willkommen heißt, wie schließlich der schwarze Geiger ihnen symbolisch zur Hochzeit aufspielt: Das sind die vom Erzähler unauffällig in den Gang der Handlung eingetragenen Stufen, auf denen sich seine beiden Personen zusehends, ihre Scheu vergessend, in ihre Passion und ihre Vereinsamung verirren. Was ihnen in der bürgerlichen Öffentlichkeit versagt ist, ahmen sie für sich selber nur um so leidenschaftlicher nach: »*Im heftigen Schmeicheln und Ringen begegneten sich ihre ringgeschmückten Hände und faßten sich fest, wie von selbst eine Trauung vollziehend, ohne den Befehl eines Willens.*« Von da führt nur der Weg in den Tod. Denn die physische Vereinigung – unabweisbar geworden mit der Idee bürgerlicher Glückserfüllung – ist denen, die in der bürgerlichen Welt kein Lebensrecht haben, nur im Zeichen des Abschieds von der Welt gestattet. Von einem Schiff, auf dem sie in später Nacht Hochzeit halten, gleiten ihre Körper frühmorgens in die eiskalten Fluten.
Im dialektisch verklammerten Schicksal der Väter und der Kinder hat Keller kritisch Lebensbedingungen der bürgerlichen Gesellschaft entworfen. Drehen sich die Väter wie besessen in dem Kreis, den ihnen ihr ökonomisches Privatinteresse vorzeichnet, so treten die Kinder, die Schranken des Ichs durchbrechend, in den äußersten Gegensatz zu ihnen: in die rückhaltlose Selbstentäußerung. Weil ihre Väter ihnen den »*guten Grund und Boden*« zur Ehe entzogen haben, werden sie fähig, ihr einziges Eigentum, Eros und Hingabe, uneingeschränkt füreinander zu entfalten, aber auch genötigt, die unabweisbare faszinierende Idee der Ehe, des dauerhaften Zueinandergehörens, wenigstens durch den Tod zu verwirklichen. Keller läßt durchblicken, wie Öffentlichkeit und gesellschaftliche Norm das Privateste und Intimste bedingen und durchdringen, es in einen äußersten Gegensatz treiben, aber noch dort mit Ansprüchen gegenwärtig sind, die nur durch Selbstaufgabe eingelöst werden können. Überindividuelle Sachzwänge nehmen in ihren Beschlag auch das emphatische, realitätsvergessene Füreinandersein. Dessen poetische Metaphern sind in dieser Novelle Musik und Tanz. Vrenchens Einfall, einmal nur mit Sali zu tanzen, an einem Sonntag auf einer Kirchweih, leitet den zweiten Erzählabschnitt ein und regiert ihn fast bis zum Ende. Wenn die beiden Liebenden in einem bacchantischen Kreis von Armen und Verstoßenen auf einer mondbeglänzten Fläche selig sich zuletzt dem Tanz hingeben, so vergessen sie, sich ineinanderversenkend, im schwerelosen rhythmischen Gleiten die Welt und übersetzen zugleich die Musik ihres Inneren nach außen. Nicht anders nämlich denn als tönend und musizierend erscheint ihnen ihre Seele, als Instrument, das sowohl das Schweigen zur Sprache bringt wie auch jeden Klang wiedertönen läßt: »*Die Stille der Welt sang und musizierte ihnen durch die Seelen, man hörte nur den Fluß unten sacht und lieblich rauschen im langsamen Ziehen ... Sie horchten ein Weilchen auf diese eingebildeten oder wirklichen Töne, welche von der großen Stille herrührten oder welche sie mit den magischen Wirkungen des Mondlichts verwechselten, welches nah und fern über die weißen Herbstnebel wallte, welche tief auf den Gründen lagen.*« Daß hier das Fernste zum Eigenen, das Eigene zum Fernsten wird, Subjekt und Natur sich vertauschen, Klang und Farbe synästhetisch ineinanderwirken, ist die ihrer Liebeserfahrung immanente, lebensunfähige Poesie – die Poesie zugleich der Romantik: Im Schicksal von Romeo und Julia zeichnet Keller zugleich die gesellschaftliche Bedingtheit und das utopische realitätsflüchtige Moment romantischer Lyrik nach.
Bedürfte es eines Beweises, daß Keller zu den »*drei oder vier größten Prosaikern der deutschen Sprache*« zählt (Benjamin), so würde ihn diese Novelle schlagend erbringen. Denn sie wagt sich an das Schwierigste, das sich denken läßt: an das seit Shakespeare immer wieder abgehandelte, mit tausend Klischees vorbelastete Thema einer abenteuerlichen Jugendliebe und verwandelt es in eine erschütternde Musik. Und dies nicht, weil Keller mit starken Effekten aufwartet oder auf dramatische Tempi hinarbeitet, sondern weil er sich in jedem Satz von einer untrüglichen poetischen Scheu und einem zarten Vorbehalt leiten läßt. Unvergleichlich sein Einfall, Salis junge Geliebte mit dem Namen Vrenchen zu versehen und so das abgenützte gefühlsbeladene Pronomen »sie« durch das schüchterne Neutrum »es« zu ersetzen, das in Liebesszenen einen Hauch rührender Naivität gewinnt. Er läßt diese Naivität vielfach wiedertönen, indem er sie durch ein Dialektwort oder eine Redensart ins Volkstümliche, Unmittelbare hinüberspielt oder ihr

im Medium beiläufiger Erzählerkommentare die Aura der Ursprünglichkeit verleiht; so verjüngt sich sein hochliterarisches Sujet gleichsam von selbst durch die unscheinbarsten Kunstgriffe. Es ergreift aber, paradoxerweise, zugleich in dem Maße, wie Keller den leidenschaftlichsten Affekt und die bestürzendste Situation dämpft, vom Leser gleichsam entfernt. So ist am Ende nicht mehr von den Liebenden und ihrer Liebesnacht die Rede, nicht einmal mehr von dem Schiff, das sie trägt, sondern nur vom Fluß, auf dem ihr Schiff hinabzieht. Die schöne Indifferenz der Natur und das todtraurige Schicksal der Bauernkinder treten zueinander in die bewegendste Spannung. Als müsse er diese, aus Scheu vor dem leisesten melodramatischen Anklang, mildern, zugleich die Emotion der Leser mit kritischem Wissen verbinden, läßt er die Geschichte kommentarlos ausklingen mit einer Zeitungsnotiz, in der die bürgerliche Welt ihre Entrüstung über den Fall kundtut – dieselbe Welt, die diesen Fall verursacht hat. G. Sa.

AUSGABEN: Braunschweig 1856 (in *Die Leute von Seldwyla*). – Stg. 1876. – Erlenbach/Zürich 1927 (in *SW*, Hg. C. Helbling u. J. Fränkel, 24 Bde., 1926 bis 1948, 7). – Mchn. 1957 (in *SW u. ausgewählte Briefe*, Hg. C. Heselhaus, 3 Bde., 1956–1958, 2; ern. 1963). – Mchn. 1961 (in *Die Leute von Seldwyla*). – Stg. 1962 (RUB, 6172). – Zürich 1965 (in *Werke*, 5 Bde., 4).

VERTONUNG: F. Delius, *A Village Romeo and Juliet*, Bln. 1907 (Oper).

LITERATUR: H. Gonzenbach, *G. K. »Romeo u. Julia auf dem Dorfe«. Untersuchungen zum Wesen des Sprachkunstwerks u. zu K.s Weltbild*, St. Gallen 1949. – R. H. Phelps, *K.'s Technique of Composition in »Romeo und Julia auf dem Dorfe«* (in GR, 24, 1949, S. 34–51). – E. Feise, *K.s »Romeo und Julia« u. Stifters »Brigitta«* (in E. F., *Xenion. Themes, Forms, and Ideas in German Literature*, Baltimore/Ldn. 1950, S. 153–179). – U. Kultermann, *Bildformen in K.s Novelle »Romeo und Julia auf dem Dorfe«* (in Der Deutschunterricht, 8, 1956, S. 86 bis 100). – H. Kunisch, *G. K.: »Romeo und Julia auf dem Dorfe«* (in Münchener Universitätswoche an der Sorbonne zu Paris, 1956, S. 16–21). – E. A. McCormick, *The Idylls in K.'s »Romeo und Julia«. A Study in Ambivalence* (in GQ, 35, 1962, S. 265 bis 279). – H. W. Fife, *K.'s Dark Fiddler in 19th Century Symbolism of Evil* (in GLL, 16, 1962/63, S. 117 bis 127). – W. Preisendanz, *Humor als dichterische Einbildungskraft. Studien zur Erzählkunst des poetischen Realismus*, Mchn. 1963. – L. Wiesmann, *G. K. Das Werk als Spiegel der Persönlichkeit*, Frauenfeld/Stg. 1967. – H. Boeschenstein, *G. K.*, Stg. 1969 (Slg. Metzler, 84).

SPIEGEL, DAS KÄTZCHEN. Ein Märchen von Gottfried KELLER (1819–1890), erschienen 1856. – Als die einzige Erzählung mit märchenhaften Zügen bildet *Spiegel, das Kätzchen* eine Ausnahme in der Novellensammlung *Die Leute von Seldwyla* (vgl. dort). Aber durch Erzählperspektive, Bauform und Stil ist dieses Märchen den anderen Novellen tief verwandt. Durch die Erzählperspektive – Keller sieht auch hier menschliche Verhältnisse durch ökonomische Sachverhalte bedingt; durch die Bauform – der glückliche Ausgang geht erst aus einer tödlichen Gefährdung hervor, eine notwendige Bedingung des Kellerschen Humors; durch den Stil – Kellers Vergnügen am behaglich ironischen Ausspinnen von Details erzeugt im Leser die Lust zum epischen Verweilen.

Das Kätzchen Spiegel scheint der Ehre durchaus würdig, die seinesgleichen in der deutschen Literatur bislang erwiesen wurde, etwa im *Gestiefelten Kater* von Ludwig TIECK (1797) oder in den *Lebensansichten des Katers Murr* (1819–1821) von E. T. A. HOFFMANN. Denn Spiegel ist ein ebenso gesitteter wie selbstbewußter und philosophischer Mann in den besten Jahren. Doch läßt Keller keinen Zweifel daran, daß der Kater über diese Qualitäten nur unter günstigen materiellen Voraussetzungen verfügt. Der Tod seiner Herrin, einer stillen alten Jungfer, verurteilt ihn zu Armut und moralischer Verelendung: »*Er wurde von Tag zu Tag magerer und zerzauster, dabei gierig, kriechend und feig; all sein Mut, seine zierliche Katzenwürde, seine Vernunft und Philosophie waren dahin.*« Das schlicht Materielle als Ursache des Verhaltens, des Denkens und der Moral kehrt Keller im Fortgang der Geschichte verschärft hervor. Denn aus der Not rettet den Kater der Stadthexenmeister Pineiß, ein unheimlicher, widerwillig geachteter Bürger, »*welcher hundert Ämtchen versah, Leute kurierte, Wanzen vertilgte, Zähne auszog und Geld auf Zinsen lieh...*« Auf Zins Geld zu leihen paßt gut zu einem, der »*zehntausend rechtliche Dinge am hellen Tag um mäßigen Lohn und einige unrechtliche nur in der Finsternis und aus Privatleidenschaft*« verrichtete. Pineiß braucht, um seine Hexerei auszuüben, Katzenschmer, und er verführt den halb verhungerten Spiegel zur Unterzeichnung eines Kontraktes, demzufolge er den Kater tüchtig herauszufüttern, dieser ihm alsdann aber Schmer und Leben zu lassen habe. Des Hexenmeisters Privatleidenschaft, seine Hingabe ans Geld und an dunkle Geschäfte, nährt sich vom Elend anderer. Aber sie verstrickt sich auch in der ihr eigenen Dialektik. Zwar locken den Kater die leckeren Speisen des Hexenmeisters mit unwiderstehlicher Gewalt, und er eignet sich bald die frühere Stattlichkeit seines Leibes zurück, doch auf der Basis der sicheren regelmäßigen Nahrung erwacht er auch wieder zu tätigem Denken und zu praktischer Vernunft. Und so betört er im Augenblick der höchsten Gefahr den unerbittlichen Quälgeist durch eine klug ersonnene Geschichte. Sie spiegelt Kellers ökonomische, aus Zeiterfahrungen gewonnene Perspektive zurück, seine Einblicke in die unvertilgbaren Spuren, die das Interesse am Geld im Verhalten der Menschen hinterläßt. Seine Herrin, so fabuliert der Kater, war in jungen Jahren durch Schönheit und Reichtum gleichermaßen ausgezeichnet; weil sie selber das Geld hoch einschätzte, setzte sie auch bei anderen diese Einschätzung mechanisch voraus, dergestalt, daß sie zuletzt allen ihren Freiern ausschließlich ein leidenschaftliches Interesse an ihrem Vermögen unterstellte, eine Hingabe an ihre Person und ein interesseloses Wohlgefallen an ihrer Schönheit aber nicht mehr sich vorzustellen vermochte. Einem jungen Mann endlich, der in maßloser Leidenschaft für sie entbrannte und das Feuer der Liebe auch in ihr zum erstenmal entfachte, spielte sie, vom tief eingeschliffenen Mechanismus ihres Mißtrauens plötzlich überwältigt, eine Komödie vor, an welcher der Geliebte zugrunde ging. Seine Hinterlassenschaft, 10000 Goldgulden, waren von der verzweifelten Schönen in einen Brunnen geworfen worden. Das Geld sollte dereinst irgendeinem schönen, aber mittellosen jungen Mädchen gehören, das von einem hingebungsvoll liebenden Mann allein um ihrer Schön-

heit gefreit würde. Dieses Mädchen und diesen Mann zusammenzuführen, sei, so schließt Spiegel, der letzte Auftrag seiner Herrin an ihn gewesen.
Mit kluger Nonchalance hat der Kater das Motiv von den 10000 Goldgulden in seine Geschichte eingeführt. Die Erzählung übt auf Pineiß genau die Wirkung aus, mit der Spiegel rechnete. Ihren Sinn – daß die Wertschätzung des Geldes als Verhängnis in menschliche Beziehungen eindringe und dem Schönen die wahre Selbstdarstellung versage – kann der vom Geld und Besitz faszinierte Hexenmeister nicht erfassen. In den Bann der 10000 Goldgulden geschlagen, entläßt er den Kater aus dem Vertrag unter der Bedingung, daß er ihm das Geld und die weibliche Schönheit verschaffe. Die Frau aber, die der Kater mit Hilfe einer klugen Eule für ihn einfängt, ist nur dem Schein nach betörend schön, in Wahrheit ist sie eine böse häßliche Alte, die den Pineiß gleich am Hochzeitsabend auf ihre Folter spannt. Sinnbildlich stellt Keller in ihr das Verhängnis dar, das in Pineißens blinder Versklavung durch Besitz und Reichtum angelegt ist. Das ist die verschwiegene Dimension des Sprichwortes, das zu erklären Keller sich anfangs vorgenommen hatte. »*Seit dieser Zeit*«, so schließt er, »*sagt man zu Seldwyla: ›Er hat der Katze den Schmer abgekauft!‹ besonders wenn einer eine böse und widerwärtige Frau erhandelt hat.*« G. Sa.

AUSGABEN: Braunschweig 1856 (in *Die Leute von Seldwyla. Erzählung*). – Mchn. 1919 [Ill. W. Ditz]. – Mchn. 1921. – Zürich/Mchn. 1927 (in *SW*, Hg. J. Fränkel u. C. Helbling, 24 Bde., 1926–1948, 7; hist.-krit.). – Lpzg. 1937 (in *Die Leute von Seldwyla*). – Potsdam 1943 (Trösteinsamkeit, 16). – Stg. 1951 (zus. m. *Der Geisterseher*, Hg. E. Ackerknecht; RUB, 7709). – Mchn. 1957 (in *SW und ausgewählte Briefe*, Hg. C. Heselhaus, 3 Bde., 1956 bis 1958, 2; ern. 1963). – Mchn. 1961 (in *Die Leute von Seldwyla. Gesammelte Gedichte*, Hg. J. Fränkel u. K. Helbling). – Zürich 1965 (in *Werke*, 5 Bde., 4). – Lahr 1966 (in *Die Leute von Seldwyla*).

LITERATUR: E. Rosenfeld, *Landschaft u. Zeit in G. K.s »Leute von Seldwyla«*, Würzburg 1931. – W. Höllerer, *G. K.s »Leute von Seldwyla« als Spiegel einer geistesgeschichtlichen Wende*, Diss. Erlangen 1949. – B. Lange-Stichtenoth, *Untersuchungen zur Erzählkunst G. K.s an »Die Leute von Seldwyla«*, Diss. Göttingen 1956. – H. Richter, *Einsatz u. Anfangshöhe der K.schen Novellistik. Eine literarhistorische Untersuchung der ersten Seldwyler Novellen G. K.s*, Diss. Jena 1957. – H. Richter, *Seldwyla u. die Wirklichkeit* (in Weimarer Beiträge, 4, 1958, S. 172–201). – W. Preisendanz, *Humor als dichterische Einbildungskraft. Studien zur Erzählkunst des poetischen Realismus*, Mchn. 1963. – F. Martini, *Deutsche Literatur im bürgerlichen Realismus, 1848–1898*, Stg. 1964, S. 575–588. – O. E. Newton, *The Male-Female Relationship in K.'s Novellen with Special Reference to »Die Leute von Seldwyla«*, Diss. Louisiana State Univ. 1964 (vgl. Diss. Abstracts, 26, 1965/66, S. 6047).

NIKOLAUS LENAU
(d. i. N. Niembsch, Edler von Strehlenau, 1802–1850)

FAUST. Drama von Nikolaus LENAU (d. i. N. Niembsch, Edler von Strehlenau, 1802–1850), erschienen 1835; Uraufführung: Sommerhausen, 17. 7. 1954, Theater im Torturm. – Lenau schrieb sein Faust-Drama in den Jahren 1833 bis 1835 bewußt als Gegenstück zu GOETHES *Faust*: »*Faust ist zwar von Goethe geschrieben, aber deshalb kein Monopol Goethes, von dem jeder andre ausgeschlossen wäre. Dieser Faust ist Gemeingut der Menschheit.*« Lediglich mit der Form des Knittelverses an Goethe anschließend, weicht er in der Handlungsführung ganz von ihm ab, ebenso in der Konzeption der Gestalt Fausts, der hier Vertreter einer individualistisch-nihilistischen Weltanschauung ist, die ihn schließlich zum Selbstmord treibt.
In dem in vierundzwanzig Abschnitte gegliederten Werk wechseln szenische und erzählende Partien einander ab; Überschriften geben die Etappen der Handlung an. Das Drama setzt mit dem erzählenden Abschnitt *Der Morgengang* ein, der zugleich Disposition der Gestalt Fausts ist. Der immer Fragende, immer Zweifelnde, »*den Flammenwunsch im Herzen ..., der Schöpfung ihr Geheimnis abzufordern*«, versucht auf kühner Bergbesteigung »*den Nebeln und Zweifeln*« zu entrinnen. Vergebens: »*Des Abgrunds Nebel werden nach dir schleichen, / Auch dort dir Zweifel an die Stirne streichen.*« Den ungestüm Emporstrebenden reißt ein hastiger Schritt fast in die Tiefe, »*Doch faßt ihn rettend eine starke Hand / Und stellt ihn ruhig auf den Felsenrand; / Ein finstrer Jäger blickt ins Aug' ihm stumm / Und schwindet um das Felseneck hinum.*« – Die nächste Szene zeigt Faust mit seinem Famulus Wagner im Seziersaal. Bei anatomischen Studien hofft Faust, Antwort auf seine Frage nach dem Wesen und der Bestimmung des Menschen zu finden. Zweifelnd grübelt er über den Sinn des Seins nach. Als fahrender Scholar und Arzt erscheint Mephistopheles und verhöhnt Fausts an Menschenmaß gebundenes Forschen und Suchen. Schon beim nächsten Treffen (*Die Verschreibung*) wird der von Mephistopheles vorgeschlagene Pakt abgeschlossen. »*Willst du zur Wahrheit führen mich*«, ist die Bedingung, die Faust stellt, und die Antwort Mephistopheles' ist eine Beschreibung der Wahrheit, wie er sie sieht: sie ist Lebensgenuß, ist »*Ruhm und Ehre, Macht und Gold / Und alles, was den Sinnen hold*«; sie findet sich zwischen den beiden Polen »*liebend zeugen*« und »*hassend morden*«, die des »*Menschenherzens Süd und Norden*« sind. Dieser »Wahrheit« verschreibt sich Faust, und so führt ihn Mephistopheles »von Begierde zu Genuß« und läßt ihn schließlich zum Mörder an einem Nebenbuhler werden. Doch Faust, weit entfernt davon, in diesem Sinnestaumel seine Zweifel zu vergessen, findet sich nun auch noch der Qual der Reue ausgesetzt. Er fühlt sich als Mörder von Gott und Natur gleichermaßen verstoßen, und es geht ihm, von Mephistopheles bestärkt, nun darum, »*daß ich die Seele / Aus Christus und Natur heraus mir schäle*«. In wildem Trotz zieht er sich ganz auf sein »*starres Ich*« zurück. »*Niemandem hörig mehr und untertan, / Verfolg' ich in mich einwärts meine Bahn.*« Eine Meerfahrt soll endgültige Befreiung von allem, was ihn quält, bringen, doch auch hier holt die Erinnerung ihn ein, ziehen als Traumvisionen die Geliebten an ihm vorüber, deren Leben er zerstört hat, erscheint ihm das mahnende Bild der Mutter. Ein Unwetter vernichtet das Schiff, doch Faust kann sich mit Hilfe Mephistopheles' retten. In einer Schenke am Strand erkennt er im Gespräch mit dem Matrosen Görg, einem nur im Diesseits und im Heute lebenden, Gott wie Natur in gleichem Maße leugnenden Menschen, daß er sich nach dem, was dieser »*so kalt entbehrt*«, nur immer stärker sehnt. Er wird sich

seiner völligen Isolierung bewußt und versucht, aus seinem realen Ich, das ihn wie ein Sarg umgibt, zu fliehen in ein irreales, das er mit Gott *»festinniglich verbunden«* glaubt, während das wahre Ich und alles, was diesem begegnet ist und was es getan hat, nur *»ein Traum von Gott, ein wirrer Traum«* ist. So meint Faust auch dem Teufel zu entgehen: *»Du böser Geist, heran! ich spotte dein! / Du Lügengeist! ich lache unserm Bunde, / Den nur der Schein geschlossen mit dem Schein!«* In ekstatischem Taumel ersticht er sich: *»Ich bin ein Traum mit Lust und Schuld und Schmerz / Und träume mir das Messer in das Herz.«* Mephistopheles aber bemächtigt sich triumphierend des Selbstmörders: *»Nicht du und ich und unsere Verkettung, / Nur deine Flucht ist Traum und deine Rettung! ... Da bist du in die Arme mir gesprungen, / Nun hab' ich dich und halte dich umschlungen!«*

Lenau bleibt mit seinem Faust-Drama eng dem Autobiographischen verhaftet. Zwischen bitterem Atheismus und einem Pantheismus spinozischer Prägung hin- und hergerissen, sich verzehrend in Zweifeln und in dem Gefühl, von der Welt ausgeschlossen zu sein und sich *»auf des Bewußtseins schmalem, schwankendem Steg«* allein dahinquälen zu müssen, ist Faust Spiegelbild des Lebensgefühls des Dichters. Zerrissenheit und Unstetheit prägen auch die Sprache des Stückes, die, in den lyrischen Partien von düsterer Eindringlichkeit, an dramatischen Höhepunkten dem an den Versen des Goetheschen *Faust* geschulten Ohr oft bis zur Abgeschmacktheit banal klingt: *»Der starke Görg hat meiner Nacht / Auch keinen Funken Trost gebracht«* – so beginnt Fausts letzter großer Monolog, dessen szenischer Hintergrund der nächtliche Klippenstrand ist, an den das vom Sturm aufgepeitschte Meer schlägt.

Zwar versuchte Lenau, mit seinem Drama Goethe sein *»Monopol«* auf den Faust-Stoff streitig zu machen, doch konnte ihm das nicht gelingen, weil weder seine philosophische Grundkonzeption noch seine dichterische Vorstellungskraft sich dem von Goethes *Faust* gesetzten Maßstab gewachsen zeigte. KLL

AUSGABEN: Lpzg. 1834 (in Dt. Musenalmanach für das Jahr 1835, 6, 1834; Ausz.). – Stg. 1835 (in Frühlingsalmanach, 1). – Stg./Tübingen 1836. – Lpzg. 1911 (in *SW und Briefe*, Hg. E. Castle, 6 Bde., 1910–1923, 2; Anm. Bd. 6). – Stg. 1959 (in *SW, Briefe*, Hg. H. Engelhard).

LITERATUR: C. Siegel, *L.s »Faust« und sein Verhältnis zur Philosophie* (in KSt, 21, 1916, S. 66–92). – E. Schönburg, *N. L.s »Faust«*, Diss. Greifswald 1922. – R. Schröter, *L.s »Faust«*, Diss. Marburg 1923. – J. S. Stamm, *L.s »Faust«* (in GR, 26, 1951, S. 5–12). – K. Mohr, *L.s »Faust«* (in Der Wächter, 39/40, 1960, S. 33–46). – J. Turóczi-Trostler, *L.*, Bln. 1961, S. 128–154 (Neue Beiträge z Lit.-Wiss., 12).

CONRAD FERDINAND MEYER
(1825-1898)

DAS AMULETT. Novelle von Conrad Ferdinand MEYER (1825–1898), erschienen 1873. – Obwohl Meyer bei der Veröffentlichung dieser seiner ersten Novelle schon 48 Jahre alt war, erreicht sie qualitativ keine der großen späteren Leistungen, wie *Die Hochzeit des Mönchs* oder *Plautus im Nonnenkloster*, wenn auch die Elemente, die den reiferen Novellenstil kennzeichnen, schon hier zu finden sind: der historische Stoff, der es dem Autor ermöglicht, von Personen und Ereignissen sich zu distanzieren, und die Form der Rahmenerzählung, die, als Fiktion einer mittelbaren, gebrochenen Erzählung, diese Distanz noch vertieft. Die Handlung, deren Hauptquelle Prosper MERIMÉES *Chronique du règne de Charles IX (Chronik der Regierungszeit Karls IX.)* von 1829 ist, spielt gegen Ende des 16. Jh.s zur Zeit der großen religiösen Auseinandersetzungen in Frankreich. Gespräche über Protestantismus und Katholizismus, über Wunderglauben und Prädestination nehmen einen breiten Raum ein. – Ein protestantischer Deutsch-Schweizer, Hans Schadau, erzählt seine Jugendfreundschaft mit dem Katholiken Boccard, der ihm, dem Ketzer, mit Hilfe eines Amuletts das Leben rettete: Als Schadau einen Zweikampf zu bestehen hat, schiebt ihm Boccard unbemerkt das wunderwirkende Amulett unter das Wams, so daß die aufprallende Klinge des Gegners davon abgleitet. Das geschieht in Paris, wo Schadau als Sekretär beim Admiral Coligny, dem Führer der Hugenotten, tätig ist, während Boccard in der Schweizer Garde des Königs in Dienst steht. Nach der Bartholomäusnacht des Jahres 1572, die unter den Hugenotten ein fürchterliches Blutbad anrichtet, dem auch Coligny zum Opfer fällt, gelingt es Boccard zum zweitenmal, den Freund vor dem Tod zu bewahren, indem er ihm die Uniform eines Schweizer Gardisten verschafft. Schadau kann fliehen, Boccard aber fällt, von einer Kugel getroffen, die seinem protestantischen Freund zugedacht war. Das Amulett hat seinem Besitzer nicht helfen können.

»Die Neigung zum Rahmen ist bei mir ganz instinktiv. Ich halte mir den Gegenstand gerne vom Leibe oder richtiger gerne so weit als möglich vom Auge.« (*Briefwechsel*, Hg. A. Frey, Bd. 2, S. 340) Dieses programmatische künstlerische Bekenntnis Meyers trifft schon für diesen seinen schwächeren Erstling zu. Die artistische Chance der novellistischen Rahmenform liegt in der Beglaubigung der *»unerhörten Begebenheit«* (Goethe) durch einen Augenzeugen, der als Erzähler dem Erzählten den Schein von chronistischer Wahrheit verschafft und zugleich den fiktiven Erzählvorgang vor einem Publikum, z. B. der veronesischen Hofgesellschaft derselben Novelle, nachbildet. Das *Amulett* nutzt die vielfältigen Möglichkeiten der doppelten und mehrfachen Brechung noch nicht und trägt die Binnenhandlung als Memoire des Helden vor, als Erinnerung an etwas Früheres. Die chronistische Fiktion ist dem Werk noch nicht einkomponiert, sondern nur als Randnotiz mitgegeben: *»Alte vergilbte Blätter liegen vor mir mit Aufzeichnungen aus dem Anfange des 17. Jh.s. Ich übersetze sie in die Sprache unserer Zeit.«* KLL

AUSGABEN: Lpzg. 1873. – Bern 1959 (in *SW*, Bd. 11: *Novellen* I, Hg. A. Zäch; hist.-krit.).

LITERATUR: J. C. Blankenagel, *M.s »Amulett«* (in JEGPh, 33, 1934). – G. Felderer, *D. Komposition in C. F. M.s Novellen*, Diss. Wien 1948. – J. Nommensen, *Erläuterungen zu C. F. M.s »Das Amulett«*, Hollfeld [2]1958.

GEORG JENATSCH. Eine alte Bündnergeschichte. Roman von Conrad Ferdinand MEYER (1825–1898), erschienen 1874 in der Zeitschrift

›Literatur‹, in Buchform veröffentlicht 1876. – Im Mittelpunkt des Romans steht die historische Gestalt des Georg Jenatsch, eines Schweizer Volkshelden aus der Zeit des Dreißigjährigen Krieges. Den Stoff, den Meyer ursprünglich in dramatischer Form behandeln wollte, entnahm er der 1856/57 in deutscher Übersetzung veröffentlichten *Geschichte der bündnerischen Kriege und Unruhen* von Ritter Fortunat Sprecher von Bernegg (1585 bis 1647) und einer Schrift von Balthasar Reber *(Georg Jenatsch, Graubündtens Pfarrer und Held während des dreißigjährigen Kriegs)*, die 1860 in den Basler ›Beiträgen zur vaterländischen Geschichte‹ erschienen war. Die Geschehnisse um den Helden werden nicht in Form einer zusammenhängenden Geschichte erzählt, sondern als dramatische Handlung in zahlreichen Einzelsituationen und Szenen vergegenwärtigt; Meyer läßt die Romanfiguren in Erinnerungen, Briefen, Gesprächen und Augenzeugenberichten meist selbst zu Wort kommen, gleichsam um dem Vorwurf der historischen Unglaubwürdigkeit durch die Einführung fiktiver Erzählerfiguren zuvorzukommen. Es geht dem Autor nicht um die Aufzeichnung einer »wahren« Geschichte, sondern um die – gedanklich allzu forcierte – Demonstration eines an der Gestalt des Georg Jenatsch offenkundigen »*Konflikts von Recht und Macht, von Politik und Sittlichkeit*«, wie Meyer selbst an seinen Verleger schreibt.

Der Roman besteht aus drei Büchern, denen eine sich in drei Stufen vollziehende Wandlung des Helden entspricht. In *Die Reise des Herrn Waser* (1. Buch) erscheint Jenatsch, ein junger protestantischer Pfarrer, der seine Glaubensgenossen im Kampf gegen die Katholiken anführt, als ein unbesonnener fanatischer Patriot und »*wütender Demokrat*«. Als zu Beginn des Dreißigjährigen Krieges die Spanier Graubünden wegen der für sie strategisch wichtigen Bergpässe hart bedrängen, ruft er zur Verteidigung der Unabhängigkeit auf, wodurch er sich in dem Freiherrn Pompejus Planta, dem Haupt einer die spanischen Interessen unterstützenden katholischen Partei, einen unversöhnlichen Feind schafft. Nach einer von Planta inszenierten Verschwörung, bei der Georgs Frau Lucia umkommt, müssen Jenatsch und die Reformierten fliehen; die Spanier und Österreicher besetzen das Land. Jenatsch rächt den Tod seiner Frau, indem er Planta tötet, und versucht viele Jahre vergebens, mit seinen »*Bündnerischen Tellen*« das »*arme Vaterland*« zu befreien. Als er aber erkennt, daß er durch seinen »*unbändigen Willen*« und durch seine »*willkürlichen Taten des Hasses*« das Vaterland ins Verderben gestürzt hat, statt es zu befreien, wendet er sich schließlich an den französischen Herzog Heinrich von Rohan, einen den Idealen der Gerechtigkeit und Treue verpflichteten Protestanten, den das katholische Frankreich entsandt hat, um den Bündnern zu helfen. Georg tritt als Oberst in die Dienste des Herzogs, dem er die heimischen Regimenter zuführt, stellt sich unter dessen »*leitenden planvollen Willen*« und zeichnet sich durch »*selbstverleugnerische Taten des Gehorsams und kriegerische Zucht*« aus (2. Buch: *Lukretia*). Als Heinrich im Vertrag von Chiavenna die Freiheit und Unabhängigkeit Graubündens verbürgt, glaubt Jenatsch sein politisches Ziel erreicht zu haben, erkennt jedoch bald, daß der französische Kanzler Richelieu den Vertrag nicht unterzeichnen will. Jenatsch sieht seinen Plan, den er auf den »*blutigen Irrwegen*« seiner Jugend nicht verwirklichen konnte, nun, trotz glanzvoller Siege, durch politisches Kalkül zunichte gemacht. So schwört er allen verpflichtenden Werten ab und vertieft sich »*mit einem durch das Gefühl der Gefahr geschärften Geiste in die Schlangenwege und Berechnungen der französischen Politik*«. Durch ein geheimes Bündnis mit Spanien gelingt es ihm, die Franzosen zu vertreiben; er erzwingt von den spanischen Unterhändlern einen Unabhängigkeitsvertrag, indem er sich dazu bereit findet, zum katholischen Glauben überzutreten. Es gelingt ihm, »*sein Vaterland ganz und völlig zu retten*«, aber er opfert dafür mehr, »*als ein aufrechtes Gewissen verantworten kann*«. Da er den Spaniern zu mächtig geworden ist, soll er beseitigt werden. Bei einem Maskenfest kommt der Meuchelmörder selbst um; doch Lukretia, die Tochter des Pompejus Planta und Geliebte Georgs vollzieht die Rache an dem Mörder ihres Vaters mit eigener Hand (3. Buch: *Der gute Herzog*).

Getrieben von seiner »*übermächtigen Vaterlandsliebe*« erreicht Georg Jenatsch zwar unter gewaltigen »*Verrenkungen seines Wesens*« sein politisches Ziel – im Gegensatz zu Rohan, der, um »*ein Ehrenmann zu bleiben*«, seine Heimat verließ und »*gemeine Reiterdienste im deutschen Heere*« leistet. Letztlich aber scheitert er nicht nur im ethischen Sinn, sondern auch als Politiker in seinem Vaterland, zu dessen Befreiung er »*notwendige Taten*« ausgeführt hat, die »*von reinen Händen nicht vollbracht werden können*« und ihn als einen vom Dämon besessenen, »*gesetzlosen Kraftmenschen*« erscheinen lassen, von dem das Volk sich abwendet. Gerade dort, wo er politisches Kalkül beweist, treibt ihn die »*Hybris des entfesselten Eigenwillens*« (W. Martini) in die Selbstzerstörung: »*Es war etwas Maßloses in seinem Wesen, eine gereizte Gewaltsamkeit in seiner Stimme und Haltung, als hätte eine übermenschliche Kraftanstrengung ihn aus dem Geleise und über den letzten der seiner Natur gesetzten Marksteine hinausgeworfen.*« Die Unvereinbarkeit von Politik und Moral in der Gestalt des Georg Jenatsch zeigt C. F. Meyers kritische Haltung gegenüber der geschichtlichen Tat, die an Wert verliert gegenüber dem moralischen Handeln, das den »Ehrenmann« Rohan zum eigentlichen Helden des Romans macht. KLL

Ausgaben: Lpzg. 1876 (*Jürg Jenatsch. Eine Bündnergeschichte*, 2 Bde.). – Lpzg. o. J. [1925] (in *SW*, Hg. H. Maync u. E. Ermatinger, 14 Bde., 1; Einl. H. Maync). – Bln. 1928 (in *SW*, Hg. J. Fränkel, 4 Bde., 1). – Bern 1958 (in *SW*, Hg. H. Zeller u. A. Zäch, 1958ff., Bd. 10; hist.-krit.). – Wiesbaden/Bln. 1960. – Mchn. 1968 (in *SW*, 2 Bde., 1; Nachw. E. Laaths).

Literatur: M. Rychner, »*Jürg Jenatsch*« (in Wissen u. Leben, 17, 1923, S. 239–244). – P. Werner, *M.s »Jürg Jenatsch«. Gehalt u. Form der Dichtung*, Diss. Marburg 1924. – F. Jecklin, *Die Ermordung Georg Jenatsch. Nach dem Churer Verhörprotokoll ediert*, Chur 1925 [Komm. M. Valèr]. – H. Maync, *C. F. M. u. sein Werk*, Lpzg. 1925. – E. Metelmann, *Zu C. F. M.s »Jürg Jenatsch«* (in Euph, 30, 1929, S. 403–407). – K. Hunger, *C. F. M.s »Jürg Jenatsch«* (in Zs. f. deutsche Bildung, 16, 1940, S. 63–68). – B. Gartmann, *Georg Jenatsch in der Literatur*, Disentis 1946. – G. Müller, *Über das Zeitgerüst des Erzählens* (in DVLG, 24, 1950, S. 1–31). – H. Baberg, *Der Konflikt von Macht u. Recht, Politik u. Sittlichkeit in Stifters »Witiko« u. C. F. M.s »Jürg Jenatsch«*, Diss. Bonn 1956. – H. Mayer, *Epische Spätzeit. C .F. M.s »Jürg Jenatsch«* (in H. M., *Von Lessing bis Th. Mann*, Pfullingen 1959, S. 317–337). –

V. Herzog, *Ironische Erzählformen bei C. F. M., dargestellt am »Jürg Jenatsch«*, Diss. Basel 1970.

DER SCHUSS VON DER KANZEL. Novelle von Conrad Ferdinand MEYER (1825–1898), erschienen 1877 im ›Zürcher Taschenbuch auf das Jahr 1878‹, zusammen mit *Das Amulett* unter dem Sammeltitel *Denkwürdige Tage* 1878 in Buchform veröffentlicht. – Als »Farce«, wie Meyer selbst seine Novelle charakterisiert hat, kontrastiert sie in der Buchausgabe mit dem eher tragischen *Amulett*, aber auch mit dem *Georg Jenatsch* (1876), auf den sie durch die wiederkehrende Figur des Generals Rudolf Wertmüller und durch den geschichtlichen Rahmen bezogen ist. Auch Wertmüller, der das Geschehen inszenierende Regisseur, identifiziert die Handlung als Komödie. Daß die Komödie aber nur die Kehrseite einer Tragödie ist, signalisiert schon der düstere Hintergrund der Novelle, der von Wertmüllers Todesträumen vor seinem Aufbruch zu einem neuen Feldzug bis zu seinem »unheimlichen« – schon außerhalb der Handlung liegenden, aber noch kurz berichteten – Tod reicht.

Dieser Zweideutigkeit des Lebens, dieser »*Welt des Zwanges und der Maske*«, scheint der naive und zarte Pfannenstiel, Kandidat der Theologie, nicht gewachsen; das Spiel des areligiösen Spötters Wertmüller stürzt ihn in Angst und Verwirrung. Den General, dem er seine Dissertation über die Symbolik der *Odyssee* gewidmet hat, sucht Pfannenstiel auf, um von ihm eine Stelle als Militärkaplan in seiner venezianischen Kompanie zu erbitten; aufgrund von Standesunterschieden glaubt er, auf seine Liebe zu Rahel, der Tochter von Wilpert Wertmüller, Pfarrer von Mythikon und Vetter des Generals, verzichten zu müssen. Der General, der Pfannenstiels Geheimnis durchschaut, verspricht ihm Hilfe bei seiner Werbung. Rahel sucht ihn ihrerseits auf, um seine Hilfe gegen ihren Vater zu erbitten, der seine Jagdlust bei weitem seinen geistlichen Geschäften vorzieht: Der General verspricht ihr darüber hinaus, Pfannenstiel zum Pfarrer von Mythikon zu machen und mit ihr zu verheiraten. Bevor er mit seinem geistlichen Vetter zum Gottesdienst aufbricht, überreicht er ihm eine wertvolle Pistole, mit welcher der Pfarrer während des Gottesdienstes spielt, im Vertrauen darauf, daß ihr Mechanismus nur sehr schwer funktioniere, und ohne zu ahnen, daß der General sie durch eine täuschend ähnliche, aber einwandfreie Waffe ersetzt hat. Die Katastrophe, der Schuß von der Kanzel, tritt ein, aber der General entwirrt die Fäden der von ihm inszenierten Komödie, indem er die erregte Mythikoner Gemeinde in seinem Testament bedenkt und seinen Vetter zum Verwalter seiner Jagdgründe einsetzt – unter der Bedingung, daß dieser seine Stelle an Pfannenstiel abtrete und ihm Rahel zur Frau gebe. Dabei verlangt er von den Mythikonern, das Geschehen mit Schweigen zu bedecken und es »*zu den ungeschehenen Dingen zu verstoßen*«; die Realität verwandelt sich so zur »*unverbürgten ... wesenlosen Sage*«.

Rudolf Wertmüller erzeugt die komischen Verwirrungen durch Berechnung und Manipulation der beteiligten Charaktere, wobei er besonders Unsicherheiten der Figuren gegenüber ihren psychologischen und sozialen Rollen ausnutzt und sich selbst auf keine Rolle festlegen läßt, sondern über alle nach Belieben verfügt. Wenn er in einer Unterhaltung mit Pfannenstiel über dessen Dissertation das Problem der »Bedeutung« selbst zum Thema macht, indem er eine Deutung der *Odyssee* durchspielt, die der Pfannenstiels diametral entgegengesetzt ist, manifestiert sich zugleich sein Bewußtsein von der Vieldeutigkeit der Dinge. In dieser Vieldeutigkeit gehört auch der Widerspruch zwischen Naivität und Raffinement, der die Novelle, wie viele andere des Autors, durchzieht, ohne je gelöst zu werden. Hebt das testamentarische Dekret Wertmüllers die Realität des Geschehenen auf, dann stellt sich auf der Ebene der Gesamterzählung die Frage, woher es der Erzähler denn kenne, da es doch nach dem Willen Wertmüllers von den Betroffenen verschwiegen wurde und Meyer auch nicht die Existenz irgendwelcher Quellen behauptet. Implizit gibt damit die Dichtung spielerisch ihren Realitätsanspruch ebenso wieder auf, wie der General die Realität zu den »*ungeschehenen Dingen*« verstößt. »Realität« besteht offenbar nur innerhalb des Spiels des Inszenierenden und nur so lange, wie dieses Spiel währt: Die Realität des historischen Faktums wie die der Aussagen der Dichtung wird damit abhängig vom Bewußtsein der Individuen, durch das allein sie wahrnehmbar ist und konstituiert wird. Dieser Sachverhalt gewinnt seinen Sinn allerdings erst im Gesamtwerk Meyers – etwa im Hinblick auf seine Vorliebe, Geschichten durch Zeugen erzählen zu lassen, oder im Hinblick auf die ausdrückliche hypothetische Rekonstruktion der Realität wie in der *Hochzeit des Mönchs*. Ähnlich werden die meisten der verstreut und scheinbar zusammenhanglos in der »Farce« angeschlagenen Themen und Motive erst bedeutungsvoll im Kontext seiner anderen Novellen, wobei allerdings die Erzählung, wie angedeutet, ihre scheinbare Harmlosigkeit verliert. M. T.

AUSGABEN: Zürich 1877 (in Zürcher Taschenbuch auf das Jahr 1878, N. F. 1). – Lpzg. 1878 (zus. m. *Das Amulett*, in *Denkwürdige Tage*). – Lpzg. 1925 (in *SW*, Hg. H. Maync u. E. Ermatinger, 14 Bde., 3; Einl. O. v. Greyerz). – Lpzg. 1927 (IB, 103; ern. 1941). – Bln. 1928 (in *SW*, Hg. J. Fränkel, 4 Bde., 3; rev. F. Michael). – Lpzg. 1929 (RUB, 6944; ern. Stg. 1967). – Mchn./Zürich 1958 (in *Novellen*). – Lpzg. 1951, Hg. u. Einl. E. Dickmann. – Bern 1959 (in *SW*, Hg. H. Zeller u. A. Zäch, 1958ff., Bd. 11, Hg. A. Zäch; hist.-krit.). – Stg. 1960 (in *Werke*, Hg. H. Engelhard, 2 Bde.). – Bern 1963 (in *SW*, Hg. H Zeller u. A. Zäch, 7 Bde., 5).

VERFILMUNG: Schweiz 1942 (Regie: L. Lindtberg).

LITERATUR: H. Maync, *C. F. M. u. sein Werk*, Lpzg. 1925. – M. Nußberger, *Zum Problem der historischen Treue bei C. F. M.* (in *Dichtung u. Forschung. Fs. für Emil Ermatinger*, Frauenfeld/Lpzg. 1933, S. 209–232). – G. Felderer, *Die Komposition in C. F. M.s Novellen*, Diss. Wien 1948. – H. Henel, *The Poetry of C. F. M.*, Madison/Wis. 1954. – L. Wiesmann, *C. F. M. Der Dichter des Todes u. der Maske*, Bern 1958. – E. Merian-Genast, *Die Kunst der Komposition in C. F. M.s Novellen*, Zürich 1958. – W. D. Williams, *The Stories of C. F. M.*, Oxford 1962. – L. Schmidt, *Grundbegriffe des Komischen erörtert an C. F. M.s Novelle »Der Schuß von der Kanzel«* (in Der Deutschunterricht, 14, 1962, S. 106–113). – J. Fährmann, *Bildwelt u. symbolische Gestaltung in der Dichtung C. F. M.s Studien zur Symbolik in den Gedichten u. Novellen*, Freiburg i. B. 1964. – G. Brunet, *C. F. M. et la nouvelle*, Paris 1967 (Germanica, 10).

DIE VERSUCHUNG DES PESCARA. Novelle von Conrad Ferdinand MEYER (1825–1898), erstmals 1887 in der ›Deutschen Rundschau‹ abgedruckt und im selben Jahr auch als Buch erschienen. – Die Handlung dieses vorletzten Werks C. F. Meyers, eines seiner bedeutendsten, spielt in der Renaissance. Franz Sforza, Herzog von Mailand, wird durch seinen Kanzler Morone bewogen, einer Liga mit Frankreich, Venedig und dem Vatikan beizutreten, welche die Unabhängigkeit der italienischen Staaten gegenüber Kaiser Karl und dessen spanischer Hausmacht garantieren soll. Als historischer Hintergrund werden aufgerollt: die Verselbständigung des von religiösem Fanatismus getragenen spanischen Teils des Habsburgerreichs, Spaniens beginnende Welteroberung, das Ende der selbständigen italienischen Kleinstaaten, Luthers Haltung zum Bauernkrieg, die bevorstehenden Religionskriege, die Schwächung der innerdeutschen kaiserlichen Macht – ausnahmslos Prozesse, die moralisch ebenso zweideutig sind wie die eigentliche Handlung selbst. Denn der die Kleinstaaten gegen Spaniens Tyrannei verteidigende Bund wird einerseits von manchen Beteiligten als jenes nationale Unabhängigkeits- und Einheitsstreben verstanden, das in Meyers eigener Zeit als positiver Wert galt und für die Politik Deutschlands und Italiens eine bedeutende Rolle spielte, andererseits aber enthüllen sich die Urheber dieses Bunds als unzulässige Phantasten und skrupellose Machtpolitiker. Im Versuch heimtückischen Rufmords, der Bestechung und des Verrats, im Mißbrauch der unschuldigen Italienbegeisterung der Dichterin Viktoria Colonna, Pescaras Frau, zeigt sich der moralische Verfall Italiens; seine politische Ohnmacht zeigt sich darin, daß die Liga sich nicht selber, aus eigenen Mitteln, zu verteidigen vermag: Sie muß ihre Führer in Pescara, dem Oberfeldherrn spanisch-italienischer Abstammung, dem aus dem Volk aufgestiegenen Spanier Leyva und dem vom französischen König abgefallenen Herzog von Bourbon suchen.

Bezeichnend für die in der Novelle dargestellten Prozesse ist eine latente Ohnmacht: Immer ist es in der Handlung schon zu spät, ohne daß dies, mit Ausnahme Pescaras, einer der Beteiligten wüßte: Italien ermangelt der realen und moralischen Grundlagen für seine Ziele; dem kaiserlichen Hof ist das Bündnis bekannt, bevor es geschlossen wird; Pescara aber ist durch ein geheimgehaltenes Siechtum, einer paradoxerweise seinem größten Siege entstammenden Wunde, schon längst zum Tode verurteilt. Was er für Italien tun kann, ist nur noch, es schnellstens zu unterwerfen, damit er selbst, nicht die grausamen Spanier, die Bedingungen der Unterwerfung diktiert.

Eine zweite Ebene des Textes wird durch die umfangreiche Kunstthematik in der Novelle gestiftet: Nicht nur zitiert Meyer zahlreiche Motive seiner Lyrik, auch die dargestellte Zeit selbst ist überreich an Kunstwerken, die, von den Figuren gedeutet, die Handlung begleiten: So erscheint Pescara in Analogie zu Christus, wenn er auf einem klösterlichen Gemälde eben jenen Schweizer Landsknecht, der ihm die tödliche Seitenwunde beibrachte, als Römer abgebildet sieht, der Christus in die Seite sticht. Die Kunst erscheint als ebenso vieldeutig wie die Realität, ihre Betrachtung löst immer wieder Reflexionen der Personen aus, wie umgekehrt Pescara für alle Beteiligten schwer zu durchschauen ist, er, der selbst als *»ein genialer Rechner«* gilt, *»der die Dinge unter ihrem trügerischen Antlitz auf ihren wahren Wert und ihre reale Macht zu untersuchen die Gewohnheit hat«*. Eindeutig ist nur die der Welt abgewandte Unschuld und die Inhumanität. Meyer deutet partiell den Ablauf durch Erzählerkommentare und die Gesamthandlung durch den Aufbau umfangreicher Zeichensysteme, die oftmals dem Verhalten einer Person eine Bedeutung verleihen, von der sie selbst nichts weiß. Stark vertreten ist der Bildkomplex von Tod und Untergang, der zumal in den Motiven von Ernte und Sonnenuntergang repräsentiert ist und somit selbst mehrdeutig wird. Pescara vollzieht ein Ritual des lyrisierten Untergangs, wie es – ebenfalls in der Metapher des Sonnenuntergangs – auch für manche andere Texte des späten deutschen Realismus bezeichnend ist.

Der Text erhält eine weitere Ebene, indem die Politik als dargestellter Bereich zugleich modellhaft die Realität vertritt: »Realität« ist das Ergebnis eines Interpretationsprozesses, der eine verborgene Tiefenschicht unter den Fakten der Oberfläche zu ermitteln sucht. Der Politiker muß mit der Macht dieser Deutungen rechnen, selbst wenn er sie, wie hier etwa die ausgestreuten Gerüchte oder die Religion, für gegenstandslos hält. Die dargestellte Zeit ist durch die Koexistenz verschiedener Deutungssysteme charakterisiert. Das Individuum ist vor eine Wahl gestellt, der es einzig und allein der Tod enthebt: Pescara zu versuchen, d. h. vor eine Wahl zu stellen, ist eine irrige Interpretation der Welt durch die Lebenden, insofern Pescara durch die Gewißheit seines Todes schon jeder Wahl enthoben ist. Die Leugnung dieser Gewißheit ist Pescaras eigentliche Versuchung, ist die Versuchung durch das Leben, der Pescara rechtzeitig entgeht, als er sich von Viktoria verabschiedet. M. T.

AUSGABEN: Bln. 1887 (in DRs, Nr. 53). – Lpzg. 1887. – Lpzg. o.J. [1925] (in *SW*, Hg. H. Maync u. E. Ermatinger, 14 Bde., 12). – Bln. 1928 (in *SW*, Hg. J. Fraenkel, 4 Bde., 4). – Bern 1962 (in *SW*, Hg. H. Zeller u. A. Zäch, 1958ff., Bd. 13; hist.-krit.). – Stg. 1963 (RUB, 6954/6955). – Ffm./Bln. 1965, Hg. G. Beckers. – Mchn. 1968 (in *SW*, 2 Bde., 1; Nachw. C. Laaths).

LITERATUR: E. Kalischer, *C. F. M. in seinem Verhältnis zur italienischen Renaissance*, Bln. 1907; Nachdr. NY/Ldn. 1967. – E. Strodthoff, *M.s Novelle »Die Versuchung des Pescara«*, Diss. Marburg 1924. – H. Maync, *C. F. M. u. sein Werk*, Lpzg. 1925. – K. Brandi, *»Die Versuchung des Pescara«* (in *Gesamtdeutsche Vergangenheit. Festgabe f. H. Ritter von Srbik*, Mchn. 1938, S. 63–74). – O. Hoffmann, *Die Menschengestaltung in C. F. M.s Renaissance-Novellen*, Bln. 1940; Nachdr. Nendeln/Liechtenstein 1969. – J. S. Arouet, *»Die Versuchung des Pescara«. A Justification of Its Title* (in JEGP, 45, 1946, S. 440–443). – B. v. Wiese, *C. F. M. »Die Versuchung des Pescara«* (in B. v. W., *Die deutsche Novelle von Goethe bis Kafka*, Bd. 2, Düsseldorf 1956, S. 250–267; ern. 1968). – L. Wiesmann, *C. F. M. Der Dichter des Todes u. der Maske*, Bern 1958. – S. Friebert, *C. F. M.s »Die Versuchung des Pescara«* (in GQ, 35, 1962, S. 475–481). – W. Schulze, *Aus der Werkstatt des Dichters: »Die Versuchung des Pescara«. Der Dichter u. seine Quellen* (in WW, 12, 1962, S. 38–46). – W. Williams, *The Stories of C. F. M.*, Oxford 1962. – G. Beckers, *Morone und Pescara. Proteisches Verwandlungsspiel und existentielle Metamorphose. Ein Beitrag zur Interpretation von C. F. M.s Novelle »Die Versuchung des Pescara«* (in Euph, 63, 1969, S. 117–145).

EDUARD MÖRIKE
(1804–1875)

MALER NOLTEN. Novelle in zwei Teilen. Roman von Eduard MÖRIKE (1804–1875), erschienen 1832 in zwei Bänden; 1877 erschien postum die im zweiten Teil unvollendet gebliebene zweite Fassung (entstanden 1853–1875) in der ergänzenden Bearbeitung von Julius KLAIBER. – Mit der Gattungszuordnung beginnen die Probleme des *Maler Nolten.* Seinem Umfang nach geht das Werk weit über die Grenzen einer Novelle hinaus; so spricht Mörike im ersten Stadium der *Maler-Nolten*-Konzeption auch von einem »Roman«, aber während der Ausführung des literarischen Plans in Owen (1829/30) und Eltingen bzw. Ochsenwang (1831/32) entscheidet er sich doch für die Bezeichnung »Novelle«. Als Gründe führt Mörike den »modischen« Reiz der Novelle als eines modernen »Literaturzweigs« an, den »Schlag auf Schlag« vorgehenden, Reflexionen abgeneigten novellistischen Erzählduktus und die damit gegebene Entfernung vom Prototyp des Romans der Zeit, dem *Wilhelm Meister.* Mit dieser Modernität verbindet der *Maler Nolten* zahlreiche Traditionslinien. Die zentrale Rolle der Tragik weist auf die *Wahlverwandtschaften* zurück (mit GOETHE hatte sich Mörike in der Zeit der Entstehung des *Nolten* intensiv beschäftigt), erinnert aber auch, in Verbindung mit der Schicksalsmotivik und der Verflechtung von Einzel- und Familienschicksal, an das spätromantische Schicksalsdrama und an E. T. A. HOFFMANNS *Die Elixiere des Teufels.* Mit E. T. A. Hoffmann hat Mörike ferner das Interesse für die »Nachtseiten« der menschlichen Existenz, für den »psychologischen Gang« der Lebensschicksale gemeinsam, doch deutet dieses Interesse, soweit es – wie übrigens auch schon im Spätwerk von E. T. A. Hoffmann – mit einer Tendenz zur Realitätsbewältigung des Alltags verbunden ist, bei Mörike bereits deutlich auf die Erzählkunst der realistischen Epoche hin. Der *Maler Nolten* spiegelt in einer Zeit des Übergangs die verschiedenen Strömungen der Zeit selbst wider.

Die damit angedeutete Komplexität des Romans bezeichnet Friedrich Th. VISCHER in seiner Rezension von 1839 als »*doppelte Motivierung*«: »*zur Hälfte*« sei das Werk »*ein Bildungsroman, ein psychologischer Roman ... zur Hälfte ein Schicksalsroman, ein mystischer Roman*«, und Vischer fügt kritisch hinzu: »*... beide Hälften gehen nicht ineinander auf.*« Tatsächlich zeigt der Handlungsablauf – von der Frage der nicht geleisteten Vermittlung einmal abgesehen – eine Affinität zum Bildungsroman wegen seiner Künstler- und Theatermotivik, der oft komplizierten Intrigenverflechtung und den häufigen Rückblenden in die Anfangsstadien der Ausbildung der einzelnen Charaktere, während die Schicksalsmotivik auf die Erzähltradition der Romantik verweist. Eine der Verkörperungen des Schicksals ist Wispel, Theobald Noltens früherer Diener, der die Handlung in Gang bringt, indem er seinen ehemaligen Herrn mit dem Maler Tillsen bekanntmacht, der Nolten dann Zugang zum Haus des Grafen Zarlin verschafft. Hier wird er mit der Gräfin Konstanze von Armond, geb. v. Zarlin, bekannt; er verliebt sich in sie, nachdem er sich in seiner anfänglichen Liebe zu Agnes, der Tochter seiner Pflegeeltern, durch angebliche Untreue des Mädchens enttäuscht sieht. In Wirklichkeit ist das Verhältnis durch eine erste Intrige des Zigeunermädchens Elisabeth hintertrieben worden. Elisabeth, die den Maler für sich allein beansprucht, ist seit seiner frühen Jugend schicksalhaft mit ihm verbunden: Sie entstammt – wie sich später herausstellt – einer abenteuerlichen Verbindung zwischen Noltens Onkel und einer Zigeunerin. Larkens, Noltens Freund, ein Schauspieler, dem sein Beruf zur zweiten Natur geworden ist, leitet die Gegenintrige zugunsten von Agnes ein, indem er Noltens Rolle im Briefwechsel mit Agnes übernimmt und die sich mehr und mehr festigende Beziehung zwischen dem Maler und Konstanze dadurch untergräbt, daß er Konstanze Briefe Noltens an Agnes zuspielt. Die Handlung um Nolten erreicht einen ersten Tiefpunkt mit der anschließenden Abwendung Konstanzes von Nolten, der Werbung Herzog Adolfs um ihre Hand und der Verhaftung des Freundespaares Nolten und Larkens im Anschluß an eine Theateraufführung (»Der letzte König von Orplid. Ein phantasmagorisches Zwischenspiel«), die nicht ganz zu Unrecht als eine Satire auf den verstorbenen König aufgefaßt wird. – Trotz einer schweren Krankheit Noltens, die mit dem erneuten Auftauchen des Zigeunermädchens Elisabeth in Zusammenhang steht, scheint sich nach der Haftentlassung eine Wende zum Guten anzubahnen, als Larkens sein Intrigenspiel aufdeckt und so ermöglicht, daß sich Nolten und Agnes in idyllhafter Umgebung wiederfinden. Larkens scheitert allerdings bei seinem Versuch, sich für seine eigene Person von der Welt des Scheins und Theaters zu lösen und die Realität des Alltags durch die Ausübung des Tischlerhandwerks zu meistern: Er begeht nach einem von Wispel herbeigeführten flüchtigen Wiedersehen mit Nolten Selbstmord. Noch scheint es, daß das Verhängnis isoliert werden kann. Durch den Tod Larkens werden Nolten und Agnes mit einem Bekannten des Schauspielers, dem Präsidenten von K., bekannt, auf dessen Landschloß sie übersiedeln. Diese zweite Idylle ist jedoch – der Retardation in der Tragödie vergleichbar – nur von kurzer Dauer. Gerade das Bekenntnis Noltens bezüglich der Intrigen des verstorbenen Freundes, das ihr Verhältnis endgültig hätte klären und sichern können, kann Agnes nicht bewältigen. In ihrer Unreflektiertheit ist Agnes auch dem verhängnisvollen Auftreten der Zigeunerin wehrlos ausgeliefert; sie begeht in geistiger Umnachtung Selbstmord. Nolten stirbt, durch die Schicksalsschläge vollkommen entkräftet, infolge einer nächtlichen Vision. Die Einladung des Hofrats und dessen Eröffnung, daß er der Vater der Zigeunerin und Noltens Onkel ist, erreicht den Maler nicht mehr. Wenige Tage vor seinem Tod wird die Zigeunerin tot aufgefunden; Konstanze überlebt das tragische Geschehen nur um wenige Monate.

Der Bildungsroman, der ursprünglich das Leben in seiner breitesten Entfaltung zum Thema hatte, ist im *Maler Nolten* zu einem Erzählgenre geworden, in dem die »Krankheit zum Tode« im Mittelpunkt steht. Es erscheint wenig sinnvoll, die verschiedenen Krankheitsgeschichten von der Schicksalsmotivik zu trennen, wie das Vischer mit der Antithetik von psychologischer und fatalistischer Motivation vertritt, sondern Schicksal wie psychologische Kausalität sind Ausdruck der im Geschehen vorherrschenden »Nachtseite«, die nur vorübergehend aufgelichtet wird: durch Bekenntnisse, die den Figuren das Verhängnis bewußt zu machen scheinen und dadurch eine Bewältigung ermöglichen könnten. Meistens wird jedoch von den Figuren die »*Nacht- oder Traumseite ihrer Seele*«, die lastende Vergangenheit mit ihren traumatischen Erlebnissen verschwiegen und verdrängt. Nolten und Larkens freilich, die durch ihre Künstlerexistenz in erhöhtem Maß für Schein und bloßes Spiel anfällig sind, weichen schuldhaft durch mangelnde Konsequenz und Aufrichtigkeit bzw. durch ihr Intrigenspiel einer Klärung aus. Sie verbleiben in dem von dem Erzähler in stets neuen Variationen umschriebenen Bereich der »Selbstvergessenheit«, des »kaum Bewußten«, für das »*der Übergang vom Wachen zum Schlaf ohne Bewußtsein*« oder die »Frühe« in ihrem Übergang von Tag zu Nacht charakteristische Situationen sind. Dabei käme für eine im Handlungsablauf wie durch die Erzähldistanz immer wieder angestrebte Bewältigung der »Nachtseite« alles darauf an, nicht in diesem Dämmerzustand des Halb- und Unterbewußten zu bleiben, denn »*schon das Aussprechen des Geheimnisses an und für sich ist entscheidend für die Heilung*«, wie der Erzähler bemerkt. Aber dazu kommt es nie rechtzeitig oder in ausreichendem Maß, zuletzt vermag »*nicht einmal die Kraft des evangelischen Wortes die arme Seele zu der Erkenntnis ihrer selbst ... zurückzuführen*«.

Die lyrischen Einlagen (etwa die »Peregrina-Lieder«), die sehr genau in den Ablauf der Erzählung eingefügt sind, bringen gerade diese Zwischenwelt des Halb- und Unbewußten zum Ausdruck. Andererseits weisen sie darüber hinaus auf eine für Mörike bezeichnende artistische Bändigung des Bedrohlichen, das ganz unbiedermeierlich den Roman bestimmt. Was Larkens vergeblich versucht, unternimmt der Roman in seiner formalen Struktur als Ganzes: durch die Artistik lyrischer Formen, durch die Theatereinlage mit ihrer Märchenmotivik und durch idyllenhafte Retardation das Bedrängende auf Distanz zu halten. Diese Haltung des Autors deutet neben der Todes- und Krankheitsthematik an, wieweit die veränderte Zeitlage in sein Werk hineindringt und die Entstehung moderner Kunstformen veranlaßt. – Durch stilistische Glättungen, verbunden mit einer objektivierenden Präzision von Handlungsdetails, durch fortschreitende Psychologisierung des Handlungsablaufs wie durch die Verselbständigung von Nebenpersonen verstärkt Mörike in der zweiten Fassung den Bezug des Werks zur Epoche des Realismus, der eine bedrohlicher empfundene Wirklichkeit mit neuen Kunstmitteln bewältigen mußte. V. Ho.

AUSGABEN: Stg. o. J. [1832], 2 Bde. – Stg. 1877, 2 Bde. [2. Fassg.]; [3]1890, Hg. J. Klaiber. – Lpzg./Wien [2]1914 (in *Werke*, Hg. H. Maync, 3 Bde., 2; krit.). – Mchn. 1954 (in *SW*, Hg. H. G. Göpfert; Nachw. G. Britting; [3]1964; rev. u. erw.). – Stg. 1954 (in *SW*, Hg. G. Baumann, 3 Bde., 1954–1959, 2; [2]1961; erw.). – Mchn. 1967 (in *SW*, 2 Bde.; Bd. 1: Erstfassg.; Bd. 2: Zweitfassg.; Nachw. B. v. Wiese). – Stg. 1967/68 (in *Werke und Briefe*, Hg. H.-H. Krummacher, H. Meyer u. B. Zeller, Bd. 3/4, Hg. H. Meyer; hist.-krit.).

LITERATUR: B. Seuffert, *M.s »Nolten« u. »Mozart«*, Graz/Wien/Lpzg. 1925. – R. Bachert, *M.s »Maler Nolten«*, Diss. Gießen 1928. – H. Reinhardt, *M. u. sein Roman »Maler Nolten«*, Zürich 1930 (Wege zur Dichtung, 9). – R. Völk, *Die Kunstform des »Maler Nolten« von E. M.*, Bln. 1930 (Germanische Studien, H. 82). – E. A. Drawert, *M.s »Maler Nolten« in seiner ersten u. zweiten Fassung*, Diss. Jena 1935. – O. Hochenegger, *Ein Vergleich zwischen G. Kellers »Grüner Heinrich« u. E. M.s »Maler Nolten« mit besonderer Berücksichtigung ihrer Beziehungen zur Romantik*, Diss. Wien 1949. – B. v. Wiese, *E. M.*, Stg. 1950. – H. Emmel, *M.s Peregrinadichtung u. ihre Beziehung zum Nolteroman*, Weimar 1952. – F. Lösel, *Das Menschenbild in Goethes »Wilhelm Meisters Lehrjahre« u. in M.s »Maler Nolten«*, Diss. Ffm. 1955. – S. S. Prawer, *Mignon's Revenge. A Study of M.'s »Maler Nolten«* (in Publications of the English Goethe Society, N. S. 25, 1955/56, S. 63–85; dt. in *Interpretationen. Deutsche Romane von Grimmelshausen bis Musil*, Ffm. 1966; FiBü, 716). – W. F. Taraba, *Die Rolle der Zeit u. des Schicksals in E. M.s »Maler Nolten«* (in Euph, 50, 1956, S. 405–427). – W. Weischedel, *M.s »Maler Nolten«* (in Der Deutschunterricht, 11, 1959, S. 50–62). – H. Meyer, *E. M.*, Stg. 1961; [2]1965 [m. Bibliogr.]. – Ders., *Stufen der Umgestaltung des »Maler Nolten«* (in ZfdPh, 85, 1966, S. 209 bis 223). – G. Storz, *»Maler Nolten«* (ebd., S. 161 bis 209). – Ders., *E. M.*, Stg. 1967.

MOZART AUF DER REISE NACH PRAG.

Novelle von Eduard MÖRIKE (1804–1875), erschienen 1855 im ›Morgenblatt für gebildete Stände‹. – Mörike schildert in der berühmten Erzählung einen Tag aus dem Leben des hochverehrten Komponisten. Mit seiner Gattin Konstanze auf dem Weg von Wien nach Prag, wo im Herbst 1787 die Uraufführung der neuen Oper *Don Juan* stattfinden wird, gelangt Mozart durch einen ungewöhnlichen Anlaß in eine kultivierte adlige Gesellschaft, die seinem Genius herzliche Huldigungen darbringt: während der Mittagsrast ist er in den Schloßpark des Grafen geraten und dort vom Gärtner überrascht worden, als er gerade gedankenverloren eine Orange vom denkbar schönsten Pomeranzenbäumchen pflückte. Das noch vom Hof Ludwigs XIV. stammende Bäumchen war vom Grafen als Geschenk für seine Nichte Eugenie ausersehen, die an diesem Tag ihre Verlobung feiert. Auf dem Gipfel des Ruhms und der Lebensfreude spielt der Maestro der heiteren Runde aus dem fast fertigen Werk vor. Die Gewalt seiner Musik aber erzeugt eine erschütternde, fast gespenstische Wirkung besonders als plötzlich der Choral *Dein Lachen endet vor der Morgenröte!* erklingt. Eugenie erfaßt dabei den dialektischen Zusammenklang zwischen Genie und Todesahnung in Mozarts Künstlertum: »*Es ward ihr so gewiß, so ganz gewiß, daß dieser Mann sich schnell und unaufhaltsam in seiner eigenen Glut verzehre, daß er nur eine flüchtige Erscheinung auf der Erde sein könne, weil sie den Überfluß, den er verströmen würde, in Wahrheit nicht ertrüge.*« Mit dem volksliedhaften Gedicht *Ein Tännlein grünet wo* läßt Mörike die Erzählung wehmütig-gedämpft ausklingen.

Es macht den Reiz dieser »Novelle« aus, daß sie, wenig schulgerecht, die Grenzen der Gattung souverän überspielt. Mörikes Lust am Anekdotischen, an der Ausmalung von Details, an der Verschränkung verschiedener Erzählperspektiven (er läßt z. B. in einer Schilderung des Erzählers Mozarts Gattin und in deren Schilderung eine Wiener Freundin erzählen): dieser episierende Zug kontrastiert unaufdringlich mit den typisch novellistischen Aufgipfelungen dramatischer Färbung, mit der Schloßparkszene z. B. oder mit Mozarts Klavierspiel. Die Spannung zwischen epischem Sich-Ausbreiten und raschem Anstieg zu einem Höhepunkt ist derjenigen zwischen Rezitativ und

Arie ähnlich wie denn überhaupt die Erzählstruktur der Komposition von Musikwerken nachgebildet ist, in denen die divergierendsten Themen zunächst angeschlagen, dann durchgespielt werden und, in wechselnden Konstellationen, sich vereinigen. So bindet Mörike das Entfernteste zusammen: den munteren nonchalanten Plauderton der Eheleute und rhythmisch hochdifferenzierte Sätze mit starker melodischer Kurve, festlich erhöhte Rokoko-Geselligkeit und romantisch unbedingte Individualität *(»Genießend oder schaffend, kannte Mozart gleichwenig Maß und Ziel«)*, biedermeierliche Idyllensehnsucht und dämonische Selbstentäußerung, realitätsgesättigte Analyse der ökonomischen Bedingungen von Mozarts Existenz und ungeniertes Fabulieren, hochgradige künstlerische Bewußtheit und produktives, unwillkürliches Eingedenken im Sinne von Prousts *mémoire involontaire* (die Schloßparkszene entfaltet eine synästhetische, auf Baudelaire deutende Verschmelzung von Gestalt und Duft der Pomeranze mit der Erinnerung an eine Jugendszene: Auf diese Weise erfindet dann Mozart, fast im selben Zuge, eine Melodie). Diese Vielstimmigkeit der Erzählung entsteht gleich eingangs, auf der Fahrt der Eheleute bis hin zum Schloß, und prägt sich symbolisch in der Schloßparkszene aus – das Motiv des Paradieses und des »Sündenfalls«, des »frevelnden« Eingriffs der Kunst und des Künstlichen in die paradiesische Natur verschränkt sich dort mit der Idee einer höheren Vereinigung von Natur und Kunst. Am Ende erst verliert sich das hell-düstere Doppelantlitz der Erzählung, und die »Nachtseite« der Existenz tritt, während des Mozartschen Klavierspiels, ihre Herrschaft an. Wie in Mozarts Oper selbst entschwindet mit einem Schlag *»die ganze wohlumfriedete Geselligkeit, besinnliche Heiterkeit und spielerische Grazie von Mörikes biedermeierlicher Rokokowelt ... dröhnende Posaunen haben die sanften Geigen und Flöten zum Schweigen gebracht, nächtliche Schauer den milden Tagesglanz verscheucht. Den Leser, der bisher lächelnd dem Geschehen gefolgt ist, befällt ein Grauen und die beklemmende Ahnung unausweichlicher Tragik«* (H. Meyer).

Durch die Ansiedlung des Helden im historisch fixierten Raum (Mörikes Quelle ist vor allem die *Kurze Biografie* von A. Dubilicheff, 1847) wird die im Ansatz romantische Künstlernovelle zum abgeklärteren »Charaktergemälde« einer faszinierenden künstlerischen Existenz ausgeweitet, das auch Vergangenheit und Zukunft in den Brennspiegel eines einzigen Tages einstrahlen läßt. Es ist ein ins Sinnbildhafte stilisierter Tag, der zugleich die Tiefe des Mörikeschen Wesens ausmißt: Die Mozart-Novelle ist Mörikes *»vollendete Selbstdarstellung und Selbstdeutung«* (B. v. Wiese). Seiner Interpretation Mozarts und des *Don Giovanni*, im 19. Jh. an Modernität derjenigen E. T. A. Hoffmanns vergleichbar *(Don Juan)*, empfing ihre Autorität aus verwandten Zeiterfahrungen: Was als die »Nachtseite« der Existenz in ihr Künstlertum einging, deutet, im Falle Mozarts, auf die Auflösung der letzten aristokratischen (Rokoko-), im Falle Mörikes, auf die tiefe Problematik der letzten bürgerlichen (Biedermeier-)Kultur. KLL

Ausgaben: Stg. 1855 (in Morgenblatt für gebildete Stände, Nr. 30–33). – Stg./Augsburg 1856. – Lpzg. 1905 (in *SW*, Hg. R. Krauß, 6 Bde., 6). – Lpzg./Wien ²1914 (in *Werke*, Hg. H. Maync, 3 Bde., 3; krit.). – Mchn. 1954 (in *SW*, Hg. H. G. Göpfert, Nachw. G. Britting). Stg. 1954 (in *SW*, Hg. G. Baumann, 3 Bde., 1954–1959, 1; ²1961). Stg. 1964 (RUB, 4741).

Literatur: B. Seuffert, *M.s »Nolten« u. »Mozart«*, Graz/Wien/Lpzg. 1925. – M. Ittenbach, *»Mozart auf der Reise nach Prag«* (in GRM, 25, 1937, S. 338–354). – B. v. Wiese, *E. M.*, Stg. 1950. K. K. Polheim, *Der Künstler. Aufbau von M.s Mozartnovelle* (in Euph, 48, 1954, S. 41–70). R. Immerwahr, *Apocalyptic Trumpets: the Inception of »Mozart auf der Reise nach Prag«* (in PMLA, 70, 1955, S. 390–407). – B. v. Wiese, *E. M. »Mozart auf der Reise nach Prag«* (in B. v. W., *Die deutsche Novelle von Goethe bis Kafka*, Düsseldorf 1956, S. 213–237; ern. 1962). – M. Mare, *E. M. The Man and the Poet*, Ldn. 1957. – F. H. Mautner, *M.s »Mozart auf der Reise nach Prag«*, Krefeld 1957 (zuerst in PMLA, 60, 1945, S. 199–220). R. B. Farrell, *M.'s »Mozart auf der Reise nach Prag«*, Ldn. 1960. – H. Meyer, *E. M.*, Stg. 1961; ²1965 (Slg. Metzler, IV/2). – R. Immerwahr, *Narrative and Musical Structure in »Mozart auf der Reise nach Prag«* (in Studies in Germanic Language and Literature, 1963, S. 103–120). V. Sander, *Zur Rolle des Erzählers in M.s Mozartnovelle* (in GQ, 36, 1963, S. 120–130). – F. Notter, *E. M. u. andere Essays*, Hg. W. Hagen, Marbach 1966. – G. Storz, *E. M.*, Stg. 1967.

DAS STUTTGARTER HUTZELMÄNNLEIN. Märchen von Eduard Mörike (1804–1875), erschienen 1853. – Die Polarität von Romantik und Realismus ist in dieser reifsten und volkstümlichsten Märchendichtung Mörikes aufgehoben und einer phantastischen Synthese aus romantischen und realistischen Erzählelementen gewichen, in der sich sein unbestechlicher Sinn für die Wirklichkeit mit einem kindlich anmutenden Glauben an Zauber und Magie paart. Für *»ein wahres Mausnest von Fabeleien, die durcheinander krabbeln«* hielt David Friedrich Strauss das bizarre, Scherz und Ernst humoristisch mischende Geflecht von Märchen-, Sagen- und Legendenmotiven.

Der Stuttgarter Kobold – »Pechschwitzer«, »Tröster« und »Hutzelmännlein« genannt – schenkt dem Schustergesellen Seppe ein Stück nie endendes Hutzelbrot (Dörrobstgebäck) und zwei Paar Glücksschuhe, von denen er ein Paar anziehen und das andere, Mädchenschuhe, am Weg stehen lassen soll. Seppe aber verwechselt die Schuhe und trägt fortan einen Mädchenschuh, während seine vorbestimmte Lebensgefährtin Vrone Kiderlen, die das zweite Paar findet, allerlei Mißhelligkeiten ertragen muß, weil sie den anderen falschen Schuh trägt. Das Hutzelmännlein lenkt aus dem Verborgenen das Schicksal der beiden Glückskinder und vereint sie nach wechselnden Zufällen am Ende zu einem glücklichen Paar: Nachdem Seppe in Ulm den Heiratsgelüsten einer des mehrfachen Gattenmords verdächtigten Witwe entkommen ist, verloben sich Seppe und Vrone während der Hochzeitsfeierlichkeiten Graf Eberhards des Greiners in schwindelnder Höhe auf einem Trapezseil, von der magischen Gewalt ihrer endlich passenden Zauberschuhe unwiderstehlich angezogen.

Im Hutzelbrot wandelt Mörike das Tischlein-deck-dich-Motiv ab, ein für ihn typisches Phantasiespiel, das sich in der schwankhaften Passage vom Diebe fangenden Stiefelknecht wiederholt, dem abgewandelten Knüppel-aus-dem-Sack-Motiv. Der Dichter

beschränkt sich auf einen lokal begrenzten Märchenraum, obwohl sich die Reihe der Abenteuer und Schicksalsfügungen beliebig multiplizieren ließe. Eingebettet in das Hauptmärchen und mit diesem durch das Motiv des unsichtbar machenden Krackenzahns verbunden, steht die *Historie von der schönen Lau*, ein zweites Märchen, das von einer Donaunixe erzählt, die im »Blautopf« bei Blaubeuren haust und erst dann ein lebendes Kind zur Welt bringen kann, wenn sie fünfmal gelacht hat.
Mörike führt bewußt die Tradition der romantischen Märchenerneuerung fort – seine eigenen Märchendichtungen aber zeichnen sich im Gegensatz zu den spekulativen allegorischen Kunstmärchen der Romantiker durch eine Fülle volkstümlicher und realistischer Details aus, die ganz konkret und aller Phantastik zum Trotz den Ort des Märchens bestimmen. (Die vielen archaisierenden Redewendungen aus dem schwäbischen Kultur- und Sprachraum machten es sogar erforderlich, daß der Dichter seinem Märchen ein kleines Sprachlexikon beifügen mußte.) Seiner poetischen Symbiose aus Magie, Dämonie und Realität wohnt in gleichem Maße Heil und Komik inne: Das Märchen wird zu einer Wünschelrute, die noch einmal den verborgenen Zauber der Wirklichkeit zu wecken vermag.
KLL

AUSGABEN: Stg. 1853. – Stg. 1873 [Ill. M. v. Schwind]. – Lpzg. 1905 (in *SW*, Hg. R. Krauß, 6 Bde., 6). – Lpzg./Wien [2]1914 (in *Werke*, Hg. H. Maync, 3 Bde., 3; krit.). – Mchn. 1954 (in *SW*, Hg. H. G. Göpfert; Nachw. G. Britting; [3]1964; erw. u. rev.). – Stg. 1954 (in *SW*, Hg. G. Baumann, 3 Bde., 1954–1959, 1; [2]1961; erw.). – Stg. 1963 (RUB, 4755). – Mchn. 1967 (in *SW*, Bd. 1; Nachw. B. v. Wiese; Anm. u. Bibliogr. H. Unger).

LITERATUR: H. Maync, *E. M. Sein Leben u. sein Dichten*, Stg./Bln. [2]1913, S. 318ff. – I. Märtens, *Die Mythologie bei M.*, Diss. Marburg 1921. S. 28ff. – V. Sandomirsky, *E. M. Sein Verhältnis zum Biedermeier*, Diss. Erlangen 1935. – B. v. Wiese, *E. M.*, Tübingen/Stg. 1950, S. 108–112. – G. Held, *Das schwäbische Element in der Dichtung E. M.s*, Diss. Tübingen 1951. – G. Storz, *Gestalt u. Rang von M.s »Stuttgarter Hutzelmännlein«* (in Der Deutschunterricht, 3, 1951, S. 18–29). – H. Landmann, *M.s Märchen »Das Stuttgarter Hutzelmännlein« im Verhältnis zum Volksmärchen*, Diss. Bln. 1961. – H. Meyer, *E. M.*, Stg. 1961; [2]1965 (erw.; Slg. Metzler, 2). – G. Storz, *E. M.*, Stg. 1967.

JOHANN NESTROY
(1801–1862)

DER BÖSE GEIST LUMPAZIVAGABUNDUS ODER DAS LIEDERLICHE KLEEBLATT. Zauberposse mit Gesang in drei Akten von Johann NESTROY (1801–1862), Musik von Adolf Müller; Uraufführung: Wien, 11.4.1833, Theater an der Wien. – Die Posse beginnt im Wolkenpalast des Feenkönigs Stellaris. Einige alte Zauberer erscheinen vor dem König, um sich über den bösen Geist Lumpazivagabundus zu beklagen, der ihre Söhne zu Liederlichkeit und Trunksucht verleite. Die mächtige Glücksfee Fortuna glaubt, allein durch Reichtum jeden Menschen wieder auf den rechten Weg bringen zu können. Lumpazivagabundus jedoch behauptet, daß die Liebesfee Amorosa mächtiger als die Glücksfee sei. Hilaris, ein junger Zauberer, liebt Fortunas Tochter Brillantine. Fortuna macht ihre Einwilligung zur Hochzeit von einem Versuch abhängig, bei dem sie ihre Macht erproben kann. Sie will ihr Füllhorn über drei lockere Gesellen ausschütten, die bisher in größter Armut gelebt haben. Wenn wenigstens zwei von ihnen dadurch zu Vernunft kommen und ein neues Leben beginnen, so ist Fortunas Macht erwiesen; wenn die Gesellen jedoch den Reichtum verschleudern und ihr Glück mit Füßen treten, dann sollen Hilaris und Brillantine ein Paar werden. – In einer Herberge auf der Erde trifft nun ein *»liederliches Kleeblatt«* zusammen: der derbe, trunksüchtige Schuster Knieriem, der brave Tischler Leim und der prachtliebende Schneider Zwirn. Alle drei träumen die gleiche Glückszahl, und sie legen ihr letztes Geld zusammen, um gemeinsam ein Los zu kaufen. Tatsächlich fallen ihnen hunderttausend Taler als Haupttreffer zu, in die sie sich teilen. Daraufhin trennen sie sich, wollen sich aber nach Ablauf eines Jahres wieder in Wien treffen. In der Zwischenzeit führt Zwirn in einer eleganten Villa ein mondänes Leben, während Knieriem sein ganzes Geld vertrinkt. Leim heiratet die Tochter seines Wiener Meisters. Als die beiden anderen am Jahrestag – natürlich mittellos – bei ihm vorstellig werden, bietet er ihnen eine auskömmliche Existenz an. Zwirn und Knieriem wollen jedoch nicht auf ihr freies Vagabundenleben verzichten, und damit hat Fortuna die Wette verloren und muß zugeben, daß Amorosas Macht die ihre übertrifft. Hilaris und Brillantine werden ein Paar, und Amorosa bringt durch die Macht der Liebe sogar noch die beiden anderen Gesellen auf den rechten Weg und verbannt damit den bösen Geist für immer aus dem Feenreich.
In dieser Posse ist der Zauberapparat noch stärker eingeschränkt als im *Verschwender* von F. RAIMUND. Feen und Zauberer, die sonst im Wiener Volkstheater entscheidend in die Handlung eingreifen, treten hier nur noch in einer kurzen Rahmenhandlung auf. Diese »Übermächte« erscheinen bei Nestroy – ähnlich wie in der Pariser Operette – in ironischer und parodistischer Beleuchtung. Lumpazivagabundus, der *»Beherrscher des lustigen Elendes, Beschützer der Spieler und Protektor der Trinker«* ist der Titelheld der Posse, obwohl er im ganzen Stück nur einmal kurz auftritt. Er ist der Schutzpatron der drei Handwerksburschen Leim, Zwirn und Knieriem, die als Hauptheiden die Vordergrundshandlung der dreiaktigen Posse beherrschen. Die drei Handwerksburschen sind individuell gezeichnete Charaktere, wie sie tatsächlich im wirklichen Leben vorkommen, nicht mehr Typen, wie die Hanswurste und Bedienten des früheren österreichischen Volkstheaters. Zwirn, ein kleiner Don Juan, verjubelt als Gönner anspruchsvoller Damen seinen Anteil am Lotteriegewinn. Knieriem – Nestroy spielte bei der Uraufführung die Rolle selber – ist der interessanteste unter den dreien. Sein fatalistisches Credo, das der pessimistischen Weltanschauung des »Vormärz« entspricht, spiegelt sich in Monologen und im Lied *»Es ist kein' Ordnung mehr jetzt in die Stern. D' Kometen müßten sonst verboten wer'n ... Auch unt' sieht man, daß auf'n Ruin losgeht«* mit dem Refrain *»Da wird einem halt angst und bang, die Welt steht auf kein' Fall mehr lang«*. Leim ist der »bürgerlichste« unter den drei Handwerksburschen. Er charakterisiert seine Kumpane treffend, wenn er von ihnen behauptet: *»Ihr seid's Lumpen, aber treue Seelen, wahre Goldkerls.«*

Mit Nestroys *Lumpazivagabundus* hat sich der Realismus im Wiener Volkstheater wieder durchgesetzt. »Romantische Zaubermärchen«, die die Zuschauer in entlegene Länder und Zauberreiche entführen, wurden unmodern und verloren die Gunst des Publikums. Nicht so erfolgreich war eine Fortsetzung des Stückes unter dem Titel *Die Familien Zwirn, Knieriem und Leim* oder *Der Weltuntergang*, in der das *»liederliche Kleeblatt«* seine guten Vorsätze aufgegeben hat und die Gesellen als rückfällige unverbesserliche Vagabunden gezeigt werden. A. Sch.

AUSGABEN: Wien 1835. – Wien 1924 (in *SW*, Hg. O. Rommel u. F. Brukner, 15 Bde., 1924–1930, 2; krit.). – Mchn. 1949. – Mchn. 1962 (in *Werke*, Ausw. O. Maurus Fontana).

LITERATUR: E. Leber, *J. N. Seine Bühnenlaufbahn m. bes. Berücksicht. sein. Tätigk. i. Theater a. d. Wien*, Diss. Wien 1927. – A. Hämmerle, *Komik, Satire u. Humor bei N.*, Diss. Fribourg 1947.

EINEN JUX WILL ER SICH MACHEN. Posse mit Gesang in vier Aufzügen von Johann NESTROY (1801–1862), Uraufführung: Wien, 10. 3. 1842, Theater an der Wien. – Weil er wenigstens einmal in seinem einförmigen Kaufmannsleben *»ein verfluchter Kerl«* sein möchte, beschließt der ansonsten solide und pflichtbewußte Kommis Weinberl, frischgebackener Kompagnon des *»vermischten Warenhändlers«* Zangler, das *»G'wölb'«* zuzusperren und sich zusammen mit dem pfiffigen Lehrjungen Christopherl in der nahegelegenen Hauptstadt einen Jux zu machen. Dort finden sie die erhoffte Abwechslung, aber anders, als sie es sich vorgestellt haben, denn um ein Haar laufen sie dem gefürchteten Prinzipal in die Arme, der, sein Geschäft und sein schwärmerisches Mündel Marie in guter Obhut wähnend, auf recht bejahrten Freiersfüßen wandelt. Kurzerhand suchen die beiden in einer Modewarenhandlung Zuflucht, ohne zu ahnen, daß deren Inhaberin, Madame Knorr, Zanglers Braut ist. Nun zettelt Weinberl aus schierem Übermut eine Posse in der Posse an, über die er jedoch bald jede Kontrolle verliert. Er erkundigt sich nach der Rechnung einer flugs von ihm erfundenen »Frau von Fischer« und gibt sich für deren Gatten aus. Da erhält Madame Knorr den Besuch einer befreundeten Dame – einer Frau von Fischer. Diese geht jedoch zum Schein auf die Komödie ein und läßt sich samt Freundin von *»ihrem lieben Mann«* ausführen. Als die Damen in einem Ausflugsrestaurant ein fürstliches Menü bestellen, schwant den provinziellen Hochstaplern, daß der Jux ihre Nerven und ihre Finanzen weit überfordern wird. Als sie zudem noch entdecken, daß im gleichen Lokal, nur durch eine spanische Wand von ihnen getrennt, der Prinzipal diniert, gibt es kein Halten mehr. Daß der Fiaker, in dem sie die Flucht ergreifen, von Zangler gemietet war, um die von zu Hause ausgerissene Marie und ihren dem Oheim nicht genehmen Liebhaber August Sonders ins hochnotpeinliche Gewahrsam Fräulein von Blumenblatts, der Schwägerin Zanglers, zu befördern, trägt zu weiterer Verwirrung bei, zumal die alte Jungfer hartnäckig bei ihrer Meinung bleibt, der sich mit Hut und Schleier der Frau von Fischer tarnende Christopherl sei ihre entflohene Nichte und Weinberl deren Liebhaber. – Im Hause Fräulein von Blumenblatts dreht sich nun das Juxkarussell immer schneller: Zanglers dummer Hausknecht Melchior, der alles »klassisch« findet, und der echte Sonders, der sich das Pseudonym »Weinberl« zugelegt hat – so daß sich also Weinberl alias Sonders und Sonders alias Weinberl gegenüberstehen –, sorgen dafür, daß jeder jeden gerade für den hält, der er nicht ist. Das Verwechslungschaos wird durch die Ankunft Zanglers nur teilweise geordnet, denn die beiden Hauptsünder haben sich wieder einmal rechtzeitig aus dem Staub gemacht. Von ihrer Juxromantik gründlich geheilt, langen Weinberl und Christopherl bei ihrem Laden an und finden gleich Gelegenheit zu verantwortungsbewußtem Handeln: Sie übertölpeln einen Einbrecher und werden dafür von dem ahnungslos heimkehrenden Zangler mit Lob überschüttet. Listig erkauft sich Weinberl Frau von Fischers Diskretion mit einem Heiratsantrag, und Sonders darf Marie endlich mit Zanglers Erlaubnis in die Arme schließen, denn seine Erbtante in Brüssel war so kulant, das Zeitliche zu segnen.

Wieviel ironische Bewußtheit in diesem mit Gags überladenen Stück waltet, deutet Weinberls Schlußwort an: *»Also hat sich der Fall schon wieder ereignet? Nein, was's Jahr Onkel und Tanten sterben müssen, bloß damit alles gut ausgeht – !«* Nestroy, der sich die Rolle des Weinberl auf den Leib schrieb, verwendet die traditionellen Gattungsklischees nur, um parodistisch damit zu spielen. Mit Hilfe der Sprache distanziert er sich von einer Juxkomik der stereotypen Verwechslungen, Mißverständnisse, Zufälle und Hochzeiten und übersteigert sie ins Absurde. Wie schon in früheren Stücken schafft er sich so seine eigene, zeitgerechte Komödienform, die satirische Posse. Die kritische Durchleuchtung der bürgerlichen Moralphraseologie – Marie, die ständig sagt: *»Es schickt sich nicht«*, aber doch ihren süßen Trieben folgt – und der sarkastische Vergleich zwischen ehrbarem Handelsstand und wenig ehrbar handelnder Menschheit in Weinberls nuancenreichem Entreecouplet zeigen, daß bei Nestroy die Posse nie um ihrer selbst willen da ist. Originell ist an diesem Stück nicht die Handlung als solche, die man lange Zeit für Nestroys Eigentum hielt – John OXENFORDS Farce *A Day Well Spent* (1834) ist jedoch die Vorlage des Stücks –, sondern die Art, in der er *»die Verwendung der Elemente im Drama zum Spiel mit diesen Elementen verkehrt«* (W. Müller-Seidel). W. D.

AUSGABEN: Wien 1844. – Wien 1928 (in *SW*, Hg. F. Brukner u. O. Rommel, 15 Bde., 1924–1930, 11; hist.-krit.). – Wien 1948 (in *GW*, Hg. O. Rommel, 6 Bde., 1948/49, 3; ern. 1962). – Stg. 1956, Hg. u. Einl. W. Zentner (RUB, 3041). – Mchn. 1962 (in *Werke*, Hg. O. M. Fontana). – Freiburg i. B. 1962 (in *Klassische deutsche Dichtung in 20 Bden.*, Hg. F. Martini u. W. Müller-Seidel, Bd. 17; Nachw. W. Müller-Seidel).

VERFILMUNGEN: Österreich 1916. (Regie: E. Leyde). – Deutschland 1928 (Regie: J. Brandt). – *Das Einmaleins der Liebe*, Deutschland 1935 (Regie: C. Hoffmann). – *Einmal keine Sorgen haben*, Österreich/Deutschland 1953 (Regie: G. Marischka). – Österreich 1957 (Regie: A. Stöger u. L. Lindtberg).

LITERATUR: O. Rommel, *J. N. Ein Beitrag zur Geschichte der Wiener Volkskomik* (in *SW*, Bd. 15, Wien 1930, S. 1–357). – O. Forst de Battaglia,

J. N., Lpzg. 1932; Mchn. [2]1962. – F. H. Mautner, *N. und seine Kunst*, Wien 1937. – O. Rommel, *J. N. Der Satiriker auf der Altwiener Komödienbühne*, Wien 1948. – A. Hämmerle, *Komik u. Satire u. Humor bei N.*, Fribourg 1951. – W. Marinovic, *Der Witz bei N.*, Diss. Wien 1952. – D. Gengnagel, *Zur sprachlichen Gestaltung der Possen J. N.s* (in Wiss. Zs. der Universität Jena, 11, 1962, S. 119–130). – L. V. Harding, *The Dramatic Art of F. Raimund and J. N.*, Diss. Cambridge/Mass. 1963. – W. E. Yates, *Convention and Antithesis in N.'s Possen* (in MLR, 61, 1966, S. 225–237). – H. Weigel, *J. N.*, Velber 1967, S. 40–44 (Friedrichs Dramatiker des Welttheaters, 27). – O. Basil, *J. N. in Selbstzeugnissen und Bilddokumenten*, Reinbek 1967 (rm, 132).

DER ZERRISSENE. »Posse mit Gesang« in drei Akten von Johann NESTROY (1801–1862), Uraufführung: Wien, 9. 4. 1844, Theater an der Wien (Musik: Adolf Müller). – Wie bei vielen seiner Werke verwendet Nestroy die Handlung eines französischen Vaudeville (*L'homme blasé* von DUVERT und LAUZANNE), ist aber im geistreichen Überspielen des bloßen Handlungselements, in der Dialogführung und im sprachlichen Ausdruck völlig autark. Daß erst Nestroy dem Original zu künstlerischer Bedeutung verhalf, führte den Wienern dessen deutsche Fassung vor Augen, die am gleichen Abend wie *Der Zerrissene* unter dem Titel *Überdruß aus Überdruß oder Der gespenstige Schlosser* im Theater in der Josefstadt Premiere feierte.
Nestroy versieht das Thema – ein nicht mehr existentiell, sondern klassenbedingter, zum modischen Surrogat veräußerlichter Weltschmerz – von vornherein mit satirisch-gesellschaftskritischen Akzenten (der Bediente Christian in der ersten Szene: »*Ein zerriss'nes Gemüt mit dem Geld!*«). Herr von Lips, ein »Timon von Athen«, was seine Blindheit gegenüber parasitären Freunden angeht, der sich in der Attitüde des Zerrissenen gefällt, wird im Personenverzeichnis nicht zufällig als »Kapitalist« apostrophiert: Er selbst erkennt in seinem Reichtum die Ursache seiner Langeweile und Melancholie. Das Kapital wird zum Signum eines Wirklichkeitsverlustes, den Lips beklagt und um jeden Preis wettmachen möchte. Um sich eine Zerstreuung zu schaffen, verfällt er auf die närrische Idee, der ersten Frau, die an diesem Tag zur Tür hereintritt, die Ehe anzutragen. Als erste macht ihm die verwitwete, leicht anrüchige Madame Schleyer ihre Aufwartung, und im folgenden entwickelt sich zwischen den beiden eine Komödie in der Komödie (Lips: »*Spielen Sie mir jetzt die Komödie vor, als ob nicht mein Reichtum, sondern meine liebenswürdige Persönlichkeit Ihren Entschluß bestimmet!*«), die die Liebesphraseologie romantischer Trivialliteratur desillusioniert und parodistisch umkehrt und die, wie der erste Akt insgesamt, an metaphorischem Witz und satirischer Prägnanz im weiteren Verlauf des Stücks nicht mehr überboten wird (Lips: »*Ich versteh', vom Neinsagen keine Red', aber zum Jasagen finden Sie eine Bedenkzeit schicklich*«). Der erste Akt endet mit einem grotesken Eklat: Der Schlosser Gluthammer erkennt in Madame Schleyer seine, wie er in seiner plumpen Treuherzigkeit glaubt, entführte, in Wirklichkeit aber davongelaufene Geliebte und hält Lips für deren Entführer. Die beiden gehen aufeinander los und stürzen im Eifer des Gefechts vom Balkon in den Fluß. Zwar bleiben sie unversehrt, da aber das Gerücht umgeht, sie seien beide ertrunken, hält sich jeder für den Mörder des andern und verschwindet von der Bildfläche. Zufällig wählen beide den gleichen Ort als Versteck: den Hof des Bauern Krautkopf, der mit Gluthammer befreundet ist und Lips zum Pachtherrn hat. Dieser gibt sich als Knecht aus und kommt auf diese Weise in engeren Kontakt mit der Wirklichkeit, als ihm lieb ist. Nur gegenüber seinem Patenkind Kathi, der unverbildeten, uneigennützigen, ihn schwärmerisch verehrenden Tochter einer früheren Hausangestellten, lüftet er sein Inkognito. Daß Lips schließlich von seiner Grille geheilt wird, bewirken nicht zuletzt die Aufrichtigkeit und Treue dieses Mädchens, das er als Alleinerbin einsetzt und heiratet, während seine falschen Freunde leer ausgehen. In einer burlesken Gespensterszene – einem der Glanzstücke des Komikergespanns Johann Nestroy – Wenzel Scholz – haben sich zuvor Lips und Gluthammer von ihrer leiblichen Existenz und damit von ihrer Unschuld überzeugt.
Mit dem *Zerrissenen* knüpfte Nestroy an die großen Erfolge seiner vorausgegangenen Stücke *Der Talisman* (1840), *Das Mädl aus der Vorstadt* (1841), *Einen Jux will er sich machen* (1842) und *Liebesgeschichten und Heiratssachen* (1843) an. Das Stück ist beispielhaft für die Art, in der Nestroy die allegorisch umrahmte Besserungsmotivik der Altwiener Volkskomödie ihrer überholten weltanschaulichen Determinanten entkleidet, realistisch auf Zeit- und Gesellschaftsphänomene des Vormärz bezieht und nunmehr als Vehikel seiner satirischen Reflexionen bestehen läßt. W. D.

AUSGABEN: Wien 1845. – Wien 1929 (in *SW*, Hg. O. Rommel u. F. Brukner, 15 Bde., 1924–1930, 12; hist.-krit.). – Wien 1948/49 (in *GW*, Hg. O. Rommel, 6 Bde.; ern. 1962). – Stg. 1959, Hg. O. Rommel (RUB, 3626). – Mchn. 1962 (in *Werke*, Hg. O. M. Fontana).

VERTONUNG: G. v. Einem, *Der Zerrissene* (Urauff.: Hbg. 1965).

LITERATUR: O. Rommel, *J. N. Leben u. Werk* (in *Werke*, Tl. 1, Bln. 1908, S. IX–XCI). – Ders., *J. N. Ein Beitrag zur Geschichte der Wiener Volkskomik* (in *SW*, Bd. 15, Wien 1930, S. 1–805). – O. F. de Battaglia, *J. N.*, Lpzg. 1932; ern. Mchn. 1962. – O. Rommel, *J. N. Der Satiriker auf der Altwiener Komödienbühne* (in *GW*, Bd. 1, Wien 1948, S. 5 bis 193; ern. 1962). – A. Hämmerle, *Komik u. Satire u. Humor bei N.*, Fribourg 1951. – D. Gengnagel, *Zur sprachlichen Gestaltung der Possen J. N.s* (in Wissenschaftl. Zs. der Univ. Jena, 11, 1962, S. 119 bis 130). – L. V. Harding, *The Dramatic Art of F. Raimund u. J. N.*, Diss. Cambridge/Mass. 1963. – O. Basil, *J. N. in Selbstzeugnissen u. Bilddokumenten*, Reinbek 1967 (rm, 132). – S. Brill, *Die Komödie der Sprache. Untersuchungen zum Werk J. N.s*, Nürnberg 1967. – H. Weigel, *J. N.*, Velber 1967.

AUGUST GRAF VON PLATEN
(eig. Platen-Hallermünde, 1796–1835)

SONETTE AUS VENEDIG. Gedichtzyklus von August Graf von PLATEN (eig. Platen-Hallermünde, 1796–1835), erschienen 1825; die endgültige Fassung ist in der Sammlung *Gedichte* (1828) enthalten. – Die Entstehungszeit des schmalen, vierzehn (ursprünglich siebzehn) Sonette umfassenden Zyklus fällt mit Platens erstem Venedigaufenthalt zu-

sammen – einem Zeitraum von zwei Monaten, in dem sich der achtundzwanzigjährige Dichter »*einbezogen fühlte in eine Ordnung äußerer Dinge*«. Für einen glücklichen Augenblick gelingt es dem nordischen »Grillenfänger«, Welt in einem konkreten Sinne – Venedig mit seinen Kanälen, Brücken, Palästen und Kunstwerken – zu gestalten und in vieldeutigen Symbolen zu verdichten.
Eine traumhaft ferne, in paradiesischer Schönheit strahlende »Fata Morgana«, so erschließt sich dem Dichter zunächst die verwirrend aus dem Meer auftauchende Stadt, eine labyrinthisch rätselhafte Einheit von Idee und Wirklichkeit, Vergangenheit und Gegenwart. Es ist die Stadt Palladios, Bellinis, Tizians, Veroneses und Canalettos, deren Schaffen Platens Verse verklären, jenen esoterischen, gleichsam symbolistischen Mythos eines Reiches fast unirdischer, »*wie eine Tulipane*« dem Meer entstiegener Kunst und Schönheit, eine Mythenschöpfung ohne Pathos, getragen von dem stilbildenden Bemühen um Dämpfung und Distanzierung. Die bald auf die Quartette, bald auf die Terzette verteilten Reflexionen spiegeln in gebrochenen Halbtönen jene melancholische Grundstimmung, die neben der sinnlichen Intensität deskriptiver Verse den eigentümlichen Reiz des Zyklus ausmacht. Auf einer desillusionierenden Stilebene wird des Dichters Bewußtsein von der Vergänglichkeit und Unverbindlichkeit seines Idols transparent, die hoffnungslose Sehnsucht nach dem jäh entrückenden Mysterium seiner Kunstreligion: Platens Venedig droht ins »*Land der Träume*« zu entschwinden. Das von Thomas MANN in *Tod in Venedig* bewußt durchgeformte Motiv unerfüllter homoerotischer Liebe im vorletzten Sonett ist symbolisch verflochten mit der schwermütigen Liebe des Dichters zu der geheimnisvollen Stadt, von der das Tagebuch berichtet, ihrer Schönheit sei »*etwas Wundervolles, Geheimes, Schauerliches beigesellt*«, magische Elemente, die ihre Faszination nur noch erhöhen.
Im Venedig-Mythos hat Platen ein fortwirkendes, noch für HOFMANNSTHAL und HAUPTMANN gültiges Symbol geschaffen. In der romantischen Form des Sonetts, die der Dichter lange Zeit ablehnte, fand er endlich eine ihm adäquate lyrische Ausdrucksform, die es ihm ermöglichte, persönliches Bekenntnis und distanzierte Formkunst zu verbinden. A. W. v. SCHLEGELS Definition des Sonetts als »*romantisches Epigramm*«, d. h. als Synthese von gegenständlicher Beschreibung und gedanklicher Vertiefung, erweiterte Platen um eine seinem Gestaltungswillen eigentümliche Nuance: Kennzeichnend für seine Venedig-Sonette ist eine »offene«, im letzten Terzett in einen neuen Gedanken, eine Frage oder eine Vision ausschwingende Struktur, die dem Bauplan des ganzen Zyklus zugrunde liegt. Das Ordnungsgefüge des Gesamtzyklus zeichnet sich in der Versstruktur des Einzelsonetts deutlich ab. Platens *Sonette aus Venedig* behaupten in der deutschen Literaturgeschichte des 19. Jh.s einen einzigartigen Rang – sie übertreffen »*alle Zeitgenossen und auf Jahrzehnte hinaus jeden Gleichstrebenden*« (E. Alker). KLL

AUSGABEN: Erlangen 1825. – Stg./Tübingen 1828 (in *Gedichte*). – Lpzg. o. J. [1910] (in *SW*, Hg. M. Koch u. E. Petzet, 12 Bde., 3; krit.). – Heidelberg 1958 (in *Gedichte*, Hg. u. Ausw. C. Fischer; Nachw. H. Cysarz).

LITERATUR: R. Schlösser, *A. Graf v. P. Ein Bild seines geistigen Entwicklungsganges u. seines dichterischen Schaffens*, 2 Bde., Mchn. 1910–1913. – Th. Schultz, *P.s Venedig-Erlebnis*, Bln. 1940 (Germ. Studien, 227). – Th. Mann, *A. v. P.* (in Th. M., *Adel des Geistes. Sechzehn Versuche zum Problem der Humanität*, Stockholm 1948, S. 490–505; vgl. dazu J. Seyppel, *Adel des Geistes. Th. Mann u. A. v. P.*, in DVLG, 33, 1959, S. 565–573). – E. Rosenfeld, *Il sonetto nella lirica di A. v. P.* (in Letteratura Moderna, 3, 1952, S. 409–417). – E. G. Winkler, *A. v. P.* (in E. G. W., *Dichtungen, Gestalten u. Probleme*, Hg. W. Warnach, Pfullingen 1956, S. 236–262). – E. Bertram, *P.s Gedichte* (in E. B., *Möglichkeiten*, Hg. H. Buchner, Pfullingen 1958, S. 57–66). – J. L. Sammons, *P.'s Tulip Image* (in MDU, 52, 1960, S. 293–301). – M. del Giudice, *Il poeta A. v. P. e l'Italia*, Neapel 1966.

WILHELM RAABE
(1831–1910)

DER HUNGERPASTOR. Roman von Wilhelm RAABE (1831–1910), erschienen 1864. – »*Vom Hunger will ich in diesem schönen Buche handeln, von dem, was er bedeutet, was er will und was er vermag. Wie er ... im einzelnen zerstörend und erhaltend wirkt und wirken wird bis an der Welt Ende.*« Mit diesen Worten umreißt der Autor zu Beginn des *Hungerpastor* das Thema des Romans. An den Lebensläufen zweier junger Menschen demonstriert er die Ambivalenz dieses mächtigen Triebs.
Der Schuhmacherssohn Hans Jakob Unwirrsch und Moses Freudenstein, der Sohn eines Trödlers, zwei Freunde, die in einer Kleinstadt in »*einfachster Ärmlichkeit*« aufwachsen, hungern, schon bevor sie das Gymnasium besuchen, nach Wissen und Bildung. Für Moses hat jedoch die Anhäufung von Wissen, womit er sich »*nur Waffen gegen die Welt schmiedet*«, eine zunehmende Kälte des Gefühls und Verarmung der Phantasie zur Folge. Als ihm sein Vater, Samuel Freudenstein, nach der Reifeprüfung, die Moses als Bester besteht, Einblick in die für ihn gesammelten, aber bisher vor ihm verborgen gehaltenen Reichtümer gibt, erfaßt den Sohn eine »dämonische« Gier nach dem Erbe. Auf den Tod des Vaters braucht er nicht lange zu warten, da diesen, als er ahnt, was in seinem Sohn vorgeht, der Schlag trifft. Nach Abschluß seines Philosophiestudiums läßt sich Freudenstein, vom Ehrgeiz getrieben, als Literat in Paris nieder, tritt – getreu seiner Maxime vom Zweck, der die Mittel heiligt zum Katholizismus über, legt sich den Namen Theophil Stein zu, verkehrt nur mit hochgestellten Personen der Gesellschaft und übernimmt schließlich Spitzeldienste für verschiedene Regierungen.
Dem »*wüsten*« und »*zerstörerischen*« Hunger Moses' steht der »*aufbauende*« Hunger Hans Unwirrschs nach »*Wahrheit, Freiheit und Liebe*« gegenüber. Er studiert Theologie, wird Hauslehrer auf dem Gut des Herrn von Holoch und dann bei einem Fabrikanten, der ihn jedoch wieder entläßt, als Hans für die hungerleidenden, meuternden Arbeiter Partei ergreift. Er findet eine neue Stelle als Erzieher beim Geheimrat Götz in Berlin, wo er dessen Nichte, die verwaiste Franziska, seine spätere Frau, kennenlernt. Durch Intrigen seines Freundes Moses, der ihn spöttisch »Hungerpastor« nennt, verliert er jedoch auch diesen Posten. Schwer enttäuscht von der »*schlüpfrigen, ewig wechselnden Kreatur, die sich einst Moses Freuden-*

stein nannte« und desillusioniert durch den »*Krieg aller gegen alle*«, übernimmt er schließlich, froh, der Großstadt entronnen zu sein, die »Hungerpfarre« in dem kleinen Fischerdorf Grunzenow an der Ostsee.

Vom Antisemitismus, den man ihm vorgeworfen hat, distanziert sich der Dichter in Kapitel 3: »*Damals herrschte noch eine Mißachtung der Juden, die man, so stark ausgeprägt, glücklicherweise heute nicht mehr findet.*« Das Jüdische dient hier nur zur psychologischen Motivierung der rücksichtslosen Anpassung Moses' an seine Umwelt. Dieser Materialist, der sich gesellschaftliche Anerkennung erzwingen will, ist letztlich eine tragische Figur; egoistisch und skrupellos versucht er sich gegen eine Realität zu behaupten, in der, wie Hans Unwirrsch, der Held des Romans, erleben muß, eine Verwirklichung des Idealen nicht möglich ist. Auch für Hans, einst ein weltfremder Träumer und Idealist, ist »*manch heller Schein der Welt verblaßt*«. Am Ende jedoch gelingt es ihm, im Gegensatz zu Moses, der sich von den »*Nichtigkeiten blenden*«, den »*falschen Trugbildern verwirren*« und den »*Irrlichtern verlocken*« ließ, die »*Einheit seines Wesens*« zu bewahren und in der Liebe zu seiner Frau Franziska und der »*rechten, tüchtigen Arbeit*« die Erfüllung des »*echten, wahren Hungers*« zu finden. Dieser Friede bedeutet jedoch zugleich Rückzug in die Idylle und damit Verzicht auf Realitätsbewältigung: »*... die verengte Zufluchtsstätte wird zum Bergungsraum des Innerlichen*« (F. Martini).

Trotz einer allzu vereinfachenden Schwarzweißmalerei und der konventionellen Form des Bildungsromans, die um so mehr überraschen, als Raabe bereits acht Jahre früher mit seinem Erstlingswerk, der *Chronik der Sperlingsgasse* (1857), ganz neue Wege des Erzählens eingeschlagen hatte, ist *Der Hungerpastor*, den man irrtümlicherweise häufig mit den Romanen *Abu Telfan* (1868) und *Schüdderump* (1870) zu einer Trilogie zusammenfaßt, Raabes populärstes Buch geworden. Er selber wollte mit dem später noch wiederholt umgearbeiteten Werk »*nicht nur ein deutsches Volksbuch, sondern das deutsche Volksbuch*« schlechthin schaffen. KLL

Ausgaben: Bln. 1864. – Freiburg i. B./Braunschweig 1953 (in *SW*, Hg. K. Hoppe, 1951 ff., 6). – Gütersloh 1962 (in *GW*, Hg. H. J. Meinerts, 3 Bde., 1). – Köln 1965.

Literatur: K. Ziegner, *Die psychologische Darstellung u. Entwicklung der Hauptcharaktere von R.s »Hungerpastor«*, Diss. Greifswald 1913. – G. Mühlbacher, *Die Komposition der Romantrilogie W. R.s*, Diss. Graz 1921. – W. Silz, *Pessimism in R.'s Stuttgart Trilogy* (in PMLA, 39, 1924, S. 687–704). – H. Heimbach, *Bilden »Hungerpastor«, »Abu Telfan« u. »Schüdderump« eine Trilogie?* (in Mitt. f. die Ges. der Freunde W. R.s, 18, 1928, S. 25–35). – W. Fehse, *W. R. Sein Leben u. seine Werke*, Braunschweig 1937, S. 208–223. – L. Baer, *R.'s and Wiechert's Novel Trilogies* (in MDU, 46, 1954, S. 11–24). – H. Pongs, *W. R. Leben u. Werk*, Heidelberg 1958. – W. Bürgen, *Strukturen im Erzählwerk R.s*, Diss. Tübingen 1959. – B. Fairley, *W. R. An Introduction to His Novels*, Oxford 1961 (dt.: *W. R. Eine Deutung seiner Romane*, Mchn. 1961, S. 153–182).

DAS ODFELD. Erzählung von Wilhelm Raabe (1831–1910), erschienen 1888. – Seitdem Raabe nicht mehr nur einer kleinen Gemeinde als der Autor der »Lebenshilfe« gilt und sein Spätwerk durch die Forschung aufgewertet wurde, zählt *Das Odfeld* zu den wichtigsten Erzählungen nicht nur des Autors, sondern auch seiner Zeit, deren Tendenzen dieses Werk jedoch »*genau entgegengesetzt ist*« (W. Killy). Ganz bewußt schrieb Raabe die fast zum Roman ausgeweitete historische Erzählung gegen »*den heutigen Kammerjungfer- und Ladenschwengel-Geschmack unserer Nation*« (an O. Elster am 2. 10. 1888) und schätzte sie auch höher als seine viel gelesenen eigenen Frühwerke – »*den abgestandenen Jugendquark*« (an K. Schönhardt am 30. 12. 1902).

Die in der Landschaft des Odfelds (bei Holzminden an der Weser) spielende Handlung hat den Siebenjährigen Krieg zum Hintergrund. Zentralgestalt des streng gebauten Werks, dessen lässiger Erzählton reizvoll mit dem dichten Gefüge der Leitworte und den metaphorischen Verklammerungen kontrastiert, ist der Magister Noah Buchius, ein scheinbar nutzloser und lebensuntauglicher Außenseiter, lange Zeit Angehöriger eines berühmten Gymnasiums, das am Rand des Odfelds, im Kloster Amelungsborn, angesiedelt war. Der Erzähler schildert vierundzwanzig Stunden aus dem Leben des Schulmeisters, der nach der Verlegung des Gymnasiums in die Stadt (Holzminden) seine Tage in dem ehemaligen Kloster hinbringt, zusammen mit dem Klosteramtmann und dessen Familie. Die bewußte Passivität, der »pädagogische Stoizismus«, womit der Magister sowohl die Ordnung des Klosteramtmanns wie das Chaos des Kriegs erträgt, bilden zugleich die Voraussetzung für die menschliche Positivität dieses Vorläufers der »negativen« Helden, für den durch ihn vermittelten humoristisch relativierten »*Trost*«.

Am Abend des 4. Novembers 1761 beobachtet der Magister den Kampf zwischen zwei Rabenschwärmen als »*Portentum*« und »*fast als ein Praesagium*« der Schlacht zwischen den französischen und den englisch-preußischen Heeren am folgenden Tage, die weithin aus der Sicht des Buchius geschildert wird. Er interpretiert die vom Erzähler beschriebenen Ereignisse und hat so in gewisser Weise teil an dessen überlegenem Bewußtsein. Innerhalb des Geschehens wird der Magister in mehrfacher Weise zum Bezugspunkt. In der Nacht zwischen den beiden Kämpfen suchen zwei junge Männer bei dem alten Schulmann Rat und Unterschlupf: der Knecht Schelze und der ehemalige Schüler Thedel von Münchhausen, der die aktive Gegenfigur zum Magister bildet. Mit ihnen und ihren Mädchen (Wieschen und Selinde) erlebt Buchius den folgenden Tag. Nach einem rüden Ansturm französischer Marodeure flieht die kleine Schar Hals über Kopf aus dem Kloster und sammelt sich auf dem nebligen Odfeld hilfesuchend um Buchius. Der Magister führt sie in eine versteckte unterirdische Höhle, wo sie scheinbar geschützt sind, schließlich aber doch von schottischen Soldaten aufgestöbert und mißhandelt werden. Ein Zufall rettet die fünf: Eben reitet der von allen geliebte preußische Feldherr, der Herzog Ferdinand von Braunschweig vorbei, bekümmert um die Schlacht, die statt des Sieges wieder nur viele Opfer und verbrannte Dörfer einbringt. Trotz seiner Sorgen hört er sich die Bitten der Hilfesuchenden an und erfährt selbst zum ersten Mal an diesem Tag, erstaunt und getröstet, ein Wort der Menschlichkeit und Brüderlichkeit, an ihn gerichtet von Magister Buchius. Der übermütige Thedel von Münchhausen stellt sich sofort tatendurstig in den Dienst Ferdinands, um – ortskundig wie er ist – den Feind auf Seitenwegen in die Flanke zu treffen und so doch noch einen Sieg herbeizuführen. Aber als Buchius und seine Schützlinge nach mühseliger Wanderung am Abend sich zum Kloster hinschleppen, finden sie Thedel von Münchhausen tot zwischen den Raben vom Vortag und den gefallenen Soldaten. Hatte der Klosteramtmann noch am Morgen dem Magister bzw. einem von ihm in seiner Zelle gepflegten Raben die Schuld am Überfall der französischen Marodeure gegeben, so begrüßen er und seine Frau jetzt den Heimkehrenden als ersten und »*wirklichen Trost*«, als »*einen Menschen, ... der einem ein vernünftig Wort sagen und an den man sich halten kann!*«.

Raabe gibt das eigentliche Geschehen der Erzählung weithin in Dialogen wieder, in die – wie der Erzähler anmerkt – der »*ganze große Krieg ... mit hinein*« redet. Eine objektive Instanz, die über die subjektiven Reaktionen der Figuren hinaus die Ereignisse kommentiert, wird bewußt ausgespart. Obwohl die realen Einzelheiten kartographisch genau und quellengetreu angegeben sind, besitzen sie nur eine funktionale Bedeutung. Der Erzähler durchbricht die Realistik der Schilderung immer wieder durch beiläufig eingefügte Zitate, Vergleiche und Verweisungen, wie z. B. bei der Schilderung des »*kalten, nassen, magenleeren, frostigen, bellonaumdonnerten Novembermorgens*«. Das Schlachtenpanorama des 5. November 1761, vor dem des Magisters Weg unter die Erde und sein Treffen mit dem Feldherrn abläuft, weitet sich durch derartige Anspielungen und zusätzlich durch eine besondere Ausprägung der für Raabe typischen Zeitstrukturierung zu einem umfassenden Geschichtspanorama aus. In einem die moderne Montage vorwegnehmenden Verfahren zitiert der Autor Quellen und poetische Zeugnisse und flicht Redensarten in die Erzähler- und die zum Teil dialektgefärbten Dialogpassagen ein. Er erwähnt frühere geschichtliche Ereignisse, die den Schauplatz, die »*Walstätte weltgeschichtlicher Katzbalgereien*«, zum exemplarischen historischen Raum machen und den Situationen einen weiten Horizont geben: So bietet die Beschreibung des Klosters Anlaß zur Erwähnung des Ordensgründers, an dessen Nennung sich wiederum ein ausgedehntes Zitat aus dem Goethe-Schiller-Briefwechsel über Bernhard von Clairvaux anschließt. Von der Angabe von Buchius' Herkunft leitet ein aus dem *Alten Testament* übernommenes Geschlechtsregister über zum Vornamen Noah und zum Motiv des »*Trostes*« für die »*gejagte Kreatur*«. Selbst in die Zukunft öffnet sich der Geschehnisraum, wenn die Ausrüstungen der Gefallenen »*dermaleinst des Ausgrabens und Aufbewahrens in Provinzialmuseen*« für wert erachtet werden.

Die Erzählung ist von einem resignierenden Individualismus geprägt, der sich humoristisch relativiert, zugleich aber auch in den Verweisen auf die Verlorenheit des einzelnen in Mythos und Historie den passiven Sonderling zu einer exemplarischen Figur werden läßt. Intendiert ist damit zugleich eine Kritik am Geschichtsoptimismus der Gründerzeit: Als artistisch erzählender *poeta doctus*, der seine eigene Gelehrsamkeit in der Darstellung des hilflosen Gelehrten belächelt, nimmt Raabe Stellung gegen die Bildungs- und Wissenschaftsgläubigkeit sowie die Dichtungserwartung seiner Zeit. U. Di.

AUSGABEN: Bln. 1888 (in Nationalzeitung). – Lpzg. 1889. – Bln. 1916 (in *SW*, 18 Bde., 1913–1916, 3. Ser., 4). – Ffm./Hbg. 1962 (Nachw. W. Killy; EC, 45). – Mchn. 1963 (in *Werke*, Hg. K. Hoppe, 4 Bde., 1961–1963, 4). – Gütersloh 1965 (in *GW*, Hg. H. J. Meinerts, 3 Bde., 2). – Göttingen 1966 (in *SW*, Hg. K. Hoppe u. H. Oppermann, 1951ff., Bd. 17).

LITERATUR: W. Fehse, *W. R. Sein Leben u. seine Werke*, Braunschweig 1937, S. 502–512. – E.-A. Roloff, *Ein Briefwechsel um R.s »Odfeld«* (in W. Raabe-Kalender, 2, 1948, S. 93–97). – C. Sauermilch, *Auf den Spuren des Magisters Buchius* (in Raabe-Jb., 1949, S. 25–29). – E. Tacke, »*Quodhagen*« *oder* »*Katthagen*«. *Betrachtungen eines Geographen u. Namenskundlers zu R.s »Odfeld«* (in Mitt. d. Raabe-Ges., 37, 1950, S. 8–11). – H. Meyer, *Raum u. Zeit in W. R.s Erzählkunst* (in DVLG, 27, 1953, S. 236–267). – H. Lamprecht, *Studien zur epischen Zeitgestaltung in W. R.s Roman »Das Odfeld«*, Diss. Ffm. 1958. – B. Fairley, *W. R. Eine Deutung seiner Romane*, Mchn. 1961, S. 101–119. – W. Killy, *R. »Das Odfeld«* (in *Der deutsche Roman vom Barock bis zur Gegenwart. Struktur u. Geschichte. Interpretationen*, Hg. B. v. Wiese, Düsseldorf 1963, Bd. 2, S. 128–145). – Ders., *Geschichte gegen die Geschichte. R., »Das Odfeld«* (in W. K., *Wirklichkeit u. Kunstcharakter*, Mchn. 1963, S. 146 bis 165). – W. Preisendanz, *Der spekulative Humor in W. R.s Erzählkunst* (in W. P., *Humor als dichterische Einbildungskraft. Studien zur Erzählkunst des poetischen Realismus*, Mchn. 1963, S. 241–270; 339–341). – E. Weniger, *Die Quellen zu W. R.s »Odfeld«* (in Jb. d. Raabe-Ges., 1966, S. 96–124). – *R. in neuer Sicht*, Hg. H. Helmers, Stg. 1968 (Sprache u. Lit., 48).

DER SCHÜDDERUMP. Roman von Wilhelm RAABE (1831–1910), erschienen 1869/70. – Das Werk, entstanden in Raabes Stuttgarter Zeit (1862–1870), ist eines der bedeutendsten seiner mittleren Schaffensphase. Die Schlußbemerkung des Erzählers und spätere Äußerungen Raabes haben seinen Freund Wilhelm JENSEN veranlaßt, den Roman mit den beiden früher entstandenen Werken *Der Hungerpastor* (1862/63) und *Abu Telfan oder Die Heimkehr vom Mondgebirge* (1865/67) unter der Bezeichnung »Stuttgarter Trilogie« eng zu verknüpfen. Zu einer Trilogie schließen sich die drei Romane jedoch nicht zusammen; lediglich die Bildungs- und Gesellschaftskritik ist ihnen allen gemeinsam. Gleichzeitig wird – zumindest in *Abu Telfan* und im *Schüdderump* – die Geltung herkömmlicher Motive des deutschen Bildungsromans in Frage gestellt.

Nach einem Motto von Gottfried August BÜRGER, das den *Schüdderump* von dem typischen Bildungsromanklischee, dem »*heiteren Glück am Schluß*«, abhebt, eröffnet der Erzähler den Roman mit einem Reiseerlebnis. Es kündigt programmatisch den düsteren, resignativen Grundton des Werks an. In einem norddeutschen Städtchen erblickt der Erzähler einen Pestkarren – seine Bezeichnung kehrt als Titel des Romans wieder (niederdeutsch »schüdderump« bedeutet »schütt' herunter«, womit die vom Pestkarren ehemals in das Massengrab beförderten Toten gemeint sind). Der Pestkarren kommt im Roman selbst nicht vor, wird aber vom Erzähler, der ihn als Sinnbild menschlichen Daseins versteht, mehrfach assoziativ zur Deutung des Erzählten zitiert. In der Erfindung und souveränen Verwendung eines so ungewöhnlich ins Allegorische hinüberspielenden Zeichens, das mit dem herkömmlichen Symbolbegriff nicht angemessen zu erfassen ist, kündigt sich Raabes Modernität an, die sich im Alterswerk zusehends entfaltet.

Die ersten 24 Kapitel des Romans spielen in dem am Harz gelegenen Dorf Krodebeck und auf dem benachbarten Lauenhof. Hier wächst Hennig von Lauen, der gutmütige, mittelmäßig begabte Sohn der Gutsherrin Adelheid von Lauen, unter dem Einfluß eines gegensätzlichen Erzieherpaares auf: des Ritters Karl Eustachius von Glaubigern, der trotz altertümlichem Gehaben durch ständige Selbsterziehung sich für die Wandlungen der Zeit offengehalten hat, und seiner Gegenspielerin, des Fräuleins Adelaide Klotilde von Saint Trouin, die noch ganz der feudalen Rokokowelt des vergangenen Jahrhunderts verhaftet ist. Die karge Handlung setzt mit einem Ereignis im Siechenhaus des Dorfes ein. Marie, die uneheliche Tochter des aus dem Dorf verstoßenen Barbiers Dietrich Häußler, wird mit ihrem kleinen Töchterchen Antonie in ihre Heimat zurückgebracht und findet unter dem Murren der Dorfbewohner im Siechenhaus Unterschlupf. Außer den beiden Fremden lebt in diesem Haus nur noch die greise Hanne Allmann. Marie stirbt wenig später, die alte Hanne nimmt sich des verwaisten Mädchens an, unterstützt von ihrer Freundin, der lebenserfahrenen Jane Warwolf. Hennig, dem es gelingt, sich der pädagogischen Zwangsjacke des standesbewußten Fräuleins Adelaide zu entledigen, schließt Freundschaft mit Antonie. Als nach dem Tod von Hanne Allmann Antonie im Lauenhof eine neue Heimat findet, glückt ihr, was Hennig nicht beschieden ist: Sie bildet unter dem Einfluß des seltsamen Erzieherpaars ihre Vorzüge aus und scheint sich überdies durch Schönheit und Anmut die Sympathie der Umwelt zu erwerben. In Gestalt des Großvaters Dietrich Häußler, der in Wien durch skrupellose Spekulationen zum Edlen von Haußenleib avanciert ist, bricht dann das Verhängnis in die allzu selbstverständlich hingenommene Idylle ein. Seinem von kaltem Profitdenken diktierten Wunsch, die schöne Enkelin mit sich zu nehmen, vermag sich niemand zu widersetzen. – Jahre später spielen die letzten zwölf Kapitel des Romans. Anläßlich einer Italienreise sucht Hennig in Wien seine Jugendfreundin auf. Antonie, obwohl schwindsüchtig, ist dem Grafen Basilides Conexionsky, einem Geschäftsfreund des Großvaters Häußler, versprochen. Hennig, auf das Elend des Mädchens aufmerksam geworden, bietet Antonie, die ihn liebt, die Ehe an. Antonie wehrt ab. Sie wird gewahr, daß nicht Liebe, sondern Mitleid den Freund rührt. Der alte Ritter bricht auf, um sie heimzuholen: Aber es ist zu spät, er kann nur noch ihren Tod lindern und wird darauf schwachsinnig.

Schon durch seine bloße Existenz bestimmt Häußler, der »*eigentliche Held und Triumphator*«, weitgehend die Geschicke der Hauptfiguren mit, noch bevor er endlich im letzten Drittel des Romans persönlich erscheint. Indem der Leser ihn meist als abwesend und fast immer nur von außen, d. h. ohne seine Verhaltensmotivationen sieht, steigert sich der Eindruck seiner Unberechenbarkeit, seiner schwer kontrollierbaren Verfügungsgewalt über die Menschen. Deren Zusammenleben stellt der Roman als tief gestört dar: Der »Schüdderump« ist ein Zeichen von Leiden, Ausgesetztheit und Tod des Individuums und der Unmöglichkeit, andere zu verstehen oder ihnen zu helfen. Den Sinn des Romans gewährleistet allein der Erzähler, indem er der Ebene des als real Erzählten eine zeichenhafte Ebene durch seine Kommentare überlagert. So erscheint der an sich nur bösartige Häußler als unbewußter Träger eines außerzeitlich Bösen, wobei die Figur als solche real bleibt und nicht in eine allegorische Personifikation übergeht. Der Erzähler bezieht die erzählte Wirklichkeit als historisch bedingte Erscheinungsform auf ein »unwandelbares« Gesetz. »*Das ist das Schrecknis in der Welt, schlimmer als der Tod, daß die Canaille Herr ist und Herr bleibt.*« Die Vorhersagen des Erzählers, die sich im letzten Romandrittel häufen, akzentuieren diesen resignativen Grundton. Was als historische Realität sich im Roman am unmittelbarsten greifen läßt, die Erfahrung wirtschaftsgeschichtlichen Wandels um die Jahrhundertmitte, soll dieser Resignation den Schein zeitloser Aktualität verleihen. Sowohl die alte bäuerlich-feudale Enge Krodebecks wie das neue sozio-ökonomische System in Wien ist dem Menschlichen entgegengesetzt und ihm faktisch überlegen. So verbündet sich etwa die christliche Pastorenfamilie des Dorfs in dem Augenblick mit dem früher verachteten Häußler gegen Tonie, da Häußler als Kapitalist auftritt.

Über der ethisch-existentiellen Ebene des Romans, auf der sich das Scheitern der Ausnahme und sozialen Randexistenz (Tonie) vollzieht, lagert noch eine ästhetische. Denn wenn es auch nicht um den Bildungsweg eines Individuums geht, so erzählt Raabe doch am Beispiel Tonies einen Roman von der Genese der Schönheit, ihrer Existenzmöglichkeit, ihrer Fremdheit und Unverstandenheit in der Welt. Die gutbürgerliche Durchschnittlichkeit eines Hennig begreift das Besondere dieser Schönheit gegenüber dem falschen Schein der Gesellschaft nicht. Wenn Tonie sich dem Ende nähert und dieses Ende in den Metaphern von Herbst und Sonnenuntergang, beliebten Motiven in der Lyrik des 19. Jh.s, gespiegelt wird, dann kontrastiert die Schönheit des Lyrischen mit der Prosa des historischen Moments, d. h. mit einer Sprache, die nur noch Mittel der Lüge im Kampf ums Dasein ist (Häußler). Das Schöne entsteht weder organisch inmitten der Gesellschaft, noch überdauert es sie. Vielmehr ist es dem geschichtlichen Wandel unterworfen (die anachronistische Formenwelt des Fräuleins) und ein Produkt bewußten Willens (die Erziehung Tonies am Rande der Gesellschaft). Seine Hinfälligkeit erweist sich darin, daß vorwiegend die selbst hilflosen Alten es genießen: Wie die Schönheit, die untergeht, wo sie Zwecken dienen soll, sind auch sie nicht mehr funktional für eine Rolle verwendbar.

Die Bemerkung des Erzählers, daß sein Roman nicht vom normalen Leser rezipiert werde, weist darauf hin, daß hier die Literatur sich in ihren Möglichkeiten und Publikumsbezügen selbst reflektiert, daß der Roman, was sich bis in Einzelheiten verfolgen läßt, hier den Wandel von Struktur und Stellung der Literatur seit der Goethezeit bis in den Realismus hinein beschreibt. M. T.

Ausgaben: Braunschweig 1869/70 (in Westermanns Monatshefte, N. F. 11). – Braunschweig 1870, 3 Bde. – Freiburg i. B./Braunschweig 1952 (in *SW*, Hg. K. Hoppe, 20 Bde., 1951 ff., 8). – Mchn. 1962 (in *Werke*, Hg. ders., 4 Bde., 1961–1963, 2). – Gütersloh 1965 (in *GW*, Hg. H. J. Meinerts, 3 Bde., 1).

Literatur: H. Stegmann, »*Abu Telfan*« *u.* »*Schüdderump*« (in Mitt. f. d. Gesellsch. der Freunde W. R.s, 21, 1931, S. 14–21). – W. Fehse, *W. R. Sein Leben u. seine Werke*, Braunschweig 1937, S. 315–345. – K. Bergt, *Vom Wurzener »Schüdderump«-Pestkarren* (in Raabe-Jb., 1949, S. 58–66). – F. Neumann, *W. R.s »Schüdderump«* (in ZfdPh, 71, 1953, S. 291 bis 329). – L. Baer, *R.'s and Wiechert's Novel Trilogies* (in MDU, 46, 1954, S. 11–24). – B. Fairley, *W. R. Eine Deutung seiner Romane*, Mchn. 1961, S. 153–182. – Th. C. van Stockum, *W. R.s »Schüdderump«. Komposition u. Gehalt* (in Th. C. van S., *Von F. Nicolai bis Th. Mann. Aufsätze zur deutschen u. vergleichenden Literaturgeschichte*, Groningen 1962, S. 215–234). – J. Klein, *R.s »Schüdderump« in seiner u. unserer Zeit* (in Jb. der Raabe-Gesellsch., 1965, S. 65–82; vgl. ders., ebd., 1968, S. 7–22). – K. Hoppe, *W. R. Beiträge zum Verständnis seiner Person u. seines Werkes*, Göttingen 1967. – H. Ohl, *Bild u. Wirklichkeit. Studien zur Romankunst R.s u. Fontanes*, Heidelberg 1968.

DIE SCHWARZE GALEERE. Historische Novelle von Wilhelm RAABE (1831–1910), erschienen 1861. – Raabes Erzählung greift aus der Geschichte des Befreiungskampfes der Niederländer eine Episode heraus, die Carl CURTH in seiner historischen Darstellung *Der niederländische Revolutionskrieg* (1823) überliefert hat: den bravourösen Handstreich der »Schwarzen Galeere« im Hafen von Antwerpen (1599), der die Erzählung als heroisches Finale beschließt. Diese »Schwarze Galeere«, ein Kaperschiff der niederländischen Freiheitskämpfer, der »Wassergeusen«, greift bei Nacht und Nebel in blitzartigen Überfällen spanische Schiffe an, vernichtet sie und verschwindet wie ein Geisterschiff wieder in den Weiten des Meeres. Mit der Liebesgeschichte zwischen Jan und Myga vertieft Raabe das historische Geschehen um die Dimension konkreter Menschlichkeit, ohne je ins vordergründig Private abzugleiten.

Heimlich schleicht der verfemte Geuse Jan Norris, Steuermann der »Schwarzen Galeere«, in das von den Spaniern besetzte Antwerpen, um seine Braut Myga van Bergen im Schutze der Nacht zu besuchen. Auch Antonio Valani, der genuesische Kapitän der »Andrea Doria«, begehrt sie. Ein Entführungsversuch des eher schwerfälligen als heißblütigen Italieners mit Hilfe seines Freundes Leone della Rota führt zur Entdeckung des Geusen, der seinen Rivalen tödlich verwundet. Nach hartnäkkigem Widerstand werden Jan und Myga schließlich überwältigt und auf die »Andrea Doria« gebracht, von der sich aber der zum Tode verurteilte Jan mit einem verzweifelten Sprung ins Wasser rettet. Während der Kapitän stirbt, hofft der hinterhältige Leone, mit dem Schiffskommando auch die schöne Niederländerin übernehmen zu können. Doch auch sein Ende ist besiegelt – Rettung für die von dem gewalttätigen Italiener bedrängte Myga naht in Gestalt der »Schwarzen Galeere«, die Jan Norris lautlos durch die Nacht in den Hafen steuert. Mit dem erbeuteten Schiff und der befreiten Braut segelt das Geusengeschwader an den Kanonen der spanischen Wachforts vorbei aufs offene Meer hinaus, der Freiheit entgegen, die das Lied der Geusen vielstimmig besingt: »*Wilhelms von Nassauen bin ich von deutschem Blut. Dem Vaterland getreue bleib' ich bis in den Tod.*«

Raabe stilisiert die »Schwarze Galeere«, die gleichsam leitmotivisch an dramatischen Höhepunkten der Handlung auftaucht, zum Sinnbild des niederländischen Befreiungskampfes. Das Motiv der befreiten Braut korrespondiert mit dem Motiv des befreiten Vaterlands, das seine ebenfalls leitmotivische Formel im Schlachtruf der Geusen: »*Lieber Türk als Pfaff!*«, findet. Dennoch verteilt Raabe seine Sympathien mit gerechtem Sinn für die historische Realität – Spanier wie Niederländer beherrscht der gleiche ritterliche Kampfgeist, die gleiche noble Gestik. Der Verzicht auf individuelle Charakteristik und psychologische Vertiefung der Figuren ist strukturierend in diesem typisierenden Historiengemälde. Nur im Ansatz freilich deutet sich in eingeschobenen Wendungen an den Leser (»*Werfen wir einen Blick zurück in die vergangenen Tage!*«; »*wie wir bereits aus Jan Norris' Erzählung wissen*«; usf.) eine Erzählhaltung an, die das historische Panorama nicht unbesehen Revue passieren läßt, sondern es ins Licht kritischer Reflexion rückt. Raabes bekannteste, doch nicht bedeutendste Erzählung ist bestimmt durch starke rhythmische Bewegung, grelle Szenenwechsel und dramatische Steigerung und gehört zum balladesken Novellentypus, einer straff organisierten Form mit lyrisch-dramatischen Elementen. Der Dichter selbst ordnete sie in die Kategorie der »Kinderbücher« ein, mit der er alle seine Bücher bis zum *Hungerpastor* (1864) zu bezeichnen pflegte. M. Ke.

AUSGABEN: Braunschweig 1861 (in Westermanns Jb. der illustrirten dt. Monatshefte, 9, H. 53). – Bln. 1865 (in *Ferne Stimmen. Erzählungen*). – Stg. 1962 (Nachw. W. Haussmann; RUB, 8484; ern. 1968). – Gütersloh 1962 (in *GW*, Hg. H. J. Meinerts, 3 Bde., 3). – Freiburg i. B./Braunschweig 1969 (in *SW*, Hg. K. Hoppe, 1951ff., Bd. 3; Bearb. ders. u. H. Oppermann).

LITERATUR: C. A. Williams, *Die Quellen der »Schwarzen Galeere«* (in Mitt. für die Ges. der Freunde W. Raabes, 3, 1913, S. 138/139). – W. Fehse, *Eine R.-Quelle* (ebd., 4, 1914, S. 95–99). – F. Martini, *W. R.s Geschichtsdichtung* (in Zs. für Deutschkunde, 49, 1935, S. 16–28). – W. Fehse, *»Der heilige Born«. »Ein Geheimnis«. »Die schwarze Galeere«* (in W. F., *W. R. Sein Leben u. seine Werke*, Braunschweig 1937, S. 150–158). – A. Ehrentreich, *Der Aufbau in R.s »Schwarzer Galeere«* (in Zs. für dt. Bildung, 14, 1938, S. 392–394). – H. Plischke, *Graf von Lumey in W. R.s Erzählung »Die schwarze Galeere«* (in Mitt. der Raabe-Ges., 36, 1949, S. 85/86). – A. Eßer, *Zeitgestaltung u. Struktur in den historischen Novellen W. R.s*, Diss. Bonn 1953. – H. Pongs, *W. R. Leben u. Werk* Heidelberg 1958. – W. Büsgen, *Strukturen im Erzählwerk R.s*, Diss. Tübingen 1959. – H. Helmers, *Die Figur des Erzählers bei R.* (in Jb. der Raabe-Ges., 1965, S. 9–33; ern. in H. H., *R. in neuer Sicht*, Stg. 1968, S. 317 bis 337). – Ders. *W. R.*, Stg. 1968 (Slg. Metzler, 38).

STOPFKUCHEN. Eine See- und Mordgeschichte. Roman von Wilhelm RAABE (1831–1910), erschienen 1891. – Mit der »Wiederentdeckung« dieses Romans durch Romano GUARDINI wurde eine Revision des Raabe-Bildes eingeleitet, die zu einer entschiedenen Bevorzugung der erzählerischen Artistik im Spätwerk des Dichters vor der sentimentalen Erbaulichkeit seiner Jugendromane führte. In der Tat gibt die Modernität einer mehrschichtigen Erzählstruktur dem *Stopfkuchen* seinen primären Reiz: Der Südafrika-Deutsche Eduard schreibt während einer Schiffsreise die Erlebnisse bei seinem Heimaturlaub nieder und erzählt besonders ausführlich von der Begegnung mit dem Jugendfreund

Heinrich Schaumann, und zwar so, daß im weitaus überwiegenden Teil des Romans dieser – seit seiner Kindheit wegen seiner angeblich unmäßigen Dummheit, Faulheit und Gefräßigheit »Stopfkuchen« genannt – selbst das Wort nimmt, plaudert, räsoniert, erzählt und unter vielfachen humoristisch-sarkastischen Abschweifungen zielsicher die endgültige Aufklärung einer alten Mordtat betreibt. Der Erzähler-Polarität zwischen Eduard und »Stopfkuchen« entspricht eine auch an Konstellationen symbolischer Gegenstände und Situationen ablesbare Polarität der Charaktere, ja Welthaltungen: Der aktive, welterfahrene Reisende blieb noch in Afrika befangen in den Wertsystemen provinzieller Bürgerlichkeit, während der schwerfällige scheinbare Versager, indem er auf dem ihm von jeher bestimmten Platz verharrte, sich von allen Konventionen emanzipiert und ein humanes Glück aus der Substanz »bewältigter Vergangenheit« erschlossen hat. Die »Mordgeschichte«, die von Heinrich Schaumann enthüllt wird, soll keinen Mörder mehr überführen – der Täter, der beiden Freunden gut bekannte Briefträger Störzer, ist soeben gestorben –, aber der durchgeführte Erkenntnisprozeß kann das eindimensionale, haltlose und darum latent auch aggressive Wesen des typischen Deutschen um 1890 – für ihn ist Eduard repräsentativ – in seiner erfolgstüchtigen Sicherheit erschüttern. Denn in der Vorgeschichte erscheint der arme Störzer (seine Abenteuerphantasien haben Eduard bleibend geprägt), der in rastloser Diensterfüllung mehrfach den Erdumfang abgelaufen ist, ohne je aus seinem Amtsbezirk zu kommen, als das *alter ego* des brutalen Emporkömmlings Kienbaum, den er im Affekt erschlug. Durch seine Tat hat Störzer sich indes selbst nicht befreien können, hat er Unschuldige unglücklich gemacht und damit eine verdeckte Geschichte des Bösen fortgesetzt, die nur durch den stillen, aber beharrlichen und rückhaltlosen Einsatz des schwachfüßigen »Stopfkuchen« beendet wird.

Der Roman hat für Raabe Bekenntnischarakter und verfolgt zugleich didaktische Ziele: Die Rede Heinrich Schaumanns an seinen Freund ist auch für die Öffentlichkeit bestimmt, und hinter dem komplexen Kunstcharakter der Romangestalt verbergen sich eine Rechtfertigung und ein Appell des Autors. Durch alle skeptischen Brechungen und durch die artistische Kombinatorik vielfältiger Assoziationen schimmert das Ideal eines idyllischen Glückszustands auf dem Boden weltabgewandter Innerlichkeit hindurch – ein Ethos, das schon der junge Raabe, wenn auch mit schwächeren Kunstmitteln verkündet hatte. E. Ri.

AUSGABEN: Bln. 1891 (in Deutsche Roman-Zeitung. 28, Nr. 1–6). – Bln. 1891. – Zürich 1948 [Nachw. R. Guardini]. – Hbg. 1954 (rororo, 100). – Mchn. 1962 (in *Späte Romane*). – Göttingen 1963 (in *SW*, Hg. K. Hoppe u. H. Oppermann, 1951 ff.; Bd.18). – Gütersloh 1965 (in *GW*, Hg. H. J. Meinerts, 3 Bde., 2).

LITERATUR: H. Ahrbeck, *W. R.s »Stopfkuchen«. Studien zu Gehalt u. Form von R.s Erzählungen*, Diss. Göttingen 1926. – W. Fehse, *»Stopfkuchen«* (in Mitt. f. d. Gesellsch. der Freunde W. R.s, 17, 1927, S. 105–129). – K. Hoppe, *Die weltanschaulichen Grundzüge in R.s »Stopfkuchen«* (ebd., 41, 1954, S. 77–89; auch in K. H., *W. R. Beiträge zum Verständnis seiner Person u. seines Werkes*, Göttingen 1967, S. 209–221). – W. Overdick, *Simultaneität u. Ambivalenz in W. R.s »Stopfkuchen« u. »Altershausen«*, Diss. Tübingen 1957. – H. Graumann, *Schlüssel zum Verständnis von R.s »Stopfkuchen«* (in Mitt. f. d. Gesellsch. der Freunde W. R.s, 46, 1959, S. 49–57). – B. Fairley, *W. R. Eine Deutung seiner Romane*, Mchn. 1961, S. 3–20. – R. Guardini, *Über R.s »Stopfkuchen«* (in R. G., *Sprache, Dichtung, Deutung*, Würzburg 1962, S. 91–140). – K. Höse, *Juristische Bemerkungen zu R.s »Stopfkuchen«* (in Jb. der Raabe-Gesellsch., 1962, S. 136 bis 146). – H. Ohl, *Eduards Heimkehr oder Le Vaillant u. das Riesenfaultier. Zu W. R.s »Stopfkuchen«* (in Jb. der dt. Schiller-Gesellsch., 8, 1964, S. 247–279; auch in *R. in neuer Sicht*, Hg. H. Helmers, Stg. 1968). – H. Helmers, *W. R.*, Stg. 1968. – C. David, *Über W. R.s »Stopfkuchen«* (in *Lebendige Form. Interpretationen zur deutschen Literatur. Fs. f. H. Henel*, Mchn. 1970, S. 259–275. – P. Detroy, *Der Humor als Gestaltungsprinzip in R.s »Stopfkuchen«*, Bonn 1970.

FERDINAND RAIMUND
(d. i. F. Jacob Raimann, 1790–1836)

DER ALPENKÖNIG UND DER MENSCHENFEIND. Romantisch-komisches Märchen in drei Aufzügen von Ferdinand RAIMUND (d.i. Ferdinand Jacob Raimann, 1790–1836), Uraufführung: Wien, 17. 10. 1828, Theater in der Leopoldstadt; erschienen 1828. – Die Hauptfigur ist ein unzufriedener, mißtrauischer Misanthrop, ein Schloßherr mit dem vielsagenden Namen »Rappelkopf«, der sich und seiner Umwelt durch seinen krankhaften Argwohn, ja Verfolgungswahn das Leben zur Hölle macht. Überall vermutet er Komplotte und Anschläge auf sein Leben: selbst ein gewöhnliches Küchenmesser hält er für eine Mordwaffe, seinen harmlosen Diener für seinen zukünftigen Mörder. Immer mehr verleiden ihm diese Wahnvorstellungen seine Mitmenschen und engen seinen Lebensbereich ein, bis er schließlich in die Einsamkeit eines großen Waldes flieht. Hier erscheint ihm, als Jäger verkleidet, der Alpenkönig Astragalus, um dem Griesgram Wahn und Menschenfeindlichkeit auszutreiben. Als er dem starrsinnigen Rappelkopf nicht anders beikommt, führt er ihn kurzerhand auf dessen Landgut, gibt ihm die Gestalt seines Schwagers Silberkern und nimmt selber das Aussehen des galligen Menschenfeindes an. Da sieht nun Rappelkopf zum ersten Male seine eigene widerwärtige Gestalt ihr Unwesen treiben, und erst diese so handgreifliche Spiegeldarstellung seiner selbst hilft zu guter Letzt seiner Selbsterkenntnis: aus dem Menschenfeind wird ein Menschenfreund. Feierlich proklamiert der Alpenkönig dieses Ergebnis seiner »Heilbehandlung«. Das Stück endet mit einer allgemeinen Versöhnungsszene.

Mit diesem Schauspiel, das viel eher eine Tragikomödie als ein simples Stück des Volkstheaters zu nennen ist, überschreitet Raimund die Grenze, die den Vorstadtkomödien-Schreiber vom Dichter trennt. Wie in den bei seinem Publikum beliebten »Zauberspielen« bemüht er zwar noch die Geisterwelt, um den Gesinnungswandel seines Helden zu beglaubigen, aber der Alpenkönig ist nicht mehr als *deus ex machina* konzipiert, der die Handlung durch sein Erscheinen mechanisch, ohne echte Entwicklung, zum Guten wendet, sondern er wird hier als Gegenspieler von wirklichem dramatischem Gewicht eingesetzt. Das Geisterhafte ist nur noch

– durchaus entbehrliches – Kostüm: eine volkstümliche Verkleidung für das Dichterwort. Zugunsten der beiden Hauptfiguren sind auch die Dienerrollen sehr zurückgedrängt, die sonst im österreichischen Volkstheater ein kräftig-deftiges Eigenleben führen. Rappelkopfs Misanthropie und seine Wandlung zum Menschenfreund werden als Kernproblem klar herausgearbeitet, und man fühlt sich an große Vorbilder aus der Weltliteratur – SHAKESPEARES bittere Tragödie *Timon von Athen* und MOLIÈRES *Misanthrop* – erinnert. Eine unmittelbare Anregung dürfte für Raimund von der »Zauberposse« seines Zeitgenossen MEISL, *Der Esel von Timon*, ausgegangen sein. Im Vergleich mit Raimunds früheren Werken läßt *Der Alpenkönig und der Menschenfeind* sehr deutlich eine formale Weiterentwicklung erkennen: Der Aufbau ist klarer geworden, die Handlung mit ihrer energischen Trennung von Haupt- und Nebenfiguren ist von verwirrendem Beiwerk befreit und leichter überschaubar. Von den drei Akten zeigt der mittlere den Helden in der Waldeinsamkeit, während Raimund beim ersten und dritten eine Parallelkonstruktion anwendet: die Handlung des ersten Akts – Rappelkopfs Zänkereien mit seiner Familie – wiederholt sich im dritten Akt, nur daß in der Gestalt Rappelkopfs sich der verkleidete Alpenkönig verbirgt und seinen »Anschauungsunterricht« erteilt. Zu Beginn des Stücks ist bewußt ein Spannungsmoment eingebaut: Rappelkopf tritt erst gegen Ende des ersten Akts selbst auf, nachdem sich zuvor sein Bild aus den Erzählungen der Familienmitglieder und den Klagen der Bediensteten immer mehr verdichtet hat.

Die Gesangseinlagen – Einzel- und Ensemblestücke mit einer Musik von Wenzel Müller (1767–1835), unter denen das berühmt gewordene Finale des ersten Akts, ein Sextett der von Rappelkopf vertriebenen Köhlerfamilie, hervorragt *(»So leb denn wohl, du stilles Haus«)* – verwendet Raimund nicht nur, nach Art des Altwiener Volksstücks, als isolierte oder unterhaltende Beigaben, er gibt vielmehr in seinen Liedern oft die Quintessenz seiner Philosophie:

»Der Mensch soll vor allem sich selber erkennen,
Ein Satz, den die ältesten Weisen schon nennen.
Drum forsche ein jeder im eigenen Sinn –
Ich hab' mich erkannt heut', ich weiß, wer ich bin.«

A. Sch.

AUSGABEN: Wien 1828. – Lpzg. 1921 (IB, 336). – Wien 1924–1934 (in *SW*, Hg. F. Brukner u. E. Castle, 6 Bde., 2, 1933; hist.-krit.). – Lpzg. 1940 (RUB, 180). – Wien 1959 [m. Anhang: Schillers Fragm. *Der Menschenfeind*]. – Gütersloh 1962 (in *GW*, Hg. O. Rommel).

LITERATUR: E. Beutler, *R.s »Alpenkönig«* (in E. B., *Essays um Goethe*, Lpzg. 1941, S. 354–366). – H. Politzer, *F. R.s »Menschenfeind«* (in NRs, 66, 1955, S. 110–124). – Ders., *»Der Alpenkönig u. d. Menschenfeind«* (in *Das dt. Drama*, Hg. B. v. Wiese, 2, Düsseldorf [2]1960, S. 9–22; m. Bibliogr.).

DER VERSCHWENDER. »Original-Zaubermärchen« in drei Akten von Ferdinand RAIMUND (d. i. F. Jacob Raimann, 1790–1836), Uraufführung: Wien, 20. 2. 1834, Theater in der Josefstadt (Musik: Conradin Kreutzer). – Berufliche und private Probleme und nicht zuletzt auch der Mißerfolg seines Stücks *Die unheilbringende Zauberkrone* (1829) veranlaßten den beliebten Theaterdichter, sein Engagement am Leopoldstädter Theater zu lösen und an deutschen Bühnen als Schauspieler zu gastieren. Mit seinem letzten vollendeten »Zaubermärchen« *Der Verschwender*, das auf DESTOUCHES' *Le dissipateur ou L'honnête femme*, 1736 *(Der Verschwender oder Die ehrenhafte Spitzbübin)* basiert, feierte Raimund dann noch einmal ein glänzendes Comeback in seiner Heimatstadt.

Der reiche Edelmann Julius von Flottwell gibt auf seinem prächtigen Schloß eine Jagdgesellschaft. Nach dem Ausritt trifft er sich mit seiner Geliebten, dem Bauernmädchen Minna, das in Wahrheit die in Menschengestalt auftretende Fee Cheristane ist. Vor einundzwanzig Jahren war sie von der Feenkönigin Illmaha auf die Erde gesandt worden, um würdigen Menschen Wohltaten zu erweisen, hatte sich in den damals siebzehnjährigen Julius verliebt und in den Jahren seither ihm zu seinem großen Reichtum verholfen. Nun erst enthüllt sie ihm ihre wahre Natur; sie muß ins Feenreich zurückkehren und der verzweifelte Flottwell schenkt ihr zum Abschied auf ihre Bitten hin ein Jahr seines Lebens. – Der zweite Akt spielt drei Jahre später. Flottwell hat ein neues Schloß gebaut und verschwendet in immer glanzvolleren Festlichkeiten seinen Reichtum. Er verliebt sich in Amalie, die Tochter des Präsidenten von Klugheim, und will sie heiraten – gegen den Willen ihres Vaters, der Flottwells Verschwendungssucht als Vorzeichen einer Katastrophe durchschaut und Amalie dem soliden Baron Flitterstein zugedacht hat. Aber nach einem turbulent endenden Fest bei Flottwell, in dessen Verlauf dieser sich mit dem Widersacher duelliert, gelingt den beiden Liebenden die Flucht. Flottwells und Amaliens Glück soll sich in England erfüllen. Zurück bleiben: der intrigante Kammerdiener Wolf, der das Schloß an sich zu bringen versteht; ein geheimnisvoller Bettler, der seit Cheristanes Verschwinden auftrat, nur für Flottwell sichtbar war und ihm mit herausforderndem Gehabe Geld und Geschmeide abgetrotzt hat; schließlich der treuherzige Bediente Valentin (der eigentlich ein Tischlergeselle ist), der mit dem Kammermädchen Rosa unter dem Verdacht, einen kostbaren Schmuck gestohlen zu haben, von Wolf fortgejagt worden ist.

Valentin wird zur eigentlichen Zentralfigur des dritten Akts, der zwanzig Jahre später spielt. Flottwell kehrt, mittellos und als Bettler auftretend, aus England zurück. Frau und Kind sind tot, das Vermögen ist verschwendet, das Schloß seiner Väter zur Ruine verfallen; seinen früheren Kammerdiener, inzwischen »von Wolf«, findet er als Herrn des neuen Schlosses vor. Den Heimatlosen nimmt Valentin auf, der mit Rosa und vielen Kindern in zufriedener Bescheidenheit sein Tischlerhandwerk betreibt und sich immer noch in der Dankesschuld seines früheren wohltätigen Herrn empfindet. Rosa allerdings ist ganz anderer Meinung: *»Verhältnisse bestimmen die Äußerungen der Menschen ... Können Sie von uns fordern, daß wir in unserer eingeschränkten Lage noch einen Mann erhalten, dem wir nichts zu danken haben als unsern richtigen Lohn...«* – mit diesen Worten weist sie Flottwell aus dem Haus. Erst Valentins Drohung, sie samt den Kindern zu verlassen, bewirkt, daß Rosa ihre Meinung ändert. Flottwell ist mittlerweile zur Ruine seines Schlosses gelangt: *»Ich kehre nie zu eurer Welt zurück, / Denn mein Verbrechen schließt mich aus dem Reich / des Eigennutzes aus. Ich habe mich / Versündigt an der Majestät des Goldes.«* – In dieser Phase einer grundlegenden Sinnesänderung des »Verschwenders« erscheint wieder jener seltsame Bettler; es ist Azur, den Cheristane als Schutzgeist ihres geliebten Flottwell entsandt hat. Er gibt ihm nun die Kostbarkeiten zurück, die er einst von ihm »erbettelt« hatte. Während Valentin wieder in Flottwells Dienste tritt, verheißt Cheristane ihm ein Wiedersehen »*in der Liebe grenzenlosem Reich*«.

Wenngleich Flottwells Schicksal am Anfang und am Ende des Stücks in entscheidender Weise von außerirdischen Mächten bestimmt wird, so ist der dazwischenliegende Lebensweg des Helden doch ganz seiner eigenen Willensentscheidung anheimgestellt: Ehe sie verschwindet, sagt Cheristane im ersten Akt: »*Kein Fatum herrsch auf seinen Lebenswegen, / Er selber bring sich Unheil oder Segen... / Und da er frei von allen Schicksalsketten, / Kann ihn sein Ich auch nur von Schmach erretten.*« Mit dieser »Abdankung« der überirdischen Mächte hat Raimund in diesem Stück dem Zauberspiel einen realistischen Akzent hinzugefügt: denn die menschlichen Akteure sind nunmehr selbst die Schmiede ihres Glücks oder Unglücks geworden und gute wie böse Begleiter und Ratgeber sind Daseinskräfte, vor denen sich jeder Charakter zunächst hier zu entscheiden hat. So verkörpert Cheristane die Liebe, die eigene Bestrafung auf sich nimmt, um den Geliebten zu retten; Wolf ist die skrupellose Raffgier, die zuletzt an sich selber erstickt; in Amalie verfällt Flottwell der sinnlichen Liebe, die ihn nicht zu erlösen vermag und der Bettler verkörpert in biblischer Eindringlichkeit die Mahnung zu »guten Werken«, von der sich Flottwell in einer dämonischen Szene gar durch einen Degenstich zu befreien versucht. – In der aus Naivität, Güte und Resignation überaus lebenswahr gelungenen Gestalt des Valentin aber hat Raimund seine eigene Anschauung zur Geltung gebracht. Valentin, seit der Uraufführung des Stücks eine Paraderolle großer Schauspieler des Wiener Theaters, verkündet im berühmten *Hobellied* die Einsicht in die Veränderlichkeit des Glücks, aber auch den »*zufriednen Sinn*« des aus eigener Redlichkeit zu bescheidenem Wohlstand gelangten Bürgers. G. O.

Ausgaben: Wien 1837 (in *Sämtliche dramatische u. poetische Werke*, Hg. J. N. Vogl, 4 Bde., 4). – Wien 1933 (in *SW*, Hg. F. Brukner u. E. Castle, 6 Bde., 1924–1934, 2; hist.-krit.). – Mchn. 1960 (in *SW*, Hg. F. Schreyvogl; ern. 1966). – Stg. 1965 (RUB, 49).

Verfilmungen: Österreich 1917 (Regie: L. Kolm u. J. Fleck). – Österreich 1963 (Regie: K. Meisel).

Literatur: G. Merck, *R.s »Verschwender«*, Diss. Marburg 1927. – H. Rehm, *Die Entstehung des Wiener Volkstheaters im Anfang des 18. Jh.s*, Diss. Mchn. 1936. – H. Kindermann, *F. R.*, Wien 1940; [2]1943. – O. Rommel, *F. R. u. die Vollendung des Alt-Wiener Zauberstücks*, Wien 1947. – E. de Laporte, *Studien über die Beziehung F. R.s zur Romantik*, Diss. Kiel 1953. – V. L. Harding, *The Dramatic Art of F. R. and Johann Nestroy*, Cambridge/Mass. 1963. – K. Kahl, *F. R.*, Velber 1967 (Friedrichs Dramatiker d. Welttheaters, 35). – J. Hein, *F. R.*, Stg. 1970 (Slg. Metzler, 92). – F. Schaumann, *Gestalt u. Funktion des Mythos in F. R.s Bühnenwerken*, Wien 1970.

FRITZ REUTER
(1810–1874)

UT MINE FESTUNGSTID (nd.). Roman von Fritz Reuter (1810–1874), erschienen 1862. – Während seiner Studentenzeit war Reuter 1831–1833 in Jena Mitglied der »Allgemeinen Deutschen Burschenschaft«, die leidenschaftlich ein einheitliches und freies deutsches Vaterland herbeisehnte. Sicher war Reuter kein führender Burschenschafter, an größeren Aktionen hat er nicht teilgenommen; dennoch wurde er nach dem Sturm auf die Frankfurter Hauptwache (1833) als »Demagoge« verhaftet, nach dreijähriger Untersuchungshaft zunächst zum Tode verurteilt, dann zu 30 Jahren Festung begnadigt, nach siebenjähriger Gefangenschaft amnestiert und im August 1840 entlassen. Nach ersten hochdeutschen Versuchen (1855) hat Reuter seine Erinnerungen an diese »Festungstid« in der ihm nun angemessenen plattdeutschen Sprache niedergeschrieben.

Da der Dichter kein eigentlich politischer Mensch war, ist *Ut mine Festungstid* auch kein politisches Werk, kein Rechenschaftsbericht, keine Anklageschrift im engeren Sinn. Es ist vielmehr ein sehr persönliches Buch. Die Bewältigung des Alltags, die Überwindung der Zeit stehen ganz im Mittelpunkt. Der Abstand von fast fünfundzwanzig Jahren hat dem Gedenken an die Härte des Leidens manches von seiner Bitterkeit genommen, zudem schreibt Reuter nur über die letzten dreieinhalb Jahre, den insgesamt offenbar leichteren Teil seiner Haftzeit. Doch wie sehr das Anekdotenhafte, die Schilderung heiter-burlesker Erlebnisse, pennälerhaft-übermütiger Streiche und tragikomischer Liebeshändel nur die bewußte Verdrängung der Erinnerung an weit härtere, quälendere Eindrücke waren, zeigen nicht nur der häufige Bruch der Stimmung, der oft allzu rasche Wechsel bis in die (für Reuter ohnehin gefährliche) Nähe überquellender Sentimentalität, sondern vor allem der momenthafte Durchbruch allen aufgestauten Hasses, aller Not und Verzweiflung des politischen Häftlings beim Wiedersehen mit der Berliner Hausvogtei, wohin er nach seiner Verhaftung gebracht worden war: »*Dor hewwen sei mal üm min Lewensglück spelt, un sei hewwen gewunnen*« *(»dort haben sie einmal um mein Lebensglück gespielt, und sie haben gewonnen«)*. Über den Wert eines autobiographischen Dokuments von bezwingender Unmittelbarkeit hinaus liegt die Bedeutung dieses Berichts wieder in Reuters Fähigkeit der humorvollen Charakterisierung der Umwelt, hier vor allem der Mitgefangenen, ihrer kleinen Sorgen, Nöte und Schwierigkeiten, aber auch ihrer großen Bewährung, des Mit-Leidens und Mit-Tragens eines grausamen Geschicks. H. J. B.

Ausgaben: Wismar 1862 (in *SW*, 10 Bde., 1862 bis 1864, 5: *Olle Kamellen*, Tl. 2). – Rostock 1967 (in *GW u. Briefe*, Hg. K. Batt, 8 Bde., 4).

Literatur: G. Schab, *F. R.s »Festungstid« u. ihre hochdeutsche Urgestalt*, Diss. Halle 1923. – Weitere Literatur siehe *Ut de Franzosentid*.

UT MINE STROMTID (nd.). Roman von Fritz Reuter (1810–1874), erschienen 1862–1864. – Nach der Entlassung aus siebenjähriger Festungshaft (vgl. *Ut mine Festungstid*) hat Reuter vorübergehend versucht, als landwirtschaftlicher Eleve (»Strom«) eine neue Lebensgrundlage zu finden. Aus dieser Zeit stammt seine genaue Kenntnis der wirtschaftlichen, vor allem der sozialen Probleme des mecklenburgischen Landstandes. Schon in einem hochdeutschen Romanentwurf hatte er 1847–1850 versucht, den krassen Gegensatz von Gutsherren und

Tagelöhnern nach Aufhebung der Leibeigenschaft (1821) zu einer leidenschaftlichen Anklage gegen die bestehenden sozialen Unrechtsverhältnisse zu gestalten.
Der zeitliche Abstand wie die niederdeutsche Sprachform haben den noch in *Kein Hüsung* (1858) deutlich spürbaren sozialrevolutionären Ton gemildert; das unverkennbar unter dem Einfluß von Charles DICKENS entstandene Werk ist in der ungewöhnlichen Breite des Handlungsfeldes wie in der intensiven Durchformung der Gestalten und ihrer sozialen Vielfalt das umfassendste und typischste, in der Geschlossenheit der künstlerischen Gestaltung wie in der Breite der Ausstrahlung die bislang bleibendste, zugleich wirksamste und volkstümlichste Schöpfung der mecklenburgischen Literatur nicht nur in plattdeutscher Sprache. Nach wie vor geißelt Reuter die böswillig-skrupellosen Methoden des nach oben gespülten »Rittergutsbesitzers« Pomuchelskopp, stellt seinem Unwesen jedoch das gutmütig-patriarchalische Regiment des altadligen »Herrn Kammerrat« von Rambow gegenüber. Die Sympathien Reuters gehören jedoch eindeutig der ihm auch sozial am nächsten stehenden ländlichen Mittelschicht der Inspektoren und kleinen Gutspächter. Zu ihr gehört sowohl der alle Handlungsfäden verbindende Inspektor Karl Hawermann, der in der klischeehaft-sentimentalen Überzeichnung seiner positiven Charaktermerkmale alle Moralvorstellungen Reuters in idealer Vollkommenheit vereinigt, wie der alle sozialen Gegensätze überbrükkende »Entspekter« Zacharias Brœsig, der als die zentrale Gestalt dieses Romans wohl die populärste Figur Reuters ist und den Weg des Dichters zum Volksschriftsteller entscheidend geebnet hat. Er verkörpert das moderne, aufklärerische Denken, propagiert den Fortschritt, hat ein junges Herz und ein Herz für die Jugend. Seine unerfüllbare Liebe zur Schwester seines Freundes Hawermann, der adretten »Madam« Nüßler (die aber längst mit Jung-Jochen, der denkbarsten Potenzierung mecklenburgischen Gleichmuts, verheiratet ist), sein artiger Umgang mit der »Fru Pastern« (dem Urbild rührender Fürsorge und rundlicher Lebenslust), seine pfiffige Weltklugheit, sein treuer, uneigennütziger Rat, seine resolute Hilfsbereitschaft: Immer ist die Grundanständigkeit, die Moralität seines Handelns aus der Sphäre abstrakter Idealität ins Realistische gewendet und glaubwürdig geworden durch den schlauen Witz, den schalkhaften Humor Brœsigs wie durch die Lächerlichkeit seiner äußeren Erscheinung. Seine eigenartig gedrechselte Art des Sprechens, seine Vorliebe für hochdeutsche Wendungen und den Gebrauch halbverstandener Fremdwörter hat im »Missingsch« einen unnachahmlichen Ausdruck gefunden.
Neben solch treffend charakterisierenden sprachlichen Eigenheiten verdanken Reuters Gestalten der Verwendung immer wiederkehrender Redensarten ihre besondere Eindringlichkeit und Plastizität: »*daß du die Nas' ins Gesicht behältst*« (Brœsig), »*'t is all so, as dat Ledder is*« oder »*wat sall einer dorbi dauhn*« (Jochen Nüßler). Die Vielgestaltigkeit und Unmittelbarkeit seiner Figuren, ihre prägnante Individualität wie ihre getreue Typisierung, die Milderung eines tragischen Schicksals durch die versöhnende Kraft des Humors zeigen Reuter auf der Höhe seiner nur wenige Jahre währenden Schaffenskraft, sie begründen den literarischen Rang seines Hauptwerkes wie seine zeitlose Popularität. H. J. B.

AUSGABEN: Wismar 1862–1864 (in *SW*, 10 Bde., 1862–1864, 8–10: *Olle Kamellen*, Tl. 3–5). – Rostock 1967 (in *GW u. Briefe*, Hg. K. Batt, 8 Bde., 5).

LITERATUR: G. Timm, *Vergleich u. Metapher in F. R.s »Stromtid«*, Diss. Greifswald 1920. – L. Wessels, *Die Zeichnung der ländlichen Stände bei F. R.*, Diss. Hbg. 1949. – H. D. Dahnke, *»Herr von Hakensterz u. seine Tagelöhner« u. »Ut mine Stromtid«. F. R.s Beitrag zum dt. Gesellschaftsroman des 19. Jh.s*, Bln. 1965. – Weitere Literatur siehe *Ut de Franzosentid*.

JOHANNES SCHLAF
(1862–1941)

MEISTER OELZE. Drama in drei Akten von Johannes SCHLAF (1862–1941), erschienen 1892. Nach einigen Privataufführungen fand die erste öffentliche Aufführung am Ostersonntag 1900 in Magdeburg statt. – Obwohl Schlafs Drama die Aufmerksamkeit der Kritik erregte, fand es doch nie Anklang beim Publikum, so daß die Exemplare der ersten Auflage schon 1894 antiquarisch für 20 Pfennige verkauft wurden. Dabei gilt das Stück als Musterdrama des konsequenten Naturalismus. Der Autor vermutete die Gründe für den Mißerfolg in »*Milieu-Längen*« und der »*krausen Orthographie des mitteldeutsch-thüringischen Jargons, der in dem Stück gesprochen wird*«. Aber auch straffende und glättende Überarbeitungen brachten dem Drama keinen Erfolg. Das Stück steht unter dem Einfluß von ZOLAS *Thérèse Raquin* (1878) und folgt im Aufbau den analytischen Gesellschaftsdramen Henrik IBSENS.
Ein zwanzig Jahre zurückliegendes Verbrechen bestimmt die Handlung. Der Tischlermeister Franz Oelze hat gemeinsam mit seiner Mutter seinen Stiefvater vergiftet, um das Erbe des Alten nicht mit dessen Tochter Pauline teilen zu müssen. Oelze ist schwer lungenkrank; die Mutter lebt im Wahnsinn, von der Erinnerung an das Verbrechen gemartert. Die inzwischen verarmte Pauline weilt als Besucherin im Haus. Sie pflegt Oelze und versucht, ihn zum Eingeständnis des von ihr vermuteten Mordes zu bewegen. Gehässig und zynisch wehrt Oelze sie ab, sucht aber gleichzeitig aus Angst und Schuldbewußtsein ihre Nähe. Er glaubt seinen Besitz für seinen Sohn Emil vor Pauline retten zu müssen, obwohl die Stiefschwester keinen Anspruch darauf erhebt und ihr schon sein Geständnis als Zeichen existierender Gerechtigkeit genügen würde. Vielleicht aber will sie nicht einmal das Geständnis, weil damit ihr armes Leben, das nur dieses Ziel kennt, jeden Sinn verlieren würde. Oelze gibt sich zwar stets als ironischer Freigeist, aber sein Sohn Emil soll Pastor werden. Von Widersprüchen zerrissen, von der Angst, sich zu verraten, ebenso gequält wie von dem Gedanken, schuldig zu sterben, wird er endlich vom Tod erlöst, ohne gestanden zu haben.
Schlafs Stück zeigt alle programmatisch geforderten Kennzeichen naturalistischer Dramatik wie Milieuschilderung, Sekundenstil, dialektmäßige Fixierung von Ort, Zeit und Gesellschaftsschicht, reicht aber nach Anlage, Ausführung und Bedeutung darüber hinaus. Eine Poetisierung der Alltagssprache bringt auch lyrische Töne in den Dialog. Die dauernde Beziehung des Geschehens auf das Wetter öffnet die Guckkastenbühne für eine Dimension, in der die Vorgänge auf der Bühne als Teil eines naturhaften

Gesamtgeschehens erscheinen. In bewußter und unbewußter Doppeldeutigkeit des Redens der Personen schlägt sich die Vergangenheit als Bestandteil der Gegenwart nieder. Die Verwendung des thüringischen Dialekts erschließt in durchsichtiger Weise anders nur schwer darstellbare Regungen und Vorgänge in den Personen. Letzte Konsequenz dieses Stils ist die Einbeziehung auch des Schweigens und der stummen Handlung. Man meint, wie Schlaf selbst schreibt, »*hinter allen diesen indirekten Reden des Franz und der Pauline gleichsam einen viel leidenschaftlicher bewegten, direkten, unterirdischen Dialog*« zu hören. Das Thema von Verbrechen, Schuld und Erlösung wird weder moralisierend noch gesellschaftskritisch dargestellt, sondern als für den Menschen konstitutiv aufgefaßt. Dieser Grundzug, der Schlafs Stück in Beziehung zu den klassischen Tragödien der europäischen Dramatik setzt, zeigt zugleich an, daß hier jene naturalistische Konzeption, die das Sein des Menschen nur auf soziale Determinanten zurückführt, durchbrochen wurde. K. P.

AUSGABEN: Bln. 1892. – Mchn./Lpzg. 1908 [überarb.]. – Weimar 1922.

LITERATUR: E. Sander, *J. S. u. das naturalistische Drama*, Diss. Rostock 1925. – H. Praschek, *Zum Zerfall des naturalistischen Stils. Ein Vergleich zweier Fassungen des »Meister Oelze« von J. S.* (in *Worte u. Werte. Fs. B. Markwardt*, Bln. 1961, S. 315–321). – W. Ackermann, *Die zeitgenössischen Kritiken der deutschen naturalistischen Dramen*, Diss. Mchn. 1965.

ADALBERT STIFTER
(1805–1868)

BUNTE STEINE. Ein Festgeschenk. Sammlung von sechs Erzählungen von Adalbert STIFTER (1805–1868) aus dem Jahre 1853, mit einer programmatischen Vorrede des Autors, in der er seine »*Ansichten über Großes und Kleines*« und den wesentlichen Begriff des »*sanften Gesetzes*« in bekenntnishaft-konzentrierter Form darlegt. »*Das Wehen der Luft, das Rieseln des Wassers, das Wachsen der Getreide, das Wogen des Meeres ... halte ich für groß: das prächtig einherziehende Gewitter, den Blitz, welcher Häuser spaltet, den Sturm, der die Brandung treibt, ... halte ich nicht für größer als obige Erscheinungen, ... ja ich halte sie für kleiner, weil sie nur Wirkungen viel höherer Gesetze sind.*« Der Blick geht nicht vom Menschen als dem Maß aller Dinge aus, sondern vom Universum her auf das »*menschenerhaltende*« Gesetz der Liebe: das »*sanfte Gesetz*«, »*wodurch das menschliche Geschlecht geleitet wird*«. Die Erzählungen verdanken ihre Titel – *Granit, Kalkstein, Turmalin, Bergkristall, Katzensilber, Bergmilch* – den »*bunten Steinen*«, die der jugendliche »Sammelgeist« wie absichtslos zusammenträgt; sie entstanden nach teilweise mehrmaligen Umarbeitungen aus ursprünglichen Fassungen unter anderen Titeln: *Die Pechbrenner (Granit), Der arme Wohltäter (Kalkstein), Der Pförtner im Herrenhause (Turmalin), Der Weihnachtsabend (Bergkristall), Wirkungen eines weißen Mantels (Bergmilch)* – inhaltliche Bezüge zu den Steinen sind nur schwer herzustellen und wohl auch nicht beabsichtigt. Am reinsten entspricht die eigens für diese Sammlung geschriebene Erzählung *Kalkstein* der in der Vorrede vorgetragenen Anschauung, die für die großen Romane Stifters grundlegend werden sollte. Stifter wollte mit diesen anspruchslosen Geschichten »*etwas Reines, Einfaches und doch tief Gehendes machen*«. Es sind weniger Geschichten für Kinder – wie ursprünglich geplant – als Erzählungen, in denen Kinder im Mittelpunkt stehen. In den schönsten Geschichten dieser Sammlung wie *Bergkristall, Granit* und *Kalkstein*, bilden Landschaft und Menschen einen wunderbaren Einklang. Zu dem Eindruck der zwanglosen Geschlossenheit dieser Erzählungen trägt nicht zuletzt die Sprache bei, die dem schlichten Geschehen in ruhigem, ausgewogenem Gleichmaß – Kennzeichen für Stifters »klassischen« Stil – mit der Abgeklärtheit, die alles Geschehen in die große Ordnung von Zeit und Ewigkeit rückt, entgegenkommt. M. M.

AUSGABEN: Budapest/Lpzg. 1853, 2 Bde. – Prag/Reichenberg 1908 (in *SW*, Hg. A. Sauer u. a., 25 Bde., 1904 ff., 5). – Lpzg. 1923, Hg. K. Kaderschafka. – Wiesbaden 1959 (in *GW*, Hg. M. Stefl, 6 Bde., 3). – Ffm. 1960 (Nachw. M. Stefl; EC, 18).

LITERATUR: R. Mühlher, *Natur u. Mensch in S.s »Bunten Steinen«* (in DuV, 40, 1939). – P. Hankamer, *A. S.s »Bergkristall«* (in *Fs. f. F. Tillmann*, Düsseldorf 1950). – F. Stopp, *D. Symbolik in S.s »Bunten Steinen«* (in DVJ, 28, 1954, S. 165–193).

DIE MAPPE MEINES URGROSSVATERS. Erzählung von Adalbert STIFTER (1805–1868). Dieses Werk liegt in vier Fassungen vor, für die sich in der Forschung die Kurztitel »Urmappe« (erschienen 1841/42), »Studienmappe« (1847, Band 3 der *Studien*) und »Letzte Mappe« (Fragment, entstanden 1864, erschienen 1870) eingebürgert haben; an der Vollendung der vierten Fassung (erschienen 1939 in Bd. 12 der *Sämtlichen Werke*) hinderte Stifter der Tod. – Die Handlung bleibt in allen Fassungen im wesentlichen die gleiche. In einem Einleitungskapitel berichtet der Erzähler von der Auffindung des Tagebuchs seines Urgroßvaters, der »Mappe«, aus der er anschließend Auszüge bringt: Der Urgroßvater Augustinus studierte in Prag und ließ sich dann im böhmischen Waldland als Arzt nieder. Hier lernt er Margarita, die Tochter eines Obristen kennen und lieben, verliert sie aber aufgrund seiner mißtrauischen und hektischen Gemütsart. Sein anschließender Selbstmordversuch wird durch den Obristen vereitelt, der ihm aus didaktischen Gründen nun das eigene Leben erzählt: Er war in seiner Jugend nicht weniger unbeherrscht, erlangte aber durch das Verfahren, sich anhand seiner Tagebuchaufzeichnungen selbst zu kontrollieren, eine ausgeglichenere Haltung. Der Arzt ahmt dieses Verfahren nach und widmet sich daneben selbstlos seinen Berufspflichten. Als er nach Jahren seelischer Ausgeglichenheit zu allgemeinem Ansehen gelangt ist, kann er Margarita zurückgewinnen.

Da die Arbeit an der *Mappe* den Dichter vom Beginn seiner literarischen Schaffensphase bis zu seinem Tod beschäftigte, läßt sich an den Metamorphosen dieses Stoffs der Wandel der Wirklichkeitsauffassung sowie der Wandel der Stilformen im Werk Stifters besonders deutlich verfolgen. Die »Urmappe« zeigt Stifter noch stark den breiteren literarischen Tendenzen seiner Zeit verhaftet. Der sprachliche Gestus orientiert sich unverkennbar am schwärmerischen Subjektivismus der Spätromantiker. JEAN PAULS Forderung nach »sinnlicher Individualität« der dargestellten Phänomene wird mit langen Adjektivketten sowie reichen Bildassoziationen Genüge getan. Eine eigene, auf das Spätwerk vorausweisende Note allerdings erhält Stifters Frühstil durch die Bemühung um authentische, oft schon wissenschaftlich exakte Naturbeschreibungen. Einen nicht geringeren Bruch mit der romantischen Tradition bedeutet der fatalistische Wirklichkeitsbegriff des jungen Stifter. Die Art, wie der Dichter der »Urmappe« seine Figuren der Erfahrung des Identitätsverlusts, der totalen Vereinzelung, der Determiniertheit durch Geschichte, Herkunft und Gesellschaft ausliefert, erinnert an Formen der Wirklichkeitsdeutung bei Büchner, Grabbe, Lenau, Heine sowie bei den Jungdeutschen.

Gerade diese pessimistisch-fatalistischen Akzente der Erstfassung versucht die »Studienmappe« abzuschwächen bzw. zu eliminieren. Der in seiner Frühzeit über ein durchaus aktuelles und fortschrittliches Wirklichkeitsbild verfügende Stifter hat sich in der »Studien«-Fassung bereits auf die Bahn der literarischen Restauration begeben, die ihn zu einem Exponenten der Bürgerkultur des Biedermeier werden ließ. Die Distanzierung des Dichters der »Studienmappe« von seinem Frühwerk hat eine poetologische und eine anthropologische Komponente. Poetologisch: Durch Perfektionierung der schon in der Erstfassung verwendeten Rahmentechnik wird der Erzählstoff in eine handlichere Distanz gerückt; weiterhin bemüht die »Studien«-Fassung sich immer dort, wo die »Urmappe« Konfliktsituationen dramatisch aufpolt, um Aussparungen bzw. um betont ausgleichende und undynamische Formulierungen. Anthropologisch: Der Stifter der »Studienmappe« gibt das in der »Urmappe« noch mit Pathos vertretene Prinzip des Individualismus, des subjektiven Glücksverlangens auf; sittlich hochstehende Werte sind jetzt Haltungen wie Resignation, Entsagung, Selbstbeherrschung bis zur Selbstaufgabe, Anpassung, Verdrängung. Besonders die für die »Studien«-Fassung neu entstandenen Kapitel *Margarita* und *Thal ob Pirling* entbehren der dramatisch-subjektivistischen Hektik der »Urmappe« nahezu völlig. Sie sind statt dessen wahre Kompendien der bürgerlichen Wohlanständigkeit und Ausgeglichenheit. Beachtung finden nicht mehr die psychologische Nuance, das individuelle Profil, sondern das vorbildliche Funktionieren der Figur innerhalb sanktionierter Normen. Nicht Ausnahmesituationen, sondern alltägliche Vorfälle – wie Spaziergänge, Pflege von Haus und Garten, Beschäftigung mit Sammlungen, das Zeremoniell des Tischgebets sowie der Begrüßung und des Abschieds – werden am ausführlichsten beschrieben.

Diese die »Studienmappe« kennzeichnenden Tendenzen erfahren in der »Letzten Mappe« eine weitere Steigerung. Zu Stifters Verzicht auf stoffliche Elemente, welche das plastisch-imaginative Vermögen des Lesers wachhalten, tritt nun auch eine Verkargung der dichterischen Sprache. Statt sinnlich-vergegenwärtigender Benennungen werden jetzt Formulierungen bevorzugt, welche von der plastischen Oberfläche abstrahieren und das Wirklichkeitsmaterial unter systematisierenden Aspekten strukturieren und katalogisieren. Stifter, für den die aktuellen Zeitereignisse eine ständig sich steigernde existentielle Gefährdung bedeuteten (das wird aus seinen Briefen deutlich), versuchte in seiner Spätzeit, sich eine abgesicherte Gegenwelt, ein literarisches Refugium zu schaffen. Allerdings beweist das hohe Maß an sprachlicher Sterilität, mit dem allein der Aufbau dieser Utopien noch gelingt, daß der Dichter sich stets ein Bewußtsein der Gefährdetheit, der Unmöglichkeit einer praktischen Verwirklichung solcher Geistkultur erhält. C. Bu.

Ausgaben: Wien 1841/42 (in Wiener Zs. f. Kunst, Literatur, Theater u. Mode, 1841, Nr. 88–93; 1842, Nr. 43–50; 1. Fassg.). – Pest 1847 (in *Studien*, 6 Bde., 1844–1850, 3; 2. Fassg.). – Lpzg. 1870 (in *Vermischte Schriften*, Hg. J. Aprent, Bd. 1; 3. Fassg.). – Wien 1899 [3. Fassg.]. – Prag 1939 (in *SW*, Hg. A. Sauer u. a., 12 Bde., 1904ff., 12; 4. Fassg.; unvollendet). – Wiesbaden 1959 (in *GW*, Hg. M. Stefl, 6 Bde., 1). – Augsburg ³1967, Hg. ders. – Mchn. 1968 [Nachw. F. Krökel].

Literatur: Th. C. van Stockum, *»Die Mappe meines Urgroßvaters« u. ihre Bedeutung im Zusammenhang von S.s Werk u. Weltanschauung* (in Neoph, 30, 1946, S. 172–184; auch in Th. C. van S., *Von F. Nicolai bis Th. Mann. Aufsätze zur deutschen u. vergleichenden Literaturgeschichte*, Groningen 1962, S. 193–214). – E. Zenker, *Klassik u. Romantik in S.s drei Fassungen der »Mappe meines Urgroßvaters«*, Diss. Lpzg. 1948. – H. Kunisch, *A. S.*, Bln. 1950. – M.-C. Endres, *»Die Mappe meines Urgroßvaters«. Das nachgelassene Fragment S.s als Sprachkunstwerk betrachtet*, Diss. Göttingen 1952. – R. Sauerwein, *A. S.s dichterische Entwicklung gezeigt an den drei Fassungen der »Mappe meines Urgroßvaters«*, Diss. Innsbruck 1954. – F. Schneider, *Sehen u. Sein. Der religiöse Realismus in der »Mappe meines Urgroßvaters«* (in A. Stifter Institut, Vierteljahresschrift, 4, 1955, S. 15–31). – F. Braun, *Gespräch über S.s »Mappe meines Urgroßvaters«*, Graz 1958. – P. Böckmann, *Die epische Objektivität in S.s Erzählung »Die Mappe meines Urgroßvaters«* (in *Stoffe, Formen, Strukturen*, Hg. A. Fuchs u. H. Motekat, Mchn. 1962, S. 398–423). – K. G. Fischer, *Der Konflikt von Moral u. Existenz in der »Mappe meines Urgroßvaters«* (in Österreich in Geschichte u. Literatur, 9, 1965, S. 101–114). – A. Borsano, *A. S. e le tre redazioni della »Mappe meines Urgroßvaters«* (in Acme, 19, 1966, S. 63 bis 107). – M. Böhler, *Formen u. Wandlungen des Schönen. Untersuchungen zum Schönheitsbegriff A. S.s*, Bern 1967. – Ch. Wolbrandt, *Der Raum in der Dichtung A. S.s*, Zürich 1967 (Beiträge zur dt. Lit.- u. Geistesgeschichte, 29).

DER NACHSOMMER. Eine Erzählung. Roman von Adalbert Stifter (1805–1868), entstanden seit 1853, erschienen 1857. – Keime des Werks sind enthalten in den 1848 entstandenen Erzählfragmenten *Der alte Hofmeister* und *Der Vogelfreund*; der Roman, von Stifter selbst als »Erzählung« bezeichnet, ist sein erster Versuch in der epischen Großform und setzt die Tradition des deutschen Bildungsromans fort. – Heinrich Drendorf, Hauptfigur des Werks, wächst auf als Sohn eines vermögenden Wiener Kaufmanns, der es sich leisten kann, seinen Kindern das Erlernen eines Brotberufs zu ersparen, ihnen statt dessen eine ungehinderte Ausbildung ihrer Anlagen zu ermöglichen. Nachdem Heinrich sich durch Hauslehrerunterricht die in seiner Zeit obligatorischen Basiskenntnisse erworben hat, entscheidet er sich für eine naturwissenschaftliche Spezialausbildung; nach einigen Tastversuchen legt er dabei das Hauptgewicht auf die Geologie. Doch auch in seinem weiteren Entwicklungsgang bedient er sich nicht der von der Gesellschaft angebotenen Bildungsinstitutionen, vielmehr verfährt er ausgesprochen autodidaktisch: Auf immer ausgedehnteren Streifzügen durch das Alpenvorland, schließlich durch die österreichischen Alpen selbst, stellt er einen geologischen Befund dieser Gegend zusammen. Während einer dieser Wanderungen muß er vor einem herannahenden Gewitter Zuflucht auf dem Anwesen des Freiherrn von Risach nehmen. Er folgt der Einladung des Hausherrn, länger zu bleiben, und lernt nun in dessen Besitz (Haus, Garten, landwirtschaftlich genutzte Fläche, angegliederte Kunsttischlerei) einen Kleinstkosmos kennen, der bis ins Detail nach Prinzipien der Rationalität, der Effektivität, aber auch der kunstgerechten Wirkung geordnet ist. Die Bekanntschaft mit Risach wird für Heinrich lebensentscheidend. Bei weiteren Besuchen übt er sich in dessen Methode der Wirklichkeitsbewältigung immer vollkommener ein. Er findet auf dem Asperhof, so der Name des Risachschen Besitzes, nahezu alles Wirklichkeitsmaterial in Form von Sammlungen, Spezialbibliotheken usw. wissenschaftlich aufgearbeitet vor. Dank der Schulung an diesen Hilfsmitteln, dank auch der geduldigen Ratschläge Risachs vermag Heinrich seine eigene wissenschaftliche Tätigkeit mehr und mehr zu systematisieren. Vor allem aber erweitern sich seine Interessen über das bisherige Spezialgebiet hinaus. Wichtigstes neues Studiengebiet wird für Heinrich die Kunst. Er erweist sich hier als so gelehriger Schüler, daß er bald zu eigenen Kunstübungen übergehen kann. – Während eines seiner Besuche auf dem Asperhof ist gleichzeitig Mathilde Tarona mit ihrer Tochter Natalie dort zu Gast. Heinrich wird in das nahezu verwandtschaftlich wirkende Verhältnis zwischen seinem Gastgeber und diesen Frauen sogleich einbezogen. Bei weiteren Kontakten mit der Familie Tarona entwickelt sich zwischen ihm und Natalie eine Zuneigung, die schließlich zum Ehebündnis führt. Vor der Hochzeit – in dem berühmten vorletzten Kapitel des Romans *Der Rückblick* – klärt Risach den jüngeren Freund über die Art seiner Beziehung zu Mathilde Tarona auf: Während seiner Studienzeit war er als Privatlehrer im Hause Tarona tätig; ihn und die noch sehr junge Mathilde erfaßte eine heftige Leidenschaft; da eine Verbindung aufgrund der Jugend Mathildes vorläufig nicht möglich war, kam es zur Trennung; erst Jahrzehnte später nahm die inzwischen verwitwete Mathilde den Kontakt zu Risach wieder auf; nun leben beide – betont auf eine späte Ehe verzichtend, aber in einer Art »nachsommerlicher« Liebe miteinander verbunden – auf zwei nicht weit entfernt voneinander liegenden Landsitzen.

Adäquate Einschätzung erfährt diese bereits zum Spätwerk des Dichters zählende Großerzählung nur im Vergleich mit Stifters früheren Schaffensphasen. In seinen ersten literarischen Versuchen – etwa den Erzählungen *Der Hochwald*, *Abdias*, *Die Narrenburg* und *Prokopus* – zeigt Stifter, wie übrigens die Mehrzahl der maßgeblichen Autoren seiner Zeit, einen ausgesprochen fatalistisch gefärbten Wirklichkeitsbegriff. Gegenüber den Gewalten der Natur und der Blindheit der politischen Geschichte, auch gegenüber den aus der eigenen Psyche hervorbrechenden zerstörerischen Kräften sind die Figuren seiner Früherzählungen nahezu machtlos. In einer mittleren Schaffensphase dann – am deutlichsten ablesbar an der *Studien*-Fassung der Erzählung *Die Mappe meines Urgroßvaters* – beginnt Stifter, gegenüber diesem ursprünglichen Wirklichkeitseindruck erzählerische Gegenwelten zu gründen. Er wird zu einem der Wortführer der literarischen Restauration seiner Zeit: Seine Vorliebe gehört jetzt Gestalten, die vor der bedrohlichen Umwelt ausweichen in die Idylle bzw. in Geisteshaltungen wie Resignation, Entsagung, Humor; in geringerer Zahl schafft der Dichter in dieser mittleren Phase Figuren, die sich auf die gefahrvolle Umwelt einzustellen wissen, ihre Gesetzlichkeit zu erforschen und nach Maßgabe dieser Erkenntnisse Sicherheitsvorkehrungen zu treffen versuchen. Auf der letztgenannten Linie liegt Stifters *Nachsommer*. Das Bemühen um Sicherung und Restaurierung kennzeichnet hier aber nicht mehr einzelne Figuren, vielmehr ist der Akt des Erzählens selbst zu einem Akt der Absicherung geworden.

Die in Ichform abgefaßte Großerzählung vollzieht einen radikalen Bruch mit dem klassischen Romanschema. Alle Versuche, dem schwierigen Text unter Gesichtspunkten wie »lebendige Handlung«, »differenzierte Psychologisierung der Figuren« o. ä. beizukommen, können nur eine befremdliche, zuweilen an Langeweile grenzende Kargheit des Erzählens konstatieren. Denn nicht um farbige Abschilderung der Wirklichkeit geht es Stifter, nicht um den Aufbau fiktiver Szenerien, die ein fiktives zwischenmenschliches Geschehen füllt, vielmehr schreitet Stifter alle für sein Bewußtseinsfeld maßgeblichen Wirklichkeitsbereiche ab, um deren ursprünglich chaotisches und unverläßliches Erscheinungsbild im Akt des Erzählens zu reharmonisieren, d. h. in ein stabiles und überschaubares Gefüge zu bringen. Es handelt sich um den enzyklopädisch-weitläufigen Versuch, eine ursprünglich als sinnentleert erfahrene Welt wenigstens im epischen »Abbild« wieder mit Sinn zu begaben. Der Dichter wählt sich zu diesem Zweck eine Hauptfigur, deren individuelle Attribute unauffällig und durchschnittlich sind, die aber in dem Bestreben, Wirklichkeit systematisch aufzuarbeiten, eine idealisch-übertriebene Fertigkeit besitzt. Die »Handlung«, deren Träger dieser Heinrich Drendorf ist, besteht nun weitgehend darin, daß er in periodischen Abständen auf die fünf in den Augen Stifters maßgeblichen Erfahrungsfelder – Natur, Kunst, Gesellschaft, Geschichte und Religion – geführt wird, wobei seine Fähigkeit, auf diesen Gebieten Grundtatsachen und Wesensmerkmale zu konstatieren, sich von Mal zu Mal vertiefter erweist. Der Aufbau des epischen Ichs besteht also kaum in einer Bereicherung der existentiellen Substanz, vielmehr in einer stetig sich perfektionierenden erkenntnishaften Durchdringung von Wirklichkeit. Schon einige der von Stifter gewählten Kapitelüberschriften – wie etwa *Die Erweiterung*, *Die Annäherung*, *Der Einblick*, *Die Entfaltung* – verweisen auf diesen Sachverhalt.

Ohne Zweifel hat die somit umschriebene Bemühung einer erzählerischen Gliederung und Reharmonisierung des Wirklichkeitsmaterials ihr Hauptmotiv in der äußerst starken denkerischen Bindung Stifters an das Geistesgut des deutschen Idealismus. Die Vorstellung etwa HERDERS (auch Wilhelm von HUMBOLDTS und GOETHES) von einer alle Wirklichkeitselemente einheitlich durchwirkenden göttlichen Idee läßt sich sowohl in den epischen Werken Stifters als auch in seinen Briefen und theoretischen Schriften als einer der Lieblingsgedanken des Dichters nachweisen. Wichtig für das Verständnis des *Nachsommer* jedoch ist, daß Stifter in seiner von politischen Krisen und naturwissenschaftlich-tech-

nischen Revolutionen erschütterten Zeit solche aus schon vergangenen Epochen übernommenen Totalitätsvorstellungen nur noch mit äußerster geistiger Anstrengung zu verteidigen vermag. Speziell der *Nachsommer* zeigt, daß der Dichter den Eindruck einer in sich sinnvoll gefügten Wirklichkeit oft nur um den Preis einer erzählerischen Sterilität erzeugen kann: Die das Frühwerk des Dichters bestimmenden – und im Vergleich mit der bewegten Zeitwirklichkeit Stifters aktueller wirkenden – fatalistischen Akzente sind im Spätwerk nicht eigentlich widerlegt, sie werden vielmehr bewußt aus dem Erzählvorgang ausgesperrt. Das geschieht erstens mit Hilfe einer weitgehenden Verkargung der dichterischen Sprache; der Eindruck der Einheitlichkeit und Ausgeglichenheit der Erscheinungswelt wird suggeriert durch eine betont unplastische, farblose Wortwahl; die Heterogenität der Erscheinungen wird abgemildert durch ungenaue Benennung. Zweitens aber zeigt Stifter in seinem *Nachsommer* eine oft befremdliche Vorliebe für betont handlungsarme Passagen; es ließe sich geradezu von einer epischen Aufwertung der Handlungspausen sprechen. Vor allem in der Schilderung des zwischenmenschlichen Geschehens reduziert der Dichter seinen Erzählstoff auf statisch-zeremoniöse, völlig konfliktarme Verhaltensformen. Der Eindruck einer *harmonia mundi* resultiert nicht aus der präzisen Abschilderung, vielmehr aus einer stilisierenden Verfremdung der aktuellen Wirklichkeit.
Es entsteht auf diese Weise eine harmonistisch-aseptische Idylle. Die Nachsommer-Figuren, die den Kontakt untereinander in vollendet widerspruchsarmer Form gestalten, führen sogar innerhalb der Romanwirklichkeit ein weltfernes, von den Geschehnissen »draußen« relativ unberührtes Dasein. Sie orientieren sich an geistigen Werten, die von den aus heutiger Sicht maßgeblichen kritischen Theorien der Zeit längst als Ideologie erkannt waren. Stifters *Nachsommer* blieb somit der Bildungstraum eines rückwärtsgewandten Utopisten. – Das Werk geriet bald nach Erscheinen nahezu völlig in Vergessenheit. Erst nach der Wiederentdeckung Stifters in den zwanziger Jahren unseres Jahrhunderts fand der Roman gedämpften Beifall beim bürgerlich-akademischen Publikum. C. Bu.

Ausgaben: Pest 1857, 3 Bde. – Prag 1916–1921 (in *SW*, Hg. A. Sauer u. a., 1904 ff.; Bd. 6–8/1, Hg. K. Eben u. F. Hüller). – Augsburg 1954, Hg. M. Stefl. – Wiesbaden 1959 (in *GW*, Hg. ders., 6 Bde., 4). – Mchn. 1966.

Literatur: E. Staiger, *Meisterwerke deutscher Sprache aus dem neunzehnten Jahrhundert*, Zürich [2]1948, S. 188–203. – M. Rychner, *S.s »Nachsommer« u. »Witiko«* (in M. R., *Welt im Wort. Literarische Aufsätze*, Zürich 1949, S. 181–210). – W. Rehm, *»Nachsommer«. Zur Deutung von S.s Dichtung*, Mchn. 1951; ern. Bern/Mchn. 1966. – P. Requadt, *Das Sinnbild der Rosen in S.s Dichtung. Zur Deutung seiner Farbensymbolik* (in Abh. d. Akad. d. Wiss. u. Lit., Kl. Lit., Mainz 1952, Nr. 2, S. 17–54). – R. Pascal, *A. S. »Indian Summer«* (in R. P., *The German Novel. Studies*, Manchester 1956, S. 52–75). – H. Seidler, *Die Bedeutung der Mitte in S.s »Nachsommer«* (in A.-Stifter-Institut; Vierteljahrsschr., 6, 1957, S. 59–86). – F. Bertram, *Ist der »Nachsommer« A. S.s eine Gestaltung der Humboldtschen Bildungsideen?*, Diss. Ffm. 1957. – A. Schmidt, *Der sanfte Unmensch. Ein Jahrhundert »Nachsommer«* (in A. S., *Dya na Sore. Gespräche in einer Bibliothek*, Karlsruhe 1958, S. 195–229). – W. Killy, *Utopische Gegenwart. S.. »Der Nachsommer«* (in W. K., *Wirklichkeit u. Kunstcharakter*, Mchn. 1963, S. 83–103). – V. Lange, *A. S. »Der Nachsommer«* (in *Der deutsche Roman. Vom Barock bis zur Gegenwart. Struktur u. Geschichte. Interpretationen*, Hg. B. v. Wiese, Düsseldorf 1963, S. 34 bis 75). – H. A. Glaser, *Die Restauration des Schönen. S.s »Nachsommer«*, Stg. 1965. – Ch. Wolbrandt, *Der Raum in der Dichtung A. S.s*, Zürich 1967 (Beitr. zur dt. Literatur- u. Geistesgeschichte, 29). M. Böhler, *Formen u. Wandlungen des Schönen. Untersuchungen zum Schönheitsbegriff A. S.s*, Bern 1967. – H. Seidler, *Gestaltung und Sinn des Raumes in S.s »Nachsommer«* (in *A. S. Studien und Interpretationen*, Hg. L. Stiehm, Heidelberg 1969).

STUDIEN. Dreizehn Erzählungen von Adalbert Stifter (1805–1868), erschienen in Folgen von je zwei Bänden: 1844, 1847 und 1850. – Die *Studien* waren Stifters erste Buchveröffentlichung: dreizehn Erzählungen, deren Urfassungen zuvor bereits in verschiedenen Zeitschriften, Taschen- und Jahrbüchern abgedruckt worden waren: *Der Condor* (1840), →*Feldblumen* (1840), →*Das Haidedorf* (1840), →*Der Hochwald* (1841), →*Die Narrenburg* (1841), →*Die Mappe meines Urgroßvaters* (1841), →*Abdias* (1842), →*Das alte Siegel* (1843), →*Brigitta* (1843), →*Der Hagestolz* (1844), →*Der Waldsteig* (1844), →*Zwei Schwestern* (1845), →*Der beschriebene Tännling* (1845). Für die Buchausgabe erfuhren sämtliche Urfassungen eine gründliche Überarbeitung. Die daraus resultierende, literarhistorisch relativ seltene Chance, im Vergleich zweier an denselben Stoffen sich erprobender Schaffensphasen den Wandel der Stilformen innerhalb eines dichterischen Werkes verfolgen zu können, wurde in der Literaturwissenschaft ausgiebig genutzt: Ein beträchtlicher Teil der Stifter-Forschung beschäftigt sich mit einem kritischen Vergleich zwischen »Urfassungen« und »Studien-Fassungen« dieser Erzählungen.
Die Urfassungen hatten den Dichter noch den breiteren literarischen Tendenzen seiner Epoche verhaftet gezeigt. Vor allem im sprachlichen Gestus war das subjektivistische Pathos der Spätromantiker unverkennbar. Der von Jean Paul aufgestellten Forderung nach »*sinnlicher Individualität*« der darzustellenden Wirklichkeit wurde Genüge getan durch einen gelegentlich äußerst suggestiven Klanglyrismus, durch lange und um Farbigkeit bemühte Adjektivketten, durch eine Vielzahl von Metaphern und Bildassoziationen. Einen unverkennbaren Bruch mit romantischen Traditionen jedoch bedeutete der ausgeprägt fatalistische Wirklichkeitsbegriff des Dichters der Urfassungen. Die Art, wie er seine Figuren der Erfahrung eines weitgehenden Identitätsverlustes, der sozialen Vereinzelung, der Determiniertheit durch Geschichte, Vererbung und Gesellschaft auslieferte, erinnerte an Formen der Wirklichkeitsausdeutung bei Büchner, Grabbe, Lenau, Heine sowie den Jungdeutschen.
Nahezu alle Änderungen nun, die der Dichter der *Studien* an den Urfassungen vornahm, zeigen die Tendenz, die pessimistisch-fatalistischen Akzente des Frühwerks abzuschwächen, wenn nicht ganz zu eliminieren. Der in seiner ersten Schaffensphase durchaus über ein aktuelles Wirklichkeitsbild verfügende Stifter wechselt jetzt über in das Lager der literarischen Restauration; er entwickelt sich in der Folge immer nachdrücklicher zu einem Exponenten der Bürgerkultur des Biedermeier. Es ist aber

zugleich zu betonen, daß der in den *Studien* unternommene Versuch der Reharmonisierung einer ursprünglich als widersprüchlich und disharmonisch geschilderten Wirklichkeit weitgehend auf rein formale Verfahrensweisen angewiesen bleibt. Es gelingt dem Dichter nicht grundsätzlich, die dargestellten Wirklichkeiten jener fatalistischen Aspekte zu entkleiden, die in den Urfassungen offen zutage traten. Doch dank raffinierter Techniken des Verhüllens, der verharmlosenden Umschreibung wird der ursprüngliche Eindruck zurückgedrängt. Wie das gesamte Spätwerk (*Der Nachsommer*, *Witiko*) sind bereits die *Studien* Zeugnis für Stifters Versuch, seine aktuelle (und beispielsweise in dem zutiefst pessimistisch gestimmten Briefwerk des Dichters unverhüllt ausgesprochene) Zeiterfahrung durch Aufbau literarischer Gegenwelten zu revidieren.

Die Distanzierung des Dichters der *Studien* von seinem Frühwerk hat eine anthropologische sowie eine poetologische Komponente. Anthropologisch: Hatte der Dichter der Urfassungen sein hauptsächliches Augenmerk noch auf solche Figuren gerichtet, die dem Prinzip des Individualismus, des subjektiven Glück-Verlangens gehorchen, hatte er all jene Figuren, die in ihrer Ich-Bezogenheit an objektiven Widerständen scheitern, mit der Gloriole des Heldenhaften ausgestattet, so richtet er in den *Studien* sein Hauptinteresse auf Haltungen wie Resignation, Entsagung, Selbstbeherrschung bis zur Selbstaufgabe, Anpassung. Nicht den heldischen Hitzköpfen gilt weiterhin die Sympathie des Erzählers, vielmehr werden in fast allen *Studien*-Fassungen diejenigen Figuren aufgewertet, die aufgrund ihres Alters und ihrer Lebenserfahrung imstande sind, schmerzhafte Vorfälle mittels Verinnerlichung zu kompensieren. Die zeitoffenen, teilweise sogar gegen aktuelle Mißstände angehenden Intentionen der »Helden« der Urfassungen werden mit wenigen Ausnahmen abgeschwächt auf eine lediglich die Privatsphäre tangierende Problematik. Die individuelle Substanz ist nur noch insofern von Belang, als sie teilhat an Verhaltensformen, die Kontinuität sowie Aufrechterhaltung des gesellschaftlichen Status quo gewährleisten. Nicht Ausnahmesituationen, nicht emotionelle Aufgipfelungen sind daher für den Erzähler der *Studien* von vorrangiger Wichtigkeit, sondern alltäglich-gleiche Verrichtungen wie zum Beispiel Spaziergänge, Pflege von Heim und Garten, Ordnen von Sammlungen, häusliches Zeremoniell wie Tischgebete, Begrüßungen, Verabschiedungen usw. Jugendlicher Protest, der Wunsch, die Umwelt zu verändern, werden jetzt als Formen der Unreife eingestuft. Menschenwürdig im Sinn der *Studien*-Fassungen ist die Fesselung und Verdrängung von Protesthaltungen. – Diesen mehr konservativen Tendenzen in der Revision der Urfassungen steht ein ausgesprochen progressiver Akzent entgegen: Der Dichter stattet einige seiner Figuren mit naturwissenschaftlichen Neigungen aus, die dem zur Entstehungszeit der *Studien* erreichten Entwicklungsstand der Naturwissenschaften Rechnung tragen. Es ist ein Verdienst Stifters, die Figur des Naturwissenschaftlers in der deutschen Dichtung des 19. Jh.s literaturfähig gemacht zu haben.

Dieselbe Tendenz, die sich im stofflichen Bereich ablesen läßt, bestimmt auch die poetologische Struktur der *Studien*. Zwecks erzählerischer Eingrenzung und Besänftigung einer ursprünglich negativen Wirklichkeitserfahrung greift Stifter weit nachdrücklicher noch als in den Urfassungen zu distanzierenden Rahmentechniken. Oft wird der Leser nicht in direkter Form mit fiktiven Vorgängen konfrontiert, er nimmt sie vielmehr auf in einem intellektuell stark vororganisierten Zustand: als schriftlichen oder mündlichen Bericht einer Figur, die meist mit den von Stifter idealisierten restaurativen Bewußtseinsmechanismen ausgestattet ist. – Weiterhin fällt auf, daß der Dichter der *Studien* viele Passagen der Urfassungen ausspart, in denen besonders dramatische Konfliktsituationen ausgestaltet sind. Wo Situationen dieser Art eine für den Erzählprozeß unentbehrliche Funktion haben, wird ihnen durch betont ausgleichende und undynamische Wortwahl die dualistische Schärfe genommen. Nicht selten bedeutet das zugleich einen Verzicht auf die sprachliche Plastizität und Farbigkeit der Urfassungen. Allerorten zeigen die *Studien* erste Spuren des kargen und stark abstrahierenden Stifterschen Spätstils, wie er in den Großerzählungen *Der Nachsommer* und *Witiko* voll zur Geltung kommt. Anstelle einer alle Widersprüche voll ausmalenden Schilderungsweise tritt die Ausbildung sprachlicher Figuren, die jedes Einzelphänomen gleichrangig behandeln, jeden Spannungszustand also neutralisieren. Oft wird an den geschilderten Phänomenen nicht die augenblickhaft-einmalige Erscheinungswirklichkeit betont, sondern die in der Erscheinung Bild werdende generelle Gesetzlichkeit. Mit Recht hat man in diesem Zusammenhang von den naturwissenschaftlichen Akzenten in Stifters Erzählstil gesprochen.

Gerade ein Vergleich der *Studien* mit den sprachlich oft viel differenzierteren und nuancenreicheren Urfassungen zeigt die besondere Ausprägung des Stifterschen Realismus. Es geht dem Dichter in seiner (mit dem Erscheinen der *Studien* einsetzenden) mittleren Schaffensphase keinesfalls allein um eine exakte Beschreibung der Erscheinungswirklichkeit. Vielmehr unternimmt er den Versuch einer Reharmonisierung und Humanisierung der Wirklichkeit mit dichterischen Mitteln. Der Reiz der *Studien* besteht nicht zuletzt darin, daß diese Umfunktionierung des ursprünglichen Erzählmaterials nicht immer voll gelingt. Das Stiftersche Erzählverfahren bleibt stets erkenntlich als Bau artifizieller Gegenwelten. Die Negativerfahrungen, gegen die hier anerzählt wird, sind noch nicht, wie im Spätwerk des Dichters, voll abgedeckt. C. Bu.

Ausgaben: Pest 1844–1850, 6 Bde. (Bd. 1: *Der Condor*, *Feldblumen*, *Das Haidedorf*; Bd. 2: *Der Hochwald*, *Die Narrenburg*; Bd. 3: *Die Mappe meines Urgroßvaters*; Bd. 4: *Abdias*, *Das alte Siegel*, *Brigitta*; Bd. 5: *Der Hagestolz*, *Der Waldsteig*; Bd. 6: *Zwei Schwestern*, *Der beschriebene Tännling*). – Prag 1904–1911 (in *SW*, Hg. A. Sauer u. a., 12 Bde., 1904 ff., Bd. 1–4). – Gütersloh 1956 (in *SW*, Hg. M. Benedikt u. H. Hornstein, 6 Bde., 1/2; Einf. B. v. Heiseler). – Wiesbaden 1959 (in *GW*, Hg. M. Stefl, 6 Bde. 1/2). – Mchn. 1966.

Literatur: W. Dexel, *Beiträge zur Kenntnis der S.schen Novellenkunst in den »Studien«*, Diss. Mchn. 1934. – U. Bohn, *Bild u. Gebärde in A. S.s »Studien« mit besonderer Berücksichtigung der Lesarten*, Bln. 1938; Nachdr. Nendeln/Liechtenstein 1967. – W. Kohlschmidt, *Leben u. Tod in S.s »Studien«* (in W. K., *Form u. Innerlichkeit*, Mchn. 1955, S. 210–232; Slg. Dalp, 81). –J. Ackermann, *A., S. »Studien«*, Diss. Göttingen 1961. – G. H. Hertling, *Grenzübergang u. Raumverletzung. Zur Zentralthematik in A. S. »Studien«* (in Adalbert

Stifter-Inst., Vierteljahresschr., 16, 1967, S. 61–77). – K. Mautz, *Das antagonistische Weltbild in S.s »Studien«* (in *A. S. Studien u. Interpretationen. Gedenkschrift zum 100. Todestage*, Hg. L. Stiehm, Heidelberg 1968, S. 23–56). – H. Mettler, *Natur in S.s frühen »Studien«: Zu S.s gegenständlichem Stil*, Zürich/Freiburg i. B. 1968. – C. Buggert, *Figur und Erzähler. Studien zum Wandel der Wirklichkeitsauffassung im Werk A. S.s*, Mchn. 1970

WITIKO. Eine Erzählung. Roman von Adalbert Stifter (1805–1868), entstanden seit 1855, erschienen in drei Bänden 1865–1867. – Das Prosaepos über die Frühzeit der tschechischen Staatsgründung hat eine über 20jährige Vor- und Entstehungsgeschichte. Schon 1844 plante Stifter, die Arbeit an den *Studien* zu unterbrechen und den »*Maximilian Robespierre (historischer Roman in drei Bänden) heraus zu geben ..., damit ich mit größeren und ernsteren Sachen auftrete*« (an G. Heckenast, 17. 7. 1844). Doch erst 1847/48, durch Kritik an seiner idyllischen Dauerproduktion und den Schock der Revolution gedrängt, begann er mit zeitraubenden Quellen- und Fachliteraturstudien, die bis 1855 einen voluminösen – bis heute verschollenen – Komplex von Materialsammlungen und poetischen Entwürfen als Grundlage mehrerer dreibändiger Geschichtsromane über die südböhmische Adelsdynastie der Rosenberger gehäuft hatten. Nach erneuter Verzögerung durch die Herausgabe des *Nachsommer* wurde schließlich in zehnjähriger Anstrengung nur der Roman über die Gründerfigur Witiko fertig.

Im Spätsommer des Jahres 1138 reitet der zwanzigjährige Witiko, nach dem frühen Tod seines tschechischen Vaters unter der Obhut seiner deutschen Mutter in Bayern aufgewachsen, von seinem Schulort Passau nach Norden, um im Land seiner Vorfahren »*sein Glück zu suchen*«. Auf einer Waldblöße am Fuß des Dreisesselberges begegnet ihm in der 16jährigen Bertha von Jugelbach die künftige Frau, vor der er seinen hochgesinnten Lebensplan entwirft: »*Ich gehe nach einem großen Schicksale, das dem rechten Manne ziemt*« und »*ich will in der Welt das Ganze tun, was ich nur immer tun kann*«. In der böhmischen Ebene holt den einsamen grauen Reiter eine bunte Jagdgesellschaft ein. Witiko weiß sich gegen den Spott der höfischen Jungritter mit wortkargem Ernst zu behaupten und gewinnt die Sympathie ihres Anführers Wladislaw, seines späteren Lehnsherrn. Mit dieser Begegnung beginnt Witikos steile Karriere. – Ersten politischen Erfolg erringt Witiko zwei Jahre später auf dem Prager Wahllandtag, wo die Großen des Landes anstelle des öffentlich zum Nachfolger bestimmten, aber noch zu jungen Sohnes des todkranken Herzogs Sobĕslaw (1125–1140) seinen Neffen Wladislaw zum Herzog wählen. Witiko, in Sobĕslaws Diensten als Kundschafter in Prag, erkämpft sich, um die ganze Wahrheit melden zu können, durch entschlossenes Auftreten das Recht der passiven Teilnahme. Im wogenden Auf und Ab der Reden hat er Gelegenheit, die Großen des Landes, ihre Argumente, Interessen und Parteien kennenzulernen. Nach dem Regierungsantritt Wladislaws zieht Witiko sich auf seinen kleinen Hof im Oberen Plan zurück, da er die entstandene Rechtsproblematik – der dramatische und thematische Kern des ganzen Buches – nicht zu entscheiden vermag. Erst als der Sohn Sobĕslaws beim Ausbruch des Nachfolgestreits im Frühling 1142 seinen bestehenden Herrschaftsanspruch durch Abtretung an den Rebellenherzog Konrad von Znaim verliert, geht Witiko mit seinen ihm freiwillig folgenden Waldleuten auf die Seite des nunmehr legitimen Herzogs Wladislaw und verhindert in der Schlacht am Berge Wysoka die durch Verrat in den eigenen Reihen drohende Niederlage. Während der anschließenden Belagerung Prags, auf dem Rückweg vom Nürnberger Reichstag, wohin er den Hilfe holenden Herzog begleitet hat, kommt Witikos größte Stunde. In einem Reitergefecht bei Pilsen läßt er die mährischen Fürsten, die er vernichten könnte, absichtlich entfliehen. Er muß sich einem Kriegsgericht stellen, wird jedoch eingedenk der sittlichen Motive und des politischen Weitblicks seiner Tat durch milde Bestrafung geehrt und zum Anführer seiner Waldleute ernannt. Sein kühnes Auftreten auf dem Wahllandtag, sein erfolgreiches Eingreifen in der Schlacht und sein vernünftiges Verhalten gegenüber den Fürsten haben ihn als loyalen Nonkonformisten, bei dem militärisches und politisches Genie sich mit ethischem Rigorismus verbindet, ausgezeichnet und über die Grenzen des Landes berühmt gemacht. – Im weiteren Verlauf des Nachfolgestreits verhilft Witiko dem verfolgten Bischof von Olmütz zur Flucht nach Passau. Von dort fährt er auf der Donau nach Wien, um seine Mutter zu besuchen und den Babenberger Hof kennenzulernen, der dem amusischen Rationalisten das glanzvolle, kunstsinnige Leben der ritterlich-höfischen Gesellschaft Österreichs vor Augen führt – einziges heiter-ironisches Gegenbild zum beherrschenden Ernst des Buches. Wieder nach Plan zurückgekehrt, bereitet Witiko seine Waldleute systematisch auf den kommenden Entscheidungskampf vor. Diesen gewinnt im Frühjahr 1143 die Partei des Herzogs in der Schlacht vor Znaim, dank Witikos Strategie und dem Einsatz seiner Waldleute. Er wird mit einem Teil des südlichen Waldlandes belehnt, beginnt den Bau einer Stammburg und verlobt sich mit Bertha. Nach dem großen Versöhnungsfest auf dem Prager Hradschin im Herbst 1144 zieht Witiko in die fertige Burg ein und feiert Hochzeit. Seines Schwiegervaters Bedingung: »*Sehet, daß die Rose* [sie ist Witikos heraldisches Symbol] *in die Geschicke Eurer Länder hinein blühet*«, hat er erfüllt. – In dem nach allgemeinem Urteil abfallenden Schluß des Buches wird die Integration der böhmischen Geschichte in die des Reiches am Beispiel der Beteiligung Wladislaws am zweiten Italienzug Barbarossas (1158–1162) dargestellt. Dabei erscheint allerdings die imperiale Machtpolitik des Kaisers, habsburgischem Patriotismus und einer menschheitlichen Gesamtordnungsutopie zuliebe, in stark idealisierendem Licht. Wieder tut Witiko sich mit seinen Waldleuten entscheidend hervor, wird nach der Rückkehr erneut mit Land belehnt und am Ende »*Zupan von Prachem, Heerführer, Gesandter und oberster Truchseß des Königreiches Böhmen*«. Schlußbild des Romans ist der festliche Mainzer Reichstag Pfingsten 1184, den der 64jährige Witiko mit seinem Anhang besucht und bei dem ihm von seinen österreichischen Dichterfreunden die ersten Strophen des Nibelungenliedes vorgesungen werden – immanenter Hinweis auf den eigenen »*Dichtungsversuch aus der Geschichte seines Heimatlandes*«, den der Verfasser »*Seinen Landsleuten insbesonders der alten ehrwürdigen Stadt Prag*« gewidmet hat.

Die zeitgenössische Kritik lehnte das umfangreiche Werk befremdet ab. Neben offensichtlichen Verfälschungen der historischen Wahrheit durch die anachronistische Ausstattung des mittelalterlichen 12. mit Errungenschaften des bürgerlichen 19. Jh.s (Eßbesteck, parlamentarisches Debattieren, freie Lohnarbeit u. a. m.) sowie der stets bemängelten leidenschaftslosen Vernünftigkeit der Figuren schokkierte vor allem die neuartige, scheinbar primitive Schreibart, die man als Nachahmung eines einfältigen Chronikstils mißverstand und als trocken, dürr, steif, ledern, marottenhaft, naturwidrig, unmodern abtat (K. v. Thaler). Sofern damit die an der historischen Belletristik eines SPIESS, SCHEFFEL oder auch SCOTT orientierten Gattungserwartungen enttäuscht wurden, lag dies in der Absicht des Buches. Stifter hat sich ausdrücklich von jener Art des historischen Romans distanziert, in der *»gewöhnlich bei geschichtlichem Hintergrunde Gefahren, Abenteuer und Liebesweh eines Menschen oder einiger Menschen«* erzählt werden. Seiner Vorstellung nach sollte *»das Völkerleben in breiteren Massen«* erscheinen, sollte sich in den Völkerschicksalen *»die Abwiklung eines riesigen Gesezes ..., das wir in Bezug auf uns das Sittengesez nennen«* zeigen, sollte *»die Geschichte die Hauptsache und die einzelnen Menschen die Nebensache«* sein (an G. Heckenast, 8. 6. 1861). Dem entspricht ein poetisches Verfahren, das das Allgemeine nicht mehr am Beispiel individueller Subjektivität, sondern unvermittelter als kategoriale Objektivität entfaltet und damit, radikaler als in allen anderen Werken Stifters, die Grenzen klassischer und realistischer Ästhetik im 19. Jh. zugunsten eines formalistischen Konzepts in gesellschaftskritischer Absicht transzendiert. Anstelle symbolischer Bilder oder evokativer Details wird die stilisierte Merkmalkette zum durchgängigen Darstellungsmittel. Als Merkmale fungieren nahezu ausschließlich äußere, d. h. sinnlich wahrnehmbare Kennzeichnungen, die zu weiträumigen Reihen und Gebilden addiert werden, deren ständig sichtbare Ordnungen allgemeine Auffassungsformen des Bewußtseins repräsentieren. Diese in permanenten Wiederholungen reich nuancierte Aufzählungsstilistik, die das ganze Werk, die großen Massenszenen der Rede- und Feldschlachten ebenso wie das einfache Leben im Walde, den intimen Liebesdialog wie die offizielle Audienz, Witikos Sorge um sein Pferd wie sein politisches Argumentieren in unerhörter Gleichartigkeit strukturiert, ist die eigentliche, doch bis heute problematisch gebliebene Leistung des *Witiko*.

Das Problem liegt, wie bei jedem formalistischen Verfahren, in der bewußten Begrenztheit der epischen Mittel. Es bedarf eines Lesers, der den ihm freigeräumten Spielraum durch Nachvollzug der sprachlichen Figuren und Substitution des Verschwiegenen kreativ zu füllen versteht: *»Es ging einen langen Berg hinan, dann eben, dann einen Berg hinab, eine Lehne empor, eine Lehne hinunter, ein Wäldchen hinein, ein Wäldchen hinaus, bis es beinahe Mittag geworden war.«* Es gilt vor allem, das pathetische Vibrato einer unausgesprochenen, latenten Innerlichkeit mitzuhören, das noch die schlichtesten Feststellungen durchpulst: *»Sie stand, und sah auf Witiko, Witiko sah auf sie.«* Wo das nicht gelingt, erstarrt die lebendige Leere zu leerem Formalismus, mag man den *Witiko* ein Buch nennen, *»in dem geschildert wird, wie sich drei Menschen auf drei Stühle setzen«* (H. Hesse) oder gar als Stifters *»Austrittserklärung aus der menschlichen Gesellschaft«* (A. Schmidt) verdammen. Dementgegen behauptet sich der Sinn für *»eine als Kunst angewandte Monotonie«* (W. Höllerer), die von rhythmischen Ausdrucksbildern bis zur *poésie pure* seitenlanger Namenslisten reicht, steht die Erfahrung des *Witiko* als *»Traumabenteuer einer Langweiligkeit höchster Art«*, in das *»die kühne Reinheit, die gewagte Pedanterie, die fromme Vorbildlosigkeit dieses Meisterwerks«* (Th. Mann) zu verstricken imstande seien.

Indessen, all die konstruktive Sprachgestik ist kein Selbstzweck, sondern Funktion und ästhetisches Vehikel ihres politischen Gehalts. *Witiko* ist ein politisches Buch; wofür tritt es ein? Ist es ein *»Handbuch für Offiziersanwärter«* (A. Schmidt) oder ein *»Grundbuch revolutionärer Gesinnung«* (H. Bahr)? Eher vielleicht der utopische Entwurf eines politischen Handlungsmodells, der im Bilde mittelalterlicher Vergangenheit die Grundlagen einer vernünftigen politischen Praxis formuliert: die Axiome menschlicher Gerechtigkeit und die Regeln rationaler Argumentation. *Witiko* bestätigt am entschiedensten Stifters Überzeugung, daß seine Bücher *»als sittliche Offenbarung, als mit strengem Ernste bewahrte menschliche Würde«* (an G. Heckenast, 22. 2. 1850) mehr wert seien denn als Kunstwerke. M. Se.

AUSGABEN: Pest 1865–1867, 3 Bde. – Prag 1932 (in *SW*, Hg. A. Sauer u. a., 12 Bde., 1904ff., Bd. 9–11, Hg. F. Hüller). – Augsburg 1953, Hg. M. Stefl. – Wiesbaden 1959 (in *GW*, Hg. ders., 6 Bde., 5).

LITERATUR: K. Flöring, *Die historischen Elemente in A. S.s »Witiko«*, Gießen 1922. – A. v. Grolman, *A. S.s Romane*, Halle 1926; ern. Hbg. 1952 (u. d. T. *Vom Kleinod in allen Zeilen. Einige Stationen auf dem Wege zur Erkenntnis von S.s Wesen, Werk u. Wirklichkeit*). – H. Bahr, *A. S.s »Witiko«*, St. Gallen 1928. – J. Nadler, *S.s »Witiko«*, Kassel 1928. – F. Hüller, *A. S.s »Witiko«*, Eger/Kassel 1930; Graz/Wien [2]1953. – Th. Mann, *»Witiko«, Antwort auf eine Rundfrage* (in Die Welt im Wort. 21. 12. 1933; ern. in Th. M., *Das essayistische Werk*, Ffm. 1968, S. 186/187). – H. Blumenthal, *S.s »Witiko« u. die geschichtliche Welt* (in ZfdPh, 61, 1936, S. 393–431). – H. G. Barnes, *The Functions of Conversations and Speeches in »Witiko«* (in *German Studies Presented to H. G. Fiedler*, Oxford 1938, S. 1–25). – P. Dormagen, *Die epischen Elemente in A. S.s »Witiko«*, Würzburg 1940. – E. Wolf, *Der Rechtsgedanke bei A. S.*, Ffm. 1941 (auch in E. W., *Vom Wesen des Rechts in deutscher Dichtung*, Ffm. 1946, S. 61–180). – M. Rychner, *»Witiko«* (in M. R., *Welt im Wort. Literarische Essays*, Zürich 1949, S. 181–210). – Th. Pütz, *»Witiko« als Vorbild des politischen Menschen*, Wien/Stg. 1950. – E. Fechner, *Recht u. Politik in A. S.s »Witiko«*, Tübingen 1952. – M. Enzinger, *Witiko-Geographie* (in M. E., *Gesammelte Aufsätze zu A. S.*, Wien 1967, S. 192–218). – P. Bockelmann, *Vom rechten politischen Handeln. Bemerkungen zu S.s »Witiko«* (in *Fs. für H. Niedermeyer*, Göttingen 1953, S. 7–30). – J. Müller, *A. S.s »Witiko« u. das Problem des historischen Romans* (in Wissenschaftliche Annalen, 3, 1954, S. 230–241; 261–270). – W. Epping, *A. S.s »Witiko« u. das Legitimitätsprinzip* (in *Fs. für E. Schlesinger*, Rostock 1955, S. 199–204). – W. Höllerer, *S.* (in W. H., *Zwischen Klassik u. Moderne*, Stg. 1958, S. 357–377). – W. Koll, *Das Recht in der Dichtung A. S.s*, Bonn 1958. – A. Schmidt, *... und dann die Herren Leutnants. Betrachtungen zu »Witiko«* (in A. S., *Die Ritter vom Geist*, Karlsruhe 1965, S. 283–317). – G. Weippert, *S.s »Witiko«. Vom Wesen des Politischen*, Wien

1967. – H. Kunisch, »*Witiko*« (in *A. S. Studien u. Interpretationen*, Hg. L. Stiehm, Heidelberg 1968, S. 227–244). – M. Böhler, *Die Individualität in S.s Spätwerk* (in DVLG, 43, 1969, S. 652–684). – F. Seibt, *S.s »Witiko« als konservative Utopie* (in *Tschechen und Deutsche*, Mchn. 1971, S. 23–39).

THEODOR STORM
(1817–1888)

AQUIS SUBMERSUS. Novelle von Theodor STORM (1817–1888), erschienen 1876. – Die erste historische Novelle Storms erzählt eine Liebestragödie aus dem 17. Jh. Ausgangspunkt sind zwei zufällige Entdeckungen: der Autor sieht in seiner Schülerzeit das Porträt eines finsteren Priesters, der einen toten Knaben mit einer Wasserlilie im Arm hält, so daß die auf den Rahmen gemalten Buchstaben C.P.A.S. sich zur Entschlüsselung in *culpa patris aquis submersus* (durch Schuld des Vaters ertrunken) anbieten; viele Jahre später entdeckt er dann in einem Bürgerhaus ein Bündel vergilbter Blätter und das Bild eines schönen Mannes, der den gleichen toten Knaben hält. Von da leitet Storm zum chronikartigen Bericht des Malers Johannes über. Er ist, aus Amsterdam kommend, in die holsteinische Heimat und auf das Schloß seines Gönners Gerhardus zurückgekehrt. Gerhardus ist gestorben, und dessen ungeratener Sohn drängt brutal seine Schwester Katharina zur Heirat mit einem seiner Saufkumpane. Noch immer aber fühlt sich Katharina ihrem Jugendgespielen Johannes in Liebe verbunden, und während er ihr Brautbild malt, entdecken sie einander ihre leidenschaftliche Zuneigung. Sie planen Katharinas Flucht in ein Kloster, um später heimlich nach Amsterdam entweichen zu können. Schon vorher aber werden sie Mann und Frau, als sich eines Nachts der Maler vor den Bluthunden des Junkers in Katharinas Kammer retten muß. Als Johannes nun offen um Katharinas Hand wirbt, schießt der Junker auf ihn und verletzt ihn schwer. Nach seiner Genesung sucht Johannes vergeblich die Geliebte. Schließlich reist er nach Holland und kehrt nach Jahren als reicher Mann zurück. Der Zufall gewährt ihm ein Wiedersehen mit Katharina, die die Frau des »finsteren Priesters« hatte werden müssen, um ihrem in jener Nacht empfangenen Kind einen Namen zu geben. Während Johannes noch einmal die Geliebte umarmt, erfüllt sich der Fluch ihres Schicksals: der unbeaufsichtigt spielende Knabe ertrinkt in einem Weiher. Johannes setzt in das schon vollendete Bild des Priesters das seines toten Sohnes ein und verläßt Haus und Dorf.
Durch die in dieser Novelle angewandte »Ringtechnik« – Anfang und Ende treffen in dem Bild des ertrunkenen Knaben zusammen – gelingt es Storm mühelos, die Vergangenheit in die Gegenwart einzubeziehen. Seine Sprache, in Kolorit und Nuancierung dem jeweiligen Stoff und der gewünschten Atmosphäre angepaßt, in ihren Grundzügen aber immer dynamisch-rhythmisch, ist in dieser Novelle in Satzbau und Wortwahl leicht altertümelnd, wodurch die fiktive Chronik dokumentarischen, den zeitlichen Abstand zur Gegenwart vergrößernden Charakter erhält. Trotzdem ist die Handschrift des späten, des herberen und knapperen Erzählers Storm überall deutlich spürbar, so in den schlichten Schilderungen der Heide- und Waldlandschaft mit ihren wechselnden Stimmungen, oder in der Bildkraft, mit denen er noch die feinsten Gefühlsregungen seiner Gestalten wiedergibt. B. B.

AUSGABEN: 1876 (in DRs, 9). – Bln. 1877. – Lpzg. 1921 (in *SW*, Hg. A. Köster, 8 Bde., 4). – Stg. o. J (in *Werke*, Hg. H. Engelhard, Bd. 3). – Weimar 1962 (in *Werke*, Hg. P. Goldammer, Bd. 2).

LITERATUR: T. Rockenbach. *T. S.s Chroniknovellen*, Diss. Münster 1916. – T. Müller, *S.s Erzählung »Aquis submersus«*, Marburg 1925. – E. Feise, *T. S.s »Aquis submersus«. Eine Formanalyse* (in E. F., *Xenion*, 1950, S. 226–240). – R. Buck, »*Aquis submersus*« (in Deutschunterricht, 1953, S. 92–107).

IMMENSEE. Novelle von Theodor STORM (1817 bis 1888), erschienen 1850. – Vor den Augen eines einsamen alten Mannes zieht die Geschichte seiner unerfüllten Liebe vorüber: die mit der Gespielin Elisabeth gemeinsam auf dem Lande verbrachte glückliche Kindheit, noch kaum überschattet von dem, was sie einmal trennen würde *(»sie war ihm oft zu still, er war ihr oft zu heftig«)*, die Gedichte, die er für sie schrieb, die Märchen, die er ihr erzählte, dann in einem Sommer die Trennung durch sein Studium. Als er Ostern heimkommt, findet er Elisabeth verändert, ohne doch sagen zu können, weshalb, und es ist, *»als träte etwas Fremdes zwischen sie«*. Der Hänfling, den er ihr geschenkt hat, ist gestorben; statt seiner flattert ein Kanarienvogel im vergoldeten Bauer – beides ein Geschenk seines Schulfreunds Erich, der das Gut Immensee übernommen hat. Beim Abschied bittet der Erzähler Elisabeth, auf ihn zu warten. Aber er schreibt ihr nicht mehr, und so erfährt er nach zwei Jahren, daß sie auf Drängen ihrer Mutter Erich geheiratet hat. Eine letzte Begegnung, die die Erinnerung an das zerbrochene Glück heraufbeschwört, wird zur unerträglichen Qual, und er geht auf Nimmerwiedersehn davon. *»Er sah nicht rückwärts ...; und mehr und mehr versank hinter ihm das stille Gehöft, und vor ihm auf stieg die große weite Welt.«*
Die Novelle, die Storm berühmt machte und eine seiner bekanntesten geblieben ist, gleicht in ihrem Aufbau einem in Prosa aufgelösten Gedicht. Die einzelnen Kapitel, die die Funktion von Strophen haben, geben lyrische Stimmungsbilder wieder, hinter denen die auf ein Minimum beschränkte Handlung zurücktritt. Aneinandergereihte Motive und symbolische Bilder stehen in festem innerem Zusammenhang: eine Erdbeersuche der Kinder im Wald, bei der sie sich verirren, der Tod des Hänflings und Erichs Geschenk, die Begegnung des Studenten mit einem Zigeunermädchen, das er als Bettlerin im Gutshaus am Immensee wiedertrifft. Zentrales Motiv ist die unerreichbar auf dem Immensee schwimmende Wasserlilie, Symbol des zum Greifen nahen, aber nie zu fassenden Glücks. Einzelne in die Erzählung eingestreute Gedichte – *»Meine Mutter hat's gewollt«*, das *Lied des Harfenmädchens* und *Im Walde* – haben ihre feste Funktion im Gewebe der Bilder und erhöhen den Eindruck des Lyrischen, wie auch viele Motive der Novelle in der Lyrik Storms wiederkehren, so etwa das von der leidgezeichneten Hand, die Elisabeth vor dem Freund verbirgt. KLI

AUSGABEN: Altona 1850 (in *Volksbuch für Schleswig, Holstein u. Lauenburg*, Hg. K. L. Biernatzki). –

Bln. 1851 (in *Sommergeschichten und Lieder*). – Bln. 1852. – Lpzg. 1919 (in *SW*, Hg. A. Köster, 8 Bde., 1919/20, 1; krit.). – Mchn. 1951 (in *SW*, Nachw. J. Klein, 2 Bde., 1; ²1967). – Stg. 1958 (in *Werke*, Hg. H. Engelhard, 3 Bde., 1). – Stg. 1960 (in *Immensee und andere Sommergeschichten*, Hg. W. Herrmann; RUB, 6007).

VERFILMUNG: Deutschland 1943 (Regie: V. Harlan).

LITERATUR: G. Storm, *Wie mein Vater Immensee erlebte*, Wien 1924. – A. J. F. Ziegelschmied, *Betrachtungen zu S.s »Immensee«. Eine stilistische Untersuchung* (in MDU, 22, 1930, S. 208–213). – R. Lenhartz, *Die lyrische Einlage bei S.*, Diss. Bonn 1933. – E. O. Wooley, *Two Literary Sources of »Immensee«* (in MDU, 42, 1950, S. 265–272). – F. Stuckert, *Th. S. Seine Welt u. sein Werk*, Bremen 1955. – C. A. Bernd, *Die Erinnerungssituation in der Novellistik Th. S.s*, Diss. Heidelberg 1958. – E. O. Wooley, *»Immensee«. Ein Beitrag zur Entstehung u. Würdigung der Novelle* (in Schriften der Th.-S.-Gesellschaft, 9, 1960, S. 24–32). – M. A. McHaffie u. J. M. Ritchie, *Bee's Lake, or The Curse of Silence. A Study of Th. S.'s »Immensee«* (in GLL, 16, 1962, S. 36–48). – E. A. McCormick, *Th. S.'s Novellen. Essays on Literary Technique*, Chapel Hill 1964, S. 1–37. – L. W. Wedberg, *The Theme of Loneliness in Th. S.'s Novellen*, Ldn./Paris 1964 [m. Bibliogr.].

POLE POPPENSPÄLER. Novelle von Theodor STORM (1817–1888), erschienen 1874 in der Zeitschrift ›Deutsche Jugend‹. – Ehe Storm der Bitte Julius LOHMEYERS entsprach, einen Beitrag für die neugegründete Zeitschrift ›Deutsche Jugend‹ zu liefern, befaßte er sich mit der *»Schwierigkeit der ›Jugendschriftstellerei‹. ›Wenn du für die Jugend schreiben willst‹ – in diesem Paradoxon formulierte es sich mir –, ›so darfst du nicht für die Jugend schreiben! – Denn es ist unkünstlerisch, die Behandlung eines Stoffes so oder anders zu wenden, je nachdem du dir den großen Peter oder den kleinen Hans als Publikums denkst‹.«*

Der in diesen Überlegungen intendierte Zusammenhang zwischen Kindheits- und Erwachsenenwelt bestimmt in doppelter Hinsicht die Erzählstruktur von Storms Novelle. Der Ich-Erzähler des novellistischen Rahmens gedenkt eines Mannes, der ihm als Knaben handwerkliche Fähigkeiten und *»Einsicht in die künftige Entwicklung der Gewerke überhaupt«* vermittelte. Dieser *»Kunstdrechsler und Mechanikus«* namens Paul Paulsen erzählt seinerseits dem Rahmenerzähler, der ihn einst nach der Herkunft des Spitznamens »Pole Poppenspäler« fragte, Erlebnisse aus seiner Kindheit und Jugend. Eines Nachmittags, berichtet Paulsen, seien Puppenspieler aus München – ein Ehepaar Tendler mit ihrer kleinen Tochter Lisei – in seine norddeutsche Heimatstadt gekommen. Die fremde und geheimnisvolle Welt des »fahrenden Volkes« übt auf den Sohn biederer Handwerker eine eigentümliche Anziehungskraft aus. Bald ist er ständiger Gast in den allabendlichen Vorstellungen und gewinnt durch Anteilnahme und Hilfsbereitschaft Liseis Freundschaft. Sie vertieft sich, als er durch sein ungeschicktes Hantieren die kunstvolle Mechanik des Kasperl beschädigt. Mit einigen improvisierten Dialogen und einem Ersatz-Kaspar rettet Tendler die gefährdete Vorstellung von »Doktor Faust«. Als die erwartete Strafe ausbleibt, und Pauls Vater die Figur wieder repariert, beginnt für Paul und Lisei *»eine Zeit des schönsten Kinderglücks«. »Aber alles im Leben ist nur für eine Spanne Zeit.«* Das Gastspiel der Puppenspieler geht zu Ende, und für die Kinder kommt die schmerzliche Stunde des Abschieds. Doch eine unerwartete Begegnung führt sie zwölf Jahre später für immer zusammen. An einem Winternachmittag sieht Paul, der inzwischen auf Wanderschaft gegangen ist, wie eine junge Frau am Gefängnistor Einlaß begehrt, aber von dem hartherzigen Gefängnisinspektor abgewiesen wird und in der klirrenden Kälte umherirrt. Als er ihr nachgeht, erkennt er sie: Es ist Lisei, deren Vater fälschlicherweise des Diebstahls verdächtigt und verhaftet wurde. Dank Pauls Hilfe wird der alte Mann bald entlassen, aber er *»verwind't«* die *»Schand«* nicht und erkrankt. Glücklich über das unverhoffte Wiedersehen und nicht zuletzt, um Vater und Tochter das unstete Leben auf den Landstraßen zu ersparen, heiratet Paul Lisei – allen Vorurteilen seiner Umwelt gegenüber den »Herumtreibern« zum Trotz. Gelassen findet sich Paulsen auch mit dem Spitznamen »Pole Poppenspäler« ab, und nur vorübergehend fällt ein Schatten auf das bürgerliche Eheglück, als Tendlers Abschiedsvorstellung brutal gestört wird. Wenig später stirbt der alte Puppenspieler, und mit seinem Meister wird Kasperl begraben, den eine anonyme Hand ins offene Grab geworfen hat. Paulsen und sein *»Puppenspieler-Lisei«* aber, denen ein Sohn geboren wird, haben bald *»alles, was zu einem vollen Menschenglück gehört«.*

Die einfache Sprache, die spürbare Anteilnahme des Erzählers am Geschehen, genrehafte Kinderszenen, der Reiz des Abenteuerlichen und der schlichte moralische Akzent haben diese Novelle zur Schullektüre prädestiniert und ihr eine gewisse Popularität gesichert. Doch läßt es Storm bei einer romantischen Verklärung der Kindheit nicht bewenden; deren Zauber wird zwar in der Erinnerung lebendig, aber nur als der glückliche und nicht immer problemlose Anfang einer menschlichen Bindung, die sich zu bewähren hatte. Die Erzählung verläuft so nicht als Flucht zurück in eine unwiederbringliche Zeit, sondern führt, nicht ohne pädagogische Intention, von der idyllischen Vergangenheit über Konflikte und Rückschläge zu einer durchaus bejahten Gegenwart. So erreicht Storm einen einfachen progressiven Handlungsverlauf und, da der Endpunkt der erzählten Geschichte durch den Rahmen fixiert ist, eine strenge Geschlossenheit. – Der thematische Reiz der Handlung liegt in der Variation des Gegensatzes zwischen Künstlertum und Bürgertum, eines der Motive, die Thomas MANN an der Stormschen Dichtung so rühmend hervorhob. Liegt zunächst, in der Phase der Kindheit, der Akzent auf dem Abenteuerlichen und Fremden einer Künstlerwelt, die das Bürgerkind in ihren Bann schlägt, so gerät im zweiten Teil der Erzählung die bürgerliche Welt stärker ins Blickfeld, die die fahrenden Künstler verfemt und dem Erzähler den Spottnamen Pole Poppenspäler anhängt. Das glückliche Ende stellt sich nicht als reale Aussöhnung beider Bereiche dar, sondern entsteht um den Preis jener *»Beschränkung und Isolierung«* des Weltblicks, die nach einer Definition des Autors (Brief an J. Brinckmann vom 22. 11. 1851) zum Wesen der Novelle gehören. Der selbstgenügsamen Isolation am Ende der Erzählung, dem stillen Glück im bürgerlich-liberalen Weltwinkel entspricht im Formalen über weite Passagen hinweg *»die Verselbständigung des Erzählten zu einer um ihrer selbst willen genossenen Flut von ›Stimmung‹, sei sie nun lieblich-idyllisch oder schaurig-unheim-*

lich« (B. v. Wiese). Das für Storms Meisternovellen (*Aquis submersus, Zur Chronik von Grieshuus, Renate, Der Schimmelreiter*) charakteristische Oszillieren zwischen der vom poetischen Stimmungsbild verklärten Vergangenheit und der entzauberten Alltäglichkeit der Gegenwart läßt die schlichte Lesebuchprosa von *Pole Poppenspäler* vermissen. H. Hä.

AUSGABEN: Lpzg. 1874 (in Deutsche Jugend, Nr. 4, S. 129–143; 161–171). – Braunschweig 1875 (zus. m. *Waldwinkel*). Braunschweig 1899 [Begleitw. H. Wolgast]. – Lpzg. 1919 (IB, 45). – Lpzg. 1919 (in *SW*, Hg. A. Köster, 8 Bde., 1919/20, 4; hist.-krit.). – Stg. 1958 (in *Werke*, Hg. H. Engelhard, 3 Bde., 2). – Weimar/Bln. [5]1966 (in *Werke*, Ausw. u. Einl. P. Goldammer, 2 Bde., 1). – Stg. 1966, Hg. W. Herrmann (RUB, 6013).

LITERATUR: E. Riemann, *Th. S.s Bemerkungen zur Theorie der Novelle u. die Entwicklung seiner Novellistik* (in *Studien zur Literaturgeschichte. A. Köster zum 7. 11. 1912 überreicht*, Lpzg. 1912, S. 233–247). – W. Kayser, *Bürgerlichkeit u. Stammestum in Th. S.s Novellendichtung*, Bln. 1938. – F. E. Coenen, *Problems in Th. S.'s Novellen* (in GR, 15, 1940, S. 32–45). – Ders., *Death in Th. S.'s Novellen* (in PMLA, 64, 1949, S. 340–349). – K. Klöckner, *Die Krise der Tradition in der Novelle Th. S.s*, Diss. Ffm. 1955. – F. Stuckert, *Th. S. Sein Leben und seine Welt*, Bremen 1955, S. 316–318. – C. A. Bernd, *Die Erinnerungssituation in der Novellistik Th. S.s. Ein Beitrag zur literarischen Formgeschichte des dt. Realismus im 19. Jh.*, Diss. Heidelberg 1958. – B. v. Wiese, *Die deutsche Novelle von Goethe bis Kafka. Interpretationen*, Bd. 2, Düsseldorf 1962, S. 216–235. – B. F. Brech, *Motive des Schweigens in S.s Novellen*, Diss. Univ. of Ohio 1963. – E. A. McCormick, *Th. S.'s Novellen. Essays on Literary Technique*, Chapel Hill 1964. – F. R. Sauern-Frankenegg, *Die dichterische Gestaltung der Liebesauffassung im Werk Th. S.s*, Diss. Wien 1965.

DER SCHIMMELREITER. Novelle von Theodor STORM (1817–1888), erschienen 1888. – Angesichts des nahen Todes vollendete Storm nach weitläufigen Vorstudien die Altersnovelle *Der Schimmelreiter*, wohl sein reifstes Werk, in dem mündliche Erzählungen, schleswig-holsteinische Sagen und schriftliche Überlieferungen zusammenfließen. Ein geisterhaftes Zwielicht fällt auf die überlebensgroße Gestalt des Deichgrafen Hauke Haien, der als gespenstischer Schimmelreiter im Aberglauben des Volkes weiterlebt. Am tragischen Schicksal dieser Herrscherfigur, die an der borniert-trägen Mediokrität ihrer Umwelt scheitert und im Kampf gegen elementare Kräfte zugrunde geht, entfaltet Storm den mythisch überhöhten Realismus seiner Novelle, die Ambivalenz von Spuk und Skepsis, Gespensterfurcht und Rationalität. Während der locker gefügte erste Teil dem Erzählprofil eines Entwicklungsromans gleicht, hält der dramatisch gespannte Kompositionsstil des zweiten Teils an der strengen Kunstform der Novelle fest. Der Dichter bettet die eigentliche Novellenhandlung in eine Rahmenerzählung ein, die eine weitere Rahmenkonstruktion umschließt. Die gestaffelte Rahmentechnik rückt das Geschehen in eine mythische Ferne und rechtfertigt die Gleichzeitigkeit von Vergangenheit und Gegenwart, rationalen und phantastischen Elementen. Die Geschichte des genialen Deichbauers erzählt ein aufgeklärter Dorfschullehrer, der die Erscheinung des Schimmelreiters mit eigenen Augen wahrgenommen hat.

Der technisch hochbegabte Hauke Haien, ein Autodidakt ohne ererbten Besitz, aber von einem mächtigen Selbstgefühl beseelt, widmet schon als Kind sein ganzes Interesse der Deichbaukunst. Er tritt als Knecht in den Dienst des alten Deichgrafen. Technische Kenntnisse, brennender Ehrgeiz und eine unermüdliche Arbeitskraft prädestinieren ihn für dieses Amt. Als der alte Deichgraf stirbt und Hauke seine Tochter heiratet, fällt ihm mit dem Besitz auch die Würde zu. Mit verbissener Tatkraft begegnet er dem Vorwurf, er sei Deichgraf nur seines Weibes wegen geworden, ein Vorwurf, den sein größter Feind, der ehemalige Großknecht Ole Peters, geschickt auszunützen weiß. Gegen die Trägheit der Dorfbewohner setzt Hauke seinen gewaltigen Plan durch, einen neuen, architektonisch kühnen Deich zu bauen. Mit äußerster Willensanstrengung, die nicht ganz frei von Haß und Verachtung ist, trotzt er dem Meer Neuland ab – aber das Meer rächt sich. Als nach Jahren des Wartens ihm seine Frau endlich ein Kind schenkt, muß Hauke erkennen, daß gewöhnliches Glück ihm versagt bleibt: Das Kind ist schwachsinnig. Einsamkeit und Krankheit schwächen seine Widerstandskraft, kommendes Unheil kündet sich an. In einem Augenblick des Verzagens gibt er seinem Gegenspieler Ole Peters nach und wird damit seinem Werk untreu; diese Schwäche führt seinen Untergang herbei. Eine Sturmflut vernichtet seine Familie und bricht den Deich auf. Hauke Haien stürzt sich mit seinem Schimmel in die entfesselten Fluten.

»Zur rationalen Leistung muß das Opfer treten, damit ein Mythos entsteht, der den Menschen Vertrauen zu ihren eigenen Fähigkeiten gibt« (H. Himmel). Dieser Mythos entsteht schon zu Lebzeiten des Deichgrafen. Der Aberglaube dichtet seiner Gestalt die Aura des Unheimlichen an und bringt sein Lebenswerk in Verbindung mit Teufelsspük und Gespensterseherei. Der Haß schlägt Hauke offen entgegen, als er mit Gewalt den Aberglauben unterdrückt, daß *»etwas Lebigs«* in den neuen Deich eingegraben werden müsse, damit er Bestand habe. Das Volk verknüpft sofort den geheimnisvollen Schimmelspuk auf Jeverssand mit dem mysteriösen Schimmelkauf des verdächtig freigeistigen Grafen. Nach Haukes Tod läßt die Sage den gespenstischen Schimmelreiter immer dann erscheinen, wenn Unwetter die Deiche bedroht.

Das Unheimliche hat bei Storm keinen stimulierenden Zweck, sondern weist auf jenes Irrationale, Unfaßbare, das in unlösbarem Konflikt zum Planen und zur Willensanstrengung des Individuums gerät. Die bürgerlichen Tugenden der heroischen Einzelleistung, des Emporkommens und des Beherrschens enthalten eine Dynamik, die sich, wie bei Hauke Haien, leicht verselbständigt und zur subjektiven Vermessenheit wird, indem sie am Widerstand der bornierten Umwelt sich steigert, wobei sich das Individuum in seiner zunehmenden Vereinzelung einem anonymen »Schicksal« ausgeliefert sieht. So entsteht bei Storm der vieldeutige, rational nicht auflösbare Widerspruchscharakter des Lebens: *»Der Mensch, vergeblich kämpfend, groß in seiner Natur- und Seelenkraft, seinem Ehrgeiz zu Ehre und Werk, der das Heldische in das bürgerliche Arbeits- und Willensethos, in die Moralität des sozialen Dienstes und Opfers umsetzt, bleibt gleichwohl ohne Schutz und Trost, einsam und als Geopferter, dem rätselhaft Paradoxalen des Schicksals gegenüber«* (F. Martini). Chiffre dieses Schicksals ist eine Natur, die handelnd und bewegend in den Kampf eingreift; das Meer als elementarer Widersacher des Menschen, aufgetürmt in den tobenden Wellenbergen der Sturzflut, prägt die Grundstimmung der Erzählung, jene Schwermut der friesischen Küstenlandschaft, deren magischen Bannkreis Hauke nicht durchbrechen kann. Storms Kunst der düsteren, dämonisch gesteigerten Landschaftsschilderungen bewährt sich am eindringlichsten in dieser Novelle, deren künstlerische Einheit freilich nicht immer einsichtig wird: So stehen hier der subjektive Lyrismus von Storms frühen Novellen und der objektivere, realitätsgesättigte Stil der späten Werke (klare Konturierung der Gestalten, plastische Herausarbeitung der komplexen Bezüge zwischen Individuum und Land, Umwelt, Geschichte, Mythos) in einem etwas unvermittelten, ungelösten Spannungsverhältnis. M. Ke.

Ausgaben: Bln. 1888 (in DRs, 55). – Bln. 1888; ern. 1919. – Lpzg. 1920 (in *SW*, Hg. A. Köster, 8 Bde., 1919/20, 7). – Bln. 1956 (in *Der Schimmelreiter und andere Erzählungen*, Hg. A. Kociałek). – Mchn. 1964 (in *AW*, 5 Bde., 1963/64, 4; GGT, 1412). – Ffm. 1967 (in *Werke*, Hg. G. Spiekerkötter, 4 Bde., 4).

Verfilmung: Deutschland 1933 (Regie: C. Oertel, H. Deppe).

Literatur: W. Kayser, *Bürgerlichkeit u. Stammestum in T. S.s Novellendichtung*, Bln. 1938. – K. Hoppe, *Der gespenstige Reiter. Eine unbekannte Quelle S.s* (in WM, 5, 1949, S. 45–47). – I. Welp, *Das Problem der Schicksalsgebundenheit in den Novellen T. S.s. Motivwahl u. Haltung des Erzählers*, Diss. Ffm. 1952. – J. C. Blankenagel, *Tragic Guilt in S.'s »Schimmelreiter«* (in GQ, 25, 1952, S. 170 bis 181). – H. Gokita, *Betrachtungen über den »Schimmelreiter« von T. S. als den Entwicklungs-Höhepunkt seiner Novellenkunst*, Yurikago 1953. – W. Silz, *S. »Der Schimmelreiter«* (in W. S., *Realism and Reality. Studies in the German Novelle of Poetic Realism*, Chapel Hill 1954. – C. A. Bernd, *Die Erinnerungssituation in der Novellistik T. S.s*, Diss. Heidelberg 1958. – K. E. Laage, *Das Erinnerungsmotiv in T. S.s Novellistik* (in Schriften der T.-S.-Ges., 7, 1958, S. 17–39). – A. Burchard, *T. S.s »Schimmelreiter«. Ein Mythos im Werden* (in Antaios, 2, 1961, S. 456–469). – L. Wittmann, *T. S. Der »Schimmelreiter«* (in *Deutsche Novellen des 19. Jh.s. Interpretationen zu T. S. u. Gottfried Keller*, Bearb. H. Gaese, Ffm. 1961, S. 50–92). – W. Schumann, *Die Umwelt in T. S.s Charakterisierungskunst* (in Schriften der T.-S.-Ges., 11, 1962, S. 26–38). – F. Martini, *Deutsche Literatur im bürgerlichen Realismus*, Stg. 1962. – E. Loeb, *Faust ohne Transzendenz. T. S.s »Schimmelreiter«* (in *Studies in Germanic Languages and Literatures*, St. Louis 1963, S. 121–132). – E. A. McCormick, *T. S.'s Novellen. Essays on Literary Technique*, Chapel Hill 1964. – H. E. Teitge, *T. S. Bibliographie*, Bln. 1967.

VIOLA TRICOLOR. Novelle von Theodor Storm (1817–1888), erschienen 1874 in ›Westermann's Monatshefte‹. – Der autobiographische Hintergrund von *Viola Tricolor* (Stiefmütterchen) ist die zweite Ehe Theodor Storms mit Dorothea Jensen. Die Novelle als Verdichtung eigener Seelenkonflikte, die der »*Schatten der Toten*« heraufbeschwor, ist daher weniger aus einer distanziert psychologischen Erzählhaltung heraus als im Gefühlston der Selbstbefreiung abgefaßt.

Ines, die der Gelehrte Rudolf in zweiter Ehe zur Frau nimmt, wird der wirkliche eheliche Anspruch auf ihren Gatten durch die geistige Präsenz der in der Erinnerung verklärten Marie ständig verwehrt. Die Bereitschaft, Nesi, dem Kind ihres Mannes, mit Mütterlichkeit zu begegnen, wird belastet von dessen beharrlicher Anhänglichkeit an die tote Mutter. Requisiten wie ein rosengeschmücktes Bild Maries oder »*der Garten der Vergangenheit*«, ein verwilderter Garten, den Rudolf nur mit Marie betreten hat und dessen Schlüssel er seiner zweiten Frau verweigert – »*O, Ines, sind nicht auch dir die Toten heilig?*« –, werden zum Symbol einer Gemeinsamkeit mit der Verstorbenen, aus der die junge Frau ausgeschlossen bleibt. Vergeblich sucht sie die schattenhaften Symbole zu durchbrechen: »*Sie ist nicht tot: noch eben in dieser Stunde warst du bei ihr und hast mich, dein Weib, bei ihr verklagt. Das ist Untreue, Rudolf. Mit einem Schatten brichst du mir die Ehe.*« – Erst mit ihrer eigenen Mutterschaft gewinnt Ines das Recht als Rudolfs Frau und Nesis Mutter. Mit dem neuen Leben hat sie den Schatten besiegt, und im »versöhnlichen« Schluß hält die ganze Familie »*als fröhliche Zukunft ... Einzug in den Garten der Vergangenheit*«.

Die psychologische Problematik, wie sie im Zentrum der Novellen aus der Husumer Reifezeit stehen, ist ebenso wie der Lyrismus der frühen Phase Storms gekennzeichnet durch die Zeitenferne, durch bewußtes Beschränken auf Erlebtes, um das »*Höchste an Poesie*« auch in der Novelle zu leisten. Kunst ist hier zu verstehen als das Medium, den »*unmittelbaren Gefühlston*« vor der Vergänglichkeit, dem alles unentrinnbar preisgegeben ist, zu retten. So gewinnt auch in *Viola Tricolor* die Gestalt der toten Marie in der Erinnerung erst eigentliche Wirklichkeit und Dauer. Mit absichtlicher Ausschaltung aller epischen reflektierenden Sprachmittel entsteht eine Erzählform zwischen Erinnerung und Wirklichkeit, Mythos und Erlebnis. Der Rückzug in die reine Innerlichkeit, die Unmittelbarkeit des Gefühls, wie sie – Heines Desillusionierung zum Trotz – Storm als Kriterium für »reine« Kunst ansetzt, findet ihre weltanschauliche Begründung in einem lebensphilosophisch fundierten Nihilismus. Das Vergänglichkeitsmotiv in Storms Novellen, das aus seinem Nicht-Glauben entspringt (»*Aber – wenn einst die Zeit dahin ist ... wenn wir alle dort sind, woran du keinen Glauben hast*«), führt nicht zu einem pessimistischen Erzählton, sondern verleiht der Kunst ihren besonderen Aussagewert. Aus dem Unglauben, aus der »*Angst vor der Nacht des Vergessenwerdens*« gewinnt die Vergangenheit ihre Farbe und das Leben seine Intensität: »*Laß uns das Nächste tun, das ist das Beste, was ein Mensch sich selbst und anderen lehren kann: Leben, Ines, so schön und so lange es wir vermögen!*« Das Leben als Einheit von Vergangenheit, Jetzt und Zukunft findet seine unwiderrufliche Grenze, aber auch seine Stärke im Tod.

Dieser Lebensoptimismus Storms, der seine Grundlage im Nihilismus des 19. Jh.s hat, soll adäquat übersetzt werden in die »reine Stimmungssprache« der Kunst, deren »Absolutheit« über die Grenze des Todes hinausrettet. Die intendierte Einheit von Sprache und Empfindung, »*die wie vom Leben unmittelbar und nicht erst durch die Vermittlung des Denkens berührt werden will*«, erscheint in *Viola Tricolor* freilich nicht ganz geglückt, da die Sprache oft ins Klischee und in vordergründige Harmonisierungen ableitet: Die Leidenschaft des Gefühls findet sprachlich nicht den glaubhaften Ausdruck, so daß auch die inhaltliche Harmonie zu gewaltsam gesichert scheint, als daß tatsächlich eine zerbrechliche Außenwelt in ihrer Vergänglichkeit in Frage gestellt werden könnte. U. Ba.

AUSGABEN: Braunschweig 1874 (in Westermann's Monatshefte, 35, 1874, Nr. 210). – Braunschweig 1874 (in *Novellen u. Gedenkblätter*). – Braunschweig 1877 (in *SS*, 19 Bde., 1868–1889, 7). – Lpzg. 1919 (in *SW*, Hg. A. Köster, 8 Bde., 1919/20, 3; hist.-krit.). – Stg. 1958 (in *Werke*, 3 Bde., 2, Hg. H. Engelhard). – Stg. 1959 (RUB, 6021). – Bln./Weimar 1966 (in *Werke*, Ausw. u. Einl. P. Goldammer, 2 Bde., 1).

VERFILMUNGEN: *Serenade*, Deutschland 1937 (Regie: W. Forst). – *Ich werde dich auf Händen tragen*, Deutschland 1958 (Regie: V. Harlan).

LITERATUR: P. Schütze, *Th. S. u. seine Dichtungen*, Bln. 1887; [4]1925 (u. d. T.: *Th. S. Sein Leben u. seine Dichtung*). – H. Eichentopf, *Th. S.s Erzählkunst in ihrer Entwicklung*, Marburg 1908. – W. Kayser, *Bürgerlichkeit u. Stammestum in Th. S.s Novellendichtung*, Bln. 1938. – F. Stuckert, *Th. S. Seine Welt u. sein Werk*, Bremen 1955. – K. E. Laage, *Das Erinnerungsmotiv in Th. S.s Novellistik* (in Schriften der Th.-S.-Gesellschaft, 7, 1958, S. 17 bis 39).

VII. Vom Naturalismus bis zur Gegenwart. 20. Jahrhundert

ILSE AICHINGER
(*1921)

DIE GRÖSSERE HOFFNUNG. Roman von Ilse AICHINGER (*1921), erschienen 1948. – Reduziert man die im bisher einzigen Roman der Autorin – ihrer ersten Buchveröffentlichung überhaupt erzählten Erlebnisse eines Kindes auf die ihnen zugrunde liegenden Fakten, so ergibt sich eine einfache Geschichte: Das halbjüdische Mädchen Ellen, ein Kind noch, gerät ins Räderwerk des Dritten Reichs. Es versucht ein Visum für sich zu bekommen, um seine Mutter, eine Jüdin, die das Land verlassen darf, begleiten zu können. Aber für Ellen bürgt niemand. Sie muß zurückbleiben bei ihrer jüdischen Großmutter; der arische Vater hat die Familie verleugnet und verlassen. Doch zwei »falsche« Großeltern reichen nicht aus, Ellen in ihre in Verwirrung geratene Umwelt einzuordnen; auch der Platz bei ihren kleinen jüdischen Freunden, die vier »falsche« Großeltern haben, muß erst erkämpft werden. Hier erlebt sie dann alles mit: die schrittweise Verdrängung aus jedem Lebensraum, Krieg, Lebensmittelkarten, Davidstern, Bombenangriffe, den Tod der Großmutter. Doch was sich lange nicht verwirklichen läßt, sooft es auch versucht wird: die Hoffnung, aus diesem Ort der Verfolgung auszubrechen, die große Hoffnung, die, je öfter sie enttäuscht wird, um so mehr sich mit der Vorstellung vermischt, ein nicht nur dem Namen nach Heiliges Land, ein Paradies also, warte darauf, errungen zu werden – diese »größere Hoffnung« scheint sich am Ende des Kriegs zu erfüllen: Ellen kann sich durch Zufall auf die andere Seite durchschlagen. Doch hält es sie nicht bei den fremden Soldaten, die schon vor der Stadt liegen, sie findet hier »*den Frieden*«, die »*neue Welt*« nicht; so will sie dorthin zurück, wo sie zu Hause ist und wo noch gekämpft wird. Ihr Begleiter Jan, ein junger Offizier, wird unterwegs schwer verwundet. Ellen erlebt, daß das Wunderbare, das sie gesucht hat, für kurze Zeit sein Gesicht annimmt. Bei dem Versuch, stellvertretend für ihn eine wichtige Botschaft zu den Brücken zu bringen, wird sie von einer Granate zerrissen. Ihr Tod an der »Brücke«, dem Symbol für »Friede« und »Vereinigung«, ist die Erfüllung der größeren Hoffnung. »*Über den umkämpften Brücken stand der Morgenstern*«, heißt der letzte Satz.

Aus diesem schlichten Vorwurf wurde unter Ilse Aichingers Händen alles andere als ein Roman traditionellen Charakters. Sie verzichtete darauf, das Geschehen jener Jahre in seiner ganzen Fülle und Breite mit den Augen des objektiven Beobachters zu beschreiben. Poetisches Prinzip der Darstellung ist die Perspektive des eigensinnig die Wirklichkeit seiner Traumwelt anverwandelnden Kindes, das die Realität ins Märchenhafte transponiert, auch wo sie schrecklich ist. Solcherart von der kindlichen Optik verwandelt und verzerrt, wird die Welt – das ist die paradoxe Erfahrung – erst als das kenntlich, was sie wirklich ist: ein rätselhaftes und hintergründiges Geschehen. Nicht Echtheit des kindlichen Ausdrucks wird dabei angestrebt, sondern das Prinzip der kindlichen Sehweise – das Aufnehmen unverständlicher Vorgänge, die nicht mit der Ratio, sondern mit Gefühl und Phantasie gedeutet werden – als Schlüssel zur Erkenntnis der Wirklichkeit verstanden. So beherrschen vom Kinde gelenkte direkte oder indirekte Rede und Ellens innerer Monolog den Roman, der nur selten auf eigentlich epische Darstellung zurückgreift. Oft findet die Autorin aus dem Geschehniszusammenhang zwanglos sich ergebende und ihn erklärende, einprägsame Formeln – »*Nur wer sich selbst das Visum gibt, wird frei*«, »*Der für den Wind und die Haifische bürgt, der bürgt auch für dich*«. – Das Ergebnis, ein Roman, der bei einem Minimum an Realien ein hohes Maß an poetischer Intensität erreicht, bezeugt die Angemessenheit der gewählten Methode und die fast virtuose Meisterschaft, mit der diese angewandt wird. L. D.

AUSGABEN: Amsterdam 1948. – Wien 1948. – Ffm. 1960 (FiBü, 327).

LITERATUR: R. A. Schröder, *Reden zur Verleihung des Literaturpreises*, Bremen 1956, S. 17–25. – N. Langer, *Dichter aus Österreich*, Bd. 4, Wien/Mchn. 1960, S. 7–12. – K. Schäffer, *Mit den alten Farben. Renaissance des Expressionismus in der modernen Prosa* (in Der Monat, 14, 1961/62, H. 167, S. 70–74). – K. A. Horst, *Kritischer Führer durch die deutsche Literatur der Gegenwart*, Mchn. 1962, S. 131–133; 250. – W. Weber, *I. A.* (in *Schriftsteller der Gegenwart. Deutsche Literatur*, Hg. K. Nonnenmann, Olten/Freiburg i. B. 1963, S. 11–18).

ALFRED ANDERSCH
(*1914)

DIE KIRSCHEN DER FREIHEIT. Autobiographischer Bericht von Alfred ANDERSCH (*1914), erschienen 1952. – Der Autor rekapituliert in diesem Buch die Geschichte seines eigenen Lebens, als dessen Fluchtpunkt er die Desertion von der deutschen Truppe in Italien im Sommer 1944 betrachtet. Bezeichnenderweise steht am Anfang des Berichts sogleich die Erinnerung an ein politisches Ereignis, nämlich das Bild der verhafteten Revolutionäre der Münchner Räterepublik von 1919, die der damals Fünfjährige auf ihrem Weg zur Exekution sah. Im Spannungsfeld gegensätzlicher politischer Anschauungen wächst er in kleinbürgerlichem Elternhaus auf, ist seit 1929 für die Kommunistische Partei in München tätig und mit achtzehn Jahren bereits

Funktionär. Wie seine Parteifreunde sieht er in ohnmächtiger Tatenlosigkeit der nationalsozialistischen Machtergreifung zu, wird 1933 zweimal verhaftet und verbringt drei Monate im Konzentrationslager Dachau. In den folgenden Jahren antwortet er *»auf den totalen Staat mit der totalen Introversion«*: Neben seiner Tätigkeit in einer Verlagsbuchhandlung und in einem Industriebetrieb treibt er kunsthistorische und literarische Studien, schreibt Gedichte und feiert *»im Schmelz der Lasuren Tiepolos die Wiederentdeckung der eigenen, verlorenen Seele«*. Diese *»ästhetische Existenz«*, dieser *»marxistisch gesprochen, Rückfall ins Kleinbürgertum«* endet, als er eingezogen wird; erst im Sommer 1944, nachdem der Gedanke ans *»Aussteigen«*, an Fahnenflucht, ihn immer wieder beschäftigt hat, läuft sein *»Leben endlich auf den Punkt zu, auf den es seinen für mich unsichtbaren Kurs gehalten hatte«*. Er sondert sich von seiner Schwadron ab, schlägt sich im Niemandsland zwischen den Fronten durch und gelangt schließlich in die Nähe amerikanischer Panzer. In der Gewißheit, daß seine Desertion geglückt ist, ißt er ein paar Hände voll von den auf freiem Feld wachsenden *»wilden Wüstenkirschen meiner Freiheit ... Sie schmeckten frisch und herb.«*

»Mein ganz kleiner privater 20. Juli fand bereits am 6. Juni statt« – dieser Satz macht deutlich, daß der Autor seine Tat als einen Akt des politischen Widerstands verstanden wissen will. Andersch macht gerade die Tatsache, daß *»die Kommunistische Partei den Gedanken der Willensfreiheit ablehnte, die Freiheit des menschlichen Denkens, die Fähigkeit des Menschen, zu wählen«*, für das Ausbleiben jedes »linken« Widerstands im Jahre 1933 verantwortlich; mit der Fahnenflucht beweist er sich selbst seine Freiheit des Willens, seine Freiheit zur *»von niemandem gelenkten und stillschweigenden Sabotage«*. In die selbstkritische Rekapitulation seines Lebens bezieht der Autor immer wieder die politische und gesellschaftliche Situation der Zeit ein, und er unterbricht seine Erzählung durch allgemeine Reflexionen, über Mut und Angst oder über den Sinn und Unsinn des Eides. Insgesamt ist in dem Buch *»der politische Anspruch gewichtiger als der literarische; es fällt schon halbwegs unter den zeitgemäßen Gattungsbegriff der Reportage«* (H. E. Holthusen). In der Tat hat Andersch – darin anderen Autoren und deren Werken aus der Zeit unmittelbar nach dem Krieg vergleichbar, etwa Arno SCHMIDT (*Brand's Haide*, 1951), Heinrich BÖLL (*Wanderer, kommst du nach Spa...*, 1950) oder Wolfgang KOEPPEN (*Tauben im Gras*, 1951) – eher einen trockenen Bericht als eine durchkomponierte Erzählung geschrieben; die Sprache ist wenig stilisiert, oft umgangssprachlich nachlässig gehandhabt und im Ton bisweilen fast wegwerfend, und der Stil bleibt noch unberührt von den komplexeren modernen erzähltechnischen Methoden. Als Motto hat Andersch einen Satz aus André GIDES *Tagebuch* gewählt: *»Ich baue nur noch auf die Deserteure.«*

J. Dr.

AUSGABEN: Hbg. 1952; [2]1954. – Mchn. 1962 (List-Tb., 212).

LITERATUR: H. E. Holthusen, *Reflexionen eines Deserteurs* (in H. E. H., *Ja und Nein*, Mchn. 1954, S. 207–218). – K. A. Götz, *Von der Fahnenflucht zur Meditation* (in Begegnung, 13, 1958, S. 37). – H. Bienek, *A. A.* (in H. B., *Werkstattgespräche mit Schriftstellern*, Mchn. 1962, S. 113–124). – M. Bense, *A. A.* (in *Schriftsteller der Gegenwart*, Hg. K. Nonnenmann, Freiburg i. B. 1963, S. 18–28). – K. Migner, *Die Flucht in die Freiheit. Untersuchung zu einem zentralen Motiv in den Werken von A. A.* (in Welt u. Wort, 18, 1963, S. 329–332). – M. Reich-Ranicki, *Der geschlagene Revolutionär. Über A. A.* (in Der Monat, 15, 1963, H. 179, S. 66–75; auch in M. R.-R., *Deutsche Literatur in West u. Ost*, Mchn. 1963, S. 101–119).

SANSIBAR ODER DER LETZTE GRUND. Roman von Alfred ANDERSCH (*1914), erschienen 1957. – Wie in seinem autobiographischen Bericht *Die Kirschen der Freiheit* (1952), in dem der Autor seine Desertion aus der deutschen Wehrmacht schildert, steht in diesem Buch das Thema der – erzwungenen oder gewollten – Flucht in die Freiheit im Mittelpunkt. Im Herbst 1937 treffen in dem Ostseestädtchen Rerik mehrere Menschen zusammen, die aus politischen oder privaten Gründen fliehen müssen. Am unmittelbarsten bedroht ist Judith Levin, eine junge deutsche Jüdin, deren alte, körperbehinderte Mutter wenige Tage zuvor Selbstmord beging, um ihrer Tochter die Flucht vor den Nazis zu ermöglichen. Judith hat die vage Hoffnung, daß ein schwedisches Schiff sie ins neutrale Ausland mitnehmen werde. In Rerik lernt sie den kommunistischen Instrukteur Gregor kennen, der einen Parteiauftrag ausführen soll, der KP aber mittlerweile skeptisch gegenübersteht, weil er ihren Terror auf der Lenin-Akademie in Moskau zu spüren bekommen hat und weil sie in seinen Augen versagt hat, als sie »den Anderen«, d. h. den Nazis, 1933 widerstandslos die Macht überließ. Gregor nimmt Verbindung auf zu dem Fischer Knudsen, dem letzten noch aktiven Genossen in Rerik, der sich aber gleichfalls von der Partei und ihrer aussichtslosen Untergrundarbeit absetzen will. *»Man mußte weg«* – das denkt auch Knudsens fünfzehnjähriger Schiffsjunge, den das Leben in der kleinen Stadt und bei seiner Mutter, die ewig nörgelt und *»nölt«*, langweilt und der von einer Flucht träumt, die der Huckleberry Finns auf dem Mississippi entspricht. Den stummen Mittelpunkt dieser Gruppe von Menschen aber bildet die Figur des »Lesenden Klosterschülers«, eine offensichtlich von Barlach stammende Plastik in der Kirche von Rerik, die Knudsen auf Bitten von Pfarrer Helander nach Skillinge in Schweden bringen soll, damit sie nicht als »entartete Kunst« abgeholt und vernichtet wird. Widerwillig vereinbart Knudsen, für den die Plastik nur der »Götze« aus Helanders Kirche ist, mit Gregor, der von der kleinen Figur, der Zartheit und liebevollen Konzentration in der Haltung des Klosterschülers fasziniert ist, einen Treffpunkt an einer verborgenen Stelle der Küste. Dorthin bringt Gregor die Figur, begleitet von Judith Levin; nach anfänglichem Widerstand nimmt Knudsen auch die Jüdin mit nach Schweden. Für Gregor und auch für den zunächst zögernden Knudsen war dies schon eine Tat, die mit der Partei nichts mehr zu tun hatte und in der sich ihre neu errungene menschliche Freiheit dokumentiert. Dem Schiffsjungen, dem ein erträumtes *»Sansibar in der Ferne«* immer der wichtigste und »letzte Grund« für eine Flucht war, gibt sich mit diesem – aus seiner Sicht – »kleinen Abenteuer« zufrieden: Er kehrt mit Knudsen nach Deutschland zurück. Pfarrer Helander aber, ohnehin unheilbar krank, schießt, nachdem er von der Rettung der Plastik erfahren hat, auf einen der nationalsozialistischen Funktionäre, die ihn wegen des Verschwindens der Statue verhaften wollen, und wird von der SA liquidiert.

Zwischen die Kapitel, in denen von den Fluchtplänen und der Flucht selbst erzählt wird, sind kurze Abschnitte in der Art des inneren Monologs eingeschoben, in denen die Gedanken und Fluchtphantasien des Schiffsjungen wiedergegeben werden; spielerisch kehren auf dieser Ebene die Fluchtpläne der Erwachsenen und ihre Sehnsucht nach einem neuen, freien Leben wieder. »Die Anderen«, für die beiden (Ex-)Kommunisten, den Pfarrer und die Jüdin die Nazis, sind in den Augen des Schiffsjungen die Erwachsenen schlechthin. Mit der Schilderung weniger typischer Details – der massiven Kirche in Backsteingotik, eines Hafenplatzes, einer Schifferkneipe – in einer unprätentiösen, fast kargen Sprache, die gleichwohl stets vom emotionalen, autobiographisch bedingten Engagement des Autors – er war vor 1933 KP-Funktionär, desertierte 1944 zu den Amerikanern – für die Romangestalten und ihre Schicksale zeugt, gelingt es Andersch, die deprimierende Atmosphäre der kleinen Hafenstadt im Spätherbst authentisch einzufangen. Obwohl *Die Kirschen der Freiheit* eine stärkere Resonanz bei den Kritikern fand, darf *Sansibar oder Der letzte Grund* als das bislang bedeutendste Buch des Autors gelten. Anderschs Plädoyer für die Entscheidungsfreiheit des Individuums gegenüber mächtigen Kollektiven und Organisationen ist darin konkreter, differenzierter und überzeugender gestaltet als in den *Kirschen der Freiheit*. – Als Motto sind dem Roman einige Zeilen aus dem Gedicht *And Death Shall Have No Dominion* von Dylan THOMAS vorangestellt. 1958 verarbeitete Andersch den Stoff zu einem Hörspiel mit dem Titel *Aktion ohne Fahnen*. J. Dr.

AUSGABEN: Olten/Freiburg i. B. 1957; [3]1961. – Ffm. 1967 (FiBü, 354).

LITERATUR: K. A. Götz, *Von der Fahnenflucht zur Meditation* (in Begegnung, 13, 1958, S. 37). – H. Bienek, *Werkstattgespräche mit Schriftstellern*, Mchn. 1962, S. 113–124. – M. Reich-Ranicki, *Der geschlagene Revolutionär. Über A. A.* (in M. R.-R., *Deutsche Literatur in West u. Ost*, Mchn. 1963, S. 101–119). – K. Migner, *Die Flucht in die Freiheit. Untersuchung zu einem zentralen Motiv in den Werken von A. A.* (in Welt u. Wort, 18, 1963, S. 329 bis 332). – R. Geißler, *A. A.: »Sansibar oder Der letzte Grund«* (in *Möglichkeiten des modernen dt. Romans*, Hg. ders., Ffm./Bln./Bonn [2]1965, S. 215 bis 231). – I. Drewitz u. P. Demetz, *A. A. oder Die Krise des Engagements* (in Merkur, 20, 1966, S. 669–679).

STEFAN ANDRES
(1906–1970)

WIR SIND UTOPIA. Novelle von Stefan ANDRES (1906–1970), erschienen als Vorabdruck in der ›Frankfurter Zeitung‹ im Frühjahr 1942. – Der Novelle war besonders in den fünfziger Jahren ein populärer Erfolg beschieden, nachdem die Auslieferung der Erstausgabe, die der U. Riemerschmidt Verlag gewagt hatte, erheblich gestört war. Die neugefaßte Nachkriegsausgabe (1951) wurde ein Longseller, nicht zuletzt, weil man die Erzählung als Lektüre im Deutschunterricht an den höheren Schulen bevorzugt benutzte. Andres, dessen Christentum »*offensichtlich einen rebellischen und anarchischen Einschlag*« hat (Hennecke), machte die konfliktanfällige Position des nicht anpassungsbereiten Christen zum Thema seiner meisten Werke. Diese Konflikt-Situation erlitt der Autor selbst frühzeitig, als er sich von seiner geistlichen Berufung abkehrte. Als Zwiespalt zwischen Welt und Ordensleben stellte er sie in seiner ersten Veröffentlichung *Bruder Luzifer* (1932) dar; abgewandelt als »*Zwietracht ... zwischen dem frei waltenden Geist und dem starren Willen der Kirche*« (Braem), erschien sie wieder in der Erzählung *El Greco malt den Großinquisitor* (1936), als Gewissenskonflikt (wiederum eines Priesters) zwischen Pflicht und Neigung in *Wir sind Utopia*.

Die Novelle spielt in einem Mittelmeerland, das sich, wenn auch verschleiert, als das vom Faschismus überrumpelte Spanien der Jahre 1936/37 zu erkennen gibt. Der einstige Mönch Padre Consalves muß nach zwanzigjähriger Abwesenheit, während der er sich schließlich auch als Franco-Söldling verdingt hatte, als der Häftling Paco Hernandes in sein altes, von den Republikanern inzwischen in ein Gefängnis verwandeltes Kloster zurückkehren. Im Trupp der zweihundert Gefangenen fällt er dem jugendlichen Leutnant der Bewachungsmannschaft auf, er offenbart sich ihm und erhält seine alte Zelle. Paco ist an diesem Raum besonders interessiert, weil die schon früher von ihm zur Flucht präparierten Gitterstäbe nun ihm und allen anderen Gefangenen zum Entkommen verhelfen könnten. Er kann sich auch noch ein feststehendes Messer verschaffen. Je länger er jedoch in seiner Zelle weilt, desto stärker verdrängt die Erinnerung an sein früheres Klosterdasein den Gedanken an die Gegenwart. Die Erscheinungen ehemaliger, von den »Roten« bei der Besetzung des Klosters ermordeter Konfratres dialogisieren mit Paco. Ein fleckiges Gebilde an der Decke über seiner Pritsche erleichtert ihm assoziativ, wie einst die Überfahrt ins Traumland »Utopia«, so jetzt den visionären Dialog. Jene Vision von einem Utopia der konfessionellen Toleranz und gerechten Gesellschaftsordnung war die Ursache seines Ordensaustritts, den er nun, ernüchtert von seiner Weltenfahrt, als hinfällig anzusehen lernt. Er gewinnt seine religiöse Festigkeit zurück. Die Entscheidung naht, als der Leutnant, der unermeßliche Greueltaten an Nonnen und Mönchen verübt hat und in Höllenangst verfallen ist, unter allen Umständen vor ihm die Beichte ablegen will. Pacos Unschlüssigkeit wandelt sich immer deutlicher zur Gnadenbereitschaft. Als der um sein Seelenheil bangende, gleichwohl aber wegen des nahenden Gegners zur befehlsgemäßen Exekution der Gefangenen entschlossene »rote« Leutnant jenes Messer entdeckt, das Paco an sich genommen hatte, tauschen beide den Bruderkuß und bereiten jeder auf seine Weise die Exekution vor: Paco erteilt seinen Mitgefangenen die Absolution und fällt mit ihnen unter den MG-Garben; dem Leutnant steht dasselbe Los, von der Gegenseite ausgeführt, noch bevor.

Zentrum der Fabel ist Pacos innere Wandlung; die Handlung ist das Aggregat, das seine Wendung von einer weltlich-sozialen zur transzendenten Utopia-Vorstellung bewerkstelligt. »*Das eigentliche Geschehen ist hier Innenvorgang, statt der Aktion nach außen die Reaktion im Innern*« (O. Mann). Die Entwicklung führt über die entscheidenden Stationen, das visionäre Utopia-Gespräch mit Padre Damiano und die Beichtszene (mit dem novellistischen »Wendepunkt«), zur Entrückung Pacos in »*Gottes Utopia*«.

Der Autor schrieb die Novelle 1941 in seinem

Refugium Positano, das er, Ehemann einer als »nicht arisch« diskriminierten Frau, für sich und seine Familie seit 1937 gewählt hatte. Seither wird Andres sowohl als »Emigrant« bezeichnet wie der »Inneren Emigration« zugerechnet. Nach dem autobiographisch akzentuierten Roman *Der Taubenturm* und der Selbstdarstellung (beide 1966) hat er selbst sich als Emigrant verstanden. Er lebte im Italien der »Achse«, jedoch nicht im politischen Exil, er hatte sich nur zurückgezogen, um der Anpassung entgegenzuwirken und seine Frau und Kinder dem unmittelbaren nationalsozialistischen Druck zu entziehen. Andres publizierte immerhin bis 1943 eine Reihe von Werken und wurde noch 1941 von Fechter beifällig in dessen Literaturgeschichte bedacht. Für die »Innere Emigration« wird Andres von Hausenstein und Storz reklamiert. Die Niederschrift und Veröffentlichung der Novelle ist wohl ein Akt passiver Resistenz gewesen, zumindest war er als solcher vom Autor beabsichtigt und von einem Teil der Leser damals verstanden worden. Ob diese Ansicht, die sich bis heute verbindlich fortschrieb, objektiv haltbar ist, bleibt nachzuweisen. Die Abstinenz der Novelle gegen präzise politische Kritik mag auch von Rücksichten auf die Zensur mitbestimmt worden sein; sie spricht jedenfalls für die Absicht des Autors, unter Ausschaltung einer Diskussion der äußeren Verhältnisse eine Festigung und Harmonisierung der Innenwelt herbeizuführen. Merkwürdigerweise aber stellt Andres die Innenaktion in einen Realzusammenhang mit dem Spanischen Bürgerkrieg. Er hätte sein Thema, die Gnadenfindung, novellistisch auch in einem anderen, weniger konkreten Zeitraum abhandeln können. Gegen Storz, der in der Wahl des aktuelleren Zeitrahmens gerade die mutige politische Tat sieht, ist einzuwenden, daß Andres' Version mit einer offiziellen Geschichtslüge – der vom Verlauf des Spanischen Bürgerkriegs – übereinstimmt. Er unterstützte so das faschistische Zerrbild des blutrünstigen »Rotspanien« mit einer »Realitätsschilderung«, die nichts weniger als realitätsgetreu ist. Diese scheinbar historische Vergegenwärtigung führte noch anläßlich der vergröberten »Tragödie«-Fassung *Gottes Utopia* (1950) B. v. Wiese zu dem Fehlurteil, der unbedarfte Franco-Söldling Paco sei »*Vorkämpfer eines politischen Freiheitsgedankens*« gewesen. Aber nicht nur der äußere Realitätsbezug der Erzählung ist fragwürdig: anfechtbar ist auch – vom Standpunkt einer Pragmatik, die die soziale Utopie im Diesseits verwirklichen will – der Rückzug auf das Innengeschehen; damit wird jenes paulinische Christentum nachvollzogen, das in seiner Verinnerlichungstendenz und Jenseitsorientierung diesseitige Unterdrückung und Gewalt zuläßt – eine Haltung, die E. Bloch als »Sozialkompromiß« angreift (in *Das Prinzip Hoffnung*). Entsprechend gilt für Andres: nicht *homo homini homo*, sondern: wir sind »*Knechte des Lebens, oh, dann ist ›unsere Freude vollkommen‹, denn wir fühlen unseren Wert und zwar eben darin, weil wir eingefangen und unters Joch gebracht wurden*«. P. Gl.

Ausgaben: Bln. 1943. – Mchn. 1962 (in *Novellen und Erzählungen*, 1). – Mchn. 1971.

Dramatisierung: S. Andres, *Gottes Utopia* (Urauff.: Düsseldorf, 16. 9. 1950, Schauspielhaus).

Literatur: W. Hausenstein, *Bücher frei von Blut und Schande* (in SZ, 24. 12. 1945; ern. in J. F. G. Grosser, *Die große Kontroverse. Ein Briefwechsel um Deutschland*, Hbg. 1963). – A. Stich, Rez. (in Echo der Woche, 3. 7. 1948). – W. Grenzmann, *Dichtung und Glaube, Probleme und Gestalten der deutschen Gegenwartsliteratur*, Bonn 1950. – J. Jacobi, »*Gottes Utopia*«, *Premiere einer Novelle im Rampenlicht* (in Die Zeit, 21. 9. 1950). – W. Franke, *S. A.*, »*Wir sind Utopia*« (in Der Deutschunterricht, 6, 1952). – K. J. Hahn, *Dichtung zwischen Drang und Glaube. Zum Werk von S. A.* (in Hochland, 44, 1952, H. 5; ern. in *S. A., eine Einführung in sein Werk*, Hg. H. Hennecke, Mchn. [2]1965). – G. Guder, »*Wir sind Utopia*« (in MLJ, 1, 1954). – J. Pfeiffer, *Wege zur Erzählkunst*, Hbg. [2]1954. – J. Bengeser, *Schuld und Schicksal, Interpretationen zeitgenössischer Dichtung*, Bamberg [2]1963. – A. Weber, *S. A.*, »*Wir sind Utopia*«, Mchn. [2]1963. – K. Brinkmann, *Erläuterungen zu S.A.* »*Wir sind Utopia*«, Hollfeld 1965. – B. v. Wiese, »*Gottes Utopia*« (in *S. A., eine Einführung in sein Werk*, Hg. H. Hennecke, Mchn. [2]1965). – O. Mann, *S. A.* (in *Christliche Dichter im 20. Jh.*, Hg. ders., Bern/Mchn. [2]1968).

INGEBORG BACHMANN
(1926–1973)

DAS DREISSIGSTE JAHR. Sieben Erzählungen von Ingeborg Bachmann (*1926), erschienen 1961. – Die in diesem Band vereinigten ersten Prosaarbeiten der Dichterin sind Variationen über ein Thema, das so alt ist wie das soziale Zusammenleben der Menschen: den Ausbruchsversuch des einzelnen aus der Tyrannei der Gesellschaft, der er angehört und deren Spielregeln und Gesetze seiner Einzigartigkeit Gewalt antun. Der Protest ist radikal. Er richtet sich nicht gegen diese oder jene Institution allein, auch nicht nur gegen die Fesselung des Individuums im »*Netzwerk der Feindschaften und Freundschaften*«. Schon die Determiniertheit der – unentrinnbar männlichen oder weiblichen – Existenz, schon die vorgeformten Ordnungen des Denkens und der Sprache, in die der einzelne hineingeboren wird, bedeuten Vergewaltigung seiner individuellen Freiheit.
Die Sinnlosigkeit jeglicher Auflehnung, jeder Hoffnung auf Erneuerung und Verwandlung der »*schlechtesten aller Welten*« wird am klarsten und schonungslosesten in der Erzählung *Alles* verkündet, die auch künstlerisch die geglückteste ist, während in der Titelgeschichte, die das Erwachen eines jungen Menschen zum Bewußtsein seiner Gefangenschaft in den sozialen Strukturen mit fiebriger Sprunghaftigkeit schildert, bezeichnenderweise das schließliche Entkommen aus der »*Falle*«, die Hinwendung zum Leben, künstlerisch nicht überzeugt. *Alles* dagegen ist eine vollendet aufgebaute, von den ersten Worten an mit beklemmender Spannung geladene Novelle. Anfang und Schluß umklammern rahmenartig den Bericht von der inneren Tragödie eines Mannes, der vergebens von seinem Sohn erwartet, was er selber nicht leisten konnte: daß er eine »*neue Zeit*« einleite. Die Geburt dieses Kindes verführt den Mann zu der Hoffnung, in seinem Sohn könne der ganzen Menschheit ein neuer Anfang gesetzt werden, wenn es nur gelänge, ihn der uniformierenden Routine des Lebens zu entziehen, wenn man ihm erlaubte, seine eigenen Lebensgesetze, seine eigene Sprache zu entwickeln. Aber da der Vater selber nicht weiß, »*wie*

und woraufhin« er den Sohn bilden soll – denn nichts, was er selber besitzt, scheint ihm wert, weitergegeben zu werden–, ist es unvermeidbar, daß die Gewohnheiten und Ordnungen der Umwelt, die »*Dressur*«, sich des Kindes bemächtigen. Die Hoffnung des Mannes, es werde die Welt »*erlösen*«, scheitert, sein Interesse an ihm erlischt. Der Tod des Kindes, das auf einem Schulausflug verunglückt, erscheint als Sinnbild dieses Scheiterns, zugleich aber auch als Folge der schuldhaften Abwendung des Vaters von seinem Sohn. Die Erzählung steigert sich damit zur Tragödie: die Schuld des Vaters ist, von dem Sohn »alles« erwartet zu haben, ohne ihm die Voraussetzung von allem, nämlich Liebe, zu geben. – Auch in den folgenden Geschichten gelingt der Ausbruch aus den hergebrachten Lebensformen nicht. Keiner kann »*das blaue Wild*« erjagen, jene »Wirklichkeit« jenseits der konkreten, die Individualität einebnenden Realität. Selbst dem am Rand der Gesetzeswelt Lebenden, dem Mann, der eine natürliche Lust am Blutvergießen in sich spürt *(Unter Mördern und Irren)*, ist es verwehrt, sein Schicksal auf eigene Weise zu leben, seine Opfer selbst zu wählen; denn auch das Töten ist durch den Krieg schematisiert und banalisiert worden. Die Frau, die aus einer ihr plötzlich allzu geordnet erscheinenden Ehe in ein lesbisches Verhältnis zu fliehen versucht *(Ein Schritt nach Gomorrha)*, scheitert ebenso wie der Richter, der sich während eines Prozesses gegen einen ihm zufällig (und bedeutungsvoll) namensgleichen Mörder der Unmöglichkeit bewußt wird, der Wahrheit auf die Spur zu kommen *(Ein Wildermuth)*. Die Befreiung, die in den Erzählungen mit einer fast romantisch anmutenden emotionalen Radikalität gesucht wird, kann ihrer Natur nach nicht gelingen; denn welcher Art könnte die neue Welt sein, die aus der totalen Zertrümmerung alles Bestehenden, aus der Sprachlosigkeit, der Ekstase des Selbstvergessens hervorgeht, welcher Art die Freiheit, die, auf keine Bindung bezogen, sich selbst aufheben muß? – Die letzte Geschichte *(Undine geht)* birgt das Eingeständnis der Unvereinbarkeit des geschichtslosen Bereichs, in den Undines Liebe die Männer entrückt – ein Bereich, der »*keine Forderung, keine Vorsicht, Absicht, keine Zukunft*« kennt –, und der Welt der männlichen Gewohnheiten und Hörigkeiten, des Besitzes und der Ziele. Wie in *Alles* geht auch hier das erzählende Ich über die Beschreibung des scheiternden Durchbruchsversuches hinaus (der diesmal von der anderen Seite her, der in Undine symbolisierten Sphäre des Weiblich-Irrationalen, dargestellt ist) – doch was dort durch schuldhaftes Versagen unerreichbar wurde, wird hier verwirklicht: das so heilloser Unzulänglichkeit bezichtigte Menschsein, Mannsein, wird dennoch gepriesen, dennoch geliebt.

Allen sieben Erzählungen ist gemeinsam, daß sie Exempel statuieren für das eine Erlebnis der Gefangenschaft und der Notwendigkeit und doch Unmöglichkeit einer fundamentalen Verwandlung. Daher haben die Personen kein Gesicht und sind, selbst wenn sie Namen tragen, namenlos. Die Grundstimmung der Erzählungen ist lyrisch, nicht episch. Sie leben ganz und gar aus der den Gedichten der Autorin eigentümlichen poetischen Sprache, die durch den Gegensatz von unterkühlter, sachlicher Diktion und üppiger Metaphorik, von Ironie und Musikalität unverwechselbar geprägt ist. Sie scheut vor Pathos nicht zurück – »*Es hallte in mir die Nacht*« –, aber sie kann auch einen weitläufigen Sachverhalt mit trockenem Witz zusammenfassen: »*... eine Siedlung, die unter Hypotheken zahm und engherzig ausgekrochen ist.*« Der Anspielungsreichtum der Bilder, in denen das Konkrete immer wieder zum Abstrakten, Allgemeinen, Metaphysischen hin durchbrochen wird, ist für das räumlich begrenzte Gedicht ein Gewinn, hier im epischen Bereich jedoch zuweilen verwirrend. Doch die Eigenart und Präzision der Metaphern, der zwischen Strenge und Zartheit, Kühle und Erregung schwingende Tonfall üben eine alle Einwände, die sich angesichts dieses erzählerischen Erstlings einstellen, immer wieder übertönende Faszination aus.

G. He.

AUSGABE: Mchn. 1961.

LITERATUR: M. Reich-Ranicki, *Die Lust an der Verfassung zu rütteln. Über die Erzählungen der I. B.* (in Die Kultur, 9, 1960/61, 167, S. 14). – R. Hartung, *Vom Vers zur Prosa. Zu I. B.s »Das dreißigste Jahr«* (in Der Monat, 13, 1960/61, 154, S. 78–82). – B. Schärer, *I. B.s Erzählung »Alles«* (in Muttersprache, 72, 1961, 11, S. 321–326). – G. Blöcker, *Nur die Bilder bleiben. Zum Werke I. B.s* (in Merkur, 15, 1961, S. 882–886). – W. Jens, *I. B.s Prosa muß an höchsten Ansprüchen gemessen werden* (in Die Zeit, 16, 1961, 37, S. 13). – K. Schäffer, *Mit den alten Farben. Renaissance des Expressionismus in d. modernen Prosa* (in Der Monat, 14, 1961/62, 167, S. 70–74). – Y. Wakisaka, *Die Schönheit des Unvollendeten. I. B. als Erzählerin* (in Dt. Literatur, 8, 1962, S. 66–76). – M. Reich-Ranicki, *Deutsche Literatur in West und Ost*, Mchn. 1963, S. 185–199. – W. Wondratschek, *Die utopische Idee. Zur Prosa I. B.s* (in Text und Kritik, Nr. 6, Okt. 1964, S. 8–12).

DER GUTE GOTT VON MANHATTAN. Hörspiel von Ingeborg BACHMANN (* 1926), Rundfunk-Uraufführung: 29. 5. 1958. – Nicht zufällig sind es zwei Lyriker, die das deutsche Hörspiel zu einer neuen Kunstform entwickelten: Wie Günther EICH entdeckte auch Ingeborg Bachmann, welche poetischen und dramatischen Möglichkeiten die Gestaltung eines Spiels bietet, das allein über das Medium von Sprache und Stimme den Hörer erreicht. – Vor Gericht muß sich ein »Angeklagter«, der der »gute Gott von Manhattan« genannt wird, für ein Attentat verantworten, das er mit Hilfe seiner »Agenten«, der »Eichhörnchen«, auf das Paar Jennifer und Jan verübt hat. Zu seiner Rechtfertigung erklärt er, daß er diesen und viele vorangegangene Anschläge auf Liebende, die sich »*absentierten*«, begangen habe, weil ihre Liebe »*in den Senkrechten und Geraden der Stadt*« die Konvention sprenge, »*zuviel Trunkenheit und Selbstvergessen*« sei und ansteckend wirke wie eine gefährliche Krankheit. Zum Beweis beschwört (in Szenen, die in das Verhör eingeblendet sind) dieser gute Gott, gegen dessen Gesetz – Herrschaft des gesunden Menschenverstands und Anpassung an das allgemein Übliche – die Liebenden zu allen Zeiten am verheerendsten verstoßen haben, die Liebe von Jennifer und Jan. Sie durchläuft alle Stadien von einer flüchtigen Reisebekanntschaft über die »*Vereinbarung auf Distanz*« bis zum »*Grenzübertritt*«, bei dem die beiden, rettungslos aneinander verloren, ausbrechen aus allen Fesseln des Raums und der Zeit und allen Bindungen, in denen sie bisher lebten. Als mit den Worten des Mannes »*Ich bin mit dir und gegen alles*« die »*Gegenzeit*« beginnt, sieht der gute Gott den Augenblick gekommen, »*die Liebenden gerechterweise in die Luft fliegen*« zu lassen, in gutem Glauben, wie er versichert. Denn:

»Ich glaube an eine Ordnung für alle und für alle Tage, in der gelebt wird jeden Tag ... Ich glaube, daß die Liebe auf der Nachtseite der Welt ist, verderblicher als jedes Verbrechen, als alle Ketzereien.« Als er für einen annehmbaren Status in der Gesellschaft plädiert – *»alles im Gleichgewicht und alles in Ordnung«* –, muß der verwirrte Richter ihm zustimmen: *»Etwas anderes ist nicht möglich und gibt es nicht.«* Der Richter gewinnt seine Sicherheit erst wieder, als Jans Rückfall in das »Normale«, »Gesunde« (er gibt dem Wunsch nach, einmal eine halbe Stunde allein zu sein, und entgeht damit dem Attentat, dem Jennifer inzwischen zum Opfer fällt) ihm bestätigt, daß der gute Gott tatsächlich die Ordnung dieser Welt vertritt. Er hält die Anklage aufrecht, aber er läßt den Angeklagten gehen.
»Schweigen« ist das letzte Wort des Hörspiels, in Schweigen mündet der entrückte Überschwang der Liebenden, denen Ingeborg Bachmann eine fast hymnische Sprache leiht, und in Schweigen endet die *»große Konvention«*, für deren Denk- und Sprachschablonen der gute Gott von Manhattan nicht minder zwingenden Ausdruck findet. Gestaltlose Stimmen *»ohne Timbre, ohne Betonung, klar und gleichmäßig«*, Gedichte aus Floskeln und Slogans – Maßregeln und Normen des Wohlverhaltens in einem vernünftig geordneten Dasein – demonstrieren wie ein begleitender Chor die Kluft zwischen den beiden Welten. In der Transparenz und Einfachheit der Bilder und ihrer Bedeutung, in der Leichtigkeit des ganzen Entwurfs und im Verzicht auf jene *»sibyllinische Beschwörung«* (H. Daiber), die Ingeborg Bachmanns Lyrik kennzeichnet, ist *Der gute Gott von Manhattan* ohne Vergleich auch innerhalb ihres eigenen Schaffens. Die Dichterin wurde 1958 für dieses Stück mit dem Hörspielpreis der Kriegsblinden ausgezeichnet.

W. F. S.

AUSGABEN: Mchn. 1958 (Piper Bücherei, 127; ern. 1962). – Mchn. 1961 (in *Dreizehn europäische Hörspiele*, Hg. H. Schmitthenner). – Mchn. 1964 (in *Gedichte, Erzählungen, Hörspiele, Essays*).

LITERATUR: A. A. Scholl, *Liebe als Ausnahmezustand* (in NDH, 5, 1958/59, S. 940f.) – A. A. Scholl, *Unsichtbares betörendes Spiel. Über das dichterische Hörspiel G. Eichs und I. B.s* (in Jahresring 1958/59, S. 353–360). – H. Daiber, *I. B.* (in *Schriftsteller der Gegenwart*, Hg. K. Nonnenmann, Olten/Freiburg i. B. 1963, S. 28–32). – K. Oppens, *Gesang u. Magie im Zeitalter des Steins. Zur Dichtung I. B.s u. P. Celans* (in Merkur, 17, 1963, S. 175–193). – W. Weber, *»Der gute Gott von Manhattan«* (in *I. B. Eine Einführung*, Mchn. 1963, S. 39–43). – M. Gäbler, *Manhattan, Liebe und Untergang. Notizen zu dem Hörspiel »Der gute Gott von Manhattan«* (in Text u. Kritik, H. 6, Okt. 1964, S. 13–17). – J. Kaiser, *I. B. Werk und Interpretation* (in Universitas 19, 1964, S. 699 bis 702).

ERNST BARLACH
(1870–1938)

DER BLAUE BOLL. Drama in sieben Bildern von Ernst BARLACH (1870–1938), Uraufführung: Stuttgart, 13.10.1926; erschienen 1926. – In diesem spökenkiekerischen *»Drama des Werdens«* versucht der große deutsche Bildhauer und Dichter den Leitgedanken vom *»Aufgehen des Persönlichen im Überpersönlichen«* zu veranschaulichen. Auch hier versucht Barlach das Problem der Versöhnung des im Fleisch lebenden Menschen mit dem väterlich-geistigen Gott durch dramatische Gestaltung zu bewältigen. Boll, dessen häufig »blaue« Gesichtsfarbe seine Neigung zum Schlagfluß verrät, ein von wütendberserkerhafter Kraft strotzender, sektiererisch grübelnder, urvitaler Gutsbesitzer, erscheint mit seiner Frau Martha in einer Kleinstadt, um einzukaufen. Beide sind verabredet mit Otto Prunkhorst – wie Boll Gutsbesitzer –, dem jede Veränderung verhaßt ist. Boll wird in einem plötzlichen, von Blutandrang zum Kopf herrührenden Rausch zur Flucht vor sich selbst getrieben und sieht sich zweifach: *»Boll will Boll umbringen«*; denn *»Boll muß Boll neu gebären«*. Da trifft er mit Grete zusammen, der Frau des Schweinehirten Grüntal. Sie ist ihrem Mann gerade entlaufen. Ihre starke Triebhaftigkeit, die sie für sich und ihre Kinder als Gefahr empfindet, übt auf Boll einen verjüngenden, sinnlichen Reiz aus; beide spüren die gegenseitige Anziehung, als sie sich im Kirchturm verbergen. Grete will sich und ihre Kinder vergiften; Boll soll ihr das Mittel dazu verschaffen, versucht aber, ihr den Vorsatz auszureden. Beim teuflischen Wirt Elias erkennt Grete schließlich, dem Tod gegenüberstehend, das Verwerfliche ihrer Absicht und erwartet sehnsüchtig Boll, fällt aber bei seinem Erscheinen in Ohnmacht und muß von ihm in die Kirche gebracht werden. Als sie *»zwischen Aposteln«* erwacht, hat der »blaue«, wieder ganz gewöhnliche Boll die Anfechtung überwunden und rettet damit auch Grete, die zu ihrer Familie zurückfindet. Prunkhorst ist inzwischen einem Schlaganfall erlegen. Der Herr, der die letzten Stunden an seinem Bett verbracht hat, ein eigenartiger, klumpfüßiger Mensch, spricht mit Boll über dessen innere Wandlung: *»Leiden und Kämpfen, lieber Herr, sind die Organe des Werdens ... Boll wird durch Boll ... Werden vollzieht sich unzeitig, und Weile ist nur sein blöder Schein.«*
Solange in diesem Stück, das auch als Hörspiel eine starke Wirkung ausübt, die schwerblütig mecklenburgische, ganz realistisch-alltägliche Sprache, die die skurrilen Typen sprechen, mit der Handlung eine Einheit bildet, ist es von großer Eindringlichkeit – selbst dort, wo Elemente des Irrealen unmittelbar einbezogen sind. Dagegen sind die Partien, in denen die gedanklich-reflexive Dimension sich verselbständigt und alle anderen Elemente des Stückes zu überwuchern droht, ausgesprochen undramatisch. Immerhin zeugt die Figur des blauen Boll mit ihrer unheimlichen Gespaltenheit für Barlachs Gabe, die »innerste Erfahrung« seiner Bilderwelt aus der dunklen, norddeutschen Landschaft lebendig zu machen, wenn auch, seiner eigenen Formulierung nach, *»das Wort untauglich ist, bestenfalls eine Krücke für die, denen das Humpeln genügt«*.

W. P. – KLL

AUSGABEN: Bln. 1926. – Mchn. 1956 (in *Das dichter. Werk*, Hg. F. Droß u. K. Lazarowicz, 3 Bde., 1956 bis 1959, 1). – Mchn. 1962 (in *Dt. Theater d. Expressionismus*).

LITERATUR: H. Dohle, *Das Problem B. Probleme, Charaktere seiner Dramen*, Köln 1954. – K. Lazarowicz, *D. Symbolik in E. B.s »Graf v. Ratzeburg« im Zusammenhang m. d. dichter. Gesamtwerk*, Diss. Göttingen 1954. – D. Fleischhauer, *B. auf d. Bühne, eine Inszenierungsgeschichte*, Diss. Köln 1956. – E. Lichter, *Wort u. Bild in d. Dramen E. B.s*, Diss. Heidelberg 1960. – H. Franck, *E. B., Leben u. Werk*,

Stg. 1961. – K. Braak, *Zur Dramaturgie E. B.s*, Diss. Heidelberg 1961. – W. I. Lucas, *B.'s »Der blaue Boll« and the New Man* (in GLL, 16, 1963, S. 238 bis 247). – E. M. Chick, *»D. blaue Boll« and the Problem of Vision in B.* (in GR, 40, 1965, S. 31–40).

DIE SÜNDFLUT. Drama in fünf Teilen von Ernst BARLACH (1870–1938), Uraufführung: Stuttgart, 27. 9. 1924, Württembergisches Landestheater. – Gestaltungen und Wandlungen Gottes im Abbild seiner menschlichen Erscheinung – dieses Grundthema der Dramen Barlachs variiert *Die Sündflut* mit letzter, geradezu blasphemisch scheinender Konsequenz. *»In meiner ›Sündflut‹ habe ich dem Bibelgott ja wohl nach Vermögen das Letzte an Größe gegeben (ich weiß: ›gegeben‹ ist eine Art Lästerung), aber er ist vor meinem Gewissen doch der Gott, wie ihn die Menschen als das Erhabenste zu sehen vermögen, weil sie sehen, sich vergegenwärtigen müssen, den sie so und nicht anders zu erkennen vermeinen.«* Barlach treibt den metaphysischen Urkonflikt zwischen Schöpfer und Geschöpf bis an die Grenze des Darstellbaren vor und setzt die traditionellen biblischen Vorstellungen in gewagte Antithesen um.

Die Sündflut handelt vom direkten Kampf gegen Gott, der ein anderer ist als der Gott der *Bibel*, ein anderer auch, als ihn die Engel jeweils am Anfang der einzelnen Teile des Dramas preisen. Dieser Gott irrt als Fremder durch seine ihm fremd gewordene Schöpfung, mehr noch: Gott tritt als Bettler auf, der seine Welt dem Wahnsinn verfallen, sein Ebenbild zur Fratze verzerrt wiederfindet: *»Mein Werk höhnt meiner selbst.«* In seiner trostlosen Qual schleudert ihm der bucklige Aussätzige seine Flüche entgegen. Calan, der nihilistische Empörer, fordert Gott in hybrider Selbstvergötterung heraus: *»Er oder ich, Er oder ich!«* Seiner Gottähnlichkeit bewußt, stellt er sich dem kindlich vertrauenden, gläubigen Noah als Versucher in den Weg. *»Versprichst du mir auf Gott zu spucken, wenn es sich herausstellt, daß er das Opfer verabscheute und doch nicht hinderte?«* Trotz seiner tiefen Gläubigkeit unschlüssig, wehrt sich Noah noch gegen das angebotene Menschenopfer. Die Frage der Theodizee, der Existenz des Bösen und ihrer Rechtfertigung in Gott, stürzt Calan in den Abgrund absoluter, frevelnder Gottesferne, in der ihm das Bild eines neuen, größeren Gottes erwächst. Noahs passiver Glaube aber verhindert das Opfer genausowenig wie Jehova selbst: Als Calan einem Hirten beide Hände abschlagen läßt, schaut der hilflose Noah bestürzt zu, ohne gegen den Frevel einzuschreiten. Sein zunächst positiver Gottesgehorsam wandelt sich zu verantwortungslosem Frommsein, zu schuldhafter Passivität. Nach seiner Auseinandersetzung mit Noah setzt Calan seine Anklagen heftig fort – Gott aber nimmt die Herausforderung direkt an: *»Denn dein Gott, Calan, wenn er stärker ist als Noahs Gott, wird dich und deine Dinge vor der Flut erretten.«* Die Flutprophezeiung, Vorspiel eines apokalyptischen Weltgeschehens, stellt sich als bittere Notwendigkeit dar, die einer Absage an Gottes eigene Schöpfung gleichkommt: *»Für jeden Tropfen Blut wird ein Meer aus den Brunnen der Tiefe brechen, für jeden bangen Hauch des klagenden Mannes wird ein Schwall aus den Schleusen des Himmels niederschlagen.«* Während Noah nach Awahs Vision, in der sie die Flut schaut, zum Berg Ararat zieht, um die Arche zu bauen, bricht die Katastrophe mit furchtbarer Gewalt herein. Die Fragwürdigkeit von Noahs Verhalten wird deutlich in jener symbolischen Szene, da er den verstümmelten Hirten und den Aussätzigen ohne Erbarmen vertreibt. Je mehr er seine Verantwortung auf Jehova abschiebt, desto greller tritt seine Schuld zutage. Unzufrieden mit der Passivität des Vaters, wenden sich seine Söhne Sem und Japhet, die ihrer Weiberlosigkeit überdrüssig sind, gegen den Zögernden und gefährden so den Bau der Arche: Noah muß sich zu dem Entschluß durchringen, Japhet die Heidin Zebid an Awahs Stelle zum Weibe zu geben, gegen den ausdrücklichen Willen Gottes, der ihn davor warnt, daß Zebid seine Nachkommenschaft für alle Zukunft verderben werde. Sogar Jehova beginnt an seinem Knecht zu verzweifeln. – Calan geht in unsäglicher Qual zugrunde – unlösbar an den Aussätzigen gefesselt, kann ihn auch der verstümmelte Hirt nicht mehr befreien. In der Nacht des Grauens aber erfährt der Sterbende Gottes wesenlose Größe, die allumfassender ist als Noahs patriarchalisch-testamentarische Vatergestalt: »... *nur Glut ist Gott, ein glimmendes Fünkchen, und alles entstürzt ihm, und alles kehrt in den Abgrund seiner Flut zurück. Er schafft und wird vom Geschaffenen neugeschaffen.«* Am Grunde von Calans Nihilismus leuchtet eine neue Gottesahnung auf, die der Hirt in ergreifenden Worten ausspricht: *»Ich schäme mich, von Gott zu sprechen. Ich begreife, daß er nicht zu begreifen ist, das ist all mein Wissen von ihm.«* Bigotte Selbstgerechtigkeit macht die tragikomische Gestalt Noahs blind gegenüber der neuen Gottesschau Calans, der im tragischen Untergang den *»unwandelbaren«* Gott Jehova nicht als menschenähnliche Vatergestalt schaut, sondern in seiner Unergründlichkeit das wandelbare Prinzip des ewig Werdenden erkennt, jene Gottesvorstellung, die Barlachs religiöse Botschaft meint. *»Hier wird eine neue Frömmigkeit sichtbar, die die abgründigen Tatsachen des Leidens und des Bösen schmerzvoll erkennt und erfährt und dennoch die Absurdität des zeitlichen Seins im Glauben an die All-Göttlichkeit der Schöpfung gegen alle Zweifel durchzustehen aufgefordert ist«* (H. Wagner).

Was sich auf der Bühne dieses urzeitlichen Welttheaters ereignet – Szenen von bestürzender Drastik, elementarer Wucht und balladesker Figuration – gehört zu jenen kühnen Apotheosen Barlachs, die rigoros mit der konventionellen Gottesvorstellung brechen. Seine Dramaturgie ist vertikal strukturiert entsprechend jener transzendenten Spielebene, die jenseits und über der szenisch realisierten Spielebene sichtbar wird. Vor dem Schauspiel einer apokalyptischen Weltverfinsterung führen die Symbolfiguren ihren einsamen, die Ausdrucksformen der Sprache immer wieder sprengenden Dialog mit Gott. Barlachs Dramen bieten weder greifbare Konflikte noch praktikable Lösungen: Sie sind nur *»Vorbereitung für eine Handlung, die ihre Verwirklichung erst in einer ganz anderen Welt finden kann«* (K. Lazarowicz). M. Ke.

AUSGABEN: Bln. 1924. – Emsdetten 1954 (in *Dramen der Zeit*). – Mchn. 1956 (in *Das dichterische Werk*, Hg. F. Droß u. K. Lazarowicz, 3 Bde., 1956 bis 1959, 1). – Mchn. 1959 [Nachw. W. Muschg.]. – Mchn. 1968 (in *Die Dramen*, Hg. F. Droß).

LITERATUR: H. Dohle, *Das Problem B. Probleme, Charaktere seiner Dramen*, Köln 1957. – E. M. Chick, *Diction in B.'s »Sündflut«* (in GR, 33, 1958, S. 243–250). – W. Flemming, *E. B. Wesen u. Werk*, Bern 1958. – H. Wagner, *E. B. »Die Sündflut«* (in *Das deutsche Drama*, Hg. B. v. Wiese, Bd. 2, Düsseldorf 1958, S. 338–356). – W. Kriess, *Vom Text zum Spiel. »Die Sündflut« von E. B.* (in Provinz, 14, 1960, S. 608–615). – E. Lichter, *Wort u. Bild in den Dramen E. B.s*, Diss. Heidelberg 1960. – K. Braak, *Zur Dramaturgie E. B.s*, Diss. Heidelberg 1961. – H. Franck, *E. B. Leben u. Werk*, Stg. 1961. – H. Meier, *Der verborgene Gott. Studien zu den Dramen B.s*, Nürnberg 1963.

JOHANNES ROBERT BECHER
(1891–1958)

AN EUROPA. Gedichtsammlung von Johannes Robert BECHER (1891–1958), erschienen 1916; die wichtigste Veröffentlichung aus der expressionistischen Phase des Autors. – »*Der Dichter*«, heißt es in dem berühmten Programmgedicht, »*meidet strahlende Akkorde. / Er stößt durch Tuben, peitscht die Trommel schrill. / Er reißt das Volk auf mit gehackten Sätzen*«, d. h., er zertrümmert die konventionelle Syntax und Sprache, um das Ohr des Volkes zu erreichen. Undeutlich ist von einer paradiesischen Zukunft – »*der neue, der heilige Staat*« – die Rede, doch noch bleibt alles Programm und Manifest: »*Wer, Dichter, schreibt die Hymne an die Politik!?*« Diesem Anruf *An die Dichter* folgen eine Hymne *An die Marseillaise* und Sonette *An die Zwanzigjährigen* (»*mit Bombenfäusten, der Panzerbrust, drin Lava gleich die neue Marseillaise wiegt!!*«). Bechers Anliegen konnte nicht sein, im historischen Rückblick die *alte* Marseillaise zu vergegenwärtigen, sein Bestreben war es vielmehr, die *neue*, zur Tat treibende Marseillaise in den Herzen der Mitmenschen zu wecken und ihren revolutionären Kern zu aktualisieren. Noch ist es allerdings ein die ganze Menschheit in brüderlichem Anruf umfassendes Gefühl ohne parteipolitische Fixierung, ein Appell, der WERFELS Aufforderung zur Güte und Hingabe, zur Weltfreundschaft nahesteht und dessen O-Mensch-Pathos immer wieder streift. Deshalb können auch Dichter wie RIMBAUD, WHITMAN, DÄUBLER, HASENCLEVER, HEYM, STADLER und TRAKL noch als »*Brüder*« angeredet werden. Die Anrede »*Bruder*« greift indessen noch weiter, sie meint auch »*Völker-Bruderschaften*« und beschreibt die Sehnsucht, daß nach diesem Krieg, in dem sie sich selbst zerfleischen, die Nationen »*ineinander wiederkehren*«. Über Deutschland hinaus richtet Becher deshalb das Wort *An Europa* und *An die Völker*. »*Aus den Schlachten*« – so läßt das expressionistische Lebensgefühl, das er mit vielen zeitgenössischen Autoren teilte, ihn hoffen – ziehe »*ein fabelhafter Morgen auf*«, denn trotz aller Niederlagen der einzelnen Nationen: »*Menschheit heißt der unerhörte Sieg.*« Im dichterischen Wort gelingt das »*Erwachen*«, die »*Erweckung*« tatsächlich: der torpedierte, versenkte Dampfer »Lusitania« fliegt wieder über die Ozeane als »*erneuter Menschheit heiliger Fisch*«. Das ist utopisches Bewußtsein, und Becher weiß es; *Klänge aus Utopia* heißt folgerichtig das ersehnte Bild einer einigen Menschheit, und das Schlußgedicht des Bandes, *An die Freude*, kann, SCHILLER zitierend, nur hymnisch erbitten: »*Füll, Utopia, füll des Chaos Raum*«, des Chaos, das in den zahlreichen Kriegsgedichten der Sammlung dargestellt ist.

Das Faszinierende der lyrischen Produktion des jungen Becher liegt weniger in dem hier entwickelten Programm als darin, daß die formalen Konventionen der um die Jahrhundertwende und danach vorherrschenden Lyrik in einem großartigen, expressiven Sprachchaos aufgelöst wird. Die Sprache, hier von selten nachlassender Wucht, ist aus den heterogensten Elementen der großen Errungenschaften moderner Lyrik – der DÄUBLER, STRAMM, TRAKL, HEYM, RILKE, LICHTENSTEIN u. a. – zusammengeschmolzen. Kurt PINTHUS nannte sie »*fäkalischen Barock*«. »*Laßt uns die Schlagwetter-Atmosphäre verbreiten!*« – »*... und jeder Satz ein funkelndes Programm ...*« – diese beiden Verszeilen aus beliebigen Gedichten können die sprachliche Intention des Autors andeuten. Der Glaube an den Aufbruch des Proletariats, der Nationen und Völker zu ihrer *Verbrüderung* – so heißt ein ebenfalls 1916 erschienener Gedichtband – sollte in einer neuen Syntax wirksam vorgetragen werden, als deren besonderes Merkmal der Imperativ erscheinen mußte (»*Imperativ schnellt steil empor. Phantastische Sätzelandschaft überzüngelnd*«).

Der Band *An Europa* war, einer Schlußbemerkung zufolge, als »*erster Teil neuer Gedichte*« geplant. Der zweite Teil, als den man die späteren Gedichte bezeichnen könnte, stellte sich dann immer unverhüllter als künstlerisch schwache Versifizierung kommunistischer Ideologie dar. L. D.

AUSGABE: Lpzg. 1916.

LITERATUR: O. Loerke, *B.s »An Europa«* (in NRs, 1919, S. 1524). – H. Uhlig, *J. R. B.* (in *Expressionismus*, Hg. H. Friedmann u. O. Mann, Heidelberg 1956). – N. N. Racinskaja, *Tradit. u. Mod. i. d. Poesie J. R. B.s* (in Kunst u. Lit., Sowjetwiss., 1959, 7, S. 132–155). – K. Pinthus, *Erinnerungen a. B.s Frühzeit* (in Sinn u. Form, 1960, 2. Sonderheft J. R. B.). – G. Hartung, *B.s frühe Dichtgn. u. d. lit. Trad.* (in Wiss. Zs. d. Univ. Jena, 1960/61, 10, S. 393–401).

JÜRGEN BECKER
(*1932)

RÄNDER. Prosatext von Jürgen BECKER (*1932), erschienen 1968. – Bereits in der Typographie gibt sich die Struktur dieser experimentellen Prosa zu erkennen: Von den kompakten Satzblöcken des ersten und letzten Kapitels her lichten sich die Seiten zur Buchmitte hin zu kürzeren Absätzen ohne Satzzeichen, schmalen Wortkolonnen, schließlich sind nur noch einzelne Wendungen und Wörter isoliert und scheinbar haltlos über die Seiten gestreut. Die stumme Mitte, auch nach der Seitenzahl mathematisch genau fixiert, ist das sechste Kapitel: eine leere Doppelseite. Diese Progression des Schweigens demonstriert schon rein äußerlich die Formstrenge des Buches, das an verwandte typographische Experimente bei STERNE (vgl. *The Life and Opinions of Tristram Shandy*) oder MALLARMÉ (im geplanten *Le livre*; vgl. *Variations sur un sujet*) erinnert. Eine Konstruktion wird auffällig zur Schau gestellt: Das Buch als Ganzes ist mehr als die Summe seiner Partikel; es fixiert das Punktuelle und Momentane in einem übergreifenden Ordnungsgefüge. Von solcher strengen Systematik war Beckers erstes Buch *Felder* (1964) noch frei; dort vertraute er ganz dem Zusammenhang, der sich unwillkürlich auch zwischen den spontansten Äußerungen eines Subjekts herstellt. In den *Rändern* sucht Becker entschiedenere Widerstände, so etwas wie einen Raster, der zur Auswahl der Mitteilungen zwingt und sie rechtfertigt: Er unterwirft das Buch gleichsam seiner »Idee«. Jeder gattungsmäßigen Zuordnung sich verweigernd, bietet der Text scheinbar nur autobiographische Materialien dar: die Kölner Topographie, ein römischer Park, die Villa Massimo, Ostia, die Küste Sardiniens, die Katze Nina und der Kater Nino, Kindheitserinnerungen, Tagesereignisse, die sechste amerikanische Flotte, der Offiziersputsch in Griechenland, Illustriertenzitate. Doch darüber wird nicht detailfreudig referiert, vielmehr entzündet sich an diesen Materialien Beckers Sprache und wird zu Erkundigungen ihrer Möglichkeiten in Bewegung gesetzt. Das beginnt spröde, beim Einfachsten und Nächsten, als würde der Text allmählich und spielerisch zu sich selbst kommen, zielt zur leeren Mitte hin aber immer energischer auf die Synthese des Privaten und Globalen: Anläufe, die Distanz zwischen dem Ort, wo man sich zufällig befindet, und der Welt, die sich jeder konkreten Wahrnehmung entzieht, zu überspringen, Ich und Weltgeschichte in einem Atemzug zu verschränken; immer wieder irrt der suchende Blick über Landkarten oder aus dem Flugzeugfenster hinab auf die *»entschleierte Erde«*, die doch unerkennbar bleibt. Was von innen her die rigorose, so etwas wie »Endgültigkeit« postulierende Konstruktion des Buches rechtfertigt, ist die Anstrengung, vom Subjekt her *(»fremd bleibend mittendrin«)* den Kontinent des Erfahrbaren und in Sprache zu Fassenden auszumessen. Diese Sprache – prunklose, nur zögernd und unaufdringlich aneinandergereihte Feststellungen, Sätze, die nie länger als ein Atemzug sind, Kurzformeln, Skizzen, deren Leichtigkeit, ja Verspieltheit vergessen läßt, wie genau sie einer Vorstellungsspur folgen – diese Sprache also besitzt außerordentliche Präsenz und Dichte: *»Wir sind manchmal verwirrt; was wir zu sehen glauben, verschwindet gleich wieder; im Kopf ein Rauschen; verwischte Welt. Sprichwörterzeit. Leben mit Landkarten.«* Jeder Absatz des Buches bringt eine Situation eindringlich zum Sprechen, doch in der Abfolge der Texte verflüchtigt sich jeder Augenblick, jede Erfahrung wieder in Vergänglichkeit. Blick- und Ortswechsel, Fortgehen und Wiederkommen, Sitzenbleiben und Wiederaufbrechen, erneuter Rückzug und Resignation im Verrinnen der Zeit: Dieser komplexe Gefühlsstrom spült immer wieder weg, was sich eben in Sprache kristallisiert hat, stört mit hartnäckigem Zweifel auf, was sich bei vordergründiger Gewißheit beruhigen möchte. Das haltlose Ich und sein Verlangen nach einem begreifbaren Ganzen, nach dem ideologischen Denkmodell einer haltbaren Welt – dies etwa bildet Beckers Text ab: Die Ränder sind relativ festes Terrain, aber schmal; die letzten, vereinzelten Wörter an der Grenze zum leeren Mittelfeld, der *terra incognita*, ragen auf wie fernste Gipfel einer Erfahrungstopographie, die sich der insistierenden Vermessungskunst letztlich entzieht. U. J.

AUSGABE: Ffm. 1968.

LITERATUR: U. Jenny, Rez. (in SZ, 29./30. 6. 1968). – M. Kesting, Rez. (in Die Zeit, Nr. 27, 5. 7. 1968, S. 15). – U. Schultz, Rez. (in Frankfurter Rundschau, 13. 7. 1968). – W. Hehl, Rez. (in Stuttgarter Nachrichten, 19. 10. 1968).

GOTTFRIED BENN
(1886–1956)

DOPPELLEBEN. Zwei Selbstdarstellungen von Gottfried BENN (1886–1956), erschienen 1950. – Dieses autobiographische Werk vereinigt den *Lebensweg eines Intellektualisten* aus dem 1934 erschienenen Sammelband *Kunst und Macht* und die Fortsetzung der Selbstdarstellung mit dem für das ganze Werk programmatischen Titel *Doppelleben* von 1950. Der erste Teil umfaßt Benns Leben bis zum Beginn des Dritten Reiches, der zweite Teil die Zeit von 1933 bis in die Nachkriegsjahre.

Doppelleben ist nicht die Entwicklungsgeschichte einer Persönlichkeit in Form einer Selbstobjektivierung, sondern stellt Benns Verteidigung und die Rechtfertigung seiner geschichtlichen und geistigen Existenz dar. In scheinbar lose aneinandergefügten Kapiteln schildert Benn seinen Lebensweg, erläutert seine expressionistische Dichtung und späte Prosa und äußert sich zu Fragen der Kunst und des Kunstschaffenden. Die drei Themen werden in beiden Selbstdarstellungen in analoger Abfolge behandelt. Das Autobiographische ist für Benn der Anlaß, die Kunst gegenüber dem Leben, das schöpferische Ich gegenüber dem empirischen Ich geltend zu machen, indem er die Kunst und ihre Probleme im Verlauf der Darstellung immer mehr in den Vordergrund rückt. Der Struktur des *Doppellebens* als gezieltem Fortschreiten vom Leben zur Kunst, vom Mitteilen zum Ausdrücken, entspricht Benns Existenzmodell »Doppelleben«, das ein radikales, *»bewußtes Aufspalten der Persönlichkeit«* und das Verhalten *»vor dem Unvereinbaren«* von Denken und Handeln, von Geist und Tat, von Kunst und Macht fordert.

Schon vor 1933 forderte Benn die Trennung von Leben und Kunst, die er dann nach dem Scheitern seines Versuches einer Synthese im Sinne der nazistischen Ideologie noch rigoroser vollzog und verwirklichte. »Doppelleben« bedeutet für Benn in den Jahren seiner »inneren Emigration« von 1935 bis 1945 eine von ihm bewußt kultivierte Lebensform, die es ihm ermöglichte, als Militärarzt zu »handeln« und zugleich als Künstler tätig zu sein. Den Menschen bestimmte er in dieser Zeit als *»Wille zum Geist«* (im Gegensatz zu NIETZSCHES *»Willen zur Macht«*) und die *»Gestaltungssphäre«* als den Bereich seines Wirkens. Handeln und Denken sind unvereinbar, lautet Benns Maxime. *(»Kunst und die Gestalt dessen, der sie macht, ja sogar das Eigenleben von Privaten sind völlig getrennte Wesenheiten.«)* Daß Benn in dieser Autobiographie dennoch seinen Lebensweg mit seinem künstlerischen Schaffen in Verbindung brachte, hängt mit den äußeren Umständen zusammen, die ihn zur Niederschrift der beiden Selbstdarstellungen nötigten. Benn blieb im März 1933 Mitglied der Preußischen Akademie, nachdem viele seiner Freunde auf Grund der nationalsozialistischen Einflußnahme austraten oder ausgeschlossen wurden. In einer Rundfunkrede vom 24. 4. 1933 *(Der neue Staat und die Intellektuellen)* legte er ein Bekenntnis zu den neuen Machthabern ab und wandte sich einen Monat später in einem weiteren Rundfunkvortrag *(Antwort an die literarischen Emigranten)* ablehnend und hochmütig gegen die Emigranten. Im selben Jahr noch geriet Benn jedoch selbst in Bedrängnis, als ihn der Balladendichter Börries von MÜNCHHAUSEN mit den Expressionisten unter die *»Deserteure, Zuchthäusler und Verbrecher«* einreihte und als *»reinblütigen Juden«* bezeichnete. Benn suchte sich vor der geschichtlichen Stunde zu behaupten, indem er im *Lebensweg eines Intellektualisten* im Anschluß an die Darlegung seiner *Erbmasse* (so der Titel eines Kapitels im *Doppelleben*), seine frühen Werke (in den Abschnitten *Rönne*, *Pameelen*, *Das lyrische Ich*) und damit die gesamte Kunstbewegung des Expressionismus zu rechtfertigen unternahm. Mutig verteidigt er seine frühen Dichtungen als notwendig und sinnvoll. In den kunsttheoretischen Erörterungen zieht er sich auf seine geistige Position von vor 1933 zurück. Er bekennt sich zur *»Eigengesetzlichkeit der Kunst«*, zur *»Ausdruckswelt«* (im Gegensatz zur geschichtlichen Welt) und zum Intellektualismus. Gegen die Verketzerung seiner Künstlergeneration als »Intellektuelle« gerichtet, schreibt Benn: *»Am liebsten würden sie eine Notverordnung für Deutschland sehen: Denken ist zynisch, es findet hauptsächlich in Berlin statt, an seiner Stelle wird das Weserlied empfohlen.«* Nach dem Zusammenbruch des Hitler-Regimes war Benn wegen seines Verhaltens im Jahr 1933 neuen Angriffen von seiten der Emigranten ausgesetzt. Sein Verleger Max Niedermayer drängte ihn 1949 zur Fortsetzung seiner Autobiographie von 1934.

Benns Stellungnahme zu seinem vorübergehenden Eintreten für die Nazis und gegen die Emigranten gibt dem *Doppelleben* die Bedeutung eines Dokuments. Es ist *»wohl die einzige autobiographische Rechtfertigungsschrift ihrer Art, die von einem hervorragenden Geist seit dem Zusammenbruch der Hitler-Despotie vorgelegt worden ist«* (P. de Mendelssohn). Benn erklärt sein Verhalten gegenüber den Emigranten, vor allem die Voraussetzungen seiner Antwort auf den im *Doppelleben* abgedruckten Brief von Klaus Mann vom 9. 5. 1933, und gibt Aufschluß über seinen Konflikt mit der Reichsschrifttumskammer. Er berichtet über sein persönliches Schicksal nach dem Zugriff der nationalsozialistischen Kunstpolitik in der »inneren Emigration« *(»Die Armee ist die aristokratische Form der Emigration«)* und über die Nachkriegsjahre in Berlin. Wenn Benns Begründung und Argumente seine Haltung im Jahre 1933 auch kaum zu rechtfertigen vermögen, so wird man doch das Bekenntnis zu seinem Irrtum nicht überhören dürfen: *»Immer alles gewußt zu haben, immer recht behalten zu haben, das alleine ist nicht groß. Sich irren und dennoch seinem Innern weiter Glauben schenken müssen: – das ist der Mensch.«* Wie unmißverständlich Benns Ablehnung der Nazi-Machthaber in der Zeit seines dichterischen Schweigens war, geht aus dem Gedicht *Monolog* hervor, das er 1943 an Bekannte verschickte und dann im *Doppelleben* veröffentlichte: *»Den Darm mit Rotz genährt, das Hirn mit Lügen / erwählte Völker, Narren eines Clowns ...«* Im Folgenden erläutert Benn dann in einer Deutung seines *Romans des Phänotyp* das Problem der *»absoluten Prosa«*, einer Prosa, die rein formal bestimmt und nur den Gesetzen der Schönheit verpflichtet ist. Eine *»Prosa außerhalb von Raum und Zeit, ins Imaginäre gebaut, ins Momentane, Flächige gelegt, ihr Gegenspiel ist Psychologie und Evolution«*. In dem Abschnitt *Doppelleben*, der den zwei Selbstdarstellungen den Obertitel gab, entwickelt Benn die Bedeutung des Existenzmodells »Doppelleben« an seinem Prosawerk *Der Ptolemäer*. Sein eigenes Leben als Arzt und Dichter entsprach weitgehend jenem »Doppelleben«, wie er es in dieser Novelle darstellte: *»In diesem Institut sind Handeln und Gedanken streng separiert, Leben und Geist zwei völlig verschiedene Dinge ...«* »Doppelleben« war für Benn die Chance, vor der Wirklichkeit bestehen zu können. Die Aufspaltung des Ichs in ein empirisch-handelndes und ein geistig-schöpferisches ist über Benns eigene innere Problematik hinaus Ausdruck einer Wirklichkeit, in der die Einheit der Persönlichkeit fragwürdig geworden ist.

Doppelleben ist wichtig als Informationsquelle über Benns Lebensweg und über seine Kunstauffassung, aber auch als Zeugnis für die problematische Stellung eines großen Künstlers zwischen Kunst und Macht, zwischen dem Auftrag der Kunst und der Herausforderung des Lebens. Es ist die Verlautbarung eines schöpferischen Ichs, dem künstlerisches Gestalten mehr bedeutet als die Faktizität des Lebens In diesem Sinne erhebt das *Doppelleben* selbst den Anspruch, ein Kunstwerk zu sein, in dem die objektiven Fakten immer wieder dem Ausdruck unterworfen werden. Die Antithese von Leben und Geist, von Mensch und Künstler wird zur Synthese im dichterischen Wort. S. E.

Ausgaben: Wiesbaden 1950. – Wiesbaden 1961 (in *GW*, Hg. D. Wellershoff, 4 Bde., 1958–1961, 4).

Literatur: P. de Mendelssohn, *Der Geist in der Despotie*, Bln. 1953, S. 236–282. – A. Schöne, *G. B.* (in A. S., *Säkularisation als sprachbildende Kraft*, Göttingen 1958, S. 190–226). – D. Wellershoff, *G. B. Phänotyp dieser Stunde*, Köln 1958. – R. Goffin, *G. B. et le nationalsocialisme* (in Revue Belge de Philosophie et d'Histoire, 38, 1960, S. 795–808). – E. Buddeberg, *G. B.*, Stg. 1961, S. 144–159. – P. Michelsen, *Das »Doppelleben« und die ästhetischen Anschauungen G. B.s* (in DVLG, 35, 1961, S. 247–261). – F. W. Wodtke, *G. B.*, Stg. 1962, S. 89–100 (Slg. Metzler, 26). – H.-D. Balser, *Das Problem d. Nihilismus im Werk G. B.s*, Bonn 1965. – B. Hillebrand, *Artistik und Auftrag. Zur Kunsttheorie von B. und Nietzsche*, Mchn. 1966 (Slg. Dialog, 7).

GEHIRNE. Novellenzyklus von Gottfried Benn (1886–1956), entstanden 1914–1916, zum Teil einzeln veröffentlicht 1915 in ›Die weißen Blätter‹, gesammelt erschienen 1916 in der expressionistischen Schriftenreihe »Der jüngste Tag«. – Dieses frühe Prosawerk Benns, das einen wichtigen Schritt in der künstlerischen Entwicklung des Dichters bedeutet, ist ein Zyklus von fünf thematisch zusammenhängenden Novellen: *Gehirne*, *Die Eroberung*, *Die Reise*, *Die Insel*, *Der Geburtstag*. Im Mittelpunkt dieser sogenannten »Rönne-Novellen«, von Benn auch als *»Rönne-Komplex«* bezeichnet, steht die Figur des jungen Arztes Rönne, an der der Autor den Verlust einer die Verbindung zwischen Ich und Wirklichkeit herstellenden Anschauuungsform in verschiedenen Modellsituationen darstellt. Wie in der Figur des Pameelen in den gleichzeitig entstandenen dramatischen Szenen *Der Vermessungsdirigent* und *Karandasch* findet in Rönne nicht nur Benns persönliche Problematik, sondern darüber hinaus die veränderte Bewußtseinslage des modernen Menschen, der sich einer mit den herkömmlichen Denkkategorien und Erlebnisformen nicht mehr zu erfassenden Welt gegenübersieht, ihren konzentrierten Ausdruck. Künstlerisch entspricht diesem *»ontologischen Mißtrauensvotum«* (A. Gehlen) eine die logische und syntaktische Ordnung auflösende Dynamisierung der Sprache und die assoziative Verknüpfung ihrer Elemente. Diese Zerstörung eines in der Sprache verfestigten Welt- und Menschenbildes verbindet

Gehirne mit der revolutionären Sprachkunst des Expressionismus.
In Benns Novellen gibt es keine Fabel, keinen novellistischen »Falken« und keine festumrissene Person. Das sind bereits Symptome der Problematik, um die es geht; denn Rönnes Krise besteht gerade darin, daß die Auflösung seines Ichs ihn handlungsunfähig macht. In der ersten Novelle *Gehirne* wird er sich des »*Wirklichkeitsverlusts, der Entfremdung von Ich und Welt*« (D. Wellershoff) in einer Art Selbstdiagnose bewußt. Er soll an einem Krankenhaus den Chefarzt vertreten, aber er versagt schon bei den einfachsten Verrichtungen. »*Namentlich aber, wenn er sich gesprächsweise zu dem Verwalter oder der Oberin über irgendeinen Gegenstand äußern sollte ... brach er förmlich zusammen.*« Die Subjekt-Objekt-Beziehung ist abgebrochen, alles Selbstverständliche wird somit fragwürdig und außergewöhnlich. Das nicht mehr zentral, d. h. vom Gehirn, geleitete und stabilisierte Ich sieht sich an eine chaotische Wirklichkeit ausgeliefert, in der keine Orientierung mehr möglich ist: »*Es schwächt mich etwas von oben. Ich habe keinen Halt mehr hinter den Augen. Der Raum wogt so endlos.*« Daß es aus diesem Bewußtseinszerfall keinen Ausweg gibt, verdeutlicht Benn in den darauffolgenden Novellen. Rönne ist unentwegt bemüht, seinem Ich Stabilität zu verleihen, indem er verzweifelte Versuche unternimmt, einen Bezug zur Wirklichkeit herzustellen: »*Dies Land will ich besetzen, dachte Rönne, und seine Augen rissen den weißen Schein der Straße an sich.*« Alles wird registriert, besprochen und bedacht: »*Aufzunehmen gilt es, rief er sich zu, einzuordnen oder prüfend zu übergehen.*« In ausgesprochen grotesken Situationen glaubt er Halt zu finden an den erstarrten Formen einer bürgerlichen Welt, die Benn in ihrer Lächerlichkeit und Borniertheit satirisch entlarvt. Rönne wird dabei zur tragikomischen Figur, da seine vermeintliche Erlösung immer schon Auflösung, seine Macht Ohnmacht bedeutet. Seine »Eroberungen« enden alle wieder im Zerfall des Ichs: »*Anfang und Ende, aber ich geschehe.*« Die Unvereinbarkeit von Ich und Wirklichkeit ist nach Benns eigener Deutung im *Lebensweg eines Intellektualisten* (1934) ein anthropologischer Befund: »*Wir sehen, die Frage nach der anthropologischen Substanz liegt unmittelbar hier vor, und sie ist identisch mit der Frage nach der Wirklichkeit.*« Der einzige Ausweg aus diesem Dilemma ist der Weg nach Innen, zur schöpferischen Evokation des lyrischen Ichs. Dieses »*Irrealitätsprinzip*« der dichterischen Imagination deutet sich bereits in der Novelle *Die Insel* an, und in *Der Geburtstag* bedient Rönne sich seiner bewußt und methodisch, um vor der Wirklichkeit zu bestehen: »*Den Überschwang galt es zu erschaffen gegen das Nichts.*« Dies gelingt ihm jedoch nur selten und nur in der rauschhaften Beschwörung einer mittelmeerischen Welt. Dann versinkt er wieder in seine innere Zerrüttetheit: »*Manchmal eine Stunde, da bist du; der Rest ist das Geschehen. Manchmal die beiden Fluten schlagen hoch zu einem Traum.*«
Die Bedeutung dieser Prosa liegt vor allem in der sprachlichen Vergegenwärtigung der dargestellten Problematik. Dem intakten Ich-Welt-Bezug, den Rönne für sich vergeblich wiederherzustellen sucht, entspricht ein in der Sprache stabilisiertes Welt- und Menschenbild der objektiven Tatsachen, der Ordnung, der festumrissenen Inhalte, der Wertnormen und des eindeutigen, selbstsicheren Verhaltens, vorzugsweise repräsentiert durch die »*starke, geschlossene Gestalt*« der »Herren«. Typisch für die Darstellung dieser Seinsform sind die Verwendung des substantivischen Begriffs und der Vorstellungsbereich des Statischen und Vertikalen: »*Er war der geachtete Mann, dem im Umfang seines Faches Vertrauen zukam, eine bodenständige Natur, festen Schrittes und aufrechter Art.*« Demgegenüber soll die Charakterisierung Rönnes die Assoziation des Horizontalen wecken: »*Es zog ihn nieder, auf den Rasen zog es ihn, leicht hingemäht.*« Ihn kennzeichnen Begriffe und Bilder, die ein Wortfeld des Dynamischen bilden, des Chaotischen, Formlosen, Dionysisch-Rauschhaften und Organisch-Vegetabilischen. Das alles in Bewegung setzende, lösende und verbindende Verbum ist für den Stil dieser frühen Prosa Benns bezeichnend: »*Die Türen sanken nieder, die Glashäuser bebten, auf einer Kuppel aus Kristall zerbarst ein Strom des unverlierbaren Lichts.*« Es ist Ausdruck der Befreiung einer in Begriffen erstarrten Welt. Rönnes bis ins Groteske gesteigerte Gedanken- und Bildassoziationen sind als Emanationen seines zerfallenden Bewußtseins zu verstehen: »*Auf Flügeln geht dieser Gang – mit meinem blauen Anemonenschwert – in Mittagsturz des Lichts – in Trümmern des Südens – in zerfallendem Gewölk – Zerstäubungen der Stirne – Entschweifungen der Schläfe.*«
Benns künstlerische Leistung besteht darin, daß er, indem er Rönnes Problem im wörtlichen Sinne zur Sprache bringt, dieses bereits überwindet – ein schöpferischer Akt, der seiner Figur erst gegen Ende des Zyklus gelingt; indem der Erzähler durch Deformation und Destruktion der gewohnten Sprache die herkömmlichen Formen des Welterlebens auflöst, gewinnt er zugleich die Freiheit, im Kunstwerk (nämlich in den Rönne-Novellen) konstruktiv eine neue Welt, die des dichterischen Ausdrucks, zu schaffen. In *Gehirne* veranschaulicht Benn die existentiellen Voraussetzungen des sein ganzes späteres Werk beherrschenden Dogmas von der Überwindung des Lebens durch die Kunst. An Rönne wird dieser Weg vom Realität erfahrenden zum Ausdruck schaffenden Ich demonstriert, jenes Ich, in dem Figur und Autor letztlich identisch werden. Die Novellen gehören in den Zusammenhang einer Literatur (BAUDELAIRE, RIMBAUD, MALLARMÉ, VALÉRY, GIDE, T. S. ELIOT, JOYCE u. a.), die durch Destruktion der Wirklichkeit die Autonomie des schöpferischen Ichs in einer »Ausdruckswelt« ermöglicht. S. E.

AUSGABEN: Lpzg. 1915/16 (in Die weißen Blätter, 2, 1915, H. 2 u. 8; 3, 1916, H. 6). – Lpzg. 1916 (vollst.; Der jüngste Tag, 35). – Wiesbaden 1950 (in *Frühe Prosa u. Reden*; Einl. M. Bense). – Wiesbaden 1959 (in *GW*, Hg. D. Wellershoff, 4 Bde., 1958–1961, 2).

LITERATUR: M. Rychner, *G. B. Züge seiner dichterischen Welt* (in M. R., *Zur europäischen Literatur zwischen zwei Weltkriegen*, Zürich [2]1951, S. 239 bis 290). – R. Grimm, *G. B. Die farbliche Chiffre in der Dichtung*, Ffm. 1958, S. 10–40. – D. Wellershoff, *G. B. Phänotyp dieser Stunde*, Köln 1958, S. 13–54. – W. H. Sokel, *Der literarische Expressionismus*, Mchn. o. J. [1960], S. 114–123. – E. Buddeberg, *G. B.*, Stg. 1961, S. 1–53. – F. W. Wodtke, *G. B.*, Stg. 1962, S. 7–29 (Slg. Metzler, 26).

MORGUE und andere Gedichte. Zyklus von neun Gedichten von Gottfried BENN (1886–1956), erschienen 1912 als »21. Flugblatt des Verlages

Alfred Richard Meyer«. – Mit diesem Zyklus – *Kleine Aster*; *Schöne Jugend*; *Kreislauf*; *Negerbraut*; *Requiem*; *Saal der kreißenden Frauen*; *Blinddarm*; *Mann und Frau gehn durch die Krebsbaracke*; *Nachtcafé* – stellte der damals in der literarischen Öffentlichkeit noch unbekannte sechsundzwanzigjährige Mediziner Gottfried Benn die herkömmliche Vorstellung von Lyrik radikal in Frage. Die Gedichte lösten bei ihrem Erscheinen vor allem durch die für die konventionelle Poesie neuartige Stoffwahl, die »*gründlich mit dem lyrischen Ideal der Blaublümeleinritter aufräumt*« (E. Stadler), einen Sturm der Entrüstung aus. In einer wesentlich bürgerlichen Epoche, in der Kunst nur ein schöngeistiger Lebensschmuck war, wirkten Benns Bilder aus dem Leichenschauhaus und Sektionssaal, die genaue Fixierung des organischen Siechtums und Verfalls als eine zynische Herausforderung des geltenden Geschmacks. Die Presse reagierte, wie der *Morgue*-Verleger A. R. Meyer später feststellte, »*wohl nie in Deutschland in so expressiver, explodierender Weise auf Lyrik*« wie damals bei Benns erster Gedichtsammlung, die in 500 Exemplaren erschien, nach acht Tagen verkauft war und 1916 nachträglich beschlagnahmt wurde. Benn berichtet im *Lebensweg eines Intellektualisten* (1934), daß ihm der Zyklus, der vor allem bei Ernst STADLER und Else LASKER-SCHÜLER spontane Bewunderung hervorrief, von Seiten der Öffentlichkeit den Ruf eines »*brüchigen Roués*«, eines »*infernalischen Snobs und des typischen Kaffeehausliteraten*« einbrachte.

Die Provokation der Gedichte beruht vor allem auf der Zerstörung der traditionellen Vorstellung vom Menschen als der »Krone der Schöpfung«: »*... laßt doch euer ewiges ideologisches Geschwätz, euer Gebarme um etwas ›Höheres‹, der Mensch ist kein höheres Wesen*« (*Vorwort* zu *Frühe Lyrik und Dramen*, 1952). Im Gegensatz dazu zeigt Benn den Menschen in seiner erbärmlichen Kreatürlichkeit und im physischen Zerfall *(»Hier diese Reihe sind zerfallene Schöße / und diese Reihe ist zerfallene Brust«)*, ausgeliefert dem willkürlichen Geschehen *(»Irgendeiner hatte ihm eine dunkelhellila Aster / zwischen die Zähne geklemmt«)* und dem Prozeß rein vitaler Lebensvorgänge *(»Schließlich in einer Laube unter dem Zwerchfell / fand man ein Nest von jungen Ratten«)*. Er ist nur noch ein »*etwas, das winselt*«, ein »*Klumpen Fett und faule Säfte*« und einzig von seinen Krankheitssymptomen her als menschlich erkennbar. Seine Bedeutung ist reduziert auf die zufällige Zweckmäßigkeit und Verwertbarkeit seiner Körperteile. Der »*ersoffene Bierfahrer*« wird wie ein Gegenstand »*auf den Tisch gestemmt*«, und seine Brusthöhle dient als Vase für eine kleine Aster. In einem Mädchen, »*das lange im Schilf gelegen hatte*«, leben junge Ratten von Leber und Niere der Toten. Die Identität der Person und der Sinnzusammenhang jeglicher Lebensordnung sind aufgehoben.

Die revolutionäre Bedeutung der Gedichte liegt jedoch nicht in dem von Benn entworfenen Menschenbild, sondern vielmehr in der künstlerischen Methode, mit der hier die wahre Situation des Menschen in einer veränderten Wirklichkeit aufgezeigt wird. Durch Isolation und paradoxe Zuordnung besonders religiöser Glaubensinhalte entlarvt Benn die Sinnentleertheit verbindlicher Wertsetzungen. Nicht der Bierfahrer wird in *Kleine Aster* christlich bestattet, sondern die Blume in der Leiche: »*Trinke dich satt in deiner Vase! / Ruhe sanft, kleine Aster!*« Das *Requiem* gilt den Leichenteilen auf dem Sektionstisch, und der »*Rosenkranz von weichen Knoten*« ist die »*Narbe an der Brust*« einer Krebskranken. Auch die allzu geläufigen Themen, Motive und Aussageweisen der poetischen Überlieferung enthüllt Benn als sinnentleert, indem er sie mit den makabren und abstoßenden Vorgängen aus der klinischen Praxis konfrontiert. In *Schöne Jugend* wird ein uraltes Thema als Klischee verwendet, aber nicht das junge Mädchen, das sich ertränkte, hatte eine schöne Jugend in der Geborgenheit und einen schönen Tod, sondern die jungen Ratten »*in der Laube unter dem Zwerchfell*« haben »*hier eine schöne Jugend verlebt. Und schön und schnell kam auch ihr Tod.*« Gänzlich sinnentstellt werden die vertrauten Bestandteile einer »*zum reproduzierbaren Bildungsgut gewordenen Poesie*« (W. Killy) wie etwa »*Der Mund des Mädchens*«, »*Glück der ersten Liebe*«, »*Rausch und Heimat*«, »*Der Frauen Liebe und Leben*« (Titel eines Liederzyklus von CHAMISSO), »*Glaube, Liebe, Hoffnung*«.

Daß die in den Gedichten dargestellte Wirklichkeit gerade die »*Auflösung, den Zusammenbruch der alten Ordnung*«, der »*ideellen und moralischen Werte*« (E. v. Kahler) kennzeichnet, demonstriert Benn durch die Sprengung der traditionellen Kunstformen und der eindeutigen, in der Sprache festgelegten Vorstellungsbereiche sowie durch die Verknüpfung von scheinbar Unvereinbarem bis zur völligen Sinnverkehrung im Absurden und Grotesken: »*Der einsame Backzahn einer Dirne*« – »*auf Kissen dunklen Bluts gebettet*« – »*Brust an Brust auf eines Kübels Boden / begrinsen Golgatha und Sündenfall*« – »*Das Cello trinkt rasch mal. Die Flöte / rülpst tief drei Takte lang: das schöne Abendbrot. / Die Trommel liest den Kriminalroman zu Ende.*« Das Mißverhältnis von Gedichtüberschrift und Gedichtinhalt ist dafür ebenso typisch wie die befremdende Zusammenstellung der einzelnen, disparate Vorstellungen assoziierenden Titel zu einem Zyklus, in dessen Bezeichnung *Morgue* nach dem berühmten Pariser Leichenschauhaus sich das Makabre mit einem fremdartig schönen Klang verbindet. Alles kann mit allem verbunden werden, das Hohe mit dem Niedrigen, das Schöne mit dem Häßlichen, das Tote mit dem Lebendigen, der Slang mit dem Pathos, die medizinische Fachsprache mit dem süßen Sentiment. In der Sprache spiegelt sich das Chaos der Wirklichkeit, der zerstückelte Mensch entspricht den isolierten Sprachelementen. Diese Zerstörung der erstarrten, verbrauchten, leeren und morschen Sprachformen erweist sich als eine schöpferische; die Sprache wird frei verfügbar, aus der zwar nicht für das Leben, aber für die Kunst eine neue, lebendige Form entsteht.

Mit dem *Morgue*-Zyklus begann für Benn nach ersten lyrischen Versuchen im spätimpressionistischen Stil *(Rauhreif*; *Gefilde der Unseligen*; *Herbst)* eine künstlerische Entwicklung, für die die »*Zusammenhangsdurchstoßung, das heißt die Wirklichkeitszertrümmerung*« in der Sprache kennzeichnend ist, wie Benn in *Probleme der Lyrik* (1951) selbst ausführt. Benn erhebt damit zum zentralen Thema seiner Lyrik ein Kunstproblem – die Unvereinbarkeit von Sprache und Wirklichkeit – das bereits in HOFMANNSTHALS *Chandos-Brief* (1902; vgl. *Ein Brief*) vorweggenommen ist: »*Es gelang mir nicht mehr, die Menschen und Handlungen mit dem vereinfachenden Blick der Gewohnheit zu erfassen. Es zerfiel mir alles in Teile, die Teile wieder in Teile, und nichts mehr ließ sich mit einem Begriff umspannen.*« –

Benns Gedichte, deren Thema in einem späteren Zyklus *Morgue II* (in ›Die Aktion‹, 1913) wieder aufgenommen und ins Groteske verzerrt wird, haben ihre Vorläufer in den Schreckensbildern des Todes und des düsteren Verfalls bei BAUDELAIRE *(La Charogne)*, auf den sich RILKE bezieht (in seinem Gedicht *Morgue* und in *Die Aufzeichnungen des Malte Laurids Brigge*, 1910), und bei Georg HEYM (*Der ewige Tag*, 1911). Dennoch besaß Benns Zyklus im Hinblick auf Sprache und Thematik den Rang einzigartiger Modernität – die Sprengung der gewohnten lyrischen Ausdrucksmittel und die rücksichtslose Revolte gegen eine bürgerliche Weltanschauung bestimmten nachhaltig die expressionistische Lyrik. Es war *»das Manifest eines Mannes, der die Brücken zur Vergangenheit wie kein anderer vor ihm abgebrochen hatte und als erster die Sprache seines Jahrhunderts schrieb«* (W. Jens). S. E.

AUSGABEN: Bln. 1912. – Bln. 1913 (*Morgue II*, in Die Aktion, 3, 8. 1.). – Mchn. 1926. – Wiesbaden 1960 (in *GW*, Hg. D. Wellershoff, 4 Bde., 3). – Wiesbaden 1962 (in *Lyrik u. Prosa, Briefe u. Dokumente*, Hg. M. Niedermayer; m. Essay v. M. Rychner).

LITERATUR: A. R. Meyer, *Die maer von der musa expressionistica*, Düsseldorf 1948, S. 14–24. – B. Blume, *Das ertrunkene Mädchen* (in GRM, 35, 1954, S. 108–119). – W. Killy, *Wandlungen des lyrischen Bildes*, Göttingen 1956, S. 121–123. – G. Blöcker, *Die neuen Wirklichkeiten*, Bln. 1957, S. 149–165. – W. Jens, *Sektion u. Vogelflug G. B.* (in Texte u. Zeichen, 3, 1957, S. 389–407; auch in W. J., *Statt einer Literaturgeschichte*, Pfullingen 1958, S. 133–157). – S. Nef, *Das Werk. G. B.s*, Zürich 1958, S. 55–62. – D. Wellershoff, *G. B. Phänotyp dieser Stunde. Eine Studie über den Problemgehalt seines Werkes*, Köln/Bln. 1958. – E. Buddeberg, *G. B.*, Stg. 1961. – E. Lohner, *Passion u. Intellekt. Die Lyrik G. B.s*, Neuwied/Bln. 1961. – H. Kaiser, *Mythos, Rausch u. Reaktion. Der Weg G. B.s u. E. Jüngers*, Bln. 1962. – W. Lennig, *G. B. dargestellt in Selbstzeugnissen u. Bilddokumenten*, Reinbek 1962 (rm, 71). – F. W. Wodtke, *G. B.*, Stg. 1962 (Slg. Metzler, 12). – Ch. Eykman, *Die Funktion des Häßlichen in der Lyrik G. Heyms, G. Trakls u. G. B.s. Zur Krise der Wirklichkeitserfahrung im deutschen Expressionismus*, Bonn 1965. – P. Böckmann, *G. B. u. die Sprache des Expressionismus* (in *Der deutsche Expressionismus. Formen u. Gestalten*, Hg. H. Steffen, Göttingen 1965, S. 63–87).

WERNER BERGENGRUEN
(1892–1964)

DER GROSSTYRANN UND DAS GERICHT.

Roman von Werner BERGENGRUEN (1892–1964), erschienen 1935. – Das Werk ist in fünf Bücher eingeteilt: *Nespoli*, *Vittoria*, *Diomede*, *Der Färber* und *Der Großtyrann und das Gericht*, benannt jeweils nach einer Hauptfigur. Ein Motto – *»Ne nos inducas in tentationem«* (*»Führe uns nicht in Versuchung«*) – weist ebenso deutlich auf das Thema des Romans hin wie die Präambel: *»Es ist in diesem Buche zu berichten von den Versuchungen der Mächtigen und von der Leichtverführbarkeit der Unmächtigen und Bedrohten. Es ist zu berichten von unterschiedlichen Geschehnissen in der Stadt Cassano, nämlich von der Tötung eines und von der Schuld aller Menschen. Und es soll davon auf eine solche Art berichtet werden, daß unser Glaube an die menschliche Vollkommenheit eine Einbuße erfahre. Vielleicht, daß an seine Stelle ein Glaube an des Menschen Unvollkommenheit tritt; denn in nichts anderem kann ja unsere Vollkommenheit bestehen als in eben diesem Glauben.«* Im Kern enthalten diese Sätze bereits das Geschehen und seine Problematik.

In Cassano, einem italienischen Stadtstaat der Renaissance, ist Fra Agostino, ein gelegentlich als Diplomat verwendeter Mönch, ermordet worden. Der Großtyrann fordert Aufklärung des Verbrechens innerhalb von drei Tagen. Das hat zur Folge, daß sich ein Netz von Lügen, Intrigen und gegenseitigen Verdächtigungen immer enger um zahlreiche hochgestellte Bürger zusammenzieht: Nespoli, der Polizeichef, fürchtet um seinen Kopf und beschuldigt deshalb eine junge Selbstmörderin der Untat; Vittoria Confini, seine Geliebte, läßt eine Schrift anfertigen, in der ihr Mann auf dem Sterbelager den Mord an Fra Agostino gesteht; Diomede, ihr Stiefsohn, nimmt den Kampf um die Ehre des verstorbenen Vaters auf und stiftet eine Dirne zu der Aussage an, Confini sei in der Mordnacht bei ihr gewesen; der Färber Sperone endlich, ein frommer Mann, kann der Versuchung nicht widerstehen, die vergiftete Atmosphäre zu reinigen und durch Selbstbezichtigung die Bewohner der Stadt vor weiterem Umsichgreifen des Bösen zu bewahren. Da, auf dem Höhepunkt der Verstrickung, als der Ekel über die eigene Verführbarkeit schon die meisten der in den Fall Verwickelten ergriffen hat, löst der Großtyrann selbst in einer Gerichtsverhandlung die scheinbar unerklärlichen Widersprüche mit dem Geständnis, er selber habe den Mönch ermordet, um die Herzen seiner Untertanen zu prüfen. Weil das Ergebnis so beschämend ausgefallen sei, wolle er nun über sie Gericht halten. Doch Don Luca, der Priester, erhebt nun flammende Anklage gegen den Großtyrannen, zeiht diesen selbst des größten Frevels: *»Du hast mit deinem freien Willen dies widergöttliche Spiel angehoben ... in Gleichheit Gottes die Schicksale der Menschen zu bewegen und zu beschauen und endlich als ein Weltenrichter über sie zu befinden.«* Erschüttert erkennt der Herrscher, daß er sich versündigt hat; ein Schuldbekenntnis aller und gegenseitige Vergebung schließen diese Parabel menschlicher Unzulänglichkeit ab.

Ursprünglich als Novelle geplant, trägt der Roman noch deutliche novellistisch-dramatische Züge, die an Conrad Ferdinand MEYERS Erzähltechnik erinnern: straffer, zugespitzter Verlauf der Handlung, Konzentration auf eine einzige »unerhörte Begebenheit« und übersichtlicher, bühnenhafter Wechsel der Schauplätze kennzeichnen seine durchdachte, überaus spannungsgeladene Komposition. Sprachlich gehört das Werk nicht zu den besten des Dichters; der Stil verrät eine gewisse epigonale Starre und gesuchte Originalität. Doch seiner packenden Thematik wegen ist das Buch, das man auch als Schlüsselroman gegen die Diktatur verstanden hat, eins der meistgelesenen von Bergengruen. KLL

AUSGABEN: Hbg. 1935. – Mchn. o. J. [1965].

DRAMATISIERUNG: G. Fleckenstein, *Der Großtyrann u. das Gericht* (Urauff.: Baden-Baden 1963).

LITERATUR: E. G. Winkler, *Erzählende Literatur* (in Hochland, 33, 1935/36, 2, S. 262–273). – I. Bentz,

Die Idee der ewigen Ordnung im Werke W. B.s, Diss. Wien 1950. – P. Baumann, *Die Romane W. B.s*, Wohlen 1954. – G. A. Konitzky, *Mensch u. Verantwortung in den Romanen W. B.s*, Diss. Univ. of Indiana 1954 (vgl. Diss. Abstracts, 14, 1953/54, S. 1413). – K. Migner, *Formprobleme der Erzählkunst W. B.s*, Diss. Mchn. 1956. – W. B., *Rückblick auf einen Roman* (in Abh. d. Akad. d. Wiss. u. Lit., Mainz, 3, 1961, 2). – E. Sobota, *Das Menschenbild bei B.*, Zürich 1962. – K. Brinkmann, *Erläuterungen zu W. B.s Roman »Der Großtyrann u. das Gericht«*, Hollfeld 1963.

THOMAS BERNHARD
(*1931)

VERSTÖRUNG. Roman von Thomas BERNHARD (* 1931), erschienen 1967. – Folgt die Erzählung *Amras* (1964) einem Wort von NOVALIS, daß das Wesen der Krankheit so dunkel sei wie das Wesen des Lebens selbst, so stellt Bernhard seinem zweiten Roman, der die Themen von Krankheit und Tod, Wahnsinn und Selbstmord konsequent weiterführt, ein Wort PASCALS voran: *»Das ewige Schweigen dieser unendlichen Räume macht mich schaudern.«*
Der Sohn eines steiermärkischen Landarztes, für wenige Tage aus der Universitätsstadt Leoben nach Hause gekommen, begleitet seinen Vater, der sich als *»Opfer einer durch und durch kranken, zur Gewalttätigkeit sowie zum Irrsinn neigenden Bevölkerung«* fühlt, bei seinen Visiten. Es ist ein deprimierender Tag, der ihn mit dem absonderlichen Menschenschlag unterhalb der Gleinalpe und der Koralpe, im Kainach- und Gröbnitztal bekanntmacht, *»Musterbeispiele für eine von den Jahrmillionen und Jahrtausenden auf die ordinärsten Körperexzesse hin konstruierte Steiermark«*. Seine Schwester, in der totalen Isolation einer unheilbaren Schwermut versinkend, verbringt ihr Leben abwechselnd mit Selbstmordgedanken und Selbstmordversuchen; sie lebt inmitten einer fortschreitenden Verstörung, die der Arzt allenthalben und überall diagnostiziert. Eine *»grauenhafte Irritation«* breitet sich in einer sich selbst vernichtenden Welt von surrealistischer Sinnlosigkeit aus. Das *»unendliche Naturlabyrinth«* zeigt sich am unheimlichsten dort, wo es rein und unberührt scheint – die Natur atmet Tod und Verwesung, die Abfallprodukte einer ungeheuren Erschöpfung: *»Wohin ich schaue, nur Sterbende, Abtreibende, die zurückschauen. Die Menschen sind nichts anderes als eine in Milliarden gehende ungeheure auf die fünf Kontinente verteilte Sterbensgemeinschaft.«* Alles treibt in *»stumpfsinniger Agonie«* dahin, in *»unvorstellbarer Verwüstung«*. Vater und Sohn durcheilen eine düstere Todesszenerie, reflektierend und monologisierend, immer die Exzesse von Brutalität und Verbrechen, Wahnsinn und Morbidität vor Augen. Sie werden Zeuge, wie das Opfer eines Totschlags stirbt, stehen am Krankenbett einer Dahinsiechenden und lauschen den unendlichen Monologen eines den Wahnsinn methodisch pflegenden Fürsten, dessen sprunghafte Tiraden den zweiten Teil des Romans füllen. Der Arzt weiß, wie gefährlich es ist, sich der Medizin als einer Pseudowissenschaft auszuliefern, *»dem Zufall und der völligen Gefühllosigkeit«*. Keiner schaut über seine *»primitive Vokabelwelt«*, über den *»Zustand der Verzweiflungsanfälligkeit«* hinaus in das Inferno einer trostlos infamen Schöpfung. Das steiermärkische Gebirgstal wird zum Topos einer universalen Krankheitsgeschichte, die ein hilfloser Arzt mißverständlich, weil sprachlich unzulänglich kommentiert: *»Jeder spreche immer eine Sprache, die er selbst nicht versteht, die aber ab und zu verstanden wird. Dadurch könne man existieren und also wenigstens mißverstanden werden.«*
Bernhards Erzählstil, aufs äußerste angespannt, fast überspannt wirkend, diagnostiziert das Mißverständnis der menschlichen Existenz in einer Art Grammatik des Pathologischen, in einem medizinisch-philosophischen Vokabular, das ohne linguistische Finessen die geheimnisvolle Zeichensprache der Natur zu dechiffrieren versucht. Seine Sprache gleicht einem operativen Instrument, das mit bohrender Rationalität und pseudowissenschaftlicher Prägnanz Phänomene des Seins jenseits und unterhalb der empirischen Wirklichkeit bloßlegt, ohne ihren rätselhaften Charakter entschlüsseln oder gar erklären zu wollen. M. Ke.

AUSGABEN: Ffm. 1967. – Ffm. 1969 (Bibl. Suhrkamp, 229).

LITERATUR: N. Langer, *Dichter aus Österreich*, Bd. 5, Wien 1967, S. 19–24. – H. Rochelt, *Sprache u. Verstörung. Zur Prosa von Th. B.* (in Literatur u. Kritik, 1968, H. 21, S. 38–43).

JOHANNES BOBROWSKI
(1917–1965)

LEVINS MÜHLE. 34 Sätze über meinen Großvater. Roman von Johannes BOBROWSKI (1917 bis 1965), erschienen 1964. – Der Großvater des Erzählers lebt zur Zeit der Gründerjahre als reicher Mühlenbesitzer in Westpreußen, wo (seit 1870) das nationale Selbstbewußtsein des deutschen Bevölkerungsteils systematisch gegen andersrassige Minderheiten mobilisiert wird. Die Deutschen, zu denen der Großvater trotz polnischer Vorfahren sich zählt, treten nach der Reichsgründung gegenüber Polen, Juden und Zigeunern als Herrenmenschen auf. So glaubt der Großvater ein gewissermaßen »natürliches« Recht wahrzunehmen, wenn er eines Nachts die Mühle seines jüdischen Konkurrenten Levin durch heimtückisches Öffnen einer Schleuse zerstört. Als Levin gegen den Großvater Anzeige erstattet, verbündet dieser sich mit dem großdeutsch gesinnten Dorfpfarrer, der eine Vertagung des Verfahrens erwirkt. Levin seinerseits solidarisiert sich mit den Besitzlosen und Entrechteten; herumziehende Zigeuner ergreifen für ihn Partei und prangern das geschehene Unrecht in einer zündenden Ballade an. Der Großvater reagiert darauf mit einer neuen Untat. Er legt Feuer an das herrenlose Haus, in dem Levin und einer der Zigeuner sich versteckt halten, und klagt dann Levin der Brandstiftung an. In der anschließenden Gerichtsverhandlung werden Levins Zeugen als befangen abgelehnt. Da glaubwürdige – und das heißt: deutsche – Zeugen nicht beizubringen sind, muß Levin das Dorf verlassen. Die Unterdrückten – Polen, Juden, Zigeuner und deutsches Landproletariat – halten jedoch weiter zusammen und erzielen sogar gewisse Erfolge; einmal gelingt es ihnen, einer Gruppe deutscher Nationalisten – unter ihnen der Großvater –, die im Dorfgasthaus eine Schlägerei provozieren, mit vereinten Kräften Herr zu werden. Als nach diesem Vorfall die zu-

ständigen Behörden nicht zugunsten der Deutschen eingreifen, resigniert der Großvater, verkauft seine Mühle und verläßt den Ort. Gewandelt hat er sich nicht; er bleibt ein überzeugter Nationalist und Antisemit, der nur auf den Tag wartet, wo er wirkungsvoller zuschlagen kann. Der Erzähler gibt ihn auf – als einen hoffnungslosen Fall.
Bobrowskis Erzähler ist sich der Faktizität des Geschehenen, seines So-und-nicht-Anders, nie ganz sicher. In solcher Skepsis gegenüber der Möglichkeit, Realität mit epischen Mitteln angemessen zu erfassen, erweist der Roman seine Verwandtschaft zu so bezeichnenden Ausdrücken gegenwärtigen Problembewußtseins wie dem »Mutmaßungs-Stil« Uwe JOHNSONS (vgl. *Mutmaßungen über Jakob*) und den mühsamen Objektivierungsversuchen des französischen *nouveau roman* (vgl. *La modification* von Michel BUTOR). – An die Schnitt- und Montagetechnik zeitgenössischer Filme erinnert Bobrowskis Verfahren, verschiedene Sprachschichten und Erzählstile kontrastreich nebeneinanderzustellen: Dialog wechselt unvermittelt mit innerem Monolog; sachliche Berichterstattung in der Alltagssprache wird unterbrochen durch lyrisch-beschreibende Passagen. Die gesellschaftskritische Argumentation des Romans steht nicht im Zeichen des Marxismus. Bobrowski, der in Ost-Berlin starb, wird denn auch in der östlichen Literaturgeschichtsschreibung nur als *»bürgerlicher Humanist«* geführt. KLL

AUSGABE: Ffm. 1964.

LITERATUR: R. Baumgart, Rez. (in Der Spiegel, 1964, Nr. 52). – W. Helwig, Rez. (in Rheinische Post, 1964, Nr. 260). – J. Nolte, Rez. (in WdL, 1964, Nr. 14). – H. P. Anderle, *Mitteldeutsche Erzähler. Eine Studie mit Proben u. Portraits*, Köln 1965, S. 184–190. – H. Kähler, Rez. (in SuF, 17, 1965, S. 631–636). – I. Reblitz, *Das Portrait: J. B.* (in Europäische Begegnung, 6, 1966, S. 661–666).

HEINRICH BÖLL
(*1917)

ANSICHTEN EINES CLOWNS. Roman von Heinrich BÖLL (*1917), erschienen 1963. – Nach dem Vorbild von JOYCES *Ulysses* und BROCHS *Tod des Vergil* drängt Böll die Masse des zu bewältigenden Stoffs in den Zeitraum eines erzählten Tages zusammen. Das direkte Nebeneinander von Einst und Jetzt soll augenfällig, ohne umständliche epische Vermittlung, das Weiterleben diktatorischer Machttendenzen im Schutze demokratischer und christlicher Schlagworte demonstrieren, das in bitteren Satiren attackiert wird. Der (negative) Held des Romans ist – wie der Titel ahnen läßt – der schon in der Romantik beliebte Außenseiter der Gesellschaft, der Unbehauste, der reine Tor, die *anima naturaliter christiana*. *»Heiter, fromm, keusch«*, obwohl *»nicht religiös, nicht einmal kirchlich«*, leicht zu Tränen gerührt, zum Selbstmitleid neigend, ist er in einer Welt der Heuchelei, des Ehrgeizes und steriler Intellektualität der *»natürliche«*, nicht verformte Mensch rousseauischer Prägung. Allergisch gegen alle Erscheinungsformen von Macht, sieht er in jeder, auch legitimen Art von Organisation die Zeichen der Repression des Individuums. Ihren abstrakten *»Ordnungsprinzipien«* setzt er die konkrete Wirklichkeit des mit den Augen des Kindes gesehenen Details entgegen, denen auch und gerade das Banale noch wunderbar, *»ohne Ordnung«* erscheint. Dieser Clown Hans Schnier ist der aus der Art geschlagene Sohn eines rheinischen Braunkohlenmillionärs und einer monströs dummen Mutter – noch 1945 schickte sie ihre einzige Tochter, Henriette, als Flakhelferin gegen die *»jüdischen Yankees«* in den sicheren Tod; nach dem Zusammenbruch wurde sie Präsidentin des Zentralkomitees der Gesellschaften zur Versöhnung rassischer Gegensätze. Schnier hat seit seinem 21. Lebensjahr mit Marie, der katholischen Tochter eines Kommunisten, in nicht legalisierter Ehe gelebt. Nach sechs Jahren hat sie ihn nun, von Glaubensgenossen beeinflußt, verlassen, um den einflußreichen Katholiken Züpfner zu heiraten. Anlaß dieses Treuebruchs war Schniers Weigerung, sich schriftlich zur katholischen Erziehung eventueller Kinder aus dieser freien Ehe zu verpflichten; im Grunde aber steht hier der Anspruch einer überindividuellen Ordnung dem Recht des Individuums auf Selbstbestimmung gegenüber. Seiner Natur entsprechend unterliegt Schnier in diesem Konflikt. Unfähig, noch zu arbeiten, krank, ohne Geld, gibt er sich selbst auf. Am Ende sitzt er, mitten im Karnevalstreiben, Gitarre spielend und singend, auf den Stufen des Bahnhofs, aus dem Marie, von der Hochzeitsreise zurückkehrend, am Arm Züpfners heraustreten wird. Die erste Münze, die ein Mitleidiger ihm in den Hut wirft, degradiert ihn zum Bettler und besiegelt sein Schicksal.
Daß es in dem Roman um mehr als um Kritik an politischen und kirchlichen Mißständen geht, erhellt aus der Tatsache, daß schlechterdings alle politisch und religiös beziehbaren Positionen angegriffen werden: Rechtsstehende, Linksstehende, Katholiken, Protestanten, Atheisten, Kapitalisten, Kleinbürger usw. erscheinen in gleicher Weise fragwürdig. Es geht um die Verteidigung individueller Freiheit gegen jede Art von Machtanspruch überhaupt. Trotz der inneren Dynamik dieses Themas fehlt es dem Roman an Überzeugungskraft: einmal wird die Diabolik der Herrschaft abstrakter Ordnungsprinzipien nicht erkennbar, da ihre Exponenten zu »Idioten«, »miesen Spießern«, »eitlen Phrasendreschern« verkleinert werden und der zu gestaltenden Dialektik von Freiheit und Unfreiheit damit der Boden entzogen wird. Zum andern besteht ein Mißverhältnis zwischen dem Charakter Schniers, der als schöpferisch eigenständig und jedem Klischee abhold ausdrücklich vorgestellt wird, und seinem Rede- und Denkstil, der sich vorwiegend in eben den verschmähten Klischees bewegt, auch da, wo satirische Absichten nicht zu vermuten sind. Auch die Gestalt der Marie bleibt konturlos, aller Anteilnahme unerreichbar, im Hintergrund. Die Wirkung des Buches beruht auf den oft bis zur Groteske gesteigerten, treffsicheren und witzigen Satiren und auf fast lyrischen genrehaften Episoden, in denen sich Bölls Kunst bewährt, die Realität des Alltags zugleich mit emotionaler Anteilnahme und distanzierender Ironie darzustellen. G. He.

AUSGABE: Köln 1963.

LITERATUR: Rezensionen: SZ, 22. 5. 1963. – Die Zeit, 10. 5. 1963; 31. 5. 1963; 7. 6. 1963; 21. 6. 1963. – R. Baumgart, *H. Böll, »Ansichten eines Clowns«* (in NRs, 74, 1963, S. 477–481).

BILLARD UM HALBZEHN. Roman von Heinrich BÖLL (* 1917), erschienen 1959. – Der Roman erzählt die Geschichte dreier Generationen einer

rheinischen Architektenfamilie und ihres Lebenswerkes, der Abtei St. Anton, die von der ersten erbaut, von der nächsten bei Kriegsende zerstört und von der dritten wieder errichtet wird. Böll versucht zugleich, in dieser epischen Bilanz einer teils verdrängten, teils vergessenen, jedenfalls unbewältigten nationalen Vergangenheit das deutsche Schicksal der ersten Jahrhunderthälfte zu symbolisieren. – Der umfangreiche, zeitlich von den Jahren 1907 und 1958 begrenzte, also vom Wilhelminischen Kaiserreich über Hitler bis zur Prosperität der bundesrepublikanischen Ära reichende Geschichtszusammenhang ist in die Rahmenhandlung eines einzigen Tages gespannt. Perspektivisch aufgefächerte Rückblendungen spiegeln mittels einer Fülle von Gedankenreihen, Gefühlsabläufen und Reminiszenzen der beiden Hauptpersonen, des Architekten Heinrich Fähmel und seines Sohnes Robert, die den jeweiligen Zeitabschnitten entsprechenden Situationen und Krisen. – Der Autor, der, wie viele seiner früheren Erzählungen bezeugen, eindrucksvoll linear zu gestalten weiß, versucht sich hier an einer komplexen epischen Struktur. Während er vordem in kleineren Dimensionen zu großer Dichte und Stringenz des Vorwurfs fand, bleibt hier der von ihm nahezu ausschließlich angewandte innere Monolog, in dessen Natur es liegt, bei Aufhebung der epischen Distanz menschliche Bewußtseinstiefen unvermittelt freizulegen, dem Erzählten zuweilen unangemessen. Behutsam, mit mildem moralischem Impuls wird die Entmenschlichung des Menschen beschrieben. Auch ist auf den ersten Blick das Gespinst der Assoziationen mitunter irritierend, sind Zusammenhänge und Situationen scheinbar unmotiviert auseinandergerückt, die Gestalten bleiben bloße Objekte einer – fraglos beabsichtigten – Demonstration.

Vor allem aber wird der behandelte Zeitraum durch die aus den leitmotivischen Formeln »*Sakrament des Büffels*« und »*Sakrament des Lammes*« resultierende Perspektive betrachtet und beurteilt. Die Konfrontation dieser im Hintergrund stets gegenwärtigen Symbole – Etikettierungen für die kollektivistischen Gewaltpraktiken nationaler Hybris und das personalistische Ethos des Christentums – verdichtet die Gegensätze dieser Epoche in den neben- und miteinander lebenden Temperamenten von christlichem Individualismus und germanischem Neuheidentum. Deutlich wird die Isolierung der Charaktere, die ihre Konflikte nicht austragen können; die Chiffre des »Lammes«, das sich weigert, vom »Sakrament des Büffels« zu essen, steht überzeugend und in ihrer Bildhaftigkeit erschreckend für eine Zeit, in der die politische und gesellschaftliche Zwangslage eine breite Schicht des Bürgertums ganz offenbar zu einem derartig statischen Nebeneinander verurteilt hat. Als einzige oppositionelle, freilich auch introvertierte Kraft erscheint der christlich geprägte Mensch – die in dieser Haltung an sich angelegte Möglichkeit von Widerstand im strikt religiösen Sinne aber bleibt von den Handelnden ungenutzt: vom Autor bewußt als eine unbefriedigend verlaufende Entwicklung geschildert, weil sie für das von ihm beschriebene Milieu durchaus charakteristisch gewesen ist.

Die verhaltene Spannung der Fabel wird von hellsichtig registrierten Details und erzählerisch geglückten einzelnen Episoden und Dialogen getragen. Indes bleibt die Struktur des überaus vorsichtig konzentrierten Stoffs, die sich an das komplexe Kompositionsschema der Romane FAULKNERS anlehnt, zu locker und deshalb auch für manchen Bewunderer Bölls unbefriedigend. Dieses formale Problem hat hier allerdings wohl zu Unrecht von dem differenzierten und humanen Engagement des Autors abgelenkt. KLL

AUSGABEN: Köln/Bln. 1959. – Lpzg. 1961.

LITERATUR: R. Becker, *Modell eines christl. Nonkonformismus. Zu H. B.s »Billard um halbzehn«* (in Der Monat, 12, 1959/60, S. 69–74). – H. Plard, *Böll le constructeur. Remarques sur »Billard um halbzehn«* (in EG, 15, 1960, S. 120–143). – H. B. Schmid, *H. B. als Zeitkritiker* (in Stimmen der Zeit, 169, 1961). – F. Martini, H. B., *»Billard um halbzehn«* (in Moderna Språk, 55, 1961, S. 27–38). – H. Haase, *Charakter u. Funktion der zentralen Symbolik in H. B.s Roman »Billard um halbzehn«* (in Weimarer Beiträge, 10, 1964, S. 219–226).

WO WARST DU, ADAM? Roman von Heinrich BÖLL (*1917), erschienen 1951. – Die erste größere Arbeit des Autors, die er selbst als Roman bezeichnet, ist der Anlage nach eher eine Folge, eine Ringkomposition von neun Kurzgeschichten, die durch eine Art Leitgestalt, den Soldaten und Architekten Feinhals, der in den einzelnen Kapiteln abwechselnd als Haupt- oder Nebenfigur erscheint, und durch die Einheit des Ortes und der Handlung zusammengehalten werden. Für die relativ große Selbständigkeit der einzelnen Kurzgeschichten-Kapitel spricht die Tatsache, daß Böll die achte Episode bald nach Erscheinen des Romans zu dem Hörspiel *Die Brücke von Berczaba* (1952) umgestaltete und auch andere Kapitel isoliert in Zeitschriften veröffentlichte.

Schauplatz ist der nördliche Balkan während des letzten Jahres des Zweiten Weltkriegs. Von einem leerlaufenden Automatismus gesteuert, fordert das Kriegsgeschehen an der südlichen Ostfront unzählige sinnlose Menschenopfer. Dort, wo die Vernichtungsmaschinerie für kurze Zeit stockt, erscheint – aus dem Blickwinkel einer resoluten Frau – das ganze Unternehmen wie ein gigantisches Etappentreiben: »*Wahrscheinlich bestand der Krieg daraus, daß die Männer nichts taten und zu diesem Zweck in andere Länder fuhren, damit niemand es sah.*« Für diejenigen, die mit hohlem Selbstbewußtsein und falschem Pathos Helden spielen, hat der Krieg Alibifunktion – entsprechend einem der beiden dem Roman vorangestellten Motti, das Böll den *Tag- und Nachtbüchern* (1947) Theodor HAECKERS entnahm: »*Eine Weltkatastrophe kann zu manchem dienen. Auch dazu, ein Alibi zu finden vor Gott. Wo warst du, Adam? ›Ich war im Weltkrieg.‹*« Die Absicht des Romans, den Krieg zu entmythologisieren und als Seuche zu enthüllen, deutet das andere Motto an, das Antoine de SAINT-EXUPÉRYS *Pilote de guerre*, 1942 *(Flug nach Arras)*, entstammt: »*... der Krieg ist kein richtiges Abenteuer, er ist nur Abenteuer-Ersatz. Der Krieg ist eine Krankheit. Wie der Typhus.*«

Im Wechsel der Schauplätze, die von Kapitel zu Kapitel weiter nach Westen verlagert werden, spiegelt sich das unaufhaltsame Näherrücken des Zusammenbruchs. Dieses topographische Verfahren ist ein besonderes Kennzeichen des Romans: Der zeitliche Ablauf des Geschehens wird überwiegend räumlich und damit optisch vergegenwärtigt. Beim Gang durch ein ungarisches Mädchengymnasium, das als Lazarett dient, wird dies an Klassenfotos demonstriert, die in den Korridoren hängen: »*Ganz oben links am Ende des dritten*

Aufgangs hing noch der Jahrgang 1944, Mädchen in steifen, weißen Blusen.« Wie aus der Kameraperspektive werden die Vorgänge registriert; oft wird mit der »fotografierten« Totalen begonnen, die zu immer näher rückenden Detailausschnitten verengt wird, entsprechend der geographischen Verengung des Geschehensraums bis hin zu Feinhals' rheinischem Heimatdorf und schließlich zur Schwelle seines Elternhauses. Die Darstellung dieser Vorgänge erweckt häufig den Eindruck einer Pantomime, eines grotesken Balletts oder grausiglächerlicher Stummfilmszenen, doch wird auch auf akustische Effekte nicht verzichtet. Das optische Moment in dieser »Choreographie«, die durch mehrfache Repetition das Geschehen als stumpfsinnige Litanei und sinnloses Tötungsritual erscheinen läßt, wirkt auch in die Gesamtstruktur des Werkes hinein. Aus der wechselnden Dominanz der Figuren ergibt sich eine kunstvolle Polyperspektivik: Gleichsam von Spiegeln umgeben, wird der jeweilige (Kriegs-)Schauplatz vielfach reflektiert. Die rondoähnliche Anordnung der wechselnden Personenkonstellationen hat Ähnlichkeit mit SCHNITZLERS *Reigen* (1900), erinnert aber vor allem an einen Totentanzzyklus, zumal am Ende fast jedes Kapitels der Krieg neue Opfer verschlingt – am Schluß des Romans, in einem choreographisch und symbolisch forcierten Finale, auch den heimgekehrten Soldaten Feinhals.

Bei der Interpretation dieses Werkes hat man, ebenso wie bei der anderer, vornehmlich früher Romane Bölls, bisher vor allem die gehaltliche, weltanschauliche »Aussage«, die Antikriegstendenz herausgestellt und dabei weitgehend ignoriert, daß der in den späteren Werken unübersehbare enge Zusammenhang zwischen Mitgeteiltem und künstlerischer Form bereits hier vorhanden ist. Erst die Strukturanalyse läßt das in *Wo warst du, Adam?* wiedergegebene Geschehen als einen Totentanz identifizieren, dessen Regisseure, metaphysische Zwänge vortäuschend, im Dunkeln bleiben und andere für sich bluten lassen, eines Tages aber selbst dem erbarmungslosen Mechanismus, dessen Kontrolle ihnen mehr und mehr entgleitet, zum Opfer fallen werden.

K. Je.

AUSGABEN: Opladen 1951. – Köln 1967.

LITERATUR: H. Schwab-Felisch, *Die Literatur der Obergefreiten. Neue deutsche Kriegsromane und Kriegstagebücher* (in Der Monat, 4, 1951/52, S. 644–651). – H. M. Waidson, *Die Romane und Erzählungen H. B.s* (in *Der Schriftsteller H. B. Ein biographisch-bibliographischer Abriß*, Hg. F. Melius, Köln/Bln. [3]1962; ern. Mchn. 1968, Hg. W. Lengning; dtv, 530). – W. J. Schwarz, *Der Erzähler H. B.*, Bern 1967. – H. J. Bernhard, *Die Romane H. B.s Gesellschaftskritik und Gemeinschaftsutopie*, Bln. 1970.

WOLFGANG BORCHERT
(1921–1947)

DRAUSSEN VOR DER TÜR. Ein Stück, das kein Theater spielen und kein Publikum sehen will, von Wolfgang BORCHERT (1921–1947), als Hörspiel gesendet am 13. 2. 1947, Hamburg, Nordwestdeutscher Rundfunk; Uraufführung als Bühnenstück: Hamburg, 21. 11. 1947, Kammerspiele. – Das Stück, im Thema Ernst TOLLERS *Deutschem Hinkemann* und Leonhard FRANKS *Karl und Anna* verwandt, erzählt die Geschichte des Rußlandheimkehrers Beckmann, der nach drei Jahren sibirischer Gefangenschaft seine Frau in den Armen eines anderen findet. Er ist, wie es in einer Vorbemerkung heißt, »*einer von denen, die nach Hause kommen und die dann doch nicht nach Hause kommen, weil für sie kein Zuhause mehr da ist. Und ihr Zuhause ist dann draußen vor der Tür. Ihr Deutschland ist draußen, nachts im Regen, auf der Straße. Das ist ihr Deutschland.*«

Beckmann, der Heimkehrer mit dem steifen Knie und der grotesken Gasmaskenbrille, beschließt, seinem Leben ein Ende zu machen. Doch die Elbe will ihn nicht; bei Blankenese wirft sie ihn wieder ans Ufer. Noch einmal muß er versuchen, im Leben wieder Fuß zu fassen. Aber seine Versuche schlagen fehl. Eine Frau nimmt ihn mit und schenkt ihm die Kleider ihres verschollenen Mannes – da kehrt dieser, einbeinig und auf Krücken, zurück. Beckmann sucht seinen ehemaligen Oberst auf, um ihm »*die Verantwortung zurückzugeben*«, die ihm jener im Krieg für einen Spähtrupp aufgeladen hat und deren Folgen ihn heute nicht mehr schlafen lassen – aber der Oberst lacht ihn aus. Ein Kabarettdirektor, bei dem er mit tristen Bänkelliedern vom Leiden des Krieges Arbeit sucht, speist ihn mit Phrasen ab *(»Positiv! Positiv, mein Lieber! Denken Sie an Goethe! Denken Sie an Mozart! Die Jungfrau von Orleans, Richard Wagner, Schmeling, Shirley Temple!«)* und schickt ihn weg – denn »*wer will heute etwas von der Wahrheit wissen?*« An der Wohnungstüre seiner Eltern öffnet eine Frau Kramer und erzählt ihm, daß die beiden Alten sich inzwischen das Leben genommen haben. Beckmann will endgültig aufgeben: seine Straße führt hinunter, wieder der Elbe zu. »Der Andere« – eine Art lebensbejahendes, optimistisches *alter ego*, das ihn auch auf seinen bisherigen Lebensstationen begleitet hat – versucht vergebens, ihn zur Umkehr zu bewegen. In einem Traum begegnet er einem weinerlichen alten Mann, dem »lieben Gott«, den er mit sarkastischem Mitleid seiner Wege schickt, und, in Gestalt eines Straßenkehrers, dem Tod, den er bittet, eine Tür für ihn offenzuhalten; auch seine »Mörder« erscheinen ihm noch einmal, der Oberst, der Direktor, Frau Kramer, seine Frau mit ihrem neuen Freund; am Ende kommt der Einbeinige, um seinerseits von Beckmann Rechenschaft zu fordern – er ist in die Elbe gegangen, und so ist Beckmann ebenfalls zum Mörder geworden. Als er aus dem Traum erwacht, muß er erkennen, daß er kein Recht auf seinen Selbstmord hat, daß er allein weiterleben muß, verraten, wie er ist: keiner hört ihn, keiner gibt ihm mehr Antwort.

Draußen vor der Tür, einen Tag nach dem Tod des Dichters uraufgeführt und auf fast allen deutschen Bühnen gespielt, fand einen ungeheuren Widerhall. Es gilt als das bedeutendste Stück jener »Trümmer-« und »Kahlschlagliteratur« nach 1945, deren Programm Borchert selbst in seinem Pamphlet *Das ist unser Manifest* entworfen hat: »*Wir brauchen keine Dichter mit guter Grammatik. Zu guter Grammatik fehlt uns Geduld. Wir brauchen die, ... die zu Baum Baum und zu Weib Weib sagen und ja und nein sagen: laut und deutlich und dreifach und ohne Konjunktion ... Über den Schornsteinen, über den Dächern: die Welt: lila! Über unseren hingeworfenen Leibern die schattigen Mulden: die blaubeschneiten Augenhöhlen der Toten im Eissturm, die violettwütigen Schlunde der kalten Kanonen.*« Dem entsprechend ist die Sprache eruptiv, bisweilen geradezu schreiend, von einer nicht selten an den Expressionismus gemahnenden, apokalyptisch-bizarren Bildhaftigkeit (Traum vom blutbeschmierten General mit dem Knochenxylophon!). Doch erschöpft sich das Stück nicht in realistischer oder krasser Schilderung und Anklage; darüber hinaus ist es ein moralitätenartiges, symbolisches Spiel von der geschundenen Kreatur, die nicht einmal mehr bei der Natur (Elbe) und bei den außer- und übermenschlichen Mächten (Gott, der Tod, der Andere) Erbarmen und Hilfe findet. E. Sch.

AUSGABEN: Hbg. 1947. – Hbg. 1949 (in *Das Gesamtwerk*, Nachw. B. Meyer-Marwitz; ern. 1958; ern. 1963).

VERFILMUNG: *Liebe 47*, Deutschland 1948 (Regie: W. Liebeneiner).

LITERATUR: H. Burghardt, *W. B. u. d. Erlebnis menschl. Verlassenheit* (in Literar. Revue, 4, 1949, S. 250–253). – A. D. Klarmann, *W. B. The Lost Voice of a New Germany* (in GR, 27, 1952, S. 108 bis 123). – Akzente, 2, 1955 (Sondernr.). – K. S. Weimar, *No Entry, no Exit* (in MLQ, 17, 1956, S. 153–165). – M. Pinault, *W. B. et l'angoisse du temps présent* (in EG, 11, 1956, S. 36–44). – J. Mileck, *W. B.: »Draußen vor der Tür.« A Young Poet's Struggle with Guilt and Despair* (in MDU, 51, 1959, S. 328–336). – P. Rühmkorf, *W. B. in Selbstzeugnissen und Bilddokumenten*, Reinbek 1961, S. 133ff. (rm, 58). – K. Migner, *Das Drama »Draußen vor der Tür«* (in *Interpretationen zu W. B.*, Mchn. 1962). – W. Schulze, *»Draußen vor der Tür«. Ein Interpretationsversuch im Deutschunterricht* (in WW, 13, 1963, S. 115–122).

BERTOLT BRECHT
(1898-1956)

BAAL. Erstes Bühnenstück von Bertolt BRECHT (1898–1956), entstanden 1919 in Augsburg, erschienen 1920; Uraufführung: Leipzig, 8. 12. 1923, Altes Theater. – Den unmittelbaren Anlaß zur Niederschrift gab Hanns JOHSTS Stück *Der Einsame*, eine expressionistische Deutung des Dichters GRABBE, die Brecht beeindruckt und seinen Widerspruch erregt hatte: seine Gestalt des Baal ist als eine Art Gegenentwurf anzusehen, zugleich jedoch als eine selbständige, drastische Personifizierung der Blick- und Verhaltensweisen, die seine Lyrik damals kennzeichneten. – In ihr bediente er sich zwar einiger poetischer Mittel des Expressionismus, widersprach jedoch dessen Verinnerlichung und Erlösungsidee. Der Student Brecht soll zu dieser Zeit seine Gedichte in Vorstadtgasthäusern unter Fuhrleuten zur Laute vorgetragen haben. Dieses Bild vermittelt am besten den Ton, den die Gedichte der 1927 erschienenen *Hauspostille* anschlagen, und in diesem Band stehen nebeneinander Gedichte aus der Zeit vor *Baal*, aus *Baal* selbst und aus der Zeit bis hin zur *Mahagonny*-Oper. Es verwundert nicht, daß Baal im Personenverzeichnis als *»ein Lyriker«* vorgestellt wird. Baal ist Lyriker, und zugleich ist er eine lyrisch aufgebaute und lyrisch vorgeführte Figur. Das Stück besitzt daher auch nur im Umriß einen Handlungsablauf. Die 24 frei aufeinanderfolgenden, von Bänkelgesängen unterbrochenen Szenen sind zunächst nichts als balladeske Episoden; und nur der grobe biographische Grundzug der Szenenfolge ließ Brecht ursprünglich den später verworfenen Titel *»Lebenslauf des Mannes Baal«* wählen. Dieser Lebenslauf hebt an im Speisezimmer des Großkaufmanns und Verlegers Mech (*»Ganze Wälder Zimthölzer schwimmen für mich brasilianische Flüsse abwärts«)*, der das Genie Baal groß herausbringen würde, wenn das Genie Baal nur wollte. Baal läßt sich Wein, Aal und Johannes R. Bechers *Der Dichter meidet strahlende Akkorde* vorsetzen, zeigt sich jedoch ohne Interesse und widerborstig und wird hinausgeworfen. In seiner Dachkammer kommt er nun voll zur Geltung: seinem Freund Johannes spricht er Arien über die Fleischeslust vor, in großen Bögen, mit den erstaunlichsten Vergleichen. Dann sitzt er zum Beispiel in einer Branntweinschenke, Frau Emilie Mech ist seine Geliebte, der Freund Johannes hat seine unschuldsvolle Johanna dabei; Baal singt und macht sich unterm Applaus der Fuhrleute grimmig lustig über seine Freunde und ihr Leben. Ein Mann namens Ekart tritt auf ihn zu, sagt beschwörend: *»Geh mit mir, Bruder! Zu den Straßen mit hartem Staub: abends wird die Luft violett. Zu den Schnapsschenken voll von Besoffenen: in die schwarzen Flüsse fallen Weiber, die du gefällt hast. Zu den Kathedralen mit kleinen Frauen.«* Aber Baal wehrt ab, dazu sei es zu früh, und es gehe auch noch anders. Später erwacht er mit dem Mädchen Johanna in seiner Kammer, hält wegwerfende Reden (und Johanna läuft geradewegs in den Fluß), holt sich mittags zur Abwechslung zwei Schwestern herein, erträgt abends das faule Dasitzen nicht und fischt sich vor dem Haus das Mädchen Sophie. Er säuft mit Strolchen, liegt mit Sophie unter Bäumen, bricht im Nachtcafé »Zur Wolke in der Nacht« seine obszönen Darbietungen ab, als der Chef ihm den kontraktlichen Schnaps vorenthält, und verschwindet. Er spielt sich unter Holzfällern als Leichenredner auf und entgeht, nachdem er sie um den Schnaps ihres eben verunglückten Genossen betrogen hat, nur mit Not ihrer Rache. Und von nun an zieht er mit jenem Mann Ekart durchs Land, der sich ebenso wild und großsprecherisch gebärdet wie Baal selbst und ganz zweifellos ein Lyriker ist. Sie schlagen sich mit Betrug durch und meditieren über ihren Verfall: *»Du hast ein Gesicht, in dem viel Wind Platz hat. Konkav.«*; und: *»Ich werde immer mathematischer.«* Sie geraten miteinander in Streit über Baals Fußtritt für die immerfort liebende Sophie; dann dringen sie in die Spitalschenke ein und bereden und besingen mit verdorbenem Gesindel die Welt und hocken beieinander im *Grünen Laubdickicht*, in *Jungen Haselsträuchern* und unter *Ahorn im Wind* – so heißen die Szenen. Sie reden und singen. Schließlich nach acht Jahren, in der Branntweinschenke vom Beginn des Stücks, sticht Baal, der Kellnerin wegen, seinen Freund Ekart nieder. Landjäger sind auf der Suche nach ihm. In einer Bretterhütte im Wald scheint er als schmutziges Bündel zu sterben, während die Holzfäller sorglos und unter großem Gelächter (*»Eine Ratte verreckt«)* weggehen. Nach einer Weile kriecht Baal zur Tür hinaus.

Damit sind freilich das Stück und die Person Baal nur skizziert. Sie werden, in einer Hinsicht, noch genauer durch den vorangestellten *Choral vom großen Baal* erklärt; ein achtzehnstrophiges Gedicht, das Baal (mit Anklang an die vorderasiatische Gottheit) als unersättlich diesseitige, überzeitliche Gestalt mythisiert: *»Baal nimmt seinen Himmel mit hinab«* und *»Nur der Himmel, aber immer Himmel / Deckte mächtig seine Blöße zu«* und *»So viel Himmel hat Baal unterm Lid / Daß er tot noch grad gnug Himmel hat.«* – 1954 hat Brecht sein

Stück in anderer Hinsicht, nämlich historisch enger, erklärt, und zwar damit, daß der Dichter Baal sich mit seiner Lebenskunst gegen die »*Verwurstung*« seiner Talente wehrt: »*Er ist asozial, aber in einer asozialen Gesellschaft.*« Dieses Moment war sicher von Anfang an mitgesetzt – schon in der Art, wie der junge Brecht sich selbst auffaßte und wie er sich mit den großen »asozialen« Vorbildern VILLON, BÜCHNER, RIMBAUD identifizierte. Aber im Text des Stückes reichen Baals Ekel vor der bürgerlichen Staffage und seine Besessenheit, immer nur er selbst zu sein, für eine so bestimmte Deutung nicht aus. Baal ist zunächst, was der eine Landjäger als Steckbrief formuliert: »*Vor allem: Mörder. Zuvor Varietéschauspieler und Dichter. Dann Karussellbesitzer, Holzfäller, Liebhaber einer Millionärin, Zuchthäusler und Zutreiber.*« Diesem rüden Bild lassen sich die verschiedensten Akzente aufsetzen. Die Beliebigkeit wird nur durch die unerhörte Sprache des Stücks eingeschränkt. Sie ist in ihrem Reichtum an neuartigen Bildern und Assoziationen nicht einfach Emphase, irgendein Lust- und Mordpathos oder Ausdruck eines Weltekels. Sie ist trotz allem durchaus distanziert und vermag die Personen in ein beinahe sachliches Verhältnis zu setzen. Bereits Brechts Baal redet nicht ungebrochen, sondern charakterisiert sich mit seiner Rede als der unwahrscheinliche Vagant unserer Zeit. K. B.

AUSGABEN: Mchn. 1920. – Potsdam 1922. – Bln. 1953 (in *Stücke*, Bd. 1; ern. Ffm. 1961).

LITERATUR: B. Diebold, *Bilanz d. jungen Dramatik* (in NRs, 34, 1923, S. 734–754). – A. Kerr, *B. B.* »*Baal*« (in Berliner Tageblatt, 77, 15. 2. 1926; Rez.). – H. Ihering, *Brecht-Aufführung* (in Berliner Börsen-Courier, 76, 15. 2. 1926; Rez.). – M. Jacobs, *B. B.s* »*Baal*« (in Vossische Ztg., 77, 16. 2. 1926; Rez.). – E. Schuhmacher, *Die dramat. Versuche B. B.s 1918–1933*, Bln. 1955, S. 62ff. – E. Hauptmann, *Notizen ü. B.s Arbeit 1926* (in Sinn u. Form, 1957, 2. *Sonderh. B. B.*, S. 241ff.). – H. H. Jahnn, *Vom armen B. B.* (ebd., 2, 1957, S. 424ff.). – V. Klotz, *B. B. Versuch über das Werk*, Darmstadt 1957. – W. Anders, *Notes sur* »*Baal*«. *Première pièce de B. B.* (in Revue de la Soc. d'Hist. du Théâtre, 11, 1959, S. 213–221). – R. Grimm, *B. B., d. Struktur s. Werkes*, Nürnberg 1959 (Erlanger Beitr. z. Sprach- u. Kunstwiss., 5). – Ders., *B. B.*, Stg. 1961 [m. Bibliogr.]. – K. Fassmann, *B.*, Mchn. 1963, S. 21f. – H. O. Münsterer, *B.*, Zürich 1963.

DIE DREIGROSCHENOPER. Ein Stück mit Musik in einem Vorspiel und acht Bildern nach dem Englischen des John Gay. Text von Bertolt BRECHT (1898–1956), Musik von Kurt Weill (1900–1950), Uraufführung: Berlin, 31. 8. 1928, Theater am Schiffbauerdamm (Regie: Erich Engel). – Dem triumphalen Erfolg der *Dreigroschenoper* verdankt der junge Brecht seinen plötzlichen, zunächst jedoch leicht anrüchigen Ruhm. Inzwischen hat es das Werk zum Welterfolg gebracht. Er beruht auf einem merkwürdigen Widerspruch: auf der kühl und sicher vorauskalkulierten Wirkung der Antibürgerlichkeit – und zugleich auf dem Mißverständnis des Publikums, das deren Entschiedenheit und Ernsthaftigkeit nicht zur Kenntnis nimmt. Trotz der revolutionären Gesellschaftstheorie, die hinter dem Stück steht, gerät es wegen seiner gewitzten Fabel, seiner eher zweideutigen als stechenden Schärfe und nicht zuletzt wegen der raffinierten und zündenden Musik immer wieder in die Nähe des Musicals.

Die Idee zur *Dreigroschenoper* kam Brecht beim Studium der *Beggar's Opera* (1728) von John GAY. Er aktualisierte die Vorlage keineswegs behutsam, erweiterte sie durch Strophen von VILLON und Stoffelemente von KIPLING, experimentierte mit dem entstehenden Text seine noch neue Auffassung vom »epischen Theater« durch und brachte ihn schließlich in die Form eines Schauspiels mit hauptsächlich kommentierenden Song-Einlagen. Gezeigt wird darin der Existenzkampf, das Debakel und die glückliche Errettung des Londoner Straßenräubers und Geschäftsmanns Macheath, genannt Mackie Messer, den sein Schwiegervater, der Bettlerkönig Peachum, an den Galgen bringen will. Peachum, Besitzer der Firma »Bettlers Freund« (»*mein Geschäft ist es, das menschliche Mitleid zu erwecken*«), beherrscht und kontrolliert die Londoner Bettler. Er richtet sie wirkungsvoll her, organisiert ihren geordneten Einsatz und kassiert einen großen Teil ihrer Einnahmen. Unglücklicherweise findet Macheath, der seinerseits den Londoner Straßenraub und Einbruch kontrolliert, Gefallen an Peachums Tochter Polly. Und da sie ihn heiß liebt und er ihr eine sichere Existenz bieten kann, schließen sie im Beisein von Mackies Bande und seinem milden Freund Brown, dem Polizeichef von London, den Bund fürs Leben. Für Herrn und Frau Peachum bedeutet das den Ruin: »*Wenn ich meine Tochter, die die letzte Hilfsquelle meines Alters ist, wegschenke, dann stürzt mein Haus ein, und mein letzter Hund läuft weg.*« Sie verlassen sich auf die pünktlichen Gewohnheiten des Herrn Macheath und beschließen, ihn bei seinem nächsten Besuch im Bordell festnehmen zu lassen. Doch Polly warnt ihn, und obwohl die Krönung der Königin bevorsteht und er sich das Geschäft des Jahres erhofft, flieht er nach schmerzlichem Abschied, geht jedoch zunächst ins Bordell. Inzwischen hat Frau Peachum die Spelunken-Jenny bestochen, Macheath der Polizei auszuliefern. Als er im Bordell erscheint, zeigt Jenny ihn an, und er wird verhaftet. Brown zittert noch um die Rettung seines Freundes (»*er ist ja so leichtsinnig, wie alle großen Männer*«), da wird er schon eingeliefert. Er wird freilich nur nachlässig bewacht, und Lucy, eins seiner Mädchen, befreit ihn. Brown atmet auf. Leider muß Peachum ihm erklären, daß er Mackies Flucht nicht gutheißt und daß seine Bettlerscharen den Krönungszug zu einer Katastrophe machen können. Während er eine große Demonstration des Elends vorbereitet, erscheint Macheath abermals im Bordell, wird abermals von Jenny verraten und von seinem dem Erpresser Peachum hilflos ausgelieferten Freund Brown abermals verhaftet. Er soll nun gehängt werden. Der Versuch, seinen Wärter zu bestechen, scheitert am Geldmangel. Erst unterm Galgen, mit dem Kopf in der Schlinge, wird er gerettet: ein reitender Bote des Königs verkündet den Befehl, Macheath sofort freizulassen. Gleichzeitig wird er in den erblichen Adelsstand erhoben und mit Schloß und Lebensrente ausgestattet.

Auch dieses Finale – mit dem reitenden Boten auf dem Holzpferd – ist wie das Werk insgesamt durchaus nicht parodistisch. Brecht hat hier zum erstenmal versucht, die bisherige »kulinarische« Oper durch eine Oper des Vorzeigens und Aufdeckens zu ersetzen und in der Fabel und in den trivialen oder märchenhaften Reaktionen seiner Gestalten tiefere gesellschaftliche Beziehungen abzubilden: das Elend als Ware, den Räuber als

Bürger (und umgekehrt), das Doppelleben des Beamten und Privatmanns. Brecht meinte daher, die *Dreigroschenoper* befasse sich mit den bürgerlichen Vorstellungen »*nicht nur als Inhalt, indem sie diese darstellt, sondern auch durch die Art, wie sie sie darstellt. Sie ist eine Art Referat über das, was der Zuschauer im Theater vom Leben zu sehen wünscht.*« In dieser Form ist die Theorie offensichtlich aufgegangen. Das Referat wird nicht als Referat erkannt, das Vergnügen entspringt nicht allein der Einsicht in Sachverhalte, sondern oft genug bloß der Drastik und dem Jux, und die Komik, die erzeugt wird, ist kaum die Komik aufeinanderstoßender historischer Prozesse. Der Bürger, den die Geschichte des Räubers Mackie Messer treffen soll, hat diese Geschichte und ihre Maxime »*Erst kommt das Fressen, dann kommt die Moral*« bisher stets genossen.

Vermutlich war Brecht mit der Anlage der Oper bald selbst nicht mehr zufrieden. Denn bereits in dem – nur in einer Prosaskizze veröffentlichten – Drehbuch für den »Dreigroschenfilm« *Die Beule* (1929) verdeutlicht und verschärft er die Fabel der Oper erheblich und greift eine Fülle neuer und aktuellerer Wirklichkeitselemente auf. Der Kampf zwischen Peachum und Macheath entzündet sich jetzt nicht mehr daran, daß Peachum seine Tochter Polly nicht hergeben will, sondern an den geschäftlichen Machtinteressen: der Räuber, der sich soeben eine Bank unterwirft, und der Bettlermagnat geraten unmittelbar auf ihrem Wirkungsfeld, auf Londons Straßen, aneinander. Jetzt operiert auch Peachum nicht mehr mit seinen zurechtgestutzten Bettlergestalten, sondern mit der Aufwiegelung des wirklichen Elends, nämlich der Massen aus den Vorstädten. Und der Bankier Macheath wird jetzt zu guter Letzt nicht durch den reitenden Boten des Königs errettet, sondern durch die reitenden Boten der Vorstädte, durch die aufgewiegelten Massen. Denn kurz vor der Krönung bemerkt Peachum, daß der Aufmarsch, den er vorbereitet hat, auch ihn selbst vernichten würde, und verhindert ihn. Brown, Peachum und Macheath sind sich plötzlich einig: sie haben den gleichen Feind, und gemeinsam erwarten sie die Krönung der Königin. – Dieses Drehbuch wurde allerdings nicht verfilmt. Der von Brecht nicht gebilligte Film *Die Dreigroschenoper* berücksichtigte die neu eingeführten Tendenzen generell nicht. Den Prozeß, den Brecht daraufhin führte und verlor, beschreibt, kommentiert und interpretiert er in der Schrift *Der Dreigroschenprozeß* (1930). K. B.

AUSGABEN: Wien 1928 [unvollst.; Klavierauszug]. – Wien 1929. – Bln. 1929 (*Die Songs der Dreigroschenoper*). – Bln. 1931 (*Die Dreigroschenoper. Der Dreigroschenfilm. Der Dreigroschenprozeß*, in *Versuche*, H. 3; ern. Ffm. 1959). – Ldn. 1938 (in *GW*, Bd. 1). – Ffm. 1955 (in *Stücke*, Bd. 3; ern. 1962). – Ffm. 1960 (in *Dreigroschenbuch*, Hg. S. Unseld; m. Essays v. T. W. Adorno, W. Benjamin, E. Bloch, H. Ihering, A. Kerr, S. Kracauer, E. Schumacher, P. Suhrkamp, K. Tucholsky, K. u. L. Weill). – Hbg. 1961 (*Songs aus der Dreigroschenoper*; Ill. K.-H. Hansen-Bahia).

VERFILMUNGEN: Dtschl. 1931 (Regie: G. W. Pabst). – Dtschl./Frankreich 1962 (Regie: W. Staudte).

LITERATUR: H. Ihering, »*Die Dreigroschenoper*« (in Berliner Börsen-Courier, 1. 9. 1928, Nr. 410). – M. Jacobs, *B. Weills »Dreigroschenoper«* (in Vossische Ztg., 1.9.1928, Nr. 414). – C. Tolksdorf, *J. Gays »Beggar's Opera« u. B.s »Dreigroschenoper«*, Rheinberg 1934 [Diss. Bonn 1932]. – H. Arendt, *Der Dichter B. B.* (in NRs, 61, 1950, S. 53ff.). – A. Kerr, *Die Welt im Drama*, Köln/Bln. 1954. – E. Schumacher, *Die dramatischen Versuche B. B.s 1919–1933*, Bln. 1955, S. 218ff. – E. Bentley, *The Dramatic Event. An American Chronicle*, Ldn. 1956, S. 209ff. – E. Bloch, *Aufsätze über B. B. Ein Leninist der Schaubühne* (in Aufbau, 12, 1956, S. 809–814). – A. Hunt, *B. B.'s »Dreigroschenoper« and F. Villon's »Testament«* (in MDU, 49, 1957, S. 273 bis 278). – E. Bloch, *La chanson de Jenny, la fiancée du pirate, dans l'»Opera de quat'sous«* (in Europe, 35, 1957, Nr. 133/134, S. 123–127; auch dt.: *Lied der Seeräuberjenny i. d. »Dreigroschenoper«*, in E. B., *Verfremdungen*, Ffm. 1962, S. 220–225). – A. Lazzari, *»L'opera de quat'sous«. Le fable et son succès* (in Europe, 35, 1957, Nr. 133/134, S. 119 bis 123). – A. Wirth, *Stufen des kritischen Realismus. Dargestellt an B. B.s »Dreigroschenoper«* (in Neue Dt. Lit., 5, 1957, 8, S. 121–131). – W. Hecht, *Bearbeitung oder Umgestaltung. Über die »Dreigroschenoper« und ihr Urbild* (in Theater der Zeit, 13, 1958, S. 13–26). – J. Willet, *The Theatre of B. B.*, Ldn. 1959 (dt.: *Das Theater B. B.s*, Reinbek 1964). – D. Mazzilli, *La satirica sociale nell'opera di B. B.*, Diss. Bari 1960. – D. Frey, *Les ballades de F. Villon et le »Dreigroschenoper«* (in Études des Lettres, Serie 2, 1961, 4, S. 114–136). – R. Grimm, *B. B.*, Stg. 1961, S. 21f.

Zur Verfilmung: H. Ihering, »*Dreigroschenoper*« (in Berliner Börsen-Courier, 20. 2. 1931, Nr. 86). – S. Kracauer, *Von Caligari bis Hitler*, Hbg. 1958, S. 154ff. – M. Esslin, *B. – A Choice of Evils*, Ldn. 1959, S. 37ff. (dt.: *B. Das Paradox des politischen Dichters*, Ffm. 1962).

Zum Prozeß: S. Kracauer, *Der Prozeß um die »Dreigroschenoper«* (in Frankfurter Ztg., 9.11.1930). – P. Suhrkamp, *Der Kampf um den »Dreigroschen«-Tonfilm* (in Musik und Gesellschaft, 1, Nov. 1930, 6, S. 198/199). – B. Balasz u. H. Ihering (in Die Weltbühne, 10., 17. u. 24. 2. u. 3. 3. 1931). – S. Kracauer, *Ein soziologisches Experiment? Zu B. B.s Versuch »Der Dreigroschenprozeß«* (in Frankfurter Ztg., Lit.blatt, 28. 2. 1932, S. 1/2). – L. H. Eisner, *Sur le procès de l'»Opera de quat'sous«* (in Europe, 35, 1957, Nr. 133/134, S. 11–118).

FLÜCHTLINGSGESPRÄCHE. Prosadialog von Bertolt BRECHT (1898–1956), geschrieben 1940/41 in Finnland und 1944 in Amerika, 1961 fragmentarisch aus dem Nachlaß veröffentlicht; szenische Uraufführung: München, 15. 2. 1962, Kammerspiele. – Der Titel des Dialogs ist nicht nur Hinweis auf seinen Inhalt, sondern zugleich auf seine Entstehung: Nach der Flucht aus Schweden und kurz vor der Flucht in die USA konzipiert und beginnt Brecht vor dem Hintergrund seines eigenen Emigrantenschicksals einen tiefsinnig-gewitzten »Dialog über den Weltlauf« zwischen zwei deutschen Flüchtlingen angesichts ihrer aussichtslosen Lage, der vor allem um die Merkwürdigkeiten und Widersprüche der gesellschaftlichen Verfassung unter der faschistischen Herrschaft kreist. Die beiden arbeits- und mittellosen Flüchtlinge, der Physiker Ziffel und ein Metallarbeiter, der sich Kalle nennt, beginnen im Bahnhofsrestaurant von Helsinki unter großer Vorsicht ein Gespräch und treffen sich dann ständig zu neuen, immer rückhaltloseren Disputen. Sie folgen dabei keiner strengen Form, sondern wechseln ihre Themen nach Belieben – Themen zumal, die Brecht in seinen anderen Werken mehrfach wiederaufgenommen hat. So steht der Dialog z. B. in enger Berührung mit manchen Abschnitten aus den *Keunergeschichten*, aus *Mutter Courage*, den *Fünf Schwierigkeiten beim Schreiben der Wahrheit* und anderen Stücken, vor allem aber mit den Reflexionen aus dem *Buch der Wendungen*. Er ist daher stilistisch ähnlich knapp und leicht, doppeldeutig zugespitzt und umgangssprachlich direkt, aber auch ähnlich listig und verzwickt in der Aufdeckung von Widersprüchen.

Die achtzehn Kapitel des Dialogs – die einzelnen Dispute – tragen dem Charakter des Ganzen entsprechend fast durchweg provozierend-angriffslustige Überschriften, wie schon der erste Abschnitt: *Über Pässe / Über die Ebenbürtigkeit von Bier und Zigarre / Über die Ordnungsliebe*. Hier sind Ziffel und Kalle darin einig, daß der Paß der edelste Teil des Menschen sei (»*Er kommt auch nicht auf so einfache Weise zustande wie ein Mensch. Ein Mensch kann überall zustandkommen, auf die leichtsinnigste Art und ohne gescheiten Grund, aber ein Paß niemals. Dafür wird er auch anerkannt, wenn er gut ist, während ein Mensch noch so gut sein kann und doch nicht anerkannt wird*«) und daß man die unterschiedslos schlechte Qualität der Nahrungs- und Genußmittel, z. B. die des Biers, der Zigarren und des Kaffees, gegenwärtig nur begrüßen könne angesichts der Tatsache, daß durch die ebenfalls unterschiedslos schlechte Qualität der beiden »führenden Marken« in der Politik, nämlich Hitlers und Mussolinis, »*das Gleichgewicht ... wieder hergestellt*« sei: »*Sie brauchen den Vergleich miteinander nicht zu scheun und können Seit an Seit die ganze Welt herausfordern, keiner von ihnen find einen bessern Freund, und ihre Zusammenkünfte verlaufen harmonisch. Anders, wenn der Kaffee z. B. ein Kaffee und nur das Bier kein Bier wär, möchte die Welt leicht das Bier minderwertig schimpfen, und was dann?*« Zudem seien Schlamperei und Bestechlichkeit jedweder Ordnung vorzuziehen, die doch nur dazu da sei, dem Menschen zu ermöglichen, bestimmte Verrichtungen auszuführen, »*nämlich die sinnlosen*«. Kalle sagt zusammenfassend: »*Sie könnens so ausdrücken: Wo nichts am rechten Ort liegt, da ist Unordnung. Wo am rechten Ort nichts liegt, ist Ordnung.*« Darauf Ziffel: »*Ordnung ist heutzutage meistens dort, wo nichts ist. Es ist eine Mangelerscheinung.*« In ganzen Kaskaden solcher vereinfachend zugespitzten Paradoxien werden Freidenkerei, das Überhandnehmen bedeutender Menschen, die Pornographie, die Schwierigkeiten großer Männer, das tragische Schicksal großer Ideen, Ungeziefer, Bildung, Freiheitsliebe und Käse, das Denken als ein Genuß, die Weltherrschaft, aber auch *Dänemark oder der Humor, Lappland oder Selbstbeherrschung und Tapferkeit* und nicht zuletzt die Hegelsche Dialektik (»*Die schärfsten Dialektiker sind die Flüchtlinge!*«) und der Marxismus, die Demokratie und der Sozialismus aufgegriffen und beredet. Die Disputanten spielen sich gegenseitig die Bälle zu, und nur ihre Herkunft unterscheidet sie. Am Ende des Fragments stößt Kalle mit Ziffel auf den Sozialismus an als auf einen Zustand, der »*solche anstrengenden Tugenden wie Vaterlandsliebe, Freiheitsdurst, Güte, Selbstlosigkeit*« so unnötig mache »*wie ein Scheißen auf die Heimat, Knechtseligkeit, Roheit und Egoismus*«, den zu erreichen aber »*allerhand nötig sein wird. Nämlich die äußerste Tapferkeit, der tiefste Freiheitsdurst, die größte Selbstlosigkeit und der größte Egoismus.*« K. B.

Ausgaben: Bln. 1957 (in SuF, 9, 2. B. B.-Sonderh.; Teildr.). – Bln. 1958 (in Aufbau, 14; Teildr.). Ffm. 1961 (Bibl. Suhrkamp, 63). – Ffm. 1965 (in *Prosa*, Bd. 2).

Literatur: M. Esslin, *B., a Choice of Evils*, Ldn. 1959, S. 279 (dt.: *Das Paradox des politischen Dichters*, Bonn 1962). – R. Grimm, *B. B. u. d. Weltliteratur*, Nürnberg 1961, S. 25. – E. Schumacher (in Geist u. Zeit, 1961, 3, S. 89ff.). – C. Cases, *B. B.: »Dialoghi di profughi«* (in C. C., *Saggi e note di letteratura tedesca*, Turin 1963, S. 197–205).

FURCHT UND ELEND DES DRITTEN REICHES. 24 Szenen von Bertolt Brecht (1898 bis 1956), entstanden 1935–1938 in der dänischen Emigration unter dem – Heinrich Heines *Wintermärchen* paraphrasierenden – Titel *Deutschland – ein Greuelmärchen*; stark gekürzt uraufgeführt am 21. 5. 1938 in Paris unter dem Titel *99%* (7 Szenen), nahezu vollständig erstaufgeführt am 7. 6. 1945 in Berkeley/Calif. (17 Szenen) unter dem Titel *The Private Life of the Master Race*.

Brechts Szenenfolge will keine fortlaufende Handlung, keine dramatische Entwicklung darstellen, sondern einen Zustand: die bloße Aufreihung charakteristischer Situationen aus der Zeit des Hitlerregimes soll den widersinnigen, unerträglichen und verabscheuenswerten Zwang abbilden, unter dem die Deutschen in der nationalsozialistischen Diktatur lebten. Dieser Intention des Autors entspricht, daß die Szenen nicht in einem einzigen dichterischen Arbeitsprozeß entstanden sind, sondern – nach Brechts eigener Auskunft – während langjähriger Sammlung und Sichtung besonders sprechender Augenzeugenberichte und Zeitungsnotizen. Diese Berichte und Notizen formte Brecht allerdings im Sinne seiner Theorien der Gesellschaft und des Theaters sorgfältig um. Er streute schon die Schauplätze nach soziologischen und geographischen Gesichtspunkten so, daß sie wirklich das gesamte Deutschland zu repräsentieren vermögen. Vor allem aber spitzte er die Vorfälle auf brutale, enthüllende Verhaltensweisen der Beteiligten zu und verknüpfte schließlich die Szenen durch Titel und Stropheneingänge, die zugleich sarkastische Interpretation sind. Nur so konnte er dem Werk Bühnenwirksamkeit verschaffen.

Da ist der Tag der sogenannten Machtergreifung: zwei betrunken randalierende SS-Leute terrorisieren mit der Schießwut brutaler Feiglinge ein Arbeiterviertel (*Volksgemeinschaft*); da ist der Kleinbürger mit dem horchenden Ohr an der Wohnungstür, voll kläglicher Furcht, als der Nachbar, den er denunziert hat, abgeführt wird (*Der Verrat*); dann der SA-Mann, der sich vor dem »verdächtigen« Arbeitslosen brüstet, wie er an der Stempelstelle die Querulanten, Andersdenkenden und Gegner provoziert und ans Messer liefert (*Das Kreidekreuz*); fünf Häftlinge in einem Konzentrationslager, zerstritten und uneins, dennoch gegen ihre Bewacher zusammenhaltend (*Moorsoldaten*); dann ihr Bewacher, der aus Furcht vor dem Vorgesetzten grausam wird (*Dienst am Volke*); die Justiz: der Amtsrichter, dem ein Überfall von SA-Schlägern auf einen jüdischen Juwelier zur Verhandlung übergeben wird und der zu jeder Rechtsbeugung bereit wäre, wenn er nur wüßte, welche gerade verlangt wird (*Rechtsfindung*); die Medizin: der Chirurg vergißt vor dem Bett des zusammengeschlagenen Arbeiters, nach der Herkunft der Wunden zu fragen (*Die Berufskrankheit*); dann zwei Physiker, die sich hüten, öffentlich über Einsteins Theorien zu diskutieren, und ihn vorsichtshalber laut verhöhnen *(Physiker)*; die jüdische Frau vor ihrer Flucht: sie spricht von einer kleinen Reise, und ihre Freunde und sogar ihr Mann spielen furchtsam mit *(Die jüdische Frau)*; der Studienrat und seine Frau: sie verlieren die Haltung schon bei dem Verdacht, ihr Sohn könnte sie bespitzeln und anzeigen *(Der Spitzel)*; der auftrumpfende Radioreporter, eingeübte Phrasen hervorsprudelnd *(Die Stunde des Arbeiters)*; die Arbeiterfrau, die es nicht wagt, den Zinksarg mit der Leiche ihres ermordeten Mannes zu öffnen *(Die Kiste)*; der entlassene Häftling, der das Mißtrauen seiner Genossen ertragen muß *(Der Entlassene)*; die alte Frau, die mit zutraulichem Gerede ihre Tochter der Polizei ausliefert *(Winterhilfe)*; der Metzger, der sich aus Angst erhängt *(Der alte Kämpfer)*; der Sterbende, der endlich seine Meinung preisgibt *(Die Bergpredigt)*; der Arbeiter aus der Bombenfabrik, dessen Schwager gerade in Spanien als Flieger gefallen ist *(Arbeitsbeschaffung)*; die kleine Widerstandsgruppe, die am Tag der Volksbefragung, die Hakenkreuzfahne im Fenster, ein Flugblatt entwirft *(Volksbefragung)*.

Die Szenenfolge bildet somit alles andere als eine poetische Parabel. Sie hält sich nahezu naturalistisch an die Wirklichkeit, weil Furcht und Elend des Dritten Reiches nur in ungeschminkter Direktheit darstellbar zu sein scheinen – jedenfalls dann, wenn man, wie Brecht, nicht die großen Gesten und Aufschwünge außergewöhnlicher Charaktere, sondern die Selbstaufgabe und Erniedrigung eines ganzen Volkes vorführen will, nicht um Mitleid, sondern um Abscheu zu erwecken. Die realistische Darstellung von tatsächlichen Begebenheiten war allerdings nur möglich, solange Brecht sich auf die Jahre von 1933 bis 1938 beschränkte und Krieg und Massenmorde nicht mit einbezog. Brechts Szenenfolge gibt, so eindrucksvoll sie im ganzen ist, im einzelnen »Modelle« von unterschiedlicher Prägnanz. Die Bühnenpraxis hat sich von Anfang an mit einer Auswahl begnügt, meist mit einer Verknüpfung der großen Szenen *Das Kreidekreuz*, *Rechtsfindung* und *Der Spitzel* durch einige der anekdotisch kurzen Szenen.

Für die amerikanische Aufführung schrieb Brecht strophische Zwischentexte, die, ähnlich wie die Stropheneingänge zu den verschiedenen Szenen, rein satirisch interpretieren sollen, hier jedoch nicht das vorgeführte Geschehen, sondern das, was dem Furcht und Elend erzeugenden Anfang folgte: den Krieg und die »Endlösung«. K. B.

AUSGABEN: Ldn. 1938 [27 Szenen]. – Moskau 1941 [14 Szenen]. – Norfolk/Conn. 1944 (*The Private Life of the Master Race*; 17 Szenen). – NY 1945 [24 Szenen]. – Bln. 1948 [24 Szenen]. – Bln./Ffm. 1957 (in *Stücke*, Bd. 6; ern. 1962). – Reinbek 1965 (rororo, 577).

VERFILMUNG: *Die Mörder machen sich auf den Weg*, SU 1942 (Regie: V. Pudovkin; nicht zur Aufführung freigegeben).

LITERATUR: W. Benjamin, *B.s Einakter* (in Die Neue Weltbühne, 35, 30. 6. 1938, 36, S. 825–828). – H. Kesten, *»Furcht und Elend des Dritten Reiches«* (in Aufbau, NY, 5. Juni 1942). – M. Frisch, *Zu B. B.s »Furcht und Elend des Dritten Reiches«* (in Schweizer Annalen, 3. Febr. 1947, 8, S. 479–481). – Ders., *»Furcht und Elend des Dritten Reiches«, Szenenfolge von B. B.* (in Theater der Zeit, 2, 1948). – H. Lommer, *Berliner Theaterabende, Deutsches Theater* (in Die Weltbühne, 3, März 1948, 9/10, S. 228–230). – H. Arendt, *Der Dichter B. B.* (in NRs, 61, 1950, S. 53 ff.). – J. Willett, *The Theatre of B. B.*, Ldn. 1959 (dt.: *Das Theater B. B.s*, Reinbek 1964, S. 30). – B. B., *Zu »Furcht und Elend des Dritten Reiches«* (in B. B., *Schriften zum Theater*, Bd. 4, Ffm. 1963, S. 110–125). – R. Grimm, *B. B.*, Stg. ²1963, S. 32 [m. Bibliogr.].

DER GUTE MENSCH VON SEZUAN. Ein Parabelstück von Bertolt BRECHT (1898–1956), unter Mitarbeit von Ruth BERLAU und Margarete STEFFIN entstanden 1930 1942, erschienen 1953; Uraufführung: Zürich, 4. 2. 1943, Schauspielhaus. – Von allen Stücken Brechts hat dieses Werk die komplizierteste Entstehungsgeschichte. Die von ihm selbst angegebene Arbeitszeit, 1938 1940, berücksichtigt nur die wichtigste Periode. Schon in den zwanziger Jahren konzipiert, entstanden 1930 fünf Szenen unter dem Titel *Die Ware Liebe*, eine Arbeit, die Brecht im März 1939 im dänischen Exil wiederaufnahm. Im Mai desselben Jahres beendete er – inzwischen in Schweden – die erste Fassung des Stücks. Im Juli begann er eine neue Fassung, zu der er 1941 die letzten Gedichte schrieb. Aber auch dann, trotz immer wieder vorgenommener gründlicher Überarbeitung, erschien das Werk ihm als *»ein Stück, das ganz fertig sein müßte, und das ist es nicht« (Arbeitsbuch)*. Erst 1942 legte Brecht die Arbeit beiseite, für wirklich beendet hielt er sie nie. *»Ohne das Ausprobieren durch eine Aufführung kann kein Stück fertiggestellt werden« (Arbeitsbuch)*.

Im *Vorspiel* begegnen Wang, einem obdachlosen Wasserverkäufer in einer Stadt von Sezuan, drei Götter, die ausgezogen sind, den guten Menschen zu finden, denn *»seit zweitausend Jahren geht dieses Geschrei, es gehe nicht weiter mit der Welt, so wie sie ist. Niemand auf ihr könne gut bleiben.«* Doch schon Wangs Suche nach einem Nachtquartier für die Götter bleibt ohne Erfolg: in dieser Gesellschaft zeigen sogar die Armen, die Beherrschten, gegenüber den anderen – und seien es die »Erleuchteten« selbst – die Gleichgültigkeit und Selbstsucht der Herrschenden. Erst die Prostituierte Shen Te verzichtet auf den nächsten Kunden, der ihr das unentbehrliche Mietgeld eingebracht hätte, und nimmt die Götter bei sich auf. Am nächsten Morgen aber bittet sie diese, die sich mit redseligen Danksagungen von ihr verabschieden wollen, in ihrer Not um eine kleine finanzielle Unterstützung. Die Götter schätzen zwar alle Angelegenheiten des Kapitals für gering, geben ihr, in der sie einen guten Menschen gefunden haben, aber doch, wenn auch verständnislos und zögernd, eine Summe, die dazu ausreicht, einen kleinen Tabakladen zu erwerben und Shen Te die Straße zu ersparen. Mit diesem Laden ist sie jedoch in ihrer Güte ihren durch unverschuldete Not skrupellos gewordenen Mitmenschen, die sie speist und aufnimmt, in solchem Maße ausgeliefert, daß sie in kurzer Zeit vor dem finanziellen Ruin steht. Da greift plötzlich ein – anfangs bloß gegenüber Gläubigern erfundener – hartherziger und geschäftstüchtiger Vetter des Mädchens ein. Das heißt: Shen Te ist in äußerster Verzweiflung selbst in die Maske dieses ausgekochten Herrn Shui Ta geschlüpft, der seine plötzlich »verreiste« Kusine unverzüglich vor der Behörde, den Ausbeutern von oben, und den Nutznießern von unten zur Geltung bringt. Er übergibt Shen Tes bettelnden und stehlenden Anhang der

Polizei und ordnet die Geschäfte. Nach ihrer »Rückkehr« aber gerät Shen Te, die Gutgesonnene und zur Güte nun schon Verpflichtete, durch ihre Liebe zu dem stellungslosen Flieger Yang Sun fast unentrinnbar an den Rand ihrer Existenz. Sun, für den sie ihren Laden hergibt und noch Kredit aufnimmt (womit sie immerhin zwei alte Freunde ruinieren könnte), damit er durch Bestechung in Peking eine Stelle als Flieger findet, ist jedoch, wiederum aus Not, nur auf ihr Geld aus und läßt die geschröpfte Shen Te mit dem Kind, das sie von ihm erwartet, sitzen. Da muß Shen Te nochmals ihr verhaßtes Gegen-Ich, den Vetter Shui Ta, zu Hilfe rufen. Dieser gründet in verfallenen Baracken eine Tabakfabrik und zwingt alle, denen Shen Te hilfreich war, selbst den Vater ihres Kindes, dort gegen Hungerlöhne für ihn zu arbeiten. Mit Shui Ta blüht das Geschäft wie nie erwartet. Doch weil Shen Te dabei verschwunden bleiben muß und die Leute Shui Ta, den sie fürchten, alles zutrauen, gerät er in Verdacht, die Gütige, von der soviel erwartet wird, beseitigt zu haben. Er wird einem Gericht vorgeführt, dessen Richter jene drei Götter sind, die Shen Te einst bei sich aufgenommen hatte. Ihnen gibt sich der Angeklagte als Shen Te zu erkennen: »*Euer einstiger Befehl / gut zu sein und doch zu leben / zerriß mich wie ein Blitz in zwei Hälften ... gut sein zu andern / Und zu mir konnte ich nicht zugleich. / Ach, eure Welt ist schwierig!*« Doch die Götter verweigern jede verbindliche Antwort auf Shen Tes Anklagen gegen die Welt und auf ihre Frage, wie sie gut sein solle und doch nicht umkommen, und entschwinden auf einer rosa Wolke. – Der Epilog spricht aus, was den Zuschauer angesichts dieses Endes bewegt: »*Wir stehen selbst enttäuscht und sehn betroffen / Den Vorhang zu und alle Fragen offen.*«
Ebenso wie sein Gedicht *Der Schneider von Ulm* läßt Brecht das Stück als vorgebliches (oder »verhülltes«) Fragment enden; es entspricht »*der syntaktischen Figur der Ellipse, die nicht vollendet in sich ruht, sondern dynamisch den Leser oder Hörer auffordert, das fehlende Glied zu ergänzen*« (V. Klotz). So wird der Zuschauer im Epilog ermuntert: »*Verehrtes Publikum, los, such dir selbst den Schluß! / Es muß ein Guter da sein, muß, muß, muß!*« Diese Insistenz, mit der eine Antwort gefordert wird, hat ihren Grund in der marxistischen Auffassung Brechts, daß in einer veränderbaren Welt Verhältnisse geschaffen werden können, unter denen es möglich ist, »*gut zu sein und doch zu leben*«. In dem der Suhrkamp-Ausgabe beigefügten alternierenden Epilog wird der Zuschauer direkt aufgefordert, die Stadt »umzubauen«; außerdem erfährt er dort, daß »*die Provinz Sezuan der Parabel*« nicht mehr zu den Orten gehöre, »*an denen Menschen von Menschen ausgebeutet werden*«. Diesen Hinweis, sonst nur dem Leser zugänglich in einer Vorbemerkung untergebracht, hielt Brecht nach der 1949 erfolgten Konstituierung der Volksrepublik China für notwendig, um eindeutig zu machen, daß die chinesischen Namen zwar einer Fabel Realität geben sollen, die in einem Land spielt, das schon Flugzeuge, aber auch noch Götter kennt; daß sie jedoch hauptsächlich – wie vergleichbare exotische Bezeichnungen in anderen Stücken Brechts – der Verfremdung dienen, die nötig ist, um »*etwas zum Verständnis zu bringen*« (*Schriften zum Theater*, 3).
Zum *Guten Menschen von Sezuan* – dem in allen, auch Brecht weltanschaulich fernstehenden Kreisen heute am meisten diskutierten seiner Stücke – finden sich viele motivische Entsprechungen in Brechts Gesamtwerk. Unübersehbar ist dabei die ebenfalls in zwei gegensätzliche Existenzen gespaltene Figur des Puntila; thematisch steht das Stück der *Heiligen Johanna der Schlachthöfe* am nächsten. Das Kind als Explikation einer »besseren Welt«, im *Guten Menschen von Sezuan* noch ungeboren, stellte Brecht in den *Gesichten der Simone Machard* (Simone) und im *Kaukasischen Kreidekreis* (Michel) dar. Shen Te selbst steht in der Reihe seiner großen Muttergestalten. Auch Gerichtsszene und Hochzeitsgesellschaft sind bei Brecht mehrfach verwendete dramaturgische und theatralische Mittel, ebenso wie die demonstrative Verwandlung in eine andere Figur, die Ansprachen ans Publikum und die eingefügten, kommentierenden Lieder – strukturelle Elemente, die für das epische Theater charakteristisch sind. K. B.

Ausgaben: Bln. 1953 (in *Versuche*, H. 12). – Ffm. 1957 (in *Stücke*, Bd. 8; ern. 1962). – Ffm. 1964 (ed. suhrkamp, 73). – Vgl. auch: B. B., *Schriften zum Theater*, Bd. 4, Ffm. 1963, S. 134 140. *Materialien zu B.s »Der gute Mensch ...«*, Ffm. 1967 (ed. suhrkamp, 204).

Literatur: E. Brock-Sulzer, *Zürcher Schauspiel* (in Schweizer Monatshefte, 22, 1943, S. 635/636). – H. Küsel, *Von der Sanftmut des Herzens und unserem Vetter Shui Ta* (in Die Gegenwart, 7, 1952, S. 806 bis 809). – W. Dirks, *B. B., die Demokraten und die Christen* (in FH, 8, 1953, S. 65–67). – A. Gisselbrecht, *B. B. und die Güte* (in Aufbau, 13/II, Bln. 1957, S. 571ff.). – J. Jusowski, *B. B. und sein »Guter Mensch«* (in SuF, 9, 1957, 2. Sonderh. *B. B.*, S. 204–213). – A. Wirth, *Über die stereometrische Struktur der Brechtschen Stücke* (ebd., S. 346 bis 387; ern. in *Episches Theater*, Hg. R. Grimm, Köln/Bln. 1966). – W. Fahlbusch, *Der entfremdete Mensch. Eine Studie zu B. B.: »Der gute Mensch ...«* (in Monatshefte für Pastoral-Theologie, 48, 1959, S. 39–47). – B. Uhse, *Von alter und neuer Weisheit* (in SuF, 11, 1959, S. 420ff.; ern. in B. U., *Gestalten und Probleme*, Bln. 1959). – F. H. Crumbach, *Die Struktur des epischen Theaters. Dramaturgie der Kontraste*, Braunschweig 1960, S. 203ff. – W. Hinck, *Die Dramaturgie des späten B.*, Göttingen ²1960 (Palaestra, 229). – L. Rinser, *Der Schwerpunkt*, Ffm. 1960, S. 115ff. – V. Klotz, *»Der gute Mensch ...«* (in Das neue Forum, 10, 1960/61, S. 18–28). – F. Lau, *B. B. und Luther. Ein Versuch der Interpretation des »Guten Menschen ...«* (in Luther-Jb., 29, 1962, S. 92–109). – F. Hennenberg, *Dessau/B. Musikalische Arbeiten*, Bln. 1963.

DIE HEILIGE JOHANNA DER SCHLACHTHÖFE. Stück in elf Bildern von Bertolt Brecht (1898–1956), entstanden 1929/30; Uraufführung: Hamburg, 30. 4. 1959, Schauspielhaus. – Dieser »*dreizehnte Versuch*« Brechts, der unter Mitarbeit von H. Borchardt, E. Burri und E. Hauptmann geschrieben wurde, »*soll die heutige Entwicklungsstufe des faustischen Menschen zeigen. Das Stück ist entstanden aus dem Stück ›Happy End‹ von Elisabeth Hauptmann. Es wurden außerdem klassische Vorbilder und Stilelemente verwendet: die Darstellung bestimmter Vorgänge erhielt die ihr historisch zugeordnete Form. So sollen nicht nur die Vorgänge, sondern auch die Art ihrer literarisch-theatralischen Bewältigung ausgestellt werden*« (*Vorbemerkung*). Außer auf die genannte Quelle griff Brecht (meist parodistisch) auf Schiller

(Die Jungfrau von Orleans), GOETHE (Schluß von *Faust II*), HÖLDERLIN, SHAW und SINCLAIR *(The Jungle)* zurück. Eigene Vorarbeiten waren neben fachlichen Informationen und einem damit verbundenen Studium des Marxismus die Stückentwürfe *Joe Fleischhacker* und *Der Brotladen*.

Von seinen New Yorker Börsenfreunden beraten, verkauft Chicagos Fleischkönig Mauler das Geschäft an seinen Kompagnon unter der Bedingung, den Bankrott des gefährlichsten Konkurrenten herbeizuführen. Die »Schwarzen Strohhüte« der Heilsarmee unter ihrem Leutnant Johanna Dark können das wachsende Elend der ausgesperrten Arbeiter nicht mit Suppen, Gesängen und Reden aufhalten. Johanna wendet sich an Mauler um Hilfe. Er will ihr beweisen, daß die Armen durch ihre Schlechtigkeit ihr Unglück selbst verschulden, aber Johanna erkennt auf dem Schlachthof den Grund für diese Schlechtigkeit: die Armut. Sie zieht mit den Schwarzen Strohhüten in die Viehbörse, um Ordnung zu schaffen. Scheinbar gelingt ihr das, aber Mauler hat den Markt nur gerettet, weil seine New Yorker Freunde ihm inzwischen wieder den Fleischkauf empfohlen haben. Johanna, überall wegen ihrer erfolgreichen Vermittlung gerühmt, begreift zu spät, daß Maulers erneuerte Monopolstellung die Not in kurzer Zeit vergrößern muß. Nun bietet sie den Arbeitslosen ihre rückhaltlose Unterstützung an; doch als der Generalstreik mit dem Aufruf zur Gewalt vorbereitet wird, verrät sie – Opfer falscher Informationen und Anhängerin der Gewaltlosigkeit – ihre Verbündeten. Der Streik wird niedergeschlagen, Sieger ist Mauler. Unter der Last ihrer Schuld bricht Johanna zusammen. Um die Verbreitung ihrer Erfahrungen und Einsichten zu verhindern, beschließen die Fleischhändler, die Sterbende, die den Unterdrückern so gelegen kam, als Märtyrerin der Mildtätigkeit zu kanonisieren. Ihr Schrei *»Es hilft nur Gewalt, wo Gewalt herrscht, und / Es helfen nur Menschen, wo Menschen sind«* geht unter in einem Furioso von Lobreden, Gesang und Musik.

Dieses erste der drei Johanna-Stücke Brechts zeigt – wie auch *Die Gesichte der Simone Machard* (1940 bis 1943) und *Der Prozeß der Jeanne d'Arc zu Rouen 1431* (1952) – den notwendigen Widerstand gegen Ausbeutung und Unterdrückung, aber deutlicher als diese, ist es eine umfassende Darstellung der Praxis des Klassenkampfes, weil die Auswirkungen der ökonomischen Verhältnisse in der Weltwirtschaftskrise – vorgeführt an einem auf Kosten der Besitzlosen manipulierten Börsencoup – den unmittelbaren Hintergrund der Fabel abgeben. Dieses politisch kompromißlos engagierte Stück, in dem *»nicht das ›innere Wesen der Religion‹, die Existenz Gottes, der Glaube zur Diskussion«* stehen, sondern *»das Verhalten des religiösen Menschen« (Anmerkungen)*, ragt – was die Kühnheit der Explikation zeitgeschichtlicher Probleme, aber auch die Genialität der poetischen Idee und ihrer Ausführung betrifft (vor allem in der Stilisierung realistischer Details durch die Prosadialoge ablösende Blankverse, gereimte und reimlose strophische Partien und durch die Verwendung des Chors) – zusammen mit dem Stück *Die Mutter* (1930–1932) aus den Experimenten der »Lehrstück«-Periode heraus; aber es zeigt trotz der »großen Form« nicht weniger deutlich Brechts Konzeption vom Theater als Vermittler politischer Einsichten und als antreibende Kraft zur Veränderung gesellschaftlicher Verhältnisse. Die Methode der nichtaristotelischen Dramaturgie in der Form des Brechtschen epischen Theaters wird über ihre formale und inhaltlich-ideologische Vordergründigkeit hinaus weiterentwickelt und läßt hier zum erstenmal ihre Praktikabilität für eine Darstellung kompliziertester Vorgänge erkennen, die das Ziel hat, *»eine tiefgreifende und zum Handeln ausreichende Erkenntnis der großen gesellschaftlichen Prozesse unserer Zeit zu vermitteln« (Anmerkungen)*. Dabei soll die Bereitschaft des Zuschauers zur Anwendung revolutionärer Erkenntnisse nicht durch Identifikation erreicht, sondern vom Publikum aus dem kritischen – aber dennoch nicht kühlen – Verständnis der paradigmatischen Handlung selbst abgeleitet werden. Diese Absicht konnte Brecht jedoch nicht verwirklichen, denn schon 1931 fand sich in der Weimarer Republik kein Theater bereit, dieses an Zündstoff reiche Stück, das Herbert JHERING noch Ende 1932 mutig als bedeutsamstes Drama des Jahrzehnts bezeichnete, aufzuführen. K. B.

AUSGABEN: Bln. 1932 (in *Versuche*, H. 5; ern. Ffm. 1959). – Ldn. 1938 (in *GS*, 4 Bde., 1). – Bln./Ffm. 1955 (in *Stücke*, 12 Bde., 4; ern. 1962). – Mchn. 1964, Hg. J. Schondorff (Vorw. P. Demetz; Theater der Jahrhunderte). – Ffm./Hbg. 1964 (in *Die drei Johanna-Stücke*; FiBü, 603). – Ffm. 1965 (ed. suhrkamp, 113).

LITERATUR: E. Schumacher, *Die dramatischen Versuche B. B.s 1918–1933*, Bln. 1955, S. 434–493. – A. v. Cube, *B. mit Publikum* (in FH, 14, 1959, S. 609f.). – M. Esslin, *B. A Choice of Evils. A Critical Study of the Man, His Work, and His Opinions*, Ldn. 1959 (dt.: *B. Das Paradox des politischen Dichters*, Ffm. 1962). – R. Grimm, *B. B. Die Struktur seines Werkes*, Nürnberg 1959. – K. Rülicke, *Zu B.s »Hl. Johanna der Schlachthöfe«. Notizen zum Bau der Fabel* (in SuF, 11, 1959, S. 429–444). – F. H. Crumbach, *Die Struktur des epischen Theaters*, Braunschweig 1960. – W. Eickhorst, *Recent German Dramatic Treatments of the Joan of Arc Theme* (in Arizona Quarterly, 17, 1961, S. 323–332). – H. Mayer, *B. B. und die Tradition*, Pfullingen 1961. – H. Rischbieter, *Die Historie vom rohen Kapitalismus* (in Theater heute, 2, 1961, H. 7, S. 9–14). – K. Rülicke, *Zu B.s »Hl. Johanna der Schlachthöfe«* (in Theater der Zeit, 16, 1961, S. 22–39). – *B. B. A Collection of Critical Essays*, Hg. P. Demetz, Englewood Cliffs 1962.

HERR PUNTILA UND SEIN KNECHT MATTI. »Volksstück« von Bertolt BRECHT (1898–1956), entstanden 1940; Uraufführung: Zürich, 5. 6. 1948, Schauspielhaus. – In der finnischen Emigration (1940/41), in der Brecht außerordentlich produktiv war, die *Flüchtlingsgespräche*, den *Messingkauf* und den *Aufhaltsamen Aufstieg des Arturo Ui* schrieb und den *Guten Menschen von Sezuan* fast fertigstellte, empfing Brecht von Hella WUOLIJOKI, auf deren Gut Marlebäk er und seine Familie vorübergehend Zuflucht gefunden hatten, die Anregung zu diesem Stück. Die Dichterin schlug die Beteiligung an einem Wettbewerb für Volksstücke vor und lieferte hierzu neben einigen Erzählungen ein fertiges Drama, das schon viele Grundzüge der Puntila-Fabel enthielt. Brecht veränderte das Stück, um *»den Gegensatz ›Herr und Knecht‹ szenisch zu gestalten und dem Thema seine Poesie und Komik zurückzugeben«* (Hecht, Bunge, Rülicke-Weiler). Die wichtigste Veränderung gegenüber der Vorlage ist die Motivierung von Puntilas »Menschlichkeit«: bei Hella Wuolijoki ist der betrunkene Puntila nur

einfach deshalb erträglich, weil er, wieder nüchtern, vor Katzenjammer bösartig wird. Brecht dagegen erklärt Puntilas Verhalten sozial: In Nüchternheit muß der Gutsbesitzer Puntila ein rücksichtsloser Ausbeuter sein. In Trunkenheit verlieren seine soziale Rolle und seine ausbeuterischen Interessen ihre Wichtigkeit. Dann wird er human.
Puntilas soziale Schizophrenie wird gleich zu Handlungsbeginn deutlich: Nach einem zweitägigen Saufgelage sieht Puntila in seinem Chauffeur Matti plötzlich einen »Menschen« und vertraut sich ihm an. Er sorgt sich, weil ihn die bevorstehende Verlobung seiner Tochter Eva mit einem Attaché einen Wald als Mitgift kosten wird, und er fürchtet seine Anfälle von *»totaler, sinnloser Nüchternheit«*; er werde dann *»direkt zurechnungsfähig«. »Weißt du, was das bedeutet, Bruder, zurechnungsfähig? Ein zurechnungsfähiger Mensch ist ein Mensch, dem man alles zutrauen kann.«* Um dem zu entgehen, beschließt er weiterzutrinken, verlobt sich in einem Dorf nacheinander mit vier Frauen und heuert anschließend auf dem Gesindemarkt Arbeiter an. Doch zu Hause angelangt wird er wieder »zurechnungsfähig«: Er jagt zuerst die Arbeiter und dann seine »Bräute« davon und ignoriert auch die Wünsche seiner Tochter, die den fischblütigen Attaché nicht leiden kann und lieber den Matti hätte. Erst als Puntila später bei der Verlobungsfeier wieder betrunken ist, wirft er den Attaché vom Hof, gibt seiner Tochter den »menschlichen« Rat, seinen *»Freund Matti«* zu heiraten, und lädt das ganze Gesinde zur Hochzeit ein. Er wird, auf dem Gipfel der Trunkenheit, so menschlich und verständnisvoll, sieht die Welt so richtig – also verkehrt –, daß er sagt: *»Ich bin beinahe ein Kommunist.«* Doch Eva fällt bei Mattis Eheexamen durch, Puntila wird wieder nüchtern, versöhnt sich mit dem Attaché, entläßt den Knecht Surkkala, einen »Roten«, und droht auch Matti die Entlassung an. Schließlich schwört er dem Alkohol ab, vernichtet die letzten Flaschen, indem er sie austrinkt, und fordert – wieder betrunken – Matti auf, in der Bibliothek den Hatelmaberg aus zerschlagenem Mobiliar aufzubauen. Den Berg besteigt er mit Matti und besingt die Landschaft von Tavastland. Die nächste Ernüchterung wartet Matti nicht mehr ab; er verläßt den Hof: *»Es hilft nichts und 's ist schade um die Zähren: / 's wird Zeit, daß deine Knechte dir den Rücken kehren.«*
Das Stück, das unter Mitarbeit von Margarete Steffin entstand, gestaltet einen ähnlichen Tatbestand wie *Der gute Mensch von Sezuan*. In der kapitalistischen Gesellschaft ist der Mensch gezwungen, in einer Bewußtseinsspaltung zu leben, d. h., seine gute Natur zu verleugnen. Wie die gute Dirne Shen Te sich immer wieder in den bösen Vetter Shui Ta verwandeln muß, wird Puntila erst im Suff *»fast ein Mensch«*. Dennoch weist Brecht in den *Anmerkungen zum Volksstück* (1940) darauf hin, daß der *Puntila »alles andere als ein Tendenzstück«* sei; die kritische Distanz des Zuschauers, die im Tendenzstück vernichtet wird, soll also erhalten bleiben. Vielmehr sei – wie er in den *Notizen zur Züricher Erstaufführung* (1948) schreibt – *»entscheidend die Ausformung des Klassenantagonismus zwischen Puntila und Matti. Die Rolle des Matti muß so besetzt werden, daß eine echte Balance zustande kommt, d. h. daß die geistige Überlegenheit bei ihm liegt.«* Diese geistige Überlegenheit muß Brecht schon deshalb betonen, weil die natürliche Figur des Puntila die sozialkritische Absicht zu überspielen droht, *»ein vielschichtiges und reichhaltiges Manko, das er mit der Figur des Galilei und der Courage in gewisser Weise teilt«* (M. Kesting). – Das Stück, das in Prosa geschrieben ist und in das balladeske Lieder eingeschoben sind, gehört in den Zusammenhang der Bemühungen Brechts um eine realistische Ästhetik, die den Gegensatz zwischen dem *»wirklichkeitsgetreuen«* und dem *»edlen«* Spiel *(Anmerkungen zum Volksstück)* überwinden helfen soll. Brecht wollte mit einer Mischung von einfachen poetischen Formen, von Ballade, Historie und der Schilderung von Streichen und Abenteuern eine neue Tradition des Volksstücks begründen.
K. B. KLL

Ausgaben: Bln./Ffm. 1950 (in *Versuche*, H. 10). – Bln./Ffm. 1957 (in *Stücke*, Bd. 9; ern. 1962; enth. auch *Notizen über die Züricher Erstaufführung*). – Ffm. 1965 (ed. Suhrkamp, 105). Vgl. auch B. B., *Schriften zum Theater*, Bd. 4, Ffm. 1963, S. 140 bis 162.

Vertonung: P. Dessau, *Herr Puntila u. sein Knecht Matti* (Text: P. Palitzsch u. M. Weckwerth; Oper; Urauff.: Berlin, 15. 11. 1966, Staatsoper).

Verfilmung: Österreich 1955 (Regie: A. Cavalcanti).

Literatur: P. Rilla, *Literatur. Kritik u. Polemik*, Bln. 1950, S. 62–69. – A. Gisselbrecht, *B. B. u. die Güte* (in Aufbau, 13, 1957, 12, S. 571–589). – J. Rühle, *Das gefesselte Theater*, Köln 1957, S. 195 bis 251. – M. Esslin, *B. A Choice of Evils. A Critical Study of the Man, His Work and His Opinions*, Ldn. 1959 (dt.: *B. Das Paradox des politischen Dichters*, Ffm. 1962). – R. Grimm, *B. B. Die Struktur seines Werkes*, Nürnberg 1959. – Sinn u. Form, 1959 (Sondernr. *B. B.*; m. Bibliogr. v. W. Nubel, S. 481 bis 623). – F. H. Crumbach, *Die Struktur des epischen Theaters*, Braunschweig 1960. – *B. B. A Collection of Critical Essays*, Hg. P. Demetz, Englewood Cliffs 1962. – W. Hinck, *Die Dramaturgie des späten B.*, Göttingen [3]1962. – W. Hecht, H.-J. Bunge u. K. Rülicke-Weiler, *B. B. Leben u. Werk*, Bln. 1963. – F. Hennenberg, *Dessau – B. Musikalische Arbeiten*, Bln. 1963.

IM DICKICHT DER STÄDTE. Der Kampf zweier Männer in der Riesenstadt Chicago. Stück von Bertolt Brecht (1898–1956), entstanden 1921–1924; Uraufführung der ersten Fassung: München, 9. 5. 1923, Residenztheater (unter dem Titel *Im Dickicht*); 2. Fassung erschienen 1927. Einige fragmentarische Vorarbeiten wurden schon 1921 veröffentlicht. – Auf die mannigfachen Anregungen hat Brecht z. T. selbst hingewiesen; er schöpfte sie aus Impressionen vom »Plärrer«, einem Augsburger Jahrmarkt, aus einer Aufführung von Schillers *Räubern* und Leopold Jessners *Othello*-Inszenierung; Verlaine, Rimbauds *Une saison en enfer*, J. V. Jensens Chicago-Roman *Hjulet*, 1905 *(Das Rad)*, und – wahrscheinlich – C. Westermanns *Knabenbriefe* ([2]1908) beeindruckten ihn tief, weiterhin Upton Sinclair und Kipling, nach Julius Bab auch Hamsun und Wilbrandt. Vor allem aber war es der Boxsport *»als eine der ›großen mythischen Vergnügungen der Riesenstädte von jenseits des großen Teiches‹«*, der Brecht zu jener Zeit fesselte. Es sollte in seinem Stück *»ein ›Kampf an sich‹, ein Kampf ohne andere Ursache als den Spaß am Kampf, mit keinem anderen Ziel als der Festlegung des ›besseren Mannes‹ ausgefochten werden«* (*Bei Durchsicht meiner ersten Stücke*, 1954). So sagt es auch der Vorspruch: *»Sie befinden sich* *im Jahre 1912 in der Stadt Chicago. Sie betrachten den unerklärlichen Ringkampf zweier Menschen ... Zerbrechen Sie sich nicht den Kopf über die Motive dieses Kampfes, sondern beteiligen Sie sich an den menschlichen Einsätzen, beurteilen Sie unparteiisch die Kampfform der Gegner und lenken Sie Ihr Interesse auf das Finish.«*

Die Handlung des Stücks, in dem sich laut Brecht »*der Philosoph besser zurecht*[findet] *als der Psychologe*« *(Schriften zum Theater)*, gehorcht nicht den gewohnten Gesetzen der logischen Kausalität. Der malaiische Holzhändler Shlink verwickelt ohne ersichtlichen Anlaß den in einer Leihbücherei angestellten George Garga in einen Streit, der die Demolierung des Ladens und die Entlassung Gargas zur Folge hat. Garga nimmt den Kampf auf und vernichtet Shlinks Geschäft. Aber seinen Plan, nach Tahiti zu gehen, um frei zu werden, muß er aufgeben, weil Shlink Gargas Familie in den Kampf mit einbezieht: Es gelingt ihm, zusammen mit seinen Freunden aus der Unterwelt, Gargas Schwester Marie und dessen Freundin Jane zu Prostituierten zu machen. Als Garga Jane dennoch heiratet, zeigt Shlink ihn als nächstes wegen Schiebung an. Garga muß ins Gefängnis, und seine Familie bricht auseinander. Er rächt sich mit einer Gegenanzeige wegen Vergewaltigung seiner Schwester und inszeniert eine Lynchaktion gegen Shlink. Dann aber entflieht er gemeinsam mit ihm. Shlink übergibt Garga seinen wiederaufgebauten Holzhandel und gesteht ihm seine Liebe, doch Garga stößt ihn zurück. Er hat nicht begriffen, daß er und Shlink »*Kameraden sind, Kameraden einer metaphysischen Aktion*«, daß Shlink kämpft, um die Entfremdung der Menschen untereinander zu überwinden. Doch »*die unendliche Vereinzelung des Menschen macht eine Feindschaft zum unerreichbaren Ziel*«. Shlink nimmt Gift, als der Mob vor der Tür steht. Am Ende brennt Garga das Holzgeschäft nieder und geht nach New York: »*Allein sein ist eine gute Sache.*«

Das gedanklich sehr schwer zugängliche Stück sah Arnolt BRONNEN, damals enger Freund Brechts, als die »*Stammesgeschichte der Familie Brecht*« an, »*zusammen mit unverdaut ausgeschiedenen individualistischen Resten*«. Herbert JHERING sprach von dem Stück als einem »*neuen dichterischen Weltkörper*«, dessen Sprachgewalt »*seit Jahrzehnten unerhört ist*«. In vielem, vor allem in der eher lyrisch als dramatisch gestalteten Handlung, noch dem genialischen *Baal* (1920) verhaftet, weist es schon auf das epische Theater hin, nicht so sehr wegen der erstmals eingeführten Verfremdung durch ein amerikanisch-exotisches Milieu, womit Brecht »*das Augenmerk am leichtesten auf die eigenartige Handlungsweise großer Menschentypen lenken zu können*« glaubte, sondern vielmehr, weil es, »*dem Inhalt nach eine Kritik, die formale Aufgabe hatte, Theater zu organisieren (das heißt umzuwälzen)*« *(Schriften zum Theater)*. Mit diesem Stück hat Brecht das absurde Theater vorweggenommen, es mit der unterlegten Tendenz aber gleichzeitig überwunden. Fast alle Aufführungen der Jahre 1923–1928 führten zu einem Theaterskandal. Später ist Brecht das Stück »*fremd geworden*« (*Arbeitsbuch*, 30. 1. 1941); 1954 wies er darauf hin, daß »*die Dialektik des Stückes rein idealistischer Art*« sei (*Bei Durchsicht meiner ersten Stücke*, 1954). K. B.

AUSGABEN: Bln. 1927 [2. Fassg.]. – Bln. 1953 (in *Stücke*, 12 Bde., 1953ff., 1; ern. 1962).

LITERATUR: L. Adelt, Rez. (in Berliner Tageblatt, 15. 5. 1923). – A. Kerr, Rez. (in Vossische Zeitung, 30. 10. 1924). – E. Schumacher, *Die dramatischen Versuche B. B.s 1918–1933*, Bln. 1955. – H. Mayer, *Der frühe B.* (in Aufbau, 12, 1956, S. 831–834). H. H. Jahnn, *Vom armen B. B.* (in SuF, 9, 1957, Sonderh. *B. B.*, S. 424–429). – H. Jhering, *Von Reinhardt bis B.*, Bd. 1 u. 2, Bln. 1958 1961. J. Bab, *Über den Tag hinaus*, Heidelberg 1960, S. 214–216. – A. Bronnen, *Tage mit B. B.*, Mchn 1960. – M. Esslin, *B. The Man and His Work*, Garden City/N. Y. 1960 (dt.: *B. Das Paradox des politischen Dichters*, Bonn 1962; m. Bibliogr.). – B. M. Glauert, *B. B.s Amerikabild in drei seiner Dramen*, Boulder 1961. – B. Brecht, *Für das Programmheft der Heidelberger Aufführung, 24. 7 1928* (in B. B., *Schriften zum Theater*, Bd. 1, Ffm. 1963, S. 67–70). – *B. A Collection of Critical Essays*, Hg. P. Demetz, Englewood Cliffs 1963. R. Grimm, *B. B.*, Stg. [2]1963 [m. Bibliogr.]. B. Brecht, *Bei Durchsicht meiner ersten Stücke* (in B. B., *Schriften zum Theater*, Bd. 6, Ffm. 1964, S. 390–399). – Ch. R. Lyons, *Two Projections of the Isolation of the Human Soul: B.'s »Im Dickicht der Staedte« and Albee's »The Zoo Story«* (in Drama Survey, 4, 1965, S. 121–138).

DER KAUKASISCHE KREIDEKREIS. Stück von Bertolt BRECHT (1898–1956), entstanden 1944/45; Uraufführung (in englischer Sprache): Northfield/Minn., 4. 5. 1948, Carlston College; deutsche Erstaufführung: Berlin, 7. 10. 1954, Theater am Schiffbauerdamm (Musik: Paul Dessau). – In alter, blutiger Zeit werden nach dem Sturz des Großfürsten alle Gouverneure Grusiniens hingerichtet, darunter Georgi Abaschwili. Seine verwöhnte Frau Natella kann mit ihren Kleidern entfliehen, läßt aber ihr Kind zurück, das gleich darauf von den neuen Machthabern gesucht wird. Die Magd Grusche nimmt es auf und bringt es durch alle Gefahren unter vielen Opfern in Sicherheit, wobei sie es liebgewinnt wie ein eigenes. Obwohl sie mit dem Soldaten Simon verlobt ist, heiratet sie, um ein Papier zu haben, einen offenbar todkranken Bauern, der sich jedoch von seinem nur vorgetäuschten Sterbelager erhebt, als der Krieg zu Ende ist. Simon, der hinzukommt, als Grusche vor neuen Verfolgern das Kind als ihr eigenes ausgibt, verläßt sie zornig. Die zurückgekehrte Gouverneursfrau läßt das Kind des reichen Erbes wegen suchen. Es kommt zum Prozeß vor dem ehemaligen Dorfschreiber Azdak, der in den politischen Wirren auf den Richterstuhl gekommen ist und beim Volk als Armeleuterichter gilt. Grusche beansprucht das Kind für sich: »*Es ist meins: ich hab's aufgezogen.*« Der Azdak entscheidet den Fall mit Hilfe eines Kreidekreises, in den das Kind gestellt wird. »*Die richtige Mutter wird die Kraft haben, das Kind aus dem Kreis zu sich zu ziehen.*« Grusche läßt los, weil sie dem Kind nicht wehtun will. Daran erkennt der Azdak die wirklich Mütterliche, spricht ihr das Kind zu und verjagt die Gouverneursfrau. Bevor er für immer verschwindet – nach einer »*kurzen, goldenen Zeit beinahe der Gerechtigkeit*« –, scheidet er noch Grusche von ihrem Mann, so daß Simon sie heiraten kann.

Im Gegensatz zur Bearbeitung KLABUNDS (vgl. *Der Kreidekreis*), die sich eng an das chinesische Vorbild hält, benutzt Brecht die Kreidekreisprobe lediglich als Spielmoment für ein Stück, das im marxistischen Sinn eine Lehre vermitteln soll. Danach

sind für das Muttertum allein soziale Gesichtspunkte entscheidend: Nicht der leiblichen Mutter soll das Kind gehören, da sie es preisgegeben hat, sondern der »Mütterlichen«, die es gerettet und aufgezogen hat. Allgemein wird dieses sozialistische Prinzip am Schluß ausgesprochen: »*Daß da gehören soll, was da ist, denen, die für es gut sind.*«
Dieser Idee folgte schon die 1940 verfaßte Erzählung *Der Augsburger Kreidekreis*, dem ein fragmentarischer *Odenser Kreidekreis* voranging. Aber erst im Stück wurde der Versuch unternommen, eine realistische Grundlage für die neue Auslegung der Legende zu schaffen. Brecht verlegte die Handlung in die Sowjetunion, in deren Gesellschaftsstruktur er die Voraussetzung für eine Umfunktionierung der Fabel sah (wobei er das noch Utopische durch die märchenhafte Exotik der kaukasischen Landschaft charakterisierte). Zu diesem Zweck schrieb er den einleitenden – ursprünglich als »Vorspiel« bezeichneten – *Streit um das Tal*, in dem Mitglieder zweier Kolchosen über den Besitz eines Tals diskutieren, das zuletzt denen zugesprochen wird, die es am besten zu nutzen versprechen. Im Anschluß daran spielen die Kolchosbauern das vom Volkssänger Arkadi Tscheidse einstudierte (und von ihm in Liedern kommentierte) Spiel vom Kreidekreis. Sinn dieser Konstruktion ist, zwei sachlich ähnliche Rechtsfindungen einander gegenüberzustellen, um als praktische Lehre zu zeigen, wie in einer sozialistischen Gesellschaftsordnung Konflikte auf vernünftige Weise gelöst werden können – anders als in der Klassengesellschaft, wo sich die Idee sozialer Vernunft nur ausnahmsweise, beim Zusammentreffen glücklicher Zufälle, realisieren läßt. (Die nicht selten vorgenommene Streichung des ersten Bildes ist daher ein bedenklicher Eingriff in die Gesamtkonzeption Brechts.) Von lehrhafter Aufdringlichkeit ist Brechts didaktische Verfahrensweise frei. Er stellt in ihren Dienst, durchaus im Sinne seiner theoretischen Schriften (vgl. *Kleines Organon für das Theater*), die »unterhaltenden«, auf das »Vergnügen« des Zuschauers zielende Intention seines Theaters, wie sie sich in der märchenhaft-poetischen Durchführung der Kreidekreisfabel und der volkstümlichen Spielfreude etwa der Azdak-Szenen Ausdruck verschafft.
Das Stück, wegen seines politischen Gehalts von Anfang an heftig umstritten, ist ein Schulbeispiel für das epische Theater Brechts und seiner Verfremdungstechnik. Der Sänger tritt, indem er die Szenenfolge exponiert, begleitet und kommentiert, im Stil des epischen Erzählers dem Geschehen gegenüber und ermöglicht so die »*verfremdende Distanz zwischen Bühne und Zuschauerraum*« (Reinhold Grimm), die eine kritische Beurteilung der vorgeführten Verhaltensweisen erlaubt. So wird nacheinander erzählt, was sich gleichzeitig ereignet – zuerst die Geschichte Grusches, dann die des Azdak, ehe in der Gerichtsszene die beiden Handlungsstränge verknüpft werden. Dieses künstliche Auseinanderfalten simultaner Ereignisse beugt der möglichen Illusion des Zuschauers vor, der – nur erdachte – Vorgang würde sich wirklich abspielen. Denn tatsächlich soll der Vorgang ja als eine Vorstellung, die es erst noch zu realisieren gilt, bewußt gemacht werden. Ähnlich verfremdend wirkt, daß das Vorspiel absichtsvoll vom Ganzen des Stücks abgesetzt ist. Die Kolchosbauern, die sich keineswegs mit den erdichteten Gestalten identifizieren und an der kritischen Erläuterung der Verhaltensweisen Grusches teilhaben, nehmen dem Geschehen dadurch jede Selbstverständlichkeit und fordern anstatt zur »Einfühlung« zur »*Reflexion über seinen Sinn*« heraus (A. Wirth). K. B. – KLL

AUSGABEN: Bln. 1949 (in SuF, 1. Sonderh. *B. B.*). – Bln./Ffm. 1957 (in *Stücke*, 1953ff., Bd. 10). – Ffm. 1965 (ed. suhrkamp, 31). – Ffm. 1967 (in *GW*, 20 Bde., 5).

LITERATUR: M. Schroeder, *Bemerkungen zu B. B.s »Kaukasischem Kreidekreis«* (in Aufbau, 10, 1954, S. 983–987). – C. Hohoff, *B. B. im »Kaukasischen Kreidekreis«* (in Hochland, 48, 1955/56, S. 112–119). – H.-J. Bunge, *B. probiert. Notizen u. Gedanken zu Proben an B.s Stück »Der kaukasische Kreidekreis«* (in SuF, 1957, 2. Sonderh. *B. B.*, S. 332–336). – R. Geissler, *Versuch über B.s »Kaukasischen Kreidekreis«. Klassische Elemente in seinem Drama* (in WW, 9, 1959, S. 93–99; auch in WW, Sammelbd. 4, 1962, S. 356–361). – E. F. C. Ludowyk, *The Chalk Circle. A Legend in Four Cultures* (in *Comparative Literature*, Hg. W. P. Friedrich, Chapel Hill 1959, Bd. 1, S. 249–256). – R. Grimm, *B. B.*, Stg. 1961; [2]1963 (Slg. Metzler, 4). – R. Gray, *On B.'s »The Caucasian Chalk Circle«* (in *B. A Collection of Critical Essays*, Hg. P. Demetz, Englewood Cliffs 1962, S. 151–156). – B. Brecht, *Zu »Der kaukasische Kreidekreis«* (in B. B., *Schriften zum Theater*, Bd. 6, Ffm. 1964, S. 349–377). – A. Hurwicz, *B. inszeniert. »Der kaukasische Kreidekreis«*, Velber 1964. – *Materialien zu B.s »Der kaukasische Kreidekreis«*, Hg. W. Hecht, Ffm. 1966 (ed. suhrkamp, 155). – D. Steinbach, *Büchners »Woyzeck« u. B.s »Kaukasischer Kreidekreis«. Gedanken zur Entwicklung der nicht-aristotelischen Bühne* (in Der Deutschunterricht, 18, 1966, H. 1, S. 34–41). – A. Wirth, *Über die stereometrische Struktur der Brechtschen Stücke* (in *Episches Theater*, Hg. R. Grimm, Köln/Bln. 1966, S. 230; Neue wissenschaftl. Bibl., 15).

KLEINES ORGANON FÜR DAS THEATER. Kritische Schrift zum Theater von Bertolt BRECHT (1889–1956), erschienen 1949 in der Zeitschrift ›Sinn und Form‹. Nachträge des Autors entstanden 1952–1954 aus seinen Erfahrungen in der Theaterarbeit mit dem »Berliner Ensemble«; sie wurden 1960 zuerst veröffentlicht. – Das *Kleine Organon* soll als »Werkzeug« und »Methode« dazu dienen, in der Art von Brechts Berliner Theaterpraxis das »*Theater des wissenschaftlichen Zeitalters*« zu verwirklichen. In 77 Paragraphen bestimmt Brecht die Aufgabe des zeitgemäßen Theaters, wertet danach das bisherige Theater und erläutert seine neue Spielweise der »*Verfremdung*«. – Als Aufgabe und »*nobelste Funktion*« des Theaters sieht Brecht »*Unterhaltung*« und »*Vergnügung*« an. Im Gegensatz aber zu SCHILLERS ethisch bestimmtem Begriff des Vergnügens soll Brechts Theater möglichst »*nahe an die Lehr- und Publikationsstätten*« rücken. Im Unterschied zu seiner früheren radikalen Auffassung des Theaters als Lehrstätte des sozialistischen Aufbaus, vom Hörsaal nur dadurch unterschieden, daß es »*lebende Abbildungen*« herstellt, betont Brecht im *Kleinen Organon* die fruchtbare Verbindung von Lernen und Unterhaltung: »*Hauptthese: daß ein bestimmtes Lernen das wichtigste Vergnügen unseres Zeitalters ist, so daß es in unserm Theater eine große Stellung einnehmen muß.*«
Brechts Verknüpfung von Didaktik und Unterhaltung, seine Intention, »*mit Lehren oder Forschen zu vergnügen*«, gründet in der spezifischen Struktur des gegenwärtigen Zeitalters: »*Unser Zusammenleben als Menschen – und das heißt: unser Leben – ist*

in einem ganz neuen Umfang von den Wissenschaften bestimmt.« Diesem Sachverhalt muß das Theater Rechnung tragen. Parallel zu den Naturwissenschaften, die *»eine ungeheure Veränderung und vor allem Veränderlichkeit«* der Natur ermöglicht haben, muß das Theater auf die *»Umwälzung der Gesellschaft«* zielen. Es orientiert sich daher an jener Gesellschaftswissenschaft, die *»vor etwa hundert Jahren ... im Kampf der Beherrschten mit den Herrschenden«* begründet wurde. Das moderne Theater, wie Brecht es fordert, versteht sich demnach als Umsetzung marxistischer Gedankengänge in die Kunst – als ein Mittel zur Befreiung der Unterdrückten und Abhängigen vom Kapitalismus. Von hier aus konstruiert Brecht die schroffe Antithese zum traditionellen Theater, das *»die Struktur der Gesellschaft (abgebildet auf der Bühne) nicht als beeinflußbar durch die Gesellschaft (im Zuschauerraum)«* zeigte. Der Festigung des Bestehenden habe die dramatische Kunst bisher dadurch gedient, daß sie unabänderliche Schicksale dargestellt und zur Steigerung der *»Illusion«* eine *»magische«* Spielweise ausgebildet habe, die den Zuschauer zu *»einer verhältnismäßig neuen Prozedur, nämlich der Einfühlung«* genötigt und somit in einen distanzlosen, unproduktiven *»Zustand der Entrückung«* versetzt hat. Die neue Spielweise, die er fordert, soll dagegen mittels geeigneter Verfremdungen den kritischen Blick des Beobachters schulen, der *»laufend fiktive Montagen an unserem Bau vornehmen«* kann: *»Eine verfremdende Abbildung ist eine solche, die den Gegenstand zwar erkennen, ihn aber doch zugleich fremd erscheinen läßt.«* Dazu dienen Zwischentitel, Songs, Vermeiden der »Illusion« durch Bewußtmachen des »Spiels« und vor allem die gesellschaftskritische Distanz des Schauspielers von der Rolle, die er gleichsam als Lehrbeispiel demonstrieren soll. Brecht weist auf mehrere gestische Verfremdungseffekte (»V-Effekte«) in seinem *Leben des Galilei* hin, die den Verlauf der Fabel in seiner Bedingtheit und Widersprüchlichkeit erhellen. Das gezeigte menschliche Verhalten soll durch diese *»Technik der Verfremdungen des Vertrauten«* als ungewöhnlich und in seinen gesetzmäßigen gesellschaftlichen Ursachen erkennbar dargestellt werden. *»Die echten V-Effekte haben kämpferischen Charakter.«* In strenger politischer Konsequenz schult das Theater den Zuschauer für den Klassenkampf, indem es zeigt, *»daß die zutage getretenen Regeln in diesem Zusammenleben als vorläufige und unvollkommene behandelt sind. In diesem läßt das Theater den Zuschauer produktiv, über das Schauen hinaus.«*

Brechts Versuch, durch verfremdende Spielweise zu marxistisch-politischer Aktivität zu erziehen, schlägt sich auch in der Diktion seiner theoretischen Schrift nieder. In die zwingende, kühle Argumentation drängen sich aggressive Vergleiche, Imperative und schneidende Pointen, die den Leser zur Stellungnahme herausfordern. Bewußt provokatorischen Charakter hat vor allem seine schroffe Scheidung zwischen dem herkömmlichen Theater und dem modernen »epischen Theater«, als dessen wichtigste Programmschrift das *Kleine Organon* gelten darf, auch wenn der vieldiskutierte Begriff hier selber vermieden wird. Eine spätere Anmerkung zum *Kleinen Organon* zeigt, daß Brecht den Begriff sehr weit faßte, so weit, daß er gelegentlich ein Spannungsverhältnis zwischen dem Epischen und dem Dramatischen, zwischen kritischer Distanz und Einfühlung anvisieren konnte. Sein Theater, vermerkt er, strebe *»zu jener wirklich zerreißenden Widersprüchlichkeit zwischen Erleben und Darstellen, Einfühlen und Zeigen, Rechtfertigen und Kritisieren, welche gefordert wird. Und darin zu der Führung des Kritischen.«* Das erinnert an Schillers Vorrede zur *Braut von Messina*, die im Theater Affekt und kritisches Bewußtsein, dramatische Spannung und epischen Abstand zugleich fordert. Mit Schillers Schrift hat das *Kleine Organon* außerdem den für das Theater zentralen, von der Literaturwissenschaft immer wieder unterschlagenen Gedanken gemeinsam: daß die Struktur des dramatischen Kunstwerks bedingt sei erstens durch Zeit und Gesellschaft und zweitens durch die Intention, auf diese Zeit und diese Gesellschaft verändernd einzuwirken. P. Sch. – KLL

Ausgaben: Potsdam 1949 (in SuF, 1. Sonderh. *B. B.*). – Ffm. 1957 (in *Schriften zum Theater*, Hg. S. Unseld; Bibl. Suhrkamp, 41; ern. 1962). – Ffm. 1960 (suhrkamp-texte, 4; erw.). – Ffm. 1964 (in *Schriften zum Theater*, 7 Bde., 1963/64, 7). – Ffm. 1967 (in *GW*, 20 Bde., 16).

Literatur: H. H. Holz, Rez. (in Philosophischer Literaturanzeiger, 1, 1949, H. 1, S. 17–19). – W. Busse, Rez. (in FH, 5, 1950, S. 446–448). – H. Martin, Rez. (in Schweizerische Theaterztg., 6, 1951, H. 2, S. 9–12). – Th. Luthardt, *Vergleichende Studien zu B.s »Kleines Organon für das Theater«*, Diss. Jena 1955. – M. Kesting, *Das Theater als eine marxistische Anstalt betrachtet. Ein Vergleich der Theatertheorien Schillers u. B.s* (in Augenblick. Zs. für aktuelle Philosophie, Ästhetik, Polemik, 2, 1956, H. 4, S. 4–6). – G. Zwerenz, *Aristotelische u. B.sche Dramatik. Versuch einer ästhetischen Wertung*, Rudolstadt 1956. – A. Schöne, *B. B. Theatertheorie u. dramatische Dichtung* (in Euph, 52, 1958, S. 272–296). – W. Hinck, *Die Dramaturgie des späten B.*, Göttingen 1959 (Palaestra, 229). – R. Grimm, *Vom »Novum Organum« zum »Kleinen Organon«. Gedanken zur Verfremdung* (in *Das Ärgernis B.*, Basel/Stg. 1961, S. 45–70). – H. E. Holthusen, *B.'s Dramatic Theory* (in *B. A Collection of Critical Essays*, Hg. P. Demetz, Englewood Cliffs 1962, S. 106–116). – H. Hultberg, *Die ästhetischen Anschauungen B. B.s*, Kopenhagen 1962. – K. Rülicke-Weiler, *Dramaturgie des Veränderns. B. B.s Schriften zum Theater* (in NDL, 13, 1965, H. 3, S. 54–77). – Dies., *Die Dramaturgie B.s. Theater als Mittel der Veränderung*, Bln. 1966.

LEBEN DES GALILEI. Schauspiel in fünfzehn Bildern von Bertolt Brecht (1898–1956). Die erste Fassung entstand 1938/39 im dänischen Exil; Uraufführung: Zürich, 9. 9. 1943, Schauspielhaus. Die zweite, »amerikanische« Fassung entstand 1945 bis 1947; Uraufführung: Los Angeles, 30. 7. 1947. Die letzte Fassung schrieb Brecht 1954–1956 in Berlin; Uraufführung: Berlin, 15. 1. 1957, Theater am Schiffbauerdamm (Musik: H. Eisler). – Brecht verfaßte das Stück über den italienischen Astronomen und Physiker Galileo Galilei (1564–1642) mit der Absicht, *»das ungeschminkte Bild einer neuen Zeit zu geben – ein anstrengendes Unternehmen, da jedermann überzeugt war, daß unserer eigenen alles zu einer neuen fehlte« (Anmerkungen)*. Den Anstoß gab offensichtlich ein Ereignis, das als Vorzeichen einer neuen Zeit gedeutet werden konnte: *»Die Zeitungen hatten die Nachricht von der Spaltung des Uran-Atoms gebracht.«* Ein Vergleich der verschiedenen Fassungen macht deutlich, wie Brecht den historischen Stoff benutzt, um eine aktuelle Problematik zu erhellen. Die Fassungen unterscheiden sich vor allem in der vierzehnten Szene. Sie zeigt den gealterten Galilei, der nach dem Widerruf seiner Lehre als Gefangener der Inquisition zwar zu eigenem Vergnügen forschen, aber nicht publizieren darf. Sein früherer Schüler Andrea Sarti, der Italien verläßt, um in Freiheit arbeiten zu können, besucht den alten Lehrer. In der ersten Fassung stellt sich Galileis Widerruf als kluge List heraus. Augenschwäche vortäuschend, hat er hinter dem Rücken der Kirche heimlich eine Abschrift der *Discorsi* hergestellt und veranlaßt den Schüler, das Manuskript ins Ausland zu bringen. Sarti: »*Sie versteckten die Wahrheit. Vor dem Feind. Auch auf dem Gebiet der Ethik waren Sie uns um Jahrhunderte voraus.*« – In der zweiten Fassung stellt sich Galileis Widerruf völlig anders dar. Brecht sagte dazu: »*Das ›atomarische‹ Zeitalter machte sein Debüt in Hiroshima in der Mitte unserer Arbeit. Von heut auf morgen las sich die Biografie des Begründers der neuen Physik anders.*« In einer »*mörderischen*« Selbstanalyse erkennt Galilei nun: »*Ich hatte als Wissenschaftler eine einzigartige Möglichkeit. In meiner Zeit erreichte die Astronomie die Marktplätze. Unter diesen ganz besonderen Umständen hätte die Standhaftigkeit* eines *Mannes große Erschütterungen hervorrufen können. Hätte ich widerstanden, hätten die Naturwissenschaftler etwas wie den hippokratischen Eid der Ärzte entwickeln können, das Gelöbnis, ihr Wissen einzig zum Wohle der Menschheit anzuwenden.*« Aber wie auch in der dritten, nach Entwicklung der H-Bombe entstandenen Fassung, in der der Vorwurf gegen den »negativen Helden« noch mehr verschärft ist, bejaht Galilei dennoch die Frage, ob er noch an ein neues Zeitalter glaube – was nicht als Optimismus Brechts, sondern als Aufruf an die eigene Zeit zu verstehen ist.

Das Stück gliedert sich in fünfzehn bzw. vierzehn Szenen, die zwar im ganzen der historischen Chronologie entsprechen, aber doch nicht im Sinne einer Lebenschronik aneinandergereiht sind. Die Bilder folgen in sehr unregelmäßigen Zeitabständen – von einem Tag bis zu mehreren Jahren – aufeinander, gelegentlich bleibt ihr zeitliches Verhältnis zueinander unklar. Das Prinzip ihrer Anordnung ist thematisch bestimmt. Das Stück hebt an mit der Begrüßung des neuen Zeitalters durch Galilei: »*Denn wo der Glaube tausend Jahre gesessen hat, eben da sitzt jetzt der Zweifel.*« Der Neubeginn wird auf eine Formel gebracht, in der sich die das ganze Stück charakterisierende Lust am Widersprüchlichen versteckt: »*Aber jetzt heißt es: da es so ist, bleibt es nicht so.*« Im Gegensatz zu dieser revolutionären, umfassenden Perspektive stehen die beengenden finanziellen Verhältnisse. Galilei löst sie vorübergehend durch einen Schwindel mit einem keineswegs ganz originären Fernrohr. Dann entdeckt er die Jupitermonde und damit einen entscheidenden Beweis für das von Kopernikus theoretisch formulierte Weltsystem. Im Gegensatz zu Galileis wissenschaftlicher Erkenntnisschärfe steht seine politische Blindheit, die indes beide denselben Ursprung haben: den Glauben an die Vernunft. Galilei wechselt aus der Republik Venedig an den Rom hörigen Hof in Florenz, wo die Gelehrten seine Forschungen nicht einmal überprüfen und ihn vor der Inquisition denunzieren. Besessen von Wissensdurst setzt Galilei auch während der Pest seine Untersuchungen fort und verschuldet den Tod seiner treuen Haushälterin. Die folgenden Szenen enthüllen Galilei indessen als ebenso mutigen wie geschickten Verteidiger seiner Lehre gegenüber der kirchlichen Obrigkeit. Obwohl seine Ergebnisse sich bestätigen, wird die neue Lehre auf den Index gesetzt. Nach achtjährigem Schweigen, ermuntert durch die Wahl des Wissenschaftlers Barberini zum Papst (Urban VIII., 1623–1644), nimmt Galilei die verbotenen Untersuchungen wieder auf und zerstört dadurch das Glück seiner Tochter Virginia, die weiter ein unerfülltes Leben an der Seite ihres Vaters verbringen muß. Die neue Lehre findet im Volk Widerhall; in einer burlesken Marktszene zieht ein Bänkelsänger die Moral aus der neuen Wissenschaft: »*Auf stund der Doktor Galilei / Und sprach zur Sonn: Bleib stehn! / Es soll jetzt die creatio dei / Mal andersrum sich drehn. / Jetzt soll sich mal die Herrin, he! / Um ihre Dienstmagd drehn.*« Galilei wird erneut von der Inquisition nach Rom geholt, wo der Papst es zuläßt, daß man ihm mit der Folter droht. Galilei widerruft. Die Szene zeigt nicht den Widerruf selbst, sondern die Erschütterung, die er bei seinen Schülern hervorruft. In ihrem Aufbau ist die – allerdings besonders dramatische – Szene für das ganze Stück typisch. Zwar löst sich die Spannung des Handlungsablaufs, aber die exponierten Gegensätze bleiben unauflösbar: »*Unglücklich das Land, das keine Helden hat*« (Sarti) – »*Nein, unglücklich das Land, das Helden nötig hat*« (Galilei).

Von den späten Dramen Brechts ist *Leben des Galilei* das schwierigste, seine Interpretation und Bewertung sind bis heute heftig umstritten. Es ergibt sich die merkwürdige Tatsache, daß gerade diejenigen, die das Stück gegen Brechts ausdrückliche Intentionen deuten, es für sein bedeutendstes halten. Ohne Zweifel wollte der Autor aus dem ziemlich frei behandelten historischen Stoff die These gewinnen, Galilei habe ohne echte Lebensgefahr der Obrigkeit Widerstand leisten können, da er eine Zeitlang stärker gewesen sei als sie. Geleugnet von einem Teil der Forschung wird diese Intention Brechts nicht nur für den historischen Galilei, sondern auch für die Galilei-Figur. Dann würde auch für die Endfassung die Möglichkeit freibleiben, den Widerruf als kluge List zu verstehen. Scheint Galileis unerbittliche Selbstkritik diese Deutung auszuschließen, so ist sie dafür selbst als Widerspruch angelegt: Sie setzt die Kenntnis des weiteren Geschichtsverlaufs voraus, verlagert also eine Gegenwartsperspektive in die historische Figur. Doch gerade diese »falsche« Perspektive verleiht dem Drama seine Aktualität. Für Galilei zu spät, kann die Erkenntnis der Kräfteverhältnisse zwischen Wissenschaftler und Obrigkeit für die eigene Zeit noch fruchtbar werden. Das Stück enthält so die unausgesprochene Prämisse, das aus der Geschichte gelernt werden könne; mit ihr steht und fällt die These, allerdings nicht das Drama, das im Grunde kein Thesenstück ist. In sich widerspruchsvoll ist die Hauptfigur. Galilei begründet die neue Wahrheit und verrät sie zugleich, beides aus einem anderen Widerspruch. Die sinnlichen, unintellektuellen Züge seiner Forschernatur begründen sowohl seine empirische, allgemeinverständliche Wissenschaftlichkeit wie auch sein soziales Versagen: sein Epikureertum bedingt seine Angst vor der Tortur. Das Stück behandelt aber nicht einen persönlichen Konflikt Galileis, sondern zeigt ein gesellschaftliches Problem. Auch die Obrigkeit verhält sich widerspruchsvoll. Sie ist zugleich auf Forschung angewiesen und für sie aufgeschlossen wie ihr gegenüber feindlich, da sie ihren Machtanspruch in Frage gestellt sieht. – Auch in formaler Hinsicht entzieht sich das Stück jeder Eindeutigkeit. Seine epische Struktur ist nur schwer durchschaubar. Durchgehend in Prosa geschrieben, fehlen Songs und kommentierende Monologe fast völlig. Die Hauptmomente der von Brecht entwickelten epischen Dramaturgie: Dialektik, Didaktik und Explikation sind im *Leben des Galilei* bereits der Fabel und dem Stoff immanent, sie erscheinen als spezifische Fähigkeiten der Hauptfiguren, gehören zum Gelehrtenmilieu und gehen in die Dialoge ein. So entsteht, thematisch bedingt oder zumindest begünstigt, die für den *Galilei* typische Dialogform: der Disput. Streitgespräche tragen mehr noch als die Fabel die Dramatik des Schauspiels und füllen ganze Szenen (hervorzuheben ist vor allem die achte). Auch das anti-aristotelische Element der Brechtschen Theaterform ist in diesem Stück inhaltlich-thematisch gebunden: Das neue, kopernikanische tritt gegen das alte, aristotelische Weltbild auf. – Wie keine andere dramatische Figur ist der Galilei Sprachrohr seines Autors und daher für das Gesamtwerk aufschlußreich. Mit anderen monumentalen »Heldenfiguren« wie der Mutter Courage und dem Schweyk teilt der Galilei die Problematik, daß er die überpersönliche, gesellschaftliche Thematik zugleich sichtbar macht und verdeckt. Nach Brecht haben vor allem ZUCKMAYER (vgl. *Das kalte Licht*), KIPPHARDT (vgl. *In der Sache J. Robert Oppenheimer*) und DÜRRENMATT (vgl. *Die Physiker*) die Frage nach der Verantwortung des Wissenschaftlers in einer durch seine Erkenntnisse bedrohten Welt neu untersucht. K. N.

AUSGABEN: Bln. 1955 (in *Versuche*, H. 14; 1. Fassg.). – Ffm. 1957 (in *Stücke*, 1953ff., 8; 3. Fassg.). – NY 1961 (in *Seven Plays*, Hg. E. Bentley; 2. Fassg.). – Ffm. 1967 (in *GW*, 20 Bde., 3; werkausg. ed. suhrkamp).

LITERATUR: B. Brecht, *Anmerkungen zu »Leben des Galilei«* (in Studien [Beil. zu Theater der Zeit, 1956, H. 11], Nr. 2, S. 3–5). – B. Brecht u. H. Eisler, *Aufbau einer Rolle. 1: Laughtons Galilei 2: B.s Galilei 3: B. »Leben des Galilei« [Text]*, Bln. 1956 (3 Hefte in Mappe; Modellbücher des Berliner Ensembles, 2). – K. Rülicke, *»Leben des Galilei«. Bemerkungen zur Schlußszene* (in SuF, 9, 1957, S. 269–321). – G. Rohrmoser, *B. »Leben des Galilei«* (in *Das deutsche Drama*, Hg. B. v. Wiese, Bd. 2, Düsseldorf 1958, S. 401–414). – E. Schumacher, *B.s »Galilei«. Form und Einführung* (in SuF, 12, 1960, S. 510–530). – H. Hafen, *B. B. »Leben des Galilei«* (in Der Deutschunterricht, 13, 1961, H. 4, S. 71–92). – W. Mittenzwei, *B. B. Von der »Maßnahme« zu »Leben des Galilei«*, Bln. 1962, S. 253ff. – G. Rohrmoser, *B.'s »Galileo«* (in *B. A Collection of Critical Essays*, Hg. P. Demetz, Englewood Cliffs 1962, S. 117 bis 126). – *Materialien zu B.s »Leben des Galilei«*, Hg. W. Hecht, Ffm. 1963 (ed. suhrkamp, 44). – S. Veca, *B. e la contradizione di Galileo* (in Aut Aut, 1964, Nr. 81, S. 89–101). – D. Wattenberg, *Galileo Galilei. Werk und Tragödie im Umbruch seiner Zeit*; D. Herrmann, *Galilei und B. B.*, Bln. 1964. – E. Schumacher, *Drama u. Geschichte. B. B.s »Leben des Galilei« und andere Stücke*, Bln. 1965. – W. Zimmermann, *B.s »Leben des Galilei«. Interpretationen u. didaktische Analyse*, Düsseldorf 1965 (WW, Beih. 12). – Ch. R. Lyons, *»The Life of Galileo«. The Focus of Ambiguity in the Villain Hero* (in GR, 41, 1966, S. 57–71). – G. Szczesny, *»Das Leben des Galilei« u. der Fall B. B.*, Ffm./Bln. 1966 (Dichtung u. Wirklichkeit, 5).

MANN IST MANN. Die Verwandlung des Packers Galy Gay in den Militärbaracken von Kilkoa im Jahre neunzehnhundertfünfundzwanzig. Lustspiel in 11 Bildern und mit einem Zwischenspiel für das Foyer ›Das Elefantenkalb‹ von Bertolt BRECHT (1898 bis 1956), Uraufführung: Darmstadt, 25. 9. 1926, Hessisches Landestheater (Musik: P. Dessau). – Galy Gay, ein Mann, *»der nicht nein sagen kann«*, verläßt eines Morgens seine Hütte, um seiner Frau einen Fisch für das Mittagessen zu besorgen. Für Galy Gay ist das harmlose Unternehmen der Beginn einer Kette von Verwicklungen, aus denen er als ein völlig anderer hervorgehen wird. Unterwegs trifft er die Witwe Leokadja Begbick, Besitzerin einer Kantine auf dem Militärkamp, hilft ihr beim Heimtragen der Einkäufe, hat seinen Fisch schon vergessen und gerät in die Fänge von drei Soldaten der britischen Kolonialarmee Indiens. Sie haben die Gelbherrenpagode ausgeraubt und dabei den vierten Mann ihrer Maschinengewehrabteilung, Jeraiah Jip, zurücklassen müssen, der in einer Pechfalle ein Büschel Haare verloren hat, das sie verraten könnte. Die drei Männer (Uria Shelley, Jesse Mahoney, Polly Baker) überreden Galy Gay dazu, beim Appell für Jip einzuspringen; denn schon ist der brutale Sergeant Charles Fairchild, der »Blutige Fünfer«, hinter den »Verbrechern« her. Die Begbick soll den Sergeanten, *»der bei Regen sehr sinnlich wird«*, ablenken, damit der Trick nicht auffällt. Die Täuschung gelingt. Als die Soldaten Jip nach dem Appell aus der Pagode holen wollen, gibt der Bonze ihn nicht heraus. Er macht mit Jip ein großes Geschäft, indem er den Betrunkenen als einen Gott vorführt und Opfergaben kassiert. Galy Gay, der im Lager geblieben ist, soll die Soldaten retten. Aber er weigert sich. *(»Warum wollen Sie eigentlich nicht Jip sein? – Weil ich Galy Gay bin.«)*

Aber der Lockung eines Geschäftes – die Soldaten bieten ihm einen Elefanten zum Kauf an – kann Gay doch nicht widerstehen. Der Packer besteht seine erste Probe als Jip: Er verleugnet seine Frau, die ihn sucht. Galy Gays »Ummontierung« hat begonnen. In einem Zwischenspruch, der den Übergang zu der entscheidenden neunten Szene bildet, erläutert die Begbick das bevorstehende Ereignis. *»Herr Bertolt Brecht behauptet: Mann ist Mann. / Und das ist etwas, was jeder behaupten kann. / Aber Herr Bertolt Brecht beweist auch dann / Daß man mit einem Menschen beliebig viel machen kann. / Hier wird heute abend ein Mensch wie ein Auto ummontiert / Ohne daß er irgend etwas dabei verliert.«* Das folgende Bild – inzwischen ist ein Krieg ausgebrochen, *»der vorgesehen war«* – ist in sechs Szenen aufgegliedert, deren Inhalt jeweils am Beginn ausgerufen wird. Sie stellen eine Art Spiel im Spiel dar. Galy Gay wird in den Elefantenhandel verwickelt. Aber das Tier ist nur eine Attrappe. Deshalb wird der Packer wegen Betrugs festgenommen, in eine Latrine geworfen und zum Tode verurteilt. Nun möchte Galy Gay nicht mehr er selbst sein, aber es hilft ihm nichts: Das Erschießungskommando wird aufgestellt. Galy Gay weiß nicht, daß die Gewehre nur Platzpatronen enthalten, er fällt vor Schreck in Ohnmacht. Wieder aufgewacht, bekennt er, Jip zu sein und hält auf sich selbst eine Grabrede. Parallel zu der Ummontierung Gays läuft die Verwandlung Fairchilds in einen Zivilisten und Individualisten. Er kann seinem Geschlechtstrieb nicht widerstehen und wird von den Soldaten verspottet. Die Armee bricht auf. Während der Fahrt (10. Bild) erleidet Gay einen Rückfall. Als er aber sieht, daß der verzweifelte Fairchild sich entmannt, damit seine Sinnlichkeit ihn nicht mehr in Privatabenteuer lockt, begreift Gay endlich, daß man auf seine Persönlichkeit nicht so großen Wert legen sollte. Endgültig hat er sich in Jip verwandelt. Das letzte Bild zeigt ihn als »Kriegsmaschine«. Er erobert die Bergfestung Sir El Dchowr, wobei 7000 Flüchtlinge ums Leben kommen. Der wirkliche Jip taucht wieder auf und wird verleugnet. Beim Übergang über die tibetische Grenze nimmt Galy Gay seinen drei Kameraden die Pässe ab, ein symbolischer Akt, durch den er ihre Individualität löscht. Jetzt hat er Macht über sie.

In der veränderten Fassung von 1931 waren die beiden letzten Szenen gestrichen worden, Brecht hat sie aber später wieder aufgenommen. Ähnlich wie beim Galilei (vgl. *Leben des Galilei*) hat sich auch bei Galy Gay Brechts Auffassung gewandelt. Er hatte ursprünglich in der Figur des Packers einen neuen Menschentypus verkörpern wollen: »*Ich denke auch, Sie sind gewohnt, einen Menschen, der nicht nein sagen kann, als einen Schwächling zu betrachten, aber dieser Galy Gay ist gar kein Schwächling. Er ist allerdings erst der Stärkste, nachdem er aufgehört hat, eine Privatperson zu sein*« (*Vorrede*, 1927). Daß er gezwungen werde, sein kostbares Ich aufzugeben, sei »*eine lustige Sache. Denn dieser Galy Gay nimmt eben keinen Schaden, sondern er gewinnt.*« Später (*Bei Durchsicht meiner ersten Stücke*, 1954) dagegen sieht Brecht den Packer als einen »*sozial negativen Helden*«. Galy Gay erscheint nun als Opfer seiner Sehnsucht nach dem »*echten sozialen Kollektiv der Arbeiter*«. Durch ein schlechtes Kollektiv wird er verführt. So gesehen verliert die Gleichung »Mann ist Mann« viel von ihrer Doppeldeutigkeit. Die Betonung liegt auf dem »Einer ist wie der andere«, er ist austauschbar, und das »Mann bleibt Mann«, die Unverletzbarkeit der Individualität, tritt stark zurück. Insofern das Identitätsproblem im Mittelpunkt der Komödie steht, ließe sich *Mann ist Mann* als Brechts »Amphitryon« bezeichnen (vgl. Molière, Kleist, Giraudoux), allerdings wird das Problem nicht metaphysisch gedeutet, sondern unter seinen gesellschaftlichen Aspekten entfaltet.

In Brechts dramatischem Schaffen bezeichnet *Mann ist Mann* einen entscheidenden Wendepunkt. Der Autor verwendet zum erstenmal die Parabelform wie in den späteren Hauptwerken *Der gute Mensch von Sezuan* (1942) und *Der kaukasische Kreidekreis* (1945). Zum erstenmal begegnet hier auch die für Brechts reife Dramen typische »*stereometrische Struktur*« (A. Wirth), d. h. die Durchführung von Themen und Motiven auf verschiedenen, einander erläuternden Spiel- und Kommentarebenen (Songs, Paraphrasen, Selbstvorstellungen der Figuren: »*Ich bin die Witwe Begbick, und das ist mein Bierwaggon*«). Die Sprache erinnert kaum noch an die genialische, metaphernreiche Gebärdung der früheren Stücke (vgl. *Baal*; *Im Dickicht der Städte*). Verschiedene Stilebenen – z. B. Amtsdeutsch, Luthersprache – werden bewußt imitiert und in Kontrast gebracht. Mögen im einzelnen Elemente des klassischen Lustspiels aufgenommen worden sein, im ganzen wird man das Stück kaum als »klassisch« bezeichnen können (wie Brecht wollte). Die bewußte Klassizität betont eher – als Stilmittel eingesetzt – die neuartige dialektische Dramaturgie. K. N.

Ausgaben: Bln. 1927. – Ldn. 1938 (in *GW*, 2 Bde., 1; die letzten beiden Szenen fehlen). – Bln. 1953 (in *Stücke*, 1953ff., 2; ern. 1962). – Ffm. 1967 (in *GW*, 20 Bde., 1).

Literatur: A. Kerr, *B. B.* »*Mann ist Mann*« (in Berliner Tageblatt, 27. 9. 1926). – Ders., *B.* »*Mann ist Mann*« (in Berliner Tageblatt, 5. 1. 1928). – H. Jhering, »*Mann ist Mann*« (in Berliner Börsen-Courier, 5. 1. 1928). – W. Haas, *Der Fall B. Zum Berliner Theaterskandal bei »Mann ist Mann«* (in Die Literarische Welt, Nr. 8, 20. 2. 1931). – J. Bab, *Nachtrag zum Falle B.* (in Die Hilfe, 21. 2. 1931, S. 187–189). – A. Wegmann, *Die neue Form des Dramas in B. B.s »Im Dickicht der Städte« u. »Mann ist Mann«* (in Aufstieg, Bln., Nr. 7, 1931, S. 22–26). – E. Schumacher, *Die dramatischen Versuche B. B.s 1918 bis 1933*, Bln. 1955 (Neue Beitr. zur Literaturwiss., 3). – P. Hamm, *Mann ist Mann, wenn wir nicht über ihn wachen* (in Das neue Forum, 8, 1958/59, S. 199 bis 205.) – V. Klotz, *Engagierte Komik. Zu B. B.s »Mann ist Mann«* (ebd., S. 193–199). – J. Willett, *The Theatre of B. B. A Study from 8 Aspects*, Ldn. 1959 (dt.: *Das Theater B. B.s. Eine Betrachtung*, Reinbek 1964). – R. Grimm, *B. B.*, Stg. 1961 (Slg. Metzler, 4). – B. Brecht, *Zu »Mann ist Mann«* (in B. B., *Schriften zum Theater*, Bd. 2, Ffm. 1963, S. 71–89). – F. Hennenberg, *Dessau-Brecht*, Bln. 1963. – G. Rühle, *Theater für die Republik 1917 bis 1935. Im Spiegel der Kritik*, Ffm. 1967, S. 728–735 (enth. u. a. Rez. von B. Diebold, A. Kerr, H. Jhering).

MUTTER COURAGE UND IHRE KINDER. Eine Chronik aus dem Dreißigjährigen Krieg. Bühnenstück in zwölf Bildern von Bertolt Brecht (1898–1956), geschrieben 1939, Uraufführung: Zürich, 19. 4. 1941, Schauspielhaus. – Mit ihren beiden Söhnen, dem mutigen Eilif, dem ehrlichen Schweizerkas und mit der stummen Tochter Kattrin zieht die Marketenderin (Landstörtzerin) Anna Fierling, genannt Mutter Courage, durch die Lande, darum besorgt, ihre Kinder durchzubringen, aber auch, am Krieg ihren »*Schnitt zu machen*«. Die Figur der Courage geht auf Grimmelshausens Roman *Trutz Simplex...* (1670) zurück, der seinerseits wohl von A. Pérez' *Die Landstörtzerin Justina Dietzin Picara genandt* (dt. 1626; vgl. *Libro de entretenimiento de la pícara Justina*) angeregt wurde. – Im Frühjahr 1624 wird der Courage in Schweden Eilif von Werbern hinterlistig entführt. Zwei Jahre später trifft sie ihn in Polen wieder. Eilifs Auszeichnung wegen einer Heldentat nutzt Mutter Courage zu einem Geschäft; an Pfeifenpieter, den Koch des Feldhauptmanns schlägt sie einen Kapaun zum Überpreis ab. Drei Jahre später – Schweizerkas ist inzwischen Zahlmeister geworden – gerät die Fierling mit Teilen eines finnischen Regiments in Gefangenschaft der Katholischen. Als der redliche Schweizerkas die Regimentskasse in Sicherheit bringen will, wird er ertappt. Mutter Courage will ihren Wagen, von dem ihre Existenz abhängt, an die Lagerhure Yvette Pottier verpfänden, um Schweizerkas auszulösen. Courage feilscht ein wenig zu lang: Schweizerkas wird erschossen. Mit dem evangelischen Feldprediger, der sein geistliches Amt verleugnet hat, und Kattrin zieht Anna Fierling nun im Troß des katholischen Heeres. »*1631. Tillys Sieg bei Magdeburg kostet Mutter Courage vier Offiziershemden*«, die sie dem Feldprediger, der Verwundete verbinden will, nur widerwillig überläßt. 1632 ist Tilly gefallen, bei Ingolstadt erlebt Mutter Courage sein Begräbnis.

Sie fürchtet, daß Tillys Tod den Krieg beenden könnte (sie hat gerade neue Waren eingekauft). Der geht aber weiter, und bald steht die Courage »*auf der Höhe ihrer geschäftlichen Laufbahn*«. Im selben Jahr bricht für kurze Zeit der Friede aus, als der schwedische König Gustav Adolf bei Lützen fällt. Während Mutter Courage, um Ware abzustoßen, ihren Wagen verlassen hat, werden der Feldprediger und der heruntergekommene Pfeifenpieter Zeuge, wie Eilif, der im Frieden geplündert und geschändet hat (wofür er im Krieg ausgezeichnet wurde), zur Hinrichtung abgeführt wird. Mutter Courage erfährt nichts davon. Mit Pfeifenpieter und Kattrin (sie ist überfallen und entstellt worden) zieht die Marketenderin nun wieder in der Nachhut des protestantischen Heeres. Im frühen Winter 1634 bettelt die Verarmte vor einem Pfarrhaus im Fichtelgebirge um Essen. Pfeifenpieter, der in seiner Heimatstadt Utrecht ein Wirtshaus geerbt hat, will Courage mitnehmen, wenn sie Kattrin zurückläßt. Aber sie willigt nicht ein und zieht mit Kattrin allein weiter. Im Jahre 1636 warnt die stumme Kattrin durch Trommelschläge die schlafende Stadt Halle vor einem Überfall der kaiserlichen Truppen, weniger um die wegen ihrer Geschäfte in der Stadt weilende Mutter zu retten, als vielmehr aus Mitleid mit den Kindern. Kattrin wird erschossen, aber die Stadt hat ihre Warnung gehört. Mit ihrem zerlumpten Planwagen zieht die heruntergekommene, gealterte Courage nun allein weiter, in der Hoffnung, Eilif wiederzufinden, von dessen Tod sie nichts weiß, noch immer in Gedanken an ihr Geschäft. »*Ich muß wieder in den Handel kommen.*«

Brecht hat, nachdem das Stück als eine Art Niobe-Tragödie mißverstanden worden war, mit wenigen Korrekturen das Bild der Courage als einer »*Hyäne des Schlachtfeldes*« schärfer herausgearbeitet. Dazu trägt vor allem jener Schlußsatz der Courage bei. Sie hat nichts gelernt. Der Marketenderin, die in und mit dem Krieg Geschäfte gemacht hat, ist der Zusammenhang zwischen Krieg und Geschäft (Kapitalismus) im Grunde nicht aufgegangen. Auf den immer wieder erhobenen Vorwurf, daß die Uneinsichtigkeit der Courage der Wirkung des Stückes schade, hat Brecht geantwortet, es komme ihm nicht darauf an, die Figur am Ende sehend zu machen, sondern das Publikum solle sehend werden. Mutter Courages beste Fähigkeiten, ihr vitaler Behauptungswille und ihr nüchterner, praktischer Sinn in heiklen, gefährlichen Situationen, sind zugleich ihre Verderbnis. Nach Brechts Aussagen sollte dadurch sichtbar werden, »*daß hier ein entsetzlicher Widerspruch bestand, der einen Menschen vernichtete, ein Widerspruch, der gelöst werden konnte, aber nur von der Gesellschaft selbst*« (*Mutter Courage in zweifacher Art dargestellt*, 1952). Tatsächlich verweist die »Tragik« der Courage auf die gesellschaftlichen Verhältnisse: Die Marketenderin verliert ihre Kinder durch einen Krieg, den sie selbst fördert und dessen Abschaffung sie nicht wünschen kann. Nur einmal verflucht Courage den Krieg, aber nur für einen Augenblick, als Kattrin verunstaltet wird. Auch durch die anderen Hauptfiguren macht Brecht eine intersubjektive, gesellschaftliche Problematik transparent. Alle drei Kinder gehen an ihren Tugenden zugrunde: Eilif an seiner Kühnheit, Schweizerkas an seiner Redlichkeit, Kattrin an ihrer Kinderliebe, ihrem Mitleid für hilflose Kreaturen. Der Krieg fördert ihre Tugenden und läßt sie zugleich »Tugenden zum Tode« werden.

Obwohl die »große Geschichte« des Dreißigjährigen Krieges ganz im Hintergrund bleibt, macht Brecht klar, wie sie die »kleine Geschichte«, die der »kleinen Leute«, bestimmt. Zusammen mit dem im gleichen Jahr entstandenen *Leben des Galilei* ist die *Mutter Courage* sein meistgespieltes Stück, die Hauptleistung des »realistischen« Brecht. Nicht wird, wie in den Lehrstücken, ein didaktisches Verhaltensmodell gegeben, und nicht, wie in den Parabelstücken, ein Gleichnis dramatisch entwickelt. In den »realistischen« Dramen wird vielmehr historisches Geschehen (sei es tatsächliches oder fiktives) als gesellschaftlich bedingtes, von der Gesellschaft gemachtes und daher veränderbares sichtbar gemacht. Die dramaturgische Technik, die das ermöglicht (episches Theater, Verfremdungseffekt), ist in der *Courage* des »späten« Brecht voll entwickelt. Wie in keinem anderen Stück des Autors stehen Fabel, dramatischer Ablauf und Song in einem Verhältnis gegenseitiger Erhellung. Vor allem die Songs (Musik: P. Dessau) sind nun, gegenüber früheren Werken (wie vor allem A. Wirth und H. Mayer gezeigt haben), vollkommen mit der Struktur und der Themenführung verbunden, wobei ihre Funktion reich variiert wird. Das Courage-Lied durchzieht das ganze Stück, gleichsam als textliche Entsprechung zu dem optischen Motiv des Planwagens, der immer anwesend, bald reich beladen, bald heruntergekommen, die Verhältnisse der Besitzerin spiegelt, diejenigen, die ihn ziehen zugleich ernährend und versklavend. Das »Salomon-Lied« (9.Szene) gibt ein Beispiel für kontrapunktische Verwendung von Songs. Während der Koch von der Sinnlosigkeit tugendhaften Handelns singt, entschließt sich die Courage zu einer guten Tat: Sie läßt die stumme Kattrin nicht allein. In das »Lied von der Großen Kapitulation« mündet eine ganze Szene. Mutter Courage hat einen aufbegehrenden Soldaten, der aber nur eine »kurze Wut« hat statt einer langen, zu opportunistischem Verzicht auf eine verdiente Belohnung verführt. Der Song faßt zusammen: Die meisten, die aufbegehren wollen, kapitulieren schließlich doch – »*Und vom Dach der Star / Pfeift: wart ein paar Jahr! / Und sie marschiern in der Kapell / Im Gleichschritt, langsam oder schnell / Und blasen ihren kleinen Ton: / Jetzt kommt er schon.*« K. N.

Ausgaben: Bln./Ffm. 1949 (in *Versuche*, H. 9; ern. 1956). – Bln. 1957 (in *Stücke*, Bd. 7; ern. 1962). – Bln. 1958 (*»Couragemodell 1949«). –* Ffm. 1963 (ed. suhrkamp, 49).

Verfilmungen: Deutschland 1956 (Regie: E. Engel u. W. Staudte; Fragm.). – Deutschland 1960 (Regie: P. Palitzsch u. M. Wekwerth).

Literatur: H. Mayer, *Anmerkungen zu einer Szene aus »Mutter Courage«* (in H. M., *Deutsche Literatur u. Weltliteratur*, Bln. 1957, S. 635–641; auch in H. M., *Anmerkungen zu B.*, Ffm. 1965, S. 46–55 (ed. suhrkamp, 143). – A. Wirth, *Über die stereometrische Struktur der B.schen Stücke* (in SuF, 1957, S. 346–387; auch in *Episches Theater*, Hg. R. Grimm, Köln/Bln. 1966). – T. Luthardt, *Der Song als Schlüssel zur dramatischen Grundkonzeption in B. B.s »Mutter Courage u. ihre Kinder«* (in Wiss. Zs. d. Friedrich-Schiller-Univ. Jena; Gesellsch.-u. sprachwiss. Reihe, 7, 1957/58, S. 119–122). – F. N. Mennemeier, *B. B. »Mutter Courage u. ihre Kinder«* (in *Das deutsche Drama vom Barock bis zur Gegenwart*, Hg. B. v. Wiese, Düsseldorf 1958, S. 383–400). – M. Esslin, *B. A Choice of Evils*, Ldn. 1959 (dt.: M. E., *B. Das Paradox des politischen Dichters*,

Ffm. 1962). – J. Willett, *The Theatre of B. B.*, Ldn. 1959 (dt.: *Das Theater B. B.s*, Reinbek 1964). – Sinn und Form 1959 [Sondernr.: *B. B.;* m. Bibliogr. v. W. Nubel, S. 481–623]. – H. W. Reichert, *Hauptmann's »Frau Wolff« and B.'s »Mutter Courage«* (in GQ, 34, 1961, S. 439–448). – H.-J. Siebert, *»Mutter Courage u. ihre Kinder« ein Werk epischer Dramatik* (in Acta Univ. Szegediensis. Sectio scient. phil. german., 1, 1961, S. 15–28). – E. Bentley, *The Songs in »Mother Courage«* (in *Varieties of Literary Experience*, Hg. S. Burnshaw, NY 1962, S. 45–74). – B. Brecht, *Zu »Mutter Courage u. ihre Kinder«* (in B. B., *Schriften zum Theater*, Bd. 4, Ffm. 1963, S. 130–134). – W. Hecht, H.-J. Bunge u. K. Rülicke-Weiler, *B. B. Leben u. Werk*, Bln. 1963. – F. Hennenberg, *Dessau – B. Musikalische Arbeiten*, Bln. 1963. – W. Benjamin, *Versuche über B.*, Hg. u. Nachw. R. Tiedemann, Ffm. 1964. – A. Bergstedt, *Das dialektische Darstellungsprinzip des ›Nicht-Sondern‹ in B. B.s Stück »Mutter Courage u. ihre Kinder«* (in Wiss. Zs. der Pädagogischen Hochschule Potsdam, 9, 1965, S. 71–77). – R. Grimm, *B. B. Die Struktur seines Werkes*, Nürnberg [4]1965. – *Materialien zu B. B.s »Mutter Courage u. ihre Kinder«*, Hg. W. Hecht, Ffm. 1965. – S. Lupi, *Il dramma »Mutter Courage u. ihre Kinder« di B. B.* (in Studi Germanici, 3, 1965, S. 39–89). – K.-D. Müller, *Die Funktion der Geschichte im Werk B. B.s. Studien zum Verhältnis von Marxismus u. Ästhetik*, Tübingen 1967.

HERMANN BROCH
(1886–1951)

DIE SCHLAFWANDLER. Romantrilogie von Hermann BROCH (1886–1951), erschienen 1931/32. – Dieser erste große literarische Versuch des Autors entstand in einer verhältnismäßig späten Lebensphase. Das Werk ist in historische »Querschnitte«, jeweils im Abstand einer halben Generation, untergliedert (1888, 1903, 1918), die einem vom Autor für konsequent erachteten Verlauf von der »Romantik« über die »Anarchie« zur »Sachlichkeit« entsprechen. In diese Abschnitte gliedert sich der von Broch hervorgehobene geschichtliche Zerfall verpflichtender Werte, ohne die das Handeln der Menschen bewußtlos und zerstörerisch zu werden droht.
Erster Teil *(Pasenow oder die Romantik)*: *»Der Protagonist des ersten Teiles, Pasenow, als adeliger Offizier im vorhinein einer irrealen Tradition verhaftet, feinfühlig, aber im Gestrüpp der überkommenen Fiktionen beschränkt und festgehalten, ist sich vage der Aufgabe bewußt, seinem Leben einen Sinn zu geben.«* Nach einem Techtelmechtel mit dem Animiermädchen Ruzena – einer von beiden Partnern ziemlich hilflos erlebten Liebesaffäre – kehrt der junge Joachim von Pasenow in seine Kreise zurück und ehelicht Elisabeth Baddensen, eine junge Adlige, die er zum Keuschheitsidol christlich-puritanischer Prägung stilisiert. Körperliche und seelische Liebe bedeuten für ihn die Flucht aus einem gleichgültigen Leben in eine verwirrende oder pseudoharmonische Welt. Die Leere der Tradition versteckt sich hinter einem gespenstisch verhärteten Ritual: dem Ritual der Umgangsformen, der Religionsausübung, der sozialen Selbstversicherung, der Brautwerbung. Die Uniform dient als Zeichen einer starren Fassade vor einem bedrohlich anarchischen Leben. Ein defektes Weltverhältnis zwingt zur Selbsttäuschung des Bewußtseins, das sich unerschütterlich heile Weltbilder erfindet (in Brochs Sprachgebrauch: »Romantik«). Von der Familiengeschichte im *Pasenow*-Teil fühlten sich seinerzeit manche Leser an Thomas MANN, vom brandenburgischen Gutsherrn- und berlinischen Großstadt-Milieu an FONTANE erinnert, Assoziationen, die auch Brochs ausführlich beschreibender und delikat einfühlender Stil hervorruft.
Zweiter Teil *(Esch oder die Anarchie)*: Der Buchhalter Esch, von Schüben der Libido und einer empfindlichen Sorge um den *»Buchungsfehler in dieser Welt«* vorangetrieben, wünscht, eine unverbrüchliche Ordnung zu schaffen und gleichzeitig dem gesellschaftlichen Druck zu entkommen. Soziale Ungerechtigkeit, die einer Varieté-Künstlerin und einem sozialistischen Agitator widerfährt, läßt ihn wahnhaft den Urheber allen Übels im Industriellen Bertrand sehen, einer schon außerhalb der Klassengegensätze stehenden Hamlet-Gestalt, die heiter oder leidvoll resignierend bereits im *Pasenow*-Teil aufgetreten war und den Freunden des Autors als besonders porträtähnlich galt. Bertrand – so sollte der gesamte Roman ursprünglich überschrieben werden – ist ein *»Vorläufer der neuen Zeit ... Seine inneren Versuche, zur neuen Lebensform zu gelangen, schlagen aber fehl ... Er weiß, daß erst das Nichts kommen muß.«* Die Lebenssphäre der Arbeiter, Angestellten, des schäbigen Schaugewerbes – der Roman spielt zwischen Köln und Mannheim in einer Zone kapitalistischer Industrialisierung – grenzt gegen die mystische Sphäre, in der Esch Bertrand und auffälligerweise auch seine eigene Zukunft ansiedelt. Eschs Fahrt zur Villa Bertrands – ein erzählerischer Höhepunkt der Trilogie – wird zu einer magisch vermittelten Traumreise. Nach Bertrands Selbstmord, einer äußeren Folge des Gesprächs zwischen den beiden Antipoden, findet der Held in die Ehe mit einer älteren Schankwirtin, Mutter Hentjen. Doch das neue Leben mißlingt: sowohl die Auswanderung nach Amerika als auch die mystische Übersteigerung seiner Heirat. Mehr noch als im *Pasenow* fällt auf, wie Broch offenbar eine zeittypische Geschlechts- und »Minne«-Mystik als Quasi-Religion bloßstellt. Pasenow und Esch gleichen sich im »Schlafwandeln«, einem als Daseinsform beschriebenen Zustand zwischen Nicht-Mehr und Noch-Nicht, in dem sich beide mit Scheinwerten einrichten – den Ersatzbefriedigungen des Religiösen oder Erotischen. Dieser Vorgang wird, Eschs Charakter entsprechend, ungleich heftiger und hektischer erzählt als im ersten Teil.
Dritter Teil *(Huguenau oder die Sachlichkeit)*: Huguenau *»hat mit der Werttradition nichts mehr zu tun«*. Als Geschäftsmann und *»Kind seiner Zeit«* kennt er nur noch egozentrische Antriebe – und »erkennt« selbst diese nicht. Andere, vom Wertverlust geprägte Menschen treiben in eine Isolation, die in Wahnsinn oder Tod endet. Pasenow verliert den Verstand – ein »Romantiker«-Ende; Esch wird von Huguenau ermordet – ein »Anarchisten«-Ende. Der Erste Weltkrieg erscheint als Kulmination des Wertzerfalls und als Wende.
Der Autor verbindet in dem weitaus umfangreichsten dritten Teil die wichtigen früheren Erzählstränge mit neu hinzukommenden Lebensläufen. Die *Geschichte des Heilsarmeemädchens in Berlin* trägt ein Ich-Erzähler vor, dessen Geisteshaltung derjenigen Bertrands verwandt ist – vor allem in der Resignation des analysierenden, aber passiven Betrachters. Zwischen dem Heilsarmeemädchen

Marie und dem Juden Nuchem entsteht eine unerfüllbare Liebe, in der beiden nur ein fragwürdig gewordener Glaube bleibt. – Der junge Leutnant Jaretzki sucht im Delirium des Trinkens seine Kriegserlebnisse zu betäuben und macht die elementare Vereinsamung der Frauen und Männer für den Krieg, die Katastrophe verantwortlich. Bedeutsam scheint, daß ihm ein Arm abgenommen wird – der amputierte, »einarmige« Mensch als Gleichnisfigur der Zeit. Hannah Wendling erfährt eine ähnliche Reduzierung ihres Lebens: Die junge Frau verliert die Beziehung zu ihrem Mann, zu ihrer Ehe, zu ihrer Umwelt; sie verarmt zum nur noch geschlechtlich empfindenden und darin verwaisten Wesen, dessen vitalitätslähmende Isolation schließlich zum Tode führt. Der verschüttet gewesene Maurer und Landwehrmann Gödicke wird langsam wieder zum Leben erweckt und muß sich von neuem seine Welt bauen, ein Gerüst für sein Ich schaffen.

Um in einer Art erzählter Fuge das zersplitterte Wertsystem zu Kriegsende nicht nur kaleidoskopisch zu schildern, sondern auch zu deuten, fügt Broch historisch-logische Exkurse unter dem Titel *Zerfall der Werte* ein. Die Gruppierung all dieser Erzählkomponenten um das utopisch wirkende Ideal einer Glaubens-Gemeinde (ein Paulus-Zitat wird bedeutsames Leitmotiv), das kontrastreiche Nebeneinander vieler Stilebenen und Darstellungsformen (sokratische Dialoge, Sonette, Prosaparabeln) sowie das ständig veränderte Arrangement von mehr als hundert Motiven ermöglichen es dem Leser, diesen Roman wie einen Mikrokosmos kennenzulernen: Gerade darin zeigt sich die auch von Broch selbst konstatierte Nachbarschaft der Trilogie zu James Joyces *Ulysses*.

Problematisch erscheint dabei, daß der Schluß harmonisiert, indem er die vielfachen Wert- und Unwertorientierungen, die verschiedenen Erzählansätze zusammenführt und beinahe zur Deckung bringt. Die Neigung zu künstlerischer Vereinheitlichung und abgeschlossener Architektur nimmt immer wieder Gestalt an: Allein die Virtuosität der Wiederholungen, Anspielungen und Entsprechungen erweckt im Sprachlichen so etwas wie jenes »*Mysterium der Einheit*«, nach dem sich die meisten Romanfiguren sehnen. Unabhängig von der Anpassung des Stils an »Romantik«, »Anarchie« oder »Sachlichkeit« drängt sich oft ein verzückter Predigtton vor, der eine gewisse Ekstase beim Leser erzwingen will. Der Erzähler durchschaut das irdisch und historisch Bedingte all der Gedanken, Worte, Taten seiner Helden und distanziert sich von ihnen mit deutlicher Ironie. Dabei scheint diese Überlegenheit meist nur ein Effekt des geschichtlichen Abstands, nicht immer der Erkenntnishöhe zu sein. Eine intensive Psychologie verschmilzt Außen und Innen, Ausdruck und Antrieb, liefert ferner sehr detaillierte »*Materialien zum Charakteraufbau*«. Endlich bildet diese sehr präzise Psychologie auch die Basis für die weit auseinander strebenden Tendenzen: Artistik und Untergangsvision, Geschichtsverständnis und Dogmenkritik, Darstellung des traumhaften und des scheinbar »vernünftigen« Geschehens. – In den *Schlafwandlern* setzte Broch seine langjährige theoretische Beschäftigung mit dem »Wertzerfall« fort. Man kann seine geschichtsphilosophische Auffassung, alle Krisen oder katastrophalen Ereignisse der neuesten Zeit seien auf die Demontage einer religiösenWertordnung zurückzuführen, als zeitbedingt perspektivisch und monokausal werten. Wegen des einseitig analysierten Selbstverständnisses der Epoche, das für heutige Begriffe seinen Appellcharakter verloren und gegen den Dokumentarcharakter eingetauscht hat, aber auch wegen der erheblichen erkenntnistheoretischen Mitarbeit, die dem Leser abverlangt wird, blieb dem Roman Popularität versagt – wenngleich ihn die Fachgermanistik zum »klassischen« Kunstwerk erwählte. T. Koe.

Ausgaben: Mchn./Zürich 1931 *(Pasenow oder die Romantik 1888* und *Esch oder die Anarchie 1903).* – Mchn./Zürich 1932 *(Huguenau oder die Sachlichkeit 1918).* – Zürich 1952 (in *GW*, 10 Bde., 1952 bis 1961, 1). – Ffm. 1963.

Literatur: P. Fechter, »*Pasenow oder die Romantik*« (in Dt. Allgemeine Ztg., 14. 1. 1931). – H. Hesse, »*Die Schlafwandler*« (in NZZ, 15. 6. 1932). – E. Muir, *H. B.* »*The Sleepwalkers*«, Boston 1932. – R. Brinkmann, *Romanform u. Werttheorie bei H. B. Strukturprobleme moderner Dichtung* (in DVLG, 31, 1957, S. 169–197). – L. v. Borcke, *Das Romanwerk H. B.s*, Diss. Bonn 1957. – K. R. Mandelkow, *H. B.s Romantrilogie* »*Die Schlafwandler*«. *Gestaltung u. Reflexion im modernen dt. Roman*, Diss. Hbg. 1958; ern. Heidelberg 1962. – J. Strelka, *Musil, B. u. die Entwicklung des modernen Romans*, Wien 1959. – R. Thieberger, *H. B.s Novellenroman u. seine Vorgeschichte* (in DVLG, 36, 1962, S. 562 bis 582). – E. Kahler, *Die Philosophie von H. B.*, Tübingen 1962. – Yorio Nobuoka, *Einige Notizen über den Stil u. die Konstruktion in B.s* »*Die Schlafwandler*« (in Doitsu Bungaku, 31, 1963, S. 106–114). – T. Ziolkowski, *Zur Entstehung u. Struktur von H. B.s* »*Schlafwandlern*« (in DVLG, 38, 1964, S. 40 bis 69). – R. Geißler, *H. B.* »*Die Schlafwandler*«. *Romantrilogie* (in R. G., *Möglichkeiten des modernen Romans*, Ffm. 1965, S. 102–160). – L. Fietz, *Strukturmerkmale der hermetischen Romane Th. Manns, H. Hesses, H. B.s u. H. Kasacks* (in DVLG, 40, 1966, S. 161–183). – L. Kreutzer, *Erkenntnistheorie und Prophetie. H. B.s Romantrilogie* »*Die Schlafwandler*«, Tübingen 1966. – D. Cohn, »*The Sleepwalkers*«, Den Haag 1966. – T. Koebner, *Die mythische Dimension in H. B.s Romantrilogie* »*Die Schlafwandler*«, Mchn. 1967. – T. Ziolkowski, »*The Sleepwalkers*« (in *Dimensions of the Modern Novel*, Princeton 1969). – K. Menges, *Kritische Studien zur Wertphilosophie H. B.s*, Tübingen 1970 (Studien zur dt. Lit., 22).

DER TOD DES VERGIL. »Romandichtung« von Hermann Broch (1886–1951), entstanden 1939–1945, erschienen in deutscher und englischer Sprache 1945. – Der Roman geht auf eine kürzere Erzählung von 1935 zurück *(Die Heimkehr des Vergil)*, die Broch aus Interesse für das Thema »Literatur am Ende einer Kultur« niederschrieb. Parallelen zwischen Vergils Zeit und der Gegenwart schienen offenkundig: »*Bürgertum, Diktatur und ein Absterben der alten, religiösen Formen.*« Brochs Roman erkundet die Situation des Dichters in einer spätzeitlichen Gesellschaft, fragt nach dessen Aufgabe und Legitimität, spricht endlich dem Ästhetischen alles Daseinsrecht ab, da es vor einer Welt nicht bestehen könne, die tätige Hilfe und keine Gedichte brauche.

Dichtung begriffen als Ablenkung von den eigentlichen Problemen – dieses Verdikt wird dem Roman zum Thema. Um die Alternative Schön – Nützlich kreist Vergils Denken in den letzten achtzehn

Stunden seines Lebens: Der nahe Tod verlangt eine Entscheidung. Die Überschriften der vier ungleich langen Kapitel deuten auf einen Kreislauf durch die vier Elemente der antiken Philosophie, der einen Kreislauf des Sterbenden durch sein vergangenes Leben bis zum Ursprung zurück spiegelt. *Wasser – Die Ankunft*: Die Flotte des Augustus landet in Brundisium; auf einem der Schiffe liegt der kranke Vergil. Durch die am Hafen wartende Menge, das »Massentier«, muß sich seine Sänfte durchkämpfen; ein Knabe gesellt sich ihm zu; der Weg führt sie eine Elendsgasse mit »heulenden Weibern« hinauf zum kaiserlichen Palast, wo Vergil in einen abgelegenen Raum gebettet wird. Der Weg durch proletarische Massen und Großstadtelend entzaubert jäh die vornehme Isolierung des Dichters, in der er seine Reinheit kultiviert hat. – *Feuer – Der Abstieg*: In der folgenden Nacht zwingen die Fieberphantasien und die Kritik an seinem Leben Vergil zu einer Höllenwanderung in der Nachfolge Orpheus', Äneas' und DANTES (obwohl Broch den Hinweis auf die *Göttliche Komödie* ungern vernahm). Vergil glaubt, zur Sühne seines verfehlten, nur schöngeistigen Lebens die *Aeneis*, sein dichterisches Hauptwerk, opfern zu müssen. Als er, durch fratzenhafte Schreckensvisionen erregt, schließlich vom Fenster aus drei lemurenhafte Betrunkene beobachtet, deren Streit fast mit einem Mord zu enden scheint, als er hilflos wie vor einer Bühne vertierte Existenz sich darstellen sieht, verdammt er alle Schönheit für den Zuschauer als Skandalon, als »*Grausamkeit des ungezügelten Spiels, das im Sinnbild Unendlichkeitsgenuß verspricht*«. Wahre Schöpfung sei ethische Unterscheidung – und nicht Kunst um ihrer selbst willen. – *Erde – Die Erwartung*: Nach einem kurzen, traumlosen Schlaf erhält Vergil am nächsten Tag Besuch von seinen Freunden, denen er genausowenig wie dem behandelnden Hofarzt seinen Entschluß begreiflich machen kann, die *Aeneis* zu verbrennen. Der Opferwille der Nacht ist als rigorose Einstellung geblieben, die besondere Deutung aber verblaßt. Erst in einem, durch Mißverständnisse erschwerten Dialog mit seinem Freund, dem Cäsar Augustus, erkennt Vergil, daß zum Opfer auch Demut gehört, die wirkliche »*Erkenntnistat*« eine Tat der Liebe sein muß: Er überläßt das Werk der Nachwelt. Sogar im Wachsein dringen Träume in Vergils Bewußtsein. »*Hingehalten in die Zeit*« fließen Erinnerungen, Gegenwärtiges und historisch Zukünftiges ineinander. Er halluziniert ein arkadisches Paradies, in dem er der einstigen Geliebten Plotia begegnet. Der seltsam unirdische, nur Vergil sichtbare Knabe Lysanias (der Leidenlösende) huscht als »Jugendbildnis« des Dichters durch den realen Raum. Sinnfigur einer frommen Gerechtigkeit ist ein Sklave, der Vergil dazu drängt, sich, den Künstler, als »*falschen Heilbringer*« zu verstehen und den richtigen dafür in einem Kinde zu erwarten – Anspielung auf die vierte *Ekloge* des historischen Vergil, die im Mittelalter als Christus-Ankündigung verstanden wurde. Die Symbolik der Vater-Mutter-Kind-Archetypen und des androgynen Urwesens weist Broch als Kenner der Tiefenpsychologie, der Platonischen Philosophie und jener Mystik aus, die dem Menschen eine messianische Qualität zubilligt. (Der gern zu den »Müttern« hinabsteigende Broch hat es im antiken Milieu spürbar leichter, überzeugend zu wirken, als im zeitgenössischen seiner übrigen Romane.) Während Vergil sein Testament diktiert, verliert das Tagesbewußtsein an Einfluß. In seiner Vorstellung durchmißt er den Weg, den man ihn gebracht hat, in umgekehrter Richtung. Er fühlt sich aus dem Haus, die Elendsgasse hinab zum Hafen getragen. – In *Äther – die Heimkehr* stößt er in einem Boot vom Ufer ab und läßt bei seiner Fahrt übers »unendliche« Meer alles Menschliche hinter sich. Der Knabe Lysanias, anfangs Lenkerfigur wie der mythische Hermes, scheint mit Plotia zu verschmelzen, mit ihr wiederum Vergil. Die Rückkehr setzt sich in einer umgekehrten Genesis fort: Tag für Tag der Schöpfungswoche wird aufgehoben. Ein beobachtendes Auge bleibt irgendwie bewahrt, während »er« sich ins Tierische, Pflanzliche verwandelt, Stein wird, flüssiges Licht, Kristall, dunkle Strahlung. Am Ziel dieser Erweiterung des Ichs in den Kosmos erfolgt – der einzige kursiv gedruckte Passus im ganzen Buch – ein Umschlag: Das Bewußtsein des Sterbenden wird »umgewendet«, er erschaut das Bild der Mutter mit dem Kind (christliches Sinnbild, Verheißung eines Messiaskindes oder seiner eigenen Wiedergeburt?). Ein Brausen erfaßt Vergil, in dem nach alttestamentarischem Vorbild das Wort Gottes zu hören sei – wenn auch nicht für den Leser, da dies bereits »*jenseits der Sprache*« geschieht.

Der innere Monolog des Vergilschen Bewußtseins – durch das ganze Werk hindurch ziemlich streng gewahrt – steigert sich in diesem Schlußkapitel zu unerhörter Ausdruckskraft. Die »*unendliche Annäherung an die Grenze*« des Lebens führt auch an die Grenze der Kunst. Aber gerade in der Spannung, die zwischen selbstvergessener, rhythmisch pulsierender, syntaktisch aufgelöster Sprache und jenem »Einfall« entsteht, den Sterbenden eine umgekehrte Genesis »durchleben« zu lassen, die mystische Selbstentgrenzung in mythischen Bildern oder mathematischen Modellen (Kreis, vieldimensionaler Raum) zu veranschaulichen, liegt der artistische Wert dieses Romans. Nicht immer ist die Sprache der ungeheuren visionären Anstrengung gewachsen. Wenn Broch versucht, der Gedankenflucht in der nächtlichen Zerknirschungs-»Orgie« des Feuer-Kapitels mit seismogrammartig »lebenswahren«, überlangen, litaneihaften Sätzen auf der Spur zu bleiben, versperren die rhetorische Aufschwemmung von Abstrakta und Konkreta, die Stereotypie der Beschwörungsformeln jedes nachprüfende Lesen. Broch selbst war sich dessen bewußt: »*Ich weiß auch, wo die hypnotische Konzentration abgerissen ist, um wieder dem Literarisch-Pathetischen Platz zu machen. Wäre sie nicht abgerissen, so wäre ich wahrscheinlich ganz konkret gestorben*...« Es bietet sich die paradox klingende Feststellung an, daß hier die Entlarvung der autarken Schönheit meist sehr »schön« erzählt wird. Die Erfahrung eines häßlichen Lebens hebt sich von der eines euphorischen Todes ab. Vor dem qualvoll widersprüchlichen Dasein rettet ein »schönes« Sterben, das alle Widersprüche und wohl auch alle Entscheidungen für ein nützliches »Leben« aufhebt. Vergil hat gerade noch zur Erkenntnis und zu einer Erkenntnistat Zeit – die *Aeneis* den Überlebenden zu schenken. Die Lösung dieses Konflikts so nahe an einer Wende, die alle Konflikte zunichte macht, hat aber nur geringen Beispielwert, geschweige denn didaktische Überzeugungskraft. Die Wirkung dieses ungewöhnlichen Buches geht von einer anderen Tatsache aus: »*Nur wenige Werke der Weltliteratur haben es gewagt, sich – wohlgemerkt mit rein dichterischen Mitteln – so nahe an das Todesphänomen heranzupirschen*« (Broch).

In der Forschung zeichnen sich vor allem zwei Interpretationsweisen ab: Die eine faßt den Roman als Stilexperiment auf, die andere als psychologisches Dokument. Die primär am Stil orientierten Interpreten (Stephan, Köhne) machen bei aller Bewunderung für Brochs Sprachkunst eine gewisse Skepsis angesichts der Überforderung sprachlicher Ausdrucksfähigkeit geltend. Unter dem Einfluß C. G. Jungs ist der Text auf archetypische Strukturen, Figuren und Attribute hin untersucht worden (Jaffe, Meinert). Die Gestalt des Seelengeleiters Lysanias wurde verschiedentlich mit dem bei Thomas Mann bestimmenden Hermes-Motiv (vgl. u. a. *Der Tod in Venedig*) vergleichen (Faber du Faur, Stephan). Die Vielzahl mythologischer Zitate verlockt zumal komparatistische Analysen dazu, das Buch als ebenso eindrucksvolle wie problematische Reproduktion archaischer Denk- und Ausdrucksweisen zu sehen (Weigand Hinderer). T. Koe.

Ausgaben: NY 1945. – Zürich 1947. – Zürich 1952 (in *GW*, 10 Bde., 1952–1961, 3). – Zürich [5]1962. – Mchn. 1965 (dtv, 300).

Literatur: P. Rosenfeld, »*The Death of Virgil*«. *Some Comments* (in Chimera, 3, 1945, S. 47–55). – H. J. Weigand, *B.'s »Death of Vergil«. Program Notes* (in PMLA, 62, 1947, S. 525–551). – K. A. Horst, *Methodisch konstruiert. Über das Romanwerk von H. B* (in Merkur, 5, 1951, S. 389–395, 701–703). – M. Habart, *H. B. et les rançons de la création poétique*, »*La mort de Virgile*« (in Critique, 10, 1954, S. 310–322). – F. Martini, *H. B. »Der Tod des Vergil«* (in F. M., *Das Wagnis der Sprache* Stg. 1954, S. 413–464). – A. Jaffe, *H. B.: »Der Tod des Vergil«* (in *Studien zur analytischen Psychologie C. G. Jungs. Fs. zum 80. Geburtstag*, Bd. 2, Zürich 1955, S. 288–343). – H. Broch, *Bemerkungen zum »Tod des Vergil«* (in H. B., *Essays*, Bd. 1, Zürich 1955, S. 265–275; *GW*, Bd. 6). – C. v. Faber du Faur, *Der Seelenführer in H. B.s »Tod des Vergil«* (in *Wächter u. Hüter. Fs. für H. J. Weigand zum 17. Nov. 1957*, New Haven/Conn. 1957, S. 147–161). – D. Stephan, *Der innere Monolog in H. B.s »Tod des Vergil«*, Diss. Mainz 1957. – W. E. Wolfram, *Der Stil H. B.s. Eine Untersuchung zum »Tod des Vergil«*, Diss. Freiburg i. B. 1958. – A. Köhne, *Stilzerfall u. Problematik des Ich. Stilkritische Studie zur Sprache von H. B.s Roman »Der Tod des Vergil«*, Diss. Bonn 1959. – A. Fuchs, *Des problèmes de la forme dans »La mort de Virgile« de H. B.* (in *Stil- u. Formprobleme in der Literatur*, Hg. P. Böckmann, Heidelberg 1959, S. 436–441). – D. Stephan, *Th. Manns »Tod in Venedig« u. B.s »Vergil«* (in Schweizer Monatshefte, 40, 1960, S. 76–83). – W. Hinderer, *Die ›Todeserkenntnis‹ in H. B.s »Tod des Vergil«*, Diss. Mchn. 1961. – D. Meinert, *Die Darstellung der Dimensionen menschlicher Existenz in B.s »Tod des Vergil«*, Bern/Mchn. 1962. – A. Fuchs, *Zur Sprachbehandlung in H.Bs. »Tod des Vergil«* (in Bulletin de Faculté des Lettres de Strasbourg, 41, 1962/63, S. 379–382). – Ders., *B. »Der Tod des Vergil«* (in *Der deutsche Roman. Vom Barock bis zur Gegenwart*, Hg. B. v. Wiese, Bd. 2, Düsseldorf 1962, S. 326–360). – G. Wienold, *Die Organisation eines Romans. H. B.s »Der Tod des Vergil«* (in ZfdPh, 86, 1967, S. 571–593). – T. Collmann, *Zeit u. Geschichte in H. B.s Roman »Der Tod des Vergil«*, Bonn 1967. – W. Kraft, *H. B.s »Tod des Vergil«* (in *Rebellen des Geistes*, Stg. 1968). – W. Baumann, *The Idea of Fate in H. B.'s »Tod des Vergil«* (in MLQ, 29, 1968, S. 196–206). – M. Durzak, *H. B.s Vergil-Roman u. seine Vorstufen* (in LJb, 9, 1968, S. 285–317). – K. Menges, *Kritische Studien zur Wertphilosophie H. B.s*, Tübingen 1970 (Studien zur deutschen Literatur, 22).

DER VERSUCHER. Roman von Hermann Broch (1886–1951), geschrieben 1933–1937 und 1949–1951; erschienen 1953. – Die Edition dieses Werks ist umstritten. Die drei Fassungen, von denen die dritte erst Jahre nach der ursprünglichen fragmentarisch zustande kam, spiegeln verschiedene Stilstufen und abweichende Konzeption. Vor die Aufgabe gestellt, die unvollkommenen oder unvollendeten Texte als Buch herauszugeben, kombinierte Felix Stössinger alle drei Versionen zu einem »lesbaren« Roman. Äußerungen Brochs aus den letzten Jahren geben keinerlei Aufschluß über den Titel *Der Versucher* – offenbar eine Erfindung des Herausgebers –, sondern beschränken sich auf Formulierungen wie *Bergroman, Demeter oder Die Verzauberung* und *Der Wanderer*. Erst seit kurzem erscheint eine von Broch-Kennern schon lange vermißte Ausgabe aller gesonderter Fassungen.
Zum Befremden vieler seiner Leser ließ Broch, einer der intellektuell schwierigsten Autoren des modernen Romans, die Handlung im Bauernmilieu spielen, in einem abgelegenen Alpental mit zwei rivalisierenden Dorfgemeinschaften, deren Idiom er ungemein treffend wiederzugeben verstand. Daß Broch nachweislich Anleihen bei der einschlägigen Heimatliteratur à la Rosegger gemacht hat, wirkt ebenfalls befremdlich, ein Eindruck, der auch durch das Argument nicht völlig entkräftet wird, ins fragwürdige Lokalkolorit hülle sich hier das dichterisch kühne Experiment, die Psyche der Masse wie in einer Retorte auf Reaktionen hin zu untersuchen (vgl. dazu Brochs späte Studien zur Massenpsychologie). Der Ich-Erzähler stellt sich als alternder Mann vor, der in der Mitte seines Lebens eine erfolgreiche Karriere als Kliniker abgebrochen hat, um in der »Gebirgseinsamkeit« als Landarzt zu wirken. Die Natur sieht er als Heiligtum, die Landschaft evoziert kosmische All-Gefühle in ihm, eine entgrenzende Empfindung, die sich auf den Leser überträgt, da Wortschatz, Rhythmik und Nuancierung der Veduten eine künstlerische Klarheit erreichen, wie man sie nur von Landschaftsschilderungen Jean Pauls oder Adalbert Stifters her kennt. Die Tempelruhe dieses Lebens, das so überraschend »positiv« mit der Natur mitschwingt, wird eines Frühlingstages von einem Eindringling, dem »Versucher«, gestört: Der für schön geltende Marius Ratti kehrt in der Art eines phrasenreichen Wanderpredigers sein albernes, wenngleich unheimliches Sendungsbewußtsein hervor. Seine Ideen von Männergemeinschaft, Keuschheit und Opferwillen artikulieren verborgene Bedürfnisse nach Selbsterhöhung und verdrängte Besitzwünsche. Unverkennbar ist in diesem »Scharlatan«, »Hypnotiseur« und »Menschenfänger« der Demagoge Hitler, in der für den Rückfall ins Inhumane so anfälligen Dorfgemeinde das Deutschland der dreißiger Jahre getroffen. Marius entgegen tritt das von ihm so philiströs bekämpfte »Weiberwissen«, verkörpert in Mutter Gisson, einer alten Bäuerin mit sprechendem Namen: Gisson ist ein Anagramm von Gnosis, Gottesschau.
Die weitere Handlung stellt zum einen die Dörfler vor die Wahl, Mutter Gisson oder Marius, Weisheit oder Wahnwitz, »Demeter oder die Verzauberung« zu verlieren, und konkretisiert zum anderen den Demeter-Persephone-Hades-Mythos. Als der Scharlatan Marius das Gerücht ausstreut, im Berg sei

Gold zu finden, werden die Menschen von Gold- und Erlösungsfieber gepackt. Im Herbst kommt es bei einem Fest heidnisch-mythischen Ursprungs, einer Bergkirchweih, zum Durchbruch der den ganzen heißen Sommer über angestauten Unruhe: Angeblich um die Erde zu versöhnen und den unterirdischen Mächten (Hades) zu opfern, begeht man einen Ritualmord an einem jungen Mädchen (Persephone). Der Regenerationsmythos einer frühzeitlichen Ackerbaukultur muß, wird er Jahrtausende später nachvollzogen, zum Mord, die Eruption unterdrückter Triebe im archaisierenden Kultus zum Massenwahn führen. In der Anlage des Schlusses unterscheiden sich die diversen Fassungen besonders deutlich: Ursprünglich stirbt auch Mutter Gisson wenig später und gibt zum Abschied ihr Wissen an ein junges Mädchen weiter, deren künftigem Kind sich eine halb reale, halb symbolische Messias-Hoffnung zukehrt. In der pessimistischeren Nachkriegs-Fassung soll auch Mutter Gisson dem »Toben« der Bergkirchweih zum Opfer fallen. Marius verläßt nicht mehr spurlos das Tal, sondern bleibt als Sieger in der Gemeinde.

So überzeugend und eindrucksvoll der Zusammenbruch des Menschlichen erzählt wird, so verschwommen gerät der »gute« Mythos von Mutter Gisson. Denn auch der Handlungsverlauf betont vor allem das Negative der hier allerdings »unkritischen« Vergegenwärtigung einer Mythologie. Der einfältige Erbauungsstil dieser eher karikaturistisch ins Überdimensionale gesteigerten Mutterfigur – *»Das Wirklichste in der Welt ist das Herz, dadrein wohnt jeder Baum und jede Blume«* – verweist auf den fragwürdigsten Aspekt dieses Romans: den Gedanken, Irrationalismus durch Irrationalismus auszutreiben. Da auch der Dorfarzt sich verblenden läßt, entsteht überdies der Eindruck, dieses atavistische Verhalten von Menschen des technischen Zeitalters sei als unvermeidliche Fügung der Geschichte hinzunehmen. Dieser Eindruck mag ein Resultat der »Versuchsbedingungen« sein, welche die Fabel mit Ausnahme weniger eingestreuter märchenhafter oder biographischer Erinnerungen in einen vor der übrigen Welt hermetisch abgeschlossenen Raum verbannen. Dieser Fatalismus mag endlich sogar der Grund gewesen sein, aus dem Broch sein Werk, zumal den Schluß der frühen Konzeption, ablehnend beurteilte und an seiner Vollendung nicht sonderlich interessiert schien. Vielleicht hat erst das Erscheinen von Thomas MANNS *Doktor Faustus* Brochs Interesse an dem thematisch analogen Bergroman neu entfacht. T. Koe.

AUSGABEN: Zürich 1953 (in *GW*, 10 Bde., 1952 bis 1961; Bd. 4, Hg. u. Nachw. F. Stössinger). – Reinbek 1960, Hg. F. Stössinger (rororo, 343/344; ern. 1965). – Ffm. 1967 (*Demeter*; 3. Fassg.; Bibl. Suhrkamp, 199).

LITERATUR: K. A. Horst, *H. B.s Bergroman* (in Merkur, 8, 1954, S. 784–790). – F. Martini, *H. B. u. »Der Versucher«* (in DRs, 80, 1954, S. 468–474). – C. Pack, *Ein Nachlaßwerk H. B.s »Der Versucher«* (in Wort u. Wahrheit, 9, 1954, S. 298/299). – R. Hartung, *Roman vom politischen Scharlatan. »Der Versucher«* (in SZ, 13. 2. 1954). – G. C. Schoolfield, *Notes on H. B.'s »Der Versucher«* (in MDU, 48, 1956, S. 1–16). – G. Wasson, *Das Bild der Natur in H. B.s Bergroman*, Diss. Harvard Univ. 1963. – G. Merck, *H. B.: »Der Versucher«* (in Neue Slg., 5, 1965, S. 273–285). – F. Kress, *Kritische Ausgabe des Vorwortes u. des 1. Kapitels der drei Originalfassungen von H. B.s Bergroman nebst Herkunftsnachweis*, Diss. Univ. of Connecticut 1966 (vgl. Diss. Abstracts, 27, 1966/67, S. 3442 A). – M. Winkler, *Mythos u. Zeitgeschehen in H. B.s Roman »Der Versucher«*, Diss. Univ. of Colorado 1966 (vgl. Diss. Abstracts, 28, 1967/68, S. 1091/1092 A). – J. N. Hardin, *»Der Versucher« and H. B.'s Attitude toward Positivism* (in GQ, 39, 1966, S. 29–41). – M. Durzak, *H. B. in Selbstzeugnissen u. Bilddokumenten*, Reinbek 1966 (rm, 118; m. Bibliogr.). – D. Meinert, *H. B.: »Der Versucher«. Versuchung u. Erlösung im Bannkreis mystischen Erlebens* (in *Sprachkunst als Weltgestaltung. Fs. für Herbert Seidler*, Hg. A. Haslinger, Salzburg/Mchn. 1966, S. 140–232). – M. Durzak, *H. B.*, Stg. 1967 (Slg. Metzler, IV/33). – Ders., *Zur Entstehungsgeschichte u. zu den verschiedenen Fassungen von H. B.s Nachlaßroman* (in ZfdPh, 86, 1967, S. 594–627). – G. Wienold, *H. B.s Bergroman u. seine Fassungen. Formprobleme der Überarbeitung. Mit bisher ungedruckten Quellen* (in DVLG, 42, 1968, S. 773–804). – M. Winkler, *Die Funktion der Erzählungen in H. B.s Roman »Der Versucher«* (in Seminar, 4, 1968, S. 81–99).

ARNOLT BRONNEN
(1895–1959)

VATERMORD. Schauspiel von Arnolt BRONNEN (1895–1959), erschienen 1920; Uraufführung: Berlin, 14. 5. 1922, Deutsches Theater (Regieanweisungen: Bertolt BRECHT). – Ein Seelenverwandter von WEDEKINDS Moritz Stiefel (vgl. *Frühlings Erwachen*, 1891) und MUSILS Törleß (vgl. *Die Verwirrungen des Zöglings Törleß*, 1906), hatte Bronnen schon als siebzehnjähriger Gymnasiast seine Pubertätsnöte und anarchischen Freiheitsträume in *Das Recht auf Jugend* (1912) dramatisch formuliert. Auf dieses siebenaktige Schauspiel, das im Vorabdruck in der von Gustav WYNEKEN herausgegebenen und zu Beginn des Ersten Weltkriegs von der Zensur verbotenen Zeitschrift ›Der Anfang‹ erschienen war, sowie auf eine überarbeitete Fassung mit dem Titel *Die Geburt der Jugend* (entstanden 1914) greift das Schauspiel *Vatermord* zurück, wobei sich die pauschal gegen die autoritäre Gesellschaft der Erwachsenen gerichtete Verachtung und Zerstörungswut zum freudianisch symbolisierten Vaterhaß reduzierten.

In ohnmächtiger Verzweiflung begehrt der Gymnasiast Walter gegen die geradezu modellhafte Dumpfheit seiner kleinbürgerlichen Familie auf, die denn auch den sprechenden Namen »Fessel« trägt: Der Vater Ignaz Fessel, *»ein kleiner Büro-Angestellter, Sozialdemokrat Wiener Prägung, der sich zwar hier und da erinnert, daß er ein Proletarier ist, der aber die kleinbürgerliche Subalternität längst zur Maxime seines Daseins gemacht hat«*; die unterdrückte, vergeblich zu vermitteln suchende Mutter, deren unbefriedigtes sexuelles Verlangen nach der inzestuösen Ersatzliebe zum pubertär triebhaften Sohn drängt; die jüngeren Geschwister Rolf und Olga, die in kindlich grausamem Egoismus das Verhalten des jähzornigen und herrschsüchtigen Vaters gegenüber dem älteren Bruder imitieren; der verdorbene Freund Edmund schließlich, der Walter mit homoerotischen Spielen quält. Aus diesem deprimierenden Milieu kleinbürgerlichen *»Muffs«* (E. Bloch) sucht Walter vergeblich auszubrechen. Er will sich um einen Studienplatz an einer Landwirtschaftsschule bewerben, »*Farmer oder Bauer auch*« werden, bedarf aber dazu der Zustimmung des Vaters, die dieser ihm natürlich verweigert, da er dann auf seine Herrschaft über den Sohn wie auf seine projizierten Wunschträume *(»Daß du Rechtsanwalt wirst / Und für die Arbeiter eintrittst / Und dein Blut rächst«)* verzichten müßte. Der haßerfüllte Kampf zwischen Vater und Sohn, schwankend zwischen herrischen Demütigungen und sklavischen Selbsterniedrigungen, zwischen brutalen Prügelszenen und hündischen Versöhnungsversuchen, gipfelt in der archaischen Paarung von Mutter und Sohn, Verführung und Vergewaltigung in einem, deren orgiastischer Höhepunkt die Ermordung des Vaters ist. Ekstatisch stammelt Walter sein neues, entfesseltes Lebensgefühl in den Zuschauerraum:

»Niemand vor mir niemand neben mir niemand über mir der Vater tot / Himmel ich spring dir auf ich flieg / Es drängt zittert stöhnt klagt muß auf schwillt quillt sprengt fliegt muß auf muß auf
Ich
Ich blühe«

Thematisch HASENCLEVERS prototypischem expressionistischem Drama *Der Sohn* (1914) verwandt, hat sich Bronnens Schauspiel dennoch weitgehend gelöst vom rhetorischen Pathos expressionistischer Dramatik. Die ohnmächtige Wut und dumpfe Verzweiflung der Protagonisten ist sprachlich umgesetzt in ein interpunktionsloses, mit Interjektionen und vulgärsprachlichen Floskeln angereichertes Stammeln und Keuchen. Das Aufbegehren des Sohnes gegen den kleinbürgerlichen Vater erweist sich dabei eher als psychopathologischer denn als sozialkritisch akzentuierter Konflikt; zugleich aber werden hier irrationale Energien freigesetzt, deren faschistoide Tendenzen in der unerträglichen Blut-und-Boden-Mystik der als Epilog zu *Vatermord* konzipierten Neufassung der *Geburt der Jugend* (Uraufführung: Berlin, 13. 2. 1925, Lessingtheater) voll zur Geltung kommen – dem Vorspiel zu Bronnens fataler Wendung zum Nationalsozialismus.

M. Schm.

AUSGABEN: Bln. 1920. – Emsdetten/Westf. 1954 (Dramen der Zeit, 9).

LITERATUR: R. H. Wiegenstein, *Die Exzesse des A. B.* (in FH, 9, 1954, S. 624–627). – J. Rühle, *Beispiele der politischen Neurose* (in J. R., *Literatur u. Revolution. Die Schriftsteller u. der Kommunismus*, Köln/Bln. 1960, S. 297–313). – P. Chiarini, *L'avventura di A. B.* (in P. Ch., *La letteratura tedesca del novecento*, Rom 1961, S. 100–104). – A. Soergel u. C. Hohoff, *Dichtung u. Dichter der Zeit. Vom Naturalismus bis zur Gegenwart*, Bd. 2, Düsseldorf 1963, S. 379–385.

FERDINAND BRUCKNER
(d. i. Theodor Tagger)
(1891–1958)

DIE VERBRECHER. Schauspiel in drei Akten von Ferdinand BRUCKNER (d. i. Theodor Tagger, 1891 bis 1958), Uraufführung: Berlin, 23. 10. 1928, Deutsches Theater. – Dieses zeitkritische Drama zeigt den Umschlag der traditionellen Rechtsprechung in blanke Ungerechtigkeit nach den gesellschaftlichen Veränderungen des Ersten Weltkriegs. In einem Berliner Mietshaus werden von zufällig beieinander wohnenden Personen einerseits Verbrechen begangen, die ungesühnt bleiben, andererseits machen sich einige dieser Menschen aus Not kleiner Vergehen schuldig und werden von der Justiz hart bestraft. Der erste Akt berichtet von den betreffenden Handlungen, der zweite zeigt die Reaktion des Gerichts darauf und der dritte wiederum die Folgen davon. Straflos bleiben: Frau Wieg, die anvertrauten Schmuck veruntreut hat; ihr Sohn Ottfried, der junge Männer zur Homosexualität verführt; der Erpresser Schimmelweis; der skrupellose Josef Berlessen, der seine Dienstmädchen mißbraucht; vor allem aber die Köchin Ernestine Puschek, die erst eine Kindesunterschiebung plant und dann die Wirtin Karla Kudelka, die Geliebte ihres Freundes, des Kellners Gustav Tunichtgut, umbringt und den Verdacht auf ihn lenkt. Bestraft werden hingegen: Tunichtgut wegen angeblichen Raubmordes an der Kudelka zum Tode; die Sekretärin Olga Nagerle zu langjährigem Zuchthaus, weil sie in einem Anfall von Verzweiflung ihr Kind umbringt, das sie nicht ernähren kann; der von Ottfried verführte Frank Berlessen wegen eines Meineides, den er zugunsten von Schimmelweis geschworen hat, und (mit Bewährung) schließlich Alfred Fischau, der aus Liebe zu Frau Berlessen Geld veruntreute, es aber wieder zurückgab. Die Verurteilten kämpfen darum, mit dem Gefühl der Schande fertigzuwerden. Der Freund Olgas, der Student Kummerer, aber schreibt ein Buch: »Es gibt keine Verbrecher«, worin er den Justizurteilen jede moralische Berechtigung abspricht.

Vor dem Hintergrund der Inflationszeit bietet das Stück eine soziale Zeitdiagnose am Beispiel der Rechtsprechung. Gezeigt wird, wie diese zum Sinnbild des Unrechts verkommt und zugleich ständig einer reaktionären Moralauffassung unbewußt zum Opfer fällt. So hält man Tunichtgut aller Verbrechen für fähig, weil er mehrere Liebschaften hat. Unterschwellig wird der Zusammenhang zwischen Kapitalismus und den geltenden Normen deutlich. Alle Verbrechen geschehen aus Geldmangel oder Geldgier; straflos bleiben die, die Geld haben oder es sich zu verschaffen wissen. – Bühnentechnisch wirkte das Stück bahnbrechend, da Bruckner damit die Möglichkeiten der Simultanbühne wiederentdeckte. Sie setzt sich aus drei Stockwerken zu je ein bis drei Zimmern zusammen, die nacheinander erleuchtet werden und den Schauplatz für eine Szene bilden. Dieses Nebeneinander von Räumen, Personen und Handlungen gestattet die adäquate Darstellung kollektiver gesellschaftlicher Vorgänge. Verbunden ist damit eine filmisch anmutende Technik des Auf- und Abblendens von Szenen. In der Sprache sind Errungenschaften des Expressionismus verwertet. Auf ihn verweisen die Parataxe des einfachen Dialogs und die absurden Züge des Aneinandervorbeiredens und Mißverstehens.

H. Es.

AUSGABEN: Bln. 1929. – Bln./Wien 1948 (in *Dramatische Werke*, 2 Bde., 1).

LITERATUR: E. Rieder-Laska, *F. B. Leben u. Werk eines österreichischen Dramatikers bis 1949*, Diss. Wien 1950. – H. Schlien, *F.B.s dramatisches Werk* (in F. B., *Heroische Komödien*, Emsdetten 1955, S. 5–10; Vorw.). – F. Baukloh, *Ein Forscher der Wirklichkeit. Der Dramatiker F. B.* (in Wort in der Zeit, 2, 1956, H. 8, S. 1–7). – F. T. Csokor, *F. B.* (ebd., 5, 1959, H. 1, S. 3–6). – N. Langer, *F. B.* (in Dichter aus Österreich, 4, 1960, S. 13–19). – H. Vogelsang, *Österreichische Dramatik des 20. Jh.s*,

Stg./Wien 1963. – W. H. Speidel, *Tragik u. Tragödie in der dichterischen Entwicklung F. B.s*, Diss. Univ. of Kansas 1963 (vgl. Diss. Abstracts, 25, 1964/65, S. 1926/27). – O. Mann, *Exkurs über F. B.* (in O. M., *Deutsche Literatur im 20. Jh.*, Heidelberg [5]1967, Bd. 1, S. 170–186).

PAUL CELAN
(d. i. P. Antschel)
(1920–1970)

MOHN UND GEDÄCHTNIS. Gedichte von Paul Celan (d. i. P. Antschel, 1920–1970), erschienen 1952. – Die Entstehungsgeschichte der in diesem Band gesammelten Gedichte des aus der Bukowina stammenden deutsch-jüdischen Autors verweist auf ein Exilschicksal, das mit Krieg, Völkermord und Flucht begann und in einer Fremde, die zur existentiellen Fremdheit geworden war, mit dem Freitod des Dichters endete. Daß Celan, der zuletzt als Dozent an der École Normale Supérieure der Universität Paris tätig war und der sich als Übersetzer einen Namen gemacht hatte, ausschließlich in deutscher Sprache schrieb, kennzeichnet sein Verhältnis zum dichterischen Wort. »*Dichtung – das ist das schicksalhaft Einmalige der Sprache*«, antwortete er auf eine Umfrage der Librairie Flinker, die die Möglichkeit der Zweisprachigkeit zur Diskussion gestellt hatte. Seine ersten Arbeiten entstanden in Bukarest (u. a. erschien *Das Gastmahl* aus *Mohn und Gedächtnis* in der rumänischen Zeitschrift ›Agora‹), wohin Celan nach der Angliederung der Bukowina an die Sowjetunion geflohen war. Nach kurzer Redaktionstätigkeit kam er 1947 nach Wien, im Reisegepäck das Manuskript seines ersten Gedichtbandes, der 1948 im Verlag A. Sexl unter dem Titel *Der Sand aus den Urnen* erschien, den er jedoch wegen sinnentstellender Druckfehler schon bald einstampfen ließ. Die Gedichte dieser Ausgabe, die auch die berühmt gewordene *Todesfuge* enthielt, bilden – in z. T. veränderter Fassung – die erste Hälfte des Bandes *Mohn und Gedächtnis*, der sich in vier Teile gliedert: *Der Sand aus den Urnen*, *Todesfuge*, *Gegenlicht* und *Halme der Nacht*. Erstpublikationen dieser Gedichte erfolgten in verschiedenen deutschsprachigen Zeitungen und Zeitschriften, so in Otto Basils ›Plan‹ (Wien 1948), der ›Tat‹ (Zürich 1948), Dolf Sternbergers ›Wandlung‹ (Heidelberg 1949), Alain Bosquets ›Lot‹ (Berlin 1952) und anderen.

Haben folglich die Gedichte dieses Bandes verschiedene Entstehungszeiten und -stufen, so bilden sie dennoch in der vorliegenden Sammlung eine Einheit, wie schon der programmatische Titel *Mohn und Gedächtnis* erkennen läßt, der ein Spannungsverhältnis von Traum (Sphäre rauschhaft sinnlicher Bildevokationen) und Realität (Sphäre des Historisch-Faktischen) impliziert. Der Traum als ein Raum des Unbewußten ist jene die Stilepoche des Surrealismus prägende Schicht, für die vor allem Metaphern des Wassers bzw. des Meeres charakteristisch sind. In Celans Sprache verbindet sich das Sinnlich-Konkrete mit dem Abstrakt-Begrifflichen zu einem Bildgefüge, das zu einem großen Teil aus Genitivmetaphern besteht. So spricht Celan vom »*Meer über uns*«, vom »*Hügel der Tiefe*«, »*vom Wasser der Stätte, wo's dunkelt und keinem gereicht wird der Dolch*«. Das »*aus den Händen*« gerollte »*Herz*« der Welt wird *Der Stein aus dem Meer*, der »*sinnt über Muschel und Welle*«. Die magische Aura des Traums, die oft von Zahlenmystik geprägt ist, verkörpert auf typische Weise das Gedicht *Kristall*. In einer hermetischen dunkelhellen Welt beschwören »*sieben Nächte*«, »*sieben Herzen*« und »*sieben Rosen*« ein verborgenes Geheimnis. Bezeichnenderweise schrieb Celan zu dem Bildband des Surrealisten Edgar Jené *Der Traum vom Traume* (1948) einen Begleittext, in dem er eine »*neue Helligkeit*« definiert, die jenseits der Vorstellungen des wachen Denkens zu finden ist: »*Ihr Licht ist nicht das Licht des Tages, und sie ist von Gestalten bewohnt, die ich nicht wiedererkenne, sondern erkenne in einer einmaligen Schau ... mein Gehör ist hinübergewandert in mein Getast, wo es sehen lernt.*«

Unter diesem auf ein neues Sehen zielenden Aspekt ist auch der Titel *Gegenlicht* zu begreifen, obwohl das Reale wie stets in Celans Gedichten auch hier mit den imaginierten Bildern eine Verbindung eingeht, aus der eine neue Wortidentität entsteht, einem Liebesakt gleich, von dem Celan sagt: »*Wir lieben einander wie Mohn und Gedächtnis.*« Neben die Vision des Traums tritt die Erinnerung, neben das Unbewußte das allzu Bewußte. Bewußtsein ist für Celan vor allem Bewußtsein der Zeit, die es zu überwinden gilt. Ist der Traum Aufhebung der Zeit durch ein Vergessen, dessen Zeichen die Mohnblume ist, durch Hingabe an einen fluktuierenden Augenblick, so schließt das »Gedächtnis« als Sphäre des wachen Bewußtseins alles Wandelbar-Flüchtige aus und verleiht den Ereignissen Dauer, die Celan in der Chiffre »Stein« faßt. Die Zeit erscheint häufig in Verbindung mit Worten wie »Spiegel«, »Weißhaar« oder »Kreidefelsen«, die ihren kristallisierten Charakter betonen, vor allem aber erscheint sie als geschichtliches Ereignis, als die historische Tragödie Israels.

Wie wichtig die Konfrontation mit Geschichte und Religion für Celans Werk ist, läßt schon das erste Gedicht des Bandes – *Ein Lied in der Wüste* – erkennen. Die Wüste wird hier gleichermaßen als geographisch-historische Stätte (die »Gegend von Akra«) wie als metaphorischer Ort eines dauernden Ringens um den »Himmel« begriffen: »*Dort riß ich den Rappen herum und stach nach dem Tod mit dem Degen / ... und zog mit gefälltem Visier den Trümmern der Himmel entgegen.*« Celans Gedichte kreisen um das Problem des Todes, dessen Endgültigkeit alle Anstrengung – auch die des Schreibens – vergeblich erscheinen läßt: »*Umsonst malst du Herzen ans Fenster: / der Herzog der Stille / wirbt unten im Schloßhof Soldaten.*« Dichtung ist Aufbruch aus dieser »Stille« und gegen sie der paradoxe – im Zeichen des Scheiterns unternommene – Versuch, den Tod und damit das endgültige Verstummen aufzuheben.

Diese Todesthematik, der *Sand aus den Urnen*, der das Schicksal der Menschheit zu sein scheint, ist bei Celan primär auf die Geschichte des jüdischen Volkes bezogen. Die *Todesfuge* hat den Tod in den Gasöfen der Vernichtungslager zum Inhalt: »*Der Tod ist ein Meister aus Deutschland / er ruft streicht dunkler die Geigen dann steigt ihr als Rauch in die Luft / dann habt ihr ein Grab in den Wolken da liegt man nicht eng.*« Dieser Todeserfahrung setzt Celan den Auferstehungsgedanken entgegen, die Messias-Erwartung Israels. Der Glaube an den Sieg des Lebens widersetzt sich der Zerstörung. Die *Todesfuge*, die das Kernstück des Bandes bildet, ist kein Schlußpunkt, sondern Moment eines übergreifenden Geschehens. An diesem 1945 entstandenen

Gedicht, das durch seine rhythmische Musikalität fasziniert, entzündete sich eine heftige Kontroverse über die Widersprüchlichkeit von schöner Form und unmenschlichem Inhalt, die in der Frage Th. W. ADORNOS gipfelte, ob man nach Auschwitz überhaupt noch Gedichte schreiben könne. Abgesehen von dem Argument, daß Klang und Bild als Einheit des Paradoxen zu sehen sind (W. MÜLLER-SEIDEL), ließ jene Kontroverse außer acht, daß Celan dem grauenhaften Geschehen nur deshalb Sprache verleihen konnte, weil er die Leidensgeschichte des jüdischen Volkes als Charisma verstand. Die »*schwarze Milch der Frühe*«, zentrale und stets wiederkehrende Metapher des Gedichtes, wird zum dunklen, ein neues Werden einschließenden Zeichen. Nicht zufällig hat der folgende Teil, in dem Celan die Mütter des Alten Bundes beschwört, den Titel *Gegenlicht*. Das Leid wird als Gegenwart Gottes begriffen, so in dem Gedicht *Augen*: »*Augen: / schimmernd vom Regen, / der strömte, / als Gott mir zu trinken befahl.*«

Dichtung war für Celan – trotz des Hermetismus seiner Lyrik – in erster Linie ein Ort der Kommunikation, auch der Kommunikation mit der Transzendenz. In seiner Rede anläßlich der Verleihung des Büchner-Preises (1960) bezeichnete er das Gedicht als »*Geheimnis der Begegnung*«, als einen Daseinsentwurf, in dem »*noch ein Anderes frei (wird)*«. Dieses Andere, das die bloße Faktizität Übersteigende, ist schon in den frühen Gedichten stets gegenwärtig. Wird jedoch hier die Sprache primär aus dem Traumbereich gespeist, so wandelt sich in den späteren Gedichten die Sprache zusehends zu einem Offenen, werden die Metaphern abgelöst von präzisen, wenngleich nicht minder verschlüsselten Benennungen. Wenn Celan von einem »*Hinaustreten aus dem Menschlichen*«, einem »*Sichhinausbegeben in einen dem Menschen zugewandten unheimlichen Bereich*« (Büchner-Rede) sprach, so wird analog dazu in seiner Lyrik ein Weg deutlich, der vom konkreten »Du« der ersten Gedichte auf ein Nichts zielt. Dieses Nichts, vor dem die Bilder sich allmählich auflösen, läßt den mit größter Anstrengung durchgehaltenen Dialog immer knapper werden, ohne daß er ganz aufhörte.

Celan war kein Protagonist der Moderne, eher könnte man ihn als einen ihrer Klassiker bezeichnen. Seine Sprache ist, wie vor allem die Wortwahl zeigt, der europäischen Tradition verhaftet (Vorbilder HÖLDERLIN, RILKE, TRAKL, MALLARMÉ). Neu jedoch ist die Art, wie er die traditionellen Worte ins Bild setzte und ihren Sinn veränderte. So vermochte er es, von Blume, Stein, Träne, Nacht zu sprechen, ja selbst das Herz wird zum gefügigen Wort. »*Aus Herzen und Hirnen / sprießen die Halme der Nacht, / und ein Wort, von Sensen gesprochen, / neigt sie ins Leben.*« Mit der Verwandlung des sprachlich Vertrauten wird eine Innovation angesprochen, die über die Sprache hinausgeht. I. Ž.

AUSGABE: Stg. 1952.

LITERATUR: H. de Haas, Rez. (in Die neue literarische Welt, 10. 7. 1953, S. 12). – J. Firges, *Die Gestaltungsschichten in der Lyrik P. C.s*, Diss. Köln 1959. – P. Jokostra, *Zeit u. Unzeit in der Dichtung P. C.s* (in Eckart-Jb., 29, 1960, S. 162–174). – K. Oppens, *Gesang u. Magie im Zeitalter des Steins. Zur Dichtung I. Bachmanns u. P. C.s* (in Merkur, 19, 1963, S. 175–193). – H. Weinrich, *Semantik der kühnen Metapher* (in DVJs, 37, 1963, S. 325–344). – W. Müller-Seidel, *Probleme der literarischen Wertung*, Stg. 1965, S. 178–180. – P. P. Schwarz, *Totengedächtnis u. dialogische Polarität in der Lyrik P. C.s*, Düsseldorf 1966. – P. H. Neumann, *Zur Lyrik P. C.s*, Göttingen 1968. – K. Weissenberger, *Die Elegie bei P. C.*, Bern 1969. – H. Mayer, *Sprechen u. Verstummen der Dichter* (in H. M., *Das Geschehen u. das Schweigen*, Ffm. 1969). – *Über P. C.*, Hg. D. Meinecke, Ffm. 1970 (ed. suhrkamp, 495). – D. Meinecke, *Wort u. Name bei P. C.*, Bad Homburg 1970. – G. Neumann, *Die ›absolute‹ Metapher* (in Poetica, 3, 1970, H. 1/2, S. 188–225). – S. Vietta, *Sprache u. Sprachreflexion in der modernen Lyrik*, Bad Homburg 1970, S. 89–131. – I. Živsa, *P. C.s Lyrik im Spiegel seiner Übersetzungen*, Diss. Mchn. 1971. – P. Szondi, *C.-Studien*, Hg. H. Reese, J Bollack u. a., Ffm. 1972 (Bibl. Suhrkamp, 330).

THEODOR DÄUBLER
(1876–1934)

DAS NORDLICHT. Lyrisches Epos von Theodor DÄUBLER (1876–1934), erschienen 1910. Der erste Teil, 1898 begonnen, wurde bis 1900, ein Intermezzo 1902/03 und der zweite Teil 1903–1906 ausgeführt; nach umfangreichen Änderungen und Erweiterungen war die gesamte Dichtung 1910 in Florenz abgeschlossen und erschien in drei Bänden als sogenannte »Florentiner Ausgabe«.

Das schwierige Werk, von Däubler als Lebensaufgabe betrachtet und schon während seiner Jugendzeit konzipiert, fand nicht die erhoffte Anerkennung. 1919 begann der Autor in Genf mit einer Umarbeitung; diese auf Ithaka abgeschlossene Fassung erschien in zwei Bänden 1921 als »Genfer Ausgabe«, zu der vorher eine Einführung entstanden war: *Das Nordlicht. Eine Selbstdeutung* (1920), die dem Verständnis Wege ebnen sollte. Überdies hatte die Schloßtreppe zu Pillnitz den Dichter zu der *Treppe zum Nordlicht*, einer *Symphonischen Dichtung in vier Sätzen* (1920) inspiriert, die das große Thema in kleinerem Maßstab darzustellen versuchte. Eine dritte Fassung, die »Athener Ausgabe«, entstand zwischen 1922 und 1930; sie ist bis heute als Ganzes noch nicht gedruckt (Teile in der von Friedhelm KEMP 1956 herausgegebenen Auswahl). Unter dem Titel *Gleichgewicht im Kosmos* versuchte Däubler 1931 erneut, sein Epos zu erläutern.

Die über dreißigtausend Verse umfassende Dichtung besitzt keine einheitliche »Handlung«. Nur das zum lyrischen Ich überhöhte Subjekt des Autors, das zahllosen Verwandlungen unterworfen wird, kann als Einheit und Zentrum schaffende »Figur« verstanden werden. Verbunden durch ein gemeinsames Schicksal mit einer geliebten Frau, die namenlos bleibt, erlebt dieses Ich im ersten Teil des Epos die abendländische Welt des Mittelmeerraums. Menschen und Plätze in den von Däubler geliebten Städten Venedig, Florenz, Rom und Neapel werden beschworen. Nach dem *Orphischen Intermezzo Pan* dringen in den zweiten Teil *Sahara* fernöstliche und alttestamentliche Ideen und Phantasien ein, die sich mit abendländischen wieder vermengen und schließlich in der überwuchernden Symbolik eines Kraters *(Ararat)* münden, der, ähnlich der indischen Vorstellung von *Brahma*, zum Bild des ewig schaffenden und zerstörenden Weltatems wird. – Das Epos erwächst aus einer zyklisch geordneten, lockeren Reihung einzelner Mythen, die sich zur Schöpfung eines neuen, die Mythen vieler Völker und Kulturen umgreifenden Mythos zusammenschließen. Däubler hat sich verschiedene, darunter christliche Deutungen seines gigantischen Werks gefallen lassen. Seine eigene, in pathetischem Schwung wieder poetisch verhüllende Interpretation in der *Selbstdeutung* ist geschichtsphilosophisch ausgerichtet. Grundgedanke ist die Wiedervereinigung der Erde mit der Sonne; der allmählich erkaltende Planet Erde muß sich erneut mit der Sonne verbinden; die Sonne aber wird gleichgesetzt mit dem Geist: Nur er kann die Menschheit retten. Das Nordlicht wird zum »*meteorologischen Signal einer sich selbst rettenden Menschheit*«, zu einer »*autochthonen Strahlung, die von den Promethiden der Erde in den Kosmos hineingesendet wird*«. Diese ekstatischen Benennungen Carl SCHMITT versteht das Nordlicht als »*tellurischen Zeugen und Bürgen*« für die »*Rettung der Menschheit durch den Geist und im Geist*« variieren nur in Prosa die entsprechenden Verse des Epos: Die »*Wundergluten-blume*« (das Nordlicht) ist »*der Erde Weltgebet*«. »*Der Geist ... ist das Nordlichtgold, das Gott umschwebt*« und »*Die Welt versöhnt und übertönt der Geist!*«

Die kosmische Mythologie Däublers ist schwer zugänglich, und die Form seines mit expressionistischem Pathos erfüllten Werks, das als »*zyklopisches Massiv*« (Kemp) bezeichnet worden ist, erleichtert das Verständnis kaum. Verschiedene Gedicht- und Versformen werden in großartiger Manier durchgespielt – besonders bevorzugt sind Stanze, Sonett und Terzine – und verführen, da die Partien zudem in der Qualität ungleich sind, zu auswählender Lektüre kleinerer, in sich geschlossener Episoden, so etwa der Sonettreihe *Perlen von Venedig*, des *Äthiopischen* oder des *Klassischen Totentanzes*. Doch läßt sich *Das Nordlicht* nur in seiner Ganzheit erkennen als riesiger Entwurf einer aus persönlichem Mythos erwachsenen kosmischen Mythologie und geistesgeschichtlich einordnen als »*verspätete poetische Krönung des deutschen Idealismus*« (Kemp). L. D.

AUSGABEN: Mchn./Lpzg. 1910 *(Florentiner Ausg.)*. Lpzg. 1920 *(Die Treppe zum Nordlicht)*. Lpzg. 1921/22 (*Genfer Ausg.*; 2. Fassg.). – Mchn. 1956 (in *Dichtungen u. Schriften*, Hg. F. Kemp; 3. Fassg.; Ausw.; m. Bibliogr.).

LITERATUR: C. Schmitt, *D.s »Nordlicht«. Drei Studien über die Elemente, den Geist u. die Aktualität des Werkes*, Mchn. 1916. Moeller van den Bruck, *Th. D. u. die Idee des »Nordlichts«* (in DRs, 1921, S. 20–34). – M. Sidow, *Der Mythos des »Nordlichts«* (in Der Kreis, 7, 1930, S. 491–495). H. Ulbricht, *D. Eine Einführung in sein Werk u. eine Auswahl*, Wiesbaden 1951. – E. W. Hüllen, *Mythos und Christentum bei Th. D. Versuch einer Darstellung und Deutung seines Werkes*, Diss. Köln 1952. Ders., *›Die Sonne als Kristall‹. Mitteilungen aus dem Nachlaß Th. D.s* (in Euph, 47, 1953, S. 173–193). – R. Lohn, *Der bildhafte Ausdruck in den Dichtungen Th. D.s. Ein Beitrag zur Erschließung des lyrischen Sprachstils des Frühexpressionismus*, Diss. Bonn 1957. – O. M. Fontana, *Th. D., Sonne u. Kreuz* (in Wort u. Wahrheit, 12, 1957, S. 311 bis 314). – H. Wegener, *Gehalt und Form von Th. D.s dichterischer Bilderwelt*, Diss. Köln 1962. K. O. Conrady, *Th. D.* (in *Deutsche Dichter der Moderne. Ihr Leben u. Werk*, Hg. B. v. Wiese, Bln. 1965, S. 178–194).

HEIMITO VON DODERER (1896–1966)

DIE DÄMONEN. Nach der Chronik des Sektionsrates Geyrenhoff. Roman von Heimito von DODERER (* 1896), erschienen 1956. – Doderer hatte von 1931 an bis zu seiner Einberufung 1940 an den *Dämonen* gearbeitet, dann die *Strudlhofstiege* (1951 erschienen) konzipiert und nach deren Abschluß den zuvor begonnenen Roman zu Ende geschrieben. Die *Strudlhofstiege*, deren Handlung großenteils in den Jahren 1923 bis 1925 in Wien abläuft, bildet eine Vorstufe zu den am gleichen Ort vom Sommer 1926 bis zum Winter 1927/28 spielenden *Dämonen*. Obwohl die Lebensgeschichte einiger Figuren hier wieder aufgegriffen wird, stehen beide Werke nach außen hin unabhängig nebeneinander, verbunden nur durch ihre gleichartige geistige Konzeption und erzählerische Gestaltung.

Den einzigen durchgehenden Handlungsfaden des außerordentlich breit angelegten epischen Zeitpanoramas der *Dämonen* bildet die Geschichte einer versuchten Erbschaftsunterschlagung: Kammerrat Levielle gibt den Plan, das Erbe Charlottes von Schlaggenberg, genannt Quapp, der unehelichen Tochter eines im Weltkrieg gefallenen Offiziers, zu unterschlagen, schließlich auf, nachdem sich der Verdacht gegen ihn immer mehr verdichtet hat. Im Aufbau und Ablauf des vielschichtigen Romangeschehens ist dies indessen nur einer von zahlreichen sich überschneidenden Handlungssträngen. Es geht Doderer keineswegs um kontinuierliches Voranschreiten der Ereignisse, sondern um die Schilderung von Menschen und der Lebenssituationen, denen sie ausgesetzt sind und in denen sie zur »Person« werden oder scheitern. Die Zahl der Gestalten ist noch wesentlich größer als in der *Strudlhofstiege*: etwa vierzig Figuren spielen eine bedeutende Rolle; von diesen werden zehn bis fünfzehn wieder besonders hervorgehoben. Auch die Darstellung der Gesellschaftsschichten ist reicher: sie schließt nun Gestalten des Großbürgertums, des Adels, Arbeiter, aber auch Typen der Halb- und Unterwelt ein. Den breitesten Raum beansprucht indes auch hier die Schilderung von Bürgerlichen und Intellektuellen. Dabei ist Autobiographisches völlig objektiviert: Spiegelfiguren Doderers (René Stangeler, Geyrenhoff, Schlaggenberg) sind mit Distanz gesehen und zu ganz eigenen Wesen weiterentwickelt.

Nach und nach werden im ersten der drei Teile des Romans mehrere Figurengruppen vorgeführt, von denen die wichtigste die der »*Unsrigen*« ist. Sie bildet sich aus einem »*Troupeau*«, das Rittmeister von Eulenfeld zu einem Ausflug um sich versammelt. Anfang 1927 wohnen die meisten der »*Unsrigen*« in dem Vorort Döbling oder ziehen dorthin. Zu ihnen gehören u. a. Sektionsrat Geyrenhoff; der Schriftsteller Kajetan von Schlaggenberg, der sich von seiner Frau getrennt hat und fixen Ideen nachgeht; Quapp, angeblich die Schwester Schlaggenbergs, fünfundzwanzigjährig, schon durch ihren Spitznamen als ein »*Wesen im Entwicklungszustand*« gekennzeichnet; der junge Historiker René Stangeler, ein »*Subjektivist*«, durch seine Heftigkeit und Egozentrik in einem Verhältnis der dauernden Spannung mit der äußerst sensiblen, aber eher bürgerlichen Grete Siebenschein; das Paar Dr. Neuberg – Angelika Trapp (eine Spiegelung von René und Grete); der Ungar Imre von Gyurkicz, von Beruf Zeichner, zeitweise Quapps Liebhaber. –

Höhepunkt des ersten Teils, in dem die menschlichen, erotischen und geistigen Spannungen in dieser Gruppe das eigentliche Thema sind, ist das abschließende Kapitel *Der Eintopf*, das zu einem *»Tischtennis-Fünfuhrtee«* bei Siebenscheins fast alle Figuren zusammenführt. (Ein kompositorischer Einschnitt liegt aber nicht hier, sondern nach dem ersten Kapitel – *Auf offener Strecke* – des zweiten Teils: der bisher als Chronist fungierende Geyrenhoff wird nun zu einer den anderen gleichgeordneten Figur. Dies ist die Stelle, an der Doderer die Arbeit an den *Dämonen* zunächst abbrach und sich der *Strudlhofstiege* zuwandte. Erst vom neunten Kapitel – *Der Sturz vom Steckenpferd* – des zweiten Teils ab ist Geyrenhoff wieder »Chronist«, zugleich aber auch Akteur.)

Im zweiten und dritten Teil des Romans weiten sich der Rahmen und die Perspektiven. Immer neue Figuren werden in sein *»Gewebe«* – wie die Kompositionsweise ausdrücklich genannt wird – integriert; ihre Beziehungen zueinander machen es immer dichter. Der Arbeiter Leonhard Kakabsa, eine leicht idealisierte Lieblingsfigur Doderers, beginnt Latein zu lernen und steht bald, obwohl er sich vor Verstrickungen scheut, zwischen drei Mädchen – der Buchhändlerstochter Malva, Trix, der Tochter von Mary K., und Elly. Sein Sprachstudium macht ihn innerlich freier, er wird »Person« und damit frei für eine bestimmte Frau: Mary K. selbst. Unfrei bleibt dagegen Jan Herzka, ein Geschäftsmann mit sadistischen Neigungen (von Doderer aus seiner frühen Erzählung *Die Bresche* übernommen).

Das Ereignis, auf das die *Dämonen* von Anfang an zulaufen, ist der Brand des Wiener Justizpalasts am 15. Juli 1927. Doderer nennt diesen Tag das *»österreichische Cannae«*. Im Verlauf der Auseinandersetzungen zwischen den rechtsstehenden »Frontkämpfern« und dem linksstehenden »Republikanischen Schutzbund« war es zu den »Schattendorfer Morden« gekommen. Nach dem Freispruch der Mörder durch ein Wiener Gericht brachen Arbeiterunruhen aus, die von der Polizei mit Gewalt niedergeschlagen wurden. Es gehört zu dem minuziös – gleichsam graphisch – ausgearbeiteten Plan der *Dämonen*, daß gerade an diesem Tag der Katastrophe die Lebensprobleme vieler Figuren sich klären. Quapp bekommt nicht nur ihr Erbe, sie verläßt einen falschen Weg, d. h., sie gibt nach ihrem Versagen bei einem Probespiel das Violinstudium auf und wird die Frau des jungen Diplomaten Orkay. Geyrenhoff findet zu der reichen Witwe Friederike Ruthmayr, Leonhard zu Mary, und diese beiden bilden ein *»schicksalsgesundes«* Paar. Das Verhältnis von René und Grete hat sich in dieser Zeit aufgehellt; die *»unsichtbare Wand«* zwischen ihnen scheint zerfallen. Imre, der ewige Poseur, gelangt in den letzten Minuten vor seinem Tod bei den Unruhen von der Pose zur Haltung. Doch ist das Unheil des Tages nicht unterschlagen, es hat einen dämonischen Untergrund: der Mörder Meisgeier, ein halbtierisches Wesen, kommt im Wiener Kanalsystem um.

Die *Dämonen* machen Wien und seine Umgebung präsent: Straßen und Wohnungen, Caféhäuser, Branntweinschenken, Bibliothek, Zeitungsredaktion und Adelspalast. Wirtschaft und Politik wirken ins Privatleben der Figuren hinein: der Zusammenbruch der Holzbank, der sich vorbereitende Zusammenbruch der Bodencreditanstalt. Den Aufstand vom 15. Juli 1927 sieht Doderer als Auflehnung gegen die legitime Justiz, als Fanal kommender Ungesetzlichkeit. Viel früher schon werden im Kreis der *»Unsrigen«* Ideen laut, die auf den Faschismus hinweisen: eine Wendung gegen den Intellekt, eine Romantisierung und Glorifizierung der Tat, selbst der sinnlosen, selbst des Verbrechens. Daneben tritt, gleichsam als private Vorwegnahme eines lebensfeindlichen Systems, abseitige Sexualität bei Herzka und Schlaggenberg (der *»Dicke Damen«*, kurz *»DD«* genannt, sucht), bei letzterem noch verschärft durch Ordnungswahn. *»Zweite Wirklichkeit«* ist Doderers Terminus für alle Manien und Ideologien, die das Leben, die erste Wirklichkeit, verzerren und verstellen. *»Zweite Wirklichkeit«* kann sich auch zu Gestalten verdichten, in dämonischer Form erscheinen: in dem fiktiven, im Deutsch der Zeit um 1500 abgefaßten Protokoll eines mittelalterlichen Hexenprozesses, in den Visionen der Frau Kapsreiter, deren Neffe Pepi ein Opfer der »Schattendorfer Morde« ist: Visionen von Kraken, die aus der Tiefe auftauchen und die Menschen mit ihren Fangarmen hinabziehen. So ist ein Blick für Krankes und Unheilvolles dem Autor der *Dämonen*, die ihren Titel ja von DOSTOEVSKIJS gleichnamigem Roman geborgt haben, kaum abzusprechen. Doch bleibt im Grunde das Kranke für Doderer immer das Heilbare. Die *Dämonen* könnten eher als »Anti-Dämonen« bezeichnet werden: die Welt des Lebendigen setzt sich durch.

Der Konservativismus Doderers wird am deutlichsten in einem Gespräch über Revolution (481ff.). Es heißt da, der Revolutionär vergesse die konkrete Aufgabe des eigenen Lebens, verweigere die *»Apperzeption«*. Der Begriff meint: sehen, sich an die Phänomene halten, Lebenssituationen akzeptieren. Neben diesem pragmatischen Element steht ein existentielles: Leonhard gerät einmal an eine Stelle aus einem Werk des Humanisten PICO DELLA MIRANDOLA über die Natur des Menschen. Sie besagt, der Mensch habe keine feste Natur, keinen bestimmten Ort; er sei das Wesen der Möglichkeiten und des Willens, Bildner und Gestalter seiner selbst nach eigener Entscheidung. Annahme des Lebens und Selbstgestaltung führen zusammen zur *»Menschwerdung«* und *»zweiten Geburt«*, am reinsten exemplifiziert bei Leonhard und bei Mary K., die, nach dem Verlust eines Beines (das Unglück schildert die *Strudlhofstiege*) sich in der neuen Lebenssituation einrichten muß.

Die Beziehungen der Menschen untereinander, aus denen heraus sie recht eigentlich erst leben, sind ungemein differenziert nachgezeichnet. Aus der Vielfalt des Sich-Kennens – die direkte Begegnung, sich über Dritte kennen, voneinander etwas wissen, ohne eigenes Wissen Bedeutung für andere haben und weitere Variationen und Verfeinerungen – ergeben sich viele, auch entgegengesetzte Vorstellungen von den einzelnen. Es heißt einmal: *»Wir alle sind vielseitige Prismen, so viele Menschen uns kennen, so vielmal verschieden existieren wir.«* Das erinnert an die Gestaltungsweise Lawrence DURRELLS in seinem *Alexandria Quartet*. – Doderer hat die Gesellschaft einer Großstadt beschrieben, doch scheinbar eine Gesellschaft ohne Vereinzelung. Genauer besehen, findet sich in den *Dämonen* jedoch auch die Isolierung der einzelnen; allerdings sind sie nichts weniger als anonym. Ein jeder tritt unverwechselbar in Erscheinung, in seinem Habitus oder mit erhellenden Vergleichen prägnant charakterisiert. Außen und Innen sind durchweg untrennbar. Auch im Äußeren der Geschehnisse offenbaren sich die Charaktere; die *Dämonen* sind kein psychologischer Roman. Gleich zu Beginn hält der Chronist Geyrenhoff fest, daß er einen Bericht über »*Ereignisse*« schreibe. Doderer zitiert mehrmals einen Satz von Albert Paris GÜTERSLOH (der in den *Dämonen* als Kyrill Scolander auftritt), den er als seinen Lehrer ansieht: »*Die Tiefe ist außen.*« Ereignisse sind meist Szenen: Begegnungen, Geselligkeiten; im Szenischen des Romans schlägt nicht zuletzt ein Zug österreichischer Barocktradition durch. Die Zusammenschau der sich überschneidenden Vorgänge und sich kreuzenden Schicksale wird durch ein System von Wiederaufnahmen, »Überlappungen« und Verknüpfungen erreicht; es wird beispielsweise in einem Gespräch auf Früheres zurückgegriffen und dieses nun erst voll verständlich. Eine besondere Methode der Verknüpfung ist die Spiegelung: Spiegelung eines lauten Streits zwischen René und Grete in einem wortlosen zwischen Neuberg und Angelika, des großen Feuers in Wien in einem kleinen Feuer bei einer Hausfrau.

Den Roman beschließt eine Abschiedsszene: »*Mit jener schleichenden Lautlosigkeit und Langsamkeit, mit der jeder Expreßzug die Halle verläßt ..., glitt auch dieser hinaus und entzog uns rasch das Bild, welches vor uns in die Dunkelheit der Nacht zurückwich ... Mir war in diesen Augenblicken, als sollte ich weder sie noch irgend jemand von der Gruppe, die mit erhobenen Armen und winkenden Tüchern auf dem sonst fast leeren Bahnsteige stand, jemals im Leben wiedersehen.*« Dem Erzähler Geyrenhoff bleibt als tiefste Verbundenheit eines Alternden mit dem Leben nur, das Vergehende in der Erinnerung festzuhalten. So bilden die *Dämonen* eine von Wehmut kontrapunktierte »*Synopsis des Lebens*« (Doderer in seinem Tagebuch *Tangenten*).

H. O.

AUSGABE: Mchn. 1956; ern. 1962.

LITERATUR: W. Grözinger, *Der Roman d. Gegenwart. Der intellektuelle Erzähler* (in Hochland, 49, 1956, S. 177–180). – P. Rismondo, *Das Jahr vor d. Justizpalast-Brand. Histor. Gezeitenwechsel in D.s Großem Wiener Roman* (in Wort u. Wahrheit, 12, 1957, S. 52–55). – J.-F. Angelloz, *Les »Démons« par H. v. D.* (in MdF, 331, 1957, S. 531–534). – H. Spiel, *Der Kampf gegen d. Chaos* (in Der Monat, 9, 1957, H. 104, S. 65–68). – M. Hamburger, *A Great Austrian Novelist* (in Encounter, 8, 1957, H. 5, S. 77–81). – H. v. D., *Grundlagen und Funktion des Romans*, Nürnberg 1959. – D. Weber, *Form und Welt der »Dämonen«* (in D. W., *H. v. D. – Studien zu seinem Romanwerk*, Mchn. 1963, S. 125 bis 153). – D. L. Jones, *Proust and D. Themes and Techniques* (in Books Abroad, 37, 1963, S. 12 bis 15). – E. Stengel, *Die Entwicklung von H. v. D.s Sprachstil in seinen Romanen*, Diss. Wien 1963. – H. Eisenreich, *Reaktionen. Essays zur Literatur*, Gütersloh 1964. – A. Reniers-Servranckx, *H. v. D. »Demonen« en tweede werkelijkheid* (in De Vlaamse Gids, 48, 1964, S. 308–319).

DIE STRUDLHOFSTIEGE oder Melzer und die Tiefe der Jahre. Roman in vier Teilen von Heimito von DODERER (1896–1966), erschienen 1951. – Daß Doderer in der österreichischen Literaturgeschichte des 20. Jh.s weitgehend im Schatten der »Großen« – HOFMANNSTHAL, SCHNITZLER, MUSIL und BROCH – steht, mag auf den scheinbar naheliegenden Verdacht eines zwar genial polyhistorischen, gleichwohl aber »unschöpferischen« Eklektizismus zurückzuführen sein, der das Werk des Dichters dem Vorwurf zweitrangigen Epigonentums aussetzt. Zweifellos lassen sich Zusammenhänge zwischen Doderers Romankunst und Laurence STERNES oder JEAN PAULS humoristischer Artistik, der Zeitstruktur bei PROUST, der Ironie und der Leitmotivtechnik bei Thomas MANN und der epischen Entfaltung und Erschließung des Bewußtseinsstroms bei Schnitzler, JOYCE und Broch nachweisen. Dennoch signalisiert diese illustre Ahnengalerie mehr als bloße, epigonale Abhängigkeit: Auch Doderers Werk spiegelt die viel beschworene und damit schon wieder zu einer Art Tradition sich stabilisierende »Krise des modernen Romans«, dem seine angebliche Agonie Anlaß zu ständiger Selbstbesinnung und Selbsterhaltung ist – die Versuche und die Mittel, diese Krise des Romans im Medium des Romans zu überwinden, weisen so nur graduelle, nicht prinzipielle Unterschiede auf.

Das unverzagte und angestrengte Bemühen der Romanautoren, den permanent prophezeiten Tod des Romans zu vertagen, bereitet dem verstehenden Zugang des Lesers erhebliche Schwierigkeiten. In einem *Entwurf für den Verlag* (*Tangenten*, 28. 1. 1948) sucht Doderer diese Schwierigkeiten bei der Lektüre seines komplizierten Romans *Die Strudlhofstiege* mit einer leicht faßlichen Inhaltsübersicht zu kaschieren: »*Das Buch zeigt, was alles zum Dasein eines verhältnismäßig einfachen Menschen gehört. Und welcher langen Hebel – von Konstantinopel bis Wien, von Budapest bis Buenos Aires – das Leben bedarf und sich bedient und wievielerlei Kräfte es daran wendet, um auch nur einen einzigen solchen einfachen Mann durch die Etappen seines Schicksals zu bewegen; welches so sehr zum Kreuzungspunkt vieler Schicksale wird, daß es mitunter fast nur als deren Verbindendes erscheint ...*« Der Roman durchkreuzt das suggerierte klassische Bildungsromanschema jedoch gründlich. Gewiß gelangt der ehemalige k. u. k. Infanterieleutnant Melzer, nach dem Ersten Weltkrieg als Amtsrat bei der österreichischen Tabakregie angestellt, kraft des alle Fäden seines Schicksals souverän in der Hand haltenden Erzählers zu tieferer Einsicht in seinen Lebensweg, dessen Etappen analytisch erhellt werden und der schließlich ein idyllisches glückliches Ende in der Hochzeit mit der Kleinbürgerin Thea Rokitzer findet. Aber diese individuelle Selbstfindung und »Menschwerdung« Melzers ist nur ein, wenn auch wesentliches Moment im komplexen Gefüge des Romans. Sie wird gekreuzt und parallelisiert mit einer zweiten Bildungsgeschichte, der der autobiographischen Figur des Gymnasiasten, Studenten und Historikers René Stangeler; diese beiden Lebensschicksale aber verlieren sich beinahe im barocken Gewimmel der Romanfiguren, deren eigene Geschichten zu beziehungsreich verschränkten Romanen im Roman auswuchern – ein fast unüberschaubares Panorama der Wiener Gesellschaft aller Schichten vor und nach dem Ersten Weltkrieg.

Diese Zeiträume, genauer: die Jahre 1911 und 1925, bilden die beiden Spannungspole des Romangeschehens, der Fahrt in die »Tiefe der Jahre«. Der personellen Verflechtung entspricht die temporäre, die erfahrene und gelebte Vergangenheit wird zur erinnerten Gegenwart, durch die bunte Oberfläche des Präsens brechen die verworrenen Wurzeln eines erst im Erzählen sich vollendenden imperfekten Perfekts. Das durchsichtige Prinzip dieser epischen Fahrten in die Vergangenheit und Vorvergangenheit ist der Verzicht auf einen eindeutig linearen, kontinuierlichen Handlungsablauf: Der Roman beginnt im Jahre 1923, weist voraus auf den Anfang und Ende wie eine Klammer zusammenhaltenden Unfall der Mary K. am 21. September 1925, blendet im ersten und zweiten Teil immer wieder auf die Jahre 1911 und 1918–1925 zurück und voraus, um dann schließlich doch im dritten und vierten Teil vom Sommer bis in den Herbst 1925 kontinuierlich fortzuschreiten.

Das ruhende Zentrum in der brodelnden Dynamik der personellen und temporären Verschränkungen ist die Strudlhofstiege, ein verwinkeltes, mit Treppen und Rampen ausgestattetes Verbindungsbauwerk zwischen zwei Wiener Straßen, dessen Erbauer der Roman preziös gewidmet ist. Die Stiege ist ein die Zeiten überdauerndes und zugleich verknüpfendes Monument, gewählter oder zufälliger Treffpunkt der Figuren, »*die Lebensbühne dramatischen Auftrittes*« – der »*Nabel einer Welt*«: Ihre mehr als nur kulissenhafte Topographie versinnbildlicht allegorisierend die Struktur des Romans, der vom *genius loci* lebt und diesem zugleich in seiner komplexen Form episches Leben verleiht.

Die Strudlhofstiege, von Doderer als »*Rampe*« zu seinem umfangreichsten Romanwerk *Die Dämonen* (1956) verstanden, weil dort die Fäden der Lebensschicksale einiger Figuren weitergesponnen werden, erweist sich gleichwohl als geschlossenes Ganzes einer höchst artistischen Formkunst, als hermetische Selbstreflexion des Romans. Zwar scheint in der Schilderung der Lokalitäten, in der geradezu unheimlichen, bisweilen manierierten Imitation österreichischen Kanzleistils wie im sozialpsychologisch breitgefächerten Figurenreigen das Wien der Zeit unverwechselbar präsent zu sein. Aber diese Elemente sind nur konstituierende Funktionsträger des Romanganzen, der allegorischen Bühne der Wirklichkeit – einer Wirklichkeit freilich, die das Filter von Doderers Überzeugung passiert hat, derzufolge der »*Einhieb*« von 1918, der Zusammenbruch der Donaumonarchie, dem Vergangenheit und Gegenwart überbrückenden Kontinuum des »*übernationalen*« österreichischen Bewußtseins nichts anhaben konnte. M. Schm.

AUSGABEN: Mchn. 1951. – Mchn. 1955.

LITERATUR: H. Goertz, *D. u. der moderne deutsche Roman* (in Aktion, 2, 1952, Nr. 13, S. 77–79). – W. Grözinger, *Roman zwischen Dichtung und Reportage* (in Hochland, 44, 1951/52, S. 552–558). – K. A. Horst, *Austria hispanica* (in Jahresring, 54, 1954, S. 178–181). – D. Weber, *H. v. D. Studien zu seinem Romanwerk*, Mchn. 1963.

ALFRED DÖBLIN
(1878–1957)

BERLIN ALEXANDERPLATZ. Die Geschichte vom Franz Biberkopf. Roman von Alfred DÖBLIN (1878–1957), erschienen 1929. – Das Werk ist der bisher bedeutendste deutsche Großstadtroman. Erzählt wird die Geschichte eines gutwilligen, aber schwachen »*kleinen Mannes*«, den dunkle, ungreifbare Mächte und Kräfte in ständiger Abhängigkeit halten, bis er am Ende seines Lebens endlich zur Besinnung kommt, seinen »*alten Menschen*« wegwirft und von nun an seine »*Vernunft*« zu gebrauchen beschließt. Die als ein Pandämonium geschilderte Großstadt – Häusergewirr und Menschentrubel, Zeitungs- und Reklamegeschrei, unterirdisch brodelndes Verbrechertum, Schlachthausdunst und Jazzrhythmen, Hurenwinkel und Kaschemmenphilosophie, Zuhälterpack, Flittermoral und strahlender Lichterglanz – ist der eigentliche Gegenspieler des ehemaligen Transportarbeiters Biberkopf, der aus dem Zuchthaus kommt und nun beschließt, »*anständig zu sein*«. Ehrlich will er bleiben, wenn er als Straßenhändler und Zeitungsverkäufer am Berliner Alexanderplatz steht, in Bierschwemmen, Tanzlokalen und Zuhälterkaschemmen seine Abende verbringt, und ist doch, ohne es selbst zu wissen, schon verloren. Denn »*verflucht ist der Mensch, der sich auf Menschen verläßt*«, das ist das Leitmotiv des Romans. Biberkopf, immer auf der Flucht vor der eigenen Vergangenheit, verläßt sich auf den Ungeeignetsten, einen skrupellosen Verbrecher, dessen dämonischer Macht er hörig wird. Er läßt sich von seinem neuen »Freund« Reinhold im Tauschhandel mit Frauen versorgen, wird in Verbrechen hineingezogen, verliert dabei einen Arm, weil der »Freund« den gefährlichen Mitwisser unter ein Auto stößt, und gelangt schließlich zu der Überzeugung, daß das Anständigbleiben in dieser Welt nicht lohne. Er sucht und findet eine »Braut« und wird ihr Zuhälter; jetzt arbeitet er nicht mehr und macht wieder dunkle Geschäfte. Doch Freund Reinhold, der Dämon der Unterwelt und immer auf Biberkopfs Spuren, raubt ihm die Geliebte, vergewaltigt und erwürgt sie. »*Ganz aus ist es mit dem Mann Franz Biberkopf*«, der als vermeintlicher Täter verhaftet wird: er bricht zusammen und kommt in die Irrenanstalt. Nach dem Prozeß, der die Wahrheit zutage fördert, kann er vor Erschöpfung kaum noch nach Hause gehen, doch ist ihm nun endlich der »*Star gestochen*«: »*Man fängt nicht sein Leben mit guten Worten und Vorsätzen an, mit Erkennen und Verstehen fängt man es an und mit dem richtigen Nebenmann.*«

Mit *Berlin Alexanderplatz* erreichte der Berliner Armenarzt Döblin, der das Milieu und seine Sprache genau kannte, einen Höhepunkt expressiver Sprachgestaltung, einen neuen Naturalismus, der »*den Bezug zur Metaphysik wiedergefunden*« hat (R. Minder). Die Technik der pausenlosen Monologe, der ununterbrochen assoziierten Bilder und Vorstellungen scheint auf JOYCES *Ulysses*, der dauernde Wechsel der Szenerie auf Dos PASSOS' Großstadtroman *Manhattan Transfer* hinzudeuten, und tatsächlich »schneidet« Döblin wie Dos Passos nach Art der Filmtechnik Bilder und Szenen bis zu scheinbarer Zusammenhanglosigkeit. Aber W. Benjamin wies schon bald nach Erscheinen des Romans darauf hin, daß der »innere Monolog« bei Joyce eine »*ganz andere Zielsetzung*« und daß das Stilprinzip der Montage bei Dos Passos seine eigentlichen Wurzeln im Dadaismus habe, zu dessen ältesten und echtesten Vätern eben der Frühexpressionist Döblin gehöre. Die verschiedenen Handlungsstränge und ihre Funktion innerhalb des Romanganzen werden durch dauernden Wechsel der sprachlichen Mittel – Berliner Jargon, Bibelsprache, Schlager- und Moritatenton, Werbeslogans, Zeitungsdeutsch, Statistiken, schnoddrige Einwürfe des Autors – deutlich gemacht. Döblin will im Gegensatz zu Dos Passos die von ständigen Explosionen durchzuckte Großstadtatmosphäre nicht nur realistisch beschreiben; biblische Leitmotive überhöhen die Turbulenz der Massenwelt ins Apokalyptische: Berlin wird zu Sodom in der Hektik vor dem Untergang; die Hure Babylon reitet durch die Stadt (Verkündigungen aus den Büchern *Jeremia* und *Hiob* sind in den Text eingefügt), die schrecklichen Engel schreiten unsichtbar durch die Straßen, auf denen sich Menschenmassen im Totentanz wiegen. Urteilende, belehrende, erklärende, warnende, skeptische Kapitelüberschriften kommentieren das Geschehen. Diese ganze expressionistisch-naturalistisch-mystische Vielstimmigkeit ist, nach Döblins eigenen Worten, nicht wie Dos Passos' *USA*-Trilogie polyphon, sondern homophon komponiert, bezogen auf den kleinen Mann Biberkopf, die aus der Masse zum Leiden und zur Erlösung auserwählte Kreatur. Er, der typische »*Mitläufer*« (R. Minder), in dem Döblin ahnungslos den Menschentypus der wenig später beginnenden Schreckenszeit schilderte, muß sich von der Faszination einer Stärke freimachen, die ihn zum willenlosen Werkzeug eines Verbrechers erniedrigt hatte. Wie ein Spruchband hängt der Bänkelsängervers über dem demütigen »*neuen Menschen*« Biberkopf: »*Wach sein. Dem Menschen ist gegeben die Vernunft, die Ochsen bilden statt dessen eine Zunft.*« B. B. – KLL

AUSGABEN: Bln. 1929. – Bln. [50]1933. – Olten 1961 (in *AW in Einzelbdn.*; darin auch Selbstäußerungen D.s u. Nachw. v. W. Muschg).

LITERATUR: F. Martini, *Das Wagnis d. Sprache*, Stg. 1954, S. 339–372. – H. Regensteiner, *Die Bedeutung d. Romane A. D.s von »Die 3 Sprünge d. Wang-lun« bis »Berlin Alexanderplatz«*, Diss. New York 1954. – R. Minder, *A. D.* (in *Dt. Literatur im 20. Jh.*, Hg. H. Friedmann. O. Mann, Heidelberg [3]1959). – H. Schwimmer, *Erlebnis u. Gestaltung d. Wirklichkeit bei A. D. (bes. »Berlin Alexanderplatz«)*, Diss. Mchn. 1960. – H. Becker, *Untersuchungen zum epischen Werk A. D.s am Beispiel seines Romans »Berlin Alexanderplatz«*, Diss. Marburg 1962. – A. Schöne, *D.: »Berlin Alexanderplatz«* (in *Der deutsche Roman vom Barock bis zur Gegenwart: Struktur und Geschichte*, Hg. B. v. Wiese, Bd. 2, Düsseldorf 1963, S. 146–189).

WALLENSTEIN. Roman von Alfred DÖBLIN (1878–1957), erschienen 1920. – Eines der bedeutendsten Werke nicht nur im Œuvre des Dichters, sondern in der modernen Romanliteratur überhaupt, entwirft Döblins *Wallenstein* als weiträumiges und suggestives Prosaepos ein vielfarbiges Panorama des Dreißigjährigen Kriegs, sprengt zugleich durch die Intensität unmittelbarer Evokation die historisierende Schematik des herkömmlichen deutschen Geschichtsromans und knüpft damit an FLAUBERTS *Salammbô* oder COSTERS *La légende d'Ulenspiegel* an.
Die erzählte Zeitspanne erstreckt sich von der Schlacht am Weißen Berg bis zur Ermordung Wallensteins und umfaßt somit die Feldzüge Tillys und Wallensteins sowie die Schlachten und diplomatischen Verhandlungen Gustav Adolfs von Schweden, Christians von Dänemark und vieler anderer Monarchen und Generale. Zentrale Figur des Romans ist nicht so sehr Wallenstein als vielmehr Ferdinand II., Kaiser von Österreich: »*Um dessen Seele geht es*« (Döblin, *Aufsätze zur Literatur*). Gegenüber dem hektischen Kampfgetümmel elementarer Triebe, verkörpert in den Repräsentanten der politischen und militärischen Macht, verharrt Ferdinand in einer bald vital genießenden, bald mystisch-asketischen Passivität, in einer – durch das kaiserliche Amt mitbedingten – naturhaften Latenz. Durch das Auftreten Wallensteins, der als zynischer Spekulant und brutaler Ausbeuter, als »Potenz der Potenzen«, mythisiert als Ungeheuer oder Drache erscheint, gewinnt Ferdinand eine vollkommene, von jeder konkreten Bindung losgelöste Sicherheit der eigenen Existenz, aus der heraus er am Ende auch sein Amt von sich abstreift und ins anonyme, vom Krieg umhergetriebene Volk eintaucht. Schließlich ist er, von einem tierhaften Waldmenschen ermordet, nur noch Element in dem vegetativen Kosmos der Natur.
Die für Döblin schon früh zur Gewißheit gewordene Überzeugung, daß die subjektive Individualität des bürgerlichen Menschen scheinhaft und nichtig ist gegenüber der zeitlosen Substanz und allumfassenden Dynamik der kollektiven Natur, prägt auch den primär am Weg Ferdinands ablesbaren Sinn und die auf epische Totalität zielende Sprachgestalt des *Wallenstein*: Wenn Döblin in seinem ersten Roman *Die drei Sprünge des Wang-lun* (1915) das chinesische Ethos des »Nicht-Widerstrebens« bereits als einzig sinnvollen Weg in der tragischen Verwicklung des Lebens akzentuiert hat, so wird hier die groteske Absurdität der europäischen Geschichte mit ihren chaotischen Mischungen aus Finanzspekulation und Theologie, aus nationalen Machtansprüchen und privaten Leidenschaften erkennbar als ein millionenfaches qualvolles oder rauschhaftes Sterben.
Stilistisch realisiert *Wallenstein* die Forderungen, die Döblin – beeinflußt durch den Futurismus wie durch Arno HOLZ – seit 1913 an den modernen Roman stellte: »Tatsachenphantasie« äußert sich in ausschweifender Verwendung einer großen Fülle historischer Dokumente, die die abstrakten Linien der herkömmlichen Geschichtsschreibung mit drastisch konturierten Details überschüttet, zugleich aber auch in der rigorosen Integration der Einzelfakten in die »*unendliche Melodie*« der epischen Totalität. »Depersonation« ist ein weiteres provokatives Ziel des von unüberschaubar vielen Figuren sinnlich-affektiv erzählenden Epikers: Er entwirft keine in sich gerundeten Charakterbilder, sondern notiert nur präzise Abläufe, unterscheidbare Verhaltensweisen und protokolliert strikt situationsbezogene Gespräche. Die rapide Lebensdynamik wird an keiner Stelle zum Typischen fixiert, vielmehr in der atemlosen Folge einander gleichwertiger Szenen sprachlich repräsentiert.
Außer einer Großgliederung in sechs Bücher weist der Roman keine erkennbaren Kompositionsprinzipien auf – die Position einzelner Abschnitte wäre ohne weiteres zu verändern, und nur an einigen Stellen verdichtet sich die zufallsbestimmte Anlagerung heterogener Wirklichkeitsfragmente, wie etwa in der Erzählung vom Auszug der Böhmischen Brüder (zweites Buch), eine aus jüdischer Leidenserfahrung erschütternd gestaltete Darstellung von Vertreibung und Flucht. Der Erzähler tritt an keiner Stelle auktorial-einheitsstiftend auf, sondern bleibt hinter einer verwirrenden Pluralität der Perspektiven verborgen und überläßt damit Kommentar und Kritik dem Gegenspiel anderer Figuren, seien sie als Handelnde benannt oder anonyme Sprecher. Diese »Amoralität« des Romans sichert ihm seine artistische Geschlossenheit als Experiment unmittelbarer Selbstrepräsentation kollektiven Lebens in der Sprache: Döblins *Wallenstein* hat damit die idealisierende Zufälligkeit des konventionellen historischen Romans überwunden, dokumentiert aber zugleich eindringlich die hoffnungslose Endsituation einer Dichtung ohne historisch-reflektierende Vernunft. E. Ri.

AUSGABEN: Bln. 1920, 2 Bde. – Olten/Freiburg i. B. 1965, Hg. u. Nachw. W. Muschg.

LITERATUR: O. Loerke, *Das bisherige Werk A. D.s*, Bln. 1928 (in *A. Döblin. Im Buch – Zu Haus – Auf der Straße*, Bln. 1928, S. 115–177). – J. Strelka, *Der Erzähler A. D.* (in GQ, 33, 1960, S. 197–210). – R. Minder, *A. D.* (in *Deutsche Literatur im 20. Jh. Strukturen u. Gestalten*, Hg. H. Friedmann u. O. Mann, Bd. 2, Heidelberg [4]1961, S. 140–160). – A. Döblin, *Aufsätze zur Literatur*, Hg. W. Muschg, Olten/Freiburg i. B. 1963. – R. Links, *A. D. Leben u. Werk*, Bln. 1965. – F. Martini, *A. D.* (in *Deutsche Dichter der Moderne. Ihr Leben u. Werk*, Hg. B. v. Wiese, Bln. 1965, S. 321–360). – H. Elshorst, *Mensch u. Umwelt im Werk A. D.s*, Diss. Mchn. 1966. – W. Rasch, *D.s »Wallenstein« u. die Geschichte* (in W. R., *Zur deutschen Literatur seit der Jahrhundertwende*, Stg. 1967, S. 228–242). – G. Grass, *Über meinen Lehrer D.* (in Akzente, 14, 1967, S. 290 bis 309). – E. Ribbat, *Die Wahrheit des Lebens im frühen Werk A. D.s*, Münster 1970.

FRIEDRICH DÜRRENMATT
(*1921)

DER BESUCH DER ALTEN DAME. Eine tragische Komödie in drei Akten von Friedrich DÜRRENMATT (*1921), Uraufführung: Zürich 1955, Schauspielhaus. – In der Handlung des Stücks sind zwei Themen miteinander verknüpft: der Abfall einer kleinen Stadt von moralischen Konventionen unter dem Zugriff der Macht und der Verführung des Geldes, denen die Bewohner *»nur schwach, nicht böse«* erliegen, und die Geschichte eines Schuldigen, der dazu gelangt, seine Schuld zu erkennen und zu sühnen.

Die Kleinstadt Güllen *»irgendwo in Mitteleuropa«* (Nachwort Dürrenmatts) erwartet den Besuch der alten Dame Claire Zachanassian, die als junges Mädchen selbst in Güllen gewohnt hatte. Man erhofft sich von ihr Rettung vor dem finanziellen Ruin, der die Stadt seit langem bedroht und der, wie sich später zeigen wird, von der inzwischen reich und mächtig gewordenen Claire selbst über Güllen verhängt worden war. Der Krämer Alfred Ill soll Claire, seine Jugendgeliebte, zu einer gemeinnützigen Stiftung veranlassen und damit der Stadt einen Platz an der Sonne verschaffen. Er hatte seine Freundin verleugnet, als sie vor fünfundvierzig Jahren ein Kind von ihm erwartete, und sie damit auf den Leidensweg der Auswanderung und der Prostitution gestoßen. Claire, den Bürgern ein Popanz und Götzenbild, wird für Ill zum steinernen Gast. Denn Claire macht ihre Stiftung davon abhängig, daß *»Gerechtigkeit«* und *»totale Rache«* geübt werden: Ill soll für sein damaliges Vergehen von seinen Mitbürgern umgebracht werden. Die Bürger lehnen anfangs das Ansinnen *»im Namen der Menschlichkeit«* entrüstet ab, beruhigen sich dann damit, es werde sich schon alles »arrangieren« lassen, und erliegen schließlich der Versuchung des Geldes. Sie beschließen, Ill zu töten; in der Einsicht, daß die Zeit seine Schuld nicht getilgt hat, nimmt dieser das Opfer auf sich. Der Scheck wird ausgefertigt und ein (das erste Stasimon der *Antigone* des SOPHOKLES grotesk abwandelnder) Schlußchor preist das heilige Gut des Wohlstandes.

Das Tragikomische des Stückes beruht auf der Kreisbewegung zweier gegenläufiger Geschichten: hier die lächerliche Groteske von der Käuflichkeit der Moral einer ganzen Stadt, dort die exemplarische Demonstration der Entwicklung des sittlichen Bewußtseins in einem Einzelnen. Beide werden, die eine in absteigender, die andere in aufsteigender Richtung in Gang und zu Ende gebracht von der *»reichsten Frau der Welt«*, die *»durch ihr Vermögen in der Lage«* ist, *»wie eine Heldin der griechischen Tragödie zu handeln, absolut, grausam, wie Medea etwa«* (Nachwort Dürrenmatts zu seinem Stück). Bilder und Motive (Ruin, hohle Phrasenhaftigkeit, Lüge, Vergänglichkeit) sind verknüpft mit Themen der griechischen Tragödie: Verhängnis und Gericht, Schuld und Sühne, Rache und Opfer. In einem vergeblichen Versuch Ills, sich der bürgerlichen Gemeinschaft und der eigenen Verantwortung zu entziehen, überschneiden sich beide Geschichten; in seinem Tod, der ihn in die Gemeinschaft zurückführt, laufen sie zusammen. Der simultane Verlauf der Geschehnisse entspricht dem Sachverhalt, daß innerhalb einer Gemeinschaft die Moral zugleich erkannt und vertuscht werden kann – *»dargestellt von einem, der sich von diesen Leuten durchaus nicht distanziert und der nicht so sicher ist, ob er anders handeln würde«* (Nachwort).

W. F. S. – KLL

AUSGABEN: Zürich 1956. – Zürich 1957 (in *Komödien*, Bd. 1). – Ffm. 1959 (in *Spectaculum*, Bd. 2).

VERFILMUNG: USA 1964 (Regie: B. Wicki).

LITERATUR: J. C. Loram, *»Der Besuch d. alten Dame« and »The Visit«* (in MDU, 53, 1961, S. 15–21). – E. E. Reed, *D.'s »Besuch d. alten Dame«. A Study in the Grotesque* (ebd., S. 9–14). – R. Grimm, *Parodie u. Groteske im Werk D.s* (in GRM, N.F. 11, 1961). – *Der unbequeme D.*, Hg. R. Grimm u. a., Basel/Stg. 1962 (Theater unserer Zeit, 4). – H. Bänziger, *Frisch u. D.*, Bern/Mchn. 1962. – D. G. Daviau, *Justice in the Works of F. D.* (in Kentucky Foreign Language Quarterly, 9, 1962, S. 181–193). – H. J. Syberberg, *Zum Drama F. D.s. Zwei Modellinterpretationen z. Wesensdeutung d. mod. Dramas*, Diss. Mchn. 1963.

DIE PHYSIKER. Komödie in zwei Akten von Friedrich DÜRRENMATT (*1921), Uraufführung: Zürich, 21. 2. 1962, Schauspielhaus. – Die unausweichliche Gefährdung der Welt durch die moderne Kernphysik ist zentrales Thema dieser Komödie, die streng die drei klassischen Einheiten der Zeit, des Orts und der Handlung wahrt. Sie spielt irgendwo in der Schweiz in einem privaten Nervensanatorium, wo die weltbekannte Psychiaterin Dr. h. c. Dr. med. Mathilde von Zahnd drei Kernphysiker, harmlose, liebenswerte Irre, behandelt: Ernst Heinrich Ernesti, der sich für Einstein hält; Herbert Georg Beutler, der sich mit Newton identifiziert; und Johann Wilhelm Möbius, dem König Salomon aufsehenerregende Erfindungen diktiert. In der Villa geschehen merkwürdige Dinge, die auch die Polizei beschäftigen. Inspektor Voss untersucht in kürzester Zeit drei Morde an Krankenschwestern. Der parallele Bau der beiden Akte kommt darin zum Ausdruck, daß Dürrenmatt sie jeweils mit der Untersuchung des zuletzt erfolgten Mordes einleitet. Die überraschende Wendung geschieht erst in der Mitte des zweiten Akts: Keiner der drei Patienten ist wirklich krank. Die Schwestern mußten sterben, weil sie Verdacht geschöpft hatten. Sie wurden das Opfer einer höheren Notwendigkeit. Möbius hatte mit einer genialen Dissertation die beiden größten Geheimdienste der Welt auf sich aufmerksam gemacht, die zwei Kernphysiker, Kilton alias Newton und Eisler alias Einstein, als Agenten in das Irrenhaus schickten, wo Möbius, dessen Handeln allein von der Verantwortlichkeit der Wissenschaft bestimmt ist, Zuflucht gesucht hat. Denn Möbius, dem größten Physiker der Welt, ist es gelungen, das System aller möglichen Erfindungen, die Weltformel, zu entdecken, aber er hat aus Gründen der Verantwortung den vorgetäuschten Wahnsinn als einzige Alternative zu einer glänzenden wissenschaftlichen Karriere gewählt. Er entscheidet sich für die Narrenkappe, denn das Irrenhaus garantiert ihm die Sicherheit, von Politikern nicht ausgenutzt zu werden. Die beiden gleichfalls Wahnsinn simulierenden Agenten versuchen, jeder mit anderen ideologischen Gründen, die Weltformel für ihr Land zu erwerben. Möbius aber überzeugt seine beiden Kollegen, daß es keinen anderen Ausweg als die Flucht aus der Welt gibt. »*Wir müssen unser Wissen zurücknehmen ... Entweder bleiben wir im Irrenhaus oder die Welt wird eines.*« Seiner Erkenntnis folgend hat er die Manuskripte längst verbrannt. Da erscheint Mathilde von Zahndt, die mißgestaltete Anstaltsleiterin, und erklärt die drei Physiker zu Gefangenen. Sie hat das Spiel durchschaut, die Manuskripte rechtzeitig photokopieren lassen und mit der Auswertung des »*Systems aller möglichen Erfindungen*« in ihrem Welttrust begonnen, denn auch ihr ist König Salomon erschienen, um durch sie die Weltherrschaft zu ergreifen. Die Welt fällt in die Hände einer verrückten, buckligen, alten Irrenärztin. Hinter den drei Kernphysikern aber schließen sich die Anstaltsgitter für immer. Als Einstein, Newton und Salomon erscheint ihnen der selbstgewählte Wahnsinn als die einzig sinnvolle Existenzform in einer Welt, die dem eigenen Untergang entgegentaumelt; als Mörder bleibt ihnen keine andere Wahl als das Paradoxon vernünftiger Schizophrenie.

Was als kriminalistische Kolportage begann, endet in einer grotesken Umkehrung. Dramatisches Vehikel dafür ist der für die Gattung Komödie charakteristische Überraschungseffekt, den Dürrenmatt in virtuoser Steigerung einsetzt, vom dreifachen Mord an den Krankenschwestern über die Preisgabe der wahren Identität der Physiker bis zur Aufdeckung der diabolisch-irrwitzigen Pläne der Anstaltsleiterin. Dieser letzte Überraschungseffekt, mit dem das Stück seine »*schlimmst-mögliche Wendung*« nimmt, enthüllt die zentrale Funktion, die der Zufall in Dürrenmatts Theater hat. Am Zufall, dem unerwarteten Manöver einer Irrenärztin, scheitert das durchdachte, verantwortungsbewußte Vorgehen von Möbius. Damit ist das Paradoxe zum dramaturgischen Bauprinzip erhoben. »*Je planmäßiger die Menschen vorgehen, desto wirksamer vermag sie der Zufall zu treffen*«, heißt es in den *21 Punkten zu den Physikern*, einem lakonischen Kommentar des Autors zu seiner Komödie. Gerade die heroische Individualethik fällt diesem Paradox zum Opfer. Die in BRECHTS *Leben des Galilei* gestellte Frage nach der Verantwortung des Naturwissenschaftlers wird irrelevant angesichts der Tatsache, daß der einzelne, selbst wenn er verzichtbereit sein Wissen zurücknimmt, die Menschheit nicht vor dem drohenden Untergang retten kann. »*Was einmal gedacht wurde, kann nicht mehr zurückgenommen werden*«, sagt Möbius. Aus dieser These resultiert Dürrenmatts idealistischer Vorschlag einer universalen, quasi weltumfassenden Lösung des Problems: »*Der Inhalt der Physik geht die Physiker an, die Auswirkung alle Menschen. Was alle angeht, können nur alle lösen. Jeder Versuch eines einzelnen, für sich zu lösen, was alle angeht, muß scheitern*« *(21 Punkte zu den Physikern)*. Dürrenmatts Einsicht in die Hilflosigkeit des einzelnen hat eine dramaturgische Konsequenz: An die Stelle der Tragödie mit ihren an das geschichtsmächtige Individuum gebundenen Kategorien der Schuld, des Maßes, der Übersicht, der Verantwortung, tritt die Komödie, die das Tragische als verhängnisvollen Zufall in sich aufnimmt. – Die scheinbar alltagsnahe Sprache des Stücks erscheint trotz eingestreuter Kolloquialismen bewußt stilisiert und unterkühlt. So zieht der Autor das Imperfekt dem umgangssprachlichen Perfekt vor und benützt reduzierte parataktische Satzreihen. Nur der visionär-apokalyptische Furor im *Gesang, den Weltraumfahrern zu singen* bzw. die lyrische Bildlichkeit in den kurzen, von gespieltem Wahnsinn motivierten Monologen verläßt die etablierte Stilebene. In bewußtem, gelegentlich inadäquatem Kontrast zum Schrecken des Tragischen gestaltet Dürrenmatt das Komische in Form des effektvollen Irrenwitzes, der pointierten Wortwiederholung und des saloppen Gags. Dank dieser verbalen Komik mildert sich und entspannt sich allerdings der angestrengt intellektuelle Charakter des Stücks, seine Tendenz zum scharfsinnigen, an szenischer Dynamik relativ armen Diskussionsforum.

C. P. S.

AUSGABEN: Zürich 1962. – Zürich 1964 (in *Komödien II und frühe Stücke*). – Bln. 1965 (in *Komödien*, Hg. u. Nachw. A.-G. Kuckhoff u. R. Links).

LITERATUR: S. Melchinger, Rez. (in Stuttgarter Ztg., 23. 2. 1962). – J. Jacobi, *Keine politische Botschaft aus der Schweiz*. Rez. (in Die Zeit, Nr. 10, 9. 3. 1962). – J. Kaiser, *Die Welt als Irrenhaus* (in Theater heute, 3, 1962, H. 4, S. 5–7). – P. Hübner, *Beifall für D.?* (in Wort und Wahrheit, 17, 1962, S. 563–566). – W. Muschg, *D. und »Die Physiker«* (in Moderna språk, 56, 1962, S. 280–283). – H. Mayer, *D. und Brecht oder Die Zurücknahme* (in *Der unbequeme D.*, Hg. R. Grimm u. a., Stg. 1962, S. 97–116; Theater unserer Zeit, 4). – E. Brock-Sulzer, *F. D. Stationen seines Werkes*, Zürich [2]1964, S. 113–133. U. D. Boyd, *Die Funktion des Grotesken als Symbol der Gnade in D.s dramatischem Werk*, Diss. Univ. of Maryland 1964 [m. Bibliogr.]. – E. Neis, *Erläuterungen zu D.s »Der Besuch der alten Dame« u. »Die Physiker«*, Hollfeld 1965 (W. Königs Erläuterungen z. d. Klassikern, 295). – U. v. Massberg, *Der gespaltene Mensch. Vergleichende Interpretation der Physiker-Dramen von Brecht, D., Zuckmayer u. Kipphardt auf der Oberstufe* (in Der Deutschunterricht, 17, 1965, H. 6, S. 56–74). – K. S. Weimar, *The Scientist and Society. A Study of Three Modern Plays* (in MLQ, 27, 1966, S. 431–448). – K.-D. Petersen, *F. D.s Physiker-Komödie. Eine Interpretation für den Deutschunterricht* (in Pädagogische Provinz, 5, 1967, S. 289–302).

KASIMIR EDSCHMID

(d. i. Eduard Schmid)
(1890–1966)

DAS RASENDE LEBEN. Zwei Novellen von Kasimir EDSCHMID (d. i. Eduard Schmid, 1890 bis 1966), erschienen 1916. – Edschmids erster Novel-

lenband *Die sechs Mündungen* gilt als ein Musterbeispiel expressionistischer Prosakunst. Die zwei Novellen des *Rasenden Lebens (Das beschämende Zimmer* und *Der tödliche Mai)* vertiefen und erweitern die suggestive Bildsprache und die explosive Thematik der ersten Erzählungen: Sie *»reden im hauptsächlichen Sinn nicht – wie das vorausgegangene Buch – vom Tod als einer letzten Station, nicht von Trauer und vom Verzicht. Sie sagen auch nicht: leben. Sie sagen: rasend leben« (Vorwort)*. In der ersten Novelle führt ein Freund den Dichter durch ein verstecktes Gemach, an dessen Wänden Bilder ohne Auswahl und Ordnung hängen; jedes Bild ruft ein aufwühlendes Erlebnis hervor, das der Freund erzählt: *»Abenteuerlichkeit fraß sich in die Wände. Schicksal brannte in den Rahmen und wollte heraus. Sehnsüchte ohne Maß, gelebte, nur gestreifte, schwellten den Raum, daß er fast barst, und Jahre rasten auf dem Sekundenblatt der Pendüle herunter.«* Am Ende bricht der Freund unter der Wucht innerer Gesichte zusammen. Der Dichter verläßt angewidert die Galerie der Erinnerungen: *»Denn der Genuß des Abenteuers ist das ungewiß Beschwebende: Wissen, vieles Bunte getan zu haben, aber eine Luft hinter sich zu fühlen ohne Halt und ohne Farbe. Tosendes ... rasendes Leben ...«*
Die zweite Novelle erzählt vom siegreichen Todeskampf eines Offiziers und Malers, der lethargischen Leere der Genesungszeit und der rauschhaften Rückkehr ins Leben. Aus der Kälte des Todes ersteht eine neue Verzücktheit des Daseins: *»Wo ich vor dem Tode am zerschmetterndsten empfunden habe, an dieser Stelle, meine ich, muß die ungeheuerlichste Kraft des Lebens sitzen.«* In somnambuler Entrückung beschwört er das Bild blühender Bäume als eine kosmische Metapher unendlichen Daseins aus der Erinnerung herauf.
Die Georg Büchner gewidmeten Novellen, erste Prosaversuche des literarischen Expressionismus, erfüllen geradezu exemplarisch das expressionistische Programm der frühen Manifeste, die Edschmids literarisches Schaffen begleiten. Diese Prosa verzichtet bewußt auf Analyse und Psychologie; der Dichter erlebt direkt, aus dem unmittelbaren Gefühl heraus: *»So wird der ganze Raum des expressionistischen Dichters Vision. Er sieht nicht, er schaut. Er schildert nicht, er erlebt. Er gibt nicht wieder, er gestaltet. Er nimmt nicht, er sucht« (Über den dichterischen Expressionismus,* 1917*)*. Expressionistische Dichtung, ihrer Tendenz nach kosmisch und visionär, bringt unter den Zwängen eines dämonisch gesteigerten Lebensgefühls ein transreales, die herkömmlichen Übereinkünfte und Rationalisierungen sprengendes Weltbild hervor. Die worpswedischen Maler treten als *»hypertrophierte Empfindungsdestillatoren des Seins«* auf. Das Leben bricht in vulkanischen Ausbrüchen hervor, ergießt sich in einem orgiastischen Wortrausch, als rasendes Staccato, verbales Stammeln oder als pathetischer Aufschrei: *»O Rausch, o Sonne, o Ruhm, o Süßigkeit.«* Ein ekstatisches Parlando, knapp, forciert und sprunghaft, weitet gewaltsam die sprachliche Ausdrucksmöglichkeit und soll vom revolutionären Dichter zeugen, der die Welt zertrümmert, um sie in kühner Metaphorik neu zu schaffen. Mit dem *Rasenden Leben* feiert Kasimir Edschmid die irrationale Größe der expressionistischen Weltsicht und steckt zugleich ihre Grenzen ab, über die hinaus die Sprache dem Gefühl nicht mehr zu folgen vermag. M. Ke.

Ausgaben: Lpzg. 1916 (Der jüngste Tag, 20; Nachdr. Ffm. 1969). – Neuwied/Bln. 1965 (in *Die frühen Erzählungen*; zus. m. *Die sechs Mündungen* u. *Timur*).

Literatur: E. Wenzig, *K. E.* (in Die Tat, 9, 1917, S. 769–775). – W. Schumann, *K. E.s Novellen* (in Der Kunstwart, 30, 1917, S. 30). – *K. E. Ein Buch der Freunde zu seinem 60. Geburtstag*, Hg. G. Schab, Düsseldorf/Mchn. 1950. – G. Engels, *Der Stil expressionistischer Prosa im Frühwerk K. E.s*, Diss. Köln 1952. – *K. E. Der Weg. Die Welt. Das Werk. Ein literarisches Mosaik zum 65. Geburtstag des Dichters am 5. Okt. 1955*, Hg. L. Weltmann, Stg./Mchn. 1955. – H. Liede, *Stiltendenzen expressionistischer Prosa. Untersuchungen zu Novellen von A. Döblin, C. Sternheim, K. E., G. Heym u. G. Benn*, Diss. Freiburg i. B. 1960.

GÜNTER EICH
(1907–1972)

TRÄUME. Hörspiel von Günter Eich (* 1907), Erstsendung: München 1953, Bayerischer Rundfunk; erschienen 1953. – Günter Eich, der wohl zu Recht als der große Erneuerer des Hörspiels im deutschsprachigen Raum gilt, erhielt für *Träume*, eines seiner Hauptwerke, den Hörspielpreis der Kriegsblinden (1963). Das Hörspiel gehört der vorexperimentellen Funkdichtung zu: Auf akustischen oder sprachlichen Avantgardismus wird noch verzichtet, jedoch hebt sich der Aufbau deutlich vom Herkömmlichen (linearer Handlungsverlauf) ab. Fünf Träume werden durch kurze Einschübe vom Autor lose miteinander verknüpft und jeweils von einem Anfangs- und Schlußteil eingeleitet und rückblickend kommentiert. Vorausdeutend und programmatisch ist einer der ersten Sätze: *»Alles, was geschieht, geht dich an.«* Das eintönige Geratter der Eisenbahnschienen gibt dem ersten Traum seine akustisch-formale Einheit und ist gleichzeitig Signal der Bedrohung. Drei Generationen einer Familie befinden sich in einem engen, lichtlosen Waggon. Die Großeltern wurden vor vierzig Jahren aus den Betten geholt, sie sind die einzigen, die die Welt der Blumen, Berge und Sonntagsanzüge noch bewußt gesehen haben. Plötzlich beschleunigt sich das Fahrtgeräusch, der Zug rast offensichtlich einer Katastrophe entgegen. – Der zweite Traum ist der Traum eines türkischen Steuerbeamten. In eine einsame Bahnstation verschlagen, wird er überraschenderweise von einem ihm unbekannten »Komitee« begrüßt. Man bietet ihm für jedes Betätigen der Klingelanlage ein Pfund an – die Anlage stellt sich schließlich als Fallbeilvorrichtung heraus. – Ein australischer Automechaniker erlebt im folgenden Traum, wie seine Familie durch das Heranrücken eines einzelnen, übermächtigen »Feindes« aus ihrem Haus vertrieben wird. Einem ungeschriebenen Gesetz zufolge muß bei einer Flucht alles zurückgelassen werden: Weil die jüngste Tochter ihre Puppe mitnimmt, jagen die Mitbürger aus Furcht vor dem »Feind« die Familie aus der Stadt. – Ein Moskauer Kartenzeichner sieht sich im Traum auf einer afrikanischen Urwaldexpedition. Die akustische Atmosphäre ist gekennzeichnet vom unaufhörlichen Wirbel der Nachrichtentrommeln, die schließlich seinen Untergang signalisieren: Die Träger machen sich davon, er verliert sein Gedächtnis. – Der fünfte Traum, der einer New Yorker

Hausfrau, schildert die konkrete Bedrohung des Menschen und seiner Umwelt von innen her; dauerndes Hintergrundgeräusch ist das Nagen von Termiten, denen zunächst Mutter und Ehemann zum Opfer fallen. Wann das Haus, die Stadt, ja die ganze Erde zusammenstürzen werden, hängt nur vom Zeitpunkt des nächsten Gewittersturms ab. Ein kurzer Schlußteil gipfelt in direkten Aufforderungen an den Hörer: *»Tut das Unnütze!«*, und: *»Seid der Sand, nicht das Öl im Getriebe der Welt!«*

In zweifacher Hinsicht ist der Zustand des Schlafens zentrales Motiv des gesamten Hörspiels. Einerseits wird der Traum immer wieder als diejenige Realität ausgewiesen, die erst das Erkennen einer untergründig vorhandenen Bedrohung möglich macht. (Hierher gehören auch die Motive des Schlafes im Schlaf und des gestörten Schlafes.) Auf der anderen Seite ist aber diese Bedrohung nur abzuwenden durch das »Aufwachen« aus gefährlicher Lethargie und Interesselosigkeit: *»Denk daran, daß du an allem schuld bist, was sich fern von dir abspielt!«* Vorgeführt werden Alpträume einer endgültigen Zerstörung des Menschen durch eine wechselnd personifizierte oder symbolisierte Gewalteinwirkung. Der Totalitätsanspruch, der aus dieser Thematik spricht, ist verstärkt durch geographische Vollständigkeit: Schauplatz der Handlung ist jeweils einer der fünf Erdteile. Neben einer feindlichen Umwelt – Urwald oder Kleinstadt – ist es vor allem die Anonymität der staatlichen Gewalt, die zur Katastrophe führt. Durch die dauernde Präsenz des akustischen Raums mit seinen feinabgestuften Spannungsbögen wird diese Katastrophe von Anfang an signalisiert und in zunehmendem Maß hörbar gemacht – hier zeigt sich Eichs perfekte Beherrschung des Mediums. Die verschiedenen Sprachebenen werden virtuos aufeinander bezogen: Die vor den Anfang eines jeden Traums gestellte Kurznotiz im Nachrichtenstil verleiht dem Folgenden nicht nur den Schein journalistischer Tatsächlichkeit – die Irrealität des Traums erhält auch durch die deutenden Kommentare symbolischen Wirklichkeitscharakter. *»Wacht auf«*, heißt es am Ende mit spürbar politisch-sozialem Akzent, *»denn eure Träume sind schlecht«*, und: *»Schon läuft der Strom in den Umzäunungen und die Ordner sind aufgestellt.«* M. Fru.

AUSGABE: Bln./Ffm. 1953 (Bibl. Suhrkamp, 16; ern. 1969).

LITERATUR: H. Piontek, *Anruf u. Verzauberung. Das Hörspielwerk G. E.s* (in Zeitwende, 26, 1955, S. 815–822). – H. Klempt, *G. E.: »Träume«. Versuche einer Interpretation* (in Deutschunterricht, 12, 1960, S. 62–72). – G. Bien, *Einige Bemerkungen zur Bedeutung der Sprache im Werk G. E.s* (in Sprache im technischen Zeitalter, 1962, H. 5, S. 401–410). – S. Müller-Hanpft, *Über G. E.*, Ffm. 1970 (ed. suhrkamp, 402; m. Bibliogr.).

HANS MAGNUS ENZENSBERGER
(*1929)

VERTEIDIGUNG DER WÖLFE. Gedichtsammlung von Hans Magnus ENZENSBERGER (*1929), erschienen 1957. – Mit der Veröffentlichung des in *freundliche, traurige* und *böse gedichte* gegliederten Bandes datiert der Beginn einer Lyrik, die – mit avancierten künstlerischen Mitteln – gegen die Verhältnisse in der neu entstandenen Bundesrepublik Deutschland opponiert und sich nicht mehr auf den allgemeinen humanen Appell der Lyriker der Nachkriegszeit (z. B. H. E. HOLTHUSEN), noch auf den emotionalen Fundus der Naturlyrik (z. B. W. LEHMANN, K. KROLOW) verläßt. Von Anfang an ist Enzensberger ein engagierter Beobachter gesellschaftlicher Entwicklungen, mit denen er sich ideologie- und sprachkritisch auseinandersetzt. Zu Recht werden deshalb seine Gedichte als Wiederaufnahme der unterbrochenen lyrischen Tradition des politischen Gedichts von HEINE und BRECHT betrachtet.

Die *freundlichen gedichte* nehmen Formen der Vagantenlyrik auf. Als Song, Lied oder Ballade, in melancholischem oder frechem Ton schreibt Enzensberger unter anderem ein *scherzo*, über die *zikade* oder *für lot, einem makedonischen hirten*. Es sind Locklieder *(lock lied)*, die es mit der Sprache genau nehmen und in denen Zeilenfall, Klangfarbe und Sprechrhythmus ihre Funktion haben: *»meine weisheit ist eine binse / schneide dich in den finger damit / ... meine stimme ist ein sanftes verlies / laß dich nicht fangen / meine binse ist ein seidener dolch / hör nicht zu / ki wit ki wit ki wit.«* Leicht und elegant, so daß man ihnen die Anstrengung nicht anmerkt, aber mit strengem Formbewußtsein entstehen lyrische Miniaturen, in denen aus der Mischung von Fremdsprachen und Fachsprachen ein eigentümliches Liebesgedicht *(telegrammschalter null uhr zwölf)*, Utopien oder eine *letztwillige verfügung* entstehen. – In den *traurigen gedichten* überwiegt die schmerzliche Wehmut einer sensiblen Erfahrung: Es sind Klagelieder, *erinnerung an die schrecken der jugend, befragung zur mitternacht, aschermittwoch, erinnerung an den tod.*

Erst im dritten Teil, in den *bösen gedichten* wird die subjektive Klage zur gesellschaftlichen Anklage; diese Gedichte sollen gelesen werden *»wie das Inserat in der Zeitung, das Plakat auf der Litfaßsäule, die Schrift am Himmel«* (nach Auskunft des Klappentextes der ersten Ausgabe). Unordnung und Erstarrung der Verhältnisse in Politik, Wirtschaft und Massenmedien werden thematisiert, die Parolen sprachkritisch (nicht sprachexperimentell) überprüft. Kritisch gesehen werden unter anderem: der feststehende soziale Kontext, in den man hineingeboren wird, die Geschichte *(»immer dieselbe vettel, history«)*, die verschiedenartigen Mörder und Mitläufer, die Rüstungsindustrie, die Bildzeitung. Der Protest tritt auf in Reizwörtern, marktschreierisch und mit moralischem Pathos. Ausgehend von den Umgangswörtern und der Alltagssprache steigert Enzensberger das sprachliche Grauen zu einem allgemeinen Zorn. Er verwendet bewußt artifizielle Mittel, um das Gedicht als herstellbares auszuweisen: die Kleinschreibung und die sparsame Interpunktion, den Doppelpunkt und den vieldeutigen syntaktischen Bezug *(»alt: du bist alt bist du: alt«)*, das Zitat und die Variation, das Spiegelbild und die Umstellung von Silben *(»manitypistin stenoküre«)*.

Sein Engagement richtet sich gegen die abstrakte Begrifflichkeit und Funktionalität gesellschaftlicher, politischer und ökonomischer Verhältnisse *(»abschußrampe«, »security risk«, »sozialpartner«, »amortisation«)*. Gegen das entfremdete Leben in einer verplanten Welt setzt er die zeitlose Existenz einfacher Dinge *(»fisch«, »wind«, »flöte«, »vögel«)*. So entsteht das politische Gedicht aus der intelligent kalkulierten Montage von individueller Erfahrung und allgemeinem Sprechen. Aus dem artistischen Spiel mit Sprichwörtern und weltliterarischen Zitaten, mit Redensarten und Modeslogans ergeben sich gesellschaftskritische Satiren und Warnungen, wobei Enzensberger Zustimmung oder schroffe Ablehnung gerade in der Maske dessen artikuliert, der sich scheinbar auf die Seite der anderen stellt, der für die *verteidigung der wölfe gegen die lämmer* eintritt.

In dem Vortrag *Die Entstehung eines Gedichts* beschreibt Enzensberger seine poetische Technik, betont er den mehrdeutigen Verweisungscharakter der Textstruktur, die das politische Interesse nur indirekt ausspricht. Und in dem Essay *Poesie und Politik* (1962) sieht er den *»politischen Auftrag«* des Gedichts darin, *»sich jedem politischen Auftrag zu verweigern und für alle zu sprechen noch dort, wo es von keinem spricht, von einem Baum, von einem Stein, von dem was nicht ist«*. Dadurch werde die Poesie zur *»Antizipation, und sei's im Modus des Zweifels, der Absage, der Verneinung«*.

In dem Band *verteidigung der wölfe* sind bereits die beiden Grundmotive enthalten, von denen Enzensbergers Lyrik bestimmt ist: Trauer über fehlende Freiräume und sozialkritische Aggressivität. In seinem zweiten Gedichtband, *landessprache* (1960), verstärkt Enzensberger den Protest, der in der Benennung einzelner Fakten auf allgemeine Zustände zielt (etwa in dem Titelgedicht des Bandes oder in den großen Metaphern *schaum* und *gewimmer und firmament*). Diese Gedichte sollen, wie der Autor schreibt, *»gebrauchsgegenstände, nicht geschenkartikel im engeren sinne«* sein.

Im dritten Gedichtband, *blindenschrift* (1964), überwiegt die Sehnsucht nach der Beständigkeit der Dinge *(»flechte«, »stein«)*, jenseits von Politik und Geschichte. Es sind zumeist sinnfällige und geduldige Elegien über eine zurückgezogene, erkennbare autobiographische Existenz, auf die nur noch der Schatten von Gesellschaftlichem fällt *(»zeitung«, »abendnachrichten«, »freizeit«)*. Es scheint, als träten in diesen *»Ding-Gedichten«* das poetische Bild und der gesellschaftliche Aspekt der Sache, das lyrische Ich und die soziale Gemeinschaft auseinander, um der Gefahr des Manierismus, der falschen Ästhetisierung politisch-ökonomischer Tatsachen zu entgehen. Um so deutlicher, detaillierter und begrifflicher werden Enzensbergers politische Interpretationen und sein soziales Engagement in den Essaybänden *Einzelheiten* (1962), *Politik und Verbrechen* (1964) und *Deutschland, Deutschland unter anderm* (1967).

Gab Enzensberger 1960 das *Museum der modernen Poesie* und bis 1966 die Reihe »Poesie« heraus, in denen zeitgenössische Lyrik zweisprachig vorgestellt werden, so wandte er sich in seinen eigenen Arbeiten anderen Gattungen zu, die für sein kritisches Interesse geeigneter schienen, so der szenischen Dokumentation *Das Verhör von Habana* (1970) und dem kollektiven Roman *Der kurze Sommer der Anarchie* (1972). Zudem gründete er 1965 die Zeitschrift ›Kursbuch‹, deren Herausgeber er seitdem ist – *»lies keine oden, mein sohn, lies die fahrpläne: / sie sind genauer«*, hieß es schon im Band *verteidigung der wölfe*.

Zweimal hat Enzensberger die Gedichte seiner Lyrikbände neu zusammengestellt. In *Gedichte* (1962) nahm er aus der *verteidigung der wölfe* zwölf Gedichte auf, von denen vier aus der Abteilung *böse gedichte* stammen. 1971 erschien der Band *Gedichte 1955–1970*, der, nun in üblicher Groß- und Kleinschreibung, elf Gedichte aus dem ersten Lyrikbuch enthält, davon sieben *böse*. In diesem Band finden sich auch neue, meist vorher nicht publizierte Gedichte. Neben fast prosaischen Alltagsbeschreibungen und Selbstreflexionen *(Sommerkunde)*, historischen Verweisen *(Himmelmaschine* und *An Niccolo Macchiavelli geboren am 3. Mai 1469)* sowie reinen Zitatmontagen *(Vorschlag zur Strafrechtsreform, Berliner Modell 1967)* steht die poetische Kritik an falschen Formen revolutionärer Praxis *(Über die Schwierigkeiten der Umerziehung, Ausgleich, Beschluß gegen das Abenteuertum, Ein letzter Beitrag zu der Frage ob Literatur?)*: *»Ich gebe zu, seinerzeit / habe ich mit Spatzen auf Kanonen geschossen. / ... Kanonen auf Spatzen, das hieße doch / in den umgekehrten Fehler verfallen«* *(Zwei Fehler)*. T. Be.

Ausgaben: Ffm. 1957; [4]1963. – Ffm. 1962 (in *Gedichte*; ed. suhrkamp, 20; Ausw.). – Ffm. 1971 (in *Gedichte 1955–1970*; Suhrkamp tb, 4; Ausw.).

Literatur: R. Grimm, *Montierte Lyrik* (in GRM, N.F. 8, 1958, S. 178–192). – H. E. Holthusen, *Die Zornigen, die Gesellschaft u. das Glück* (in Jahresring, 1958/59, S. 331–352). – *Über H. M. E.*, Hg. J. Schickel, Ffm. 1970 (ed. suhrkamp, 403).

LION FEUCHTWANGER
(1884–1958)

JUD SÜSS. Historischer Roman von Lion Feuchtwanger (1884–1958), erschienen 1925. – In vorausschauender Weise und mit bewußtem Bezug auf die Gegenwart analysiert Feuchtwanger hier einen Massenausbruch des Antisemitismus in seinen Ursprüngen und geheimen Verzweigungen. Josef Süß Oppenheimer, der historische Jud Süß, war Halbjude. 1692 in Heidelberg geboren, wurde er 1732 Finanzberater des Prinzen Karl Alexander von Württemberg. 1733 erhielt dieser die Herzogwürde. Das protestantische Land fühlte sich von dem katholischen Fürsten ständig bedroht. Der Widerstand gegen ihn und seinen Finanzrat Süß, der zwar nur eine beratende Funktion ausübte und kein Staatsamt besaß, doch immer mehr zum eigentlichen Regenten des Landes wurde, konzentrierte sich in den Landständen. – Beide, der Landesfürst und der Jude, werden von Feuchtwanger als ebenso lüstern wie machthungrig gezeichnet: der Herzog sinnlich, brutal und in seiner Regierungsweise beschränkt auf das Bestreben, den unter Prinz Eugen erworbenen Kriegsruhm mit einem absolutistischen Regiment nach Art von Ludwig XIV. zu krönen; Jud Süß intelligenter, subtiler, von Eitelkeit getrieben, dem Herzog geistig überlegen und doch zunächst völlig ergeben. Der elegante Finanzrat perfektioniert mit teuflischem Genie die üblichen gewaltherrscherlichen Methoden zur Auspressung des Volks (was Veit Harlan in seinem die Geschichte im Sinne des Dritten Reichs verzerrenden Film *Jud Süß* als Beispiel für »typisch jüdisches Verhalten« darstellte). Doch als der Herzog der sorgfältig verborgen gehaltenen schönen Tochter des Juden nachstellt, ja, sie brutal zu mißbrauchen versucht und diese sich durch einen verzweifelten Sprung vom Dach in den Tod rettet, ist Süß, äußerlich unbewegt, zur Rache entschlossen. Das »katholische Projekt« des Herzogs und des Würzburger Fürstbischofs, das die Landstände ausschalten und eine Militärautokratie etablieren soll, gibt ihm die ersehnte Gelegenheit. In der Nacht vor dem Staatsstreich verrät Süß den Plan an die Parlamentarier; der Herzog, mit diesen konfrontiert, stirbt am Schlagfluß. Von der Erreichung seines Ziels ernüchtert, besinnt Süß sich auf sein Judentum, dessen geistig-religiösen Werten, verkörpert in seinem Oheim, einem mit okkulten Kräften begabten Rabbi, er sich bisher verschlossen hat. Er bietet sich selbst den Verschwörern als Sündenbock an. Unter eklatanter Beugung des Rechts (denn als Berater ohne Staatsamt war Süß dem Gesetz nicht verfallen) und im Zeichen einer von den eigentlich Schuldigen scheinheilig angefachten antisemitischen Massenpsychose wird der Jude nach langwierigem Prozeß verurteilt und hingerichtet. Ohne sich zur Konversion, die ihn retten könnte, bewegen zu lassen, wählt Süß, der es auch früher schon abgelehnt hat, seine Abkunft von einem christlich-adligen Vater zu enthüllen, bewußt den Tod und stimmt zum Schluß in die Sterbegebete seiner Glaubensgenossen singend mit ein. *»Ein Jude habe für Christenschelme büßen müssen«*, sagten objektive zeitgenössische Beobachter nach der Hinrichtung (1738).

Feuchtwanger hat sich weitgehend an die Quellen gehalten, wenn er auch durch romanhafte Details dem historischen Milieu größere Anschaulichkeit zu geben versucht. Süß bekennt sich ausdrücklich zum Judentum (darin vergleichbar dem Andri in Frischs *Andorra*). An dem geschmeidigen Politiker, der durchaus kein Idealbild darstellt, wird exemplarisch das Schicksal des jüdischen Volkes sichtbar, das, von seiner Umwelt verachtet und verfolgt, kraft der Macht des Geldes aus dem Hintergrund über die privilegierten Klassen zu herrschen sucht, sie nicht an Skrupellosigkeit, aber an Intelligenz und Virtuosität des Agierens übertreffend. Doch auch die jüdische Fähigkeit, in geduldigem Glauben die Zeiten der Verfolgung zu überdauern, wird im Roman sichtbar. Feuchtwangers Buch wurde 1933 in Deutschland verboten.

Der Erzähler steigert seine Darstellung der rücksichtslosen, übermächtigen Triebe, die den einzelnen wie die wirtschaftlichen und politischen Interessengruppen bestimmen, mit Hilfe eines vom Expressionismus beeinflußten Stils – abrupten, aufgeladenen Sätzen, heftigen Wortreihen und der Betonung des Vitalistischen, Unwillkürlichen – zu einer unbarmherzigen (obwohl etwas schematischen) Vision der Korruptheit der herrschenden wie der Korrumpierbarkeit der beherrschten Klassen. Der in schnellem Wechsel und dennoch episch breit gestaltete innere Monolog (in einem Fall sogar auf das Lieblingspferd des Juden ausgedehnt) ist das konsequent gehandhabte erzählerische Kunstmittel dieses der Gattung des psychologischen historischen Romans zugehörigen Werks. KLL

Ausgaben: Mchn. 1925. – Bln. 1931. – Amsterdam 1939 (in *GW*, 11 Bde., 1933–1940, 2). – Stockholm/Mchn./Zürich 1950.

Dramatisierung: L. Feuchtwanger, *Jud Süß* (Urauff.: Mchn., 13. 10. 1917, Schauspielhaus).

Verfilmungen: *Jew Suess*, auch: *Power*, England 1934 (Regie: L. Mendes). – Deutschland 1940 (Regie: V. Harlan).

Literatur: M. Zimmermann, *Josef Süß-Oppenheimer, ein Finanzmann des 18. Jh.s. Ein Stück Absolutismus u. Jesuitengeschichte*, Stg. 1874. – C. Elwenspoek, *Jud Süß-Oppenheimer. Der große Finanzier u. galante Abenteurer des 18. Jh.s*, Stg. 1926. – S. Stern, *Jud Süß. Ein Beitrag zur deutschen u. zur jüdischen Geschichte*, Bln. 1929. – A. Burkhard, *Th. Becket and Josef Süß Oppenheimer as Fathers* (in GR, 6, 1931, S. 144–153). – M. Huettner, *L. F.s »Jud Süß«* (in Deutsches Volkstum, 14, 1932, S. 442 bis 448). – A. Antkowiak, *Der historische Roman bei L. F.* (in A. A., *Begegnungen mit Literatur*, Weimar 1953, S. 218–253). – W. Berndt, *Die frühen historischen Romane L. F.s*, Diss. Bln. 1953. – L. Feuchtwanger, *Der historische Prozeß der Juden (1930)* (in *Centum Opuscula*, Hg. W. Berndt, Rudolstadt 1956). – J. Rühle, *Die Geschichte als Gleichnis bei L. F. u. H. Mann* (in J. R., *Literatur u. Revolution*, Köln/Bln. 1960, S. 207–221). – H. Hartmann, *Die Antithetik Macht-Geist im Werk L. F.s* (in ZDLG, 7, 1961, S. 667–693). – D. Faulseit, *Die sprachliche Charakterisierung der Romanfiguren L. F.s* (in Sprachpflege, 13, 1964).

MARIELUISE FLEISSER
(1901-1974)

PIONIERE IN INGOLSTADT. Stück in 14 Bildern von Marieluise Fleisser (d. i. Marie-Luise Haindl, * 1901), Uraufführung: Berlin, 30. 3. 1929, Theater am Schiffbauerdamm. – Die literarische Bedeutung von »typisch« bayerischen Autoren wie Ludwig Thoma, Karl Valentin, Oskar Maria Graf oder Lena Christ beruht gerade nicht auf ihrer »Volkstümlichkeit«, sondern auf ihrer Gabe, psychische und soziale Bedingtheiten und Verhaltensweisen mit verhältnismäßig einfachen, aber unverwechselbaren sprachlichen Mitteln darzustellen. Auch Marieluise Fleißer – wenn sie auch nicht so schreibfreudig wie ihre berühmteren Kollegen ist – verfügt über diese Gabe, was Bertolt Brecht wohl dazu bewogen haben mag, bei der Entstehung und Aufführung ihrer Stücke entscheidend mitzuwirken.

Das an ihrer Sprachnot scheiternde Bedürfnis abhängiger, einfacher Menschen, sich anderen mitzuteilen und durch sie über ihre trostlosen Verhältnisse *»hinausgehoben«* (ein Leitwort des Stücks) zu werden, ist das zentrale Thema der *Pioniere in Ingolstadt*. Für einige Tage bringt ein Trupp Pioniere das fatal wohlgeordnete Leben der Ingolstädter Kleinbürger durcheinander – eine zweideutige Gelegenheit für die beiden ausgenutzten, unbedarften Dienstmädchen Alma und Berta, ihrem stumpfsinnigen Alltagstrott für ein paar Nächte zu entrinnen. Alma, die Ältere und Erfahrene, angelt sich schnell einen Jäger und verzieht sich mit ihm; Berta, die auch einmal *»einen Mann ... kennen«* möchte (Fabian, den Sohn ihres Herrn, kann sie nicht ausstehen), gerät an den Pionier Korl und verliebt sich Hals über Kopf in ihn. Doch der grobe Korl hat nichts für derlei Gefühle übrig (*»Von dir laß ich mich lang verklären mit der Verklärung«*) – für ihn gibt es nur eine handfeste Alternative: *»Stellen wir uns her oder stellen wir uns nicht her?«* Der rauhe Ton und die bis zur Grausamkeit oberflächliche Kurzlebigkeit der Beziehungen sind charakteristisch für die vorübergehende Zwangsgemeinschaft zwischen Bürgern und Soldaten: Der bornierte Geschäftsmann Unertl, Fabians Vater, behandelt Berta als Menschen zweiter Klasse; der bürgerliche Schwimmverein stiehlt den Pionieren skrupellos Holz, um einen Steg zu bauen; Fabian biedert sich dem Feldwebel an, der sich aber nur über ihn lustig macht und seine eigenen Leute brutal schikaniert, die sich ihrerseits an Fabian mit Prügeln schadlos halten. Als die Pioniere ihren Feldwebel beim Brückenbau ungerührt in der Donau ertrinken lassen, zieht sich Unertl achselzuckend aus der Affäre: »*Na, was geht's mich eigentlich an?*« Am Ende wird selbst Bertas Liebesverlangen auf schändliche Weise erfüllt: Korl verschwindet mit ihr vor den Augen seiner johlenden Kameraden im Gebüsch und »bedankt« sich hinterher mit einem gemeinsamen Schnappschuß vom Fotografen, der den Abzug der Pioniere als »*kleines Souvenir*« im Gruppenbild festhält.

Aus heutiger Sicht ist weder die Empörung der Ingolstädter Bürger über die vermeintliche »Nestbeschmutzerin« noch die Begeisterung Brechts über diese trostlosen, zuweilen allzu locker gefügten Genrebilder aus dem Bürger- und Soldatenleben so recht verständlich. Immerhin aber sah der reaktionäre Kritiker der nationalistischen ›Deutschen Zeitung‹ nach der Uraufführung des Stückes »*den Kulturbankerott des Theaters und seine politische Ausrottung*« heraufdämmern – eine großmäulige Prophezeiung, die zeigt, daß Marieluise Fleißer den Nerv ihrer Zeitgenossen getroffen hatte. M. Schm.

AUSGABEN: Ffm. 1968. – Velber 1968 (in Theater heute, 9, H. 8). – Ffm. 1972 (in *GW*, 3 Bde.).

LITERATUR: A. Kerr, Rez. (in Berliner Tageblatt, 2. 4. 1929). – R. Biedrzynski, Rez. (in Deutsche Zeitung, 2. 4. 1929). – M. Fleißer, »*Pioniere in Ingolstadt*« (in Avantgarde, Mchn. 1962). – *Materialien z. Leben u. Schreiben der M. F.*, Hg. G. Rühle. Ffm. 1973 (ed. Suhrkamp 594).

BRUNO FRANK
(1887–1945)

POLITISCHE NOVELLE. Erzählung von Bruno FRANK (1887–1945), erschienen 1928. – Die kleine Erzählung kreist um das problematische politisch-kulturelle Verhältnis zwischen Frankreich und Deutschland in der Übergangsphase zwischen den beiden Weltkriegen und vor dem Hintergrund des drohend sich ankündigenden Faschismus, zugleich um die mögliche Einheit Europas, an der zu arbeiten nicht aufgegeben werden dürfe, »*nur weil die Söhne Karls des Großen sich damals benommen haben wie Dummköpfe*«.

Der etwa vierzigjährige Jurist Carl Ferdinand Carmer, ein ehemaliger Reichsminister, verbringt mit seinem Sekretär Dr. Erlanger einen kurzen Urlaub in der süditalienischen Hafenstadt Ravello, in Erwartung eines Regierungsumsturzes und einer Kabinettsumbildung (die ihm wahrscheinlich wieder ein Ministeramt eintragen wird) und in widerspruchsvoller Distanz zu jenem »*geplagten, dunstigen Reich im Norden, in Krämpfen sich wehrend gegen Asien, das herandrang mit schneidender Heilslehre, und gegen das friedenlos Kolossale von jenseits des Ozeans*«. Angeekelt vom militanten Schauspiel einer faschistischen Kundgebung mit Mussolini als Redner, kommt er einer privaten Verabredung mit dem französischen Außenminister Achille Dorval – einem geistvoll-heiteren Voltairianer, dessen reales Vorbild Aristide Briand ist – in Cannes um so bereitwilliger nach, als er dessen Bemühungen um die Heilung der »*entsetzlich klaffenden, brandigen Wunde an der Flanke Europas*« in seiner eigenen politischen Karriere aufzunehmen und fortzusetzen hofft. Er verkürzt sich die durch eine Autopanne des Ministers verursachte Wartezeit durch einen Besuch im Spielkasino, wo vor dem sterbensmatten »*alten Reichtum der Erde*«, den Großkapitalisten mit ihrem penetranten Snobismus, eine junge Negertänzerin den »*ungeheuerlich schamlosen, hohnlachend gewaltigen Triumph des Schwarzen Geschlechts*« demonstriert. Ein langes Gespräch der beiden Politiker, um die Möglichkeit eines versöhnten Europa als Bollwerk gegen den Westen mit seiner »*Unbekümmertheit*« und seinem »*Gold*« und den Osten mit seiner »*ungeheuren Woge kollektivistischer Uniformität*« kreisend, setzt sich am folgenden Tag in einer Autofahrt entlang der Côte d'Azur fort. Carmer, nach herzlichem Abschied von Dorval allein in Marseille, empfängt die Nachricht vom Sturz der deutschen Regierung und stimmt telegraphisch dem Angebot zur Übernahme des Außenministeriums zu. Ziellos durch die Straßen der Stadt schlendernd, jenes »*Vorhofs der Hölle oder doch dem von Afrika, dem Ausguß von vier Erdteilen*«, wird er, als er halb unbewußt einem burnusverhüllten Araber ins Bordellviertel folgt und den Lockungen einer madegassischen Negerin erliegt, von einem jungen Weißen aus dem sozialen Abschaum der Stadt seines Geldes wegen ermordet von einem »*Splitter der furchtbaren Waffe, mit der Europa seinen Selbstmord beging*«. Als letztes Zeichen einer bedrohten, dennoch zukunftsträchtigen Welt grüßt den Sterbenden die hoch über der Stadt aufragende Kirche Notre Dame de la Garde, ein »*Abschiedswink, ein blitzender Silbergriff, die Verheißung*«.

Der überraschende Schluß, dessen Motivation gleichwohl sehr bewußt kalkuliert wirkt, beruht auf der in der ganzen, durchaus realistischen Erzählung durchgehaltenen Symbolik des Dualismus disparater Lebenswelten – der des alten, müden, zu keiner Einheit zwischen West und Ost findenden Europa einerseits und der des jungen, exotisch drängenden Afrika andererseits. Bei seinem Erscheinen nahezu erfolglos, wurde das Werk von Thomas MANN in einem größeren Essay (*Politische Novelle*, 1930) gegen seine Kritiker energisch verteidigt: »*Man darf das unübertrefflich nennen. Schreckhaft wirklich, als Schilderung eines tödlich individuellen Abenteuers ist es gegeben und doch getaucht in die erhöhende Symbolik der Verführung und des Untergangs, der tiefen Gefährdung des Edlen selbst, des Deutschtums, des Europäertums.*« KLI

AUSGABEN: Bln. 1928. – Stg. 1956 (Nachw. E. Ackerknecht; RUB, 7830/31). – Hbg. 1957 (in *AW*, Einl. Th. Mann).

LITERATUR: F. Rostosky, Rez. (in Die schöne Literatur, 29, 1928, S. 243). – M. Rychner, Rez. (in NSRs, 21, 1928, S. 321). – H. Günther, *B. F.* (in LE, 32, 1930, S. 511–516). – Th. Mann, *Forderung des Tages*, Bln. 1930, S. 225–242 (auch in Th. M., *Altes u. Neues*, Ffm. 1953, S. 532–548). – H. v. Hofe *German Literature in Exile. B. F.* (in GQ, 18, 1945 S. 86–92). – G. Lukács, *Der Kampf zwischen Liberalismus u. Demokratie im Spiegel des historischen Romans der deutschen Antifaschisten* (in G. L. *Probleme des Realismus*, Bln. ²1955, S. 184–210).

LEONHARD FRANK
(1882–1961)

LINKS WO DAS HERZ IST. Roman von Leonhard FRANK (1882–1961), erschienen 1952. – Leon hard Frank hat seine Autobiographie in der Form eines Romans geschrieben. Der Autor ist identisch mit dem Helden des Romans, durchbricht aber das biographische Schema dadurch, daß er aus allwissend-objektiver Perspektive auch vom Helden Nichterlebtes erzählt, Personen und Ereignisse dichterisch überhöht oder verschlüsselt und einzelnen Episoden geschlossene novellistische Form gibt. Wenn so auch die Fiktion häufig die Nachprüfung biographischer und zeitgeschichtlicher Fakten erschwert, beschreibt der Roman doch im großen und ganzen getreu *»das Leben eines kämpfenden deutschen Romanschriftstellers in der geschichtlich stürmischen ersten Hälfte des zwanzigsten Jahrhunderts«*. Frank schildert seine Herkunft aus einer Würzburger Arbeiterfamilie, Not und Demütigungen in Schule und Lehre und den schwierigen Prozeß der Selbstfindung, der den dreiundzwanzigjährigen Schlosser zunächst in die Münchner Boheme – seine »Universität« – führt (um 1905). Dem Versuch, hier als Maler Anerkennung zu finden, folgt eine Zeit harter schriftstellerischer Arbeit in Berlin (seit ca. 1910), in der sich Frank mit dem Roman *Die Räuberbande* (1914) und der Novelle *Die Ursache* (1915) freischreibt von den »psychischen Ungeheuern« seiner Jugend. Mit einem Schlag berühmt geworden (Fontanepreis 1914), geht er 1915 in seine erste Emigration, um von der Schweiz aus mit pazifistischen, von vehement revolutionärem und anarchistischem Geist erfüllten Novellen gegen den Krieg zu kämpfen. Sie erschienen seit 1916 in René SCHICKELES Zeitschrift ›Die weißen Blätter‹ und 1918 unter dem herausfordernden Titel *Der Mensch ist gut* als Buch. Sie sollen wesentlich zum Ausbruch der Revolution in Deutschland beigetragen haben (Kleist-Preis 1920). Frank berichtet von seiner Arbeit an dem sozialistischen Roman *Der Bürger* (1924) und von seinen literarischen Erfolgen mit der Novelle *Karl und Anna* (1927), deren Dramatisierung (1929) und dem Roman *Das Ochsenfurter Männerquartett* (1927), die sich auch niederschlugen in seiner Wahl zum Mitglied der Preußischen Akademie der Künste, Sektion Dichtkunst (1929).

Sein Roman vermittelt den Glanz des literarischen und künstlerischen Lebens in der Weimarer Republik, in der die Menschen trotz Inflation und Arbeitslosigkeit, die Frank in dem Roman *Von drei Millionen drei* (1932) literarisch behandelt hat, freier atmeten als im Wilhelminischen Reich. Allerdings reflektiert er nicht seine politische Resignation, die an den erotizistischen Werken dieser Zeit ablesbar ist und zu einer Abkehr von der sozialen Problematik seines Frühwerks führte. Ursache des dann nahezu völligen Zerfalls der schöpferischen Kraft ist Franks zweite Emigration, die von 1933 bis 1950 dauerte. Der 1934 wegen seiner pazifistischen Novellen aus Deutschland ausgebürgerte Schriftsteller schildert eindringlich die Stationen des lebensbedrohenden Exils (Schweiz – Frankreich – USA), aber auch den Schock bei der Rückkehr in das zerstörte Deutschland, in dem Vierkants (Franks) Bücher verbrannt und vergessen sind und in dem er nicht hoffen kann, als Antifaschist verstanden und als Schriftsteller wieder anerkannt zu werden. Dennoch schließt der Roman mit dem Glauben an eine neue Generation und an die Kraft der Liebe, der Frank sein Werk ebenso intensiv gewidmet hat wie sozialen und politischen Fragen, und mit dem Bekenntnis zu einem gefühlsmäßig fundierten Sozialismus, das dem Buch den zum geflügelten Wort gewordenen Titel gab.

Trotz der wenig glücklichen Romanform ist Franks Buch *Links wo das Herz ist* ein bedeutendes literarisches Selbstzeugnis. Seine einzelnen Episoden vergegenwärtigen Atmosphäre und Gestalten der Boheme vor dem Ersten Weltkrieg, Stimmungen, Hoffnungen und Niederlagen der literarischen Linken in Revolution, Weimarer Republik, Emigration und Nachkriegsdeutschland, und sie geben zugleich Einblick in die Denk- und Fühlweise Franks und in seine schriftstellerische Werkstatt. Mit diesem Roman gelang ihm sowohl in der Komposition – Konfrontation und Reihung geschlossener optisch-sinnlicher Episoden, die im Erleben eines Helden miteinander verbunden sind – als auch in der einfachen und bildsicheren Sprache der Anschluß an sein literarhistorisch relevantes, autobiographisch bestimmtes Frühwerk. M. Gl.

AUSGABEN: Mchn. 1952. – Bln. 1957 (in *GW*, 6 Bde., 5). – Mchn. 1962. – Mchn. 1967.

LITERATUR: M. [Reich-]Ranicki, *Ein exemplarischer Novellist. Bemerkungen zur Epik L. F.s* (in Neue Deutsche Literatur, 5, 1957, S. 119–126). – G. Schröder, *Die Darstellung der bürgerlichen Gesellschaft im Werk L. F.s*, Diss. Potsdam 1957. – R. Grimm, *Zum Stil des Erzählers L. F. mit einem Anhang über F.s Verhältnis zur Mundart* (in Jb. f. fränkische Landesforschung, 21, 1961, S. 165–195). – M. Glaubrecht, *Studien zum Frühwerk L. F.s*, Bonn 1965 [m. Bibliogr.].

MAX FRISCH
(*1911)

ANDORRA. Stück in zwölf Bildern von Max FRISCH (* 1911), nach einer ersten Notiz im Jahre 1946, einer längeren Prosafassung im *Tagebuch 1946–1949* und fünfmaliger Umarbeitung 1961 erschienen; Uraufführung: Zürich, 2. 11. 1961, Schauspielhaus. – Wie Millard LAMPELL in seinem Schauspiel *Die Mauer* greift Frisch in *Andorra* den Antisemitismus an; während jedoch Lampell sich auf eine Dokumentation des Schicksals der Juden im Warschauer Ghetto beschränkt, versucht Frisch, seinen Zeitgenossen die Judenfrage im Rahmen einer modellhaften Situation vor Augen zu führen: der des Outsiders, der sich einer in Ressentiments erstarrten Gesellschaft gegenübersieht. Das Problem des gesellschaftlichen Vorurteils ergibt sich aus einer vorgestellten politischen Situation; dem »weißen« Andorra droht die Aggression der »Schwarzen«. In diesem Andorra, das nichts zu tun hat mit dem Kleinstaat dieses Namens, wird dem jungen Andri auf Grund des Gerüchts, sein Pflegevater, der Lehrer Can, habe ihn als Judenkind vor dem Zugriff der »Schwarzen« gerettet und aufgezogen, das Schandmal der Andersartigkeit aufgeprägt (in Wirklichkeit ist er Cans unehelicher Sohn). Der Tischler, sein Lehrherr, wirft ihm Fehler vor, die offensichtlich ein anderer begangen hat: der Bürger unterdrückt die Wahrheit. Der Soldat, ähnlich dem Tambourmajor aus BÜCHNERS *Woyzeck*, mißhandelt den Jungen: die Gewalt erschlägt das Recht. Der Arzt beleidigt ihn aus bornierter Eitelkeit: Klischeedenken verstellt die Einsicht. Der Pater, eine dem Staatsanwalt in Frischs Roman *Stiller* verwandte Figur, hält Andri das Kierkegaard-Wort: *»Du mußt dich selber annehmen«*, entgegen, vermag ihm aber nicht zu helfen, da auch er sich an

ein falsches Bild hält. Von einer Mauer des Vorurteils umgeben, klammert sich Andri an seine Liebe zu Barblin, der ehelichen Tochter seines Pflegevaters. Als ihm die Hand des Mädchens verweigert wird – da sie ja in Wirklichkeit seine Halbschwester ist –, bildet Andri eben jene Eigenschaften aus, die seine Umgebung ihm unablässig einzuhämmern versucht. Der Wahn seiner Umwelt wird zum Wunschbild seiner Existenz: »*Ich will anders sein.*« So ist das Verhängnis unausweichlich: in der großen Judenschau nach dem Einmarsch der »Schwarzen« wird er zur Liquidation abgeführt, der Vater erhängt sich, Barblin weißelt mit irrer Gebärde die Stadt und »*euch alle*« und starrt auf die zurückgebliebenen Schuhe Andris, vergeblich hoffend, daß ihr Bruder heimkehren werde.
Frisch durchbricht das Illusionstheater, indem er die Schuldigen zwischen den einzelnen Bildern in den Zeugenstand treten, die Ereignisse in der Rückschau erörtern und alle, außer dem Pater, sich für nicht schuldig erklären oder die Achseln zucken läßt. Das Stück erweckt den Eindruck, als gehe es Frisch weniger um eine Bewältigung des Judenproblems unserer jüngsten Vergangenheit, das – seiner massenmörderischen »Endlösung« entkleidet – lediglich in einer Form von allgemeinem Antisemitismus als sozialem Vorurteil behandelt wird. Judenproblem und Identitätsproblem werden auf eine verwirrende Weise vermengt (Andri ist nicht Jude, sondern wird für einen Juden gehalten). Ferner hat es den Anschein, als ob der Autor, der – wie sein Tagebuch berichtet – auf die Idee zu *Andorra* durch das Bibelwort: »*Du sollst dir kein Bildnis machen*«, gekommen ist, die von Nichtjuden den Juden zudiktierten Eigenschaften (Geldgier usw.) als einem Urbild zugehörig zu akzeptieren scheint. Der politische Rahmen mit seinem konkreten Zeitbezug verstellt die Absicht der modellhaften massenpsychologischen Studie, die das Ressentiment aus der Ideologie und die Ideologie aus einem Mangel an Leitbildern ableitet, und verdrängt die ursprünglich aufgeworfene Frage der Abhängigkeit des einzelnen vom Bild seiner Umgebung – ein Grundproblem seit PIRANDELLO – und der Suche des Menschen nach seiner Identität: IONESCOS Thema. Das Stück löste durch die in ihm behandelten Probleme vor allem in Deutschland, wo es sogleich auf fast allen großen Bühnen gespielt wurde, aber auch in anderen europäischen Ländern heftige Diskussionen aus, während die New Yorker Aufführung auf Verständnislosigkeit stieß und nach kurzer Zeit abgesetzt werden mußte. W. F. S. – KLL

AUSGABEN: Ffm. 1961. – Ffm. 1962 (in *Stücke*, 2).

LITERATUR: G. Suter, *Sie schreiben dramat. Werke: M. F. von »Nun singen sie wieder« zu »Andorra«* (in Weltwoche, 29, 1961, Nr. 1460, S. 5). – W. Westecker, *»Andorra« in und um uns. M. F.s neues Stück uraufgeführt* (in Christ u. Welt, 14, 1961, Nr. 45, S. 18). – H. Bänziger, *F. u. Dürrenmatt*, Bern/Mchn. 1962. – K. A. Horst, *»Andorra« m. anderen Augen* (in Merkur, 16, 1962, S. 396–399). – P. Gessler, *Zur Deutung von M. F.s »Andorra«* (in Reformatio, 11, 1962, S. 656–663). – R. Liebermann, *»Andorra« in New York* (in NZZ, 16. 3. 1963, Bl. 16). – *M. F. u. d. amerikan. Theater* (in NZZ, 2. 3. 1963, Bl. 20). – R. v. Berg, *Warum »Andorra« am Broadway scheiterte* (in SZ, 23./24. 3. 1963, S. 16). – J. Jacobi, *Fünf deutsche Bühnen im Spiegel von M. F.s »Andorra«* (in Die Zeit, 30. 3. 1962, S. 17).

BIEDERMANN UND DIE BRANDSTIFTER. Ein Lehrstück ohne Lehre. Schauspiel von Max FRISCH (* 1911). Die Fabel wurde bereits 1948 im *Tagebuch 1946–1949* notiert, das Stück im März 1953 im Bayerischen Rundfunk als *Herr Biedermann und die Brandstifter* gesendet, am 29. 3. 1958 zusammen mit *Die große Wut des Philipp Hotz* im Zürcher Schauspielhaus uraufgeführt; es ist im gleichen Jahr im Druck erschienen. Die deutsche Erstaufführung mit der Uraufführung eines inzwischen geschriebenen *Nachspiels* fand am 28. 9. 1958 an den Städtischen Bühnen Frankfurt statt. – Der Einakter zeigt das allmähliche Eindringen der Anarchie in den scheinbar wohlgesicherten Bereich des Bürgertums. Parabelhaft wird das Versagen feigen konformistischen Denkens gegenüber der Realität des Bösen demonstriert. Der Haarwasserfabrikant Jakob Biedermann sitzt in seinem Wohnzimmer und kommentiert mit Empörung neue Zeitungsmeldungen von Feuersbrünsten und Brandstiftungen. Lästiger Besuch dringt in sein »Heiligtum«: der Ringer Josef Schmitz, eine Mischung aus triefender Sentimentalität und höhnischer Verschlagenheit, bittet um Obdach auf dem feuergefährlichen Speicher. Biedermann sträubt sich, erliegt aber der Schmeichelei, mit der Schmitz seine Spießermentalität, seinen Egoismus, sein Mißtrauen, sein schlechtes Gewissen und sein Sicherheitsdenken geschickt zu manipulieren versteht. Als auch der Mitverschworene des Vagabunden, der Kellner Eisenring, sich auf dem Dachboden einnistet, als Benzinfässer herangerollt, Zündschnüre angeschlossen und Zündkapseln geputzt werden, ist es zu spät zur Einsicht und zum Handeln.
Das sehr einfach gebaute Stück will typische Verhaltensweisen des saturierten Bürgers exemplifizieren. In geschäftlichen Angelegenheiten zeigt sich Biedermann als kalter Rechner. Seinen langjährigen Mitarbeiter Knechtling hat er zum Selbstmord getrieben. Sein Konformismus läßt es ihm geraten scheinen, sich lärmend mit den Verbrechern zu verbrüdern, um sie nicht zu vergrämen. Er selbst bietet ihnen die Streichhölzer an, und noch im Angesicht des Feuers, das aus den benachbarten Häusern schlägt, tröstet er sich mit der Hoffnung, daß es nicht wahr sei. »*Blinder als blind ist der Ängstliche, / Zitternd vor Hoffnung, es sei nicht das Böse / Freundlich empfängt er's, / Wehrlos, ach, müde der Angst, / Hoffend das Beste … / Bis es zu spät ist.*« In antiken Versmaßen kommentiert ein Chor von Feuerwehrleuten parodierend pathetisch die Entwicklung der Dinge; er warnt, verhält sich aber genauso passiv wie der Bürger, den das Klischeedenken des Saturierten hindert, sich ein Bild vom realen Bösen und seiner Nähe zu machen.
Das bei den meisten Aufführungen gestrichene *Nachspiel* zeigt die Familie Biedermann nach dem Brand in der Hölle. Schmitz und Eisenring entpuppen sich als Teufel auf der Jagd nach den Großen der Erde. Aber nur die Kleinen werden gefangen. Also streikt die Hölle, und die verbrannte Stadt ersteht neu in Chrom und Nickel. Es bleibt alles beim alten – »*ein Lehrstück ohne Lehre*«. – Die gradlinige Handlung ohne retardierendes Moment ist im Grunde untheatralisch. Sie gewinnt jedoch Bühnenwirksamkeit durch den schwarzen Humor des Dialogs, durch Raumwechsel auf der Bühne (nach dem Modell Kurt Hirschfelds) und durch die Spannung, mit der Frisch das Publikum – vergeblich – auf eine Wende warten läßt.
W. F. S.

AUSGABEN: Hbg. 1955 (in *Hörwerke der Zeit*, Bd. 2; Hörspielfassg.). – Bln./Ffm. 1958. – Zürich 1958. – Ffm. 1962 (in *Stück*, 2 Bde., 2).

LITERATUR: W. Westecker, *»Lehrstück« m. grotesken Stacheln. M. F.s »Biedermann« u. »Hotz« in Zürich uraufgeführt* (in Christ u. Welt, 11, 1958, Nr. 14). – H. Küsel, *Rätsel, die uns aufgegeben sind. Die Brandstifter d. Herrn Biedermann* (in Die Gegenwart, 13, 1958, S. 695–697).

MEIN NAME SEI GANTENBEIN. Roman von Max FRISCH (* 1911), erschienen 1964. – Der Konjunktiv im Titel verweist auf die erzählerische Grundintention, alle im Roman vorgetragenen Geschichten und Episoden allein als fiktive Vergegenwärtigungen eines vergangenen Geschehens, als Sinnbilder der Erkenntnis gelten zu lassen; Wirklichkeit entziehe sich dem unmittelbaren Zugriff der Sprache, sie könne allenfalls in der Pluralität fingierter Möglichkeiten experimentell zur Erscheinung gebracht werden. Darum heißt die Ausgangsposition des Romans: *»Ein Mann hat eine Erfahrung gemacht, jetzt sucht er die Geschichte dazu.«* Er fragt sich angesichts des verlassenen Wohnzimmers, in dem seine Ehe gescheitert ist: *»Was ist wirklich geschehen?«*, ist sich jedoch bewußt, daß eine Antwort nicht in der faktischen Rekonstruktion des Vergangenen, sondern bestenfalls in dessen Spiegelung mit Hilfe von Fiktionen zu erhalten ist, die der Erzähler wiederholt durch die Formel *»Ich stelle mir vor«* kennzeichnet.
Wie schon in den Romanen *Die Schwierigen*, *Stiller* und *Homo Faber* kommt auch im *Gantenbein* dem Eheproblem eine dominierende Stellung zu. Keines dieser Werke läßt sich jedoch unter den Begriff »Eheroman« subsumieren. Vielmehr wird die Ehe zum Modellfall zwischenmenschlicher Beziehung, an dem sich die Diskrepanz von faktischer und erlebter Wirklichkeit sinnfällig demonstrieren läßt. Eifersucht, die Gantenbeins Ehe zerstört, offenbart diese Diskrepanz. Sie ist Ausdruck der *»Kluft zwischen Welt und Wahn«*, der Blindheit des Ichs gegenüber der Welt. Diese objektive Konstellation wird im Roman thematisiert. Gantenbein, sehend und sogar sehr genau beobachtend wie der Erzähler, für den er in der hypothetischen Rekonstruktion des Geschehenen eintritt, spielt einen Blinden. Zweifel, ob die Gantenbein-Rolle letzten Endes geeignet ist, die eigentliche Erfahrung widerzuspiegeln, veranlassen den Erzähler, das Problem vorübergehend an anderen Personifikationen seines Ichs zu überprüfen. Doch scheinen ihm schließlich die Daseinsentwürfe eines Architekten Svoboda und eines Kunsthistorikers Enderlin noch weniger geeignet, die ursprüngliche Erfahrung sinnfällig zu vermitteln. Zwar dient es dem Bewußtwerdungsprozeß des Erzählers, wenn er die Beziehungen beider Personen zu Lila, der weiblichen Zentralfigur, darstellt, dennoch unterbricht er das Spiel der Möglichkeiten zugunsten der Titelgestalt: *»Mein Name sei Gantenbein! (Aber endgültig).«* – In Gantenbein versucht das reflektierende Ich einen Halt zu finden – *»Jedes Ich, das sich ausspricht, ist eine Rolle«*; und Gantenbein erweist sich – nicht zuletzt in erzähltechnischer Hinsicht – als nahezu ideale Gestalt. Der scheinbar Blinde wird zum genauesten Augenzeugen seiner Umwelt, die vor ihm ihr schlechtes Rollenspiel meint aufgeben zu dürfen. So zeitigt seine Position notwendig kultur- und zivilisationskritische Einsichten, die sich indessen nicht zur großen Entlarvung und Anklage der Gesellschaft zusammenschließen. Ihr Wert liegt darin, daß sie dem Ich zum Bewußtsein seiner selbst verhelfen. Um dieses Erzähler-Ich, das sich selbst nicht oder nur in Rollen sehen kann, kreisen noch die entlegensten Teile des Romans, in dem der Erzähler abschließend mit einem lakonischen Satz – *»Leben gefällt mir«* – die unabsehbare Variabilität des wirklichen Lebens gegen das gesichts- und geschichtslose Dasein des nur Faktischen verteidigt.
Der spielerische Rollenwechsel – *»Ich probiere Geschichten an wie Kleider«* – wird möglich dank einer Sprache, die eher entwirft als schildert, vermeintlich sichere Aussagen ironisch relativiert und den suggestiven Identifikationsgestus vermeidet. Frisch skizziert, notiert, häuft Materialien in locker gereihten Sätzen und Satzgliedern. Er zwingt sie so wenig in moderierten epischen Fluß, wie er das Widerstrebende und Widersprüchliche der »Geschichten« kaschiert. Um Raum für das Spiel mit den verschiedenen Variationen jener zentralen Erfahrung zu bekommen, preßt Frisch den Erzählstoff nicht mehr in ein festes Raum-Zeit-Schema. Kausale und zeitliche Sukzession sind aufgegeben, so daß eine »Handlung« im herkömmlichen Sinn nicht mehr zustande kommt, zweifellos ein Indiz dafür, wie sehr sich Frisch von den vorhergegangenen Romanen *Stiller* und *Homo Faber* erzähltechnisch entfernt hat.
C. P. S. – W. We.

AUSGABE: Ffm. 1964.

LITERATUR: H. Mayer, Rez. (in Die Zeit, 18. 9. 1964). – M. Reich-Ranicki, *Plädoyer für M.F. Zu dem Roman »Mein Name sei Gantenbein« u. H. Mayers Kritik* (in Die Zeit, 20. 10. 1964). – R. Hartung, Rez. (in NRs, 75, 1964, S. 682–686). – H. E. Holthusen, Rez. (in Merkur, 18, 1964, S. 1073 bis 1077). – H. Vormweg, *Othello als Mannequin* (in Der Monat, 16, 1964, Nr. 195, S. 78–81). – A. Krättli, Rez. (in Schweizer Monatshefte, 44, 1964/65, S. 975–979). – W. Joho, Rez. (in Neue deutsche Literatur, 13, 1965, H. 1, S. 133–137). – H. Kähler, Rez. (in SuF, 17, 1965, H. 1/2, S. 299–303). – W. Weber, *»Mein Name sei Gantenbein«* (in W. W., *Tagebuch eines Lesers*, Olten/Freiburg i. B. 1965, S. 212–219). – M. Wintsch-Spiess, *Zum Problem der Identität im Werk M. F.s*, Zürich 1965 [zugl. Diss. Zürich]. – K. Farner, Rez. (in SuF, 18, 1966, H. 1, S. 273–278). – H. Bänziger, *F. und Dürrenmatt*, Bern/Mchn. [5]1967. – J. Müller, *Das Prosawerk M. F.s – Dichtung unserer Zeit* (in Universitas, 22, 1967, 1, S. 37–48).

NUN SINGEN SIE WIEDER. Versuch eines Requiems von Max FRISCH (* 1911), Uraufführung: Zürich, 29. 3. 1945, Schauspielhaus. In einer Reihe von frühen Stücken setzte sich Frisch mit der Erscheinung des Faschismus, dem Krieg und seinen Folgen auseinander. *Nun singen sie wieder*, die erste Dichtung aus dieser Reihe, zugleich das erste aufgeführte Theaterstück Frischs überhaupt, wurde unmittelbar nach seiner Inszenierung insbesondere in Deutschland heftig diskutiert. Frisch hat in seinem *Tagebuch 1946–1949* von dieser Diskussion berichtet; sie zeigt, wie schwer es für das betroffene Publikum war, sich der unabweisbaren Schuldfrage zu stellen.
Nicht verdrängen läßt sich für Karl die Erinnerung an eine Massenerschießung von Geiseln, die er auf Befehl seines Vorgesetzten Herbert durchführen mußte. Die 21 Geiseln hatten bei ihrer Exekution

gesungen; Karl verliert diesen Gesang nicht mehr aus seinen Ohren. Während sich Herbert mit ästhetischen Bildungsschwärmereien über das Geschehen hinwegtäuscht, weigert sich Karl, auch den Popen zu erschießen, der die erschossenen Geiseln begraben mußte, und desertiert. – Zu Hause ist die ästhetisch verbrämte, auf Kompromissen mit dem jeweiligen System beruhende Welt von Karls Vater, dem Lehrer Herberts, in den Bombenangriffen zusammengebrochen. Für ihn sind die Feinde Satane, seitdem seine Frau bei einem Bombenangriff verschüttet wurde. – Satane sind auch die Deutschen aus der Sicht des Funkers einer gegnerischen Bomberbesatzung – nicht zuletzt deshalb, weil sie, wie Herbert, ein Doppelleben von Grausamkeit und schönem Schein führen. Die Mannschaft des Bombers wartet im Kasino beim Schachspiel auf den Einsatzbefehl, wobei sich die Inhumanität des Kriegs auch auf dieser Seite zeigt. – Karl hat sich inzwischen nach Hause durchgeschlagen; verzweifelt darüber, daß ihm sein Vater keine Antwort auf die für ihn unausweichliche Frage nach Verantwortung und Schuld geben kann, nimmt er sich das Leben; Maria, seine Frau, stürzt sich mit dem Kind in die Feuerhölle des Luftangriffs. – Sein Vater, der endlich einzusehen beginnt, daß auch auf deutscher Seite satanische Kräfte am Werk sind, wird denunziert und verhaftet.

Während im ersten Teil der Schauplatz dreimal wechselt, bleibt er im zweiten Teil unverändert, wird aber zugleich durch eigentümlich enthüllende Gespräche wie durch symbolische Gesten dem Leben allmählich entrückt: Man hört die Geiseln wieder singen, sie sitzen beim Totenmahl, der hingerichtete Pope sorgt für Brot, das Kind bringt im Krug Wein für die abgeschossenen Mitglieder der Bombermannschaft, auch Karl und Maria erscheinen. Die Toten sprechen von ihrem Leben, den versäumten Möglichkeiten, der Schuld und den Opfern. Während die Verbindung ins Totenreich offen ist, wie die eingeblendete Hinrichtung von Karls Vater zeigt, können die Toten die oberflächliche Selbstberuhigung der Hinterbliebenen nicht zerstören. Sie werden nicht gehört; ihr Tod war vergeblich.

Die Zweiteilung des Stücks erzeugt einen scharfen, aber beziehungsreichen Kontrast: Dem aus verschiedenen Perspektiven gesehenen Kriegsgeschehen ist die Welt der Toten gegenübergestellt, die in den letzten beiden Bildern in einer dramatischen Steigerung mit der Welt der Lebenden konfrontiert wird. Sosehr die symbolhaften Bauteile des zweiten Teils, die in verschiedenen Vorformen schon im ersten Teil erscheinen, tatsächlich einen Raum der Ruhe und des Friedens über dem ungeheuren Geschehen schaffen, sosehr erscheint das Stück andererseits als das Gegenteil eines quietistischen »Requiems«. Durch die Objektivität der Sicht, die sich im Wechsel der Perspektiven zeigt, wird auch dem Zuschauer die Möglichkeit genommen, sich ein ästhetisches Alibi zu verschaffen: »*Kümmere sich jeder um seine eigene Schuld.*« Allerdings soll das Stück bewußtes Spiel bleiben; realistische Kulissen sind nicht erwünscht, »*denn es muß der Eindruck eines Spieles durchaus bewahrt bleiben, so daß keiner es am wirklichen Geschehen vergleichen wird, das ungeheuer ist*«. Der Einwand, daß auf das Geschehen der Nazizeit keine Antwort in Form von Dichtung möglich sei, entspringt der von Frisch vehement abgelehnten Prämisse, daß Kunst Leben, das heißt übernommene Verantwortung und konkrete Entscheidung sei. Die Kunst kann beides nur vorbereiten und fordern, und sie tut dies in der Sicht von Frisch paradoxerweise um so mehr, je mehr sie im Bereich des distanzierten modellhaften Spiels bleibt. Aber die durch parabelhafte und symbolische Züge erreichte Distanz wird hier nicht nur durch die Unzulänglichkeit der sprachlichen Mittel, durch romantische Klischees und statische Kontrastwirkungen gestört, sondern zugleich durch das vereinfachte Bewältigungsmodell, das in anderen Zeitstücken, etwa in Martin WALSERS *Der Schwarze Schwan* oder auch in Frischs späteren Werken, differenzierter und problembewußter enfaltet wird. V. Ho.

AUSGABEN: Basel 1946 (Slg. Klosterberg). – Ffm. 1961 [zus. m. *Santa Cruz*]. – Ffm. 1962 (in *Stücke*. 2 Bde., 1). – Ffm. 1966 (in *Frühe Stücke*; ed. suhrkamp, 154).

LITERATUR: W. Pleister, »*Nun singen sie wieder. Versuch eines Requiems*« *von M. F.* (in Die Schule, Hannover, 2, 1947, S. 55). – J. Peschel, »*Nun singen sie wieder*«. *Theaterstück von M. F.* (in Deutsche Rs., 71, 1948, S. 164/165). – E. Stäuble, *M. F. Ein Schweizer Dichter der Gegenwart. Versuch einer Gesamtdarstellung seines Werkes*, Amriswil 1957. – H. Bänziger, *F. und Dürrenmatt*, Bern/Mchn. 1960, S. 61–73. – *Zur Interpretation des modernen Dramas. Brecht, Dürrenmatt, F.*, Hg. R. Geißler, Ffm. 1960, S. 113–126. – H.-J. Pruszak, *Menschliche Existenz unter der Eigengesetzlichkeit der Lebensbereiche in M. F.s Dramen. Eine verpflichtende Anrede an den glaubenden Menschen der Gegenwart*, Diss. Bln. 1965. – H. Karasek, *M. F.*, Velber 1966. – E. Stäuble, *M. F. Gedankliche Grundzüge in seinen Werken*, Basel 1967.

STILLER. Roman von Max FRISCH (*1911), erschienen 1954. – »*Ich bin nicht Stiller*« – mit diesem Satz beginnt Frischs erster bedeutender Roman. Aus dem darin enthaltenen Widerspruch entwickeln sich Handlung und Grundproblematik: der Kampf eines Menschen um seine subjektive und gegen seine objektive Identität.

Ein Mann namens Jim Larkin White, angeblich Amerikaner, wird beim Grenzübertritt in die Schweiz festgenommen und verdächtigt, mit dem seit sieben Jahren verschollenen und in eine mysteriöse Agentenaffäre verwickelten Bildhauer Ludwig Anatol Stiller identisch zu sein. Seine Aufzeichnungen während der Untersuchungshaft – sie sollen seine objektive Identität klären helfen – bilden den tagebuchartigen Hauptteil des Romans. Aus einzelnen Aussagen bildet sich allmählich eine Charakteristik des verschollenen Bildhauers: »*Er will nicht er selbst sein ... Er leidet an der klassischen Minderwertigkeitsangst aus übertriebener Anforderung an sich selbst ... Er flieht das Hier-und-Jetzt zumindest innerlich.*« Er scheitert als Bildhauer wie schon vor ihm Reinhart in Frischs Roman *J'adore ce qui me brûle oder Die Schwierigen* (1943), und er versagt als Freiwilliger im Spanischen Bürgerkrieg. Seine größte, den Roman bestimmende »Bewährungsprobe«, die Ehe mit Julika, mißlingt bei dem Versuch, Julika aus ihrer kühlen Verschlossenheit herauszuführen, ihr Wesen »*zu deuten und auszusprechen*«. In der Hoffnung, ein neues Leben beginnen zu können, flieht Stiller nach Amerika. Sein Abenteurerleben, gespiegelt in den Geschichten Whites, mündet in einen Selbstmordversuch: die Peripetie in Stillers Leben. Er ergreift die Möglichkeit, noch einmal neu anzufangen und »*kein anderes Leben zu suchen als dieses, das er nicht von sich werfen kann*«. Nach seiner Rückkehr in die Heimat und während der Untersuchungshaft erweist sich diese Hoffnung jedoch als trügerische Illusion. Die Last der Beweise und ein gerichtlicher Beschluß zwingen »White« schließlich, seine objektive Identität mit dem Verschollenen zu akzeptieren, obwohl er subjektiv ein Gewandelter ist. – Im *Nachwort*, dem zweiten Teil des Romans, wird aus der Perspektive des Staatsanwalts Stillers weiterer Weg geschildert. Er zieht mit Julika in ein verlassenes Bauernhaus am Genfer See und arbeitet dort als einfacher Töpfer. Alles wiederholt sich nun. Noch einmal versucht er, Julika zu »erlösen«, wieder scheitert er. Erst als es zu spät ist und Julika an einem Lungenleiden stirbt, ist er bereit, seine Unzulänglichkeit und damit sich selbst anzunehmen. Stiller lebt fortan ein einsames Leben.

Das Ringen des Protagonisten um seine Identität nimmt im Roman eine alle anderen Probleme weit überragende Stellung ein. Was diese Identität der Person subjektiv gefährdet, ist die neurotische Sehnsucht nach einem anderen Ich, nach einem erfüllteren Leben. Sie bestimmt im Zusammenhang mit dem Identitätsproblem das gesamte Werk Frischs. Seine Helden leiden an der begrenzten Alltagswirklichkeit, in der sie sich in eine Rolle gedrängt fühlen, die sie daran hindert, sie selbst zu sein. Sie sehnen sich in ihre Jugend zurück oder nach Traumorten wie Santa Cruz (*Santa Cruz*, 1947), einem geographisch nicht lokalisierbaren Peking (*Bin oder Die Reise nach Peking*, 1945) oder der Insel Santorin (*Graf Öderland*, 1951) und erproben neue Lebensmuster wie Gantenbein (*Mein Name sei Gantenbein*, 1964) oder Kürmann (*Biografie*, 1968). Diese anfänglich positiv bewertete Sehnsucht – »*Die Sehnsucht ist unser Bestes*« (*Bin*) – führt zur Identitätskrise in *Stiller*, die schon im Kierkegaard-Motto des Romans anklingt: »*Sieh, darum ist es so schwer, sich selbst zu wählen, weil in dieser Wahl die absolute Isolation mit der tiefsten Kontinuität identisch ist, weil durch sie jede Möglichkeit, etwas anderes zu werden, vielmehr sich in etwas anderes umzudichten, unbedingt ausgeschlossen wird.*« Stillers Flucht aus seinem verfehlten Leben und sein Versuch, als Gewandelter zurückzukehren, um ein neues Leben zu führen, können nicht die Identität mit sich selbst bewirken. Er wollte das Unmögliche, weil er in der Erfüllung des Möglichen versagt hatte.

Erzähltechnisch entsprechen den beiden Ichs (Stiller/White) zwei Zeitebenen (Vergangenheit und Gegenwart), deren ständige Überlagerung die Simultaneität aller Lebensabschnitte suggeriert. In der komplexen Vielfalt der Sprach- und Erzählformen zeichnet sich Frischs Erzählproblem ab: »*Ich habe keine Sprache für die Wirklichkeit.*« Die insistierende Reflexion dieser Aporie und ihre Integration im Romanganzen spiegeln auf höherer Ebene die Grundproblematik des an seiner frustrierten Sehnsucht nach Selbstverwirklichung leidenden Romanhelden, ohne sie jedoch einer bequemen Lösung zuzuführen. C. P. S.

Ausgabe: Ffm. 1954; ern. 1969.

Literatur: K.-H. Braun, *Die epische Technik in M. F.s Roman »Stiller«. Als Beispiel zur Formfrage des modernen Romans*, Diss. Ffm. 1959. – W. Kohlschmidt, *Selbstrechenschaft u. Schuldbewußtsein im Menschenbild der Gegenwartsdichtung. Eine Interpretation des »Stiller« von M. F. u. der »Panne« von F. Dürrenmatt* (in *Das Menschenbild in der Dichtung*, Hg. A. Schaefer, Mchn. 1965, S. 174–193). – H. Mayer, *Dürrenmatt u. F. Anmerkungen*, Pfullingen 1965, S. 38–54. – M. Wintsch-Spiess, *Zum Problem der Identität im Werk M. F.s*, Zürich 1965. – F. Dürrenmatt, »*Stiller*«. *Roman von M. F. Fragment einer Kritik* (in F. D., *Theater-Schriften u. Reden*, Hg. E. Brock-Sulzer, Zürich 1966, S. 261 bis 271). – P. Manger, *Kierkegaard in M. F.'s Novel »Stiller«* (in GLL, 20, 1966/67, S. 119–131). – H. Bänzinger, *F. u. Dürrenmatt*, Bern/Mchn. [5]1967. – E. Stäuble, *M. F. Gesamtdarstellung seines Werkes*, St. Gallen [3]1967 [m. Bibliogr.]. – U. Weisstein, *M. F.*, NY 1967, S. 48–63. – A. White, *Labyrinths of Modern Fiction – M. F.'s »Stiller« as a Novel of Alienation, and the Nouveau Roman* (in Arcadia, 2, 1967, S. 288–304). – K. Harris, »*Stiller*«: *Ich oder Nicht-Ich?* (in GQ, 41, 1968, S. 689 bis 697). – H. F. Pfanner, »*Stiller*« *u. das Faustische bei M. F.* (in OL, 24, 1969, S. 201–215).

STEFAN GEORGE
(1868–1933)

DAS JAHR DER SEELE. Zyklischer Gedichtband von Stefan George (1868–1933), erschienen 1897. Die Gedichte entstanden zumeist 1894–1896, einige bereits 1891–1893. Wie schon die vorangegangenen Bücher Georges ist auch *Das Jahr der Seele* dreifach gegliedert. Die Klarheit, Strenge und Dichte des Einzelgedichts wie der zyklischen Ordnung, welche der Dichter von Anfang an erstrebte, erscheinen hier weitgehend verwirklicht. Das gilt zumal für den ersten Teil des Bandes. Er enthält *Das Jahr der Seele* im engeren Sinn: einen Gedichtkreis, der, drei exemplarischen Jahreszeiten entsprechend, in die Abschnitte *Nach der Lese*, *Waller im Schnee* und *Sieg des Sommers* zerfällt. Auch rhythmisch und formal herrscht eine große Einfachheit vor: Die Gedichte sind, von wenigen Varianten abgesehen, zumeist jambische Fünfheber mit vorwiegend drei, daneben zwei und vier je vierzeiligen Strophen, alle regelmäßig gebaut und fast immer mit weiblicher Endung gereimt. Dem hierdurch erzeugten gleichmäßigen, getragenen Ton entspricht die thematische Rundung jedes der drei Abschnitte. In allem kommt ein Zug zur Verdichtung wie zur Verinnerlichung zum Ausdruck. Das lyrische Ich kehrt aus der Weite der drei geschichtlichen Bildungswelten (vgl. *Die Bücher der Hirten- und Preisgedichte, der Sagen und Sänge und der Hängenden Gärten*) in die nun tiefer ergründete innere Dimension der eigenen Seele zurück, die sich – leidend, hoffend, trauernd, nachdenkend – vor dem Hintergrund der Natur im rhythmischen Wechsel ihrer Jahreszeiten erfährt. Erst auf der hier erreichten Stufe seiner Dichtung erschließt sich George diesen bevorzugten Bereich lyrischer Poesie. Doch ist *Das Jahr der Seele* weit von traditioneller Naturlyrik entfernt. Das Ich begegnet darin der Natur nicht erlebnishaft; es verschmilzt nicht mit ihr. Sie bildet vielmehr den Hintergrund und das symbolische Äquivalent für die Zwiesprache der Seele mit sich selbst und für Begegnungen des Ichs mit einem Du. Sie evoziert oder spiegelt die »Stimmung« eines Gedichts. Daher erscheint sie auch nie in deutlicher und individueller Ausprägung, sondern nur in suggestiven Einzelzügen, in Farben oder Tönen angedeutet. Vor allem tritt die Natur in den Gedichten dieser Sammlung stets als gebändigte, vom Menschen gestaltete Landschaft auf: vornehmlich als Park mit Hecken, Teichen und Bänken, als Garten mit Blumenbeeten und Gittern, als von Kähnen befahrener Fluß und als mit Pfaden gesäumtes Ufer. Dieser Grundzug kommt schon im berühmten Eingangsgedicht des Zyklus beispielhaft zum Ausdruck:

»Komm in den totgesagten park und schau:
Der schimmer ferner lächelnder gestade ·
Der reinen wolken unverhofftes blau
Erhellt die weiher und die bunten pfade.«

Das »Du« des Gedichts erscheint als Ausdruck eigener Seelenzwiesprache, wie es Georges spätere Vorrede (1899) vermuten läßt: *»selten sind so sehr wie in diesem buch ich und du dieselbe seele.«* Dennoch schält sich aus den folgenden Gedichten des ersten zyklischen Abschnitts, *Nach der Lese* (11 Gedichte), die Gestalt einer weiblichen Gefährtin heraus, wenngleich sie keine deutlichen Konturen gewinnt. Sie entspricht nicht dem – schon in den *Hymnen* und *Pilgerfahrten* ersehnten – weiblichen Ideal *(»der Einen Fernen«)*, dessen irdische Unerreichbarkeit für George zu den Erfahrungen des *Jahres der Seele* gehört. So nimmt der Dichter seine fiktive Begleiterin auf seinen herbstlichen *»sonnen-wanderungen«* nur in einer *»Situation des ›Als-ob‹«* (Klussmann) an. Aus versuchter Zwiesprache wird dabei immer wieder ein Selbstgespräch der Seele. Ohne Einklang mit dem begleitenden Du durchmißt im zweiten Abschnitt (10 Gedichte) der *Waller im Schnee* den Winter der Herbheit und der Trauer; er knickt schließlich, in einem symbolischen Gedicht, *»die blasse blume mit dem kranken herzen«: »Nun heb ich wieder meine leeren augen / Und in die leere nacht die leeren hände.«* Das »Winken« eines *»bruders«* – eines dichterischen Gefährten – im vorfrühlingshaften Schlußgedicht leitet zum dritten Abschnitt, dem *Sieg des Sommers* (10 Gedichte), über. Im Ablauf dieser Jahreszeit vollzieht sich *»ein neues abenteuer«*: der dichterische Versuch, gemeinsam *»ein reich der sonne«* zu *»stiften«* – ein immer wieder ersehntes und erstrebtes Urerlebnis Georges. Auch hier wird das Glück aber nur *»in seinem flüchten«* erfahren. Sommerende und Abschied fallen zusammen.

Der mittlere Teil des Zyklus versammelt *Überschriften und Widmungen*: Gedichte, die – selbst teilweise schon älteren Datums – frühere Erlebnisse, Begegnungen und poetische Erfahrungen in die Gegenwart des *Jahres der Seele* »hinüber-schreiben«, sowie – den Brauch der *Preisgedichte* wieder aufnehmend, dieses Mal jedoch durch Einsetzen der Namensinitialen persönlicher gemeint – Widmungsverse an die Freunde der frühen Jahre. Der mehrschichtigen Zusammensetzung dieses Teils entspricht eine größere formale Auflockerung: Die Anzahl der Strophen, die Zeilenlänge, das Metrum und die Reimform zeigen häufigeren Wechsel, wenngleich auch hier der getragene Rhythmus und die Verhaltenheit des Tons überwiegen. Den Eingang bilden mehrere Gedichte, welche die Wurzeln der poetischen Entwicklung Georges und des erwachenden Bewußtseins seiner dichterischen Berufung bekenntnishaft bloßlegen *(»Zu meinen träumen floh ich vor dem volke«)*. – In den *Erinnerungen an einige Abende innerer Geselligkeit* finden sich Gedichte, die bei ihrem ersten Erscheinen in den ›Blättern für die Kunst‹ (1894) Ida Coblenz, der Binger Freundin des Dichters aus den Jahren 1890–1896, gewidmet waren. Die Gestalt dieser Frau begleitete somit das Entstehen des *Jahres der Seele*, welches, trotz der entscheidenden künstlerischen *»umformung«*, auch an anderen Stellen verschwiegene Spuren des Erlebnisses aufweist.

Das gilt auch für den dritten Teil der Sammlung, der den Titel trägt: *Traurige Tänze*. Sie umfassen, in ununterbrochener Folge, die jedoch eine innere Dreiteilung erkennen läßt, 32 durchweg dreistrophige Gedichte. Diese äußerliche, eine Stimmung der Traurigkeit reflektierende Monotonie wird strukturell aufgelockert durch thematische Gruppierungen sowie durch häufigen Wechsel des Metrums und der Verslänge. So fallen gegenüber den anderen Teilen des Buchs die zahlreichen kurzzeiligen Gedichte auf, die einen liedhaften Eindruck vermitteln. Die stärkere rhythmische – also gleichsam »tänzerische« – Bewegung differenziert die Grundstimmung der Melancholie und erzeugt im Zusammenklang des Ganzen ein Gleichgewicht zwischen dem *»dumpfen weh der leere«* und der ruhigen Einsicht in Bescheidung und Verzicht:

»Verschweigen wir was uns verwehrt ist ·
Geloben wir glücklich zu sein
Wenn auch nicht mehr uns beschert ist
Als noch ein rundgang zu zwein.«

Das Jahr der Seele – *»die letzte große Dichtung des europäischen Weltschmerzes, der nicht Schmerz über die Welt ist, sondern Schmerz der Welt«* (F. Gundolf) – bezeichnet somit einen Wendepunkt in der dichterischen Entwicklung Georges. In seiner formalen Ausgewogenheit, seiner zugleich herben und geschmeidigen Sprache, seiner rhythmischen Verhaltenheit, seinem Verzicht auf sprachliche *(Hymnen)* oder symbolistische *(Algabal)* Übersteigerung bildet es den vollendeten Abgesang vom Frühwerk des Dichters. J. W. St.

AUSGABEN: Bln. 1897 [Privatdr.]. Bln. 1899, [11]1922. – Bln. 1928 (in *GA*, 18 Bde., 1927–1934, 4; ern. Düsseldorf/Mchn. 1964). – Godesberg 1948. Düsseldorf/Mchn. 1958 (in *Werke*, Hg. R. Boehringer, 2 Bde., 1).

VERTONUNGEN: A. v. Webern, *Entflieht auf leichten Kähnen*. Für gemischten Chor a capella. op. 2, Wien 1921. – A. Schönberg, *Zwei Lieder*. op. 14, Wien 1920.

LITERATUR: H. v. Hofmannsthal, *Das Gespräch über Gedichte* (in NRs, 1, 1904, S. 129ff.). – F. Gundolf, *G.*, Bln. 1920, S. 124–157. – E. Lachmann, *Die ersten Bücher G.s*, Bln. 1933, S. 99 131. F. Sengle, *Vom Algabalgarten zum Land der Gnade* (in *Gedicht u. Gedanke*, Hg. H. O. Burger, Halle 1942, S. 308 317). – W. Vordtriede, *Zu einem G.-Gedicht* (in MDU, 43, 1951, S. 39–43). – C. David, *S. G.*, Paris 1952, S. 118–149. – U. K. Goldsmith, *The Renunciation of Woman in S. G.'s »Das Jahr der Seele«* (in MDU, 46, 1954, S. 113–122). J. Pfeiffer, *Über fünf Gedichte von S. G.* (in J. P., *Über das Dichterische u. den Dichter*, Hbg. 1956, S. 108 112). - W. Loock, *S. G.: »Komm in den totgesagten park«* (in *Wege zum Gedicht*, Hg. R. Hirschenauer u. A. Weber, Mchn./Zürich 1956, S. 108–112). – P. G. Klussmann, *S. G. »Wir schreiten auf und ab im reichen flitter«* (in *Die deutsche Lyrik*, Hg. B. v. Wiese, Bd. 2, Düsseldorf 1957, S. 268–276). – U. K. Goldsmith, *S. G. A Study of His Early Work*, Colorado 1959. K. Hildebrandt, *Das Werk S. G.s*, Hbg. 1960,

S. 89–134. – H. Linke, *Das Kultische in der Dichtung S. G.s u. seiner Schule*, 2 Bde., Düsseldorf/Mchn. 1960 [m. Bibliogr.]. – E. Morwitz, *Kommentar zu dem Werk S. G.s*, Düsseldorf 1960, S. 107–155. H. Arntzen, »*Wir werden heute nicht zum Garten gehen*« (in NDH, 98, 1964, S. 48–55).

DER STERN DES BUNDES. Gedichtzyklus von Stefan George (1868–1933), erschienen 1914. – Das Werk, in Inhalt und Form Georges einheitlichstes, ist zugleich auch sein fragwürdigstes, da viele seiner Texte kaum mehr als eine irrationalistische Ideologie sind. Offenbar war ihm während des Ersten Weltkriegs eine große – freilich auf zahlreichen Mißverständnissen, zumal der Verkennung des elitären Anspruchs, beruhende – Wirkung beschieden.

Der *Stern* besteht aus 100 Gedichten in kurzen Formen, von denen neun Vierzehnzeiler den *Eingang* bilden; jedes der drei Bücher enthält 30 Gedichte, der letzte Text bildet den *Schlußchor*. Der *Eingang* feiert den Gott, den sich George im *Siebenten Ring* (1907) selbst erfunden hatte und der jetzt von seinem Namen – Maximin – wie von seinen biographischen Anlässen befreit ist. Das erste Buch ist vor allem der Zeitkritik, das zweite dem Verhältnis von Ich und Gott, das dritte der Ermahnung des »Bundes« (Georges »Kreis« der Jünger) gewidmet. Der Zyklus bedient sich einer vorwiegend spruchhaften Sprache, die Melodie und Reim meidet, syntaktische Beiordnungen bevorzugt und in feierlich-gehobenem Stil mit dem apodiktischen Anspruch des Sehers auftritt. In der *Vorrede* spricht George fast bedauernd von der Breite der Rezeption des Buches, »*das noch jahrelang ein geheimbuch hätte bleiben können*«, womit er selbst eine Reduktion des Gültigkeitsanspruchs auf eine kleine private Gruppe in Kauf nimmt. Damit aber wird die Zeitkritik, die sich oft der direkten Anrede der Opfer bedient, zum Selbstwiderspruch, da sie die Betroffenen gar nicht zu erreichen sucht. Solche bloße Gruppenesoterik darf nicht mit der legitimen Dunkelheit moderner Lyrik, etwa der im gleichen Jahr erschienenen Dichtungen Trakls, verwechselt werden. Immer wieder postuliert George im *Stern*, es gebe Geheimnisse vor den Unbefugten zu bewahren, die er doch gleichzeitig ausspricht, und er häuft die Unsagbarkeitstopoi, die nicht zuletzt die Ungenauigkeit seiner Heilslehre rechtfertigen müssen. Der religiös-mystische Kontext, in dem diese Phänomene stehen, trägt zur Stilisierung des sprechenden Ich zum Propheten, der sich übrigens öfters mit seinem Gott zu verwechseln scheint, bei; hauptsächlich aber verschleiert er ein generelles Problem der Literatur dieser Periode: jene Sprachkrise nämlich, die aus dem Bewußtsein einer Inadäquatheit der Sprache gegenüber dem als »Realität« Erfahrenen hervorgeht und mit der nicht zuletzt die modernen Formen der »Dunkelheit« zusammenhängen. Solche Krisen der Verbindlichkeit von Systemen der Weltdeutung will diese Lyrik aber gerade überwinden und dadurch herrschen und wirken – ein Anspruch, der, primär von der Psychologie Georges her bedingt, wiederum durch die »neue Religion« gerechtfertigt werden soll. Gegenüber der Gruppe der Gläubigen und Jünger erscheint der Rest der Menschheit als dekadent und dem Untergang geweiht. Die Masse, das »weib« und alles Fremde (auch im Sinne des Nationalen) sind es vor allem, die der Verachtung oder gar dem Haß anheimfallen, während die Jünger, ohne Frage nach Sinn und Ziel des Gebots, bereit sein sollen, ihr Blut – wie auch das der »feinde« – für den Meister zu vergießen.

Der apodiktischen Verkündung der neuen Werte widerspricht ihre inhaltliche Unschärfe oder Leere, die es dann dem Faschismus möglich machten, sich mit diesem Buch zu identifizieren. Das für die moderne Lyrik der Zeit wie für Georges Frühwerk sehr wichtige Motiv des Fremden – als Zeichen einer Krise des Realitätsbegriffs wie des Bezugs der Literatur zur Realität – wird zum Zeichen eines Feindlichen. Dem entspricht der Irrationalismus, der den Zweifel zur Sünde erklärt und die Intellektualität verfolgt. Beide Phänomene sind innerhalb der Struktur des Zyklus logisch notwendig, will George seine Ansprüche aufrechterhalten. Die postulierten Ideale, um derentwillen der Untergang der restlichen Welt gefordert wird, müssen gegen eine Kritik der Ungläubigen *a priori* gefeit sein: Daher werden rationale Kritiker an sich schon als inkompetent erklärt. Der neue Gott bringt angeblich die Einheit der Welt und des Daseins zurück: Was die »Einheit« gefährden könnte, das »Fremde« und »Andere«, ist folgerichtig zu verwerfen und verworfen. Die neue, sehr partielle Einheit, die aus alten Ideen wie der des »neuen Lebens« der Klassik besteht, vollzieht sich nur verbal und bedarf der Antithese des nicht in ihr Begriffenen, um die typische Figur der »Wende« im Gedicht zu erlauben (Modell: alles war schlecht ... da kam der Gott). Der Preis des Irrationalen im Inhalt bedarf also formaler Logik. Der Zyklus, so problematisch sein Wert ist, bleibt historisch signifikant, indem er das offenkundig Reaktionäre deutlich als nicht selbstgenügsam, sondern als gescheiterten Versuch einer Lösung realer Probleme der modernen Lyrik erkennen läßt. M. T.

Ausgaben: Bln. 1913 (Priv.-Druck). – Bln. 1914. – Bln. 1928 (in *GA*, 18 Bde., 1927–1934, 8; Nachdr. Düsseldorf/Mchn. 1965). – Amsterdam 1947. – Godesberg 1949. – Mchn./Düsseldorf 1958 (in *Werke*, Hg. R. Boehringer, 2 Bde., 1).

Literatur: J. Bab, Rez. (in Die Gegenwart, 43, 1914, Nr. 28, S. 443). – C. David, *S. G. Son œuvre poétique*, Paris 1952 (dt.: *S. G. Sein dichterisches Werk*, Mchn. 1967). – G. Schneider-Herrmann, *S. G. in seiner Dichtung*, Zürich 1957. – W. Helwig, *Der Stern des Bundes erlosch. S. G. oder das Monument des Schweigens* (in Christ u. Welt, 11. 10. 1958). – H. Linke, *Das Kultische in der Dichtung S. G.s u. seiner Schule*, Mchn./Düsseldorf 1960 (Diss. Köln 1954/55). – F. Schonauer, *S. G. in Selbstzeugnissen u. Bilddokumenten*, Hbg. 1960 (rm, 44). – G. P. Landmann, *S. G. u. sein Kreis. Eine Bibliographie*, Hbg. 1960. – P. G. Klussmann, *S. G. Zum Selbstverständnis der Kunst u. des Dichters in der Moderne*, Bonn 1961. – G. A. Zekert, *Zu G.s »Stern des Bundes«* (in *Grüße. H. Wolffheim zum Geburtstag*, Hg. K. Schröter, Ffm. 1965, S. 51–74). – H. S. Schultz, *Studien zur Dichtung S. G.s*, Heidelberg 1967. – E. Heftrich, *S. G.*, Ffm. 1968.

DER TEPPICH DES LEBENS und die Lieder von Traum und Tod mit einem Vorspiel. Gedichtzyklus von Stefan George (1868–1933), erschienen 1900 (in 300 Exemplaren), erste öffentliche Ausgabe 1901. – Dieser Band markiert einen Wendepunkt in der Entwicklung des Lyrikers George: Hier beginnt seine Abkehr von einer artistischen Lyrik des »l'art pour l'art« zugunsten einer ideologisch engagierten Lyrik, die ihn später nicht selten in die Nähe des Faschismus führte. Die drei Teile des Zyklus, die der Titel nennt, enthalten je 24 Gedichte mit je vier vierzeiligen Strophen, worin sich ein vom Inhalt abgelöster rein formaler Bauwille manifestiert. Die dritte Gruppe, *Die Lieder von Traum und Tod*, enthält u. a. eine Reihe von Gedichten an Personen und ist der inhaltlich wie formal am wenigsten kohärente Teil.

Der neue Anspruch des Dichters auf eine Seherrolle und gehorsame Jünger und der Wunsch, in einem freilich nur vage festgelegten Sinn zu wirken, werden am deutlichsten vom Vorspiel repräsentiert, in dem ein »nackter Engel« dem lyrischen Ich Erlösung aus allen Zweifeln und einen neuen Wertkodex verheißt. Das »schöne Leben«, dessen Bote der Engel sein soll, ist als Vereinigung des früheren Ästhetizismus und des neuen Wertsystems gedacht. Schon die Figur des Engels und sonstige *Bibel*-Anspielungen und -Zitate belegen, daß George seinen neuen Anspruch nur durch die zitathafte Verwendung alter Schemata formulieren kann, wie auch der Begriff des »schönen Lebens« ebensogut von dem früheren Freunde HOFMANNSTAHL, den der George-Kreis jetzt als dekadenten Ästheten anfeindete, stammen könnte. In seiner ideologischen Problematik ist der Engel der unmittelbare Vorgänger des neuen Gottes Maximin aus dem *Siebenten Ring*. Unsicherheiten in der Sprechweise begünstigen die Verwechslung von Engel und Ich und legen ihre Identität nahe. Während die Figur des Engels in der Literatur der Zeit eine dichtungsimmanente Chiffre bleibt, wie etwa bei RILKE oder bei TRAKL, setzt im *Teppich* schon jene merkwürdige Vermengung von inner- und außerliterarischer Realität ein, die einen Teil der Problematik des Georgeschen Spätwerks ausmacht: So löst sich z. B. die Herrschaftsmetaphorik, die es auch schon im früheren Werk Georges gab, von der Dichtungsthematik und beginnt, Gültigkeit auch in der Realität zu beanspruchen. Die Ausklammerung alles dessen, was George für »alt« erklärt – und dies ist eigentlich die ganze moderne Welt –, erlaubt ihm die Setzung einer widerspruchsfreien Einheit seines kleinen Weltausschnitts. Das neue Wertsystem, das diese Einheit ideologisch begründen sollte, hat George bezeichnenderweise nie wirklich zu formulieren vermocht.

Gegenüber den direkt und mehr oder minder spruchhaft formulierten Prämissen im *Vorspiel* sind für den zentralen Teil des Bandes Texte charakteristisch, die eine Figur oder Situation in statuarischer Unbewegtheit darstellen, gleichsam als ontologische Gegebenheiten. Analog zu der Veränderung des George-Kreises selbst von einer Gruppe der Freunde, die ihren Rang durch Werke ausweisen, zu einer solchen der Jünger, deren Wert primär in der Person gesehen wird und von denen »*taten*« erwartet werden, die keine literarischen sein müssen, ist auch im Zyklus parallel zu den neuen außerliterarischen Ansprüchen der Texte ein relatives Zurückweichen der Kunstthematik zugunsten eines Tat-Ethos zu beobachten: Auch hier liegt der Akzent auf dem Täter, der sehr gern vor der Tat gezeigt wird. Gleichzeitig wird dem Wort ein Wert zugeschrieben, der den Folgen einer Tat entspricht (etwa: »Die Verrufung«). Die Aussparung von Voraussetzungen und die Lücken und Dunkelheiten in den dargestellten idealtypischen Vorgängen ermöglichen die Loslösung von Daseinsbildern aus den Verwicklungen des »Lebensteppichs«. Die neuen Wertnormen, die als sicheres Koordinatensystem wirken, erlauben eine scheinhafte Ausweitung der dargestellten Welt: so werden etwa die früheren abgezirkelten »Gärten« jetzt durch »Felder« ersetzt: Was früher die Abgrenzung des Raums leistete, leistet jetzt die ideologische Bewertung. Die Leserschaft mußte notwendig begrenzt bleiben, wenn man die Schwierigkeit vieler Texte und ihre Nähe zu dunklen Rätseln oder Allegorien bedenkt. Die vielen faszinierenden Gedichte des Bandes sind nicht zufällig gerade die, die am wenigsten an der neuen Ideologie partizipieren. M. T.

AUSGABEN: Bln. 1899; [2]1901. – Bln. 1932 (in *GA*, 18 Bde., 1927–1934, 5; ern. Düsseldorf/Mchn. 1964). – Düsseldorf/Mchn. 1958 (in *Werke*, Hg. R. Boehringer, 2 Bde., 1; ern. 1968).

LITERATUR: F. Gundolf, Rez. (in Wiener Rundschau, 4, 1900, S. 109–115). – E. Mischke, *S. G. »Der Teppich des Lebens u. die Lieder von Traum und Tod«. Eine Interpretation*, Diss. Königsberg 1938. – C. David, *S. G. Son œuvre poétique*, Lyon/Paris 1952 (dt.: *S. G. Sein dichterisches Werk*, Mchn. 1967). – S. Stolpe, *S. G. och andra studier*, Stockholm 1956. – J. Aler, *S. G.s Kunst der Komposition veranschaulicht am »Teppich des Lebens«* (in WW, 10, 1960, S. 149–164). – M. Marache, *Du »Tapis de la vie« à »L'étoile d'alliance«. L'évolution de la pensée de S. G. à la lumière de l'histoire des styles* (in EG, 21, 1966, S. 205–224; 506–526). – H. S. Schultz, *Studien zur Dichtung S. G.s*, Heidelberg 1967. – E. Heftrich, *S. G.*, Ffm. 1968.

REINHARD GOERING
(1887–1936)

SEESCHLACHT. Tragödie von Reinhard GOERING (1887–1936), Uraufführung: Dresden, 10. 2. 1918, Königliches Schauspielhaus. – Unter dem unmittelbaren Eindruck der die anonyme technische Kriegsführung einleitenden Seeschlacht am Skagerrak (31. 5. 1916) schrieb Goering, der selbst im Ersten Weltkrieg als Feldarzt von der Tuberkulose infiziert wurde und in Davos Heilung suchte, sein erstes Drama. Die Akteure des Stücks (es »*beginnt mit einem Schrei*«, dem der Anruf »*Mutter!*« auf dem Widmungsblatt wie ein Hilfeschrei des Dichters vorangeht) sind »*sieben Matrosen, die im Panzerturm eines Kriegsschiffes in die Schlacht fahren*«. – Fiebernd vor Unruhe warten die Eingeschlossenen – namenlose, nach Alter und Herkunft, Denkweise und Lebenserfahrung differenzierte typische Charaktere – auf den Beginn des Gefechts. Im Wachen, im Halbtraum, im überreizten Zustand plötzlicher Erleuchtung und schließlich in der Stimmung des Kampfes offenbaren die Männer ihr geheimstes Denken und Fühlen. Der Gläubige, der Zeichen und Gesichte sieht, trifft auf den grüblerisch-melancholischen Freigeist; der spöttische Revolutionär begegnet dem nüchternen und pflichtbewußten Realisten; der Tatmensch, klar und überlegen, findet sein Gegenbild in dem blutjungen dritten Matrosen, der jetzt der Schlacht entgegenträumt wie sonst der Liebe im Hafen. Die Stimme des Dichters selbst spricht aus dem fünften Matrosen, dem Skeptiker. Er, der lieber Puppe in der Hand eines irren Riesen sein als ein sinnvolles göttliches Walten anerkennen will, ist sich der Sinnlosigkeit auch des Krieges bewußt. Noch ungeformt trägt er schon das Bild eines neuen Menschen in sich, der sich gegen die Anbetung von Macht und Besitz auflehnt. Sein großes Zwiegespräch mit dem gläubigen Spintisierer steht nicht nur äußerlich in der Mitte des Stückes; es entwickelt den zentralen Gedanken: »*Nicht Hoffnung und nicht Götter / nehmen dem Tod das Grauen. / Nur dies: / Gedenken dessen, / was war und sein kann zwischen Mensch und Mensch.*« Dem sinnlosen Befehl zur Schlacht, zum Kampf des Menschen gegen den Menschen aber will er den Gehorsam verweigern. Meuterei und Empörung scheinen unvermeidbar; da ertönt das Signal zum Angriff, und alle verfallen der irren Lust des Kampfes. Eine Explosion im Panzerturm fordert das erste Opfer; unter der Gasmaske kämpfen die Matrosen weiter. Durch die Hölle, die über sie hereinbricht, gellt bald nur noch die verzweifelte Frage: »*Werden wir leben, werden wir leben?*« Der Skeptiker ist der einzige, der noch am Rohr steht und schießt, um das Leben der anderen zu retten. Auf die Frage des »Pflichtmenschen«, warum er doch nicht gemeutert habe, antwortet er am Ende des Stücks: »*Ich habe gut geschossen, wie? / Ich hätte auch gut gemeutert, wie? / Aber schießen lag uns wohl näher, wie? / Muß uns wohl näher gelegen haben!*«

Goerings Drama, das bei der extrem realistisch inszenierten Uraufführung begeisterte, entsetzte und empörte Publikumsreaktionen auslöste, konnte nur dem zeitgenössischen Zuschauer und Leser als »*der am besten gelungene Versuch, ein Kriegsgeschehen unmittelbar zu geben*« (A. Soergel) gelten. Die Unmöglichkeit, die perfekt und perfid technisierte Vernichtungsmaschinerie moderner Kriege unmittelbar dramatisch darzustellen, ist nicht erst nach Auschwitz und nach dem Abwurf der Atombombe evident geworden. Die suggerierte Unmittelbarkeit wird vor allem durch die Struktur der *Seeschlacht* in Frage gestellt: Verse von ständig wechselnder Länge und Rhythmik, die Verschränkung von Traum und Wirklichkeit, Aktion und Vision, die sich zum chorähnlichen Monolog vereinenden Reden und Gegenreden sind Elemente eines Distanzierungsprozesses, der aktuelles Zeitgeschehen der obsoleten Dramaturgie des antiken Schicksalsdramas unterwirft (Alfred KERR notierte nach der Uraufführung: »*In dem Empörergespräch ist Sokratisches*«). Wo sich dennoch das Gefühl der Unmittelbarkeit einstellt, paradoxerweise bei der als »Zweifler« vorgestellten Hauptfigur des fünften Matrosen, wird die Schwäche des Stücks: seine mangelnde Bereitschaft zu Reflexion und Analyse, unabweisbar. Vom rauschhaften Erlebnis menschlicher Solidarität wird jenes Sprachrohr des Dichters schließlich doch in den Taumel der Schlacht hineingezogen: »*... jetzt erwächst etwas zwischen Männern, das alle Not aufwiegt ... Blut! Blut! Darin allein liegt Wahres.*« Ideengut NIETZSCHES kolportierend *(»Schlacht! Sagt man nicht ›heißer Tanz‹ dafür?«)*, begreift Goerings Stück Krieg und Vernichtung nicht als Ausdruck politischer Aggressionstriebe, sondern als unausweichliches mythisches Fatum. Im ekstatischen Pathos dieses »*oratorischopernhaften Wortton-Bilddramas*« (Denkler) manifestiert sich exemplarisch die ohnmächtige Verzweiflung der expressionistischen Dichtergeneration, die noch dort, wo sie die Sinnlosigkeit der Gewalt erkannte und wo ihre Emphase in Auflehnung umschlug, doch bis zum letzten Atemzug kämpfte, weil ihr in einer völligen Verkennung der Ziele und Begriffe Kämpfen und Meutern gleich sinnlos erschienen. KLL

AUSGABEN: Bln. 1917. – Emsdetten 1954 (Dramen der Zeit, 11). – Mchn. 1961 (in *Prosa, Dramen, Verse*; Vorw. D. Hoffmann). – Mchn. 1966 (zus. m. *Die Retter* u. *Die Südpolexpedition des Kapitän Scott*; dtv, Sonderr., 48).

LITERATUR: A. Kerr, Rez. (in Die Schaubühne, 14, 14. 3. 1918, S. 252–254). – E. Busse, Rez. (in SL, 19, 1918, S. 59). – Th. Lessing, Rez. (in DD, 2, 1919, S. 211). – A. Soergel, *Dichtung u. Dichter der Zeit*, Bd. 2, Lpzg. 1921. – H. Denkler, *Das Drama des Expressionismus im Zusammenhang mit den expressionistischen Programmen u. Theaterformen*, Diss. Münster 1963.

GÜNTER GRASS
(*1927)

DIE BLECHTROMMEL. Roman von Günter GRASS (*1927), erschienen 1959. – *Die Blechtrommel* ruft deutsches Schicksal zwischen 1930 und 1950 ins Gedächtnis, dargestellt in den Erlebnissen des Oskar Matzerath bis zu seinem 30. Lebensjahr, niedergeschrieben von ebendemselben im Irrenhaus. Aufgewachsen im Kleinbürgermief der Freien Stadt Danzig, ausgestattet mit der Gabe der Einsicht schon als Embyro, beendet er mit drei Jahren sein Wachstum und legt sich eine weißrote Kindertrommel zu, der er sein Leben lang treu bleibt. Indem er auf die Pauke schlägt, ruft er das Geschehene ins Bewußtsein und protestiert zugleich gegen die Erwachsenenwelt. Oskar bestreitet seine Bildung mit Goethe und Rasputin, ist am Tod seiner Mutter nicht unschuldig und treibt seine beiden mutmaßlichen Väter ins Grab. Als ein Krüppel mit Zwergstatur und infantiler Natur kommt er in die Gefahr, als »lebensunwertes« Leben ausgemerzt zu werden, zeugt ein Kind mit seiner späteren Stiefmutter und wechselt vom Künstler des Fronttheaters zum Steinmetz, vom Aktmodell zum Jazzschlagzeuger, vom reichen Gnom zum unverdächtigen Insassen einer Heil- und Pflegeanstalt.

Die naive und unerschrockene Froschperspektive, der Verzicht auf jegliche Art von Ideologie und die Ablehnung allen Moralisierens ermöglichen Grass eine Unbefangenheit des Erzählens, das nicht vor Gott und Menschen haltmacht, keine Tabus kennt, am wenigsten sexuelle, und das, statt Stellung zu nehmen, lieber das Detail der Wirklichkeit erfaßt. Dieser Realismus verliert durch zerrspiegelartige Grotesken und eine krasse Phantastik nichts von seiner Genauigkeit. Die plastische Formkraft der Sprache bändigt, von einigen Ausnahmen abgesehen, die wuchernde Stoffülle durch steten Wechsel des syntaktischen Gefüges zwischen hämmernden Stakkatos und beabsichtigten Leerläufen, schweratmigen Satzungeheuern und unbekümmertem Jargon, dumpfem, litaneiartigem Gemurmel und tänzerisch bewegten Rhapsodien. Dazu tritt eine immer neue Veränderung der Sprachschichten und Tonstufen. – In der unreflektierten, doch artistisch hochbewußten Darstellung steht das konkrete Detail immer wieder für das Ganze der Wirklichkeit, verliert das Symbol seinen metaphysischen Bezug und dient – wie die Trommel – als empirisches Zeichen. Der infantile Gestus des Trommelns, das die Ereignisse wachruft und vor Augen stellt, verbirgt jedoch kaum den moralischen Anspruch des Romans. Der Literaturpreis der Stadt Bremen, der ihm von der Jury zuerkannt worden war, wurde ihm – wohl vor allem wegen der außergewöhnlichen Unverblümtheit in der Darstellung des Sexuellen, schließlich verweigert. 1958 erhielt Grass den Preis der »Gruppe 47«. W. F. S.

AUSGABE: Darmstadt 1959.

LITERATUR: J. Kaiser, *Oskars getrommelte Bekenntnisse* (in SZ, 31. 10. 1959). – T. Wieser u. K. A. Horst, Rez. (in Merkur, 13, 1959, S. 1188–1195). – R. Hartung, *Schläge auf die Blechtrommel* (in NDH, 1960, S. 1053–1056). – F. J. Garrett, *Oskars Empfang in England* (in Die Zeit, 17, 1962, Nr. 43). – H. M. Enzensberger, *Wilhelm Meister, auf Blech getrommelt* (in H. M. E., *Einzelheiten*, Ffm. 1962, S. 221–227). – H. Plard, *Verteidigung d. Blechtrommeln* (in Text u. Kritik, 1, 1963, S. 1–8). – H. L. Arnold, *Grass-Kritiker* (ebd., S. 16–20).

HUNDEJAHRE. Roman in drei Büchern von Günter GRASS (*1927), erschienen 1963. – Der Autor erzählt in seinem dritten Buch – nach *Die Blechtrommel* (1959) und *Katz und Maus* (1961) – die Geschichte der Freundschaft zwischen Eduard Amsel und Walter Matern, die von 1925 bis in die fünfziger Jahre reicht und in der sich, wie im Werdegang des Trommlers Oskar Matzerath, Danziger, hitlerdeutsche und bundesrepublikanische Historie spiegelt. Matern, Sohn eines Windmüllers aus Nickelswalde im Danziger Hinterland, schließt als Achtjähriger Blutsfreundschaft mit dem gleichaltrigen, ewig gehänselten Halbjuden Eduard (»Eddi«) Amsel. Er wird zum Beschützer und Handlungsgehilfen Amsels, der Menschen und Situationen in Gestalt von Vogelscheuchen nachbildet und damit der verwahrlosten Schöpfung ihre Spiegelbilder entgegenhält, mit denen er zugleich schwunghafte Geschäfte bei den Bauern der Gegend macht. Die beiden Jungen erfinden sich eine Geheimsprache; mit blitzartiger Geschwindigkeit sprechen sie ganze Sätze Wort für Wort rückwärts aus, was Dritte verwirrt und das Duo abschirmt. Ihre Freundschaft hält zwar Amsels Respektlosigkeit gegenüber allem Völkischen, die Matern – gewiß der Simplere – oft kaum ertragen kann, nicht aber den Faschismus aus. Matern, zuerst Kommunist, dann in die SA eingetreten, begeht blutigen Verrat. Mit einem kleinen Rollkommando überfällt er den dicken, zynischen Amsel, schlägt ihm alle Zähne aus und läßt ihn in Schnee eingerollt liegen. Ähnlich malträtiert die schon aus *Katz und Maus* bekannte Göre Tulla Pokriefke das von einem Studienrat adoptierte Zigeunerkind Jenny. Im Krieg tun sich Amsel (nun unter dem Namen Haseloff) und Jenny zusammen: Sie wird in Berlin zur Ballettänzerin ausgebildet, er inszeniert dort Ballettabende nach Vogelscheuchenmotiven, während Matern vom Mitläufer zum Opfer wird; er fängt zu saufen an aus Kummer über seinen Verrat, wird politisch unzuverlässig, muß zum Militär, wird verwundet und endlich 1945 aus englischer Gefangenschaft entlassen. »*Gekommen, um zu richten*«, reist er in Deutschland herum zu seinen ehemaligen Peinigern, Vorgesetzten und Denunzianten, verführt deren Frauen und Töchter und hängt ihnen Kinder und Geschlechtskrankheiten an. Amsel, der sich nun Brauxel nennt, baut indessen in einem stillgelegten Kalibergwerk bei Hildesheim wieder an symbolischen Figuren. Tief untertage entsteht ein Pandämonium der deutschen Vergangenheit, die Amsel auf seine Weise bewältigt, allerdings nicht ohne auch damit einen gutgehenden Handel zu verbinden. Im vorletzten Kapitel werden Matern, der in die DDR flüchten will, Jenny, die seit einer Verletzung bei einem Luftangriff ihre Ballettkarriere aufgeben mußte und als Lokalbesitzerin lebt, und der jetzt mit 32 Goldzähnen ausgestattete Amsel wieder zusammengeführt. Um sie herum brennt Jennys Westberliner Lokal ab, aber die drei – den Jünglingen im Feuerofen gleich – können nicht aufhören mit Erinnern, Erzählen, Schreien, Saufen und Singen. Doch diese makabre Versöhnungsszene wird kontrapunktiert durch einen Besuch in Amsels Unterwelt, wo Amsel-Brauxel dem zermürbten Matern seine allegorische Vogelscheuchen-Hölle vorführt. Ihr wird in Zukunft Pluto, der Matern zugelaufene Hund, vorstehen, und dieser Hund gibt auch das Leitmotiv ab, dem der Roman seinen Titel verdankt: Pluto ist ein Abkömmling des Schäferhundes Harras aus Danzig und war vom Gauleiter Forster 1935 Hitler geschenkt worden, bis auch er, seinem Führer untreu werdend, sich aus Berlin in Richtung Westen absetzte und als Begleiter Materns weiterlebte.

Diese mit Folklore, Danziger Heimatkunde, Schulstreichen, bäurischen Grotesken, Satiren auf Wirtschaft und Gesellschaft der Bundesrepublik und einer – allerdings gar zu unbefangenen, simplifizierenden und kabarettistischen – Attacke auf HEIDEGGER angefüllte Handlung wird, im Gegensatz zu der einheitlichen Erzählperspektive der *Blechtrommel*, in einer verwirrenden Fülle von Perspektiven erzählt: Amsel, alias Brauxel, berichtet im ersten Buch, den *Frühschichten*, von der Danziger Zeit, Harry Liebenau, inzwischen Funkredakteur in Köln und einst ein Verehrer Tullas, erzählt – er allein in der Ichform – im zweiten Teil, den (fiktiv an Tulla gerichteten) *Liebesbriefen*, von der Hitlerzeit, und Matern in den *Materniaden* von der Nachkriegszeit. Zwischendurch kommt Amsel-Brauxel als Chef des gleichzeitig schreibenden Autorenkollektivs immer wieder mit zahllosen Reflexionen, Antizipationen und erzähltechnischen Erwägungen zu Wort. Dieser Verzicht auf perspektivische Einheit hindert Grass daran, seiner überbordenden, die Einfälle oft unorganisiert reihenden Phantasie Herr zu werden. Auch der Sprachstil wechselt sprunghaft; ungekünstelt wirkender Saga-Tonfall und Parodie auf die Sprache von *Sein und Zeit*, »bräsig-werdersche« Mundart und zeitkritische Allegorien, absichtsvoll halbierte Sätze und anspielungsreiche Wortungestüme (*»laugeschrapperundmottenverunglimpfte«*) dienen willig der unbefangenen Schöpferlust des temperamentvollen Fabulierers, vermögen aber die Fülle der Fakten, Geschehnisse und Motive auch nicht zu ordnen. Welcher Einfachheit und Stärke dieser Erzähler fähig ist, zeigt die Szene, in der der zusammengeschlagene Amsel, seinen mörderischen Freund erkennend, fragt: »*Bist du es? Tsib ud se?*« Dem Leser stockt das Herz. Denn indem der Unterlegene so spricht, beschwören seine verdrehten Worte die ganze Freundschaft, die verratene gemeinsame Jugend. Schriftstellerische Gewalt hat – nur durch die Konstellation, die Bedeutung, den Zusammenhang – aus acht irren Buchstaben das Symbol eines Zusammenbruchs gemacht. J. Ka. KLL

AUSGABE: Neuwied/Bln. 1963; [20]1965.

LITERATUR: W. Jens, Rez. (in Die Zeit, 6. 9. 1963). J. Nolte, Rez. (in Die Welt, 7. 9. 1963). – G. Blöcker, Rez. (in FAZ, 14. 9. 1963). – K. Wagenbach, Rez.

(in Die Zeit, 20. 9. 1963). – I. Nagel, Rez. (ebd., 27. 9. 1963). – K. A. Horst, Rez. (in Merkur, 17, 1963, S. 1003ff.). – R. H. Wiegenstein, Rez. (in FH, 18, 1963, H. 12, S. 870–873). – K. L. Tank, *G. G.*, Bln. 1965.

KATZ UND MAUS. Novelle von Günter GRASS (* 1927), erschienen 1961. – Ein typisch novellistisches Ereignis steht am Beginn des Schicksals, das dem Helden, Joachim Mahlke, zur Zeit des Zweiten Weltkriegs in Danzig widerfährt. Im Kreis einiger Schulkameraden nimmt Pilenz, der Erzähler, zum erstenmal Mahlkes überdimensionalen, mit der Pubertät entstandenen Adamsapfel wahr, einen heftig bewegten, an eine Maus erinnernden »*Knorpel*«, an den Pilenz, einer tollen Eingebung folgend, plötzlich eine in der Nähe sich umhertreibende Katze setzt. Aus diesem Ereignis geht das permanente Schuldgefühl des Erzählers hervor, das ihn zur Niederschrift der Biographie Mahlkes zwingt: Der abnorme Adamsapfel, auf den Pilenz ein für allemal den Blick der Leute gelenkt hat, macht Mahlke zum Helden wider Willen und führt seinen Untergang herbei.

In dreizehn nur lose miteinander verknüpften Abschnitten vergegenwärtigt sich der Erzähler, immer wieder ins Episodische und Anekdotische schweifend, Mahlkes phantastische und verzweifelte Versuche, seine körperliche Mißbildung, die den Spott und die Neugier der Umwelt herausfordert, zu verleugnen. Er behängt sich mit einem Schraubenzieher, einem polnischen Orden, einem Medaillon, das von seiner bigotten Marienverehrung zeugt, vollbringt vor seinen Kameraden atemberaubende Tauchübungen und triumphiert am Reck mit zahllosen Kniewellen. Mahlkes unerhörte Taten sollen die Umwelt vom Adamsapfel, »*die ewige Katze von der ewigen Maus ablenken*«. Sammelt Mahlke aber auch immer wieder außerordentlichen Beifall, so haftet den Leistungen, die er mühsam seinem schwächlichen Körper abzwingt, doch stets etwas Verkrampftes, Unnatürliches an, das die Groteske streift. Darin meldet sich seine fortschreitende, von der Umwelt ihm auferlegte Selbstentfremdung an. Das Schuldgefühl des Erzählers reflektiert nur das Bewußtsein des Unrechts, das die Gesellschaft dem einzelnen antut. Der abnorme Adamsapfel Mahlkes wird zur bizarren Sinnfigur eines beschädigten Verhältnisses zwischen Ich und Außenwelt, das sich zur extremen Antithese von beklatschter Schauspielerei und »*monumentaler Einsamkeit*«, von öffentlicher Leistung und Introversion verzerrt. Denn der »*Große Mahlke*«, bezeichnenderweise stets mit einer »*Leidensmiene*« behaftet, stößt bei einer seiner vielbewunderten Tauchübungen in einem abgesoffenen Minensuchboot auf eine (über der Wasseroberfläche liegende) Kabine, die er mit den wunderlichsten Dingen ausstattet und zum bewohnbaren, von der Umwelt abgeschnittenen und zugleich von ihr bestaunten Refugium macht – allegorisches Zeichen dafür, daß Beifall und Anerkennung der Gesellschaft durch Isolierung und Selbstverleugnung erkauft werden müssen. Unaufdringlich verknüpft Grass diese Antinomie mit der historischen Wirklichkeit, der die Novelle entstammt. Einem hoch dekorierten Kapitänleutnant, ehemaliger Schüler des von Pilenz und Mahlke besuchten Gymnasiums, entwendet der Held das Ritterkreuz und bereitet damit die – novellistisch pointierte – Peripetie, den definitiven Umschlag seines Lebens in eine tödliche Emigration vor. Der vollkommen seinen Adamsapfel bedeckende Orden gewährt ihm für kurze Zeit Glück, unverkrampfte Identifikation mit sich selbst – »*zum erstenmal bißchen albern, keine Erlösermiene*« – und ist zugleich Anlaß für den Ausschluß Mahlkes vom Gymnasium. Die vom Oberstudienrat Klohse in schneidigem Nazijargon proklamierte Unantastbarkeit eines so läppischen Details wie des Ritterkreuzes ist Zeugnis für die in jener Zeit übliche Ästhetisierung des Kriegs, wie sie unmißverständlich in einer lyrischen, mit verstiegenen Metaphern besetzten Rede des Kapitänleutnants zum Ausdruck kommt. Zwar erobert sich Mahlke durch außerordentliche Taten erneut den Orden, wird in kurzer Zeit Panzerkommandant, aber sein Versuch, sich, hochdekoriert, durch einen Vortrag im Gymnasium zu rehabilitieren, scheitert am spießigen Pseudo-Ethos des Oberstudienrats. Verzweifelt desertiert er; beim Versuch, in seine Schiffskabine zu tauchen, verunglückt er vermutlich.

Mahlkes übergroßer Adamsapfel, die Objekte, die ihn kaschieren sollen, und die Versuche, diesen »Fehler« zu kompensieren, entspringen der exakten Phantasie des Autors, einer Phantasie, deren bizarre Produkte stets den Charakter praller Realität haben – dank der sinnlichen Kraft von treffend charakterisierenden Verben, von Appositions- und Adjektivreihen, die jedes Detail mit bedrängender Genauigkeit fixieren. Erst die mit provozierender Schärfe dingfest gemachten, phantastischen Eingebungen können die schematischen Wirklichkeitsvorstellungen des Lesers aufsprengen und die hintergründige Beispielhaftigkeit der Existenz Mahlkes ins Bewußtsein heben. Daher übt Grass sich in der Verknappung des Vordergründigen, in der Durchbrechung von Tabus – Anlaß und Ablauf einer ausgiebigen Onanieszene werden effektvoll als Chiffre für Mahlkes »heroische« Existenz präsentiert –, in der Reduktion banaler Fakten auf kleinste Erzählsplitter und im beunruhigenden Wechsel zeitlicher Perspektiven oder syntaktischer Gebilde: Vorausgriffe und Rückblenden überspielen das herkömmliche chronologische Erzählgerüst; weit ausgreifende, dynamisch fortdrängende Perioden kontrastieren mit lakonischen telegrammartig verkürzten Sätzen. Kontrapunktisch zu solchem Wechsel wirkt die festgefügte, dicht verspannte Komposition, in der auch die scheinbar zufälligste Beobachtung, das scheinbar beliebigste Detail gewichtige Bedeutung gewinnt, indem Grass es, durch Reprise und Variation, in den Rang eines Leitmotivs, einer Sinnfigur erhebt. Ohne Zweifel liegt »*sein Geheimnis in dem prekären und einzigartigen Gleichgewicht, das er zwischen seiner anarchischen Einbildungskraft und seinem überlegenen Kunstverstand herzustellen vermocht hat*« (Enzensberger). G. Sa.

AUSGABE: Neuwied/Bln. 1961.

LITERATUR: K. Korn, Rez. (in FAZ, 7. 8. 1961). – J. Nolte, Rez. (in Die Welt, 19. 10. 1961). – M. Reich-Ranicki, Rez. (in Die Zeit, 10. 11. 1961). – H. Karasek, Rez. (in Stg. Zeitung, 11. 11. 1961). – R. Hartung, Rez. (in Der Tagesspiegel, Bln., 26. 11. 1961). – H. M. Enzensberger, *Der verständige Anarchist* (in H. M. E., *Einzelheiten*, Ffm. 1962, S. 227–233). – E. Ottinger, *Zur mehrdimensionalen Erklärung von Straftaten Jugendlicher am Beispiel der Novelle »Katz und Maus«* (in Monatsschrift für Kriminologie und Strafrechtsreform, 45, 1962, S. 175–183). – M. Reich-Ranicki, *G. G., unser grimmiger Idylliker* (in M. R.-R., *Deutsche Literatur in West u. Ost, Prosa seit 1945*, Mchn. 1963, S. 216–230). – E. M. Friedrichsmeyer, *Aspects of Myth, Parody, and Obscenity in G.' »Die Blechtrommel« and »Katz u. Maus«* (in GR, 40, 1965, S. 240–250). – K. L. Tank, *G. G.*, Bln. 1965 (Köpfe des XX. Jh.s, 38). – J. C. Bruce, *The Equivocating Narrator in G. G.' »Katz u. Maus«* (in MDU, 58, 1966, S. 139–149). – H. E. Holthusen, *G. G. als politischer Autor* (in Der Monat, 18, 1966, H. 216, S. 66–81). – K. H. Ruhleder, *A Pattern of Messianic Thought in G. G. »Cat and Mouse«* (in GQ, 39, 1966, S. 599–612).

PETER HÄRTLING
(*1933)

NIEMBSCH ODER DER STILLSTAND. Eine Suite von Peter HÄRTLING (*1933), erschienen 1964. – Härtling gliedert seine freien Phantasien über den Dichter Nikolaus LENAU (d. i. Nikolaus Niembsch, Edler von Strehlenau, 1802–1850) in acht Sätze: *Präludium, Rondo, Gigue, Menuett-Gavotte, Allemande, Bourrée, Sarabande, Bourlesca-Air*. Der Erzähler begleitet den eben aus Amerika zurückgekehrten Dichter eine Strecke seines Weges, um mit ihm und durch ihn eine neue, nie geschaute Wirklichkeit zu erfahren. Er greift einzelne Stationen heraus, wie die Liebe zu Karoline von Zarg, den Stuttgarter Aufenthalt, die Baden-Badener Verlobung, die Kur bei Kerner, biographische Details, die als Folien Niembschs innerer Geschichte unterlegt sind. Der in Amerika gescheiterte Dichter verstrickt sich, von Mozarts »Don Giovanni« fasziniert, in ein Geistesabenteuer, wie es Sören KIERKEGAARD in seiner Philosophie der Wiederholung und Erinnerung beschreibt (ein Motto Kierkegaards steht der Suite voran). Niembsch erkennt, daß die Figuren der Vergangenheit in seiner Erinnerung verblassen und ihre Individualität verlieren; er sieht sie ins Unwirkliche entschweben. Die Erinnerung streift ihre Fesseln ab, die Zeit scheint zu zersplittern. Die magische Gestalt Don Juans bemächtigt sich seines Geistes, *»eine Gestalt, ohne Bindung, ohne Reminiszenz, mit der Fähigkeit, alles zu tauschen und von den Verwandlungen und Abenteuern nicht lädiert zu werden«*. Niembsch identifiziert sich schrittweise mit dieser Mythenfigur, erkennend, daß die vollkommene Dauer nur im Stillstand existiert. Wie Don Juan benützt auch er die Frauen (Karoline von Zarg, Maria und Margarethe Winterhalter, Juliette Zegerlein), um in der Wiederholung die Dauer festzuhalten. Er plant ein Don-Juan-Epos und erlebt an sich das *»verzerrende Melos der Metamorphose«*. Langsam dringt er in jene Zonen des Stillstands vor, wo die Sprache verstummt und die Dinge für den sehenden Geist transparent werden. Sein Leben mündet in die gleichförmige Bewegung des ewigen Wiederholens, beschreibt die Form des Kreises. Das geplante Epos scheitert an der Dürftigkeit der konventionellen Sprache, Niembsch erfindet eine neue, geschichtslos-reine Sprache, musikalische Buchstabengebilde ohne Sinn. Sein Verstummen am Ende der Suite ist vieldeutig: Zeichen für die Überlistung der Zeit, den wortlosen Rausch des Stillstands, für melancholische Sprachskepsis oder für ausbrechenden Wahnsinn.
Härtling, der dem allzu wörtlichen Realismus mißtraut, spiegelt das innere Geschehen auf wechselnden Erzählebenen, in verzahnten und sich überschneidenden Reflexionen, in Briefen, Gesprächen und pointillistischen Beschreibungen. Äußere Ereignisse treten in den Hintergrund, verblassen vor dem inneren Geschehen, vor den Kontemplationen und Phantasien über Zeit, Aufhebung der Zeit, Schwermut und Liebe. Der Autor erzählt keine Geschichte; seine Erzählweise gleicht einem Musikstück mit Themen und Variationen, einer Komposition mit Worten, die musikalische Akzente setzt und preziöse Melodien entwirft, wo der sprachliche Ausdruck den Motiven des Schweigens und Verstummens nicht mehr gerecht wird. Der Erzähler wird zum Jongleur, der mit Nuancen, flüchtigen Eindrücken, Licht, Farben und Schatten sein kunstvolles Spiel treibt; sein eigentliches Thema aber ist das Unbeschreibbare, das Verstummen jenseits aller sprachlichen Möglichkeiten. M. Ke

AUSGABE: Stg. 1964.

LITERATUR: K. Schäffer, *P. H.* (in *Schriftsteller der Gegenwart. Deutsche Literatur. 53 Porträts*, Hg. K. Nonnenmann, Olten/Freiburg i. B. 1963, S. 127 bis 133). – J.-C. Schneider, *La musique, le temps, la folie* (in NNRF, 15, 1967, Nr. 169, S. 102–107).

PETER HANDKE
(*1942)

DIE ANGST DES TORMANNS BEIM ELFMETER. Erzählung von Peter HANDKE (*1942), erschienen 1970. – In seinem dritten längeren Prosatext (nach *Die Hornissen*, 1966, und *Der Hausierer*, 1967), der im Gegensatz zu den beiden früheren völlig ungegliedert ist und durchgehend die Perspektive des Helden, wenn auch in der dritten Person, beibehält, erzählt Handke die Geschichte des Monteurs Josef Bloch, eines ehemals bekannten Fußballtorwarts. Dieser verläßt eines Morgens seine Arbeitsstelle, um als mit sprachtheoretischem Rüstzeug versehener Simplizissimus auf Wiener Plätzen, in Hotels, Kinos, beim Fußball etc. frei von den Zwängen des Berufslebens unalltägliche Alltagserfahrungen zu machen.
Die Irritationen, die Bloch dabei befallen *(»Alles was er sah, störte ihn«)*, machen ihn zu einem Reiter über den Bodensee, der auf eine reibungslos funktionierende Welt und die Reduktion menschlicher Beziehungen auf bloße Tauschakte zurückblickt. Bloch ist keineswegs »krank«, obgleich er alle Symptome eines Schizophrenen aufweist, er nimmt nur die Automatismen bewußt wahr, löst sie aus ihrer stummen Selbstverständlichkeit, um sie neu zu »montieren«, ohne ihnen doch selbst entgehen zu können; Handke nimmt seinen Helden, der ständig zu Interpretationen gezwungen ist, in Schutz vor den Interpreten: *»Ohne daß er damit etwas ausdrücken wollte, senkte er den Kopf.«*
In diesem als scheinhaft empfundenen Dasein wird der Mord, den Bloch an einer Kinokassiererin verübt, zum einzigen Mittel, um »ernst zu machen«: *»Er hatte gleich so fest zugedrückt, daß sie gar nicht dazugekommen war, es noch als Spaß aufzufassen.«*
Scheinbar unmotiviert, eine Kurzschlußhandlung, ist dieser Mord als ein aggressiver Sexualakt nicht nur symbolische Handlung, sondern darüber hinaus eine Art »direkter Aktion«, die allein noch die eigene Identität in einem unendlichen System abgeleiteter Vermittlungen verbürgt. Doch die

anarchische Rebellion resultiert nicht nur aus einer als ausweglos reglementiert erfahrenen Welt, der Aufstand gegen alles »Eingelernte« verstärkt zugleich die Fremdbestimmung des Täters, macht diesen immer mehr zum Gefangenen der Ordnung, gegen die er sich auflehnt.
Nachdem er in einen »südlichen Grenzort«, wo eine frühere Freundin eine Gastwirtschaft betreibt, gefahren ist und in der Zeitung die Bemühungen der Polizei verfolgt, ihm auf die Spur zu kommen, wirkt der Mord weiter als Katalysator für ein Geschehen, bei dem sich für Bloch »*die Gegenstände, die er wahrnimmt ... immer mehr versprachlichen und, indem die Bilder versprachlicht werden, auch zu Geboten und Verboten werden*« (Handke in ›Text und Kritik‹ 24/24a). Aus der Geschichte wird eine Detektivgeschichte, aus dem Täter ein Analytiker der eigenen Situation. Das Demonstrationsobjekt Bloch versucht, sich selbst auf die Schliche zu kommen. Wie für den Kriminalschriftsteller Raymond CHANDLER spielt für die Erzählstrategie Handkes nicht die Tat die entscheidende Rolle, sondern die Reaktion des Täters. Die autistische Haltung gegenüber der Außenwelt schärft die Wahrnehmung, indem sie diese verzerrt. Der Held, der »*immer nur reagieren*« kann, mausert sich endgültig zum Strukturalisten, dem alles zum Zeichen wird: »*Und nicht nur, was geredet wurde, war eine Anspielung, sondern auch die Gegenstände ringsherum sollten ihm etwas andeuten. ›Als ob sie mir zuzwinkern und Zeichen geben‹, dachte Bloch.*«
Die Dechiffrierung jedoch will nicht gelingen. Die *Nouveau-roman*-Methode akribischer Detailbeschreibung bekommt die Realität nicht in den Griff. Signifikat und Signifikant sind nicht identisch, und Bloch reagiert auf Verhältnisse, in denen ihm alles »vorformuliert« ist, mit seiner »verhaßten Wortspielkrankheit«, in der die Sprache sich verselbständigt. Für die Sehnsucht nach Unmittelbarkeit ist die Sprachneurose Blochs der Psychopathologie der Alltagssprache strukturell verwandt. In der von der Sprache verzauberten Welt ist jede Bewegung verräterisch; nur dem Tormann, der sich völlig ruhig verhält, schießt der Schütze den Ball in die Hände.
Die hier zutage tretende undialektische Fassung der Subjekt-Objekt-Relation und die Tendenz, der verlorenen Innerlichkeit nachzutrauern, wären Handke weit eher vorzuhalten als sein Sprachfetischismus, dessen Geheimnis seine Erklärung wie seine Legitimation im Fetischcharakter der Ware findet. Das Buch ist als Modell bürgerlicher Ideologie zu nehmen, das als Symptom der Realität nicht per se in der Lage ist, diese Realität aufzuschließen, sondern seinerseits des kritisch reflektierenden Eingriffs bedarf. *Die Angst des Tormanns beim Elfmeter* stellt eine Grenze dar, die Handke in dem 1972 erschienenen Roman *Der kurze Brief zum langen Abschied* überschritten hat. U. E.

AUSGABEN: Ffm. 1970. – Ffm. 1972 [Tb].

VERFILMUNG: BRD 1971 (Regie W. Wenders).

LITERATUR: H. L. Arnold, Rez. (in Der Monat, Nov. 1966, H. 266). – K. H. Bohrer, Rez. (in FAZ, 14. 3. 1970). – G. Krug, Rez. (in WdL, 19. 3. 1970). – *P. H.*, Mchn. ²1971 (Text u. Kritik, Nr. 24/24a; m. Bibliogr.). – H. Vormweg, *Die Aufdringlichkeit der unbestimmten Bedeutung* (in H. V., *Eine andere Lesart. Über neue Literatur*, Neuwied/Bln. 1972, S. 124–135).

PUBLIKUMSBESCHIMPFUNG. »Sprechstück« von Peter HANDKE (*1942), Uraufführung: Frankfurt/Main, 8. 6. 1966, Theater am Turm. – Die *Publikumsbeschimpfung*, mit der Handke auf dem Theater debütierte, gehört neben *Weissagung*, *Selbstbezichtigung* (beide 1966) und *Hilferufe* (1967) zu einer Serie von »Sprechstücken«, die den Autor bis zum Erscheinen seines ersten szenischen, jedoch noch von Sprechen und Sprache handelnden Stükkes *Kaspar* (1967) als einen Verfasser von »*Schauspielen ohne Bilder*«, ohne Handlung, Rollen und Requisiten festzulegen schienen. – Die »Sprechstücke« sind nicht zu verwechseln mit handlungsarmen oder handlungslosen Theaterstücken, in denen etwa das Nichtzustandekommen eines Dialogs, das Aneinandervorbeireden oder das Verstummen auf die Möglichkeit des Dialogs *ex negativo* noch immer hinweisen. Es handelt sich vielmehr um bloße Texte, um rhythmische, klanglich an Beat-Musik, Litaneien, Sprechchöre und Alltagsgeräusche sich anlehnende Wort- und Satzfolgen, die in der *Publikumsbeschimpfung* auf vier Sprecher beliebig verteilt werden, so daß jeder von ihnen allein oder auch gleichzeitig mit den andern ungefähr gleich viel zu sprechen hat. Die Sprecher, die sich mimisch und gestisch nicht mit dem Text identifizieren sollen, sind »*Sprachrohr des Autors*«; sie sagen Sätze, in denen – in leichtem Widerspruch zum Titel des Stücks – das Publikum mehr angeredet als beschimpft wird. Diese sich wiederholenden, sich widersprechenden, definierenden und Definitionen als unrealistische Fixierungen sogleich wieder aufhebenden Satzfolgen der *Publikumsbeschimpfung* haben keinen Verweisungscharakter, deuten nicht auf eine darzustellende Handlung; ihre theatralische Realität ist die momentane Realität des Theaters, in dem sie gesprochen werden. Mit anderen Worten: Handkes provokatorisches Programmstück ist eine Auseinandersetzung mit dem Theater und der »Gattung« Theaterbesucher, mit deren Erwartungen, Frustrationen und Verhaltensweisen. Das Publikum wird nicht durch einen desillusionierenden »Sprecher« in das Bühnengeschehen einbezogen (vgl. etwa Thornton WILDER, *Our Town*), sondern ist selbst Thema und »Zielscheibe« des Stückes; in Umkehrung der üblichen Theatersituation wird der Besucher, vor allem in der Schlußbeschimpfung, sogar zum »*Stichwortbringer*« und »*Spielmacher*«: In klischeehaften Formulierungen, die normalerweise das Publikum selbst in seinen Kommentaren zu einem Theaterabend gebraucht, wird ihm die theatralische Qualität seiner Spielformen ironisch bestätigt: »*Ihr wart wirklichkeitsnah ... Ihr zeugtet von hoher Spielkultur, ihr Gauner ... Ihr wart wie aus einem Guß ... Ihr wart wunderbar aufeinander eingespielt...*« Das »Theater« findet nicht auf der Bühne, sondern im Parkett statt.
Handke versteht – wie er in seiner *Bemerkung zu meinen Sprechstücken* erklärt – sein neues »Welttheater« als verselbständigte »*Vorrede zu künftigen Theaterbesuchen*«. Seine *Publikumsbeschimpfung* mit pädagogisch-didaktischer Absicht ist kein »Anti-Theater«; Handke kehrt zwar die Positionen der Schauspieler und der Zuschauer um, hebt aber die Schranke zwischen ihnen nicht auf. Jede Durchbrechung dieser Schranke, zu der er den Theaterbesucher ungewollt animiert, bedeutet eine Störung seiner ästhetisch-rhythmischen Wortkaskaden; seine »Sprechstücke« »*wollen nicht revolutionieren, sondern aufmerksam machen*« auf das Konsumverhalten des Publikums und auf die dessen Verhalten beschreibenden Sprachklischees, die ihrerseits noch-

mals dazu beitragen, dieses Verhalten zu verfestigen und zu reproduzieren. Indem er dem Publikum eben diese Klischees vorreden und sie zugleich in Frage stellen läßt, versucht er, mit der Reflexion über die Sprache und über das Theater ein kritisches Bewußtsein herzustellen, das er aber paradoxerweise wieder zerstört, wenn er – gelegentlich einer Art Wortmagie verfallend – Verhaltensmuster mehr suggeriert als entlarvt. – Das Stück hatte, insbesondere in Aufführungen mit dem Ensemble des Frankfurter Theaters am Turm,das während der»Experimenta I« (1966) das Stück uraufgeführt hatte, großen Erfolg bei Kritik und Publikum. H. W.

Ausgaben: Ffm. 1966 (in *Publikumsbeschimpfung und andere Sprechstücke*; ed. suhrkamp, 177). – Ffm. 1967 (in *Spectaculum X. Sieben moderne Theaterstücke*). – Ffm. 1969 (in *Prosa. Gedichte. Theaterstücke. Hörspiel. Aufsätze*).

Literatur: H. Rischbieter, *Experimenta. Theater u. Publikum neu definiert* (in Theater heute, 7, 1966, H. 7, S. 14–17). – W. Ignée, *Publikum raus! P. H. auf der Experimenta in Frankfurt* (in Christ und Welt, 19, 1966, Nr. 24, S. 18). – G. Blöcker, *P. H.s Entdeckungen* (in Merkur, 21, 1967, H. 11, S. 1090 bis 1094). – J. Neugroschel, *The Theatre as Insult* (in American-German Review, 33, 1967, Nr. 3, S. 27–30). – H. Wiesner, *P. H.* (in *Kleines Handbuch der deutschen Gegenwartsliteratur*, Hg. H. Kunisch, Mchn. [2]1969, S. 232–235).

WALTER HASENCLEVER
(1890-1940)

DER SOHN. Drama in fünf Akten von Walter Hasenclever (1890–1940), erschienen 1914; Uraufführung: Prag, 30. 9. 1916, Deutsches Landestheater (Kammerspiele). – Der jungen Generation vor und nach dem Ersten Weltkrieg galt Hasenclever als Prototyp des politischen Dichters. Sein »*Drama der Menschwerdung*«, das expressionistische Verkündigungsstück *Der Sohn*, wurde von Publikum und Kritik als Ausdruck einer revoltierenden Jugend begeistert aufgenommen und als politische Demonstration, als Kampfruf einer verratenen Jugend gegen das tyrannische Alter, gegen das herrschende System und gegen jede Art von Autorität gefeiert. Mitten im Krieg schrieb der Autor in einem Manifest: »*Dieses Stück wurde im Herbst 1913 geschrieben und hat den Zweck, die Welt zu ändern. Es ist die Darstellung des Kampfes durch die Geburt des Lebens, der Aufruhr des Geistes gegen die Wirklichkeit.*« Der Sohn, gerade im Abitur durchgefallen, lebt seinen unstillbaren Drang nach Freiheit und Menschlichkeit – prädominantes Thema von Hasenclevers früher Lyrik – in ekstatischen Gefühlseruptionen aus, denn »*die Wirklichkeit würde einen verlegen machen*«. Eingeschirrt in das tyrannische Joch seines Vaters, erkennt er zwischen Selbstmordgedanken und Daseinstrunkenheit in der Vatergestalt das dem Sohn bestimmte Schicksal. Der Vater aber verwehrt die ungestüm geforderte Freiheit, unfähig, die durch Tradition und Konvention sanktionierte Autorität preiszugeben. Der völlig isolierte Sohn schwört Haß bis ins Grab und flieht eines Nachts mit Hilfe bewaffneter Freunde aus dem elterlichen Gefängnis. Der »*Kampf gegen alle Kerker der Erde*« nimmt konkrete Formen an. Der Freund führt die verzückten Rebellen in einen Wedekindschen Kreis enthusiasmierter Jünglinge ein, wo ein »Cherubim« genannter Scharlatan den Mut zur »*Brutalisierung unsres Ich in der Welt*« predigt. Unter Suggestion verkündet der Sohn seine Thesen, die mit dem Pathos der Jugend und des Hasses alle Väter vor Gericht fordern und zum aktiven Kampf gegen die Tyrannei der Familie aufrufen. Diese Jugend, »*preisgegeben der Peitsche und dem Wahnsinn des väterlichen Gespensts*«, vereinigt sich unter der Parole des Vatermords, angeführt vom Sohn, der einen Bund der Jungen gegen die Welt stiftet. Nach einer Bordellnacht bringt die Polizei den Sohn in Ketten seinem Vater zurück, der mit äußerster Strenge auf die Eskapaden des Abtrünnigen reagiert und ihn nach erbitterter Abrechnung verflucht und verstößt. Der Vatermord geschieht aber nicht: Ehe der Sohn den Revolver abdrückt, wirft ein Schlaganfall seinen Vater tot zu Boden.

Der maßlos übersteigerte Generationskonflikt – literarische Sublimierung von quälenden Reminiszenzen aus des Autors eigener Jugend – hat einen prononciert politischen, für die expressionistische Dramatik modellhaften Charakter: Das »*Spiel des Sohns zum Vater*« stellt exemplarisch das »*Vorspiel des Bürgers zum Staat*« dar. Hasenclevers Drama – ein Prototyp expressionistischer Bühnenkunst, der den Katalog expressionistischer Stil- und Formkriterien vollständig repräsentiert – ist ein Drama der Wandlungen, der komplexe Versuch, die Welt der Zwanzigjährigen aus der Seele des einzigen Sohnes zu sehen, der aufgesplittert in verschiedenen stark typisierten Charakteren erscheint. Es ist der Versuch, »*das Gegenspiel der Figuren in demselben Darsteller zu verkörpern*« und die dramaturgische Einheit dadurch zu wahren, daß derselbe Gedanke in den verschiedenen Protagonisten einen jeweils verschiedenen Ausdruck findet. Die Rebellion des Geistes gegen die paralysierende Übermacht der Wirklichkeit wendet sich zunächst gegen die Wirklichkeit traditioneller Sprachformen. Pathetischer Rausch und ekstatischer Taumel, barocke Rhetorik und scharfe Dialektik kennzeichnen den neuen Sprachstil, der sowohl das szenische Geschehen als auch die dramatische Motorik in deklamatorischen Gesten und oratorischen Gebärden erstarren läßt, in einem opernhaften Szenarium mit Satz- und Wortkonvulsionen expressionistischer Manier. Die monologische Struktur sowie der abrupte Wechsel der Vorstellungs- und Assoziationsebenen und der grelle Kontrast zwischen Prosa- und Versszenen akzentuieren den neuen Bühnenstil, der in der Berliner Inszenierung mit Ernst Deutsch in der Titelrolle (1916) seine für die expressionistische Darstellungskunst beispielhafte Realisation fand. Die starke Wirkung von Hasenclevers *Sohn* ging gerade von jenen typisch expressionistischen Exaltationen aus, die wenig später am Expressionismus kritisiert wurden: »*In seinem lyrischen Schematismus und seiner Überspanntheit stellt das Stück fast eine Karikatur der expressionistischen Manier dar*« (Claude David). M. Ke.

Ausgaben: Lpzg. 1914. – Bln. 1917. – Hbg. 1963 (in *Gedichte, Dramen, Prosa*, Hg. u. Vorw. K. Pinthus).

Literatur: C. U. Quandt, *W. H. zum Gedächtnis* (in Zwiebelfisch, 25, 1946/48, H. 3, S. 14). – H. Kesten, *W. H.* (in H. K., *Meine Freunde, die Poeten*, Mchn. 1959). – K. Kändler, *H.-handschriften im Goethe- u. Schiller-Archiv Weimar* (in ZDLG, 6,

1960, S. 133–138). – C. David, *Geschichte der deutschen Literatur*, Göttingen 1968.

GERHART HAUPTMANN
(1862–1946)

DIE ATRIDEN-TETRALOGIE. Dramenzyklus von Gerhart HAUPTMANN (1862–1946), bestehend aus den Einzelwerken *Iphigenie in Aulis* (1944; Uraufführung: Wien, 15. 11. 1943, Burgtheater), *Agamemnons Tod* (1948), *Elektra* (1948) und *Iphigenie in Delphi* (1941; Uraufführung: Berlin, 15. 11. 1941, Schauspielhaus); *Agamemnons Tod* und *Elektra* wurden erst nach dem Tod Gerhart Hauptmanns uraufgeführt (am 10. 9. 1947 in Berlin, Kammerspiele des Deutschen Theaters) und 1948 gedruckt. – Das Geschehen der Tetralogie folgt im allgemeinen dem Handlungskanon der antiken Tragödien des EURIPIDES *(Iphigenie in Aulis)*, des AISCHYLOS *(Orestie)* und des SOPHOKLES *(Elektra)*. Hinsichtlich der Motivierung einzelner Handlungsdetails und der Personencharakteristik ergeben sich jedoch erhebliche Unterschiede.
Bei der fünfaktigen *Iphigenie in Aulis*, um deren endgültige Form Hauptmann lange gerungen hat – es existieren nicht weniger als neun Fassungen des Stücks –, sind die Abweichungen von Euripides besonders bemerkenswert. In der antiken Tragödie verhindert Artemis, daß Agamemnon seine Tochter Iphigenie für einen günstigen Beginn des Krieges gegen Troja opfert; in Hauptmanns Stück entführen zwei Priesterinnen – als Repräsentantinnen der chthonischen Mächte der Unterwelt – die Tochter Agamemnons auf dem geheimnisvollen »Totenschiff« der Hekate nach Tauris. Hauptmann läßt »*nicht die Götter, sondern des Ares Wutgeschrei*« regieren, und das zum Warten gezwungene griechische Heer schleudert seinen Fluch gegen die »*Himmelshündin Artemis*«, die »*dort oben lauert und unersättlich ist*«. Das klassisch-humanistische Bild Griechenlands, wie es GOETHES *Iphigenie auf Tauris* vermittelt, weicht der Darstellung einer chaotischen, grausamen und haßerfüllten Welt.
Die Handlung der beiden einaktigen Tragödien *Agamemnons Tod* und *Elektra*, die ein Zeitraum von wenigstens zehn Jahren – die Dauer des trojanischen Krieges – von der *Iphigenie in Aulis* trennt, entspricht in ihrem Ablauf den antiken Vorlagen des Aischylos, seinem *Agamemnon* und den *Choephoren;* sie schildert die Rückkehr des Agamemnon nach Argos, seine Ermordung durch Ägisth und Klytämnestra und den Muttermord des Orest, den Elektra ins Werk setzen hilft. Die Motivierung ist indessen dadurch verschoben, daß Klytämnestra selbst ihren Sohn, der um Mutterliebe fleht, zurückstößt, ihn sogar »anfällt« und zur Notwehr zwingt.
Das letzte Stück der *Atriden-Tetralogie*, die dreiaktige Tragödie *Iphigenie in Delphi*, wurde von Hauptmann als erstes geschrieben. Der Autor las im Jahr 1940 die *Italienische Reise* Goethes und stieß darin auf dessen Plan, als Ergänzung zu seiner *Iphigenie auf Tauris* eine *Iphigenie in Delphi* zu schreiben. (Wesentliche Anregungen empfing Hauptmann außerdem durch Joh. Jak. BACHOFENS Deutung der griechischen Mythologie.) Hauptmanns Dichtung zeigt zwar die Anlehnung an das ältere Vorbild, doch findet man hier nichts von der »*reinen Menschlichkeit*«, die Goethes Iphigenie zu verkörpern hat. Anders als dort ist die Situation des Menschen hier dadurch gekennzeichnet, daß es ihm unmöglich ist, sich selbst, sein Verhältnis zu den Göttern und der Welt zu durchschauen oder gar zu beeinflussen. Die ethischen Grundwerte des deutschen Idealismus und der klassischen Dramatik sind hier aufgehoben, da sie sich als nicht mehr tragfähig erwiesen haben. Statt dessen wird das menschliche Schicksal ins Mythische zurückgenommen: die Götter sind es, die das Schicksal lenken, ihrer Macht ist der Mensch preisgegeben, und Iphigenie bringt sich schließlich selbst als Sühnopfer dar. »*Doch wer zum Opfer einmal ausersehen / von einer Gottheit – ob es auch so scheint, / er habe ihrem Spruche sich entwunden –: / die Moiren halten immer ihn im Blick / und bringen, wo er dann auch sich versteckt, / an den gemiednen Altar ihn zurück.*«
In der *Atriden-Tetralogie* dokumentieren sich Hauptmanns Anschauungen über das Wesen der Tragödie, die er bereits 1907 – gelegentlich eines Griechenlandaufenthaltes – im Reisetagebuch *Griechischer Frühling* entwickelt hatte: »*Tragödie heißt: Feindschaft, Verfolgung, Haß und Liebe als Lebenswut! Tragödie heißt: Angst, Not, Gefahr, Pein, Qual, Marter, heißt Tücke, Verbrechen, Niedertracht, heißt Mord, Blutgier, Blutschande.*« Es spiegelt sich aber auch Hauptmanns Leiden an seiner Zeit. Zahlreiche Formulierungen sind im Hinblick auf den »*Weltbrand*« gewählt, der »*uns überflutet*«: »*Der Wahnsinn herrscht. Ganz Hellas ist sein fürchterlicher Herd ... einst war ein Reich, man hieß es Griechenland! Es ist nicht mehr!*« Er zeichnet eine Welt, in die das Chaos hereingebrochen ist, in der sich der Mensch nur noch als »*Gottes ohnmächtiges Werkzeug*« fühlt. Die *Atriden-Tetralogie* ist auch bezeichnend für den Hang des alternden Dichters, von antiker und klassischer Dichtung vorgeformte Stoffe neu zu gestalten, eine Neigung, die allerdings auch schon der fast dreißig Jahre zuvor entstandene *Bogen des Odysseus* bezeugt. – Die Form bleibt im Rahmen des klassischen Schemas; es herrscht hochgradige Stilisierung, absolute Einheit des Raumes und der Zeit. Die *Iphigenie in Delphi* trägt weitgehend lyrischen Charakter, und der Rhythmus der Sprache hat einen pathetischen Unterton. Das Metrum – der fünffüßige Jambus – spielt eine nur untergeordnete Rolle. Die Metaphorik ist nicht abstrakt, sondern durchaus spontan und lebendig.

A. Sch. – KLL

AUSGABEN: Bln. 1941 *(Iphigenie in Delphi)*. – Bln. 1943 (in *GA*, 1. Abt., Bd. 15; *Iph. in Delphi*). – Bln. 1944 *(Iph. in Aulis)*. – Bln. 1948 *(Agamemnons Tod, Elektra)*. – Gütersloh 1956 [Nachw. H. Razinger].

LITERATUR: W. A. Reichardt, »*Iphigenie in Delphi*« (in GRM, 1942, S. 125–131). – C. F. W. Behl, *G. H.'s* »*Atridentetralogie*« (in The Gate, 1948, 2, S. 20–25). – J. Gregor, *G. H.s* »*Atr.-Tetr.*« (in Phaidros, 1948, S. 63–79). – W. A. Reichardt, *The Genesis of H.'s Iphigenia-Cycle* (in MLQ, 1948, S. 467–477). – E. Susimi, »*L'Iphigénie à Delphes*« *de G. H.* (in EG, 1948, 2 u. 3, S. 332–342). – R. Rosenberg, *Die Struktur v. G. H.s* »*Atr.-Tetr.*«, Diss. Jena 1950. – H. Ries, *Die Rückwendung z. Mythos in G. H.s* »*Atriden*«, Diss. Ffm. 1951. – J. J. Weisert, *Two Recent Variations of the Orestes Theme* (in MLJ, 1951, S. 356 bis 363). – J. Gregor, *G. H.*, Wien 1952, S. 469ff. – F. J. Burk, *Antike Quellen u. Vorbilder v. G. H.s* »*Atr.-Tetr.*«, Diss. Marburg 1953. – R. Kayser, *Iphigenias Character in G. H.'s Tetr. of the Atrides* (in GR, 1953, S. 190–194). – E. Nitzsche, *G. H. Griechentum u. Humanismus*, Diss. Bln. 1953. – K. Hamburger, *Das Opfer d. delphischen Iphigenie* (in WW, 1953/54, 4, S. 221-231). – R. Fiedler, *Die späten Dramen H.s*, Mchn. 1954, S. 100-126. – K. S. Guthke u. H. M. Wolff, *Das Leid im Werke G. H.s*, Bern 1958. – T. Ziolkowsky, *H.'s »Iph. in Delphi«, a Travesty?* (in GR, 1959, S. 105-123). – H. Keipert, *Goethes »Iphigenie« u. H.s »Atriden«* (in Deutschunterricht, 1961, S. 25-40). – D. Meinert, *Hellenismus u. Christentum in G. H.s »Atr.-Tetr.«*, Diss. Kapstadt 1962. – E. Piscator, *G. H.s »Atr. Tetr.«* (in DRs, 1962, 11, S. 977-983). – J. Seyppel, *G. H.*, Bln. 1962. – T. C. v. Stockum, *G. H.s »Atr.-Tetr.«* (in T. C. v. S., *Von F. Nicolai bis T. Mann*, Groningen 1962). – N. E. Alexander, *Studien zum Stilwandel im dramatischen Werk G. H.s*, Stg. 1964 (Germanist. Abhandlungen, 3).

BAHNWÄRTER THIEL. Novellistische Studie von Gerhart HAUPTMANN (1862–1946), erschienen 1888. – Die knapp vierzig Seiten umfassende Erzählung setzt mit der objektiv-realistisch vorgetragenen Schilderung des robusten Bahnwärters, der mit exakter Regelmäßigkeit seinen Dienst versieht, ein. Nach dem Tod seiner schmächtigen, kränklichen Frau heiratet er – ursprünglich nur um seinen kleinen Sohn Tobias zu versorgen – eine kräftige, primitiv-sinnliche Bauernmagd. Thiel, dumpf dahinlebend und doch von leicht verletzbarem und zartem Wesen, muß sehen, wie seine Frau Lene nach der Geburt eines eigenen Kindes den geliebten Sohn seiner ersten Frau mißhandelt. Trotzdem gerät er, der noch immer der ruhigen Bindung seiner ersten Ehe nachtrauert, in immer größere Abhängigkeit von Lene; und als er nachts in stumpfer Verzweiflung in seinem Wärterhäuschen sitzt, erscheint ihm in einer mystischen Vision seine erste Frau mit einem blutigen Bündel auf dem Arm und flieht, ohne ihn zu beachten, die Gleise der Bahnstrecke entlang, verfolgt von dem heranbrausenden Zug. – Diese Vorausdeutung, die sich nun in Thiels Schicksal erfüllt, ist der symbolische Kern der Novelle. Lene mißhandelt den kleinen Tobias immer mehr, bis er eines Tages, in der Nähe der Bahnstrecke auf einem Grundstück spielend, das Thiel zur Bewirtschaftung überlassen wurde, unter einen Zug gerät und stirbt. Thiels Geist verwirrt sich nun endgültig, die chaotischen Kräfte seines Innern werden übermächtig. Nachts erschlägt er Lene und das kleine Kind mit einem Beil. Man findet ihn am nächsten Morgen an den Gleisen sitzend, die Pudelmütze des kleinen Tobias streichelnd; Wärter bringen ihn ins Irrenhaus.

An diesem Frühwerk wird besonders deutlich, daß man Hauptmann nicht gerecht wird, wenn man ihn ausschließlich als Vertreter des Naturalismus klassifiziert. Die einzelnen Vorgänge, der Verfall eines Charakters, werden zwar mit wissenschaftlicher Objektivität festgehalten, und doch erscheinen die so realistisch geschilderten Geschehnisse als eine Kette von Symbolen für eine Wirklichkeit, die mit naturalistischen Mitteln nicht darzustellen ist. Benno von WIESE hat auf das *»zentrale Dingsymbol«* der Eisenbahnstrecke hingewiesen, *»die zu einem gleichnishaften Ort wird, an dem sich der Einbruch des Unsichtbaren in das Sichtbare und die Auflösung einer realen und geordneten Welt ins Geisterhafte und Chaotische vollzieht. Gerade die Entmächtigung der bis ins Detail beschriebenen alltäglich-durchschnittlichen Wirklichkeit durch überwirkliche, unbewußte Mächte des Traumes, der Vision, der Seele, der Natur, mit einem Wort: des Irrationalen ist das Thema dieser Novelle.«* N.v.H.

AUSGABEN: Mchn. 1888 (in Gesellschaft, H. 10). – Bln. 1892. – Bln. 1943 (in *GW*, AlH, 17 Bde., 1). – Lpzg. 1959 (RUB, 6617). – Darmstadt 1963 (in *SW*, Centenar-Ausg., Hg. H. E. Hass, Bd. 6).

LITERATUR: M. Ordon, *Unconscious Contents in »Bahnw. Thiel«* (in GR, 1951, S. 223-229). – P. Requadt, *D. Bilderwelt i. G. H.s »Bahnw. Thiel«* (in *Minotaurus*, Hg. A. Döblin, Wiesbaden 1952, S. 102 bis 111). – W. Silz, *H.'s »Bahnw. Thiel«* (in W. S., *Realism and Reality*, Chapel Hill 1954, S. 137 bis 152). – F. Martini, *D. Wagnis d. Sprache*, Stg. 1954, S. 59-98. – B. v. Wiese, *D. dt. Novelle v. Goethe b. Kafka*, Düsseldorf 1956, S. 268-283. – W. Zimmermann, *G. H.s »Bahnw. Thiel«* (in W. Z., *Dt. Prosadichtg. d. Gegw.*, Düsseldorf 1956, Bd. 1, S. 38-59).

DER BIBERPELZ. Eine Diebskomödie in vier Akten von Gerhart HAUPTMANN (1862–1946), Uraufführung: Berlin, 21. 9. 1893, Deutsches Theater. – Die Handlung des Stückes spielt *»irgendwo um Berlin ... gegen Ende der achtziger Jahre«*. Die Schauplätze wechseln zwischen der Wohnung der Familie Wolff und dem Büro des Amtsvorstehers v. Wehrhahn. »Mutter Wolffen«, die resolute Frau des etwas schwerfällig-ängstlichen Schiffszimmermanns Julius Wolff, kommt mit einem gewilderten Rehbock nach Hause. Hier wartet ihre Tochter Leontine, die aus ihrem Dienst bei dem Rentier Krüger davongelaufen ist, weil sie noch in den späten Abendstunden einen Stapel Holz in den Stall schaffen sollte. Mutter Wolffen, stets auf ihren guten Ruf bedacht, will ihre Tochter zurückschicken. Aber als sie erfährt, daß es sich um *»schöne, trockene Knüppel«* handelt, erlaubt sie Leontine, wenigstens für eine Nacht dazubleiben. Während sie dem Spreeschiffer Wulkow den *»verendet gefundenen«* Rehbock verkauft, erzählt ihre jüngste Tochter Adelheid, Frau Krüger habe ihrem Mann kürzlich einen wertvollen Biberpelz geschenkt. Der vom Rheumatismus geplagte Wulkow erklärt, er würde für einen solchen Pelz ohne weiteres sechzig Taler zahlen. Mit dieser Summe aber könnte Mutter Wolffen den größten Teil ihrer Schulden begleichen. Und da sie nie kleinlich ist, wenn es um das Wohl ihrer Familie geht, beschließt sie, besagten Pelz an sich zu bringen, um ihn an Wulkow zu verkaufen. Vorher jedoch gilt es, den Holzstapel auf die Seite zu schaffen, den Leontine vor Krügers Haus liegen ließ. Als sie zum nächtlichen Beutezug aufbricht, ist ihr der nichtsahnende Amtsdiener Mitteldorf bei den Vorbereitungen behilflich. Krüger erstattet wegen der Diebstähle Anzeige. Aber der Amtsvorsteher von Wehrhahn fühlt sich dadurch nur belästigt. Er, der seine Obliegenheiten für einen *»heiljen Beruf«* hält und sich als »König« in seinem Amtsbereich fühlt, ist allein daran interessiert, *»dunkle Existenzen, politisch verfemte, reichs- und königsfeindliche Elemente«* aufzuspüren. So trachtet er danach, den Privatgelehrten Dr. Fleischer, der, wie er erfahren hat, zwanzig verschiedene Zeitungen bezieht und regelmäßig freigeistige Literaten empfängt, wegen Majestätsbeleidigung verhaften zu lassen. Er stützt sich dabei auf die Angaben des notorischen Schwindlers und Denunzianten Motes. Als Dr. Fleischer aber seinerseits dem Amtsvorsteher berichtet, er habe einen ziemlich dürftigen und schmuddeligen Spreeschiffer gesehen, der einen nagelneuen Biberpelz trug, läßt sich Wehrhahn mit kriminalistischem Scharfblick ausgerechnet von dem zufällig anwesenden Wulkow bestätigen, daß das nichts Außergewöhnliches sei. Die Komödie endet, ohne daß die Diebstähle aufgeklärt werden. Krüger und Fleischer werden vom Amtsvorsteher mit dem Hinweis entlassen: »*Die Wolffen kann ja mal 'n bißchen rumhören.*« Der Mutter Wolffen aber, die mit großer Pfiffigkeit alle Verdachtsmomente von sich abzuwenden weiß, bescheinigt Wehrhahn, sie sei »*eine ehrliche Haut*«.

Was Hauptmann in seiner Diebskomödie darstellt, war für ihn unmittelbare und erlebte Gegenwart, die Zeit, in der die »Sozialistengesetze« rücksichtslos zur Unterdrückung »revolutionärer Elemente« angewandt wurden. In dem Literaten Dr. Fleischer hat der Dichter, der – wie er selbst berichtet – während seines Aufenthaltes in Erkner bespitzelt wurde, sich selbst dargestellt. Auch die Figur des monokelbewehrten preußischen Landjunkers v. Wehrhahn, der »*nahezu im Fistelton*« spricht und sich »*militärischer Kürze im Ausdruck*« befleißigt, entstammt Hauptmanns Erfahrungsbereich. Die öffentliche Ablehnung der *Weber* durch die konservativen Repräsentanten des Kaiserreiches reizte ihn, einen in seiner anmaßenden Engstirnigkeit typischen Vertreter dieses Regimes bloßzustellen. Mit diesem aufgeblasenen Amtsvorsteher hat Hauptmann der Galerie des »*bürgerlichen Heldenlebens*«, die neben ihm WEDEKIND, Georg KAISER, STERNHEIM und Heinrich MANN um zahlreiche Figuren bereichert haben, eine der einprägsamsten Gestalten eingefügt. Das Urbild der Mutter Wolffen war ein in Hauptmanns Haushalt beschäftigtes »*altes, listiges Schreiberhauer Weiblein*«. *Der Biberpelz*, wohl das volkstümlichste Werk des schlesischen Dichters, gehört zu den nicht gerade zahlreichen Komödien der deutschen Literatur, in denen Situations-, Sprach- und Charakterkomik eine künstlerische Synthese gefunden haben. Alle Personen sind lebensvoll und glaubwürdig gezeichnete Charaktere. (Auch Wehrhahn ist nicht nur Karikatur. Besonders der Wolffen gegenüber zeigt er durchaus menschliche Züge.) *Der Biberpelz* wird daher auch von den Schauspielern besonders hoch geschätzt. So wurde vor allem die Darstellung der Mutter Wolffen eine der begehrtesten Aufgaben für viele große Charakterdarstellerinnen.

A. Sch. – KLL

AUSGABEN: Bln. 1893. – Bln. [35]1929. – Bln. 1943 (in *D. gesammelte Werk*, AlH, 1. Abt., Bd. 2). – Gütersloh 1959. – Bln. 1964.

VERFILMUNGEN: Dtschld. 1928 (Regie: E. Schönfelder). – Dtschld. 1937 (Regie: J. v. Alten). – Dtschld. 1949 (Regie: E. Engel).

LITERATUR: O. Elster, *G. H.s »D. Biberpelz«* (in Neue Preuß. [Kreuz-]Ztg. Nr. 446, 22. 9. 1893). – P. Schlenther, »*Der Biberpelz*« (in Vossische Ztg. Nr. 446, 22. 9. 1893). – G. Hauptmann, *Wie u. wo mein »Biberpelz« entstand* (in Warmbrunner Nachr., 16. 11. 1937). – J. Vandenrath, *D. Aufbau d. »Biberpelz«* (in Revue des Langues Vivantes, 26, 1960, S. 210–237). – W. Schulze, *Aufbaufragen zu H.s »Biberpelz«* (in WW, Sammelbd. 4, 1962, S. 349–355). – B. Fischer, *G. H. u. Erkner* (in ZfdPh, 81, 1962, S. 440–472).

DIE RATTEN. **Berliner Tragikomödie** von Gerhart HAUPTMANN (1862–1946), Uraufführung: Berlin, 13. 1. 1911, Lessingtheater. – Hauptmanns »soziale« Dramen (vgl. *Fuhrmann Henschel*, *Rose Bernd*, *Vor Sonnenuntergang*, *Die Weber*) schließen sich der Tradition des bürgerlichen Trauerspiels an, die von LESSINGS *Miß Sara Sampson* (1755) über SCHILLERS *Kabale und Liebe* (1784) bis zu HEBBELS *Maria Magdalene* (1844) führt und sich um eine Erneuerung der Tragödie bemüht, die den veränderten historischen und sozialen Bedingungen Rechnung trägt. Die Emanzipation von der bis ins 18. Jh. poetologisch relevanten »Ständeklausel«, derzufolge ausschließlich hohe Standespersonen tragische Helden verkörpern durften, verlegte das tragische Geschehen ins bürgerliche und schließlich (bei Hauptmann) ins kleinbürgerlich-proletarische Milieu. Standesunterschiede und -gegensätze wurden damit jedoch nicht aufgehoben, sondern erst jetzt in ihrer ganzen Schärfe sichtbar gemacht, ja sie sind das eigentliche Movens der neuen Tragödie: Die Figuren, deren reduziertem Bewußtsein die Einsicht in die Tragik ihres Schicksals versagt bleibt, sind eher reagierende Opfer als agierende Helden, ihre tragische Konfliktsituation beruht weniger auf individuellen Denk- und Verhaltensweisen als auf der Determiniertheit gesellschaftlicher Verhältnisse.

Der zunehmenden Verdüsterung dieser Verhältnisse verleiht der Schauplatz des Dramas bedrückenden Ausdruck. Es ist der von Ratten und menschlichem »Ungeziefer« verseuchte Dachboden einer ehemaligen Berliner Kavalleriekaserne, auf dem der verkrachte Theaterdirektor Hassenreuther seinen Kostümfundus untergebracht hat. In der verkommenen Mietskaserne hausen auch die Figuren des Stücks: das schwangere Dienstmädchen Pauline Piperkarcka, die Morphinistin Knobbe und Frau John, Maurersgattin und Putzfrau Hassenreuthers, die ihren in Altona arbeitenden Mann, der sich sehnlichst ein Kind wünscht, nicht enttäuschen möchte. Als sich ihre Hoffnung als unbegründet erweist, will sie durch einen barmherzigen Betrug Abhilfe schaffen. Sie kauft Paulines unehelich geborenes Kind und trägt es auf dem Standesamt als ihr eigenes ein. Doch in der Piperkarcka regt sich bald das schlechte Gewissen; aus Angst vor den Behörden meldet sie ihr Kind an und bezeichnet Frau John als Pflegemutter. Diese wird von Panik ergriffen, als sich der Vertreter der Fürsorge um das Kind kümmern möchte. Sie unterschiebt Pauline das todkranke Kind der Knobbe und verläßt mit dem »eigenen« Säugling das Haus. Die Ereignisse jagen der unaufhaltsamen Katastrophe entgegen, als John freudestrahlend heimkehrt, aber angesichts der sonderbaren Situation mißtrauisch wird. Als Frau John auch noch erfahren muß, daß ihr gewalttätiger Bruder Bruno Mechelke die Piperkarcka, die er im Auftrag seiner Schwester einschüchtern und am Ausplaudern ihres Geheimnisses hindern sollte, erschlagen hat und nun von der Polizei gejagt wird, hält sie ihre Lage für aussichtslos, gesteht ihrem hilflos entsetzten Mann den Betrug (*»Paul, ick konnte nich anders, ick mußte det tun!«*) und stürzt sich aus dem Fenster.

Nur scheinbar relativiert die epische Distanz der komisch-satirischen Hassenreuther-Handlung den tragischen Vorgang. Denn gerade der Kontrast zwischen der nur vordergründig intakten bürgerlichen Welt Hassenreuthers und der verwahrlosten Unterwelt des Mietshauses wirft ein grelles Licht auf die gesellschaftliche Bedingtheit der Tragödie. Während der ehemalige Theologiestudent und jetzige Schauspielschüler Spitta, der sich auf LESSING und DIDEROT beruft, und der obsolete Weimaraner Hassenreuther über das Verhältnis von Kunst und Wirklichkeit diskutierten, haben sich die sozialen Verhältnisse längst ins Tragische gewendet und die ästhetische Theorie überholt. Die groteske Scheinwelt des Theaters und die unverhüllte Tragik der verkommenen Kleinbürger gehen eine gespenstische Synthese ein, die der Begriff »Tragikomödie« kaum noch deckt. Sie wird dramaturgisch sinnfällig in den zahlreichen Simultanszenen, im Aneinandervorbei-Sprechen der Figuren und in Augenblicken, in denen der vordergründig reale Vorgang ins Irreale umschlägt. »*Bin ick denn hier von Jespenster umjebn?*« fragt sich der verzweifelte John. »*De Sonne scheint, et is hellichter Tag. Ick weeß nich, sehen kann ick et nich! Det kichert, det wispert, det kommt jeschlichen, und wenn ick nach jreife, denn is et nischt!*« Was John freilich nur dumpf ahnt, wird im leitmotivischen Sinnbild der Ratten evident: Sie sind die Chiffre einer »unterminierten« und verfallenden Gesellschaft, in der die betrügerische Manipulation der Frau John paradoxerweise die einzige menschliche Regung ist. KLL

AUSGABEN: Bln. 1911. Bln. 1922. Bln. 1942 (in *Das gesammelte Werk*, AlH, 17 Bde., Abt. 1, Bd. 5). – Bln. 1960 (in *Meisterdramen*). – Bln. 1965 (in *SW*, Hg. H.-E. Hass, 1962ff., Bd. 2; *Centenar-Ausg.*). – Darmstadt 1966. – Bln. 1968 (Ullstein-B., 4977).

VERFILMUNGEN: Deutschland 1921 (Regie: H. Kobe). – Deutschland 1955 (Regie: R. Siodmak).

LITERATUR: A. Kerr, Rez. (in Der Tag, 13, 15. 1. 1911). – R. Elsner, *G. H.*, »*Die Ratten*« (in R. E., *Moderne Dramatik in kritischer Beleuchtung. In Einzeldarstellungen*, H. 6, Bln. 1911). – H. Levin, *Der Verbrecher im deutschen Drama von Lessing bis H.*, Braunschweig 1916 [zugl. Diss. Gießen]. – W. Requardt, *G. H.-Bibliographie*, Bd. 2, Bln.1931, S. 314–320. – H. Rettich, *Die Gestalt des Künstlers im Werke G. H.s*, Diss. Erlangen 1950. – K. S. Guthke, *G. H. u. die Kunstform der Tragikomödie* (in GRM, N. F. 7, 1957, S. 349–369). – Ders. u. H. M. Wolff, *Das Leid im Werke G. H.s*, Berkeley/ Toronto/Los Angeles 1958 (Univ. of California Publications in Modern Philology, 49). – K. S. Guthke, *G. H. Weltbild im Werk*, Göttingen 1961. – P. Berger, *G. H.s »Ratten«. Interpretation eines Dramas*, Winterthur 1961 [zugl. Diss. Zürich]. – B. v. Wiese, *Wirklichkeit u. Drama in G. H.s Tragikomödie »Die Ratten«* (in Jb. der Dt. Schiller-Ges., 6, 1962, S. 311–325). – H. D. Tschörtner, *G. H. Ein bibliographischer Beitrag zu seinem 100. Geburtstag*, Bln. 1962 (Schriftenr. der Lit.-Archive, 10). – H. J. Schrimpf, *Struktur u. Metaphysik des sozialen Schauspiels bei G. H.* (in *Literatur u. Gesellschaft vom 19. ins 20. Jh.*, Hg. ders., Bonn 1963, S. 274 bis 308). – N. E. Alexander, *Studien zum Stilwandel im dramatischen Werk G. H.s*, Stg. 1964. – H. Rück, *Naturalistisches u. expressionistisches Drama. Dargestellt an G. H.s »Ratten« u. an Georg Kaisers »Bürger von Calais«* (in Der Deutschunterricht, 16, 1964, H. 3, S. 39–53).

ROSE BERND. Schauspiel in fünf Akten von Gerhart HAUPTMANN (1862–1946), Uraufführung: Berlin, 31. 10. 1903, Deutsches Theater. – Zwischen *Fuhrmann Henschel* (1898) und *Der rote Hahn* (1901) sowie *Und Pippa tanzt* (1905) und *Die Ratten* (1910) entstanden, gehört *Rose Bernd* zu Hauptmanns sozialen Dramen. Der aktuelle Anlaß für die Tragödie der von ihrer Umwelt zum äußersten getriebenen Bauernmagd war ein Gerichtsverfahren in Hirschberg gegen eine des Meineids und Kindsmords angeklagte Landarbeiterin, an dem Hauptmann als Geschworener teilnahm. Bedeutsamer als dieser authentische Hintergrund ist jedoch die Tatsache, daß das Schauspiel in einer motivgeschichtlichen Tradition steht, die von der Literatur des Sturm und Drang ausgeht. Am Motiv des Kindsmords entwickelten GOETHE (in der Gretchentragödie des *Urfaust*, 1772–1775) und vor allem Heinrich Leopold WAGNER (vgl. *Die Kindermörderinn*, 1776) eine vehemente Kritik an der verlogenen Moral der herrschenden Gesellschaft, an den krassen Standesunterschieden zwischen Adel und Bürgertum und an der inhumanen Härte des Strafvollzugs. Darüber hinaus ordnet sich *Rose Bernd* in die Tradition des bürgerlichen Trauerspiels ein (vgl. LESSING, *Miß Sara Sampson*, 1755; SCHILLER, *Kabale und Liebe*, 1784; HEBBEL, *Maria Magdalene*, 1844), die Hauptmann freilich »*um die ganze Dimension der durch die moderne Industrialisierung und Wirtschaftsstruktur bedingten gesellschaftlichen Wirklichkeit bereichert*« (H. J. Schrimpf). Geschult an der naturalistischen Darstellungstechnik vertieft Hauptmann die vordergründige Gestaltung eines handlungsbezogenen Konflikts durch dessen psychologische und sozialkritische Analyse. So geschehen auch die wesentlichen Ereignisse in diesem bedrückend dumpfen und nicht zuletzt durch die Dialektfärbung atmosphärisch dicht gezeichneten schlesischen Kleinbürgermilieu vor und zwischen den Akten, während das Schauspiel selbst auf deren Enthüllung angelegt ist.

Rose Bernds Liebesverhältnis mit dem Erbscholtiseibesitzer Christoph Flamm gehört zu Beginn des Schauspiels bereits der Vergangenheit an. Sie ist bereit, den bieder-frommen Buchbinder August Keil zu heiraten, den ihr der Vater bestimmt hat. Ihre letzte Begegnung mit Flamm wird aber von dem Maschinisten Streckmann, einem prahlerischen und brutalen Weiberhelden, belauscht. Er, der bei Rose abgeblitzt ist, verfolgt sie nun mit erpresserischen Drohungen und beantwortet ihr Flehen mit Vergewaltigung. Noch scheint sie sich aus ihrer Not befreien zu können. Frau Flamm, der Rose anvertraut, daß sie schwanger ist, bietet ihr Trost und Hilfe. Rose drängt nun auf baldige Hochzeit, erhofft dabei von Keil Verzeihung für ihren Fehltritt und glaubt an Streckmanns Stillschweigen. Eine Auseinandersetzung zwischen dem alten Bernd und Keil mit Streckmann, der Rose wieder bedrängt, hat jedoch verhängnisvolle Folgen: Öffentlich beschuldigt Streckmann Rose, »*mit all'r Welt a Gestecke*« zu haben. Der alte Bernd, in seiner Ehre tief verletzt, sucht Recht vor Gericht. Rose schwört einen Meineid. »*Ich hoa mich geschaamt!*« entgegnet sie Frau Flamm, die ihr zwar immer noch helfen will, auch als sie weiß, daß Roses Kind von ihrem Mann ist, aber den Meineid nicht begreifen kann. Auch Flamm, in seinem Sexualprestige durch Streckmanns »Erfolg« beleidigt, zieht sich von Rose zurück. Bei ihrem Vater kann sie gleichfalls nicht auf Verständnis hoffen. Er hat ihr schon früher gedroht: »*Da lägst du längst uff d'r Straße draußen! Aso ane Tochter hätt ich nich.*« Verzweifelt, von allen verstoßen, bringt Rose ihr neugeborenes Kind um. Der Schlußakt in der Stube des alten Bernd verdeutlicht die totale Einsamkeit, die diese kleinbürgerlich-selbstgerechte Welt umfangen hat: »*Jeder steht am Schluß allein da. Und die Heldin, die einen Zusammenhang nicht sieht; die, ohne recht zu wissen, wie, von der Lichtseite auf die Schattenseite kommt, hat am Schluß ein aufdämmerndes Gefühl von dem großen allgemeinen Verlassensein der Menschen. In dieser Trauer liegt die letzte Wahrheit«* (A. Kerr). Hauptmanns Drama ist nicht mehr auf den Konflikt verschiedener Standesebenen bezogen und übersteigt die implizite Gesellschaftskritik. Es begreift menschliches Leid als elementares und unausweichliches Schicksal, das alle Figuren erfaßt und von Hauptmann im *Griechischen Frühling* (1907) als *»die schaudernde Anerkennung unabirrbarer Blutbeschlüsse der Schicksalsmächte«* gedeutet wird: *»... keine wahre Tragödie ohne den Mord, der zugleich wieder jene Schuld des Lebens ist, ohne die sich das Leben nicht fortsetzt, ja, der zugleich immer Schuld und Sühne ist.«* Damit ist jedoch keineswegs die Orientierung am klassischen Begriff der Tragik postuliert. Zwar folgen der äußere Aufbau des fünfaktigen Dramas mit Peripetie und Katastrophe wie seine Stoff- und Motivwelt dem klassischen Schema; aber das Fehlen des für die Tragödie der deutschen Klassik entscheidenden Strukturmerkmals der Intrige verweist bereits auf grundlegende Unterschiede. Die das reduzierte Bewußtsein der Figuren übersteigende Tragik entzieht sich individueller Handlungsfreiheit und geht im erbarmungslosen Mechanismus des determinierten Geschehens auf. In der Ohnmacht des zum Objekt erniedrigten Menschen ist der Ursprung seines Leidens zu suchen: *»Es wird als tragisches Leid von Hauptmann begriffen, weil er den Weltgrund selbst ... als endlosen Kampf, Qual und Leiden versteht. Not, Verzweiflung und Verbrechen, Mord, Selbstmord, Ehebruch, Kindesraub oder Kindesmord, welche Gestalt immer dieses Leiden in seinem dichterischen Werk angenommen hat, es trifft den Menschen mehr als passiv Duldenden denn als Täter seines Tuns«* (H. J. Schrimpf). G. R.

Ausgaben: Bln. 1903. – Bln. 1943 (in *Das gesammelte Werk*, Abt. 1, Bd. 4; AlH). – Bln. 1956 (in *Die großen Dramen*). – Bln. 1965 (in *SW*, Hg. H.-E. Hass, 1962ff., 2; *Centenar-Ausg.*). – Bln. 1968 (Nachw. H. Razinger; Ullstein-Bücher, 4978).

Verfilmungen: Deutschland 1919 (Regie: A. Halm). – Deutschland 1956 (Regie: W. Staudte).

Literatur: A. Kerr, *»Rose Bernd«. Erstaufführung im Deutschen Theater* (in Der Tag, 515, 3. 11. 1903). – E. Wulffen, *G. H.s »Rose Bernd« vom kriminalistischen Standpunkt* (in Juristisch-psychiatrische Grenzfragen, 4/3, 1906/07, S. 13–23). – H. Levin, *Der Verbrecher im deutschen Drama von Lessing bis H.*, Braunschweig 1916 [zugl. Diss. Gießen]. – K. Schröder, *Die Grundlagen von G. H.s »Rose Bernd«*, Diss. Rostock 1921. – W. Requardt, *G. H. Bibliographie*, Bd. 2, Bln. 1931, S. 264–275. – S. N. Christoff, *Typen des Dramas bei G. H.*, Diss. Wien 1944. – E. Dosenheimer, *Das deutsche soziale Drama von Lessing bis Sternheim*, Konstanz 1949. – E. Krause, *G. H.s frühe Dramen im Spiegel der Kritik*, Diss. Erlangen 1952. – H. H. Borcherdt, *G. H. u. seine Dramen* (in *Deutsche Literatur im 20. Jh. Gestalten u. Strukturen*, Hg. H. Friedmann u. O. Mann, Heidelberg 1954, S. 381–404). – P. Böckmann, *Der Naturalismus G. H.s* (in *Gestaltprobleme der Dichtung. G. Müller zu seinem 65. Geburtstag*, Bonn 1957, S. 239–258). – M. Sinden, *G. H. The Prose Plays*, Toronto 1957, S. 191–203. – H. J. Schrimpf, *H., »Rose Bernd«* (in *Das deutsche Drama vom Barock bis zur Gegenwart*, Hg. B. v. Wiese, Bd. 2, Düsseldorf 1958, S. 166–185). – K. Hoyer, *G. H. u. das Recht. Versuch einer Deutung*, Diss. Würzburg 1959. – W. Emrich, *Der Tragödientypus G. H.s* (in W. E., *Protest u. Verheißung. Studien zur klassischen u. modernen Dichtung*, Ffm./Bonn 1960, S. 193 bis 205). – W. Butzlaff, *Die Enthüllungstechnik in H.s »Rose Bernd«* (in Der Deutschunterricht, 13, 1961, H. 4, S. 59–70). – K. S. Guthke, *G. H. Weltbild im Werk*, Göttingen 1961 (Kl. Vandenhoeck-R., 106–108). – N. E. Alexander, *Studien zum Stilwandel im dramatischen Werk G. H.s*, Stg. 1964. – B. v. Wiese, *G. H.* (in *Deutsche Dichter der Moderne. Ihr Leben u. Werk*, Bln. 1965).

UND PIPPA TANZT! Ein Glashüttenmärchen. Drama in vier Akten von Gerhart Hauptmann (1862–1946), Uraufführung: Berlin, 19. 1. 1906, Lessingtheater. – Der Niederschrift des *Pippa*-Märchens gingen viele Jahre umfangreicher Studien jener schlesischen Sagenwelt voraus, die den Hintergrund der zwischen Realität und Irrealität angesiedelten Handlung bildet. Schon 1897 griff Hauptmann in einem Plan zu dem Drama *Kynast* Sagen des Riesengebirges auf; das Fragment *Galahad*, an dem er seit 1907 arbeitete, nimmt diesen Sagenkreis wieder auf; schließlich finden sich charakteristische Motive und Figuren aus *Und Pippa tanzt!* bereits vorgeformt in dem 1903 entstehenden Romanfragment *Der Venezianer*. Möglicherweise ließ sich Hauptmann auch von Robert Brownings Verserzählung *Pippa Passes* (1841) anregen.

Waldarbeiter, kartenspielende Glasbläser und ein Glashüttendirektor, *»der statt zu rechnen Träume hat«*, sind in einer Winternacht Gäste in einer schlesischen Gebirgsschenke. Später gesellen sich dazu der alte Glasbläser Huhn und Michel Hellriegel, ein halb erfrorener, Okarina spielender Handwerksbursche, der *»was ganz Besonderes erlernen will«*. Während Pippa, die Tochter eines italienischen Glaskünstlers, auf Verlangen des Direktors mit dem monströsen Huhn tanzt, kommt es zu einer Schlägerei; das allgemeine Durcheinander benützt Huhn, um das zarte Mädchen in seine Hütte zu entführen. Dort findet Hellriegel sie wieder, befreit sie und macht sich mit seiner *»Märchenprinzessin«* auf den Weg nach Süden. Einen Tag lang kämpfen sie sich durch den Schneesturm und erreichen mit letzter Kraft die Baude (Berghütte) des einsam lebenden alten Wann, einer mit übernatürlichen Fähigkeiten begabten *»mythischen Persönlichkeit«*. Trotz der prahlerischen Plumpheit seines Verhaltens gegen Wann darf Hellriegel hier wenigstens in einem hypnotischen Traum das Ziel seiner Wünsche, die glanzvolle Wasser- und Glasmacherstadt Venedig, sehen. Die magische Kraft der Phantasie wird sichtbar in der Erzählung dieses Traumbilds, die in einer höchst kunstvollen, von der sonst vorherrschenden oberschlesischen Dialektprosa sich abhebenden Verssprache abgefaßt ist. Wann entdeckt Huhn, der in Pippas Kammer einzudringen versucht; nach kurzem Zweikampf bricht Huhn mit einem Schrei zusammen. Hellriegel, den Wann beauftragt, vor der Hütte Eis für die Behandlung des Alten zu holen, erblickt die Eisdämonen und erblindet. Im Todeskampf liegend, verführt Huhn Pippa nochmals zum Tanzen, der Warnung Wanns zum Trotz. Der erblindete Hellriegel bläst auf seiner Okarina, Huhn trommelt *»mit den Fäusten tobsuchtsartig den Tanzrhythmus Pippas nach«*. Eines von Wanns venezianischen Gläsern zerbricht in Huhns Faust, die Scherben klirren zu Boden; im gleichen Augenblick sinkt auch Pippa tot um. *»Das Spiel klingt aus in der Resignation eines letzten Dialogs zwischen Wann, der seiner Ohnmacht bewußt ist, und dem erblindeten Hellriegel, der Pippas Tod nicht wahrnimmt und zuversichtlich, dem inneren Lichte folgend, weiterwandert«* (W. Rasch).

Hauptmanns Hinwendung zur Märchenwelt ist durchaus nicht als eine Flucht aus der Wirklichkeit anzusehen. Im zentralen Bild des erkalteten Glasofens spiegelt sich eine finstere und kalte Welt wider. Das Feuer im Glasofen, das für das elementare Leben steht, ist erloschen; nur ein Restchen dieses Feuers, ein »*Fünkla*«, existiert noch in der zentralen Gestalt Pippas, der alle Figuren in ihren Wünschen und Sehnsüchten zugeordnet sind. In Pippa ist der Hoffnungsfunke allegorisiert, von dem eine heillos auseinandergebrochene Welt noch einmal mythische Einheit erwartet. Diese in der Verzauberung von Natur und Mensch aufscheinende Einheit nimmt, wenn auch unzulänglich und gebrochen, in Hellriegel wie im alten Huhn Gestalt an und erreicht in Wann ihren mystischen Höhepunkt.

Wie sehr in *Und Pippa tanzt!* aber auch Probleme der Kunst zur Darstellung gelangen, bezeugt eine Äußerung Hauptmanns aus dem Jahre 1937, die zugleich über das Verhältnis von Dichter und Werk Auskunft gibt: »*Im Dichter ist Hellriegel das reine, naive, kindlich-gläubige Element, Huhn die Kraft des rohen und wilden Triebes, der Direktor das, was zynisch an dem Triebe schmarutzt, zugleich das Genießerische auf Grund kalten Raffinements – aber auch etwas mehr. Wann ist das Überlegene, Hohe, Gestalthafte des Dichters selbst. Er ist, was dieser sein möchte: Herr im Spiel. Er hat gleichsam den zartesten, reinsten und jugendlichsten Teil seiner Leidenschaft in Hellriegel objektiviert und in der Liebe zwischen Pippa und ihm. Er protegiert diesen Teil seines Wesens, nimmt ihn in seinen besonderen Schutz, kann aber nicht hindern, daß er in tiefe und schmerzliche Tragik ausläuft.*« G. R.

AUSGABEN: Bln. 1906. – Bln. 1943 (in *Das gesammelte Werk*, ALH, 17 Bde., Abt. 1, Bd. 4). – Gütersloh 1953. – Bln. 1965 (in *Die großen Dramen*). – Bln. 1965 (in *SW*, Hg. H.-E. Hass, 1962ff., Bd. 2; *Centenar-Ausg.*).

LITERATUR: K. Haenisch, *G. H. u. das deutsche Volk*, Bln. 1922. – E. Locher, *Die Venedigersagen*, Diss. Freiburg i. B. 1922. – O. Rommel, *Die Symbolik von G. H.s Glashüttenmärchen »Und Pippa tanzt«* (in Zs. für Deutschkunde, 36, 1922, S. 385–402). – H. Friedrich, *Kommentar zu H.s »Pippa« u. zur »Versunkenen Glocke«*, Lpzg. 1923. – F. A. Voigt, *Das Kynast-Fragment* (in G.-H.-Jb., Bd. 1, Breslau 1936). – G. Bianquis, *La femme-enfant dans l'œuvre de G. H.* (in G.-H.-Jb., Bd. 2, Breslau 1937, S. 131 bis 139). – C. F. W. Behl, *Die Metamorphosen des alten Wann* (in G.-H.-Jb., 1948, S. 95–116). – R. Mülher, *Kosmos u. Psyche in G. H.s Glashüttenmärchen »Und Pippa tanzt«* (in R. M., *Dichtung der Krise*, Wien 1951, S. 291–406). – P. Böckmann, *Der Naturalismus G. H.s* (in *Gestaltprobleme der Dichtung*, Fs. für G. Müller, Hg. R. Alewyn u. a., Bonn 1957). – F. W. J. Heuser, *The Life of Ida Orloff and Her Relations to G. H.* (in PMLA, 72, 4, 1957). – W. Rasch, *H., »Und Pippa tanzt«* (in *Das deutsche Drama vom Barock bis zur Gegenwart*, Hg. B. v. Wiese, Bd. 2, Düsseldorf 1958, S. 186–206; auch in W. R., *Gesammelte Aufsätze*, Stg. 1968). – K. L. Tank, *G. H. in Selbstzeugnissen u. Bilddokumenten*, Hbg. 1959 (rde, 27). – F. Mehring, *»Und Pippa tanzt«* (in F. M., *Aufsätze zur Literatur von Hebbel bis Schweichel*, Bln. 1961, S. 36–40). – C. F. W. Behl, *G. H.s schöpferisches Venedig-Erlebnis* (in Jb. der Dt. Schillerges., 6, 1962, S. 326–339). – G. Hauptmann, *»Und Pippa tanzt«* (in G. H., *Die Kunst des Dramas; über Schauspiel u. Theater*, Hg. M. Machatzke, Bln. 1963, S. 108–112).

VOR SONNENAUFGANG. Soziales Drama in fünf Akten von Gerhart HAUPTMANN (1862–1946), Uraufführung: Berlin, 20. 10. 1889, Lessingtheater. – Der Verkauf seiner kohlefündigen Felder hat den schlesischen Bauern Krause reich gemacht. Müßiggang und Trunksucht bestimmen nunmehr seine Tage. Zweimal nur erscheint er auf der Szene, beide Male torkelt er in den frühen Morgenstunden johlend nach Hause. Seine ältere Tochter, verheiratet mit dem Ingenieur Hoffmann, der seine sozialistischen Jugendideen längst zugunsten rücksichtsloser Profitmacherei über Bord geworfen hat, ist ebenfalls alkoholsüchtig. Krause wird von seiner zweiten Frau betrogen, er selbst stellt seinen Töchtern nach, Hoffmann giert nach Helene, der jüngeren Tochter Krauses, die, dem Wunsch ihrer verstorbenen Mutter entsprechend, in Herrenhut erzogen wurde und in ihrer Reinheit inmitten der Familie ein Leben des Leidens erduldet. In dieses Milieu kommt Alfred Loth, ein Jugendfreund Hoffmanns, um eine sozialkritische Studie über das schlesische Kohlerevier zu schreiben. Mit äußerster Prinzipienstarrheit und leidenschaftlichem Einsatz verfolgt Loth seine sozialreformerischen Ideen. Sein »*Kampf ist ein Kampf um das Glück aller*«. Helene, die an Loth glaubt, hofft auf Befreiung aus ihrer verkommenen Umwelt. Loth sieht in ihr freilich mehr die »Aufgabe«, die sich seinem Reformdogmatismus stellt. Ohne Skrupel und Zögern zerstört er dann auch die aufkeimende Liebe und verläßt Helene, als er vom Alkoholismus ihrer Familie erfährt. Mit seinen Anschauungen über Vererbung und Rassenhygiene läßt sich dies nicht vereinbaren. Helene, deren letzte Hoffnung zunichte ist, ersticht sich.

Mit *Vor Sonnenaufgang* gelingen dem deutschen Naturalismus und dem Autor ein spektakulärer Durchbruch auf der deutschen Bühne.

Arno HOLZ feiert es als »*das beste Drama, das jemals in deutscher Sprache geschrieben worden ist*«, auch FONTANE setzt sich dafür ein. Das Stück vollzieht den Anschluß an die Weltliteratur, an literarische Strömungen, die in Frankreich, Skandinavien und Rußland mit ZOLA, IBSEN und TOLSTOJ (deren Einflüsse auf Hauptmanns Stück unverkennbar sind) längst schon eingesetzt haben. Vor dem düsteren Hintergrund der Kohlengruben und ihrer Arbeiter scheint sich eine Familientragödie abzuspielen. Doch zur Tragödie im herkömmlichen, klassischen Sinn kommt es gar nicht mehr. Das Bewußtsein von Tragik fehlt, zu eigenverantwortlichem Handeln sind die Figuren nicht imstande. Opfer, nicht Heldin, ist Helene. »*Der Mensch als gehetzte und unerlöste Kreatur, als von allem Anfang her gezeichnete Figur des Leidens, ist der Gegenstand auch der im engeren Sinne sozialen Dramen Gerhart Hauptmanns*« (H.-J. Schrimpf). Wenn auch äußerliche Formkriterien die Erfüllung der Regeln klassischer Poetik vermuten lassen, so sind es doch gerade diese Konventionen, die durch das Stück in Frage gestellt werden. Vor allem das Vertrauen zur Sprache, die überdies in ein Spannungsverhältnis von Dialekt und Hochsprache eintritt, scheint verloren. Gebärde und stummes Spiel übernehmen vielfach die Funktion der Rede. Ausführliche Regieanweisungen markieren die Tendenz zum Epischen, die für das soziale Drama kennzeichnend ist. Sie entfaltet sich hier aus der Familienthematik: Formen des Zerfalls, unverbundenes Nebeneinander der Menschen, treten an die Stelle gewohnter Harmonie und Einheit. So bedarf es auch der Figur des Loth, der von außen kommt, damit die dramatische Handlung überhaupt entstehen kann: »*Der Besuch Loths bei der Familie Krause gestaltet im Thematischen das formbegründende Herantreten des Epikers an seinen Gegenstand*« (P. Szondi). Hauptmanns dramatischer Erstling steht damit am Beginn jener Reihe von Dramen der Moderne, denen die eigene Gattung zum Problem geworden ist. G. R.

AUSGABEN: Bln. 1889. – Bln. 1943 (in *Das gesammelte Werk*, Abt. 1, Bd. 1; AlH). – Gütersloh 1953. – Bln. 1959. – Bln. 1966 (in *SW*, Hg. H.-E. Hass, 1962ff., 1; *Centenar-Ausg.*).

LITERATUR: W. A. Reichardt, *H. before »Vor Sonnenaufgang«* (in JEGPh, 28, 1929, S. 518–531). – R. Stecher, *Erläuterungen zu G. H.s Drama »Vor Sonnenaufgang«*, Lpzg. 1933. – E. Krause, *G. H.s frühe Dramen im Spiegel der Kritik*, Diss. Erlangen 1952. – Th. Fontane, Rez. (1889) (in *Meisterwerke der Kritik*, Bd. 2/1, Hg. H. Mayer, Bln. 1956, S. 886 bis 893). – P. Szondi, *Theorie des modernen Dramas*, Ffm. 1956; [2]1963, S. 62ff. – L. R. Shaw, *Witness of Deceit. G. H. as Critic of Society*, Berkeley/Los Angeles 1958. – H.-J. Schrimpf, *Struktur u. Metaphysik des sozialen Schauspiels bei G. H.* (in *Literatur u. Gesellschaft. Fs. f. B. v. Wiese*, Bonn 1963, S. 273–308). – N. E. Alexander, *Studien zum Stilwandel im dramatischen Werk G. H.s*, Stg. 1964.

DIE WEBER. Schauspiel aus den vierziger Jahren. Soziales Drama von Gerhart HAUPTMANN (1862 bis 1946); Uraufführung: 26. Februar 1893, Neues Theater, als private Veranstaltung der »Freien Bühne« Berlin; erste öffentliche Aufführung: 25. September 1894, Deutsches Theater, Berlin; erschienen 1892. Neben der dem Hochdeutschen angenäherten Fassung erschien gleichzeitig die ursprüngliche schlesische Dialektfassung *De Waber* (abgeschlossen Ende 1891).

Die historischen Vorgänge, die Hauptmann seiner Dichtung zugrunde legt, spielten sich im Juni 1844 in den schlesischen Orten Kaschbach, Langenbielau und Peterswaldau ab, als ein spontaner Aufstand der von ihren Arbeitgebern ausgebeuteten Weber mit militärischer Gewalt niedergeschlagen wurde. Erzählungen von den menschenunwürdigen Lebensverhältnissen der schlesischen Leinenweber, die im Laufe des 19. Jahrhunderts wiederholt durch Aufstände ihre Lage zu verbessern suchten, wurden in Hauptmanns Familie überliefert, wie der Autor in seiner Widmung des Weber-Dramas an seinen Vater Robert H. bezeugt. Den Plan zu einer dramatischen Behandlung des Themas faßte Hauptmann 1888 in Zürich. Es folgten detaillierte historische Studien sowie zwei Informationsreisen in das schlesische Webergebiet im Frühjahr 1891, wo Hauptmann das »*Elend in seiner klassischen Form*« kennenlernte. Als Quellenwerk benutzte er die auf Dokumentation gegründete Schrift *Über die Noth der Leinenarbeiter in Schlesien und die Mittel ihr abzuhelfen* von Alexander SCHNEER, die im Juli 1844, also unmittelbar nach dem von Hauptmann dramatisierten Aufstand, erschienen war und Mitteilungen enthielt, die direkt in die Konzeption des Dramas eingingen. Ferner orientierte Hauptmann sich an Alfred ZIMMERMANNS *Blüthe und Verfall des Leinengewerbes in Schlesien* (1885) sowie vor allem an Wilhelm WOLFFS *Das Elend und der Aufruhr in Schlesien* (1845), einer präzisen Analyse, die die Ereignisse des Aufstandes dokumentarisch wiedergibt und aus der Hauptmann das *Weberlied* übernahm.

Hauptmann behält die traditionelle Fünfaktigkeit bei. Dieses Formschema dient jedoch nicht mehr einem geschlossenen und kontinuierlichen dramatischen Prozeß, es stützt vielmehr die auf Wirkung und Kontrast angelegte Spannungskurve und ermöglicht die ökonomische Gliederung der verschiedenen Stoffkomplexe. Akt I gibt eine allgemeine Charakteristik der Situation. Die Weber liefern im Hause des Fabrikanten Dreißiger (dessen historisches Vorbild ein zu Reichtum gelangter Unternehmer namens Zwanziger ist) ihren Parchent ab und nehmen ihren Hungerlohn in Empfang. Der Profitgier des Unternehmers steht auf der Seite der Lohnarbeiter die Angst vor dem Verlust ihrer Aufträge gegenüber. Der offen revolutionäre Ton, den der »rote Bäcker« anschlägt, rückt einen gewaltsamen Konflikt in greifbare Nähe. Der zweite Akt stellt der Massenszene des ersten die intime Familienszene gegenüber: Die Auswirkungen des Weberelends werden am Beispiel einer betroffenen Familie vorgeführt. Der in die Heimat zurückgekehrte Moritz Jäger begeistert die an ihrer Lage verzweifelten Weber mit dem sogenannten *Dreißicherlied*: »*Hier im Ort ist ein Gericht, / noch schlimmer als die Vehmen, / Wo man nicht erst ein Urteil spricht, / das Leben schnell zu nehmen. / – Hier wird der Mensch langsam gequält,/ hier ist die Folterkammer, / hier werden Seufzer viel gezählt / als Zeugen von dem Jammer.*« Der Wunsch nach Verbesserung der Lage artikuliert sich unmittelbar im Anschluß an das Lied: »*Und das muß anderscher wern ... jetzt uf der Stelle. Mir leiden's nimehr!*« – Die zunehmende Unruhe unter den Webern veranlaßt die Behörden, das Weberlied zu verbieten (Akt III), wodurch sie erbitterte Reaktionen der Betroffenen auslösen. Die revolutionäre Stimmung schlägt im vierten Akt in Aktion um. Die Aufständischen dringen plündernd und zerstörend in Dreißigers Villa ein und zwingen die Besitzer zur Flucht. Pastor Kittelhaus, ein Verfechter der bestehenden Verhältnisse, die auf der gemeinsamen Interessenbasis von Thron und Altar gründen, wird bei dem Versuch, die aufgebrachte Menge zu besänftigen, mißhandelt. Der Schlußakt zeigt aus der privaten Perspektive der Familie Hilse die Entfaltung des Aufstandes und seine Niederschlagung durch Waffengewalt. Der alte Hilse, der aufgrund seiner religiösen Überzeugung den Aufstand verurteilt, findet als Unbeteiligter den Tod.

Eine eindeutige Festlegung der Tendenz des Weber-Dramas verbietet sich gerade von dieser Schlußwendung der Hilse-Handlung her, die als eine tragisch-ironische Zusammenfassung des ganzen Dramas erscheint. Hauptmann selbst wandte sich gegen die Auffassung, sein Drama sei ein sozialrevolutionäres Tendenzstück, was für ihn einer »*Herabwürdigung der Kunst*« gleichkäme. Obwohl er auch von dem »*Zwangsgedanken sozialer Gerechtigkeit*« spricht, betont er, daß die »*christliche und allgemein menschliche Empfindung, die man Mitleid nennt*« als Motivation zu nennen sei. Ganz in Hauptmanns Sinn spricht Alfred KERR in einer bekannten *Weber*-Rezension von einem Drama, in dem »*bloße Volkswirtschaft zur Menschlichkeit geworden ist*«. Andere Bewunderer Hauptmanns setzen die sozialkritische Bedeutung des Dramas allerdings höher an. So vertritt Julius HART die Ansicht, in den *Webern* atme ein »*revolutionärer Geist, so ernst und so entschieden, wie in den ›Räubern‹ und in der ›Kabale und Liebe‹, hier fließt der sozialdemokratische In-*

grimm unserer Zeit ... in purpurroten Blutwellen dahin...«

Die Hilse-Handlung kann weder als resignative Zurücknahme des revolutionären Elans interpretiert werden noch im Sinne eines revolutionären Aktionismus, der das private Schicksal dem ideologischen Entwurf opfert. An der Offenheit des Dramenschlusses entzündete sich die kritische Auseinandersetzung mit dem Stück. BRECHT sah im Tendenzgehalt der *Weber* »*in Bezug auf die Gesellschaft nicht mehr, als das ›Milieu‹ gibt*«. FONTANE macht dagegen eine Formtradition dafür verantwortlich, daß Hauptmann sich genötigt fand, »*das, was ursprünglich ein Revolutionsstück sein sollte, schließlich als Anti-Revolutionsstück ausklingen zu lassen. Es ließ sich nicht anders thun, nicht blos von Staats- und Obrigkeits-, sondern ... auch von Kunst wegen. Todessühne, Zugrundegehen eines Schuldigen, das ist ein Tragödienschluß, Radau und Spiegelzertrümmerung nicht...*« Diese Äußerung weist darauf hin, wie aus der Aufnahme sozialer Thematik ein dramatisches Formproblem erwächst, das kennzeichnend für die Entwicklung des modernen Dramas ist. Der konventionelle, Lösungen nur andeutende Schluß des Weber-Dramas hat keine symbolische Repräsentanz mehr, da das Einzelschicksal hinter der sozialen Thematik der Masse zurücktritt. Hauptmann eröffnet hier ansatzweise die Entwicklung einer modernen dialektischen Dramenform mit differenzierter offener Tendenz. Diese neue Formorientierung verändert die Struktur des Tragischen in dem Maße, wie der Held durch das Vordringen der Massenproblematik in die passive Rolle gedrängt wird und nur noch jeweils eine Gruppe zu repräsentieren hat. Tragik wird nicht mehr im individuellen Sprechen der Einzelperson artikuliert, sondern aus distanzierter epischer Sicht gezeigt, wobei die Verwendung des Dialekts – häufig mißverstanden als Stilmittel einer vordergründigen naturalistischen Mimesis – diesen Abstand sichtbar macht. Ein Beispiel für die Tendenz der Episierung ist die Leitmotivfunktion des Weberliedes.

Dem Ruf der *Weber* als Kampfstück, das eines der ungelösten zentralen Probleme der Gründerjahre-Gesellschaft zur Diskussion stellte, war die Kulturpolitik der Wilhelminischen Zensurbehörden eher förderlich. Diese versuchten, die Aufführung der *Weber* zu verhindern mit der Begründung, die im Drama enthaltenen Schilderungen seien dazu angetan, Klassenhaß zu erzeugen und könnten zu »*einem Anziehungspunkt für den zu Demonstrationen geneigten Teil der Bevölkerung Berlins*« werden. Es bedurfte langer gerichtlicher Auseinandersetzungen, ehe das Kgl. Preußische Oberverwaltungsgericht das Verbot der *Weber* aufhob, was Wilhelm II. nicht hinderte, wegen der »demoralisierenden Tendenz« der *Weber* die kaiserliche Loge im Deutschen Theater zu kündigen. U. H.

AUSGABEN: Bln. 1892. – Bln. 1892 (*De Waber*; Dialektfassg.). – Bln. 1943 (in *Das gesammelte Werk*, Abt. 1, Bd. 2; AlH). – Bln. 1956 (in *Die großen Dramen*). – Bln. 1963, Hg. H. Schwab-Felisch. – Bln. 1966 (in *SW*, Hg. H.-E. Hass, 1962ff., Bd. 1; *Centenar-Ausg.*).

BEARBEITUNG: L. Wulff, *Die Weber oder Die eigentlichen Morituri von Rautendelein Hauptmann*, Lpzg./Baden-Baden 1898.

VERTONUNG: V. Nejedlý, Pilsen 1961.

VERFILMUNG: Deutschland 1927 (Regie: F. Zelnik).

LITERATUR: F. Ohmann, *Das Tragische in G. H.s Dramen*, Bonn 1908. – S. Liptzin, *The Weavers in German Literature*, Göttingen 1926. – H. Rabl, *Die dramatische Handlung in H.s »Webern«*, Halle 1928. – H. Barnstorff, *Die soziale, politische u. wirtschaftliche Zeitkritik im Werk G. H.s*, Jena 1938. – S. D. Stirk, *Aus frühen »Weber«-Kritiken* (in Gerhart-Hauptmann-Jb., 1948, S. 190–210). – E. Wawersich, *Vergleichende Betrachtung von Zolas »Germinal« u. H.s »Webern«*, Diss. Wien 1950. – W. Emrich, *Der Tragödientypus G. H.s* (in Der Deutschunterricht, 5, 1953, H. 3). – P. Szondi, *Theorie des modernen Dramas*, Ffm. 1956; ern. 1963 (ed. Suhrkamp, 27). – K. May, *H.s »Weber«* (in *Das deutsche Drama*, Hg. B. v. Wiese, Bd. 2, Düsseldorf 1958, S. 157–165). – H.-J. Schrimpf, *Struktur u. Metaphysik des sozialen Schauspiels bei G. H.* (in *Literatur u. Gesellschaft vom 19.–20. Jh. Festgabe B. v. Wiese*, Hg. ders., Bonn 1963, S. 274–308). – H. Steffen, *Figur u. Vorgang im naturalistischen Drama G. H.s* (in DVLG, 38, 1964, S. 424–449).

HELMUT HEISSENBÜTTEL
(*1921)

DAS TEXTBUCH. Textsammlung von Helmut HEISSENBÜTTEL (*1921), erschienen 1970. – *Das Textbuch* faßt die Texte der sechs zwischen 1960 und 1967 erschienenen *Textbücher* Heißenbüttels in neuer, nicht chronologischer, sondern methodischer Gruppierung zusammen. Auf diese Weise erscheinen die vielfältigen Ansätze, Methoden und Formen, die Heißenbüttel im Laufe der Jahre (die Entstehung der ersten Texte reicht in das Jahr 1954 zurück) entwickelt hat, systematisiert und können einer kritischen Betrachtung unterzogen werden als »*Glieder einer Menge*«, die »*nicht untereinander verbunden*« sind, worin beschlossen liegt, »*daß das Ganze mehr ist als die Summe seiner Teile*«.

Dieses Zitat von Edmund HUSSERL, das der Autor seinem Band als Motto vorangestellt hat, ist mehr als eine Konvention, denn bei Heißenbüttel sind Theorie und Praxis, poetische und wissenschaftliche Beschäftigung mit Literatur untrennbar miteinander verbunden (seine theoretischen und kritischen Arbeiten sind in den Sammelbänden *Über Literatur*, 1966, und *Zur Tradition der Moderne*, 1972, enthalten). Literatur und Wissenschaft sind für ihn »*parallel verlaufende Tätigkeiten der menschlichen Aufklärung*« *(13 Hypothesen über Literatur und Wissenschaft als vergleichbare Tätigkeiten)*, die beide Erkenntnis anstreben oder doch anstreben sollten. Erkenntnis, auf die Literatur abzuzielen hat, ist jedoch immer an Sprache gebunden, ja, diese Relation begründet überhaupt erst die Möglichkeit, der Literatur eine solch explizite Erkenntnisfunktion zuzuweisen. Auch Heißenbüttel vertritt die von WITTGENSTEIN im *Tractatus logico-philosophicus* formulierte Grundthese: »*Die Grenzen meiner Sprache bedeuten die Grenzen meiner Welt.*«

Wenn Sprache konstitutiv ist für Erkenntnis, kommt der Literatur, deren Medium die Sprache ist, besondere Bedeutung zu. Aus den sprachphilosophischen Voraussetzungen leitet Heißenbüttel ein aufklärerisch-didaktisches Programm für die Literatur ab, das auf dem Grundsatz basiert: »*literarisch, das heißt beispielhaft reden*« *(Voraussetzungen)*. Dies soll freilich nicht geschehen durch

die sprachliche Abbildung typischer oder vorbildlicher Personen und Ereignisse; vielmehr wird Sprache »*nicht mehr symbolisch, sondern wörtlich verwendet*«, und »*Literatur sieht sich in ihrer Konsequenz der radikalen Selbstbeobachtung ihres Mediums gegenüber*« *(13 Hypothesen)*.
Die »*imaginativ verfahrende Einbildungskraft*« verliert ihre »*Stellvertreterschaft*«, und zugleich wird das autonome Subjekt, dessen Konzeption der herkömmlichen, repräsentativen Literatur zugrunde lag, als Fiktion entlarvt: »*Es reduziert sich ... zu einem Bündel Redegewohnheiten.*« Diese Redegewohnheiten kritisch zu sichten und zu analysieren wird zur vorrangigen Aufgabe der Literatur. Gleichzeitig verändern sich Stellung und Funktion des Autors: Er erscheint nicht mehr als »Genie«, das die eigene Subjektivität stellvertretend realisiert, sondern seine Tätigkeit nähert sich der des Wissenschaftlers an; in seinen »*kombinatorischen und akzentuierenden*« Fähigkeiten liegt seine Bedeutung. Als »*multiples Subjekt*« *(13 Hypothesen)* geht es ihm nicht mehr um die Ausbildung eines individuellen »Stils«, sondern er bedient sich des gesamten verfügbaren Sprachmaterials, dessen Elemente er zitiert, montiert, verfremdet.
Der *Text* wird zur angemessenen Form, um die »*Erfahrungen eines desorientierten nachindividuellen Zustands*« *(Spekulation über eine Literatur von übermorgen)* nicht nur darstellen, sondern überhaupt erst herstellen zu können, ohne durch eine der gängigen Gattungsbezeichnungen ins Schema des damit verbundenen Vorverständnisses gepreßt zu werden. Die allgemeine und anonyme Bezeichnung *Text* weist nicht nur den Autor als einfachen »Texter« aus, sondern zerstört auch jene »*Aura*«, von der nach Walter BENJAMIN *(Das Kunstwerk im Zeitalter seiner technischen Reproduzierbarkeit)* die Werke der Epoche des bürgerlichen Individualismus geprägt sind.
In seinen *Texten*, die die Theorie in die Tat umsetzen sollen, will Heißenbüttel den herrschenden (Sprach-)Zustand nicht einfach nur benennen, vielmehr soll dieser durch exemplarisches Sprechen durchschaubar gemacht und – auf lange Sicht – verändert werden. Sprachliche und literarische Modelle dienen als Folie für Experimente, Abstraktion und Reduktion sind die bevorzugten Verfahren, um sprachliche Realität auf den Begriff zu bringen und Realität der Sprache erkennbar werden zu lassen. Dabei ist das greifbar »Inhaltliche« weitgehend ausgeschaltet; einige wenige semantische Elemente – Wörter, Satzteile, Sätze – werden jeweils miteinander verknüpft und vielfältig variiert. Heißenbüttel versucht, aus den *Beziehungen* zwischen den Wörtern, aus den Mechanismen, die er bloßlegt, Erkenntnis(se) zu gewinnen, nicht so sehr aus den Wörtern (und ihrer isolierten Bedeutung) selbst. Über das Funktionieren der Sprache soll nicht geredet, es soll demonstriert werden, es muß sich »*zeigen*«, um mit Wittgenstein zu reden. (Gegenbeispiele – aus Heißenbüttels Frühzeit – finden sich in dem Abschnitt *Quasiroman:* eher konventionelle Parabeln, die in mancher Hinsicht an KAFKA erinnern und auf alle formalen Experimente verzichten.)
Dem Leser werden keine Identifikationsmuster geboten, weder »Menschen aus Fleisch und Blut« noch »realistische« Geschichten, sondern höchstens deren Skelett. Es geht Heißenbüttel um das Allgemeine, aber ebenso um Genauigkeit, um Differenzierung. Wittgensteins Begriff der »*Familienähnlichkeit*«, den dieser in seiner Sprachspieltheorie benutzt (vgl. *Philosophische Untersuchungen*), wird hier zum »*gemeinsamen Unterschied*« *(Platzkonzert)*. – Definition und Aufgabe der *Texte* rücken ihr Verhältnis zur traditionellen Literatur in den Vordergrund, zum »*herkömmlichen Gedicht, das sie travestieren, negieren, grammatisch zerlegen seiner Obsoletheit überführen*« (J. Drews). *Bremen wodu* parodiert das lyrische Gedicht à la Paul CELAN durch die zunehmende Banalisierung des zu Beginn seraphisch Angesprochenen. Texte wie *Roman, Krimi, Variationen über den Anfang eines Romans* oder *Shortstory* durchleuchten literarische Konventionen und ganze Genres, indem sie sie auf Stereotype reduzieren. Die hierin zutage tretende Sprachkritik zielt letzten Endes auf Realität – die Stücke des Abschnitts *3x13 mehr oder weniger Geschichten* zeigen dies ebenso deutlich wie die (freilich ohnehin sehr viel weniger abstrakten) *Neuen Abhandlungen über den menschlichen Verstand* –, doch geschieht dies stets im Bewußtsein, zu einer »*Zweithandanschauung (quasiautobiographisch)*« verurteilt zu sein. Spielt das Zitat generell eine beherrschende Rolle in Heißenbüttels Werk – in *D'Alemberts Ende*, dessen zentraler Begriff die »*synthetische Authentizität*« ist, wird es heißen: »*Aber auch der einzeln vollzogene Vorgang tendiert zum Zitat*« –, so ist es, als ein Stück sprachlicher Realität, bevorzugter Gegenstand der Kritik. Der Text *Hauptsatzbahnhof*, der zu Heißenbüttels gelungensten Arbeiten gehört, stellt einem »Original« einen deskriptiv-kritischen Kommentar gegenüber:
»*das Etwas als denknotwendiges Substrat ist die zur äußersten Abstraktion verblaßte bis zum Differential diminuierte Spur des Sachhaltigen der Gedanke an ein Etwas überhaupt wäre anders nicht zu vollziehen*
Theodor W. Adorno
wenn man mit etwas etwas anstellt und auch überzeugt ist daß man mit etwas etwas anstellen kann so bleibt doch bei allem was man mit etwas anstellt etwas und man erhält im Extremfall nur soetwas wie soetwas und der einzige Vorteil wäre zu erkennen daß etwas auch als soetwas oder irgendetwas oder nochetwas oder etwas anderes immer etwas bleibt.«
Bestimmend ist das Infragestellen, die ständige Falsifikation – Heißenbüttels Nähe zum kritischen Rationalismus ist unverkennbar –, die Weigerung, endgültige Ergebnisse zu akzeptieren, die im Bild des *Wassermalers* verkörpert ist. Thesen, die am Anfang stehen, werden im Verlauf eines Textes aufgehoben, zerstört *(Hutmacher)*. Diese *konkrete* Sprach- und Literaturauffassung demonstriert besonders eindrucksvoll der Text *Traktat*, der über den Traktat in Form eines Traktats redet, wobei das Paradox, *in* Sprache *über* Sprache zu sprechen, thematisch wird.
In der Kritik von Modellen durch Modelle liegt die Stärke dieser Texte. Wo Systeme und deren Funktionieren durch bestimmte Negation analysiert werden, hat auch das Antigrammatikalische seine Funktion und seine Berechtigung. Wo der Autor dagegen ohne Netz arbeitet, wo er auf die Rückversicherung der zu durchbrechenden Konvention verzichtet und freischwebend sich vorwiegend von Assoziationen leiten läßt, stellt sich häufig eine gewisse Beliebigkeit ein. Die Abschnitte *Cinemascope 59/60, Einsätze*, die (mit graphisch-visuellen Mitteln operierenden) *Sprechwörter* und *Siebensachen* beweisen dies, und auch das lange *Gedicht über die Übung zu sterben*, zu dem Heißenbüttel einen aufschlußreichen Kommentar *(So etwas wie eine Selbstinterpretation)* verfaßt hat, ist von

»privatistischen« Tendenzen nicht frei. Ein Text wie *vokabulär*, der sich am Schluß bis zum zukünftigen Glück durchgewühlt hat, »*das uns zukommt*«, und der ein Beispiel dafür ist, wie die scheinbar rein formale Methode durchaus »Inhalte« transportieren kann, ist eher die Ausnahme.

Als Sprachexerzitien – auch der Begriff »Meditation« kommt vor – erfordern Heißenbüttels Texte Konzentration und Phantasie; konsumierbar sind sie nicht. Als Bruchstücke, die ergänzt werden wollen, sind sie Angebote an den Leser, den Text selbständig aufzufüllen *(Zusammensetzungen)*. Hinter dieser Konzeption steht die romantische Vision einer poetisierten Welt und die Hoffnung auf eine Demokratisierung der Literatur: Schließlich wird »*... die Grenze zwischen Autoren und Lesern verwischbar sein. Jeder Leser, jeder ›Übende‹ hat der Tendenz nach die Möglichkeit, Autor zu werden*« *(So etwas wie eine Selbstinterpretation)*.

Der – im weiteren Sinne – politische Aspekt erscheint auch in den Texten selbst. Dabei zeigt sich, daß Heißenbüttels Methode weder pauschal zu verdammen noch gutzuheißen ist. Die Brauchbarkeit des Verfahrens erweist sich als abhängig vom behandelten Gegenstand. Während es in *Bildzeitung* gelingt, den Vorgang der Manipulation plausibel darzustellen, scheint die abstrahierende Reduktion in *Klassenanalyse*, *Die Zukunft des Sozialismus* oder *Politische Grammatik (»verfolgte verfolgende Verfolgte«)* eher geeignet, sich selbst zu denunzieren. Hier wird Realität nicht auf den Begriff gebracht, sondern mit schlechter Verallgemeinerung zugedeckt; wenn mit der Sprache zugleich die Sache selbst diskreditiert werden soll, büßen die Texte ihre Überzeugungskraft ein.

Die Methode, deren wesentlichster Gebrauchswert darin besteht, die totale Gültigkeit des Tauschwerts in der warenproduzierenden bürgerlich-kapitalistischen Gesellschaft aufzuzeigen, ist nur dann von aufklärerischem Nutzen, wenn die gesellschaftliche Arbeitsteilung implizit mitreflektiert wird. Insofern ist Heißenbüttels erste umfangreiche Arbeit, das *Projekt Nr. 1, D'Alemberts Ende* (1970), ein Fortschritt im Œuvre des Autors, denn unendliches Zitieren, sprachlicher Leerlauf, Sprachfetischismus und Tautologie sind hier soziologisch bestimmt; sie sind – parodistisch – an einer gesellschaftlichen Gruppe, den Intellektuellen, festgemacht und werden damit zugleich spezifiziert und in ihrer Gültigkeit relativiert. Die Einwände, die gegen das Buch seiner »Länge« wegen erhoben wurden, und die »Langeweile«, die sich bei den meisten Kritikern ausbreitete, sind wohl nicht zuletzt als Abwehrmechanismen derer zu verstehen, die ihre eigene Existenz in *D'Alemberts Ende* »realistisch« dargestellt fanden. Unbestreitbar ist allerdings, daß hier auch die Aufklärung an ein Ende gelangt, das von ihr fordert, sich über sich selbst aufzuklären.

U. E.

AUSGABE: Neuwied/Bln. 1970.

LITERATUR: K. A. Horst, Rez. zu »*Textbuch*« I. u. II (in Merkur, 15, 1960, S. 389–392). – H. Hartung, *Antigrammatische Poetik u. Poesie. Zu neuen Büchern von H. H. u. Franz Mon* (in NRs, 1968, S. 480 bis 494). – R. Döhl, *H. H.* (in *Deutsche Literatur seit 45*, Hg. D. Weber, Stg. ²1970, S. 600–631). – J. Drews, »*D'Alemberts Ende*«. *H. H.s erster Roman* (in SZ, 29./30. 8. 1970). – M. Bense, *Ein Textbuch H.s* (in M. B., *Die Realität der Literatur. Autoren u. ihre Texte*, Köln 1971, S. 111–118). – R. R. Rumold, *Verfremdung u. Experiment. Analysen für eine Standortbestimmung der Demonstrationen H. H.s* (in Sprache im technischen Zeitalter, 1971, S. 26–44).

HERMANN HESSE
(1877–1962)

DAS GLASPERLENSPIEL. Versuch einer Lebensbeschreibung des Magister Ludi Josef Knecht samt Knechts hinterlassenen Schriften. Herausgegeben von Hermann Hesse. Roman von Hermann HESSE (1877–1962), erschienen 1943. – Die Entstehung des Werks, an dem der Dichter von 1931 bis 1942 arbeitete und das er als Ziel und Summe seiner Schöpfungen ansah, begründet Hesse in einem Brief an Rudolf PANNWITZ (Januar 1955) überaus bitter unter Hinweis auf die furchtbaren Erfahrungen der Hitler-Zeit: »*Ich mußte ... das Reich des Geistes und der Seele als existent und unüberwindlich sichtbar machen, so wurde meine Dichtung zur Utopie, das Bild wurde in die Zukunft projiziert, die üble Gegenwart in eine überstandene Vergangenheit gebannt. Und zu meiner eigenen Überraschung entstand die kastalische Welt wie von selbst.*«

Im ersten Teil des Romans – *Das Glasperlenspiel. Versuch einer allgemeinverständlichen Einführung in seine Geschichte* – rechtfertigen kastalische Chronisten ihre Absicht, das Leben des Josef Knecht trotz des im Orden geltenden Ideals der Anonymität zu beschreiben, mit dem Bekenntnis: »*Ehrwürdig ist uns das Andenken der Opfer, der wahrhaft Tragischen.*« Knecht war Meister des Glasperlenspiels, der höchsten, beinahe heiligen Kunstübung Kastaliens, die Hesse als Symbol geistiger Einheit und Selbstzucht darstellt: »*Das Glasperlenspiel ist ... ein Spiel mit sämtlichen Inhalten und Werten unserer Kultur.*« Es verkörpert eine ewige Idee, den Drang des Geistes zur Einheit und Versöhnung: »*Jeder Bewegung des Geistes gegen das ideale Ziel einer Universitas Litterarum hin ... lag dieselbe ewige Idee zugrunde, welche für uns im Glasperlenspiel Gestalt gewonnen hat.*« Es entstand in der Epoche des »*feuilletonistischen Zeitalters*« – wie Hesse das 19. und 20. Jh. kennzeichnet –, einer vergangenen Geschichtsperiode, in der »*der Geist eine unerhörte und ihm selbst nicht mehr erträgliche Freiheit genoß ..., eine echte neue Autorität und Legitimität aber noch immer nicht gefunden hatte*«. Dieser Niedergang rief jedoch »*jene heroisch-asketische Gegenbewegung hervor*«, die die Keimzelle des späteren kastalischen Ordens bildete. Sie wurde getragen von einzelnen gewissenhaften Gelehrten, vor allem Musikforschern, und dem »Bund der Morgenlandfahrer« – diesen ist der Roman gewidmet, wodurch Hesse dessen thematische Verbindung mit seiner Erzählung *Die Morgenlandfahrt* (1932) betont –, einer Gemeinschaft von Männern, die »*weniger eine intellektuelle als eine seelische Zucht, eine Pflege der Frömmigkeit und Ehrfurcht betrieben*«. Ihre Meditationspraxis und Musikpflege übernahm der elitäre Orden der Glasperlenspieler, um gegen die Gefahr des geistigen Hochmuts und der bloß artistischen Ausübung des Spiels gefeit zu sein. Die Notwendigkeit, in strenger Auswahl hochbegabte Knaben heranzubilden und sie, um Störungen durch das »Weltleben« zu vermeiden, in einem hierarchisch aufgebauten Orden auf den Dienst am Geist zu verpflichten, führte zur Gründung der Ordensprovinz Kastalien.

Die *Lebensbeschreibung des Magister Ludi Josef Knecht* – der zweite Hauptteil des Werks – zeigt Kastalien etwa im Jahre 2200 in voller, anscheinend unzerstörbarer Blüte. Als exemplarisch gilt im Orden das Leben Josef Knechts, das bis zur höchsten Stufe der Hierarchie führt, der Würde des Magister Ludi, des Meisters des Spiels. Im Alter von etwa zwölf Jahren wird der Berolfinger Lateinschüler, der vor allem durch seine Musikalität auffällt, vom Musikmeister Kastaliens, einem der zwölf Hierarchen, geprüft und in die Eliteschule Eschholz aufgenommen. Dort widmet sich Knecht besonders dem Musizieren und gewinnt Einblick in Geist und Dienst des Ordens, dem er jedoch vorerst skeptisch gegenübersteht. Nach glänzender Absolvierung dieser Schule kommt er als Gast zu dem von ihm hochverehrten Musikmeister, der ihn in die Anfangsgründe der Meditation einweiht. In Waldzell, der Eliteschule der Glasperlenspieler, gerät Knecht nun, ohne sich dessen bewußt zu sein, in den engsten Kreis der Erwählten. Seine Neigung zur Musik hält ihn zunächst vom eingehenden Studium des Glasperlenspiels ab; überdies fesselt ihn das Weltleben der alten Stadt, das sich ihm in seinem Freund Plinio Designori, einem Gastschüler, verkörpert. Doch gerade in der Auseinandersetzung mit dem geistreichen jungen Mann, dessen Ansichten über die Weltdinge denen des Ordens in vielem zuwiderlaufen, festigt sich Knechts Haltung als Kastalier; er macht nun bedeutende Fortschritte im Glasperlenspiel.

Einige Jahre freien Studierens schließen sich an die Waldzeller Ausbildung. Der einzigen Verpflichtung, jährlich einen fiktiven Lebenslauf bei der Ordensleitung einzureichen, kommt Knecht gewissenhaft nach. Die drei Lebensläufe – *Der Regenmacher*, *Der Beichtvater* und *Indischer Lebenslauf* – dienen der Einfühlung in andere Epochen und Kulturen, der Selbsterkenntnis und Selbstdarstellung; die Grundthemen des Romans, das Lehrer-Schüler-Verhältnis und das Opfer für die Gemeinschaft, werden darin variiert. Als *Josef Knechts hinterlassene Schriften* bilden die Lebensläufe zusammen mit den *Gedichten des Schülers und Studenten* den dritten und abschließenden Teil des Werks. (Ein vierter Lebenslauf, der Knecht als Theologen im 18. Jh. darstellt, erschien erst 1965 aus Hesses Nachlaß.) Eine Begegnung mit dem »Älteren Bruder«, einem in chinesische Weisheit sich versenkenden Außenseiter des Ordens, vermittelt Knecht das Gefühl des »*Erwachens*«, des Bewußtwerdens der eigenen Besonderheit, das zugleich das kastalische Ideal der Selbstentäußerung relativiert. Er ist nun etwa vierunddreißig Jahre alt, und der Altmusikmeister nimmt seine endgültige Aufnahme in den Orden vor. Zweimal führen besondere Missionen Knecht zu den Benediktinern in Mariafels, wo er mit dem Historiker Pater Jakobus – mit dieser Gestalt äußert Hesse seine Verehrung für Jacob Burckhardt – Freundschaft schließt. Fasziniert entdeckt Knecht die ihm bisher unbekannte Welt der Geschichte, der Kastalien scheinbar nicht zugehört. Er lernt nun »*die Gegenwart und das eigene Leben als geschichtliche Wirklichkeit sehen*« und muß von Jakobus hören, daß »*möglicherweise auch die kastalische Kultur nur eine verweltlichte und vergängliche Neben- und Spätform der christlich-abendländischen Kultur sei*«.

Als Knecht, kaum vierzigjährig, zum Magister Ludi gewählt worden ist, schärft gerade der stete Umgang mit der Elitegruppe der Glasperlenspieler seinen Blick für die Gefahren, die Kastalien bedrohen: aristokratische Selbstgenügsamkeit, sinnentleerte Virtuosität und kraftlose Abgeschlossenheit vom Leben. Auf dem Höhepunkt seiner Laufbahn gewinnt er die Einsicht, daß ihm Kastalien und das Glasperlenspiel *(»etwas nahezu Vollkommenes«)* bereits bis ins letzte ausgemessene Möglichkeiten dienender Selbstverwirklichung sind. Und Knecht, der bei Pater Jakobus den Wandel als das einzig Stetige begreifen lernte, erkennt, daß er neue Räume durchschreiten muß. Den letzten Anstoß, ein Gesuch um Entbindung von seiner Würde bei der Ordensleitung einzureichen und um Versetzung an eine der vom Orden betreuten außerkastalischen Schulen zu bitten, gibt ihm ein Wiedersehen mit Designori, der resigniert darauf verzichtet hat, kastalische Geistigkeit mit den Anforderungen des Weltlebens in Einklang bringen zu wollen. Als das Gesuch abgelehnt wird, nimmt Knecht Designoris Angebot, Lehrer seines Sohnes Tito zu werden, freudig an.

Die bisher als biographische Aufzeichnungen eines Glasperlenspiel-Schülers ausgegebene Chronik von Knechts Leben steigert sich nun zur Legende, verfaßt wahrscheinlich von Vorzugsschülern des »*Dahingegangenen*«. Auf der Wanderung zu den Designoris überkommt Knecht seit langem zum erstenmal das Gefühl freien, unbeschwerten Daseins. Die erste Begegnung zwischen Lehrer und Schüler in Belpunt, dem an einem Alpensee gelegenen Landhaus der Familie, verläuft zu beiderseitiger Zufriedenheit. Nach einer unruhigen Nacht treffen sich die beiden am Ufer des Sees. Tito fordert den von der Reise geschwächten Lehrer zum Wettschwimmen auf. Trotz der Warnung seiner Instinkte springt dieser, um den Jungen nicht zu enttäuschen, in das eisige Wasser. Er ertrinkt und läßt den Schüler, der sich an seinem Tode schuldig fühlt, verwandelt zurück. Tito ahnt, daß diese Schuld »*viel Größeres von ihm fordern werde, als er bisher je von sich verlangt hatte*«.

Das *Glasperlenspiel* – »*die nunmehr endgültig gelungene Transposition und Überhöhung all jener Lebensläufe, in denen Hesse sich als Camenzind, als Giebenrath, als Sinclair, als Siddhartha, als Goldmund darstellte*« (E. R. Curtius) – erregte, als es 1946 endlich auch in Deutschland erscheinen konnte, außergewöhnliches Aufsehen; es wurde zur Pflichtlektüre in den Gymnasien, und unaufhaltsam wächst der Berg der interpretierenden Literatur. Diese erstaunliche Wirkung verdankt der Roman hauptsächlich seinem Anspruch, ein »Rettungsmittel« zu sein, und recht eigentlich seiner Vieldeutigkeit. »*Je schärfer und unerbittlicher wir eine These formulieren, desto unwiderstehlicher ruft sie nach der Antithese*« – diese gleich zu Beginn des Romans von den kastalischen Chronisten erkannte Dialektik durchwaltet als Strukturprinzip Komposition und Gehalt des Werks. Hesse stellt sich der Alternative zwischen Leben und Geist, *vita activa* und *vita contemplativa*, die sein ganzes Schaffen beherrscht. Die Ordensprovinz Kastalien, angesiedelt in einem der italienischen Schweiz ähnelnden Kleinstaat und an die pädagogische Provinz in Goethes *Wilhelm Meister* erinnernd, hat das Ideal, den einzelnen im Dienst für die Gemeinschaft aufgehen zu lassen, worauf der Name »Knecht« hindeutet, der zugleich als Gegenbegriff zum (Wilhelm) »Meister« auf die Tradition des deutschen Bildungs- bzw. Entwicklungsromans hinweist. Doch so wünschbar die Existenz des Ordens im Motto genannt wird, so fragwürdig erscheint sie durch Knechts Ausscheiden, und sein kurzes Leben danach wird als »Legende« in die Sphäre des beinah Heiligen gerückt und doch zugleich ironisch relativiert. Durch historisierenden Rückblick scheint Hesse sogar seine kulturkritische Position zu relativieren: selbst das Glasperlenspiel – »*ein Sichannähern an den über allen Bildern und Vielheiten in sich einigen Geist, also an Gott*« – zeigt, trotz aller fast religiösen Erhabenheit, als »*ein Spiel mit sämtlichen Inhalten und Werten unserer Kultur*« Kennzeichen des »feuilletonistischen Zeitalters«, in dem es ja auch entstand. In Verbindung mit dem pädagogischen Eros indessen wird das Spiel zum Sinnbild des Lebens: »*Dieser sinnvoll-sinnlose Rundlauf von Meister und Schüler, dieses Werben der Weisheit um die Jugend, der Jugend um die Weisheit ... war das Symbol Kastaliens, ja war das Spiel des Lebens überhaupt.*« E. N.

Ausgaben: Zürich 1943, 2 Bde. – Bln. 1946, 2 Bde. – Bln./Ffm. 1957 (in *GS*, 7 Bde., 6). – Bln. 1961 [Nachw. H. Mayer].

Literatur: R. Faesi, Rez. (in NSRs, N. F., 11, 1943/44, S. 411–427). – A. Carlsson, *H. H.s »Glasperlenspiel« in seinen Wesensgesetzen* (in Trivium, 4, 1946, S. 175–201; auch in H. Ball, *H. H. Sein Leben u. sein Werk*, Bln. 1947, S. 257 bis 300). – O. Engel, *H. H. Dichtung u. Gedanke*, Stg. 1947, S. 25–94; [2]1948. – E. Ruprecht, *Die Botschaft der Dichter*, Stg. 1947, S. 443–474. – M. Rychner, *Zeitgenössische Literatur. Charakteristiken u. Kritiken*, Zürich 1947, S. 243–254. – W. Kohlschmidt, *Meditationen über H. H.s »Glasperlenspiel«* (in Zeitwende, 19, 1947/48, S. 154 bis 170; 217–226; ern. in W. K., *Die entzweite Welt. Studien zum Menschenbild in der neueren Dichtung*, Gladbeck 1953, S. 127–154). – W. v. Schöfer, *H. H. »Peter Camenzind« u. das »Glasperlenspiel«* (in Die Sammlung, 3, 1948, S. 597 bis 609; vgl. dazu P. Böckmann, ebd., S. 609–618, u. W. v. S., ebd., 4, 1949, S. 346–350). – O. Seidlin, *H. H.s »Glasperlenspiel«* (in GR, 23, 1948, S. 263 bis 273). – W. Dirks, *Die Musik u. die Vollkommenheit* (in FH, 4, 1949, S. 242–253). – W. Pielow, *Die Erziehergestalten der großen deutschen Bildungsromane von Goethe bis zur Gegenwart*, Diss. Münster 1951, S. 101–133. – Ch. M. Konheiser-Barwanietz, *H. H. und Goethe*, Bln. 1954 [zugl. Diss. Zürich]. – E. R. Curtius, *H. H.* (in E. R. C., *Kritische Essays zur europäischen Literatur*, Bern [2]1954, S. 152 bis 168). – K. Matthias, *Die Musik bei Th. Mann u. H. H. Eine Studie über die Auffassung der Musik in der modernen Literatur*, Diss. Kiel 1956, S. 237 bis 253. – L. Hänsel, *H. H. u. die Flucht in den Geist. Gedanken zum »Glasperlenspiel«* (in L. H., *Begegnungen u. Auseinandersetzungen mit Denkern u. Dichtern der Neuzeit*, Wien 1957, S. 175–201). – I. D. Halpert, *H. H. and Goethe; with Particular Reference to the Relationship of »Wilhelm Meister« and »Das Glasperlenspiel«*, Diss. Columbia Univ. 1957. – K. Schmid, *Über H. H.s »Glasperlenspiel«* (in K. S., *Aufsätze u. Reden*, Zürich/Stg. 1957, S. 155–174). – O. F. Bollnow, *H. H.s Weg in die Stille* (in O. F. B., *Unruhe u. Geborgenheit im Weltbild neuerer Dichter*, Stg. 1958, S. 31–69). – J. Henningsen, *Die Idee des Glasperlenspiels* (in Die Sammlung, 15, 1960, H. 3, S. 116–126). – A. Schäfer, *Das pädagogische Problem der Begegnung in H. H.s »Glasperlenspiel«*, Diss. Saarbrücken 1961. – H. Mayer, *H.s »Glasperlenspiel« oder Die Wiederbegegnung* (in H. M., *Ansichten*, Hbg. 1962, S. 33–53). – J. Mittenzwei, *Das Musikalische in der Literatur. Ein Überblick von Gottfried von Straßburg bis Brecht*, Halle 1962, S. 368–394. – O. Bareiss, *H. H. Eine Bibliographie der Werke über H. H.*, Bd. 2, Basel 1964, S. 126–137.

NARZISS UND GOLDMUND. Erzählung von Hermann Hesse (1877–1962), erschienen 1929/30. – Die Handlung beginnt in einem mittelalterlichen Kloster, das junge Menschen für den geistlichen und weltlichen Beruf vorbereitet. Einer der begabtesten Schüler ist Narziß, Typus des frühreifen sensiblen Intellektuellen. Er fühlt sich zum Klosterleben berufen. Goldmund, der neu eingetretene Schüler, nimmt sein Interesse gefangen und erwirbt seine Freundschaft. Gleich Narziß, den er bewundert, will Goldmund Mönch werden, aber Narziß, für psychologische Analyse hervorragend geeignet, erhellt dem Freund dessen geheimere und mächtigere Seelenkräfte: Nicht zum Gelehrtentum und zur Askese ist Goldmund bestimmt, sondern zu einem freien, ungebundenen, von Phantasie, Eros und Kunst bewegten Leben. In dem Versuch des Narziß, verdrängte Triebe und Anlagen bewußt zu machen, wirkt Hesses Kenntnis der Schriften Freuds und C. G. Jungs nach. Goldmund verläßt das Kloster, beginnt ein unruhiges Vagabundenleben, bezaubert die Frauen und läßt sich von ihnen bezaubern und wird sich, nach einer Reihe unbürgerlicher Abenteuer, blitzartig seiner künstlerischen Sendung bewußt. Fasziniert vom Marienbild einer Klosterkirche, sucht er den Schöpfer des Kunstwerks, Meister Niklaus, auf, und erlernt das Bildhauerhandwerk. Unter seinen Händen entsteht eine Johannesfigur, die die Züge von Narziß trägt. Dann lockt ihn wieder die Ferne; in totentanzähnlichen Szenen tritt ihm das Wüten der Pest entgegen, die seine Geliebte, Lene, hinrafft. Als er zu Meister Niklaus zurückkehren will, erfährt er, daß der Meister gestorben ist. Goldmund bleibt dennoch in der Stadt, verliebt sich in die Freundin des kaiserlichen Statthalters und verführt sie, wird auf frischer Tat ertappt, zum Tod verurteilt und im letzten Augenblick begnadigt. Sein Retter ist Narziß, der, inzwischen zum Abt aufgestiegen, Goldmund ins Kloster zurückholt. Goldmund wirkt dort kurze Zeit als Bildhauer, bricht nochmals aus, kehrt todkrank wieder zurück und nimmt dankbar die Freundschaft und die Liebe an, die Narziß stets für ihn bewahrt hat.

Die Form der »Erzählung« knüpft an die Tradition des deutschen Bildungsromans an. Eine konventionelle Syntax und wohlvertraute Stilfiguren bezeugen das Fortwirken dieser Tradition auch in der Sprache Hesses. Die bildenden Kräfte – Welt, Eros, Kunst und weltabgewandter Geist – schließen sich allerdings nicht zu einer Synthese zusammen, vielmehr bleibt die Polarität von Geist und Leben, Logos und Eros, Askese und Kunst, symbolisiert in Narziß und Goldmund, bestehen. Das liegt nicht nur an der grundsätzlichen Skepsis Hesses, der voreiligen Harmonisierungen mißtraute, sondern am Strukturprinzip des Romans selber. Hesse setzt in seinem Freundespaar Prinzipien antithetisch gegeneinander, die den Resultaten der fortgeschrittenen Psychoanalyse zufolge sich gegenseitig bedingen und unlösbar miteinander verschränkt sind. Beide Figuren verselbständigen sich im Laufe der Erzählung, sie werden zu autonomen Trägern extremer Gegenpole. Hesse isoliert die Bereiche so lange voneinander, daß sie sich schließlich nicht mehr durchdringen und dialektisch aufeinander beziehen können. Doch gewinnt der Roman hieraus auch einen gewissen Reiz: Die beiden Welten – Kloster und Wanderleben – werden breit entfaltet, durch sinnliche Details und bewegte Episoden konkretisiert, so daß sie Farbe und Atmosphäre erhalten. Den aktuellen Zeitbezug in seiner politischen und gesellschaftlichen Gestalt hat Hesse bewußt ausgespart; dennoch hat diese *»Seelenbiographie«* (Hesse) zeitgeschichtlichen Stellenwert: sie greift ein beliebtes, auch von Thomas MANN vielfach variiertes Thema der Epoche auf: die problematische Polarisierung von Geist und Leben, von der sich Hesse persönlich immer wieder bedrängt sah. KLL

AUSGABEN: Bln. 1929/30 (in NRs, 40, 1929 u. 41, 1930). – Bln. 1930. – Zürich 1945. – Wien 1948. – Bln./Ffm. 1952 (in *Gesammelte Dichtungen*, 6 Bde., 5). – Bln./Ffm. 1957 (in *GS*, 7 Bde., 5). – Bln. 1957. – Zürich 1960. – Ffm. 1968.

LITERATUR: P. Wiegler, *Vom »Demian« zu »Narziß und Goldmund«* (in NRs, 41, 1930, S. 827–832). – H. David-Schwarz, *H.s »Narziß und Goldmund« in zwei verschiedenen Auffassungen* (in Psycholog. Rundschau, 3, 1931/32, S. 7–13). – E. Knell, *Die Kunstform der Erzählungen u. Novellen H. H.s*, Diss. Wien 1938. – R. C. Larson, *The Dream as Literary Device in Five Novels by H. H.: »Unterm Rad«, »Roßhalde«, »Demian«, »Steppenwolf«, »Narziß und Goldmund«*, B. A. Univ. of Yale 1949. – M. Wagner, *Zeitmorphologischer Vergleich von H. H.s »Demian«, »Siddharta«, »Der Steppenwolf« und »Narziß und Goldmund« zur Aufweisung typischer Gestaltzüge*, Diss. Bonn 1953. – K. Deschner, *Kitsch, Konvention u. Kunst*, Mchn. 1957, S. 114 bis 127. – P. Böckmann, *H. H.* (in *Dt. Lit. im 20. Jh. Strukturen u. Gestalten*, Hg. H. Friedmann u. O. Mann, Bd. 2, Heidelberg [4]1961, S. 123–139). – B. Zeller, *H. H. in Selbstzeugnissen u. Bilddokumenten*, Reinbek 1963 (rm, 85; m. Bibliogr.). – Th. Ziolkowski, *The Novels of H. H. A Study in Theme and Structure*, Princeton/N. J. 1965. – E. Rose, *Faith from the Abyss. H. H.'s Way from Romanticism to Modernity*, Ldn. 1966. – M. Serrano, *C. G. Jung and H. H. A Record of Two Friendships*, Ldn. 1966.

SIDDHARTHA. Eine indische Dichtung. Roman von Hermann HESSE (1877–1962), erschienen 1922. – Hesse, dessen Erlebnisse während seiner Indienreise (1911) und dessen wiederholte Begegnungen mit den indischen Religionen und Philosophien in dem Reisebericht *Aus Indien* (1913) und in der Erzählung *Robert Aghion* ihren ersten literarischen Niederschlag fanden, verbindet auch in dem exotisch verfremdeten Bildungs- und Entwicklungsroman des indischen Brahmanensohnes Siddhartha stilisierte autobiographische Züge mit der Erkenntnis, *»daß es, in Europa wie in Asien, eine unterirdische, zeitlose Welt der Werte und des Geistes gab«* (*Besuch aus Indien*, 1922).

Der lebensfernen Weisheitslehren seiner Lehrer überdrüssig, verläßt Siddhartha mit seinem gleichgesinnten Freund Govinda die heimatliche Geborgenheit, um bei den Waldmönchen der Samanas in asketischer Überwindung des Ichs *»das Innerste im Wesen, das nicht mehr Ich ist, das große Geheimnis«* zu erfahren. Ihr Versagen auf dem Weg zur *»leidlosen Ewigkeit«* führt die beiden Freunde zu Gotama Buddha, bei dem sich freilich Siddharthas Mißtrauen gegen jede Lehre nur bestätigt, ja vertieft, während Govinda Buddhas Jünger wird. Entschlossen widmet sich der wissensdurstige Brahmanensohn nun ganz der Selbsterkundung seines Ichs und sucht sie in einem ausschweifenden Weltleben zu verwirklichen. Die schöne und kluge Kurtisane Kamala lehrt ihn die Kunst der Liebe, der Kaufmann Kamaswami verhilft ihm zu Reichtum und Ansehen. Im Grunde jedoch verachtet Siddhartha dieses Leben als »Sansara«, als Kinderspiel, von dem er sich nach exzessivem Würfelspiel verzweifelt abwenden möchte; vor dem Selbstmord bewahren ihn aber die Erinnerung an seine hoffnungsvolle Jugend und die geheimnisvolle Stimme des Flusses. – Als Gehilfe des Fährmanns Vasudeva findet er nach Jahren die sterbende Kamala wieder, die ihm ihren gemeinsamen Sohn hinterläßt. Durch ihn erfährt er nun seinerseits die Leiden der Vaterliebe, denn bald verläßt ihn der trotzige Jüngling. Doch auch diesen Verlust lernt Siddhartha ertragen, nachdem er schon auf den Hochmut des Geistes und die *»Lüste der Welt«* verzichtet hat. Seine wunschlos in sich ruhende Zufriedenheit basiert auf der »Lehre« des Flusses, daß alles Geschehen, ob Leid oder Freude, in der *»Musik des Lebens«* stimmig werde, deren Grundton das »Om« der Vollkommenheit ist. Als Siddhartha bereits den Ruf eines Heiligen erlangt hat, besucht ihn noch einmal Govinda, der im Gesicht des Freundes das *»Lächeln der Einheit über den strömenden Gestaltungen«*, die Vollendung Buddhas schaut.

Im Zentrum des Romans steht die religiöse Problematik, wobei die indischen Religionen letztlich nur exotische Masken für Hesses Verhältnis zum Christentum sind (Buddha als Christusfigur, das »Om« als Chiffre für das Reich Gottes, usw.). Nur steht hier statt des persönlichen Gottes das unpersönliche, in allem wirkende Brahman. Deutlich autobiographische Züge zeigt Siddharthas Ablehnung jedes religiösen Dogmas wie auch die Lebensproblematik dieses nach Indien versetzten Bildungsvagabunden mit den asketischen Neigungen. Wie sein Verhältnis zur Liebe ist auch seine Beziehung zu Natur und Gesellschaft prekär: Der Unterwerfung unter die sozialen Autoritäten und der totalen Unterdrückung der Natur folgt die experimentierende Anpassung und Eingliederung, die aber angesichts der Bedrohung des asketischen Ichs radikal abgebrochen wird. Die Scheinlösung ist zuletzt die Außenseiterrolle und die Reduktion auf die einfachsten Bedürfnisse – die anarchische Regression auf ein Stadium vor der Individualisierung der Person, das im Bild des Flusses seine mythisierende und ideologisierte Chiffre findet. Hesses Roman, der sich mit exotischen Wendungen, Archaismen und einer gleichsam kultisch-rituellen Leitmotivtechnik in die indische Geisteswelt einzufühlen versteht, ist das Zeugnis eines Glaubens, der *»nicht die Erkenntnis, sondern die Liebe obenan stellt«* und dessen *»einziges Dogma der Gedanke der Einheit ist«* (*Mein Glaube*, 1931). KLL

AUSGABEN: Bln. 1922. – Bln. 1931 [zus. m. *Weg nach innen*]. – Bln./Ffm. 1957 (in *GS*, 7 Bde., 3). – Bln. 1959. – Ffm. 1969 (Bibl. Suhrkamp, 227).

LITERATUR: H. Ball, *H. H. Sein Leben u. sein Werk*, Bln. 1927; ern. Ffm. 1956. – E. M. Prolizer, *L'India antica nelle opere di due moderni poeti tedeschi* (in NAn, 258, 1928, S. 87–105). – J. M. L. Kunze, *Lebensgestaltung u. Weltanschauung in H. H.s »Siddhartha«*, Malmberg 1946; [2]1949. – M. Wagner, *Zeitmorphologischer Vergleich von H. H.s »Demian«, »Siddhartha«, »Der Steppenwolf« u. »Narziß und Goldmund« zur Aufweisung typischer Gestaltzüge*,

Diss. Bonn 1953. – G. Mayer, *Die Begegnung des Christentums mit den asiatischen Religionen im Werk H. H.s*, Bonn 1956. – L. R. Shaw, *Time and Structure of H. H.'s »Siddhartha«* (in Symposium, Syracuse, 11, 1957, S. 204–224). – B. Zeller, *H. H. in Selbstzeugnissen u. Bilddokumenten*, Reinbek 1963 (rm, 85). – E. Neumann, *Die Bedeutung der spätbürgerlichen Philosophie u. der Tiefenpsychologie für H. H. bis zur Entstehung der Erzählung »Siddhartha«* (in Wiss. Zs. der Pädagog. Hochschule Potsdam, 9, 1965, S. 79–92). – Th. Ziolkowski, *The Novels of H. H. A Study in Theme and Structure*, Princeton 1965.

DER STEPPENWOLF. Roman von Hermann Hesse (1877–1962), erschienen 1927. – Der Roman – eines der bedeutendsten Dokumente des Kulturpessimismus und Frühexistentialismus der zwanziger Jahre, das in manchem auf Jean-Paul Sartres *La nausée* (1938) vorausweist – enthält die von einem fiktiven *Vorwort des Herausgebers* eingeleiteten »Aufzeichnungen« eines neurotisch übersensiblen, in die äußerste seelische Vereinsamung getriebenen Mannes mittleren Alters, dessen quälend-problematische Selbstanalyse zugleich einen Versuch zur Diagnose der »*Krankheit der Zeit*« darstellt.

Harry Haller – er selbst faßt seine Existenz in die Chiffre des »Steppenwolfs« – befindet sich im Zustand der völligen Entfremdung von seiner kleinbürgerlichen Umwelt, zu der er sich dennoch mit einer fast kindlichen Sehnsucht wieder hingezogen fühlt. Dem Naturell nach Hypochonder und Melancholiker, hat er, »*im Sinne mancher Aussprüche Nietzsches, in sich eine geniale, eine unbegrenzte furchtbare Leidensfähigkeit herangebildet*«. Die Ursache dieses Leidens sucht er in dem doppelten Zwiespalt, dem einerseits seine Gegenwart zwischen einer versinkenden alten europäischen Kultur und einer wuchernden modernen amerikanischen Technokratie, andrerseits seine eigene sinnlich-geistige Doppelnatur ausgeliefert sind, in der »Wölfisches« und »Menschliches«, Atavistisch-Animalisches und Humanistisch-Geistiges für ihn unvereinbar im Streit liegen. Innerlich und äußerlich isoliert und verbittert, hat sich der eigenbrötlerische Sonderling in die Studierstube zurückgezogen, wo er innige Zwiesprache mit den Heroen elitärer Geistigkeit (Goethe vor allen) pflegt. Die Nächte verbringt er trinkend in billigen Kneipen, ohne dort mehr als ein einsames Dahindämmern und oberflächliche Zerstreuung zu finden.

Auf seinen nächtlichen Streifzügen begegnet Haller seiner Seelenschwester Hermine. Die Geheimloge des schönen Jazztrompeters Pablo, der das ungewöhnliche Mädchen angehört, nimmt sich nun seiner an und spielt ihm den *Traktat vom Steppenwolf* in die Hände, in dem Hallers zerstörerischer Dualismus als gefährliche Vereinfachung widerlegt wird. Bevor sich Hermine ihm als Geliebte hingibt, läßt sie ihn durch ihre jüngere Freundin Maria, zu der sie in lesbischer Beziehung steht, eine unbeschwerte, heitere Sinnlichkeit erfahren. Am Ende von Hallers Entwicklungsprozeß steht die Einführung in Pablos »Magisches Theater«, das nichts anderes ist als eine visionäre Rauschgiftorgie. In dieser »Schule des Humors« soll Harry das Lachen, Mozarts Lachen, lernen. Darbietungen in diesem Panoptikum sind etwa eine »*Hochjagd auf Automobile*«, bei der an einer Landstraße aus sicherem Versteck gewissenlos alle vorüberkommenden Autos abgeschossen werden, eine »*Anleitung zum Aufbau der Persönlichkeit*«, wo die Zergliederung der Persönlichkeit in eine Vielzahl von »Seelen« und »Ichs« vorgeführt wird, »*Wunder der Steppenwolfdressur*«, »*Alle Mädchen sind dein*«. Die Musik aus dem letzten Akt von *Don Giovanni* erklingt, Mozart selbst tritt auf und hält einen höchst kapriziösen, von eisigem »*Götterhumor*« durchkälteten Vortrag. Zuletzt unterzieht sich Harry dem recht drastischen Spektakel »*Wie man durch Liebe tötet*«: Pablos »*schönen Bildersaal mit der sogenannten Wirklichkeit*« verwechselnd, erliegt er eifersüchtig der Vision eines vorgetäuschten Liebesspiels zwischen Hermine und Pablo und ersticht die Geliebte, die sich längst den Tod von seiner Hand gewünscht hat. Wieder tritt – modern gekleidet und mit Pablo identisch – Mozart auf und macht sich über Harrys pathetische Reaktion lustig: »*Nehmen Sie endlich Vernunft an! Sie sollen leben, und Sie sollen das Lachen lernen. Sie sollen die verfluchte Radiomusik des Lebens anhören lernen, sollen den Geist hinter ihr verehren, sollen über den Klimbim in ihr lachen lernen.*« Trotz seines Versagens klammert sich Harry an die Hoffnung: »*Oh, ich ... war gewillt, das Spiel nochmals zu beginnen, seine Qualen nochmals zu kosten, vor seinem Unsinn nochmals zu schaudern, die Hölle meines Inneren nochmals und oft zu durchwandern. Einmal würde ich das Figurenspiel besser spielen. Einmal würde ich das Lachen lernen. Pablo wartete auf mich. Mozart wartete auf mich.*«

Hinter Hallers seltsamen und irritierenden Erlebnissen, mit denen sich Hesse in der Form des traditionellen Romans, aber auf einer psychologisch zeitgemäßen Ebene, in den Raum des Übersinnlichen und Phantastischen, ja Skurrilen vorwagt, steht die Idee der Rettung des Steppenwolfs. Das Ziel seiner Irrfahrt, das so vage mit »*Lachen*« oder »*Mozart und die Unsterblichen*« umschrieben wird, ist freilich nur andeutungsweise zu fixieren. Im wesentlichen handelt es sich um eine dem Pessimismus Nietzsches verpflichtete Schule des Zynismus und der Verneinung als einer Zwischenstation auf dem Weg zu einem zukünftigen Menschentum, das, jenseits der Entfremdung von Sexualität und Geist, von Trieb und Kultur auf einen Ausgleich von traditionsgläubiger Bürgerlichkeit und ins exzentrische Außenseitertum gedrängter Individualität gegründet ist.

Obwohl Hesse auch hier letzten Endes an den bürgerlichen Wertvorstellungen festhält, gehört der *Steppenwolf* zu seinen erregendsten Werken. Zeit- und gesellschaftskritische Anmerkungen, etwa zum autoritären und doktrinären Schulsystem und zu dem im Vormarsch befindlichen Leistungsprinzip (*»Der ›moderne‹ Mensch liebt die Dinge nicht mehr, nicht einmal sein Heiligstes, sein Automobil, das er baldmöglichst gegen eine bessere Marke hofft tauschen zu können. Dieser moderne Mensch ist schneidig, tüchtig, gesund, kühl und straff, ein vortrefflicher Typ, er wird sich im nächsten Krieg fabelhaft bewähren«)*, haben nichts von ihrer visionären Kraft eingebüßt. Neuerdings erfahren die tendenziöse Irrationalität, ja Antirationalität des »*Nur für Verrückte*« bestimmten Romans sowie seine Flucht in die Entindividualisierung fernöstlicher Philosophie und des Drogenrausches und der weltschmerzliche Typ seines »zerrissenen« Helden im modernen Kulturpessimismus der amerikanischen Psychedelic- und Hippiebewegung ein überraschend starkes Echo. KLL

Ausgaben: Bln. 1927. – Bln./Ffm. 1960. – Bln./

Ffm. 1957 (in *GS*, 7 Bde., 4). – Mchn. 1963 (dtv, 147).

LITERATUR: A. Wolfenstein, *Wölfischer Traktat* (in Die Weltbühne, 23, 1927, S. 107–109). – R. B. Matzig, *Der Dichter u. die Zeitstimmung. Betrachtungen über H. H.s »Steppenwolf«*, St. Gallen 1944. – M. Böttcher, *Aufbau u. Form von H. H.s »Steppenwolf«, »Morgenlandfahrt« u. »Glasperlenspiel«*, Diss. Bln. 1948. – M. Liepelt-Unterberg, *Das Polaritätsgesetz in der Dichtung. Am Beispiel von H. H.s »Steppenwolf«*, Diss. Bonn 1951. – M. Wagner, *Zeitmorphologischer Vergleich von H. H.s »Demian«, »Siddhartha«, »Der Steppenwolf«, »Narziß und Goldmund« zur Aufweisung typischer Gestaltzüge*, Diss. Bonn 1953. – S. L. Flaxmann, *»Der Steppenwolf«. H.'s Portrait of an Intellectual* (in MLQ, 15, 1954, S. 349–358). – H.-D. Kreidler, *H. H.s »Steppenwolf«. Versuch einer Interpretation*, Diss. Freiburg i. B. 1957. – Th. Ziolkowski, *H. H.'s »Steppenwolf«. A Sonata in Prose* (in MLQ, 19, 1958, S. 115–133). – J. Mileck, *Names and the Creative Process. A Study of the Names in H. H.'s »Lauscher«, »Demian«, »Steppenwolf« and »Glasperlenspiel«* (in MDU, 53, 1961, S. 167–180). – E. Schwarz, *Zur Erklärung von H.s »Steppenwolf«* (ebd., S. 191–198). – B. Zeller, *H. H. in Selbstzeugnissen u. Bilddokumenten*. Reinbek 1963 (rm, 85). – H. Mayer, *H. H.s »Steppenwolf«. Eine Wiederbegegnung* (in Studi Germanici, 2, 1964, Nr. 3, S. 76–89; ern. in H. M., *Zur Literatur der Zeit. Zusammenhänge, Schriftsteller, Bücher*, Reinbek 1967, S. 26–36). – R. v. Berg, *Hippies lieben H. H. Amerikas junge Protestgeneration entdeckt den »Steppenwolf«* (in SZ, 16. 8. 1968).

GEORG HEYM
(1887-1912)

UMBRA VITAE. Gedichtsammlung von Georg HEYM (1887–1912), postum erschienen 1912. – In Heyms einzigem bei Lebzeiten veröffentlichten Lyrikband *Der ewige Tag* (1911) kündigen sich bereits jene großen leitmotivischen Themen seines Dichtens an, deren exzessiver Gestaltung in *Umbra vitae*, der von Freunden aus dem lyrischen Nachlaß edierten Gedichtsammlung, Heym seinen frühen Ruhm verdankt: Fluch und Dämonie der Großstädte, Krieg und Untergang, Siechtum und Verfall, Chaos und Tod. Selbstmörder, Blinde, Irre, Taube, Somnambule, Kranke und Tote geistern durch seinen lyrischen Kosmos, eine ins Visionäre und Dämonische gesteigerte Todes- und Zerstörungsszenerie, eine von Leid und Schrecken durchflutete Alpdruckwelt, wie sie Jahrhunderte vor ihm Hieronymus Bosch gestaltet hat.
Heyms Lyrik markiert den Durchbruch zu neuen Formen des lyrischen Sprechens, eine originäre, das symbolistische und impressionistische Stilempfinden kraß verletzende Wendung zum Expressionismus hin, die mit den Traditionen des 19. Jh.s entschieden bricht. Mit der formalen Strenge GEORGES schafft Heym eine an RIMBAUD und BAUDELAIRE erinnernde Poesie der Grausamkeit und Gewalttätigkeit, die in beklemmenden Phantasmagorien, ekstatischen Bilderuptionen und gespenstisch aufleuchtenden Farbbrechungen ihren formal gebändigten, an der strengen Verszeile festhaltenden Ausdruck findet. Heym ist der visuelle Dichter par excellence, die Metapher sein wesentliches Gestaltungselement. In *Umbra vitae*, dem Einleitungs- und Titelgedicht des Bandes, entladen sich die grausamen Zukunftsvisionen in apokalyptischen Bildern. Ein gewaltsamer, harter Ton konturiert die lautliche Dynamik der Verse, in denen noch immer die Form des gepaarten Reims vorherrscht. In *Krieg*, dem bekanntesten Gedicht (*»Aufgestanden ist er, welcher lange schlief ...«*), ahnt Heym visionär die nahe Katastrophe des Ersten Weltkriegs voraus: Am Ende schwelgt der triumphierende Gott der Vernichtung in einem Bacchanal totaler Zerstörung, eine mythische Dämonengestalt, in der die maßlos übersteigerte Wirklichkeit des Unmenschlichen personifiziert ist. Auch in den übrigen Gedichten dominiert die nächtliche Szenerie kalter, grausiger Todeslandschaften, denen wenige schwermütige Liebesgedichte zur Seite stehen. Der Tod feiert im hektischen Getriebe der Großstädte makabre Orgien: Nebelstädte, Qualstädte, Meerstädte – die »Verfluchung der Städte« treibt kontrapunktisch das Gefälle düsterer Endzeit- und Untergangsstimmungen voran. Farbig grelle Metaphern signalisieren Verderben, Tod und Katastrophe. In *Morgue* zelebriert der »schwarze Tod« seinen Gespenstertanz – die »Hora Mortis« beherrscht das Leben. Heyms Lyrik verstimmt in *»der Trauer der endlosen Horizonte«*, die in seinen Versen mitschwingt. In seinen Gedichten manifestiert sich eine dunkle, zwischen Rausch und Schwermut, Stagnation und Dynamik schwebende Erfahrung kommenden Untergangs, eine bizarre Ahnung des Höllensturzes, wie sie auch andere expressionistische Dichter kannten: *»Dieses Vorgefühl bringt ihre Vereinsamung mit sich, abgelöst von sichernden objektiven, noch verbindlichen Seinsbezügen, und eine Radikalisierung des eigenen Daseinserlebnisses bis zur Entrückung in die Ekstatik des Visionären«* (F. Martini). M. Ke.

AUSGABEN: Lpzg. 1912. – Mchn. 1924 (m. Holzschnitten von E. L. Kirchner; Faks. Nachdr. Mchn. 1969, Hg. E. Jansen). – Ffm. 1962 (IB, 749). – Hbg./Mchn. 1964 (in *Dichtungen und Schriften*, Hg. K. L. Schneider, 1960ff.; Bd. 1: *Lyrik*, Hg. K. L. Schneider u. G. Martens).

LITERATUR: H. Greulich, *G. H. Leben und Werk. Ein Beitrag zur Frühgeschichte des deutschen Expressionismus*, Bln. 1931; Nachdr. Nendeln 1967. – C. Eykman, *Die Funktion des Häßlichen in der Lyrik G. H.s, G. Trakls u. G. Benns. Zur Krise der Wirklichkeitserfahrung im deutschen Expressionismus*, Bonn 1965; [2]1969. – G. Martens, *»Umbra vitae« und »Der Himmel Trauerspiel«. Die ersten Sammlungen der nachgelassenen Gedichte G. H.s* (in Euph, 59, 1965, S. 118–131). – K. L. Schneider, *Zerbrochene Formen. Wort und Bild im Expressionismus*, Hbg. 1967. – Ders., *Der bildhafte Ausdruck in den Dichtungen G. H.s, G. Trakls u. E. Stadlers. Studien zum lyrischen Sprachstil des deutschen Expressionismus*, Heidelberg [3]1968. – Ch. Meckel, *Allein im Schatten seiner Götter. Über G. H.* (in Der Monat, 20, 1968, H. 232, S. 63–70). – H. Rölleke, *G. H.* (in *Expressionismus als Literatur*, Hg. W. Rothe, Bern/Mchn. 1969, S. 354–373). – R. Salter, *G. H.s bildnerische Visualität im Vergleich mit Gestaltungsprinzipien in der bildenden Kunst*, Diss. Univ. of Michigan 1969 (vgl. Diss. Abstracts, 30, 1969/70, S. 2042A). – K. L. Schneider, *G. H.* (in *Deutsche Dichter der Moderne*, Hg. B. v. Wiese, Bln. [2]1969, S. 389–406).

WOLFGANG HILDESHEIMER
(*1916)

TYNSET. Prosa von Wolfgang HILDESHEIMER (* 1916), erschienen 1965. – Ein Mann liegt in seinem Bett; da er unter chronischer Schlaflosigkeit leidet, hängt er jede Nacht stundenlang seinen Gedanken nach. Er hat Deutschland, in dem immer noch die Mörder der Nazi-Zeit als harmlose Bürger leben, verlassen und bewohnt irgendwo im Gebirge vereinsamt mit seiner Haushälterin Celestina ein altes Haus, dessen antiquiertes Mobiliar ihn nachts zu weitläufigen Assoziationen veranlaßt. Kursbuch-Daten, telefonisch eingeholte Straßenzustandsberichte, Wettervorhersagen und Lawinenbulletins sind die einzigen Kontakte zur Außenwelt, denen der Skeptiker überprüfbaren Wahrheitsgehalt zuerkennt. Im Monolog einer einzigen, im Text beschriebenen Nacht fließen erinnerte Vergangenheit, erzählende Berichte und Phantasien über Requisiten (Winter-, Sommerbett) mit der leitmotivisch wiederkehrenden Zielvorstellung zusammen, aus der Einsamkeit aufzubrechen und nach dem norwegischen Städtchen Tynset zu fahren, dessen Unbekanntheit und angenommene Geschichtslosigkeit den weltflüchtigen Ich-Erzähler magisch anzieht; aber vorgestellte (Verkehrslabyrinth der Städte) und reale (Wintereinbruch) Schwierigkeiten vereiteln auch diesen letzten Versuch.
Von der »*trügerischen Schönheit der Welt*« enttäuscht und verängstigt durch ihre Entsetzlichkeit (KZ, Mörder Kabasta als Bürger, Todes-Figurationen, Städte als Fallen und Labyrinthe) ist der Erzähler exiliert und hat die Kommunikation mit der »Welt« abgebrochen. Außer Kräuteranbau bleibt in solchem Eskapismus nur Erinnerung an erlebte Erfahrung (Liebe, Tod, Angst, Schuld) und Geschichte. Auch sie hört langsam auf (Vergessens-Motiv). Da der Erzähler die Weltwirklichkeit als Täuschung erfährt, gewinnt für ihn die Möglichkeit, der Entwurf, an Bedeutung. Statt Report der Realität steht Reflexion, Meditation und Kombinatorik, Fakten werden nicht empirisch erlebt, sondern nur noch vorgestellt (Kursbuch-, Telefonbuch-Daten); Halluzination gewinnt selbstverständliche Realität (Hamlets Vater auf der Treppe). Wie aber erfinderische Vorstellung neben oder über berichteter Erfahrung steht, so, erzähltechnisch gesprochen, steht neben dem schweifenden »Bewußtseinsstrom« die erklärte Fiktionalität novellenhaft geschlossener »Intermezzi« (Bettfuge), in denen der Erzähler als *alter deus* schaltet (wie er auch die »Hähne Attikas« zum Krähen bringt und der betrunkenen Celestina als Christus erscheint).
Der (doppelten) Fiktionalität der »Intermezzi« entspricht eine an klassischer Harmonik orientierte musikalische Großstruktur des Prosawerks. Zu einem Hauptthema (Entsetzen, Tod: Wüsten-, KZ-, Mozart-, Erfrierungs-Tod, Tod der Nabatäer, des Mädchens) treten die Nebenthemen der Einlagen (»Hähne Attikas«, Bekehrungsparty, Bett-Fuge, Gesualdos Mordgeschichte). Die Leitmotivik der Tynset-Aufbruchs-Thematik schafft eine Rondoform (auf die Hildesheimer selbst hinweist wie auch auf die epische Integration von Fugen- und Toccata-Form). Der befremdende Widerspruch zwischen Todes-Thematik und Rondoform wird vermittelt durch eine (auf JOYCE verweisende) *Stream-of-consciousness*-Technik, durch die Musikalität der Bewußtseinsstruktur des Ich-Erzählers. – Die Zeitdimensionen werden in einer solchen, für Hildesheimer typischen, durch Monologe vermittelten Welt verschränkt oder aufgehoben (wie bei der sich während des Erzählens bildenden Fiktionalität der Pesterzählung aus dem Sommer des Jahres 1522). Reduziert die schwindende Erinnerung des »Ich« die erzählbare Vergangenheit, bleiben Zukunftsentwürfe unerfüllt, dann wird Welt fortschreitend auf die meditierende Gegenwart des im Bett Liegenden beschränkt. Der Zeitreduktion entspricht die Raumreduktion: Nach Aufgabe von Tynset-Reise und Begräbnisgang beschließt der Erzähler »für immer« im Bett zu bleiben (Oblomov-Situation; BECKETTS Reduktions-Thematik). Nach neuesten Plänen Hildesheimers wird der Tod des Ich-Erzählers zur Konsequenz dieser fortschreitenden Reduktion.
Die monologisierende, reflexive und erzählende, mit Lyrismen durchsetzte Prosa zeigt (u. a. nach des Autors eigener Angabe) Einflüsse von SHAKESPEARE, JOYCE, KAFKA, BECKETT, Djuna BARNES, AICHINGER, BECKER). – Die Kritik nahm *Tynset* teils begeistert zustimmend auf (JENS, HEISSENBÜTTEL), teils kritisierte sie bei aller Anerkennung den artifiziellen »Perfektionismus« dieser Prosa.

E. H. V

AUSGABE: Ffm. 1965.

LITERATUR: H. Domin, *Denk ich an Deutschland in der Nacht. Bemerkungen zu H.s »Tynset«* (in NDH, 12, 1965, S. 124–134.) – W. Hildesheimer, *Antworten über »Tynset«* (in Dichten und Trachten, 25, 1965, S. 7–12). – H. Schwab-Felisch, *W. H. »Tynset«* (in NRs, 76, 1965, S. 345–349). – W. Jens, *Rede auf den Preisträger (W. H.)* (in Jb. der Deutschen Akad. für Sprache u. Dichtung, 1966, S. 136 bis 144). – Th. Koebner, *W. H.* (in *Deutsche Literatur seit 1945 in Einzeldarstellungen*, Hg. D. Weber, Stg. ²1970, S. 202–224).

ROLF HOCHHUTH
(*1931)

DER STELLVERTRETER. Ein christliches Trauerspiel in fünf Akten von Rolf HOCHHUTH (* 1931), erschienen 1963; Uraufführung: Berlin, 20. 3. 1963, Freie Volksbühne. – Das in freien Rhythmen geschriebene Drama setzt sich mit der Haltung des Papstes Pius XII. zur »Endlösung der Judenfrage« im Dritten Reich auseinander. Der Autor wählte damit ein Thema, das auf die Verflechtungen zwischen Kirche, Wirtschaft und Politik verweist und das seine Brisanz sowohl dem geringen historischen Abstand als auch der Erschütterung der Autorität verdankt, die der Papst als moralische Instanz genoß.
Nach Hochhuths Intention sollte das Stück »*ein Ganzes der Kunst und Wahrheit*« sein. Deshalb recherchierte er das ihm zugängliche Dokumentenmaterial. Daß dieses Quellenstudium nicht zu einem Dokumentationstheater führte – dem *Der Stellvertreter* meist zugerechnet wird –, folgt aus der literarischen Verarbeitung des dokumentarischen Materials nach ästhetischen und philosophischen Gesichtspunkten des klassischen deutschen Idealismus. Als richtungweisend für seine Arbeit zitiert Hochhuth SCHILLER: Der Dramatiker kann »*kein einziges Element aus der Wirklichkeit brauchen, wie er es findet, sein Werk muß in allen Teilen ideell sein, wenn es als Ganzes Realität haben soll*«. Das bedeutet, daß das

dokumentarische Material (das Hochhuth in einem Anhang teilweise veröffentlicht) der allgemeinen Geschichtskonzeption des Autors untergeordnet wird. Ihr zufolge ist das entscheidende Movens der Geschichte das Individuum und dessen Entscheidungen. Für Hochhuth wie für Schiller besitzt der Mensch die Freiheit der Entscheidung; er ist frei, menschenwürdig oder menschenunwürdig zu handeln. Dem entsprechend geht es im *Stellvertreter* nicht um die Analyse eines Staats- und eines Kirchensystems in einer bestimmten historischen Situation, sondern um die Analyse der Verhaltensweise bestimmter Personen. Da die Personen als verantwortliche Träger der historischen Situation gezeigt werden, wird die Geschichte simplifiziert als Resultat bestimmter Charaktereigenschaften dargestellt, historische Gesetzmäßigkeiten sind auf die moralische Entscheidung von Individuen verkürzt. So kann der Einzelfall, das Verhalten einer Person, die aufgrund ihrer Position Entscheidungsgewalt hat, wie z. B. der Papst, als exemplarisch deklariert werden, woraus die Parabelstruktur des Dramas folgt.

In der ersten Szene wird bereits die Problemstellung des ganzen Dramas aufgezeigt. Gerstein (historisch verbürgt), der, um effektiv gegen das Regime kämpfen zu können, in die SS eingetreten ist, sucht den Apostolischen Nuntius in Berlin auf. Er versucht, diesen für einen Protest der Kirche zu gewinnen, indem er ihm genaue Informationen über die KZs liefert. Gerstein hat aber weder hier noch bei seinen weiteren Versuchen, den Widerstand zu organisieren, Erfolg. Ebenso vergeblich bemüht sich der Jesuitenpater Riccardo, durch Gersteins Bericht existentiell betroffen, darum, den Papst zu einer eindeutigen Stellungnahme gegen den an Juden verübten Massenmord zu bewegen, was ihm auch dann nicht gelingt, als schon in Rom Deportationen durchgeführt werden. – Diese Bemühungen, den Vatikan zu beeinflussen, erhalten dadurch einen gesteigerten politischen Stellenwert, daß im Laufe des Dramas immer wieder gezeigt wird, welchen Einfluß die katholische Kirche hätte ausüben können; hingewiesen wird z. B. auf den erfolgreichen Protest des Bischofs Galen gegen das Euthanasieprogramm sowie darauf, daß Hitler gute Beziehungen zum Papst unterhalten mußte, um den katholischen Teil der deutschen Bevölkerung nicht gegen sich aufzubringen. Daß die katholische Kirche dennoch das mit dem Hitlerdeutschland abgeschlossene Konkordat nicht als Basis dafür benutzt, grundsätzliche Proteste vorzubringen, liegt nach Hochhuth daran, daß die kirchlichen Würdenträger sich zu sehr von den wirtschaftlichen und machtpolitischen Interessen der Institution Kirche leiten lassen. Pius XII. ist in seiner Funktion als »Stellvertreter Gottes« zugleich einer der größten Aktionäre der Welt. Weil die Kirche z. B. Kapital und Grundbesitz in Ungarn hat, wird von ihren Würdenträgern das Hitlerdeutschland als Bollwerk gegen die vormarschierenden russischen Truppen im speziellen und den Kommunismus im allgemeinen geschätzt. Hochhuth deutet damit die Ursachen für das Schweigen der Kirche an, stellt sie aber nicht als zwingend hin. Nach dem Prinzip der Freiheit der Entscheidung verlagert er die Möglichkeit zur Entscheidung und damit auch die moralische Schuld in die Person des Papstes zurück. – Das Ausmaß dieser Schuld soll im fünften Akt deutlich gemacht werden, in dem Hochhuth versucht, Auschwitz szenisch darzustellen. Aus Rücksicht auf das populäre Klischee, wonach die Mehrzahl der in den KZs tätigen Nationalsozialisten normal tierliebende Bürger gewesen sein sollen, weicht er in eine Mystifikation aus: Den »normalen« Zeitgenossen stellt er den »Doktor« zur Seite, der das böse Prinzip schlechthin, einen modernen Teufel, verkörpert. Das historisch-politische Drama gerät zum Mysterienspiel, wenn diese dämonisierte Gestalt als »Seele von Auschwitz« auftritt. Hochhuth zeigt, daß Gerstein und Riccardo dem Doktor nicht gewachsen sind. Beide kommen um, Gerstein als Rebell, Riccardo als christlicher Märtyrer, der stellvertretend die Schuld der Kirche büßen will, indem er dem Gebot der Nächstenliebe in der Form des Mitleidens genügt. Auschwitz besteht weiter. Selbst als Hitler bereits militärisch geschlagen ist und keine nennenswerten Repressalien mehr von ihm zu erwarten sind, protestiert die Kirche nicht dagegen, daß jüdische Häftlinge, die für Krupp bis zur totalen Erschöpfung arbeiten mußten, in den Vernichtungslagern zu Tode geschunden werden.

Hochhuth benutzte die Institution Theater dazu, einem breiteren Publikum Informationen sinnlich darzubieten, die bis dahin in Büchern und Artikeln nur einem geringen Leserkreis zugänglich waren. Dadurch hatte *Der Stellvertreter* als erstes Stück nach 1945 unmittelbare politische Wirkung. Aufgerüttelte Theaterbesucher demonstrierten, spontane und organisierte Aktionen fanden statt, Gegendarstellungen wurden abgegeben. Zwar wird im *Stellvertreter* der Ansatz zu einer historisch-politischen Analyse zuletzt auf individuelle Entscheidungsgewalt, dämonische Personifikation und moralischen Protest reduziert, aber Hochhuths Verdienst ist es, das Theater als Stätte öffentlicher Provokation genutzt zu haben. D. Pl.

AUSGABEN: Reinbek 1963 (Vorw. E. Piscator; Rowohlt Paperpack, 20). – Reinbek 1967 (Vorw. E. Piscator; Essay v. W. Muschg; rororo, 997/998).

LITERATUR: R. Schroers, W. Hildesheimer u. K. O. v. Aretin, *Unbewältigtes Schweigen. Zu R. H.s »Stellvertreter«* (in Merkur, 17, 1963, S. 807–820). – H. Proebst, *Das schiefe Geschichtsbild des Herrn H. Jetzt soll der »Stellvertreter« unsere Vergangenheit bewältigen* (in DRs, 89, 1963, H. 6, S. 29–35). – O. Köhler, *Der Streit um den »Stellvertreter«* (in FH, 18, 1963, S. 293–296). – *Der Streit um H.s »Stellvertreter«*, Basel/Stg. 1963 (Theater unserer Zeit, 5). – *Summa iniuria oder Durfte der Papst schweigen? H.s »Stellvertreter« in der öffentlichen Kritik*, Hg. F. J. Raddatz, Reinbek 1963 (rororo, 591). – W. Adolph, *Verfälschte Geschichte. Antwort an R. H. Mit Dokumenten u. authentischen Berichten*, Bln. ²1963. – *Gedanken zu H.s Schauspiel »Der Stellvertreter«*, Wien 1964. – J.-M. Görgen, *Pius XII., Katholische Kirche u. H.s »Stellvertreter«*, Buxheim 1964. – J. Nobécourt, *»Le vicaire« et l'histoire*, Paris 1964 (Collection d'Histoire Immédiate). – *The Storm over the »Deputy«. Essays and Articles about H.'s Explosive Drama*, Hg. R. u. C. Winston, NY 1964. – J. Trainer, *H.'s Play »Der Stellvertreter«* (in Forum for Modern Language Studies, 1, 1965, S. 17–25). – P. Rassinier, *Opération »Vicaire«. Le rôle de Pie XII devant l'histoire*, Paris 1965 (dt.: *Operation »Stellvertreter«. Huldigung eines Ungläubigen*, Mchn. 1966). – R. Taeni, *»Der Stellvertreter«, episches Theater oder Christliche Tragödie* (in Seminar, 2, 1966, S. 15–35). – S. Melchinger, *R. H.*, Velber 1967 (Friedrichs Dramatiker des Welttheaters, 44).

HUGO VON HOFMANNSTHAL
(1874-1929)

EIN BRIEF *(Brief des Lord Chandos)* von Hugo von HOFMANNSTHAL (1874–1929), erschienen 1902. – Der fiktive Schreiber des Briefs, der junge Philip Lord Chandos, der bereits auf ein reiches schriftstellerisches Werk zurückblickt, entschuldigt sich bei seinem teilnehmenden Freund Francis Bacon, dem berühmten Philosophen und Naturwissenschaftler, »*wegen des gänzlichen Verzichtes auf literarische Betätigung*« und versucht sein plötzliches Verstummen zu erklären. In einem Stil, der alle Reize der historischen Einkleidung ausspielt, beschreibt Hofmannsthal die geistige Situation eines Menschen, der an der Sprache verzweifelt. Lord Chandos, begabt, materiell gesichert, in seiner gesellschaftlichen Sphäre geborgen, hat ein erfolgreiches Leben geführt. Er vergegenwärtigt sich die glückliche Zeit, in welcher er seine »*unter dem Prunk ihrer Worte hintaumelnden*« Schäferspiele und Traktate schrieb, er erinnert sich der Pläne zu Geschichtsdarstellungen, enzyklopädischen und mythologischen Werken aus humanistischem Geist. Das ganze Dasein war ihm damals als eine große Einheit erschienen, und in allem hatte er sich selber gefühlt. Dieser Zustand »*andauernder Trunkenheit*« hat sich nun auf unbegreifliche Weise in sein Gegenteil verkehrt: Chandos kann den Vorgang nicht begründen, er kann sich nur noch anekdotisch darüber äußern, wie ihm die Fähigkeit abhanden gekommen ist, »*über irgend etwas zusammenhängend zu denken oder zu sprechen*«. Hinter den Worten tat sich eine Leere auf, die abstrakten Begriffe zerfielen ihm im Mund »*wie modrige Pilze*«, alles, was er zuvor mit dem vereinfachenden Blick der Gewohnheit umfaßt hatte, löste sich dem unheimlichen Nahblick in Teile auf, die wiederum in Teile zersplitterten. Chandos erleidet den totalen Verlust seiner Wirklichkeit und Sprache. Damit hat Hofmannsthal eine Erfahrung dargestellt, die nicht nur in seinem eigenen Werk immer wieder anklingt, sondern auch als symptomatisch für manchen Dichter des beginnenden 20. Jh.s genommen werden kann (vgl. RILKES *Aufzeichnungen des Malte Laurids Brigge*, KAFKA, den frühen BENN u. a.). – Doch der Brief mündet nicht in den Ausdruck der Verzweiflung. Chandos umschreibt vielmehr einzelne erhöhte Momente eines neuen »symbolischen« Welterlebnisses. Hin und wieder wird ihm an kleinen, unbeachteten und scheinbar unbedeutenden Dingen, einem Käfer in einer Gießkanne, einem moosbewachsenen Stein, einem Hund, sterbenden Ratten, einem verkümmerten Apfelbaum, eine Offenbarung zuteil, über die er freilich mit Worten nicht Rechenschaft zu geben vermöchte. Ein »*ungeheures Anteilnehmen*« erfüllt ihn, die stummen Dinge reden zu ihm und wecken ein »*fiebriges Denken*« in ihm, das nach Gestaltung drängt, aber »*in einem Material, das unmittelbarer, flüssiger, glühender ist als Worte*«. So bleibt ihm nur der »*Anstand des Schweigens*«.

Die autobiographische Bedeutung des Chandos-Briefes ist unbestritten; er markiert einen deutlichen Einschnitt im Werk Hofmannsthals. Die magische und betörende Sprachgewalt seiner Gedichte und kleinen »Lyrischen Dramen«, die seinen frühen Ruhm begründet hatte, versiegt um die Jahrhundertwende. Hofmannsthal sucht neue dichterische Formen, die den Ausdruck nicht einzig dem direkt aussagenden Wort anvertrauen, und findet sie später in der Welt des festlichen Theaters mit seiner weitgehenden Einbeziehung der sprachlosen Geste, der Musik, des Tanzes, des suggestiven Bildes. Während er – nach zweijährigem Verstummen – bereits daran ging, sich diese Welt zu erobern, zunächst mit der großen Tragödie in Anlehnung an antike Stoffe, gab er der Öffentlichkeit Rechenschaft über seine künstlerische Krise und Wandlung, allerdings in der verschlüsselten Form des »Erfundenen Briefes« – einer Gattung, die ihn damals besonders anzog und die ein solches »Bekenntnis« in einer der größten Tageszeitungen Deutschlands, ›Der Tag‹, zu verbreiten erlaubte. Die Paradoxie des Briefes, daß hier nämlich über Sprachlosigkeit mit seltener sprachlicher Kraft gesprochen wird, sollte nicht übersehen werden und vor *einseitig* biographischer Ausdeutung schützen.

G. E.

AUSGABEN: Bln. 1902 (in Der Tag). – Wien 1905 (in *Das Märchen der 672. Nacht u. andere Erzählungen*). – Bln. 1907 (in *Die pros. Schriften*). – Darmstadt 1925. – Ffm. 1959 (in *GW, Prosa 2*, Hg. H. Steiner).

LITERATUR: P. Requadt, *Sprachverleugnung u. Mantelsymbolik im Werke Hs* (in DVLG, 29, 1955, S. 255–283). – K. Pestalozzi, *Sprachskepsis u. Sprachmagie i. Werk d. jung. H.*, Zürich 1958. – H. Weischedel, *H.s Auffassg. v. Dichter u. d. Dichtung*, Diss. Tübingen 1958. – W. Kayser, *D. Wahrheit d. Dichter*, Hbg. 1959 (rde, 87). – W. Mauser, *Bild u. Gebärde i. d. Sprache H.s*, Wien 1961. – H. S. Schulz, *H. and Bacon. The Sources of the »Chandos Letter«* (in CL, 13, 1961, S. 1–15). – R. Brinkmann, *H. u. d. Sprache* (in DVLG, 35, 1961, S. 69–95). – G. Wunberg, *Francis Bacon, d. Empfänger d. »Lord-Chandos-Briefes« v. H. v. H.* (in GLL, 15, 1961/62, S. 194–201).

ELEKTRA. Tragödie in einem Aufzug. Frei nach Sophokles. Von Hugo von HOFMANNSTHAL (1874 bis 1929), Uraufführung: Berlin, 30. 10. 1903, Kleines Theater; als Opernfassung mit der Musik von Richard Strauss (1864–1949), Uraufführung: Dresden, 25. 1. 1909, Hofoper. – Hofmannsthals Tragödie ist weitaus mehr als eine Bearbeitung. Schon in der Handlungsführung weicht sein Stück von der *Elektra* des SOPHOKLES deutlich ab. So entfällt nicht nur der antike Chor, sondern auch der Prolog, in dem bereits die Ankunft des Orest bekanntgegeben wird. Die genaue Darlegung der Vorgeschichte und der näheren Umstände von Orests Heimkehr, die Gestaltung des zum Sühnemord führenden Geschehens, überhaupt alles Faktische der äußeren Handlung, tritt bei Hofmannsthal hinter der Darstellung der seelischen Vorgänge zurück. Im Gegensatz zur Behandlung des Stoffs bei AISCHYLOS *(Oresteia)* und stärker noch als bei Sophokles steht hier nicht Orest, sondern Elektra im Mittelpunkt; sie ist während des ganzen Stücks auf der Bühne. Ausgestoßen und erniedrigt, in tragischer und gewollter Einsamkeit lebt sie nur noch in dem Gedanken an den ungesühnten Mord an ihrem Vater Agamemnon und in Visionen der Rache an ihrer Mutter Klytämnestra und ihrem Oheim Ägisth. Starr und maßlos in allen ihren Äußerungen, erfüllt sie die schicksalhafte Bestimmung, nicht zu vergessen. Ein Gegenbild ihrer Schwester Chrysothemis, die der gräßlichen Vergangenheit endlich entrinnen will und sich ein »*Weiberschicksal*« ersehnt, opfert Elektra ihr Dasein als Frau, ihre Individualität dieser einen Erinnerung und einer erhofften Zukunft und ist doch wie Hamlet unfähig zur Tat.

Die Wildheit und rauschhafte Übersteigerung ihrer Sprache und Haltung haben dazu geführt, daß besonders Hofmannsthals Zeitgenossen in dem Stück nichts als eine pathologische Studie sehen wollten, die die momentane Lebenskrise des Dichters widerspiegle. Gewiß ist das »Dionysische« ein Kennzeichen und »*Blut*« ein Leitwort des Dramas; doch geht es Hofmannsthal weder um die Verherrlichung eines elementaren Triebes noch um bloße seelische Analyse, um eine Psychologisierung – oder gar »Hysterisierung« – des antiken Mythos etwa im Sinne Freuds (dessen *Studien über Hysterie*, 1895 zusammen mit Josef Breuer verfaßt, Hofmannsthal allerdings gerade gelesen hatte), sondern um die dichterische Gestaltung von Problemen, die auch sein übriges Werk beherrschen: das Nachwirken des Vergangenen in der Gegenwart, die Dialektik der Zeit, der Treue, des Persönlichkeitsbegriffes, der Antagonismus von Denken und Tun, von Selbstaufgabe und Selbstfindung im Opfer. Sie werden nicht nur an einer Einzelfigur, an einem Einzelschicksal, sondern in einer Konfiguration von drei genau aufeinander abgestimmten Frauengestalten (Elektra, Chrysothemis, Klytämnestra) dargestellt. Diese seien ihm »*wie die Schattierungen eines* [einzigen] *intensiven und unheimlichen Farbtons gleichzeitig aufgegangen*«, schrieb der Dichter in einem Brief an Ernst Hladny. Dem entsprechen Höhepunkt und Schluß der Tragödie, die ganz sein eigenes Werk sind. In der zentralen Auseinandersetzung zwischen Mutter und Tochter stellt er beide Figuren nicht sogleich in feindlichem Wechselgespräch einander gegenüber, sondern läßt Elektra scheinbar einlenken und enthüllt durch diese ironische Übereinstimmung die unauflösliche Schicksalsgemeinschaft der beiden Gestalten, ihre symbolische Einheit über den Gegensätzen. So ist auch der Schluß kein einseitiger Triumph der Rache mehr, sondern eine »Lösung« höherer Art: mit Klytämnestras Tod hat Elektras Leben seinen Sinn erfüllt und zugleich sein Ende erreicht. In trunkenem Taumel, einem »*namenlosen Tanz*«, bricht sie tot zusammen.

Elektra ist nach Hofmannsthals lyrisch bestimmtem Jugendwerk sein erster geglückter Versuch, zu Form und Stil der großen Tragödie zu gelangen. Mit ihrer ausdrucksstarken Sprache, die sich oft an den Ton des *Alten Testaments* anlehnt, und ihrer suggestiven Bühnensymbolik ist sie alles andere als ein klassizistisches Griechendrama. Hofmannsthal errang mit diesem Stück seinen ersten großen Theatererfolg, betrachtete es aber stets als das etwas unbefriedigende Produkt einer künstlerischen Übergangszeit und akzeptierte es »*in seiner gräßlichen Lichtlosigkeit*« nur im Hinblick auf den »*innerlich untrennbaren zweiten Teil*«, die geplante, aber nie ausgeführte Fortsetzung *Orest in Delphi* (10. 11. 1903 an Hans Schlesinger).

Mit dem Vorschlag Richard Strauss', *Elektra* zu einem Opernlibretto umzugestalten, begann 1905/06 die lange währende, ideale Zusammenarbeit zwischen dem Komponisten und seinem kongenialen Textdichter. Um Elektras Rachestreben noch stärker zu motivieren, stellte Hofmannsthal einige Szenen um; in den im Sprechdrama durchgehend forcierten Dialog baute er lyrische Ruhepunkte ein, ohne dem Bühnengeschehen etwas von seiner drängenden Kraft zu nehmen. Nach dieser Vorlage schuf Strauss sein eindringlichstes, am weitesten in den Bereich der Moderne vordringendes Musikdrama. G. E

Ausgaben: Bln. 1904. – Bln. 1908 [Operntextbuch] – Ffm. 1954 (in *GW*, Hg. H. Steiner, 15 Bde., 1945–1959, *Dramen 2*). – Mchn. 1965 (Theater der Jahrhunderte).

Literatur: H. v. Hofmannsthal, *Szenische Vorschriften zu »Elektra«* (in Das Theater, Hg. Ch. Morgenstern, Bln. 1904; auch in *GW*, *Prosa 2*, Mchn. 1951, S. 81–84). – M. Harden, *»Elektra«* (in Die Zukunft, 12, 1904, 48). – E. Hladny, *H. v. H.s Griechenstücke*, Progr. Leoben 1910–1912. – H. Meyer-Benfey, *Die »Elektra« des Sophokles u. ihre Erneuerung durch H.* (in NJb, 23, 1920; ern. in H. M.-B., *Welt der Dichtung*, Hbg.-Wandsbek 1962, S. 339–352). – L. Hagelberg, *H. u. die Antike* (in ZfÄsth, 17, 1924). – K.-J. Krüger, *H. v. H. und R. Strauss*, Bln. 1935, S. 56–76 (NDF, 35). – G. Schaeder, *H. v. H.s Weg zur Tragödie* (in DVLG, 23, 1949). – F. Trenner, *Die Zusammenarbeit von H. v. H. u. R. Strauss*, Diss. Mchn. 1949. – W. Jens, *H. u. die Griechen*, Tübingen 1955. – E. Steingruber, *H. v. H.s Sophokleische Dramen*, Winterthur 1956. – G. Baumann, *H. v. H.: »Elektra«* (in GRM, N. F., 9, 1959). – L. Dieckmann, *The Dancing Elektra* (in Texas Studies in Literature and Language, 2, 1960). – W. H. Rey, *Weltentzweiung u. Weltversöhnung in H.s griechischen Dramen*, Philadelphia 1962. – D. S. Ellingston, *The Atreidae. A Study of the Reinterpretation of the Myths by Racine, Goethe, H. and Giraudoux*, Diss. Minneapolis 1964 (vgl. Diss. Abstracts, 25, 1964, S. 1908/09). – M. Hamburger, *H. v. H. Zwei Studien*, Göttingen 1964, S. 85–94 (Schriften zur Literatur, 6).

DIE FRAU OHNE SCHATTEN. Oper in drei Akten von Hugo von Hofmannsthal (1874–1929), Musik von Richard Strauss (1864–1949), entstanden 1911–1916; Uraufführung: Wien, 10. 10. 1919, Staatsoper. – Seit 1913 arbeitete Hofmannsthal an einer erzählenden Fassung des Stoffs, die er 1919 vollendete und unter dem gleichen Titel veröffentlichte.

Die Kaiserin, Tochter des Geisterkönigs, wurde einst in Gestalt einer weißen Gazelle von dem Kaiser der südöstlichen Inseln erjagt. Durch die Verbindung mit einem Menschen hat sie zwar die den Geistern eigene Gabe der Verwandlung eingebüßt, doch bleibt ihr, da der Kaiser sie in »*eifersüchtiger genießender Liebe*« von allen Menschen abschließt, auch das Reich des Menschlichen verschlossen. Zum Zeichen dieses Zwischenzustandes wirft ihr Körper keinen Schatten und ist ihr die Mutterschaft verwehrt: »*Dies ist ein und dasselbe, Zeichen und Bezeichnetes.*« Den Kaiser aber, der dies »*selbstsüchtig liebend verschuldet*« hat, trifft, ohne daß er davon ahnt, der Fluch des Geisterkönigs: er wird versteinern, wenn es der Frau nicht gelingt, einen Schatten zu erwerben. So verkünden es ein Geisterbote und der singende Falke, so steht es in einem Talisman eingegraben. Um diesen Fluch abzuwenden, begibt sich die Kaiserin zu den Menschen, geführt von ihrer Amme, einem dämonischen Wesen, das ihr aus der Geisterwelt gefolgt ist. Verkleidet treten sie in das ärmliche Haus des Färbers Barak und verdingen sich als Mägde. In kalt berechnender Schlauheit hat die Amme erspürt, daß der jungen und schönen, aber launischen und an der Seite ihres Mannes unzufriedenen Färberin der Schatten abzuhandeln ist, wenn man ihr ein Leben voll Glanz und Liebesfreude vorgaukelt. Ein Pakt wird geschlossen: die Frau ist bereit, Schatten und Mutterschaft hinzugeben, und trennt ihr Lager von dem ihres arglosen Mannes. Aber schon ertönen aus dem Mund von sieben gebratenen Fischlein die klagenden Stimmen ihrer ungeborenen Kinder und erfüllen sie mit Angst.

Die Zeit der Prüfungen beginnt, »*denn es müssen alle vier gereinigt werden, der Färber und sein Weib, der Kaiser und die Feentochter, zu trübe irdisch das eine Paar, zu stolz und ferne der Erde das andere*«. Während der Kaiser fernab auf der Jagd in das Innere eines Berges, die »*Höhle der Ungeborenen*«, gerät und dort zu Stein wird, treibt die Amme das verwegene Spiel um den Schatten voran, indem sie der Färberin das Trugbild eines als Liebhaber ersehnten Jünglings erscheinen läßt. Dumpf fühlt sich der Färber in diese Magie verstrickt und weiß sich nicht zu helfen. Die Kaiserin aber, die in dem Handel gewinnen soll, rühren sein Leiden und sein gutes Herz. Sie ahnt, daß sie mit dem Kauf des Schattens an ihm und seiner Frau schuldig werden muß. Schwere Finsternis lastet über allen. Da tritt die Färberin mit einer wildverzweifelten Rede vor ihren Mann hin, sagt ihm die Treue auf und verkündet, welchen Pakt sie geschlossen hat. Blitzartig erkennt Barak die tiefe Bedrohung und wächst in diesem Augenblick über alle irdische Begrenztheit hinaus, wird zum gewaltigen Richter mit dem glühenden Schwert, das ihm »*von oben ... blitzend in die Hand*« fällt. Nun erkennt auch die Frau seine wahre Größe und ihren Frevel und demütigt sich vor ihm. »*Übermächte*« greifen mit Zauberkraft ein und verhindern, daß der noch »*schwebende Handel*« (Brief an R. Strauss, April 1915) um den Schatten durch Gewalt beendet wird. Die Hütte versinkt, Färberpaar, Kaiserin und Amme werden in die Geisterwelt versetzt, wo sich klären muß, was trübe ist, Fremdes sich scheiden, Getrenntes sich vereinen wird. Von vielfältigen Stimmen gelockt, gewarnt und gerufen, irren die Geprüften durch die Zauberlandschaft, in der höhere Mächte walten und richten. Die Wendung für alle bringt das Opfer der Kaiserin. In einem Tempel vor den Thron ihres ver steinerten Gatten geführt, verzichtet sie darauf, von dem »*goldenen Wasser des Lebens*« zu trinken, das ihr den Schatten der Färberin und des Kaisers Erlösung verheißt. Sie will nicht um ihres eigenen Glückes willen an dem Färberpaar schuldig werden. Die Qual dieser Entscheidung öffnet ihr die Augen für das leidvolle Verstricktsein des Menschen in Schuld – »*Mein Geschick seine Schuld! Meine Schuld sein Geschick!*« –, und indem sie auch ihr Geschick als das des Menschen erfährt – »*Weh, ihr Sterne, also tut ihr an den Menschen!*« –, hat sich ihre Wandlung vollzogen, ist sie Mensch geworden. Durch Schmerzen ist sie zu vollem Menschentum gereift und hat sich, indem sie den fremden Schatten zurückwies, den eigenen verdient. Ihre Selbstüberwindung aber erhebt sie zugleich über das gemeine Menschenlos. In den Jubel der erlösten und wiedervereinten Paare tönt der freudige Gesang der Ungeborenen, die in diesem Spiel geheimes Ziel und Schicksal sind, mystische Chiffren der paradoxen Verkettung von Menschen- und Geisterwelt.

Die *Frau ohne Schatten* ist ein Hauptwerk Hofmannsthals, in dem sich, wie er selbst in *Ad me ipsum* sagt, sämtliche Motive seines Schaffens verbinden. Das bunte Märchengeschehen, das manche Elemente aus *Tausendundeine Nacht* und aus Goethes und Novalis' Märchendichtungen enthält, entspringt nicht nur einer üppigen Phantasie; die vielen Zaubereien sind zugleich genau gesetzte Zeichen und »*Ballungen*« des Seelischen und dramaturgisch »*unentbehrliche Gelenke des Ganzen*«. In reicher Symbolik gestaltet der Dichter hier ein ethisch-religiöses Anliegen, welches das Werk in die Nachbarschaft seiner »Welttheater« stellt. Er nennt es einen »*Triumph des Allomatischen*« und bezeichnet mit diesem Gegenbegriff zum »Automatischen« die wechselseitige Schicksalsverflechtung, das unauflösliche und geheimnisvolle Aufeinanderangewiesensein aller Wesen.

Das Libretto gab Strauss Gelegenheit, die Vielseitigkeit seines musikalischen Stils zur Geltung zu bringen und in einer großen »romantischen Oper« klangschweres Pathos und festliche Pracht, instrumentale Delikatesse und zündende Melodik zu vereinigen. Hofmannsthal aber wollte seinen geliebtesten Märchenstoff offenbar nicht allein dem Medium der Oper, einer gelegentlich schon prekär gewordenen Zusammenarbeit und einem vergröbernden Bühnenschicksal überlassen. So konzentrierte er seine Kräfte immer mehr auf die Erzählfassung, die ihm – besonders im zentralen vierten Kapitel, dem Gang des Kaisers in die »*Höhle der Ungeborenen*« – erlaubte, symbolistisch breit auszumalen, was auf der Bühne nur anzudeuten war. G. E.

Ausgaben: Bln. 1919 (Textbuch). – Bln. 1919 (Erzählung). – Ffm. 1953 (in *GW, Die Erzählungen*, Hg. H. Steiner). – Ffm. 1957 (in *GW, Dramen III*, Hg. ders.).

Literatur: R. Pannwitz, *H.s Erzählung »Die Frau ohne Schatten«* (in Der Neue Merkur, 3, 1919, H. 7, S. 509–512). – R. Borchardt, *Über H.s Erzählung* (in R. B., *GW, Prosa I*, Hg. M. L. Borchardt, Stg. 1957, S. 131–135). – H. Broch, *H. und seine Zeit*, Mchn. 1964, S. 173–178. – W. Naumann, *Die Quelle von H.s »Frau ohne Schatten«* (in MLN, 59, 1944, S. 385ff.). – H. Steiner, *»Die Frau ohne Schatten«* (in MDU, 37, 1945). – B. Cakmur, *H.s Erzählg. »Die Frau ohne Schatten«*, Ankara 1952. – T. Reucher, *H. v. H.s Erzählg. »Die Frau ohne Schatten«*, Diss. Köln 1953. – H. Wyss, *Die Frau in der Dichtung H.s*, Zürich 1954, S. 117–126. – G. Pfaff, *H. v. H.s Märchendichtg. »Die Frau ohne Schatten«*, Diss. Ffm. 1957. – I. Schiller, *Art u. Bedeutg. des Religiösen im Prosawerk H. v. H.s. Unter bes. Berücks. d. beiden Erzählgn. »Das Märchen der 672. Nacht« und »Die Frau ohne Schatten«*, Diss. Würzburg 1961. – H. Mayer, *H. v. H. u. Richard Strauss* (in H. M., *Ansichten*, Hbg. 1962, S. 9–32).

JEDERMANN. Das Spiel vom Sterben des reichen Mannes, erneuert von Hugo von Hofmannsthal (1874–1929), entstanden 1903–1911; Uraufführung: Berlin, 1. 12. 1911, Zirkus Schumann; anläßlich der ersten Salzburger Festspiele am 22. 8. 1920 auf dem Domplatz der Stadt aufgeführt. – Den Jedermann-Stoff, der das Thema von der Hinfälligkeit der irdischen Besitztümer und der Heilsnotwendigkeit der Buße mit der Parabel vom Freund in der Not verbindet, fand Hofmannsthal in einer englischen Bearbeitung, der anonym überlieferten Moralität *The Somonynge of Everyman* (gedruckt etwa 1529) vor; Einzelheiten entnahm er Hans Sachs' *Comedi von dem reichen sterbenden Menschen, der Hecastus genannt* (1549), einer Übersetzung des neulateinischen Schuldramas *Hecastus* (1539) von Georg Macropedius. Mit seiner Bearbeitung wollte Hofmannsthal die alte »*Geschichte von Jedermanns Ladung vor Gottes Richterstuhl*«, die er als ein zeitloses, allgemein menschliches und daher »*nicht einmal mit dem christlichen Dogma unlöslich*« verbundenes »Märchen« auffaßte, dem »*toten Wasser des gelehrten Besitzstandes*« entreißen *(Das alte Spiel von Jedermann)* und damit dem Repertoire des deutschen Theaters etwas zurückgeben, was es (in der inzwischen historisch gewordenen Fassung des Hans Sachs) bereits einmal besessen hatte.

Nachdem ein Herold das »*geistlich Spiel*« von der »*Vorladung Jedermanns*« angekündigt hat, beginnt das Vorspiel: Gott der Herr, der einen Gerichtstag halten will über alle Menschen, die durch die ständige Mißachtung seiner Erlösungstat und seiner Gebote »*in Sünd ersoffen*« sind, beauftragt den Tod, Jedermann vor den göttlichen Richterstuhl zu bringen, damit er Rechenschaft ablege über sein irdisches Leben. – Der Anfang des Hauptteils zeigt Jedermann als besitzstolzen und selbstgerechten Verwalter seines Reichtums, der freimütig bekennt, in der Macht des Geldes die höchste Gewalt zu verehren. Bedrückende Begegnungen mit dem verarmten Nachbarn, dem Knecht (einem Schuldner Jedermanns) und der Mutter (die die Gedanken ihres Sohnes mahnend auf die Forderungen und Verheißungen Gottes lenken möchte) haben Jedermann in eine düstere Stimmung versetzt; sie weicht erst wieder, als seine Geliebte, »Buhlschaft«, umgeben von Spielleuten und Freunden erscheint, um alle zu einem festlichen Bankett zu versammeln. Aber auch jetzt kann Jedermann nicht unbekümmert an der Ausgelassenheit seiner Gäste teilnehmen, und alle Versuche, ihn durch Späße, Lieder und kräftig gewürzten Wein aufzuheitern, bleiben ohne anhaltende Wirkung. Von der wachsenden Verstörtheit und den Vorahnungen Jedermanns angekündigt, erscheint mitten im Trubel des Festes der Tod und fordert Jedermann auf, ihm vor Gottes Thron zu folgen. Das einzige, was er sich noch ausbitten kann, ist eine kleine Frist, in der er einen Gefährten für seinen letzten Weg suchen will. Aber weder sein ihm bisher scheinbar so bedingungslos ergebener Freund noch seine beiden Vettern sind bereit, ihn zu begleiten. Buhlschaft und die andern Gäste haben bereits beim Erscheinen des Todes fluchtartig das Fest verlassen. Da läßt Jedermann seine Schatztruhe holen, damit er auch auf der letzten Strecke seines Lebens nicht auf Macht und Selbstsicherheit verzichten muß. Der Truhe aber entsteigt »Mammon« und klärt Jedermann mit derselben zynischen Offenheit, mit der dieser sich einst zur Macht des Geldes bekannt hat, über das wahre Verhältnis von Besitzendem und Besessenem auf: Nicht Jedermann ist durch den Besitz des Geldes in den Rang einer »*kleinen Gottheit*« erhoben, Mammon selbst ist der Gott, der unerkannt von Jedermanns Seele Besitz ergriffen hat. Von allen Freunden verlassen und aller zeitlichen Güter beraubt, macht sich dieser auf den Weg zum Gericht Gottes, nur von seinen gebrechlichen »Werken« und deren Schwester »Glaube« begleitet. Die Werke freilich sind zu schwach, um Jedermanns Sache wirksam zu vertreten. Erst nachdem Glaube ihm den Sinn für die Erlösungstat Gottes aufgeschlossen hat, fällt auch von den Werken die Schwäche ab, so daß beide ihn dem Zugriff des Teufels entziehen können – kraft des Opfertodes Christi, der »*Jedermanns Schuldigkeit*« bereits für alle Ewigkeit »*vorausbezahlt*« hat. Unter den zuversichtlichen Worten Glaubes und dem Gesang der Engel steigt Jedermann an der Seite seiner Werke ins Grab.

Nicht eine theologische Neuformulierung, sondern eine künstlerische Neugestaltung des alten Mysteriums wollte Hofmannsthal geben, mit der Absicht, »*unsäglich gebrochenen Zuständen ein ungebrochenes Weltverhältnis gegenüberzustellen*« *(Das Spiel vor der Menge)*. Dabei hat er den mittelalterlichen Grundzug des überlieferten Spiels bewahrt, aber ihm zugleich den Charakter des allegorisierenden Traktats und das konfessionell-dogmatische Gepräge genommen. Er meidet die moralisch-didaktischen Weitschweifigkeiten seiner Vorbilder, befreit die Figuren und deren Sprache von abstrakten Zügen und findet auch für die Verknüpfung der einzelnen Szenen eine bei aller Stilisierung doch der Lebenswirklichkeit entsprechende Form der dramaturgischen Motivierung. – Auch im thematischen Gefüge des Mysterienspiels hat Hofmannsthal die Akzente neu verteilt. So gehört der personifizierte Mammon zwar zum ursprünglichen Bestand des überlieferten Stoffs; aber Hofmannsthal rückt diese »*Allegorie des Dieners Mammon, der ein verlarvter Dämon und stärker als ein Herr ist, und sich als den Herrn seines Herrn offenbart*« *(Das alte Spiel von Jedermann)* in den Mittelpunkt der Problematik. Indem Jedermann das »*Mittel aller Mittel*« zum »*Zweck der Zwecke*« erhebt, dispensiert er sich zugleich von der persönlichen Verantwortung für den Mitmenschen und gibt damit die Caritas preis. Entsprechend erhalten auch die Werke – in den mittelalterlichen Spielen die kanonischen Bußwerke, auf denen Jedermanns Erlösung beruht – eine neue Funktion: Sie erwecken in Jedermann zum erstenmal wieder das Bewußtsein für jene Nächstenliebe, die auszuüben er in seiner Abhängigkeit von Mammon versäumt hat. Der entscheidende Faktor im Erlösungsprozeß jedoch ist Glaube: Sie leitet nicht nur den Akt der Metanoia ein, sie bewahrt den zum Bewußtsein seiner wahren Situation gelangten Sünder auch vor dem Absturz in die Verzweiflung, indem sie seine Gedanken ausschließlich auf das im Kreuzestod Christi vollzogene Erlösungsopfer Gottes konzentriert. Die Fürbitte der leiblichen Mutter (nicht mehr wie in den älteren Fassungen des Spiels der Gottesmutter Maria) scheint als kooperatives Element am Erlösungsprozeß beteiligt zu sein. Gerade in diesen Veränderungen des über lieferten Figurenbestandes tritt die allgemeine Grundtendenz Hofmannsthals, im Allegorienspiel auch dem seelischen Erlebnis des Menschen Ausdruck zu geben, besonders deutlich zutage, ohne daß doch von einer Psychologisierung der Figuren gesprochen werden kann. Auch Jedermann selbst bleibt allegorische Person, an der letztlich »*nur der Sünder oder die zu erlösende Seele*« *(Aufzeichnungen zu Reden in Skandinavien)* von Interesse ist. Orientiert am Charakter »*einer Bühne, die nicht zu sein prätendiert, sondern sich begnügt, zu bedeuten*« (Brief an C. v. Franckenstein, 23. 4. 1902) hält sich Hofmannsthal bewußt an die Voraussetzungen des christlichen Mysterienspiels, einer Kunstform, deren ästhetische Struktur er als »*zweidimensional*« bezeichnet hat, da sie sich ihre dritte Dimension allererst »*durch den Bezug auf ein außerhalb seiendes – die Glaubenswahrheiten – beschafft*« (Brief an E. v. Bodenhausen, 26. 2. 1912). E. O. G.

AUSGABEN: Bln. 1911. – Bln. 1924 (in *GW*, 6 Bde., 5). – Ffm. 1952 [Nachw. L. Malcher]. – Ffm. 1957 (in *GW*, Hg. H. Steiner, 15 Bde., 1945–1959, *Dramen III*).

VERFILMUNG: Österreich 1961 (Regie: G. Reinhardt).

LITERATUR: A. Kerr, *Das alte Spiel von Jedermann* (in A. K., *GS*, Bd. 5, Bln. 1917, S. 198–201). – W. Brecht, *Die Vorläufer von H.s »Jedermann«* (in Österreichische Rundschau, 20, 1924, S. 271 bis 287). – H. Lindner, *H. v. H.s »Jedermann« u. seine Vorgänger*, Diss. Lpzg. 1928. – G. Schaeder, *H. v. H. Die Gestalten*, Bln. 1933. – K. J. Naef, *H. v. H.s »Jedermann«* (in SchwRs, 34, 1935, S. 1092–1105). – U. Schulz, *Die Beziehungen von H.s »Jedermann« zu »Everyman« u. »Hecastus«*, Diss. Marburg 1949. – G. Kahofer, *H. v. H.s Beziehungen zu den Vorlagen seiner Dramen »Jedermann«, »Das Salzburger Große Welttheater«, »Der Turm«*, Diss. Wien 1950. – H. Wyss, *Die Frau in der Dichtung H.s*, Zürich 1954, S. 84/85. – H. Adolf, *From »Everyman« and »Elckerlijc« to H. and Kafka* (in CL, 9, 1957, S. 204–214). – E. Hederer, *H. v. H.*, Ffm. 1960. – B. Coghlan, *H.'s Festival Dramas. »Jedermann«, »Das Salzburger Große Welttheater«, »Der Turm«*, Cambridge 1964.

DAS MÄRCHEN DER 672. NACHT. Novelle von Hugo von HOFMANNSTHAL (1874–1929), erschienen 1895 in der Zeitschrift ›Die Zeit‹. – Ein junger, schöner, reicher, früh verwaister Kaufmannssohn lebt einsam in seinem Haus. Narzißhaft spiegelt er sich in der Schönheit von kostbaren Teppichen, von Seiden, Leuchtern, Becken und Statuen, »*sehend dafür, wie alle Formen und Farben der Welt in seinen Geräten lebten*«. Im Linienspiel ihrer Ornamente erkennt er »*ein verzaubertes Bild der verschlungenen Wunder der Welt*«. Was faktisch verloren ist: die Unmittelbarkeit des Lebens, bleibt ihm in der genießenden Betrachtung verdinglichter Schönheit weiter zugänglich. Er isoliert sich von der Gesellschaft, um seine ästhetische Existenz ungestört zelebrieren zu können. Nur zwei Diener und zwei Dienerinnen duldet er in seiner Nähe. Es sind Symbolgestalten des geknechteten Lebens: Die Schönheitswelt ihres Herrn lastet mit erdrückender Schwere auf ihnen. Schuldbewußt fühlt der Kaufmannssohn, in scheinbar unbeobachteten Momenten, ihre Blicke anklagend und entlarvend auf sich gerichtet. Ein anonymer Brief, der einen seiner Diener eines Verbrechens bezichtigt, nötigt ihn zu einem Gang in die Stadt. Ohne seine Geschäfte zu erledigen, irrt er ziellos durch die Straßen, »*wie ein Fremder*«. Panische Angst packt ihn beim Gedanken, die Dienerschaft zu verlieren, seine letzte Verbindung zum wirklichen Leben. Unbewußt verwandelt er die Außenwelt in die Landschaft seines Alptraums. Der Erzähler beschreibt die fortschreitende Verzerrung der Wirklichkeit als natürlichen Vorgang: Der Kaufmannssohn gerät in einen Juwelierladen und kauft für seine Dienerinnen ein goldenes Kettchen und einen Beryllschmuck; dann lockt ihn ein gläsernes Treibhaus, hinter dessen Scheiben plötzlich die jüngere seiner Dienerinnen in Gestalt eines böse blickenden Kindes erscheint. Er eilt auf sie zu und will ihr Goldmünzen zustecken, doch sie wehrt ihn leidenschaftlich ab und versperrt die Tür. Der Eingeschlossene quält sich durch das Gestrüpp widerspenstiger Pflanzen, deren Blüten »*etwas von Masken hatten, heimtückischen Masken mit zugewachsenen Augenlidern*«. Schließlich gähnt ein Abgrund vor ihm, über den eine halsbrecherisch schmale Planke zu einem vergitterten Tor führt. Er wankt hinüber, erreicht das Gitter und klammert sich fest. Das Tor öffnet sich und schwenkt mit ihm über den Abgrund: Mit letzter Kraft wirft er sich in die freigewordene Öffnung und befindet sich plötzlich im Elendsviertel der Stadt. Ein beklemmender Geruch liegt über den ärmlichen Häusern. In einem schmutzigen Hof waschen verwahrloste Soldaten ihren auffallend häßlichen Pferden die Hufe. Wieder ist sein erster Gedanke, »*die Elenden durch ein Geschenk für den Augenblick aufzuheitern*«. Beim Suchen nach Geld fällt ihm der gekaufte Schmuck zu Boden; er bückt sich, da trifft ihn ein gewaltiger Hufschlag in die Lenden. Man bringt ihn in ein muffiges Zimmer; dort stirbt er – angstgequält, mit einem bösen Zug um den Mund, Blut und Galle erbrechend. Kurz vor seinem Tod widerruft er sein ganzes vergangenes Leben.

Der novellistische Vorgang ist dialektisch: Der Kaufmannssohn rückt dem entzogenen Leben um so näher, je tiefer er sich in Trauer, Angst und Häßlichkeit verliert. Im Augenblick des Todes ist eine Art Einstand mit der Wahrheit erreicht. Die Novelle führt mit einem Äußersten an formaler Präzision diesen Umschlag durch. Erfahrungen aus Hofmannsthals Militärzeit (1895/96), wo er mit sozialem Elend erstmals in Berührung kam, sind in diese Selbstkritik des Ästhetizismus eingegangen: »*Ich korrigiere meinen Begriff vom Leben: von dem, was Leben für die meisten Menschen ist: es ist viel freudloser, viel niedriger als man gerne denkt, noch viel niedriger.*« D. Bar.

AUSGABEN: Wien 1895 (in Die Zeit, 2., 9. u. 16. 11.). – Wien/Lpzg. 1905 (Bibliothek moderner dt. Autoren, 2). – Lpzg. 1918. – Bln. 1923 (in *GW*, 6 Bde., 1923/24, 2). – Lpzg. 1927 (in *Drei Erzählungen*). – Bln. 1934 (in *GW*, 3 Bde., 3). – Ffm. 1953 (in *Die Erzählungen*, Hg. H. Steiner; *GW in Einzelausgaben*).

LITERATUR: L. Sternaux, Rez. (in Der Tag, Bln., 1. 7. 1920). – E. Pröbstl-Schmidt, *Neuromantische Prosa-Märchendichtung*, Diss. Mchn. 1950. – T. Oberg, *Versuch über H.s Prosa. Interpretationen des »Märchens der 672. Nacht« u. des Roman-Fragments »Andreas«*, Diss. Tübingen 1954. – M. Brion, *Essai d'interprétation des symboles dans le »Märchen der 672. Nacht« de H. v. H.* (in *Dauer im Wandel, Fs. C. J. Burckhardt*, Hg. H. Rinn u. M. Rychner, Mchn. 1961, S. 84–101; dt.: *Versuch einer Interpretation der Symbole im »Märchen der 672. Nacht« von H. v. H.*, in *Deutsche Erzählungen von Wieland bis Kafka*, Hg. J. Schillemeit, Ffm./Hbg. 1966, S. 284–302; FiBü, 721). – J. D. Workmann, *H.'s »Märchen der 672. Nacht«* (in MDU, 53, 1961, S. 303–314). – D. Schäfer, *Der Leserkontakt in den Erzählungen H. v .H.s*, Göttingen 1962 (Palaestra, 233). – I. Schiller, *Art u. Bedeutung des Religiösen im Prosawerk H. v. H.s. Unter besonderer Berücksichtigung der beiden Erzählungen »Das Märchen der 672. Nacht« u. »Die Frau ohne Schatten«*, Diss. Würzburg 1962. – W. Volke, *H. v. H. in Selbstzeugnissen und Bilddokumenten*, Reinbek 1967 (rm, 127).

DAS SALZBURGER GROSSE WELTTHEATER. Moralitätenspiel von Hugo von HOFMANNSTHAL (1874–1929), erschienen 1922 in ›Neue Deutsche Beiträge‹ und noch im selben Jahr – mit nicht unerheblichen Abänderungen – als Buch; Uraufführung: Salzburg, 12. 8. 1922, Kollegienkirche. Wie der *Jedermann* ist das *Salzburger Große Welttheater* untrennbar mit der »Festspielidee« verknüpft (Salzburger Festspielhausgemeinde, gegründet 1917 unter Führung von Hofmannsthal, Max Reinhardt und Richard Strauss), welche *»europäische Kunst auf dem Boden österreichisch-katholischer Tradition feiern«* wollte. Beide Stücke erhalten ihre besondere Prägung durch Hofmannsthals Glauben an eine ungebrochene, weltgeschichtlich bestimmende Kraft des Christentums katholischer Prägung, auch wenn er selbst oft behauptete, seine Mysterienspiele seien weder primär christlich noch gar katholisch gebunden, entsprängen vielmehr einem sehr weit aufzufassenden Glauben an die ewige Wirksamkeit »höherer Mächte«.

Bereits die Romantiker (bes. A. W. v. SCHLEGEL und EICHENDORFF) hatten versucht, CALDERÓNS Werk in Deutschland populär zu machen. Aber erst GRILLPARZER *(Der Traum, ein Leben* nach *La vida es sueño)* und nach ihm Hofmannsthal ließen sich von Calderóns Werk direkt anregen. Die Frage nach der Abhängigkeit von Calderóns Fronleichnamsspiel *El gran teatro del mundo* (1675) beantwortet Hofmannsthal im *Vorspruch* zum *Salzburger großen Welttheater* sehr energisch: *»Von diesem [Calderón] ist hier die das Ganze tragende Metapher entlehnt: daß die Welt ein Schaugerüst aufbaut, worauf die Menschen in ihren von Gott ihnen zugeteilten Rollen das Spiel des Lebens aufführen; ferner der Titel dieses Spiels und die Namen der sechs Gestalten, durch welche die Menschheit vorgestellt wird – sonst nichts.«* Bei aller Freiheit, die Hofmannsthal gegenüber seiner Vorlage einnimmt, ist diese aber dennoch jederzeit spürbar, und zwar nicht nur durch die von Hofmannsthal selbst genannten Faktoren.

Aus seiner Vorlage nicht übernommen hat Hofmannsthal die Figur des ungeborenen Kindes; neu schuf er den »Vorwitz« und den »Widersacher«. Anders als bei Calderón erscheint die »Welt«, sie ist weniger streng allegorisch aufgefaßt, erhält durch das Zusammenspiel mit dem mundartlich-salopp sprechenden »Vorwitz« fast persönliche Züge, der Tod ist nicht so erschreckend wie bei Calderón: Mit Hut und Degen bietet er ein fast elegantes Erscheinungsbild. Ein tiefer greifender Unterschied liegt in der anderen Auffassung Hofmannsthals vom »Meister«: Der »Meister« ist bei ihm »nur« Gott, während diese Figur bei Calderón Gott, Meister, Dichter, Autor und Spielleiter zugleich repräsentiert, was nichts anderes als den Renaissance-Stolz des Poeten, dessen Worte ja indirekt Gottes Worte waren, zum Ausdruck bringt. Es versteht sich, daß Hofmannsthal mit seiner Sprachskepsis hier nicht direkt anschließen konnte. Im deutlichen Gegensatz zu seiner Vorlage bemüht sich Hofmannsthal an jeder Stelle seines »Mysterienspieles« um die Herstellung von Verknüpfungen aller Art. So stehen im *Salzburger Großen Welttheater* Einzelszenen und Figuren nicht mehr – wie oft bei Calderón – unverbunden da, sondern stets in beziehungsreichen Spannungen und »Spiegelungen« zueinander.

Die Handlung, sofern man von einer solchen überhaupt sprechen kann, läßt sich wie folgt skizzieren: Eine Versammlung von allegorischen und mythischen Gestalten (Propheten und Sibyllen, Engel, Frau Welt, Tod, Widersacher, Vorwitz) erwartet den »Meister im Sternenmantel«, welcher alsbald oben, vor seinem Palast (Oberbühne), erscheint und »Frau Welt« befiehlt, die (Unter)Bühne zu einem Schauspiel zu bereiten (ein vom Barock aus der Antike übernommener Topos). Frau Welt hofft, daß es sich bei diesem Schauspiel um eine amüsante Aufhebung der Naturgesetze handeln wird, während ihr Genosse »Vorwitz« an Zaubereien wie alchimistische Goldmacherei denkt. Der Meister aber befiehlt ein Schauspiel mit Menschen, was Frau Welt zu hochmütiger Spöttelei über die Bedeutungslosigkeit dieser Kreaturen reizt, so daß »der Engel« sie an ihre eigene Hinfälligkeit, an die Sintflut und an ihr jederzeit mögliches Verschwinden ins Nichts erinnern muß. »Der Widersacher« kramt in seiner Handbibliothek, um sich theoretisch für den »Fall« zu rüsten, da er der Frau Welt als Anwalt zur Seite treten könnte.

Auf Befehl des Meisters ruft Frau Welt nun eine Schar von »unverkörperten Seelen« herbei, welche aus der Hand des Engels ihre vom Meister bestimmten »Rollen« erhalten sollen, denen gemäß Frau Welt sie »anzukleiden« hat. Der Widersacher fragt den Meister, wie denn ein Schauspiel den ergötzen könne, der alles vorherbestimme, Ende und Anfang. Die Antwort lautet: *»Wahl ist ihnen [den Menschen] gegeben zwischen Gut und Böse ... Damit sie sich entscheide, dazu hab ich der höchsten Freiheit einen Funken in die Kreatur gelegt.«*

Frau Welt hat nun Skrupel, »schlechte Rollen« zu verteilen, worauf der Meister die Relativität solcher Wertungen betont und durch den Mund des Engels verkünden läßt, daß alles Leben nur ein Spiel sei, welches einzig aus seiner Gottbezogenheit einen gleichnishaften Sinn erhalte. Hiermit ist die allegorische Bedeutung des »Spiels im Spiel« ausgesprochen und gerechtfertigt. Demzufolge kann der Titel dieses Spieles auch nicht einfach »das Leben der Menschen« heißen, da dieses Leben ja für sich selbst keinen Sinn hat, es bekommt seinen Titel vielmehr von dem, was hinter dem Spiel sichtbar gemacht werden soll: *»Tuet Recht! Gott über euch! Du sollst deinen Nächsten lieben wie dich selbst, und aber deinen Gott, den sollst du lieben über alles.«* Hierin folgt Hofmannsthal genau Calderón.

Die unverkörperten Seelen empfangen nun ihre Schicksalsrollen und werden von Frau Welt entsprechend ausstaffiert: Der König erhält seine Krone, die Weisheit ein Nonnengewand, der Bauer seinen Spaten usf. Jene Seele aber, welche den Bettler spielen soll, weigert sich leidenschaftlich, diese Rolle anzunehmen. Hier liegt gegenüber Calderón eine wesentliche Neuerung Hofmannsthals vor. Der »Pobre« im *Gran teatro* beklagt sich zwar auch über die Schwere der ihm übertragenen Rolle, nimmt sie aber gleichwohl demütig hin – wie es sich bei Calderóns Weltbild ja auch gar nicht anders erwarten läßt. Hofmannsthals Bettler gestaltet seinen Protest gegen die Ungleichheit des Schicksals und gegen Unglück und Elend in der Welt zu einem geballten antichristlichen Manifest, das in der Mitte des »Spiels im Spiel« durch ein regelrechtes kommunistisches Manifest noch überboten werden wird. Der Engel besänftigt schließlich die revoltierende Bettlerseele mühsam mit christlichem Gedankengut (*»Aber nicht mein, sondern dein Wille geschehe«* u. a.).

Es beginnt nun das eigentliche Spiel im Spiel mit dem Auftritt des Königs, welcher sich sogleich nicht ohne Selbstüberheblichkeit seiner Machtfülle zu erfreuen beginnt. Schönheit und Weisheit »singen« eine Art von Duett, wobei die in sich selbst verliebte Schönheit eine Verbindung mit der Macht anstrebt und die Weisheit das eitle Treiben kritisiert. Es tritt der Reiche auf, der den Einbläsereien des Widersachers ein offenes Ohr hinhält und die Macht des Königs alsbald zum Schutze des eigenen

Besitzes beansprucht. Der Bauer wird vom König jovial als »braver Nährstand« apostrophiert. Der Auftritt des Bettlers aber beschwört die einzige, wirklich dramatische Situation des Spiels herauf, wenn man nicht schon den Protest der zum Bettler bestimmten Seele für eine solche nehmen will. Der Bettler steigert sich angesichts der Verbindung von Macht, Reichtum, Besitz und Schönheit zu revolutionärer Emphase empor: »*Ihr habt und ich hab nicht... Der Weltstand muß dahin, neu werden muß die Welt / und sollte sie zuvor in einem Flammenmeer / und einer blutigen Sintflut untertauchen.*«

Es wird Spannung erzeugt, abgebaut und zu erneutem Höhepunkt getrieben. Der Zorn des Bettlers scheint durch die Besänftigungsversuche der Schönheit und des Reichen (welcher ihm »*das Wunderding ›Ordnung‹*« schmackhaft machen will) gemildert; ein Arbeitsangebot des Bauern könnte die Lage retten. Derselbe Bauer aber macht alles zunichte, indem er dem Bettler befiehlt, in seiner neuen Funktion als Holzknecht und Waldwächter vor allem Kinder, Witwen und anderes »Schandpack« beim »Holzklauben« zu verjagen. Da kennt der Zorn des Bettlers keine Grenzen mehr, und das Ende der im Spiel repräsentierten Gesellschaftsordnung scheint gekommen. Der Bettler hebt die Axt, um alle zu erschlagen. Die Welt begreift dies als Höhepunkt des Spiels und läßt die Bedeutung des Augenblicks mit Trompetenmusik unterstreichen. Das Gebet der Weisheit aber führt zu einem nochmaligen Umschwung, zu einer Wandlung, bringt dem revolutionären Bettler die Erleuchtung in der Art eines Saulus-Blitzes: Er läßt ab von seinem umstürzlerischen Wollen und zieht als ein Geläuterter, als frommer Büßer in den Wald.

Es ist begreiflich, daß die Wandlung des Bettlers vom revolutionären Tatmenschen zum weltentrückten Anachoreten nicht ohne Widerspruch aufgenommen wurde. Einer der ersten Gegner dieser zentralen Stelle war Hofmannsthals engster Mitarbeiter, Richard Strauss: »*So schön dichterisch die Idee des Umschwungs im Bettler ist, meinem dramatischen Empfinden steht doch ein Knax im Wege, der sich zwischen der eigentlichen dramatischen Lösung (d. h. der Vollendung der Zerstörung) und dem christlichen Gedanken der plötzlichen Umkehr findet. Das ist eben das Unglück, daß der Bolschewik innerlich unfrei ist, und diese Errettung zur Freiheit hat etwas vom Wunder und scheint mir von außen hineingetragen. Ihr Bettler spielt seine Figur nicht richtig zu Ende, sondern wird gerade im entscheidenden Moment von Hofmannsthal erleuchtet*« (Brief vom 12. 9. 22). Diese Erleuchtung, diese mystische Wandlung aber findet in einem allegorischen Drama, in einem Mysterienspiel statt, was die Kritiker dieser Szene immer wieder vergessen. Hofmannsthal selbst war sich sehr wohl bewußt, wie sehr dieser Umschwung »*außerhalb des eigentlich dramatisch Möglichen*« liegt und »*nicht in einem gewöhnlichen Theaterstück, sondern nur in einem Mysterium*« dargestellt werden konnte.

Nach diesem Höhepunkt ist das Spiel auch fast schon zu Ende. Es folgt das schöne Lied der Welt (»*Flieg hin, Zeit, du bist meine Magd*«), mit dem das Ende des Spiels im Spiel vorbereitet wird. Die Schönheit bemerkt zuerst die Spuren der »Mörderin Zeit« an sich. Nach ihr spüren König, Reicher und Bauer das bevorstehende Ende, noch bevor der Tod erscheint, um dem Spiel ein Ende zu bereiten. Der König wird als erster abberufen, wie er ja auch als erster gesandt war. Er will im Tode seine Krone der Weisheit vermachen, doch die Welt reißt das Symbol der Herrschaft wieder an sich. Nach dem Abtritt des Königs läßt der Reiche die Maske fallen. Er will sich der Schönheit bemächtigen: »*Zu mir! Nun faßt sich dieser Arm – für ihn! / Denn ich bin wahrhaft, was er schien.*« Hofmannsthal knüpft hier unmittelbar an die Allegorie des Mammons aus dem *Jedermann* an. Reichtum und Besitz werden als die Triebfeder geschichtlicher Entwicklungen gesehen. Jedoch ist eine solche Entwicklung verflucht, wie ja auch der Reiche, als der Verkünder und Verfechter einer solchen Auffassung, als einziger der »Spieler« verflucht wird. Als Marxist mit umgekehrtem Vorzeichen entpuppt sich der Reiche außerdem, wenn er der Weisheit, die ihn an etwas das Materielle Transzendierende mahnen wollte, entgegenhält: »*Was Geist ist, was euch hebet übers Tier, / Ist meines Tuens Blüte, mir geschuldet. / Tritt aus dem Weg, es ist nichts außer mir!*«

Nun wird die Schönheit vom Tod gerufen. Sie bringt nicht die Kraft auf, allein den schweren Weg zu gehen. Aber sie wird gestützt von der Weisheit, welche vor dem Eingehen in die Todesnacht die Schlüsselworte des Spieles ausspricht – als die Welt ihr und der Schönheit die symbolischen Attribute – Kreuz und Spiegel – nimmt: »*Nimm hin: in jenen Reichen / Strahlt Wesenheit, dort brauchts kein Zeichen.*« Die Funktion der Weisheit ist ein gutes Beispiel für Hofmannsthals gegenüber Calderón veränderte dramaturgische Technik; diese Figur ist nicht mehr nur eine Rolle, welche ihren bestimmten Platz in einer starren Weltordnung hat, sie ist vielmehr sowohl nach oben, d. h. in den umgreifenden göttlichen Kosmos des Meisters, wie auch nach unten (in die »scheinhaften« Zusammenhänge des Erdenspiels) gebunden. Sie ist ein »Gefäß«, eine »Spiegelung« der »höheren Wirklichkeit«, kontrastiert ständig mit den Manifestationen der niederen Wirklichkeit: der Eitelkeit der Schönheit, der Aufgeblasenheit des Königs oder den skrupellosen Ambitionen des Reichen.

Leicht humoristisch gefärbt ist das Abtreten des Bauers. Er ist am hartnäckigsten, er stellt sich taub, tut so, als höre er den Ruf des Todes nicht; dann bezieht er es vorsätzlich auf den im Wald zum Eremiten gewordenen Bettler, schließlich versucht er sogar den Tod zu überzeugen, daß er fürs Sterben keine Zeit habe. Bedeutend ausgeführt ist das Sterben des Reichen und des ehemaligen Bettlers. Dieser begrüßt den Tod freudig, nennt den Reichen »Bruder« und will ihn auf dem letzten Weg stützen. Für den Reichen ist das Ende schrecklich: Ihn faßt die Angst vor der Auflösung des Ich. Dann hält der Engel im Namen des Meisters Gericht: Bettler und Weisheit dürfen in den Palast des Meisters eingehen; König, Schönheit und Bauer bekommen die Stufen zugewiesen; der Reiche wird verdammt. Allerdings bittet die Weisheit für ihn, so daß sein Schicksal in der Schwebe bleibt. – Das Ende des Stücks besteht also in der Beendigung des Spiels im Spiel, mit Belohnung und Bestrafung. Die allegorische Struktur des Dramas läßt das abgelaufene Spiel als einen Bewußtwerdungsprozeß erscheinen, aus dem die nun gewonnene Erkenntnis verkündet wird: »*Hinauf! Vor Meisters Angesicht! Bereitet euch auf ungeheures Licht.*« R. Lo.

Ausgaben: Mchn. 1922 (in Neue dt. Beiträge, 1. Folge, H. 1). – Lpzg. 1922 [veränd.]. – Bln. 1924 (in *GW*, 6 Bde., 1923/24, 5). – Bln. 1934 (in *GW*, 3 Bde., 2). – Ffm. 1957 (in *Dramen III*, Hg. H. Steiner; *GW in Einzelausgaben*, 12).

Literatur: K. Kraus, Rez. (in Die Fackel, 24,

1922, S. 1–7). – A. Polgar, Rez. (in Die Weltbühne, 18, 1922, H. 38, S. 310–314; H. 39, S. 339–341). – L. v. Andrian, Rez. (in Hochland, 20, 1922/23, H. 2, S. 177–180). – E. Gürster, *»Das Salzburger Große Welttheater« u. Calderón* (in Hochland, 23, 1925/26, H. 2, S. 253–255). – A. Bergstraesser, *The Holy Beggar. Religion and Society in H.'s »Great World Theatre of Salzburg«* (in GR, 20, 1945, S. 261–286; dt. Übers. in A. B., *Staat u. Dichtung*, Freiburg i. B. 1967, S. 61–85; 265–271). – W. Vordtriede, *Der Tod als ewiger Augenblick: Ein wiederkehrendes Symbol bei A. v. Droste-Hülshoff u. H. v. H.* (in MLN, 63, 1948, S. 520–525). – E. R. Curtius, *George, H. u. Calderón* (in E. R. C., *Kritische Essays zur europäischen Literatur*, Bern 1950, S. 172 bis 201). – H. Wocke, *H. v. H.s »Salzburger Welt-Theater«: ein Beitrag zur Nachwirkung Calderóns* (in WW, 1, 1950/51, S. 264–272). – G. Kahofer, *H.s Beziehungen zu den Vorlagen seiner Dramen »Jedermann«, »Das große Welttheater«, »Der Turm«*, Diss. Wien 1951. – A. M. Ellis, *Language and Style in »Das Große Welttheater« by H. v. H.*, Manchester 1952. – C. Heselhaus, *Calderón u. H. Sinn u. Form des theologischen Dramas* (in ASSL, 105, 1954/55, Bd. 190, S. 3–30). – H. de Haas, *H.s Weg zu Calderón*, Diss. Mchn. 1955. – B. L. D. Coghlan, *H. v. H.'s Three »Festspiele« and Their Place in His Ethical Development*, Diss. Birmingham 1957. – H. R. Dabatschek, *H. v. H. als Dramatiker*, Diss. Wien 1957. – A. Wolff, *›Weltgeheimnis‹. Reflections on H. v. H.* (in GLL, N. S. 11, 1957/58, S. 173–181). – H. Müller, *Gestalt u. Bedeutung des Todes im Werk H. v. H.s*, Diss. Tübingen 1958. – R. Alewyn, *Über H. v. H.*, Göttingen 1958; [4]1967. – E. Schwarz, *»Das Salzburger Große Welttheater«. Faust, Calderón u. die Sprache der Gegenwart* (in E. S., *H. u. Calderón*, Cambridge/Mass. 1962, S. 64–90). – B. Coghlan, *H.'s Festival Dramas. »Jedermann«, »Das Salzburger Große Welttheater«, »Der Turm«*, Cambridge 1963; ern. Melbourne 1964. – E. Ernst, *Studien zum religiösen Problem im »Salzburger Großen Welttheater« u. in den »Turm«-Dichtungen H. v. H.s*, Diss. Kiel 1963. – L. Wittmann, *Sprachthematik u. dramatische Form im Werke H.s*, Stg. 1966 (Studien zur Poetik u. Gesch. der Lit., 2). – W. Volke, *H. v. H. in Selbstzeugnissen u. Bilddokumenten*, Reinbek 1967 (rm, 127). – G. Erken, *H.s dramatischer Stil. Untersuchungen zur Symbolik u. Dramaturgie*, Tübingen 1967 (Hermaea. Germ. Forschungen, N. F. 20). – S. Bauer, *H. v. H.*, Darmstadt 1968 (Wege der Forschung, 183). – E. Kobel, *H. v. H.*, Bln. 1970.

DER SCHWIERIGE. Lustspiel in drei Akten von Hugo von HOFMANNSTHAL (1874–1929), Uraufführung: München, 7. 11. 1921, Residenztheater. – Von der *»Vollkommenheit dieses Lustspiels«* (W. Emrich) sind schon bald nach der ersten Aufführung Kritiker und Literaturwissenschaftler überzeugt gewesen; es gilt heute als das reifste Werk Hofmannsthals und hat durch eine Fülle engagierter und geistreicher Interpretationen den Rang einer klassischen Dichtung der Moderne gewonnen. Das zugleich durch problematische Vielschichtigkeit und durch sinnlich-komödiantische Eleganz ausgezeichnete Stück kann sowohl als poetisches Modell zeitgenössischer Erkenntnisproblematik wie als glanzvolles Finale der europäischen Lustspieltradition verstanden werden.

Zwei Entfaltungsweisen des Lustspiels sind hier miteinander verschmolzen: Die Charakterkomödie des »Schwierigen« Kari Bühl ist eingebettet in das schillernde Panorama einer Gesellschaftskomödie aus dem Wien von 1920, die zentrale Figur des »Mannes ohne Absichten« – wie ein früherer Titel des Stücks lautet – ist umgeben von vielen sehr absichtsvollen Akteuren. Dieser unheldische Held, dem eine Soirée *»ein Graus«* ist, bewegt sich im zweiten und dritten Akt auf einer Abendgesellschaft und wird schon im ersten Akt durch das Hin und Her der Vorbereitungen auf dieses Ereignis, das vor allem für ihn ungeahnt wichtig werden soll, aus seiner kunstvoll abgeschirmten Einsamkeit gerissen. Das Ensemble der nach dem Ersten Weltkrieg labil und funktionslos gewordenen aristokratischen Salongesellschaft, dem man in dieser Komödie begegnet, setzt sich zusammen aus dem traditionellen Bestand komischer Typen: Da finden sich die Heiratsvermittlerin Crescence, der eitle jugendliche Liebhaber Stani, die Kokette oder *femme fatale* Antoinette nebst einer Kammerzofe, der bramabarsierende Fremde Baron Neuhoff, die Preziöse Edine, der »dottore« Professor Brück, der treuherzige Tölpel und betrogene Ehemann Hechingen. Es bleibt freilich bei indirekten Hinweisen auf die Typologie der *commedia dell'arte* oder MOLIÈRES, denn alle Figuren bewegen sich – Konversation ist ihr Tun – im selben, kunstvoll zubereiteten und individuell abschattierten Dialekt einer späthöfischen Gesellschaft. Aber zur Erkenntnis des Stücks und der eigenartigen Sonderrolle Kari Bühls trägt auch dieser Aspekt bei. Für Bühl nämlich wird der typenmäßig festgelegte Hintergrund explizit formuliert, wenn er mit großer Anteilnahme vom Clown Furlani erzählt: *»Er outriert nie, er karikiert auch nie. Er spielt seine Rolle: er ist der, der alle begreifen, der allen helfen möchte und dabei alles in die größte Konfusion bringt. Er macht die dümmsten Lazzi ... Alle andern lassen sich von einer Absicht leiten ... – er geht immer auf die Absicht der andern ein«* (II, 1). Das eben tut aber auch Kari Bühl selbst, mindestens in der ersten Hälfte des Stücks. Wie man nun die Daseinsform des Clowns als archetypisch-reine Spielexistenz von den spezialisierten komischen Funktionsträgern abheben kann, so kommt bei der konkreten Analyse des Charakters und der Rolle des »Schwierigen« der Kategorie des Archetypischen besondere Bedeutung zu. Während die andern Figuren für eine reale Gegenwart existieren wollen und in ihre alten Paläste Vertreter einer »neuen« Welt (Neuhoff, Neugebauer, im Entwurf: den Diener Nowak) aufnehmen und so zu Spielbällen der Zeitlichkeit werden, ist Bühl in die Mystik einer archetypischen Zeitlosigkeit auf »magische« (ein Schlüsselwort Hofmannsthals) Weise so sehr versunken, daß er nur von einem andern, ihn rückhaltlos liebenden Menschen, Helene Altenwyl, zu einer wahren Existenz – und die Ehe repräsentiert für Hofmannsthal deren Substanz – befreit werden kann. Bühls Überzeugung, daß *»alles schon längst irgendwo fertig dasteht und nur auf einmal erst sichtbar wird«* (I, 18), hat ihre Wurzeln in dem Kriegserlebnis des *»Verschüttetwerdens«*, von dem er Helene berichtet (II, 14). An der Grenze des Todes wurde ihm *»eine ganze Lebenszeit«* sichtbar, in zeitlosem Schwebezustand, doch eher als *»etwas Vergangenes als etwas Zukünftiges«*, ein imaginäres Leben, in dem Helene Karis Frau war. Während seiner Genesung, wurzelnd in dieser Urerfahrung, ist ihm *»die ganze Welt wiedergekommen, wie etwas Reines, Neues und dabei so Selbstverständliches«*, und im Zentrum

dieser Welt sah er »*ganz heilig und feierlich*« Helenes Ehe, als deren Partner er sich freilich aus eigener Kraft nicht zu bekennen vermag. So bleibt ihm das Bild wahren Lebens eine reine, für ihn selbst schon vertane Möglichkeit. Helene muß am Ende (III, 8) die »*Enormität*« leisten, mit ihrem Liebesbekenntnis eine reale Zukunft für beide zu ermöglichen. Sie kann dies übernehmen, weil auch sie – wie keine andere Frau, der Kari begegnete – in archetypischer Zeitlosigkeit gründet: Auch für sie »*ist der Moment gar nicht da*«, und sie fühlt, daß sie »*alles in der Welt, was sich auf uns zwei bezieht, schon einmal gedacht*« hat (II, 14).
Hofmannsthals Postulat »*Die Tiefe muß man verstecken. Wo? An der Oberfläche*« (*Aufzeichnungen*) wird in dieser Komödie auf erstaunliche Weise realisiert. Eine aus konventionellen Elementen zusammengesetzte Fabel (alternder Junggeselle – falsche Werbung – überraschende Verlobung) setzt nicht nur eine abwechslungsreiche Szenenfolge in einem für satirische Pointen geeigneten Milieu in Bewegung, sondern spiegelt zugleich fundamentale Bedingungen des Menschseins, jedenfalls in der Perspektive des Autors: Zumal durch die fast traumhaft-ideale Helene verkündet Hofmannsthal seine Lebenslehre einer schöpferischen Restauration zerbrochener Ordnungen.
Auch die oft isoliert interpretierten Reflexionen über Wesen und Leistung der Sprache lassen sich dieser Gesamtkonzeption des Stücks einfügen. Gegenüber Helene – und gelegentlich gegenüber Antoinette – vermag Kari Bühl zu sprechen, in zusammenhängender Rede und in prägnanter Bildlichkeit Vergangenheit zu beschwören und das Wesen einer rechten Ehe darzustellen; unter den bewußtlos handelnden und geistreich-sinnlos redenden Figuren einer substanzentleerten Gesellschaft jedoch verhält er sich wie der Clown Furlani, reagiert fast nur pantomimisch und reflektiert ironisch die »*Konfusionen*«, die entstehen. Karis Schweigen bildet zwar im Bereich der Gesellschaftskomödie den Maßstab für die psychologischen Kategorien Stanis oder seiner Mutter, für die voluntaristische Rhetorik Neuhoffs, den Feuilletonismus Edines, den Konversations-Fetischismus Altenwyls und für andere defiziente Sprachzustände, dies Schweigen wird aber gegenüber dem lebendigen, existentiell verantworteten Reden Helenes selbst als ein Versagen enthüllt. Zwar wird radikale Sprachskepsis als ein unausweichliches Phänomen der Epoche analysiert, aber die mystische Hoffnung auf eine Neugeburt des glaubwürdigen und welthaltigen Wortes wird ihr entgegengestellt. So ist auch das Nachdenken Hofmannsthals über die Sprache wie das ganze Lustspiel *Der Schwierige* als ein unter den Bedingungen der Zeit um 1920 noch möglicher, gegenwärtig indes nicht wiederholbarer Versuch zu erkennen, eine künstlerische und ethische Kontinuität zu stiften, die über das Ende der alteuropäischen Traditionen hinausreichen sollte. E. Ri.

AUSGABEN: Bln. 1921. – Bln. 1924 (in *GW*, 6 Bde., 1923/24, 4). – Ffm. 1948 (in *Lustspiele II*, Hg. H. Steiner; ern. 1959). – Hbg. 1958 (zus. m. *Der Unbestechliche*; FiBü, 233).

LITERATUR: E. Staiger, *H. v. H. – »Der Schwierige«* (in NSRs, 24, 1941/42, S. 289–301; 387–394; 433–443; ern. in E. S., *Meisterwerke deutscher Sprache aus dem 19. Jh.*, Zürich [5]1964, S. 223–256). – H. J. Himstedt, *Studien zum dramatischen Werk H. v. H.s unter besonderer Berücksichtigung seines Lustspiels »Der Schwierige«*, Diss. Ffm. 1949. – W. Emrich, *H.s Lustspiel »Der Schwierige«* (in WW, 6, 1955/56, S. 17–25; auch in W. E., *Protest u. Verheißung*, Ffm. [3]1968, S. 223–232). – K. Maier, *Untersuchungen zur Struktur des höheren Humors in H.s Lustspiel. Mit besonderer Berücksichtigung der Stücke »Minna von Barnhelm« von Lessing u. »Der Schwierige« von H.*, Diss. Tübingen 1957. – R. Thieberger, *Das Wiener Aristokraten-Französisch in H.s »Der Schwierige«* (in Antares, 5, 1957, H. 7, S. 9–12; H. 8, S. 15–18). – C. J. Burckhardt, *Zu H.s »Der Schwierige«* (in NRs, 71, 1960, S. 133–137). – E. Rösch, *Komödien H.s. Die Entfaltung ihrer Sinnstruktur aus dem Thema der Daseinsstufen*, Marburg 1963; [2]1968 [erw.]. – H. Weigel, *Triumph der Wortlosigkeit. Ein Versuch über H. v. H.s Lustspiel »Der Schwierige«* (in NDH, 10, 1963, S. 30–44). – F. N. Mennemeier, *H. »Der Schwierige«* (in *Das deutsche Drama*, Hg. B. v. Wiese, Bd. 2, Düsseldorf 1964, S. 244–264). – L. Wittmann, *Sprachthematik u. dramatische Form im Werke H.s*, Stg. u. a. 1966. – R. Alewyn, *Über H. v. H.*, Göttingen [4]1967. – G. Erken, *H.s dramatischer Stil*, Tübingen 1967. – A. Chelius-Göbbels, *Formen mittelbarer Darstellung im dramatischen Werk H. v. H.s. Eine Untersuchung zur dramatischen Technik u. ihrer Entwicklung unter besonderer Berücksichtigung des Lustspiels »Der Schwierige«*, Meisenheim 1968 (Diss. Mainz 1964). – H. Steffen, *H.s Gesellschaftskomödie »Der Schwierige«* (in *Das deutsche Lustspiel*, Hg. ders., Bd. 2, Göttingen 1969).

DER THOR UND DER TOD. Geschrieben 1893. Lyrisches Drama in einem Akt von Hugo von HOFMANNSTHAL (1874–1929), erschienen 1894; Uraufführung: München, 13. 11. 1898, Literarische Gesellschaft. – Das lyrische Dramolet hat zusammen mit einigen unter dem Pseudonym »Loris« erschienenen Gedichten und weiteren kleinen Schauspielen den frühen Ruhm des Dichters begründet. Lange Zeit wurde der junge Hofmannsthal als Autor neuromantischen Poesiezaubers, subtiler Stimmungsreize und dekadenter Lebenshaltung mißverstanden, bis die Interpretation Richard ALEWYNS die lebensphilosophische Skepsis am narzißtischen Ästhetizismus schon im Frühwerk des Dichters nachweisen konnte.
In virtuos gereimten Jamben von hoher Musikalität verströmt sich die monologische Klage des »Toren« Claudio, des Ästheten, dem das Leben entglitten ist »*mit kleinem Leid und schaler Lust*«, ohne wirkliche Bindungen und substantielle Erfahrungen. Angerührt vom Geigenton des Todes, weicht die Resignation Claudios einem enthusiastischen Preis der – jeden Vereinzelten in sich integrierenden – großen und bewegten Lebenseinheit. Doch hier endet der Schein des in sich selbst kreisenden Seelenlebens; der Tod tritt in drastischer Personifikation auf die Szene und eröffnet einen Prozeß gegen Claudio, indem er Mutter, Geliebte und Freund aus dem Schattenreich ruft und als Zeugen gegen ihn und sein verpfuschtes Dasein auftreten läßt. Als Claudios Schuld enthüllt sich, daß er »*keinem etwas war und keiner ihm*«. Die Isolation des ästhetischen Menschen wird vom Maßstab eines unreflektiert, aber mit echter Leidenschaft, wahrer Liebe und elementaren Trieben gelebten Lebens, vom ethischen Grundwert der sozialen Integration aus verurteilt. In der Handlungsfolge des Spiels wird allerdings der schon Vernichtete noch zum Sieger über

die Vergänglichkeit: »*Da tot mein Leben war, sei du mein Leben, Tod.*« Mit dieser, der christlichen Mystik entnommenen und als Bekenntnis zu einer polaren Totalität des Daseins uminterpretierten Identitätsformel schafft sich das Weltgefühl des momentanen Erlebens absolute, existenzgründende Vollmacht.
Obgleich *Der Tnor und der Tod* ein Spiel vom Ungenügen des Nur-Ästhetischen ist, massiv verdeutlicht durch den Einbau von Totentanz-Elementen, wird vom Ende her doch nichts anderes als eine Intensivierung des Erlebens und der aus ihm gespeisten Kunst postuliert und nicht etwa das geschichtliche Ende poetischen Sprechens behauptet: Die Dichtung, die in ausgesucht schönen Bildern und in delikat abgetönten Harmonien auch das Nichts einbezieht ins ernste Fest des Lebens, feiert sich selbst in den letzten Versen des Todes, in seiner Bewunderung für Claudio. – Hofmannsthal wird die frühreife Eloquenz, mit der hier Situationen und Metaphern klassischer, romantischer und symbolistischer Dichtung integriert sind zu einer sentimentalischen Versfolge, als trügerische Scheinlösung erkennen; aber stets wird er – wie viele Autoren seiner Epoche – die Faszination durch das Einheitsmysterium »Leben«, dessen Glanz gerade im dionysischen Dunkel aufleuchtet, sprachlich zu bannen versuchen. Insofern kann *Der Thor und der Tod* als ein frühes und in seinem Arrangement recht bezeichnendes Dokument für die dominierenden Tendenzen in der Literatur um 1900 gelten. E. Ri.

AUSGABEN: Mchn. 1894 (in Moderner Musen-Almanach auf das Jahr 1894). – Lpzg. 1907 (*Der Tor und der Tod*, in *Kleine Dramen*, 2 Bde., 1906/07, 1). – Lpzg. 1911 (in *Die Gedichte und kleinen Dramen*). – Bln. 1924 (in *GW*, 6 Bde., 1923/24, 1). – Bln. 1934 (in *GW*, 3 Bde., 1). – Stockholm 1946 (in *Gedichte und lyrische Dramen*, Hg. H. Steiner; *GW in Einzelausgaben*, 1). – Hbg. 1949 (Begleitwort E. Zinn; Maximilian-Ges., 81; Faks.-Ausg.). – Ffm. 1966 (*Gedichte und kleine Dramen;* Bibl. Suhrkamp, 174; ern. 1968).

LITERATUR: W. Baschata, *Die Entwicklung der dramatischen Technik u. Form in H.s lyrischen Dramen*, Diss. Innsbruck 1948. – M. Th. Lehn, *Tragedy and Comedy in H.'s Dramatic Works*, Saint Louis/Mo. 1959 [zugl. Diss. Washington Univ.; m. Bibliogr.]. – H. Broch, *H. u. seine Zeit. Eine Studie*, Mchn. 1964 (Nachw. H. Arendt; Piper-Bücherei, 194). – P. Szondi, *Lyrik u. lyrische Dramatik in H.s Frühwerk* (in P. S., *Satz u. Gegensatz. 6 Essays*, Ffm. 1964, S. 58–70). – G. Wunberg, *Der frühe H. Schizophrenie als dichterische Struktur. Mit einer umfassenden Bibliographie zur Sekundärliteratur*, Stg. 1965 (Sprache u. Lit., 25). – L. Wittmann, *Sprachthematik u. dramatische Form im Werke H.s*, Stg. 1966. – G. Erken, *H.s dramatischer Stil. Untersuchungen zur Symbolik u. Dramaturgie*, Tübingen 1967 (Hermaea. Germanistische Forschungen, N. F. 20). – R. Alewyn, *Der Tod des Ästheten* (in R. A., *Über H. v. H.*, Göttingen [4]1967, S. 64–77). – M. Hoppe, *Literatentum, Magie u. Mystik im Frühwerk H. v. H.s*, Bln. 1968 (QFgV, N. F. 28). – G. Pickerodt, *H.s Dramen. Kritik ihres historischen Gehalts*, Stg. 1968 (Studien zur allg. u. vergleichenden Literaturwiss., 3). – H. C. Seeba, *Kritik des ästhetischen Menschen. Hermeneutik u. Moral in H.s »Der Tor und der Tod«*, Bad Homburg/Bln./ Zürich 1970. – E. Kobel, *H. v. H.*, Bln. 1970.

DER UNBESTECHLICHE. Lustspiel in fünf Akten von Hugo von HOFMANNSTHAL (1874–1929), Uraufführung: Wien, 16. 3. 1923, Raimundtheater; erschienen 1956. – Mehr noch als bei anderen Theaterstücken Hofmannsthals war ein Schauspieler der Anlaß zur Niederschrift des *Unbestechlichen*: die Titelrolle ist Max Pallenberg »*auf den Leib geschrieben*«. Entgegen Hofmannsthals eigener Einschätzung – »*ein Lustspiel ... das ich im Sommer (neben der Arbeit an dem Trauerspiel) so hingeschrieben hatte*« – zählt *Der Unbestechliche* im Bewußtsein des Publikums zu seinen Hauptwerken. Die überaus theaterwirksamen Szenen, die sichere Führung des Dialogs, die Beherrschung der technischen Mittel erklären den Erfolg auf dem Theater. Inkonsequenzen der Konzeption und Durchführung lassen aber auch die Fragwürdigkeit bestimmter Prinzipien des späten Hofmannsthal deutlicher als in anderen Werken hervortreten.

Jaromir, der mit Anna verheiratete Sohn der Baronin, hat zwei ehemalige Geliebte zu sich eingeladen. Daraufhin kündigt der Diener Theodor, dem das Leben, das Jaromir führt, »*eine fortgesetzte Beleidigung meiner Person*« ist, seinen Dienst im Haus der Baronin. Er bleibt nur vorläufig unter der Bedingung, daß sie ihm freie Hand läßt, das sich anbahnende »*Techtelmechtel*« zu verhindern, die eingeladenen Damen zur Abreise zu bewegen, die Ehe als Abbild des metaphysischen Prinzips gesellschaftlicher Ordnung zu retten und so sich »*Genugtuung*« zu verschaffen. Mit dem Ziel Theodors, das er schließlich durch allerlei Intrigen erreicht, ist das Handlungsziel des Lustspiels verknüpft. Am Ende reist der Besuch ab, erkennt Jaromir mit dem Sinn seiner Ehe auch seine Pflichten, wird Theodors Ansprüchen Genüge getan.
Die lehrhafte Tendenz des *Unbestechlichen* sowie die handlungstragende Intrige stehen in guter Komödientradition, um deren Wiederbelebung sich Hofmannsthal auch in anderen Werken bemühte. Ebenso gehören die Hauptfiguren und ihre Konstellation dem Bestand der traditionellen Komödie an, sosehr sie auch den Leitideen Hofmannsthals anverwandelt sind. So ist Jaromir der leichtlebige Herr, der seine Unabhängigkeit zu immer neuen Abenteuern ausnutzt, und repräsentiert zugleich den typisch Hofmannsthalschen Abenteurertyp, dem in seiner Lebensspielerei das Eigentliche des Lebens zu entgleiten droht. So ist Theodor ein später Nachfahr jener Diener, die die Drähte der Handlung ziehen, doch nicht als Vertraute ihres Herrn. Gleichwohl unterscheidet sich seine Absicht von der etwa Figaros (in BEAUMARCHAIS' *Le mariage de Figaro*), da er nicht emanzipatorisch wie dieser der Herrschaft ein altes Recht streitig machen will. Vielmehr ist sein Ziel die Restauration der alten Ordnung, zu deren Anerkennung die von ihm inszenierte Intrige seinen Herrn zwingen soll. Theodor steht so – wie sein Name sagt und wie seine ursprüngliche Bestimmung zur »geistlichen Person« bestätigt – im Dienst von Hofmannsthals Idee einer »konservativen Revolution«, die darauf zielte, die Ordnungskräfte der Tradition gegen die Auflösungserscheinungen seines Zeitalters zu beleben. Zum Exempel kann für Theodor die Lustspielhandlung dadurch werden, daß er mit Hofmannsthal die Gesellschaft »symbolisch« als Abbild göttlicher Ordnung versteht. Indem er diese bestätigt und damit die Prinzipien zu seinen eigenen macht, die seine Dienerrolle sowohl ermöglichen wie festlegen, wird der Witz ironisiert und um seinen kritischen

Sinn gebracht, der darin bestand, daß ein Diener die Herrschaft übernimmt.
Die Zwiespältigkeit von Hofmannsthals Konzeption des *Unbestechlichen* zeigt sich auch darin, daß nicht durch Theodor der Sinn der Ehe enthüllt und ihre Anerkennung herbeigeführt wird, wie es einer Konzeption entspräche, die ihn zu diesem Zweck mit »höheren Kräften« begabt. Zur Rettung der Ehe ist die direkte Wirkung des Metaphysischen vonnöten, durch die Anna und Jaromir ihrer Zusammengehörigkeit inne werden. Anna führt die versöhnende Aussprache mit Jaromir auf ihr Gebet zurück. Daß es möglich wurde, »*mich zu mir selber zu bringen und dadurch auch ganz zu dir*«, hält Jaromir für etwas »*Ungeheueres*«. Mit Anna sieht er schließlich darin eine »*Planmäßigkeit*«, das Walten Gottes. Indem die eigentliche Lösung unabhängig von Theodors Einfluß durch den direkten Eingriff göttlicher Kräfte, die Jaromirs Sinn erleuchten, bewirkt wird, erscheint nicht nur Theodors Selbstverständnis ironisch widerlegt; die Handlung schießt über das logische Ziel ihrer Konzeption hinaus, da dieser Schluß nicht aus dem vorherigen Geschehen folgt, sondern auch ohne es möglich wäre. Der Besuch, dessen Abreise Theodor zu seiner privaten Genugtuung betreibt (dies die handlungstragende Intrige), kann doch keine Gefahr bedeuten, vor der Jaromir zu bewahren wäre, »*wenn die absolute Macht Jaromirs Sinn im entscheidenden Moment von sich aus umkehrt*« (Pickerodt). Das Ziel der Intrige ist erreicht mit der Abreise der Damen. Was dann folgt, ist dem Mysterienspiel näher als der Komödie, entspricht damit aber Hofmannsthals symbolischer Auffassung der Gesellschaft als Abbild göttlicher Ordnung. Die Gesellschaft des *Unbestechlichen* ist von solcher Ordnung weit entfernt, und nicht immanent findet sie zu ihr zurück, sondern durch den Einbruch der Transzendenz. Indem aber im *Unbestechlichen* die Distanz beider Prinzipien, des immanenten und des transzendenten, noch gegen die Intention des Autors sich bestätigt, wird der historische Bruch deutlich, der Hofmannsthals Idee einer übergreifenden, sinngebenden Norm von der Gesellschaft seiner Gegenwart trennt, der er sie entgegenstellen wollte.

M. Ni.

AUSGABEN: Ffm. 1956 (in *GW in Einzelausgaben*, Hg. H. Steiner, 1953ff., 4: *Lustspiele*). – Ffm./Hbg. 1958 (zus. m. *Der Schwierige*; FiBü, 233).

LITERATUR: *Briefwechsel H. v. H. – R. Borchardt*, Hg. M. L. Borchardt u. H. Steiner, Ffm. 1954. – R. Alewyn, »*Der Unbestechliche*« (in R. A., *Über H. v. H.*, Göttingen [4]1967). – P. Requadt, *H.s Lustspiel »Der Unbestechliche«* (in Wirkendes Wort, 13, 1963, S. 222–229). – E. Rösch, *Komödien H.s*, Marburg 1963. – M. Hamburger, *H. v. H.*, Göttingen 1964. – N. Altenhofer, *H.s Lustspiel »Der Unbestechliche«*, Bad Homburg u. a. 1967. – G. Erken, *H.s dramatischer Stil*, Tübingen 1967. – R. Goldschmit, *H.*, Velber 1968. – G. Pickerodt, *H.s Dramen*, Stg. 1968.

ÖDÖN VON HORVÁTH
(1901–1938)

GESCHICHTEN AUS DEM WIENERWALD.
Volksstück in drei Akten von Ödön von HORVÁTH (1901–1938), Uraufführung: Berlin, 2. 11. 1931, Deutsches Theater. – Marianne, die freundliche und liebenswürdige Tochter eines kleinen Spielwarenhändlers, ist dem gutmütigen Metzgermeister Oskar versprochen. Sie lernt jedoch Alfred kennen, einen eleganten Strizzi, der von Rennwetten und dunklen Gelegenheitsgeschäften lebt und der Geliebte von Valerie ist, einer matronenhaften Trafikinhaberin aus dem Nachbarhaus. Während eines Picknickausflugs in den Wienerwald versteht es Alfred, sich die rührend hilflose und unerfahrene Marianne gewogen zu machen, während Valerie einen norddeutschen Studenten verführt. Vom Vater verstoßen, zieht Marianne zu Alfred in dessen schäbig möbliertes Zimmer. Sie bekommt ein Kind. Um von der Geliebten, deren Anhänglichkeit ihm bald lästig wird, wieder freizukommen, bringt Alfred sie bei einer Tingeltangel-Tanzgruppe unter und versorgt das Kind bei seiner Mutter in der Wachau. Der Metzger Oskar liebt Marianne immer noch, ja, er würde sie sogar heiraten, gäbe es nicht das Kind, das aufzunehmen er nicht über sich bringt. Marianne landet endlich im Kabarett »Maxim«, wo sie halbnackt in sogenannten »Lebenden Bildern« zu posieren hat. Aus Not bestiehlt sie einen Gast und kommt schließlich ins Gefängnis. Dort muß sie erfahren, daß ihr Kind gestorben ist. Nach der Entlassung, auf dem tiefsten Punkt ihrer Erniedrigung angelangt, kehrt Marianne verzweifelt ins Elternhaus zurück. Der Vater, einsichtig geworden, verzeiht ihr, und der gutmütige Oskar erklärt sich trotz allem bereit, sie zu heiraten.
In diesem seinem reichsten und poetischsten Stück, für das er 1931 den Kleistpreis erhielt, hat der Autor die Atmosphäre der Wiener Vorstadtwelt treffsicher eingefangen: die Muffigkeit und sentimentale Heurigen-Seligkeit eines armseligen Kleinbürgertums, den schmierigen Charme der Krämer und kleinen Ganoven und den verstaubten Flitter billiger Nachtlokale. Der Schicksalsweg Mariannes, eine im besten Sinne des Wortes melodramatische Geschichte, ist eingebettet in eine bis in die kleinsten Randfiguren genau durchgezeichnete, feinfühlig differenzierte Wirklichkeit. Horváth weckt Mitgefühl mit seinen an ihrer Sehnsucht nach ein wenig Glück sich aufreibenden Gestalten, ohne doch den Anteil ihrer eigenen Schuld an ihrem Mißgeschick zu beschönigen. Auch in der mit Resignation untermischten Wendung des Schlusses übertüncht oder vergoldet seine melancholische Poesie die bitteren Wahrheiten nicht.

U. J.

AUSGABEN: Bln. 1931. – Mchn. 1961 (in *Österreichisches Theater des 20. Jh.s*). – Reinbek 1961 (in *Stücke*, Hg. T. Krischke; Nachw. U. Becher).

LITERATUR: K. Mann u. W. Mehring (in Das neue Tagebuch, 11. 6. 1938). – F. Th. Csokor, *Ö. v. H.* (in Der Monat, 1951, H. 33, S. 309–313). – U. Weisstein, *Ö. v. H., a ›Child of Our Time‹* (in MDU, 52, 1960, 7, S. 343–352). – R. Federmann, *›Das Zeitalter der Fische‹. Ein Versuch über Ö. v. H.* (in Wort in der Zeit, 1962, 6, S. 6–14). – T. Krischke, *Der Dramatiker Ö. v. H.* (in Akzente, 1962, S. 157 bis 164). – G. Reuther, *Ö. v. H. Gestalt, Werk und Wirkung auf der Bühne*, Diss. Wien 1962. – W. Emrich, *Die Dummheit oder das Gefühl der Unendlichkeit: Ö. v. H.s Kritik* (in W. E., *Geist und Widergeist*, Ffm. 1965, S. 185–196). – K. Kahl, *Ö. v. H.*, Velber 1967.

ITALIENISCHE NACHT. Volksstück in sieben Bildern von Ödön von Horváth (1901–1938), Uraufführung: Berlin, 20. 3. 1931, Theater am Schiffbauerdamm. – Der Autor, der sich bereits in seinem Roman *Der ewige Spießer* (1930) um eine Typologie des zeitgenössischen Philisters unter gesellschaftlichem Aspekt bemüht hatte, führt in seinem Schauspiel die politische Ausprägung dieses Menschentyps vor, indem er mit den Mitteln der Satire die phrasenhafte Vereinsmeierei der Angehörigen verschiedener Parteien entlarvt. Im Gegensatz zu den ideologisch engagierten Stücken Brechts oder Tollers aus jenen Jahren nimmt Horváth für keine Partei Stellung: »*Ich schreibe nicht gegen, ich zeige nur.*«

Einige Sozialisten sitzen am Sonntagmorgen im Gasthaus einer süddeutschen Kleinstadt beim Kartenspiel. Der Stadtrat, Vertreter der alten, inzwischen verbürgerlichten Sozialistengeneration, hat für den Abend ein Volksfest mit dem Motto »Italienische Nacht« vorbereitet; Martin, Vertreter der jungen, radikal-revolutionär gesinnten Sozialisten-Garde, protestiert dagegen, daß die Partei gemütliche Tanzabende veranstaltet, während die Faschisten marschieren und Schießübungen abhalten. Er ist so fanatisch, daß er sogar seine Braut zwingt, sich mit SA-Leuten einzulassen, um deren Kampfstärke und Bewaffnung auszuspionieren; eine Trennung von Politik und Privatleben, wie sie sein Freund Karl für richtig hält, lehnt Martin entschieden ab. Die »Italienische Nacht« findet statt; unmittelbar vorher haben allerdings die Faschisten im gleichen Biergarten einen »Deutschen Tag« mit kriegerischen Gesängen gefeiert. Martin sprengt das Fest seiner Partei mit einer Rede, in der er die Parteileitung wegen ihrer Trägheit und Ziellosigkeit angreift. Später erscheint ein faschistischer Schlägertrupp, um den »roten« Stadtrat zu verprügeln, weil jemand das Denkmal des Kaisers besudelt hat. Martin und seine Freunde retten den Stadtrat, aber dieser lernt nichts aus dem Vorgefallenen und bleibt bei seinem Grundsatz: »*Solange es einen republikanischen Schutzverband gibt, solange kann die Republik ruhig schlafen.*«

Gerade weil Horváth schon früh, nachdem er Hitler 1929 in einer Privatgesellschaft kennengelernt hatte, vor den Nationalsozialisten warnte und vor 1931 von ihnen wiederholt öffentlich angegriffen wurde, enthüllt er in diesem Stück auch unnachsichtig die gefährliche Apathie und den blinden Fanatismus ihrer Gegenspieler und gibt diese der Lächerlichkeit preis. »*Der beste Zeitspaß dieser Läufte!*« (A. Kerr). Das Stück zeigt Horváths große Begabung, eine Fülle plastisch geschauter Figuren auf die Bühne zu stellen, aber auch seine Neigung, mehrere Gesprächsgruppen gleichzeitig in freskohaften Bildern zu zeigen; zu einem umfassenden Gegeneinanderspiel oder einem zentralen Zusammenstoß der verschiedenen Handlungsstränge kommt es nicht. U. J.

Ausgaben: Bln. 1930. – Reinbek 1961 (in *Stücke*, Hg. T. Krischke; Nachw. U. Becher).

Literatur: U. Weisstein, *Ö. v. H. A Child of Our Time* (in MDU, 52, 1960, S. 343–352). – R. Federmann, *Das Zeitalter der Fische. Ein Versuch über Ö. v. H.* (in Wort in der Zeit, 8, 1962, H. 6, S. 6–14). – T. Krischke, *Der Dramatiker Ö. v. H.* (in Akzente, 9, 1962, S. 157–164). – G. Reuther, *Ö. v. H. Gestalt, Werk u. Verwirklichung auf der Bühne*, Diss. Wien 1962. – J. Strelka, *Brecht, H., Dürrenmatt*, Wien 1962. – W. Emrich, *Die Dummheit oder Das Gefühl der Unendlichkeit: Ö. v. H.s Kritik* (in W. E., *Geist u. Widergeist*, Ffm. 1965, S. 185–196).

RICARDA HUCH
(1864–1947)

VITA SOMNIUM BREVE. Roman von Ricarda Huch (1864–1947), erschienen 1903. – Abseits modischer Literaturströmungen und vorbereitet durch intensive literarhistorische Studien (*Blütezeit der Romantik*, 1899; *Ausbreitung und Verfall der Romantik*, 1902), vollzieht Ricarda Huch ihre Rückwendung zum Romantischen: Parallel zu den wissenschaftlich fundierten Standardwerken entstehen ihre großen »neuromantischen« Romane *Erinnerungen von Ludolf Ursleu dem Jüngeren* (1893) und *Vita somnium breve* (1903), dessen Titel auf Böcklins gleichnamiges Bild anspielt. Das seit 1913 unter dem Titel *Michael Unger* erscheinende Werk greift die Thematik des ersten Romans auf und führt sie in breitflächigeren Variationen weiter; der mehr lyrische Grundcharakter des *Ursleu*-Romans erhält eine epische Dimension.

Michael Unger, die zentrale Gestalt von *Vita somnium breve* erlebt und reflektiert die geistig, sozial und politisch vielschichtig differenzierte Welt vorwiegend episch, d. h., das erzählte Geschehen wächst nicht mehr ausschließlich aus einem subjektiven Kern heraus, sondern ordnet sich objektiveren Gesetzmäßigkeiten unter. Die autobiographische Sicht wiederum setzt intime Akzente auf das geistesgeschichtlich wie gesellschaftspolitisch stark bewegte und repräsentative Epochenpanorama, in dem die Autorin persönlich erlebte Realität in einem realitätsfernen, eben neuromantischen Sprachstil aufarbeitet. Michael Unger, Sohn eines reichen norddeutschen Patrizierhauses, verläßt aus Liebe zu der Malerin Rose seine Frau Verena: »*O Bitterkeit, daß ich nichts anderes habe und nichts anderes bin als diese Kaufleute mit den rötlichen Backenbärten und den nackten leeren Augen, auf die ich mitleidig herabzusehen pflegte, die auch mit Arbeit und Sorge Geld errungen haben, eine schöne Frau und hochmütige Kinder! Die vor mir die Überzeugung voraus haben, daß dies das Wichtigste und Größte ist, was man dem Leben abgewinnen kann.*« Sehnsüchtig lauscht er dem Grundakkord seiner romantischen Sehnsucht: »*O Leben, o Schönheit!*« – ein leitmotivisch wiederkehrender Satz, der den erfolgsverwöhnten Helden aus dem »*Ekel sinnloser Langeweile*« fortlockt in das Abenteuer einer freien, erfüllten Existenz. Er sprengt das Pflichtkorsett bürgerlicher Lebensformen, geht nach Zürich und fängt ein Medizinstudium an. Dort schließt er sich einer Gruppe von Künstlern, Studenten und Professoren an, die mit rhetorischer Leidenschaft die Problematik einer im Ansatz schon modernen Welt diskutieren. Lebensenthusiasmus und Schönheitsrausch, Glückssehnsucht und Existenzangst skandieren Michaels Lebensrhythmus; an der Seite Roses wächst er langsam zu einer harmonischen Persönlichkeit heran. Aber der »kurze Traum« bricht jäh ab, das gemeinsame Liebesglück scheitert an der tiefen Bindung zu seinem Sohn Mario, dem zuliebe er Rose verläßt und in den norddeutschen, patriarchalischen Lebenskreis seiner Familie zurückkehrt. Bourgeoises

Pflichtdenken verdrängt den romantischen Lebenstraum in den Bereich melancholischer Erinnerung. Wie *Ludolf Ursleu* aus distanzierender Rückschau geschrieben, markiert *Vita somnium breve* eine bedeutsame Zäsur in der geistigen Entwicklung Ricarda Huchs. An dem Geist der Ernüchterung und der Resignation, der in die fein ziselierte romantische Stimmungskunst und die pittoresken Traumbilder des Romans eindringt, läßt sich die Wandlung der Autorin nachvollziehen. M. Ke.

Ausgaben: Lpzg. 1903, 2 Bde. – Lpzg. [5]1913 (u. d. T. *Michael Unger*). – Wiesbaden 1946. – Köln 1966 (in *GW*, Hg. W. Emrich, 10 Bde. u. 1 Erg.-Bd., 1966–1968, 2).

Literatur: O. Walzel, *R. H. Ein Wort über die Kunst des Erzählens*, Lpzg. 1916. – G. Kast, *Romantisierende u. kritische Kunst. Stilistische Untersuchungen an Werken von R. H. u. Th. Mann*, Diss. Bonn 1928. – G. Grote, *Die Erzählkunst R. H.s u. ihr Verhältnis zur Erzählkunst des 19. Jh.s*, Bln. 1931; Nachdr. Nendeln/Liechtenstein 1967. – E. Hoppe, *R. H. Weg, Persönlichkeit, Werk*, Hbg. 1936; Stg. [2]1951 [erw.]. – M. Baum, *Leuchtende Spur. Das Leben R. H.s*, Tübingen/Stg. 1950. – H. Baumgarten, *R. H. Von ihrem Leben u. Schaffen*, Weimar 1964 [m. Bibliogr.]. – G. H. Hertling, *Wandlung der Werte im dichterischen Werk der R. H.*, Bonn 1966.

HANS HENNY JAHNN
(1894–1959)

FLUSS OHNE UFER. Roman in drei Teilen von Hans Henny Jahnn (1894–1959). Der erste Teil *(Das Holzschiff)* erschien 1949, der zweite *(Die Niederschrift des Gustav Anias Horn, nachdem er neunundvierzig Jahre alt geworden war)* in zwei Teilbänden 1949 und 1950; der dritte Teil *(Epilog)* wurde 1961 in fragmentarischer Form von Walter Muschg aus dem Nachlaß herausgegeben. – Im Jahre 1934 emigrierte Jahnn auf die dänische Insel Bornholm, wo bis 1946 dieser Roman, sein bedeutendstes Werk, entstand. Nach der Rückkehr nach Hamburg behinderten den Autor finanzielle Schwierigkeiten und sein verzweifelter Kampf gegen das atomare Wettrüsten so in seiner Arbeit, daß der letzte Teil unvollendet blieb.

Die Handlung, die sich über 2200 Druckseiten erstreckt, ist nicht wesentlicher Bestandteil des Werks. Der Roman als Gattung des 19. Jh.s, das »Romanhafte«, interessiert – wie schon Musil und Broch – auch Jahnn nicht mehr. Die Thematik wird nicht mehr im und durch das Geschehen ausgedrückt, sondern in der Widersprüchlichkeit der Personen. »*Sie gelangen ans Ziel, an ihre Wirklichkeit, weil sie der Schauplatz von Ereignissen sind, musikalisch ausgedrückt, von Themen, Strophen, Motiven, Anklängen, Rhythmen.*« (Brief an Werner Helwig, 29. 4. 1946) – Auf diesem seelischen Schauplatz findet eine »*fast naturwissenschaftliche Betrachtung oder Erforschung des Wesens der Schöpfung, der Geschlechtlichkeit des Menschen und der interstellaren Einsamkeit seines Herzens*« statt: so faßte Helwig (Brief an Jahnn, 23. 3. 1946) die Absichten des Autors zusammen. Der Protagonist dieses erzählerischen Experiments, der deutsche Tonsetzer Gustav Anias Horn – ein Vergleich mit Thomas Manns Adrian Leverkühn im *Doktor Faustus* (1947) liegt nahe –, begibt sich auf die Suche nach der verlorenen Zeit. – Im ersten Teil beschreibt ein keineswegs allwissender Erzähler die Ausfahrt eines »*dreimastigen Vollschiffs*« mit dem Namen »Lais«. Ein junger Mann, Gustav genannt, macht die Reise als blinder Passagier mit, um seiner Verlobten Ellena Strunck, der Tochter des Kapitäns, nahe zu sein. Nach deren mysteriösem Verschwinden kommt es zur Meuterei, weil die Mannschaft, die man über Fracht und Ziel nicht unterrichtet hat, beunruhigt ist. Gustavs angestrengte Suche nach Ellena führt allerdings nur dazu, daß der Schiffsrumpf bei der durch ihn veranlaßten Öffnung eines verborgenen Laderaums vom Zimmermann beschädigt wird und das Schiff untergeht. Das Mädchen bleibt verschwunden, und der Erzähler teilt nur Mutmaßungen über die geheimnisvollen Vorgänge auf dem Schiff mit.

Ließ die Seegeschichte noch an Joseph Conrad denken, so nimmt der zweite Teil alle Elemente des inneren Monologs, der Sprechweise der Personen, der Gedankenspiele und Abschweifungen auf, wie sie aus Jahnns früherem Roman *Perrudja* (1930) bekannt sind. *Die Niederschrift des Gustav Anias Horn*, jenes Verlobten des verschollenen Mädchens, schildert in einem fortlaufenden Bewußtseinsstrom Vergangenheit, Gegenwart und Erwartungen des Komponisten. Angesichts der Mumie seines einbalsamierten Freundes Alfred Tutein, der als Matrose auf dem Holzschiff gedient hatte, versucht er, ihn der Vergessenheit zu entreißen, der Vergänglichkeit Herr zu werden: er erinnert sich der Aufklärung der rätselhaften Geschehnisse auf dem Holzschiff. Alfred Tutein hatte Ellena ermordet, aber Gustavs Verzeihung, ja sogar seine Liebe erlangt. Der Mörder ist an die Stelle des Opfers getreten, in einer Symbiose von Körper und Geist haben die beiden in mystischem Bluttausch eine dauernde homoerotische Blutsfreundschaft geschlossen, die bis zu Tuteins Tod währt. Die Flucht vor der Vergangenheit, Erlebnishunger und Freiheitsdurst treibt sie durch die Kontinente. Alle Experimente zur Überwindung des Zweiseins stoßen immer wieder an die Grenzen, die Tod und Vergänglichkeit setzen. Auf der Flucht vor der barbarischen Zivilisation kommen sie erst in Norwegen und Schweden zur Ruhe, Horn als Komponist, Tutein als Pferdehändler (Autobiographisches aus Bornholm spielt hier herein; keineswegs ist jedoch der Orgelbauer Jahnn dem Komponisten Horn gleichzusetzen). Nach Tuteins Tod zieht Horn Erkundigungen nach Überlebenden jenes lange zurückliegenden Schiffsunglücks ein. Ein junger Mann, Ajax von Uchri, gibt sich als Leidensgefährte Horns aus, versucht Tuteins Rolle zu übernehmen und ihn zu ersetzen und wird schließlich zum Mörder Horns. Das Prinzip der Wiederholung bestimmt diesen Teil des Romans, in dem über weite Strecken musikalische Formen nachgebildet werden. Ein abschließender Brief Horns an seine verstorbene Mutter bringt nochmals eine »*enge Durchführung*« der Themen. Mit dem Verschwinden Uchris endet der zweite Teil.

Er habe bewußt jede traditionelle Handlung vermieden, schreibt Jahnn an Helwig (10. 6. 1946) und fährt fort: »*Das ist die innere Ursache des ›Epilog‹ geworden. Dort leite ich die Niederschrift des Einzelnen gleichsam in die Menschenwelt zurück, allerdings nicht in jene des ›Holzschiffs‹, sondern in eine absonderliche, die gleichsam die ›Aufzeichnungen des G. A. Horn‹ gelesen und daraus ihre Schlüsse gezogen hat.«* – In der norwegischen Stadt Halmberg erfährt Gemma Bohn vom Tode ihres einstigen Liebhabers Horn, von dem sie einen Sohn, Nikolaj, hat. Das Phänomen der Knabenliebe wird an der Begegnung Nikolajs mit Ajax von Uchri beschrieben, die die Liebesfreundschaft zwischen Horn und Tutein wiederholt. Die einzelnen Handlungsstränge sind jedoch nicht mehr verknüpft, der epische Fluß ist nicht mehr einzudämmen. Das Leben imitiert die Literatur: weder Horn noch sein Schöpfer Jahnn können ihr Experiment zu Ende bringen.

Der Mystik der Vergeblichkeit und Vergänglichkeit hat Jahnn eine neue entgegengesetzt: die der Verehrung des Menschen, der Verherrlichung der Natur, der Heiligung des Irdischen. Sein nach- und antichristliches Heidentum stieß auf Unverständnis, die unverstellte Offenheit seiner Darstellung, die Jahnn vor keinem tabuierten Bereich menschlichen Lebens zurückschrecken ließ, haben ihm oft verständnislose Kritik eingebracht, die seine Intentionen übersah oder mißachtete. Über den *Fluß ohne Ufer* schreibt der Autor in einem Brief an H. Chr. Meier: *»Der Todeskampf eines Menschen erstreckt sich über 500 Druckseiten – und alle menschlichen Werte werden hineingeworfen. Das ist eine Reinigung à la Sartre, bei der dem Leser die Haut abgebeizt wird ... Ich gehe im ›Fluß‹ bis an die Grenze der mir erreichbaren Wahrheit, und ich habe die Unerschrockenheit, die die völlige Einsamkeit gibt, eingesetzt.«* (22. 9. 1946) – Der Glaube an einen persönlichen Gott wird immer wieder scharf abgelehnt, die Freiheit des Willens geleugnet. Dem konventionellen Christentum wird eine erneuerte Religion entgegengehalten, eine neue Humanität der Liebe in allen ihren Variationen, des Erbarmens, besonders mit den Unterdrückten und Entrechteten, mit den Tieren, mit der ganzen Natur.

Das zentrale Problem der modernen Epik – die Reflexion auf ihr Medium, den Erzähler – wird auch bei Jahnn deutlich: das Erzählen selbst ist Thema und Problem. Der zwanghafte Ablauf der Geschehnisse, das Prinzip der Wiederholung schaffen eine mythische Welt. Das alte mythologische Menschheitsepos von Gilgamesch und Engidu (das Horn zu vertonen sich müht) dient als Grundmuster der Zwillingsbruderschaft, der gleichgeschlechtlichen Bindung. Verhaltensmuster werden entworfen und verworfen – *»Ich übe mich in der Kunst, Menschen zu begegnen«*, sagt Ajax von Uchri –, typisiert und stilisiert, mythisiert. Auch die Sprache, die Kunst überhaupt, um die im und durch den Roman gerungen wird, dient der Schöpfung dieser mythischen Welt: sie ist nicht realistisch, aber doch ausdrucksstark, sinnlich und sehr anschaulich. Helwig vergleicht sie mit Luthers und Klopstocks Ausdrucksweise. Thomas Mann schrieb in seiner Würdigung: *»Mag Jahnn Anstoß erregen bei anderen, nicht bei mir, dem das künstlerisch Kühne immer ein Hauptspaß ist.«* R. Ra.

Ausgaben: Mchn. 1949 *(Das Holzschiff)*. – Mchn. 1949/50 (*Die Niederschrift des Gustav Anias Horn, nachdem er neunundvierzig Jahre alt geworden war*, 2 Bde.). – Ffm. 1959 [Tl. 1 u. 2]. – Ffm. 1961 (*Epilog*, Hg. W. Muschg; m. Nachw.).

Literatur: S. Melchinger, *Der verdrängte Gott – zum Phänomen H. H. J.* (in Wort und Wahrheit, 5, 1950, S. 857–861). – K. Deschner, *Kitsch, Konvention und Kunst*, Mchn. 1957. – *H. H. J. Buch der Freunde*, Hg. R. Italiaander, Hbg. 1960, S. 12 bis 24. – G. Busch, *Pansmusik und Totentanz* (in Merkur, 16, 1962, S. 693–696). – W. Muschg, *Von Trakl zu Brecht*, Mchn. 1963, S. 264 334. – H. Plard, *Zu H. H. J.s Hauptwerk »Fluß ohne Ufer«* (in Text u. Kritik, 1, 1963/64, H. 2/3, S. 25–34). – I. R. Böhmer, *Das Menschenbild H. H. J.s*, Diss. Innsbruck 1964. – H. H. Jahnn, *Über den Anlaß*, Ffm. 1964, S. 49–89. – H. Ch. Meier, *H. H. J.* (in SuF, 17, 1965, H. 1/2, S. 21–48). – H. Wolffheim: *H. H. J. Der Tragiker der Schöpfung*, Ffm. 1966, S. 37–49; 69–166.

PERRUDJA. Roman von Hans Henny Jahnn (1894 bis 1959), erschienen 1929. – Mit *Perrudja* gelang Jahnn der endgültige Durchbruch in das Kunstschaffen der Moderne. Naturwissenschaft und Tiefenpsychologie, Sprachkrise und musikalisch-analoge Verfahrensweise des Erzählens haben das Werk entscheidend geprägt. Andererseits spiegelt es die hochfliegenden Pläne des jungen Jahnn wider; Gründung und Ende der »Glaubensgemeinde Ugrino« (1921–1925), einer utopisch-religiösen Sekte, haben hier ihr fiktives Nachspiel. Dieser Dualismus von naturwissenschaftlicher Durchdringung und phantasmagorischer Sinngebung des Erzählten ist Ursache für die eigenartige Widersprüchlichkeit des Romans. Was Jahnn mit seinen Zeitgenossen – Joyce, Döblin oder Broch – verbindet, ist vor allem die Darstellungstechnik des inneren Monologs, eine bis zur Abstraktion vorstoßende Leitmotivik, die Erschließung psychischer Tiefendimensionen des Menschen und die virtuose Mischung verschiedener Stilebenen und Perspektiven. Die Hereinnahme des Unbewußten, der Triebregungen und primitiven Denkformen sowie die exzessive Beschreibung physiologischer Vorgänge und die Betonung der Fleischgebundenheit sind jedoch nur Voraussetzung für eine radikale Umdeutung der Stellung des Menschen im Kosmos. Vornehmlich geht es Jahnn um die Ausgeliefertheit des Menschen an physische und biologische Kräfte und um seine Preisgabe an die von jedem Kalkül und jeder moralischen Wertung freizuhaltenden »Versuchungen« des Lebens. Daher ist Perrudja nicht mehr unverrückbare Gestalt, fraglos beschreibbarer Charakter, sondern *»Schauplatz für Abläufe«*, für elementare Erfahrungen.

Der Roman gibt einen Erkenntnisprozeß wieder, der Perrudja die eigene Bedingtheit Stufe um Stufe enthüllt: die Leibnähe zum Tier, vor allem zum Pferd, gipfelnd im sehnsuchtsvollen Motiv kreatürlicher Einheit, dem Kentauren; Fremdheit und Tröstlichkeit der Natur, die sich immer wieder ins Außermenschlich-Erhabene oder Katastrophale entzieht; Angst und Verödung des Fürsichseins, die die Nähe des Nächsten und die Erlösung im Fleische fordern. – In seiner norwegischen Bergeinsamkeit bereitet Perrudja den *»Antrag an die Schöpfung«* vor; er sucht die Erfüllung in der Liebe. Aber sie wird ihm nicht zuteil, denn er handelt getreu der Jahnnschen Auffassung *»von mehreren getrennten Bewußtseinsebenen aus«*. Alle Pläne werden durch in ihm selbst wirkende gegenläufige Tendenzen der psychischen Schichten vereitelt. Die Magd Lina, die ihm wegen ihrer Verbindung mit seinem Knecht Hjalmar versagt bleiben muß, ist nur der Anlaß zur Aufdeckung eines verdrängten Abschnittes seiner Kindheit, in den seine erste homoerotische Neigung zu einem Schlächterburschen und die frühe schmerzliche Begegnung mit Signe Skaerdal, seiner weiblichen Gegenspielerin, fallen. In Signe glaubt er nun, nach einer kurzen und heftigen Verirrung mit dem Burschen Alexander, seine wahre künftige Partnerin gefunden zu haben. Er wirbt um sie und tötet nach langwierigen und demütigenden Wettkämpfen ihren tierhaft-barbarischen Verlobten Hoyer. Aber seine nichtheldische Veranlagung hindert Perrudja, den gemeinsam mit Signes Bruder Hein begangenen Mord zu bekennen, den sie, die archetypisch weibliche Heldin, gutgeheißen hätte. Die Hingabe in der Hochzeitsnacht wird dadurch unmöglich: Signe nimmt sein verspätetes Eingeständnis nicht mehr an. Der Sieg der nach Macht- und Zweckprinzipien arbeitenden Vernunft ist damit vollkommen; Perrudja zergliedert seine Liebe zynisch zu bloßer Begrifflichkeit, während Signes stolzes Ich über die Hingabebereitschaft des Leibes triumphiert. Nunmehr kann sich die utopische Zielsetzung des Romans entfalten. Die *»späte und einseitige Blutsbrüderschaft«* mit Hein, in der sich die homoerotische Konstitution Perrudjas endgültig manifestiert, macht ihn empfänglich für seine kosmopolitische Sendung. Das Motiv des märchenhaften Reichtums, dem Perrudja seine Unabhängigkeit und den Bau seines phantastischen Bergschlosses verdankt, tritt jetzt in den Vordergrund. Als Herr eines internationalen Konzerns ist er der reichste Mann der Erde, dem das gesamte Großkapital zur Verfügung steht. Die Begegnung mit der Jugend und die kulturkritische Entlarvung der ausbeuterischen Zweckhaftigkeit und verlogenen Moral der industriellen Massengesellschaft veranlassen ihn, das Geldmonopol seines Konzerns für einen letzten Krieg zu nutzen, der die alte Welt zugunsten des paradiesischen Inselreiches einer neuen, an *»fleischliche Eide«* gebundenen Rasse vernichten soll. Dieser utopisch-inhumane Überbau kann jedoch die Vergeblichkeit auch dieses Unterfangens nicht verschleiern. Es ist nur ein letzter Schritt im Erkenntnisprozeß: Der Auseinanderfall von Wollen und Handeln, von Absicht und Wirkung wird hier am deutlichsten offenbar. Der Fragment gebliebene Roman mündet aus in das *»Hohelied des Gesetzes«*, in dem Signe ihre Demütigung unter die Gewalt der physischen Bestimmung erfährt und sich erneut dem Nichthelden Perrudja zugeordnet weiß, den sie mit dem Menschen schlechthin in eins setzt.

Die Modernität des Werks liegt nicht in der expressionistisch getönten Menschheitserlösung, sondern wesentlich in der inneren Entwicklung Perrudjas: in der Zerstörung eines herkömmlichen Begriffs vom Menschen. Daher ist das Künstlertum Perrudjas besonders hervorzuheben; in ihm wird die Dichtung selbst zum Thema. Seine schweifenden Visionen und Vorstellungsfluchten, denen mythische Gestalten, orientalische Geschichtsdeutungen und archaisch stilisierende Erzählungen entspringen, werden an der Wirklichkeit gemessen und korrigiert. Der Roman entfaltet ein betont anarchisches und gleichermaßen ästhetisches Denken, das die Liebe als *»das große Gesetz«* in natürlichsten und entlegensten Konstellationen zum Gegenstand hat Liebe immer verstanden als Abtrünnigkeit und geistiges Bündnis über den Tod hinaus. Die homoerotische Komponente erhält von daher ihre das Psychologische übersteigende Funktion. Sie entwirft modellhaft die Auseinandersetzung zwischen Archetypus und Individuum, das Ringen zwischen der ewigen Wiederkehr des Gleichen und seiner Aufhebung im tragischen Vollzug der Liebe. Das *Gilgamesch*-Motiv, das in den Musikeinlagen des Romans anklingt und in seine Struktur esoterisch verflochten ist, wird so zum mythischen Grundmuster der Auflehnung und Schöpfungsklage. Das Scheitern des Romans ist nicht zuletzt in der Unmöglichkeit begründet, den existentiellen Kampf mit dem Absurden ins Politische zu wenden, wenngleich die Divergenz von Tragik und Utopie schon im ersten Kapitel angelegt ist. P. Ko.

AUSGABEN: Bln. 1929, 2 Bde. Ffm. 1958. Ffm. 1966 (FiBü, 724). – Ffm. 1968 (*Perrudja II*, Fragmente aus dem Nachlaß).

LITERATUR: R. Lund, *»Perrudja«* (in Literarische Revue, 4, 1949, S. 262–266). – S. Melchinger, *Der verdrängte Gott* (in Wort und Wahrheit, 5, 1950, S. 857–861). – E. Lohner, *H. H. J.* (in *Expressionismus. Gestalten einer lit. Bewegung*, Hg. H. Friedmann u. O. Mann, Heidelberg 1956, S. 314–337). – W Muschg. *H. H. J. Eine Auswahl aus seinem Werk*, Olten/Freiburg i. B. 1959 [Einl.]. – Y. Bar-David, *H. H. J. ou Le roman devenu musique* (in Critique, 17, 1961, S. 111–131). – R. Lenz, *Die Philosophie H. H. J.s* (in Text u. Kritik, 1, 1963/64, H. 2/3, S. 34–38). – I. R. Böhner, *Das Menschenbild H. H. J.s*, Diss. Innsbruck 1964. – R. Wagner, *H. H. J.s Roman »Perrudja«. Sprache u. Stil*, Diss. Mchn. 1965. – H. Wolffheim, *H. H. J. Der Tragiker der Schöpfung. Beiträge zu seinem Werk*, Ffm. 1966. – W. Emrich, *Das Problem der Form in H. H. J.s Dichtungen* (in Abhandlgn. d. Mainzer Akad. d. Wiss., Kl. Literatur, H. 1, 1968).

UWE JOHNSON
(*1934)

JAHRESTAGE. Aus dem Leben von Gesine Cresspahl. Romantrilogie von Uwe JOHNSON (*1934), erschienen 1970 (Band 1, *»August 1967 – Dezember 1967«*) und 1971 (Band 2, *»Dezember 1967 – April 1968«*). – Mit ihren bisher 1008 Seiten und einem Anhang von XVIII Seiten sind die *Jahrestage* – der dritte, letzte Band, der die Zeit von April bis August 1968 umfassen soll, steht noch aus – das umfangreichste Werk eines deutschen Romanciers nach dem Zweiten Weltkrieg. Auch hat noch kein anderer Schriftsteller versucht, deutsche (Nazi-) Vergangenheit und Weltgeschichte so umfassend einer epischen Dichtung einzuverleiben. Wenn der dritte Band nicht erschiene, trügen doch die Peilstäbe für die vorliegenden 1026 Seiten die Namen, die Hans MAYER genannt hat: Thomas MANN, Gottfried KELLER, FONTANE.

Diese acht Monate *»aus dem Leben von Gesine Cresspahl«*, die in den *Mutmaßungen über Jakob* diesen Jakob Abs, Eisenbahninspektor in der DDR, trotz ihrer Liebe zu ihm verläßt und in den Westen geht und die nun als Übersetzerin an einer Bank mit der inzwischen zehnjährigen Jakob-Tochter Marie in New York lebt: diese acht Monate des Jahres 1967 sind mit der Geschichte des Dritten Reiches als Geschichte der Familie Cresspahl und des gesamten mecklenburgischen Clans dieser Sippe verwoben. Das wiederum bedeutet Rückgriffe über das Geburtsjahr der Gesine, 1933, hinweg in die Geschichte des Vaters, des Kunsttischlers Heinrich Cresspahl, der Mutter Lisbeth, geborene Papenbrock und wiederum weitere Rückgriffe über diese und jenen hinweg in weitere Vergangenheit. Gesellschaft und Zeiträume erweitern sich zu einem Kreis mit unscharfer Kontur. Ins volle Licht genommen ist die Nazizeit, ihr Heraufkommen und ihr Untergang.

In dem kleinen New Yorker Appartement der

Gesine verknüpfen sich höchst kunstreich die Fäden gegenwärtiger amerikanischer Großstadtexistenz mit vergangenem, aber nicht eliminierbarem mecklenburgischem Kleinststadtleben: Herrschaft und Lebensform des vergangenen deutschen Faschismus, Wirkungsweise und Atmosphäre des amerikanischen Großkapitalismus, der Zweite Weltkrieg und der Krieg in Vietnam, deutsches und amerikanisches Bürgertum. Die Schaltstation für alle diese Kabel, die die Impulse unserer Existenz leiten, ist das Köpfchen der zehnjährigen Marie. Sie »*besteht darauf, daß ich ihr weiter erzähle, wie es gewesen sein mag, als Großmutter den Großvater nahm*«. So breiten sich »*am Riverside Drive in drei Zimmern, unterhalb der Baumspitzen*« deutsche Geschichte und Geschichten aus. Gesine erzählt sie, sie spricht sie auf Tonband, denn Marie ist ja ein Schlüsselkind.

Wenn Gesine feststellt: »*Ihre [Maries] Fragen machen meine Vorstellungen genauer*«, so besteht doch im Text ein gewaltiger Überhang an Wissen und Vergangenheitskenntnis, der mit Gedächtnis nicht zu erklären ist. In einzelnen Komplexen übernimmt unmerklich ein zweiter, wissenderer Erzähler die zu erzählende Geschichte, die sich aus zahlreichen Partikeln zusammensetzt – auch aus Briefen, aus Aufzählungen, z. B. *Justiz in Mecklenburg während des Nazikrieges*. – Diese acht amerikanischen Monate sind aus einem gleichmäßigen Alltag herausgeschnitten. Sie ergeben keine »Handlung« im Leben der Gesine. »Handlung« steckt in der immer neu aufgespulten Vergangenheit. Wenn am Ende des zweiten Bandes steht: »*Gefällt dir das Land nicht, Gesine? Solche Nachmittage in der Fremde? Das möchtet ihr wohl. Gefällt dir das Land nicht, such dir ein anderes*«, dann geht es hier nicht um einen Denkprozeß, der auf Seite 1007 abgeschlossen worden wäre. Diese Sätze hätten auch schon auf Seite 25 stehen können, wo Marie zitiert wird: »*Nach zwei Jahren wollte meine Mutter zurück nach Deutschland, und ich habe gesagt: Wir bleiben.*« Damit war alles entschieden. Es war dies keine Entscheidung für Amerika. Aber es war doch eine Entscheidung gegen die drei Deutschland, die Gesine kannte: das erste, wegen dessen Verbrechen die Mutter in den Tod gegangen war, das zweite, in dem ihr Geliebter, der Vater ihrer Tochter, zu Tode gekommen war, und das dritte, das sie nicht halten konnte auf dem Wege nach Amerika. In Amerika fühlt sie sich als »Gast«. Obwohl sie hier Freunde hat, darunter alte Bekannte aus Mecklenburg, obwohl sie in ihrem Büro mit Arbeitskollegen und Vorgesetzten gut auskommt, obwohl sie – und sie macht sich niemals etwas vor – feststellt: »*Kein Heimweh*«, muß sie zu Protokoll geben: »*–Gesine: sagt Marie: Manchmal verstehst du das Land nicht, in dem wir doch leben. – Ja. – Dann fürchte ich mich. – Verstehst du es denn? – Wenn ich es von dir lernen will, nicht immer. Dann fürchte ich mich.*«

Für das Kind ist Amerika, ist New York im Grunde eine Selbstverständlichkeit. Marie atmet das Land ein mit allen Poren. Gesine nähert sich, der Sprache noch nicht voll mächtig, der neuen Heimat über die Zeitung. Man hat Johnsons Spiel mit der ›New York Times‹ als Stilmittel gerühmt, aber auch kritisiert. Dabei ist nichts natürlicher, als daß ein Fremder, zumal wenn er eher schüchtern und zurückhaltend ist, sich einem neuen Milieu zunächst über die Zeitung nähert. Möglicherweise kam Johnson auf diese Idee, als er selber, 1961 zum ersten Mal, nach Amerika reiste. Daß er sich daraus ein Kunstmittel schuf und nun das Bild Amerikas aus der steten Auseinandersetzung der Leserin Gesine, die ihre Kenntnis von Fakten aus allen möglichen anderen Quellen bezieht, mit den Meldungen und Kommentaren des offiziösen Amerika entstehen läßt (und die ›New York Times‹ ist ja das offiziöse Amerika): das gehört zu den stupenden Funden, die nur einem großen Erzähler zufallen. Wir erhalten Amerika, wie es sich sieht, und gleichzeitig die ironische Korrektur durch die nüchternen Augen der Gesine, die sich nichts vormachen lassen. – Die vorliegende Zeitgeschichte, jene des Dritten Reichs wie die des gegenwärtigen Amerika mit dem Krieg in Vietnam, den Rassenunruhen und der Ermordung Martin Luther Kings und in Europa der tschechoslovakischen Krise, ist ja ein Berichtsraum, der nur dem Historiker zugänglich zu sein scheint. Jetzt, wo Johnson, der Schriftsteller, es gewagt hat, diesen Raum zu erschließen, kann man sagen, daß ihm dies nur möglich war, indem er zum Werkzeug der (im weitesten Sinne) kommentierten Zeitung griff. Wieviel oder wiewenig die ›New York Times‹, als Grundgewebe des New Yorker Lebens von Gesine Cresspahl, zu gelten hat, sagt diese selber: »*Nicht: um für eine verlorene Autorität eine neue zu berufen. Denn dann müßt ich sie halten als einen Vater. Ich halt sie für eine Tante.*«

Es ist eines, sich ein Arbeitsgerät zu schaffen, und ein anderes, damit umzugehen. Wenn Johnson seine mecklenburgischen Geschichten verfolgt, hat er Erzählstreifen in der Hand, die nach Länge und Breite seinem Wirken unterworfen sind (wiewohl ja auch dabei einer ins Erzählen kommen kann und überdimensionieren oder sich verlieren und dann ins Stottern geraten – immerhin bewiesen die drei bisherigen großen Prosawerke, daß Johnson exakt zu disponieren versteht). Wenn aber jemand das zu Erzählende abhängig macht von einem vorgegebenen Raster, könnte der Raster unversehens dominieren und Vielfalt zum Chaos werden. Johnson entgeht dieser Gefahr, indem er das reine Zitat beschränkt zugunsten der schon im Tonfall zweifelnden oder gar ironisch eingefärbten indirekten Wiedergabe. Wer oberflächlich liest, könnte auf ein nur stapelndes Additionsverfahren von großen und kleinen Meldungen, von Staatsaktion und Mord an der Ecke tippen. Wer jedoch Wort um Wort liest, notiert eine solche Vielfalt von Nuance und Variation zwischen Trauer, Elegie, Schmerz und Heiterkeit, Witz, Satire, wie sie sich in keinem Werk Johnsons angekündigt hatte. – Vielleicht liegt das daran, daß keiner aus seiner Generation und von den Jüngeren sich über die Frage der »Schuld« so zergrübelt hat wie er, der nicht fähig ist, pauschal zu denken und Brücken abzubrechen, um von heute ab ein neuer Mensch zu sein. Er will klar sehen zwischen kleiner, großer, schuldiger und unschuldiger Schuld. Wem es um Lehre, große Gedanken, unerhörte Moral, leuchtendes Utopia geht, wird kaum auf seine Kosten kommen, denn in seinem Kosmos zwischen Hudson und Ostsee bewegt sich Johnson unter Menschen, auf der Suche nach dem Menschenmöglichen. Das Abreiben von seelischer und moralischer Substanz durch Überhören, Übersehen, Nachgeben, Vertuschen bei jedermann an jedem Tag – dem geht er nach. Jede Person in den *Jahrestagen* ist auf einem anderen Weg zwischen Unschuld und Schuld und hat einen anderen Anmarsch.

Wenn man den Reichtum an Szenen, Geschehnissen, Beschreibung, Darlegung und Personen mit den früheren Werken Johnsons vergleicht, wirken die *Jahrestage* wie eine unerhörte Explosion, und dennoch sind sie ganz gebändigte Sprache. Seit den *Zwei Ansichten* (1965) hat Johnson sein gesamtes Material neu gesichtet, das Manual der Grammatik neu erobert und erweitert, die Musikalität auf dem Grundton des Niederdeutschen noch einmal gesteigert und um Amerikanisches keck vermehrt. – Die *Jahrestage* sind ein bedeutendes Werk, selbst wenn sie ein Torso blieben. G. Ra.

AUSGABE: Ffm. 1970/71, 2 Bde.; ern. 1972.

LITERATUR: R. Becker, Rez. (in Der Spiegel, 5. 10. 1970). – G. Blöcker, Rez. (in Merkur, Okt. 1970). – P. Hamm, Rez. (in Konkret, 20. 11. 1970). – H. Mayer, Rez. (in Die Weltwoche, Nr. 49, 4. 12. 1970). – H. Ahl, Rez. (in Diplomatischer Kurier, 9. 12. 1970 u. 12. 4. 1972). – E. Lotz, Rez. (in Universitas, 1970, H. 3 u. 27. 7. 1972). – M. Neumann, Rez. (in Westermanns Monatsmagazin, 1970, H. 11). – M. F. R. Prangel, Rez. (in Het Duitse Boek, 1971, H. 1). – E. Pulver, Rez. (in Schweizer Monatshefte, 3, Juni 1971). – P. Wallmann, Rez. (in NDH, Mai 1971). – R. H. Wiegenstein, Rez. (in NRs, 1972, H. 1).

MUTMASSUNGEN ÜBER JAKOB. Roman von Uwe JOHNSON (* 1934), erschienen 1959. – Das Erstlingswerk des Autors zeigt schon die Thematik, die auch seine beiden folgenden Bücher – *Das dritte Buch über Achim* (1961) und *Zwei Ansichten* (1965) – beherrscht: Die Teilung Deutschlands und ihre Konsequenzen für die Menschen diesseits und jenseits des Eisernen Vorhangs. Schicksal und Entscheidungen der wenigen Romanfiguren werden beeinflußt von den politischen Verhältnissen, die im Herbst 1956 das Leben in der DDR und in der Bundesrepublik bestimmen. Die kunstvollen »Mutmaßungen« des Erzählers über die Titelfigur, den achtundzwanzigjährigen Reichsbahnbeamten Jakob Abs, werden durch dessen Tod ausgelöst: An einem nebligen Novembermorgen wird er auf dem Gelände des Dresdner Bahnhofs von einer Lokomotive überfahren. Beging Jakob Selbstmord? Wurde er aus politischen Gründen liquidiert? Oder wurde er nur, weil er übermüdet und unachtsam war, das Opfer eines Unfalls? »*Aber Jakob ist immer quer über die Gleise gegangen*« – mit diesem gegen allzu einfache Erklärungen sich wendenden Satz beginnt der Versuch, Klarheit in das scheinbar so offen daliegende Leben und den Tod des verläßlichen, schweigsamen, vom Rangierer zum Inspektor aufgestiegenen Jakob zu bringen. In einer Folge von Dialogfetzen aus Gesprächen von Bekannten Jakobs, von erzählenden Passagen und von Bruchstücken aus inneren Monologen der drei am engsten mit Jakob verbundenen Personen entsteht ein nicht immer ganz deutliches, aber eindringliches Bild seiner Lebensumstände. Weil seine Mutter und seine Freundin Gesine, die nun bei einer Dienststelle der NATO arbeitet, in den Westen geflohen sind, wird er von Hauptmann Rohlfs, einem Mitarbeiter der Militärischen Spionageabwehr der DDR beschattet. Als Gesine zu Jakob nach Dresden kommt und mit ihm zusammen ihren Vater, den Kunsttischler Heinrich Cresspahl besucht, werden sie von Rohlfs, der den Auftrag hat, Gesine für Spionagedienste zu gewinnen, in ein Gespräch verwickelt, das halb aus Drohungen, halb aus Grundsatzdiskussionen besteht; doch Rohlfs respektiert, besonders von Jakob beeindruckt, die heikle Situation, in der sich alle Personen befinden. Er läßt Gesine in den Westen fahren, kurz darauf sogar Jakob; er möchte von ihnen eine freie Entscheidung für die Sache des Sozialismus, denn er ist kein gemeiner »*Hundefänger*«. In der Tat kehrt Jakob trotz seiner Liebe zu Gesine bald in die DDR zurück, enttäuscht vom Leben im Westen; am Tage seiner Rückkehr wird er bei dem mysteriösen Unfall getötet. Doch so vertrauensvoll Rohlfs mit Jakob umging, so unnachgiebig verhält er sich gegen den ebenfalls in Gesine verliebten Dr. Jonas Blach: Wenige Tage nach Jakobs Tod verhaftet er den an den Tauwetter-Diskussionen der ostdeutschen Intellektuellen beteiligten Universitätsassistenten wegen staatsfeindlicher Umtriebe.

Jakob hat versucht, sich ohne politisches Engagement loyal gegen die sozialistische Obrigkeit und zugleich menschlich anständig zu verhalten; er ist eigentlich ein unpolitischer Mensch, doch durch die persönlichen Umstände (die ihrerseits nicht von den politischen zu trennen sind) und schließlich auch als Beamter gerät er in politische Verstrickungen: etwa wenn er wenige Tage vor seinem Tod Zügen, die russische Soldaten zur Niederschlagung des ungarischen Aufstandes bringen, freie Fahrt geben muß. Er und der alte Cresspahl sind die überzeugendsten Gestalten des Buches; zu ihrer fast altfränkischen, knorrigen und soliden Art paßt auch am besten die herbe und spröde, mit plattdeutschen Einsprengseln durchsetzte, kauzig-umständliche Sprache des Buches, die nur dann Klarheit und völlige Durchsichtigkeit gewinnt, wenn etwa über Details von Jakobs Tätigkeit im Stellwerk des Bahnhofs berichtet wird: Technische Vorgänge sind ohne weiteres einsichtig, doch bei den menschlichen und politischen Fragen muß es bei »Mutmaßungen« über die Wahrheit bleiben, weil die Menschen, »*durch das ›Gesellschaftliche‹ genötigt, mit herabgelassenem Visier leben. Das Menschliche bleibt eingekapselt. Wer es erreichen will, tappt im dunkeln*« (H. M. Enzensberger). Dem Leser wird bei dem Roman eine sehr aktive Rolle zugedacht: Er muß selbst Verbindungen herstellen zwischen den aufgesplitterten Teilen der Erzählung, muß sich beim Lesen und Aufnehmen ganz konkret in die »Mutmaßungen« einschalten: »*Wie Brechts Dramaturgie den Zuschauer, so erlöst Johnsons Erzählweise den Leser aus seiner genießerischen Passivität*« (H. M. Enzensberger). – Bei Kritik und Publikum hatte das Buch Erfolg; 1960 erhielt Johnson, von Günter BLÖCKER »*der Dichter der beiden Deutschland*« genannt, für seinen Roman, der von den Rezensenten als sein ausgewogenstes und gewichtigstes Werk bezeichnet wird, den Fontane-Preis der Stadt Berlin. J. Dr.

AUSGABE: Ffm. 1959; [3]1961.

LITERATUR: H. Jaesrich, *Quer über die Gleise* (in Der Monat, 12, 1959, S. 71ff.). – M. Rychner, Rez. (in Die Zeit, 23. 10. 1959). – W. J. Siedler, *Roman der deutschen Teilung* (in Der Tagesspiegel, 22. 11. 1959). – R. Baumgart, *Ein Riese im Nebel* (in NDH, 66, 1959/60, S. 967ff.). – H. M. Enzensberger, *Die große Ausnahme* (in H. M. E., *Einzelheiten*, Ffm. 1962, S. 234–239). – G. Wunberg, *Struktur u. Symbolik in U. J.s »Mutmaßungen über Jakob«* (in Die neue Sammlung, 2, 1962, S. 440–449). – K. Migner, *Gesamtdeutsche Wirklichkeit im modernen Roman. Anmerkungen zu den Büchern U. J.s* (in Welt u. Wort, 18, 1962, S. 243–245). – H. Kolb, *Rückfall in die Parataxe. Überlegungen zum Stil U. J.s* (in NDH, 69, 1963, S. 42–74). – M. Reich-Ranicki, *Registrator J.* (in M. R.-R., *Deutsche Lite-*

ratur in Ost u. West, Mchn. 1963, S. 231–246). – R. Detweiler, »*Speculations about Jakob*«. *The Truth of Ambiguity* (in MDU, 58, 1966, S. 25 bis 32). – W. J. Radke, *Untersuchungen zu U. J.s »Mutmaßungen über Jakob«*, Diss. Stanford Univ. 1966 (vgl. Diss. Abstracts, 27, 1965/66, S. 1063/1064 A). – E. Friedrichsmeyer, *Guest by Supposition: J.'s »Mutmaßungen über Jakob«* (in GR, 42, 1967, S. 215–226). – H. Popp, *Einführung in U. J.s Roman »Mutmaßungen über Jakob«*, Stg. 1967.

ERNST JÜNGER
(*1895)

AUF DEN MARMOR-KLIPPEN. Roman von Ernst JÜNGER (*1895), erschienen 1939. – Dieses bekannteste Buch des Autors wurde in den letzten Monaten des Friedens geschrieben und, zu Anfang von Jüngers zweiter Dienstzeit, »*im September 1939 beim Heer durchgesehen*«. – Ort der Handlung ist eine südliche Wald- und Seelandschaft, die in vielen Details an den Bodensee – seit 1936 lebte Jünger in Überlingen – erinnert. Der Erzähler zieht zusammen mit »Bruder« Otho nach langen Kriegsjahren aus »Alta Plana« an das friedliche »Marina«-Ufer, um sich in der »Rauten-Klause« der Kontemplation und der Botanik zu widmen; ihr Herbarium und eine großangelegte Sammlung der Flora der Gegend geben Anlaß zu Beschreibungen in der Art der *Capriccios*, die schon aus der Sammlung *Das abenteuerliche Herz* bekannt sind. Der Knabe Erio, ein natürlicher Sohn des Erzählers, seine Großmutter und eine von Erio gehütete Brut von Lanzenottern gehören zum Haushalt der Rauten-Klause. Die Städte der Marina sind von tiefen Wäldern umgeben, in denen der »Oberförster«, ein früherer Kampfgenosse der Brüder, und seine bewaffneten Banden, die »Mauretanier«, hausen. (Ihr Name, eine jener Mystifikationen, die Ernst Jünger liebt, geht auf sechs Matrosen zurück, die im Jahr 1633 auf St. Mauritius gestrandet waren und deren Tagebuch er in früheren Werken als das erste Dokument wissenschaftlichen Wagemuts rühmt.)
»*Dunkle Gerüchte*«, dann »*Wirrnis ... Panik ... Zwiste und Händel*« führen endlich zu einem offenen Kampf, den der Erzähler und Bruder Otho auf der Seite der friedfertigen, jedoch im »Niedergang« begriffenen Bevölkerung des Marina-Ufers führen. Bei Einfällen in den mauretanischen Wald entdeckt der Erzähler »Schinderstätten«, Folter- und Todeskammern, den »*Totentanz auf Köppels-Bleck*«. Braquemart, ein Führer aus dem Lager des Oberförsters, versucht mit Hilfe des »jungen Fürsten«, der zu schwach ist, um Marina vor dem Terror des Oberförsters zu schützen, die Brüder auf seine Seite zu bringen; das Verhältnis zwischen Braquemart und dem Oberförster ist bestimmt durch den Konflikt »*zwischen dem ausgeformten Nihilismus und der wilden Anarchie... Darin bestand Verschiedenheit insofern, als der Alte die Marina mit Bestien zu bevölkern im Sinne hatte, indessen Braquemart sie als den Boden für Sklaven und Sklaven-Heere betrachtete*«. Die Gesellschaft in der Rauten-Klause nimmt kurz vor Beginn des Kampfes den Pater Lampros als Gast auf, der die Brüder in der Kontemplation und auch im kriegerischen Handwerk, das sie gegen ihren Willen auszuüben gezwungen sind, kraft seiner geistlichen Autorität unterstützt. Zwischen den Bewohnern des Marina-Ufers und den Mauretaniern entwickelt sich ein kurzer und grausamer Kampf. Der junge Fürst und Braquemart fallen dem Meuchelmord zum Opfer. In einer entscheidenden Schlacht vernichten die Bluthunde des Oberförsters die edlen Jagdhunde des alten Belovar, der zusammen mit den Brüdern die Marina verteidigt. Darauf wird die mauretanische Meute von den Schlangen Erios vernichtet, zugleich brennen aber die Siedlungen der Marina ab. Auch die Rauten-Klause mit dem Herbarium geht in Flammen auf: »*Doch lag in ihrem Glanze auch Heiterkeit.*« Ihre Bewohner schiffen sich nach Alta Plana ein, dessen Fürstensohn sie freudig empfängt.
Im Gefüge des Romans sind drei bezeichnende Elemente zu erkennen. Das erste, das schon in der Inhaltsangabe hervortritt, ist dem Sagenbereich entlehnt. So erinnern besonders die lakonisch stilisierten Kriegsszenen und die Feuersbrunst an die isländische *Njala*-Sage. Das nordische Epos geht nicht auf individuelle psychologische Nuancen ein. So kann sich auch Jünger auf die typische Gestik überindividueller Gestalten beschränken, statt Charaktere realistisch zu beschreiben. Das zweite Element kann als eine Art von präraphaelitischer Dekoration bezeichnet werden; ob es ohne weiteres mit dem ersten vereinbar ist, bleibt dahingestellt. So heißt es etwa von der Feuersbrunst: »*Die Flammen ragten wie goldene Palmen rauchlos in die unbewegte Luft, indes aus ihren Kronen ein Feuer-Regen fiel. Hoch über diesem Funken-Wirbel schwebten rot angestrahlte Taubenschwärme und Reiher, die aus dem Schilfe aufgestiegen waren, in der Nacht. Sie kreisten, bis ihr Gefieder sich in Flammen hüllte, dann sanken sie wie brennende Lampione in die Feuersbrunst hinab.*« An anderen Stellen schlägt dieser »magische Realismus« in jambische Blankverse um *(»So lébt die Glút der größen Érdensómmer / in dúnklen Kóhlen-Ádern nách«)*, die leider jeder parodistischen Absicht entbehren. Die Naivität des epischen Vorwurfs weicht hier einer ästhetisierend-schwelgerischen Farben-, Formen- und Wortkunst, die immer wieder auf den Symbolgehalt des Dargestellten verweist: »*Doch war es noch ein anderes Bild, das uns, als ich das Haupt des toten jungen Fürsten erhob, ergriff – wir sahen im grünen Glanze die Rosette erstrahlen, die noch in unversehrter Rundung den Fensterbogen schloß, und ihre Bildung war uns wundersam vertraut. Uns schien, als hätte ihr Vorbild in jenem Wegerich geleuchtet, den Pater Lampros uns einst im Klostergarten wies – nun offenbarte sich die verborgene Beziehung dieser Schau.*« Durch solche »Bilder« wird das Starre, ja Leblose allen Geschehens vermittelt. Die stetige Bemühung um symbolische Bezüge führt endlich zum dritten, dem zeitgeschichtlichen Element des Romans. Obwohl Jünger in seiner Verachtung für das Widerstandsgerede nach 1945 eine politische Deutung seines Werkes bestritten hat, liegen die Parallelen zur nationalsozialistischen Schreckensherrschaft auf der Hand. So kann es auch kaum überraschen, daß das Buch zwar nie verboten, aber schon bald von nationalsozialistischer Seite heftig angegriffen wurde. In einigen Szenen, besonders im Waldlager des Oberförsters, dessen interner Streit mit Braquemart auf die Konflikte zwischen SA und SS in den Jahren 1933 bis 1936 anspielt, kann man von festen allegorischen Beziehungen sprechen. Dem für Jünger charakteristischen Hang zu Maximen und die Handlung unterbrechenden Erörterungen wird freier Raum gegeben: »*So sahen wir denn ...*«, »*Uns Sterblichen erblüht erst ...*«, »*Im Krieg liegt zuweilen ...*«, »*Indessen erinnert sich ein jeder ...*«

Diese Neigung zur Reflexion des Erzählten drückt das doppelte Bestreben aus: sich dem Zeitgeschehen zu nähern, zugleich ihm gegenüber aber auch die Haltung abwehrender Distanz einzunehmen. Ganz unabhängig vom Wahrheitsgehalt dieser Räsonnements ist die Frage, ob sie mit der bewußt reduzierten Handlung und mit der heraldischen Klobigkeit der Handelnden vereinbar sind, das heißt, ob der Roman den Eindruck künstlerischer Geschlossenheit zu geben imstande ist. J. P. S.

Ausgaben: Hbg. 1939. – Hbg. 1943. – Tübingen 1949. – Stg. 1958. – Stg. 1960 (in *Werke*, 10 Bde., 1960–1965, 9).

Literatur: G. Nebel, *E. J. u. d. Anarchie* (in Monatsschrift f. d. dt. Geistesleben, 11, Nov. 1939, S. 610–616). – P. Suhrkamp, *Ü. d. Verhalten in Gefahr* (in NRs, 50, 1939, S. 417–419). – W. E. Süskind, *Zwei schwarze Ritter* (in Die Literatur, 42, Dez. 1939, 3, S. 98–101). – J. A. v. Rantzau, *»Marmorklippen« u. d. Zeitgeschehen. D. umstrittene E. J.* (in Die Zeit, 18. 12. 1947). – J. Stave, *Mythos oder Form. Bemerkg. zu E. J.s Buch »A. d. Marmorklippen«* (in Die Sammlung, 3, 1948, S. 269–280). – G. Nebel, *Waren d. »Marmorklippen« ein Schlüsselroman?* (in Schwäb. Landeszeitung, 2. 11. 1949). – W. Forster, *»Magischer Realismus«* (in Neoph., 34, 1950). – M. Bense, *Ptolemäer u. Mauretanier oder Die theologische Emigration d. dt. Lit.*, Köln 1950. – G. Loose, *E. J., Gestalt u. Werk*, Ffm. 1957, S. 149–174. – G. Friedrich, E. J. »Auf den Marmorklippen« (in Deutschunterricht, 16, 1964, S. 41–52).

IN STAHLGEWITTERN. Aus dem Tagebuch eines Stoßtruppführers. Kriegstagebuch von Ernst Jünger (* 1895), erschienen 1920. – Das Werk, die erste Buchpublikation des Autors, gehört neben *Das Wäldchen 125*, *Der Kampf als inneres Erlebnis*, *Feuer und Blut* und *Das abenteuerliche Herz* zu den vom Ersten Weltkrieg berichtenden Schriften Jüngers. Doch im Gegensatz zu dem mehr reflektierend und systematisch abgefaßten Werk *Der Kampf als inneres Erlebnis* ist *In Stahlgewittern* ein ohne übergreifende Gedankengänge den Fronterlebnissen des Autors vom Januar 1915 bis zum August 1918 folgendes Tagebuch, das – obwohl noch im Krieg umgeschrieben – sehr stark die Unmittelbarkeit und Einfachheit eines Diariums bewahrt. »*In einem Regen von Blumen waren wir hinausgezogen, in einer trunkenen Stimmung von Rosen und Blut*«, voller »*Sehnsucht nach dem Ungewöhnlichen*«, sagt Jünger zu Beginn des Buchs. Gleich der erste Tag korrigiert seine romantischen Vorstellungen und zeigt ihm das wahre Bild des Kriegs: Eine Granate schlägt in ein Dorf; der Kriegsfreiwillige sieht die ersten Toten und Verwundeten. Nach und nach lernt er den Krieg an der Westfront in allen seinen Formen kennen: den Grabenkrieg in den Kreidefeldern der Champagne, die Materialschlacht an der Somme, den Gaskrieg, die große Doppelschlacht bei Cambrai, die Stoßtruppunternehmen in Flandern und die letzte große Offensive an der Westfront im März 1918. Den Beschluß seiner Aufzeichnungen bildet die Schilderung des letzten Sturms, von dem er mit einer schweren Verwundung zurückkam; im Lazarett in Hannover erreicht ihn – nachdem er bereits mit dem EK I ausgezeichnet worden ist – die Nachricht, daß »Seine Majestät, der Kaiser« ihm den Orden Pour le mérite verliehen hat.

Dieser Schluß ist in mehrfacher Hinsicht charakteristisch für das Tagebuch bzw. den Autor: Die gesamte Darstellung ist überaus ichbezogen, von einer bisweilen landsknechthaften Gleichgültigkeit gegenüber der moralischen Problematik des Tötens und nicht frei von Eitelkeit; mit einem beinah jungenhaften Stolz auf seine – in der Tat hervorragende – Tapferkeit stellt Jünger am Ende fest: »*In diesem Kriege, in dem bereits mehr Räume als einzelne Menschen unter Feuer genommen wurden, hatte ich es immerhin erreicht, daß elf von diesen Geschossen auf mich persönlich abgegeben wurden.*« Es finden sich in dem Buch kaum Reflexionen über politische Hintergründe, über Sinn oder Berechtigung des Kriegs, der als »*Teil kreatürlichen Lebens*« (K. O. Paetel) und wie eine Naturerscheinung hingenommen wird – worauf auch schon die im Titel enthaltene, den Kampf als Naturereignis mythisierende Metapher verweist; nur ein einziges Mal heißt es kurz: »*Der Krieg warf seine tieferen Rätsel auf.*« Wichtiger ist dem Autor die Beobachtung der neuen Kampfformen, der »*Materialschlacht*« und der »*planmäßigen mechanischen Schlacht*«, sowie vor allem der menschlichen Reaktionen darauf. Er bemerkt, daß die Soldaten, betäubt vom Schlachtendonner und der »*turmhohen, flammenden Feuerwand*« der Materialschlacht, nicht mehr »*bei klarem Verstand*«, die Gehirne oft in »*rote Nebel*«, in »*Blutdurst, Wut und Trunkenheit*« getaucht waren und die Schritte der Kämpfer von dem »*übermächtigen Wunsch zu töten*« beflügelt wurden. Wie im Krieg insgesamt etwas Elementares aufsteigt, so scheint dem Verfasser auch der einzelne beherrscht von einer urtümlichen Kampfes- und Zerstörungslust. – Das Buch spiegelt manches von der Monotonie wieder, die der Krieg für den abgebrühten Soldaten annimmt: Der Stil ist einfach, knapp, völlig nüchtern und bisweilen von einer kaum mehr nachvollziehbaren Trockenheit und Gleichgültigkeit des Tons, trotz der unzähligen schweren Verwundungen und Todeskämpfe, die Jünger um sich herum wahrnahm und von denen er – weder Zustimmung noch Abscheu äußernd – berichtet. Diese Haltung in den *Stahlgewittern* zeigt zum ersten Mal das an, »*was Jünger später den ›heroischen Realismus‹ nennt und was ihn dazu führt, im positiven Verhältnis zum Elementaren zeitweise überhaupt das Kennzeichen des nachbürgerlichen Zeitalters zu sehen*« (K. O. Paetel). J. Dr.

Ausgaben: Hannover 1920. – Bln. [2]1922 [2. Fassg.]. – Bln. [3]1931 [3. Fassg.]. – Bln. [14]1934 [4. Fassg.]. – Bln. [25]1943. – Stg. 1961 (in *Werke*, 10 Bde., 1960 bis 1966, 1).

Literatur: K. O. Paetel, *E. J. Weg und Wirkung*, Stg. 1949 [m. Bibliogr.]. – H.-R. Müller-Schwefe, *E. J.*, Wuppertal/Barmen 1951, S. 11–18. – W. Kohlschmidt, *Der Kampf als inneres Erlebnis. E. J.s weltanschaulicher Ausgangspunkt in kritischer Betrachtung* (in W. K., *Die entzweite Welt*, Gladbeck 1953, S. 113–126). – J. P. Stern, *E. J. A Writer of Our Time*, Cambridge 1953. – G. Loose, *E. J. Gestalt u. Werk*, Ffm. 1957, S. 24–34 [m. Bibliogr.]. – H. J. Bernhard, *Der Weltkrieg 1914–1918 im Werk E. J.s, E. M. Remarques u. A. Zweigs*, Diss. Rostock 1959. – H. Kaiser, *Mythos, Rausch u. Reaktion. Der Weg G. Benns u. E. J.s*, Bln. 1962. – H. Klempt, *Ausverkauf der ›Menschlichkeit‹* (in WW, 4, 1962, S. 318–323). – K. O. Paetel, *E. J. in Selbstzeugnissen und Bilddokumenten*, Reinbek

1962 (rm, 72). – H. Gerber, *Die Frage nach Freiheit und Notwendigkeit im Werke E. J.s*, Winterthur 1965, S. 4 16.

STRAHLUNGEN. Sechs Tagebücher von Ernst JÜNGER (*1895), entstanden 1939–1948; erschienen: *Gärten und Straßen*, 1942; *Das erste Pariser Tagebuch*, *Kaukasische Aufzeichnungen*, *Das zweite Pariser Tagebuch* und *Kirchhorster Blätter*, 1949; *Jahre der Okkupation* (späterer Titel *Die Hütte im Weinberg*), 1958. – Im bisher vorliegenden Gesamtwerk Ernst Jüngers kommt seinen vor, während und nach dem Zweiten Weltkrieg entstandenen umfangreichen Tagebüchern ein besonderer Stellenwert zu: Von dem »*an die Jugend Europas*« gerichteten Aufruf *Der Friede* (1945) abgesehen, beschränkt sich Jüngers schriftstellerische Produktion in jenen Jahren auf diese während der Fahnenkorrektur des Romans *Auf den Marmorklippen* (1939) begonnenen und vor der Fertigstellung des Romans *Heliopolis* (1949) beendeten Rechenschaftsberichte über den Autor und seine schriftstellerische Verfahrensweise, über den Denker und seinen geistesgeschichtlichen Standort und über den Menschen und seine politischen Anschauungen und Verhaltensweisen.
Unschwer läßt sich im dichten Rankenwerk der zwischen den Extremen privater Intimität und spekulativer Verstiegenheit angesiedelten Aufzeichnungen der rote Faden der biographischen Information verfolgen. Im Ersten Weltkrieg mehrfach verwundet und für seine todesmutigen Einsätze an der Westfront mit dem Orden Pour le mérite ausgezeichnet, wird Jünger zu Beginn des Zweiten Weltkriegs erneut zum Kriegsdienst herangezogen. Während er »*im Bette behaglich im Herodot studierte*«, empfängt er den Mobilmachungsbefehl – »*ohne große Überraschung ..., da sich das Bild des Krieges von Monat zu Monat und von Woche zu Woche schärfer abzeichnete*«. Während der nächsten neun Monate nimmt er am Vormarsch der deutschen Truppen in Frankreich teil, von dem er unversehrt im Juli 1940 in die Heimat zurückkehrt, bereichert um treulich festgehaltene Eindrücke von Land und Leuten, Fauna und Flora. Auf Wunsch General Speidels wird Jünger im Februar 1941 als Hauptmann »z. b. V.« ins Stabsquartier nach Paris berufen, wo es ihm, weitgehend befreit von militärischen Aufgaben, bald gelingt, zahlreiche Kontakte zu den höheren Stabsoffizieren wie zu Repräsentanten der Vichy-Regierung aufzunehmen und Eingang in Pariser Literaten- und Künstlerkreise zu finden. Aus der Beschaulichkeit und Eleganz der Salons und der Stabsquartiere im »Raphael« und im »Ritz« wird Jünger durch ein Kommando nach Rußland gerissen – ein »*Einschnitt*«, den er als »*vielleicht begrüßenswert*« empfindet. Dieser Abstecher an die kaukasische Front konfrontiert ihn zum erstenmal wieder mit den Gefahren und Schrecken des Krieges, wenn auch aus der sicheren Distanz der Etappe. Nach einigen Monaten kehrt er im Februar 1943 wieder in sein »*Wartburgstübchen*« im Pariser Stabsquartier zurück. Wenige Tage nach dem Attentatsversuch vom 20. Juli 1944 wird er wegen »Wehruntüchtigkeit« aus dem Militärdienst entlassen; die letzten Tage vor der Kapitulation verbringt er im heimatlichen Kirchhorst als Hauptmann der »Volkssturm«-Miliz – bemüht um eine unblutige, ehrenvolle Übergabe. Die *Jahre der Okkupation* zeigen ihn wieder in der behaglichen Klause und im geliebten Garten – zurückgekehrt auf die idyllische Insel, an die nur gelegentlich Gerüchte und Greuelmeldungen, Plünderer und Flüchtlinge als Strandgut der Zeit gespült werden.
Der rote Faden der aufgezeichneten Lebensstationen ist untrennbar verknüpft mit den spezifischen Problemen des Tagebuchs wie des Tagebuchschreibers Jünger. Wie Gottfried BENNS schillernde Haltung gegenüber dem Nationalsozialismus hat auch die Stellung Ernst Jüngers im Dritten Reich nach Kriegsende Kritik provoziert, die weder durch den offenherzigen Rechenschaftsbericht entkräftet wird noch durch die diffamierende Abwehr des Autors: »*Nach dem Erdbeben schlägt man auf die Seismographen ein. Man kann jedoch die Barometer nicht für die Taifune büßen lassen, falls man nicht zu den Primitiven zählen will.*« Gleichwohl bieten gerade die Aufzeichnungen des »Seismographen« wie seine spezielle Verfahrensweise genügend Anlaß zur Kritik. Als ganz allgemeines Merkmal der Tagebuchliteratur gilt Jünger die »*Absetzung des Geistes vom Gegenstand, des Autors von der Welt*«. In der besonderen Situation erscheint ihm das Tagebuch geradezu als das geeignetste literarische Medium: Es bleibe »*im totalen Staat das letzte mögliche Gespräch*«. Wie für viele Schriftsteller war auch für Jünger die Flucht in die Innerlichkeit, in die Intimsphäre des Tagebuchs, die geeignetste Möglichkeit, literarisch produktiv zu sein und sich zugleich dem Zugriff der Verfolger zu entziehen. Auch Jünger gehörte, ungeachtet seiner hohen militärischen Auszeichnung und seiner Verdienste als geistiger Vorkämpfer für die Idee des Nationalsozialismus (»*Wir wünschen dem Nationalsozialismus von Herzen den Sieg*«, schrieb er 1929 in der »*großdeutschen Wochenschrift aus dem Geiste volksbewußter Jugend*«, ›Die Kommenden‹), wegen seiner elitären Abkehr von der »primitiven«, die »Reinheit« der nationalsozialistischen Idee verratenden politischen Praxis zum Kreis der Verdächtigen. Nach der Indizierung von *Gärten und Straßen* wegen der verschlüsselten Kritik in der Erwähnung des 73. Psalms (29. 3. 1940) erwies sich auch das Tagebuchschreiben für den Autor als unmittelbare Gefährdung. Die leitmotivischen Anspielungen auf das Tagebuch der 1633 auf der Insel St. Mauritius zu wissenschaftlichen Zwecken ausgesetzten Matrosen verweist denn auch deutlich auf Jüngers »*Strategie und Taktik des Verhaltens auf verlorenem Posten*« (H.-P. Schwarz), einer Taktik, die Jünger in verschiedenen Spielarten meisterhaft beherrscht: im Rückzug in die Welt der Bücher, die Tröstung in trostloser Zeit gewährt wie vor allem die sich durch die gesamten Aufzeichnungen ziehende Bibellektüre; in den »*subtilen Jagden*« auf Fauna und Flora, den »*sinnvollen Mustern*« der Harmonie der Welt; in der Chiffrierung exponierter Namen (»Kniebolo«: Hitler, »Grandgoschier: Goebbels); in der spekulativ metaphysischen Überhöhung und Verfremdung der aktuellen Zeitereignisse in kosmologische Zusammenhänge.
Diesen Spielarten eines Eskapismus, dem »*im Innern*« alles getan ist, entsprechen die militärisch knappe, elegante und zugleich ins prätentiös Verqualmte, oft unfreiwillig Komische sich verirrende »*Hieroglyphensprache*« wie die kühle Distanz des »*erhöhten Standorts*«, von dem aus Menschen wie Insekten gleiches Interesse beanspruchen. Was sich diesem Blickpunkt jedoch entzieht, ist gerade das reale Leiden unter der nackten Gewalt des totalitären Regimes, die dem dämonisierenden und darum verharmlosend stilisierenden Deuter Jünger gelegentlich fast so etwas wie »wertfreie« Bewun-

derung vor ihrer perfekten und perfiden Organisationsform abnötigt. M. Schm.

AUSGABEN. Bln 1942 (*Gärten und Straßen*). – Tübingen 1949 (*Strahlungen*; ohne *Jahre der Okkupation*). – Stg. 1958 (*Jahre der Okkupation*). – Stg. 1958 (*Jahre der Okkupation*). – Stg. 1962/63 (in *Werke*, 10 Bde., 1960ff., Bd. 2/3). – Stg. o. J. [1963], 2 Bde. – Mchn. 1964–1966, 3 Bde. (dtv, 207, 282, 345).

LITERATUR: A. Andersch, *E. J.s »Strahlungen« Metaphorisches Logbuch* (in FH, 5, 1950, S. 209 bis 211). – G. Kranz, *E. J.s Symbolik*, Diss. Bonn 1950. – E. Kuby, *E. J.s »Strahlungen«* (in FH, 5, 1950, S. 205–209). – M. Rychner, *Sphären der Bücherwelt. Aufsätze zur Literatur*, Zürich 1952, S. 199–225. – G. Loose, *E. J. Gestalt u. Werk*, Ffm. 1957. – H. Kaiser, *Mythos, Rausch u. Reaktion. Der Weg Gottfried Benns u. E. J.s*, Bln. 1962. – H.-P. Schwarz, *Der konservative Anarchist. Politik u. Zeitkritik E. J.s*, Freiburg i. B. 1962. – H. Gerber, *Die Frage nach Freiheit u. Notwendigkeit im Werke E. J.s*, Winterthur 1965. – G. Kranz, *E. J.s symbolische Weltschau*, Düsseldorf 1968.

ERICH KÄSTNER
(1899–1974)

FABIAN. Die Geschichte eines Moralisten. Satirischer Roman von Erich KÄSTNER (* 1899), erschienen 1931. – Das Werk gilt als eine der brillantesten Satiren auf deutsche, insbesondere Berliner Zustände am Ende der zwanziger Jahre und während der großen Wirtschaftskrise um 1930.
Titelheld ist der zweiunddreißigjährige Germanist Dr. Jakob Fabian, bisher Adressenschreiber, nun Reklametexter für eine Zigarettenfirma, ein »zarter Ironiker«, der »*auf den Sieg der Anständigkeit wartet*«, nicht gerade lebenstüchtig ist und von den Menschen immer wieder enttäuscht, d. h. übervorteilt wird. Als Moralist ist Fabian ein scharfer Beobachter des Lebens, und da er selbst es mit der bürgerlichen Moral nicht allzu genau nimmt, lernt er Menschen aus allen sozialen Schichten kennen. Ein erotisches Abenteuer löst das andere ab, er erkennt die Verlogenheit scheinbar reputierlicher bürgerlicher Familienverhältnisse, besucht Etablissements für sexuell Abartige, säuft mit Journalisten und bekommt Einblick in die gewissenlose Manipulation von Nachrichten und Meinungen. – Parallel zu dieser Handlung läuft die Geschichte seines Freundes Labude, eines Literaturwissenschaftlers, der sich mit einer Arbeit über Lessing habilitieren will. Mit ihm teilt Fabian die Neigung zu pessimistischem, sozialkritischem Philosophieren, aber während Labude anfangs noch politisch zu handeln versucht, ist Fabian passiver Beobachter aus »*Angst, das Glas zwischen ihm und den anderen könnte zerbrechen*«. Bei einem Besuch im Atelier einer lesbischen Bildhauerin trifft Fabian die junge Juristin Cornelia Battenberg. Die beiden verlieben sich ineinander und erleben einige Tage gemeinsamen Glücks. Als Fabian plötzlich arbeitslos wird, läßt Cornelia sich, teils um ihm zu helfen, teils um Karriere zu machen, mit einem Filmmagnaten ein und wird dessen Geliebte. Schließlich trennt sie sich von Fabian. Dieser nimmt nach vergeblichem Bemühen um eine Stellung und todunglücklich über den Verlust Cornelias sein Lotterleben wieder auf. Labude, der inzwischen die Nachricht erhalten hat, daß seine Habilitationsschrift nicht angenommen worden sei, schreibt Fabian einen Abschiedsbrief und erschießt sich. Sein Selbstmord erweist sich als »*tragischer Witz*«, denn ein mißgünstiger Assistent hatte ihm die Ablehnung der Habilitationsschrift nur vorgelogen.
Fabian geht nun in seine Heimatstadt in der Provinz zurück und führt dort bei seinen Eltern ein Leben verzweifelter Langeweile. Schließlich wird ihm ein Posten bei einer rechtsgerichteten Zeitung angeboten, den er, da ihm Gesinnungslumperei zuwider ist, ablehnt. Seinen Plan, für einige Wochen ins Gebirge zu fahren, kann er nicht mehr ausführen: Auf einem Gang durch die Stadt sieht er, wie ein kleiner Junge in den Fluß fällt. Ohne sich zu besinnen, springt Fabian ihm nach, um ihn zu retten. Aber: »*Der kleine Junge schwamm heulend ans Ufer. Fabian ertrank. Er konnte leider nicht schwimmen.*« Dieses gleichnishafte Ende ist zugleich die letzte und treffendste Kennzeichnung Fabians: ihm als Moralisten war es unmöglich, im trüben Strom der zeitgenössischen Amoral und Inhumanität mitzuschwimmen. Der ursprüngliche Titel dieser Moralsatire, den der Verleger jedoch nicht akzeptierte, lautete: *Der Gang vor die Hunde*. Nach Kästners eigener Aussage sollte damit »*schon auf dem Buchumschlag deutlich werden, daß der Roman ein bestimmtes Ziel verfolgte: Er wollte warnen. Er wollte vor dem Abgrund warnen, dem sich Deutschland und damit Europa näherten! Er wollte mit angemessenen, und das konnte in diesem Falle nur bedeuten, mit allen Mitteln in letzter Minute Gehör und Besinnung erzwingen.*« – Fabian spricht aus, wie der Autor selbst damals Berlin sah: »*Soweit diese riesige Stadt aus Stein besteht, ist sie fast noch wie einst. Hinsichtlich der Bewohner gleicht sie längst einem Irrenhaus. Im Osten residiert das Verbrechen, im Zentrum die Gaunerei, im Norden das Elend, im Westen die Unzucht, und in allen Himmelsrichtungen wohnt der Untergang.*« Für Fabians kleine Heimatstadt gilt dasselbe, nur mit umgekehrten Vorzeichen: »*Hier hatte Deutschland kein Fieber. Hier hatte es Untertemperatur.*«
Ähnlich wie Kästners erste Versbände ist der *Fabian* der Spätphase der sogenannten »Neuen Sachlichkeit« zuzurechnen. Szenen und Figuren des Romans sind zur Erhöhung der satirischen Wirkung überzeichnet, Laster wie Tugenden erscheinen verzerrt oder komisch. Fabians eigene moralische Schwächen fallen nicht ins Gewicht gegenüber den allgemein zerrütteten Zuständen. Dem zügigen Tempo der Erzählung, das durch den schnellen Szenenwechsel noch gesteigert wird, entspricht die einfache, parataktisch reihende Syntax. Schlagfertigkeit und Witz, Ironie und Schnodderigkeit zeichnen die Dialoge aus. Das Buch fand ein weites Echo und erlebte bis heute viele Übersetzungen und Neuauflagen. J. Dr.

AUSGABEN: Bln. 1931. – Köln 1959. – Köln 1965 (in *GS*, 7 Bde., 2).

LITERATUR: G. Pohlmann, *E. K., Fabian und wir* (in Auditorium, 1947, H. 7/8, S. 20–26). – J. Winkelmann, *E. K. and Social Criticism* (in MDU, 44, 1952, S. 366–371). – Ders., *Social Criticism in the Early Works of E. K.*, Columbia/Mo. 1953 (Univ. of Missouri Studies, 25/4). – R. Bossmann, *E. K., Werk und Sprache*, Curitiba 1955. – H. Mayer, *Beim Wiederlesen des »Fabian« von E. K.* (in H. M., *Deutsche Literatur und Weltliteratur*, Bln. 1957,

S. 661–664). – G. Klein, *E. K. als Moralist*, Newcastle/Australien 1964.

FRANZ KAFKA
(1883–1924)

AMERIKA. Romanfragment von Franz KAFKA (1883–1924), begonnen im Herbst 1912 unter dem durch die Tagebücher bezeugten Titel *Der Verschollene*. – Gesprächsweise nannte Kafka das Manuskript seinen »*amerikanischen Roman*«. Das erste Kapitel, *Der Heizer*, ist 1913 gesondert als Erzählung erschienen. Schon vor dem Fragment gebliebenen Schlußkapitel fehlen große Abschnitte. Zwei umfangreiche Bruchstücke sind der zweiten Ausgabe des postum von Max BROD zuerst 1927 edierten Werkes beigefügt worden.

Das Werk, das vor den Romanen *Der Prozeß* und *Das Schloß* entstand, unterscheidet sich von diesen weniger thematisch als durch seinen positiveren, offeneren Schluß. Der Dichter selbst, der im Tagebuch seinen Roman eine »*glatte Dickensnachahmung*« nennt, betonte im Gespräch das Hoffnungsfrohere, Lichtere, Leichtere des mit besonderer Freude geschaffenen Werkes, dessen Manuskriptseiten auffallend wenig Korrekturen und Streichungen zeigen. Brod hat in diesem Zusammenhang auch auf Kafkas Vorliebe für Reisebücher, seine stete Sehnsucht nach Freiheit und fernen Ländern verwiesen.

Insbesondere in dem einleitenden, in sich völlig geschlossenen Kapitel *Der Heizer* scheint sich der neue Kontinent Amerika dem sechzehnjährigen Karl Roßmann aus Prag, den seine Eltern wegen eines Verhältnisses mit einem Dienstmädchen verstoßen haben, mit ungeahnten Möglichkeiten aufzutun. Aber bei dem Versuch, in die ungeheuren Maschinerien einer rationalisierten Welt der Arbeit und des Lebenskampfes auf eine seinen Anlagen entsprechende Weise einzudringen, scheitert er ständig, zum erstenmal, als sein Gerechtigkeitssinn ihn treibt, einen ihm durch die Überfahrt bekannten Schiffsheizer gegen die Vorwürfe seiner Vorgesetzten zu verteidigen. Ein reicher Onkel, amerikanischer Selfmademan und Inhaber eines riesigen Transportgeschäftes, nimmt sich seiner an und führt ihn in die neuen Verhältnisse ein, die ihn jedoch verstören. Vor den gewaltigen Mechanismen der industriellen Institutionen versucht er sich in ein zweckfreies, kindliches Dasein zu retten. »*Karl erhoffte in der ersten Zeit viel von seinem Klavierspiel und schämte sich nicht, wenigstens vor dem Einschlafen an die Möglichkeit einer unmittelbaren Beeinflussung der amerikanischen Verhältnisse durch dieses Klavierspiel zu denken.*« Sein Onkel verstößt ihn aber bald, wieder wegen einer zwielichtigen erotischen Situation, und er wird als Liftboy im »Hotel Occidental« angestellt, dessen undurchschaubarer Verwaltungsapparat mit seinen in den höheren Instanzen völlig unfaßbar werdenden bürokratischen Berufsklassen deutlich auf die Beamten- und Richterhierarchien der späteren Romane vorausweist. Auch hier entlassen – man wirft ihm fälschlicherweise Dienstpflichtverletzung vor –, findet er als Diener Unterkunft bei der Sängerin Brunelda, die ihm als Geliebte seines ehemaligen Arbeitskameraden Delamarche das Verhältnis von Herr und Knecht auf anderer Ebene aufzwingt. Wie Josef K. im *Prozeß* und der Landvermesser im *Schloß* umkreist auch der junge Karl ein sich ihm stets verweigerndes Ziel: ihm, der innerhalb des verflochtenen »*Systems von Abhängigkeiten*«, wie Kafka den Kapitalismus gesprächsweise nannte, lediglich ein brauchbarer Arbeiter sein will, gelingt es nicht oder nur vorübergehend, in diese Welt aus eigengesetzlicher, entpersönlichender Perfektion und Grausamkeit einzudringen. Das unvollendete Schlußkapitel scheint jedoch eine Lösung vorgesehen zu haben: das »*Naturtheater von Oklahoma*« bietet allen Menschen Beschäftigung, die »*Künstler*« werden wollen, die ihre eigene Individualität, ihr Selbst frei von den Deformationen der entfremdeten Arbeitswelt zu entwickeln bereit sind. – Für ein hoffnungsvolles Ende spricht auch, daß sich Karl Roßmann von den marionettenhaften, negativen Helden der späteren Romane wesentlich unterscheidet: seine Situation ist nicht tragisch, seine ganze Lebenslandschaft weniger gespenstisch und irreal. Er ist naiv-unbeschwert, ein sechzehnjähriger, gutwilliger Junge, der zwar sagen kann: »*Es ist unmöglich, sich zu verteidigen, wenn nicht guter Wille da ist*« (bei den Anklägern), der aber doch ungeachtet aller ihm begegnenden Perfidie immer wieder mit diesem guten Willen rechnet. Kafka soll im Gespräch mit M. Brod sogar erwähnt haben, daß sein junger Held im Schlußkapitel, dessen Einleitung der Dichter besonders schätzte, Beruf, Freiheit, Rückhalt, ja sogar Heimat und Eltern wie durch paradiesischen Zauber finden werde. Eine Tagebuchnotiz Kafkas selbst deutet allerdings einen weniger optimistischen Schluß an und spricht vom Tod des schuldlosen Roßmann: die Parallele zum Tod des schuldigen K. im *Prozeß*.

Das Werk ist, wie alle Prosa Kafkas, in sachlicher, prägnanter Diktion geschrieben, dabei aber phantasievoll-verspielter und reicher an Details als die späteren Romane. KLL

AUSGABEN: *Der Heizer:* Lpzg. 1913 (Der jüngste Tag. Neue Dichtungen, 3). – *Amerika:* Mchn. 1927, Hg. M. Brod. – Bln. 1935 (in *GS*, Hg. M. Brod u. H. Politzer, Bd. 2). – Ffm. 1953 (in *GW*, Hg. M. Brod, Bd. 3).

DRAMATISIERUNG: *Amerika*, M. Brod (Uraufführung: Zürich, 28. 2. 1957).

LITERATUR: J. Kaiser, *Glück bei K.* (in FH, 9, 1954, S. 300–303). – H. Uyttersprot, *E. neue Ordnung d. Werke K.s? Zur Struktur v. K.s »Der Prozeß« u. »Amerika«*, Antwerpen 1957. – M. Brod, *Uyttersprot korrigiert K., eine Entgegnung* (in Forum, 43/44, 1957, S. 264 ff.). – Ders., *Z. Probl. d. dramatisierten Romans* (in Schauspielhaus Zürich 1956/57, Programmheft zu F. K. »*Amerika*«, S. 3–5). – W. Drews, *Brod statt K. »Amerika« i. Zürich uraufgef.* (in FAZ, 4. 3. 1957). – M. Brod, *Zur Deutung v. K.s »Amerika«* (in NZZ, 27. 3. 1958). – K. Doss, *D. Gestalt d. Toren in Grimmelshausens »Simplicissimus« u. in K.s »Amerika«* (in Pädag. Provinz, 13, 1959, S. 319–330). – A. Borchardt, *K.s zweites Gesicht. D. Unbekannte. D. große Theater v. Oklahoma*, Nürnberg 1960. – H. Heuer, *D. Amerikavision bei W. Blake u. F. K.*, Diss. Mchn. 1960. – W. Jahn, *Stil u. Weltbild i. K.s Roman »D. Verschollene«*, Diss. Tübingen 1961. – K. Hermsdorf, *K. Weltbild u. Roman*, Bln. 1961. – M. Splika, *Dickens and K.*, Bloomington 1963.

IN DER STRAFKOLONIE. Erzählung von Franz KAFKA (1883–1924), geschrieben im Oktober 1914, erschienen 1919. – Die Erzählung steht thematisch in unmittelbarem Zusammenhang mit Kafkas fragmentarischem Roman *Der Prozeß*. Dessen Hauptfigur Joseph K. zweifelt an der Berechtigung der von einem – ihm unerreichbaren – Gericht über ihn verhängten Anklage. Seine Ahnung, daß offensichtlich »*ein einziger Henker*« genüge, dieses ganze Gericht zu ersetzen, scheint die Erzählung *In der Strafkolonie* insofern zu »verwirklichen«, als der Autor in ihr den barbarischen Prozeß eines mechanischen Strafvollzugs ablaufen läßt, dessen Unwiderruflichkeit in keinem Verhältnis zum Ausmaß der Schuld des Verurteilten steht.

Ein Forschungsreisender besucht die auf einer entlegenen Insel eingerichtete Strafkolonie einer europäischen Großmacht und wird Zeuge einer Exekution, die mittels eines »*eigentümlichen Apparates*« vorgenommen wird; diesen hat, wie er erfährt, der verstorbene Kommandant erfunden, der, als »*Soldat, Richter, Konstrukteur, Chemiker, Zeichner*« in einer Person, die gesamte Anlage der Kolonie entwarf und verwirklichte. Die Maschine, deren Bedienung und Erklärung ein jüngerer, richterliche Funktionen ausübender Offizier übernommen hat, besteht aus drei Hauptteilen: dem vibrierenden »Bett«, auf das der Verurteilte bäuchlings geschnallt wird, dem darüber an vier Stangen befestigten »Zeichner«, der das Antriebsräderwerk enthält, und einem dazwischen schwebenden, mit einem komplizierten Nadelsystem besetzten Stahlband, der »Egge«, womit dem Opfer das übertretene Gebot »*auf den Leib*« geschrieben wird. Der Verurteilte wird nicht davon in Kenntnis gesetzt, daß er verurteilt worden ist; er erfährt es aus seinen Wunden, denn seine Schuld ist »*immer zweifellos*«. Eine Verteidigungsmöglichkeit besteht nicht, eine Abänderung des Urteils ist ausgeschlossen. Die Hinrichtung dauert gewöhnlich zwölf Stunden mit einem »Wendepunkt« etwa in der Mitte. Hat die Egge den Körper des Opfers hinreichend »beschrieben«, so beginnt der Verurteilte die Schrift mit seinen Wunden zu »entziffern«: »*Wie still wird dann aber der Mann! Verstand geht dem blödesten auf.*« Verzückt nahmen alle Zuschauer, vor allem die Kinder, in früheren Zeiten, als das Strafverfahren noch in Blüte stand, den »*Ausdruck der Verklärung*«, den »*Schein dieser endlich erreichten und schon vergehenden Gerechtigkeit*« vom Antlitz des Sterbenden, dessen Leiche die Egge nach Ablauf der Frist vollends aufspießt und in die Grube wirft. Der Reisende, der zögernd den Erläuterungen des jungen Offiziers gefolgt ist, bekennt sich bestürzt als Anhänger der »*neuen milden Richtung*«, wie sie auch der derzeitige Kommandant vertritt: »*Die Ungerechtigkeit des Verfahrens und die Unmenschlichkeit der Exekution waren zweifellos.*« Daraufhin gibt der Offizier dem Verurteilten die Freiheit, ordnet das Räderwerk neu an, um die Maschine das Gebot »*Sei gerecht!*« schreiben zu lassen, und befiehlt, unfähig eine Zeit zu überleben, die ihn der Schande des Hilfesuchens überantwortet, dem wachhabenden Soldaten, ihn auf das Bett zu fesseln. Doch der Apparat scheint die Selbstpreisgabe seines Betreuers abzulehnen: Während eine Gruppe von großen und kleinen Zahnrädern wie unter ungeheurem Druck aus dem Zeichner gepreßt wird, zerstört sie sich selbst und hebt den blutüberströmten Körper über die Grube, ohne ihn freizugeben. Auf dem Gesicht des Toten läßt sich jedoch »*kein Zeichen der versprochenen Erlösung*« ablesen. Der in die Kolonie zurückkehrende Reisende besucht zunächst das Grab des alten Kommandanten, dessen Grabinschrift seine baldige Wiederauferstehung ankündigt und mit der geheimnisvollen Devise »*Glaubet und wartet*« endet, entschließt sich dann aber überstürzt zur Abreise.

Das Problem der Schuld – und zwar nicht einer einzelnen Verfehlung, sondern das der universellen Verschuldung – hat Kafka unablässig beschäftigt. Der Grundsatz seines Richter-Offiziers, daß »*die Schuld immer zweifellos*« sei, und dessen Überzeugung, daß sein Hinrichtungsverfahren das »*menschlichste und menschenwürdigste*« sei, entspricht aufs genaueste jener Gesetzesordnung, gegen die in Kafkas fragmentarischem Roman Joseph K. scheiternd rebelliert. »*Das Gericht will nichts von dir. Es nimmt dich auf, wenn du kommst, und es entläßt dich, wenn du gehst*«, sagt der Gefängniskaplan zu K., und einer der Wächter bemerkt spöttisch: »*Er gibt zu, er kenne das Gesetz nicht, und behauptet gleichzeitig, schuldlos zu sein.*« Wenn allen Opfern der Hinrichtungsmaschine die ihnen als »Zierat« auf den Leib geschriebene Schuld erst in der sechsten Stunde aufgeht, so deutet sich damit an, daß sie sich der Verbindlichkeit jenes absoluten, »ewigen« Gesetzes entzogen haben, das die »*Erkenntnis der Totalschuld*« als menschlicher »*Daseinsschuld*« (W. Emrich) fordert und diese erst im erlösenden Opfer tilgt. Diese »alte Ordnung« wird von der »milden« Gerichtsbarkeit des Reisenden und des neuen Kommandanten aufgehoben, die aber gerade, wie ein später verworfenes Fortsetzungsfragment der Erzählung andeutet, der »Schlange«, der unablässig produzierenden modernen Arbeitswelt, den Weg bereitet, die den in sie Verstrickten stärkere, nur heimlichere Wunden schlägt als das archaische Gesetz. »*Zur Erklärung dieser ... Erzählung füge ich nur hinzu, daß nicht nur sie peinlich ist, daß vielmehr unsere allgemeine und meine besondere Zeit gleichfalls sehr peinlich war und ist*« (Brief Kafkas an seinen Verleger K. Wolff, 11. 10. 1916). H. H. H.

Ausgaben: Lpzg. 1919. – Bln. 1935 (in *GS*, Hg. M. Brod und H. Politzer, 6 Bde., Bln./Prag 1935 bis 1937, 1). – Bln. 1946 (in *Erzählungen*, Hg. M. Brod; ern. Ffm. 1965). – Ffm. 1964 (in *Die Erzählungen*, Hg. K. Wagenbach).

Literatur: H. Kaiser, *F. K.s Inferno. Psychologische Deutung seiner Strafphantasie* (in Imago, 17, 1931, S. 41–104). – J. Starobinski, *Figure de F. K.* (in F. K., »*La colonie pénitentiaire*«, Fribourg/Paris 1945, S. 9–67). – A. Warren, »*The Penal Colony*« (in *The K. Problem*, Hg. A. Flores und H. Swander, NY 1946, S. 140–142). – W. Burns, *K. and A. Comfort: »The Penal Colony« Revisited* (in Arizona Quarterly, 8, 1952, S. 101–120). – G. König, *F. K.s Erzählungen und kleine Prosa*, Diss. Tübingen 1954. – P. D. Webster, *F. K.'s »In the Penal Colony«* (in American Imago, 13, 1956, S. 399–407). – W. Emrich, *F. K.*, Bonn 1958 [m. Bibliogr.]. – W. Rehfeld, *Das Motiv des Gerichtes im Werke F. K.s. Zur Deutung des »Urteils«, der »Strafkolonie«, des »Prozesses«*, Diss. Ffm. 1960. – H. Politzer, *F. K.: Parable and Paradox*, Ithaca/NY 1962 (dt.: *F. K., der Künstler*, Ffm. 1965, S. 156–178). – W. H. Sokel, *F. K.: Tragik und Ironie*, Mchn./Wien 1964, S. 107–124. – B. Flach, *Die Erzählungen der Kafkaschen Erzählsammlungen. Analyse der Erzählstruktur und Interpretation*, Bad Homburg 1966.

EIN LANDARZT. Erzählung von Franz KAFKA (1883–1924), erschienen 1918; 1919 in die gleichnamige Sammlung der kleineren Erzählungen aufgenommen. – Ein älterer, erfahrener Landarzt, den die Nachtglocke zu einer eiligen Fahrt ans Bett eines Schwerkranken seines Bezirks ruft, benötigt dringend ein neues Wagenpferd, da sein eigenes, infolge von Überanstrengung während des langen, eisigen Winters, gerade verendet ist. Er schickt sein Dienstmädchen Rosa ins Dorf, um ein Pferd auszuleihen. Als Rosa unverrichteter Dinge zurückkehrt, bemerken beide im Dunkel des »*schon seit Jahren unbenützten Schweinestalles*« zwei mächtige, gutgepflegte Pferde, die ein ebenso überraschend auftauchender, rätselhafter Pferdeknecht anzuschirren sich erbietet. Der Landarzt, erfreut über das schöne Gespann, ist schon im Begriff abzufahren, als er mitansehen muß, wie der Pferdeknecht sich Rosa mit roher Gewalt nähert und die sich verzweifelnd Wehrende – offenbar als »Kaufpreis« für die Fahrt – ins Haus verfolgt. Aber schon wird der Wagen fortgerissen und erreicht, wie im Sturm, sein Ziel, das Haus des Patienten, wo sich eine verwirrte Familie um das Bett eines Jungen drängt. Die Untersuchung ergibt, daß der Kranke nicht »krank« ist, zwar »*ein wenig schlecht durchblutet, von der sorgenden Mutter mit Kaffee durchtränkt, aber gesund und am besten mit einem Stoß aus dem Bett zu treiben*«. Während die beiden »*unirdischen*« Pferde die Fenster aufstoßen und die Köpfe ins Zimmer stecken und die Eltern und Geschwister den Arzt besorgt zur Hilfe auffordern, wird ihm deutlich, daß die Krankheit, die er hier heilen soll, offenbar nicht mit »Rezepten« zu bekämpfen ist. Er entdeckt in der Hüftgegend des Jungen eine tiefe, handtellergroße Wunde, in der sich, bei näherem Zusehen deutlich erkennbar, rosige, blutbespritzte Würmer winden. »*Armer Junge, dir ist nicht zu helfen. Ich habe deine große Wunde gefunden; an dieser Blume in deiner Seite gehst du zugrunde.*« Dieses Symbol der auszeichnenden, aber tödlichen Wunde – »*Mit einer schönen Wunde kam ich auf die Welt; das war meine ganze Ausstattung*«, flüstert der Junge dem Landarzt ins Ohr – bildet das Zentrum der Erzählung: es bezeichnet die Sphäre der menschlichen Verschuldung, der sich die Helden der beiden großen Romane Kafkas – *Das Schloß* und *Der Prozeß* – im Kampf mit den undurchdringlichen Hierarchien der Beamten und Richter zu entziehen versuchen. Angesichts dieser Wunde, die nicht mit »ärztlichen« Mitteln geheilt werden kann, wird der Arzt selbst Patient und läßt sich, nachdem die Familie und die Dorfältesten ihn entkleidet haben, zu dem Kranken ins Bett legen, während ein Schulchor ein Lied von grotesker Monotonie singt: »*Entkleidet ihn, dann wird er heilen, / Und heilt er nicht, so tötet ihn! / S'ist nur ein Arzt, s'ist nur ein Arzt.*« Auch der kranke Junge erkennt, daß sein Arzt an derselben Wunde leidet. »*Weißt du, mein Vertrauen zu dir ist sehr gering. Du bist ja auch nur irgendwo abgeschüttelt, kommst nicht auf eigenen Füßen. Statt zu helfen, engst du mir mein Sterbebett ein.*« Der Landarzt, im plötzlich erwachenden Bewußtsein, statt an seine eigene eher an die »Rettung« Rosas denken zu sollen, die zu Hause dem Wüten des Pferdeknechts ausgesetzt ist, springt auf, rafft Kleider, Pelz und Tasche zusammen und besteigt sein Gefährt. Die beiden Pferde aber, die den Hinweg in Windeseile zurückgelegt haben, ziehen jetzt langsam »*wie alte Männer*« durch den Schnee, während der »*neue, aber irrtümliche*« Gesang des Kinderchors ihn lange begleitet: »*Freuet Euch, Ihr Patienten, / Der Arzt ist Euch ins Bett gelegt!*« Ohne Hoffnung, nach Hause zu kommen, »*nackt, dem Froste dieses unglückseligsten Zeitalters ausgesetzt, mit irdischem Wagen, unirdischen Pferden*«, aus allen Bindungen herausgerissen, bleibt ihm nichts als das Gefühl des Betrogenseins.

Auch die stringenteste Interpretation wird in dieser verschlüsselten Erzählung auf einen nicht kommunikativen Rest stoßen. Während andere, zumal die späteren Erzählungen des Autors, wie etwa *Der Bau* oder *Josefine, die Sängerin*, eher den Typus des reflektierenden, in unendlichen »Selbstaufhebungen« kreisenden Berichts verkörpern, darf *Ein Landarzt* als expressiv-lyrische, beinahe balladenhafte Kurzerzählung mit ungeheuer sich steigerndem Erzähltempo gelten. Einer ihrer Schlüsselsätze steht gleich zu Beginn: »*Man weiß nicht, was für Dinge man im eigenen Hause vorrätig hat*«, bemerkt Rosa, dieses »*schöne Mädchen, das jahrelang, von mir kaum beachtet, in meinem Hause lebte*«, angesichts der rätselhaften Pferde und ihres Wärters. »*Nirgends verdämmert bei Kafka die Aura der unendlichen Idee, nirgends öffnet sich der Horizont. Jeder Satz steht buchstäblich, und jeder bedeutet*« (Th. W. Adorno). Die aus dem unbenützten Schweinestall losbrechenden Gewalten sind die des eigenen Innern: Selbstverantwortung und Gier nach Lebensgenuß. Die absolute Forderung (der »Ruf« des Arztes) ist also nicht Einbruch einer göttlichen, jenseitigen Macht, sondern Ausbruch von Mächten, die im Innern des Menschen selbst hausen und seine bisherigen Scheinordnungen zertrümmern. Aber die »*unirdischen*« Pferde mißbrauchen den Arzt zu »*heiligen Zwecken*«, zur Heilung einer Wunde, die nicht er heilen kann. »*So sind die Leute in meiner Gegend. Immer das Unmögliche vom Arzt verlangen. Den alten Glauben haben sie verloren; der Pfarrer sitzt zu Hause und zerzupft seine Meßgewänder, eines nach dem andern; aber der Arzt soll alles leisten mit seiner zarten chirurgischen Hand.*« Der »falsche« Arzt, der die Ganzheit der einander widerstreitenden Daseinsmächte nicht wiederherstellen kann, verbleibt schließlich in einem ähnlichen Zwischenreich wie der Held einer anderen Erzählung Kafkas, der Jäger Gracchus, der, ausgestoßen zwischen »Himmel« und »Erde«, sich immer auf der »*großen Freitreppe*« herumtreibt, die »*nach oben*« führt.

H. H. H.

AUSGABEN: Lpzg. 1918 (in *Die neue Dichtung. Ein Almanach*). – Lpzg. 1919 (in *Ein Landarzt. Kleine Erzählungen*). – Bln. 1935 (in *GS*, Hg. M. Brod u. H. Politzer, 6 Bde., 1935–1937, 1). – Bln. 1946 (in *Erzählungen*, Hg. M. Brod; *GW in Einzelausgaben*; ern. Ffm. 1965). – Ffm. 1961 (in *Die Erzählungen*, Hg. K. Wagenbach).

VERTONUNG: H. W. Henze, *Ein Landarzt* (Funkoper, Urauff.: Köln 1951).

LITERATUR: C. Heselhaus, *K.s Erzählformen* (in DVLG, 26, 1952, S. 353–376). – E. A. Albrecht, *Zur Entstehungsgeschichte von K.s »Landarzt«* (in MDU, 46, 1954, S. 207–212). – G. König, *F. K.s Erzählungen und kleine Prosa*, Diss. Tübingen 1954. – H. Motekat, *Interpretation als Erschließung dichterischer Wirklichkeit (Mit einer Interpretation von F. K.s Erzählung »Ein Landarzt«)* (in *Interpretationen moderner Prosa*, Ffm./Bln./Bonn 1955, S. 7–27). – M. Scherer, *Das Versagen und die Gnade in K.s Werk. Zu K.s Erzählung »Ein Landarzt«* (in Stimmen der Zeit, 157, 1955/56, S. 106–117). – R. H. Lawson, *K.s »Der Landarzt«* (in MDU, 49, 1957, S. 265–271). – L. H. Leitner, *A Problem in Analysis.*

F. K.'s »A Country Doctor« (in Journal of Aesthetics and Art Criticism, 16, 1957/58, S. 337–347). – B. Busacca, *»A Country Doctor«* (in *F. K. Today*, Hg. A. Flores u. H. Swander, Madison 1958, S. 45–54). – H. Missbeck, *F. K. »Ein Landarzt«* (in Der Deutschunterricht, 10, 1958, S. 36–46). – H. Servotte, *F. K. »Der Landarzt«* (in Deutschunterricht für Ausländer, 8, 1958, S. 33–38). – W. Emrich, *F. K.*, Bonn 1958, S. 129–137. – H. Salinger, *More Light on K.'s »Landarzt«* (in MDU, 53, 1961, S. 97 bis 104). – S. Lainoff, *The Country Doctors of K. and Turgenev* (in Symposium, 16, 1962, S. 130–135). – H. Politzer, *Parable and Paradox. »Ein Landarzt« and »In der Strafkolonie«* (in H. P., *F. K. Parable and Paradox*, 1962; dt.: *F. K., der Künstler*, Ffm. 1965, S. 130–178). – C. Rubbini, *F. K. e »Il medico di campagna«* (in Ferrara Viva, 3, 1962, S. 85–100). – W. H. Sokel, *Das kranke Ich und der falsche Arzt* (in W. H. S., *F. K. Tragik und Ironie. Zur Struktur seiner Kunst*, Mchn./Wien 1964, S. 267–281). – E. Marson und L. Keith, *K., Freud, and »Ein Landarzt«* (in GQ, 37, 1964, S. 146–160). – H. P. Guth, *Symbol and Contextual Restraint. K.'s »Country Doctor«* (in PMLA, 80, 1965, S. 427–431). – P. K. Kurz, *Verhängte Existenz. F. K.s Erzählung »Ein Landarzt«* (in Stimmen der Zeit, 177, 1965/66, S. 432–450). – B. Flach, *K.s Erzählungen. Strukturanalyse u. Interpretation*, Bonn 1967 (Abhandlungen zur Kunst-, Musik- u. Literaturwissenschaft, 43).

DER PROZESS. Roman von Franz KAFKA (1883–1924), entstanden 1914/15; erschienen 1925. – »Dunkelheit«, »Hermetik«, »Labyrinth« oder »Verrätselung« sind stereotyp wiederholte Schlagworte der allmählich unüberschaubaren Literatur über Kafkas Werke – gängige Klischees, die Interpretationsprobleme nur andeuten, ohne sie zu erhellen. Die Ratlosigkeit der Interpreten vertieft sich bei der Betrachtung der drei unvollendeten Romane (vgl. *Amerika*, 1927, und *Das Schloß*, 1926), deren Fragmente Kafkas Freund Max BROD gegen den Willen des Autors aus dem Nachlaß veröffentlichte. Der Zugang zu ihnen, durch ihre umstrittene Textgestalt ohnehin erschwert, wird durch Kafkas dichterische Verfahrensweise geradezu verstellt: Selbst das scheinbar nebensächlichste Detail suggeriert einen vielschichtigen Bedeutungshorizont und beansprucht einen komplexen Stellenwert im umfassenden Verweisungszusammenhang des Romans, der jedoch den Code zu seiner Dechiffrierung nicht preisgibt. Die immanente Provokation zur Exegese hat darum immer wieder *»barbarische Spekulationen«* entstehen lassen, *»die im übrigen nicht einmal mit dem Wortlaut des Kafkaschen Textes vereinbar erscheinen«* (W. Benjamin). Eine annähernd sichere Interpretationsgrundlage ist demnach nur zu gewinnen, wenn man sich den Deutungszwängen zunächst entzieht und sich auf eine deskriptive Rekonstruktion dieses »Wortlauts« beschränkt.

Bei aller Vielschichtigkeit hat der Roman einen *»streng einsinnigen Erzählverlauf, der sich als eine Kette von lose verbundenen Szenen darbietet«* (G. Frey). *»Jemand mußte Josef K. verleumdet haben, denn ohne daß er etwas Böses getan hätte, wurde er eines Morgens verhaftet.«* Dem absoluten, voraussetzungslosen Anfang entspricht das absolute Ende: *»Am Vorabend seines einunddreißigsten Geburtstages«* wird K. von *»zwei Herren«*, die wie alte *»untergeordnete Schauspieler«* aussehen, hingerichtet. Zwischen diesen beiden Fixpunkten spielt sich das Romangeschehen ab. K., in Untermiete lebender Junggeselle, angesehener Bankprokurist und Stammtischbesucher, sucht vergeblich, seiner Verwirrung und Verärgerung über die ominöse »Verhaftung« Herr zu werden. Er möchte *»das Ganze als Spaß ansehen, als einen groben Spaß, den ihm aus unbekannten Gründen, vielleicht weil heute sein dreißigster Geburtstag war, die Kollegen in der Bank veranstaltet hatten«*: *»war es eine Komödie, so wollte er mitspielen«*. Zugleich aber nimmt er die absurde Szene ernst und will *»sich irgendwie in die Gedanken der Wächter einschleichen, sie zu seinen Gunsten wenden oder sich dort einbürgern«*. Doch von diesen subalternen »Beamten«, die offenbar nicht den ordentlichen Justizbehörden angehören, erhält er nur die unverständliche Auskunft: Ihre Behörde suche *»nicht etwa die Schuld in der Bevölkerung, sondern wird, wie es im Gesetz heißt, von der Schuld angezogen«*. Obwohl sich K. keiner Schuld bewußt ist, verfällt er einem Rechtfertigungskomplex, anstatt *»dieses Sinnloseste«* völlig zu ignorieren. Wortreich entschuldigt er sich wegen des Vorfalls bei seiner Zimmerwirtin, der die Verhaftung *»wie etwas Gelehrtes«* vorkommt, *»das ich zwar nicht verstehe, das man aber auch nicht verstehen muß«*. Als K. auch noch seiner Nachbarin Fräulein Bürstner wegen der in ihrem Zimmer durch die Verhaftung entstandenen Unordnung Genugtuung verschaffen will, mißversteht er ihre Nachsicht und küßt sie – *»wie ein durstiges Tier mit der Zunge über das endlich gefundene Quellwasser hinjagt«*. Während er sich in den nächsten Tagen vergeblich bemüht, auch diese Überrumpelung zu rechtfertigen, wird er zu einer ersten *»Untersuchung in seiner Angelegenheit«* vorgeladen. Nach mühevoller Suche findet er in einem verwinkelten, von spielenden Kindern wimmelnden Vorstadtmietshaus den Sitzungssaal, in dem er von einer lärmenden Menge bereits erwartet wird. Den Vorwurf der Unpünktlichkeit quittiert er mit einer selbstbewußten Rede, die er als *»öffentliche Besprechung eines öffentlichen Mißstandes«* versteht. Er schildert den Vorgang seiner Verhaftung, bezeichnet die Beamtenschaft als *»korrupte Bande«* und sucht die *»Sinnlosigkeit des Ganzen«* aufzudecken. Unter dem wüsten Lärm der Versammlung verläßt er den Sitzungssaal. Dorthin begibt er sich gleichwohl wieder am nächsten Sonntag, trifft aber nur die Frau eines »Gerichtsdieners« an, die ihm ihre Hilfe anbietet, die sich freilich in ihren sexuellen Beziehungen zur niederen Beamtenschaft erschöpft. Als sich ein Student der *»unbekannten Rechtswissenschaft«* ihrer bemächtigt, begibt sich K. mit dem Gerichtsdiener in die auf dem Dachboden des Mietshauses untergebrachten Gerichtskanzleien. Seine Neugier wird aber bald durch die stickige Luft, den Anblick apathischer Angeklagter und die verwirrenden Ausführungen einer Beamtin von Ermüdung und Übelkeit abgelöst; nur mühsam findet er den Weg ins Freie. – Eines Tages wird K. von seinem besorgten Onkel besucht, der ihm empfiehlt, seinen Schulfreund, den Advokaten Huld, als Verteidiger zu berufen. Die Gelegenheit, während eines Besuchs bei dem ans Bett gefesselten Anwalt einen hohen Gerichtsbeamten kennenzulernen und damit seinem Prozeß zu nützen, läßt sich K. entgehen, indem er sich im Nebenzimmer der sinnlichen Begierde der Haushälterin Leni überläßt. Er vernachlässigt seine Arbeit in der Bank und widmet sich fast ausschließlich seinem Prozeß: *»er hatte kaum mehr die Wahl, den Prozeß anzunehmen oder abzulehnen, er stand mitten darin und* *mußte sich wehren*«. Von einem Bankkunden empfohlen, besucht er den Maler Titorelli, der offensichtlich beste Kontakte zur höheren Beamtenschaft unterhält und K. über die Struktur des Gerichts und seiner Prozesse unterrichtet: Von dem – freilich nur legendären – »*wirklichen Freispruch*« abgesehen, gebe es den »*scheinbaren Freispruch*«, der eine unendliche Kettenreaktion von erneuten Verhaftungen und scheinbaren Freisprechungen in Gang setze, und die »*Verschleppung*«, die darin bestehe, »*daß der Prozeß dauernd im niedrigsten Prozeßstadium erhalten wird*«. Genau diese Taktik der »*Verschleppung*« betreibt Advokat Huld, und K., der auf eine raschere Erledigung seines Prozesses drängt, beschließt, ihm die Verteidigung zu entziehen; in seinem Entschluß bestärkt ihn der Anblick des gleichfalls angeklagten Kaufmanns Block, der in sklavischer Abhängigkeit von Huld dahinvegetiert. – Hatten sich die Gerichtsbehörden bisher in scheinbarer Passivität unsichtbar im Hintergrund gehalten, so glaubt K. anläßlich eines Besuchs im Dom, von ihnen gehetzt zu werden. Statt dem erwarteten italienischen Geschäftsfreund, dem er das imposante Bauwerk zeigen wollte, begegnet K. einem Geistlichen, der sich als »*Gefängniskaplan*« ausgibt. Vergeblich versucht dieser, K.s Begriffsstutzigkeit hinsichtlich seines Prozesses (»*Siehst du denn nicht zwei Schritte weit?*«) zu durchdringen; er erzählt und kommentiert die Parabel vom Türhüter vor dem Gesetz, zu dem ein »*Mann vom Lande*« kommt, der Einlaß ins Gesetz begehrt, aber abgewiesen wird und sein Leben mit Warten verbringt, bis ihm der Türhüter kurz vor seinem Tode zu erkennen gibt, daß dieser Eingang nur für ihn bestimmt gewesen sei. K., der zu müde ist, »*um alle Folgerungen der Geschichte übersehen zu können*«, wird vom Geistlichen mit dem zweideutigen Trost entlassen: »*Das Gericht will nichts von dir. Es nimmt dich auf, wenn du kommst, und es entläßt dich, wenn du gehst.*« Das Ende kommt überraschend. Ohne je vor seine hohen Richter gelangt zu sein, wird K. von zwei »*halbstummen, verständnislosen Herren*« abgeführt, in einem abgelegenen Steinbruch entkleidet und mit einem Fleischermesser erstochen: »*Mit brechenden Augen sah noch K., wie die Herren, nahe vor seinem Gesicht, Wange an Wange aneinandergelehnt, die Entscheidung beobachteten. ›Wie ein Hund!‹ sagte er, es war, als sollte die Scham ihn überleben.*«

Nach seinem Erscheinen nur einem begrenzten Leserkreis vertraut, in Frankreich »entdeckt« (zunächst von André BRETON und der Gruppe um den »Minotaure«, später von CAMUS und SARTRE), auf dem »Umweg« über England und Amerika schließlich in Deutschland seit Ende des Zweiten Weltkriegs mit einer ständig wachsenden Bibliothek von Deutungsversuchen umstellt, ist Kafkas *Prozeß*, wie sein schmales Gesamtwerk überhaupt, ein Modellfall hermeneutischer Probleme, die ein Satz aus den im Roman dargelegten Kommentaren zur »Türhüterlegende« treffend charakterisiert: »*Richtiges Auffassen einer Sache und Mißverstehen der gleichen Sache schließen einander nicht vollständig aus.*« Doch selbst die spekulativsten, vom »*Wortlaut der Schrift*« am weitesten entfernten Interpretationen begegnen sich im verzweifelten Bemühen um den symbolischen, allegorischen oder parabolischen Sinn des Romans. Die gängigsten Deutungsmuster liefert ein zur wohlfeilen Populärphilosophie verkommener Existentialismus. So wird Josef K. als moderner »*Jedermann*« (H. Politzer) apostrophiert, der der »*unerträglichen Widersprüchlichkeit der Existenz*« (Frey) »verhaftet« sei. Flugs wird der ominöse Verhaftungsbefehl gedeutet als »*die Nötigung an den Menschen, zur vollen Selbst- und Weltverantwortlichkeit zu gelangen*« (W. Emrich), K.s Versagen vor dieser »Nötigung« zum gescheiterten »*Existenzentwurf*« (B. Allemann), ja zum »*allgemein menschlichen Versagen*« (Frey) stilisiert. Kühnere, wenn auch nicht immer konsequente und vom Text kaum noch gedeckte Konstruktionen bieten Kafkas Exegeten bei der Deutung des rätselhaften »Gerichts« an. Neben dem existentialistischen Interpretationsklischee, das im Gericht das »*Selbstgericht K.s*«, zugleich aber auch »*die gesamte Lebenswirklichkeit repräsentiert*« sieht (Emrich), behaupten sich differenzierte theologische Kommentare: Aus christlicher (Brod) oder jüdischer (W. Haas, W. Grenzmann) Sicht wie vom Standpunkt der »Theology of Crisis« (J. Kelly) her wird das Gericht als göttliche Instanz verstanden, vor der sich der Mensch zu verantworten habe. Gestützt auf den Kontext des Romans, weist Emrich freilich mit Recht darauf hin, daß die Gerichtswelt weder gut noch göttlich sei, sondern »*die ›böse‹ Welt*« verkörpere; mythischen oder mystischen Spekulationen abhold, sieht er darum im *Prozeß* »*sehr konkret die sozialpolitische Realität unserer modernen Weltwirklichkeit*« gespiegelt. Schon früh (1934) hatte auch Walter BENJAMIN die »*Frage der Organisation des Lebens und der Arbeit in der menschlichen Gesellschaft*« als parabolisch gestaltetes Thema des Romans bezeichnet, und nach Theodor W. ADORNO »*zitiert der Stoffgehalt jenes Werkes eher den Nationalsozialismus als das verborgene Walten Gottes*«.

Wie bestechend auch die Argumentationen sind, mit der diese Thesen vorgetragen werden, so entgehen sie doch nicht dem jeder Kafka-Interpretation zugrunde liegenden hermeneutischen Dilemma: Es bleibt immerfort fraglich, ob das, wovon die Auslegung »*redet und was notwendig der Welt des Auslegers angehört, dasselbe ist, wie das, wovon in diesen Erzählungen die Rede ist*« (J. Schillemeit). Um diesem Dilemma zu entgehen und allzu kühne und unbeweisbare Spekulationen zu vermeiden, widmet sich die Forschung in zunehmendem Maße den strukturellen und erzähltechnischen Problemen des Romans. Konnte H. UYTTERSPROTS aufsehenerregender Versuch einer Neuordnung der Kapitelfolge in seinen wesentlichsten Punkten – vor allem der Vorverlegung der Domszene – von G. KAISER und K. WAGENBACH überzeugend widerlegt werden, so erwiesen sich F. BEISSNERS und Martin WALSERS Untersuchungen über Kafkas Erzählhaltung als äußerst fruchtbar. So bewirkt etwa die eigentümlich schwebende Verknüpfung von »Er-Form« und (potentieller) »Ich-Form«, die der Begriff der »erlebten Rede« nur unzulänglich umschreibt, daß alle Aussagen über »Gericht« und »Prozeß« aus der beschränkten Sicht Josef K.s erfolgen, zugleich aber von einer kaum greifbaren Erzählerinstanz als mögliche Einbildungen und Täuschungen relativiert werden. Nicht zuletzt hat dieser »*hypothetische*« Erzählstil (Allemann) zur Folge, daß jede einseitige Deutung die komplexe Vieldeutigkeit des Romans verfehlt: Kafkas beinahe fetischistische Hingabe ans Detail, die geradezu pedantisch exakte sprachliche Erfassung der beklemmenden Vorgänge, aus deren unterkühlt monotoner Darstellung der Schock unvermittelt hervorbricht und die Bereitschaft des Lesers zur Identifikation mit dem »Helden« abgründig hintertreibt, verweigert sich jeder vordergründigen symbolischen oder allegorischen Sinngebung.

Dennoch sind auch diese vorsichtigen, letztlich aber werkimmanenten Interpretationen nicht restlos befriedigend – lösen sie doch den Roman aus seinen entstehungs- und geistesgeschichtlichen Zusammenhängen. Diese Zusammenhänge werden bereits angedeutet, wenn man die im *Prozeß* verschlüsselten autobiographischen Materialien (K. für Kafka; F. B., im Manuskript als Abkürzung für Fräulein Bürstner stehend, alias Kafkas Verlobte Felice Bauer) nicht zur biographistischen Gleichsetzung von Dichter und Werk mißbraucht, sondern als Belege für Kafkas These vom »*Erkenntniswert*« der Dichtung versteht. *Der Prozeß* kann so auch als eine der zahlreichen »*Strafvisionen*« (Politzer) oder »*Strafphantasien*« (Wagenbach) Kafkas gedeutet werden – als psychoanalytisches Erkenntnismodell also, das in Verbindung mit der Traumlogik des Romangeschehens und der Korrelation von Sexualität und Herrschaftsstruktur (die pornographischen »Gesetzestexte« oder die Prüglerszene) auf Kafkas problematisches Verhältnis zur Psychoanalyse Sigmund Freuds verweist. Gleichwohl darf auch dieser Zusammenhang ebensowenig wie die in der sprachlichen und szenischen Gestaltung nachzuweisenden Beziehungen zur Literatur der Prager Enklave, des Expressionismus oder des Surrealismus überschätzt und einseitig betont werden. Zwar liefert die Erhellung der historischen Voraussetzungen und Bedingungen von Kafkas Schaffen einen notwendigen Beitrag zum Verständnis des Romans; dessen geschichtlicher Sinn jedoch verwirklicht sich erst im stets erneuten Bemühen seiner Interpreten – auch wenn es den Anschein hat, als ob die »*Meinungen*« über dieses schwierige Werk »*oft nur ein Ausdruck der Verzweiflung darüber*« seien. M. Schm.

Ausgaben: Bln. 1925, Hg. u. Nachw. M. Brod. – Bln. 1935 (in *GS*, Hg. M. Brod u. H. Politzer, 6 Bde., 1935–1937, 3). – NY 1946 (in *GS*, Hg. M. Brod, 10 Bde., 1946–1954, 3). – Ffm. 1958 (in *GW*, Hg. M. Brod, 9 Bde., 1950–1958, 3). – Ffm./Hbg. 1960 (Nachw. M. Brod; FiBü, 676).

Dramatisierung: A. Gide u. J.-L. Barrault, *Le procès* (Urauff.: Paris 1947, Théâtre Marigny; dt. Erstauff.: Bln., 30. 6. 1950, Schloßpark-Theater Steglitz).

Vertonungen: G. v. Einem, *Der Prozeß* (Text: G. v. Einem; Oper; Urauff.: Salzburg, 17. 8. 1953). – G. Schuller, *The Visitation* (Text: G. Schuller; Oper; Urauff.: Hbg., 12. 10. 1966, Staatsoper).

Verfilmung: *Le procès / Il processo / Der Prozeß*, Frankreich / Italien / Deutschland 1962 (Regie: O. Welles).

Literatur: W. Haas, *Gestalten der Zeit*, Bln. 1930; ern. u. d. T. *Gestalten. Essays zur Literatur und Gesellschaft*, Bln. 1962. – J. Kelly, »*The Trial*« *and the Theology of Crisis* (in *The Kafka Problem*, Hg. A. Flores, NY 1946, S. 151–171). – R. Dauvin, »*Le procès*« *de K.* (in EG, 3, 1948, S. 49–63). – K.-H. Volkmann-Schluck, *Bewußtsein u. Dasein in K.s* »*Prozeß*« (in NRs, 62, 1951, S. 38–48). – F. Beissner, *Der Erzähler F. K.*, Stg. 1952. – W. Benjamin, *F. K. Zur zehnten Wiederkehr seines Todestages* (in W. B., *Schriften*, Hg. Th. W. u. G. Adorno u. F. Podszus, Bd. 2, Ffm. 1955, S. 196–228). – H. Uyttersprot, *Eine neue Ordnung der Werke K.s? Zur Struktur von* »*Der Prozeß*« *u.* »*Amerika*«, Antwerpen 1957. – G. Kaiser, *F. K.s* »*Prozeß*«. *Versuch einer Interpretation* (in Euph, 52, 1958, S. 23–49). – K. Wagenbach, *Jahreszeiten bei K.?* (in DVLG, 33, 1959, S. 645–647). – W. Emrich, *Die Welt als Gericht. Der Roman* »*Der Prozeß*« (in W. E., *F. K.*, Ffm. ²1960, S. 259–297). – H. Järv, *Die K.-Literatur*, Malmö/Lund 1961. – M. Walser, *Beschreibung einer Form*, Mchn. 1961. – H. Politzer, *F. K. Parable and Paradox*, Cornell Univ. 1962 (dt.: *F. K., der Künstler*, Ffm. 1965). – B. Allemann, *K.* »*Der Prozeß*« (in *Der deutsche Roman. Vom Barock bis zur Gegenwart. Struktur u. Geschichte*, Hg. B. v. Wiese, Bd. 2, Düsseldorf 1963, S. 234–290). – Th. W. Adorno, *Aufzeichnungen zu K.* (in Th. W. A., *Prismen. Kulturkritik u. Gesellschaft*, Mchn. 1963, S. 248–281). – I. Henel, *Die Türhüterlegende u. ihre Bedeutung für K.s* »*Prozeß*« (in DVLG, 37, 1963, S. 50–70). – W. H. Sokel, *F. K. Tragik u. Ironie*, Mchn./Wien 1964. – W. Grenzmann, *Dichtung u. Glaube. Probleme u. Gestalten der deutschen Gegenwartsliteratur*, Ffm./Bonn ⁵1964, S. 163–167. – J. Schillemeit, *Welt im Werk F. K.s* (in DVLG, 38, 1964, S. 168–191). – M. Pasley u. K. Wagenbach, *Versuch einer Datierung sämtlicher Texte F. K.s* (ebd., S. 149–167). – G. Frey, *Der Raum u. die Figuren in F. K.s Roman* »*Der Prozeß*«, Marburg 1965 (Marburger Beiträge z. Germanistik 11). – H. Richter, *Entwurf u. Fragment. Zur Interpretation von K.s* »*Prozeß*« (in ZfdPh, 84, 1965, Sonderh., S. 47–73). – W. Emrich, *Die Erzählkunst des 20. Jh.s u. ihr geschichtlicher Sinn* (in *Deutsche Literatur in unserer Zeit*, Göttingen ⁴1966, S. 58–80). – I. Henel, *Zur Deutbarkeit von K.s Werken* (in ZfdPh, 86, 1967, S. 250–266).

DAS SCHLOSS. Roman von Franz Kafka (1883 bis 1924), entstanden 1922, erschienen 1926. – Seit Jahrzehnten ist Kafka den unterschiedlichsten Deutungen ausgesetzt, die seinem Werk unvertilgbare Spuren eingeprägt haben: Wer über gewisse Erzählungen und Romane des Dichters zu sprechen anfängt, denkt zwangsläufig an die Meinungen, die über sie im Umlauf sind. An eindeutigen Erzählfakten lassen sie sich nicht überprüfen. Kafka zieht fast jede Angabe in Zweifel, stiftet Widersprüche, verdunkelt Feststellungen. Die Grundrisse der Erzählung, die er verwirrt hat, muß der Interpret in einem unabschließbaren Prozeß neu rekonstruieren: So erlischt der gewohnte statische Dualismus zwischen Autor und Leser, produktivem und rezeptivem Tun. Wer einen Kafkaschen Text dechiffrieren und seine »Lücken« auffüllen möchte, muß seine eigenen Interessen aktiv ins Spiel bringen.

Diese Aktivität des Lesers wird im *Schloß* hauptsächlich durch folgende rätselhafte Begebenheiten in Gang gesetzt: Spät abends langt K. in einem Dorf an; in einer Wirtsstube stören Bauern seinen Schlaf: Das Dorf unterstehe einem Schloß, er benötige eine gräfliche Aufenthaltserlaubnis. K. hört verwirrt zu; dann behauptet er, der Graf selber habe ihn als Landvermesser hierher kommen lassen. K. macht sich am nächsten Morgen auf den Weg zum Schloß, kommt aber dort nicht an: Schnee fällt, und wenn die Straße »*sich auch vom Schloß nicht entfernte, so kam sie ihm doch auch nicht näher*«. Erschöpft findet K. ins Wirtshaus zurück, trifft dort auf zwei Gehilfen, die ihm vom Schloß für seine Tätigkeit zugeteilt worden sind.

Sie erinnern an Clowns; vom Landvermessen verstehen sie nichts. Ein Bote namens Barnabas überbringt K. einen Brief von Klamm, einem hohen Schloßbeamten: Er, K., sei, wie er wisse, »*in herrschaftliche Dienste aufgenommen*«. Als sein unmittelbarer Vorgesetzter wird der Gemeindevorsteher bezeichnet. Längst ist die Nacht hereingebrochen. K., der eigentlich noch ins Schloß hinaufwollte, sieht sich in den »Herrenhof« geführt. In diesem Wirtshaus residieren gelegentlich die Beamten vom Schloß. K. begegnet dort dem Schankmädchen Frieda, der Geliebten Klamms. Er begehrt sie, Frieda gibt sich ihm vor der Zimmertür Klamms hin. Den folgenden Tag verbringen sie schlafend in K.s Zimmer. Dann, am dritten Morgen seines Hierseins, begibt sich K. zum Gemeindevorsteher. Der erklärt ihm, man brauche im Dorf keinen Landvermesser; ob je einer berufen worden sei, lasse sich nicht mit Sicherheit ausmachen. Gardena, die Wirtin, eine ehemalige Geliebte Klamms, entrollt vor K. wenig später ihre Lebensgeschichte. Inzwischen wird K. vom Gemeindevorsteher zum Schuldiener ernannt. Früh bricht die vierte Nacht herein. Im »Herrenhof« entdeckt K. den Kutscher, der auf Klamm wartet. K. gleitet in den Wagen Klamms, trinkt berauscht vom Cognac Klamms. Auf dem Rückweg überreicht ihm Barnabas einen Brief vom Schloß: Man sei mit K.s Landvermesserarbeiten und mit seinen Gehilfen zufrieden. Verwirrt ersucht K. schriftlich um eine Unterredung mit Klamm, begibt sich zu Frieda ins Schulhaus und gerät dort am nächsten Morgen in eine Debatte mit ihr: K. will unbedingt im Dorf bleiben, um über Klamm ins Schloß zu gelangen, Frieda möchte auswandern, um Klamm zu vergessen. Der fünfte Abend bricht herein. K. hat, entgegen Friedas Wünschen, die Gehilfen entlassen. Er begibt sich zur verfemten Familie des Barnabas: Ungeduldig erwartet er neue Nachrichten von Klamm. Olga, die Schwester des Barnabas, erzählt ihm, warum die Familie verfemt ist. Amalia, ihre Schwester, hat sich eines Tages dem vulgären Ansinnen eines Schloßbeamten widersetzt. Das Dorf hat daraufhin ihre Familie mit schneidender Verachtung gestraft. Die Eltern, um die angebliche Schuld abzutragen, haben ihr Vermögen auf Behördengängen verbraucht, auf Bittgängen sind sie tödlich erkrankt; Olga setzt die Bittgänge auf anderer Ebene fort, gibt sich regelmäßig einem Haufen Schloßknechten hin; Barnabas verrichtet Botendienste, nutzlose vermutlich, denn das Schloß hat ihn nie zum Boten berufen: Je leidenschaftlicher Olga vor K. das Geheimnis des Schlosses zu entziffern versucht, desto mehr zieht sich das Schloß ins Geheimnis zurück. Nur Amalia möchte vom Schloß noch immer nichts wissen; selbstbewußt, obgleich vergeblich, kämpft sie gegen die Flut der Leiden an, die durch sie über die Familie hereingebrochen ist. – Es ist spät geworden. Frieda hat inzwischen K. verlassen, ist zum »Herrenhof« zurückgekehrt. Vom Sekretär Erlanger wird K. zu einem Verhör dorthin beordert. Er sieht Frieda, versucht vergeblich sie zurückzugewinnen: Unerträglich sei die Schande, die er ihr durch den Besuch bei der Barnabas-Familie angetan habe. Todmüde fällt K. in das Zimmer eines Sekretärs namens Bürgel. Während Bürgel ihm offenbart, daß jede Bitte, in solch unerwarteter Situation ausgesprochen, vom Amt erfüllt werde, sinkt K. in Schlaf. Daraus reißt ihn Erlanger, der ihm eröffnet, er habe Frieda mit Rücksicht auf Klamm freizugeben. Benommen vor Müdigkeit schaut K. dann den Akten verteilenden Schloßdienern zu; es stellt sich heraus, daß seine Gegenwart Ursache unendlicher Komplikationen bei der Verteilung ist. Nach tiefem Schlaf, in den er frühmorgens fällt, erwacht K. erst am nächsten Tag. Pepi, das Zimmermädchen, das Frieda vertreten hat, schlägt ihm vor, bei ihr zu wohnen. – Laut Max Brod, der den unvollendeten Roman aus dem Nachlaß veröffentlicht hat, sollte der entkräftete K. am siebten Tag vom Tod ereilt werden, just in dem Augenblick, da vom Schloß die Nachricht eintrifft, er dürfte im Dorf leben und arbeiten.

Wie die Romanfigur K., so versucht auch die Forschung angestrengt zu ergründen, was es mit dem Schloß auf sich hat. Anfangs dominierte die theologische Deutung, für die vor allem Max Brod verantwortlich zeichnet: Das Schloß sei Gleichnis der göttlichen Gnade. Zeitgemäß erschienen theologische Spekulationen besonders dort, wo sie die modischen Philosophien des Nihilismus und Existentialismus für sich in Beschlag nahmen. So sieht Robert Rochefort (1947) im »*Erlebnis des Nichts*« und der »*Gottferne*« eine »*notwendige Voraussetzung für ein neues und tieferes Glaubensverständnis*«. Kafkas »*Experiment der totalen Verneinung*« sei, ähnlich wie der Kampf des Helden K., nur Zeichen dafür, daß der Mensch von heute Gott »*nur mehr als den Abwesenden zu begreifen vermag, den er in seiner Not und bis in die Überzeugung, daß alles absurd ist, verspürt*«. Diesen *deus absconditus* stürzten existentialistische Deutungen vom Thron. Albert Camus etwa sah im Schloß die Krise des zeitgenössischen Menschen gestaltet, des isolierten Menschen, der die Welt nur als Projektion eigener Tendenzen und Triebe, nie die Welt »an sich« gewahrt, darum immer nur sich selber findet. Keineswegs ist diese Deutung der modernen religiösen Interpretationsvariante unversöhnlich entgegengesetzt. Es können ja durchaus religiöse Wünsche, Bedürfnisse, Denkstrukturen sein, die man in die Realität hineinprojiziert. Um diese These kreist eine mit hohem philosophischem Anspruch auftretende Studie K. H. Philippis. Für ihn steht K. »*an einer Umbruchsstelle des neuzeitlichen Denkens, das für sich in den metaphysischen Traditionen keine Wahrheit mehr erkennen kann, ihnen aber doch unbewußt verhaftet bleibt; wo die alten Denkformen weiterleben und keine neuen Ziele sichtbar sind*«. Auch nach Nietzsches »*Gott ist tot*« halte K. unreflektiert an einer »*abstrakten Ausrichtung des denkenden Subjekts auf ein absolutes Ziel seines Lebens*« fest. »*K. verewigt so seine Entfremdung von dieser Welt, indem er einer formal metaphysischen Vorstellung nachjagt, die inhaltlich nur negativ bestimmt ist.*« Zu einem ähnlichen Resultat kommt Michel Dentan aufgrund subtiler Stilbeobachtungen.

Nun ist kein Zweifel, daß in K.s Bild von der Wirklichkeit laufend Selbstprojektionen eingehen. Und diese sind durch den Begriff »*inhaltslose Transzendenz*« (Philippi) immerhin umrißhaft, schattenhaft bezeichnet. Spuren religiöser Denkstrukturen beim Helden überhaupt zu leugnen, war einmal ein notwendiger, aber auch übereilter Akt. Man sollte statt dessen die inhaltslose Transzendenz mit realem, irdischem Inhalt auffüllen. Kafkas Epik, seine Briefe und sein Tagebuch legen es nahe, die entleerte göttliche Autorität sich als weltliche vorzustellen: als väterliche und politische Autorität. Schon Walter Benjamin notierte das »*uralte Vater-Sohn-Verhältnis*« als eine Konstante im Werk Kafkas: »*Viel deutet darauf hin, daß die Beamtenwelt und die Welt der Väter für Kafka die gleiche ist.*« Auf diese These hat sich intensiv Walter H. SOKEL eingelassen, darin einer Zeitströmung, dem gesteigerten Interesse an der Psychoanalyse FREUDS, folgend. Sokel macht *Das Schloß* auf eine Personenkonstellation hin durchsichtig, die als ein Grundmuster bürgerlicher Familienverhältnisse gelten darf: »*Im Schloß raubt der junge K. dem Älteren und Mächtigeren, dem hohen Beamten Klamm, die Geliebte, Frieda, und versucht diese Verschiebung der erotischen Machtverhältnisse im Kampf mit Klamm auszunützen.*« Autobiographische Momente stützen diese These. Klaus WAGENBACH hat auf der von der Kafka-Forschung emsig betriebenen Suche nach dem realen Vorbild des Schlosses den Ort Wossek ausfindig gemacht, der nicht nur viele Parallelen zum Schloß-Dorf-Komplex des Romans aufweist, sondern auch Schauplatz wichtiger Kindheitseindrücke Kafkas gewesen ist. Die Kindheit des Helden klingt denn auch fast leitmotivisch auf den Wegen an, die K. zum Schloß führen sollen – so, als mache er den Versuch, die eigene Vergangenheit zu bewältigen. Tagebuchstellen Kafkas lassen keinen Zweifel daran, daß in dieser Vergangenheit der Vater die überragende Rolle spielt.

Die Familienstrukturen, wie Kafka sie vorfand, sind aber nur Spiegelbild eines sozialpolitischen Ganzen, das sie stützen. Auf dieses Ganze haben z. B. Theodor W. ADORNO, Friedrich TOMBERG und Joseph GABEL den Blick gerichtet. Durch die patriarchalische, halb feudale Schloß-Dorf-Ordnung treten dem Leser auch historisch fortgeschrittene, neuere gesellschaftliche Tendenzen entgegen. Nur so läßt sich die Faszination erklären, die Kafka bis heute ausübt: »*Das Bild der heraufziehenden Gesellschaft entwirft er nicht unmittelbar – denn Askese herrscht bei ihm wie in aller großen Kunst gegenüber der Zukunft –, sondern montiert es aus Abfallsprodukten, welche das Neue, das sich bildet, aus der vergehenden Gegenwart ausscheidet*« (Adorno).

Kafka hat den Charakter der heraufziehenden Gesellschaft wirklich wahrgenommen. »*Der Kapitalismus*«, so sagt er einmal, »*ist ein System von Abhängigkeiten, die von außen nach innen, von oben nach unten gehen. Alles ist abhängig, alles ist gefesselt. Kapitalismus ist ein Zustand der Welt und der Seele.*« Seine Gewalt bezeugt der Kapitalismus darin, daß die Menschen ihn verinnerlichen, so sehr, daß sein »*System von Abhängigkeiten*« ihnen als unentrinnbarer Bann erscheint, als »*Zustand der Welt und der Seele*«.

Von diesem System der Abhängigkeiten erzählt der Roman. Davon zeugen Stil und Struktur. Aus welcher Perspektive immer man Kafka betrachtet – jede Betrachtung muß sich von Kafkas Erzählweise leiten lassen. Daher sind die Formstudien eines Martin WALSER, Friedrich BEISSNER, Heinz POLITZER, Manfred SEIDLER von unschätzbarem Wert: Sie zeigen indirekt die Grenzen von Spekulationen, die über künstlerische Eigenarten achtlos hinweggleiten. Politzer hat auf dem Labyrinth und dem Kreis als dominierenden Formelementen im Schloß beharrt. Den ersten Gang, den K. zum Schloß unternimmt, beschreibt Kafka wie folgt: »*So ging er wieder vorwärts, aber es war ein langer Weg. Die Straße nämlich, die Hauptstraße des Dorfes, führte nicht zum Schloßberg, sie führte nur nahe heran, dann aber, wie absichtlich, bog sie ab, und wenn sie sich auch vom Schloß nicht entfernte, so kam sie ihm doch auch nicht näher.*« K. läuft im Kreis, und Kafka läßt es sich angelegen sein, aus diesem Kreis andere Kreise hervorzutreiben und sie labyrinthisch ineinander zu schlingen. K. versucht Klamm beizukommen und gerät dabei in die Fänge jener repressiven Herrschaft, der schon die Dorfbewohner hörig sind. Denn Klamm ist nicht dingfest zu machen; er entzieht sich den Leuten im Dorf und fasziniert sie eben dadurch; er verfügt kurzfristig über sie, erhöht sie und läßt sie dann in Staub sinken, wo sie über das Rätsel seines Verschwindens anbetend nachsinnen, ein ganzes Leben lang. Zur Groteske erstarrt ist diese Knechtschaft in der Lebensgeschichte Gardenas, der Wirtin, zum zerstörerischen Bann im Dasein der Barnabas-Familie: In der Erzählung Olgas tritt dem Helden die Macht auf ihrem Höhepunkt entgegen. Weil Amalia sich gegen das entehrende Ansinnen eines Beamten aufgelehnt hatte, wird ihre Familie von den Dorfbewohnern verteufelt: Die Leute, an Unterdrückung gewöhnt, machen sich zum Anwalt der Unterdrücker. Auf einen Akt der Freiheit folgt ein Pogrom, das die Verhältnisse in totalitären faschistischen Regimes antizipiert. Und die Familie verinnerlicht das Pogrom zu einer Selbstanklage, die solchen Regimes ewige Dauer verspricht: Die Unschuldigen bitten die um Verzeihung, die ihnen letztlich das Böse angetan haben. Aber die Bitte um Verzeihung findet wohlweislich kein Echo: Indem die Urheber des Bösen sich entziehen, werden sie Gegenstand einer knechtischen Sehnsucht, die mit Phantasmagorien die Realität überzieht. »*Und ein so oft ersehnter und so selten erreichter Mann, wie es Klamm ist, nimmt in der Vorstellung der Menschen leicht verschiedene Gestalt an ... So arbeiten die Leute an ihrer eigenen Verwirrung.*« Die Leute drehen sich gebannt um die vermummte Herrschaft, verlaufen sich im Labyrinth ihrer Gedanken: im Kreis einer Hypothese, die eine Einschränkung, vielleicht eine Negation ihrer selbst nach sich zieht, worauf eine Negation der Negation erfolgen kann, die ihrerseits bezweifelt wird; der Gedanke kehrt, verzweifelter als zuvor, zur Hypothese zurück. Dieses endlose und erbitterte Sich-im-Kreis-Drehen prägt die Struktur der Kafkaschen Erzählform bis in die Syntax hinein. Am faszinierenden Schleier, hinter dem sich die Autorität verhüllt, weben die Menschen bis zur tödlichen Selbstverstrickung weiter. Längst ermangeln ihre Beziehungen zueinander der Freiheit und Spontaneität. Sie sehen sich selbst und den anderen nur noch als Medium einer sich ihnen ständig entziehenden Autorität.

Rettung scheint der zu verheißen, der, wie K., nicht immer schon im Bannkreis der Macht gelebt hat. Der Fremde hat die Aura des Erneuerers, der die Bauern aus ihrem Bann erlöst: die Bauern »*mit ihren förmlich gequälten Gesichtern – der Schädel sah aus, als sei er oben platt geschlagen worden und die Gesichtszüge hatten sich im Schmerz des Geschlagenwerdens gebildet*«. K., zunächst mit rebellischem Mut bewaffnet, gewillt, »neue Erfahrungen« zu machen, erliegt jedoch der Gewalt der Deutungen, die man sich im Dorf vom Schloß macht. Selber autoritätsgebunden, gleitet er in ein Labyrinth, wo an jeder Windung ein Spiegel aufgestellt ist, der ihm das Bild Klamms zurückstrahlt, nicht dessen wirkliches, sondern ein erdachtes, hundertfach schillerndes Bild, an dem K.s Vorstellungskraft sich sklavisch festsaugt: Klamms »*von K.s Tiefe her unzerstörbare Kreise, die er oben nach unverständlichen Gesetzen zog, nur für Augenblicke sichtbar*«. Dann, im Gespräch mit Olga, will K. dem undurchdringlichen Geheimnis gar Vernunft unterschieben, will er das rationale Prinzip einer

Macht ausfindig machen, die sich durch Täuschungen, Irrationalitäten und Mystifikationen am Leben erhält. Am Ende ist er hinter den Anfang zurückgeworfen, der Kreis schließt sich: »*Über ihn hinweg gingen die Befehle, die ungünstigen und die günstigen, und auch die günstigsten hatten wohl einen letzten ungünstigen Kern. Jedenfalls aber gingen alle über ihn hinweg, und er war viel zu tief gestellt, um in sie einzugreifen oder gar sie verstummen zu machen und für seine Stimme Gehör zu bekommen.*« Müdigkeit, Zeichen des Scheiterns bei den Helden Kafkas, erfaßt K. mit unbezwinglicher Gewalt. Unvergleichlich Kafkas bittere Ironie, daß K. just in dem Augenblick in Schlaf fällt, da der Verbindungssekretär Bürgel ihm eine verheißungsvolle Aussicht eröffnet.

Der Grundfigur des Kreises und des Labyrinths, der endlosen Gedankenfluchten, der Bespiegelungen und des Zeitenstillstands eingedenk, wird man K. nicht länger, wie Wilhelm Emrich, einen Entwicklungsgang unterstellen, ihm in Kategorien der klassisch-idealistischen Geistesepoche nachweisen, er habe in einem Reifeprozeß »*den Konflikt zwischen Individualität und Allgemeinheit, Person und Amt grundsätzlich erlebt und bestanden*«, damit »*in der Tat das Menschenmögliche geleistet: frei und doch teilnehmend am Allgemeinen zu leben*«. Das Amt, so K.s vorherrschende Erfahrung, saugt das Private ganz auf, das Allgemeine aber, das sich im Schloß und seinen Behörden manifestiert, ist gewiß nicht die »*objektive Gesetzlichkeit des Kosmos*« (Emrich) – zumindest nicht in der Perspektive des Dichters. Welcher Art ist diese Perspektive?

Daß der Dichter in »*totaler Kongruenz*« mit dem Helden erzähle (Walser), also unterschiedslos mit K. verschwimme, ist wiederholt behauptet worden. Der Dichter weiß jedoch mehr als K., und sein Blick dringt tiefer. Die Ehrfurcht, in die K. vor dem Schloßbetrieb zusehends versinkt, ist dem Erzähler fremd. Das mag man an einem seiner bevorzugten Gestaltungsmittel, der Groteske, ermessen (vgl. die Studie Norbert Kassels). Der Erzähler verzeichnet und überzeichnet Schloßbehörde und Amtsvorgänge, er entstellt, er verzerrt sie, so wie man im Traum Größenordnungen zu verschieben, Gestalten zu übertreiben pflegt. Das Traumhafte, das man an Kafkas Erzählstil immer wieder hervorhebt, entspringt im Schloß der kritischen Funktion der Groteske. Was die Personen des Romans mystifizieren, entmystifiziert der Erzähler: Herrschaft und Herrschaftsverhältnisse. Der ehrfurchtsvolle Ton, den die Personen anschlagen, führt sich selbst ad absurdum durch die grotesken Details, die sie, ohne der Groteske sich bewußt zu sein, ausbreiten.

Kafka hebt die Perfektion des Schlosses mit hintergründigem Lächeln auf einen Höhepunkt, wo sie in einen mechanischen Kreislauf umzuschlagen scheint. Er schiebt die Gewalt der Herrschenden an die Grenze vor, wo subtile Verschleierung in abschreckende Entblößung, souveräne manipulative Regie in Selbstvernichtung umkippen kann. Die beamteten Diener, im Schloß »*still und würdig*«, sind »*dadurch, daß die Schloßgesetze für sie im Dorf nicht mehr gelten, wie verwandelt; ein wildes, unbotmäßiges, statt von den Gesetzen von ihren unersättlichen Trieben beherrschtes Volk*«. Kafka enthüllt die Schloßordnung als ein System der Triebunterdrückung, das sich dauernd selbst gefährdet. Nicht an Klamm, der noch unwiderstehlich »*wie ein Kommandant über den Frauen*« ist, wohl aber an Sordini wird offenbar, wie die verdrängte Lust sich gegen sich selber kehren kann: Amalia schaudert vor seinem brutalen Ansinnen zurück und kündigt ihm den Gehorsam auf. Der Nachtverhöre bedienen sich die Schloß-Sekretäre, weil sie sich »*den Anblick der ihnen so schwer erträglichen Parteien*« mildern, die »*Naturwahrheit*« verschleiern wollen. Es ist die Naturwahrheit der Gequälten und Leidenden, der »*sie eben nicht gewachsen sind*«. Und wenn K. durch seine bloße Gegenwart die Aktenverteilung am frühen Morgen empfindlich stört, unendliche Komplikationen verursacht, lächerliche Vorsichtsmaßregeln provoziert – Kafka ersinnt hier eine Groteske ersten Ranges – so besagt das schlicht, daß die leidende Naturwahrheit in Gestalt des Landvermessers in der Tat über eine destruktive Kraft verfügt. Sie ist dem System des repressiven Scheins potentiell überlegen. Nicht umsonst sieht deshalb das Schloß aus der Ferne einmal souverän aus, sozusagen »*frei und unbekümmert*«, aus der Nähe aber auch einmal ruinös – »*der Anstrich war längst abgefallen und der Stein schien abzubröckeln*«. Das Schloß trägt den Keim seines Verfalls in sich. Daß die Leser des Romans das »*System von Abhängigkeiten*« demaskieren lernen, um an seinem Untergang mitzuwirken, könnte eine der zaghaften Hoffnungen des Erzählers gewesen sein. G. Sa.

Ausgaben: Mchn. 1926. – Bln. 1935 (in *GS*, Hg. M. Brod u. H. Politzer, 6 Bde., 1935–1937, 4). – NY 1946 (in *GS*, Hg. M. Brod, 10 Bde., 1946–1954, 4). – Ffm. 1951 (in *GW*, Hg. ders., 9 Bde., 1950 bis 1958, 1). – Ffm. 1966 (in *Die Romane*).

Dramatisierung: M. Brod, *Das Schloß*, o. O. u. J. [1955; Bühnenms.]; ern. Ffm. 1964.

Verfilmung: Deutschland 1969 (Regie: M. Schell).

Literatur: A. Camus, *L'espoir et l'absurde dans l'œuvre de F. K.* (in A. C., *Le mythe de Sisyphe*, Paris 1942; dt.: *Die Hoffnung u. das Absurde im Werk von F. K.*, in *Der Mythos von Sisyphos*, Reinbek 1962; rde, 90). – R. Rochefort, *K. ou l'irréductible*, Paris 1947 (dt.: *K. oder die unzerstörbare Hoffnung*, Wien/Mchn. 1955; Geleitw. R. Guardini). – M. Seidler, *Strukturanalysen der Romane »Der Prozeß« u. »Das Schloß« von F. K.*, Diss. Bonn 1953. – J. Gabel, *K., romancier de l'aliénation* (in Critique, 9, 1953, S. 949–966). – W. Benjamin, *F. K.* (in W. B., *Schriften*, Bd. 2, Ffm. 1955, S. 196 bis 228). – Th. W. Adorno, *Aufzeichnungen zu K.* (in Th. W. A., *Prismen*, Ffm. 1955, S. 302–342). – F. Beißner, *Der Erzähler F. K.*, Stg. ²1958. – W. Emrich, *F. K.*, Bonn 1958. – M. Walser, *Beschreibung einer Form. Versuch über F. K.*, Mchn. 1961. – M. Dentan, *Humour et création littéraire dans l'œuvre de K.*, Paris 1962. – H. Politzer, *F. K. der Künstler*, Ffm. 1965, ern. 1968). – W. H. Sokel, *F. K. Tragik u. Ironie. Zur Struktur seiner Kunst*, Mchn./Wien 1964. – K. Wagenbach, *F. K. in Selbstzeugnissen u. Bilddokumenten*, Reinbek 1965 (rm, 91). – Ders., *Wo liegt K.s Schloß?* (in *K.-Symposion*, Hg. ders., Bln. 1965, S. 161–180; ern. Mchn. 1969; dtv, Sonderreihe, 77). – K.-P. Philippi, *Reflexion u. Wirklichkeit. Untersuchungen zu K.s Roman »Das Schloß«*, Tübingen 1966. – H. Swander, *Zu K.s »Schloß«* (in *Deutsche Romane von Grimmelshausen bis Musil*, Ffm. 1966, S. 269–289; Interpretationen, 3). – N. Kassel, *Das Groteske bei F. K.*, Mchn. 1969.

DAS URTEIL. Erzählung von Franz KAFKA (1883 bis 1924), erschienen 1913. – *Das Urteil* schrieb Kafka in der Nacht vom 22. zum 23. September 1912 nieder, kurz nachdem er das Manuskript seines ersten Erzählbandes *Betrachtungen* zum Druck abgesandt hatte und nicht lange nach der ersten Begegnung mit Felice Bauer, der zweimaligen Verlobten. Ihr ist die Erzählung gewidmet. Die Anfangsbuchstaben ihres Namens stimmen mit denen des Namens der Verlobten im *Urteil*, Frieda Brandenfeld, überein. Noch andere, zum Teil schülerhaft subtile Analogien gibt es laut Tagebucheintrag zwischen den Namen; auch zwischen dem der Hauptfigur, Georg Bendemann, und Kafkas eigenem.

Georg Bendemann, ein junger Kaufmann, schreibt eines Sonntagvormittags seinem Freund in Rußland. Er teilt ihm seine Verlobung mit und lädt ihn, nicht allzu nachdrücklich, zur Hochzeit ein. Dann sucht er, nach Monaten wieder einmal, den Vater in seiner Kammer auf und teilt ihm sein Vorhaben mit. Der Vater antwortet mit Vorhaltungen. Es gelingt Georg jedoch, den Alten seiner schmutzigen Wäsche zu entkleiden, ins Bett zu tragen und zuzudecken. Kaum ist der Vater »zugedeckt«, richtet er sich auf, erhebt sich im Bett zu voller Größe. Dem Sohn gegenüber behauptet er, er habe schon immer mit dem fernen Freund in komplottartiger Verbindung gestanden. Und Georgs Verhältnis zu Frieda – er imitiert es mit greisenhaft obszöner Gestik – sei Verrat am Freund, an der toten Mutter und an ihm, dem Vater. Er verurteilt den Sohn zum Tod des Ertrinkens. Georg stürzt aus dem Zimmer, hört den Vater aufs Bett stürzen, jagt aus dem Haus zum Fluß hinab und ertränkt sich.

Das Urteil blieb für Kafka »*von allen Erzählungen die liebste*«. Diese Wertschätzung beruht weniger auf dem ästhetischen Rang der Geschichte – er hat vollkommenere Geschichten geschrieben – als ihrem literarisch-biographischen Stellenwert. Mit ihr etabliert er sich endgültig vor dem Publikum und vor sich selber als Schriftsteller, sie signalisiert den Beginn des Prozesses, dem er sein Leben unterstellt (»*...damals brach die Wunde zum erstenmal auf in einer langen Nacht*«). Für Kafka war der Vater, wie er im *Brief an den Vater* schreibt, das Maß aller Dinge gewesen – Inkarnation einer patriarchalischen Weltordnung. Das macht seine objektive Stärke aus, mag er auch subjektiv der bornierte Kleinbürger sein, als den ihn der Sohn durchschaut. Auch für Georg ist der Vater, trotz grotesk seniler Züge, »*noch immer ein Riese*«. Verliert er jedoch seine Vaterschaft, d. h. den Sohn, dann stürzt er zurück in seine Schwäche, aufs Bett. Die Mutter im *Urteil* ist tot – Kafkas Mutter war im innerfamiliären Kampf bloß eine Funktion des Gatten. Eine Gegenposition war in erster Linie nur mit den Freunden oder der jeweiligen Verlobten aufzubauen.

In einer Prosaskizze, einer Vorstudie zu einer der *Betrachtungen*, nennt Kafka das Erlebnis des abendlichen Spaziergängers, der seine Familie verläßt, »*ein Erlebnis, das man wegen seiner für Europa äußersten Einsamkeit nur russisch nennen kann*«. Die in den »russischen« Freund projizierte einsame Freiheit schlägt schockhaft um in Chaos und Ruin, als Georg erfährt, daß der Freund Komplice des Vaters ist. Ursache dieser katastrophalen Wende ist die Verlobung. Sie aktualisiert den ödipalen Konflikt, zwingt den Sohn, der die väterlichen Geschäfte schon routiniert betreibt, vor den Vater. Georg muß Rechenschaft ablegen, will er sich durch die Verlobung doch endgültig an die Stelle des Vaters setzen. Dieser hat das Bild des Freundes, den anläßlich der Einladung zur Hochzeit Georgs Eifersucht bereits gestreift hat, vollends aufgesogen und schlägt kraft unbefragbaren archaischen Rechts zurück.

Kafka hat den hier wirksamen Mechanismus verhältnismäßig klar durchschaut und (vgl. *Brief an den Vater*) ausgesprochen: Um sich vom Vater zu emanzipieren, müsse er selbst Vater werden, d. h. Familienoberhaupt. Das jedoch würde eine bürgerliche Ehe bedeuten und damit die äußerste Gefährdung des Schreibens, des Refugiums seiner Autonomie. Es bleibt dahingestellt, ob diese Deutung ganz zutrifft, die Heirat nicht vielmehr aus Angst vor dem »Vatermord« tabuisiert wird. Schreibend jedenfalls bestätigt Kafka die Tötung des Sohnes durch den Vater (*Das Urteil*, *Die Verwandlung*) auch in den Romanen (*Der Prozeß*, *Das Schloß*), wo die patriarchalische Gewalt sich als gesellschaftliche Instanz zu erkennen gibt. Ihre ambivalente Struktur bleibt: Sie ist auch hier unantastbares »Natur«-Recht und, anstelle der väterlichen Senilität, Korruption und anachronistische Verfassung der Behörden. *Das Urteil*, das die relevanten Werke Kafkas eröffnet, ist in diesen eigentlich von Anfang an gesprochen. Auf ihre Welt fällt das merkwürdig reine Licht der Ironie, die nicht wie die romantische, nach einem Diktum HEGELS, im Nichts endet, sondern von diesem ausgeht – dem antizipierten Tod. So heben sich – das ist die List des Sohnes als Schriftsteller – Stärke und Schwäche, Sieg und Niederlage gegenseitig auf. G. Schi.

AUSGABEN: Lpzg. 1913 (in Arkadia. Ein Jahrbuch für Dichtkunst). – Lpzg. 1916. – Bln. 1935 (in *GS*, Hg. M. Brod u. H. Politzer, 6 Bde., 1935–1937, 1). – NY 1946 (in *GS*, Hg. M. Brod, 10 Bde., 1946–1954, 1). – Ffm. 1952 (in *GW*, Hg. ders., 9 Bde., 1950 bis 1958, 4). – Ffm./Hbg. 1952 (in *Das Urteil u. andere Erzählungen*; FiBü, 19). – Ffm./Hbg. 1970 (in *Sämtliche Erzählungen*, Hg. P. Raabe; FiBü, 1078).

LITERATUR: K. Flores, *F. K. and the Nameless Guilt: An Analysis of* »*The Judgment*« (in Quarterly Review of Literature, 4, 1947, S. 382–405). – G. Gibian, *Dichtung und Wahrheit. Three Versions of Reality in F. K.* (in GQ, 1957, S. 20–31). – F. Beißner, *Der Erzähler F. K.*, Stg. 1959; [4]1961. – E. Edel, *F. K.* »*Das Urteil*« (in WW, 9, 1959, S. 216–225). – R. Falke, *Biographisch-literarische Hintergründe von K.s* »*Das Urteil*« (in GRM, N. F. 10, 1960, S. 164–180). – W. Rehfeld, *Das Motiv des Gerichtes im Werke F. K.s. Zur Deutung des* »*Urteils*«, *der* »*Strafkolonie*«, *des* »*Prozesses*«, Diss. Ffm. 1960. – E. L. Marson, *F. K.'s* »*The Judgment*« (in Journal of the Australasian Universities Language and Literature Association, 1961, S. 167–178). – W. Zimmermann, *F. K.* »*Das Urteil*« (in W.Z., *Deutsche Prosadichtungen der Gegenwart*, Bd. 2, Düsseldorf 1961, S. 93–110). – E. R. Steinberg, *The Judgment in K.'s* »*The Judgment*« (in Modern Fiction Studies, 8, 1962, S. 23–30). – J. J. White, *F. K.'s* »*The Judgment*«. *An Interpretation* (in DVLG, 38, 1964, S. 208–229). – B. Flach, *K.s Erzählungen. Strukturanalyse u. Interpretation*, Bonn 1967 (Diss. Würzburg 1966). – A. Weber, C. Schlingmann u. G. Kleinschmidt, *Interpretationen zu F. K.* »*Das Urteil*«, »*Die Verwandlung*«, »*Ein Landarzt*«, *Kleine Prosastücke*, Mchn. 1968.

DIE VERWANDLUNG. Erzählung von Franz KAFKA (1883–1924), erschienen 1915. – »*Als Gregor*

Samsa eines morgens aus unruhigen Träumen erwachte, fand er sich in seinem Bett zu einem ungeheuren Ungeziefer verwandelt.« So lapidar setzt diese Erzählung ein, so nüchtern wird eine unheimliche Verwandlung konstatiert – und dies ist ein sehr typischer Zug der Kafkaschen Epik. Gregor Samsa gerät über seine neue Existenzform zunächst kaum ins Staunen, halb unwillig möchte er sie als Einbildung abtun: »›*Wie wäre es, wenn ich noch ein wenig weiterschliefe und alle Narrheiten vergäße*‹, *dachte er.*« Ins Staunen gerät er zunächst eher darüber, daß er seinen auf vier Uhr gestellten Wecker nicht gehört hat: »*Ja, aber war es möglich, dieses möbelerschütternde Läuten ruhig zu verschlafen?*« Es war möglich, denn Gregor Samsa wollte gar nicht rechtzeitig aufwachen, auch wenn ihm das so klar nicht bewußt wird: »›*Ach Gott*‹, *dachte er,* ›*was für einen anstrengenden Beruf habe ich gewählt! Tagaus, tagein auf der Reise (...) ein immer wechselnder, nie andauernder, nie herzlich werdender menschlicher Verkehr. Der Teufel soll das alles holen!*‹« Das sind die Gedanken Gregors kurz nach dem Erwachen – und sie müssen wohl auch in seinen »*unruhigen Träumen*« ihr Wesen getrieben und sein Verschlafen herbeigeführt haben. Gregor protestiert gegen seine Lebensweise als Reisender, und der Protest drückt sich sinnfällig in seiner Verwandlung zum Käfer aus, die ihn für jede Reisetätigkeit untauglich macht. Das revoltierende Unbewußte hat sich eine äußere Gestalt geschaffen. – Doch warum muß es eine so »*traurige und ekelhafte Gestalt*« sein, vor der Gregors Familie zurückschreckt? Auch darüber gibt Gregors morgendliche Gedankenflucht Auskunft: »*Wenn ich mich nicht wegen meiner Eltern zurückhielte, ich hätte längst gekündigt, ich wäre vor den Chef hingetreten und hätte ihm meine Meinung von Grund des Herzens aus gesagt. Vom Pult hätte er fallen müssen!*« Gregors Protest schwelt lange schon, aber gleichsam verdeckt, aus Rücksicht auf die Eltern ins Unbewußte hinabgedrängt; nach außen hin und im täglichen Leben ist Gregor willfährig bis zur Selbstaufgabe – ein Reisender, der für das geschäftliche Unglück seines Vaters büßt, die ganze Familie – Vater, Mutter, Schwester – unterhält und aus diesem schmählichen Opfer seinen Stolz und sein Glück gewinnt, freilich nur scheinbar: seine abstoßende Käfergestalt bringt seine unglückliche, geknechtete Existenz und seinen lange unterdrückten Protest grotesk zum Ausdruck. Das Groteske zieht bei Kafka stets eine verdrängte Wahrheit ans Licht. Es ist kein Wunder, wenn Gregors Familie angesichts dieser Wahrheit von Entsetzen ergriffen wird, denn die Familie hat selber mitgewirkt an der zutage tretenden Mißgestalt: die Mutter, indem sie in asthmatischer Passivität verharrte, der Vater, indem er die letzten Jahre mit Zeitungslektüre und im Bett verbrachte, die Schwester, indem sie ein unbeschwertes Leben geführt hat. Die Familie hat Gregor unterdrückt, weil sie ihn sklavisch für sich arbeiten ließ: In seiner Schreckgestalt blickt ihr die eigene Unmenschlichkeit entgegen, und zwar so schlagend, daß sie davor die Flucht ergreift. Was einzig Gregor zurückverwandeln könnte in seine menschliche Gestalt, wäre die rückhaltlose Anteilnahme der Familie. Statt dessen flieht die Familie vor ihm und offenbart dabei noch einmal und noch unverhüllter ihr wahres Gesicht. Der Vater bombardiert den Käfer, der eines Tages aus seinem Zimmer ausbricht, mit Äpfeln und fügt ihm eine schwere Wunde zu – wodurch klar wird, daß der Vater und Gregors früherer Chef miteinander identisch sind: Der erste ist der Schuldner des zweiten, und als unterdrückter Schuldner reicht er die Unterdrückung an den Sohn weiter. Plötzlich wächst der Vater – wie im *Urteil* – zur tödlichen Herrschaftsfigur empor; Kafka variiert hier die in seinem Werk immer wieder durchbrechende Kritik an der väterlichen Autorität (vgl. *Das Schloß*), auf welche schon Walter Benjamin aufmerksam gemacht hat. Und nicht grundsätzlich vom Vater unterscheidet sich die Schwester, die allein sich in das Zimmer des Bruders wagt und ihm angewidert etwas Nahrung bereitstellt: Gleichsam Herr in des Bruders Zimmer, verschafft sie sich erstmals Respekt vor den Eltern, tritt sie in Konkurrenz zur Mutter, wie der Vater in Konkurrenz zum Sohn getreten ist, und beidemale läßt Kafka den unterschwelligen erotischen Kampf von fern anklingen Hier sind bürgerliche Familienverhältnisse bis auf ihren Grund durchschaut, und es ist kein Zufall wenn die von Freudschen Impulsen genährten Analysen Walter H. Sokels hier ihren Ausgangspunkt haben.

In diesen Verhältnissen verkommt Gregor. Man vernachlässigt ihn, richtet kein menschliches Wort an ihn, entzieht ihm mit seinen Möbeln die Erinnerung an seine menschliche Existenz, läßt ihn spüren, daß man seinetwegen zum Geldverdienen gezwungen ist – und kann ihn doch nicht ohne weiteres loswerden. Kafka registriert diese Vorgänge mit quälender Sachlichkeit, mit unerbittlicher Ausbreitung von Details, mit der Lust an der exakten Groteske, typischen Stilmitteln seines Erzählens. Der staubbedeckte, sieche Käfer wird zum Stachel im Fleisch der Familie, zu jener Wahrheit, welche die Familie verdrängen will. Als er zuletzt sich einmal hervorwagt, angezogen vom Violinspiel der Schwester, das ihm eine Erlösung vorgaukelt, lädt er, die augenfällige Wiederkehr des Verdrängten, die vernichtende Wut seiner Verwandten auf sich. Er stirbt, nachdem sich seine Erbitterung in Rührung und Liebe gewandelt hat, und dieses Sterben spiegelt die Trauer des Erzählers wider: Die Revolte war ohnmächtig geblieben, eine Mischung aus Empörung und knechtischen Selbstvorwürfen, dazu geeignet, die verdeckten Herrschaftsverhältnisse ans Licht zu ziehen und – am Leben zu erhalten.

Wenn die hier zutage tretende Thematik sich als ein Leitmotiv im Werk Kafkas verfolgen läßt, so meldet sich damit eine doppelte Erfahrung zu Wort: eine private, Kafkas Leiden und seine Kritik am eigenen Vater (darüber gibt z. B. der berühmte *Brief an den Vater* Aufschluß), und eine allgemeine, Kafkas Einblick in ein gesellschaftliches Ganzes, das auf Hierarchie und anonyme Verfügungsgewalt gegründet ist (vgl. *Der Prozeß*, *Das Schloß*) und das der *pater familias* stützt. Was dadurch dem einzelnen angetan wird, zeigen schmerzhaft deutlich Kafkas groteske, traumhafte Bilder, deren Realitätscharakter durch eine nüchterne, präzise Sprache unabweisbar wird.

G. Sa.

Ausgaben: Lpzg. 1915 (in Die Weißen Blätter, 2). – Lpzg. o. J. [1916]. – Bln. 1935 (in *Der Jude 1917. Erzählungen u. kleine Prosa*). – Bln. 1935 (in *GS*, Hg. M. Brod u. H. Politzer, 6 Bde., 1935–1937, 1). – NY 1946 (in *GS*, Hg. M. Brod, 10 Bde., 1946–1954, 1). – Ffm. 1946 (in *GW*, Hg. ders., 9 Bde., 1950–1958, 4). – Ffm. 1952 (FiBü, 19). – Ffm. 1970 (in *Sämtliche Erzählungen*, Hg. P. Raabe; FiBü, 1078).

Literatur: P. L. Landsberg, *K. and »The Metamorphosis«* (in Quarterly Review of Literature, 2, 1945, S. 228–236). – F. D. Luke, *K.'s »Metamorphosis«* (in MLR, 46, 1951, S. 232–245). – W. A. Madden, *A Myth of Mediation: K.'s »Metamorphosis«* (in

Thought, 26, 1951, S. 246–266). – W. H. Sokel, *K.'s »Metamorphosis«: Rebellion and Punishment* (in MDU, 48, 1956, S. 203–214). – F. Beißner, *Der Erzähler F. K.*, Stg. [2]1958. – E. Edel, *F. K. »Die Verwandlung«. Eine Auslegung* (in WW, 8, 1957/58, S. 217–226). – N. N. Holland, *Realism and Unrealism. K.'s »Metamorphosis«* (in Modern Fiction Studies, 4, 1958, S. 143–150). – B. v. Wiese, *F. K. »Die Verwandlung«* (in B. v. W., *Die deutsche Novelle von Goethe bis K.*, Bd. 2, Düsseldorf 1962, S. 319–345; ern. 1968). – K. Sparks, *Drei schwarze Kaninchen. Zu einer Deutung der Zimmerherren in K.s »Die Verwandlung«* (in ZDP, 84, 1965, S. 73–82; Sondernr.). – B. Flach, *K.s Erzählungen. Strukturanalyse u. Interpretation*, Bonn 1967 (Diss. Würzburg 1966). – H. Binder, *K. und Die Neue Rundschau. Mit einem bisher unpublizierten Brief des Dichters zur Druckgeschichte der »Verwandlung«* (in Jb. der Deutschen Schiller-Gesellschaft, 12, 1968, S. 94 bis 111). – K.-H. Fingerhut, *Die Funktion der Tierfiguren im Werke F. K.s. Offene Erzählgerüste u. Figurenspiele*, Bonn 1969 [zugl. Diss. Bonn]. – J. Schubiger, *F. K. »Die Verwandlung«. Eine Interpretation*, Zürich/Freiburg i.B. 1969. – M. Krock, *F. K. »Die Verwandlung«. Von der Larve eines Kiefernspinners über die Boa zum Mistkäfer. Eine Deutung nach Brehms Tierleben* (in Euph, 64, 1970, S. 326–352).

GEORG KAISER
(1878–1945)

DIE BÜRGER VON CALAIS. Bühnenspiel in drei Akten von Georg Kaiser (1878–1945), entstanden 1914; Uraufführung: Frankfurt, 29. 1. 1917, Neues Theater. – Die Anregung kam Kaiser von dem berühmten Bildwerk Rodins; Froissarts *Croniques de France* (um 1400) lieferte den Stoff. Das strenge, knapp und sicher komponierte Stück ist getragen von der Idee, daß die Bereitschaft zum Opfer und sein Vollzug, die Selbstaufgabe, zum Wohl aller notwendig und also allein sittlich sei, daß sie über alle traditionellen Versuche kämpferischer Auseinandersetzung und allen persönlichen Herrscherwillen triumphiere. – Der König von England, der Calais in der Hand hat, will die Stadt schonen, wenn ihm sechs Bürger ausgeliefert werden. Jean de Vienne, der Bürgermeister von Calais, verkündet die Bedingungen und fordert freiwillige Meldungen. Während Duguesclins zur bewaffneten Verteidigung der Stadt aufruft, rät Eustache de Saint-Pierre zur Annahme der Bedingung und meldet sich als erster. Weitere sechs Bürger folgen. Am Nachmittag soll auf Eustaches Geheiß das Los unter ihnen entscheiden. – Der zweite Akt zeigt zunächst den Abschied der freiwilligen Opfer von Eltern, Kindern, Bräuten und ihre letzte gemeinsame Mahlzeit. Doch als dann alle sieben ein Todeslos aus der verdeckten Schüssel ziehen, stellt sich heraus, daß Eustache de Saint-Pierre nur blaue Kugeln in die Urne gelegt hat: er will die Entscheidung noch hinauszögern, da nach seiner Meinung bei der Meldung der einzelnen zuviel persönliche Eitelkeit mitgesprochen hat. Nach seinem Vorschlag soll frei sein, wer am nächsten Morgen als letzter erscheint. Im dritten Akt werden die sieben Bürger erwartet. Wer wird der letzte sein? Sechs sind erschienen: Eustache fehlt. Murmeln unter der Menge: doch dann wird sein Leichnam herbeigetragen. Er hat sich getötet, um die Größe und Notwendigkeit des Opfers zu zeigen. Da wird den anderen verkündet, daß der englische König sie begnadigt hat: Ihm ist ein Sohn geboren worden, er gibt die Stadt frei und kniet sogar an der Leiche Eustaches nieder, um, ergriffen von der Opfertat dieses Menschen, zu beten.

Dieses frühe Werk Kaisers zeigt eine neue Sprache, kühl und knapp in ihrer Begrifflichkeit, nahezu aphoristisch, dabei aber von leidenschaftlicher Intensität. Von stärkster dramatischer Konzentration und Wirkung ist das Stück dort, wo seine Aussage nicht in Dialogen vorgetragen, sondern ganz in Handlung umgesetzt wird. Schon hier erweist sich Kaiser als der große Szeniker. Im zweiten Akt hat er erstmals das Mittel der Szenenreihung angewandt, das er später bis zur Virtuosität ausbildete. Die Ungewißheit, wer der siebente Bürger sein wird, hält drei Akte lang an. Das Ganze wird beherrscht von der Gestalt des Eustache de Saint-Pierre, an dem Kaiser zum erstenmal sein Bild vom »neuen Menschen« demonstriert. Satire und Karikatur, sonst so häufig und so bitter in den Stücken Kaisers, fehlen in diesem klaren, klassischen und noblen Werk ganz. Laff.

Ausgaben: Bln. 1914. – Bln. 193 (in *GW*, Bd. 3). – Stg. 1958 (RUB, 8223).

Literatur: S. Jacobsohn, *Das Jahr der Bühne*, Bln. 1920, S. 16–22. – H. Rosenthal, *»Die Bürger von Calais«*, Diss. Hbg. 1922. – E. Lämmert, *K.s »Die Bürger von Calais«* (in *Das deutsche Drama*, Hg. B. v. Wiese, Bd. 2, Düsseldorf [2]1960, S. 305–324). – E. Ihrig, *»Die Bürger von Calais«. A. Rodins Denkmal – G. K.s Bühnenspiel* (in *WW*, 9, 1962, S. 290–303).

GAS. Titel zweier Schauspiele von Georg Kaiser (1878–1945), Uraufführung: *Gas* (fünf Akte), Frankfurt/M., 28. 11. 1918, Neues Theater; *Gas. Zweiter Teil* (drei Akte), Brünn, 29. 10. 1920, Vereinigte Deutsche Theater. – Beide Stücke stehen in Zusammenhang mit dem Schauspiel *Die Koralle* (Uraufführung: Frankfurt/M., 27. 10. 1917), wenn der Autor sie auch nicht zu einer Trilogie zusammengeschlossen hat. In *Gas* erhebt Kaiser scharfe Anklagen gegen industrielle Automation und Vermassung, gegen Krieg, soziales Elend und menschliche Entfremdung, für die als Symbol die Maschine steht; zugleich stellt er die geschichtliche Zwangsläufigkeit dar, mit der der »Erlöser« von denen, die er erlösen will, ans Kreuz geschlagen wird.

Gas I: Der Sohn eines Milliardärs (der Hauptfigur der *Koralle*) hat das Riesenwerk des Vaters in ein soziales Unternehmen umgewandelt, an dessen Profiten alle Arbeiter beteiligt sind. *»Ohne Chef und Lohnlisten«* wird der Kraftstoff Gas vornehmlich zu Kriegszwecken produziert. Eines Tages färbt sich trotz richtiger Formel das Gas im Sichtglas und die Anlagen explodieren unter ungeheurem Aufruhr. Die arbeitenden Massen sind nun brotlos und verlangen die Entlassung des schuldlosen Ingenieurs, dessen Formel allen nachträglichen Überprüfungen standhält. Der Milliardärssohn, der sich schützend vor ihn stellt, eröffnet den Arbeitern in einer großen Streikversammlung seine Pläne: sie sollen das Werk verlassen, auf den Schutthalden siedeln und der sie versklavenden Vernichtungsmaschinerie abschwören, die doch nur zu neuen Katastrophen führen werde, weil man die alte Formel weiterverwenden müsse. Als der Ingenieur zwischen ihn und die Massen tritt und den Arbeitern mit rauschhaftem Pathos die von

Menschen seines Schlages auszuarbeitenden Methoden künftiger Naturbeherrschung entwirft und ihnen als verächtliches Gegenbild das des unheroischen »Bauern« ausmalt, huldigen sie ihm als ihrem neuen Führer. Der Milliardärssohn, auf dessen privatem Grund und Boden das Werk liegt, versucht nun, seine Pläne mit Gewalt durchzusetzen. Ein Regierungsvertreter, der die Unentbehrlichkeit des Gases für die gesamte Rüstungsindustrie darlegt, enteignet ihn jedoch und überredet die Massen dazu, die Arbeit wieder aufzunehmen. Jubelnd kehren sie in die Fron zurück und steinigen ihren »Erlöser« am Werkeingang. Dem Verzweifelten verspricht die Tochter, den kommenden »großen« Menschen zu gebären, der sein Werk vollenden werde.

In *Gas II* setzt das Bühnengeschehen zwei Generationen später ein. Das in staatliche Zwangsverwaltung übergegangene Werk produziert Gas jetzt ausschließlich für Rüstungszwecke; es wird von zur vollkommenen Anonymität geschrumpften Mächten, den »Blaufiguren«, dirigiert, die einen Vernichtungskampf gegen die ähnlich abstrakten, jedoch technisch unterlegenen »Gelbfiguren« führen. Als die Leistungen der überforderten Arbeiter rapide sinken, wird zunächst der zum »*Petrefakt fanatischer Werkenergie*« gealterte »*Großingenieur*«, später der »*Milliardärarbeiter*« – ein Enkel des Milliardärssohns – von den »Blaufiguren« zur Rechenschaft gezogen. Ihm bietet man die Stellung des Chefs an, der durch persönliche Initiative die arbeitenden Massen zur letztmöglichen Leistungssteigerung und »*zum Untergang fanatisieren*« soll, zumal der Krieg im günstigsten Fall als »*Remis mit zwei schachmatten Parteien*« enden kann. Die Pläne der »Blaufiguren« werden jedoch von einem Aufstand der Arbeiter durchkreuzt, die in einer riesigen Werkhalle zusammenströmen und sich weigern, künftig Gas herzustellen. Unter Führung des neuen Chefs senden sie ein Friedensangebot an den Gegner. Die beschwörenden Mahnungen des »*Milliardärarbeiters*« – »*Ihr seid wieder bei Euch – ausgegangen aus fremder Nötigung – eingekehrt in letzte Verpflichtung!*« – werden jedoch von den plötzlich auftauchenden feindlichen »Gelbfiguren« erstickt, die alle Befehlsgewalt übernehmen und die sofortige Arbeitsaufnahme anordnen. Bald darauf legt eine neue Revolte den vom Feind umzingelten Fabrikkomplex still. Die »Gelbfiguren« setzen eine kurze Frist und drohen mit der Beschießung des Werks. In der letzten Massenszene enthüllt der »*Großingenieur*« den Arbeitern seine neue Erfindung, die sie endgültig von den feindlichen »*Zwingherrn*« befreien soll – Giftgas! Ein erbitterter Wortwechsel zwischen ihm, der zu Vernichtung und absoluter Herrschaft aufruft, und dem »*Milliardärarbeiter*«, der für ein gewaltloses Reich der demütigen Duldung, das »*nicht von dieser Welt*« ist, eintritt, zwingt die Massen zur Entscheidung. Als sie die Anwendung des Gases begeistert fordern, opfert sich der »*Milliardärarbeiter*«: er wirft die Giftgaskugel über sich, die, zugleich mit der plötzlich einsetzenden Beschießung von außen, Freund und Feind, Arbeiter und »Gelbfiguren« in einem ungeheuren Chaos hinwegrafft.

Kaiser benutzt in seinen beiden konsequentesten Revolutionsstücken, deren erstes mitten in den wilden Unruhen der Nachkriegsrevolution von 1918 ein starkes Echo hatte, alle jene Bühneneffekte des Expressionismus, die später, zumal durch den Regisseur Erwin Piscator, Schule machen sollten. Die expressionistische Dramaturgie beherrscht er virtuos; er setzt sie jedoch beinahe zu perfektioniert und routiniert in den Gang seines »*Gedankenspiels*« ein. Vor allem *Gas II* zeigt schon alle Merkmale des formelhaft gewordenen, ins Bizarre übersteigerten Stils eines epigonalen Expressionismus. Die Szenerie wird mit entindividualisierten und zum Teil roboterähnlichen Typen bevölkert. Kaskadenartig stürzenden und durch Gedankenstriche und Pausen übermäßig zerdehnten und zersplitterten Dialogen wird ein Übermaß an Pathos aufgebürdet, aus dem die vorgestellten Thesen ihre Durchschlagskraft ziehen sollen. Neben kühler Sachlichkeit (z. B. den Anweisungen der »Blau«- und »Gelbfiguren«) steht hektische Überhitze; der Tendenz zu syntaktischer Vereinfachung im Dienste einer gesteigerten Intensität des Sprechstils, wie sie der Expressionismus schätzte, gibt Kaiser zwar bereitwillig nach, er erreicht jedoch die Stringenz etwa der grotesken Kurzdramen A. STRAMMS nicht. Tabellen, Formeln, technische Begriffe und Apparaturen, Lichtbündel, gewaltsame Wortballungen und durch Regieanweisungen geforderte Massenschreie werden zusätzlich aufgeboten, um beiden Stücken die Atmosphäre kalter, inhumaner Technizität zu verleihen. Kaisers Vorschlag, die Arbeiter durch Ansiedlung auf eigenem Boden dieser unmenschlichen Industriewelt zu entreißen, wirkt anachronistisch und entbehrt jeglicher Überzeugungskraft. KLL

AUSGABEN: Bln. 1918 *(Gas)*. – Potsdam 1920 *(Gas. Zweiter Teil)*. – Potsdam 1928 (in *GW* [Bd. 1]). – Ffm. 1961 (in *Europäische Dramen von Ibsen bis Zuckmayer*). – Köln/Bln. 1966 (in *Stücke*, *Erzählungen*, *Aufsätze*, *Gedichte*, Hg. W. Huder; m. Nachw., Zeittafel u. Bibliogr.).

LITERATUR: Zu *Gas I*: A. Neuweiler, *Anm. zu meinem Regiebuch von K.s »Gas«* (in Die Scene, 8, 1918, S. 59). – B. Diebold, Rez. (in LE, 21, 1919, S. 480). – A. Polgar, Rez. (in Die Weltbühne, 20, 1924, 26). – K. H. Fränkel, *K.s »Gas« u. das Verbot von Theaterstücken* (in Denkendes Volk, 1, 1947, S. 297–300).
Zu *Gas II*: C. P. Siemens, Rez. (in Die Bücherhalle, 1920, S. 289–292). – B. Diebold, Rez. (in LE, 23, 1921, S. 393).
Anon., *K.s soziale Schauspiele* (in Die Furche, 9, 1920, S. 337–341). – W. Omankowski, *K. u. seine Bühnenwerke*, Bln./Lpzg. 1922. – B. Diebold, *Der Denkspieler G. K.*, Ffm. 1924, S. 65–70; 76–80. – H. F. Koenigsgarten, *G. K.*, Potsdam 1928 [m. Bibliogr. v. A. Loewenberg]. – M. J. Fruchter, *The Social Dialect in G. K.'s Dramatic Works*, Diss. Philadelphia 1933. – W. Beer, *Untersuchungen zur Problematik des expressionistischen Dramas unter besonderer Berücksichtigung der Dramatik G. K.s u. F. v. Unruhs*, Diss. Breslau 1934. – E. A. Fivian, *G. K. u. seine Stellung im Expressionismus*, Mchn. 1946. – O. R. Urrisk, *G. K. Das literarische Phänomen des Expressionismus*, Diss. Wien 1948. – E. Dosenheimer, *Das dt. soziale Drama von Lessing bis Sternheim*, Konstanz 1949, S. 249–280. – V. Fürdauer, *G. K.s dramatisches Gesamtwerk*, Diss. Wien 1950. – W. Fix, *Die Ironie im Drama G. K.s*, Diss. Heidelberg 1951. – G. Neermann, *Stil u. Dramenform der Hauptwerke G. K.s*, Diss. Tübingen 1951. – K. Ziegler, *G. K. und das neue Drama* (in Hebbel-Jb., 1952, S. 44–68). – F. Martini, *Soziale Thematik u. Formwandlungen des Dramas* (in Der Deutschunterricht, 1953, H. 5, S. 5–19). – H. H. Fritze, *Das Problem der Zivili-*

sation im Schaffen G. K.s, Diss. Freiburg i. B. 1955 [m. *Beitrag zur Bibliogr. des Gesamtwerks*]. O. Mann, *G. K.* (in *Expressionismus. Gestalten einer literarischen Bewegung*, Hg. H. Friedmann u. O. Mann, Heidelberg 1956, S. 264–279). – H. Glaser, *G. K.: Gas I, Gas II* (in *Das europäische Drama von Ibsen bis Zuckmayer*, Hg. L. Büttner, Ffm./Bln. 1960, S. 185–194). – W. Paulsen, *G. K. Die Perspektiven seines Werkes*, Tübingen 1960. – W. H. Sokel, *Der literarische Expressionismus*, Mchn. o. J. [1960], S. 235ff. – R. Kauf, *G. K.'s Social Tetralogy and the Social Ideas of W. Rathenau* (in PMLA, 77, 1962, S. 311–317). – H. W. Reichert, *Nietzsche and G. K.* (in StPh, 61, 1964, S. 85 bis 108).

HERMANN KASACK
(1896–1966)

DIE STADT HINTER DEM STROM. Roman von Hermann KASACK (1896–1966), entstanden 1942 bis 1944 und 1946, erschienen 1947. – Der mit Mitteln des Surrealismus arbeitende allegorische Zeitroman ahnt in einer Vision die Katastrophe des Krieges und seine sinnlose Zerstörungswut voraus und entlarvt, aus der Perspektive einer imaginären unterirdischen Totenstadt, in der das Leben der Gestorbenen mit der Mechanik und Präzision der Lebenden fortgeführt wird, die Nichtigkeit und Paradoxie der individuellen Existenz.

Der Orientalist Dr. Robert Lindhoff folgt der Aufforderung des Präfekten, in der Stadt hinter dem Strom die verwaiste Stelle eines Archivars und Chronisten anzutreten. Mit der Bahn erreicht er sein Ziel, ohne jedoch zu wissen, daß er es erreicht hat. Er irrt durch die Katakomben der Höhlen- und Ruinenstadt, in der gespenstige Wesen, Marionetten gleich, ihr Tagwerk verrichten, registriert fremde Lebensformen und merkwürdige Riten, deren Sinn ihm verborgen bleibt. Unter den schattenhaften Gestalten trifft er auf Menschen, die er von früher kannte, aber für längst verstorben hielt. Vom Kommissar erhält er den Auftrag – der Präfekt selbst, Symbol einer undurchsichtigen und nicht mehr überschaubaren Bürokratie, bleibt anonym und schaltet sich nur über ein Mikrophon in das Gespräch ein –, »*nicht nur die Gebräuche des Stadtstaates aufzuzeichnen, sondern auch dem Schicksal seiner Bewohner nachzugehen*«. Hinter modernen Apparaturen, emsiger Geschäftigkeit und einer unsichtbaren Obrigkeit erkennt Lindhoff erste Symptome der Brüchigkeit und des Zerfalls: Frauen putzen mit Brettern verschlagene Fensterscheiben, Männer ordnen verbeulte Blechdosen, Pappschachteln und rostige Nägel oder stehen in langen Schlangen vor Friseurläden, lassen sich rasieren, stellen sich wieder an, um sich erneut rasieren zu lassen. Das Unheimliche dieser Schattenwelt überfällt ihn immer mehr, bis sich Lähmung und Entsetzen ausbreiten. In der Umarmung mit Anna, seiner früheren Geliebten, die auf rätselhafte Weise verschwunden war, bestätigt sich seine Ahnung: er befindet sich als einziger Lebender (Anna: »*Du bist ja ein Gespenst aus Fleisch und Blut*«) im Reich der Gestorbenen, denen nur ihre leibliche Hülle und die Erinnerung geblieben sind, ehe sie endgültig in das gestaltlose All übergehen.

Lindhoff weiß nicht, wie lange er in der Stadt umherirrt, er verliert jeden Zeitbegriff, die aufregenden Ereignisse hindern ihn an der Chronistentätigkeit. Der Band, der den Bericht über seine Tätigkeit und Erfahrungen aufnehmen soll, bleibt unberührt. Doch als er das Buch dem Kommissar übergibt, haben sich die leeren Seiten auf magische Weise gefüllt. Bevor Lindhoff »beurlaubt« wird, trifft er noch einmal auf Anna, die ihm in Gestalt einer Sybille den Eingang ins Totenreich verwehrt: »›*Was soll ich tun?*‹ *fragte er.* ›*Lächelnd die Bahn des Lebens ziehen!*‹ ›*Warum lebt man?*‹ ›*Damit man sterben lernt.*‹« Und damit ist seine Bestimmung ausgesprochen, er war berufen, »*Zeugnis für das Erlebte abzulegen, Botschaft zu geben, Austausch zwischen hüben und drüben*«. Lindhoff kehrt ins Leben zurück und findet alles in Schutt und Asche, die Bewohner der Städte gleichen den Schatten und Schemen des Zwischenreiches: Der Krieg hat die Vision eingeholt. Er reist durchs Land, liest überall aus seiner Chronik, bis er stirbt und wieder die Brücke über den Strom passiert.

Kasacks Roman wirkt auffällig gebrochen. Während der erste Teil (1942–1944 entstanden) in einer beklemmend atmosphärischen Dichte, die an KAFKA erinnert, die Visionen vom Reich der Gestorbenen nachzeichnet, in denen sich das Entsetzen über die Sinnlosigkeit menschlichen Tuns spiegelt – besonders eindrucksvoll in der zynischen Parabel von den »Gegenfabriken« gestaltet, in deren einer farbige Steine aus Staub geformt werden, die in der anderen wieder zermahlen werden, um schließlich der ersten als Rohmaterial für neue Steine zu dienen, ohne daß die Arbeiter auch nur eine Ahnung von ihrer Tätigkeit haben –, setzt Kasack dem zweiten Teil (1946 entstanden) eine »*sektiererische Theologie*« (K. Korn) auf, die der Zersetzung des Abendlandes durch eine Besinnung auf asiatische Philosophie und Lebensweisheit entgegentritt. Waren es gerade die makabren apokalyptischen Visionen aus der Totenstadt, die die Bedrohung des Lebens so drastisch symbolisierten und schließlich auch den künstlerischen Rang des Buches begründeten, so lassen die spekulativen Reflexionen, in denen sich eine merkwürdige Heilslehre mit buddhistischem Sektierertum und östlicher Religiosität mischt, den Roman zum Traktat herabsinken. Ja, es sieht fast so aus, als hätte der Autor den Helden nur deshalb in die Unterwelt hinabsteigen lassen, um seiner Botschaft an die Überlebenden des Krieges eine höhere Autorität zu verleihen. – Der große Erfolg des Romans im Nachkriegsdeutschland, der heute fast unverständlich erscheint, erklärt sich vielleicht aus der Tatsache, daß in Hermann Kasack »*ein großer Teil des deutschen Bildungsbürgertums einen genuinen Interpreten seiner Realitätsflucht und seiner Fetischisierung des ›Geistes‹ gefunden*« (L. Baier) hatte. *Die Stadt hinter dem Strom* wurde 1949 mit dem Fontane-Preis ausgezeichnet. Hans Vogt schrieb nach Motiven des Romans eine *Oratorische Oper*, zu der Kasack das Libretto lieferte. I. F. W.

AUSGABEN: Bln. 1946 (in Der Tagesspiegel). – Bln. 1947. – Mchn./Zürich 1964 (Knaur Tb., 51).

VERTONUNG: H. Vogt, *Die Stadt hinter dem Strom. Oratorische Oper* (Oper; Urauff.: Wiesbaden, 3. 5. 1955, Hessisches Landestheater).

LITERATUR: W. Milch, *Der deutsche Roman auf neuen Wegen* (in Neue Auslese, 2, 1947, S. 55–60). – G. Böhmer, »*Die Stadt hinter dem Strom*« (in Deutsche Beiträge, 1948, H. 3, S. 268–277). – A. R. Böttcher, *Realismus u. Magie* (in Literarische Revue, 3, 1948, S. 443–447). – K. Korn, *Allegorien der Existenz* (in Merkur, 3, 1949, S. 90–97). – F. Stössinger, »*Die Stadt hinter dem Strom*« (in NSRs, 17, 1949/50, S. 448–454). – W. Grenzmann, *H. K. Die Zone des Todes* (in W. G., *Dichtung und Glaube*, Bonn 1950, S. 83–96; [6]1967). – P. Lech, *H. K. u. der zeitkritische Roman der Gegenwart*, Diss. Echternach 1956. – A. Mohrhenn, *H. K.s Welt des Todes* (in A. M., *Lebendige Dichtung*, Darmstadt/Heidelberg 1956, S. 100–111). – S. de Winter, *Der magische Realismus u. die Dichtung H. K.s*, Diss. Genf 1958 (Ausz. in Studia Germanica Gandensia, 3, 1961, S. 249–276). – K. Hamburger, Nachw. in H. Kasack, *Das unbekannte Ziel*, Ffm. 1963 [m. Bibliogr.]. – *Leben u. Werk von H. K.*, Hg. W. Kasack, Ffm. 1966. – W. Ross u. L. Baier, *Wiedergelesen nach 25 Jahren: K.:* »*Die Stadt hinter dem Strom*« (in SZ, 29./30./31. 5. 1971).

MARIE LUISE KASCHNITZ
(eig. M. L. v. Kaschnitz-Weinberg)
(*1901)

LANGE SCHATTEN. Erzählungen von Marie Luise Kaschnitz (eig. M. L. v. Kaschnitz-Weinberg, *1901), erschienen 1960. – Die 21 Kurzgeschichten dieser ersten Sammlung von Erzählungen der Autorin bewegen sich allesamt im Spannungsfeld zwischen dem Alltäglichen und dem Dämonisch-Unheimlichen. Nach einer Äußerung der Dichterin stehen die – teils von eigenen Erlebnissen, teils von Zeitungsnotizen her konzipierten – Figuren »*alle unter der Einwirkung rationalistisch nicht zu erklärender Mächte, gegen die sie ankämpfen oder denen sie sich beugen oder an denen sie zugrunde gehen*«. Dieser rational nicht auflösbare Rest in den zumeist in Italien (Rom, Albaner See, Cap Circeo), aber auch in London, am Bodensee und in Frankfurt spielenden Geschichten reicht dabei vom nur Gespenstischen *(Gespenster)* bis zu manischen Angstzuständen, die in einer persönlichen oder schicksalhaften Schuld begründet sind (z. B. *Das rote Netz; Der Strohhalm; Der Mönch Benda; Christine; Der Deserteur*), und einem antik-mythischen, ja »panischen« Erschrecken: In der Titelerzählung *Lange Schatten* erfährt ein junges, seiner selbst allzu gewisses Mädchen auf einsamer, sonnenbeglänzter Höhe unmittelbar Pans dämonische Gegenwart; in *Am Circeo* wird das Felsenmassiv, das die versteinerten, über das Meer blickenden Züge der mythischen Zauberin darzustellen scheint, zum bedrohlichen Symbol für den unwiderruflichen Tod des geliebten Lebensgefährten; in *Eines Mittags, Mitte Juni* sieht sich die allein draußen im Meer schwimmende Erzählerin vom unsichtbaren Orpheus aus einer momentanen Todessehnsucht ins Leben zurückgeleitet; in *Der schwarze See* rächt sich ein See in einem grauenvollen Verbrechen an der modernen Zeit, die in skrupelloser Geschäftigkeit sich über den Fluch, der seit alters auf ihm lastet, hinwegsetzen will. – *Die übermäßige Liebe zu Trois Sapins* und *Popp und Mingel*, subtile psychologische Studien, schildern – einmal aus der Sicht eines mit seinem Hof allzu verwachsenen Landarbeiters, einmal aus der eines seelisch vereinsamten »Schlüsselkindes« – die scheinbar abstrusen Motive zweier Brandstiftungen. – *Die späten Abenteuer* verfolgen das letzte, hilflose Aufflackern der Lebensgier in einem vom Tod gezeichneten Greis. – In *Das dicke Kind*, einer der stärksten Erzählungen des Bandes, wird die Erzählerin Opfer einer peinigenden, in die eigene Kindheit zurückführenden Traumvision, bei der sich in surrealistischer Überschichtung der Zeitebenen Gegenwart und Vergangenheit vermischen.

Kaschnitz' scheinbar realistischer Erzählstil erfüllt in überzeugender Weise die gattungsmäßigen Voraussetzungen der Short Story: Jenseits modischmanierierter Geschwätzigkeit drängen die Geschichten zielstrebig auf das Ende und seine Pointe hin; die sich gleichsam am Rande der Gesellschaft ereignenden Begebenheiten offenbaren, im Augenblick seelischer Grenzlagen, jeweils formelhaft die Summe einer Existenz. Dennoch zielt das eher kühle Erzählen oft weniger auf die Durchdringung der Wirklichkeit als auf »romantische« Verrätselung und Mystifizierung ab: »*Ich glaube ... daß es auf unserer, von der Technik beherrschten Erde und mitten zwischen den lauten Ansiedlungen der Menschen immer noch Orte gibt, die den Geistern gehören*« *(Der schwarze See)*. Dieses Credo läßt eine eigenwillige Haltung vermuten: Den irrationalen Spielarten des Mythos, der schon in der Antike nur mehr Gleichniswert besaß, möchte die Autorin unmittelbare Geltung verschaffen in einer Zeit, deren Aufgabe es ist, Irrationales aus rationaler Distanz analytisch zu durchdringen und zu bewältigen.

R. M.

Ausgaben: Hbg. 1960. – Mchn. 1964 (dtv, 243).

Literatur: W. Zimmermann, *M. L. K.* »*Das dicke Kind*« (in W. Z., *Dt. Prosadichtungen der Gegenwart. Interpretationen für Lehrende und Lernende*, Bd. 3, Düsseldorf 1961, S. 281–288). – H. Bienek, *Werkstattgespräche mit Schriftstellern*, Mchn. 1962, S. 33–46.

WOLFGANG KOEPPEN
(*1906)

TAUBEN IM GRAS. Roman von Wolfgang Koeppen (*1906), erschienen 1951. – Die Möglichkeiten der Montagetechnik von Döblin oder Dos Passos, des inneren Monologs von Joyce mit virtuoser Selbstverständlichkeit nutzend, gibt der Autor in dieser mosaikartigen Szenenfolge die modellhaft konzentrierte Bestandsaufnahme eines Tagesgeschehens im Nachkriegsdeutschland.

Wie »Tauben im Gras« sind die Menschen des Alltags im amerikanisch besetzten München um 1948, gefährdet und Opfer des Zufalls, »*dem Metzger preisgegeben, aber stolz auf die eingebildete, zu nichts als Elend führende Freiheit*«. Sie alle – der Lehrer, der sich mit Drogen zugrunde gerichtet hat, weil er nicht Soldat werden wollte, der Arzt, der seinen Lebensunterhalt als Blutspender verdient – sind »verurteilt«, jeder in einer anderen Weise, auf der Flucht vor einem Dasein, dessen Unheimlichkeit sie spüren, vor einer Welt, die ihnen sinnlos und unbegreiflich zu sein scheint. Aus knappen, exemplarischen Szenen, kaleidoskopartig an- und ineinander gefügt und assoziativ verbunden, entsteht in simultaner Entfaltung das sinnlich füllige Bild einer Großstadt und ihrer Gesellschaft. Während der gefeierte Filmheld Alexander sich für einen neuen Drehabschnitt rüstet, denkt Messalina, seine gewaltige Frau, an lasziv-bewegte Partys und überläßt ihre kleine Tochter den bigotten Quälereien der Kinderfrau, die das »Sündenkind« zu Gott führen will; während der deutsche Schriftsteller Philipp, der sich vom Leben in die Enge getrieben fühlt und nicht mehr schreiben kann, auch in der Liebe seiner aus Not ihr Erbe versetzenden Frau Emilia keine Hilfe findet, träumt Washington Price von einer Existenz als Kneipenwirt in Paris, wo niemand seine Geliebte Carla der Verbindung mit einem Schwarzen wegen boykottieren wird. Die Handlung gewinnt zunehmend an Gefälle, verdichtet sich am Abend zu zwei Schwerpunkten: Der Vortrag des berühmten Modedichters und angelsächsischen Schöngeistes Edwin im Amerikahaus und die lärmvolle, biederdeutsche Fröhlichkeit des Brauhauses vereinigen die Protagonisten. Schicksale, die durch unsichtbare Fäden miteinander verknüpft sind, erfüllen sich: Die Rache für den Mord an dem Dienstmann Josef, der den Negersoldaten Odysseus Cotton wie ein Hund auf einer Zechtour begleitete, trifft, von den trinkfreudig Feiernden angezettelt, einen Unschuldigen, Carlas Sohn; Edwin gerät auf einem nächtlichen, seinen homosexuellen Neigungen geltenden Spaziergang in die Hände skrupelloser Halbstarker; Philipp, der die junge amerikanische Lehrerin Kate, eine Bewundererin Edwins, die ihn in der Hotelhalle für jenen gehalten hatte, nach dem Vortrag mit auf sein Zimmer nahm, muß erkennen, daß er seiner Welt und seinem Schicksal nicht entfliehen kann. Es hat symbolische Bedeutung, daß Kate, ehe sie sich ihm entzieht, als Gabe den alten Großmutterschmuck auf die Fensterbank legt, den ihr am Nachmittag Emilia, erzürnt über das Feilschen des Antiquars, als *»freie und absichtslose Tat«*, geschenkt hatte. Als es Mitternacht vom Turm schlägt, ist wieder ein Tag zu Ende, ein Tag wie viele, mit Schicksalen wie viele, voll Furcht und Hoffnung, Schicksale von Menschen, die einander fremd bleiben. – Es verwundert, daß der Roman, in Thematik und Technik mit den kurz darauffolgenden Werken *Das Treibhaus* und *Der Tod in Rom* eng verwandt, beim Erscheinen als aggressiv-militant empfunden wurde. Was ihn kennzeichnet, ist nicht Anklage, sondern Klage, Diagnose, verbunden mit dem Versuch der Ortsbestimmung durch einen Mann, der *»Zeuge gewesen und am Leben geblieben war«*. O. F. B.

AUSGABEN: Stg./Hbg. 1951. – Stg. 1969 [zus. m. *Das Treibhaus* u. *Der Tod in Rom*].

LITERATUR: W. Jens, *Melancholie u. Moral. Rede auf W. K.*, Stg. 1963. – M. Reich-Ranicki, *Deutsche Literatur in Ost u. West*, Mchn. 1963, S. 34–54. – Ders., *Der Fall W. K.* (in M. R.-R., *Literarisches Leben in Deutschland, Kommentare u. Pamphlete*, Mchn. 1965, S. 26–35). – R. Döhl, *W. K.* (in *Deutsche Literatur seit 1945*, Hg. D. Weber, Stg. 1968, S. 103–129; Kröners Taschenausg., 382). – H. Heißenbüttel, *W. K. – Kommentar* (in Merkur, 23, 1968 S. 244–252).

DER TOD IN ROM. Roman von Wolfgang KOEPPEN (* 1906), erschienen 1954. – Wie in seinen vorangehenden Romanen (*Tauben im Gras*, 1951, und *Das Treibhaus*, 1953) geht es Koeppen auch hier um eine aktuelle Problematik der deutschen Nachkriegsgeschichte. Wirtschaftswunder und Wiederaufrüstung während der Adenauer-Ära, die Kämpfe in Korea und der Kalte Krieg der Großmächte bilden das zeitliche Bezugssystem für eine kritische Auseinandersetzung mit den Folgen des Faschismus, mit der verdrängten, doch untergründig weiterexistierenden nationalsozialistischen Ideologie und den tiefreichenden Beschädigungen, die das Dritte Reich bei den Angehörigen der betroffenen Generationen hinterlassen hat.
Das Geschehen ist auf wenige Tage zusammengedrängt. In Rom treffen die Angehörigen einer durch den Nationalsozialismus entzweiten Familie wieder zusammen. Gottlieb Judejahn, ehemaliger SS-General, der sich einem Prozeß durch die Flucht ins Ausland entzogen hat und als militärischer Berater in einem Scheichtum untertauchen konnte, will im Auftrag seines Gastlandes in Rom illegale Waffengeschäfte abwickeln. Eine Begegnung mit seinem einflußreichen Schwager Pfaffrath soll die Frage einer möglichen Rückkehr in die Bundesrepublik klären. Pfaffrath, einst hoher Parteigenosse, schlug sich nach Kriegsende, die Zeichen der Zeit richtig deutend, auf die Seite der Christlich-Konservativen und bekleidet nunmehr als frischgebackener Demokrat das Amt eines Oberbürgermeisters. Die in einer nationalsozialistischen Ordensburg erzogenen Söhne beider, Adolf Judejahn und Siegfried Pfaffrath, haben nach 1945 den Kontakt zu ihren Eltern abgebrochen. Während Adolf als Priester die Schuld seines Vaters sühnen möchte, beginnt Siegfried sich als avantgardistischer Komponist einen Namen zu machen. Anläßlich der spektakulären Uraufführung seiner Zwölftonsymphonie durch den Dirigenten Kürenberg, einen Emigranten, kommt es zum unverhofften und verhängnisvollen Wiedersehen aller Familienmitglieder.
Für Judejahn ist das Dritte Reich noch nicht zu Ende: Revanchelüstern fiebert er dem Tag entgegen, an dem er die alte und vertraute Ordnung wiederherstellen kann. Seine Beziehung zum Faschismus entspringt einer geradezu mythischen Vorstellung: er hält sich für einen germanischen Kriegsgott, dem aufgetragen ist, alles Nichtdeutsche auszurotten. Für Siegfried Pfaffrath wird die Begegnung mit dem gefürchteten Onkel zu einem Alptraum, der alle Schrecken seiner Jugend wieder heraufbeschwört; seine Homosexualität, die von seinem Aufwachsen in einer reinen Männergesellschaft herrührt, bereitet ihm schwere Schuldgefühle und treibt ihn in eine fast vollständige Isolation.
In einer unheilvollen Verkettung der Ereignisse kulminiert die Handlung. Judejahn versucht das vermeintlich jüdische Barmädchen Laura in einem Anfall von Rassenwahn zu erschießen, weil er glaubt, mit ihr eine *»Sünde wider das Blut«* begangen zu haben. Bei seinem Amoklauf bringt er aber in Wirklichkeit Kürenbergs Frau um, die zufällig in seiner Schußbahn auftaucht und tatsächlich Jüdin ist; ihr Vater war seinerzeit durch Pfaffraths Schuld ins KZ gekommen.
In kurzen, in den Handlungsablauf eingestreuten Szenen gelingt es Koeppen, schlaglichtartig den Zeitzustand zu beleuchten, etwa, wenn deutsche Touristen an der Fontana di Trevi das Volkslied »Am Brunnen vor dem Tore« anstimmen oder die Familie Pfaffrath die alten nationalistischen Ressentiments bei einem Picknick auf dem Schlachtfeld am Monte Cassino wieder aufwärmt. – Ironische Anspielungen auf Thomas MANNS Novelle *Der Tod in Venedig* finden sich – abgesehen vom Titel – auch in dem von Koeppen parodistisch abgewandelten Schlußsatz der Novelle (*»Die Zeitungen meldeten noch am Abend Judejahns Tod, der durch die Umstände eine Weltnachricht geworden war, die aber niemand mehr erschütterte«*), wie im Hinweis auf

Platons »*Phaidros*« und in der homoerotischen Beziehung Siegfrieds zu einem Strichjungen, die wohl die ein wenig vergeistigte Knabenliebe in Manns Erzählung travestieren soll. In einer ebenso transparenten wie expressionistisch-suggestiven Sprache werden die vielschichtigen Empfindungen und Reaktionen der Personen nachgezeichnet. Koeppens Stil ist deutlich von Faulkner beeinflußt, an den auch die introspektive Erzählhaltung erinnert. Der Gang der Handlung scheint auf eine pessimistische Grundhaltung des Autors hinzudeuten, doch manifestiert sich darin eher das Gefühl der Ohnmacht, das kritische deutsche Intellektuelle angesichts der Beschönigung der Vergangenheit und des restaurativen Klimas in Deutschland gerade in den fünfziger Jahren empfinden mußten. Wie sehr der Autor durch sein unbeirrbares gesellschaftskritisches Engagement nationale Tabus verletzte, zeigte auch die zwiespältige Aufnahme seines Buches bei der damals dominierenden Literaturkritik. P. L.

Ausgaben: Stg. 1954. – Stg. 1969.

Literatur: K. A. Horst, *Der ewige Judejahn* (in Merkur, 9, 1955, S. 589–591). – H. M. Enzensberger, *Ahnung u. Gegenwart 1958* (in NDH, 5, 1958/59, S. 450/451). – J. Mittenzwei, *Die musikalische Kompositionstechnik des ›inneren Monologs‹ in K.s Roman »Der Tod in Rom«* (in J. M., *Das Musikalische in der Literatur*, Halle 1962, S. 395–426). – W. Jens, *Verleihung des Georg-Büchner-Preises an W. K. – Rede auf den Preisträger* (Jb. der Dt. Akademie für Sprache u. Dichtung, 1962, S. 91 bis 110). – H. Bienek, *Werkstattgespräche mit Schriftstellern*, Mchn. 1962, S. 47–56. – W. Jens, *Melancholie u. Moral. Rede auf W. K.*, Stg. 1963. – M. Reich-Ranicki, *Deutsche Literatur in West u. Ost*, Mchn. 1963, S. 34–54. – E. Franzen, *Aufklärungen. Essays*, Ffm. 1964, S. 47/48 (Nach. W. Koeppen; ed. suhrkamp, 66). – A. F. Bance, *»Der Tod in Rom« and »Die Rote«. Two Italian Episodes* (in Forum for Modern Languagestudies, 3, 1967, S. 126 bis 134). – H. Heißenbüttel, *W. K.-Kommentar* (in Merkur, 22, 1968, S. 244–252). – R. Döhl, *W. K.* (in *Deutsche Literatur seit 1945*, Stg. 1968, S. 244 bis 252; m. Bibliogr.). – R. H. Thomas u. W. van der Will, *Der deutsche Roman u. die Wohlstandsgesellschaft*, Stg./Bln./Köln/Mainz 1969, S. 38–57 (Sprache u. Lit., 52).

DAS TREIBHAUS. Roman von Wolfgang Koeppen (* 1906), erschienen 1953. – Koeppens in Bonn zu Beginn der fünfziger Jahre spielender Roman beschreibt die damalige politische Szenerie nur verhüllt und nennt auch die Figuren nicht bei ihren wirklichen Namen. Dennoch erkennt man in den mehr oder weniger versteckten Anspielungen unschwer manchen Angehörigen der Parteiprominenz dieser Zeit wieder: Der »Kanzler« zum Beispiel trägt deutlich Züge Konrad Adenauers, während die Gestalt des sozialdemokratischen Oppositionsführers »Knurrewahn« offenkundige Ähnlichkeiten mit Kurt Schumacher aufweist. Koeppens Verfahren, Fiktives mit Rekursen auf reale Verhältnisse geschickt zu mischen, wobei als wichtigstes politisches Ereignis die heftig umkämpfte Frage der Wiederaufrüstung im Vordergrund steht, hat dazu geführt, daß *Das Treibhaus* häufig als Schlüsselroman gedeutet wurde. In einer Vorbemerkung verwahrt sich Koeppen ausdrücklich gegen dieses Mißverständnis: »*Die Dimension aller Aussagen liegt jenseits der Bezüge von Menschen, Organisationen und Geschehnissen unserer Gegenwart, der Roman hat seine eigene poetische Wahrheit.*«

Trotzdem handelt es sich bei diesem Roman um politische Literatur, freilich in einer übergreifenden Bedeutung. Denn die in Koeppens Romanen (vgl. *Tauben im Gras* und *Der Tod in Rom*) vorgeführten Konflikte sind immer maßgeblich von bestimmten historischen Ereignissen und den durch sie ausgelösten gesellschaftlichen Umwälzungen abhängig und demonstrieren, wie weitgehend das Sein das Bewußtsein verändern kann. Die Hauptfigur, der Bundestagsabgeordnete Keetenheuve, ist nämlich durch die politischen Ereignisse der Nazizeit, deren Ende er im Exil unter bedrückenden Lebensumständen abgewartet hatte, in seiner Entwicklung vielfach gebrochen, irritiert auch in seiner Aktivität; als kompromißloser, zur Selbstquälerei neigender Intellektueller vermag er den Anschluß an die neuen Lebensverhältnisse der deutschen Nachkriegszeit weder in seiner politischen Tätigkeit noch in seiner privaten Existenz herzustellen. Koeppen selbst wollte deshalb *Das Treibhaus* als einen Roman »*des Scheiterns*« verstanden wissen.

Zunächst kehrt Keetenheuve jedoch voller Hoffnung aus der Emigration zurück, wird als Abgeordneter der Opposition in den Bundestag gewählt und versucht, seine fortschrittliche Gesinnung beim Wiederaufbau der Demokratie in der Bundesrepublik zur Geltung zu bringen. Doch nicht allein der autoritäre Regierungsstil des »Kanzlers« und die ohnmächtige Situation der Opposition lassen ihn zunehmend resignieren. Einerseits hat er als ehemaliger Emigrant Alibifunktion, muß sich aber andererseits verleumden lassen, weil er in der Siegerarmee einen Offiziersrang innehatte. In seiner eigenen Partei gilt er als »schwarzes Schaf«, weil er sich die Eigenständigkeit seiner Entscheidungen vorbehält und sich nicht dem Fraktionszwang unterwirft. Als dilettierender Schöngeist, mit einer verzweifelten Liebe zur Literatur, vornehmlich zur Lyrik von Cummings und Baudelaire, als Bohemien, dem bürgerliche Ordnung auch im persönlichen Lebensstil zuwider ist, entfremdet er sich seinen Kollegen, den zähen, feilschenden Pragmatikern, auch persönlich immer mehr. Seine Ehe scheitert; seine sehr viel jüngere Frau, die das Kriegserlebnis nicht verarbeiten kann, wird völlig haltlos, entgleitet ihm und verfällt dem Alkohol.

Im »Treibhaus«, der provisorischen Hauptstadt mit ihrem hektischen Klima von Intrigen und Korruption, ihren Dunkelmännern und Geheimdiensten, erkennt Keetenheuve, daß seine Politik zu völliger Wirkungslosigkeit verdammt ist. Die offizielle Linie seiner Partei erscheint ihm als Beschwichtigungspolitik; zum andern sind die Bedingungen für eine Revolution nicht gegeben: »*Die Revolution war tot. Sie war verdorrt ... Sie hatte ihre Zeit gehabt. Ihre Möglichkeiten waren nicht genutzt worden.*« Was bleibt, ist die Verfestigung der nationalen Restauration. Die Regierung, die Keetenheuve wegen seines rhetorischen Talents bei der Diskussion um die Wiederbewaffnung fürchtet, möchte ihn als Gesandten nach Guatemala abschieben, was ihm zunächst verlockend erscheint: Er könnte auf diesem Posten sorgenfrei seinen musischen Liebhabereien nachgehen, seine geplante Übersetzung des Gedichts *Le beau navire* von Baudelaire fertigstellen. Die Einsicht, sich damit jedoch völlig von der Realität abzuwenden und sein Scheitern in eine bequeme Lebenslüge zu verwandeln, setzt sich bei ihm durch; er wählt den Freitod als Eingeständnis seines Scheiterns. Der Roman, der mit dem Begräbnis seiner Frau beginnt, endet mit Keetenheuves Sprung von einer Rheinbrücke.

Auch in diesem Werk stellt Koeppen sein ungewöhnliches Gespür für die verschiedenartigsten sprachlichen Valeurs unter Beweis. In seinem Stil, der sich durch einen aggressiven und gleichzeitig melancholischen Ton auszeichnet, verschmelzen Jargon, Pathos und lyrische Prosa zu einer untrennbaren Einheit. Koeppens Fähigkeit, visuelle Eindrücke intensiv aufzunehmen und sie in Bilder von besonderer Einprägsamkeit und Leuchtkraft umzusetzen, charakterisiert auch seine späteren Reisebücher *Nach Rußland und anderswohin* (1958), *Amerikafahrt* (1959) und *Reisen nach Frankreich* (1961). P. L.

AUSGABEN: Stg. 1953. – Stg. 1969.

LITERATUR: P. Stadelmayer, *W. K.*, »*Das Treibhaus*« (in FH, 8, 1953, S. 962f.). – F. R. Allemann, *Restauration im Treibhaus, Gedanken über ein Buch u. eine Epoche* (in Der Monat, 6, 1953/54, H. 2, S. 81–85). – F. Führmann, *Die Freiheit im Treibhaus* (in Die Nation, 4, 1954, S. 194–201). – H. M. Braem, *Sie halten den Krieg an* (in DRs, 80, 1954, S. 1303–1305). – K. A. Horst, *Hase u. Igel* (in Merkur, 8, 1954, S. 1089–1093). – G. Cwojdrak, *Kleines Rencontre mit der Restauration* (in NDL, 3, 1955, H. 8, S. 140–142).

KARL KRAUS
(1874–1936)

DIE DRITTE WALPURGISNACHT. Zeitkritische Schrift von Karl KRAUS (1874–1936), entstanden 1933; postum erschienen 1952. – »*Mir fällt zu Hitler nichts ein.*« Mit diesem berühmt gewordenen Satz beginnt das Buch, in dem Karl Kraus dann doch sehr ausführlich zu den Ereignissen in Deutschland während der ersten Monate des Dritten Reiches Stellung nimmt. Der ursprünglich wie ein innerer Monolog ohne Unterbrechung fortlaufende Text ist eine einzige Klage über die Opfer der Untaten und zugleich eine Anklage gegen die Täter, auch gegen die »*Worthelfer der Gewalt*«. Ausgangspunkt und Informationsgrundlage sind zahllose Zitate aus Berichten deutscher und ausländischer Zeitungen, die Kraus analysiert und satirisch kommentiert. Durch diese in den mehr als dreißig Jahrgängen seiner Zeitschrift ›Die Fackel‹ entwickelte Betrachtungsweise wird es ihm möglich, Zeugnis zu geben von Ereignissen, die »*rings nichts als Stupor*« auslösten, »*Gebanntsein von dem betörenden Zauber der Idee, keine zu haben*«. Seine Einsicht in Zusammenhänge und seine Voraussicht muten heute geradezu prophetisch an; seine »Dokumentation« zeigt aber auch, daß vieles, was man angeblich nicht gewußt hat, schon 1933 in den Zeitungen stand. Kraus nimmt in dem Werk vieles vorweg. So untersucht er bereits die Sprache des Nationalsozialismus, analysiert die ersten Beiträge zum *Wörterbuch des Unmenschen*, insbesondere die Sprache und Mentalität von GOEBBELS, zeigt den gespenstischen »*Aufbruch der Phrase zur Tat*« und erörtert die Erklärungen und Bekenntnisse zum Dritten Reich von Gottfried BENN, Wilhelm FURTWÄNGLER, Rudolf G. BINDING und Martin HEIDEGGER, »*der seinem blauen Dunst den braunen gleichgeschaltet hat*«.

Der Maßstab, an dem Kraus die Gegenwart mißt und verurteilt, ist der Geist der Klassiker, und ihnen verdankt er auch den Mut, an der Zeit nicht zu verzweifeln. Es ist nicht allein satirische Absicht, »*daß die Sprache und der Geist Hitlerdeutschlands*« unablässig »*mit den Worten und dem Geist Goethes*« konfrontiert werden. »*Vom Titel des Buches an, der den Teufelsspuk des Dritten Reichs mit jenem des Faust verknüpft, bis zu dem Ausklang der Walpurgisnacht, ›aus der, nach schmählicher Bewältigung der anderen Parole, Deutschland erwachen wird‹, ertönt selbst in den gräßlichsten Episoden dieses Infernos ein seltsam banger Optimismus, der seine Kraft aus der Kraft deutscher Sprachvergangenheit schöpft.*« (Heinrich Fischer)

Karl Kraus schrieb *Die dritte Walpurgisnacht* im Sommer 1933. Obwohl sie abgeschlossen und sogar schon gesetzt war, hat er sie dann doch nicht veröffentlicht und statt dessen das demonstrative Schweigen fortgesetzt, das er sich nach Hitlers Machtergreifung auferlegt hatte. Ein wichtiger Grund für den Entschluß, das Werk zurückzuhalten, dürften die Bedenken gewesen sein, »*es könnte in der Sturzflut des Geschehens nur politisch verstanden, also mißverstanden werden*« (Heinrich Fischer). Erst im Juli 1934 erschienen Teile der *Dritten Walpurgisnacht* innerhalb eines sehr umfangreichen Textes mit dem Titel *Warum die Fackel nicht erscheint.* J. F.

AUSGABEN: Mchn./Kempten 1951/52 (in Hochland, 44, S. 495–510; aus d. unveröffentlichten Nachlaß, Hg. u. Einl. H. Fischer). – Mchn. 1952 (in *Werke*, Hg. u. Nachw. H. Fischer, Bd. 1; ²1955.)

LITERATUR: A. Fabri, *Zu drei Büchern v. K. K.* (in Merkur, 7, 1953, S. 589–592). – H. Krebs, *Der Friedensgedanke i. d. Werken v. K. K.*, Diss. Wien 1953. – W. Boehlich, *Über die Sprache* (in Merkur, 9, 1955, S. 889–894). – H. Mayer, *K. K. u. die Nachwelt* (in SuF, 1957, S. 934ff.; auch in H. M., *Ansichten. Zur Literatur der Zeit*, Reinbek 1962, S. 71–84). – F. Schalk, *K. K. u. die Satire. Bemerkungen über d. Neuausgabe der GW von K. K.* (in Euph, 53, 1959, S. 195–218). – H. Hennecke, *Einer gegen alle. Ein kritischer Versuch über K. K.* (in NDH, 5, 1958/59, S. 974–988; 1081–1085). – M. Rychner, »*Die dritte Walpurgisnacht*« *von K. K.* (in M. R., *Bedachte und bezauberte Welt*, Darmstadt/Heidelberg 1962, S. 222–225). – C. Kohn, *K. K. Le polémiste et l'écrivain, défenseur des droits de l'individu*, Paris 1962.

DIE LETZTEN TAGE DER MENSCHHEIT. »Tragödie in fünf Akten mit Vorspiel und Epilog« von Karl KRAUS (1874–1936). Eine erste Fassung (»Aktausgabe«) erschien in Sonderheften 1918/19 von Kraus' eigener Zeitschrift ›Die Fackel‹, die endgültige Fassung (»Buchausgabe«) 1922; Uraufführung des Epilogs: Wien 1923; Uraufführung einer von Heinrich FISCHER und Leopold LINDTBERG eingerichteten Kurzfassung: Wien, 14. 6. 1964, Burgtheater. – Kraus bezeichnet im Vorwort zu seinem Monsterdrama dessen Form als den Reflex des Weltkriegs-Grauens: »*Der Inhalt ist von dem Inhalt der nur in blutigem Traum verwahrten Jahre, da Operettenfiguren die Tragödie der Menschheit spielten. Die Handlung, in hundert Szenen und Höllen führend, ist unmöglich, zerklüftet, heldenlos wie jene ... ich habe gemalt, was sie nur taten ... Leute, die unter der Menschheit gelebt und sie überlebt haben, sind als Täter und Sprecher einer Gegen-*

wart, die nicht Fleisch, doch Blut, nicht Blut, doch Tinte hat, zu Schatten und Marionetten abgezogen und auf die Formel ihrer tätigen Wesenlosigkeit gebracht ... ein so restloses Schuldbekenntnis, dieser Menschheit anzugehören, (muß dennoch) irgendwo willkommen und irgendeinmal von Nutzen sein.«
220 Szenen, in denen mehr als ein halbes Tausend Figuren auftreten: Das Geschehen des Ersten Weltkriegs erscheint als Mosaik scheinbar wahllos nebeneinandergestellter Wirklichkeitsausschnitte, deren verbindendes Element allein die allenthalben entfesselte Unvernunft ist. Überallhin führt Kraus: In die Straßen Wiens und Berlins, in Kanzleien und Kasernen, in Hinterhöfe und großbürgerliche Wohnungen, in Friseursalons und Redaktionen, in Vergnügungslokale und Truppenunterkünfte, in Lazarette und Wallfahrtskirchen, in ein chemisches Laboratorium und ins Kriegsarchiv, in den Wurstelprater und eine Weimarer Frauenklinik. Es treten auf: Kaiser Franz Josef und Kaiser Wilhelm II., der deutsche Kronprinz und die österreichischen Erzherzöge – daneben Militärs und Zivilisten jeder sozialen Schattierung. Viele dieser Repräsentanten einer entmenschten Menschheit werden von Kraus ins Maskenhaft-Typische stilisiert und durch sprechende Namen fixiert: »Kommerzienrat Wahnschaffe«, »Familie Durchhalter«, »Major Metzler«, »General Gloirefaisant«.

Fünf Akte lassen die Ereignisse je eines Kriegsjahres in bunter szenischer Folge Revue passieren. Schon im Vorspiel, das mit der marktschreierischen Ankündigung – »*Extraausgabee – ! Ermordung des Thronfolgers! Da Täta vahaftet!*« – eines »Zeitungsausrufers« beginnt, wird der durch das ganze Stück verfolgte Zusammenhang von Mediokrität und politischem Verbrechen deutlich. Unablässig wechselt der Schauplatz: Von Wien aus führt Kraus an alle Fronten, blendet Episoden aus der Etappe ein und wendet sich, vom dritten Akt an, mehr und mehr Deutschland und der Kritik des dort herrschenden wilhelminischen Ungeistes zu. Sarkastisch konfrontiert Kraus preußisches und österreichisches Militär, um die groteske Ungleichheit der beiden im Zeichen eines blutrünstigen Patriotismus verbündeten Partner bloßzustellen. Bitter wird registriert, daß »*die Suggestion einer von einem abgelebten Ideal zurückgebliebenen Phraseologie*« *(»Seelenaufschwung«, »deutsche Bildung«, »christliche Zivilisation«)* die Gehirne der Massen benebelt und zur Rechtfertigung einer Politik der Unmenschlichkeit führt. Je gespenstischer die darzustellende Wirklichkeit wird, desto häufiger nimmt Kraus beziehungsreiche Allegorisierungen vor. So entsteigen in der letzten, *Liebesmahl bei einem Korpskommando* betitelten Szene dem Wandgemälde »Die große Zeit« Figuren, die auf unheimliche Weise mit den im Saal anwesenden Militärs identisch sind und geisterhafte Pantomimen des Grauens vollführen. Schließlich, nach der Klage des »Ungeborenen Sohnes« bricht völlige Finsternis herein, eine Flammenwand lodert am Horizont auf, man hört Todesschreie. Der Epilog *Die letzte Nacht* deutet das Kriegsende als Apokalypse der Menschheit: Die »*elektrisch beleuchteten Barbaren*« dieser Erde werden von Marsbewohnern »*ausgejätet*«, während – wie in einem mittelalterlichen Weltuntergangsspiel – ein Feuerkreuz am Himmel erscheint und Blut-, Aschen- und Meteorregen auf das Wrack der Welt niederprasselt. Ein langes Schweigen folgt, in das die »Stimme Gottes« den Satz spricht, mit dem der deutsche Kaiser seine Kriegserklärung kommentiert hatte: »*Ich habe es nicht gewollt.*«
Über ein Drittel des Tragödientextes ist aus Zitaten montiert, die Zeitungsmeldungen, Leitartikeln, militärischen Tagesbefehlen, Verordnungsblättern, Gerichtsurteilen, kommerziellen Anzeigen und Gedichtsammlungen entnommen wurden: »*Die unwahrscheinlichsten Gespräche, die hier geführt werden, sind wörtlich gesprochen worden; die grellsten Erfindungen sind Zitate.*« Österreich hatte nach Kraus' Überzeugung den Krieg als Präventivkrieg herbeigeführt; schuld an ihm war in seinen Augen die Presse: »*Und das hat sie vermocht, sie allein ... Nicht daß die Presse die Maschinen des Todes in Bewegung setzte – aber daß sie unser Herz ausgehöhlt hat ...: das ist ihre Kriegsschuld!*« Kraus überführt seine Delinquenten mit ihren eigenen Äußerungen: »*Die Verschlingung der Dokumente, Zitate und Phrasen mit geringer, frei erfundener Handlung hat die Aufgabe ... den Nachweis der Tatsächlichkeit der Geschehnisse in Tat und Wort – und seine Ideen im Medium der Sprache, durch ihr Medium zu gestalten. Denn Sprache ist hier wie in allen Werken von Karl Kraus ... nicht nur Mittel, sondern Gegenstand der Darstellung, Brennpunkt der Aufmerksamkeit, Beweismittel*« (F. H. Mautner). Den Imitationen, die sein dramatischer Stil bei expressionistischen Dichtern fand, stand Kraus feindselig gegenüber: »*Jetzt weiß ich wenigstens, daß der Begriff der ›Dramatisierung des Dokumentarischen‹, den diese Leute haben, von mir bezogen und auf das grausam Schändlichste kompromittiert ist.*« Der stilbildende Einfluß der *Letzten Tage der Menschheit* ist in der Tat lange Zeit unterschätzt worden; heute steht fest, daß »*die gesamte deutsche Nachkriegsdramatik von 1920 bis 1930, soweit sie politische Tendenzdramatik ist, direkt oder indirekt auf diese Quelle zurückgeht. Weder die Autoren noch die Kritiker fühlten sich veranlaßt, diese Quelle anzugeben. Auch Brecht ... ist von der satirischen Methode der ›Letzten Tage der Menschheit‹ teilweise ausgegangen ... vor allem in ›Furcht und Zittern des Dritten Reiches‹*« (W. Kraft). Der Gestus des Zeigens, ein zentrales Stilprinzip des »epischen« Theaters, ist bei Kraus vorgeprägt in den reich kommentierten Regieanweisungen. Es gibt in diesem Drama weder Handlung noch Entwicklung und Finalduktus im traditionellen Sinn; das Szenenkonglomerat, für das ursprünglich der Untertitel »Angsttraum« vorgesehen war, bietet sich vielmehr dar als kreisende Abfolge unendlicher Variationen einer trostlos gleichbleibenden Grundfigur. Die Reflexion des dargestellten Schuldzusammenhangs wird nicht mehr von den handelnden Figuren geleistet, nur der Zuschauer noch kann sie, soll sie vollziehen.
F. J.

AUSGABEN: Wien 1918/19 (Sonderhefte der Fackel; Aktausgabe). – Wien/Lpzg. 1922; ²1926. – Zürich 1954, Hg. H. M. Kann. – Mchn. 1957 (in *Werke*, Hg. H. Fischer, 14 Bde., 1954–1967, 5). – Mchn. 1964, 2 Bde. (dtv, Sonderreihe 23/24; Nachw. H. Fischer).

LITERATUR: Für die zeitgenössische Reaktion: Die Fackel, Nr. 521, 568, 657 (zur Aktausgabe); Die Fackel, Nr. 640, 649, 657, 668, 679, 697, 726, 781, 827, 890 (zur Buchausgabe); Die Fackel, Nr. 613, 834 (zur Aufführung des Epilogs *Die letzte Nacht* und einer auf zwei Abende gekürzten Fassg. des Gesamtwerks).
L. Liegler, *K. K. und sein Werk*, Wien 1920. –

S. Hermlin u. H. Mayer, *Ansichten über einige Bücher und Schriftsteller*, Bln. 1947. – H. H. Hahnl, *K. K. u. das Theater*, Diss. Wien 1947. – E. Heller, »*The Last Days of Mankind*« (in Cambridge Journal, 2, 1948/49). – H. Krebs, *Der Friedensgedanke im Werk von K. K.*, Diss. Wien 1952. – E. Heller, *The Disinherited Mind. Essays in Modern German Literature and Thought*, Cambridge 1952, S. 185–201 (dt.: *Enterbter Geist*, Ffm. 1954). – E. Brock-Sulzer, *K. K. u. das Theater* (in Akzente, 2, 1955). – W. Kraft, *K. K. Beiträge zum Verständnis seines Werkes*, Salzburg 1956. – F. H. Mautner, *K. K.* »*Die letzten Tage der Menschheit*« (in *Das deutsche Drama*, Hg. B. v. Wiese, Bd. 2, Düsseldorf 1958). – H. Obergottsberger, *Der Weltuntergangsgedanke bei K. K.*, Diss. Wien 1958. – L. Sternbach-Gärtner, »*Die letzten Tage der Menschheit*« *u. das Theater von B. Brecht* (in Deutsche Rundschau, 84, 1958). – K. Kändler, *Das expressionistische Drama vor dem 1. Weltkrieg*, Diss. Lpzg. 1959. – W. Benjamin, *K. K.* (in W. B., *Illuminationen*, Hg. S. Unseld, Ffm. 1961). – D. G. Daviau, *Language and Morality in K. K.* »*Die Letzten Tage der Menschheit*« (in MLQ, 22, 1961). – K. Krolop, *B. Brecht u. K. K.* (in Philologica Pragensia, 4, 1961). – W. Muschg, *K. K.* »*Die letzten Tage der Menschheit*« (in W. M., *Von Trakl bis Brecht*, Mchn. 1961). – P. Reimann, *K. K.* (in P. R., *Von Herder bis Kisch*, Bln. 1961). – L. Sternbach-Gärtner, *K. K. u. das expressionistische Theater* (in *Worte u. Werte. B. Markwardt zum 60. Geburtstag*, Hg. G. Erdmann u. A. Eichstaedt, Bln. 1961). – W. Dietze, *Dramaturgische Besonderheiten des Antikriegsschauspiels* »*Die letzten Tage der Menschheit*« (in Philologica Pragensia, 5, 1962). – E. Fischer, *K. K.* (in E. F., *Von Grillparzer zu Kafka*, Wien 1962). – H. Mayer, *K. K.* (in H. M., *Ansichten zur Literatur der Zeit*, Reinbek 1962, S. 71–84). – J. Pötschke, *Die satirischen Glossen von K. K. (1914–1918)*, Diss. Lpzg. 1962. – O. Basil, *Marstheater in Raten. Glossen zur geplanten Aufführung der* »*Letzten Tage der Menschheit*« *im Theater an der Wien* (in Neues Österreich, 17. 4. 1963). – H. Fischer, *Zum Thema* ›*Renaissance*‹ (in Forum, 10, Sept. 1963). – L. Lindtberg, *Zum Thema* ›*Marstheater*‹ (ebd.). – R. Stempfer, *Les idées et la langue de K. K. dans* »*Die letzten Tage der Menschheit*«, Diss. Lille 1963. – F. Torberg, *Ist K. K. vorlesbar? bzw. aufführbar? Zu Qualtingers K.-Interpretationen* (in Forum, 10, Juni/Aug. 1963). – K. Kahl, *Expressionisten u. andere (Über die Schauspielpremieren der Wiener Festwochen)* (in Theater heute, 5, Juli 1964). – G. Fleckenstein, *Oh, was ein schöner Krieg! Gespräch über die Aufführung von K. K.'* »*Die letzten Tage der Menschheit*« *am Landestheater Hannover* (ebd., Okt. 1964). – F. Torberg, *Das Wort gegen die Bühne. Zur szenischen Uraufführung der* »*Letzten Tage der Menschheit*« (in Forum, 11, Aug. 1964). – S. Wlasaty, *Das Bild der untergehenden österreichisch-ungarischen Monarchie bei J. Roth, K. K. u. R. Musil*, Diss. Innsbruck 1964. – F. Jenaczek, *Zeittafeln zur* ›*Fackel*‹, Mchn. 1965. – B. Kurzweil, *Die Fragwürdigkeit der jüdischen Existenz u. das Problem der Sprachgestaltung. Betrachtungen zu den Werken von Kafka, Broch u. K. K.* (in Bulletin des Leo-Baeck-Instituts, 1965). – Ch. Wagenknecht, *Das Wortspiel bei K. K.*, Göttingen 1965, S. 94/95. – C. Kohn, *K. K.*, Stg. 1966. – F. Field, »*The Last Days of Mankind*«. *K. K. and His Vienna*, Ldn./NY 1967. – F. Jenaczek, *Just dieses Milieu* (in Werkhefte, 1968, S. 25 u. 29). – H. Weigel, *K. K.*, Wien 1968.

DIE SPRACHE. Von Karl Kraus (1874–1936), erschienen 1937. – Der Band versammelt Arbeiten, die zwar schon in Kraus' Zeitschrift ›Die Fackel‹ erschienen waren, aus sachlichen und didaktischen Gründen aber zu einem eigenen Buch vereinigt wurden. – Während der textliche Zusammenhang der ›Fackel‹-Hefte vor allem die kritischen Aspekte der Journalismus-Analyse hervorhebt, läßt Kraus in dem postum veröffentlichten Sammelband *Die Sprache* primär die konstruktiven Momente hervortreten, die seinen Gegenentwurf einer gelungenen Sprache skizzieren. Die Sprache ist für Kraus mehr als bloßes Mittel der Verständigung, das sie natürlich auch ist. Sie ist ebensosehr »Gestaltung«, wie er sagt; es kommt nicht allein auf der Worte Inhalt, sondern darauf an, wo und wie sie stehen. Das ist das Geheimnis der »*Wortgestalt*«, der »*Geburt des alten Wortes*«. »*Worte, die schon allen möglichen Verrichtungen und Beziehungen gedient haben, sind* [gemeint ist: im gelungenen Satz] *so gesetzt, daß sie das Ineinander ergeben, in welchem Ding und Klang, Idee und Bild nicht ohne einander und nicht vor einander da sein konnten.*« Die Worte verständigen sich untereinander und bilden, wenn die »Verständigung« gelingt, den gelungenen Satz. Hierbei ist Kraus zufolge gerade die »*äußere Verständigung (...) das Hindernis, das die Sprache zu überwinden hat*«. Wie andere große Sprachtheoretiker hat Kraus im Kommunikations-Charakter nicht das Hauptmerkmal der Sprache gesehen. Eher als in der trivialen Reduktion der Wörter zum Bedeutungsträger ist der Sinn des »*alten Wortes*« und seiner Gestalt in einer Art Aura zu sehen, die es an den Dingen erkennbar macht: »*Die Dinge sind schon an der Fläche tief, / du mußt sie nur mit Ehrfurcht sagen*«, lauten Gedichtzeilen von Kraus. Die sprachkünstlerische Ehrfurcht vor dem Wort und der Wortgestalt entspringt also der Einsicht in die Erkenntnisfunktion der Sprache.

Mit dem Begriff »künstlerische« Betrachtungsweise ist »*das Fruchtbare und Faszinierende an dem Buch*« (H. Fischer) nicht hinlänglich charakterisiert; der sprachliche Zweifel als wesentliches, kritisches Movens der Betrachtungsweise hat nicht nur eine künstlerische, sondern auch eine philosophische Dimension. Die Fähigkeit zum sprachlichen Zweifel, die Kraus bei seinen Lesern methodisch zu entwickeln suchte – »*Wenn man nur entnehmen wollte, daß vor dem Sprachgebrauch der Kopf zu schütteln sei*« –, hat ihm dazu verholfen, der dialektischen Struktur der Sprache in einer Weise innezuwerden wie vor ihm vielleicht nur Hegel in der *Phänomenologie des Geistes*. Dies belegt die scharfsinnige Arbeit über *Subjekt und Prädikat* (in die zweite Auflage der *Sprache* aufgenommen). Kraus geht von der umstrittenen grammatikalischen Funktion des Wörtchens »es« aus – »*Es werde Licht*«, »*Es ist der Geist, der sich den Körper baut*«; seine Untersuchungen gipfeln in der These, daß in derartigen Sätzen das »es« Subjekt des Satzes sei, und zwar nicht nur psychologisches, sondern auch grammatikalisches Subjekt. Das Satz-Prädikat ist nichts anderes als der Inhalt dieses Subjekts; umfangslogisch ausgedrückt, geht der Inhalt des im Prädikat Gesagten nicht über den Inhalt des Subjektes hinaus. Von gleicher Struktur, was das Verhältnis von Subjekt und Prädikat betrifft, ist in der *Phänomenologie des Geistes* die Sprach-Dialektik Hegels (vgl. Liebrucks *Sprache und Bewußtsein* Band 5, Frankfurt/M. 1970). Der Kraus-Forschung ist diese inhaltliche Übereinstimmung mit einem wesentlichen Punkt der Hegelschen Philosophie bisher entgangen; soweit sie Kraus überhaupt in Dimensionen der Philosophie rezipierte, rückte sie ihn, mit Recht, in die Nähe philosophischer Ethik, d. h. zu KIERKEGAARD und WITTGENSTEIN. Aber die *Sprache* führt auch Methoden kritischen Denkens weiter, die nicht dem Existentialismus oder der logisch-positivistischen Sprachanalyse angehören, sondern der Aufklärung und dem objektiven Idealismus. H. Fl.

AUSGABEN: Wien 1937, Hg. Ph. Berger. – Mchn. [2]1954 (in *Werke*, Hg. H. Fischer, 14 Bde., 1954 bis 1967, 2; erw.). – Mchn. 1969, Hg. ders. (m. Nachw. u. Bibliogr.; dtv, 613).

LITERATUR: L. Liegler, *K. K. u. sein Werk*, Wien 1920; [2]1933. – W. Kraft, *K. K. u. die Sprache* (in Die Fähre, 1, 1946, S. 373–379). – S. v. Radecki, *K. K. u. die Sprache* (in FH, 7, 1952, S. 110–116). – G. Busch, *Der sprachliche Weltentwurf* (in Akzente, 2, 1955, S. 494–502). – H. Uhlig, *Vom Pathos der Syntax. Über K. K. u. gegen seine Lobredner* (ebd., S. 489–494). – W. Kraft, *K. K. Beiträge zum Verständnis seines Werks*, Salzburg 1956. – Ders., *Ludwig Wittgenstein u. K. K.* (in NRs, 72, 1961, S. 812–844). – P. Rühmkorf, *Sphärenklänge. Kritische Anmerkungen zu einem Aufsatz von K. K. (»Der Reim«)* (in Jb. der Freien Akademie der Künste, 1964, S. 226–233). – C. Kohn, *K. K.*, Stg. 1966. – M. Rychner, *K. K.: »Die Sprache«* (in M. R., *Aufsätze zur Literatur*, Zürich 1966, S. 535 bis 548). – H.-J. Heringer, *K. K. als Sprachkritiker* (in Muttersprache, 72, 1967, S. 256–262). – H. Weigel, *K. K. oder die Macht der Ohnmacht*, Wien/Ffm. 1968.

ELISABETH LANGGÄSSER
(1899–1950)

DAS UNAUSLÖSCHLICHE SIEGEL. Roman von Elisabeth LANGGÄSSER (1899–1950), erschienen 1946. – Das Hauptwerk der Dichterin, während der NS-Zeit trotz Schreibverbot entstanden, ist noch immer umstritten, wiewohl die Autorin ihre hervorragende Begabung für sprachlichen Reichtum, kühne Form und phantasievolle Metaphorik nie einleuchtender demonstriert hat. Die Kritik richtet sich vor allem gegen das katholische Weltbild der Autorin, die auch diesen Roman als Beispiel der Heilsgeschichte konzipierte. Aber auch die katholische Literaturkritik distanzierte sich von den Abgründen teuflischer Versuchungen, die Lazarus Belfontaine, Held des Romans, zu durchleiden hat. Gisbert KRANZ z. B. verwies lediglich darauf, die Erzählungen dieser Autorin führten *»in tellurische und in satanische Bereiche«*. Wahrscheinlich verarbeitete die Halbjüdin Langgässer auch ihre persönliche Problematik, als sie den wegen einer Heirat zum katholischen Glauben übergetretenen Lazarus Belfontaine seine Taufe, das »unauslöschliche Siegel«, reflektieren ließ. Am 7. Jahrestag des Ereignisses stellt sich ein blinder Bettler, menschliches Symbol jener Wandlung, nicht ein; aus dieser Äußerlichkeit entwickelt sich, von Versuchungen und Gefährdungen längst provoziert, Belfontaines Abfall vom Glauben. Das vielfach gebrochene »Ich habe keine Lust mehr«, das seine kleine Tochter in die schwüle Atmosphäre eines Sommertages ruft, wird zum Schlüsselwort der Frustration Belfontaines, aus der sich eine Glaubens- und Bindungslosigkeit entwickelt, die auch ein heiligmäßiger, schwerkranker Pfarrer nicht aufhalten kann: Belfontaine negiert die Gottheit Christi. Jetzt ist er bereit für den Teufel, der ihn in immer neuen Figurationen begleiten wird und der das zentrale Thema des zweiten Teils bildet. Belfontaine folgt ihm nach Frankreich, verläßt seine rheinhessische Kleinstadt (die autobiographische Landschaft der in Alzey geborenen Autorin, oft von ihr beschworen) und wird nach der Internierung – der Romanbeginn ist auf 1914 datiert, was als Geschichtsdatum jedoch folgenlos bleibt – ein geachteter, »frommer« Mann. In Wirklichkeit jedoch schwebt er zwischen Freveln und dem Nichts, bigamistisch der lasterhaften Suzette verbunden, an der Wege außerchristlicher und außersittlicher Lebensbewältigung dargestellt werden. Als Suzette ermordet wird, siegen in einer großartigen Gewittervision (*»Eine Höhe der gegenwärtigen Prosa überhaupt«*; W. Grenzmann), die guten Mächte über Belfontaine, siegt Gott, für den der Held sich einmal bewußt entschieden hat. Die Idee stellvertretender Sühne leuchtet – wie im ersten Teil im Schicksal des Pfarrers – auch hier auf. Belfontaine kehrt nach Deutschland zurück, man erfährt, er sei zum Bettler geworden, wie ein Bettler es war, der seine Taufe besiegelt und jahrelang in Erinnerung gebracht hatte. Die Spuren des Bettlers Belfontaine verlieren sich schließlich im Legendären, *»man verwechselte ihn, verlor das Gefühl für seine Identität«*. In diesem christlichen Welttheater gruppiert sich um den Helden ein Pandämonium von Rollenträgern, nicht psychologisch entwickelt, aber mit Wirklichkeit gezeichnet. (*»Winzige ›Äußerlichkeiten‹ tragen oft mehr zur Charakterisierung bei als eine ganze Psychologie«*; Brief der Autorin aus *Soviel berauschende Vergänglichkeit*, Hbg. 1954.)

Dieser Roman mit der bezeichnenden Widmung »Commystis committo« ist nicht primär die Geschichte einer Bekehrung, in der der Gnadenbegriff wie bei CLAUDEL und BERNANANOS benutzt würde. Zwar leistet Belfontaine dem Teufel in seinen zahlreichen Erscheinungen Gefolgschaft, aber einen Pakt hat er – im unauslöschlichen Siegel der Taufe – mit Gott geschlossen; deshalb wird Belfontaine erlöst. Durch das zentrale Motiv der Taufe sind in diesem dualistischen Mysterienroman die Würfel früh gefallen; der Kairos wurde erkannt und genutzt: Anruf Gottes und freiwillige Entscheidung dafür. Daher kann es gar nicht die Absicht der Autorin sein, in ihrem in drei Bücher mit Epilog aufgebauten Roman psychologisch vorzugehen. Die Steigerung der bösen Ereignisse gleicht der Eskalation eines Kampfes, angefangen bei Apathie und Lustlosigkeit, die sich Verführungen öffnet, über Heuchelei und Lüge bis hin in den Strudel von Laster und Mord. Der knappe, leise Schluß, dem der wie ein kurzer Einakter notierte Epilog folgt, zeigt, wie sehr die Autorin formal sich konsequent inhaltlicher Bedeutung unterworfen hat, ahnend wohl, daß ihre sprachlichen Möglichkeiten vor allem geeignet sind, dem Bösen, dem Dämonischen Gestalt zu geben. Dabei bedient sie sich eigenwilliger Mittel, die an PROUST, JOYCE, KAFKA denken lassen, benutzt sich scheinbar verselbständigende assoziative Reihen, rafft oder dehnt die Zeit, schafft höchst ausführliche Milieus und Atmosphären, in denen die Zeit stehenzubleiben scheint: Der Kampf um Belfontaine wird in einem geschichtslosen Raum ausgefochten, der sich der Zeit versagt, entsprechend der Meinung der Dichterin, das einzige historische Ereignis seit dem Sündenfall sei die Menschwerdung Christi. Daß trotz dieser statischen Grundstruktur der Roman immer wahrlich erregend bleibt, liegt am sprachlichen Reichtum der Langgässer und an ihrer Fähigkeit, die dämonische Natur darzustellen oder sie zu dämonisieren (»*Die Flöte des Pan spielt sie wie kein anderer Dichter unserer Zeit*«; W. Grenzmann). Natur und Mensch, die nachparadiesisch Verurteilten und Erlösten, sind das Thema; nicht das Schicksal von Individuen wird aufgezeigt, sondern die für die Dichterin einzig mögliche Existenz des Menschen im Widerspiel der Kräfte. M. Th.

Ausgaben: Hbg. 1946. – Hbg. 1959.

Literatur: C. Menck, »*Das unauslöschliche Siegel*« (in FH, 2, 1947, S. 1160–1165). – I. F. Görres, »*Das unauslöschliche Siegel*« (in Neues Abendland, 3, 1948, S. 270–276). – H. A. Stützer, *Das Weltbild E. L.s. Zu dem Roman »Das unauslöschliche Siegel«* (in Die Literatur der Gegenwart, 1948/49, H. 1, S. 20–29). – H. Broch, »*Das unauslöschliche Siegel*« (in Literar. Revue, 4, 1949, S. 56–59). – K. A. Horst, *E. L. und der magische Nihilismus* (in Merkur, 4, 1950, S. 562–571). – E. Schöbel, *Die Bedeutung der Zeit in zwei religiösen Romanen: G. Greene, »The Power and the Glory«, E. L., »Das unauslöschliche Siegel«*, Diss. Bonn 1951. – B. Blume, *Kreatur u. Element. Zur Metaphorik von E. L.s Roman »Das unauslöschliche Siegel«* (in Euph, 48, 1954, S. 71 bis 89). – G. Storz, *E. L.* (in *Christliche Dichter der Gegenwart*, Hg. H. Friedmann u. O. Mann, Heidelberg 1955, S. 359–374). – E. Horst, *Christliche Dichtung u. moderne Welterfahrung. Zum epischen Werk E. L.s*, Diss. Mchn. 1956. – W. Grenzmann, *Dichtung und Glaube*, Bonn 1957. – G. Behrsing, *Erzählform u. Weltschau der E. L.*, Diss. Mchn. 1957. – P. Perfahl, *Das Prosawerk E. L.s*, Diss. Wien 1957. – A. Fibicher, »*Gang durch das Ried*« *u.* »*Das unauslöschliche Siegel*«. *Zwei Romane von E. L. Vergleichende Aufbaustudie*, Diss. Freiburg i.B. 1958. – G. Kranz, *Europas Christliche Literatur 1500–1960*, Aschaffenburg 1961, S. 513. – E. Augsberger, *E. L. Assoziative Reihung, Leitmotiv u. Symbol in ihren Prosawerken*, Nürnberg 1962. – I. Hardenbruch, *Der Roman »Das unauslöschliche Siegel« im dichterischen Werk E. L.s. Ein Beitrag zur Form des modernen religiösen Romans*, Köln 1963.

ELSE LASKER-SCHÜLER
(1876–1945)

MEIN BLAUES KLAVIER. Gedichte von Else Lasker-Schüler (1869–1945), erschienen 1943, entstanden in Jerusalem, wo die Dichterin von 1939 an bis zu ihrem Tod lebte. Die Widmung unterstreicht die Exilsituation der Autorin, die, ins Absolute gewendet, von der Metaphorik der Gedichte immer wieder aufgegriffen wird: »*Meinen unvergeßlichen Freunden und Freundinnen in den Städten Deutschlands – und denen, die wie ich vertrieben und zerstreut in der Welt, In Treue!*«

Der Zyklus ist streng komponiert. Die Eingangsgedichte errichten gleichsam das Fundament von Else Lasker-Schülers Welt: die Freunde, die Mutter, Jerusalem, der früh verstorbene Sohn, die Poesie, der Glaube. Zu einer Zeit, da in der Lyrik nur noch sehr zögernd »Ich« gesagt wird, macht sie von den Pronomen der ersten Person einen geradezu überschwenglichen Gebrauch. Dem Anachronismus entgeht sie, weil von vornherein auf eine Vermittlung von Ich und Welt, die lyrisch nicht mehr möglich ist, verzichtet wird. Else Lasker-Schüler zwingt die Wirklichkeit ins Kostüm einer Phantastik, die, wenngleich kindlich-gläubig sich selbst verschworen, nie vergißt, daß sie letztlich nur Wunsch bleibt. Mit der »Zauberseide« ihrer Reime und durch kühne Wortneubildungen wie »*blauvertausendfacht*« oder »*Sternenrebenperlenüberschäumen*« versucht die Dichterin in dieser »*Welt trostlosester Entblätterung*« das am Leben zu erhalten, was allenthalben »*im Alltag blinder Lust verdorrt*«. Nicht ohne Resignation wird jener Utopie gedacht, die in der Metapher des »Blauen« das eigene Frühwerk beherrschte und nun, gealtert und unerfüllt, als ein Stück verweigerter, negativer Geschichte in dieser späten Lyrik fortlebt. Deshalb bekennt Else Lasker-Schüler in der abschließenden Prosa-Notiz *An mich*, daß sie »*mit spätem, versunkenem Herzen*« dichte: »*1000 und 2-jährig, dem Märchen über den Kopf gewachsen*«. Die Kraft ihrer Sprache ist aber dennoch im Märchen, jenseits der unmittelbar gegenwärtigen Trostlosigkeit empfangen: »*Oh, ich atme Geschlafenes aus, / Den Mond noch wiegend / Zwischen meinen Lippen.*« Inbrünstig wird ein vorweltliches Stadium des Daseins beschworen: »*Wir wollen wie zwei seltene Tiere liebesruhen / Im hohen Rohre hinter dieser Welt.*« Die zahlreichen Liebesgedichte des Zyklus sprechen diese Flucht in eine vergessene, höhere Wirklichkeit am überzeugendsten aus: »*Und meine Lenden sprießen feierlich verzückt: vergessene goldene Legenden.*« Das wiederherzustellen, was war, »*bevor die Welt brach das Genick*«, gelingt nur im Gedicht. Und noch das Gedicht selbst, der Einstand von Erinnerung und Verheißung, ist Ausdruck jenes »Schmerzes«, der »*aus allen Dingen [steigt] . . . seitdem die Welt verrohte*«. Das Titelgedicht *Mein blaues Klavier* entfaltet am präzisesten die poetologische Situation, der diese Dichtung entstammt: Die zerbrochene »Klaviatür« der eigenen, als »blaue Tote« beweinten Lyrik ist nur noch Nachklang dessen, was einst »Sternenhände« spielten, und was »die Mondfrau« sang. Mit exzentrischer Unbefangenheit wird gefordert, was, gemessen am Bestehenden, ebenso unmöglich wie legitim ist: »*Ach liebe Engel öffnet mir / – Ich aß vom bitteren Brote – / Mir lebend schon die Himmelstür – / Auch wider dem Verbote.*« Todesahnung durchzieht die letzten Gedichte; sie wollen einer »ergrauten« Welt als Psalmen bei der Einübung in die Menschlichkeit dienen.

Else Lasker-Schüler hält sich nicht an die Muster der deutschen Lyriktradition. Sie schafft sich eigene Formen, bevorzugt polyrhythmische, von Vers zu Vers variierende Metren und stellt gern zeilenungleiche Strophen nebeneinander. Virtuos spielt sie mit den formalen Eigenheiten von Symbolismus und Expressionismus, ohne deshalb »*die Korrumpierung des Sprachmittels für unerläßlich zu halten*« (Karl Kraus). D. Bar.

Ausgaben: Jerusalem 1943. – Mchn. 1959 (in *GW*, Hg. F. Kemp, 3 Bde., 1959–1962, 1). – Mchn. 1966 (in *Sämtliche Gedichte*, Hg. ders.; Bücher der Neunzehn, 134).

Literatur: H. Politzer, »*The Blue Piano*« (in Commentary, 9, 1950, S. 335–344). – K. J. Höltgen, *Untersuchungen zur Lyrik E. L.-S.s*, Diss. Bonn 1955. – M. Kesting, *E. L.-S. und ihr »Blaues Klavier«* (in

DRs, 83, 1957, S. 66–70). – K. Schümann, *E. L.-S. Weg und Schaffen der größten Dichterin des Expressionismus* (in K. S., *Im Bannkreis von Gesicht und Wirken*, Mchn. 1959, S. 53–85). – G. Guder, *E.L.-S.'s Conception of Herself as Poet* (in OL, 15, 1960, S. 184–199). – Ders., *The Meaning of Colour in E. L.-S.'s Poetry* (in GLL, 14, 1960/61, S. 175 bis 187). – B. Baldrian-Schenk, *Form und Struktur der Bildlichkeit bei E. L.-S.*, Diss. Freiburg i. B. 1962. – V. Klotz, *Das blaue große Bilderbuch mit Sternen. Zu Gedichten der E. L.-S.* (in V. K., *Kurze Kommentare zu Stücken und Gedichten*, Darmstadt 1962, S. 61–70). – G. Guder, *The Significance of Love in the Poetry of E. L.-S.* (in GLL, 18, 1965, S. 177–188). – Ders., *E. L.-S. Deutung ihrer Lyrik*, Siegen 1966. – J. P. Wallmann, *E. L.-S.*, Mühlacker 1966 [m. Bibliogr.].

DIE WUPPER. Schauspiel in fünf Akten von Else LASKER-SCHÜLER (1876–1945), erschienen 1909; Uraufführung: Berlin, 27. 4. 1919, Deutsches Theater. – Das lyrische Ich der Else Lasker-Schüler, von der BENN sagte, sie sei »*die größte Lyrikerin, die Deutschland je hatte*«, versteckt sich hinter vielen und vieldeutigen Masken, die ein geheimnisvolles Märchenlicht über ihre aus Gefühl und Unruhe, Vision und Traum, Exotik und Mythos geformte Lyrik werfen. Phantasie und Wirklichkeit, erfundene Schicksale und eigene Kindheitserinnerungen verschlingen sich auch in ihrem Schauspiel *Die Wupper* zu einem kruden Gewirr von Themen und Motiven. Das stark von expressionistischen Stilmerkmalen durchsetzte Schauspiel, das die Dichterin eine »Stadtballade« und »böse Arbeitermär« nannte, ist kein Drama mit strengem Handlungsaufbau, kalkulierten Konflikten und Problemen, sondern vielmehr eine locker gefügte Szenenfolge, ein balladesker Bilderbogen ohne erkennbare Grundidee.
Schauplatz ist eine Fabrikstadt im Wuppertal, eine triste Industrie- und Zechenwelt. Die fünf Akte spielen in der Villa der Fabrikbesitzerin Sonntag, in armseligen Arbeitermiethäusern und auf dem Rummelplatz. Suggestiv gehäufte Situationsschilderungen und grell aufleuchtende Momentaufnahmen demonstrieren die verworrene, scheinbar sinnlose Beziehungslosigkeit des Lebens, symbolisch eingefangen im hektischen Getriebe des Rummelplatzes. Ein vielgestaltiger, bunter Figurenreigen füllt die Bühne: Landstreicher, Säufer, Mörder, Dirnen, Volk, Arbeiter, Herren im Zylinder und eine Riesendame. Dabei ereignet sich wenig Dramatisches: Aus Angst vor dem Skandal erschießt sich ein Industrieller, nachdem er ein Arbeiterkind verführt hat. Die Berührungspunkte zwischen der Fabrikantenfamilie Sonntag und der Arbeiterfamilie Pius markieren die szenischen Höhepunkte, die aus sozialen und religiösen Gegensätzen leben: die unverständliche Freundschaft zwischen Carl Pius und Eduard Sonntag, von denen der eine evangelische Theologie studieren, der andere in ein Franziskanerkloster eintreten will; Carls hoffnungslose Liebe zu Marta Sonntag, die eine standesgemäße Vernunftehe eingeht; Heinrich Sonntags Neigung zu Lieschen. Immer auf ihren Vorteil bedacht, vermittelt und intrigiert die überaus realistisch gezeichnete Großmutter Pius, die lebensvollste Gestalt. Die soziale Hierarchie, das reißende Gefälle von Reich zu Arm, determiniert das Schicksal des einzelnen: Der Arme wird aus Liebe zur reichen Fabrikantentochter zum Erpresser, der Reiche geht an der Liebe zu einem Proletarierkind zugrunde. Die Schwindsucht zerfrißt Eduards schwärmerischen Traum von einer heilen Welt. Drei Herumtreiber paraphrasieren in der Funktion des antiken Chors die dumpfe Gebundenheit der menschlichen Existenz in einer sich verfinsternden Welt; leitmotivisch erklingt der Schlager: »*O Du lieber Augustin, alles ist hin...*«
Szenen im heimatlichen Platt der Dichterin wechseln abrupt mit lyrisch gestimmten Passagen von visionärer Kraft. Gefühl und Erlebnis beherrschen die Bühne, Bild reiht sich an Bild. Bedeutende Regisseure der deutschen Theatergeschichte wie Max Reinhardt und Jürgen Fehling haben diese von expressionistischer Dichte und lyrischer Stimmung getragene Kohlenpott-Ballade eindrucksvoll inszeniert. M. Ke.

AUSGABEN: Bln. 1909. – Wiesbaden 1962 (in *GW*, 3 Bde., 1959–1962, 2). – Mchn. 1965 (zus. m. *Arthur Aronymus und seine Väter*; dtv Sonderr., 39).

LITERATUR: F. Goldstein, *Der expressionistische Stilwille im Werke der E. L.-S.*, Diss. Wien 1937. – K. Schümann, *E. L.-S. Weg u. Schaffen der größten Dichterin des Expressionismus* (in K. S., *Im Bannkreis von Gesicht u. Wirken*, Mchn. 1959, S. 53–85). – W. Muschg, *Von Trakl zu Brecht. Dichter des Expressionismus*, Mchn. 1961, S. 115–148. – M. Goetz, *E. L.-S.'s Play »Die Wupper«. A Forerunner of Contemporary Drama* (in Proceedings of the Pacific Northwest Conference on Foreign Languages, Washington 1965, S. 101–108). – W. Herzfelde, *E. L.-S. Begegnungen mit der Dichterin u. ihrem Werk* (in SuF, 21, 1969, S. 1294–1325).

GERTRUD VON LE FORT
(1876–1971)

DIE LETZTE AM SCHAFOTT. Novelle von Gertrud von LE FORT (*1876), erschienen 1931. – Das historische Schicksal der sechzehn Karmeliterinnen, die am 17. Juli 1794 in Paris in den Tod auf dem Schafott gingen, findet in dieser Novelle seine dichterische Gestaltung. Georges BERNANOS griff das Motiv erneut auf und dramatisierte es 1948 (vgl. *Dialogues des Carmélites*).
Blanche de La Force ist in ihrer ganzen Lebenshaltung von existentieller Angst bestimmt. »*Es war, als schwebe dieses bedauernswerte kleine Leben in der beständigen Erwartung irgendeines grauenvollen Ereignisses!*« Der Einblick in die »*entsetzliche Zerbrechlichkeit*« des Daseins läßt sie schließlich ins Kloster fliehen, in den strengen Orden des Carmel de Compiègne. Aber was vorher Weltangst war, erlebt Blanche nunmehr als Todesangst. Diese »Schwäche« der jungen Novizin, die bei der Einkleidung den symbolträchtigen Namen »de Jésus au Jardin de L'Agonie« erhält, entspricht nicht der strengen Observanz des Karmel, der äußerste Selbsthingabe fordert. Die hochadlige Novizenmeisterin Marie de L'Incarnation vertritt diese Forderung auf vorbildliche Weise. Der Tod im Martyrium gilt ihr als höchste Auszeichnung. Maries glühende Todesbereitschaft überträgt sich auf ihre Mitschwestern. Man bereitet sich »*jubelnd*« auf den Märtyrertod vor, der sich durch kirchenfeindliche Verfügungen des Revolutionstribunals bereits ankündigt. Blanche allein schwebt in einem

beständigen Zustand des Entsetzens. Todesfurcht veranlaßt sie, zum zweiten Mal zu fliehen – zurück in die Welt. Kurz darauf nehmen die Jakobiner die Karmeliterinnen in Compiègne fest; Maries heroischer Todessehnsucht bleibt das Martyrium »versagt«: Sie verbirgt sich während der Hinrichtung. Blanche de la Force aber folgt dem Hinrichtungskarren ihrer Schwestern und geht freiwillig, ihre Angst überwindend, mit ihnen in den Märtyrertod.

Das formal an die italienische Renaissancenovelle erinnernde Werk – in Briefen berichtet ein französischer Adliger einer Emigrantin – verdankt seine Spannung der antithetischen Zuordnung der beiden Hauptgestalten und ihres außergewöhnlichen Martyriums. Blanche flieht zunächst ins Kloster, um Schutz zu finden. Gott soll ihr die Angst nehmen; als »Gegenwert« bietet sie ihm ihr Gebet und ihre Verehrung an. Es ist ein Handel, kein Opfer. Das Opfer beginnt erst, als Blanche vor ihrer Angst nicht mehr flieht, sondern sie bewußt akzeptiert und in ihre Abgründe hinabsteigt. Sie unterwirft sich ihr als Kreuz, das ihr auferlegt ist, und überwindet sie damit. In diesem Vorgang wird die natürliche Schwäche zur übernatürlichen Stärke transzendiert. Die Letzte am Schafott bringt ein größeres Opfer als ihre Mitschwestern, die »*jubelnd*« den Tod erleiden – denn sie trägt das »*Kreuz der Angst*«. In der Form der Paradoxie vollzieht sich auch Maries Opfer, das der Selbsthingabe Blanches diametral entgegengesetzt ist. Marie, deren Todeswunsch im Martyrium die höchste Erfüllung gefunden hätte, verweigert sich diesen Tod mit einer unerhörten Anstrengung. Daß sie darauf verzichtet, freiwillig ihren verurteilten Schwestern in den Tod zu folgen, bezeugt nicht Feigheit und Schwäche, sondern Selbstüberwindung. »*Es handelt sich um das schweigende Versinken dessen, was ein ganzes Menschenleben als seinen Sinn erkannte; es handelt sich um das Opfer des Opfers selbst.*« Indem Marie den Tod ablehnt, unterwirft sie sich dem »*Leben wie einer schweren Buße*«.

Unter dem Einfluß KIERKEGAARDS, der die Angst als treibende Kraft der Existenz zu bestimmen versuchte, stellt Le Fort ihre Heldin Blanche de La Force als »*Verkörperung der Todesangst einer ganzen zu Ende gehenden Epoche*« dar. Das Ereignis der Französischen Revolution wird seiner historischen Qualität entkleidet und zum Anlaß für die Bewährungsprobe eines heroischen Christentums; im symbolisch überhöhten Schicksal der beiden Karmeliterinnen, die in der Nachfolge des Agnus Dei ihre Bestimmung erfüllen, deutet die Schriftstellerin Weltgeschichte als Heilsgeschichte und rückt damit ihre Novelle in die Nähe der Legende.

U. Ba.

AUSGABEN: Mchn. 1931. – Mchn. 1938. – Mchn. 1951. – Mchn. [18]1959. – Mchn. 1966.

LITERATUR: E. Berbuir, *Vom Sieg der Gnade. Zu G. v. Le F.s »Die Letzte am Schafott«*, Düsseldorf 1947. – A. Roth, *Der Fall Blanche* (in FH, 7, 1952, S. 59–61). – W. Zimmermann, *Deutsche Prosadichtungen der Gegenwart*, Bd. 2, Düsseldorf 1956, S. 31–55; ern. 1966. – X. Tilliette, *Bernanos et G. v. Le F.* (in Études, 300, 1959, S. 353–360). – A. Doppler, *Zweimal »Begnadete Angst«. »Die Letzte am Schafott« – »Dialoge der Karmeliterinnen«* (in Stimmen der Zeit, 166, 1959/60, S. 356 bis 365). – A. Focke, *G. v. Le F. Gesamtschau u. Grundlagen ihrer Dichtung*, Graz/Köln u. a. 1960. – N. Heinen, *G. v. Le F. Eine Einführung in Werk u. Persönlichkeit*, Luxemburg [2]1960. – I. O'Boyle, *G. v. Le F.'s »Die Letzte am Schafott«* (in GLL, 16, 1962/63, S. 98–104). – Dies., *G. v. Le F. An Introduction to the Prose Work*, Fordham/NY 1964.

SIEGFRIED LENZ
(*1926)

DEUTSCHSTUNDE. Roman von Siegfried Lenz (*1926), erschienen 1968. – Der Roman gliedert sich in eine Haupthandlung und eine Rahmenerzählung, die im Jahre 1954 spielt. Siggi Jepsen, der Ich-Erzähler, Insasse einer Jugendstrafanstalt, soll einen Aufsatz über das Thema »Die Freuden der Pflicht« schreiben. Für die Flut seiner Erinnerungen und Einfälle findet er jedoch nicht die geeignete Darstellungsform. Er gibt ein leeres Heft ab. Der Direktor der Anstalt sieht darin einen Akt der Aufsässigkeit und ordnet eine Sonderbehandlung an: In einer Einzelzelle muß Siggi unter verschärften Bedingungen (Besuchsverbot) den Aufsatz als Strafarbeit neu schreiben.

Mit der Niederschrift beginnt die eigentliche Haupthandlung, die im mittleren Teil des Romans und am Schluß noch einmal durch Rekurse auf Siggis gegenwärtige Situation unterbrochen wird. »Die Freuden der Pflicht« sind für Siggi eng mit dem Bild des Vaters verbunden, der in dem fiktiven schleswig-holsteinischen Dorf Rugbüll als »nördlichster Polizeiposten Deutschlands« seinen Dienst tut. Es sind Erinnerungen, die bis ins Jahr 1943 zurückgehen. Der Vater überbringt einem Jugendfreund, der ihm früher einmal das Leben gerettet hat, das von den nazistischen Kulturfunktionären verhängte Malverbot – die Figur dieses Malers Nansen erinnert an Emil Nolde, der mit bürgerlichem Namen Hansen hieß. Während der Vater das Malverbot nach anfänglichem Zögern unbarmherzig überwacht, wird Siggi zum Vertrauten und Verbündeten des Malers, versteckt dessen Bilder, warnt ihn. Aus dem Elternhaus, in dem die Mutter mindestens ebenso nachdrücklich Obrigkeitsdenken und unmenschliche Prinzipientreue verkörpert wie der Vater, bricht auch Siggis älterer Bruder aus; um nicht am Krieg teilnehmen zu müssen, fügt er sich selbst eine Verletzung zu und findet zeitweise im Hause Nansens Unterschlupf.

Nach dem Krieg können sich weder Siggi noch der inzwischen von seinem Posten abgesetzte Vater mit der neuen Situation abfinden. Beide sind nicht imstand, sich aus dem Mechanismus ihres früheren Verhaltens zu lösen: Der Vater kann nicht aufhören, den Maler zu verfolgen, obwohl das Malverbot längst außer Kraft ist; sein Pflichtbewußtsein nimmt paranoide Züge an *(»Er hatte einen Tick zuletzt«*, schreibt Siggi, *»so wie alle einen Tick bekommen, die nichts tun wollen, als ihre Pflicht. Es war eine Krankheit zum Schluß, vielleicht noch schlimmer«)*. Siggi dagegen kann nicht aufhören, den Maler zu schützen, auch dann noch, als er ihn gar nicht mehr zu schützen braucht. Seine vermeintliche Hilfeleistung verkehrt sich ins Kriminelle: Er entfernt Nansens Gemälde aus einer Ausstellung und wird wegen Diebstahls zu einer Jugendstrafe verurteilt.

Nach Absolvierung seiner Mammut-Strafarbeit wird Siggi wegen guter Führung vorzeitig entlassen. Zwar hat er mit seinen Aufzeichnungen so etwas wie die Anamnese seines bisherigen Lebens vollzogen, doch bleibt die eigentliche kathartische Wirkung aus. Daß er stellvertretend für seinen Vater bestraft worden ist, wird ihm zwar klar, doch zieht er daraus keine Folgerungen. Die Richtung seines weiteren Lebens bleibt am Ende des Romans völlig offen.

Die Aufrichtigkeit der Gesinnung des Autors, das Episch-Solide seines Romans kann nicht bestritten werden. Dennoch sind die literarischen wie politischen Schwächen unübersehbar. Sie liegen einmal in der formalen Konstruktion, hauptsächlich in der Erzählperspektive: Das Ausmaß der Erinnerungsfähigkeit des Ich-Erzählers ist – bei diesem so bewußt realistisch gehaltenen Roman – ebenso unwahrscheinlich wie seine Allgegenwart. Lenz muß hier gelegentlich zu Tricks greifen, um die Glaubwürdigkeit der Handlung noch einigermaßen zu retten. So hört Siggi von einem Versteck aus Gespräche mit, beobachtet Szenen durchs Schlüsselloch oder durchs Fenster.

Durch die breit angelegte Schilderung der Landschaft und der Naturvorgänge, überhaupt der atmosphärischen Details, gerät der Roman auf weiten Strecken in Gefahr, episch auszuufern und sich von seinem eigentlichen Thema zu entfernen. Es gibt eine Reihe von Motiven und erzählerischen Zusätzen, die nichts tragen (z. B. die Tatsache, daß Siggis Vater »schichtig kieken« kann, also die Gabe des Zweiten Gesichts besitzt). – Schwerer noch wiegt, daß sich Lenz nicht um die psychischen, durch Erziehung und provinzielle Enge vermittelten Ursachen für das Verhalten von Siggis Vater kümmert. Die in das Buch eingestreuten klischeehaften Invektiven gegen alles Psychologisieren wirken aus diesem Grund etwas fatal. Die Charakterzeichnung der Figuren bleibt dementsprechend ungenau, sie verläuft zu sehr nach dem Schema von Gut und Böse.

Der Roman versteht sich als literarische Vergangenheitsbewältigung. Lenz hantiert dabei mehr mit moralischen als mit politischen Kriterien. Den Anteil der bürokratischen Handlanger des Dritten Reichs, die Banalität ihrer Verbrechen, hat beispielsweise Hannah ARENDT in ihrem Essay *Eichmann in Jerusalem* sehr viel genauer analysiert. Dem Roman von Siegfried Lenz gelingt es in seiner angestrengten Fiktivität nicht, den bekannten sozialpsychologischen und historisch-politischen Erkenntnissen neue hinzuzufügen oder sie episch umzusetzen. Bei ihm verflüchtigt sich das Thema eher in einem anekdotischen Realismus. P. L.

AUSGABEN: Hbg. 1968; [11]1971. – Hbg. 1972.

LITERATUR: W. Nagel, Rez. (in FH, 28, 1968, H. 11). – H. de Haas, Rez. (in WdL, 19. 9. 1968). – P. W. Jansen, Rez. (in FAZ, 19. 9. 1968). – W. Weber, Rez. (in Die Zeit, 20. 9. 1968). – Ders., Rez. (in NZZ, 22. 9. 1968). – J. Drews, Rez. (in NRs, 80, 1969, H. 2). – W. Beutin, *»Deutschstunde« von S. L. Eine Kritik*, Hbg. 1970. – D. Kraeter, *Alles über einen Bestseller. Der unaufhaltsame Aufstieg des S. L.* (in Der Rheinische Merkur, Köln, 20. 2. 1970; auch in D. K., *Arbeitsmaterialien Deutsch. Texte zur Soziologie der Literatur*, Stg. 1971, S. 33/34). – D. Peinert, *»Deutschstunde«: Eine Einführung in den Roman* (in Der Deutschunterricht, 23, 1971, S. 36 bis 58). – A. Weber, *S. L. »Deutschstunde«*, Mchn. 1971. – Th. Elm, *S. L. – Engagement u. Realismus. Über einen charakteristischen Zusammenhang in der Gegenwartsliteratur am Beispiel des Romans »Deutschstunde«*, Diss. Erlangen 1972. – G. Uhlig, *Autor, Werk u. Kritik*, Bd. 3, Mchn. 1972 (enth W. Koeppen u. S. L.).

HEINRICH MANN
(1871-1950)

DIE JUGEND DES KÖNIGS HENRI QUATRE. – DIE VOLLENDUNG DES KÖNIGS HENRI QUATRE. Historischer Roman in zwei Teilen von Heinrich MANN (1871–1950), erschienen 1935 und 1938. – Schon 1925 – anläßlich einer Reise durch Südfrankreich, die ihn auch nach Pau, der Geburtsstadt Heinrichs IV. von Navarra (1553–1610; reg. seit 1589), führte – faßte Heinrich Mann den Plan, die Lebensgeschichte des französischen Königs zu schreiben. Ein umfangreiches Quellenstudium ging der Niederschrift des Romans voraus: Memoiren und Briefe von Zeitgenossen, insbesondere die Erinnerungen seines Ministers SULLY, werden verarbeitet; aber auch die populärwissenschaftliche Biographie Heinrichs IV. von Saint-René TAILLANDIER sowie die großen repräsentativen Gesamtdarstellungen der Epoche von Jules MICHELET und Leopold von RANKE zieht Heinrich Mann heran. Erst im Exil, nach mehr als sechsjähriger Arbeit, wird der Roman abgeschlossen.

Henri wächst in den Pyrenäen unter der Obhut seiner streng protestantischen Mutter Jeanne d'Albret auf. Frühzeitig lernt er in Paris, wo Katharina von Medici durch ihre Söhne regiert, das korrupte, von Intriganten beherrschte Hofleben kennen. Infolge religiöser Zwistigkeiten, die nur der verschleierte Ausdruck politischer Machtinteressen sind, ist Frankreich innerlich zerrissen. Nach dem Tod seiner Mutter stellt Henri sich zusammen mit Admiral Coligny an die Spitze des hugenottischen Befreiungskampfes gegen die Katholiken. Der jugendlich unbekümmerte, bisweilen zu Disziplinlosigkeit neigende Draufgänger, dem aller Standesdünkel fremd ist, hat seine ersten Liebesabenteuer in dieser Zeit; auch schließt er wichtige Freundschaften fürs Leben. Nach seiner Hochzeit mit Marguerite de Valois, der Schwester des Königs Karl IX., lebt er von neuem am Hof Katharinas. In der berüchtigten Bartholomäusnacht (23./24. 8. 1572) werden fast alle Hugenotten, die zur »Bluthochzeit« nach Paris gekommen waren, niedergemetzelt; auch Admiral Coligny ist unter den Opfern, Henri bleibt verschont. Unverhohlen aktualisiert Heinrich Mann das blutige Geschehen; die Darstellung der Vergangenheit wird durchsetzt mit Anspielungen auf die Gegenwart: Die Parallelisierung der volksfeindlichen Politik der katholischen Liga mit dem nationalsozialistischen Terror in Deutschland ist augenfällig; Guise, der Ligaführer, trägt die Züge Hitlers; der Volksverhetzer Boucher erinnert an Goebbels. Henri wird gezwungen, katholisch zu werden und muß als Gefangener am Hofe bleiben. Schließlich gelingt ihm die Flucht zu den Hugenotten, wo er wiederum den Glauben wechselt. Diese scheinbare Gewissenlosigkeit gehört zu Henris politischer Strategie, die das Religiöse den Erfordernissen eines Fortschritts zu größerer Humanität unterordnet. Entscheidend für Henris geistige Entwicklung sind die – von Heinrich Mann frei erfundenen – Gespräche mit dem Philosophen Montaigne, dem er vor den Wällen der hugenottischen Festung La Rochelle begegnet. Montaignes Skeptizismus überzeugt ihn davon, daß er sein Leben auf die

Grundlage des Zweifels stellen müsse. Die Frage des Philosophen: »*Que sais-je ? (»Was weiß ich?«)* durchzieht deshalb leitmotivisch den Roman; ihr Geist ist auch in der Erzählhaltung des Autors lebendig. »*Nichts ist so volkstümlich wie Gutsein*«, lehrt Montaigne den werdenden König. Nur Macht, die im Bündnis mit der Güte stehe, sei legitim. Nach neuen Religionskriegen, in deren Verlauf König Karl IX. umkommt und sein Bruder Heinrich III., der letzte Valois, ermordet wird, gelangt schließlich Heinrich IV., der einer Nebenlinie des Hauses Bourbon entstammt, auf den Thron. Weil er Montaignes Lehren befolgt, hat er das einfache Volk auf seiner Seite: »*Die große Neuerung, der wir beiwohnen, ist die Menschlichkeit*«, sagen die Leute. Die einzelnen Abschnitte des ersten Romanteiles enden jeweils mit einer in französischer Sprache abgefaßten *Moralité*, worin die Etappen von Henris Werdegang kritisch resümiert und verallgemeinert werden. Heinrich Mann ging es darum, »*daß Deutsch und Französisch sich dies eine Mal durchdrängen. Davon erhoffte ich immer das Beste für die Welt.*«

Der zweite Teil des Romans schildert die mühselige Vollendung der persönlichen Entwicklung des Königs und seines politisch-sozialen Werks. Paris, die katholische Hauptstadt, verschließt vor dem protestantischen »Ketzer« ihre Tore. Zum fünften Mal vollzieht Henri, um der Einigung des Reiches und der Aussöhnung der verfeindeten Konfessionen willen, den »*Todessprung*« der Konversion. Nicht politischer Opportunismus, sondern die realen Lebensinteressen seines Volkes veranlassen ihn zu dem berühmt gewordenen Ausspruch: »*Paris ist eine Messe wert.*« Henri verkörpert einen streitbaren Humanismus, der sich nicht scheut, die reine Toleranz dort zu kritisieren, wo in ihrem Namen Unrecht geschieht. Im Edikt von Nantes schließlich sichert er seinem Volk Glaubensfreiheit zu und schafft damit die Voraussetzungen auch für eine politische Befriedung des Landes. Henri plant große soziale Reformen, bei deren Ausarbeitung ihn nicht zuletzt Gabriele d'Estrées, die große Liebe seines Lebens, unterstützt und inspiriert. Die Ermordung Gabrieles deutet er als Vorzeichen seines eigenen Endes: »*Die Wurzel meines Herzens ist tot und wird nicht wieder treiben.*« Seine zweite Frau, die landfremde Maria von Medici, schenkt ihm zwar Nachkommenschaft, intrigiert aber zusammen mit ihrem florentinischen Anhang gegen ihn und sein Reformwerk. Der »*Große Plan*« des alternden Henri, der einen Völkerbund der christlichen Nationen Europas zum Ziel hat, ist dem politischen Bewußtsein seiner Zeit weit voraus. Henri wird von Heinrich Mann zum Ahnherrn des modernen revolutionären Sozialismus stilisiert: »*Seither wäre er Bolschewik genannt worden. Indessen hieß er Ketzer, und die wirklichen Zusammenhänge blieben im Dunkeln.*« Henri stirbt durch den Dolch Ravaillacs als Opfer einer Verschwörung fanatischer Jesuiten. Der Dichter läßt jedoch den toten König »*von der Höhe einer Wolke herab*« eine französische Schlußansprache halten, worin zukunftsgläubig die Utopie eines Ewigen Friedens, eines Wirklichkeit werdenden Goldenen Zeitalters entworfen wird. Frankreich, so lautet Henris politisches Vermächtnis, soll zum »*Vorposten der menschlichen Freiheiten*« werden, »*die da sind: die Gewissensfreiheit und die Freiheit, sich satt zu essen*«.

Nicht »*verklärte Historie*« oder »*freundliche Fabel*« bietet dieser Roman, sondern ein »*wahres Gleichnis*«: Heinrich Mann sieht die vergangene Zeit im Licht seiner eigenen, modernen Erfahrung. So lebt die scheinbar bereits veraltete Gattung des historischen Romans, den die deutsche Exilliteratur nicht zufällig zum bevorzugten Instrument ihrer politischen Kritik machte, einzig aus der Gegenwartsbezogenheit. Die Spannungslosigkeit des traditionellen Geschichtsromans, worin ein allwissender Erzähler bereits bekannte Ereignisse chronologisch berichtet, wird hier durch ein Erzählen aus verschiedenen Perspektiven, durch eingeschobene kritische Kommentare, Vor- und Rückverweise sowie Anreden des Erzählers an seine Figuren und an den Leser vermieden. Häufig geht die erzählende Prosa in dramatische Dialoge über. Ferner liebt es Heinrich Mann, durch den abrupten Wechsel von neutraler Beschreibung und grotesker Überzeichnung epische Verfremdungseffekte zu erzeugen. Das Problem einer Synthese von Geist und Tat, das Heinrich Manns episches und essayistisches Werk durchzieht, fand in der Gestalt des guten Königs Heinrich IV. eine modellartige Lösung. R. Ra. – KLL

AUSGABEN: Amsterdam 1935 *(Die Jugend des Königs Henri Quatre).* – Amsterdam 1938 *(Die Vollendung des Königs Henri Quatre).* – Bln. 1952 (in *AW*, Hg. A. Kantorowicz, 12 Bde., 6/7). – Hbg. [4]1964 *(Die Jugend ...).* Hbg. [3]1962 *(Die Vollendung ...).*

LITERATUR: A. Kantorowicz, *H. M.s Henri-Quatre-Romane* (in SuF, 1951, H. 5). – G. Lukács, »*Die Jugend des Königs Henri Quatre*« (in G. L., *Der historische Roman*, Bln. 1955). – E. Kirsch, *H. M.s Roman »Die Jugend und die Vollendung des Königs Henri Quatre«* (in Wiss. Zs. der Martin-Luther-Univ. Halle-Wittenberg, ges. u. sprachwiss. Reihe, 5, 1955/56, S. 623–636; 1161–1205). – H. Kirchner-Klemperer, *H. M.s Roman »Die Jugend und die Vollendung des Königs Henri Quatre« im Verhältnis zu seinen Quellen u. Vorlagen*, Diss. Bln. 1957. H. Mayer, *H. M.s »Henri Quatre«* (in H. M., *Deutsche Literatur u. Weltliteratur*, Bln. 1957, S. 682–689). – J. Rühle, *Die Geschichte als Gleichnis bei L. Feuchtwanger u. H. M.* (in J. R., *Literatur u. Revolution. Die Schriftsteller u. der Kommunismus*, Köln/Bln. 1960, S. 213–221). – U. Weisstein, *H. M. Eine historisch-kritische Einführung in sein Werk*, Tübingen 1962, S. 160–188. – Ders., *H. M., Montaigne and Henri Quatre* (in RLC, 36, 1962, S. 71 bis 83).

DIE KLEINE STADT. Roman von Heinrich MANN (1871–1950), erschienen 1909. – Zu den Erfahrungen, die der Autor im »*durchaus echten Italien vor dem Faschismus*« machte, gesellen sich in der *Kleinen Stadt* die bislang divergierenden Themen und Stile seiner früheren Werke: Unter den Aspekten der Ironie, des spielerischen Pathos und des gemessenen Ernsts werden Kunst, Liebe und der gesellschaftlich-politische Bereich dialektisch aufeinander bezogen.

Das Geschehen, das die Entfaltung der liberalen Demokratie in Italien nach dem Risorgimento reflektiert, ist wie im klassischen Drama in fünf Akte gegliedert. Der erste vergegenwärtigt die behagliche Idylle des kleinen Stadtvolks, die schon bedroht ist von den untergründigen Spannungen zwischen Belotti, dem Anführer der Fortschrittspartei, und dem Gemeindesekretär Camuzzi, dem Haupt der Konservativen. Auf den Einzug einer Künstlergruppe, die sogleich die hemmungslose Klatschsucht der Pfahlbürger provoziert, folgen dann im zweiten Akt die Proben für die Theateraufführung, die der Führer der reaktionären Partei, der Priester und asketische Fanatiker Don Taddeo mit allen Mitteln – feingesponnenen Intrigen, Sturmgeläute der Kirchen und zänkischen Betschwestern – zu verhindern sucht. Im dritten und längsten Akt erleben die Kleinstädter mit Emphase die von der Künstlergruppe aufgeführte Oper: »*Die singenden Gestalten waren stärker und reiner als sie, und doch sie selbst. Da waren sie glücklich Menschen zu sein. Sie liebten einander.*« Die Kunst, von den Zuschauern naiv als gesteigerte Wirklichkeit begriffen, setzt aber auch die latenten gesellschaftlichen Konflikte frei; das Libretto der Oper, das Standesgegensätze zum Thema hat, dient als Analogon zur sozialen Wirklichkeit. Kann der Aufruhr im Theater gerade noch vom Bürgertum aufgefangen werden, so treten im vierten Akt schließlich die sozialen Antagonismen offen hervor: Zwischen den einzelnen Gruppen in der Stadt bricht Haß aus; Belotti, Camuzzi und Don Taddeo schüren das Feuer, und eine Revolution von rechts scheitert nur an der komischen Vermischung beider Lager. Im fünften Akt jedoch lösen sich die Gegensätze: Don Taddeo schwört seinem Fanatismus ab, Belotti und Camuzzi versöhnen sich auf einem öffentlichen Fest im Bewußtsein ihrer gemeinsamen Fehler; die Künstler werden reich beschenkt, und Enrico Dorlenghi, Heinrich Manns »*Anschauung des werdenden Puccini*«, der Komponist der Oper, der sich vordem in der Stadt als ein »*Verbannter*« fühlte, erkennt nun die soziale Funktion seiner Kunst: »*Der Ehrgeiz ist eins mit dem Drang zu beglücken, und Ruhm und Liebe sind das gleiche.*« Dieses Geschehen übergreift die Geschichte zweier sich von der Gesellschaft absondernder Figuren: In dem Tenor Nello Gennari, einem narzißtischen Spieler, und Alba Nardini, einer weltabgewandten Nonne, stellt Heinrich Mann den theatralischen Verlauf und das tragische Ende einer ästhetischen Lebenshaltung dar, die Liebe nur um des Selbstgenusses willen treibt: Zur selben Zeit, als die Kleinstädter ihren Künstlern einen Abschiedstrionfo bereiten, ersticht Alba ihren Freund, der sie betrogen hat.

Am lyrisch-poetischen Sprachton der beiden Figuren, die im früheren Werk Heinrich Manns ihre Vorbilder haben, und an der melodramatischen Handlungsführung, die im Scheitern ihrer Liebe gipfelt, demonstriert der Autor sein Ästhetentum, indem er es zugleich verabschiedet. Er hebt es auf in der übergreifenden politischen Perspektive, die indirekt bereits in der an FLAUBERT geschulten Objektivität des Stils enthalten ist. Das Gesamtbild der Gesellschaft entsteht nicht durch Reflexionen und Erläuterungen des Erzählers, sondern unmittelbar durch die Redehaltung der Figuren, durch ihre gestische und mimische Selbstdarstellung und ihre wechselseitigen Kommentare. Die spannungsreiche Vielfalt der sich durchkreuzenden Stimmen – annähernd hundert Figuren wirken, oft nur durch ein sinnfälliges Detail in das Geschehen eingeführt, individuell und repräsentativ zugleich – entspricht der Anschauung Heinrich Manns von einer demokratischen Gesellschaft: »*Der Roman, dies große Spiel aller menschlichen Zusammenhänge wird groß mit der Demokratie, unter der das Drama in seiner aristokratischen Enge abstirbt ... Was hier klingt, es ist das hohe Lied der Demokratie. Es ist da, um zu wirken in einem Deutschland, das ihr endlich zustrebt. Dieser Roman, so weitab er zu spielen scheint, ist im höchsten Sinn aktuell.*« Von der zeitgenössischen Kritik wurde dieser politische Parabelcharakter der *Kleinen Stadt* weitgehend übersehen. Gegen das Mißverständnis, in diesem Roman sei »*der Überfall durch fremde Schönheit und die Steigerung an fremder Schönheit*« dargestellt (Lucia Dora Frost), ein Mißverständnis, das die Legende um den »Ästheten« Mann verfestigte, setzte sich der Autor demonstrativ zur Wehr, indem er den utopischen Gehalt des Werks als Vorgang einer »*Vergeistigung*« des Volkes, die durch die »*Begeisterungen*« der Kunst ausgelöst wird, beschrieb – eine Charakteristik, die den Roman zugleich als Gegenentwurf zur politisch unmündigen Gesellschaft der Wilhelminischen Ära erscheinen läßt. W. F. S.

AUSGABEN: Lpzg. 1909. – Lpzg. 1917 (in *Gesammelte Romane u. Novellen*, 10 Bde., 8). – Stockholm 1939 (Forum Bücher, 5). – Bln. 1951 (in *AW*, Hg. A. Kantorowicz, 12 Bde., 1951–1956, 3; [4]1956). – Hbg. 1960.

LITERATUR: L. D. Frost, Rez. (in Die Zukunft, 70, 1910, S. 116–119). – H. Mann, »*Die kleine Stadt*«. *Brief an Frl. L. D. Frost* (ebd., S. 265 f.). – U. Weisstein, »*Die kleine Stadt*«. *Art, Life and Politics in H. M.'s Novel* (in GLL, 13, 1959/60, S. 255–261). – G. Busch, *Kommentar zur lädierten Welt. H. M. »Die kleine Stadt«* (in FH, 15, 1960, S. 587–590). – U. Weisstein, *H. M. Eine historisch-kritische Einführung in sein Werk*, Tübingen 1962 [m. Bibliogr.]. – R. N. Linn, *Democracy in H. M.'s »Die kleine Stadt«* (in GQ, 37, 1964, S. 131–145). – M. Hahn, *Das Werk H. M.s. Von den Anfängen bis zum »Untertan«, 1885–1914*, 2 Bde., Diss. Lpzg. 1965.

PROFESSOR UNRAT ODER DAS ENDE EINES TYRANNEN. Roman von Heinrich MANN (1871 bis 1950), erschienen 1905. – In seinen seit 1900 veröffentlichten Romanen hatte Heinrich Mann die bürgerliche Gesellschaft vorwiegend an ihrem ästhetischen Erscheinungsbild gemessen und – über eine Kritik der *décadence* – ihren spätzeitlichen Verfallszustand analysiert. Das in dem Roman *Die Jagd nach Liebe* zentrale Problem von Kunst und Leben behandelte er nach 1903 in einer Reihe von Novellen. Mit dem 1904 verfaßten *Professor Unrat*, dessen Niederschrift nach Aussage des Autors »*nur wenige Monate*« in Anspruch nahm, wandte er sich – die großstädtische, kosmopolitische und bohemienhafte Weitläufigkeit der früheren Werke preisgebend – unmittelbar der deutschen Provinz zu.

Die Geschicke eines wilhelminischen Schullehrers in einer norddeutschen Kleinstadt (die unschwer als das Lübeck des Schülers Heinrich Mann zu verifizieren ist) scheinen sich ganz den Schulsatiren WEDEKINDS, THOMAS, HAUPTMANNS und HESSES zuzuordnen. Vollends die mit Billigung des Autors entstandene Filmfassung Carl ZUCKMAYERS von 1931 unter dem Titel *Der blaue Engel* (Regie: Joseph von Sternberg, in den Hauptrollen Emil Jannings und Marlene Dietrich) veranlaßte das Publikum dazu, das Werk als eine karikierende Schulsatire zu verstehen. Doch eine historisch präzisere, werkgetreue Interpretation vermag – entgegen der im Film nivellierten Schlußwendung – die Doppelsinnigkeit der in siebzehn Kapiteln locker aneinandergereihten Einzelszenen zu beschreiben.

Daß ein tyrannischer, verknöcherter Gymnasialprofessor auf der nächtlichen Jagd nach seinen ihm verhaßten Schülern die Sängerin und »Barfußtänzerin« Rosa Fröhlich kennenlernt, sich in sie verliebt und deswegen seine Stellung verliert, bewahrt ganz den Anschein satirischer Lächerlichkeit; daß aber diese »lebensfeindliche« Lehrerfigur unversehens ihre bürgerliche Umwelt enthemmt und eine anarchistische Revolte gegen sie unternimmt (wogegen der Gymnasialprofessor im Film auf klägliche und mitleiderregende Weise endet), verstört das Lachen des Lesers und hebt seine anfängliche Übereinstimmung mit dem Autor auf. Eine bislang wenig beachtete Äußerung Heinrich Manns *(»›Unrat‹, dieses lächerliche Scheusal ... hat doch einige Ähnlichkeit mit mir«)* und die groteske Umkehrung der kleinstädtischen Verhältnisse – Aggressionslust, strammer Nationalismus und Autoritätsgläubigkeit schlagen in blinde Anarchie um – weisen darauf hin, daß die Hauptfigur nicht nur als typisiertes Objekt der Satire, sondern auch als Vexierbild des Satirikers zu verstehen ist. Der Roman stellt sich, abgehoben von bisheriger populärer Auffassung, als sozialpathologische Studie dar, in der die psychologische Motivation des Leidens und Handelns den einzelnen auch dann noch prägt, wenn er den politischen Mechanismus seiner Gesellschaft durchschaut und gegen sie revoltiert.

Der alternde Gymnasialprofessor Raat, seit mehr als einem Vierteljahrhundert im Schuldienst tätig und traditionsgemäß als »Unrat« verhöhnt, ordnet sein Verhältnis zu den Schülern psychologisch demselben Machtprinzip unter, das er – ein glühender Chauvinist, der »*über die Pflichttreue, den Segen der Schule und die Liebe zum Waffendienst*« Aufsätze schreiben läßt – politisch vertritt. Seiner tyrannischen Herrschsucht, die sich in drakonischen Strafen, ungerechten Zensuren und sinnwidrigen Anordnungen manifestiert, entspricht innere Ohnmacht und Triebverdrängung. Immer auf dem Sprung, »*jeden je möglichen Widerstand zu brechen, alle bevorstehenden Attentate zu vereiteln, es ringsumher noch stummer zu machen, Kirchhofsruhe herzustellen*«, gerät er auf der Suche nach widerborstigen Schülern in die Spelunke »Zum blauen Engel«, wo die leichtlebige »Künstlerin« Rosa Fröhlich gastiert. Aus der Sucht, die Schüler zu »*fassen*«, es den vermeintlich Aufsässigen zu »*beweisen*« und seine »*Erbfeinde*« an ihrer »*Laufbahn*« zu hindern, verirrt er sich in einen fremdartigen, verwirrend-erotischen Dunstkreis; seine Machtvorstellung – politisch »*eine einflußreiche Kirche, ein handfester Säbel, strikter Gehorsam und starre Sitten*« – wird allmählich von bislang zurückgedrängter, triebhafter Sinnlichkeit unterhöhlt. Je öfter er im »Kabuff« der Rosa Fröhlich verkehrt, je mehr seine autoritäre Stellung bei den Schülern dadurch untergraben wird, desto näher rückt er den von ihm Unterjochten; der in seiner Macht geschwächte Tyrann begegnet seinen Untertanen auf der gleichen Stufe: als ein Untertan. Als schließlich »*die überreizte Zärtlichkeit des Menschenfeindes*« über alle Hemmungen und Konventionen siegt und Unrat die nach Sicherheit sich sehnende Fröhlich heiratet, ist seine bürgerliche Stellung verloren. Verteidigt er als Zeuge in einem Prozeß gegen drei seiner Schüler wegen mutwilliger Beschädigung eines Hünengrabs anfangs noch die geheiligten Güter staatserhaltender Gesinnung, so bricht im folgenden der unterdrückte Haß auf die bürgerliche Gesellschaft, die ihn geprägt hat, durch: In einer geifernden Rede wendet er sich gegen die großbürgerliche Kaste, den dekadenten Adel und die korrumpierten Kleinbürger, wie sie repräsentativ in den drei pubertären Sündenböcken Lohmann, von Ertzum und Kieselack erscheinen.

»*Auf neue, unvorhergesehene Weise*« dehnt sich Unrats Kampf aus, als er nach einem lehrreichen Aufenthalt an der See mit seiner Frau in die Stadt zurückkehrt. Aus einem Seitensprung Rosas hat er gelernt, daß erotische Libertinage die Bürger fesselt und sie – wie ihn selbst – unversehens zu Untertanen macht. Seine »*Villa vor dem Tor*« wandelt er nun zu einer Stätte nächtlichen Vergnügens und verbotener Glücksspiele um, was sich im Getuschel der Kleinstadt zu einer um so größeren Sensation ausweitet, als das Glück im Verborgenen blüht: »*Was sie hertrieb, war die Leere ihrer Gehirne, der Stumpfsinn der humanistisch nicht Gebildeten, ihre dumme Neugier, ihre mit Sittlichkeit schlecht zugedeckten Lüsternheiten, ihre Habgier, Brunst, Eitelkeit und zu alledem hundert verquickte Interessen.*« Unverhüllt entblößt sich, was die Bürger vorher im Spottnamen »Unrat« auf ihren Lehrer abgewälzt haben. Je mehr durch dieses anarchistische Treiben die »*Entsittlichung einer Stadt*« vorantreibt, desto mehr fällt jedoch auch Unrat seiner verzehrenden Rachsucht zum Opfer. Seine Seele, »*ihre Abgrundflüge, ihr fürchterliches Auskohlen, ihr über alles hinaus zu sich selber Verdammtsein*«, legt die Disposition des Satirikers bloß, der – wie seine Hauptfigur – an dieser von ihm analysierten Gesellschaft leidet. »*All dies fanatisch Überkochende*«, in expressionistischen Metaphern zum Sprachbild abgründiger Dämonie erhöht, kann jedoch die Gesellschaft im letzten nicht gefährden: Als Unrat eine Brieftasche stiehlt, wird er verhaftet, und die vormalige bürgerliche Fassade der Wohlanständigkeit kann renoviert werden.

Der doppelten Negation, der Satire auf die kleinstädtisch-bürgerlichen Verhältnisse und dem Vexierbild des »Menschenfeindes«, steht in diesem Roman, zum erstenmal in Heinrich Manns Werk, eine Figur gegenüber, die sich in den Rahmen später ausformulierter demokratischer und sozialethischer Utopie fügt: In der Gestalt der Rosa Fröhlich, eines Mädchens aus dem Volk, beschrieb der Autor, noch weitgehend ironisch gebrochen, eine Repräsentantin humanen »Mitleids«; in der Figur des jungen Literaten Lohmann, durch den der Erzähler den Professor analysieren läßt und der mit dem Lübekker Schüler Heinrich Mann verblüffende Gemeinsamkeiten aufweist, stellt er kritisch den unverbindlichen, wirklichkeitsfernen Ästheten dar und festigt seinen Standort als sozialkritischer Realist.

Professor Unrat findet sein stoffliches und thematisches Pendant in dem 1914 fertiggestellten Roman *Der Untertan*, in dem Heinrich Mann vor derselben kleinstädtischen Kulisse Lübecks die Dialektik des Tyrann-Untertan-Verhältnisses wiederaufnahm, mit der historischen Perspektive vom Aufstieg des chauvinistischen Kleinbürgers und dem Untergang liberaler Humanität verband und – weitgehend entlastet von der Selbstauseinandersetzung des Satirikers – schärfer politisierte. W. F. S.

AUSGABEN: Mchn. 1905. – Lpzg. 1917. – Bln. 1951 (in *AW*, Hg. A. Kantorowicz, 10 Bde., 1951–1954, 1). – Hbg. 1951 (*Der Blaue Engel*, rororo, 35; ern. Reinbek 1968).

VERFILMUNGEN: *Der blaue Engel*, Deutschland 1930 (Regie: J. v. Sternberg). – *The Blue Angel*, USA 1959 (Regie: E. Dmytryk).

LITERATUR: A. Kantorowicz, *Das frühe Werk H. M.s* (in Aufbau, 7, 1951, S. 1087–1095). – G. Specht, *Das Problem der Macht bei H. M.*, Diss. Freiburg i. B. 1954. – H. H. Sussbach, *Kritik am Jugendwerke H. M.s*, Diss. Univ. of Southern California 1959 (vgl. Diss. Abstracts, 21, 1960/61, S. 199). – M. Urbanowicz, *Das Bürgertum u. die Arbeiter in den Romanen von H. M.* (in Germanica Wratislav, 6, 1960, S. 97–113). – K. Schröter, *Literarische Ein-*

flüsse im Jugend- u. Frühwerk von H. M., 1892–1907. Ihre Bedeutung für sein Gesamtwerk, Diss. Hbg. 1961. – U. Weisstein, *H. M. Eine historisch-kritische Einführung in sein Werk*, Tübingen 1962 [m. Bibliogr.]. – Th. Piana, *H. M.*, Lpzg. 1964 [m. Bibliogr.]. – M. Hahn, *Das Werk H. M.s. Von den Anfängen bis zum »Untertan«, 1885–1914*, 2 Bde., Diss. Lpzg. 1965. – K. Schröter, *Anfänge H. M.s. Zu den Grundlagen seines Gesamtwerks*, Stg. 1965 (Germanistische Abh., 10). – E. Zenker, *H.-M.-Bibliographie*, Bln. 1967. – W. F. Schoeller, *Künstler u. Gesellschaft. Studien zum Romanwerk H. M.s von 1900–1914*, Diss. Mchn. 1969.

DER UNTERTAN. Roman von Heinrich MANN (1871–1950), in Buchform 1916 veröffentlicht. – Dieser 1906 begonnene und 1914 »*zwei Monate vor Ausbruch des Krieges*« beendete Roman schließt die Reihe der »wilhelminischen« Bücher Heinrich Manns ab. Als die schärfste (und prophetische) Analyse nationalistischer Politik und Machtverhältnisse unter der Regierung Kaiser Wilhelms II., die in der zeitgenössischen deutschen Literatur zu verzeichnen ist, wurde das Buch, von Kurt TUCHOLSKY als »*Herbarium des deutschen Mannes*« und als »*Anatomie-Atlas des Reichs*« bezeichnet, nach dem Ersten Weltkrieg zu einem sensationellen Erfolg. Es greift wie der erste »wilhelminische« Roman, *Im Schlaraffenland* (1900), auf die Nachgründerzeit zurück und schließt – in topographischen Anspielungen wie in der Mikroskopie von Autoritätsfiguren – unmittelbar an *Professor Unrat* (1904) an. Hier wie dort geht es um die Kritik der »Grundlagen« des Staates: »*eine einflußreiche Kirche, ein handfester Säbel, strikter Gehorsam und starre Sitten*« *(Professor Unrat)*, die – nach einem ursprünglichen Untertitelentwurf – in der »*Geschichte der öffentlichen Seele in Deutschland*« widergespiegelt werden sollten. Plan und Ausführung des Buchs begleitete die Entwicklung einer Utopie von Demokratie, die sowohl die Beseitigung der Feudalherrschaft wie der aristokratischen Esoterik intellektueller Opposition forderte. In dem Aufsatz *Reichstag* (1911) ist der wilhelminische Bürger beschrieben als »*dieser widerwärtig interessante Typus des imperialistischen Untertanen, des Chauvinisten ohne Mitverantwortung, des in der Masse verschwindenden Machtanbeters, des Autoritätsgläubigen wider besseres Wissen und politischen Selbstkasteiers*«. Heinrich Mann arbeitete zunächst einzelne Episoden aus, die er als abgeschlossene novellistische Szenen im ›Simplicissimus‹ (als erste *Gretchen*) veröffentlichte. Seit Januar 1914 erschien der Roman bis kurz nach Kriegsausbruch, als die Veröffentlichung abgebrochen werden mußte, in der Illustrierten ›Zeit im Bild‹ in Fortsetzungen (und in einer russischen Buchausgabe), 1916 in einem Privatdruck von zehn Exemplaren, bis er nach Wegfall der Zensur veröffentlicht werden konnte.

In den sechs Kapiteln des Buchs, die wiederum in locker gefügte Einzelszenen unterteilt sind, wird analog dem formalen Muster eines Bildungsromans und mit autobiographischen Anspielungen auf Heinrich Manns Geburtsstadt Lübeck, die Lebensgeschichte des Bürgers Diederich Heßling (urspr. Hänfling) von seiner früheren Kindheit bis zur Sicherung seiner Stellung in seiner Heimatstadt Netzig erzählt. In detailfreudigem, Drastik nicht scheuendem Realismus werden die Träume des Kindes beschrieben, die Taten des Schülers, die Erfahrungen des Studenten in Berlin: Demütigungen durch einen Stärkeren, Eingliederung in die Korporation Neuteutonia, Liebesaffäre mit Agnes Göppel, der Tochter eines Geschäftsfreundes, Prägung durch nationalkonservative Massenstimmung, das Dasein eines Drückebergers beim Militär. Nach Ende des Studiums – dem Abschluß des »Bildungs«-Gangs – wird die Hauptfigur fast ausschließlich in ihrem heimischen Aktionskreis vorgeführt: als Agitator am Stammtisch, als Herr über einen Betrieb und Beherrscher einer Familie, als Eiferer gegen das Proletariat, der selbst die Erschießung eines Demonstranten begrüßt, und als Zeuge im Prozeß gegen einen jüdischen Mitbürger wegen Majestätsbeleidigung; als geschickter Familienpolitiker und Winkeladvokat auf einem Ball, als Stadtverordneter und intriganter Kumpan des verhaßten Sozialdemokraten Napoleon Fischer, als erfolgreicher Liebediener des Regierungspräsidenten von Wulckow, als glücklicher Bräutigam des geldschweren Mädchens Guste Daimchen. Die Hochzeitsreise führt den Helden auf den Spuren seines Kaisers nach Rom; geheime Machenschaften schließlich sichern dem wohlhabenden Bürger die Aktienmehrheit an der Papierfabrik seines alternden Konkurrenten Klüsing, seine chauvinistische Haltung und Stadtratspolitik einen hohen Orden, der ihm bei der Einweihung eines Denkmals für Wilhelm I. überreicht wird.

An dieser Kette von Episoden und mit Hilfe eines aus Kaiserreden entlehnten Zitatfeldes wird die Doppelrolle Heßlings als Tyrann und Untertan entwickelt. Einerseits prägt ihn »*Zugehörigkeit zu einem unpersönlichen Ganzen, zu diesem unerbittlichen, menschenverachtenden, maschinellen Organismus*«, den die Hierarchie des imperialistischen Wilhelminismus in jeder ihrer Institutionen darstellt. Andererseits verschafft ihm gerade das Erleiden institutioneller Macht – in Schule, Universität, Korporation, Militär etc. – persönlichen Machtbesitz; in Heßlings Maxime »*wer treten wollte, mußte sich treten lassen*«, versteinert die Dialektik dieses Lebenslaufs zum Erfolgsgesetz. In Momenten totaler Unterwerfung verschiebt sich der Machtwille Heßlings zum Umsturz-Rausch; doch jedesmal, wenn er »*alles niedergeworfen, zerstoben*« sehen will: »*die Herren des Staates, Heer, Beamtentum, alle Machtverbände und sie selbst, die Macht!*«, richtet er selbst »*das Gebäude der Ordnung*« wieder auf. Als er in seiner Festrede zur Einweihung des Ehrenmals »*die Seele deutschen Wesens*« mit der »*Verehrung der Macht, der überlieferten und von Gott geweihten Macht, gegen die man nichts machen kann*« gleichsetzt und damit sich selbst als den repräsentativen Typus der Zeit bündig formuliert, wird die Kritik Heinrich Manns ins Utopische projiziert: in einem Gewitter – einer satirischen Apokalypse – löst sich alle Ordnung auf. Die »*über alle Begriffe*« hinausgehende Vision einer Anarchie des Himmels, eines Strafgerichts gibt die Ahnung von der Selbstzerstörung des Wilhelminismus, ein »*Kehraus, wie der einer betrunkenen Maskerade, Kehraus von Edel und Unfrei, vornehmstem Rock und aus dem Schlummer erwachten Bürger, einzigen Säulen, gottgesandten Männern, idealen Gütern, Husaren, Ulanen, Dragonern und Train!*«

Gegenfigur des zwischen Pathos und Sentimentalität schwankenden Heßling ist sein Schulkamerad Wolfgang Buck; er exemplifiziert – als Medium und Objekt der Kritik zugleich – eine »*Tatsache der inneren Zeitgeschichte*«: die in Ästhetizismus abgeglittene intellektuelle Opposition, die den wilhelminischen Bürger an seinem teutonischen Kunstbegriff richtet (wie Heinrich Mann in einer Szene den zeitgenössischen Wagner-Kult als schlechtes Theater entlarvt), die ihn zwar als »Schauspieler« und »Komödianten« erkennt, aber über dem Studium von »Sensationen« die Handlungsfähigkeit verliert.

Mit diesem zweiseitig kritischen Gegensatz von Macht und Geist verknüpft Heinrich Mann die historische Auseinandersetzung zwischen dem erstarkten wilhelminischen Imperialismus und dem verkümmernden Liberalismus. Wolfgang Bucks Vater, ein unzeitgemäßer 48er-Revolutionär, dessen Ansehen und Stellung in der Stadt von Heßling untergraben werden, stirbt im Angesicht des triumphierenden Untertans, den er als »Fremden«, ja als »den Teufel« erkennt.

Der Roman, häufig als »Pamphlet« mißverstanden und im Gefolge der Kritik Thomas Manns in seinen *Betrachtungen eines Unpolitischen* von völkischen Rezensenten abgewertet, gilt heute als das Hauptwerk deutscher Satire im 20. Jahrhundert. – Mann faßte diesen und zwei später veröffentlichte Romane zu der Sammlung »Das Kaiserreich« zusammen: Die 1917, noch vor der Buchausgabe des *Untertan* erschienene unmittelbare Fortsetzung *Die Armen* versteht sich als »Roman des Proletariats«, vermag aber wegen mangelhafter Detail-Kenntnisse ihres Verfassers und schematischer Handlung ebensowenig zu überzeugen wie das als »Roman der [geistigen] Führer« angelegte Buch *Der Kopf* wegen seiner Unübersichtlichkeit. W. F. S.

AUSGABEN: Mchn. 1911/12 (in Simplicissimus, 27. 11. 1911–9. 9. 1912). – Bln./Mchn. 1913 (in März, 8; Ausz.). – Mchn. 1914 (in Zeit im Bild, 1. 1. bis 13. 8.). – Lpzg. 1916 [Privdr.]. – Lpzg. 1918. – Bln. 1951 (in *AW*, Hg. A. Kantorowicz, 12 Bde., 1951–1954, 4; [14]1956). – Mchn. 1964 (dtv, 256/257; ern. 1969). – Düsseldorf [4]1964.

VERFILMUNG: Deutschland 1951 (Regie: W. Staudte).

LITERATUR: H. Jhering, Rez. (in Berliner Börsen-Courier, 25. 12. 1918). – W. Mahrholz, Rez. (in LE, 21, 1919, S. 518–521). – I. Wrobel [d. i. K. Tucholsky], Rez. (in Die Weltbühne, 15, 1919, S. 317 bis 321). – G. Lukács, *Deutsche Literatur im Zeitalter des Imperialismus*, Bln. 1950, S. 47–50. – E. Kirsch u. H. Schmidt, *Zur Entstehung des Romans »Der Untertan«* (in Weimarer Beiträge, 6, 1960, S. 112 bis 131). – U. Weisstein, *H. M. Eine historisch-kritische Einführung in sein Werk*, Tübingen 1962, S. 111–141. – A. Banuls, *H. M. Le poète et la politique*, Paris 1966 (dt.: *H. M.*, Stg. 1970; gek. u. rev.). – F. C. Scheibe, *Rolle u. Wahrheit in H. M.s Roman »Der Untertan«* (in LJb, 7, 1966, S. 209–227). – K. Schröter, *H. M. »Untertan«, »Zeitalter«, »Wirkung«. Drei Aufsätze«*, Stg. 1971.

THOMAS MANN
(1875–1955)

BEKENNTNISSE DES HOCHSTAPLERS FELIX KRULL. Der Memoiren erster Teil. Roman von Thomas MANN (1875–1955), erschienen 1954. – Die Entstehung des Werkes reicht bis in das Jahr 1910 zurück. Der Dichter unterbrach die Arbeit daran jedoch im Frühjahr oder Sommer 1911 und veröffentlichte 1922 das jetzige erste Buch, *»ein Torso des geplanten Ganzen«*, als *Buch der Kindheit*. 1937 erschien eine um ein unvollständiges zweites Buch erweiterte Ausgabe. Der schon 1943 erwogene Plan, das Fragment fortzuführen, wurde zunächst zugunsten des *Doktor Faustus* aufgegeben; erst 1951 wandte Thomas Mann sich dem Roman wieder zu.

Die Thematik Manns scheint hier, in seiner letzten Dichtung, in eine Welt der Heiterkeit und des schönen Scheins aufgelöst. Die *Bekenntnisse* parodieren den deutschen Entwicklungsroman und die Memoirenliteratur und stehen dem Schelmenroman nahe. Felix Krull schreibt die fiktive Autobiographie am Ende seiner »Weltfahrt« gewissenhaft und mit selbstgefälliger Aufrichtigkeit – amoralisch und ohne eine Spur von Reue: auch der Titel ist parodistisch. – Felix, der Glückliche, Sohn eines bankrotten Sektfabrikanten, läßt sich schon im Kinderwagen als Kaiser verehren, produziert sich einem gläubigen Kurpublikum als Wunderkind, wenn er neben dem Kapellmeister mit *»Fiedel und Vaselinbogen«* auftritt, umgeht den Wehrdienst durch einen sorgsam einstudierten epileptischen Anfall und findet sich schließlich in Paris im Hotelgewerbe. Das entscheidende Ereignis in Krulls Leben ist hier sein Existenztausch mit dem Marquis de Venosta, mit dessen Papieren und Vermögen versehen er eine Welt- und Bildungsreise unternimmt. Er macht die Bekanntschaft des Paläontologen Professor Kuckuck und lernt in Lissabon auch dessen Familie kennen. Als Marquis de Venosta findet er Zutritt zur Gesellschaft, wird zur Audienz beim König vorgelassen und erobert schließlich Frau und Tochter des Professors. Hier bricht der Roman ab, von der Fortsetzung weiß man, daß sie den Helden ins Zuchthaus führen sollte, aus dem er jedoch offensichtlich wenig geläutert wieder entlassen worden wäre. – Eine »Fortführung« des *Felix Krull* unternahm H. P. DORN mit seinem Roman *War ich wirklich ein Hochstapler?* (1958), der dort einsetzt, wo Thomas Mann aufgehört hatte, und in demselben Pariser Hotel endet, in dem die Karriere Krulls begonnen hatte.

Mit den Helden der Schelmenromane teilt Krull die besondere Fähigkeit, Situationen zu meistern, die noch vor seiner Erfahrung liegen. Er versteht es, aus dem wenigen, das er weiß, und dem vielen, das ihm anfliegt, zur rechten Zeit alles zu machen. Während sich im klassischen Bildungsroman der Held im Widerspiel mit der Gesellschaft zur Persönlichkeit ausbildet und entwickelt, ist Krull von allem Anfang an in seiner Persönlichkeit festgelegt. Sein Bild ergibt sich aus den Situationen, die er besteht, und aus den Verkleidungen, in die er je nach Gelegenheit schlüpft, d. h. seine Verwandlungen sind nur äußerer Natur. Sein Theatererlebnis – fester Bestandteil des deutschen Entwicklungsromans – ist der Besuch in der Garderobe eines mittelmäßigen Künstlers. Was er dort lernt, ist nur, was er schon wußte: daß nämlich die Welt betrogen werden *will*. Krull ist ein Spiel der Natur, Natur in ihrer sich selbst ironisierenden Gestalt. Die Dialektik von Sein und Schein findet auf ihn keine Anwendung: sein ureigenstes Wesen *ist* der Schein.

Auch im *Krull* wird Manns Lebensthematik, die Spannung zwischen Künstlertum und Bürgertum, wiederaufgenommen, wird jedoch parodistisch gesteigert und aufs liebenswürdigste abgewandelt: Krulls Wesen, *»phantastisch und pfuscherisch«* zugleich, fügt sich glatt in die Gesellschaft ein, und *»seine Meisterschaft im Konventionellen führt die Konvention ad absurdum«* (Paul Altenberg). Der Hochstapler ist dem Künstler verwandt, der seinerseits zur Hochstapelei neigt; der Umschlag ins Negative des Kriminellen erscheint jedoch durch das Element der Ironie und durch die mythologischen Bezüge – auch Krull ist eine Hermesgestalt (Hermes als Gott der Diebe) – ins Positive gewandt. Der Ironie der Handlung entspricht die Sprache: elegant, preziös und doppeldeutig »entlarvt« sie Krull u. a. durch stilistische Elemente wie Begriffsverkehrung (z. B. die positive Definition des Betrugs), ironische Pathetik (die Beschreibung seines Hotelzimmers) und ironische Understatements, die Krulls Selbstgefälligkeit enthüllen. – Viele Probleme der Epik Manns sind in diesem Werk zusammengefaßt, so daß uns die *»universell gesteigerte Selbstparodie«* (Monika Mann) als ein sinnvoller Abschluß des Mannschen Lebenswerkes erscheinen kann. H. E. – KLL

AUSGABEN: Bln. 1911 (*Bruchstück aus einem Roman*, in *Das 25. Jahr, 1886–1911. Almanach d. S. Fischer Verlages*, S. 273–283). – Wien/Lpzg./Mchn. 1922 (*Buch d. Kindheit*). – Amsterdam 1937 [um ein 2. Buch (fragmentarisch) erweitert]. – Ffm. 1954. – Ffm. 1960 (in *GW*, 12 Bde., 7). – Ffm. 1962.

VERFILMUNG: Dtschld. 1956 (Regie: R. Thiele).

LITERATUR: E. Kahler, *Die Erwählten* (in NRs, 66, 1955, 3, S. 305–311). – G. Lukács, *Das Spielerische u. seine Hintergründe. Fragmentarische Bemerkungen z. II. Teil der »Bekenntnisse des Hochstaplers Felix Krull«* (in Aufbau, 11, 1955, S. 501–524). – P. Altenberg, *T. M.s letztes Werk* (in Schweizer Monatshefte, 36, 1956/57, S. 790–797). – R. B. Heilmann, *Variations on Picaresque* (in Sewanee Review, 1958, S. 547–577; auch in *T. M.*, Hg. H. Hatfield, Englewood Cliffs/N.J. 1964, S. 133–154). – E. Heller, *Parody, Tragic and Comic* (in Sewanee Review, 1958, S. 519–546). – A. Riley, *Die Erzählkunst im Alterswerk T. M.s mit bes. Berücksichtigung der »Bekenntnisse des Hochstaplers Felix Krull«*, Diss. Tübingen 1958. – J. Plöger, *Das Hermesmotiv i. d. Dichtg. T. M.s*, Diss. Kiel 1961. – O. Seidlin, *Picaresque Elements in T. M.s Work* (in O. S., *Essays in German and Comparat. Lit.*, Chapel Hill 1961, S. 161–181; dt.: *Pikareske Züge im Werke T. M.s* in O. S., *Von Goethe zu T. M.*, Göttingen 1963, S. 162–184; 242–245). – P. Altenberg, *Die Romane T. M.s*, Bad Homburg 1961, S. 348–364. – G. Hillard, *Die Parabel vom Hochstapler* (in G. H., *Wert der Dauer*, Hbg. 1961, S. 84–90). – J. Müller, *Glücksspiel und Göttermythe – Zu T. M.s »Krull«* (in *Vollendung u. Größe T. M.s*, Hg. G. Wenzel, Halle 1962, S. 233–249). – E. Heller, *»Felix Krull« o. die Komödie d. Künstlers* (ebd., S. 250–260). – E. M. Pietsch, *Notizen über den »Hochstapler Felix Krull«* (ebd., S. 261–272). – E. Schiffer, *Illusion u. Wirklichkeit in T. M.s »Felix Krull« und »Joseph«* (in MDU, 55, 1963, S. 69–81). – R. Baumgart, *Das Ironische u. die Ironie i. d. Werken T. M.s*, Mchn. 1964, S. 185–195.

BUDDENBROOKS. Verfall einer Familie. Roman von Thomas MANN (1875–1955), entstanden 1897–1900, erschienen 1901. – *»Thomas Manns erster Roman* Buddenbrooks *gehört durchaus der Tradition des europäischen Realismus an und ist doch ein philosophischer Roman«* (Erich Heller). Diese Charakteristik deutet die geistige und künstlerische Spannweite des Werks an, über das der Dichter Jahrzehnte später mit Recht sagen konnte, es sei eine *»Seelengeschichte des deutschen Bürgertums, von der nicht nur dieses selbst, sondern auch das europäische Bürgertum überhaupt sich angesprochen fühlen konnte«*. 1929 wurde Thomas Mann dafür mit dem Nobelpreis ausgezeichnet.

Das im Untertitel genannte Thema des Romans wird an vier Generationen einer Lübecker Kaufmannsfamilie dargestellt. Die Handlung erstreckt sich jedoch nur über rund vierzig Jahre (1835 bis 1877). Der zu Beginn des Werks ungefähr siebzigjährige Urgroßvater Johann Buddenbrook repräsentiert das noch unerschütterte Lebensgefühl eines Bürgertums, das, selbstsicher und tatkräftig, seinen Besitz klugem Unternehmungsgeist verdankt und dessen »Wille zum Leben« ungebrochen ist. Für seinen Sohn, Konsul Johann Buddenbrook, gelten die überkommenen Prinzipien bürgerlicher Lebensführung unverändert, doch ist für ihn bereits nicht mehr unbekümmerte Lebensbejahung, sondern ein pietistisch-strenges Ethos charakteristisch. Im Gegensatz zu seinem humanistisch gebildeten Vater tritt er für *»praktische Ideale«* ein, ist aber als Kaufmann nicht besonders erfolgreich und erleidet durch einen betrügerischen Schwiegersohn einen erheblichen geschäftlichen Verlust. Mancherlei Anzeichen verraten überdies eine innere Problematik, in der sich die spätere Auflösung der Familie ankündigt. In den Charakteren und Schicksalen seiner vier Kinder treten verschiedene Formen des unaufhaltsamen Verfalls zutage, am sinnfälligsten in der eindrucksvollen Gestalt seines ältesten Sohnes Thomas, den der Autor in den *Betrachtungen eines Unpolitischen* einen *»späten und komplizierten Bürger«* nennt, *»dessen Nerven in seiner Sphäre nicht mehr heimisch sind – welcher, modern und fragwürdig geworden, unherkömmlichen Geschmacks und von entwickelt europäisierenden Bedürfnissen, die gesunder, enger und echter gebliebene Umgebung zu befremden und – zu belächeln begonnen hat«*. Sein Bruder Christian, schon als Kind neurotisch, führt in Bohemekreisen das Leben eines exzentrischen Clowns und verschuldeten Lebemanns. Seine Schwester Tony, naiv und töricht, anmutig und liebenswert, ist auch nach zwei gescheiterten Ehen von kindhafter Unreife. Die viel jüngere Clara stirbt kurz nach ihrer Heirat an Gehirntuberkulose. Allein Thomas ist – wenn auch nur mit äußerster Anspannung und Selbstbeherrschung – noch in der Lage, das Erbe zu übernehmen. Er wird Senator, und äußerlich erreicht das Ansehen der Familie erst jetzt seinen Höhepunkt. Seine Frau, eine reiche, musikalisch hochbegabte Holländerin von *»nervöser Kälte«*, bringt ein exotisches Element und künstlerische Begabung in die Familie. Der Sohn aus dieser Ehe, Hanno, repräsentiert das letzte Stadium eines Prozesses, in dessen Verlauf die Buddenbrooks den Gewinn an Sensibilität und Bewußtsein mit dem Verlust ihrer Vitalität und zuletzt auch ihrer gesellschaftlichen Stellung bezahlen. Thomas Buddenbrook, früh verbraucht, stirbt nach einer Zahnoperation einen Tod, der in seiner Banalität erschütternd ist; sein Sohn Hanno – Inbegriff lebensfremder Zartheit und sensiblen Künstlertums, in dessen musikalischen Neigungen der Prozeß der Entbürgerlichung sich vollendet – stirbt an Typhus. Der Untergang der Buddenbrooks steht symbolisch für das Schicksal eines patrizischen Bürgertums, an dessen Stelle – im Roman durch den Aufstieg der Familie Hagenström angedeutet – der kapitalistische Bourgeois tritt. Der Untertitel *Verfall einer Familie* darf indessen nicht als einseitig negatives Werturteil verstanden werden. Verfall ist für Thomas Mann ein dialektischer Begriff, aus der Auflösung traditioneller Formen und Werte ergeben sich auch konstruktive Momente, neue Lebensformen und Verhaltensweisen. Verfall ist zugleich Differenzierung und Steigerung der geistigen und ästhetischen Empfindungsfähigkeit, und »*ohne den décadent, den kleinen Hanno, wären Menschheit und Gesellschaft seit diluvialen Zeiten um keinen Schritt vorwärtsgekommen. Es ist die Lebensuntauglichkeit, welche das Leben steigert, denn sie ist dem Geist verbunden*«.

Thomas Mann hatte zunächst, »*nach dem Muster skandinavischer Kaufmanns- und Familienerzählungen, an eine erweiterte Novelle*« gedacht, »*die ungefähr das letzte Viertel des Romans, den Verfall Thomas Buddenbrooks und Hannos Tod, zum Inhalt hatte*«. Wie auch bei allen späteren Romanen, z. B. dem *Zauberberg*, wuchs ihm jedoch das Werk unter den Händen. »*Da aber ein epischer Instinkt mich trieb, ab ovo zu beginnen und die gesamte Vorgeschichte mit aufzunehmen, so entstand statt der Knabennovelle, die sich nicht viel von anderen damals in Deutschland hervorgebrachten unterschieden hätte, ein als Familien-Saga verkleideter Gesellschaftsroman, der als solcher dem westeuropäischen Typ des Romans näherstand als dem deutschen, ein vom Verfallsgedanken überschattetes Kulturgemälde ...*« Tatsächlich ist es Thomas Manns Erzählkunst gelungen, im Schicksal einer Familie, und obwohl durchaus individuelle Verhältnisse geschildert werden, ein allgemeines, historisch-gesellschaftliches Phänomen darzustellen. Das geschieht im ersten Teil noch weitgehend mit den Mitteln eines realistischen Stils. Die Ereignisse werden in chronologischer Folge erzählt, Vergangenes wird durch Familienpapiere oder erinnernden Dialog vergegenwärtigt; die Personen werden mit kunstvoller Indirektheit durch ihre Redeweise charakterisiert. Im zweiten Teil jedoch, der mit Hannos Geburt beginnt, bleibt es nicht bei der Erzähltechnik einer »Familienchronik«. Der fortschreitenden Differenzierung der Hauptfiguren entspricht eine »*Komplizierung der Griffe*«, und die psychologisch vieldeutigen Vorgänge des »Verfalls« werden nicht in traditionell realistischer Weise einfach beschrieben, sondern bilden sich in der Sprache und epischen Struktur unmittelbar ab. In die Erzählung eingefügt sind fast essayistische Stücke, »Gedankenprotokolle« (Thomas B. bei der Schopenhauer-Lektüre) und wissenschaftliche Abschnitte (die medizinische Darstellung des Typhus, der der Tod Hannos nur mittelbar zu entnehmen ist), die direkte Rede wird durch indirekte und erlebte Rede ergänzt. Kontrastierung und Variation der Motive und gegen- oder parallelläufige Anordnung mehrerer Handlungen differenzieren das epische Gewebe.

Die *Buddenbrooks* gehören zu den wenigen Romanen von hohem dichterischem Rang, die schnell berühmt wurden, und sind jahrzehntelang eines der meistgelesenen Werke der deutschen Literatur geblieben. In dem Vortrag *Meine Zeit*, in dem Thomas Mann als Fünfundsiebzigjähriger auf sein Leben und Werk zurückblickt, nennt er einen der Gründe dieser außerordentlichen Wirkung: »*Ich hatte persönlich-familiäre Erfahrungen zum Roman stilisiert, mit der Empfindung zwar, daß etwas ›Literarisches‹, das heißt Geistiges, das heißt Allgemeingültiges daran sei, aber doch ohne eigentliches Bewußtsein davon, daß ich, indem ich die Auflösung eines Bürgerhauses erzählte, von mehr Auflösung und Endzeit, einer weit größeren kulturell-sozialgeschichtlichen Zäsur gekündet hatte.*« E. Ho.-KLL

AUSGABEN: Bln. 1901. – Bln. 1925 (in *GW*, 10 Bde., 1/2). – Stockholm 1945 (in *Stockholmer GA der Werke*, 2 Bde.). – Ffm. 1959. – Ffm. 1960 (in *GW*, 12 Bde., 1).

VERFILMUNGEN: Dtschl. 1923 (Regie: G. Lamprecht). – Dtschl. 1959 (Regie: A. Weidenmann).

LITERATUR: W. Schleifenbaum, *T. M.s »Buddenbrooks«*, Diss. Bonn 1956. – P. Scherrer, *Bruchstücke der »Buddenbrook«-UrHs und Zeugnisse zu ihrer Entstehung 1897–1901* (in NRs, 69, 1958, S. 258–291; 381/382). – A. Nivelle, *La structure des »Buddenbrooks«* (in Revue des Langues Vivantes, 24, 1958, S. 323–339). – P. Scherrer, *Aus T. M.s Vorarbeiten zu den »Buddenbrooks«*, Zürich 1959. – I. Diersen, *Untersuchungen zu T. M. Die Bedeutung der Künstlerdarstellung für die Entwicklung des Realismus in seinem erzählerischen Werk*, Bln. 1959, S. 16–51. – E. Heller, *T. M. Der ironische Deutsche*, Ffm. 1959, S. 9–60. – P. Altenberg, *Die Romane T. M.s*, Bad Homburg 1961, S. 16–27. – H. Koopmann, *Die Entwicklung d. »intellektualen Romans« bei T. M.*, Bonn 1962. – H. Stresau, *T. M. u. sein Werk*, Ffm. 1963, S. 57–84. – E. Lämmert, *T. M.s »Buddenbrooks«* (in *Der Dt. Roman*, Hg. B. v. Wiese, Düsseldorf 1964, S. 190–233). – R. Baumgart, *Das Ironische und die Ironie in den Werken T. M.s*, Mchn. 1964.

DOKTOR FAUSTUS. Das Leben des deutschen Tonsetzers Adrian Leverkühn, erzählt von einem Freunde. Roman von Thomas MANN (1875–1955), erschienen 1947. – Ein »*Lebens- und Geheimwerk*« nannte Thomas Mann diesen Roman, in dem er, bis auf das Volksbuch *Historia von D. Johann Fausten* (1587) zurückgreifend, die gesamte literarische Tradition des Faust-Stoffes aufnimmt und umformt, sie »zitiert« und dichterisch gestaltend deutet. »*Ein Endbuch ist dieses gewaltige Unternehmen ... insofern, als es tatsächlich die zeitgemäße Fassung des Faust darstellt – der einzig vergleichbare ›Faust‹ von Valéry ... ist bezaubernde geistige Mythologie daneben. Thomas Mann bringt diese repräsentative Symbolfigur nicht nur des deutschen, sondern des abendländischen Menschen auf den heutigen Stand. Ja, er bringt sie zu einem Abschluß, er säkularisiert sie mitsamt ihrem zugehörigen Dämon.*« (E. Kahler)

Der Roman hat die Form einer Biographie. Dr. phil. Serenus Zeitblom, »*eine gesunde, human temperierte, auf das Harmonische und Vernünftige gerichtete Natur*«, erzählt zwischen 1943 und 1945 die Lebensgeschichte des Komponisten Adrian Leverkühn, »*eines stolzen und von Sterilität bedrohten Geistes*«, der vor der Problematik seiner Kunst und den Schwierigkeiten einer ihm ausweglos erscheinenden Kulturkrise in einen Pakt mit dem Teufel flieht. Doch ist der *Doktor Faustus* mehr als die fiktive Biographie eines Musikers; er ist die Darstellung der gegenwärtigen Epoche als einer Krisen- und Endzeit der Kunst wie auch der geistigen und politisch-gesellschaftlichen Entwicklung. Thomas Mann selbst hat darauf hingewiesen, daß die Musik in dem Roman nur Paradigma sei, »*nur Mittel, die Situation der Kunst überhaupt, der Kultur, ja des Menschen, des Geistes selbst in unserer durch und durch kritischen Epoche auszudrücken*«. Zugleich wird das Schicksal Adrian Leverkühns mit der Problematik des Deutschtums, insbesondere mit dem Verhältnis des Deutschen zur Welt, und mit der geschichtlichen Situation Deutschlands im 20. Jh. verbunden. Das Hauptthema des Romans, der »*katastrophale Rückfall des hoch- und überentwickelten Geistes in archaische Primitivität*« (E. Heller) erscheint als individueller und gleichzeitig als überpersönlicher, historisch-politischer Vorgang.

Adrian, im Jahr 1885 geboren, wächst auf einem Bauernhof in der Nähe von Weißenfels auf. Er ist das Kind ländlich-einfacher Eltern, indessen treibt sein Vater, ein Mann mit einer »*Physiognomie, wie geprägt von vergangenen Zeiten*«, in seinen Mußestunden die absonderlichsten biologischen und chemisch-physikalischen Studien, er »*spekuliert die elementa*«. Adrian ist von auffallender Intelligenz und besucht das Gymnasium. Er zieht zu seinem Onkel nach Kaisersaschern, dessen Stadtbild und Atmosphäre »*etwas stark Mittelalterliches bewahrt hatte*«. In dieser Stadt von einer »*altertümlich-neurotischen Unterteuftheit und seelischer Geheim-Disposition*« absolviert er die Schule mit glänzenden, von ihm selbst freilich gering geschätzten Erfolgen. In dieser Zeit entwickelt sich sein – ganz im Gegensatz zu seiner sonst kühlen Art – leidenschaftliches Interesse für die Musik. Was ihn zu ihr hinzieht, ist das mathematisch Strenge und doch Geheimnisvoll-Vieldeutige. Die Musik ist für ihn »*die Zweideutigkeit als System*«, ihr sinnliches Element, die »*Kuhwärme*«, wird durch Ordnungsbeziehungen, Berechnung und Abstraktion aufgehoben. Dennoch beginnt Leverkühn zunächst, Theologie zu studieren, tut dies jedoch durchaus nicht aus schlichter Frömmigkeit. Sein Freund und Biograph vermutet von vornherein, daß auch nicht das Verlangen, seinen überlegenen Intellekt »*im Religiösen einzufrieden*«, sondern gerade Hochmut und Stolz der Grund für diesen Entschluß sind. Tatsächlich erweist die Theologie sich sehr bald als wahre Teufelswissenschaft, die ohne den »*schwarzen Kesperlin*« nicht auskommt. Für Adrian aber ist das Theologiestudium ein Umweg; er bricht es ab und wendet sich, obwohl von Zweifeln erfüllt, als Komponist endgültig der Musik zu. Er weiß, daß seinem Künstlertum jede robuste Naivität fehlt, daß sein Teil vielmehr »*eine rasch gesättigte Intelligenz*« ist, verbunden mit hoher Sensibilität und einem wachen »*Sinn für das Abgeschmackte*« der überlieferten Kunstmittel. »*Warum muß es mir vorkommen, als ob fast alle, nein, alle Mittel und Konvenienzen der Kunst heute nur noch zur Parodie taugen?*« Adrians kritischer Geist erlaubt ihm nicht, sich Illusionen zu machen. Die Gefahr des Unschöpferischen, der er sich gegenübersieht, ist nicht Ausdruck individueller Unfähigkeit, sondern eine Folge der musikgeschichtlichen Entwicklung, der Tatsache, daß das historisch vorgegebene musikalische Material ausgeschöpft und verbraucht ist. Adrian Leverkühns Situation ist repräsentativ für die im Roman auch theoretisch erörterte Krise der Musik zu Beginn unseres Jahrhunderts. Zahlreiche technische und formale Schwierigkeiten, mit denen er sich auseinandersetzen muß, entsprechen den Problemen, die von den Musikern unserer Zeit zu lösen waren. Dennoch ist seine Kunst natürlich »*ein Geschöpf des Dichters Thomas Mann und nicht das schmeichelhafte oder animose Abbild heutiger Musik*« (F. Kaufmann). Das gilt auch für die Übernahme der Zwölftontechnik Arnold Schönbergs, die im Zusammenhang des Werkes eine dämonische Bedeutung erhält, die sie in Wirklichkeit nicht besitzt.

Adrian durchschaut, daß die historische Entwicklung des musikalischen Materials sich »*gegen das geschlossene Werk gekehrt*« hat. Zu stolz, nur mit Formen zu spielen, »*aus denen ... das Leben geschwunden ist*«, schließt er einen Pakt mit dem Teufel, zu dem er von Jugend an unterwegs war. Bei der Ankunft in Leipzig, wo er seine musikalischen Studien fortsetzen will, führt ihn ein »*Dienstmann und Fremdenführer, so ein Kerl, einen Strick um den Leib, mit roter Mütze und Messingschild, teuflisch redend*« anstatt in einen Gasthof in ein Bordell. Eines der Mädchen berührt mit dem Arm seine Wange. Er entflieht, kehrt aber wie unter Zwang nach einiger Zeit zurück. Als er hört, daß jenes Mädchen inzwischen fortgezogen ist, fährt er ihr nach und verbringt die Nacht mit ihr, obwohl sie ihn vor ihrem kranken Körper gewarnt hat: an die Stelle der feierlichen Unterzeichnung des Teufelspaktes mit dem eigenen Blut tritt die willentliche Ansteckung mit Syphilis; die Zeit bis zur zerebralen Zersetzung ist die gesetzte Frist. »*Das alte kosmische Spiel zwischen Himmel und Hölle ist hereingeholt in die menschliche Person ... Der theologische Konflikt ist säkularisiert, Gott und der Teufel sind säkularisiert, ja sie sind in einen einzigen Leib gebunden.*« (E. Kahler)

Endgültig besiegelt wird der Pakt vier Jahre später in Palestrina, wo der Teufel Adrian leibhaftig erscheint. Er verspricht ihm die »*wahrhaft beglückende, entrückende, zweifellose und gläubige Inspiration*« und daß er die »*lähmenden Schwierigkeiten der Zeit durchbrechen*« werde. Dafür gehört seine Seele nach Ablauf der Frist dem Teufel, und schon bis dahin darf er nicht lieben: »*Dein Leben soll kalt sein – darum darfst du keinen Menschen lieben.*« Widerstrebend nimmt Adrian auch diese Bedingung an. Bald nach seiner Rückkehr aus Italien läßt er sich in Pfeiffering bei Waldshut nieder und lebt dort neunzehn Jahre in wachsender Zurückgezogenheit; ein Versuch des Konzertagenten Saul Fitelberg, ihn aus seiner Abgeschiedenheit »in die Welt« zu entführen – eines der witzigsten Kapitel des Buches – bleibt erfolglos. In diesen Jahren entstehen u. a. »Die Wunder des All«, eine »*einsätzige Symphonie oder Orchester-Phantasie*«, eine »*Suite dramatischer Grotesken*« mit der Puppenoper über den Papst Gregorius, und bald nach dem Ersten Weltkrieg, in einem Zustand »*höchster Freiheit und staunenswerter Macht ungehemmter, um nicht zu sagen hemmungsloser, jedenfalls unaufhaltsamer und reißender, fast atemloser Hervorbringung*« das Oratorium »Apocalipsis cum figuris«. Höhepunkt und zugleich Abschluß seines Schaffens ist die symphonische Kantate »Dr. Fausti Weheklag«, für die Adrian sich das Volksbuch vom Doktor Faust »*mit wenigen entschlossenen Griffen zur Unterlage seiner Sätze zurechtgefügt hat*«. Es ist das Werk der Verzweiflung eines rettungslos Verdammten, ein »*Monstre-Werk der Klage*«, geschrieben »*mit dem Blick auf Beethovens ›Neunte‹, als ihr Gegenstück in des Wortes schwermütigster Bedeutung*«, eine Komposition von äußerster Formenstrenge und zugleich des barbarischen Durchbruchs, in der sich die Paradoxie ereignet, »*daß aus der totalen Konstruktion sich der Ausdruck – der Ausdruck als Klage – gebiert*«. Unmittelbar nachdem Adrian »*dies dunkle Tongedicht*« vollendet hat, versammelt er – wie der Doktor Faustus des Volksbuches – seine Freunde bei sich, um ihnen eine Lebensbeichte abzulegen und ihnen aus dem Werk vorzuspielen. Dabei bricht er zusammen: »*Wir sahen Tränen seine Wangen hinunterrinnen und auf die Tasten fallen, die er, naß wie sie waren, in stark dissonantem Akkorde anschlug ... er breitete, über das Instrument gebeugt, die Arme aus, als wollte er es damit umfangen, und fiel plötzlich, wie gestoßen, seitlich vom Sessel hinab zu Boden.*« Er erleidet einen paralytischen Schock, seine Zeit ist abgelaufen. Nach jahrelangem Leben in geistiger Umnachtung stirbt er 1940.

Leverkühns Lebensgeschichte wird vielfältig und im Fortgang des Romans immer deutlicher in Parallele gesetzt mit dem Schicksal des dem nationalsozialistischen Rausch verfallenden Deutschlands. Als Faust ist Leverkühn zwar nie einfach Abbild, jedoch stets Symbol des deutschen Wesens, seiner Problematik und seiner Gefährdung. Darüber hinaus aber nutzt Thomas Mann für die Vergegenwärtigung dieses Zusammenhangs eine Möglichkeit, die sich allein aus der Einschaltung des Erzählers ergibt: die Möglichkeit, den Roman »*auf doppelter Zeitebene spielen zu lassen*«, d. h., die Vergangenheit, Adrians Leben, mit der Gegenwart, den »*Schrecknissen der Zeit*«, zu verschränken, die Serenus Zeitblom erschüttern, während er die Biographie seines Freundes niederschreibt. In der ersten Hälfte des Buches spricht er nur selten, nach dem Teufelsgespräch jedoch immer häufiger über die politische Situation und die Kriegslage, und fast alle Kapitel der zweiten Hälfte beginnen mit knappen Berichten über das seinem Untergang entgegentaumelnde nationalsozialistische Deutschland. Ausdrücklich miteinander verknüpft werden Adrians Teufelspakt und der Weg Deutschlands jedoch erst im letzten Satz des ganzen Buches: »*Ein einsamer alter Mann faltet seine Hände und spricht: Gott sei eurer armen Seele gnädig, mein Freund, mein Vaterland.*«

Der formale Grundgedanke des Werks, Adrians Leben nicht unmittelbarer darzustellen, es »*nicht selbst zu erzählen, sondern es erzählen zu lassen*«, ist von Thomas Mann konsequent, mit gelegentlich virtuoser und einer durchaus parodistischen Meisterschaft verwirklicht worden. Er hat hervorgehoben, daß dieser Kunstgriff notwendig gewesen sei, um eine »*gewisse Durchheiterung des düsteren Stoffes zu erzielen ... Das Dämonische durch ein exemplarisch undämonisches Mittel gehen zu lassen, eine humanistisch fromme und schlichte, liebend verschreckte Seele mit seiner Darstellung zu beauftragen, war an sich eine komische Idee.*« Doch ist Serenus Zeitblom keineswegs nur Erzähler, sondern von Anfang an selbst auch Romanfigur, und scheinbar nebenbei ist es Thomas Mann gelungen, in ihm eine zweite, der Welt Fausts und aller Dämonie entgegengesetzte und ihr doch eng verbundene Lebens- und Geisteshaltung dichterisch zu vergegenwärtigen. Zeitblom, der sich gern als Nachfahre der deutschen Humanisten betrachtet und der das als wesensfremd empfundene Dämonische instinktiv aus seinem Weltbild ausschaltet, verkörpert eine Kulturbürgerlichkeit und Vernunftrechtschaffenheit, der nichts ferner liegt, als sich »*mit den unteren Mächten verwegen einzulassen*«, die ihnen jedoch auch kaum etwas entgegenstellen kann. Es ist ein gleichsam hausbacken gewordener Humanismus, der – im Unterschied zu Leverkühn – nicht mit dem Bösen paktiert, trotz klarer Ablehnung aber ohnmächtig in dessen Bann gerät – eine Hilflosigkeit, die noch im Stil zum Ausdruck kommt, dem uneigentlich, »parodistisch« verwendeten Humanistendeutsch, das Thomas Mann Zeitblom schreiben läßt. Wie in anderen Werken des Dichters ist auch im *Doktor Faustus* die Sprache nicht nur Medium des Erzählens, sondern wird selbst Darstellung seelischer und geistiger Sachverhalte, die sich in der Sprachgestalt differenziert, doch unmittelbar abbilden.

Zwei Jahre nach Erscheinen des Werks veröffentlichte Thomas Mann als selbständiges Buch den Bericht *Die Entstehung des Doktor Faustus. Roman eines Romans* (1949). Er schildert dort die Lebensumstände und die politische Situation, in der er den *Doktor Faustus* schrieb, kommentiert ihn und geht ausführlich auf manche Quellen ein, die er benutzte oder die ihn anregten. Der Eindruck alles mitteilender Offenheit freilich ist trügerisch, tatsächlich ist die durch und durch literarisch geformte Schrift eine kunstvolle Mischung von Mitteilung, Andeutung und Verschweigen. Dennoch erfährt der Leser hier viel über die Fülle des Materials, das der Dichter verarbeitete oder »zitierend« übernahm, etwa die Musikphilosophie Th. W. Adornos und das Teufelsgespräch aus Dostoevskijs *Die Brüder Karamazov*, Episoden aus dem Volksbuch vom Doktor Faust und so zahlreiche Tatsachen aus dem Leben Friedrich Nietzsches, daß Thomas Mann von einer »*Verflechtung der Tragödie Leverkühns mit der Nietzsches*« sprechen kann. Er hat für dieses dichterische Verfahren den Begriff der »*Montage-Technik*« geprägt und darauf hingewiesen, daß es vor allem auf die »*funktionelle Rolle*« ankomme, die das Angeeignete innerhalb des Werks spiele. Die Umformung und Gestaltung des gesamten Erzählstoffes, seine Integration in den gedanklichen und atmosphärischen Zusammenhang des Buches ist im *Doktor Faustus* so restlos gelungen, daß auf ihn anwendbar ist, was Adrian Leverkühn unter »strengem Satz« versteht: es gibt keinen Ton, »*nicht einen, der nicht in der Gesamtkonstruktion seine motivische Funktion erfüllte*«, es gibt »*keine freie Note mehr*«. Der Roman ist von einer geistigen und formalen Geschlossenheit wie nur wenige Werke der Weltliteratur: »*Wie ungebunden die Erzählung zu fließen, die Erfindung zu spielen scheint, hier ist nichts Zufall, hier steht nichts für sich allein, alles zielt auf alles, alles ist durch das Ganze determiniert, kreuz und quer, zwischen Anfang und Ende, Oben und Unten laufen die Entsprechungen in einer labyrinthischen Mathematik.*« (E. Kahler) H. H. H. – W. Hn.

Ausgaben: NY 1944 (in Aufbau, 10, 22. 12. 1944, 51; Ausz.). – NY 1947. – Stockholm 1947 (in *Stockholmer GA*). – Wien 1948 (gekürzte endgültige Fassg.; vgl. H. Bürgin, *Das Werk Th. M.s. Eine Bibliogr.*, Ffm. 1959, S. 41). – Ffm. 1951. – Bln. 1955 (in *GW*, 12 Bde., 6). – Ffm. 1956. – Ffm. 1960 (in *GW*, 12 Bde., 6).

Literatur: E. Kahler, *Die Säkularisierung des Teufels. Th. M.s Faust* (in NRs, 58, 1948, S. 185 bis 202; auch in E. K., *Verantwortung des Geistes. Gesammelte Aufsätze*, Ffm. 1952, S. 143–162). – M. Colleville, *Nietzsche et le »Doktor Faustus« de Th. M.* (in EG, 3, 1948, S. 343–354; dt. in Das Goldene Tor, 3, 1948, S. 644–648). – V. Zuckerkandl, *Die Musik des »Doktor Faustus«* (in NRs, 59, 1948, S. 203–214). – W. Boehlich, *Th. M.s »Doktor Faustus«* (in Merkur, 2, 1948, 10, S. 588 bis 603). – H. E. Holthusen, *Die Welt ohne Transzendenz* (ebd., 3, 1949, 11/12, S. 38–58; 161 bis 180; auch Hbg. 1949). – E. Brock, *Die ideengeschichtliche Bedeutung von Th. M.s »Doktor Faustus«* (in Trivium, 7, 1949, S. 114-143). – F. Kaufmann, *Dr. Fausti Weheklag* (in Archiv für Philosophie, 3, 1949, S. 28–48; auch in F. K., *Das*

Reich des Schönen. Bausteine zu einer Philosophie der Kunst, Stg. 1960, S. 362–285). – W. Kohlschmidt, *Musikalität, Reformation und Deutschtum* (in Zeitwende, 21, 1949, S. 541–550; auch in W. K., *Entzweite Welt*, Gladbeck 1953, S. 98–112). – Th. Mann, *Die Entstehung des »Doktor Faustus«*, Amsterdam, 1949; Ffm. 1960. – G. Lukács, *Th. M.*, Bln. 1950, S. 49–113. – W. H. Rey, *Return to Health? ›Disease‹ in M.'s »Doktor Faustus«* (in PMLA, 65, 1950, S. 21–26). – G. Bianquis, *Th. M. et le »Faust-Buch« de 1587* (in EG, 5, 1950, S. 54 bis 59; auch in G. B., *Études sur Goethe*, Dijon 1951, S. 163–168). – H. Mayer, *Th. M., Werk und Entwicklung*, Bln. 1950, S. 321–393. – K. Heim, *Th. M. und die Musik*, Diss. Freiburg i. B. 1952. – H. Olschewski, *»Doktor Faustus« von Th. M., Struktur und Problematik eines modernen Romans*, Diss. Göttingen 1955. – K. Matthias, *Die Musik bei Th. M. und H. Hesse*, Diss. Kiel 1956. – W. Prinzing, *Stil der Schwebe in »Doktor Faustus«*, Diss. Stg. 1956. – F. Kaufmann, *Th. M.: The World as Will and Representation*, Boston 1957. – H. Mayer, *Th. M.s »Doktor Faustus«, Roman einer Endzeit und Endzeit des Romans* (in H. M., *Von Lessing bis Th. M.*, Pfullingen 1959, S. 383–404). – I. Diersen, *Untersuchungen zu Th. M., die Bedeutung der Künstlerdarstellung für die Entwicklung des Realismus in seinem erzählerischen Werk*, Bln. 1959, S. 229 bis 307. – I. Metzler, *Dämonie und Humanismus. Funktion und Bedeutung der Zeitblomgestalt in Th. M.s »Doktor Faustus«*, Essen 1960 [Diss. Mchn. 1959]. – N. Wilmont, *Die Tragödie des Komponisten Adrian Leverkühn* (in Geist und Zeit, 1960, 4, S. 106–126). – P. Altenberg, *Die Romane Th. M.s, Versuch einer Deutung*, Bad Homburg 1961, S. 207–311. – H. P. Pütz, *Kunst und Künstlerexistenz bei Nietzsche und Th. M. Zum Problem des ästhetischen Perspektivismus in der Moderne*, Bonn 1963, S. 75–148. – G. Bergsten, *Th. M.s »Doktor Faustus«. Untersuchungen zu den Quellen und zur Struktur des Romans*, Lund 1963 (Studia litterarum Upsaliensia, 3). – S. W. Becker-Frank, *Untersuchung zur Integration des Zitats in Th. M.s »Doktor Faustus«*, Diss. Tübingen 1963. – J. Aler, *Doctor Faustus redivivus* (in *Vijf eeuwen Faust*, Hg. J. A. H. Henning, Den Haag 1963). – B. Heimann, *Th. M.s »Doktor Faustus« und die Musikphilosophie Adornos* (in DVLG, 38, 1964, S. 248–266). – F. C. Maatje, *Der Doppelroman. Eine literatursystematische Studie über duplikative Erzählstrukturen*, Groningen 1964. – E. Henze, *Die Rolle des fiktiven Erzählers bei Th. M.* (in NRs, 1965, S. 189ff.). – M. Mann, *Adrian Leverkühn, Repräsentant oder Antipode?* (ebd., S. 202–206).

JOSEPH UND SEINE BRÜDER. Vierteiliger Romanzyklus von Thomas MANN (1875–1955), entstanden in den Jahren 1926–1942, erschienen 1948 in einer dreibändigen Gesamtausgabe, der die Einzelbände *Die Geschichten Jaakobs* (1933), *Der junge Joseph* (1934), *Joseph in Ägypten* (1936) und *Joseph, der Ernährer* (1943) vorausgegangen waren. – Die lange Entstehungszeit des voluminösen Werks, das der Autor in einem späteren Vortrag (*Joseph und seine Brüder*; 17. 11. 1942) als *»verschämte Menschheitsdichtung«* bezeichnet hat, erklärt sich nicht allein aus den zeitraubenden Unterbrechungen, die sein Emigrantenschicksal – der größere Teil des dritten Bandes entstand 1933–1936 in der Schweiz, der vierte 1940–1942 in Amerika – ihm aufnötigte und die andere Arbeiten, wie etwa der zwischen den dritten und vierten Teil eingeschobene Goethe-Roman *Lotte in Weimar* (1939), noch vergrößerten, sondern auch aus der nach der Beendigung des *Zauberbergs* (1924) sich immer deutlicher herausbildenden umfassenden Intention, den Schritt vom *»Bürgerlich-Individuellen zum Mythisch-Typischen«* zu tun, jene *»Brunnentiefe der Zeiten«* auszuloten, *»wo der Mythus zu Hause ist und die Urnormen, Urformen des Lebens gründet«* (*Freud und die Zukunft*, 1936) – kurz, eine Psychologie des mythischen Bewußtseins zu liefern, in dem das *principium individuationis* noch durch kollektive, archaische Verhaltensmuster bestimmt und dirigiert wird. Dieser Absicht bot sich die biblische Josephslegende des ersten Buchs der *Genesis* (vor allem Kap. 27–50) nicht zuletzt deshalb an, weil der Autor eine von GOETHE empfangene Anregung seit langem produktiv aufzugreifen gedachte: *»Höchst liebenswürdig ist diese natürliche Geschichte* [i. e. die Josephslegende]*: nur erscheint sie zu kurz, und man fühlt sich versucht, sie in allen Einzelheiten auszuführen«* (*Dichtung und Wahrheit*). Th. Manns Bemühungen um eine aktualisierende Vergegenwärtigung mythologischen Stoffs, nicht nur des biblisch-palästinensischen, sondern auch des ägyptischen, phönizischen, hellenischen und assyrisch-babylonischen Raums, stützten sich zunächst auf den reinen Bibeltext, bezogen aber im Fortgang des Werks zahllose weitere alttestamentliche Quellen wie das *Buch der Jubiläen* und ältere Midrasch- und Sagenliteratur ein.

Die ersten beiden Bände beschreiben – nach einem essayartigen Einleitungskapitel (*Höllenfahrt*), das den *»Brunnen der Vergangenheit«* perspektivisch immer weiter vertieft, immer größere *»Vergangenheitsstrecken«* durchmißt bis zu jenem von gnostischen Schöpfungsmythen umwobenen *»Paradies im Osten«*, dem Garten Eden, demgegenüber Josephs Epoche bereits als Spätzeit erscheinen mußte – in einem großangelegten Rückgriff die Lebensgeschichte Jaakobs, seinen Segensbetrug an Esau, seine Flucht und Demütigung durch dessen Sohn Eliphas, seine *»Haupterhebung«* und die Zeit seiner Verbannung bei Laban im Land Aram Nahareim, dem er vierzehn Jahre um seine Tochter Rahel diente, die Brautvertauschung mit deren ungeliebter Schwester Lea, die ihm jedoch seinen Erstgeborenen – Ruben – schenkt, während Rahel lange unfruchtbar bleibt, bevor sie ihm Joseph, den *»rechtmäßigen Sohn«*, gebiert, seine Lösung aus den Diensten Labans, Rückkehr und Aussöhnung mit Esau, endlich die Jugend Josephs im Weidelager seines Vaters bei Hebron und seine Konflikte mit den älteren Brüdern, die ihn, aufgrund der ungerechtfertigten Bevorzugung durch den Vater, in einem Brunnenschacht aussetzen, aus dem ihn wandernde Ismaeliter befreien und nach Ägypten bringen. Die letzten beiden Bände stellen der patriarchalischen Hirtenwelt der »Erzväter« und ihrer *»Gottessorge«* und dem von Abraham *»entdeckten«* und *»hervorgedachten« »Einen und Höchsten«* das zivilisatorisch fortgeschrittene, kosmopolitisch-aufgeklärte Milieu des oberen Niltals mit seinem bunten Götterhimmel entgegen, wobei der Autor Josephs Auftreten in Ägypten – im Widerspruch zu einem Teil der Forschung, die einen früheren Zeitpunkt annimmt – auf das Ende der 18. Dynastie, in die Regentschaft Amenhoteps III. (1411–1375) und Amenhoteps IV. (1375–1352) verlegt und damit das »Irgendwann« und »Einst« der dem *»Zeitenstrom«* weitgehend entzogenen mittelmeerisch-semitischen Mythenwelt in klareren, historisch bereits umrißhaft greifbaren Bezügen aufhebt.

Ihren - schematisch-verkürzten – Inhalt bilden zunächst Josephs Sklavendienst im Hause Peteprês (Potiphars), eines Groß-Eunuchen des Pharao, zu dessen Hausverwalter er aufsteigt, und seine Versuchung durch Peteprês Gattin Mut-em-enet – eine Episode, der der Autor den buhlerisch-bündigen Charakter des Genesis-Textes zwar nicht nimmt, die er aber in einer ungleich feinfühliger motivierten Dimension ansiedelt: Mut-em-enet, Vertreterin des ägyptischen Hochadels und jungfräuliche »*Mondnonne*« des Staatsgottes Amun-Rê, wird, in einer zeremoniell aufrechterhaltenen Ehe lebend, sich ihrer lange verdrängten Sexualität angesichts Josephs männlicher Schönheit schmerzhaft bewußt (FREUDS Trieblehre, ebenso wie seine Theorie der Bewußtseinsschichtung in *Das Ich und das Es* (1923) und *Totem und Tabu* (1913), hat bedeutenden und nachhaltigen Einfluß gerade auf die Josephs-Tetralogie ausgeübt); es folgen Josephs Bestrafung und erneute »*Fahrt in die Grube*« (d. h. das Inselgefängnis Zawi-Rê), seine Erhöhung zum Traumdeuter des Pharao, dessen Gunst er mit seiner Auslegung des Traums von den sieben fetten und den sieben mageren Kühen als Zeiten des Überflusses und der Dürre in dem Maß gewinnt, daß ihm als »Wirtschaftsminister« die Getreideversorgung des gesamten Reichs übertragen wird und er den Beinamen des »Ernährers« erhält, schließlich die Wiederbegegnung mit seinen Brüdern und Jaakob, der Zug der gesamten Familie nach Ägypten und Jaakobs Tod.

Dieses bekannte biblisch-legendäre Handlungsschema wird von Thomas Mann nicht nur im Sinn einer illusionistischen Fabulierlust romanhaft-fiktiv erweitert und aufgefüllt, sondern darüber hinaus mit textkritischen und essayistischen, religionshistorischen, mythenvergleichenden, soziologischen und kommentierend-analytischen Einschüben durchsetzt und verklammert, so daß die Geschichte »*gleichsam Selbstbesinnung gewinnt und sich erinnert, wie es denn eigentlich im Genauen und Wirklichen mit ihr gewesen, also, daß sie zugleich quillt und sich erörtert*«. Dabei bedingen gerade die versuchte Exaktheit und der wissenschaftlich-zünftige »Schein« die humoristisch-ironische Grundhaltung, »*denn das Wissenschaftliche, angewandt auf das ganz Unwissenschaftliche und Märchenhafte, ist pure Ironie*«.

Die »*Zusammenziehungen, Verwechselungen und Durchblickstäuschungen*«, die die *Höllenfahrt* des Einleitungskapitels als für das mythische Bewußtsein charakteristische Verhaltensweise angesichts eines »*stilleren, stummeren, gleicheren Zeitgebreites*« mit langsamerem Entwicklungsgefälle beschreibt – so hält Joseph in »*träumerischer Ungenauigkeit*« Abraham für seinen Urgroßvater, ohne zu bemerken, daß eine Zeitspanne von wenigstens zwanzig Generationen ihn von Abraham trennen muß –, lassen ein personales Bewußtsein sich entfalten, das gleichsam »*nach hinten, ins Frühere*« offensteht, weniger fest umrissen ist als das der »Individualität«, der »Persönlichkeit« späterer Jahrhunderte und unmerklich archaisch-urtümliche, vorgeprägte Handlungskonstellationen wiederaufnimmt und sich imitierend mit ihnen identifiziert. Die chronologische Zeit hebt sich auf »*im Geheimnis der Vertauschung von Überlieferung und Prophezeiung, welche dem Worte ›Einst‹ seinen Doppelsinn von Vergangenheit und Zukunft und seine Ladung potentieller Gegenwart verleiht*«. So waltet etwa in der Austeilung des Abrahamssegens ein mythischer Wiederholungszwang, der, bei zwei Brüdern oder Gruppen von Brüdern, den Segen immer auf die »*Sanften und Klugen*«, die Hirten (wie Isaak und Jaakob), im Gegensatz zu den Streifenden und Jägern (wie Esau) lenkte. Dieser Wiederholungszwang bildet eine »*zeitlose und über-individuelle Zusammenfassung des Typus*« heraus und war schon ebenso bei Kain und Abel wirksam, wie er auch Parallelen in ägyptischen und sumerisch-akkadischen Mythen (zu Seth und Osiris, vgl. *Horus und Seth*; zu Tammuz: *Inannas (Ištars) Gang zur Unterwelt*) findet: Seth ermordet seinen Bruder und zerstückelt die Leiche des Osiris, der darauf König des Totenreichs wird; Tammuz wird – stellvertretend – von dem Eber Ninib zerrissen, stirbt und steigt als Bringer einer neuen Zeit und Religion aus der Erde empor (auch hier hat Th. Mann die Überlieferung frei gestaltet). Diesen mythischen Konstellationen gesellt sich das Motiv des Kreislaufs, der Vertauschbarkeit »irdischer« und »himmlischer« Geschicke zu: »*Die Sphäre rollt: das liegt in der Natur der Sphäre. Oben ist bald Unten und Unten Oben, wenn man bei solcher Sachlage von Unten und Oben überall sprechen mag. Nicht allein, daß Himmlisches und Irdisches sich ineinander wiedererkennen, sondern es wandelt sich auch, kraft der sphärischen Drehung, das Himmlische ins Irdische, das Irdische ins Himmlische, und daraus erhellt, daraus ergibt sich die Wahrheit, daß Götter Menschen, Menschen dagegen wieder Götter werden können.*« – Josephs Geschichte scheint zunächst ebenso unter mythischem Wiederholungszwang zu stehen: Der schöne Knabe, um den bereits der Vater ein »*Scheinen von Klarheit, Lieblichkeit, Ebenmaß, Sympathie und Gottesannehmlichkeit*« zu bemerken glaubt, lenkt in narzißtischer Selbstverliebtheit den Zorn seiner Brüder auf sich, als er sich dem »Erwähltheitstypus« der Sanften und Klugen halb schauspielerisch-bewußt, halb instinktiv anähnelt: »*Das ist aber der Vorteil der späten Tage, daß wir die Kreisläufe schon kennen, in denen die Welt abläuft, und die Geschichten, in denen sie sich zuträgt und die die Väter begründeten.*« So empfindet er seinen Sturz in die Brunnengrube (das Unterweltsmotiv des zerrissenen und zerstückelten Gottes) als direkte Analogie zum osirischen Göttermythus, so bemüht er sich in Ägypten, seinem »Totenreich«, zunächst, der »*erste der Unteren*« zu werden, in der Hoffnung auf eine Auferstehungszukunft, die ihm erlaubt, seine versöhnte Familie nachkommen zu lassen. »*Das zitathafte Leben, das Leben im Mythus, ist eine Art von Zelebration: insofern es Vergegenwärtigung ist, wird es zur feierlichen Handlung, zum Vollzuge eines Vorgeschriebenen durch einen Zelebranten, zum Begängnis, zum Feste*« *(Freud und die Zukunft)*. Indem sich jedoch Joseph seiner »zitierenden« Identifikationen bewußt wird und den Sinn seiner »Geschichte« erkennt und damit überschreitet, ereignet sich das, was Th. Mann die »*Geburt des Ich aus dem mythischen Kollektiv*« nennt, die den langen Prozeß menschlicher »Selbstverständigung« und Emanzipation einleitet. Auf diesen Prozeß der Bewußtwerdung bezieht sich auch eine Formulierung des Autors in seinem über zwanzig Jahre sich erstreckenden Briefwechsel mit dem Altphilologen und Mythenforscher Karl KERÉNYI, der – seit 1934 – mehr als die Hälfte der Entstehungszeit der Josephstetralogie kritisch begleitet: »*Man muß dem intellectuellen Fascismus den Mythos wegnehmen und ihn ins Humane umfunktionieren. Ich tue längst nichts anderes mehr*« (14. 11. 1941).

Josephs Bewußtwerdung, in deren Verlauf er sich

von der mythischen Rollenidentifikation löst, setzt ein mit seinem zweiten »Fall«: Seine Geschichte »*kommt auf die Erde*«, wird konkrete Menschengeschichte, in der sich die Gegensätze von Oben und Unten so durchdringen, daß Joseph, der »*Herr über Ägyptenland*«, und sein vorausschauendes, quasi bürgerlich-rationalistisches Wirtschaftssystem der Vorratsanhäufung und Landbesitzverteilung durchaus »*als schelmisch und als Manifestation einer verschlagenen Mittlergottheit*« empfunden wird. Sein Weg zur männlichen Reife entläßt ihn nicht als »*Gotteshelden*«, als »*Boten geistlichen Heils*«, sondern als »*Volkswirt*«, als Verfechter einer »*einfachen, praktischen Sache*« – symbolischer Ausdruck eines Menschentums, das den das Frühwerk Th. Manns beherrschenden Antagonismus von Natur (Leben) und Geist – wie die Goethe-Gestalt des Autors in *Lotte in Weimar* – aufhebt und gesegnet ist mit »*Segen oben vom Himmel herab und mit Segen von der Tiefe, die unten liegt*«. Und mit Josephs Lösung aus der mythischen Imitatio, an der das virtuos geknüpfte Motivgeflecht des gesamten Werks mit seiner weitausgreifenden Einbeziehung alttestamentarisch-orientalischer Mythologie suggestiv mitwirkt, wird auch das Schema der Segensausteilung an die Sanften zugunsten des schweifenden »Edom«-Typus durchbrochen: Juda wird zum Segenserben erwählt und Joseph sogar gänzlich übergangen, weil er – Jaakobs später Einsicht entsprechend –, das eigenwillig sich absondernde »*verpflanzte Reis*« des Stammes Israel, den Gehorsam gegen Gott vergaß und wohl »*weltlichen Segen*«, nicht aber geistlichen sich erwarb. H. H. H.

AUSGABEN: Bln. 1933 *(Die Geschichten Jaakobs. Jakob u. seine Brüder. Der erste Roman)*. – Bln. 1934 *(Der junge Joseph. Joseph u. seine Brüder. Der zweite Roman)*. – Wien 1936 *(Joseph in Ägypten. Joseph u. seine Brüder. Der dritte Roman)*. – Stockholm 1943 *(Joseph, der Ernährer. Joseph u. seine Brüder. Der vierte Roman)*. – Stockholm 1948, 3 Bde. (*Stockholmer GA*; ern. Ffm. 1952). – Bln. 1955 (in *GW*, 12 Bde., 3–5). – Ffm. 1960 (in *GW*, 12 Bde., 4/5). – Ffm. 1964.

LITERATUR: A. Jacobson, *Das plastische Element im Josephs-Roman* (in MDU, 37, 1945, S. 417 bis 427). – K. Kerényi, *Romandichtung und Mythologie. Ein Briefwechsel mit T. M.*, Zürich 1945. – K. Hamburger, *T. M.s »Joseph und seine Brüder«, eine Einführung*, Stockholm 1945; ern. Mchn. 1965 [u. d. T. *Der Humor bei T. Mann. Zum Joseph-Roman*]. – P. Heller, *Some Functions of the Leitmotiv in T. M.'s Joseph Tetralogy* (in Germanic Review, 22, 1947, S. 126–141). – H. N. Carlebach, *›Thamar‹ bei T. M. u. im jüdischen Schrifttum* (in MDU, 39, 1947, S. 237–247). – R. Hartung, *Vom legitimen Mythos. Betrachtungen zu T. M.s »Joseph, der Ernährer«* (in Die Fähre, 2, 1947, S. 55–61). – S. H. Floersheimer, *Character and Symbol in T. M.'s »Joseph und seine Brüder«*, Diss. Oxford 1951. – M. Beheim-Schwarzbach, *Joseph und der Zauberer* (in NRs, 64, 1953, S. 621–636). – M. van Doren, *»Joseph and His Brothers«. A Comedy in Four Parts* (in *T. M. Commemoration*, Philadelphia 1956, S. 14–46). – G. Hillard, *T. M.s Mythenspiel zum Joseph-Roman* (in Merkur, 10, 1956, S. 112–123). – J. Lesser, *T. M.s Joseph-Tetralogie* (in *Der Gesichtskreis. Fs. f. J. Drexel*, Mchn. 1956, S. 128–141). – R. Schinkenberger, *T. M., »Joseph und seine Brüder«. Eine morphologische Untersuchung*, Diss. Bonn 1956. – R. Schörken, *Morphologie der Personen in T. M.s Roman »Joseph und seine Brüder«*, Bonn 1957. – O. Seidlin, *Ironische Brüderschaft. T. M.s »Joseph der Ernährer« und Lawrence Sternes »Tristram Shandy«* (in OL, 13, 1958, S. 44–63). – M. Stockhammer, *T. M.s Job-Jacob* (in Judaism, 8, 1959, S. 242–246). – P. Altenberg, *Die Joseph-Romane* (in Schweiz. Monatshefte, 40, 1960, S. 84 bis 91). – B. Richter, *Der Mythos-Begriff T. M.s und das Menschenbild der Josephsromane* (in Euph, 54, 1960, S. 411–433). – H. Beck, *Epische Ironie als Gestaltungsprinzip in T. M.s Josephs-Tetralogie*, Diss. Jena 1961. – A. Esche, *Mythisches und Symbolisches in T. M.s Josephsromanen* (in *Vollendung und Größe T. M.s*, Hg. G. Wenzel, Halle 1962, S. 149–161). – O. Seidlin, *In the Beginning Was...? The Origin of T. M.'s »Joseph und seine Brüder«* (in MLN, 77, 1962, S. 493–498). – H. Lehnert, *T. M.s Vorstudien zur Josephs-Tetralogie* (in Jb. d. dt. Schiller-Ges., 7, 1963, S. 458–520). – E. Schiffer, *Illusion und Wirklichkeit in T. M.s »Felix Krull« und »Joseph«* (in MDU, 55, 1963, S. 69–81). – A. Bloch, *The Archetypal Influences in T. M.'s »Joseph and His Brothers«* (in GR, 38, 1963, S. 151–156). – H. Arens, *Analyse eines Satzes von Thomas Mann*, Düsseldorf 1964. – J. Hohmeyer, *T. M.s Roman »Joseph u. seine Brüder«. Studien zu einer gemischten Erzählsituation*, Marburg 1965 (Marburger Beitr. zur Germanistik, 2). – H. Lehnert, *T. M. Fiktion, Mythos, Religion*, Stg./Köln/Bln./Mainz 1965. – N. Szentkuthy, *T. M.s Joseph-Geschichten* (in SuF, Sonderh. *T. M.*, 1965, S. 205–217). – H. Lehnert, *T. M.s Josephstudien 1927–1939* (in Jb. d. dt. Schiller-Ges., 10, 1966, S. 378–406). – J. Scharfschwert, *T. M. u. der dt. Bildungsroman*, Stg. 1967 (Studien zur Poetik u. Geschichte der Literatur, 5).

LOTTE IN WEIMAR. Roman von Thomas MANN (1875–1955), erschienen 1939. – »*Lustspielhaft setzt ›Lotte in Weimar‹ ein: mit der Ankunft einer distinguierten alten Dame, die den Gasthof der kleinen Residenzstadt, in dem sie absteigt, in begreiflichen Aufruhr versetzt*« (Th. Mann). Die alte Dame ist niemand anders als die Hofrätin Charlotte Kestner, geb. Buff. Zunächst wird sie von dem kunstbeflissenen Kellner Mager fassungslos bestaunt – steht er doch der berühmten Heldin des *Werther*-Romans (1774) leibhaftig gegenüber: Die Dichtung scheint Wirklichkeit zu werden. Damit ist bereits zu Anfang ein zentrales Thema des Romans angeschlagen. Auch für Lotte überlagert sich immer wieder die »*große Wirklichkeit*« des *Werther* mit der »*kleinen*« des Lebens. Die Nachricht ihrer Ankunft verbreitet sich schnell; bald schon stellen sich die ersten Besucher ein. Nach Miss Cuzzle, einer mit Skizzenblock bewaffneten »*Celebritäten*«-Sammlerin, erscheint Dr. Riemer, Goethes Sekretär, der seinerseits durch Adele von Schopenhauer abgelöst wird. Schließlich läßt auch Goethes Sohn August sich bei Lotte melden. Durch indirekte Spiegelungen den Auftritt der Hauptfigur vorzubereiten ist Sinn dieser Gespräche. Schon aus ihnen geht hervor, daß Lotte auf einer von Goethe längst überwundenen Kunst- und Lebensstufe stehengeblieben ist.

Im zentralen siebenten Kapitel schließlich wird die Gestalt Goethes in den Roman eingeführt. Der Autor läßt ihn einen langen inneren Monolog sprechen – eine epische Verfahrensweise, die wiederholt Anlaß zu Vergleichen mit der von James JOYCE entwickelten Erzähltechnik des *stream of conscious-*

ness (Bewußtseinsstrom) gegeben hat. Die Selbstdarstellung Goethes zeigt, daß seine Umgebung wesentlich »klassischer«, das heißt aber: erstarrter ist als er selbst. Lottes Wunsch, Goethe wiederzusehen, geht in Erfüllung: Sie wird eingeladen, mit dem Geheimen Rat zu tafeln. Goethe bewahrt jedoch eine kühle, die Unmittelbarkeit von einst aufhebende Distanz, durch die aus der Begegnung eine Art »*Satyrspiel*« (K. Schröter) wird. Als Lottes Weimarer Aufenthalt wieder in banale Alltäglichkeit einzumünden scheint, begegnet sie Goethe, bei der Heimfahrt von einem Theaterbesuch, überraschend ein zweites Mal. Ein nächtliches Gespräch zwischen ihm und Lotte, worin Traum und Wirklichkeit sich seltsam mischen und das »*Spiel der Verwandlungen*« von Gegenwart und Vergangenheit auf höchster Stufe noch einmal gespielt wird, beschließt den Roman.

Im *Lotte*-Roman spiegelt sich Thomas Manns intensive Auseinandersetzung mit GOETHE. Probleme um Kunst und Künstlertum stehen dabei im Mittelpunkt. Die Goethe-Figur gehört in jene von Tonio Kröger bis Adrian Leverkühn *(Doktor Faustus)* reichende Typen-Familie im Werk Thomas Manns, die in vielfältig sich wandelnden Formen »*das Wesen und die Wirkung des Genius, seine notwendige Vereinsamung und Vereisung*« (E. Kahler) darstellen. Das Spannungsverhältnis von Kunst und Leben erscheint im Roman auf verschiedenen Ebenen des Bewußtseins. So ist Lotte noch ganz in der Romanwelt des *Werther* befangen, während Goethe längst auf einer höheren Bewußtseinsstufe des Wissens und Erkennens steht. Bewußt bleibt die Vokabel »erzählen« ihm vorbehalten, die übrigen Figuren »reden« nur. Einzig Goethe reflektiert beim Erzählen über das Erzählen; im Roman wird eine »*Selbstbesinnung*« des Romans geleistet. So verbindet Mann die Reverenz vor Goethe mit dem Versuch einer Ortsbestimmung des sich selbst in Frage stellenden Romans des 20. Jh.s. Die ironische Distanz des Erzählers zu sich selbst und zu seinem Stoff äußert sich in lustspielhaften Zügen, die diesen Roman »*zum höheren Geschwisterstück des Jugendwerkes ›Königliche Hoheit‹*« (Th. Mann) machen.

KLL

AUSGABEN: Stockholm 1939. – Stockholm 1944 (*Stockholmer GA in Einzelausgaben*; ern. Bln. 1946; zul. Ffm. 1965). – Ffm. 1960 (in *GW*, 12 Bde., 2).

LITERATUR: E. Cassirer, *T. M.s Goethe-Bild, eine Studie über »Lotte in Weimar«* (in GR, 20, 1945, S. 166–194). – R. Haage, *T. M.s »Lotte in Weimar« – eine Bereicherung unseres Goethe-Bildes? Ein Vortrag*, Kiel 1949. – E. Zapfl, *T. M. »Lotte in Weimar«*, Diss. Wien 1950. – G. Lange, *Der Goethe-Roman T. M.s im Vergleich zu den Quellen*, Diss. Bonn 1955. – P. Altenberg, *T. M.s »Lotte in Weimar«* (in Schweizer Monatshefte, 37, 1957/58, S. 409–415). – H. Meyer, *Integrative Zitierkunst in »Lotte in Weimar«* (in *Wächter u. Hüter. Fs. für H. J. Weigand*, Hg. C. v. Faber du Faur u. a., New Haven 1957, S. 133–146). – J. Crick, *Psycho-Analytical Elements in T. M.'s Novel »Lotte in Weimar«* (in Literature and Psychology, 10, 1960, S. 69–75). – P. Altenberg, *Die Romane T. M.s. Versuch einer Deutung*, Bad Homburg 1961, S. 157–206. – W. V. Glebe, *The ›Diseased‹ Artist Achieves a New ›Health‹. T. M.'s »Lotte in Weimar«* (in MLQ, 22, 1961, S. 55–62). – E. Havenith, *Bemerkungen zur Struktur des Goetheromans »Lotte in Weimar«* (in Revue des Langues Vivantes, 27, 1961, S. 329–341). – K. Dickson, *The Technique of a ›Musikalisch-ideeller Beziehungskomplex‹ in »Lotte in Weimar«* (in MLR, 59, 1964, S. 413–424). – K. Schröter, *T. M. in Selbstzeugnissen u. Bilddokumenten*, Reinbek 1964 (rm, 93). – P. Hacks, *Über den Stil in T. M.s »Lotte in Weimar«* (in SuF, 1965, Sonderheft *T. M.*, S. 240 bis 254).

DER TOD IN VENEDIG. Novelle von Thomas MANN (1875–1955), erschienen 1912. – Im Frühjahr 1911 zunächst als anspruchslose, »*rasch zu erledigende Improvisation und Einschaltung*« (*Lebensabriß*, 1930) in die Arbeit an den *Bekenntnissen des Hochstaplers Felix Krull* auf dem Lido bei Venedig konzipiert, entwickelte sich die Novelle im Lauf ihrer etwa einjährigen Entstehungszeit zu einem höchst beziehungsreichen, vielfältig deutbaren und gedeuteten Hauptwerk Thomas Manns, das sein vor dem Ersten Weltkrieg liegendes erzählerisches Werk – auch als eine Art »Selbstgericht« (G. LUKÁCS) – abschließt. Der ersten Konzeption der Novelle ging ein anderer, in dieser Form nie verwirklichter Plan voraus: Im 9. Notizbuch findet sich unter der Rubrik »*Novellen, die zu machen*« der Arbeitstitel *Goethe in Marienbad*; Thema dieser Novelle sollte der plötzliche »*Einbruch der Leidenschaft*« in eine scheinbar gesicherte Existenz, die »*Entwürdigung eines hochgestiegenen Geistes*« sein (*On Myself*, 1940). Daß nicht Goethe der Held der geplanten Novelle wurde, lag jedoch weniger an einer Art heiliger Scheu, zu der Thomas Mann später seinen Verzicht stilisierte, als vielmehr an der Intention, mit der Entwürdigung auch die Korrumpierung des Künstlers und seinen Untergang (vgl. 7. Notizbuch) zu gestalten. Daher die Erfindung des Schriftstellers Gustav von Aschenbach, der äußerlich »*die leidenschaftlich strengen Züge*« Gustav Mahlers trägt, dessen Tod Thomas Mann während eines Aufenthaltes auf Brioni im Mai 1911 in den Zeitungen »*schrittweise miterlebte*« *(On Myself)*. Zu den Zügen Mahlers gesellen sich neben Anklängen an PLATEN und WAGNER autobiographische Anspielungen: Aschenbachs Wohnung in München, sein früher schriftstellerischer Ruhm, der Hang zu Repräsentation und »*Leistung*«, schließlich die mißlungene, fluchtartig angetretene Reise auf eine Insel vor der istrischen Küste und die Fortsetzung der Reise auf dem Lido, vor allem aber Aschenbachs Werke, die »Prosa-Epopöe vom Leben Friedrichs von Preußen«, die Erzählungen »Maja« und »Ein Elender« und eine »Abhandlung über ›Geist und Kunst‹«; daß Thomas Mann diese, von ihm selbst nicht ausgeführten Themen – besonders das des Essays – Aschenbach als vollendete Werke zuschreibt, darf man mit Herbert LEHNERT als einen Akt der Befreiung ansehen, der eher als etwa ein Wandel stilistischer Kompositionsprinzipien hier einen deutlichen Einschnitt im Gesamtwerk markiert.

Der Tod in Venedig ist in erster Linie die nicht ohne kritisch-ironische Distanz erzählte Geschichte einer Existenzvernichtung, eingekleidet in die Geschichte einer Reise ins »*märchenhaft Abweichende*« Venedigs, die – äußerlich durch eine den Tourismus begünstigende Nachlässigkeit der Behörden – zu einer Reise in Krankheit und Tod wird. Aschenbachs Krankheit, die Cholera, dient Thomas Mann hier nicht als Mittel der Sublimierung, sie ist vielmehr »*Symbol für die tödliche Seuche im Innern*« (R. Faesi) dessen, der »*dem Abgrund die Sympathie gekündigt*« hatte, der sein chthonisches Wissen durch »*Haltung*« und »*Würde*« zu über-

winden versucht und, »*aller Ironie entwachsen, in die Verbindlichkeiten des Massenruhms sich gewöhnt hatte*«. An den Schaltstellen und Gelenken der Novelle stehen Charonsgestalten und allegorisierende Konfigurationen des Todes, die jedoch nie aus dem realistischen Handlungsgefüge herausfallen. Der fremde Reisende vor dem Münchner Nordfriedhof, der Aschenbachs pathologische, »*ins Leidenschaftliche, ja bis zur Sinnestäuschung*« gesteigerte Reiselust weckt, der betäubend geschwätzige Schiffsoffizier, der jung geschminkte Greis auf dem Schiff, der finstere Gondoliere, der Straßensänger auf dem Lido und schließlich jener antikisch-schöne, doch kränkliche Polenknabe Tadzio als Hermes Psychagogos: Sie alle haben für den Leser eine vorausdeutende Funktion, Aschenbach führen sie immer tiefer in das ausweglos-einsame Abenteuer der Entwürdigung und der tödlichen Krankheit. Der Paroxysmus ist Aschenbachs homoerotische Liebe zu Tadzio, die wie »*aller Ästhetizismus pessimistisch-orgiastischer Natur, das heißt des Todes ist*« (Thomas Mann, *Die Ehe im Übergang*, 1925). Dieser späten Aufwallung des Gefühls verdankt Aschenbach zwar »*jene anderthalb Seiten erlesener Prosa*«, aber er, der auch als Künstler Bürger sein wollte, der »*Leistungsethiker*« und »*Heroe aus Schwäche*«, empfindet sie selbst nur als »*Ausschweifung*« seines Geistes. Seine, einer vergangenen Epoche entlehnten Bürgerideale »*Haltung*«, »*Leistung*« und »*Würde*« erweisen sich als nichtig; dem Wink des Psychagogen haben sie nichts entgegenzusetzen.
Strukturanalytisch gesehen, bildet diese melancholisch-skeptische Tragödie des Künstlers eine abfallende Linie, die einer steigenden Strukturlinie des verlebendigten und – im Bereich der Fiktion – verlebendigenden Mythos entgegenstrebt (vgl. H. Lehnert u. a.). Tadzio, der, wie die anderen Todesboten, beiden Ebenen angehört, ist nicht nur Zerstörer, sondern in Andeutungen bereits der hermetische Mittler des *Joseph*-Romans: Dem sterbenden Aschenbach war, als ob er ihm »*voranschwebe ins Verheißungsvoll-Ungeheure*«. Auch wenn die Zitate des Mythos und der antiken Literatur zweifellos der Rechtfertigung Aschenbachs dienen, so hebt doch die steigende Linie der Ausweitung ins Mythische die fallende nicht auf, aber *Der Tod in Venedig* bleibt »*im Licht mancher Facette spielend*« ein »*in vielfachen Beziehungen schwebendes*« Gebilde *(Lebensabriß)*. H. W.

AUSGABEN: Bln. 1912 (in NRs, 23, H. 10/11). – Mchn. 1912. – Bln. 1922 (in *Novellen*, Bd. 2). – Stockholm 1945 (in *Ausgewählte Erzählungen*; Stockholmer GA; ern. u. d. T. *Erzählungen*, Ffm. 1958; ern. 1970). – Zürich o. J. [1947] (in *Meistererzählungen*). – Bln. 1955 (in *GW*, 12 Bde., 9). – Ffm. 1960 (in *GW*, 12 Bde., 8). – Ffm. 1963 (in *Sämtliche Erzählungen*).

VERFILMUNG: England/Italien 1971 (Regie: L. Visconti).

LITERATUR: B. Frank, *Th. M. Eine Betrachtung nach dem »Tod in Venedig«* (in NRs, 24, 1913, S. 656–669). – J. Hofmiller, *Th. M.s Novelle »Der Tod in Venedig«* (in Süddeutsche Monatshefte, 10, 1913, S. 218–232; auch in Merkur, 9, 1955, S. 505 bis 520; auch in *Interpretationen IV*, Hg. J. Schillemeit; Ffm. 1966; FiBü, 721). – M. Thalmann, *Th. M. »Tod in Venedig«* (in GRM, 15, 1927, S. 374–378). – G. Lukács, *Th. M.*, Bln. 1949. – H. Mayer, *Th. M.*, Bln. 1950. – F. H. Mautner, *Die griechischen Anklänge in Th. M.s »Tod in Venedig«* (in MDU, 44, 1952, S. 20–26). – F. Martini, *Th. M. »Der Tod in Venedig«* (in F. M., *Das Wagnis der Sprache*, Stg. 1954, S. 176–224). – A. v. Gronicka, *Myth Plus Psychology: A Style Analysis of »Death in Venice«* (in GR, 31, 1956, S. 191–205). – W. H. Rey, *Tragic Aspects of the Artist in Th. M.'s Work* (in MLQ, 19, 1958, S. 195–203). – W. F. Michael, *Stoff u. Idee im »Tod in Venedig«* (in DVLG, 33, 1959, S. 13–19). – I. Diersen, *Untersuchungen zu Th. M. Die Bedeutung der Künstlerdarstellung für die Entwicklung des Realismus in seinem erzählerischen Werk*, Bln. [4]1960. – R. Baumgart, *Das Ironische u. die Ironie in den Werken Th. M.s*, Mchn. 1964, S. 116–123. – H. Lehnert, *Th. M. Fiktion, Mythos, Religion*, Stg. u. a. 1965, S. 99–139). – Th. Mann, *On Myself* (in Blätter der Thomas Mann Gesellsch., 6, 1966). – *Geist u. Kunst. Th. M.s Notizen zu einem »Literatur-Essay«*, Hg. u. Komm. H. Wysling (in Thomas-Mann-Studien, Bd. 1, S. 123–233). – H. W. Nicklas, *Th. M.s Novelle »Der Tod in Venedig«. Analyse des Motivzusammenhangs u. der Erzählstruktur*, Marburg 1968. – U. Dittmann, *Sprachbewußtsein u. Redeformen im Werk Th. M.s*, Stg. u. a. 1969, S. 84–93. – I. B. Jonas, *Th. M. u. Italien*, Heidelberg 1969, S. 53–59.

TONIO KRÖGER. Novelle von Thomas MANN (1875–1955), erschienen 1903. – Wenn Thomas Mann 1930 im *Lebensabriß* sagt, diese »*kleine Dichtung*« stehe »*noch heute vielleicht*« seinem »*Herzen am nächsten*« und sie habe »*vor dem ihr nächstverwandten ›Tod in Venedig‹ den Schmelz jugendlicher Lyrik voraus*«, so klingt dies fast wie eine Entschuldigung, und man ist versucht, an die langwierigen Schwierigkeiten zu erinnern, die ihm die Einfügung des »*lyrisch-essayistischen Mittelstücks*«, jenes berühmt gewordenen Literaturdialogs zwischen Tonio Kröger und seiner russischen Malerfreundin Lisaweta Iwanowna, in die stark autobiographisch gefärbte und an den Lübeck-Komplex der *Buddenbrooks* angelehnte Tonio-Kröger-Handlung bereitete. »*Die Konzeption ging zurück in die Zeit der Arbeit an den ›Buddenbrooks‹*«, und obwohl sich die frühesten Notizen vom Winter 1899 bereits auf das Literaturgespräch beziehen, ist doch deutlich, daß diese Nachbarschaft und eine vierzehntägige Reise in den Norden, deren Eindrücke »*den Erlebniskern*« der Novelle bilden, zunächst die am Anfang stehende Jugendgeschichte Krögers und seine auf das Gespräch folgende Reise in die Heimatstadt und nach Dänemark in den Vordergrund rückten. Erst im Verlauf der »*noch zeilenweiser, als gewöhnlich*« vollzogenen Niederschrift (Brief an K. Martens vom 16. 10. 1902) gewann das theoretisierende Mittelstück zeitweilig ein solches Übergewicht, daß die Novelle den Titel *Litteratur* erhalten sollte (Brief an H. MANN vom 13. 2. 1901). – Die Einheit der drei Teile wird kaum durch die Person des Helden, wie im »*Tod in Venedig*«, am wenigsten aber durch Handlung und novellistisches Spannungsgefüge erreicht, sie läßt sich vielmehr verstehen als ein musikalisch komponiertes »*geistiges Themengewebe*«, in dessen Zentrum die Antinomie von Kunst und Leben steht, wobei Kunst mit Literatur und beides mit Geist gleichgesetzt werden, während später in *Fiorenza* und im geplanten Literaturessay über *Geist und Kunst* »*Leben und Kunst zu einer Idee verschmolzen*« *(Betrachtungen eines*

Unpolitischen) und gegen den »Geist« gerichtet sind. So ist *Tonio Kröger* zwar keine Novelle im klassischen Sinn, aber doch gültig geformter Ausdruck eines Antagonismus, der zumindest damals auch die Person des Autors erschüttert hatte (vgl. den zitierten Brief an den Bruder).
Die Geschichte beginnt mit einigen alltäglichen Begebenheiten und stimmungsvollen Bildern *»in Storms Manier«* (H. Wysling), die den Helden Tonio Kröger als einen sensiblen, in sich versponnenen und verletzlichen Schüler kennzeichnen, der schüchtern um die Liebe des starken und unkomplizierten Blondschopfs Hans Hansen wirbt, sich *»in allen Stücken als etwas Besonderes«* fühlt, aber nicht ohne frühreif-sublimen Selbstgenuß darunter leidet, *»allein und ausgeschlossen von den Ordentlichen und Gewöhnlichen«* zu sein, *»obgleich er doch kein Zigeuner im grünen Wagen war, sondern ein Sohn Konsul Krögers«*. Schon sein Name, dieser dissonante Doppelklang von südlicher *»bellezza«* und nordisch biederer Bürgerlichkeit, deutet auf sein Außenseitertum, das ihn auch die erste zarte Tanzstundenliebe zu der blonden, lustigen Inge nur als Sehnsucht, *»schwermütigen Neid«* und *»selige Selbstverleugnung«* erfahren läßt. Wenige, aber intensive Impressionen und gleichsam seismographische Aufzeichnungen einer Seele genügen dem Erzähler: Mit dem Tanzstundenkapitel ist die Jugendgeschichte abgeschlossen. Auf wenigen Seiten entsteht nun das Bild eines anerkannten, in München lebenden Literaten vom Typ des Mannschen *»Leistungsethikers«*, dessen Künstlerschaft sich *»in dem Maße, wie seine Gesundheit geschwächt ward, verschärfte«*. Die auf das Lisaweta-Gespräch folgende Reise in die Heimat ist der Versuch, ins *»Leben«* und seine *»Wonnen der Gewöhnlichkeit«* zurückzukehren, sie ist aber auch – symmetrisch angeordnet – eine Wiederholung der Jugend mit der Erfahrung des Außenseiterdaseins bei der beinahe erfolgten Verhaftung in der Heimatstadt und der visionären Wiederbegegnung mit Hans und der blonden Inge bei einem Tanzfest im dänischen Badeort. Den Schluß der Geschichte bildet ein das ohnehin fast monologisch geführte Gespräch wiederaufnehmender Brief an Lisaweta, der zwar die Antinomie nicht löst, aber *»der an Nietzsche genährten, psychologistisch-kalten Literatenanalyse«* (H. Wysling) ein wärmeres, versöhnlich-selbstironisches Licht aufsetzt. Tonio Kröger, den Lisaweta als *»verirrten Bürger«* eingestuft hatte, begreift sich nun als *»experimentierte Existenz«* (R. Baumgart) auf dem schmalen Grat zwischen kalter, Empfindungen im Wort erledigender Artistik und jener *»Bürgerliebe zum Menschlichen«*, die – gefiltert durch Selbstironie – *»imstande ist, aus einem Literaten einen Dichter zu machen«*, das heißt, *»das eigene Künstlertum moralisch in Kontrolle«* (R. Baumgart) zu halten, freilich ohne dabei den am Schluß der durchaus parallelen *»Studie« Die Hungernden* ebenfalls nur vage angedeuteten Schritt zu einer sozial orientierten Menschheitsliebe entschieden zu tun. Dieser, den Konflikt relativierende, untragische Perspektivismus ist im Grunde bereits im Lisaweta-Gespräch angelegt. Auch dort steht das Leben der Kunst nicht als Absolutum gegenüber, nicht als NIETZSCHES Cesare-Borgia-Wahn und trunkene *»Vision von blutiger Größe und wilder Schönheit«*, sondern *»bescheiden im Kostüm einer Stormschen Bürgerlichkeit«* (R. Baumgart) als eine liebenswürdige *»Banalität«*. Nur von daher kann auch der oftmals sentimentale Stimmungszauber der Jugendgeschichte einen Sinn bekommen. Die von Tonio Kröger selbst in seinem *»Erkenntnisekel«* als *»Abgrund«* verstandene Ironie bringt als spielerisches Organisationsprinzip der Novelle *»die starren Doppelheiten ins Gleiten«* (H. P. Pütz). Sie ist das Bindemittel dieser *»Mischung aus scheinbar heterogenen Elementen: aus Wehmut und Kritik, Innigkeit und Skepsis, Storm und Nietzsche, Stimmung und Intellektualismus...« (Betrachtungen eines Unpolitischen)*. H. W.

AUSGABEN: Bln. 1903 (in *Tristan. Sechs Novellen*). – Bln. 1913 [Ill. E. M. Simon]. – Stockholm 1945 (in *Ausgewählte Erzählungen*; *Stockholmer GA*; ern. u. d. T. *Erzählungen*, Ffm. 1958; ern. 1970). – Zürich o. J. [1947] (in *Meistererzählungen*). – Zürich 1953 (in *Tonio Kröger u. andere Erzählungen*). – Bln. 1955 (in *GW*, 12 Bde., 9). – Ffm. 1960 (in *GW*, 12 Bde., 8). – Ffm. 1963 (in *Sämtl. Erzählungen*).

VERFILMUNG: Deutschland 1964 (Regie: R. Thiele).

LITERATUR: G. Lukács, *Th. M.*, Bln. 1949, S. 20 bis 22. – W. Zimmermann, *»Tonio Kröger«* (in W. Z., *Deutsche Prosadichtungen der Gegenwart*, Bd. 1, Düsseldorf ²1958, S. 157–185). – G. Fourrier, *Th. M. Le message d'un artiste-bourgeois (1896 á 1924)*, Paris 1960, S. 135–146. – H. P. Pütz, *Kunst u. Künstlerexistenz bei Nietzsche u. Th. M. Zum Problem des ästhetischen Perspektivismus in der Moderne*, Bonn 1963, S. 67–75. – R. Baumgart, *Das Ironische u. die Ironie in den Werken Th. M.s*, Mchn. 1964, S. 105–116. – E. M. Wilkinson, (in *Th. M. A Collection of Critical Essays*, Hg. H. Hatfield, Englewood Cliffs/N. J. 1964, S. 22–34). – J. R. McWilliams, *Conflict and Compromise: Tonio Kröger's Paradox* (in Revue des Langues Vivantes, 32, 1966, S. 376–383). – H. Wysling, *Dokumente zur Entstehung des »Tonio Kröger«. Archivalisches aus der Nach-Buddenbrooks-Zeit* (in Thomas Mann-Studien, Bd. 1, Bern 1967, S. 48 bis 63). – U. Dittmann, *Sprachbewußtsein u. Redeformen im Werk Th. M.s*, Stg. u. a. 1969, S. 69/70.

DER ZAUBERBERG. Roman von Thomas MANN (1875–1955), entstanden 1912–1924, erschienen 1924. – Der junge, frühverwaiste Hamburger Patriziersohn Hans Castorp besucht nach bestandenem Ingenieur-Examen vor dem geplanten Eintritt in eine Schiffsbauwerft seinen lungenkranken Vetter Joachim Ziemßen in Davos. Befremdet über die »hier oben« im Sanatorium herrschende Lebensart, ordnet er sich zögernd in den Kurbetrieb ein. Bald erliegt er dem »hermetischen Zauber« des Ortes; er erkrankt selbst und bleibt über die Besuchszeit hinaus sieben Jahre in der Heilstätte. Als er sie verläßt, bricht der Weltkrieg aus. Während seines Aufenthaltes kommt er mit verschiedenen geistigen Strömungen in Berührung. Diese verkörpern der italienische Humanist Settembrini, Aufklärungsoptimist und »Zivilisationsliterat«; der Jesuit Leo Naphta, der in seinen Gesprächen einen mit Askese, Terror und »kommunistischer« Ideologie vermischten Todesfanatismus propagiert; der saloppe Chefarzt Behrens und sein psychoanalytisch experimentierender Assistent Krokowski. Er verliebt sich in die schöne Russin Madame Chauchat und wird mit Mynheer Peeperkorn bekannt, der den Lebensgenuß verherrlicht. Die Freizeit benutzt er zu Studien, er meditiert über den Menschen und seine Welt oder nimmt Anteil am Schicksal der »Moribunden«. Auf seinem Bildungsgang öffnet sich sein Denken

in kritischer Distanz allen auf dem »Zauberberg« herrschenden Einflüssen. Zugleich wird er sich der Verbundenheit mit der eigenen Familientradition bewußt, die sich sogar in der Nachahmung von Sitten und Gebärden seines Großvaters äußert. Hans Castorps Aufenthalt in der »pädagogischen Provinz« des Zauberbergs wird erst durch den Ausbruch des Ersten Weltkriegs abgebrochen.
1912 hatte Thomas Mann seine Frau in einem Lungensanatorium in Davos besucht. Sein Plan war zunächst, zum *Tod in Venedig* ein kürzeres *»humoristisches Gegenstück«* zu schreiben, in dem er die spätbürgerliche, von Luxus und Todesverfallenheit gezeichnete Lebensweise der Sanatoriumswelt karikieren wollte. Der schließlich auf zwei Bände angewachsene Roman *Der Zauberberg* (Titel stammt wohl aus Goethes *Faust* und Nietzsches *Geburt der Tragödie*) weitete den sozialkritischen Ansatz der geplanten Novelle zum *»Zeitroman in doppeltem Sinn«* aus. Er ist zunächst Kritik an spätbürgerlichen Existenzformen der europäischen Vorkriegszeit (deren Repräsentanten auf dem »Zauberberg« versammelt sind) und, in Gestalt eines Romans, Abschluß langjähriger Bemühungen um den eigenen geistigen und politischen Standpunkt *(Bekenntnisse eines Unpolitischen)*. Hinter Sozial- und Zeitkritik aber erscheint die Beschäftigung mit der *»reinen Zeit«* und ihre epische Darstellung als eines der Hauptthemen, das sich in Erzähler-Reflexionen, Zeit-Exkursen, Gedanken Castorps niederschlägt und auch die Erzählstruktur des Romans bestimmt. Zeit besteht nach Castorps Erfahrung nicht für sich, sondern ist an das Bewußtsein gebunden. Im Gegensatz zur Arbeitswelt des »Flachlandes« haben die »Berghof«-Bewohner in ihrer Krankheit unvergleichlich viel freie Zeit für sich. Da Tage, Wochen, Monate und Jahre gleichförmig ablaufen, verändert sich ihr Zeitbegriff, wie Castorp an sich selbst erlebt, von der Erfahrung der Zeit-Sukzession zur Vorstellung der Zeitverkürzung und -aufhebung in der Wiederkehr des Gleichen. Der Erzähler stellt durch Veränderung des Erzähltempos diesen Prozeß dar: Im Verlauf des Romans läuft die erzählte Zeit – gegenüber der Erzählzeit – immer schneller ab. Der Zeitstillstand nimmt im Erzählfortgang die subjektive Form einer *»ausdehnungslosen Gegenwart«* an. Reflexionen und Zeit-Exkurse spielen diesen Vorgang thematisch durch, sind selbst aber durch ihre Statik an der Zeitverwischung und -aufhebung beteiligt. Auch Leitmotive, Formeln und Gebärden schaffen ein Gefüge von Beziehungen, das den Zeitablauf aufzuheben scheint: Castorps erste Todesvorstellungen sind mit dem Bild seines Großvaters, der mit einer spanischen Krause porträtiert ist, verknüpft. Der Enkel verbindet unter der Formel der »spanischen Krause« die Erinnerung an den Großvater mit Joachims militärischer Dienststrenge und Naphtas asketischem Todesfanatismus und setzt so verschiedene Zeitstufen in eins. Nicht umsonst empfiehlt Thomas Mann die mehrmalige Lektüre des *Zauberbergs*, damit der Leser die zeitaufhebende Wirkung dieses *»musikalisch-ideellen Beziehungskomplexes«* nachvollziehen könne.
Bereits *Buddenbrooks* und *Der Tod in Venedig*, wie später auch *Dr. Faustus*, kreisen um den Zusammenhang von Krankheit oder Tod und Bewußtseinssteigerung. Der »simple« Hans Castorp erlebt in der febrilen Welt des Sanatoriums eine komplexe pädagogische »Steigerung«. Die Aneignung von Bildungsinhalten aus Biologie, Medizin, Astronomie usw. lenken diesen Lernprozeß ebenso wie die oft gegensätzlichen pädagogischen Bemühungen Settembrinis, Naphtas und Peeperkorns. Castorp hält sich aber, nach dem Motto *placet experiri*, ironisch allen Einflüssen offen. »Hier oben« lernt er den Gegensatz »östlicher« und »westlicher« Lebensauffassung kennen, der sich in den Begriffspaaren Tag/Nacht, Wachen/Träumen, Sonne/Mond, und Leben/Tod manifestiert und von den Kontrahenten Settembrini und Naphta antithetisch vertreten wird. Im zentralen *Schnee*-Kapitel (dem verkleinerten Modell des gesamten Romans) lernt er im Augenblick höchster Todesbedrohung diesen Gegensatz dialektisch unter dem Begriff des »Lebens« aufzuheben.
Castorps Bildungsfortschritt wird am Modell des mittelalterlichen alchimistischen Prozesses veranschaulicht, bei dem ein einfacher Stoff in hermetischer Abgeschlossenheit durch Einwirkung bestimmter Kräfte eine ungeahnte »Steigerung« erfährt. Der schlichte »Adept« Castorp gelangt in einer Art *»alchimistischer Steigerung«* in der *»hermetischen Retorte«* der Berghofwelt über Krankheits- und Todeserfahrung hinaus zu ungeahnten Kenntnissen vom *»Wunder des Lebens«*. Mit Recht hat man den *Zauberberg* einen Initiations- und Bildungsroman genannt, in den Elemente des Abenteurer-(Sucher-) und Schelmenromans mit einfließen. – Im *Vorsatz* weist der Erzähler auf die Verwandtschaft seines Textes mit dem Märchen hin. Auffällige Häufung der Sieben-Zahl (7 Jahre Aufenthalt, 7 Tische, 7 Minuten usw.) unterstreicht die märchenhafte Fiktionalität. Der Held wird »verzaubert«, auf den Zauberberg »entrückt«. Auch Elemente des griechischen Mythos werden aufgenommen. Der Berghof ist das zeitlose Zwischenreich zwischen Leben und Tod, in dem Hermes verkehrt. So sind die Hauptcharaktere zugleich Ausprägungen des mythischen Gottes: Settembrini (»Seelenfänger«), Naphta (Hermes psychopompos), Behrens (»alter Angestellter« des Todes), Krokowski (»Seelenzergliederer«), Hans Castorp selbst in seiner ironischen Mittlerstellung. – Neben dem Mythos scheint Thomas Mann auch alchimistische Elemente (Steigerungspädagogik; Farb-, Tier-, Grab-, Kreis-Symbolik) eingearbeitet zu haben, daneben auch astrologisches Material, wie sowohl die Quellenstudien des Autors als auch die astrologische Deutbarkeit nicht nur des Hermes-Komplexes vermuten lassen. Der 1924 erschienene *Zauberberg* fand begeisterte Aufnahme und schnelle Verbreitung; er provozierte aber auch Kritik von medizinischer Seite und romantheoretische Einwände (Musil). E. H. V.

Ausgaben: Bln. 1924, 2 Bde. – Stockholm 1946, 2 Bde. *(Stockholmer GA)*. – Bln. 1955 (in *GW*, 12 Bde., 2). – Ffm. 1960 (in *GW*, 12 Bde., 3). – Ffm. 1967 (FiBü, 800/1 u. 2). – Ffm. 1970.

Literatur: H. Mayer, *Th. M.s »Zauberberg« als pädagogische Provinz* (in SuF, 1, 1949, S. 48–66). – R. Kassner, *Zu Th.M.s »Zauberberg«* (in R. K., *Geistige Welten*, Erlenbach–Zürich 1958, S. 85–90). – H. Koopmann, *Die Kategorie des Hermetischen in Th.M.s Roman »Der Zauberberg«* (in ZfdPh, 53, 1961, S. 404–422). – H. Arntzen, *Der moderne deutsche Roman: Voraussetzungen, Strukturen, Gehalte*, Heidelberg 1962, S. 37–57. – R. D. Miller, *The Two Faces of Hermes. A Study of Th. M.'s Novel »The Magic Mountain«*, Harrogate 1962. – H. J. Weigand, *»The Magic Mountain«. A Study of Th. M.'s Novel »Der Zauberberg«*, Chapel Hill 1964. – I. Fradkin, *»Der Zauberberg« u. die Geburt des* *modernen intellektuellen Romans* (in SuF, 1965, S. 74–84; Sondernr. *Th. M.*). – J. Lindsay, *Der Zeitbegriff im »Zauberberg«* (ebd., S. 144–156). – R. Pascal, *The German Novel*, Toronto 1965, S. 76–98. – H. Sauereßig, *Die Entstehung des Romans »Der Zauberberg«*, Biberach 1965. – F. Bulhof, *Transpersonalismus u. Synchronizität: Wiederholung als Strukturelement in Th. M.s »Zauberberg«*, Groningen 1966. – L. Fietz, *Strukturmerkmale des hermetischen Romans Th. M.s, Hermann Hesses, Hermann Brochs u. Hermann Kasacks* (in DVLG, 40, 1966, S. 161–183). – M. Sera, *Utopie u. Parodie bei Musil, Broch u. Th.M. »Der Mann ohne Eigenschaften«, »Die Schlafwandler«, »Der Zauberberg«*, Bonn 1969 (zugl. Diss. Bonn). – C. A. Noble, *Krankheit, Verbrechen u. künstlerisches Schaffen bei Th. M.*, Bern 1970 (Diss. Belfast 1968). – G. Reiß, *›Allegorisierung‹ u. moderne Erzählkunst. Eine Studie zum Werk Th. M.s*, Mchn. 1970.

CHRISTIAN MORGENSTERN
(1871–1914)

GALGENLIEDER. Sammlung lyrischer Grotesken von Christian MORGENSTERN (1871–1914), erschienen 1905. 1932 wurden diese Gedichte unter dem Titel *Alle Galgenlieder* gemeinsam mit den Sammlungen *Palmström* (1910), *Palma Kunkel* (1916) und *Der Gingganz* (1919) veröffentlicht. – Die ersten *Galgenlieder* entstanden 1895 für den Bund der »Galgenbrüder«, »*der sich auf einem Ausflug nach Werder bei Potsdam, allwo noch heute ein sogenannter Galgenberg gezeigt wird, wie das so die Laune gibt, mit diesem Namen schmücken zu müssen meinte*« *(Über die Galgenlieder)*. Sie waren zunächst nicht für die Veröffentlichung bestimmt, hatten bei Lesungen in WOLZOGENS »Überbrettl« jedoch so großen Erfolg, daß Morgenstern sie zum Druck gab.

»*Man sieht vom Galgen die Welt anders an und man sieht andere Dinge als Andre.*« *(Wie die Galgenlieder entstanden)* Man sieht das »*Mondschaf*« (oder »*Lunovis*«), das auf »*weiter Flur*« der »*großen Schur*« harrt, oder den »*Zwölf-Elf*«, der »*auf sein Problem*« kommt und sich von nun an »*Dreiundzwanzig*« nennt. Der Tanz des »*Vierviertelschweins*« mit der »*Auftakteule*« bleibt gewöhnlichen Sterblichen, die nicht zu den Galgenbrüdern gehören – jener »*beneidenswerten Zwischenstufe zwischen Mensch und Universum*« *(Wie die Galgenlieder entstanden)* –, genau so verborgen wie die glückliche Ehe von »*Nachtschelm*« und »*Siebenschwein*«.

Die Sammlung *Palmström* hat den gutmütigen, immer versöhnlich gestimmten, außerordentlich erfinderischen Idealisten Palmström zum Helden, der »*aus seinen Federbetten / sozusagen Marmorimpressionen: / Götter, Menschen, Bestien und Dämonen*« haut, ein Theater mit drehbarem Zuschauerraum erfindet und die Uhr mit Herz, die »*je nachdem sie mitempfunden*« mehrere Stunden vor- oder nachgeht. Zu ihm gesellt sich auf einer Reise in ein »*böhmisches Dorf*« (»*Unverständlich bleibt ihm alles dort / von dem ersten bis zum letzten Wort*«*)* um des Reimes willen ein Herr v. Korf, Erfinder der »*Tagnachtlampe*«, »*die, sobald sie angedreht, / selbst den hellsten Tag / in Nacht verwandelt*«, und Komponist der »*Nieswurz-Sonate*«, bei deren »*Ha-Cis-Synkopen*« Palmström »*jedesmal beinahe vom Sessel*« fällt. – Die Heldin der dritten Sammlung, Palma Kunkel, ist mit Palmström verwandt, »*doch im übrigen sonst nicht bekannt*«. Sie wünscht dies auch nicht, und so ist von ihr selbst kaum die Rede, sondern von ihrem Papagei, der, nicht auf Applaus spekulierend, niemals ein Wort spricht und durch die Anrede »Lore« in »*Wehmut viele Wochen*« verfällt, so daß er nur durch »*Fritz Kunkels jungen Hund*« geheilt werden kann, der sich »Lorus« taufen läßt, »*den Namen also gleichsam auf sich nehmend*«. Auch in dieser Gedichtsammlung finden sich Dinge, die nur den Augen des Galgenbruders sichtbar sind, wie die »*Zirbelkiefer*«, die sich »*auf ihre Zirbeldrüse hin*« ansieht, den Sitz ihrer Seele *(»Sie weiß nicht, wo sie sitzen tut, / allein ihr wird ganz fromm zu Sinn«)*, und das zählende Perlhuhn: »*Es zählt, von Wissensdrang gejückt, / (die es sowohl wie uns entzückt:) / die Anzahl seiner Perlen.*« – Der Name der vierten Gedichtsammlung, *Der Gingganz*, »*bedeutet ... ein in Gedanken Vertiefter, Verlorener, ein Zerstreuter, ein Grübler, Träumer, Sinnierer*« *(Über die Galgenlieder)*. Sein Urbild ist der Stiefel, der mit seinem Knecht »*von Knickebühl gen Entenbrecht*« wandert und plötzlich ausgezogen zu werden verlangt. »*Der Knecht drauf: ›Es ist nicht an dem; / doch sagt mir, lieber Herre, –!: wem?‹ // Dem Stiefel gibt es einen Ruck: / ›Fürwahr, beim heiligen Nepomuk, // ich GING GANZ in Gedanken hin ...‹*«

Morgensterns Gedichtsammlungen, »*dem Kind im Manne*« gewidmet und vom Dichter selbst zunächst nicht ernst genommen (spätere Versuche Morgensterns, den Gedichten, zum Teil aus anthroposophischer Sicht, nachträglich einen tieferen Sinn zu unterlegen, dürften jedoch mehr über die weltanschauliche Position des Dichters zu jener Zeit aussagen als über die fünfzehn Jahre früher entstandenen Galgenlieder), sind geniale Spielereien mit Worten, Formen und Gedanken. Sie leben aus dem sprachlichen Einfall: der »*Werwolf*« sehnt sich danach, flektiert zu werden *(»›Der Werwolf‹, sprach der gute Mann, / ›des Weswolfs, Genitiv sodann, / dem Wemwolf, Dativ, wie mans nennt, / den Wenwolf, – damit hats ein End.‹«)*, die Nähe, die darunter leidet, daß sie »*nie zu den Dingen selber*« kommt, wird vom »*kategorischen Komparativ*« zum »*Näher*« gesteigert und schließlich zur »*Näherin*«, und zu dem Wort »Mond« gesellen sich »*Tulemond*« *(tout le monde)* und »*Mondamin*«. In diesem assoziativen Spiel mit dem Wort aber enthüllt sich ein tiefes Mißtrauen gegen »*die Sprache und das von ihr getragene Weltbild*« (W. Kayser): »*Blitzartig erhellt sich dir die völlige Willkür der Sprache, in welcher unsere Welt begriffen liegt, und somit die Willkür dieses unseres Weltbegriffes überhaupt.*« *(Stufen)* – Die literarische Tradition, in der Morgensterns Sprachgrotesken stehen, läßt sich bis ins 16. Jh. über Johann FISCHART, der den synonymenreichen Stil der Humanisten ins Groteske übertrieb, zu RABELAIS zurückverfolgen. Der Einfluß Fritz MAUTHNERS (vgl. *Beiträge zu einer Kritik der Sprache*) auf Morgensterns *Galgenlieder* ist unverkennbar; ebenso lassen sich Parallelen zur Nonsens-Poesie der Kommersbücher, zu JEAN PAUL und HEINE sowie zu Arno HOLZ, Stefan GEORGE, DEHMEL, HOFMANNSTHAL und anderen zeitgenössischen Dichtern nachweisen. Man wird sich jedoch hüten müssen, in diesen oft erstaunlich wörtlichen Anklängen, denen »*allen der Stilzug des Karikaturistischen*« aber durchaus fehlt (W. Kayser), bewußte Parodien auf die betreffenden Dichter und Dichtungen zu sehen, wie überhaupt die allzusehr in letzte Einzelheiten gehende Untersuchung den Gedichten ihren Charme und ihre Komik raubt und man z. B. *Fisches Nachtgesang* kaum gerecht wird, wenn man diesen witzigen Einfall als »*das Ideal einer rein abstrakten absoluten Poesie*«, als einen »*Scherz in jener Region, wo Spiel und Ernst ineinander übergehen*« (A. Liede) ansieht. H. Mon.

Ausgaben: *Galgenlieder*: Bln. 1905; [3]1908 [verm.]. – *Palmström*: Bln. 1910; [7]1914. – Wiesbaden 1960 (IB, 318). – *Palma Kunkel*: Bln. 1916. – *Der Gingganz*: Hg. M. Morgenstern, Bln. 1919. – Bln. 1932 (*Alle Galgenlieder. Galgenlieder, Palmström, Palma Kunkel, Gingganz*, Hg. M. Morgenstern; ern. Lpzg. 1938; Ffm. 1961; Ffm. 1964). – Mchn. 1965 (in *GW*, Hg. M. Morgenstern). – Vgl. auch Ch. Morgenstern, *Über die Galgenlieder*, Bln. 1921; ern. u. d. T. *Das aufgeklärte Mondschaf*, Hg. M. Morgenstern, Lpzg. 1941; ern. Ffm. 1963 (IB, 802).

Literatur: L. Spitzer, *Die groteske Gestaltungs- und Sprachkunst Ch. M.s*, Lpzg. 1918 (vgl. dazu H. Schuchardt in Euph, 22, 1915, 20, S. 639–655). – Ders., *Zur Interpretation M.scher Gedichte* (in Euph, 23, 1921, S. 95–99). – A. Mack, *Ch. M.s Welt u. Werk*, Diss. Zürich 1930. – L. Vieth, *Beobachtungen zur Wortgroteske*, Diss. Bonn 1931. – F. Stählin, *Ch. M.s Spiel mit der Sprache* (in Muttersprache, 1950, S. 276–285). – T. C. van Stockum, *Ch. M. en zijn »Galgenlieder«* (in Neoph, 34, 1950, S. 20–34). – M. Bauer, *Ch. M.s Leben u. Werk*, Hg. M. Morgenstern u. R. Meyer, Mchn. 1954, S. 124ff. – W. Bökenkamp, *Ch. M., poète d'humour surréaliste* (in Revue des Lettres Modernes, 1, 1954, 7/8, S. 1–18). – F. Hiebel, *Ch. M. Wende u. Aufbruch unseres Jh.s*, Bern 1957. – W. Kayser, *Das Groteske in Malerei und Dichtung*, Reinbek 1960, S. 108–114 (rde, 107). – C. Heselhaus, *Dt. Lyrik der Moderne von Nietzsche bis Y. Goll*, Düsseldorf 1961, S. 290 bis 299. – L. W. Forster, *Poetry of Significant Nonsense. An Inaugural Lecture*, Cambridge 1962. – A. Liede, *Dichtung als Spiel. Studien zur Unsinnspoesie an den Grenzen der Sprache*, Bd. 1, Bln. 1963, S. 273–349. – G. Tonelli, *Ch. M. Dallo scherzo alla creazione* (in G. T., *Aspetto della lirica tedesca 1895–1960*, Palermo 1963, S. 7–40). – M. Beheim-Schwarzbach, *Ch. M. in Selbstzeugnissen u. Bilddokumenten*, Reinbek 1964, S. 67ff. (rm, 97). – F. Neumann, *Ch. M.s »Galgenlieder«. Spiel mit der Sprache* (in WW, 14, 1964, S. 332–350). – J. Walter, *Sprache u. Spiel in Ch. M.s »Galgenliedern«*, Freiburg i. B./Mchn. 1966 (Symposion, 21).

ROBERT MUSIL
(1880–1942)

DREI FRAUEN. Drei Erzählungen von Robert Musil (1880–1942), erschienen 1924. – Mit diesen Erzählungen dringt Musil in jenen dem Verstand nicht mehr ganz zugänglichen Grenzbereich des menschlichen Erfassungsvermögens vor, in jene »*bewegliche, singuläre, irrationale*« Welt, die sich mit der äußeren Welt »*nur scheinbar deckt, die wir aber nicht bloß im Herzen tragen oder im Kopf, sondern die genau so wirklich draußen steht wie die geltende*« *(Der Mann ohne Eigenschaften)*. – Grigia, die »Portugiesin« und Tonka – Bäuerin, Aristokratin und Verkäuferin – sind die drei Frauen, die als fremd-vertraute Wesen den ihnen verbundenen Männern zum Schicksal werden. In der erzählerischen Präzision seines »vivisektorischen« Stils, der sich deutlich abhebt von den frühen Arbeiten des Autors und der im dichterischen Durchdringen der »Inbeziehungen« auf spätere Gestaltungstendenzen (etwa im *Mann ohne Eigenschaften*) hinweist, ist Musil schon hier dem Identitätsproblem der Person auf der Spur. Die äußere Wirklichkeit gibt dabei noch den Rahmen ab, bildet die Kulisse für das ganz Andere, Unergründliche, eben jene »innere« Wirklichkeit, um die es Musil geht.

Grigia: Homo, der Frau und Kind verlassen hat, um sich an den Arbeiten einer Bergwerksgesellschaft in einem in Venetien gelegenen Gebirgsort zu beteiligen, entfremdet sich dort seinem bisherigen Leben und wird der Geliebte der Bäuerin Grigia. Alles Fühlen und Denken, mit dem die Natur hier in innigem Einklang zu stehen scheint, verschmilzt ihm zu harmonischer Einheit, die Außenwelt erscheint als Symbol der inneren. Gleichzeitig wird Homo die Endgültigkeit seines neuen Gefühls, das jedoch die Bindungen zu seiner Familie keineswegs aufhebt, zur dumpfen Ahnung, bald sterben zu müssen. Als er Grigia eines Tages in einem alten Stollen umarmt, gewahrt er in der Helle des Eingangs die Gestalt ihres Mannes. Zunächst suchen die Liebenden zu entkommen, doch da zeigt sich, daß der Mann einen großen Felsblock vor die schmale Öffnung des Stollens gewälzt hat. Grigia, von Verzweiflung gepackt, bettelt, jammert und verspricht ihrem Mann, den sie hinter dem Felsblock vermutet, alles, um nur der bedrückenden Dunkelheit des Gefängnisses zu entkommen. Homo legt sich still auf das gemeinsame Lager zurück, wird immer schwächer und dämmert ein. In einer klaren Minute bemerkt er noch, daß Grigia ihn durch eine schmale Spalte auf der anderen Seite des Stollens verlassen hat. Er selbst besitzt nicht mehr die Kraft und den Willen, ins Leben zurückzukehren. Zur gleichen Stunde wird von der Bergwerksleitung der Abbruch der Arbeiten beschlossen.

Noch mehr als in der ersten Erzählung gehen in der *Portugiesin* reales und irreales Geschehen ineinander über und nebeneinander her, so daß es nicht mehr möglich scheint, beide Schichten voneinander zu trennen. – Der Raubritter Herr von Ketten hat sich die Portugiesin, seine schöne junge Frau, »*aus der lieblichen Heimat ihres pfaublauen Meeres*« auf seine einsam-wilde Felsenburg in der Nähe von Trient geholt. Aus dem Kavalier, als der er um sie freite, ist wieder der raublustige Bandit geworden, der jahraus, jahrein im Sattel sitzt und nur im Jahr auf einen Tag und eine Nacht nach Hause kommt. »*Wäre er länger geblieben, hätte er in Wahrheit sein müssen, wie er war ... gehobene Weiberröcke und verschreckte Bauern waren seine Zerstreuung in diesen Jahren.*« Seine beiden Kinder kennt er kaum. Die Portugiesin fügt sich in die fremde Ordnung, bleibt ihm aber dabei so geheimnisvoll fremd wie am ersten Tag. Sie ist das ganz Andere in seinem Leben, etwas Zauberhaft-Kostbares, und der Herr von Ketten »*liebte dieses andere heimlich*«. Mit dem Tod seines Erzfeindes, des Bischofs von Trient, verlieren mit einem Schlag die kämpferischen Raubzüge des Herrn von Ketten ihren Sinn. »*Da stach ihn, als er heimritt, eine Fliege.*« Er wird sterbenskrank. Tagelang bleibt er seiner Burg fern, erst als er sich dem Tode nahe fühlt, begibt er sich in die Pflege seiner Frau. – Während seiner Krankheit kommt plötzlich der Jugendfreund der Portugiesin zu Besuch, und von Ketten »*lag dabei wie ein Hund im Gras und schämte sich*«: Elf Jahre hat die Portugiesin auf ihren Herrn gewartet, der *»der Geliebte des Ruhmes und ihrer Phantasie gewesen war«*, nun geht er zerschabt auf dem Hof umher. Ihm ist zumut, als müßte ein Wunder geschehen. Und das Wunder kommt in Gestalt einer kleinen, räudigen Katze, die an der Pforte Einlaß begehrt, aufgenommen, gepflegt wird und schließlich, als man ihr Leiden nicht mehr länger mitansehen kann, vom Knecht getötet wird. Alle identifizieren sich auf seltsame Weise mit dem Tier, das *»in geheimer Vertretung für alle litt«* – die Portugiesin, der Jugendfreund und Herr von Ketten. Es ist ein Zeichen, *»aber wie war es zu deuten?«* – Der Herr von Ketten, der das Schicksal der Katze nicht teilen will, rafft sich eines Tages auf und versucht ein sinnlos Ungeheueres als Kraftprobe und Gottesurteil zugleich: er ersteigt die kerzensteile Mauer zu seiner Burg (*»Unten ankommen konnte nur ein Toter und die Wand hinauf der Teufel«*) und besteht diesen Kampf, mit dem seine Kraft und seine Wildheit wiederzukehren scheinen. Er schleicht zum Schlafgemach seiner Frau, in dem er den Liebhaber vermutet, aber die Portugiesin *»atmete sanft im Schlaf, er hätte singen mögen vor Freude«*. Und der Knecht meldet, daß der Fremde am Morgen fortgeritten sei. – *»Es war nichts bewiesen und nichts fortgeschafft, aber sie fragte nicht, und er hätte nichts fragen können.«*

Tonka ist wohl die ergreifendste der drei Erzählungen, nicht zuletzt weil Musil hier das Erlebnis seiner ersten Jugendliebe mit hineinverwoben hat. – Tonka, das einfache junge Ding aus dem Tuchgeschäft, erwirbt sich die Zuneigung eines jungen Wissenschaftlers, der seine Studien im Elternhaus betreibt. Auf seinen Zuspruch hin kommt sie als Stütze der Großmutter ins Haus, aber *»der Himmel war gegen Tonka«*, die *»die gewöhnliche Sprache nicht sprach, sondern eine Sprache des Ganzen«*. Ihre rührende Einfalt, Schweigsamkeit und Anhänglichkeit werden zu einem beglückenden Teil seines Lebens, aber sie bedrücken ihn auch: er weiß nie recht, was er von ihr zu halten hat. Als die Großmutter stirbt und Tonka zu ihrer kupplerischen Tante kommen soll, nimmt ihr Freund sie mit sich in eine andere Stadt. Und weil er glaubte, daß »es« dazugehört, wird Tonka seine Geliebte. Als Tonka nach Jahren des Zusammenlebens ein Kind erwartet, glaubt er genau zu wissen, daß die Empfängnis in eine Zeit seiner Abwesenheit gefallen ist, obgleich sonst alles für Tonkas beteuerte Unschuld spricht. So schwankt er während der ganzen Zeit ihrer Schwangerschaft und der sie begleitenden schleichenden Krankheit zwischen Zweifel und Glauben: *»Etwas Ungreifbares fehlte, um die Überzeugung zur Überzeugung zu machen.«* Obwohl von außen alles getan wird, um das ungleiche Paar zu trennen, kann er das Band, das ihn an Tonka fesselt, weder lösen noch fester knüpfen. Tonka wird immer hinfälliger, nach der Geburt stirbt sie mit ihrem Kind und nimmt ihr Geheimnis mit sich. *»Und wenn man dann alle Erinnerungen durchging, wie waren sie alle zweideutig.«* Aber: *»Vielleicht kann man anders durch die Welt gehen als am Faden der Wahrheit?«* – Das Geheimnisvolle bleibt unausgesprochen, aber sein geheimer Sinn teilt sich – durch die Worte hindurch – mit. H. Hon.

Ausgaben: *Grigia:* Potsdam 1923. – *Die Portugiesin:* Bln. 1923. – Bln. 1924 *(Drei Frauen)*. – Zürich 1944. – Hbg. 1952. – Hbg. 1957 (in *Prosa, Dramen, späte Briefe*, Hg. A. Frisé).

Literatur: P. Requadt, *Zu M.s »Portugiesin«* (in WW, 5, 1954/55, S. 152–158). – G. Friedrich, *R. M.s »Tonka«* (in Die Sammlung, 15, 1960, S. 652–659). – W. Braun, *An Interpretation of M.'s Novelle »Tonka«* (in MDU, 53, 1961, S. 73–85). – B. Pike, *R. M. An Introduction to His Work*, Ithaca/NY 1961, S. 102–118. – J. Hermand, *M.'s »Grigia«* (in MDU, 54, 1962, S. 171–182). – E. A. McCormick, *Ambivalence in M.'s »Drei Frauen«. Notes on Meaning and Method* (ebd., 54, 1962, S. 183–196). – E. Kaiser u. E. Wilkins, *R. M. Eine Einführung in das Werk*, Stg. 1962 (Sprache u. Literatur, 4). – L. Kirchberger, *M.'s Trilogy. An Approach to »Drei Frauen«* (ebd., 55, 1962, S. 167 bis 182). – K. Tober, *R. M.s »Grigia«* (in *Sprachkunst als Weltgestaltung. Fs. H. Seidler*, Hg. A. Haslinger, Mchn. 1966).

DER MANN OHNE EIGENSCHAFTEN. Unvollendeter Roman von Robert Musil (1880–1942), erschienen 1930–1952. – Die Entstehungsgeschichte dieses umfangreichen Lebenswerks reicht bis in die Zeit um die Jahrhundertwende zurück. Nach 1920 bildete sich aus zahlreichen Kapitelentwürfen und Notizen eine Grundkonzeption heraus, *»die immer in Geltung bleibt, bei allem Wechsel der einzelnen Motive und Konstellationen«* (W. Rasch). Ulrich, der »Mann ohne Eigenschaften«, hieß anfangs Achilles, später Anders, und auch der Titel wechselte mehrfach *(Der Spion; Der Erlöser; Die Zwillingsschwester)*. 1930 erschien der erste Band mit den Teilen *Eine Art Einleitung* und *Seinesgleichen geschieht.* Musils akribische Arbeitsweise verzögerte die Fortsetzung: Einzelne Kapitel änderte er bis zu zwanzigmal, ehe sie seinem hohen Stilideal *(»Stil ist für mich exakte Herausarbeitung eines Gedankens«)* entsprachen. Auf Drängen seines Verlegers Rowohlt erschienen 1933 weitere 38 Kapitel als dritter Teil des Romans unter dem Titel *Ins tausendjährige Reich.* Die Okkupation Österreichs durch Hitlers Truppen verhinderte das Erscheinen weiterer zwanzig Kapitel. Probleme der erzählerischen Gestaltung und widrige Lebensumstände (Geldmangel, Krankheit, seit 1938 Exil in der Schweiz) waren ausschlaggebend dafür, daß der Roman Fragment blieb, obwohl Musil bis zu seinem Tod nahezu ohne Unterbrechung daran arbeitete. 1941 notierte er in sein Tagebuch: *»Oft habe ich den Eindruck, daß meine geistige Kraft nachläßt, aber eher ist es wahr, daß die Problemstellung über sie hinausgeht.«* Bis zur Veröffentlichung der mit einem umfangreichen Nachlaßteil versehenen Neuausgabe (1952, Hg. Adolf Frisé) war Musil fast vergessen. Frisés Editionsverfahren (Kombination von Kapiteln aus verschiedenen Schaffensperioden, Eingriffe in den Text etc.) ist in der Folgezeit heftig kritisiert worden (vor allem von E. Kaiser, E. Wilkins und W. Bausinger). W. Rasch beurteilte die »Leseausgabe« Frisés positiver, wenngleich auch er betont, daß sie kein Ersatz für eine textkritische Fassung sei. – Ulrich, dessen Familienname *»aus Rücksicht auf seinen Vater verschwiegen«* wird – wie sich der Erzähler in ironischer Selbstanspielung ausdrückt –, ist die zentrale Gestalt des Romans. Im August 1913, dem Zeitpunkt, da die Handlung einsetzt, ist er 32 Jahre alt. Drei Versuche, als Offizier, Ingenieur bzw. Mathematiker »ein bedeutender Mann« zu werden, sind für ihn unbefriedigend verlaufen. Schließlich erkennt er, daß ihm das Mögliche mehr bedeutet als das mediokre, schematische und rollenhafte Wirkliche. Da er in einer extrem technisierten Zeit keine »Ordnung des Ganzen« mehr findet, beschließt er, »*ein Jahr Urlaub von seinem Leben zu nehmen*«, um die »*Ursache und den Geheimmechanismus*« dieser in ihre Teile zerfallenden Wirklichkeit zu begreifen. Damit zieht sich Ulrich in die Passivität einer bloß reflektierenden Haltung zurück. Er fühlt sich als Mann ohne Eigenschaften, weil er nicht mehr den Menschen, sondern die Materie als Zentrum moderner Wirklichkeit ansieht: »*Heute ... hat die Verantwortung ihren Schwerpunkt nicht im Menschen, sondern in den Sachzusammenhängen ... Es ist eine Welt von Eigenschaften ohne Mann entstanden, von Erlebnissen ohne den, der sie erlebt.*« Ulrich sieht sich mit den Problemen seiner Zeit, mit den Widersprüchen zwischen Logik und Gefühl, Kausalität und Analogie, Wissenschaftsgläubigkeit und Kulturpessimismus konfrontiert. Im Gegensatz zum individuellen Helden des klassischen Bildungsromans wird er zum Integrationsmoment philosophisch-geistesgeschichtlicher Kraftfelder. Anschauungen von NIETZSCHE, Ernst MACH (über den Musil promovierte), KLAGES, EMERSON, C. STUMPF, W. KÖHLER, E. R. JAENSCH, J. v. ALLESCH und anderen (vgl. R. von Heydebrand) gehen in Ulrichs Reflexionen ein. Die adäquate Form eines derart experimentierenden und kombinatorischen Denkens ist der Essay. *(»Ungefähr wie ein Essay in der Folge seiner Abschnitte ein Ding von vielen Seiten nimmt, ohne es ganz zu fassen ..., glaubte er, Welt und sein eigenes Leben am richtigsten ansehen und behandeln zu können. Der Wert einer Handlung oder einer Eigenschaft, ja sogar deren Wesen und Natur erschienen ihm abhängig von den Umständen, die sie umgaben, von den Zielen, denen sie dienten, mit einem Wort, von dem bald so, bald anders beschaffenen Ganzen, dem sie angehörten.«)* Dieser Essayismus *(»Ausgestaltung ohne Verfestigung«)* prägt Musils Sprache: Die Metaphorik wird von Ausdrucksmitteln wie Analogie, Vergleich und Gleichnis verdrängt. Denn anders als die Metapher, die Identität erzeugt, schafft »*das Gleichnis die Verbindung der Vorstellungen, die im Traum herrscht; es ist die gleitende Logik der Seele*«.

Diese Konzeption verändert entscheidend die Struktur des Erzählten. An die Stelle eines erzählerischen Kontinuums tritt ein beziehungsreiches Feld von Handlungs- und Personenkomplexen, ein »*breites, verzweigtes System vielfältiger Spiegelungen und Variationen*« (W. Rasch). Zwar bleibt, laut Rasch, »*der erzählerische Gestus gewahrt: ein Erzähler, der alles überblickt, spricht ständig, färbt den Bericht, kommentiert zuweilen die Vorgänge, reflektiert*«, die Zeitdimension des Erzählens aber ist ebenso diskontinuierlich, wie die Titelfigur eigenschaftslos. An die Stelle der Zeit tritt als Ordnungsprinzip die Ironie des Erzählers, mit deren Hilfe die Verfestigungen der Wirklichkeit aufgebrochen werden. Diese Ironie enthält die Kategorie des Möglichen, ist also konstruktiv-utopisch. Das rückt sie in die Nähe des Ironiebegriffs von KIERKEGAARD. Ulrich selbst wird zum Objekt dieser erzählerischen Ironie.

Der Roman ist in Wien und in der österreichisch-ungarischen Monarchie lokalisiert, aber dieser szenische Hintergrund ist für Musil, anders als für etwa Joseph ROTH, nicht Milieu eines historischen Romans, sondern ein »*besonders deutlicher Fall der modernen Welt*«. Es ist dies eine Welt des sinnlos reproduzierenden Leerlaufs, in der nur »Seinesgleichen geschieht«. Das geht aus dem dominierenden Handlungskomplex des ersten Bandes hervor, der »vaterländischen Aktion«, als deren Sekretär Ulrich auftritt. Ein Komitee soll die Feiern zum siebzigjährigen Regierungsjubiläum Kaiser Franz Josefs I. im Jahre 1918 als »Parallelaktion« zu dem im selben Jahr stattfindenden dreißigjährigen Regierungsjubiläum Wilhelms II. vorbereiten. Ihr ironisches Doppelgesicht erhält die Parallelaktion dadurch, daß das Jahr 1918 den Zusammenbruch der beiden Monarchien bedeutet. Das geplante Jubelfest erhält somit von vornherein die Attribute einer Beerdigungsfeier. Im Umkreis der Parallelaktion begegnet Ulrich der empfindsamen Ermelinda Tuzzi – er nennt sie ironisch Diotima –, deren Mann, dem Sektionschef Tuzzi, ferner dem geistigen Vater der Aktion, Graf Leinsdorf, dem biederen General Stumm von Bordwehr und schließlich dem deutschen Finanzmagnaten und »Großschriftsteller« Arnheim, zu dem Diotima in platonischer Leidenschaft entbrennt. Außerdem treten auf: Ulrichs Jugendfreund Walter, die Nietzsche-Jüngerin Clarisse, der Prophet Meingast, der Bankdirektor Leo Fischl, dessen Tochter Gerda und ihr Freund Hans-Sepp, ein Anhänger völkischer Ideologie. Ulrichs Schwester Agathe, deren Ehemann Hagauer und Freund Lindner bilden einen weiteren Personenkreis. Entscheidend ist bei diesen Gruppierungen, gemäß dem Prinzip der »Spiegelung«, allein ihr Bezug auf Ulrich. Sie alle personifizieren bestimmte Möglichkeiten und Anlagen Ulrichs, vermitteln ihm »*das unbestechliche Bild eines Zerrspiegels*«. Arnheim, ein Porträt des deutschen Politikers und Schriftstellers RATHENAU, fungiert als Gegenfigur zu Ulrich. Denn Arnheim glaubt gefunden zu haben, was Ulrich sucht: eine neue Moral in der Synthese zwischen Ratio und Seele. Weil er erkennt, daß Arnheims Selbstbewußtsein nur eine »*künstliche Einheit des Glücks*« darstellt, lehnt er dessen unreflektierte »*Vereinigung von Kohlenpreis und Seele*« ab. Dagegen fühlt sich Walter, wie anfangs auch Ulrich, zu »Besonderem berufen«. Nach etlichen gescheiterten Versuchen als Zeichenlehrer, Musikkritiker etc. hat er sich schließlich in eine bequeme Beamtenstellung geflüchtet und ist in kulturpessimistischer Attitüde erstarrt. Extremes Sinnbild der aus den Fugen gegangenen Welt ist die Gestalt des wahnsinnigen Prostituiertenmörders Moosbrugger. Als Zuhörer bei dessen Gerichtsverhandlung wird Ulrich bewußt: »*Das war deutlich Irrsinn, und ebenso deutlich bloß ein verzerrter Zusammenhang unserer eigenen Elemente des Seins. Zerstückt und durchdunkelt war es, aber Ulrich fiel irgendwie ein: wenn die Menschheit als Ganzes träumen könnte, müßte Moosbrugger entstehen.*« Moosbruggers Wahnvorstellungen korrespondieren mit Ulrichs Erfahrungen des »anderen Zustands«. In dem Maße, in dem Ulrich nämlich den Geheimmechanismus moderner Wirklichkeit durchschaut, sehnt er sich nach der Freiheit des Disparaten und nach ursprünglichem, paradiesischem Erleben. Vor allem in der zweiten Hälfte des Romans erlebt er wiederholt Entrückungszustände, ein Schwinden der Raumgrenzen. Ulrich begreift diesen »anderen Zustand« (seine Konzeption ist L. KLAGES' *Vom kosmogonischen Eros* verpflichtet) nicht als Negierung der Ratio. Die Erfahrungen einer konventionellen Erlebnismystik bei Diotima und Arnheim sowie deren Pervertierung in den Wahnsinn bei Moosbrugger zwingen ihn immer wieder zu einer kritischen Überprüfung.

Im zweiten Band versucht Ulrich in der Gemeinschaft mit seiner Schwester Agathe den »anderen Zustand« zu leben. Die Geschwister treffen sich zum ersten Mal nach langer Zeit beim Begräbnis des Vaters. In Agathe gewahrt Ulrich »*die schatten-*

hafte Verdoppelung seiner selbst in der entgegengesetzten Natur«; erst im Zusammenleben mit ihr gewinnt das Dasein für ihn einen Sinn. Die Welt des »Seinesgleichen geschieht«, die des »Gespenstigen« verblaßt. Die Liebe der beiden Geschwister ist »*eine Reise an den Rand des Möglichen, die an den Gefahren des Unmöglichen vorbei, und vielleicht nicht immer vorbeiführte*«, eine Reise »*ins tausendjährige Reich*« (der Titel des dritten Teils). Der Inzest hat nur in der Totalität der Beziehungen zwischen Bruder und Schwester Stellenwert und ist von Musil als Mythos intendiert. Ulrich weiß, daß der »andere Zustand« zum Scheitern verurteilt ist, daß die Versöhnung von Ich und Welt, der »Einzug ins Paradies«, die Vita contemplativa sich nicht perpetuieren lassen. Dennoch behält der »andere Zustand« für ihn seinen Wert als »*augenblickhaftes Innewerden einer anderen Wirklichkeit*« (W. Rasch). Die »Philosophie der induktiven Gesinnung« (Induktion im Sinn von Möglichkeit) bezeichnet das positive Ende von Ulrichs geistigem Abenteuer.

H. Str.

AUSGABEN: Bln. 1930 [Buch 1]. – Bln. 1933 [Buch 2]. – Lausanne 1943, Hg. M. Musil [Buch 3]. – Wien [8]1938 [Bd. 1]. – Hbg. 1952 (in *GW in Einzelausg.*, Hg. A. Frisé [1]; Neuausg.; Reinbek [10]1967).

LITERATUR: J. Nadler, »*Der Mann ohne Eigenschaften*« *oder der Essayist R. M.* (in Wort u. Wahrheit, 5, 1950, S. 688–697). – G. Baumann, *R. M. Eine Vorstudie* (in GRM, 34, N. F. 3, 1953, S. 292ff.). – W. Boehlich, *Untergang u. Erlösung* (in Akzente, 1, 1954, S. 35–50). – W. Braun, *M.'s »Erdensekretariat der Genauigkeit u. Seele«. A Clue to the Philosophy of the Hero of »Der Mann ohne Eigenschaften«* (in MDU, 46, 1954, S. 305ff.). – K. M. Michel, *Die Utopie der Sprache. Zu R. M.s Roman »Der Mann...«* (in Akzente, 1, 1954, S. 23–35). – B. Allemann, *Ironie und Dichtung*, Pfullingen 1956, S. 177–200. – W. Berghahn, *Die essayistische Erzähltechnik R. M.s*, Diss. Bonn 1956. – W. Braun, *M.'s Siamese Twins* (in GR, 33, 1958, S. 41ff.). – G. Müller, *Die drei Utopien Ulrichs im »Mann ohne Eigenschaften«* Diss. Wien 1958. – J. Strelka, *Kafka, M. Broch u. die Entwicklung des modernen Romans*, Wien/Hannover/Basel [2]1959, S. 36–64. – H. Arntzen, *Satirischer Stil. Zur Satire R. M.s im »Mann ...«*, Bonn 1960. – W. Braun, *Moosbrugger Dances* (in GR, 35, 1960, S. 214ff.). – W. Grenzmann, *»Der Mann ohne Eigenschaften«* (in *R. M. Leben, Werk, Wirkung*, Hg. K. Dinklage, Reinbek 1960). – A. Schöne, *Zum Gebrauch des Konjunktivs bei R. M.* (in Euph, 55, 1961, S. 196–220). – H. Arntzen, *Der moderne deutsche Roman*, Heidelberg 1962, S. 101–115. – E. Kaiser u. E. Wilkins, *R. M. Eine Einführung in das Werk*, Stg. 1962 (Sprache und Literatur, 4; vgl. dazu D. Kühn in Merkur, 18, 1964, S. 262–266; W. Berghahn in NRs, 74, 1963, S. 284–296; H. Arntzen in NDH, 10, 1963, H. 92, S. 74–103). – O. Hertkorn, *Zur Geschwisterliebe im »Mann ohne Eigenschaften« v. R. M.* (in Revista de Letras, 4, 1963, S. 229–261). – R. v. Heydebrand, *Zum Thema Sprache und Mystik in R. M.s Roman »Der Mann...«* (in ZfdPh, 82, 1963, S. 249–271). – H. Honold, *Die Funktion des Paradoxen bei R. M. dargestellt am »Mann ohne Eigenschaften«*, Diss. Tübingen 1963. – E. Wilkins u. E. Kaiser, *Monstrum in Animo: Bemerkungen zu einem bisher im Original unveröffentlichten Manuskript aus dem Nachlaß R. M.s* (in DVLG, 37, 1963, S. 78–119). – W. Bausinger, *Studien zu einer hist.-krit. Ausg. von R. M.s Roman »Der Mann ...«*, Reinbek 1964 [Diss. Tübingen 1962]. – G. Jäßl, *Mathematik und Mystik in R. M.s Roman »Der Mann ...«. Eine Untersuchung über das Weltbild Ulrichs*, Diss. Mchn. 1964. – G. Baumann, *R. M. Zur Erkenntnis der Dichtung*, Bern/Mchn. 1965. – H. Brosthaus, *Zur Struktur u. Entwicklung des ›anderen Zustands‹ in R. M.s Roman* (in DVLG, 39, 1965, S. 388–440). – U. Karthaus, *Der andere Zustand. Zeitstrukturen im Werke R. M.s*, Bln. 1965. – U. Karthaus, *M.-Forschung u. M.-Deutung. Ein Literaturbericht* (in DVLG, 39, 1965, S. 441 bis 483). – D. Kühn, *Analogie und Variation. Zur Analyse v. R. M.s Roman »Der Mann ...«*, Bonn 1965 (Bonner Arbeiten zur deutschen Literatur, 13). – S. Bauer u. J. Drevermann, *Studien zu R. M.*, Köln/Graz 1966. – R. v. Heydebrand, *Die Reflexionen Ulrichs in R. M.s Roman »Der Mann ...« Ihr Zusammenhang mit dem zeitgenössischen Denken*, Münster 1966. – E. Kaiser, *Die Entstehungsgeschichte v. R. M.s Roman »Der Mann ...«* [Vortr.] (in Studi Germanici, 4, 1966, S. 107–118). – H. W. Reichert, *Nietzschean Influence in M.'s »Der Mann ...«* (in GQ, 39, 1966, S. 12–28). – P. Nusser, *M.s Romantheorie*, Den Haag/Paris 1967 [Diss. Göttingen 1963]. – W. Rasch, *Über R. M.s Roman »Der Mann ...«*, Göttingen 1967 (Kl. Vandenhoeck-R., 242–244). – U. Schramm, *Fiktion und Reflexion, Überlegungen zu R. M. u. S. Beckett*, Ffm. 1967. – E. Albertsen, *Ratio u. ›Mystik‹ im Werk R. M.s*, Mchn. 1968.

DIE VERWIRRUNGEN DES ZÖGLINGS TÖRLESS. Erzählung von Robert MUSIL (1880–1942), entstanden 1903, erschienen 1906. Die Drucklegung des Werks, das Musils erster und einziger großer Erfolg wurde, kam erst nach mehreren Fehlschlägen durch Vermittlung von Alfred KERR zustande.

In der »guten Gesellschaft« zeichnet sich die Internatsschule zu W. durch angestammtes Prestige aus. Dennoch leidet der »Zögling« Törleß unter ihren Lebensbedingungen von Anfang an. Schon der Beginn der Erzählung verweist so auf den strukturbestimmenden Konflikt zwischen der »*ästhetisch intellektuellen*« Natur des Individuums Törleß und der gesellschaftlich sanktionierten und kollektiv vorhandenen Wirklichkeit des Instituts. Wie stets, so gilt auch hier Musils Interesse den objektiven Bedingungen dieser Wirklichkeit so wenig, daß er sie kaum erzählt. Im Sprachstil reflektierter Einfühlung beschreibt er fast ausschließlich den Konflikt, den die radikale Subjektivität der Psyche des Törleß heraufbeschwört. Ihrer Entwicklung folgt Musil konsequent. Sie beginnt mit dem Leiden des Kindes, führt über das zentrale Motiv der Erzählung, die »Verwirrungen« des pubertären, und schließt mit dem Versuch des nahezu erwachsenen Törleß, sich selbst neu zu bestimmen. *Törleß* ist demnach die biographische Erzählung einer Individuation, weshalb sie dem Bildungsroman einigermaßen ähnelt.

Auf die »*unwirtliche Fremde*« des Instituts reagiert Törleß mit »*Heimweh*« nach dem Schutz seiner Eltern – für Musil Anlaß, um in der Figur des Törleß eine Psychologie der Sehnsucht nach einer zweiten, imaginären Wirklichkeit darzustellen. Was »*Heimweh*« ist, gilt seinem Erzähler als »*seelische Kraft*«, die sich zunächst nur »*unter dem Vorwand des Schmerzes*« äußert. Mit beginnender Pubertät verebbt sie dann und Törleß schließt sich den Schülern Beineberg und Reiting an, die »*bisweilen bis zur Rohheit wild und ungebärdig*« sind. Vom »*animalischen*« Gehabe seiner Kameraden zugleich angezogen und abgestoßen, verharrt Törleß in einem Zustand der Ichspaltung. Gleich dem Kind verwandelt der pubertäre Törleß die gegebene Realität in Bilder sehnsüchtiger Phantasien, die sich jetzt allerdings um Symbole einer noch unbekannten Sexualität anlagern. So wartet er auf etwas von *»fürchterlicher, tierischer Sinnlichkeit«*. Nach einer Episode mit der gealterten Dorfhure Božena, die in Törleß bürgerliche Moral und sexuelle Phantasien zugleich bestätigt, bricht das ersehnte Ereignis dann auch tatsächlich herein. Allerdings zerstört nicht *»tierische Sinnlichkeit«* die alltäglichen Verhaltensgewohnheiten, sondern ein Eigentumsdelikt des Schülers Basini. Dessen Entdeckung wollen Beineberg und Reiting geheimhalten, um Basini privat überwachen und selbst bestrafen zu können. Törleß hingegen ahnte von Anfang an eine innere Verwandtschaft zwischen seinen sexuellen Phantasien und Basinis Diebstahl. Da er wie Basini gegen die moralische Postulate seiner bürgerlichen Erziehung verstieß, fühlte er die Gemeinsamkeit des gleichen Konflikts. Anfänglich blieb das vage Empfindung. Jetzt allerdings ist auch die normenwidrige Sexualität der Phantasie des Törleß entrissen. Er projiziert sie gänzlich auf Basini. Dadurch rückt sie aber aus der *»Phantasie ins Leben«* und wird *»bedrohlich«*, weshalb Basini auch für Törleß eine *»wichtige Rolle«* spielt.

Beineberg und der machtlüsterne Reiting einigen sich zunächst, Basini gemeinsam zu foltern. Der Sadismus des Törleß äußert sich im Gegensatz dazu sublim. Da ihn an den Handlungen der anderen ohnehin nur interessiert, was allein er für wichtig hält, nämlich: Auskunft zu erhalten über die ihm noch fremde Unmoral der Gefühle, quält er Basini später nicht durch physische Mißhandlung, sondern durch psychische. Er will, daß Basini reflektierend bewußt erlebt, was er tat; er wünscht ferner Aufklärung über dessen homosexuelles Verhältnis zu Reiting und Beineberg. Das Interesse des Törleß wird dadurch zum Ebenbild der Erzählabsichten Musils. Erfährt Basini seine Handlungen gleich einem nicht weiter zu befragenden Schicksal, so hat Törleß (wie Musil) einen anderen Begriff vom »Handeln«: Es geht nicht aus der dumpfen Kausalität des Schicksals, sondern aus der verstehbaren Kausalität der »Seele« hervor. Für Törleß verlieren Basinis Verfehlungen daher jede psychische Tiefe, die »Bedrohung« scheint verschwunden, kurz bevor sie sich unversehens kreatürlich äußert: Basini verführt Törleß. Wiederum in einem Zustand der Ichspaltung befangen, reagiert dieser zugleich mit Scham, Verachtung und einer *»neuen Leidenschaft«*. Allerdings ist Basini, so stellt Musil fest, für Törleß nur Initiation eines *»ziellosen Hungers«*, der alsbald über ihn hinauswachsen wird. Die Feststellung ist wohl vorbereitet. Insbesondere die Meditation des Törleß über die imaginäre, *»ziellose Grenzenlos g-keit«* seiner Erlebnisse verwiesen schon vorher darauf. Freilich ist die Krise hier wie n den meisten Erzählungen Musils notwendig um verwirklichen zu können, was als Ziel der Individuation vorweg definiert ist: die kulturelle Autonomie der Person, die aus dem *»Wachstum der Seele, des Geistes«*, einer *»leidenschaftlichen«* Innerlichkeit, hervorgehen soll.

Am Ende der Krise des Törleß steht der Entschluß Beinebergs und Reitings, Basini nun doch den Schülern auszuliefern. Als sich diese in laienhafter Lynchjustiz austoben, entsteht ein schulinterner Skandal, als dessen Folge nun auch Törleß sein Verhalten rechtfertigen muß,; die homosexuelle Phase kann jedoch vertuscht werden. *»Mit beinahe dichterischer Inspiration«* repräsentiert er sich und seine Interessen schließlich vor dem Leiter und den Lehrern der Schule; vor einer quasi stellvertretenden Öffentlichkeit findet er sein Selbstverständnis. Er begreift jetzt die radikale Subjektivität seiner Psyche und ihren klassischen Konflikt mit einer Umwelt, deren inhumane Praxis durch moralisch verbürgte Konventionen kaum beeinträchtigt wird. Eben deshalb wird er von den öffentlichen Repräsentanten dieser Umwelt auch nicht verstanden. Gestörte Kommunikation, von Anfang an Symptom des strukturbestimmenden Konflikts, schließt die Erzählung ab. Konsequent stimmt folglich die Entscheidung des Törleß, aus dem Institut auszutreten, mit dem Entschluß des Lehrer-Kollegiums überein, ihn zu entlassen, da man sich seiner Erziehung nicht länger gewachsen fühle.

Für eine zwar versteckte, dennoch aber stark ausgeprägte autobiographische Thematik spricht zunächst weniger, daß sich viele Fakten belegen lassen, mehr, daß zahlreiche und gerade die wichtigsten Erzählmotive und ihre Bedeutungen aus der Biographie Musils selber stammen, insbesondere das Leiden am Internat »W.« (Musil selbst war Schüler in Mährisch-Weißkirchen; *Tagebuch 1937 bis 1942* Nr. 95, 156, 184) und das Erlebnis jugendlicher Homosexualität *(Tagebuch 1903)*; schließlich, daß die Lebensform des Törleß und Musils psychologisches Erzählinteresse sich entsprechen – was zu ständigen Identifikationen des Autors mit seinem Helden führt; und vor allem, daß die Identitätsschwierigkeiten des Törleß die aus der fundamentalen Erfahrung des Widerspruchs zwischen Ichideal und kollektiver Wirklichkeit resultieren, Musils eigenes Selbstverständnis widerspiegeln, das er ausführlich in den *Tagebüchern* bereits zur Entstehungszeit der Erzählung niedergelegt hat. In Törleß inszeniert Musil sich folglich selbst, freilich nicht in plumper Reproduktion biographischer Tatsachen. Vielmehr entwirft er in Törleß eine Rolle, die seinem Selbstverständnis genau entspricht und verstreute biographische Erfahrungen im Rahmen des beherrschenden Konflikts der Erzählung in sich aufnehmen kann. Das verweist auf den stark individualpsychologisch belasteten Literaturbegriff von Musil überhaupt: Die sozial nur äußerst schwer vermittelbare Innerlichkeit, vorrangiges Thema der Tagebücher und des *Törleß*, findet in der literarischen Einsamkeit, im Akt des Schreibens und Lesens, ein angemessenes Medium, um sich unbeschädigt äußern zu können. Kulturell idealisti ches Selbstverständnis und Kritik an der Kulturrne bürgerlicher Wirklichkeit ergänzen sich deshalb wie im *Törleß* so auch in den Tagebüchern Musils, eine Dialektik, die Musil nach dieser Erzählung eindeutig erst wieder im *Mann ohne Eigenschaften* darstellt.

Gerade die autobiographische Verbindlichkeit bestimmt denn auch den Rang des *Törleß*: Als ästhetisches Dokument für die Sprache der »Seele«; als psychologisches Dokument für ihre Widersprüche, deren Analyse mit anderen Voraussetzungen FREUD zur selben Zeit begann; als soziologisches Dokument für Selbstverständnis und Rollenkonflikt eines Schriftstellers mit radikal subjektivem Kulturidealismus, der übrigens dazu beitrug, Musil am Ende seiner Karriere in berufliche Erfolglosigkeit, soziale Vereinsamung und wirtschaftliche Not hineinzutreiben – späte, bittere Wirklichkeit zum Erzählthema des *Törleß*. R. Gr.

AUSGABEN: Wien/Lpzg. 1906. – Mchn. 1911. – Bln. 1931. – Hbg. 1957 (in *Prosa, Dramen, Späte Briefe*, Hg. A. Frisé; *GW* in Einzelausg.). – Reinbek [14]1970 (rororo 300).

VERFILMUNG: Deutschland/Frankreich 1965 (Regie: V. Schlöndorff).

LITERATUR: A. Kerr, Rez (in Der Tag, 21. 12. 1906). – J. Schaffner, *»Die Verwirrungen des Zöglings Törleß«, von R. M.* (in NRs, 1911). – J. Duvignaud, *»Les désarrois de l'élève Törless«. Le premier roman de R. M.* (in Preuves, Nr. 117, 1960). – B. Pike, *R. M.: An Introduction to His Work*, Cornell Univ. Press Ithaca 1961. – E. Kaiser u. E. Wilkins, *R. M. Eine Einführung in das Werk*, Stg. 1962. – R. Minder, *Kadettenhaus, Gruppendynamik und Stilwandel von Wildenbruch bis Rilke und M.* (in R. M., *Kultur und Literatur in Deutschland und Frankreich. Fünf Essays*, Ffm. 1962; IB, 771) – W. Berghahn, *R. M. in Selbstzeugnissen und Bilddokumenten*, Reinbek 1963 (rm, 81). – R. Rieth, *R. M.s frühe Prosa. Versuch einer stilistischen Interpretation*, Diss. Tübingen 1964. – Y. Nakagawa, *Über »Die Verwirrungen des Zöglings Törleß« R. M.s* (in Doitsu Bungaku, Tokio, Nr. 33, 1964). – W. Braun, *The Confessions of Toerless* (in GR, 40, 1965, S. 116–131). – H. Godgar, *The Square Root of Minus One: Freud and R. M.'s »Törless«* (in GL, 17, 1965, S. 117–132). – S. Bauer u. I. Drevermann, *Studien zu R. M.*, Köln/Graz 1966. – E. Stopp, *M.'s »Törless«: Content and Form*, (in MLR, 63, 1968, S. 94–118). – *R. M.* (Text und Kritik, Nr. 21/22, 1968). – J. C. Thöming, *R.-M.-Bibliogr.*, Bad Homburg v. d. H./Bln./Zürich 1968. – H. Brosthaus, *Der Entwicklungsroman einer Idee. Untersuchungen zu Gehalt, Struktur und Stil von R. M.s Roman »Die Verwirrungen des Zöglings Törleß«*, Würzburg 1969. – A. Reniers-Servranck, *Torless. Désarrois freudiens?* (in EG, 24, 1969). – E. v. Büren, *Zur Bedeutung der Psychologie im Werk R. M.s*, Zürich/Freiburg i. B. 1970. – *R. M. Studien zu seinem Werk*, Hg. K. Dinklage, Reinbek 1970. – G. Müller, *Dichtung und Wissenschaft. Studien zu R. M.s Romanen »Die Verwirrungen...« und »Der Mann...«*, Uppsala 1971 (Acta Univ. Uppsaliensis, Studia Germ. Uppsaliensia).

HANS ERICH NOSSACK
(*1901)

DER JÜNGERE BRUDER. Roman von Hans Erich NOSSACK (*1901), erschienen 1958. – Im März 1949 kehrt der dreiundvierzigjährige Ingenieur Stefan Schneider aus zehnjährigem Exil in Brasilien in das noch stark zerstörte Hamburg zurück, wo er aus Polizeiakten zum ersten Mal genauere Einzelheiten über den Tod seiner Frau Susanne erfährt, die 1942 eines Nachts vom Balkon ihres Hauses gestürzt ist. Schneider interessiert sich jedoch nicht so sehr für die Umstände dieses nie ganz aufgeklärten Unglücksfalls, als vielmehr für einen ihm unbekannten jungen Mann, einen gewissen Carlos Heller, der als letzter mit Susanne zusammen war und der bei der Vernehmung berichtete, er habe in einer Vision den Mann der Verunglückten todkrank auf dem Bett liegen sehen. Schneider, der damals tatsächlich zwischen Leben und Tod schwebte, macht sich nun auf die Suche nach dem Zeugen, den er aus einem Gefühl innerer Verwandtschaft seinen *»jüngeren Bruder«* nennt und der ihm als ein etwas skurriler, überaus gütiger, rätselhafter *»Engel ohne Flügel«* geschildert wird. Bei seinen Nachforschungen erfährt Schneider, daß Heller, von dem alle fasziniert waren, eine Zeitlang als Pianist in dem Künstlerlokal »Aporée« auftrat, dann aber in die Ostzone gegangen sein soll. Schneider, der besessen ist von der fixen Idee, es müsse zwischen dem Unbekannten und ihm eine Beziehung bestehen, reist dorthin; während seines Besuchs bei seinen Eltern in Jena kommt ihm sogar der Gedanke, Carlos könne ein unehelicher Sohn seines Vaters und somit wirklich der *»jüngere Bruder«* sein.

Nach Hamburg zurückgekehrt, wird Schneider im Oktober 1949, als ihm Heller schon gleichgültig zu werden beginnt und er sich bereits zur Rückkehr nach Brasilien entschlossen hat, auf fatale Weise indirekt das Opfer dieses mysteriös Verschwundenen: Als in einem billigen Hamburger Restaurant ein Strichjunge namens Carlos auftaucht, rutscht Schneider vor Lachen über diesen seltsamen Zufall in einer Bierlache aus, erleidet einen Schädelbruch und stirbt nach einigen Tagen, wobei offen bleibt, ob es sich bei dem Jungen wirklich um Carlos Heller handelte.

Der Roman ist in Form eines von Schneider kurz vor seinem Tod niedergeschriebenen Berichts abgefaßt, den er dem Schriftsteller Arno Breckwaldt anvertraute mit der Bitte: *»Erzählen Sie mir mein Ende, wenn Sie Zeit und Lust dazu haben. Mein Fall interessiert mich.«* Schneiders absolut unkünstlerischer Natur entspricht die einfache, trockene Sprache der Aufzeichnungen; zudem werden die Geschehnisse, wie auch Breckwaldt in seinem Nachwort bemerkt, in mehrfach *»verrutschten Perspektiven«* geschildert, eine Erzähltechnik, durch die die Authentizität des meist in Ichform Berichteten noch erhöht wird. Der Roman hat, besonders in der fast märchenhaften Gestalt des Verschwundenen, parabolische Züge. Der Autor konfrontiert den gesellschaftlichen Außenseiter Stefan Schneider, der sich selbst fragwürdig geworden ist und der im *»jüngeren Bruder«* sein hoffnungslos verlorenes anderes Ich sucht, mit der deutschen Wirklichkeit von 1949, an der er äußerst scharf und satirisch Kritik übt. Der aus *»unzivilisierten Landstrichen«* Südamerikas heimkehrende Emigrant muß zu seiner Enttäuschung erkennen, daß Europa immer noch den Anspruch erhebt, *»Bildung, Kultur, Idealismus, Pietät und was es sonst noch alles gibt, zu repräsentieren«*, und daß man sich in Deutschland von der Vergangenheit nicht loszureißen vermag. Einzig in den Künstlern, Vagabunden und andern unbürgerlichen Existenzen trifft er *»zukunftsgläubige Menschen«*, die wenigstens *»ihre eigene Spur«* suchen und die ihm eine *»unsichtbare Vorhut des Menschen«* zu bilden scheinen. Der Name ihres Treffpunkts, der Kellerkneipe »Aporée«, der die Assoziation »Aporie« und, in der Umkehrung, »Europa« auslöst, deutet symbolisch auf jene Weglosigkeit des einzelnen wie Europas hin, die Schneider erlebt und von der er, seine innere Gleichgültigkeit langsam überwindend und immer mehr Anteil nehmend, berichtet.

J. Dr.

AUSGABE: Ffm. 1958.

LITERATUR: K. A. Horst, Rez. (in Merkur, 12, 1958, S. 1190–1193). – H. Schwab-Felisch, Rez. (in Der Monat, 11, 1958/59, H. 122, S. 71–74). –

G. Friedrich, *Mensch u. Wirklichkeit im Werk H. E. N.s* (in Der Deutschunterricht, 15, 1963, H. 3, S. 48–58). – M. Reich-Ranicki, *H. E. N., der nüchterne Visionär* (in M. R.-R., *Deutsche Literatur in West und Ost*, Mchn. 1963, S. 17–33). – E. Biser, *Der Wegbereiter. Zur Gestalt des ›Engels‹ im Werk H. E. N.s* (in Der Deutschunterricht, 16, 1964, H. 5, S. 22–33).

NEKYIA. Bericht eines Überlebenden. Roman von Hans Erich NOSSACK (*1901), erschienen 1947. – Das Werk war eines der ersten, die in Deutschland von der Erfahrung des Zweiten Weltkriegs zu sprechen versuchten; doch schloß sich der Autor nicht dem Trend zu einer »*Kahlschlagliteratur*« (W. Weyrauch) an, pflegte nicht den Stil eines kargen Realismus, der die Anfänge der deutschen Literatur nach 1945 kennzeichnet, sondern überhöhte das Geschehen ins Traumhaft-Allegorische und Apokalyptische. Die Ausgangssituation der Handlung ähnelt dem Ansatz von Arno SCHMIDTS Roman *Schwarze Spiegel* (1951): Ein Mann, der den Krieg überlebt hat, verläßt seine auf dem Boden einer unwirtlichen Landschaft kampierenden Kameraden, die »*namenlosen, erschöpften Schläfer*«, und geht in »*die Stadt zurück. Es war eine große Stadt.*« Dort ist alles Leben erstarrt, und die Menschen sind verschwunden, allein wandert er durch die Straßen, in einem Licht von grauer, »*langweiliger Helligkeit*«. Doch während der Schmidtsche Held sich aus den Resten der zerstörten Welt eine Einsiedlerexistenz aufbaut, nimmt Nossacks »Bericht« eine Wendung ins Hintersinnig-Parabolische: Der Erzähler und Held gerät in eine Wohnung, wo er merkt, daß er kein Spiegelbild mehr hat, daß sein »*Bild zugrunde gegangen*« und »*die Zeit zerbrochen ist*«. Er hat einen Traum, dessen Wiedergabe den größten Teil des Buches einnimmt und in dem noch einmal die wichtigsten Situationen seines Lebens auftauchen; er rekapituliert sein eigenes und das Leben aller vor der Katastrophe. Doch wird dessen realistische Darstellung nicht nur durch das Medium des mühsam erinnerten Traums (sprachlich ausgedrückt durch einen konjunktivreichen Stil, mit vielen »*Es mag sein*«, »*vielleicht*«, »*wahrscheinlich*« usw.) gebrochen, sondern der Erzählende wiederholt träumend vorgeschichtliche und mythische Motive aus der Menschheitsgeschichte: Das Bruderpaar Kain und Abel, die Erschaffung des Menschen aus Lehm (die zugleich an die Schöpfung Adams und den Mythos von Deukalion und Pyrrha erinnert), schließlich die Sage von Agamemnon und Klytämnestra erscheinen im Traum, Motive und Gestalten also, in denen sich entscheidende, für das menschliche Selbstverständnis bezeichnende Erfahrungen niedergeschlagen haben. Ähnlich wie Odysseus, der in der Unterwelt eine *nekyia*, ein Totenopfer, darbringt und mit den Abgeschiedenen spricht, verbindet sich der Träumende in Nossacks Erzählung noch einmal mit der Vergangenheit, um dann voller Hoffnung Anstalten zu einem neuen Leben zu treffen: »*Zu den Leuten, die um mich herumliegen, werde ich nur sagen: Geht dort hinaus und sucht einen Fluß. Da wascht euch, daß ihr euch erkennt. – Denn wenn sie erst ihre Gesichter wieder sehen, werden sie einander auch Namen geben. Und wenn die Namen erschallen, wird die Erde davon erwachen und denken: Nun muß ich Blumen und Bäume wachsen lassen.*«
Nekyia muß in Zusammenhang mit Nossacks Buch *Der Untergang* gesehen werden, das 1943 entstand. Beide Werke berichten vom Untergang Hamburgs in dem Luftangriff vom Juli 1943, den der Autor aus wenigen Kilometern Entfernung in einem Heidedorf miterlebte. Die Katastrophe, bei der Nossack all seine früheren Manuskripte verlor, ermutigte ihn selbst zu einem Bruch mit seiner Vergangenheit: Er verließ seinen Beruf als Kaufmann und wurde Schriftsteller. In *Der Untergang* finden sich schon manche Stichworte und Ansätze für die – übrigens fast gleichzeitig begonnene – Erzählung *Nekyia*; die Zerstörung wird in beiden Werken dargestellt als ein »*furchtbares Begebnis aus vorgeschichtlicher Zeit, das heute nicht mehr möglich ist und dessen Erschütterungen nur noch durch unsere Träume nachklingen*«. In *Nekyia* ist die Sprache noch ausgedörrter als in dem realistischen Bericht von der Hamburger Katastrophe; sie nähert sich bisweilen der Kargheit der Diktion in den Romanen Samuel BECKETTS. J. Dr.

AUSGABEN: Hbg. 1947 [Nachw. H. Goertz]. – Ffm. 1964 (Bibl. Suhrkamp, 72).

LITERATUR: H. H. Jahnn, *Kleine Rede auf H. E. N.* (in SuF, 7, 1955, S. 213–219). – G. Friedrich, *Mensch und Wirklichkeit im Werk H. E. N.s* (in Der Deutschunterricht, 15, 1963, S. 48–58). – K. A. Horst, »*Unmögliche Beweisaufnahme*«. *Versuch über H. E. N.* (in Merkur, 17, 1963, S. 777–786). – H. W. Puppe, *H. E. N. und der Nihilismus* (in GQ, 37, 1964, S. 1–16). – P. Prochnik, *Controlling Thoughts in the Work of H. E. N.* (in GLL, 19, 1965/66, S. 68–74). – M. Reich-Ranicki, *Mythologie und Wirklichkeit. Zu dem Lebensbericht und den essayistischen Arbeiten von H. E. N.* (in Jb. d. Freien Akad. d. Künste, Hbg. 1966, S. 220–228).

KURT PINTHUS
(*1886)

MENSCHHEITSDÄMMERUNG. Symphonie jüngster Dichtung. Sammlung expressionistischer Lyrik, herausgegeben von Kurt PINTHUS (*1886), erschienen 1920. – Das Buch ist die umfangreichste und bedeutendste Anthologie der Lyrik des Expressionismus und darf zu Recht als eine »*historische Tat*« (G. Erken) in der Geschichte der deutschen Literatur bezeichnet werden. Der Erfolg der Sammlung hat mehrere Gründe. Pinthus hatte sich als Wegbegleiter der Expressionisten seit ihren ersten Anfängen, als Freund vieler Autoren und als Lektor sowohl im Rowohlt-Verlag als auch bei Kurt WOLFF eine intime Kenntnis der expressionistischen Lyrik erworben; viele Publikationen junger Dichtung der Jahre von 1910 bis 1920 gehen auf seine Anregung zurück. Als Herausgeber der *Menschheitsdämmerung* setzte er der expressionistischen Bewegung in der Lyrik auch ihr historisches Monument, ohne dies allerdings zum Zeitpunkt der Publikation der Anthologie zu beabsichtigen; als günstig erwies sich zudem der Zeitpunkt der Publikation, da um 1920 ein breiteres Publikum bereit war, den Expressionismus zur Kenntnis zu nehmen – paradoxerweise gerade in dem Moment, wo er, nach dem Scheitern der Revolution von 1918/19, seinem Ende entgegenging. Schließlich dürfte auch die Anordnung der Gedichte in der Sammlung für den Erfolg eine Rolle gespielt haben. Pinthus ordnete nicht alphabetisch nach Autoren und auch nicht streng chronologisch, sondern »komponierte«

einen Aufbau des Buchs, der diesem selbst wieder quasi den Charakter eines Kunstwerks gab, einer *Symphonie*, wie der Untertitel es nennt. Der Herausgeber stellte die Gedichte in vier mit zentralen Motiven und Gebärden dieser Lyrik überschriebenen »Sätzen« zusammen und forderte in der Einleitung, der Leser solle »*nicht vertikal, nicht nacheinander, sondern horizontal*« hören: »... *man scheide nicht das Aufeinanderfolgende auseinander, sondern man höre zusammen, zugleich, simultan. Man höre den Zusammenklang dichtender Stimmen: man höre symphonisch.*«
Die vier Abschnitte, *Sturz und Schrei*, *Erweckung des Herzens*, *Aufruf und Empörung* und *Liebe den Menschen*, spiegeln in ihrer Folge – zwar nicht streng, aber andeutungsweise – bestimmte aufeinanderfolgende Phasen des Expressionismus und auch vier Haupttendenzen der Lyrik dieses Jahrzehnts und der »*schäumenden, chaotischen, berstenden Totalität unserer Zeit*« (K. Pinthus). Zu Beginn des ersten Abschnitts steht Jakob van HODDIS' berühmtes Gedicht *Weltende* aus dem Jahr 1911 (das an den Anfang der Geschichte der grotesken, später zum Dadaismus führenden Tradition innerhalb der expressionistischen Lyrik zu setzen ist, in die auch Alfred LICHTENSTEIN gehört); weiter sind in diesem Abschnitt vor allem die Dichter der apokalyptischen Vision (G. HEYM), der Erschütterung des Menschenbildes (G. BENN), des äußersten Pessimismus (A. EHRENSTEIN, A. WOLFENSTEIN) und des Erlebnisses von Krieg und Tod (A. STRAMM, G. TRAKL) versammelt. Franz WERFELS Lyrik nimmt im zweiten Abschnitt – wie auch im vierten – breiten Raum ein (»*Erweckung des Herzens*« ,der pazifistische Aufruf zur Bildung einer Gemeinschaft alliebender Menschen, ist eines der zentralen Themen von Werfels Lyrik). Ihr zur Seite stellt Pinthus vor allem Gedichte von E. W. LOTZ, Walter HASENCLEVER, Else LASKER-SCHÜLER, Ernst STADLER und Wilhelm KLEMM. Karl OTTEN, Ludwig RUBINER und Johannes R. BECHER dominieren im dritten, *Aufruf und Empörung* genannten Abschnitt, der vor allem die gegen Ende des Kriegs sich verstärkende Tendenz zum Umsturz, zum revolutionär-utopischen Entwurf, und die Politisierung der Lyrik dokumentiert. Im Schlußabschnitt schließlich, in *Liebe den Menschen*, stellt Pinthus noch einmal Gedichte zusammen, die eine Grundthematik des Expressionismus, seine Idee der Menschenliebe, der unpolitischen, quasi religiösen Versöhnung in brüderlichem Geist entfalten. Benn und Stramm, die die Wendung zum ethisch-revolutionären Expressionismus nicht vollzogen, tauchen hier nicht mehr auf; Werfels Lyrik dagegen bildet mit dem Gedicht *An den Leser* von 1911 und dem späteren *Ein Lebens-Lied* wiederum den Eckpfeiler dieser Gedichtgruppe.
Gemessen an der geringen Distanz zur expressionistischen Bewegung, hat Pinthus ein erstaunlich ausgewogenes Bild vom lyrischen Expressionismus gegeben, das aber in Einzelheiten der Korrektur bedarf. Seine Anthologie bevorzugt eindeutig die Dichter des aktivistischen Spätexpressionismus, was sich an der Aufnahme von Gedichten Rudolf LEONHARDS und Kurt HEYNICKES zeigt, die qualitativ Dichtern nachstehen, die in der Sammlung nur spärlich (Yvan GOLL) oder gar nicht vertreten sind (Paul BOLDT, Ernst BLASS, Ferdinand HARDEKÖPF). Zudem wird deutlich, daß es Pinthus nicht so sehr auf eine Sammlung »jüngster Dichtung« (wie der Untertitel erklärt) ankam, sondern daß er eigentlich »expressionistische Dichtung« meinte; sonst hätte er die Gedichte der an Stramm orientierten Poeten der Wortkunst aus dem ›Sturm‹-Kreis, vor allem aber auch die Dadaisten, die seit 1916 aktiv waren, stärker berücksichtigen müssen. Bei aller Formenvielfalt verzichtet daher die *Menschheitsdämmerung* auf die im Expressionismus enthaltenen oder aus ihm sich entwickelnden Tendenzen einer radikalen Revolution lyrischen Sprechens bis hin zur völligen Zerstörung des Lyrik- und Kunstbegriffs bei den Dadaisten. Pinthus hat den Begriff Expressionismus implizite weitgehend inhaltlich und nach der Gesinnung der Dichter definiert; die Gemeinsamkeit der 23 in seiner Sammlung vereinigten Poeten sieht er in der »*Intensität und dem Radikalismus des Gefühls*«, das diese Dichter »*zum Kampf gegen die Menschheit der zu Ende gehenden Epoche und zur sehnsüchtigen Vorbereitung und Forderung neuer, besserer Menschheit*« zwinge. Daher suggeriert seine Sammlung (beabsichtigt oder nicht) eine Einheit des Expressionismus, die von der heutigen Kenntnis des Gesamtphänomens her fraglich erscheint.
Die nach faßlichen Hauptmotiven gegliederte, in der Anordnung der einzelnen Gedichte, in ihrem Neben- und Gegeneinander mit Feinfühligkeit und Einfallsreichtum arrangierte Anthologie erlebte bis 1922, also innerhalb von zwei Jahren, vier Neuauflagen mit insgesamt 20000 Exemplaren. 1919 hatten sich Verleger und Herausgeber »*bescheiden eine Gasse für den Expressionismus*« erhofft, die sie mit der *Menschheitsdämmerung* bahnen wollten; doch zeigt Pinthus' Einleitung schon eine Ahnung vom Ende der expressionistischen Bewegung. In der zweiten Einleitung von 1922, *Nachklang* überschrieben, gesteht Pinthus ein, daß diese Ahnung sich bestätigt hat; er sieht, daß das Buch ein »*abschließendes Werk*« geworden ist, »*Zeugnis ... einer Generation, die fanatisch glaubte und glauben machen wollte, daß aus den Trümmern durch den Willen aller sofort das Paradies erblühen müsse. Die Peinigungen der Nachkriegsjahre haben diesen Glauben zerblasen ... Von der kleinen lyrischen Schar dieses Buches blieb nichts als der gemeinsame Ruf von Untergang und Zukunftsglück.*« Die im Titel gemeinte *Menschheitsdämmerung*, das Ende des vergangenen und der Aufgang eines neuen Tages für die Menschheit, war nicht eingetreten. In diesen Jahren des Erfolgs der Sammlung wurde allerorten das Ende des Expressionismus konstatiert: Max KRELL sammelte in *Die Entfaltung* (1920) Novellen des Expressionismus; Ludwig RUBINER stellte eine Auswahl der revolutionären expressionistischen Lyrik zusammen in dem Band *Kameraden der Menschheit* (1919), die ersten Werkausgaben erschienen (August Stramm, 2 Bde., 1919; Gottfried Benn, 1922; u. a.). Werke, die »*Fanal einer neuen, ersehnten Zeit*« hätten sein sollen, wurden zu »*Dokumenten vom Ende der Bewegung*« (G. Erken). – Nur noch als *Ein Dokument des Expressionismus* (Untertitel) erschien die *Menschheitsdämmerung* 1959 in einer Neuauflage mit einem rückblickenden Vorwort des Herausgebers, *Nach 40 Jahren*, in dem er mit historischer Distanz und doch mit sehnsüchtiger Begeisterung auf jene Zeit zurückblickt. Diese Neuauflage, die ergänzte und stark erweiterte Biographien und Bibliographien der Dichter enthielt, wurde ihrerseits zum ersten wichtigen Nachschlagewerk über den Expressionismus, noch bevor, beginnend mit der großen Marbacher Expressionismus-Ausstellung von 1960 und deren Katalog, die Expressionismus-Forschung in der deutschen Literaturwissenschaft in größerem Umfang begann. J. Dr.

AUSGABEN: Bln. 1920. – Bln. o. J. [1922; m. Vorw. *Nachklang*]. – Hbg. 1959 [m. Biogr. u. Bibliogr.]; ern. 1968 (rev., m. erw. Anhang; RKl, 55/56a).

LITERATUR: E. B. [d. i. E. Blass], *Revolutionäre Lyrik* (in Freiheit, 19. 12. 1919). – O. Walzel, »*Menschheitsdämmerung*« (in Berliner Tageblatt, 9. 5. 1920, Nr. 216). – I. Goll, *Anthologies* (in Clarté, 5. 6. 1920, Nr. 19). – O. Loercke, *Gerichtstage* (in NRs, 31, 1920, S. 852–861). – K. Weiss, Die neue Lyrik (in Literar. Handweiser, 56, 1920, Nr. 5). – F. Muckermann, *Menschheitsdämmerung u. Heilandssehnsucht* (in Der Gral, 15, 1920/21, S. 98–106). – H. Saekel, *Expressionistische Lyrik und was mehr ist* (in Romantik, 3, 1920/21, S. 47 bis 52). – K. Schoenberger, Rez. (in Romantik, 3, 1920/21, S. 15). – W. Fiedler, *Neue Lyrik* (in DRs, 187, 1921, S. 379–383). – P. Henschel, »*Menschheitsdämmerung*« – *Symphonie jüngster Dichtung. Darstellung u. Interpretation*, Diss. Bln. 1955. – M. Engeli, »*Menschheitsdämmerung*« (in Tages-Anzeiger für Stadt u. Kanton Zürich, 14. 10. 1959). – H. A. Fiechtner, »*Menschheitsdämmerung*« – *nach 40 Jahren* (in Die Furche, 7. 11. 1959). – L. Mazzucchetti, *Le due grandi antologie dell'espressionismo* (in L. M., *Novecento in Germania*, Mailand 1959, S. 110–127). – H. E. Jacob, *Gericht über den Expressionismus* (in Der Tagesspiegel, 10. 1. 1960). – M. Krell, »*Menschheitsdämmerung*«, *Hamburg 1959* (in DRs, 86, 1960, S. 177). – D. E. Zimmer, *Dokument des Expressionismus* (in Die Zeit, 19. 1. 1960).

THEODOR PLIEVIER
(1892–1955)

STALINGRAD. Tatsachenroman von Theodor PLIEVIER (1892–1955), erschienen 1945. – Der sinnlose Untergang der deutschen 6. Armee bei Stalingrad im Zweiten Weltkrieg ist Gegenstand des einst populären Romans. Er beginnt mit dem 19. November 1942, jenem Tag, an dem die deutschen Fronttruppen durch einen russischen Angriff zwischen Don und Wolga eingekesselt wurden. Aus der Perspektive von Beteiligten, besonders des Panzerobersten Vilshofen und seiner Leute, der Strafkompanie um Unteroffizier Gnotke, des Oberstabsarzts Simmering und seiner Helfer, der Generäle Gönner und Damme und des Stabes mit dem Oberbefehlshaber Paulus, wird der Ablauf der Katastrophe bis zur Kapitulation am 2. Februar 1943 berichtet. Die Armeeführung lehnt auf Befehl Hitlers jeden Rückzug ab, und im Dezember scheitert auch der Entsatzversuch des Generals Hoth. So ist die eingeschlossene Truppe ganz auf sich selbst angewiesen und versucht trotz mangelhafter Ausrüstung und mittels Versorgung durch die Luft, bei strengem Winter und schlechtem Gesundheitszustand einem überlegenen Feind Widerstand zu leisten. Besonders die Kampfgruppe Vilshofen, zu der auch die Strafkompanie gehört, zeichnet sich dabei aus. Auf der schutzlosen Ebene werden sie aber immer weiter auf Stalingrad zurückgeworfen, bis der Kessel nur noch das eigentliche Stadtgebiet umfaßt. Hier herrscht die totale Anarchie: der Ungehorsam der Untergebenen und die Verantwortungslosigkeit der Führer, dazu Elend und Verkommenheit. Die Naziführung lehnt die Kapitulation ab, da sie aus propagandistischen Gründen ein gigantisches, heroisches Sterben wünscht. Nun wird fast allen, besonders Simmering und Vilshofen, klar, daß sie und die ganze Armee sich für einen verbrecherischen und sinnlosen Krieg mißbrauchen ließen. Als das überlebende Drittel der 300000-Mann-Armee in die Gefangenschaft zieht, verbündet sich der ehemalige Panzerkommandeur mit dem früheren Sträfling Gnotke, um sich für einen friedlichen Wiederaufbau Deutschlands mit sozialer Gerechtigkeit bereitzuhalten.

Das Charakteristikum des Werks ist sein dokumentarisch belegter Realismus. Der Autor hatte die Möglichkeit, sich von seinem Moskauer Exil aus sogleich alle nötigen Informationen zu beschaffen. In einer lockeren Szenenfolge stellte er die militärischen Ereignisse und die Erlebnisse der Beteiligten anhand von markanten Einzelschicksalen dar. Was sich außerhalb des Kessels befindet (die Russen, die Angehörigen in Deutschland und die politischen Vorgänge) wird nur in bezug auf die Eingeschlossenen angedeutet. Die genau beschriebenen, einzelnen Ereignisse bei Stalingrad wirken so etwas isoliert, vor allem weil sie nicht explizit in den Rahmen der politischen und sozialen Zusammenhänge eingeordnet werden. Zwar leuchtet es ein, im Untergang der 6. Armee eine Art Symbol für das notwendige und grauenvolle Scheitern des Dritten Reiches zu sehen, doch werden die einzelnen Ursachen der Katastrophe, z. B. die Realitätsblindheit und Verantwortungslosigkeit der Naziclique, nicht genauer herausgearbeitet. Hier zeigt sich die Schwäche der realistischen Darstellung, die bei einem so komplexen Gegenstand wie dem Krieg nur zerstückelte Oberflächendetails neben pauschaler Symbolik und moralischem Urteil bieten kann.

Die dramatisch sich verschärfende Lage bis zur Katastrophe und der schließliche Umschlag zur Rettung vor dem sinnlosen Sterben durch die Kapitulation, der mit einem Umdenken der Haupthelden verbunden ist, erinnert gelegentlich an die effektvolle Steigerung der Spannung im Abenteuerroman. Plieviers Schilderung ist dementsprechend auf das Faktische gerichtet, Gefühle und Reflexionen treten zurück; die Sachlichkeit des Tons ist allerdings von der Anteilnahme am Schicksal der Soldaten und Deutschlands durchdrungen. Das verhaltene, unauffällig wachsende Engagement des Autors, das sich in einfacher, stark mit soldatischen Ausdrücken durchsetzter Sprache darstellt, rückt die Dramatik des Geschehens unmittelbar an den Leser heran. H. Es.

AUSGABEN: Bln. 1945. – Mchn. 1966 [zus. m. *Moskau* u. *Berlin*].

LITERATUR: V. Klemperer, *Barbusse u. P.* (in Aufbau, 2, 1946, S. 635–645; auch in V. K., *Vor 33 bis nach 55. Gesammelte Aufsätze*, Bln. 1956). – A. Wiss-Verdier, »*Stalingrad*« *de Th. P.* (in Documents, 2, 1947, S. 411–426). – M. Meister, »*Stalingrad*« (in Merkur, 2, 1948, S. 454–461). – Y. Balaval, Rez. (in Temps Modernes, 1948/49, Nr. 39, S. 162 bis 172). – G. Bataille, *Caprice et machinerie d'état à* »*Stalingrad*« (in Critique, 5, 1949, S. 447–454). – J. Rühle, *Literatur u. Revolution*, Köln/Bln. 1960. – H. Wilde, *Th. P. Nullpunkt der Freiheit*, Mchn. 1965; ern. Klagenfurt 1967.

ERICH MARIA REMARQUE
(eig. E. Paul Remark, 1898–1970)

IM WESTEN NICHTS NEUES. Roman von Erich Maria REMARQUE (d. i. E. Paul Remark,

*1898), erschienen 1929. Das Buch gehört zu der Gruppe von Werken, in denen – rund zehn Jahre nach dem Ende des Ersten Weltkriegs – das Kriegserlebnis des Frontsoldaten geschildert und direkt oder indirekt Anklage erhoben wurde gegen den Krieg; es erschien im selben Jahre wie Ernest HEMINGWAYS *A Farewell to Arms*, ein Jahr nach GLAESERS *Jahrgang 1902* und Ludwig RENNS *Krieg*, drei Jahre nach Hemingways *The Sun Also Rises*. Bei Remarque fällt wie auch bei Hemingway das Wort von der »verlorenen Generation«, die nach dem Krieg nicht mehr in der bürgerlichen Gesellschaft Fuß fassen kann, weil sie im Alter von achtzehn bis zwanzig Jahren schon zuviel Grauen erlebt hat und dem Tod zu oft ins Auge sehen mußte, um vergessen zu können.

Ähnlich wie Renn schildert Remarque den Krieg aus der Perspektive des einfachen Soldaten, des gemeinsam mit seinen Klassenkameraden von der Schule direkt aufs Schlachtfeld geschickten Paul Bäumer. Die Begeisterung, die ihn wie seine Kameraden zu Anfang des Kriegs erfüllte, wird ihm schon durch die Schikanen bei der Ausbildung ausgetrieben, durch Kasernenhoftyrannen vom Schlage des als Typ sprichwörtlich gewordenen Unteroffiziers Himmelstoß, durch den unsinnigen Drill, der nicht einmal für das Überleben in wirklicher Gefahr nützt. »*Auf eine sonderbare und schwermütige Weise verroht*«, schlagen der Erzähler und seine Freunde sich dann durch das Leben als Frontsoldaten, das sich zwischen »*Trommelfeuer, Verzweiflung und Mannschaftsbordells*« abspielt und das sie zu »*Menschentieren*« macht. Als das einzig Positive erscheint die an der Front entstehende Kameradschaft quer durch alle Dienstgrade. Die mörderischen Kämpfe, der Stellungskrieg, die Materialschlachten, die Gasangriffe, die nächtlichen Patrouillen durch zerschossene Wälder, das hundertfache Sterben ringsumher kehren mit fast stereotyper Gleichförmigkeit wieder und ähneln den vergleichbaren Schilderungen in vielen andern Kriegsbüchern: kaum reflektiert, in einer einfachen Report-Sprache, nur bisweilen von melancholischem Pathos gefärbt und ohne jeden Ton von Hoffnung. Der Roman ist durchaus unpolitisch; nur ein einziges Mal entspinnt sich zwischen den Soldaten eine Diskussion über die Ursache von Kriegen, die aber völlig schematisch und abstrakt bleibt. Diese Fragen werden nicht weitergedacht und bleiben ungelöst für den Ich-Erzähler, der – wie ein kurzer Schlußpassus mitteilt – als letzter der Gruppe von Schulkameraden im Oktober 1918 an einem Tag fällt, an dem »*der Heeresbericht sich nur auf den Satz beschränkte, im Westen sei nichts Neues zu melden*«.

Obwohl der Autor in einem Vorspruch betont, das Buch solle »*weder eine Anklage noch ein Bekenntnis sein. Es soll nur den Versuch machen, über eine Generation zu berichten, die vom Kriege zerstört wurde – auch wenn sie seinen Granaten entkam*«, wurde *Im Westen nichts Neues* doch nicht nur als Bericht, sondern als Anklage gegen den Krieg und vor allem auch gegen die Erwachsenen verstanden, gegen die Eltern und Lehrer, die diese »*eiserne Jugend*« mit chauvinistischen Reden in den Krieg trieben. Die Feindschaft der älteren Generation, die Remarque auf sich gezogen hatte, konnte von den Nationalsozialisten noch einmal politisch ausgemünzt werden: Goebbels organisierte Krawalle gegen die Verfilmung des Romans (1930), und seit 1933 gehörte *Im Westen nichts Neues* zur verbotenen und verbrannten Literatur in Deutschland.

Der Roman hatte dennoch, wohl gerade wegen seines kargen, beschreibenden Tons und der darin spürbaren bitteren Resignation, außerordentlichen Erfolg und fand, in 32 Sprachen übersetzt, weltweite Verbreitung. J. Dr.

AUSGABEN: Bln. 1929. – Köln 1964 [zus m. *Der Weg zurück*].

VERFILMUNG: *All Quiet on the Western Front*, USA 1930 (Regie: L. Milestone).

LITERATUR: H. Heisler, *Krieg oder Frieden. Randbemerkungen zu R.s Buch »Im Westen nichts Neues«*, Stg. o. J. [1929]. – W. Müller-Scheld, *»Im Westen nichts Neues« eine Täuschung*, Idstein 1929. – H. Krog, *Omkring R.s roman* (in H. K., *Meninger, Litteratur, Kristendom, Politik*, Oslo 1947, S. 73 bis 80). – W. Victor, *»Im Westen nichts Neues«. Zum Nazi-Skandal um einen R.-Film* (in W. V., *Köpfe u. Herzen. Begegnungen mit Zeit u. Zeitgenossen*, Weimar 1949, S. 201/202). – H. Bär, *Kriegsbücher so oder so* (in Heute und Morgen, 1950, S. 230 bis 236). – H.-J. Bernhard, *Der Weltkrieg '14–'18 im Werk E. Jüngers, E. M. R.s u. A. Zweigs*, Diss. Rostock 1959. – P. Petr, *Bemerkungen zu einigen deutschen Prosawerken über den ersten Weltkrieg* (in Germanica Wratislaviensia, 7, 1962, S. 19–34).

RAINER MARIA RILKE
(1875–1926)

DIE AUFZEICHNUNGEN DES MALTE LAURIDS BRIGGE. Tagebuchroman von Rainer Maria RILKE (1875–1926), begonnen 1904 in Rom unter dem Eindruck des ersten Pariser Aufenthalts von 1902/03, 1908–1910 in Paris vollendet, erschienen 1910. – Alle bisherigen Entwicklungen Rilkes kommen in diesem Buch zusammen: früheste Prager Kindheitserinnerungen, russische Erlebnisse, die Erfahrungen des skandinavischen Aufenthalts von 1904 wie auch der vorausgegangenen Lektüre JACOBSENS, KIERKEGAARDS, BANGS und OBSTFELDERS, vor allem aber die »*immense Wirklichkeit*« von Paris, die den »*Hintergrund dieser in jedem Augenblick vom eigenen Untergang geprüften Existenz*« bildet.

Das Werk, das sich als erstes innerhalb der deutschen Literatur radikal vom realistischen Roman des 19. Jh.s unterscheidet, besitzt keine kontinuierliche Handlung mehr; ebensowenig kennt es noch einen Erzähler im herkömmlichen Sinn. Seine äußere Form bildet das fingierte Tagebuch einer »*erfundenen Figur*«. Erst nach und nach läßt sich aus der assoziativen Folge von meist eigenwertigen, teils schildernden, teils reflektierenden oder rein erzählenden Abschnitten der vom Dichter beabsichtigte »*Daseinsentwurf*« und ein »*Schattenzusammenhang sich rührender Kräfte*« erkennen. Man begegnet in der Gestalt des Tagebuchschreibers einem 28 Jahre alten Dänen aus einem mit ihm aussterbenden Adelsgeschlecht, der, nach dem frühen Tod der Mutter und dem späteren des Vaters heimat- und besitzlos geworden, in Paris als Dichter zu leben versucht.

Schon seine ersten Eintragungen bezeugen, wie dieser äußerst eindrucksempfindliche junge Mensch von einer Großstadtwirklichkeit, die fast überall ihre häßliche, ja entsetzliche Seite darzubieten scheint, förmlich überwältigt wird. Bilder des Ekels, der Krankheit, der Armut, des Todes dringen in den schutzlos Ausgesetzten ein und entbinden in ihm eine tiefe, aus den Ängsten der Kindheit mitgespeiste Daseinsangst, die sich hier zum erstenmal – und lange vor ihrer existenzphilosophischen Ergründung – als eine Grundstimmung des Jahrhunderts offenbart. Zugleich jedoch wächst dem jungen Malte aus den beständigen Konfrontationen mit dem Schrecklichen die Fähigkeit zu, es beobachtend aufzunehmen und auszusagen: er *»lernt sehen«*. Dieses an der härtesten Wirklichkeit geschulte Sehen dringt unerbittlich unter die Oberfläche der Erscheinungen: es enthüllt die Innenseite der Dinge (wie sie sich ihm etwa an der stehengebliebenen Mauer eines abgebrochenen Hauses darbietet), weil er im »Fühlen« des Beobachteten sich innerlich mit diesem identifiziert: *»Ich erkenne das alles hier, und darum geht es so ohne weiteres in mich ein: es ist zu Hause in mir.«* Dabei erschließt sich ihm zugleich sein eigenes Innere, aus dem nun in umgekehrter Bewegung bisher Unerkanntes, *»Verlorenes aus der Kindheit«*, hervordrängt. In der Welt der Kindheit, die Malte zuvor *»wie vergraben«* schien, ersteht zugleich eine Gegenwelt zu der bedrängenden Großstadtgegenwart. Aus zahlreichen – den Pariser Erfahrungen gegenübergestellten – Einzelerinnerungen fügt sich ein Bild der beiden wichtigsten Kindheitsumgebungen und der zu ihnen gehörenden Personen zusammen: von Ulsgaard, dem Schloß der Brigges, und von Urnekloster, dem Sitz der mütterlichen Familie Brahe. An »Maman«, Maltes einzige Vertraute in seiner Kindheit, heften sich die innigsten Erinnerungen. Doch auch hier enthüllt sein unerbittliches *»Einsehen«* die Ungeborgenheit des kindlichen Daseins. Malte vergegenwärtigt sich die unheimlichsten, zur Zeit ihres Geschehens nicht »bewältigten« Begegnungen mit seiner Wirklichkeit: das erschreckende Ende einer kindlichen Maskerade vor einem das Vertraute verfremdenden Spiegel, die Begegnung mit einer rätselhaften Hand unter verdunkeltem Tisch, die zahlreichen *»okkulten Begebnisse«* in der skandinavischen Heimat. Schon diese frühen Erfahrungen bezeugen ein die gewohnten Zeitfolgen leugnendes Zeitverhältnis der gleichzeitigen Präsenz von Vergangenheit, Gegenwart und Zukunft. Sein erinnertes Kindsein bleibt für ihn *»eine unendliche Realität«*, deren Vorüber-Sein auch *»alles Kommende«* fortnehmen würde. Bei dieser Verflechtung der Zeiten bedeutet daher Maltes Bemühung, seine noch *»ungetane Kindheit«* inmitten einer durchlittenen Gegenwart durch erzählende und reflektierende Vergegenwärtigung innerlich zu *»leisten«*, zugleich auch den Versuch, die ihn übersteigende Prüfung an Paris aus den Vorräten dieser Kindheit zu bestehen. Als letzter seines Geschlechts preisgegeben dem drohenden Untergang, empfindet er sich dennoch an einem neuen Anfang. Er, *»dieses Nichts fängt an zu denken«*, und in einem großen inneren Monolog stellt er das ganze bisherige Welt- und Wirklichkeitsverständnis als *»an der Oberfläche des Lebens geblieben«* in Frage. An diesem Punkt eines radikalen Wirklichkeitsabbaus und der Erkenntnis einer notwendigen *»Weltveränderung«* (Musil) wird bereits die Position des modernen Romans erkennbar.

Im zweiten Teil wird der »Spielraum« der *Aufzeichnungen* durch die Dimension der geschichtlichen Vergangenheit erweitert. Maltes subjektiv ausgewählte historische *»Evokationen«* (Grischa Otrepjow, Karl der Kühne, Karl VI., die avignonesischen Päpste) sind jedoch nicht als »historische Figuren« zu verstehen, sondern, in sinnbildlicher Vergegenwärtigung, als *»Vokabeln seiner Not«* (an Hulewicz, 10. 11. 1925). – Gegen Ende der *Aufzeichnungen* überwiegen die Reflexionen; das Erzählen wird zum *»fortschreitenden Akt der Erkenntnis«* (Martini). Malte richtet den *»Scheinwerfer seines Herzens«* nun ganz nach innen; die Erinnerung an Abelone, »Mamans« jüngste Schwester, der sein einziges artikuliertes Liebesgefühl galt, löst eine Kette von Rilke eigentümlichen Gedanken über die Liebe aus, welche, in den Gestalten der »großen Liebenden« (Sappho, Gaspara Stampa, Louise Labé, Bettine) mythisiert, als unbedingtes, nicht mehr gegenstandsbezogenes Gefühl ihre höchste Intensität und Vollendung findet. Kontrapunktisch hierzu wird das Thema der Erfahrung und Liebe Gottes entfaltet. Die *Aufzeichnungen* schließen mit einer dichten und sinnträchtigen Parabel ab, die noch einmal die wichtigsten Themen und Motive in gleichnishafter Handlung zusammenfaßt und damit den Schlüssel zur Sinnerhellung des ganzen Buches bietet: in subjektiver Umdeutung wird die Geschichte des verlorenen Sohnes als *»die Legende dessen, der nicht geliebt werden wollte«*, erzählt, der – als Kind bereits durch die ichsüchtige Liebe der Familie bedrängt – herangewachsen beschließt, fortzugehen, um nicht *»ihr ungefähres Leben nachlügen«* zu müssen. In der Fremde müht er sich um die besitzlose Liebe, erfährt sie jedoch erst während eines langen Hirtendaseins in der *»stillen ziellosen Arbeit«* der nicht mehr gegenstandsgebundenen *»Liebe zu Gott«*. Um schließlich noch die Kindheit *»nachzuholen«*, kehrt der Entfremdete heim, wo die neu anbrandende Liebe ihn nicht mehr betrifft. Nur Einer wäre nun imstande, ihn zu lieben. *»Der aber wollte noch nicht.«* Legende und Buch klingen mit der offengelassenen Frage nach Gott aus.

Offen bleibt auch das Schicksal Maltes. Rilke selbst hat in der ursprünglichen Konzeption wie in nachträglichen Deutungsversuchen immer wieder von Maltes *»Untergang«* gesprochen, der in der *»Dekadenz des Verlaufes«* angelegt erscheint. Dem steht jedoch eine gegenläufige Bewegung vom *»Sehen-Lernen«* bis zum *»Einbilden«* neuer Wirklichkeit und zum darstellenden *»Leisten der Kindheit«* gegenüber. Aus der Annahme des Ausgesetztseins erwachsen auch Möglichkeiten und Kräfte des *»Bestehens«*, so daß Rilke einmal den Malte Laurids *»nicht so sehr als einen Untergang, vielmehr als eine eigentümlich dunkle Himmelfahrt in eine vernachlässigte abgelegene Stelle des Himmels«* zu empfinden vermochte (an Lou Andreas-Salomé, 28. 12. 1911). Und in einem Brief vom 24. 2. 1912 aus Schloß Duino meinte er: *»Diese Aufzeichnungen, indem sie ein Maß an sehr angewachsene Leiden legen, deuten an, bis zu welcher Höhe die Seligkeit steigen könnte, die mit der Fülle dieser selben Kräfte zu leisten wäre.«*

Die vom Dichter nicht aufgelöste dialektische Doppelsinnigkeit des Romans spiegelt sich auch in seiner Form. Der äußere Rahmen – die Anlage als Tagebuchroman – entspricht zwingend der Intention des Werkes; das Einsehen des Kaum-Sagbaren, das Zur-Sprache-Bringen eines innersten Geschehens ist nur in einem persönlich-intimen Medium möglich. Zugleich hebt die Auflösung der äußeren Realität, hinter der tiefere Wirklichkeitsschichten sichtbar werden, die Voraussetzungen eines traditionellen Erzählens auf: *»Daß man erzählte, wirklich erzählte, das muß vor meiner Zeit gewesen sein.«* Und es erweist sich eine neue Form der epischen Verlautbarung als notwendig, die Rilke in den *Aufzeichnungen* aus den Eigenschaften seiner ursprünglich lyrischen Natur gewinnt: viele der in sich geschlossenen Eintragungen sind, ihrer Struktur nach, »Prosagedichte«. Ihre Folge ist jedoch keineswegs willkürlich, sondern gehorcht übergreifenden Prinzipien der Anordnung und Motivverkettung: etwa, im ersten Teil, in der Konfrontation der Pariser Eindrücke mit denen aus der Kindheit, die durch motivische Bindungen (Tod, Angst, Krankheit) teils antinomisch, teils analog verknüpft sind. Der Kontrast – ein Strukturmerkmal auch der harten und präzisen Prosa dieses Werks – sowie eine musikalische Verschlingung der Themen und Motive erscheinen hier als die wichtigsten Kompositionsprinzipien eines neuen Romantypus. *Die Aufzeichnungen des Malte Laurids Brigge* zählen daher nicht nur thematisch – im Entblößen von Grunderfahrungen des modernen Daseins –, sondern auch formal zu den *»großen Durchbruchsleistungen der modernen Literatur«* (Holthusen). J. W. St.

Ausgaben: Lpzg. 1910, 2 Bde.; [4]1914. – Lpzg. 1927 (in *GW*, 6 Bde., 5). – Lpzg. 1938 (in *AW*, 2 Bde., Hg. R. Sieber-Rilke, C. Sieber, E. Zinn; 2; Wiesbaden [61]1951). – Ffm. 1963 (Bibl. der Romane; 83. Tsd.).

Literatur: F. Braun, *»Die Aufzeichnungen d. M. L. B.«* (in Die Zeit, Wien, 12. 6. 1910). – A. Holitscher, *R.s Roman* (in NRs, 21, 1910, S. 1599–1603). – H. Berendt, *R. M. R. Zu d. »Aufzeichnungen d. M. L. B.«* (in Mitt. d. Lit.-hist. Ges. Bonn, 6, 1911, 4, S. 77–104). – M. Freundlieb, *R. M. R. »Die Aufzeichnungen des M. L. B.«* (in GRM, 19, 1931, S. 261-268). – L. Hofmann, *Gestalt u. Gehalt in R. M. R.s »Aufzeichnungen des M. L. B.«*, Diss. Wien 1934. – H. v. Jan, *R.s »Aufzeichnungen des M. L. B.«*, Lpzg. 1938. – C. di San Lazzaro, *»Die Aufz. d. M. L. B.«, im Vergleich mit Jacobsens »Niels Lyhne« u. A. Gides »Nourritures terrestres«* (in GMR, 29, 1941, S. 106–117). – W. Kohlschmidt, *R. u. Jacobsen* (in *Rilke-Interpretationen*, Lahr 1948, S. 9–36). – J. Klein, *Die Struktur v. R.s »Malte«* (in WW, 2, 1951/52, S. 93–109). – K. Meyer, *Das Bild d. Wirklichkeit u. d. Menschen in R. M. R.s »Aufz. d. M. L. B.«*, Diss. Göttingen 1952. – G. C. Schoolfield, *R. and Leonora Christina* (in MLQ, 14, 1953, S. 425–431). – F. Martini, *Das Wagnis d. Sprache*, Stg. 1954, S. 133–175. – B. G. Madsen, *Influences from J. P. Jacobsen and S. Obstfelder on R. M. R.'s »Aufz. d. M. L. B.«* (in Skandinavian Studies, 26, 1954, S. 105–115). – E. Buddeberg, *R. M. R.*, Stg. 1954, S. 147–200. – I. Parry, *Malte's Hand* (in GLL, 1957/58, S. 1–12). – A. Nivelle, *Sens et structure des »Cahiers de M.L.B.«* (in La Revue d'Ésthétique, 12, 1959, S. 5–32). – W. Emrich, *Die Erzählkunst d. 20. Jh.s* (in *Dt. Lit. in unserer Zeit*, Göttingen 1959, S. 58–79). – M. Jäger, *R.s »Aufz. d. M. L. B.« in ihrer dichter. Einheit*, Diss. Tübingen 1960. – U. Fülleborn, *Form u. Sinn d. »Aufz. d. M. L. B.«* (in *Unterscheidung u. Bewahrung, Fs. f. H. Kunisch*, Bln. 1961, S. 147 bis 169). – H. H. Borcherdt, *Das Problem d. Verlorenen Sohnes bei R.* (in *Worte u. Werte, Fs. f. B. Markwardt*, Bln. 1961, S. 25–33). – W. Kohlschmidt, *R. u. Obstfelder* (in *Die Wissenschaft v. dt. Sprache u. Dichtung, Fs. f. F. Maurer*, Stg. 1963, S. 458–477).

DUINESER ELEGIEN. Gedichtzyklus von Rainer Maria Rilke (1875–1926), begonnen Anfang 1912 auf Schloß Duino bei Triest, fortgesetzt 1913 und 1915, vollendet im Februar 1922 in Muzot (Wallis); erschienen 1923. – Die *Duineser Elegien* gehören durch ihren eigenwilligen sprachlichen Duktus, ihre kühne Metaphorik, ihre verschlüsselte Symbolik und durch ihren oft entlegene Bezüge und Überlieferungen aufnehmenden Gedankengehalt zu den am schwersten zugänglichen Werken der neueren deutschen Lyrik. Ihre Schwierigkeiten entsprechen dem hier verwirklichten dichterischen Anspruch Rilkes, in der Form hoher Lyrik nicht nur die Daseinsproblematik des neuzeitlichen Menschen, ja des Menschen überhaupt auszusagen, sondern darüber hinaus eine mythische Sinngebung dieses Daseins – außerhalb der überlieferten religiösen Systeme – zu verkünden und damit eine Sinngebung der Existenz und Aufgabe des neuzeitlichen Dichters zu verbinden. Daher ist diesen Gedichten ein hoher Stil gemäß. Die von Rilke gewählte Form der Elegie bezeugt die entscheidende Wendung seiner Dichtung ins Mythische und zugleich die freie Übernahme einer in Deutschland von Klopstock und Hölderlin begründeten dichterischen Tradition, in der antike Formen der Gestaltung eines eigenen prophetischen Auftrags dienen. Der Begriff »Elegie« wird dabei von seiner ursprünglichen formalen Bestimmung (Gedicht in Distichen) weitgehend gelöst; er ist hier als »Klagegesang« in weit ausgreifender rhythmischer Bewegung zu verstehen. Nachklänge des antiken Metrums sind in den meist daktylischen Langzeilen spürbar; nur in zwei der zehn Elegien, der vierten und der achten, in denen die Klage reflektierend verhält, verwendet Rilke das rhythmisch gebändigte Metrum des Blankverses. Der oft über weite Satzbögen hinwegströmende, gelegentlich durch epigrammatische Kurzzeilen gleichsam »angehaltene« Rhythmus der übrigen Elegien wird durch das Pathos einer Sprache gesteigert, die durch syntaktische Umstellungen und Verkürzungen, ungewöhnliche Verbalformen, gewagte Wortneubildungen und Sinnverfremdungen ihren unverwechselbaren Ton erhält. In dieser »Sprache des Äußersten« wie auch in der intensiven, Innerstes vergegenständlichenden Metaphorik sind Verbindungen zum Expressionismus zu erkennen.

Als eine ausgesprochen »hermetische« Dichtung haben die *Duineser Elegien* zahlreiche, sich oftmals widersprechende Deutungsversuche hervorgerufen. Hauptproblem der Interpretation bleibt die Frage, ob die Elegien als eine allgemeinmenschliche Lebens- und Daseinsdeutung (J. Steiner u. a.) oder vornehmlich als eine symbolische Gestaltung der individuellen Dichterproblematik Rilkes (E. C. Mason) zu verstehen seien. Obwohl diese an einigen Stellen durchbricht (vor allem in der vierten Elegie) und der Dichter sich verschiedentlich, wenngleich zumeist stellvertretend für den Menschen seiner Zeit, als der »Singende« zu erkennen gibt, geschieht dies jedoch kaum mit jener Eindeutigkeit, die eine Reduktion auf das Nur-Persönliche, Nur-Dichterische rechtfertigen würde. In Rilkes Selbstverständnis wie auch in ihrer Wirkungsgeschichte erscheinen die Elegien vielmehr als eine *»umfassende Auslegung des menschlichen Daseins überhaupt«* (H. E. Holthusen), als ein in unserem Jahrhundert noch einmal *»zum Mythos drängender Weltdeutungsversuch«* (W. Kohlschmidt). Nicht zuletzt dadurch steht die Dichtung gleichrangig neben den beiden anderen 1922 vollendeten Meisterwerken der modernen Weltliteratur, neben T. S. Eliots *The Waste Land* und James Joyces *Ulysses*.

Die *Duineser Elegien* weisen eine zyklische Ordnung

auf, in der ihre antithetischen Spannungen aufgehoben erscheinen. Ihre Einheit gründet zunächst in der mythischen Symbolfigur des »Engels«, vor dessen imaginärer Instanz das lyrische Ich »aufsingt« und in dem sich der mythische Anspruch dieser Dichtung metaphorisch realisiert. Obwohl die bildliche Vergegenwärtigung des Engels – vor allem in den ersten Elegien – zuweilen an die Bibel erinnert, hat dieser – wie Rilke am 13. 11. 1925 an W. Hulewicz schrieb – doch »*nichts mit dem Engel des christlichen Himmels zu tun*«. Er erscheint vielmehr als Symbol des Absoluten und Unbedingten, des unerreichbar Übermenschlichen, und als das zum mythischen Bild gewordene Maß, von dem sich das begrenzte und vielfältig gebrochene Sein des Menschen abhebt. In den späteren Elegien ist der Engel vor allem mythisch-metaphorische Sinnfigur des in Rilkes Weltdeutung imaginierten, zeitlosen, Leben und Tod zur Einheit des »Ganzen« verschmelzenden Raums, der als unbegrenzter Innen-Raum (»*Weltinnenraum*«) zu verstehen ist und in dem das »Innere« der Außenwelt ebenso wie das »Innen« der menschlichen Seele aufgehoben ist. Diese Bedeutungsverschiebung des Engel-Symbols innerhalb der Elegien enthüllt ein weiteres Merkmal der zyklischen Ordnung: die innere »Handlung« der Dichtung, eine durch viele motivische Verstrebungen gebundene, fast antithetische Bewegung von der Klage zum Jubel, von der Entlarvung menschlicher Unzulänglichkeit zur Verkündigung einer Aufgabe des Menschen im »*Hiesigen*«, von dichterischem Zweifel zu dichterischem Auftrag – eine Bewegung, die von einem großen thematischen Bogen überwölbt wird, der vom ahnenden Vortasten in die Einheit von Leben und Tod in der ersten Elegie über das negative Sinn-Bild der fünften Elegie hinweg bis zu der ausgestalteten mythischen Vision des Totenreichs in der zehnten Elegie reicht.
Schon der Eingang der ersten Elegie enthüllt vor dem »*Über-Maß*« des Engels die Grundbedingung des menschlichen Daseins, seine Unvollkommenheit und Fragwürdigkeit. In seiner eigenen, »*gedeuteten*« Welt unbehaust, erfährt der Mensch überall die Drohung der Vergänglichkeit, am schmerzlichsten in der Liebe. »*Diese ältesten Schmerzen*« endlich »*fruchtbarer*« werden zu lassen, empfindet der Dichter als seinen besonderen Auftrag: nicht nur durch die »*Preisung*« der höchsten Gefühlsintensität, welche die Liebe, gerade wenn sie sich nicht erfüllt, bei den »*Verlassenen*« erreicht, sondern auch durch die Verkündung der Einsicht, daß aus der Annahme der unaufhebbaren Vergänglichkeit eine Steigerung des eigenen Daseins zu gewinnen sei. Die andere große Aufgabe des Dichters – »*das Leben gegen den Tod hin offen zu halten*« (Brief an N. v. Escher vom 22. 12. 1923) – erwächst ihm aus dem Schicksal der »*jungen Toten*«, von dem er »*des Unrechts Anschein*« abtun soll.
Die zweite Elegie, thematisch aufs engste mit der ersten verbunden, ist die eigentliche Elegie des Engel-Mythos; ihre zweite Strophe ist ein Dithyrambus auf die »engelische« Vollkommenheit in ihrer narzißhaft geschlossenen, nichts verlierenden Selbstvollendung. Noch schärfer hebt sich hiervon das »*verflüchtigende*« Wesen des Menschen ab; noch eindringlicher werden die Liebenden, Sinnfiguren des Menschseins, nach dem bleibenden »*Sein*« inmitten ihres »*Schwindens*« befragt. Als Wunsch-Bild erst steigt am Schluß jener »*unsere Streifen Fruchtlands zwischen Strom und Gestein*« herauf, auf dem sich eine »*verhaltene, schmale*« menschliche Daseinsbewältigung erahnen läßt.
Die Klage der dritten Elegie erfaßt die Gefährdung und Ausgesetztheit des Menschen nicht in seinem gestörten Bezug zur Außenwelt, sondern beschwört am Beispiel einer konkreten Seinsbedingung, der Triebbestimmtheit des liebenden Jünglings, die Bedrohtheit von innen. Die Tiefenschichten des Unbewußten bis hin zu den Urbeständen des kollektiven Unbewußten und der weiterwirkenden Vorwelt werden mit beklemmender Dichte vergegenständlicht. Die Macht des Triebs wird in der Gestalt des »*verborgenen, schuldigen Flußgottes des Bluts*« mythisch personifiziert. In dem bereits 1913 entstandenen Gedicht sind zum erstenmal Einsichten der Psychoanalyse nicht nur verarbeitet, sondern in einer mythischen Symbolwelt gültig aufgehoben. Mit der »erinnerten Kindheit« erschließt sich zudem ein neuer, für die Welt der Elegien wichtiger Daseinsbereich des Menschen. Der Ausklang endlich mutet dem liebenden Mädchen ein »*Verhalten*« und »*Lindern*« zu, das jenen Urkräften entgegenzusetzen wäre.
In der rhythmisch verhaltenen vierten Elegie erreicht das lyrische Ich den tiefsten Punkt seiner Einsicht in die Gebrochenheit und Zwiespältigkeit menschlicher Existenz. Abgetrennt vom »*Verständigtsein*« des natürlichen und kreatürlichen Daseins durch Bewußtsein wie durch Distanz schaffende Reflexion, ist der Mensch auch in seinem Fühlen und Denken dialektisch gespalten. Überall, auch in der Liebe, wird »*für eines Augenblickes Zeichnung ein Grund von Gegenteil bereitet*«; und unerkannt bleibt die wahre »*Kontur des Fühlens*«. Die Bitternis dieser Erfahrung zwingt den Dichter – stellvertretend für den erkennenden Menschen – zu einer Selbstschau von unerbittlicher Eindringlichkeit. Sie vollzieht sich in der dichtesten Symbolhandlung des ganzen Zyklus. »*Vor seines Herzens Vorhang*« sitzend, versucht das Ich der nie enthüllten Triebkräfte seines Fühlens gewahr zu werden. Abgestoßen vom unwahren Spiel der »*halbgefüllten Masken*«, die auf der »*Bühne*« des Herzens auftreten, will es lieber die Leere und das »*Aussehn*« der toten Puppe aushalten, die hier – ähnlich wie in Kleists Aufsatz *Über das Marionettentheater* – kein Bewußtsein, aber Ganzheit hat. Die äußerste Eindringlichkeit seines Schauens wird schließlich schöpferisch; es zwingt als »*Spieler*« einen Engel herbei. Nur in diesem kaum je zu erzwingenden Zusammenspiel von »*Engel*« und »*Puppe*«, von unendlichem Bewußtsein und reiner Bewußtseinslosigkeit, wäre die innere Antinomie, die »*Entzweiung*« unseres Daseins aufgehoben. Doch dies bleibt Vision. Einzig die Sterbenden und die Kinder scheinen der Bewußtseinsspaltung enthoben, vor allem das Kind, das noch ohne Zeitbegrenzung »*mit Dauerndem vergnügt*« sein kann und das, wenn es sterben muß, »*den ganzen Tod, noch vor dem Leben*« sanft und ohne Vorwurf zu enthalten vermag – für den Menschen der Entzweiung »*unbeschreiblich*«.
Die Mitte des Zyklus bildet die fünfte Elegie, die nicht nur durch ihre freie rhythmische Form, sondern auch durch die Geschlossenheit ihrer Bilderwelt aus dem Ganzen herausragt. Dichterisches Gleichnis des menschlichen Daseins ist das Auftreten einer Gruppe von Pariser Straßenakrobaten, für deren Gestaltung Rilke schon früh motivische Anregungen empfing (1907 in Paris, 1915 von Picassos Bild »La famille des saltimbanques«). Die unermüdlichen Vorführungen der Akrobaten offenbaren ein virtuoses, aber zugleich seelenlos-mechanisches »*Können*«, das äußerlich, scheinhaft, ja

sinnlos bleibt. Der glatten Geschicklichkeit wie dem leeren Schein gegenüber, welche das geschäftige Tun der »*Fahrenden*« und damit der Menschen überhaupt kennzeichnen, sucht der Dichter nach der Möglichkeit reinen Seins und echten, wiewohl noch ungelenken Fühlens, bevor sich, an »*unsäglicher Stelle*«, der unbegreifliche Umschlag vom »*reinen Zuwenig*« in das »*leere Zuviel*« ereignet. Dieses leere, uneigentliche, ruhlos-geschäftige Dasein wird tatsächlich vom Tode angetrieben, allerdings von einem verkleideten, zur »*Modistin*« billiger Konfektionswaren verfremdeten Tod (»*Madame Lamort*«). Das Gegenbild eines wirklichen, durchfühlten »*Könnens*« – nicht im äußeren Tun, sondern im inneren »*Herzschwung*«, vor allem in der Liebe als der höchsten Form menschlicher Seinsverwirklichung – kann nur visionär im Bereich der Toten erschaut werden, wo allein, von keinen Bedingtheiten gehemmt, die »*hohen Figuren des Herzschwungs*« möglich und zeigbar sind. – Zu den positiven Grundfiguren, die von dem uneigentlichen Durchschnittsdasein abgehoben und in ihrer Seinsmöglichkeit gedeutet werden, gehört neben dem Kind, den Liebenden und den jungen Toten die Gestalt des Helden. Ihn rühmt die sechste Elegie. Auch seine Erscheinung, die stürmisch in die »*Frucht*« seines Lebens, in Gefahr und Tod drängt, wird an dem »*Grund von Gegenteil*« des allgemeinen Menschendaseins sichtbar gemacht, welches im »*Blühn*« des Lebens verharren und die »*Frucht*« des Todes vermeiden möchte.

Nachdem Rilke in den ersten sechs Elegien den Bereich menschlicher Unzulänglichkeit klagend und deutend gestaltet hat, erfolgt in der siebenten, auf dem Grunde der Einsicht in die unaufhebbaren Bedingungen der Vergänglichkeit, der Umschlag in die jubelnde Bejahung des »*Hiesigen*«, das trotz allem dem Menschen aufgegeben bleibt. In hymnischer Sprache und weit ausgreifenden Satzperioden steigert sich der erste Teil der Elegie zu dem eindeutigen Bekenntnis: »*Hiersein ist herrlich.*« Das ist ebensosehr Rühmung der Natur wie Bejahung jeglichen menschlichen Daseins, das sich wenigstens in einem unmeßbaren Augenblick als solches verwirklichte. Diese Erfahrung ermöglicht es dem Dichter, einen Sinn des menschlichen Hierseins auch im gegenwärtigen, als »*dumpfe Umkehr der Welt*« erkannten Zeitalter einzusehen und zu verkünden. Das »*Schwinden*« des sichtbaren »Außen« und das Unsichtbarwerden der einst »dauernden« Dinge, welches sich in einer vom gestaltlos-technischen Zeitgeist beherrschten Epoche zu vollziehen droht, machen die »*Verwandlung*« des Gewesenen wie des Seienden ins »*Innere*« zum dringenden Gebot. Darin vollzöge sich auch die »*Bewahrung der noch erkannten Gestalt*«, worunter Rilke das vom Menschen Geschaffene und Geformte versteht.

Die achte Elegie, rhythmisch zurückgenommen und nochmals auf den Ton der Klage gestimmt, geht – wie die vierte – von der Einsicht aus, daß die Unterschiedenheit von Mensch und naturhafter Kreatur unaufhebbar ist. Durch sein Bewußtsein von allem naturhaft-kreatürlichen Dasein getrennt, ist dem Menschen damit zugleich das »*Offene*« verschlossen, das die Kreatur, »*frei von Tod*«, mit allen Augen sieht. Nur das Kind, der Sterbende, selten ein Liebender sind dem »*Offenen*«, Unabgegrenzten noch nahe; unser reflektierendes Sein aber hat immer »*Welt*« vor sich, niemals »*Nirgends ohne Nicht*«. Es ist, seiner Vergänglichkeit eingedenk, ein »Sein zum Tode«. Infolge seiner Struktur als »*Gegenüber-sein*« wird unser Leben zum »*Schicksal*«; durch den unausweichlichen Zwang zum beständigen Abschiednehmen erhält es einen fast tragisch-verhängnishaften Charakter. Dennoch bleibt, entgegen jeder romantischen Sehnsucht nach bewußtseinsloser All-Einheit, dieses »*Schicksal*« unsere Bestimmung. Die neunte Elegie versucht zu zeigen, wie es in seiner unaufhebbaren Begrenzung und »*Einmaligkeit*« dennoch anzunehmen und für uns, ja für alles Seiende fruchtbar zu machen sei. Als die sinngebende Aufgabe unseres Daseins wird, wie bereits in der siebenten Elegie, die »*Verwandlung*« erkannt, die nun noch deutlichere Konturen erhält. Sie beginnt im scheinbar bescheidenen Akt des Sagens, zwar nicht des »*Unsäglichen*«, vor dem wir versagen müssen, aber der »*Dinge*«, die im magisch beschwörenden Wort eine ihr Dasein übertreffende »*Innigkeit*« erreichen. Damit finden sie, die heute ein »*Tun ohne Bild*« (d. h. ohne mythische Symbolkraft) verdrängend zu ersetzen droht, Eingang ins »*Unsichtbare*«, für dessen »*höheren Rang der Realität*« der Engel einsteht (Brief an W. Hulewicz vom 13. 11. 1925). Diese »*Verwandlung ins Unsichtbare*« ist der Dinge, ja der »*Erde*« eigentlicher »*Auftrag*« an uns, die Möglichkeit ihrer »*Rettung*« aus der Vergänglichkeit. Aus der Annahme dieses Auftrages und damit aus der Bejahung des vergänglichen Hierseins wie des »*vertraulichen Todes*« erwächst eine Haltung der Lebenszustimmung, die der Dichter als sein eigentliches Vermächtnis zu hinterlassen wünschte.

Die zehnte Elegie schließlich stellt das Gleichgewicht zwischen Klage und Jubel endgültig her. Die antithetische Struktur des Zyklus erscheint in einer großartigen und metaphorisch dichten mythischen Vision zusammengefaßt und aufgehoben. Die Daseinsbejahung der neunten Elegie wird durch die Annahme der Schmerzen als »*unseres dunklen Sinngrüns*« vertieft; ja, in der Bezogenheit auf das »*Leid*« wird die Bestimmung und das Maß der Wahrhaftigkeit unseres Lebens und unseres Todes überhaupt erkannt. In der Beschreibung einer Landschaft des Leides wird die Einheit dieser beiden Bereiche symbolisch-metaphorisch gestaltet. Noch einmal beschwört hier der Dichter, jetzt unter diesem metaphysischen Aspekt, die Uneigentlichkeit des menschlichen Daseins, vor allem in seinen zivilisatorischen Beschäftigungen und Zerstreuungen: in den satirischen Allegorien der »*Leid-Stadt*«, deren Scheinhaftigkeit durch die Verdrängung von Leid und Tod bestimmt ist. Das »*Wirkliche*« beginnt erst dahinter: im offenen Übergang zum Tod und zur »*Landschaft der Klagen*«. Das Totenreich, in das ein toter Jüngling schließlich durch die mythisch personifizierte »*Klage*« eingeführt wird, ist tatsächlich das »*Leidland*«, eine mit Anklängen an Ägypten gestaltete Urlandschaft, in deren tiefster, von den »*Bergen des Urleids*« umgebenen Talschlucht die »*Quelle der Freude*« entspringt. Dort geht der Tote in das »*Los*« seines Totseins ein, das nicht mehr ausgesagt werden kann. Daher münden die Elegien in ein Gleichnis aus der Natur, das den Einklang von Steigen und Fallen, von Glück und Schmerz, von Leben und Tod bezeugt. J. W. St.

AUSGABEN: Lpzg. 1923. – Lpzg. 1927 (in *GW*, 6 Bde., 3). – Lpzg. 1938 (in *AW*, Hg. R. Sieber-Rilke, C. Sieber u. E. Zinn, 2 Bde., 1; ern. Wiesbaden 1948). – Zürich 1948 [Faks. d. Hs.; Begleitw. E. Zinn]. – Zürich 1951 [Erl. K. Kippenberg; ern.

1962]. – Wiesbaden 1955 (in *SW*, 1955ff., Bd. 1). – Ffm. 1963.

LITERATUR: A. Trapp, *R. M. R.s »Duineser Elegien«*, Gießen 1936. – H. Cämmerer, *R. M. R.s »Duineser Elegien«*, Stg. 1937, – W. Wolf, *R. M. R.s »Duineser Elegien«*, Heidelberg 1937. – H. Jaeger, *Die Entstehung der fünften Duineser Elegie R.s* (in DuV, 40, 1939, S. 213–236). – E. C. Mason, *Lebenshaltung u. Symbolik bei R. M. R.*, Weimar 1939. – F. Dehn, *R.: Die vierte Duineser Elegie* (in *Gedicht und Gedanke*, Hg. H. O. Burger, Halle 1942, S. 318–334). – K. Bergel, *R.'s Fourth Duino Elegy and Kleist's Essay »Über das Marionettentheater«* (in MLN, 60, 1945, S. 73–78). – D. Bassermann, *Der späte R.*, Mchn. 1947; Essen/Freiburg i. B. [2]1948. – K. Kippenberg, *R. M. R.s »Duineser Elegien« und »Sonette an Orpheus«*, Wiesbaden 1948. – E. Buddeberg, *Die »Duineser Elegien« R. M. R.s*, Karlsruhe 1948. – T. C. van Stockum, *Der gedankliche Hintergrund von R.s »Duineser Elegien«* (in Neoph, 32, 1948; ern. in T. C. van S., *Von Friedrich Nicolai bis Thomas Mann*, Groningen 1962, S. 280–300). – F. J. Brecht, *Schicksal u. Auftrag des Menschen. Philosophische Interpretationen zu R. M. R.s »Duineser Elegien«*, Mchn./Basel 1949. – H. Kreutz, *R.s »Duineser Elegien«*, Mchn. 1950. – P. H. von Blanckenhagen, *R. und »La famille des saltimbanques« von Picasso* (in Das Kunstwerk, 5, 1951, H. 4 S. 43–54). – R. Guardini, *R. M. R.s Deutung des Daseins. Eine Interpretation der »Duineser Elegien«*, Mchn. 1953; [2]1961. – J. Steiner, *R.s »Duineser Elegien«*, Bern/Mchn. 1962. – H. Meyer, *Die Verwandlung des Sichtbaren* (in H. M., *Zarte Empirie*, Stg. 1963, S. 287–336).

DIE SONETTE AN ORPHEUS. Geschrieben als ein Grab-Mal für Wera Ouckama Knoop. Gedichtzyklus von Rainer Maria RILKE (1875–1926), entstanden im Château de Muzot im Februar 1922, erschienen 1923; der Zyklus umfaßt zwei Teile (erster Teil: 24 Sonette; zweiter Teil: 29 Sonette). – Die Rezeption von Rilkes lyrischem Werk war mehr als bei anderen Dichtern der Moderne von der Tendenz bestimmt, diese poetischen Texte auf eine Bedeutung zu reduzieren, insofern sie auf fraglose Konventionen oder weltanschauliche Grundbedürfnisse bezogen wurden. Dieser von Philosophen, Literaturhistorikern und literaturinteressierten Laien gleichermaßen gepflegte Umgang mit Rilkes Lyrik hat sie in ihrer poetisch-ästhetischen wie gedanklichen Geltung vorschnell entschärft, ideologisch vereinnahmt und domestiziert. Allerdings hat der Dichter selbst zu diesem Umgang mit seinen Gedichten nicht unwesentlich beigetragen, wenn er gerade in seinem Spätwerk eine die menschliche Existenz problematisierende poetische Reflexionslage zwischen Dasein und Tod zum Ausgangspunkt seiner Lyrik macht. Das heißt jedoch nicht, daß nicht auch die Gedichte Rilkes wie andere literarische Texte ihren Gegenstand erst als (Gedicht-)Text konstituieren.

Jeweils zu Beginn entwerfen die Sonette in ihrem ersten und zweiten Teil zwei in sich wiederum zweipolige *»schematisierte Ansichten«* (Ingarden), die sich gegenseitig immer mehr verschränken. Die lyrisch-jubelnd prädizierte Handlung des orphischen Gesanges wird gegenüber der im überlieferten Orpheus-Mythos – und das ist Rilkes neue Deutung – besonders ausgezeichnet: Erst als spezifisch neue Handlung ermöglicht orphischer Gesang sein Wahrgenommenwerden. Der Korrelation von orphischem Gesang (Leier) und einem durch ihn selbst erst verliehenen Gehör (Ohr) korrespondiert im zweiten Teil das Atmen (Atem) als lebensermöglichender Vollzug des Ein- und Ausatmens. Die Doppelpoligkeit wiederholt sich im ersten Teil in der zweiten »schematisierten Ansicht« von Erstehen und Schlafen als elementarem Lebensvorgang: »*... sie erstand und schlief*« (1, II), und im zweiten Teil als »*SPIEGEL, du Doppelgänger des Raums!*«. Insofern der antike Orpheus-Mythos zur Bedingung des Hörens (Gehörs) im orphischen Gesang konzentriert wird, macht sich das lyrische Ich frei von der tradierten Form dieses Mythos und führt einzelne Orpheus-Motive als Anspielungen mit selbständigen Verweisungszusammenhängen in den lyrischen Kontext ein. Wie die Differenz zur mythischen Basis ihrerseits schon die Ansichten thematisch miteinander verknüpft, verweisen beide ebenso direkt aufeinander durch rhythmische, stilistische und verstechnische Okkurrenz zu der zur lyrischen Norm erstarrten Sonettform.

Repräsentativ für die Sonette – entstehungsgeschichtlich umschließen sie die *Duineser Elegien* – thematisieren die Ansichten zu Beginn der beiden Teile einen Spielraum kontrastierender Unterscheidungen, deren einheitsstiftender Bezugspunkt der »*Doppelbereich*« ist. Orpheus, »*der das Ohr den Geschöpfen gelehrt*« (1, XX), stellt die vollendete Sinnfiguration für den lyrisch einzuholenden »*Doppelbereich*« dar in seiner negativen wie positiven Bestimmung: »*Sein Sinn ist Zwiespalt*« (1, III) und »*... aus beiden/Reichen erwuchs seine weite Natur*« (1, VI). Bereits durch reiche Verwendung von Assonanz und virtuos gebrauchtem End- und Binnenreim bekommen die semantischen Gegensätze eine Fülle von Anschließbarkeiten, die ständig neue und unerwartete Bezüge ermöglichen und bei der Lektüre stützen. Ihrem lyrischen Konzept nach entwerfen die einzelnen Gedichte die Zielvorstellung des »*Doppelbereiches*« als angestrebte, die gegensätzlichen Pole übergreifende Einheit und führen gleichzeitig selbst lyrische Sprachhandlungen vor, die ein Verfahren für das Herstellen von Bezügen aufgrund lyrischer Unterscheidungen in Gang setzen. Dabei konstituiert die Verschränkung von Ziel und Verfahren zu diesem Ziel die Sprachbilder: »*HEIL dem Geist, der uns verbinden mag; / denn wir leben wahrhaft in Figuren*« (1, XII); »*Erst in dem Doppelbereich / werden die Stimmen / ewig und mild*« (1, IX). – Der orphische Weg zum »*reinen Bezug*« im »*Doppelbereich*« führt über rühmenden Gesang, der »*Dasein*« ist. Abgelöst vom Mythos kommt dieser in der Musik zu seinem Höhepunkt. Die vom Dichter wegen ihrer »*Verführung*« vernachlässigte Musik wird hier rehabilitiert. Alternativ zur drohenden Verzweckung durch die Technik baut sie »*im unbrauchbaren Raum ihr vergöttlichtes Haus*« (2, X).

»*Doppelbereich*« vielfältiger Bezüge, aber nicht eindeutig festzulegende Bedeutung eines lebensweltlichen Hintersinns, ist thematisches Zentrum der Sonette. Der Leser soll gewahr werden, wie das Sich-der Welt-Vergewissern auf sprachlichen Unterscheidungen beruht, die sich erst in Abhängigkeit voneinander verstehen lassen, so etwa das Grundthema Dasein und Tod. Als poetische Gegenhandlungen zur Welt sind die *Sonette* solche Sprachhandlungen, die enger oder weiter auseinanderliegende Pole in ihrer Gegensätzlichkeit lyrisch begreifen, um deren Zwischenräume, Bezüge und Bewegungen dem Leser zum verbindenden Mitvollzug aufzuge-

ben. Sprachlich ist das Getrenntsein der Pole schon dadurch markiert, daß verkürzte Sätze ohne Verben oder nur Ausrufe verwendet werden: »... *O reine Übersteigung! / ... O hoher Baum im Ohr!* « (1, I); »*Aber die Lüfte ... aber die Räume...*« (1, IV); unmittelbare Zuspitzung der Polarität innerhalb einzelner Sprachbilder leisten Genetivmetaphern wie »... *Sternbild unsrer Stimme*« (1, VIII). Für den Leser haben diese Gedichte Aufforderungscharakter, Möglichkeit und Unmöglichkeit sinnstiftender Einheit selbst zu versuchen und zu erfahren. Daß »*Kunst-Dinge*« (Rilke) im effektivistischen Sinne etwa als Vorformen von Aktion wirken, hat der Dichter stets abzuwehren versucht; ebenso engagiert hat er sich dagegen ausgesprochen, Gedichte und andere mit Kunst-Absicht gemachte Gebilde seien unnütz, unernst oder freischwebend. Über beide Meinungen hinausgehend argumentiert Rilke für einen Überschuß über jede Bedürfnisbefriedigung hinaus, der das Menschliche betrifft, wo Gedichte »*durch ihre angeborene Uneigennützigkeit, Freiheit und Intensität*« (Brief vom 13. 3. 1922) wirken. In verschiedenen Briefen formuliert der Dichter die besondere Kommunikationsabsicht seines Spätwerks. Die »*dringendste Realisierung einer höheren Sichtbarkeit, von einem endlich äußersten Ausblick aus*« erscheint nur als Mittel, »*ein wiederum Unsichtbares (...) zu gewinnen*« (Brief vom 26. 11. 1921). *Die Sonette an Orpheus* geben »*verschwiegene Äquivalente des Lebens, zu denen die Sprache immer nur umschreibend gelangt*« (Brief vom 16. 12. 1923).
Das im Spätwerk Rilkes vorliegende lyrische Konzept und die in seinen Briefen explizit formulierte Poetik bieten Ansätze für lyrische Verfahren etwa bei Paul Celan und Ernst Meister. Celan entwirft ein diaphanes poetisches Sprachmuster, dessen unsichtbare Kreuzungspunkte der Leser selbst bedeutungshaft produzieren muß; Meister, der sich als »*Fahrzeug des Begriffs*« versteht, erkundet in seiner Lyrik die »Bedeutungshöfe« der Worte, zu denen der Leser die Wege finden soll. D. Ge.

Ausgaben: Lpzg. 1923. – Lpzg. 1927 (in *GW*, 6 Bde., 3). – Lpzg. 1938 (in *AW*, Hg. R. Sieber-Rilke, C. Sieber u. E. Zinn, 2 Bde., 1; ern. Wiesbaden 1948). – Wiesbaden 1955 (in *SW*, 1955ff., Bd. 1; ern. 1962). – Ffm. 1964. – Ffm. 1966 (*Ausgewählte Gedichte einschließlich der Duineser Elegien u. der Sonette an Orpheus*, Hg. u. Nachw. E. Heller).

Literatur: Th. Jost, *Kritik der Zeit in R.s »Sonetten an Orpheus«* (in Th. J., *Mechanisierung des Lebens u. moderne Lyrik*, Bonn 1934, S. 116–127; Mnemosyne, 16). – H. Wocke, *R.s »Sonette an Orpheus«. Zum Gedächtnis des 60. Geburtstages* (in ZDP, 61, 1936, S. 75–100). – H.-W. Bertallot, *Der Sinn des Orpheus-Symbols in R.s »Sonetten an Orpheus«* (in DVLG, 15, 1937, S. 124–142). – H.-E. Holthusen, *R.s »Sonette an Orpheus«. Versuch einer Interpretation*, Mchn. 1937 [zugl. Diss. Mchn.]. – H. Pongs, *R.s Orpheus (als Dichtung des reinen Widerspruchs. Symbol u. Existenz bei R.)* (in H. P., *Das Bild in der Dichtung*, Bd. 2, Marburg 1939, S. 392–418). – W. Rehm, *Orpheus. Der Dichter u. die Toten. Selbstdeutung u. Totenkult bei Novalis, Hölderlin u. R.*, Düsseldorf 1950. – S. Noll, *R. M. R.s »Sonette an Orpheus«, ihre Quellen*, Diss. Ffm. 1953. – H. Mörchen, *R.s »Sonette an Orpheus«*, Stg. 1958. – U. Fülleborn, *Das Strukturproblem der späten Lyrik R.s. Voruntersuchungen zu einem historischen R.-Verständnis*, Heidelberg 1960. – R. Ingarden, *Das literarische Kunstwerk*, Tübingen ^{3}1965. – B. Allemann, *Zeit u. Figur beim späten R. Ein Beitrag zur Poetik des modernen Gedichts*, Pfullingen 1961.

DAS STUNDEN-BUCH, enthaltend die drei Bücher: Vom mönchischen Leben, Von der Pilgerschaft, Von der Armut und vom Tode. Lyrisches Werk von Rainer Maria Rilke (1875–1926), entstanden 20. 9.–14. 10. 1899, 18. 9.–25. 9. 1901, 13. 4.–20. 4. 1903; erschienen 1905. – In der Absicht, Erlebnishintergrund (Rilkes Florenz-Aufenthalt, seine beiden russischen Reisen mit Lou Andreas-Salomé, seine erste Paris-Erfahrung) und »Lesefrucht« (aus Schopenhauer, Nietzsche, Du Prel, Maeterlinck u. a.) in Dichtungen wie dem *Stunden-Buch* ausfindig zu machen oder einfühlend wiederherzustellen, sind – nicht nur in »Sachen Rilke« – zahllose Leser zu »*Seelenschmöcken*« (E. Heller) geworden, denen die Frage nach poetischer Verfahrensweise und Kommunikationsabsicht solcher Texte weitgehend fremd ist. Auch die heute gängige Etikettierung »*Realisierung des literarischen Jugendstils*« für das Hauptwerk des frühen Rilke kann eine kritische Lesehaltung diesen Gedichten gegenüber kaum fördern.
Das Stunden-Buch ist paradigmatisch für die Erprobung eines lyrischen Verfahrens, das Rilke in Konfrontation mit dem verbrauchten Konzept der »reinen Stimmungslyrik« unter den kultur- und geistesgeschichtlichen Bedingungen von Lebensphilosophie und Einfühlungstheorie langsam ausbildet. »*Fürchtigste Frömmigkeiten*« vor dem »*heiligen Leben*« als »*bewegende Ahnung eines unter aller Oberfläche liegenden Lebensgrundes*« ermöglichen poetische Sprachhandlungen, die alle Gegenstände (Dinge, Handlungen) als »*Vorwand*« gebrauchen möchten, um »*tief intime Geständnisse*« auszudrücken. In vorgeprägten sprachlichen Situationen (der erste Teil des *Stunden-Buchs* hatte während seiner Entstehungszeit den Titel *Die Gebete*), die – dem Gebet als religiöser Elementarhandlung entsprechend – Unabgeschlossenheit und Wiederholbarkeit implizieren, lassen sich lyrisch »*Vorwände für Alles formen*«; denn alles »*ist Inhalt und kann etwas bedeuten*«. Insofern jedoch gerade erst durch bzw. mit Sprache »*Vorwände*« bereitgestellt werden, wird das *Stunden-Buch* zu einem sprachlichen Experimentierfeld in lyrischer Absicht, auf welchem Bild- und Metapherngebrauch sowie metrisch-rhythmische Möglichkeiten und verschiedene Reimarten ausprobiert werden können. – Dabei spielt die darstellende Funktion dieser lyrischen Sprachhandlungen eine nur untergeordnete Rolle, so, daß die Instanz der mit solcher Sprachverwendung begriffenen »Wirklichkeit« weitgehend unerschlossen bleibt. (Später schreibt Rilke kritisch: »... *damals war mir die Natur noch ein allgemeiner Anlaß, eine Evokation, ein Instrument, in dessen Saiten sich meine Hände wiederfanden*« – Brief vom 13. 10. 1907.) Charakterisiert man wesentliche thematische Impulse, so ist dem »Kreisen um Gott« das kunstgeschichtlich bedeutsame Italien (Renaissance) ebenso lose verwandt wie die Rede »*von der Armut und vom Tode*«. Mit diesen lyrischen Experimenten kann der »Wirklichkeit« ausgewichen werden, oder aber der Dichter kann ihr, ohne sie selbst überhaupt ernsthaft ins Spiel bringen zu wollen, literarisch-künstlerisch etwa in der Haltung eines allgemein religiös eingefärbten Ergriffenseins begegnen. Dieses literarische Vorgehen findet sein Vergleichsstück im bildnerischen

Jugendstil, der im Rekurs auf die Verwendung bildnerischer Mittel (Linie, Farbe, Fläche) deren ausdrucksbezogenen Eigenwert als florale Muster zu gestalten sucht, unter erklärter Vernachlässigung des Bezugs zur alltäglichen Lebenspraxis.

Innerhalb fiktiver Gebetssituationen eröffnet der junge Rilke im *Stunden-Buch* aufgrund seiner subjektiven Ergriffenheit einen lyrischen Raum, in welchem er ohne gegenstandsgebundenes Korrektiv ungehemmt immer neue Folgen von Sprachbildern variieren und iterieren kann, nicht zuletzt mit dem Ziel, über die Erweiterung und Festigung eigener literarischer Ausdrucksformen zu sich selbst zu kommen. Das vorwandhafte Sprechen, das diesen Pol stets mit umkreist, hält den Zusammenhang zwischen dem den poetischen Sprachhandlungen zugrundeliegenden gegenständlichen Reservoir und seiner jeweiligen lyrischen Aktualisierung in einem kaum fixierbaren Ungefähr. Sehr locker gefügte Versgruppen von unterschiedlichem strophischem Umfang, die ständig wechselnde Zahl der Versfüße, ihre ungleiche Füllung, die im Ablauf der Sätze sich wie zufällig ergebenden Reimbindungen und Reimkorrespondenzen als Binnenreim oder über mehrere Versgruppen hinweg, welche den unbestimmt bewegten Sprachrhythmus bewirken, bilden die unstabile Organisationsform dieser Dichtung.

Für den Lesevollzug sind die Texte des *Stunden-Buches* offen, insofern darin eine auf gleichbleibende Intensität des Ergriffenseins verweisende Sprachverwendung an einem varianten lyrischen Umspielen von Gegenständen pointiert hervortritt. Nirgendwo erhält z. B. Gott für den Leser einen deutlichen oder gar eindeutigen Namen: »*DU bist der Alte*«, »*der große Unscheinbare*«, »*Du bist der Schmied*«, »*Du bist der Mündige, der Meister*«, »*ein Unbekannter, Hergereister, / von dem bald flüsternder, bald dreister / die Reden und Gerüchte gehn*«. Gott ist insofern ein »*werdender Gott*«, als er sprachlich nicht festgemacht werden soll an einem einzigen Bild *(»Und die, so dich finden, binden dich / an Bild und Gebärde.«)*; in sich erweiternden Kontexten jeweils anders prädiziert, wird seine semantische Bestimmbarkeit als »*geplant in erkühnten Entwürfen*« in Sprachbildern nachvollziehbar, doch gerade so, daß aufgrund der eigentümlichen, oft ebenso banalen wie exquisiten Prädikationsangebote Gott für den Leser lediglich als zu entwerfender ansichtig wird. Ansätze zur Stabilisierung solcher Bildfolgen liefern die Verse, wenn etwa vom »*werdenden Gott*« oder vom »*Tod*« als einem »*eignen*« oder von der »*Armut*« als »*ein großer Glanz aus Innen*« gesprochen wird. Beim Versuch, den geistigen Fluchtpunkt auszumachen, auf den sich alle Prädikationen gleichermaßen beziehen lassen, stößt der Leser wieder auf ein neues Sprachbild, das die normalisierenden Leseversuche im Hinblick auf die jeweils eigene »Weltsicht« wiederum stört: »*Der große Tod, den jeder in sich hat, / das ist die Frucht, um die sich alles dreht.*« D. Ge.

AUSGABEN: Lpzg. 1905. – Lpzg. 1927 (in *GW*, 6 Bde., 2). – Wiesbaden 1955 (in *SW*, Hg. R. Sieber-Rilke u. E. Zinn, 5 Bde., 1955–1965, 1).

LITERATUR: E. Wernick, *Die Religiosität des »Stundenbuchs« von R. M. R., Vortrag*, Bln./Lpzg. 1926 (Studien zur Geistesgeschichte u. Kultur, 1). – Th. Jost, *Der Protest des romantischen Menschen. R. M. R.s »Stundenbuch«* (in Th. J., *Mechanisierung des Lebens u. moderne Lyrik*, Bonn 1934, S. 48–63). – H. Hett, *Das »Stundenbuch« R. M. R.s als Ausdruck des Willens zum Leben*, Diss. Lpzg. 1935. – H. Rößner, *R.s »Stundenbuch« als religiöse Dichtung* (in GRM, 23, 1935, S. 260–283). – R. Mövius, *R. M. R.s »Stundenbuch«. Entstehung u. Gehalt*, Lpzg. 1937. – J. F. Angelloz, *R. M. R. Leben u. Werk*, Mchn. 1955. – E. C. Mason, *Zur Entstehung u. Deutung von R.s »Stundenbuch«* (in E. C. M., *Exzentrische Bahnen*, Göttingen 1963, S. 181–204). – J. Mendels u. L. Spuler, *Zur Herkunft der Symbole für Gott u. Seele in R.s »Stundenbuch«* (in LJb, 4, 1963, S. 217–231). – L. Tönsing, *R. M. R. »Da neigt sich die Stunde«* (in Acta Germanica, 2, 1967, S. 55–62). – V. Mathieu, *Dio nel »Libro d'ore« di R. M. R.*, Florenz 1968.

JOSEPH ROTH
(1894–1939)

DIE KAPUZINERGRUFT. Roman von Joseph ROTH (1894–1939), erschienen 1938. – Dieser Roman schließt unmittelbar an den vielschichtigeren und perspektivenreicheren *Radetzkymarsch* (1932) an: Wird im *Radetzkymarsch* die Familie Trotta, deren berühmtester Sproß in der Schlacht bei Solferino dem österreichischen Kaiser das Leben rettete, durch drei Generationen hindurch verfolgt – und dokumentiert sich damit zugleich Glanz und Verfall des Habsburgerreiches, so erzählt Roth in der *Kapuzinergruft* vom Leben des Trotta Franz-Ferdinand, in dessen Schicksal sich der Untergang der österreichischen Monarchie spiegelbildlich vollendet. Der Roman beginnt kurz vor dem Ersten Weltkrieg und endet mit dem »Anschluß« Österreichs an das Dritte Reich (1938). Franz-Ferdinand und seine Freunde gehören jener Wiener *jeunesse dorée* an, der das Spiel mit der »Dekadenz« für Gefühle und Leidenschaften einstehen muß: »*Es war damals, kurz vor dem großen Kriege, ein höhnischer Hochmut im Schwung, ein eitles Bekenntnis zur sogenannten ›Dekadenz‹, zu einer halb gespielten und outrierten Müdigkeit und einer Gelangweiltheit ohne Grund ... In dieser Atmosphäre hatten Gefühle kaum einen Platz, Leidenschaften gar waren verpönt.*«

Als der Erste Weltkrieg ausbricht, läßt sich der Leutnant Franz-Ferdinand Trotta in das Infanterieregiment versetzen, in dem auch sein vitaler slovenischer Vetter, der Bauer und Maronibrater Joseph Branco, und dessen Freund, der Fiaker Manes Reisiger, als einfache Soldaten dienen. Die Unmittelbarkeit des Erlebens, die sich Franz-Ferdinand vom Krieg erhofft, wird ihm nur sporadisch zuteil. Im ersten Gefecht gerät er in russische Gefangenschaft, aus der er 1918 nach Wien zurückkehrt. Sein Versuch, sich eine gesicherte bürgerliche Existenz aufzubauen, mißlingt. Die Firma seines Schwiegervaters, an der er sich beteiligt, macht Konkurs, und die noch bei Kriegsausbruch geschlossene Ehe scheitert an seiner Frau Elisabeth, die der lesbischen Kunstgewerblerin Frau Professor Jolanth Szatmary hörig ist. Ohnmächtig steht Franz-Ferdinand einer Nachkriegswelt des Scheins und der Künstlichkeit gegenüber, wie sie in den karikaturistisch gezeichneten Figuren des Schwiegervaters oder der Szatmary sichtbar wird. Nach seinem finanziellen Ruin eröffnet er im Elternhaus eine Pension, in der die verbitterten und zahlungsunfähigen Freunde aus der fröhlichen Vorkriegszeit Unterschlupf finden. Als Trottas Mutter, letzte Verkörperung einer von der Zeit überholten und ver-

gessenen Generation, stirbt, verkauft der Sohn die Pension und nimmt, unbelehrt, apathisch und resigniert, sein altes Leben des Dolcefarniente in den Kaffeehäusern Wiens wieder auf. Die Welt Trottas und seiner Freunde versinkt endgültig mit der Machtergreifung der Nationalsozialisten. Ratlos besucht Franz-Ferdinand am Schluß des Romans die Kapuzinergruft, Grabstätte der österreichischen Kaiser und Symbol der vergangenen Donaumonarchie, um mit der Frage »*Wohin soll ich, ich jetzt, ein Trotta?*« sein endgültiges Scheitern zu bekennen.
Resignation, Auflösung und Todesahnung, zentrale Motive des aus der Perspektive Franz-Ferdinands erzählten Ich-Romans, kennzeichnen die Welt Trottas und seiner Freunde. Sie verleihen diesem gefühlsbetonten, immer wieder die Distanz des objektiven Erzählens aufhebenden Versuch eines Rechenschaftsberichts jenen schwermütigen, leicht ermüdenden Grundton, den Roth etwa in dem leitmotivisch wiederkehrenden Satz anklingen läßt: »*Über den Gläsern, aus denen wir übermütig tranken, kreuzte der unsichtbare Tod schon seine knochigen Hände.*« Zu der »heillosen«, als Ausdruck dekadenter städtischer Zivilisation verstandenen Sphäre Trottas schafft Roth einen positiv gemeinten Gegensatz: die durch Branco und Reisiger verkörperte Sphäre des »Ursprünglichen« und des »Echten«, eine aus antizivilisatorischem Affekt erzeugte Fiktion, nach der sich der »Held« des Romans insgeheim sehnt. Das von der politisch-gesellschaftlichen Welt naiv abgesetzte Wunschbild des Unkomplizierten und Ursprünglichen und das immer wieder durchklingende Bekenntnis zu einer »*versunkenen Welt*« erlauben Roths Chronik des Zeitverfalls nur selten jene Klarheit und analytische Schärfe, die den gesellschaftskritischen Diagnosen seiner Zeitgenossen Robert Musil und Hermann Broch eignet. S. Re. – H. Str.

Ausgaben: Bilthoven 1938. – Köln/Bln. 1956 (in *Werke*, Einl. H. Kesten, 3 Bde., 1). – Mchn. 1967 (dtv, 459).

Literatur: B. Gideon, »*Die Kapuzinergruft*«. *Eine Einführung* (in *J. R. Leben u. Werk. Ein Gedächtnisbuch*, Hg. H. Linden, Köln/Hagen 1949, S. 195 bis 206). – H. Kesten, *J. R.* (in H. K., *Meine Freunde die Poeten*, Wien 1953, S. 167–199). – P. W. Jansen, *Weltbezug u. Erzählhaltung. Eine Untersuchung zum Erzählwerk u. zur dichterischen Existenz von J. R.*, Diss. Freiburg i. B. 1958. – R. Eckart, *Die Kommunikationslosigkeit des Menschen im Romanwerk von J. R.*, Diss. Mchn. 1959. – E. Wegner, *Die Gestaltung innerer Vorgänge in den Dichtungen J. R.s*, Diss. Bonn 1963. – W. Grasshoff, *J. R. Georg Trakl. Zwei Essays*, Zürich 1966, S. 7–28. – C. Sanger, *The Decadence of Austrian Society in the Novels of J. R.*, Diss. Univ. of Cincinnati 1966 (vgl. Diss. Abstracts, 27, 1966/67, S. 1836).

RADETZKYMARSCH. Roman von Joseph Roth (1894–1939), erschienen 1932. – In seinem bekanntesten Roman stellt Roth den allmählichen Zerfall des Habsburgerreiches am wechselvollen Schicksal der vier Generationen einer Familie dar – Mitläufern und Randfiguren im Sog des historischen Geschehens, dessen bedeutsame Stationen und Repräsentanten jedoch fast völlig ausgespart bleiben (selbst die Gestalt des Kaisers Franz Joseph ließ Roth erst auf Anraten seines Freundes Walter Landauer auftreten). Roth geht es nicht um die exakte und überpersönliche Dokumentation und Analyse der Geschichte, sondern um die Demonstration der »*Spiegel-Bildlichkeit des Individuellen*« (W. Jens), um die Vermittlung von Privatexistenz und historischem Prozeß.
In der (historischen) Schlacht von Solferino (1859) rettet der (fiktive) Leutnant Trotta den Kaiser, indem er ihn rechtzeitig zu Boden wirft, als dieser sein Fernglas an die Augen führt und sich dadurch dem Feind als Ziel, »*würdig, getroffen zu werden*«, präsentiert; er selbst wird durch die dem Kaiser zugedachte Kugel verwundet. Trotta wird zum Hauptmann befördert, mit dem Maria-Theresienorden ausgezeichnet und geadelt. Die plötzliche Verbindung mit welthistorischen Ereignissen und seine unerwartete Karriere entfremden ihn dem Vater, dem Repräsentanten der bäuerlichen slovenischen Vorfahren der Familie Trotta. »*Ein neues Geschlecht brach mit ihm an.*« – Nach Jahren entdeckt Hauptmann Trotta im Lesebuch seines Sohnes zufällig eine Geschichte, die seine Tat entstellt und verkitscht wiedergibt; während sie in Wirklichkeit eher Reflex als »Heldentat« war, wird sie im Lesebuch zur Propagierung eines zweifelhaften vaterländischen Heldentums mißbraucht. Bei den zuständigen Behörden stößt Trotta mit seiner Beschwerde auf Unverständnis – nur der Kaiser, der ihm eine Audienz gewährt, begreift seine Empörung, fügt sich aber resigniert dem Zwang der politischen Mythenbildung. Trotta bittet um seine Entlassung aus der Armee und übersiedelt auf das Gut seines Schwiegervaters, um zur Lebensform seiner bäuerlichen Vorfahren zurückzufinden. Der Erzähler enthüllt die Unangemessenheit und gewollte Künstlichkeit dieses Reprivatisierungsversuchs, indem er die neue Tätigkeit des »Helden von Solferino« mit denselben Worten beschreibt, die zuvor Trottas Vater galten.
Sein Sohn, zum Beamten, nicht zum Soldaten bestimmt, wird Bezirkshauptmann in der Provinz. Er ist eine der prägnantesten Gestalten des Romans – ein typischer Vertreter des in der österreichischen Literatur von Grillparzer bis Doderer wiederholt porträtierten pflichtbewußten Beamten; er verkennt die Hinfälligkeit der Monarchie: Als er einmal gezwungen ist, in seinen Akten den Ausdruck »*revolutionärer Agitator*« (als Bezeichnung eines aktiven Sozialdemokraten) durch »*verdächtiges Individuum*« zu ersetzen, verharmlost er progressive politische Strömungen zu einer Art privater Unruheherde. – Der Enkel Carl Joseph, Offizier wie der »Held von Solferino«, spürt dagegen bald das bevorstehende Ende des alten Staatengebildes. Er steht freilich unter dem Bann des Großvaters, dem er es, seiner Überzeugung nach, nie wird gleichtun können: Hatte jener den Kaiser selbst gerettet, so beschränkt sich der Enkel darauf, das Bild des Kaisers aus einem Bordell zu »retten«. Schon früh verbinden sich in ihm Todesahnung und Schuldgefühle. Als die Frau des Wachtmeisters Slama, die ihn als fünfzehnjährigen Kadettenschüler verführte, an einer Geburt stirbt, schreibt er sich nur allzu bereitwillig die Schuld an ihrem Tod zu. Diese Schuldgefühle verstärken sich, als sein einziger Freund, der jüdische Regimentsarzt Dr. Demant, bei einem Duell ums Leben kommt – ein Vorfall, der die Sinnlosigkeit des erstarrten Ehrenkodex demonstriert: Trotta hatte die leichtlebige Frau seines Freundes lediglich nach dem Theater nach Hause begleitet, worauf Demant von einem Regimentskameraden angepöbelt worden war und Genugtuung verlangen »mußte«. Diese Toten, besonders aber das Bild des toten »Helden von Sol-

ferino«, zehren an der Lebenskraft des Leutnants: »*Ich bin nicht stark genug für dieses Bild. Die Toten! Ich kann die Toten nicht vergessen! Vater, ich kann gar nichts vergessen! Vater!*« In der abgelegenen Garnisonsstadt nahe der russischen Grenze, wo diese Worte fallen, ahnt schließlich auch der Bezirkshauptmann, daß die k. u. k. Monarchie, deren Einheit sich in der Figur des Kaisers versinnbildlicht, nicht mehr lange bestehen wird. Es ist der polnische Graf Chojnicki – die einzige Gestalt in Roths Roman, die die politischen Veränderungen nicht nur mehr oder weniger dumpf spürt, sondern sie auch zu artikulieren vermag –, der ihm die Augen öffnet: »*Die Zeit will uns nicht mehr! Diese Zeit will sich erst selbständige Nationalstaaten schaffen!*«

Unfähig, sich von seinen Schuldgefühlen und Todesahnungen zu befreien, wird Carl Joseph vom Alkohol abhängig und verstrickt sich in Schulden. Seine Schwermut wird nur selten von jäh aufkommender Euphorie unterbrochen, wie etwa während einer glanzvollen Fronleichnamsprozession in Wien – einer barocken Apotheose der alten Donaumonarchie –, der er mit einer Geliebten auf der Tribüne beiwohnt. Die Nachricht von der Ermordung des Thronfolgerpaares trifft – ein makabrer Zufall – bei Trottas Regiment ein, als ein orgiastisches Sommerfest im Gange ist. Trotta reicht seinen Abschied ein und versucht, wie sein Großvater, der »Held von Solferino«, innere Ruhe als Bauer zu finden. Bei Kriegsausbruch zur Armee zurückgekehrt, kommt er im Geschoßhagel ums Leben, als er für die Soldaten seines Zuges Wasser holen will. – Der »Epilog« schildert die beiden letzten Lebensjahre des Bezirkshauptmanns, der am Tage der Beisetzung des Kaisers (1916) stirbt. Diese Gleichzeitigkeit weist ein letztes Mal darauf hin, daß Roth mit dem Schicksal der Familie Trotta zugleich auch das Schicksal des Habsburgerreiches darstellen will: » ... *sie konnten beide*« – der Kaiser und der Bezirkshauptmann – »*Österreich nicht überleben.*«

Die melancholische, virtuos auf der Grenze zwischen Ironie und Sentimentalität balancierende Stimmung des Romans beruht auf der Diskretion und Anpassungsfähigkeit des Autors, der sich in die jeweilige Bewußtseinslage seiner Figuren einzufühlen versteht, aber auf die aufdringliche Position des allwissenden Erzählers verzichtet. Dieser elegischen Grundhaltung, die selbst an den unübersehbaren Schwächen der Romangestalten wie der untergehenden Monarchie noch liebenswerte Züge entdeckt, entspricht die rückwärtsgewandte Utopie, die verklärende Sehnsucht nach der verlorenen Ursprünglichkeit, die die kritische Analyse des historischen Prozesses verweigert. Roths Roman, dem die intendierte Vermittlung von Individuum und Geschichte – im Gegensatz zu MUSILS bewußt kontrastierender Technik der »*Parallelaktion*« (vgl. *Der Mann ohne Eigenschaften*, 1930–1952) – nicht bruchlos gelingt, ist ein «*Requiem auf Österreich*« (F. Heer). Sein Leitmotiv ist der Radetzkymarsch, der jeden Sonntag vor dem Haus des Bezirkshauptmanns gespielt wird: Er versinnbildlicht die Idee der Einheit des Vielvölkerstaats, die schließlich nur noch so wenig in der Wirklichkeit begründet ist, daß die ironische Formulierung »*Einmal in der Woche war Österreich*« nur scheinbar paradox ist. H. Sch.

AUSGABEN: Bln. 1932. – Stockholm 1939 (Forum-Bü., 18). – Köln/Bln. 1953; ern. 1960. – Köln/Bln. 1956 (in *Werke*, Einl. H. Kesten, 3 Bde., 1). – Köln/Bln. 1963; ern. 1965. – Bln./Weimar 1964 Bln. 1967.

LITERATUR: L. Marcuse, »*Radetzkymarsch*« (in Das Tagebuch, 13, 1932, S. 1548–1550). – G. Necco, *R.s* »*Radetzkymarsch*« (in G. N., *Realismo e idealismo nella letteratura tedesca moderna*, Bari 1937, S. 246–249). – P. W. Jansen, *Weltbezug u. Erzählhaltung. Eine Untersuchung zum Erzählwerk u. zur dichterischen Existenz J. R.s*, Diss. Freiburg i. B. 1958. – R. Eckart, *Die Kommunikationslosigkeit des Menschen im Romanwerk von J. R.*, Diss. Mchn. 1959. – L. Mazzucchetti, »*La marcia di Radetzky*« (in L. M., *Novecento in Germania*, Mailand 1959, S. 201–203). – J. Hösle, *J. R.* (in Rivista di Letterature Moderne e Comparate, 15, 1962, S. 205–214). – C. Magris, *Il mito absburgico nella letteratura austriaca moderna*, Turin 1963, S. 277–286. – E. Wegner, *Die Gestaltung innerer Vorgänge in den Dichtungen J. R.s*, Diss. Bonn 1963 – R. Geissler, »*Radetzkymarsch*« (in R. G., *Dekadenz u. Heroismus*, Stg. 1964, S. 60–65). – F. Heer, *Perspektiven österreichischer Gegenwartsdichtung* (in *Deutsche Literatur in unserer Zeit*, Göttingen [4]1964, S. 139–172; Kl. Vandenhoeck-R., 73/74/74a). – W. Jens, *Deutsche Literatur der Gegenwart. Themen, Stile, Tendenzen*, Mchn. 1964, S. 107 (dtv, 172). – D. Bronsen, *Das literarische Bild der Auflösung im* »*Radetzkymarsch*« (in Jb. der Grillparzer-Ges., 4, 1965, S. 130–143). – S. Rosenfeld, *Raumgestaltung u. Raumsymbolik im Romanwerk J. R.s*, Diss. Univ. of Ill. 1965 [m. Bibliogr.]. – F. Trommler, *Roman u. Wirklichkeit*, Stg./Bln./Köln/Mainz 1966, S. 50–67. – E. Sanger, *The Dnkadence of Austrian Society in the Novels of J. R.*, Diss. Univ. of Cincinnati 1966 (vgl. Diss. Abstracts, 27, 1966/67, S. 1836). – F. Hackert, *Kulturpessimismus u. Erzählform. Studien zu J. R.s Leben u. Werk*, Bern 1967 (Europäische Hochschulschriften, 1/5). – H. Böning, *J. R.s* »*Radetzkymarsch*«. *Thematik, Struktur, Sprache*, Mchn. 1968 [m. Bibliogr.].

NELLY SACHS
(1891–1970)

ELI. Ein Mysterienspiel vom Leiden Israels. Szenische Dichtung von Nelly SACHS (* 1891), entstanden im Winter 1943, erschienen 1951; Uraufführung: Frankfurt am Main, 6. 2. 1962 durch die »neue bühne« an der Goethe-Universität; die von der Dichterin autorisierte Hörspielfassung wurde zum erstenmal am 1. 10. 1961 vom Norddeutschen Rundfunk Hamburg gesendet. – Eli »*offenbarte sich*« der Dichterin in einer Stunde tiefster Erschütterung aus der Nachricht vom »*Märtyrertode*« eines nahen Freundes. Die Dichtung wurde in drei Nächten geschrieben, »*in Armut, Krankheit, vollkommener Verzweiflung*«.

In einer zerstörten polnischen Kleinstadt treffen sich in der »*Zeit nach dem Martyrium*« die Überlebenden der jüdischen Gemeinde. Eine neue Stadt soll errichtet werden, vor den Mauern der alten, an einem »*guten Ort*«. Ein Haus nur blieb unversehrt. Sein Bewohner stand auf wunderbare Weise außerhalb aller Verfolgung: es ist Michael, der Schuster. Dunkel fühlt er in sich die Berufung, den Mörder von Eli, dem Hirtenjungen, zu suchen, den ein Soldat mit dem Gewehrkolben erschlagen hat, als er seinen Eltern, die zur Liquidierung abgeholt wurden, nur mit einem Hemd bekleidet nachlief und auf seiner Hirtenflöte blies. Michael findet den Mörder »*im Nachbarlande*«; der Mann zerfällt vor dem »*Gottglanz*« auf Michaels Stirn, dem »*Urlicht*«, zu Staub. Das Kind des Mannes stirbt zur gleichen Zeit.

In siebzehn Bildern, einer losen Reihung szenischer Dialoge, entfaltet sich eine vielschichtige Wirklichkeit. Die ersten neun Bilder gruppieren sich um den Brunnen (als biblisches Symbol) in der Mitte des zerstörten Ortes. Gestalten treten auf und verschwinden wieder. Das gegenwärtige Geschehen, der Neuaufbau der Stadt, wird durch eingefügte Erinnerungsbilder beklemmend doppeldeutig. *(»Hier ist die Stelle, / wo man den Bäcker Eisik mit dem schlürfenden Schritt / wegen einer Zuckerbrezel erschlagen hat.«)* Die Geschichte von Eli, die eine Wäscherin erzählt, wird leitmotivisch immer wieder ins Bewußtsein gerufen: Elis Schuhe, Elis Sterbehemd, Elis Flöte. Die Gestalten bleiben in symbolhafter Anonymität: ein Bauer, ein Maurer, ein Bettler, ein Scherenschleifer, ein Gärtner usw. Kaum dem Tod entronnen, noch in der Schreckensstarre, finden sie zueinander im Erinnern an das vergangene Grauen, im Singen der Kinder, die das furchtbare Geschehen in ihren Spielen unschuldig distanziert nachvollziehen, in der Entschlossenheit zu neuem Aufbau: »*Wir bauen, wir bauen / die neue Stadt ... Wir brennen, wir brennen / die Ziegel der neuen Stadt!*« Immer mehr rückt Michael in den Mittelpunkt. Die Dichterin will ihn als einen der sechsunddreißig geheimen Gottesknechte verstanden wissen, jener »Gerechten«, die nach der chassidischen Mystik in sich »*das unsichtbare Universum*« tragen. In gleichem mystischem Bezug stehen Eli *(»Die Hirtenpfeife in Verzweiflung von einem Kinde zu Gott erhoben – versuchter Ausbruch des Menschlichen vor dem Entsetzen«)* und der Soldat, der das Kind erschlägt, weil er meint, es gäbe ein heimliches Signal, als »*Symbol des Unglaubens*«: »*Kein Vertrauen mehr in das Gute auf Erden.*« Es ist eine »*nächtliche Welt*«, die in den Visionen des Grauens, die Michael umdrängen, heraufbeschworen wird, eine Welt, in der immer die Unschuld das Opfer wird: das Kind Eli und der Sohn des Mörders. In den entscheidenden Bildern, die den Weg Michaels aus seiner Werkstatt heraus auf der Suche nach dem Mörder zeigen, sind es die Landstraße, der Wald, das Moor, die die Szenerie abgeben; keine Mitte ist mehr gegeben, wie am Anfang der Brunnen. Die Dinge selber sind verwandelt von dem Furchtbaren, das sich an ihnen vollzog, und sprechen es, der Rede mächtig, aus: die Stimme aus dem Schornstein, die Stimme eines Sterns, eines Baums: »*Ich kann nicht mehr gerade stehn – / Es hing an mir und schaukelte, / als hingen alle Winde der Welt an mir und schaukelten.*« Zwei Symbole werden immer wieder umkreist, die »Schuhe« und der »Sand«. Die Schuhe – in tragischem Bezug zu Michael, nämlich die Schuhe seiner toten Braut Myriam – meinen den endlosen Wanderweg Israels; der Sand steht für das Flüchtige, Vergängliche.

Seiner Struktur nach ist das Stück dem Stationendrama des Expressionismus verpflichtet; seine Sprache soll »*das Unsägliche aushaltbar machen*«. Verschiedene Schichten überlagern sich: ein ins Lyrische überhöhter Volkston, oft balladesk, spruchhaft, dazu die Bilderwelt und die Formelsprache des *Alten Testaments*. Enge Motivverbindungen bestehen zu dem gleichzeitig entstandenen Gedichtzyklus *In den Wohnungen des Todes*. M. Br.

AUSGABEN: Malmö 1951 [Privatdruck]. – Ffm. 1962 (in *Spectaculum V. Sechs moderne Theaterstücke*). – Ffm. 1962 (in *Zeichen im Sand. Die szenischen Dichtungen*). – Ffm. 1964 (in *Das Leiden Israels*; ed. suhrkamp, 51).

VERTONUNG: M. Pergament (Oper; Urauff.: schwed. Rundfunk 1959).

LITERATUR: J. Edfelt, *Die Dichterin N. S.* (in *N. S. zu Ehren*, Ffm. 1961, S. 58–63). – W. A. Berendsohn, *N. S. Der künstlerische Aufstieg der Dichterin jüdischen Schicksals* (ebd., S. 92–103). – Ders., *N. S.*, Dortmund 1963 [m. Bibliogr.].

RENÉ SCHICKELE
(1883–1940)

DAS ERBE AM RHEIN. Romantrilogie von René SCHICKELE (1883–1940), erschienen 1925–1931, bestehend aus den Bänden *Maria Capponi* (1925, zunächst unter dem Titel *Ein Erbe am Rhein*), *Blick auf die Vogesen* (1927) und *Der Wolf in der Hürde* (1931). – Am Schicksal der Familie von Breuschheim und ihres Kreises beschreibt der Autor die politische und menschliche Problematik des Elsässers. Das eigentliche Thema der Trilogie jedoch ist das Elsaß selbst, das nach Schickeles Überzeugung der »*gemeinsame Garten*« sein sollte, »*worin deutscher und französischer Geist ungehindert verkehren, sich einer am andern prüfen und die neuen Denkmäler Europas errichten*«.

Im ersten Teil wird in Form einer rückblickenden Ich-Erzählung die Liebe zwischen Claus von Breuschheim und der Italienerin Maria Capponi geschildert. Das Gegenwartsgeschehen, der Einzug der Franzosen und die verworrenen Zustände im Elsaß nach dem Waffenstillstand 1918, bildet den Rahmen dieser Erinnerungen. Wegen der unerfreulichen Verhältnisse hatte Claus von Breuschheim, obwohl mit den Franzosen sympathisierend, seine elsässische Heimat verlassen, kehrt aber schließlich dorthin zurück. Im Mittelpunkt des zweiten Teils steht der Gegensatz zwischen ihm und seinem Bruder Ernst, der sich vom deutschen Offizier zum fanatischen Vertreter einer französischen Politik der starken Hand entwickelt hat. Claus dagegen befürwortet eine Autonomie der »*Indianerreservation*« Elsaß, in der es nach dem Wunsch der Franzosen »*keine Abrüstung des Hasses*« geben soll. Ihm, der an ein freies Elsaß in der »*Gemeinschaft Europa*« glaubt »*wie an das Leben*«, stellt der Autor im letzten Teil der Trilogie die Gestalt des skrupellosen Parteipolitikers Silvio Wolf gegenüber, eines Abenteurers, der die Situation für seine eigenen ehrgeizigen Ziele ausnutzt. Claus von Breuschheim verläßt das Elsaß wieder.

Nach seinen eigenen Worten wollte Schickele in dem – frei erfundenen – Adelsgeschlecht von Breuschheim eine traditionsreiche Familie darstellen, die das »*tausendjährige, seiner selbst bewußte Elsaß*«, »*das Schlechteste und das Beste im Elsässer*« verkörpert. Als das Schlechteste schildert er – in Ernst von Breuschheim – die Neigung zum Opportunismus und zum (deutschen wie französischen) Nationalismus, die verhindert, daß das Elsaß seine Bestimmung erfüllt. Als das Beste im Elsässer erscheint – in der Gestalt Claus von Breuschheims – die auf Kenntnis der deutschen und der französischen Eigenart beruhende Fähigkeit zu einer ausgleichenden, wahrhaft pazifistischen Haltung – zusammen mit echter Heimatliebe die Voraussetzung für ein elsässisches Europäertum. Wie schon während des Ersten Weltkriegs (damals u. a. als Herausgeber der pazifistischen Zeitschrift ›Die Weißen Blätter‹) tritt Schickele auch in diesem »*Entwicklungsroman eines Landes*« für das Ideal einer gewaltlosen Verständigung der Völker als des einzigen Mittels zur Überwindung politischer Gegensätze ein. Diese Weltanschauung verband ihn mit vielen expressionistischen Dichtern. Als Kunstrichtung jedoch war der Expressionismus für ihn nur ein Übergangsstadium. Obwohl auch in seiner Dichtung ein neues Lebensgefühl und ein neuer Formwille zum Ausdruck kommt, unterscheidet sich seine Sprache doch selbst in den leidenschaftlichen Liebesszenen von *Maria Capponi* noch beträchtlich von dem oft ekstatisch übersteigerten expressionistischen Stil. In den immer wieder eingefügten Naturschilderungen bedient Schickele sich häufig impressionistischer Mittel. Seinem Ideal, das Romanhafte in »*Farbe, Bewegung, Musik und einfache, widerspruchslose Menschlichkeit*« aufzulösen, kommen seine Schilderungen näher als die oft weit schwächeren, ausgesprochen erzählenden Teile. Die für seine Kunst bezeichnende Verbindung von Grazie, Ironie und Leichtigkeit des Stils und der Gesprächsführung mit bekenntnishafter Eindringlichkeit und Gründlichkeit der Problembehandlung verdankt der Dichter wohl der Tatsache, daß er als Elsässer mit der französischen und mit der deutschen Kultur in gleicher Weise vertraut war. – Wie fast alle seine Werke schrieb Schickele auch *Das Erbe am Rhein* deutsch. Schon in den zwanziger Jahren wurde er vielfach mißverstanden und angegriffen, im nationalsozialistischen Deutschland war er verfemt. G. H.

AUSGABEN: Mchn. 1925 (*Ein Erbe am Rhein*, 2 Bde.). – Mchn. 1926 (*Das Erbe am Rhein*, Bd. 1: *Maria Capponi*). – Mchn. 1927 (*Das Erbe am Rhein*, Bd. 2: *Blick auf die Vogesen*). – Bln. 1931 (*Das Erbe am Rhein*, Bd. 3: *Der Wolf in der Hürde*). – Köln/Bln. 1959 [recte 1960] (in *Werke*, Hg. H. Kesten u. A. Schickele, 3 Bde., 1). – Köln/Bln. 1965.

LITERATUR: O. Flake, *Schreibende Welt* (in NRs, 36, 1925). – E. Korrodi, »*Das Erbe am Rhein*« (in Die literar. Welt, 8. 1. 1926). – W. Hausenstein, *Südwesten. Zu S.s neuem Roman* (in Berliner Tageblatt, 11. 3. 1926). – H. Mann, *Der Roman v. R. S.* (in Die literar. Welt, 22. 10. 1926). – C. Conolly, *New German Novels* (in The New Statesman, 5. 5. 1928). – H. Kesten, *Grenzler und Europäer* (in Der Monat, 4, Juni 1952, S. 309–313). – P. K. Ackermann, *R. S. A Bibliography* (in Bulletin of Bibliography, 22, 1956).

ARNO SCHMIDT
(*1914)

KAFF AUCH MARE CRISIUM. Roman von Arno SCHMIDT (*1914), erschienen 1960. – Das Buch, das nach des Autors launigem Vorwort weder »Handlung« noch »tieferen Sinn« enthält und auch nicht als »Kunstwerk« zu betrachten ist, stellt trotz solcher Versicherungen das bisher gewichtigste erzählerische Werk Schmidts dar. Wie der Titel andeutet, spielt der Roman auf zwei Ebenen und in zwei Zeiten: einmal im Oktober 1959 in dem »Kaff« Giffendorf in der Lüneburger Heide, zum andern im Jahr 1980 auf dem Mond. »Kaff« kann aber in norddeutscher Mundart auch »Spreu« bedeuten, und solche Spreu des Schicksals sind die Menschen, die beide Schauplätze bevölkern und denen die Giffendorfer Dreschmaschine gleich zu Anfang ein rhythmisches »*Nichts Niemand Nirgends Nie!*« zurattert. Die auf der Erde angesiedelte Handlung läßt sich mit wenigen Worten umreißen: Karl Richter, Lagerbuchhalter und spleeniger Autodidakt, und seine schüchterne, sommersprossige Freundin Hertha Theunert sind für zwei Tage zu Besuch bei Karls sechzigjähriger, rüstiger und heidnisch-weltkluger Tante Heete, die die beiden »*S-tattflanzn*« mit kräftiger Kost und vielen dörflichen Anekdoten vollstopft. Karl und Hertha machen Spaziergänge in der Umgebung, besuchen eine von den Schulkindern des Dorfs veranstaltete Theateraufführung und stehen schließlich vor einer schwierigen Entscheidung: Tante Heete bietet ihnen an, zu ihr aufs Dorf zu ziehen; sie ist Witwe und hat Platz im Haus. Karl und Hertha würden auf dem Dorf gesünder leben, und vor allem könnte Karl seinen literarischen Interessen in aller Ruhe nachgehen. Alle drei fürchten aber auch das enge Zusammenwohnen und die sich daraus wahrscheinlich ergebenden Reibereien. Ob die beiden, deren Beziehungen zueinander auch nicht ohne Probleme sind, das Angebot Tante Heetes annehmen werden, bleibt offen; am Ende fahren sie wieder nach Hause nach Nordhorn.

Eingeflochten in diese Handlung ist eine Erzählung, die Karl sich ausdenkt und in Abschnitten Hertha vorträgt. Sie spielt im Jahr 1980 in diversen Mondkratern, in denen die wenigen tausend Menschen – Russen und Amerikaner – leben, die sich von der im Krieg zerstörten und noch immer atomar glühenden Erde gerettet haben. Höhepunkt der Geschehnisse auf dem Mond ist die Lesung eines von dem amerikanischen Poeten Frederick T. Lawrence verfaßten neuen »*umfassend-nazionalen Roman-Epos*«, was die Russen mit der Überreichung eines ebenfalls auf dem Mond entstandenen sowjetischen Heldenepos beantworten; das US-Epos entpuppt sich für den Leser als eine moderne Umdichtung des *Nibelungenlieds*, das russische Werk als eine Adaption von HERDERS *Cid*.

Die beiden Erzählebenen sind durch unzählige Verzahnungen, Stichworte und Anstöße miteinander verknüpft; optisch-typographisches Zeichen dieser Korrespondenzen und Übergänge ist, daß die beiden Kolumnen, die jeweils die ländliche Idylle und die lunare Utopie enthalten, nicht einfach nebeneinander stehen, sondern leicht ineinander geschoben sind. In Sprache und Erzähltechnik stellt der Roman eine höchst amüsante Synthese dar von altfränkisch-biederer Umständlichkeit und pfiffiger *up-to-dateness*, von Tradition und Revolution. Schmidt gibt nicht nur den Dialekt seiner Figuren (Platt, Schlesisch) in einer annähernd phonetischen Schreibung wieder, sondern schreibt insgesamt unter Verstoß gegen sämtliche Duden-Regeln; er erfindet Wortgebilde, wie etwa »*Roh-Mann-Tick*« für »Romantik«, »*gleich sex & firz ich*« für »gleich 46«, »*Begreepniß*« für »Begräbnis«, »*Ap-wex-lunk*« für »Abwechslung«, »*maulhängkolisch*« für »melancholisch«, und verwendet zudem ganze Batterien von Satzzeichen, um Redepausen, Mimik und Gestik der Personen anzudeuten. Die aller Orthographie spottenden

Schreibungen, angeregt von KLOPSTOCKS *Grammatischen Gesprächen* und James JOYCES *Finnegans Wake*, deuten einmal auf die kauzige Aufsässigkeit des Erzählers Karl, zum anderen auf die historischen Inkonsequenzen unserer Rechtschreibung, aus deren Unstimmigkeiten Schmidt witzig Kapital schlägt.
Im Gegensatz zu dem bisweilen schnoddrig-unbekümmerten Ton der früheren Romane Schmidts zeigt *Kaff auch Mare Crisium* eine Atmosphäre von zögernder Nachdenklichkeit, von nur leicht ironisch gebrochener Schwermut und Tiefsinnigkeit. Das Werk gehört nach Meinung H. HEISSENBÜTTELS in der modernen deutschen Literatur »*in den obersten Rang*«, und A. MOHLER rechnet es zu den »*wenigen epischen Höchstleistungen der deutschen Literatur seit 1945*«. J. Dr.

AUSGABE: Karlsruhe 1960.

LITERATUR: H. Maier, Rez. (in Frankfurter Rundschau, 14. 1. 1961). – H. Heissenbüttel, Rez. (in Deutsche Zeitung, 21. 1. 1961). – H. H. Kramberg, Rez. (in SZ, 4. 3. 1961). – Anon., Rez. (in Der Spiegel, 8. 3. 1961). – R. Hartung, Rez. (in Die Zeit, 28. 4. 1961). – H. Naber, Rez. (in Frankfurter Rundschau, 16. 6. 1961). – A. Mohler, Rez. (in Münchner Merkur, 24./25. 3. 1962).

NOBODADDY'S KINDER. Romantrilogie von Arno SCHMIDT (* 1914). Die Teile 2 und 3 (*Brand's Haide* und *Schwarze Spiegel*) erschienen 1951 unter dem Titel *Brand's Haide*; Teil 1 (*Aus dem Leben eines Fauns*) erschien 1953. Erst 1963 wurden die Romane unter dem neuen Titel und unter Auslassung zweier einleitender Gedichte als Trilogie publiziert. Den inneren Zusammenhalt der drei Kurzromane stiftet der Krieg, der allerdings nicht als Fronterlebnis, sondern in seinen Auswirkungen auf die Bevölkerung beschrieben, also von seiner schäbigsten und unheroischsten Seite sichtbar wird.
Der »Faun« des ersten Teils ist der fünfzigjährige Beamte Düring. Sein Wohnsitz ist der Heideort Cordingen, sein Arbeitsplatz das Landratsamt des Kreisstädtchens Fallingbostel. Als kühl registrierender, seiner Umwelt durch Intelligenz und Belesenheit überlegener Beobachter notiert Düring die Reaktionen der deutschen Kleinbürger bei Ausbruch des Zweiten Weltkriegs: Die kurzsichtige Kriegsbegeisterung seiner Kollegen, die Dummheit seiner Frau, die den Sohn unbedingt als Offizier sehen will, und die eitel-hochmütige Verblendung seiner Nazi-Vorgesetzten. Düring flüchtet aus seiner nur noch formal existierenden Ehe und vor der nationalsozialistischen »*Elefantiasis des Staatsbegriffes*« zeitweise in eine zweite Existenz. Wegen seiner lokalhistorischen Interessen zur Erforschung der Geschichte des Kreises Fallingbostel abgeordnet, kann er – dienstlich gedeckt – seinen antiquarischen Neigungen, dem Studium alter Pandekten, Landkarten und Akten frönen. Dabei entdeckt er, daß während der Napoleonischen Kriege ein französischer Soldat eine Deserteurs- und Faun-Existenz in Heide und Moor führte. Bei Streifzügen durch die Landschaft stößt Düring auf die alte Blockhütte des Franzosen, die er sich, quasi gleichfalls desertierend, als Refugium für sich und seine Freundin, die Primanerin Käthe, einrichtet. 1944, als der Krieg seinem Höhepunkt und Ende zugeht – Düring nimmt es mit ingrimmiger Befriedigung zur Kenntnis –, muß er seine Doppelexistenz aufgeben: Man hat seine Blockhütte entdeckt. Nachdem er mit Käthe dem Inferno eines Bombenangriffs auf eine nahe Munitionsfabrik entkommen ist, verbringt er eine letzte Nacht in seinem Schlupfwinkel und läßt ihn dann in Flammen aufgehen. – Der Protagonist des zweiten Teils ist Arno Schmidt selbst, der nach dem Krieg (1946) ebenfalls nach Cordingen verschlagen wurde und sich dort nun eine schriftstellerische Existenz aufbaut, wie Düring alte Handschriften studiert und an einer Biographie des Dichters Friedrich de LA MOTTE FOUQUÉ arbeitet (die dann in der Tat auch 1958 erschien). An einem Punkt weicht Schmidt, der seit 1937 verheiratet ist, in seinem Selbstporträt von der eigenen Biographie ab: Im Roman ist er unverheiratet und findet für wenige Monate eine Freundin, mit der zusammen er die Nachkriegsmisere zu bewältigen versucht. Mit Kaffee und amerikanischen Zigaretten organisiert man sich Tisch, Schrank, Kartoffeln und Schnaps, klaut Holz, sammelt Pilze und röstet Eicheln. Doch Lore hält die kümmerliche Existenz nicht aus, nutzt Verbindungen nach Mexiko und wandert aus. Er bleibt zurück, »*allein, hellgrau und frei, ni Dieu, ni Maitresse*«. – *Schwarze Spiegel*, die utopische Vision einer nun gänzlich zerstörten Welt, spielt im Jahr 1960, ebenfalls in der Lüneburger Heide, nach einem ABC-Krieg, der als Ereignis des Jahres 1955 vorausgesetzt wird. Einer der letzten überlebenden Menschen, ein Mann ähnlicher Interessen und ähnlich atheistischer und skeptischer Geisteshaltung wie die Hauptfiguren der vorangehenden Romane (sein Name wird nicht genannt), kommt auf Streifzügen durch das zerstörte Deutschland, das nur noch von menschlichen Skeletten bevölkert, von zerfallenden Häusern übersät ist und bald wieder von der Natur überwuchert sein wird, in die Heide, wo er sich, alle Zivilisationstrümmer ausbeutend, eine Hütte baut. Für kurze Zeit wohnt eine Frau bei ihm, die es aber bald weitertreibt. So bleibt er als ein Robinson, der seine ohnehin wütend-menschenfeindliche und melancholische Weltsicht durch den apokalyptischen Zustand der Erde nur bestätigt sieht, in einer absurd hoffnungslosen, doch mit grimmigem Trotz ertragenen Einsamkeit allein: »*Gegen Morgen kam Gewölk auf (und Regenschauer). Frischer gelber Rauch wehte mich an: mein Ofen! So verließ ich den Wald und schob mich ans Haus: der letzte Mensch.*«
Schmidt benutzt – wie in den meisten seiner Bücher – eine Erzähltechnik, in der das epische Kontinuum in kurze, einzeilige bis eine Seite lange »Raster« aufgesplittert wird, die eine Serie von Momentaufnahmen des Geschehens und Erzählerbewußtseins ergeben. In einer Mischform aus Ich-Erzählung und Innerem Monolog, mit leidenschaftlich genauem Blick fürs dingliche Detail, für Gesten und Tonfälle der Sprache seiner Figuren, reproduziert der Erzähler, der, in welchen Maskierungen auch immer, stets mit dem Autor identisch ist, die sich ihm zusehends verdüsternde und schließlich von menschlichem Wahnsinn zerstörte Umwelt. Die Menschen zeichnet er als teils böse, teils bedauernswerte »*Kinder keines Vaters*« (so ungefähr ist die englische Titelhälfte der Trilogie wohl zu übersetzen). Die Romane gehörten bei ihrem Erscheinen zu den sprachlich und erzähltechnisch avanciertesten der deutschen Nachkriegsliteratur; Schmidt versuchte – ähnlich wie Heinrich BÖLL in seinen frühen Romanen oder wie H. E. NOSSACK in *Nekyia* (1947) –, die Verzweiflung und den desorientierten Bewußtseinsstand der

Deutschen nach dem Krieg zu dokumentieren, indem er einen Stil entwickelte, der dem konventionellen Ideal des abgerundeten, ausgewogenen Erzählens hohnspricht. Dabei griff er etwa bei der Schilderung eines Luftangriffs – auf die zugespitzte, kühne Sprache der Expressionisten, insbesondere August STRAMMS und Albert EHRENSTEINS zurück.

Die Kritik reagierte überwiegend positiv, und wenn Schmidt wohl auch erst mit seinen späteren Werken wie *Kaff auch Mare Crisium* (1960) und *Kühe in Halbtrauer* (1964) die Höhe seines Könnens erreichte, so war es gerade diese Trilogie, mit der er die nach seinem Erstling *Leviathan* (1949) in ihn gesetzten Erwartungen erfüllte. J. Dr.

AUSGABEN: Hbg. 1951 *(Brand's Haide. Zwei Erzählungen).* Hbg. 1953 *(Aus dem Leben eines Fauns).* – Reinbek 1963 (Rowohlt Paperback, 23).

LITERATUR: H. Kasack, *Ein poetischer Seismograph* (in Neue Literarische Welt, 10. 1. 1952). K. A. Horst, *Auf der Suche nach der verlorenen Welt. »Aus dem Leben eines Fauns«* (in Merkur, 7, 1953, S. 1185–1189). J. Manthey, *A. S. und seine Kritiker. Bemerkungen zur Artistik in der Zeit* (in FH, 17, 1962, S. 408–416). – M. Rychner, *Der Erzähler A. S.* (in M. R., *Bedachte und bezeugte Welt*, Darmstadt/Hbg. 1962, S. 225–228). – H. Heißenbüttel, *Annäherung an A. S.* (in Merkur, 17, 1963, S. 289 bis 300). – E. Hora, *Materialistische Halbtrauer* (in Text u. Kritik, H. 20, 1968, S. 3–11).

ZETTELS TRAUM. Roman in acht Büchern von Arno SCHMIDT (*1914), erschienen 1970. – *Zettels Traum* ist Fluchtpunkt und Summe des gesamten bisherigen Werks des Autors; das monumental umfangreiche Buch – es enthält 1330 Seiten vom Format DIN A 3, die mehrspaltig beschrieben sind – ist Epos und Essay, Übersetzungstheorie und Dichterpsychographie zugleich, Fortführung und konsequente Zusammenfassung der erzähltechnischen und literaturtheoretischen Ansätze der früheren Bücher Schmidts, die nun, nach Erscheinen von *Zettels Traum*, wie Vorspiele und Fingerübungen zu diesem Riesenbuch erscheinen.

Die Handlung des Romans spielt an einem Sommertag des Jahres 1968, den die vier Hauptpersonen von 4 Uhr früh bis zum folgenden Morgen in dem Dörfchen Ödingen in der Celler Ostheide miteinander verbringen. Beim Ich-Erzähler Daniel Pagenstecher, dem in ländlichem Refugium in einem mit Büchern vollgestopften Haus lebenden gelehrten Schriftsteller und Übersetzer, sind das befreundete Übersetzerehepaar Paul und Wilma Jacobi und dessen sechzehnjährige Tochter Franziska zu Gast; die vier kennen sich, so lange sie denken können, und was sie diesmal zusammenführt, sind die Übersetzungsprobleme der Jacobis: Ihre Übertragung der Werke Edgar Allan POES bietet Anlaß, sich in einer Art Marathon-Symposion den lieben langen Tag immer wieder mit Werk und Gestalt Poes zu beschäftigen, und dieser Poe-Essay in Gesprächsform, meist gegen Zweifel und Einwände der Jacobis von Daniel Pagenstecher bestritten, gewinnt die gleiche Bedeutung wie das Tun und Treiben der Personen und ihr Verhältnis zueinander. Geschehnisse des Dorfalltags sind immer wieder der Anstoß zu Gesprächen über bestimmte Themen und Motive im Werk Poes, das seinerseits die Folie bildet für die zart-melancholischen Beziehungen des alternden Pagenstecher zur sechzehnjährigen Franziska, die dem literaturbesessenen Hagestolz noch einmal den Schmelz halbwüchsiger Weiblichkeit verlockend vorführt. Ähnlich wie Poe die dreizehnjährige Virginia Clemm heiratete, könnte Pagenstecher die »Kindsbraut«, das elfische, unsterblich in ihn verliebte Wesen zu sich nehmen, um so mehr, als Franziska sich mit ihrer Mutter schlecht versteht und die Jacobis in finanziellen Nöten sind. Doch Pagenstecher, einsiedlerisch, ängstlich und überdies weise die Komplikationen abwägend, die eine solche Verbindung angesichts seiner schwindenden Manneskraft mit sich bringen würde, entzieht sich schweren Herzens dem Werben Franziskas; durch eine beträchtliche Geldsumme sorgt er dafür, daß die Jacobis ihr Abitur und Studium ermöglichen können. Die Bedingung, die dieser Pakt mit Franziskas Eltern enthält: Franziska darf ihn, Pagenstecher, nie wiedersehen. In der Frühe des folgenden Tages, als Pagenstecher sich unter dem Vorwand, der dörflichen Feuerwehr bei einem Brand assistieren zu müssen, entfernt hat, verlassen die Jacobis mit ihrer Tochter das Dorf und kehren nach Lünen/Westfalen zurück.

Diese Personenkonstellation war schon vorgezeichnet in Schmidts Erzählung *Die Wasserstraße* aus dem Buch *Kühe in Halbtrauer* (1964): Hier entsagt der Erzähler einer Romanze mit der sechzehnjährigen Hel. Auf der Ebene der Literaturtheorie ist Schmidts Untersuchung *Sitara und der Weg dorthin* (1963), eine psychoanalytische Studie von Werk und Person Karl MAYS, das Vorspiel zu *Zettels Traum.* Wie Schmidt aus der Biographie und den Schriften Mays ein Psychogramm seiner Persönlichkeit abzuleiten suchte (mit dem Ergebnis, daß May wahrscheinlich latent homosexuell gewesen sei und daß diese unterdrückte Triebrichtung Spuren in seinem Wortschatz und seinen Romanfiguren hinterlassen habe), so versucht nun Schmidts *alter ego* Daniel Pagenstecher an Poes Schriften die psychoanalytische Sonde anzulegen. Gegen den – allerdings immer mehr schwindenden – Widerstand der Jacobis, insbesondere Wilmas, die ihr idealisch-reines Bild Poes retten will, entwickelt er seine *»Etym-Theorie«*, ein tiefenpsychologisch-spekulatives Theorem, das er an den Erzählungen, Gedichten und Rezensionen Poes zu exemplifizieren sucht. Gestützt auf die Darlegungen Sigmund FREUDS in der *Traumdeutung* (1900) und der *Psychopathologie des Alltagslebens* (1901), behauptet Pagenstecher, Poes Sprache und Bilderwelt in den poetischen Werken verrate eine darunter liegende Schicht von »eigentlich« (im Unbewußten) gemeinten sexuellen Vorstellungen, wenn man sie auf *»Etyms«* abhorche, das heißt auf Wortgruppen, die durch Klangähnlichkeit gebündelt sind, wobei jeweils das Wort, welches eine dem Über-Ich zulässige, »anständige«, poetische Bedeutung habe, die psychische Zensur passierte, während »unanständige« (aber dem psychoanalytisch geschulten Ohr durch die Klangähnlichkeit assoziierbare) Worte verdrängt, überformt, »sublimiert« wurden. So vermutet Pagenstecher hinter »Pallas« ein unbewußtes »Phallus«, hinter »pen« ein verstecktes »Penis«, hinter »true« und »whole« ein »trou« (französisch, Loch) und »hole« (ebenfalls, englisch, Loch), hinter der Silbe »con« das englische »cunt« (Vagina) usw. Das Aufspüren der unbewußten Wort- und Bilderwelt Poes erfolgt aber nicht nur über Einzelwörter, über die als *»Graue Eminenzen«* und *»Schaltstellen«* des Gehirns bezeichneten *»Etyms«*, sondern auch über obsessiv in Poes Erzählungen wiederkehrende Szenen, Gegenstände, Pflanzen, Landschaftsformationen etc., deren Form, Farbe und andere optische und haptische Qualitäten sie im Sinne der psychoanalytischen Symbolik bedeutungsträchtig erscheinen lassen. Pagenstecher gelangt auf diese Weise zu einem sehr düsteren Psychogramm Poes; wenn man seiner Theorie glauben darf, so war dieser ein impotenter, syphilitischer Voyeur mit einer starken Neigung zur Koprophilie. Seiner weitausgreifenden Theorienbildung setzt Pagenstecher die Krone auf, indem er erklärt, neben den drei von Freud behaupteten Instanzen der Persönlichkeit (Es, Ich und Über-Ich) noch eine »*4. Instanz*« gefunden zu haben, eine psychische Instanz, die sich bei intelligenten Menschen ungefähr vom 50. Lebensjahr an bilde und die es übernehme, Sexualität, die real nicht mehr gelebt werden kann, in bewußt schalkhafte Wortspiele zu sublimieren, in witzig-doppeldeutige Anspielungen umzubiegen. Pagenstechers Kronzeugen für diese Theorie sind James JOYCES Sprachbehandlung in *Finnegans Wake* und Laurence STERNES anzügliche Wortwitze im *Tristram Shandy*. Es versteht sich von selbst, daß der ebenso selbstkritische wie, in anderen Dingen, selbstbewußte Daniel Pagenstecher sich zu den großen altersweisen Schriftstellern rechnet, die den trickreichen Mechanismen des Unbewußten nicht anheimfallen, sondern daraus sprachwitziges Kapital schlagen, damit aber im beginnenden Alter noch einmal künstlerisches Format zeigen. – Gebrochen und relativiert, dadurch aber auch in seiner – ohnehin zumindest problematischen – Gültigkeit in der Schwebe gehalten, wird das Psychogramm Poes dadurch, daß Daniel Pagenstecher und der immer begeisterter zustimmende Paul Jacobi an Poe vielleicht nur das erkennen, was in ihnen selbst ist: Beide sind von beginnender Impotenz und von Voyeurtum getriebene ältere Herren, die ihren eigenen Zustand in Poe hineinprojizieren. Umgekehrt erklärt sich Wilma Jacobis Widerstand gegen Pagenstechers Poe-Bild daraus, daß sie, eigentlich schon zu alt dafür und überdies in schwierigen materiellen Umständen lebend, noch einmal schwanger geworden ist und daher einen starken Widerstand gegen alle Sexualität entwickelt, was auch erklärt, warum sie ihre ständig mit Pagenstecher tändelnde Tochter immer wieder scharf zur Tugend mahnt.

Die außerordentlichen Schwierigkeiten, die die Lektüre von *Zettels Traum* bereitet, liegen nicht so sehr im Umfang des Buches, auch nicht in der zwar stark gedehnten, in den Grundzügen aber leicht überschaubaren Handlung und auch nicht in der dem mit Freuds Schriften vertrauten Leser durchaus verständlichen Etym-Theorie. Längere Eingewöhnung erfordern vielmehr: 1. die »Spaltentechnik« des Buches, d. h. die Aufspaltung des Textes jeder einzelnen Seite in drei – wechselnd umfangreiche – Textstränge, 2. die ungewöhnliche Orthographie und Interpunktion und 3. die unzähligen, zum Teil fremdsprachigen Zitate, Randbemerkungen, Anspielungen und Querverweise, die das Buch durchziehen. Die einzelne Seite des – übrigens nicht gedruckten, sondern photomechanisch nach dem Typoskript des Autors vervielfältigten – Buches enthält in der Regel einen Haupt-Textstrang, der auf der Mitte der Seite verläuft und der »realen« Handlung, dem Tun, Erleben und Sprechen der Figuren, vorbehalten ist, links davon eine schmale Spalte für jene Zitate aus den Werken Poes, die die Personen gerade assoziieren, und rechts davon eine ebenfalls schmalere Spalte für die persönlichen Einfälle, Gedankenspiele und Randbemerkungen des Erzählers Pagenstecher, die weitgehend – und oft in autobiographisch sehr aufschlußreicher Art – mit denen Arno Schmidts gleichgesetzt werden können. Der über die Seite mäandrierende Text – je nachdem, ob das Hauptinteresse gerade Poe, der Realität oder den Gedankenspielen des Erzählers gilt, kann der Haupt-Textstrang auch rechts oder links verlaufen – ist in einer Orthographie abgefaßt, die, ebenso wie die Interpunktion, allen Duden-Regeln hohnspricht: Die Wörter sind häufig phonetisch (wenn auch mit dem normalen Alphabet) aufgezeichnet, oft aber erscheinen auch ähnlich zweideutige Wortbastarde wie in Joyces *Finnegans Wake*. Als Beispiel diene der Titel des IV. Buches von *Zettels Traum: Die Geste des Großen Pun*. Das läßt sich lesen als »Die Gäste des Großen Pan«, aber auch als »The jests of the great pun« (Die Taten des großen Wortspiels), des weiteren als »Die Späße der großen Feder« und als »Die Gesten des großen Herrn Penis« (je nachdem, welche deutschen, französischen und englischen Klänge und Bedeutungen man assoziiert oder unterschiebt). Und schließlich wird die Aufmerksamkeit vom Haupttext immer wieder abgelenkt durch die in alle Spalten und auf alle Seiten verstreuten, im Gespräch der Personen oder in freier Assoziation des Erzählers eingeführten Zitate aus der psychoanalytischen Fachliteratur, der deutschen, englischen und französischen Literatur von Johann FISCHART über Lewis CARROLL bis Jules VERNE, aus Opern- und Operettentexten, aus Singspielen und Vaudevilles von Mozart bis Offenbach, aus Bücherkatalogen und Reklametexten; zum Teil sind Herkunft und Funktion der Zitate und Einschiebsel sofort erkennbar, zum Teil aber bleibt ihre Provenienz dunkel und ihre Funktion in der Schwebe. Und schwierig bleibt es schließlich, den Grad der Fiktionalität vieler Szenen des Buches richtig einzuschätzen, denn es gibt zwar auf weite Strecken eine »reale« Ebene der Handlung, doch wandelt sich die Szene bisweilen ins Phantastische, ins Träumerische und Gedankenspielerische, und schließlich tauchen in weitgehender Suspendierung von realistischen Zeit- und Raumkategorien vor allem in den Büchern IV und VII die Sirene Ligeia, antike Seegötter, neapolitanische Schiffer und schließlich sogar, in seltsamer Vermummung, Edgar Allan Poe selbst auf, der kurz, auf einem zum Walpurgisspuk und grandiosen Panoptikum aller sexuellen Perversionen umgedeuteten Jahrmarkt, mit Pagenstecher und Jacobi konfrontiert wird, um sich dann ebenso schnell, entsetzt von Pagenstechers Deutungen seines Seelenlebens, wieder in Nichts aufzulösen. Auf diesen traumhaften Charakter des ganzen Romans verweist auch der Titel, der nicht nur ironisch auf die 120000 Notiz-»Zettel« deutet, auf die Schmidt vor und bei der Niederschrift des Buches Einfälle und Stichworte notiert hatte, sondern auch auf die Traumerzählung Zettels, des Webers in SHAKESPEARES *Sommernachtstraum*, anspielt: »*Ich hab' ein äußerst rares Gesicht gehabt! Ich hatt' nen Traum – 's geht über Menschenwitz, zu sagen, was es für ein Traum war*« – dieses Zitat hat Schmidt dem Buch als Motto vorangestellt.

Einstweilen geht es auch über Kritikerwitz, zu sagen, was für ein Buch *Zettels Traum* sei. Die ersten Rezensionen und Aufsätze über das Werk, an dem Schmidt – selbst ein hervorragender Kenner und Übersetzer Poes – 1963 zu arbeiten begann und dessen Niederschrift vier Jahre – von 1965 bis Anfang 1969 – dauerte, sind im Grund nur Zeugnisse des tastenden Versuches, sich in dem Labyrinth zurechtzufinden. Schmidt selbst setzte die Schwierigkeit der Lektüre so hoch an, daß er die Meinung äußerte, nur etwa 400 Leser würden das Buch nach vieler Mühe verstehen können. Fraglos wird kaum je alles entschlüsselt werden können, was an Bedeutungen und Anspielungen in dem Roman steckt, der von einem System von einander auslösenden, aufeinander verweisenden, leitmotivisch funktionierenden Zitaten durchzogen ist. Das ist die eine, die quasi philologische Seite. Auf der anderen Seite wird es wahrscheinlich bald möglich sein, gerechter, zu beurteilen, ob – abgesehen von dem unvergleichlichen Reichtum im Detail und der ingeniösen poetischen Mikrostruktur – auch die Gesamtkonstruktion des Buches tragfähig ist, die ja nicht nur bei der ersten, sondern wohl auch noch bei der zweiten und dritten Lektüre nur in Umrissen deutlich wird. Klar ist bis jetzt, daß in manchen Passagen die Handlung auf der Stelle tritt, ja sich bis zum Fadenscheinigen verdünnt, weil die Erörterungen zur Psychographie Poes ganz in den Vordergrund treten; außerdem entsteht im Verlauf des Buches natürlich auch, da viele Passagen stark bekenntnishafte Züge tragen, ein Psychogramm Arno Schmidts, das von der großen Ehrlichkeit des Verfassers, aber auch von seinen Schwächen, Ressentiments, Skurrilitäten und seinen unreflektiert-verhärteten Einstellungen gegenüber vielen Erscheinungen der Gegenwart und vor allem gegenüber bestimmten Bevölkerungsgruppen (Hippies, Studenten, Bauern, usw.) zeugt. Und schließlich müßte das Buch, nimmt man die darin entfaltete literaturpsychologische Theorie ernst, auch unter wissenschaftlichen Aspekten geprüft werden: Für eine kritische Bewertung der Etym-Theorie dürfte wohl kaum die Literaturwissenschaft zuständig sein. Dennoch stieß das Buch, das in Deutschland die literarische Sensation des Jahres 1970 war, auf ein so starkes Interesse, daß die zwangsläufig sehr teure Erstausgabe nach wenigen Monaten vergriffen war und daß ein Berliner Kollektiv von Raubdruckern im Herbst 1970 einen gegenüber der Originalausgabe stark verkleinerten Piratendruck wagen und ihn, vor allem an Studenten, vollständig verkaufen konnte. J. Dr.

Ausgabe: Stg. 1970.

Literatur: K.-H. Kramberg, Rez. (in SZ, 25./26. 4. 1970). – K. Podak u. R. Vollmann, Rez. (in Stuttgarter Zeitung, 8. 8. u. 24. 9. 1970). – H.-B. Moeller, *Perception, Word-Play, and the Printed Page: A. S. and His Poe Novel* (in Books Abroad, Jan. 1971, S. 25–30). – H. Heißenbüttel, *»Zettels Traum« als dickes Buch* (in Text und Kritik, Mai 1971, Nr. 20, S. 15–20). – Horst Denkler, *Das heulende Gelächter des Gehirntiers* (in Basis, 2, 1972, S. 246–259).

REINHOLD SCHNEIDER
(1903–1958)

LAS CASAS VOR KARL V. Szenen aus der Konquistadorenzeit. Erzählung von Reinhold Schneider (1903–1958), erschienen 1938. – Während der Arbeit an seinem Werk *Das Inselreich. Gesetz und Größe der britischen Macht* (1936) faßte Schneider den Plan einer Biographie des spanischen Hidalgo und Dominikanermönchs Fray Bartolomé de Las Casas (1474–1566), des leidenschaftlichen Streiters für die Gleichberechtigung der Indios in den amerikanischen Kolonien gegen die mit dem Missionsauftrag unvereinbare Ausbeutung und den Völkermord durch die spanische Conquista (vgl. *Brevissima relacion de la destruycion de las Indias* und *Historia general de las Indias*). Schneider griff den Stoff, diese *»Tragödie der Expansion«* bewußt auf als *»die Möglichkeit eines Protestes gegen die Verfolgung der Juden«* (so der Autor in *Verhüllter Tag*, 1954) und verarbeitete ihn entgegen dem ursprünglichen Vorhaben zu der um die Mitte des 16. Jh.s spielenden historischen Erzählung. – Im Unterschied zu Schneiders Geschichtsdeutungen wird hier die Genauigkeit des historischen Details, vor allem die der Chronologie zugunsten einer fast dramatisch anmutenden Szenenfolge aufgegeben, die jedoch trotz häufiger Mono- und Dialoge ihren epischen Charakter nie verleugnet: »Szenen«, Berichte aus der Vergangenheit, Schilderungen und Reflexionen aus der Erzählgegenwart werden von einem anonym bleibenden Erzähler in den Sinnzusammenhang des epischen Vorgangs eingeordnet. Da dieser Erzähler fast ausschließlich aus der Perspektive des Helden Las Casas urteilt, bewirkt er weniger kritische Distanz als verpflichtende Nähe und mitleidendes Engagement des Lesers. Auffällig ist die sich kunstvoll mehr und mehr verzahnende Zweisträngigkeit der Handlungsführung. Die Erzählung beginnt mit der Einschiffung des Mönches Las Casas in Veracruz nach Spanien, wo er den Kaiser für einen grundsätzlichen Wandel in der Kolonialpolitik gewinnen will. Die geschichtlichen Voraussetzungen und gegenwärtigen Zustände in den »Neuen Indien« erfährt der Leser weniger von ihm als aus den stockend und zunehmend in Form von Beichtgeständnissen vorgetragenen Erinnerungen und szenischen Rückblenden seines zufälligen Reisegefährten Bernardino de Lares, dem die größten Teile des ersten und des zweiten, in Valladolid spielenden Kapitels gewidmet sind. Der Lebensrückblick des körperlich und seelisch zerquält heimkehrenden Konquistadors veranschaulicht, was Las Casas bekämpft, und dient so der Vorbereitung der eigentlichen Mitte des Buches, der großen – historisch belegten – Disputation vor Karl V. im dritten Kapitel, in der Bernardino, der ehemalige Gegner, als Zeuge des Las Casas zugleich beispielgebend die von diesem geforderte kompromißlose Umkehr seiner menschlichen und religiösen Existenz vollzieht. Las Casas, der in dieser, einer Gerichtsverhandlung ähnelnden Disputation gegen den Staatsrechtler und Verteidiger der spanischen Herrenrechte Juan Ginés Sepulveda als Naturrechtler für die unschuldigen Unterdrückten eintritt, kämpft ja zugleich für die seelische Rettung der Schuldigen, denn solange die Machtpolitik des sich als rassisch »höher geartet« verstehenden spanischen Volkes gegenüber den »minderen« Indios anhalte, müsse es verrohen und am eigenen Unrecht ersticken. Die Erzählung endet im vierten Kapitel mit dem triumphlosen Sieg des Mönchs, der Verkündigung der »Neuen Gesetze« (*Leyes Nuevas*, 1542). Las Casas nimmt die schwere Mission an, sie als Bischof von Chiapa in Mexiko zu verbreiten.
Schneider schrieb den *Las Casas vor Karl V.* zur Zeit seiner Reversion zum Katholizismus; Geschichte wird jetzt unter heilsgeschichtlichem Aspekt als Widerspiel von *Macht und Gnade* (1940), Schuld und Glauben gesehen, die irdische Macht rückt an die von ihrer Verantwortlichkeit vor Gott gesetzte Grenze. Doch nicht nur durch diese

religiöse Thematik ist die Erzählung ein eminent politisches Buch, ein Zeugnis literarischen Widerstands und politischer Bewußtseinsbildung unter der Tarnkappe eines historischen Stoffes zur Zeit der nationalsozialistischen Gewaltherrschaft: In der Methode der indirekten Anspielung schildert Schneider die Greueltaten der Conquista wie Verbrechen in deutschen Konzentrationslagern, entlarvt er die mit der Konstruktion rassischer Wertunterschiede versuchte Scheinrechtfertigung der Machthaber sowie die von Sepúlveda vertretene These, Recht sei, was dem Staate nütze. Darüber hinaus zeigt Schneider seinem zeitgenössischen Leser, sofern dieser die Camouflage differenzierend zu durchdringen verstand, daß die Möglichkeit wenigstens zur persönlichen Umkehr immer gegeben sei. H. W.

AUSGABEN: Lpzg. 1938. – Lpzg. 1955. – Ffm./Bln. 1962 (Ullstein-Tb., 9). – Ffm. 1962 (IB, 741).

LITERATUR: H. U. v. Balthasar, *R. S. Sein Weg u. sein Werk*, Köln/Olten 1953 [m. Bibliogr.]. – W. Zimmermann, *R. S. »Las Casas vor Karl V.«* (in W. Z., *Deutsche Prosadichtungen der Gegenwart. Interpretationen*, Bd. 3, Düsseldorf 1960, S. 156 bis 192). – H. v. Koenigswald, *Die Gewaltlosen. Dichtung im Widerstand gegen den Nationalsozialismus*, Herborn 1962, S. 48–58. – W. M. Beer, *Macht u. Verantwortung. Die Verwaltung der Macht im Werk R. S.s als erzieherisches Anliegen unserer Zeit*, Paderborn 1966 (Schriften zur Pädagogik u. Katechetik, 15; Diss. Mchn. 1962). – B. Scherer, *Tragik vor dem Kreuz. Leben u. Geisteswelt R. S.s*, Freiburg i. B. 1966.

ARTHUR SCHNITZLER
(1862–1931)

LIEBELEI. Schauspiel in drei Akten von Arthur SCHNITZLER (1862–1931), Uraufführung: Wien, 9. 10. 1895, Burgtheater. – Theodor und Fritz, zwei junge, wohlhabende Wiener Militärs, verbringen mit ihren Freundinnen Mizi und Christine in Fritzens Wohnung eine stimmungsvolle Soirée – bei Kerzenlicht, leiser Klaviermusik und belangloser Konversation. Theodor, der mit der lebenslustigen Mizi liiert ist, hat seinem Freund – als Erholung von der strapaziösen »Liebestragödie« mit einer verheirateten Frau aus der »guten« Gesellschaft – eine kleine, unverbindliche »Liebelei« mit Christine Weiring, der naiven Tochter eines städtischen Theatermusikers, verordnet. Die Gesinnung, die der Verniedlichungsform »Liebelei« und dem legeren Konversationston innewohnt, offenbaren Theodors thesenhaft formulierte Maximen: »*Die Weiber haben nicht interessant zu sein, sondern angenehm ... Erholen! Das ist der Sinn. Zum Erholen sind sie da.*« Für Fritz, labiler aber auch sensibler als Theodor, bedeutet Christine die Möglichkeit, seinem monotonen, unerfüllten Alltag – »*Ich geh' in Vorlesungen – zuweilen – dann geh ich ins Kaffeehaus ... dann les' ich ... manchmal spiel' ich auch Klavier – dann plauder' ich mit dem und jenem – dann mach' ich Besuche ...*« – in augenblickshaften Glückserlebnissen zu entfliehen. Strikt verbittet er sich beim Tête-à-tête mit Christine alles, was diesem Vorhaben im Wege steht – etwa ihre besorgten Fragen nach jener mysteriösen »Dame in Schwarz«, mit der Fritz im Theater gesehen wurde: »*Gefragt wird nichts. Das ist ja gerade das Schöne. Wenn ich mit dir zusammen bin, versinkt die Welt – punktum.*« Das Kontinuum der Zeit ist für Fritz in ein Zufallsmosaik unzusammenhängender Augenblicke zerfallen; Glück ist nur denkbar als Stillstand, als Verewigung des Augenblicks: Denn der »Augenblick« ist die »*einzige Ewigkeit*«, so argumentiert Fritz, »*die wir verstehen können, die einzige, die uns gehört*«. Dieses Bewußtsein, daß die Wirklichkeit ungreifbar und nur momentweise zugänglich sei, steht, wie im lyrisch-dramatischen Werk des jungen HOFMANNSTHAL (vgl. *Der Kaiser und die Hexe* und *Das Kleine Welttheater*), in thematischem Zusammenhang mit einer radikalen Sprachskepsis: Fritz glaubt nicht mehr an die »*großen Worte*«, die das Geheimnisvolle der Augenblickserfahrung zerstören (»*Sprich nicht von Ewigkeit*«); er glaubt einzig an die »Stimmung«, daran, daß es »*vielleicht Augenblicke*« gibt, »*die einen Duft von Ewigkeit um sich sprühen*«, sei diese Aura auch nur Schein und Lüge.

Jäh wird die inszenierte Gemütlichkeit gestört, als ein »unbekannter Herr« erscheint, der Gatte jener »Dame in Schwarz«. Kompromittierende Liebesbriefe Fritzens hat er als Beweismaterial mitgebracht. - Barsch, in kaltem Zorn, spricht er in einer kurzen Unterredung unter vier Augen die unvermeidliche Duellforderung aus. Fritz zweifelt nicht daran, daß dies sein Todesurteil bedeutet. – Der zweite Akt spielt in der kleinbürgerlichen Dachwohnung, die Christine mit ihrem Vater bewohnt. Frau Binder, eine Strumpfwirkerin aus der Nachbarschaft, die ihre Umwelt mit »guten« Ratschlägen tyrannisiert, versucht Christines Vater von den Vorteilen einer Ehe seiner Tochter mit einem Cousin zu überzeugen, der »*so ein honetter junger Mensch*« sei; »*jetzt ist er sogar fix angestellt ... mit einem ganz schönen Gehalt*«. Der einsichtige Vater Christines aber weist diese trostlose Aussicht auf ein Leben »*ohne Glück und ohne Liebe*« zurück. Schnitzler erkennt, mit einem unbestechlichen Blick für Korrespondenzen im Gefüge der zeitgenössischen Gesellschaft, die Verwandtschaft von Frau Binders Prüderie und Mizis erotischer Leichtlebigkeit: Beide betrachten die Beziehung zum Mann vornehmlich unter dem Aspekt von Rentabilität und Profit; Frau Binder findet den »*schönen Gehalt*« ihres biederen Cousins ebenso imponierend wie Mizi die »schön« und »prachtvoll« eingerichtete Wohnung von Fritz. Mit bissigen Anspielungen zieht Frau Binder sich zurück, als Christine nach Hause kommt und über Kopfweh klagt. Fritz ist zum verabredeten Rendezvous nicht erschienen. Plötzlich jedoch, gepackt von »*einer solchen Sehnsucht nach dem lieben süßen Gesichtel*«, steht er vor der Tür und läßt sich, unter dem Vorwand, kurzfristig verreisen zu müssen, in Wirklichkeit aber um Abschied für immer zu nehmen, Christines Zimmer zeigen. Das Interieur dieses Raums – kleinbürgerliches Mobiliar mit künstlichen Blumen, Schubertbüste und kleiner Bibliothek – verklärt sich in den Augen des Todgeweihten zur Stätte paradiesischen Geborgenseins. Gleichzeitig behauptet sich in ihm hartnäckig das Wissen um die abgründige Scheinhaftigkeit dieser Idylle: »*O Gott, wie lügen solche Stunden!*« – Zwei Tage später erfährt Christine durch Dritte, daß sie für Fritz »*nichts gewesen als ein Zeitvertreib*«. Er hat sich im Duell »*für eine andre niederschießen lassen*« und ist bereits begraben. »*Indem er an einer Lüge stirbt, wird sie inne, daß sie von einer Lüge gelebt hat*« (H. Bahr). Verzweifelt stürzt Christine aus dem Zimmer, um sich den Tod zu geben.

Schnitzlers Schauspiel, dessen beiläufiger Konversationston sich im letzten Akt unversehens zu eindringlicher Unmittelbarkeit verdichtet, als in Christines jäh ausbrechender Verzweiflung der tragische Kern dieser scheinbar flüchtigen Beziehung enthüllt wird, erreicht mit diesen Szenen eine Dimension, die weit über den unmittelbaren, präzis faßbaren Zeitbezug hinausreicht. Es ist, der Figurenkonstellation und Thematik nach, ein später Nachfahr der – Ende des 19. Jh.s bereits historisch gewordenen – Gattung des bürgerlichen Trauerspiels (vgl. *Kabale und Liebe*). Das tragische Scheitern der leidenden Bürgermädchen bei LESSING und SCHILLER enthält jedoch stets einen versöhnenden Aspekt: Die Heldin durchschaut, kraft eines Bewußtseinsaktes, die Ausweglosigkeit ihrer Lage und verklärt den eigenen physischen Untergang zur Utopie eines von den Zwängen der Gesellschaft befreiten Individuums. Bei Schnitzler dagegen steht am Ende, wie in Gerhart HAUPTMANNS frühen naturalistischen Dramen (vgl. *Vor Sonnenaufgang* und *Die Ratten*), Ratlosigkeit und Verzweiflung. Alle Beteiligten sind in einem vom Individuum her nicht mehr aufhebbaren Schuldzusammenhang verstrickt. Die Übermacht des Anonymen, dem der einzelne ausgesetzt ist und erliegt, hält allegorisch ein Bild in Christines Zimmer fest; es zeigt »*ein Mädel*«, das »*schaut zum Fenster hinaus, und draußen ... ist der Winter*«. Das Bild heißt: »Verlassen«. KLL

AUSGABEN: Bln. 1896. – Bln. 1912 (in *GW*, 2 Abt., 9 Bde., 1912–1922; Abt. 2: *Die Theaterstücke*, Bd. 1). – Ffm. 1962 (in *Die dramatischen Werke*, 2 Bde., 1). – Cambridge 1966 (*Liebelei, Leutnant Gustl, Die letzten Masken*, Hg., Einl. u. Anm. J. P. Stern).

VERFILMUNGEN: Österreich 1911 (Regie: J. u. L. Fleck). – Dänemark 1913 (Regie: Holger-Madsen). – Deutschland 1926/27 (Regie: J. u. L. Fleck). – Schweden 1927 (Regie: G. Molander). – Deutschland 1933 (Regie: M. Ophüls). – *Christine*, Frankreich/Italien 1958 (Regie: P. Gaspar-Huit).

LITERATUR: A. Salkind, *A. S. Eine kritische Studie über seine hervorragendsten Werke*, Bln./Lpzg. 1907, S. 35–43. – G. Boner, *S.s Frauengestalten*, Diss. Zürich 1930. – H. Singer, *Zeit u. Gesellsch. im Werk A. S.s*, Diss. Wien 1948. – S. M. Polsterer, *Die Darstellung der Frau in A. S.s Dramen*, Diss. Wien 1949. – R. Müller-Freienfels, *Das Lebensgefühl in A. S.s Dramen*, Diss. Ffm. 1954. – M. P. Kammeyer, *Die Dramaturgie von Tod u. Liebe im Werk A. S.s*, Diss. Wien 1960. – O. Seidlin, *A. S.s »Liebelei«. Zum 100. Geburtstag des Dichters* (in GQ, 35, 1962, S. 250–253). – L. B. Foltin, *The Meaning of Death in S.'s Works* (in *Studies in A. S.*, Hg. H. W. Reichert u. H. Salinger, Chapel Hill 1963, S. 35–44). – G. Just, *Ironie und Sentimentalität bei A. S.*, Bln. 1967 (Philol. Studien und Quellen, 42).

LIEUTENANT GUSTL. Novelle von Arthur SCHNITZLER (1862–1931), erschienen 1900. – Diese ätzende Satire Schnitzlers auf den Ehrenkodex des k. und k. Offizierskorps, den er als »*naive Heuchelei*« (Brief an G. BRANDES vom 25. 4. 1901) bezeichnete, brachte ihrem Autor den Verlust der Offizierscharge ein. – Mit *Lieutenant Gustl* hat Schnitzler die epische Technik des sogenannten »inneren Monologs« als erster in die deutsche Literatur eingeführt. Die vertiefte Darstellung der menschlichen Psyche, die diese Erzählform ermöglicht, korrespondiert der bereits vor 1900 einsetzenden wissenschaftlichen Erforschung des Unbewußten. So hatte Ernst MACH mit seinem »Empiriokritizismus« das reflektierende Ich nicht als eine rational ordnende Einheit, sondern als ein Aggregat von disparaten Empfindungen und Vorstellungen beschrieben. Voraus ging NIETZSCHES kulturkritische Analyse, die an der europäischen »*décadence*« die »*Lust an der Nuance*« als »*eigentliche Modernität*« hervorhob. Gleichzeitig mit Schnitzlers Erzählung erschien FREUDS epochemachende Schrift *Traumdeutung* (1900). Persönliche Erfahrungen des Autors als Nervenarzt kamen hinzu. Unmittelbares, formales Vorbild aber war für Schnitzler ein französischer Roman aus der Belle Époque: *Les lauriers sont coupés* von Edouard DUJARDIN.

In vorausgegangenen Erzählungen hatte Schnitzler den inneren Monolog nur passagenweise verwendet, im *Lieutenant Gustl* hingegen wird er zum übergreifenden Erzählprinzip; die äußere Handlung ergibt sich nur aus dem unwillkürlichen, motorischen Reflexionsstrom der Hauptfigur: Ein österreichischer Leutnant in Wien ist glücklich einem langweiligen Konzert entronnen, wird an der Garderobe seiner plumpen Arroganz wegen von einem »*satisfaktionsunfähigen*« Konzertbesucher »*dummer Bub*« geheißen, weiß dieses Vorkommnis nicht mit seiner »*Ehre*« zu vereinbaren und beschließt deshalb, sich am nächsten Morgen »*gleich eine Kugel vor den Kopf*« zu schießen. Er verbringt die Nacht im Prater, geht bei Tagesanbruch in sein Stammcafé, um vor dem »*Totsein*« noch einmal zu frühstücken, und erfährt dort, daß sein Beleidiger um Mitternacht am Schlagfluß gestorben ist. Durch dieses »*Mordsglück*« sieht sich der Leutnant von Schmach und Schande befreit – und kann weiter in den Tag hinein leben. In einer nervös flackernden Sprache erscheinen diese wenigen Vorgänge nur als Spiegelungen von sich durchkreuzenden Erinnerungsfetzen, gebrochenen Stimmungsmomenten, sensorischen Reizen, fragmentarischen Redensarten und eingedrillten Phrasen. Der Erzähler tritt scheinbar zurück und läßt die Figur objektiv, ohne Vermittlung hervortreten. Die willkürlich anmutende Folge von disparaten Assoziationen ist durchsetzt mit leitmotivisch wiederkehrenden Schlagworten, die das aggressive Kastendenken des von der »Angst« um seine gesellschaftliche Position umgetriebenen, unheldischen Helden verraten. Es entsteht eine Satire, die, ohne zu kommentieren oder Wertmaßstäbe zu setzen, allein durch das sich selbst darstellende Bewußtsein des Leutnants, Gustl und seine Welt der Lächerlichkeit preisgibt.

Der innere Monolog wurde von Schnitzler später, vor allem in der Novelle *Fräulein Else* (1924), noch weiter verfeinert, was HOFMANNSTHAL dem Freund ausdrücklich bestätigte: »*Ja, so gut Leutnant Gustl erzählt ist, Fräulein Else schlägt ihn noch; das ist innerhalb der deutschen Literatur wirklich ein Genre für sich, das Sie geschaffen haben*« (Brief an Schnitzler vom 3. 6. 1929). Weitergeführt wurde dieser Erzählstil weniger in der deutschen (Alfred DÖBLIN) als in der angelsächsischen Literatur (James JOYCE, Virginia WOOLF). W. F. S.

AUSGABEN: Wien 1900 (in Neue Freie Presse, Dez., Weihnachtssuppl.). – Bln. 1901 [Ill. M. Coschell]. – Bln. 1912 (in *GW*, 2 Abt., 9 Bde., 1912–1922; Abt. 1: *Die erzählenden Schriften*, Bd. 1). – Ffm. 1961 (in *GW. Die erzählenden Schriften*, 2 Bde., 1). – Ffm. 1965 (in *Erzählungen*, Hg. Ch. Gähler u. E. Zak). –

Cambridge 1966 (*Liebelei, Leutnant Gustl, Die letzten Masken*, Hg., Einl. u. Anm. J. P. Stern).

LITERATUR: O. Schinnerer, *S. and the Military Censorship* (in GR, 5, 1930, S. 238ff.). – R. Plaut, *S. als Erzähler*, Diss. Basel 1935. – E. Eisserer, *A. S. als Seelenforscher in den Novellen*, Diss. Wien 1950. – E. Jandl, *Die Novellen A. S.s*, Diss. Wien 1950. – R. H. Lawson, *A Reinterpretation of S.'s »Leutnant Gustl«* (in Journal of the International Arthur Schnitzler Research Association, 1, 1961/62, H. 2, S. 4–9). – M. Jäger, *S.s »Leutnant Gustl«* (in WW, 15, 1965, S. 308–316). – F. Derré, *L'œuvre d'A. S. Imagerie viennoise et les problèmes humains*, Paris 1966, S. 155–159 (Germanica, 9).

PROFESSOR BERNHARDI. Komödie in fünf Akten von Arthur SCHNITZLER (1862–1931), Uraufführung: Berlin, 28. 11. 1912, Kleines Theater. – In Österreich kam das von der Wiener Zensurbehörde 1913 »*wegen der zu wahrenden öffentlichen Interessen*« verbotene Stück erst 1920, nach dem Zusammenbruch der Habsburger Monarchie, zur Aufführung. Bezeichnenderweise erhoben sich selbst 1946 noch warnende Stimmen gegen das politisch brisante Werk, das um eine Affäre kreist, die zwar frei erfunden ist, deren Wirklichkeitsbezüge jedoch zweifellos in den Anfeindungen und Kränkungen zu suchen sind, die Schnitzlers Vater als Gründer und Direktor einer Wiener Klinik erfahren mußte. Wie dieser erlebt Professor Bernhardi nach Jahren anerkannten Verdienstes um das »Elisabethinum«, ein von ihm gegründetes und geleitetes Krankenhaus und privates Forschungsinstitut, den Affront einer Gesellschaft, hinter deren zur Schau getragenem Liberalismus sich antisemitische Haßgefühle nur mühsam verbergen. Anlaß der Affäre ist die Weigerung Bernhardis, den von der Krankenschwester gerufenen Priester zu einer Sterbenden vorzulassen, die sich nach Wochen der Todesqual in einem Zustand letzter Euphorie befindet: »*Und aus diesem Traum wollte Bernhardi sie nicht mehr zur furchtbaren Wirklichkeit erwachen lassen.*« Von Bernhardis Gegnern aber, allen voran der ehrgeizige Vizedirektor Dr. Ebenwald, wird dieser humanitäre Akt bewußt als Verletzung religiöser Gefühle mißdeutet und, da Bernhardi Jude ist, zu einem Politikum hochgespielt. Um »*der christlichen Bevölkerung Wiens Genugtuung zu verschaffen*«, wird ein Prozeß gegen Bernhardi angestrengt, der die Folge einer an die Regierung gerichteten Interpellation ist, die, wenn auch in kaschierter Form, der Meinung Ausdruck gibt, daß Juden von allen öffentlichen Ämtern ausgeschlossen werden müßten. Bernhardi hätte diese folgenschwere Interpellation verhindern können, wenn er auf den von Ebenwald vorgeschlagenen »Handel« eingegangen wäre, bei der Neubesetzung einer Institutsstelle für Ebenwalds Kandidaten zu stimmen statt für den zwar hochqualifizierten, aber durch seine jüdische Abstammung mißliebigen Dr. Wenger, dessen Wahl man Bernhardi als Betonung seines »*antikatholischen Standpunktes*« anlastet. Erbittert quittiert Bernhardi noch vor dem Prozeß seine Direktorenstelle. Wegen »Religionsstörung« wird er zu zwei Monaten Haft verurteilt. Die ambivalente Haltung des Pfarrers, der im Namen der Kirche gegen Bernhardi auftritt, ihm jedoch in einem Privatgespräch bekennt, daß er als Arzt »*nicht anders handeln*« konnte, verdeutlicht, wie wenig dieses juristische Urteil dem ethischen Problem gerecht wird, das letztlich eine »Frage der Willensfreiheit« ist. Bernhardis Gegenspieler aber haben sich mit diesem Prozeß nur selbst geschadet, denn die Öffentlichkeit sieht in Bernhardi nun einen »Märtyrer«. Selbst die vorsichtig taktierende liberale Presse bezeichnet ihn als ein »*politisches Opfer klerikaler Umtriebe, als eine Art medizinischen Dreyfus*«. Bei seiner Haftentlassung werden ihm von seiten der Studenten spontane Ovationen zuteil, und Prinz Konstantin beordert ihn als behandelnden Arzt zu sich, ein demonstrativer Akt, der die Suspendierung Bernhardis aufhebt.

Zwar endet das Stück mit dem moralischen Sieg Bernhardis, die politische Symptomatik der Affäre bleibt jedoch eindeutig gewahrt. Dennoch wollte Schnitzler *Professor Bernhardi* nicht als »Tendenzstück« verstanden wissen, sondern als »Charakterkomödie« (vgl. Briefwechsel mit Georg BRANDES). Der Terminus ist zutreffend, insofern sich die typischen Erscheinungsformen des Antisemitismus in individuell differenzierten Rollen verkörpern, die in einem von der Gesellschaft vorgezeichneten Spiel agieren, das Schnitzler mit ironischer Überlegenheit als eine Komödie der »*selbstlosen Gemeinheit*« entlarvt. Wie allen Werken Schnitzlers liegt auch diesem Stück die Vorstellung von der Welt als Theater und dem Menschen als Spieler zugrunde. Der Typus des Spielers ist exemplarisch in der Figur des geschmeidig zwischen den Parteien lavierenden Unterrichtsministers Flint gestaltet. I. Ž.

AUSGABEN: Bln. 1912. – Bln. 1922 (in *GW*, Abt. 2, Bd. 5). – Ffm. 1955 (in *Meisterdramen*). – Ffm. 1962 (in *Die dramatischen Werke*, 2 Bde., 2).

LITERATUR: T. Kappstein, *A. S. und seine 17 besten Bühnenwerke. Eine Einführung*, Bln./Lpzg. 1922, S. 89–93. – R. Specht, *A. S. Der Dichter und sein Werk*, Bln. 1922, S. 319–326. – S. Liptzin, *The Genesis of S.'s »Professor Bernhardi«* (in PQ, 10, 1931, S. 348–355). – H. Singer, *Zeit und Gesellschaft im Werk A. S.s*, Diss. Wien 1948. – H. Lederer, *The Problem of Ethics in the Works of A. S.*, Diss. Univ. of Chicago 1953. – *Georg Brandes und A. S. Ein Briefwechsel*, Hg. K. Bergel, Bern 1956. – R. O. Weiss, *A. S.'s Literary and Philosophical Development* (in Journal of the International A. S. Research Ass., 2, 1963, S. 4–20). – H. W. Reichert, *A. S. and Modern Ethics* (ebd., S. 21–23). – W. H. Perl, *A. S. und das Theater von heute* (ebd., S. 28 bis 31). – H. Zohn, *A. S. u. das Judentum* (in H. Z., *Wiener Juden in der deutschen Literatur*, Tel Aviv 1964, S. 9–18). – S. Melchinger, *Das Jüdische in »Professor Bernhardi«* (in Theater heute, 5, 1964, H. 12, S. 32–35). – F. Derré, *L'œuvre d'A. S. Imagerie viennoise et problèmes humains*, Paris 1966 (Germanica, 9). – P. Horvath, *A. S.s »Professor Bernhardi«. Eine Studie über Person u. Tendenz* (in Literatur u. Kritik, 12, 1967, S. 88–104; 183–193). – P. Urbach, *A. S.*, Velber 1968 (Friedrichs Dramatiker d. Welttheaters, 56).

REIGEN. Zehn Dialoge. Komödie von Arthur SCHNITZLER (1862–1931), entstanden 1896/97; erschienen 1900 (Privatdruck); erste Buchausgabe: 1903; Uraufführung der Szenen 4–6: München, 25. 6. 1903; Uraufführung des ganzen Zyklus: Berlin, 23. 12. 1920, Kleines Schauspielhaus. – Schnitzlers *Reigen* gehört zu den Werken der Weltliteratur, die nicht nur durch ihren literarischen Rang, sondern zugleich durch ihre außerästhetischen Wirkungen, den Schock, den sie bei den Zeitgenossen auslösten, berühmt geworden sind. In einer »Geschichte der Literatur vor Gericht« nimmt diese zynische Komödie neben BAUDELAIRES *Fleurs du mal* oder GENETS *Notre-Dame-des-fleurs* einen wichtigen und ehrenvollen Platz ein. Daß man ausgerechnet Schnitzlers Werk als »Pornographie« auf die Anklagebank gebracht hat, ist paradox, liegt ihm doch nichts ferner, als sexuell aufreizend zu wirken, will es doch selbst Anklage, moralistische Entlarvung sein. Der Gerichtsprozeß nach der Berliner Uraufführung erwies sich als Bumerang: Die bürgerliche »Moral«, in deren Namen dem Berliner *Reigen* der Prozeß gemacht wurde, offenbarte ihre ganze Verlogenheit und Niedertracht. Die Sorge um die gesunde Volksmoral kam aus recht trüben Quellen: Man suchte den »zersetzenden« Juden Schnitzler zu treffen (dessen Werke später auch der nationalsozialistischen Bücherverbrennung zum Opfer fielen); was katholische und nationalistische Verbände einte, waren Antisemitismus, vermischt mit heuchlerischer Prüderie. Schnitzler hat die skandalisierende Wirkung seines Stücks vorausgesehen, es aus diesem Grunde jahrelang zurückgehalten und dann zunächst nur einem kleinen Kreis durch einen Privatdruck zugänglich gemacht. Erst fast ein Vierteljahrhundert nach seiner Entstehung kam es so zur Uraufführung des gesamten Zyklus.

Den *Reigen* formieren zehn Personen in zehn Dialogen, die sich (mit Ausnahme des letzten) jeweils in Halbszenen vor und nach der geschlechtlichen Vereinigung aufteilen; dabei wird nach jeder Paarung der eine Partner ausgetauscht und so die Stufenleiter der gesellschaftlichen Hierarchie von der Dirne und dem gemeinen Rekruten bis hinauf zur Aristokratie erklommen und wieder hinabgestiegen. In diesem Liebesreigen, in jenem Moment, auf den es ihnen allen, dem brutalen Soldaten wie dem timiden Grafen ankommt, werden die Unterschiede des Standes ebenso gleichgültig, wie sich die Klimax der Liebe von der Prostitution zur Ehe als bloßer Schein, als die Wiederkehr des ewig Gleichen herausstellt. Schnitzler liegt es fern, die Institution der Ehe an sich zu attackieren. Schwerlich hätte sich sonst gerade HOFMANNSTHAL, in dessen Werk das »Sakrament« der Ehe eine zentrale Rolle spielt, über den *Reigen* so königlich amüsiert. (In seinem gemeinsam mit BEER-HOFMANN verfaßten Brief an Schnitzler vom 15. 2. 1903 redet er den Freund scherzhaft mit »*Lieber Pornograph*« und »*Sie Schmutzfink*« an, und Beer-Hofmann kann sich die obszöne Bemerkung nicht verkneifen, die zehn Dialoge seien Schnitzlers »*erektiefstes*« Werk.) – Schnitzler erfindet folgende zehn Situationen: Die Dirne lockt den Soldaten (1), der Soldat macht sich an das Stubenmädchen heran (2), das Stubenmädchen verfällt der Lust des jungen Herrn (3), der junge Herr arrangiert mit der verheirateten jungen Frau ein Schäferstündchen (4), die junge Frau wird von ihrem Gatten ›verführt‹ (5), der Gatte führt das süße Mädel – ein von Schnitzler geschaffener und in seinen Stücken oft wiederkehrender Mädchentyp – ins Chambre séparée (6), das süße Mädel erlebt ein Tête-à-tête mit dem Dichter (7), der Dichter verbringt eine Nacht bei der Schauspielerin (8), die Schauspielerin bezirzt den Grafen (9), der Graf erwacht auf einem Diwan bei der Dirne (10) – der Reigen hat sich geschlossen.

Absichtlich führt Schnitzler die Personen seines Stücks nicht mit ihrem Namen, sondern mit der Bezeichnung ihres Standes oder Typs ein (der »Soldat«, der »junge Herr« usw.), denn es sollen nicht individuelle Charaktere dargestellt, sondern typische Verhaltensweisen demonstriert werden. Dennoch bleiben die Gestalten nicht farblose, tendenziös umrissene Schemen; dem Dichter gelingt es, die sozialtypische mit einer individualisierenden Darstellungsweise zu verbinden. Die entlarvende Absicht kommt nicht direkt zum Ausdruck, sondern die Personen entblößen und verraten sich in dem von Schnitzler mit äußerstem psychologischem Raffinement gelenkten Dialog auf unmerkliche, jeder penetranten Eindeutigkeit entbehrende Weise. Richard ALEWYN hat die Konzeption des *Reigen*-Zyklus einleuchtend mit der Form des Totentanzes verglichen: Denn wie dort Kaiser und Bettler vor dem Tode einander gleich sind, so schwinden auch angesichts des sexuellen Akts alle Unterschiede der gesellschaftlichen Stellung. An der Spitze wie in den unteren Regionen der sozialen Pyramide lassen sich die immer gleichen Reaktionen erkennen, dasselbe Ritual der Kontaktsuche, des Sich-Sträubens und Zierens, der moralischen Entrüstung oder scheinbaren Befremdung (»*O Gott, aber das habe ich gar nicht gewußt, daß der Herr Alfred so schlimm sein kann.*« 3. Szene), dem doch nach kurzer Zeit das Erliegen und schließlich, wenn der Rausch vorbei ist, die Ernüchterung und Kälte folgen. Freilich, je höher das soziale Milieu, desto komplizierter jenes Ritual; man macht mehr Umstände, sucht die kaum verhüllten und immer gleichen Motive moralisch, ästhetisch oder auf andere Weise zu kostümieren; man ist allerdings auch weniger vital, wie die Potenzschwäche des jungen Herrn in der vierten Szene, dem komödiantischen Höhepunkt des Stücks, zeigt; vor allem aber betont man die Einmaligkeit seiner Person, beansprucht, der erste und einzige in der Gunst des Partners zu sein. Darum erkundigt sich die junge Frau neugierig nach dem vorehelichen Liebesleben ihres Mannes; darum fragen dieser und der Dichter das süße Mädel aus, ob es schon mit einem Verehrer einmal in einem Chambre séparée gewesen sei, und es tischt, klug genug, beiden die gleiche Mär auf: Nur ein einziges Mal sei sie dort gewesen, aber mit ihrer Freundin und deren Bräutigam. Die geistreichste satirische Zuspitzung erfährt der Zyklus in dem Dialog zwischen der jungen Frau und dem Ehemann (Szene 5). Dessen große Worte von der »Heiligkeit« der Ehe, verstiegene Sätze wie: »*Man liebt nur, wo Reinheit und Wahrheit ist*«, – sind nichts als pharisäische Überheblichkeit und phrasenhafte Bemäntelung platter Lüsternheit, die das Verhältnis des Gatten zu seiner Frau nicht weniger bestimmt als sein Tête-à-tête mit dem süßen Mädel in der nächsten Szene, die seine doppelte Moral bloßlegt: In der eigenen Lebensführung dispensiert er sich von jenen sittlichen Grundsätzen, deren unbedingte Befolgung er von seiner Frau verlangt, um die Fiktion ehelicher Treue aufrechtzuerhalten. D. Bo.

AUSGABEN: o. O. 1900 [Privatdr.]. – Wien/Lpzg. 1903. – Bln. 1916. – Ffm. 1955 (in *Meisterdramen*). – Ffm./Hbg. 1960 (Nachw. R. Alewyn; FiBü, 361). – Ffm. 1962 (in *GW*, 4 Bde., 1961/62, 1).

VERFILMUNGEN: Deutschland 1920 (Regie: R. Oswald). – *La ronde*, Frankreich 1950 (Regie: M. Ophüls). – *Das große Liebesspiel*, Deutschland/Österreich 1963 (Regie: A. Weidenmann). – *La ronde*, Frankreich/Italien 1964 (Regie: R. Vadim).

LITERATUR: J. Kapp, *A. S.*, Lpzg. 1912, S. 47–49. – Homunkulus [d. i. R. Weil], *Das »Reigen«-Ereignis u. andere Ereignisse*, Wien 1921. – T. Kappstein,

S. u. seine 17 besten Bühnenwerke, Bln./Lpzg. 1922, S. 94–100. – R. Specht, *A. S. Der Dichter u. sein Werk*, Bln. 1922, S. 140–146. – S. M. Polsterer, *Die Darstellung der Frauen in A. S.s Dramen*, Diss. Wien 1949. – R. Müller-Freienfels, *Das Lebensgefühl in A. S.s Dramen*, Diss. Ffm. 1954. – P. de Mendelssohn, *Zur Geschichte des »Reigen«. Aus dem Briefwechsel zwischen A. S. u. S. Fischer* (in Almanach des S. Fischer-Verlags, 76, 1962, S. 18 bis 35). – H. G. Hannum, *›Killing Time‹. Aspects of S.'s »Reigen«* (in GR, 37, 1962, S. 190–206). – L. Marcuse, *Obszön. Geschichte einer Entrüstung*, Mchn. 1962. – *Studies in A. S* Hg. W. Reichert u. H. Salinger, Chapel Hill 1963. – *Literatur vor Gericht. Von »Les Fleurs du Mal« bis »Notre-Dame-des Fleurs«* (in Akzente, 12, 1965, S. 210–251). – F. Derré, *L'œuvre d' A. S. Imagerie viennoise et problèmes humains*, Paris 1966 (Germanica, 9; m. Bibliogr.). – R. H. Allen, *An Annotated A. S. Bibliography. Editions and Criticism in German, French, and English, 1879–1965*, Chapel Hill 1966. – G. Just, *Ironie u. Sentimentalität bei A. S.*, Bln. 1967 (Philol. Studien u. Quellen, 42).

DAS WEITE LAND. Tragikomödie in fünf Akten von Arthur SCHNITZLER (1862–1931), erschienen 1911; Uraufführung: Berlin, Breslau, Bochum, Hamburg, Hannover, Leipzig, München, Prag, Wien, 14. 10. 1911.

Seit der Uraufführung, die gleichzeitig an neun Theatern stattfand, blieb *Das weite Land* eins der erfolgreichsten Stücke Schnitzlers. Hauptfigur der Tragikomödie ist der Fabrikant Friedrich Hofreiter, der, wie HOFMANNSTHAL bemerkte, das *»complexe Ganze«* zusammenhält. Alle übrigen Personen sind auf ihn bezogen, der das Geschehen wie ein Gesellschaftsspiel auffaßt und die anderen dank seiner materiellen und gesellschaftlichen Position in sein Spiel hineinzieht. – Korsakow, Klaviervirtuose und Freund Hofreiters, hat Selbstmord begangen, weil dessen Frau Genia seiner Werbung nicht nachgab. Hofreiter, der Genia verdächtigt, Korsakows Geliebte gewesen zu sein, erfährt nach der Beerdigung mit Befremden, daß Genia, auch wenn sie die Folgen gewußt hätte, den Freund nicht hätte retten können, um der Treue zu ihrem Mann willen, der es selbst, trotz seiner Eifersucht um Genia, mit der Treue nicht zu genau nimmt. Bei einer Bergtour beginnt er ein Verhältnis mit der jungen Erna Wahl, begünstigt von der hektischen Atmosphäre eines Hotels, in dem eine zugleich konventionelle und aus den Fugen geratene Gesellschaft zufällig zusammentrifft. Unterdessen wird der Fähnrich Otto Aigner der Geliebte Genias, die zuhause in Baden zurückblieb. Hofreiter reist nach der ersten Nacht mit Erna allein zurück. In Baden erfährt er von Genias Verhältnis mit Otto, den er nach einem Tennisspiel aus vorgeschobenem nichtigem Anlaß zum Duell fordert; nicht aus verletztem Ehrgefühl, sondern aus eitel-leichtfertiger Lebensspielerei, indem er sich die gesellschaftliche Konvention zunutze macht. Otto fällt im Duell, während Friedrich das Spiel der Gesellschaft weiterspielt, mit ungewisser Zukunft.

Diese Fabel des Stücks gelangt freilich auf der Bühne kaum zur Darstellung. Sie spielt sich zwischen den Akten ab, das Geschehen bleibt verborgen hinter der Konversation, die den größten Teil des Textes ausmacht. MUSIL hat die dem Stück zugrunde liegende Lebenshaltung gelegentlich so gekennzeichnet: *»Nie wird das Aktuelle erlitten, immer das Zwischenaktuelle. Die Akte selbst bestehen in der Hauptsache aus Vor- und Rückblicken. Es deutet sich darin eine Philosophie an, etwa des Inhalts, daß der Augenblick nichts ist als der wehmütige Punkt zwischen Verlangen und Erinnern. Daß leidenschaftliches Handeln nichts ist als eine Maske, hinter der der Mensch einsam bleibt.«* Maske und Spiel sind den Figuren notwendig geworden; bedroht von der Einsicht in das Falsche ihres Lebens, besteht ihre Ausflucht im Spiel, das, vom Schein der Konventionen geregelt, aus Blindheit wie aus Selbstschutz für das wirkliche Leben genommen wird. Das Spielmotiv beherrscht das ganze Stück. Der erste Akt entwickelt die Spielthematik aus dem Charakter und Lebensgefühl der Figuren als Grundlage ihres gesellschaftlichen Umgangs. Im zweiten und vierten Akt versammelt man sich bei Hofreiter zum Tennisspiel, in dem Schnitzler das untergründige Spiel der Gesellschaft spiegelt. Der letzte Akt schließlich ist die tödliche Paraphrase des Spielthemas. – Dem scheinhaften Lebensspiel der Personen entspricht die Konversation als gesellschaftliche Ausdrucksform und zugleich als Mittel der dramatischen Darstellung. Nicht nur geben sich die Personen in ihrem Sprechen zu erkennen, selbst wenn sie sich hinter ihren Worten verbergen möchten, auch wird die Sprache und ihre Untauglichkeit zu wahrhaftiger Mitteilung Thema der Gespräche. Es liegt freilich nicht nur an den *»dummen schweren Worten«*, daß man nie weiß, *»ob man die Wahrheit zu hören kriegt«*, sondern auch am falschen Gebrauch, den man in den Konversationen von der Sprache macht, indem man sie als Instrument unverbindlich-spielerischen Scheins benutzt. Dieser falsche Gebrauch fällt auf die Figuren zurück, die nicht unterscheiden können zwischen Spiel und Ernst, die solche Unterscheidung auch nicht wollen können, weil sie nichts mehr fürchten als die Erkenntnis ihres wahren Selbst, des »weiten Landes« der Seele. So dem Schein verhaftet, wird auch ihre Sprache scheinhaft. – Der Dialog als Ausdruck zwischenmenschlicher Beziehung, wie er Grundlage einer langen Epoche dramatischer Dichtung war, führt immer wieder ins Nichtverstehen zurück. Wenn (nach Peter SZONDI) von der Möglichkeit des Dialogs die Möglichkeit des Dramas abhängt, so ermöglicht sich Schnitzlers Drama nur durch den Schein des Dialogs, den seine Figuren aufrechterhalten, durch die Konversation, in der sich die Personen voreinander selbst »darstellen« und mit deren Hilfe Schnitzler ihr Spiel als Tragikomödie enthüllt. M. Ni.

AUSGABEN: Bln. 1911. – Ffm. 1955 (in *Meisterdramen*). – Ffm. 1962 (in *GW*, 5 Bde., 1961–1967, 2: *Die dramatischen Werke*).

LITERATUR: B. Blume, *Das nihilistische Weltbild A. S.s*, Stg. 1936. –H. Prang, *Der moderne Dichter u. das arme Wort* (in GRM, 7, 1957, S. 130–145). – *Briefwechsel H. v. Hofmannsthal – A. S.*, Hg. Th. Nickl u. H. Schnitzler, Ffm. 1964. – G. Baumann, *A. S. Die Welt von Gestern eines Dichters von Morgen*, Ffm./Bonn 1965. – R. Urbach, *A. S.*, Velber 1968 (Friedrichs Dramatiker des Welttheaters, Bd. 56).

ANNA SEGHERS
(d. i. Netty Radvanyi)
(*1900)

DAS SIEBTE KREUZ. Roman aus Hitlerdeutschland von Anna SEGHERS (d. i. Netty Radvanyi,

*1900), Teilabdruck 1939 in der Moskauer Zeitschrift ›Internationale Literatur‹; erschienen in Mexiko 1942. – Dieser Roman, der *»den toten und lebenden Antifaschisten Deutschlands gewidmet«* ist, hat der Autorin großen internationalen Erfolg eingebracht. Er gehört in einen Zyklus von Zeitromanen, die sich mit den deutschen Verhältnissen befassen und während des Exils der Autorin in Frankreich entstanden sind. In ihren drei vorangehenden erzählerischen Werken hatte Anna Seghers die Ereignisse der Jahre unmittelbar vor und nach der Machtergreifung Hitlers dargestellt: das langsame Vordringen der faschistischen Ideologie in ein deutsches Dorf (*Der Kopflohn*, 1933); die Situation schlesischer Bergarbeiter während der Zeit der Arbeitslosigkeit (*Die Rettung*, 1937); das Scheitern des österreichischen Arbeiteraufstandes gegen das Dollfuß-Regime (*Der Weg durch den Februar*, 1935). Das zentrale Thema dieser Romane waren die Möglichkeiten des aktiven inneren Widerstandes gegen den Nationalsozialismus. In *Das siebte Kreuz* – die Handlung spielt im Herbst des Jahres 1937 – zeigen sich die veränderten historischen Gegebenheiten: Das Dritte Reich hat sich sichtbar konsolidiert; die Chance, daß illegale Kampfgruppen an diesem Zustand etwas ändern könnten, besteht nicht mehr. Dennoch ist der Grundtenor des Romans nicht Verzweiflung, sondern Zuversicht.

Aus dem Konzentrationslager Westhofen am Rhein sind sieben Häftlinge entkommen. Um die anderen Häftlinge abzuschrecken und die Wiedereingefangenen zu Tode zu quälen, läßt der Lagerkommandant sieben Kreuze auf dem *»Tanzplatz«* des KZ' errichten. Der Gestapo gelingt es schon nach kurzer Zeit, vier der entflohenen Häftlinge einzufangen; ein anderer stirbt, bevor er sein Heimatdorf erreicht, während der sechste sich freiwillig stellt. Nur dem Mechaniker Georg Heisler glückt die Flucht aus den scharf bewachten Grenzen des nationalsozialistischen Deutschlands in die Freiheit. Das siebte Kreuz bleibt leer. Der abberufene Lagerkommandant fühlt seit der dramatischen Flucht, *»daß er nicht hinter einem einzelnen her war, dessen Züge er kannte, dessen Kraft erschöpft war, sondern einer gesichtslosen, unabschätzbaren Macht«*. Das siebte Kreuz wird zum Symbol der Hoffnung und des Widerstands. In einer Zeit scheinbar perfekt organisierten Terrors erfährt das nazistische Regime seine eigene Ohnmacht und Verwundbarkeit: *»... ein entkommener Flüchtling, das ist immer etwas, das wühlt immer auf. Das ist immer ein Zweifel an ihrer Allmacht. Eine Bresche.«* Die Nachfolger des alten Lagerkommandanten urteilen zynischer über die Praxis totalitärer Brutalität, die makabren Kreuze verschwinden wieder: *»Die so urteilten, wollten nicht, daß die Hölle aufhören sollte und die Gerechtigkeit beginnen, sondern sie wollten, daß auch in der Hölle Ordnung sei.«* Heislers Fluchtweg aus der Hölle verwandelt sich in ein perfides *»System lebender Fallen«*. Die Menschen, denen er begegnet – Freunde, Verwandte, Gesinnungsgenossen und politisch Andersdenkende –, sehen sich plötzlich mit dem Problem konfrontiert, ob es erlaubt sei, einen Menschen für den anderen aufs Spiel zu setzen: *»Ja, es war erlaubt. Nicht nur erlaubt, sondern nötig.«* Die zentralen Gestalten auf Heislers Passionsweg handeln vor allem aus emotionalen Gründen, weniger aus ideologischen oder politischen Motiven – ihre moralischen Entscheidungen erst machen es möglich, daß der gehetzte Flüchtling nicht an Krankheit, Hunger, Alpträumen, Selbstmordvisionen, Hoffnungslosigkeit, Schwäche und Verzweiflung zugrunde geht und schließlich durch das feinmaschige Netz eines reibungslos funktionierenden Polizeiapparats entschlüpfen kann. Nicht eine politische Organisation oder Partei, sondern einfache, verfolgte und bespitzelte Menschen, setzen ihr eigenes Leben und das ihrer Angehörigen aufs Spiel, damit die Passion des Kommunisten Heisler nicht am Kreuz, sondern in der Freiheit endet; am Schluß heißt es: *»Wir fühlten alle, wie tief und furchtbar die äußeren Mächte in den Menschen hineingreifen können, bis in sein Innerstes, aber wir fühlten auch, daß es im Innersten etwas gab, was unangreifbar war und unverletzbar.«*

Das dem Roman zugrundeliegende Kompositionsprinzip weist deutlich Einflüsse der von John Dos Passos angewandten Erzähltechnik auf: Die Handlung ist in insgesamt 127 Einzelabschnitte aufgelöst, die entweder parallel geführt werden oder kontrastierend sich gegenüberstehen; eine kurze Rahmenhandlung am Anfang und Schluß trägt das formale Gerüst; Rückblenden, Gespräche und innere Monologe vertiefen den Ablauf des Geschehens. In der differenzierten Gestaltung der Figuren, der Opfer wie der Verfolger, und in der intensiven Schilderung der Herbstlandschaft zwischen Frankfurt und Mainz bezeugt sich eine *»ungewöhnliche Energie der Vergegenwärtigung«*. Dennoch sind die Einwände, die Georg Lukács seinerzeit im Anschluß an die sowjetische Formalismus-Realismus-Diskussion gegen den Roman erhob, auch heute noch nicht überholt: *»Das tiefe Warum des Kampfes, das Herauswachsen seines gesellschaftlich-geschichtlichen Sinnes aus individuellen Erlebnissen, Zusammenhängen, Konflikten lebendiger Einzelmenschen bleibt auch hier von einem – dichterisch allerdings hochwertigen – Schleier verhüllt.«* KLL

Ausgaben: Moskau 1939 (in Internationale Literatur, 9; Teilabdr.). – Mexiko 1942. – Bln. 1946. – Mchn. 1947. – Bln. 1955. – Bln./Weimar 1966.

Verfilmung: *The Seventh Cross*, USA 1944 (Regie: F. Zinnemann).

Literatur: H. Becher, *Ein falsches Kreuz* (in Wort u. Wahrheit, 3, 1948, S. 776/777). – P. Rilla, *Die Erzählerin A. S.*, Bln. 1950 (auch in SuF, 2, 1950, S. 83–113). – M. Schroeder, *A. S.* (in Aufbau, 6, 1950, S. 1109–1113). – W. Merklin, *A. S.* (in FH, 7, 1952, S. 149–151). – E. Hinckel, *A. S.*, Bln. 1956. – F. C. Weiskopf, *Die Erzählerin A. S.* (in F. C. W., *Literarische Streifzüge*, Bln. 1956, S. 142–147). – H. Neugebauer, *A. S.*, Bln. 1959; ern. 1961. – *A. S. Festschrift zum 60. Geburtstag*, Bln. 1960. – C. Rosenberg, *A. S. u. ihr Werk* (in Geist u. Zeit, 5, 1960, S. 134–155). – S. Hermlin, *Auskunft. Zum 60. Geburtstag von A. S.* (in SuF, 12, 1960, S. 757 bis 761). – J. Scholz, *A. S. Leben u. Werk. Ein Literaturverzeichnis*, Lpzg. 1960 [m. Bibliogr.]. – J. Rühle, *Literatur u. Revolution*, Köln/Bln. 1960, S. 243–255. – H. Mayer, *Ansichten. Zur Literatur der Zeit*, Hbg. 1962. – M. Reich-Ranicki, *Deutsche Literatur in West u. Ost*, Mchn. 1963, S. 354–385.

TRANSIT. Roman von Anna Seghers (d. i. Netty Radvanyi, * 1900), erschienen 1944 (in spanischer Übersetzung), in deutscher Sprache zuerst veröffentlicht 1948. – Marseille, der Schauplatz des Romans, wird im Sommer 1940 als größter Hafen im unbesetzten Teil Frankreichs zum Sammelplatz von Flüchtlingen, die sich zu Tausenden – darunter viele deutsche Emigranten – vor dem drohenden Zugriff der nationalsozialistischen Invasoren in Sicherheit bringen wollen. Ehe sie jedoch den Kontinent verlassen können, steht ihnen ein zermürbender Papierkrieg mit den für ihre Auswanderung zuständigen Behörden bevor. Hier wird gefeilscht um Aufenthaltsgenehmigungen, Bürgschaften, Aus- und Einreisedokumente; da gibt es Gerüchte, die falsche Hoffnungen oder Panikstimmung erwecken; Bestechung beherrscht überall die Szene. Besonders demütigend und verzweifelt verläuft der Kampf um Schiffsplätze und das begehrte Transit-Visum, das nur unter schier unerfüllbaren Bedingungen gewährt wird. Das gehetzte Leben dieser Menschen spielt sich fast ausschließlich auf Konsulaten, Schiffsagenturen und ihren Treffpunkten, den Hafencafés, ab, wo sie Erwartungen und bittere Erfahrungen austauschen – immer in der Angst, aus Marseille nicht mehr rechtzeitig vor Ankunft der deutschen Truppen herauszukommen und wie in einer Falle festzusitzen.

»Transit« erweist sich so als Chiffre für die transitorische, für die gefährdete Existenz der Exilierten überhaupt. »*Alles war auf der Flucht, alles war nur vorübergehend, aber wir wußten noch nicht, ob dieser Zustand bis morgen dauern würde oder noch ein paar Wochen oder Jahre oder unser ganzes Leben*« – mit diesen Worten charakterisiert der Ich-Erzähler des Romans die Situation. An seinem Schicksal hat die Autorin die zentralen Lebensprobleme der Emigranten sichtbar gemacht: die ständige Entfremdung und die Verunsicherung der Identität. Dieser junge Deutsche, der aus einem Konzentrationslager nach Frankreich geflüchtet ist, dort interniert wird und wieder flüchtet, soll in Paris einem Schriftsteller namens Weidel eine Nachricht überbringen. Als er erfährt, daß der Empfänger Selbstmord begangen hat, nimmt er dessen Hinterlassenschaft an sich, darunter ein gültiges mexikanisches Einreise-Visum, flüchtet noch einmal, und zwar über die Demarkationslinie in den freien Teil des Landes. Unterwegs bekommt er von einheimischen Freunden Personalpapiere, die auf den Namen Seidler lauten. In Marseille sieht er sich vor die schwierige Aufgabe gestellt, die Behörden davon zu überzeugen, daß Seidler und Weidel identisch sind, was ihm schließlich auch gelingt. Das Auftauchen von Weidels Frau Marie, die nichts vom Tod ihres Mannes weiß, bringt indes neue Komplikationen. Weil sich Seidler nicht entschließen kann, ihr die Wahrheit zu sagen, gibt sie ihre verzweifelten Nachforschungen nicht auf, selbst dann nicht, als sie endlich ausreisen kann: Sie fährt mit der sicheren Hoffnung, auf dem neuen Kontinent ihren Mann wiederzufinden. Seidler, der seine Abfahrt nicht so entschieden betrieben hat wie die anderen, gibt im letzten Moment sein Schiffsticket zurück, denn er hat erkannt, daß es sinnlos ist, immer wieder zu flüchten. Statt dessen geht er als Arbeiter auf die Obstfarm seiner französischen Freunde und schließt sich mit ihnen der Résistance an. Erst dadurch hat er eine Chance, seine wahre Identität wiederzugewinnen. Das Schiff mit Marie und den Emigranten an Bord geht zwischen Dakar und Martinique unter.

Neben Brechts *Flüchtlingsgesprächen* (1941/44) und Klaus Manns *Der Vulkan* vermittelt dieser Roman das wohl anschaulichste und bewegendste Bild des Emigrantendaseins mit seinen individuellen Konflikten, seinen vielfachen Nöten und Verstörungen. Das Buch hat deshalb zweifellos auch den Rang eines Zeitdokuments. Anna Seghers vermeidet jede Sentimentalität; noch lapidarer als in ihren vorangehenden Büchern läßt sie den Erzähler dem fiktiven Gesprächspartner die Begebenheiten berichten. In ganz kurzen Abschnitten, die wie Filmsequenzen aufeinanderfolgen, verdichtet sich die Atmosphäre zu präzisen, alptraumhaften Bildern. Die Verwandtschaft mit der Prosa Franz Kafkas ist offenkundig: Auch hier sehen sich die Figuren einer allmächtigen, nicht durchschaubaren Instanz gegenüber und bemühen sich, vom Gefühl einer totalen Sinnlosigkeit des Lebens fast überwältigt, noch eine rationale Gesetzmäßigkeit er erkennen

P. L

Ausgaben: Mexiko 1944. – Konstanz 1948. – Bln. 1951 (in *GW in Einzelausgaben*, Bd. 5; [5]1964). – Neuwied 1963. – Reinbek 1966.

Literatur: W. Merklin (in FH, 7, 1952, S. 149 bis 151). – R. Hartung, Rez. (in NRs, 75, 1964, S. 498 bis 502). – H.-A. Walter, Rez. (in FH, 19, 1964, S. 583–586). – M. Wegner, *Exil u. Literatur – Deutsche Schriftsteller im Ausland 1933–1945*, Ffm. 1967, S. 214–225.

INA SEIDEL
(*1885)

LENNACKER. Das Buch einer Heimkehr. Roman von Ina Seidel (*1885), erschienen 1938. – Am Weihnachtsabend des Jahres 1918 trifft Hans Lennacker, »*verabschiedeter Oberleutnant der Infanterie, nunmehr Student der Medizin*«, zu Besuch bei seiner einzigen noch lebenden Verwandten ein, der Oberin eines Damenstifts. Der Gottesdienst, an dem er unmittelbar nach seiner Ankunft teilnimmt, vor allem aber die eindringliche Predigt, hinterlassen einen tiefen Eindruck in ihm. Bei der anschließenden Weihnachtsfeier erfährt Lennacker zum ersten Mal, daß alle seine Vorfahren seit der Reformation protestantische Geistliche gewesen sind. Noch während des nächtlichen Gesprächs mit seiner Tante überfällt ihn das Fieber einer verschleppten Grippe und zwingt ihn ins Krankenbett. In den Fieberträumen von zwölf Nächten – sie entsprechen den zwölf Kapiteln des Romans – erlebt er seine Ahnengeschichte als einen dramatischen Geschehensablauf, an dem er selbst beteiligt ist. Verschiedene Epochen und Krisenzeiten, wie die Reformationsära mit den blutigen Bauernaufständen, der Dreißigjährige Krieg, das Zeitalter der Aufklärung mit den Auseinandersetzungen zwischen Orthodoxie und Pietismus, die Zeit der Freiheitskriege, ziehen an ihm vorüber. In jeder Traumepisode hat ein Lennacker sich als Seelsorger und Sachwalter des Evangeliums zu bewähren, wird der Glaube zur unabdingbaren Prämisse des Handelns. – Als Hans Lennacker aus dem Schlaf der Genesung erwacht, beginnt für ihn ein neues Leben: »*Es war ein Gefühl äußerster Schwäche, verbunden mit dem einer unwahrscheinlichen Wachheit, Klarheit und Leichtigkeit.*« Er verläßt das Stift im vollen Bewußtsein seiner Verantwortung als letzter Lennacker, aber auch mit dem zuversichtlichen Vertrauen in seine eigene Zukunft, das ihm aus der unverhofften Erfahrung der Glaubenstradition seiner Familie erwachsen ist.

Auf den ersten Blick wirkt das Buch, das mit *Das Wunschkind* (1930) und *Das unverwesliche Erbe* (1954) – letzteres enthält die Geschichte von Lennackers mütterlichen Ahnen – zu Ina Seidels bedeutendsten Romanen zählt, wie ein kultur-, theologie- und kirchengeschichtlich angereicherter Familienroman. Dem widerspricht die breite und reflexionsbefrachtete Rahmenhandlung um Hans Lennacker und seinen Besuch im Stift, die – vor allem im zweiten Teil – trotz ihrer quantitativen Unterlegenheit gegenüber den zwölf Kapiteln Lennackerscher Familiengeschichte zentralen Stellenwert für den Romangehalt besitzt. Daß die Autorin andere Akzente setzt als der historische Familienroman, ist daraus ersichtlich, daß das Kontinuum der zwölf Traumvisionen nicht auf die familiengeschichtliche Tradition um ihrer selbst willen, sondern auf die jeweils neue Notwendigkeit einer existentiellen Entscheidung abzielt, die für Hans Lennackers eigene Situation in zwölffach verschiedener Ausprägung exemplarische Bedeutung erlangt. Das Fazit, das er – verpflichtend und zukunftweisend zugleich – für sich selbst aus dem Geschauten zieht, ist eine gläubige Gewißheit: *»Die Urmacht des Christentums wird immer von neuem Gestalt werden.«* Der Roman ist der Versuch einer geschichtlichen Rechtfertigung dieser Grundüberzeugung und einer Existenzbestimmung des christlichen Menschen nach dem Erlebnis des Ersten Weltkriegs. Mit Hilfe einer bildreichen, kraftvollen, gelegentlich sogar den Dialekt mit einbeziehenden Sprache gelingt Ina Seidel die glaubwürdige Pointierung der einzelnen dramatischen Episoden. Formal ist der Roman problematisch: Nicht nur kennzeichnet die eingestreuten theologischen Reflexionen und Gespräche eine gewisse traktathafte Langatmigkeit und Trockenheit, sie drohen auch den spezifischen Handlungszusammenhang zu sprengen und sich zu verselbständigen. Darüber hinaus führt die sich ständig wiederholende Situation der Glaubensbewährung bisweilen zu einem nicht mehr akzeptablen religiösen Pathos.

K. U.

Ausgaben: Stg. 1938. – Stg. 1958. – Stg. 1959 (*Jakobus Johannes Lennacker, Anno 1667*; mit einem Werkbericht der Dichterin, Nachw. K. Nussbächer; Ausz.; RUB, 8292).

Literatur: H. H. Pollak, *Die Religion bei I. S.*, Diss. Innsbruck 1951. – B. Häussermann, *Die Technik der ›Darstellung‹ in den Romanen I. S.s*, Diss. Tübingen 1952. – P. Brucker, *Das geschichtliche Element im dichterischen Werk I. S.s*, Diss. Freiburg i. B. 1954. – F. Seekel, *I. S.s »Philippus Sebastian Lennacker«. Versuch einer Analyse* (in WW, 5, 1954/55, S. 365–370). – K. A. Horst, *I. S. Wesen u. Werk*, Stg. 1956 [m. Bibliogr.]. – W. Dress, *Das Problem des Protestantismus. Zu I. S.s Büchern »Lennacker« und »Das unverwesliche Erbe«*, Hbg. 1958.

REINHARD JOHANNES SORGE
(1892–1916)

DER BETTLER. Eine dramatische Sendung in fünf Aufzügen von Reinhard Johannes Sorge (1892 bis 1916), erschienen 1912; Uraufführung: Berlin, 23. 12. 1917, Deutsches Theater. – Die mit dem Kleistpreis ausgezeichnete symbolische Dichtung des hochbegabten, frühreifen Lyrikers ist einer der frühesten dramatischen Versuche des Expressionismus und sicher der charakteristischste; denn das Sendungsbewußtsein des expressionistischen Dichters selbst, seine heilige Berufung, einer *»hochgeborenen«*, aber *»verderbten«* und *»mißratenen«* Zeit *»Bilder der Zukunft zu erzählen«*, ist der Gegenstand dieses aus der Proklamation seiner *»dramatischen Sendung«*, aus hymnisch-visionärer Schau in der Zarathustra-Sprache Nietzsches und realistischen Umweltschilderungen eigenwillig gemischten Gebildes. Ort der scheinbar genialisch-verworrenen, in Wirklichkeit sehr bewußt konstruierten, ja überkonstruierten Handlung ist das Berlin vor dem Ersten Weltkrieg. Die Personen tragen keine Namen, sie sind eingeteilt in »Die Menschen«, »Gruppenpersonen«, »Nebenpersonen«, »Stumme Personen« und »Gestalten des Dichters«; einzeln gekennzeichnet sind sie durch Berufsbezeichnungen oder als Gattungstypen. »Der junge Dichter« fordert zum Schrecken seines »Älteren Freundes« von einem Mäzen statt eines ihm bewilligten Reisestipendiums eine eigene Bühne, da sein *»Drama des Aufbruchs«* erst durch eine Aufführung *»wirksam und recht befruchtend«* werden könne. Die Bitte wird abgelehnt. Nur das »Mädchen« lauscht hingegeben seiner hymnischen Schilderung der Wirkung seines Werkes auf eine visionär gesehene künftige Generation. Das »Mädchen«, das einem anderen Mann ein ungewünschtes Kind geboren hat, folgt dem »Jüngling«, wie der Dichter in den Liebesszenen genannt wird, und bietet ihm an, auf das Kind zu verzichten, um ganz nur ihm zu gehören. Im Elternhaus des Dichters herrscht die Not. Der Vater ist wahnsinnig, rennt mit einer Kindertrommel bewaffnet durch das Haus und entwirft gigantische, im Traum empfangene Pläne zur Konstruktion großer Maschinen, mit denen riesige Werke zum Wohl der Menschheit errichtet werden können. Der Dichter (jetzt der »Sohn«) schüttet, um den Leidenden zu erlösen, Gift in das Glas des Vaters. Dieser stirbt in euphorischer Verzückung. Aber auch die Mutter trinkt davon und stirbt. Am Ende betrachtet der Dichter seine in den voraufgegangenen Szenen geschilderten Erlebnisse und Visionen plötzlich als »Handlung« eines Manuskripts, das er geschrieben hat. Verzweifelt fühlt er seine Grenzen: *»Das Unaussprechbare – es ist unaussprechbar, keine Kunst darf heilig genannt werden, weil sie noch reden will ...«* Aber die Sendung bleibt. Sie heißt: *»Durch Symbole der Ewigkeit reden.«* Zum Schluß wechselt der Dichter, der die Handlung eben als sein Werk kritisch betrachtete, noch einmal über in die Rolle, die er darin spielt. Als »Dichter« trennt er sich von dem »Freund«, weil dieser gewisse Streichungen in seinem Drama verlangt; und als »Jüngling« bindet er sich endgültig an das »Mädchen«:

»Laß festigen! Laß bauen uns! Laß festigen!
Art senke sich in Art. Treue in Treue.
Blut sich in Blut. Banne die Ewigkeit
Zu Leib und Mensch. ... – Ein Kind ...«

Der dramaturgische Kunstgriff dieses letzten Aktes macht deutlich, welchen Sinn der verwirrende Gestaltenwechsel des Helden (zwischen »Dichter«, »Jüngling« und »Sohn«) hat: er soll die Identität von erdichtetem und gelebtem Leben zum Ausdruck bringen. Und zwar wird diese Identität nicht mehr nach dem bisher gültigen Gesetz dichterischen Gestaltens durch Objektivierung des Erlebnisses zugleich erreicht und verhüllt; der expressionistische Dichter geht den umgekehrten Weg: er enthüllt die Identität und subjektiviert damit das Werk. Neben Szenen, in denen der junge Dichter sich reflektierend oder pathetisch mit seiner Sendung auseinandersetzt, statt diese vor Augen zu führen, stehen andere, die begreiflich machen, daß die gesamte Kritik sich einmütig vor dem »*größten Versprechen*« beugte, das nach Julius BABS Urteil ein junger Dramatiker seit HEBBELS Tod gegeben hatte: der wahnsinnige, durchs Haus rasende, trommelnde Vater, der zur Verdeutlichung bestimmter Linien in seinen Zeichnungen rote Tusche braucht und sie mit dem Stich einer Reißfeder aus dem Blut eines Vogels gewinnt, sein Wahn, »*die Erde beglücken*« zu können (der ein wahrscheinlich unbeabsichtigtes gespenstisches Gegenbild der Heilbringer-Visionen des »jungen Dichters« ist), sein euphorischer Tod, aber auch die Szenen zwischen Jüngling und Mädchen mit der herben Innigkeit ihrer sich zu Gedichten steigernden Dialoge.

Die Inszenierung stand unter der Verantwortung der experimentierfreudigen Redaktion der von Max Reinhardt geschaffenen Zeitschrift ›Das Junge Deutschland‹. Sie bedeutete auch in technischer Hinsicht einen Wendepunkt theatralischer Möglichkeiten. Die Effekte des barocken Vorhang-Theaters wurden genial zu neuem Leben erweckt: nach dem einleitenden Gespräch zwischen Dichter, Freund und Mäzen reißt der Vorhang auf und gibt dem Zuschauer den Blick in die typische, freilich großartig überhöhte Welt des Berliner Literatencafés frei. Scheinwerfer schneiden aus den Gruppierungen auf der Bühne bestimmte Segmente heraus – die für das expressionistische Theater so wichtige »Scheinwerferkulisse« war damit geschaffen. Den Zuschauer überfiel »*ein bald abstoßendes, bald hinreißendes, hier anwiderndes, dort bezwingendes Gemisch von Albernem und Tiefsinnigem, von Verworrenem und Klarem, von Ekstatischem und Plattem, von Krassem und Reinem, von Vergewaltigtem und Bezwungenem, Dilettantischem und staunenswert Gemeistertem, von Lächerlichem und Erschütterndem; ein Tohuwabohu von Lyrik, Monologen, Dialogen, Visionen, Szenischem, Prosa, Versen, Zeitungsdeutsch und Faustnachhall, in dem Genialisches immer wieder künftige Genialität vordeutet, während bare Ohnmacht ihr immer wieder Hohn sprach*« (H. Franck). W. P.–KLL

AUSGABEN: Bln. 1912. – Emsdetten 1954 (Dramen d. Zeit, 4). – Nürnberg 1964 (in *Werke*, Hg. H. G. Rötzer, 3 Bde., 2).

LITERATUR: R. K. Diepold, »*Der Bettler*« (in Hochland, 15, 1917/18, S. 713–715). – F. Hollaender u. H. Herald (in Das Junge Deutschland, 1, 1918). – H. Franck, *R. J. S.* (in Das deutsche Drama, 1, 1918, S. 144–148). – H. Grossrieder, *R. J. S.s »Bettler«. Der Schöpfungstag des ersten expressionist. Dramas*, Diss. Fribourg 1939. – J. Kaiser, »*Der Bettler*« (in DUZ, 9, 1954, S. 14–16). – H. G. Rötzer, *R. J. S. Theorie und Dichtung*, Diss. Erlangen 1961.

CARL STERNHEIM
(1878–1942)

BÜRGER SCHIPPEL. Komödie in fünf Aufzügen von Carl STERNHEIM (1878–1942), entstanden 1911; Uraufführung: Berlin, 5. 3. 1913, Kammerspiele des Deutschen Theaters (Regie: Max Reinhardt). – Das Stück ist eine bissige Satire auf den bürgerlichen Standesdünkel Wilhelminischer Zeit, deren gesellschaftliche Normen dem »klassenkämpferischen« Proletarier nur solange verächtlich erscheinen, als sie ihm selbst unerreichbar bleiben. Der biedere, von seiner bürgerlichen Reputation völlig überzeugte Goldschmied Tilman Hicketier benötigt für sein Sängerquartett, mit dem er sich bereits zweimal einen Preis errungen hat, dringend einen Tenor, da der Tod des Verlobten seiner Schwester Thekla eine schmerzliche Lücke in die edle Gemeinschaft gerissen hat. In der ganzen Stadt gibt es nur einen, der den verstorbenen Naumann ersetzen könnte, dieser aber – ein derber, »*dreckiger Prolet*«, uneheliches Kind, mit Namen Schippel – ist leider nicht standesgemäß. Dennoch entschließt sich Hicketier, da der Sängerwettstreit bedrohlich näherrückt, zu einem Versuch, ist jedoch zunächst von den ungeschliffenen Manieren Schippels abgestoßen, so daß dieser beleidigt abzieht. Als sich sogar der regierende Duodez-Fürst, den ein Reitunfall in Hicketiers Haus verschlägt, lebhaft für das Quartett, in Wahrheit allerdings mehr für Thekla zu interessieren beginnt, erscheint der Sieg jetzt geradezu als ehrenvolle Standespflicht. Hicketier söhnt sich mit Schippel aus, der seinerseits verspricht, sich bürgerlichen Lebensgepflogenheiten anzupassen. Außerdem gefällt ihm Thekla, die den anderen Mitgliedern des Quartetts, Krey und Wolke, bereits einen Korb gegeben hat, zu Hicketiers Entsetzen jedoch den kräftigen Schippel mit Wohlgefallen betrachtet, was sie aber nicht hindert, während das Quartett oben im Haus probt, zu einem Rendezvous mit dem Fürsten auf einer Leiter in den Garten hinabzusteigen.

Im Sängerkampf wird der Sieg errungen; Hicketier versucht sich mit dem Gedanken vertraut zu machen, daß Schippel eine Ehe mit Thekla eingeht. Es soll zunächst ein angemessener Stammbaum gefunden werden. Als Hicketier jedoch durchblicken läßt, daß seine Schwester ihre »*Blüte an einen Höheren verloren habe*«, behält Schippel sich stolz die Entscheidung vor. Krey fühlt sich betrogen. Man hält es für Standespflicht, daß die beiden wackeren Kontrahenten sich duellieren. Beide fürchten sich entsetzlich, Schippel will sich sogar heimlich davonmachen, wird aber festgehalten. Er bringt es fertig, Krey im Pistolenkampf leicht zu verwunden, und steht als Held da. Hicketier hält ihn nun für durchaus würdig, der »*höheren Segnungen des Bürgertums voll und ganz*« teilhaftig zu werden. Das Stück schließt mit einem stolzverschämten Monolog Schippels: »*Paul, du bist Bürger!*«

Die Albert Bassermann gewidmete Komödie ist eine der ersten des großen, elf Stücke umfassenden satirischen Zyklus *Aus dem bürgerlichen Heldenleben*. Tendenz und Sprache des Stückes wirken weitgehend expressionistisch, so die verkürzten, abgehackten Dialoge. Da meist die Artikel fehlen, frieren die Sätze zu Befehlen ein und erinnern manchmal an die Manier des preußischen Offizierskasinos. Formal hält sich Sternheim durchaus streng an alte dramaturgische Spielregeln. Das Stück, das seine Fortsetzung in *Tabula rasa* (1914; mit Schippel als gutverdienendem Unternehmer) fand, hatte nach der brillanten Inszenierung Max Reinhardts überall großen Erfolg, zumal Szenen wie diejenige, in der der Zuschauer das eifrige Quartett simultan zu der Liebesszene zwischen Thekla und dem Fürsten erlebt, von erschütternder Komik sind. W. P.

AUSGABEN: Lpzg. 1913. – Mchn. 1920. – Neuwied 1963 (in *SW*, Hg. W. Emrich).

LITERATUR: P. Rilla, *S.s Bürgerkomödien* (in P. R., *Literatur, Kritik u. Polemik*, Bln. 1950, S. 202–209). – J. Mittenzwei, *C. S.s Kritik am Bürgertum im Rahmen einer Darstellg. d. Pessimismus*, Diss.

Jena 1952. – O. Mann, *S.s »Bürger Schippel«* (in *D. dt. Drama*, Hg. B. v. Wiese, Bd. 2, Düsseldorf [2]1960, S. 284–304).

DIE HOSE. Ein bürgerliches Lustspiel in vier Akten von Carl STERNHEIM (1878–1942), Uraufführung: Berlin, 15. 2. 1911, Kammerspiele (unter dem Titel *Der Riese*). – *Die Hose* – erster Teil einer Trilogie (*Der Snob* und *1913*) über den Aufstieg eines Kleinbürgers in die Aristokratie – ist zugleich das erste Hauptstück des satirischen Zyklus *Aus dem bürgerlichen Heldenleben*.

Der philiströse, aber kraftvolle Subalternbeamte Theobald Maske (»*Meine Unscheinbarkeit ist eine Tarnkappe, unter der ich meinen Neigungen, meiner innersten Natur ungehindert frönen darf*«) bangt um seine Stellung, weil seine verträumte Frau Luise just in dem Augenblick, als die kaiserliche Majestät an einer großen Volksmenge vorbeifuhr, jenes reizvolle Kleidungsstück verlor, das dem Stück den Titel gibt. Um die zu erwartenden finanziellen Einbußen auszugleichen, werden sogleich zwei Zimmer vermietet, und zwar an den eleganten, von hohen Bildungsidealen besessenen Schriftsteller Frank Scarron, der Zeuge jenes peinlichen Zwischenfalls war und sich vorgenommen hat, die hübsche Bürgerin zu verführen, und an den hypochondrischen Friseurgehilfen Mandelstam, der die Absichten Scarrons sofort durchschaut. Um den Friseur abzulenken – denn sie fühlt sich zu dem »romantischen Dichter« hingezogen – heuchelt Luise Sympathie für ihn, und beide Männer bewerben sich nun heftig um ihre Gunst. Während Luise auf Scarron wartet, philosophiert der »Schriftsteller« mit Theobald im Wirtshaus. Die Satire erreicht ihren fast makabren Höhepunkt, als der Spießbürger Maske im Gespräch mit dem lächerlich emphatischen »Literaten« und Philisterfeind Scarron plötzlich zum – scheinbar – überlegenen Skeptiker wird, der Nietzsches von Scarron nachgekautes Ideal des »Übermenschen«, ohne im mindesten etwas von dem Thema zu verstehen, lächerlich macht. Der rachitische Mandelstam hingegen stimmt seinem Nebenbuhler auf einmal mit Begeisterung zu – eine Szene, die Sternheims virtuose Technik, seine Figuren so gegeneinander auszuspielen, daß die Lächerlichkeit des einen die des andern erhöht, glanzvoll demonstriert. Am nächsten Morgen erzählt Theobald seiner enttäuschten Frau, er habe Scarron betrunken nach Hause bringen müssen. Luise hat jetzt von den schwächlichen Männern genug; außerdem erfreut sie sich endlich des vitalen Interesses ihres durch ein Techtelmechtel mit Fräulein Deuter, einer kupplerischen Nachbarin, auf den Geschmack gekommenen Mannes, der auf diese Weise als Sieger aus den erotischen Verwicklungen hervorgeht. Da die Zimmervermieterei sich so gut angelassen hat, ist Maske nun sogar in der verwegenen Laune, sich einen Sohn leisten zu wollen: »*Jetzt kann ich es, dir ein Kind zu machen, verantworten.*«

Die Hose, nach anfänglichem Polizeiverbot eins der meistgespielten Stücke Sternheims, ist das erste, in dem der Verfasser seinen Komödienstil gefunden hat; dramaturgisch raffiniert setzt er seine bissige Satire auf die bürgerliche Verlogenheit der Wilhelminischen Ära in Szene. Die stark stilisierte, oft artikel- und verbenlose, den üblichen Satzbau umkehrende, zupackende Diktion wirkt expressionistisch, sofern eine von einem scharfen Intellekt aller Gefühlsnuancen entkleidete kalte Sprache nicht diesem Begriff widerspricht. Denn Sternheim fehlt ein wesentliches Element des Expressionismus: die Hoffnung, kraft des Dichterwortes und der emphatischen Verkündigung eines neuen Ethos den Menschen und damit seine Verhältnisse ändern zu können. Weil er nicht an die Wandelbarkeit der bürgerlichen Welt glaubte, wollte er sie durch Lächerlichkeit töten. W. P. – KLL

AUSGABEN: Bln. 1911. – Lpzg. 1951 (IB, 348). – Neuwied 1964. – Neuwied 1963 (in *Das Gesamtwerk*, Hg. W. Emrich, 1963 ff., 1).

VERFILMUNG: Deutschland 1927 (Regie: H. Behrendt).

LITERATUR: K. Brombacher, *Der deutsche Bürger im Literaturspiegel von Lessing bis S.*, Mchn. 1920. – E. Dosenheimer, *Das deutsche soziale Drama von Lessing bis S.*, Konstanz 1949. – R. Billetta, *C. S.*, Diss. Wien 1950. – P. Rilla, *S.s Bürgerkomödien* (in P. R., *Literatur, Kritik und Polemik*, Bln. 1950, S. 90–97). – J. Mittenzwei, *C. S.s Kritik am Bürgertum im Rahmen einer Darstellung des Pessimismus*, Diss. Jena 1952. – W. Paulsen, *Das Ende des Immoralismus* (in Akzente, 3, 1956, S. 273–287). – H. Schwerte, *C. S. »Die Hose«* (in Der Deutschunterricht, 15, 1963, H. 6, S. 59–80). – I. Nagel, *Der Dramatiker C. S.* (in NRs, 75, 1964, S. 474 bis 482). – W. Wendler, *C. S. Weltvorstellung und Kunstprinzipien*, Ffm./Bonn 1966 [m. Bibliogr.].

DIE KASSETTE. Komödie in fünf Akten von Carl STERNHEIM (1878–1942), Uraufführung: Berlin, 24. 11. 1911, Deutsches Theater. – Der Obertitel *Aus dem bürgerlichen Heldenleben*, unter dem der Autor die bedeutendsten seiner Komödien in einer Art dramatischem Zyklus vereinigte, umschließt einen doppelten Sachverhalt: Tonangebend in der bürgerlichen Gesellschaft ist die besitzende Klasse, und die Machtkämpfe in dieser Gesellschaft werden nicht moralisch gewertet, sondern von ihrem Erfolg her beurteilt. Anpassung und Unterwerfung als Mittel zur Macht können so als zeitgemäße »Heldentaten« erscheinen. Durch seinen Stil, »*einen Telegrammstil von äußerster Konzentration*«, entlarvt Sternheim sarkastisch den bürgerlichen Machtwillen: In der »*schroffen, herzlosen und aggressiven Sparsamkeit*« einzelner Dialoge übertreibt er parodistisch die »*trockene und arrogante Sprechweise, in der die Berliner Bourgeoisie die preußische Herrenkaste nachäffte*« Walter H. Sokel).

In der »Kassette« liegt die Macht, an deren Übernahme die Hauptakteure des Stücks interessiert sind. Die ältliche unverheiratete Tante Elsbeth Treu ist die Besitzerin jener Kassette mit Wertpapieren in Höhe von 140000 Mark, um die gekämpft wird. Aussichtsreichster Kandidat ist der 47jährige Oberlehrer Heinrich Krull, der zu Beginn des Stücks mit seiner viel jüngeren zweiten Frau Fanny von der Hochzeitsreise an den Rhein zurückkehrt. Wie seine sentimentale und metaphernreiche Begeisterung den Spießer und Bildungsbürger verrät, so charakterisiert es seine Einstellung zu seiner Frau, wenn er keinen anderen Kosenamen als »*süße Puppe*« für sie findet: Sie ist ihm sexueller Gebrauchsartikel und Repräsentationsmarionette. Seine Beziehung zu ihr ist von dem gleichen Machtinstinkt beherrscht, der ihn auch der Erbschaft nachjagen läßt. In einer Reihe von Szenen werden beide Bereiche, der ero-

tisch-sexuelle und der materielle, komisch miteinander kontrastiert – ganz ähnlich wie in MOLIÈRES *L'avare*. Vor allem der vierte Akt lebt von dem gehetzten Hin und Her zwischen den beiden Polen Erotik und Geld. Die sich gegenseitig steigernden, zu Höhepunkten treibenden Doppelspiele sind – teilweise in raffinierter Überblendungstechnik als Simultanszenen – meisterhaft komponiert; so der größenwahnsinnige, um die Macht des Geldes kreisende Monolog Krulls vor der Schlafzimmertür seiner Frau, die währenddessen von seinem zukünftigen Schwiegersohn Seidenschnur verführt wird. Der Sieg des Geldes über die Erotik zeigt sich schließlich in einem grotesken Bild: Die Kassette hat Fannys Platz im Bett an der Seite Krulls eingenommen. Vom Ende des dritten Akts an weiß aber der Zuschauer, daß Krull, der sich in der Hoffnung wiegt, Alleinerbe zu werden, von der Tante zugunsten der Kirche bereits enterbt ist. Alle Demütigungen, die er von ihr der erhofften Erbschaft wegen hinnimmt, und sein dauerndes Lavieren zwischen Fanny, die ihn mit sinnlichem Genuß, und der Tante, die ihn mit der Kassette lockt, werden zu einem blinden Manöver, das nur die Mechanik des Spiels um die Macht aufdeckt.
Dieses Spiel von Unterwerfung und Unterdrückung zwischen dem Besitzlosen und dem Inhaber der Macht wird im letzten Akt farcenhaft potenziert: Seidenschnur, ein Photograph mit künstlerischen Ambitionen, der mit Lydia, Krulls Tochter, von der Hochzeitsreise nach Italien zurückgekehrt ist, schwelgt in genialischem Ton von der italienischen Landschaft und der göttlichen Inspiration, die ihn dort überkam. Wie im ersten Akt Krulls emphatischer Bericht über seine Rheinreise immer wieder von den bissigen Bemerkungen der Tante gedämpft wurde, so ist es nun Krull, der – von seiner vermeintlichen Machtposition aus – Seidenschnurs Elan mit Hinweisen auf eben dessen finanzielle Lage zügelt. Am Ende des fünften Akts hat Seidenschnur seinem künstlerischen Ehrgeiz entsagt; der Anblick der Kassette macht auch ihn zum Anbeter des der Kirche vermachten »Hausgötzen«. Abermals entfaltet sich hier die ätzende, ja groteske, gesellschaftskritisch akzentuierte Komik des Stücks. Sie entspringt dem Imperativ des *juste milieu*, des korrumpierten Bürgertums der Wilhelminischen Ära: um mächtig zu werden, müsse man sich demütig geben. »*Wir müssen uns strecken, anpassen; das ist Weltordnung*«, sagt Krull. G. Le.

AUSGABEN: Lpzg. 1912. – Mchn. o.J. [1926]. – Neuwied 1963 (in *Das Gesamtwerk*, Hg. W. Emrich, 1963ff., 1).

LITERATUR: E. Dosenheimer, *Das dt. soziale Drama von Lessing bis S.*, Konstanz 1949. – P. Rilla, *S.s Bürgerkomödien* (in P. R., *Literatur. Kritik u. Polemik*, Bln. 1950, S. 90–97). – J. Mittenzwei, *C. S.s Kritik am Bürgertum im Rahmen einer Darstellung des Pessimismus*, Diss. Jena 1952. – Th. Barisch, *Die Mittel der Komödie bei C. S.*, Diss. Bln. 1956. – W. Emrich, *Die Komödie C. S.s* (in *Der deutsche Expressionismus. Formen u. Gestalten*, Hg. H. Steffen, Göttingen 1965, S. 115–137). – H. Karasek, *C. S.*, Velber 1965 (Friedrichs Dramatiker des Welttheaters, 4). – W. Wendler, *C. S. Weltvorstellung u. Kunstprinzipien*, Ffm./Bonn 1966.

TABULA RASA. Schauspiel in drei Aufzügen von Carl STERNHEIM (1878–1942), Uraufführung: Berlin, 25. 1. 1919, Kleines Theater. – Das Drama, in dem Sternheim seine »*dichterischen Absichten am reinsten*« verwirklicht sah, steht im Dienst einer Analyse politischer Verhältnisse. Die an den Autor erinnernde Kombination von proletarischer Klassenlage und bürgerlichem Lebensstil im Helden des Schauspiels, dem Kunstglasbläser Ständer, stellt sich in der entlarvenden Darstellung als Mißverhältnis dar: Ständers revolutionäres Klassenbewußtsein hindert ihn nicht, sich eine Dienstmagd zu halten, die er, durch die zynische Anwendung der Theorie des freiwilligen Tauschs scheinbar gerechtfertigt, schamlos ausbeutet. Sein eigenes, relativ hohes Einkommen (er ist gleichzeitig kleiner Mitaktionär der Firma, in der er arbeitet) gestattet dem Unverheirateten, der nur für seine Nichte Isolde zu sorgen hat, auch den übrigen kleinbürgerlichen Luxus wie zum Beispiel die üppigen Menüs, deren er sich allerdings nur bei geschlossenen Vorhängen zu erfreuen wagt. Denn mit Recht fürchtet er den Zorn seiner Kollegen, vor denen er seine Einkommenslage und die seines Freundes und Kollegen Flocke bisher mit Erfolg verheimlichen konnte.
Die anläßlich der bevorstehenden Jahrhundertfeier der Firma fällige Revision der Betriebsausgaben droht den enormen Lohnvorsprung der beiden publik zu machen. Diese scheinbar unaufhaltsame Entwicklung möchte Ständer verhindern. Mit Hilfe des Agitators Sturm sucht er im Betrieb, die Forderung nach einer Werksbibliothek zum Anlaß nehmend, eine politisch brisante Klassenkampfsituation zu schaffen, die dem Aufsichtsrat zur befürchteten Revision keine Zeit lassen soll. An der Werksbibliothek ist Ständer nur scheinbar interessiert: Als Aktionär der Firma würde eine solche Investition seine Dividende spürbar beschneiden. Inzwischen ist Sturm für Ständer eine nicht mehr berechenbare Größe in seinem Kalkül geworden. Publizistische Angriffe des Sohns seines Freundes Flocke, eines reaktionären Redakteurs, sollen Sturm politisch diffamieren. Ständers egozentrisches, im Ergebnis erfolgreiches Taktieren, das sich sozialrevolutionär verkleidet, wird am Ende von der Betriebsleitung als Verdienst um die Firma interpretiert, die ihm den Posten eines Mitdirektors anträgt. Mit geheuchelter Bescheidenheit vor der ungeheuren Verantwortung zurücktretend, schlägt er Flocke für diesen Posten vor, der in Ausübung dieses Amtes die Finanzen der Firma wie die eigene Gesundheit ruiniert. Ständers Jahresrente und seine Kapitalzinsen werden dadurch freilich nicht beschnitten. Nun sechzigjährig, fühlt er sich endlich als freier Mensch, darf er ungefährdet seine wahre Natur zeigen, »*die im Grunde nur sich selbst ohne jeden Vergleich und das Wohl der eigenen Seele*« will. Das letzte Hindernis auf dem Weg »*in das eigene Selbst*«, die Nichte Isolde und ihr Geliebter Arthur, den Ständer als »Schwiegersohn« ablehnt, beseitigt er dadurch, daß er beide aus dem Haus jagt, als Isolde sich für Arthur entscheidet.
Die politische Analyse wird in *Tabula rasa* unwillkürlich zur partiellen Selbstkritik des Autors. Seine Affinität zur expressionistischen Ideologie des neuen Aufbruchs und der Rückkehr zum Selbst hindert ihn aber, die Wendung seines Helden zu eben jener Ideologie zu kritisieren. Tatsächlich nämlich ist für Ständer das Mißverhältnis von kleinbürgerlichem Anspruch und proletarischer Klassenlage in einem philosophisch überhöhten Aufstieg aufgehoben. Darin aber liegt das Ideologische des Stücks, daß der Klassengegensatz, der fast durchgehend in der Identität von Ausbeuten und Ausgebeutetsein ins Individuum hineinverlegt ist (ein

Gedanke, dessen historische Tragweite Sternheim kaum hat übersehen können), am Schluß in scheinbarer Versöhntheit überhaupt verschwindet.

E. Kön.

AUSGABEN: Lpzg. 1916. – Neuwied/Bln. 1964 (in *Das Gesamtwerk*, Hg. W. Emrich, 8 Bde., 1963 bis 1969, 2).

LITERATUR: K. Brombacher, *Der deutsche Bürger im Literaturspiegel von Lessing bis S.*, Mchn. 1920. – M. Georg, *C. S. u. seine besten Bühnenwerke*, Bln. 1923. – E. Dosenheimer, *Das deutsche soziale Drama von Lessing bis S.*, Konstanz 1949. – R. Billetta, *C. S.*, Diss. Wien 1950. – J. Mittenzwei, *C. S.s Kritik am Bürgertum im Rahmen einer Darstellung des Pessimismus*, Diss. Jena 1952. – C. Petersen, *C. S.* (in *Expressionismus. Gestalten einer literarischen Bewegung*, Hg. H. Friedmann u. O. Mann, Heidelberg 1956, S. 280–295). – K. Hagedorn, *C. S. auf der deutschen Bühne*, Diss. Köln 1963. – I. Nagel, *Der Dramatiker C. S.* (in NRs, 75, S. 477–482). – H. Karasek, *C. S.*, Velber 1965 (Friedrichs Dramatiker des Welttheaters, 4). – W. Wendler, *Wirklichkeit u. Wunder im Werk C. S.s* (in *Grüße. Hans Wolffheim zum 60. Geburtstag*, Hg. K. Schröter, Ffm. 1965, S. 113–131). – Ders. *C. S. Weltvorstellung u. Kunstprinzipien*, Ffm./Bonn 1966 [m. Bibliogr.]. – W. G. Sebald, *C. S. Kritiker u. Opfer der Wilhelminischen Ära*, Stg. 1969 (Sprache u. Lit., 58).

ERWIN STRITTMATTER
(*1912)

OLE BIENKOPP. Roman von Erwin STRITTMATTER (*1912), erschienen 1963. – Die Bodenreform des Jahres 1945 in der damaligen SBZ (Sowjetische Besatzungszone) brachte eine gerechtere Landverteilung, warf für die Landwirtschaft andererseits aber schwerwiegende Probleme auf. Den zahlreichen Neubauern mangelte es an Erfahrungen in der landwirtschaftlichen Praxis, an Gebäuden, Vieh und Maschinen. In dem fiktiven DDR-Dorf Blumenau ergreift Ole Hansen, genannt Bienkopp, die Initiative und gründet die Bauerngenossenschaft »Blühendes Feld«. Gegner dieses Prototyps der späteren LPG (Landwirtschaftliche Produktionsgenossenschaft) sind der Sägemüller Ramsch, der Altbauer Serno, der Förster Flunker und die Vertreter der Partei, Kreisparteisekretär Wunschgetreu und Bürgermeister Frieda Simson: »*Es ist zu verzeichnen, daß der Genosse Hansen unerlaubt Institutionen hinter dem Rücken der Partei aufzieht.*« Als erster wird der pietistische Frömmler Weichelt Anhänger Bienkopps, andere Dorfbewohner folgen: Stierhalter Jan Bullert, Dorfschneider Mampe-Bitter, Gastwirt Mischer, Konsumverkäuferin Danke, Maurer Kelle, Friseur Schaber. In einem ländlichen Bilderbogen wird die Kollektivierung eines mitteldeutschen Dorfes vorgeführt. Altkommunist und Parteisekretär Anton Dürr, Bienkopps Freund, wird von dem englisch radebrechenden Sägemüller Ramsch heimtückisch umgebracht. Serno, streng, verschlagen, kirchengläubig, versucht seine Leute mit Hilfe von Wurst und Speck zusammenzuhalten. Bienkopp organisiert für die Genossenschaft Saatkartoffeln und baut eine Hühner- und Entenzucht auf. Als 1960 auch die Partei die Kollektivierung der Landwirtschaft fordert und durchsetzt, ist Bienkopps Eifer gerechtfertigt. Jetzt aber kämpfen die Funktionäre als seine Freunde gegen ihn: Sie schlachten die Enten wegen des Ablieferungssolls und schicken schwedische Importkühe im Winter in den »Offenstall«, wo sie ohne Futter erfrieren müssen. Bienkopp macht man am Ende dafür verantwortlich – er ist Vorsitzender der LPG – und setzt ihn ab. Er verliert den Verstand und gräbt sich mit einer Schaufel regelrecht zu Tode, weil er einen Bagger ersetzen möchte, der nicht geliefert wurde. Ein Genosse: »*Eigensinn ohne Eigennutz – dafür gibt's noch kein Wort.*«

Mit der Gestalt des »Wegsuchers« und »Spurmachers« Ole Bienkopp plädiert der Autor für eine undogmatische, vernünftige sozialistische Ordnung. Seine Blumenauer Typen mit den von ihrem Charakter bzw. ihren Berufen abgeleiteten Namen sind Personal einer säkularisierten Märtyrerlegende: Bienkopp muß, standhaft im Glauben an den Sieg des Sozialismus, Prüfungen, private und gesellschaftliche Bewährungsproben bestehen und schließlich den Tod erleiden. Kurzatmige Sätze, die Massierung von Sprichwörtern, Befehlen und Fragen in einem für Strittmatter typischen, eigenartig gedrechselten ländlich-derben Jargon charakterisieren die Erzählweise des Autors: »*Es wird wohl nichts aus uns beiden?*« – »*Nein, du bist nicht ausgerichtet.*« – »*Wie das?*« – »*Ideologisch.*« – »*Ich geh ins Parteijahr, wenn eins stattfindet.*« – »*Aber du priemst.*« – »*Senkt die Waldbrandgefahr.*« In der DDR stieß Strittmatter mit *Ole Bienkopp* vorübergehend auf Widerstand: Viele Funktionäre sahen die Führungsrolle der Partei durch den Romanhelden bedroht (*»Ist die Partei ein Versicherungsunternehmen?«)*. Westliche Kritiker dagegen bescheinigten Strittmatter Blut- und Boden-Nähe und rügten den zuversichtlichen, naiven Fortschrittsglauben Ole Bienkopps. Unterdessen gilt Strittmatters Roman in der DDR als Muster des »sozialistischen Dorfromans«.

K. Fr.

AUSGABEN: Bln. 1963. – Gütersloh 1965.

LITERATUR: M. Reich-Ranicki, *Heimatdichter S.* (in M. R.-R., *Deutsche Literatur in West und Ost*, Mchn. 1963, S. 411–421). – H. P. Anderle, *»Ole Bienkopps« Tragödie. Zur Diskussion um E. S.s neuen Roman* (in Christ und Welt, 1964, Nr. 8). – S. Brandt, *Unmündige und Käuze* (in FAZ, 1964, Nr. 39). – H. Plavius, *Künstlerische Gestaltung der Widersprüche in E. S.s »Ole Bienkopp«* (in Neue Deutsche Literatur, 12, 1964, H. 4, S. 187–195). – F. J. Raddatz, *Blut und Boden, rosa gefärbt. Die Diskussion um S.* (in SZ, 1964, Nr. 28). – H. G. Thalheim, *Zur Entwicklung des epischen Helden und zum Problem des Menschenbildes in E. S.s »Ole Bienkopp«* (in Weimarer Beiträge, 10, 1964, 2, S. 228–234; 501–524). – L. u. N. Kreuzlin, *Bitterfeld. Einige Fragen der Literaturtheorie und »Ole Bienkopp«* (ebd., S. 872–888). – B. Albert, *Das Problem der literarischen Gestaltung des Helden unserer Tage. Bemerkungen zu E. S.s neuestem Roman »Ole Bienkopp«* (in *Arbeiten zur deutschen Philologie*, Budapest 1965, S. 145–155).

LUDWIG THOMA
(1867–1921)

MAGDALENA. Volksstück von Ludwig THOMA (1867–1921), Uraufführung: Berlin, 12. 12. 1912,

Kleines Theater. – Magdalena, die Tochter des Gütlers Thomas Mayr, genannt Paulimann, hat den elterlichen Hof verlassen, um es in der Stadt zu etwas zu bringen. Doch ist es ihr dort *»schlecht ganga«*: Ein skrupelloser Kerl macht ihr ein Heiratsversprechen, verführt sie und betrügt sie obendrein um ihr ganzes »Zusammengespartes«. In ihrer Verzweiflung weiß sie nicht mehr aus noch ein und gerät schließlich mit dem Gesetz in Konflikt. Magdalena wird aus der Stadt ausgewiesen und unter polizeilicher Bewachung in ihr Heimatdorf zurückgebracht. Die Rückkehr des Mädchens bringt in den Augen aller Dorfbewohner große Schande über das Haus des Paulimann. Nach dem Tod der kranken, alles verzeihenden Mutter stellt Paulimann seine Tochter unter strengen Hausarrest, um Zusammenstöße mit den Leuten im Dorf zu vermeiden. Der Bürgermeister leitet – unter dem Vorwand, die Moral zu verteidigen, in Wirklichkeit aber, weil er auf den billigen Erwerb von Paulimanns Hof spekuliert – eine erpresserische Hetzkampagne gegen Vater und Tochter ein. Paulimann verliert seinen Aushilfsknecht Lorenz, den das Gerede der Leute über Magdalena zur Kündigung veranlaßt. Auch der neue Dorfgeistliche tut alles, um den Haß der Dorfbewohner gegen den Gütler und seine Tochter zu schüren. Seine Sonntagspredigten enthalten regelmäßig sehr gezielte Anspielungen: *»... daß diesen Übles geschieht, die wo Ärgernis geben.«* Magdalena, zerquält und von Angst getrieben, schreitet zu einer Verzweiflungstat: Sie ist entschlossen, das Dorf zu verlassen; es fehlt ihr jedoch am nötigen Geld. Deshalb läßt sie nachts einen Bauernburschen in ihre Kammer ein und bittet ihn um ein paar Mark. Am nächsten Tag weiß das ganze Dorf davon, und die versteckte Gehässigkeit steigert sich zu heller Empörung. Magdalena soll aus dem Dorf vertrieben werden. Paulimann wird gezwungen, seine Tochter vor dem Bürgermeister und anderen Dorfbewohnern zur Rede zu stellen. Als Magdalena zugeben muß, daß sie um das Geld gebeten hat, ersticht sie der Vater mit den Worten: *»Jetzt reißt's as naus in d'Schand!«*

Thoma gelingt es, in scheinbar nur vordergründiges, mit handfesten naturalistischen Mitteln arbeitendes Bauerntheater progressive Gesellschaftskritik einzuführen. Es wird exemplarisch vorgeführt, wie »Moral«, als abstraktes Prinzip, zur Legitimation jeden Unrechts taugt; zu starrer Eigengesetzlichkeit verkehrt, wird sie, die das Menschliche im humanen Miteinander sichern soll, zum Vehikel des Unmenschlichen. Der Vater wird zum Tochtermörder, weil er der Moral auch dann noch hörig bleibt, wenn sie, als Machtinstrument, von oben her gegen ihn selber eingesetzt wird. Der Wesentliches oft aussparende Dialog, die realitätsgesättigte, mit deftigen Dialektausdrücken durchwürzte Sprache, der effektvoll zur Katastrophe sich zuspitzende dramatische Vorgang und die sozialkritische Intention machen dieses Stück, das dramengeschichtlich als spätes Exemplar der Gattung des bürgerlichen Trauerspiels (vgl. *Emilia Galotti*, *Kabale und Liebe*, *Liebelei*) einzustufen ist, zur tragischen Variante von Thomas Komödien *Moral* und *Die Lokalbahn*, neben denen es auch der dichterischen Qualität nach bestehen kann. KLL

AUSGABEN: Mchn. 1912. – Mchn. 1922 (in *GW*, 7 Bde., 6). – Mchn. 1956 (in *GW*, Hg. A. Knaus, 8 Bde., 2; Einf. J. Lachner). – Mchn. 1964 (in *Theater. Sämtliche Bühnenstücke*; Nachw. H.-R. Müller).

LITERATUR: A. Stark, *Die Bauern bei L. T. mit besonderer Berücksichtigung der Dachauer Bauern*, Diss. Mchn. 1937. – W. L. Heilbronner, *L. T. as a Social and Political Critic and Satirist*, Diss. Univ. of Michigan 1955 (vgl. Diss. Abstracts, 15, 1954/55, S. 1399). – D. V. White, *L. T. as a Political Satirist* (in GLL, 13, 1959/60, S. 214–219). – J. P. Sandrock, *The Art of L. T.: Aspects of T.'s Art in Representative Works*, Diss. Univ. of Iowa 1961 (vgl. Diss. Abstracts, 22, 1961/62, S. 1631; ern. Ann Arbor 1964). – F. Heinle, *L. T. dargestellt in Selbstzeugnissen u. Bilddokumenten*, Reinbek, 1963 (rm, 80) G. Thumser, *L. T. u. seine Welt*, Mchn. 1966.

ERNST TOLLER
(1893–1939)

EINE JUGEND IN DEUTSCHLAND. Autobiographie von Ernst TOLLER (1893–1939), erschienen 1933. – *»Am Tag der Verbrennung meiner Bücher in Deutschland«*, im Mai 1933, schrieb der Autor das programmatische Vorwort zu seinem Buch, in dem er die Geschichte der *»Jugend einer Generation und ein Stück Zeitgeschichte dazu«* erzählen will. Die Zeit seines Berichts, der als eines der ersten Werke der deutschen Exilliteratur im Amsterdamer Emigrantenverlag Querido erschien, reicht von seinem Geburtsjahr 1893 bis zu seiner Entlassung aus der Festungshaft im Jahr 1924. Äußerlich fragmentarisch, bricht die Autobiographie an diesem Zeitpunkt ab; allerdings waren für Toller bis dahin die entscheidenden Erlebnisse und Wendungen seines Lebens, mindestens aber seiner geistigen Entwicklung, überschaubar.

Der Autor, aus wohlhabender deutsch-jüdischer Bürgerfamilie stammend, beschreibt zu Anfang seine Jugend in Samotschin, einer Kleinstadt im Netzebruch, und die Gymnasialzeit in Bromberg. Früh gereift und sensibel registriert er die Phänomene der Armut und der Grausamkeit der Welt, den Chauvinismus der Lehrer und die Erfahrung seines Ausgestoßenseins als Jude und, immer wieder, die ihn schon als Kind und Jugendlichen tief beunruhigenden sozialen Unterschiede. Er geht zum Studium nach Frankreich, kehrt bei Kriegsausbruch nach Deutschland zurück und meldet sich, ergriffen von dem allgemeinen *»Rausch des Gefühls«*, als Freiwilliger; nun endlich glaubt er zeigen zu können, daß er nur Deutscher ist: Er läßt sich aus den Listen der jüdischen Gemeinde streichen. Erst in den Stellungskämpfen vor Verdun beginnt er das Unwesen des Krieges zu erkennen: *»In dieser Stunde weiß ich, daß ich blind war, weil ich mich geblendet hatte, in dieser Stunde weiß ich endlich, daß alle diese Toten, Franzosen und Deutsche, Brüder waren, und daß ich ihr Bruder bin.«* Aus dem Heer entlassen und zum Studium nach München zurückgekehrt, versucht er den Krieg zu vergessen, gerät aber dann immer stärker in studentische und parteipolitische Kreise, die gegen den Krieg agitieren. Entscheidend wird seine Begegnung mit Kurt Eisner; Toller tritt, Sozialist und Pazifist geworden, 1917 in die USPD ein. Beim Aufstand der Munitionsarbeiter verteilt er Zettel mit Gedichten und mit Szenen aus seinem Drama *Die Wandlung* an die streikenden Arbeiter. Im November 1918 ernennt ihn der Zentralrat der bayerischen Arbeiter-, Bauern- und Soldatenräte zu seinem zweiten Vorsitzenden; Eisner ist der Ministerpräsident der bayerischen Räterepublik, Toller wird kurz darauf der erste Vorsitzende des Zentralrats und später Kommandant der Roten Armee. Er versucht, unnötige Kämpfe, Grausamkeiten und Ausschreitungen zu verhindern, als die Weißgardisten Südbayern zurückerobern. Nach dem Zusammenbruch der Räterepublik wird er im Sommer 1919 verhaftet und wegen Hochverrats zu fünf Jahren Festungshaft verurteilt, die er in Eichstätt und Niederschönenfeld absitzt. »*Nein, ich war nie allein in diesen fünf Jahren, in der trostlosesten Verlassenheit nie allein*«; ihn ermutigte »*der Glaube an eine Welt der Gerechtigkeit, der Freiheit, der Menschlichkeit, an eine Welt ohne Angst und ohne Hunger. Ich bin dreißig Jahre. Mein Haar wird grau. Ich bin nicht müde.*«

Tollers Aufzeichnungen dürfen zu den wichtigsten Schriften über die entscheidenden Jahre um 1918 gerechnet werden; ihr hoher Informationswert, der detaillierte Aufschluß, den sie über die Stimmung unter den Soldaten und Revolutionären im Krieg und im Umsturz und über die Rechtspraxis im Kaiserreich und in den frühen Jahren der Republik geben, die Eindringlichkeit der moralisch rigorosen, rückhaltlos offenen und selbstkritischen Erinnerungen und Überlegungen des Autors verleihen dem Buch einen Rang, der sonst – in vergleichbaren Werken von Zeitgenossen Tollers – nur von Franz Jungs Aufzeichnungen *Der Weg nach unten* (1961) erreicht wird. Immer wieder kreisen Tollers Gedanken um den Widerstreit zwischen inhumanen Mitteln und humanem Ziel, revolutionärem, d. h. gewaltsamem, Handeln und einer friedlichen sozialistischen Gesellschaft. Der quälende Ernst und das Pathos des Vorworts *Blick 1933* zeugen zudem für Tollers Gefühl der Schuld bzw. Mitschuld an der ungenügend durchdachten, gescheiterten Revolution von 1918/19, durch deren Mißlingen dem Nationalsozialismus eigentlich die Bahn bereitet wurde.

Doch liegt die Größe von Tollers Autobiographie nicht nur im Inhaltlichen. Die knappe, bohrende Sprache, die kurzen, parataktisch gereihten, fast skizzenhaft Szenen und Sachverhalte andeutenden Sätze, die oft nur wenige Zeilen langen, meist mit sehr pointierten Feststellungen endenden Abschnitte, in die das Buch gegliedert ist – dies alles legt Zeugnis ab von Tollers Sprachkraft, die – nach Berichten von Zeitgenossen – in politischen Versammlungen größte Wirkung tat. *Eine Jugend in Deutschland* hat zweifellos noch nicht die gebührende Beachtung als Dokument und Prosakunstwerk erfahren, obwohl das Buch heute wesentlich lebendiger und lesbarer ist als die von starkem, hochstilisiertem Pathos getragenen expressionistischen Dramen des Autors. W. F. S. – KLL

Ausgaben: Amsterdam 1933. – Hbg. 1961 (in *Prosa, Briefe, Dramen, Gedichte*; Vorw. K. Hiller). – Reinbek 1963 (rororo, 583).

Literatur: Anon., Rez. (in New York Times, 14. 12. 1936). – M. Muret, *Le désarroi de l'esprit allemand*, Lyon 1937. – O. Wirth, *E. T. Der Mensch in seinem Werk* (in MDU, 31, 1939, S. 339–348). – W. A. Willibrand, *E. T. Product of Two Revolutions*, Norman 1941. – Ders., *E. T. and His Ideology*, Iowa City 1945. – H. Kesten, *E. T.* (in H. K., *Meine Freunde die Poeten*, Mchn. 1959, S. 255–268). – M. Reso, *Die Novemberrevolution u. E. T.* (in ZDLG, 5, 1959, S. 367–409).

MASSE-MENSCH. Ein Stück aus der sozialen Revolution des zwanzigsten Jahrhunderts. Versdrama in sieben Bildern von Ernst Toller (1893 bis 1939), Uraufführung: Nürnberg, 15. 11. 1920, Stadttheater. – Dieses ausdrücklich »*den Proletariern*« gewidmete Stück versteht sich als Kampfansage gegen jede Art von Gewalt. Im gleichen Jahr 1919, in dem Toller nach dem Sturz der Münchner Räteregierung das Stück während seiner Festungshaft schrieb, scheiterte die proletarische Revolution in Deutschland. In Tollers Stück solidarisiert sich eine bürgerliche Frau, Sonja Irene L., mit dem revolutionären Proletariat und tritt aktiv für die Befreiung und Verbrüderung aller Menschen ein. Blutigen Klassenkampf jedoch lehnt sie ab. Ihr Mann, der gemeinsame Sache mit den Herrschenden macht, droht, sie ihrer staatsfeindlichen Umtriebe wegen zu verlassen. Die Frau zögert nicht, ihre Liebe zu ihm den vordringlicheren Interessen der »Masse« zu opfern. – Ein Traumbild zeigt den makabren Tanz der Börsenspekulanten, die Krieg und Ausbeutung des Proletariats als Geschäft betreiben. – Die Frau ruft die Masse auf, durch Streik andere, bessere Zustände zu erzwingen. Ein »Namenloser«, die Verkörperung der verhetzten, blind aggressiven Masse, fordert die Revolutionäre jedoch zu gewaltsamen Aktionen auf. Seine Thesen finden Anklang bei allen; sogar die Frau folgt seinem Appell, weil sie als einzelne sich der Masse gegenüber im Unrecht glaubt. – Das zweite Traumbild zeigt eine Zukunftsvision der Frau: Sie erlebt die Hinrichtung ihres eigenen Mannes durch die Revolutionäre. – Daraufhin sagt sie sich von der Masse los, überzeugt davon, daß Gewalt nur neue Gewalt hervorbringe und deshalb im Widerspruch zu den humanen Zielen der Revolution stehe. – Als sie, noch während des Aufstands, Blutvergießen verhindern will, wirft ihr der Namenlose Verrat vor; er ist bereit, für eine bessere Zukunft auch Menschenleben zu opfern. Der Aufstand wird niedergeschlagen, die Frau als Rädelsführerin verhaftet. – Das dritte Traumbild der Frau zeigt die Gefangene in ihrer Zelle, bedrängt von den Schatten Erschossener, die sie anklagen. Die Frau bekennt sich zu ihrer Schuld, weiß aber, daß sie nicht anders handeln konnte. Ihre Rechtfertigungsversuche gipfeln in der Anklage: »*Gott ist schuldig.*« Ihr Mann besucht sie in der Zelle und spricht sie von aller Schuld frei; schuldig sei allein die Masse: »*Wer Masse aufwühlt, wühlt die Hölle auf.*« Aber die Frau plädiert für Mitschuld und Mitverantwortung jedes einzelnen: »*Schuldig wir alle.*« Sie lehnt das Angebot des Namenlosen, ihr zur Flucht zu verhelfen, ab, da ein blutiger Zusammenstoß mit dem Gefängnispersonal nicht ausgeschlossen werden kann. Nun vollzieht sie endgültig die Abkehr von einer Revolution, die vor dem Mittel der Gewalt nicht zurückschreckt: »*Höre: kein Mensch darf Menschen töten / Um einer Sache willen.*« Für diese Überzeugung geht die Frau in den Tod.

Toller stilisiert die Figuren seines Dramas ins Allegorische: Sie repräsentieren Ideen und Prinzipien. Die Rhythmisierung der Sprache, die typisch expressionistische asyntaktische, gedrängte Verkürzung, die ins Religiöse spielende Metaphorik, das mit »Traumbildern« durchsetzte Bühnengeschehen erzeugen ein Pathos, das dem sehr konkreten, »prosaischen« Gegenstand bisweilen unangemessen ist. Zwar finden Tollers idealistische Gesinnung und sein politisches Engagement für eine unblutige Befreiung des Proletariats in diesem Verkündigungsdrama flammenden Ausdruck, doch ist seine Forderung, die Kategorie des

Individuellen und dessen moralisch-ethischen Anspruch bruchlos auf die Anonymität proletarischer Massen zu übertragen, nicht zwingend. Die Gestalt der Frau, die ihre Entscheidung für die Gewaltlosigkeit kategorisch mit dem Satz legitimiert: »*Ich schütze Menschheit*«, exemplifiziert Tollers eigenes Dilemma, der als Politiker einen pazifistischen Humanismus vertrat, ohne doch revolutionäres, das Mittel der Gewalt implizierende Handeln ausschließen zu können. – Nirgends geht es Toller – konsequenterweise – um Politisierung der Kunst, sondern immer um Vermenschlichung der Politik. Sein ästhetisches Glaubensbekenntnis lautet: »*Es gibt eine proletarische Kunst nur insofern, als für den Gestaltenden die Mannigfaltigkeiten proletarischen Seelenlebens Wege zur Formung des Ewig-Menschlichen sind.*« KLL

AUSGABEN: Potsdam 1921. – Reinbek 1961 (in *Prosa, Briefe, Dramen, Gedichte*; Vorw. K. Hiller).

LITERATUR: E. Heilborn, Rez. (in LE, 23, 1921, S. 155). – H. Pongs, *T.s Dramen von Menschen der Masse* (in Die christliche Welt, 38, 1924, S. 462 bis 472). – A. E. Reade, Rez. (in Labour Monthly, 6, 1924, S. 369–375). – A. v. Gronicka, *Das Motiv der Einsamkeit im modernen deutschen Drama* (in GQ, 27, 1954, S. 12–24). – M. Reso, *Der gesellschaftlich-ethische Protest im dichterischen Werk E. T.s*, Diss. Jena 1957. – W. W. Malzacher, *E. T. Ein Beitrag zur Dramaturgie der 20er Jahre*, Diss. Wien 1961. – E. Lämmert, *Das expressionistische Verkündigungsdrama* (in *Literatur u. Gesellschaft*, Hg. H. J. Schrimpf, Bonn 1963, S. 309–329). – H. Marnette, *Untersuchungen zum Inhalt-Form-Problem in E. T.s Dramen*, Diss. Potsdam 1963. – K. K. Maloof, *Mensch u. Masse. Gedanken zur Problematik des Humanen in E. T.s Werk*, Diss. Univ. of Washington 1965 (vgl. Diss. Abstracts, 27, 1966/67, S. 212 A).

GEORG TRAKL
(1887-1914)

SEBASTIAN IM TRAUM. Gedichtsammlung von Georg TRAKL (1887–1914), erschienen 1915. – Georg Trakls zweiter Gedichtband ist kein Zyklus im strengen Sinn, doch hat der Autor, der auch Drucklegung und Gestaltung sorgfältig überwachte, die Gliederung des ursprünglich dreiteiligen Werkes in fünf Abteilungen selbst vorgenommen. Zwar waren die Gedichte zuvor schon einzeln in der Zeitschrift ›Der Brenner‹ abgedruckt worden, Wahl und Anordnung der Zwischenüberschriften *Sebastian im Traum, Der Herbst des Einsamen, Siebengesang des Todes, Gesang des Abgeschiedenen* und *Traum und Umnachtung* lassen jedoch ein klares Kompositionsprinzip erkennen: Im Zentrum steht die Todesthematik, umgeben von einem prä- und einem postmortalen Komplex, das Ganze eingeschlossen in die beiden Traumabschnitte.
Mit Ausnahme des zweiten Teils variiert Trakl hier nicht mehr wie in den 1913 erschienenen *Gedichten* die formalen Möglichkeiten der Lyrik in Strophenbau, Vers und Reim, sondern bedient sich zumeist reimloser Langzeilen bis hin zum Prosagedicht. Die neuromantische, VERLAINE, aber auch HOFMANNSTHAL und RILKE verpflichtete Melodik ist starren, hermetischen Sätzen bzw. Satzteilen gewichen, das Enjambement der Evokation isolierter Bilder. Zwar ist die Sonettform verschwunden, doch in der Todesmotivik manifestiert sich die spezifisch österreichische Affinität zum Barock ebenso wie in der antithetischen Struktur der Gedichte. Letztere verweist – über die literarische Tradition hinaus – auf die Traumsprache, deren Strukturen und Mittel bestimmende Elemente dieser Lyrik sind. Trakls traumatische Inzesterfahrung mit seiner jüngeren Schwester Grete setzt die lyrische Motorik in Gang, ohne diese vollständig zu determinieren; die Umschreibemanie des Autors, die eine Vielzahl von Fassungen entstehen ließ, markiert den Unterschied zur »automatischen Schreibweise« der Surrealisten. Trakl hat es nicht auf den latenten Traumgedanken abgesehen, sondern auf dessen zunehmende Verschlüsselung.
Die *Sebastian im Traum*-Gedichte sind als permanente »Verwandlung des Bösen« zu lesen, ihre chiffrierte Botschaft ist Wunscherfüllung und Katharsis zugleich. Die Bilder, die aus dem Vorbewußten kommen, werden verwandelt in Mythen, deren Archaik Trakl von anderen Expressionisten abhebt. Anders als etwa bei Georg HEYM ist seine Topographie nicht von der Stadt geprägt, Dorf und Natur erscheinen als Seelenlandschaft. Kultur wird zur Natur, Geschichte zum Mythos. Nicht den »Gott der Stadt« beschwört Trakl, sondern die alten religiösen Formen und Riten in ihrem stilisiert natürlichen Ambiente: der gute Hirte, das Vieh, die Magd und immer wieder das Kind, konfrontiert mit einer abweisenden Welt. Wie Natur und Dorf eine verfremdete »finstere« Idylle darstellen, so ist auch die Kindheit kaum einmal das verlorene Paradies – »*ruhig wohnte die Kindheit in blauer Höhle*« –, sondern weit eher »*erfüllt von Krankheit, Schrecken und Finsternis*«. Die Innerlichkeit, die hier zum Vorschein kommt, ist eine gestörte, Geborenwerden bereits ein unheilbares, von der Erbsünde belastetes Gebrechen: »*groß ist die Schuld des Geborenen*«. Das Leben wird auf den paranoiden Mythos der ewigen Jagd gebracht, die – als personifiziertes Schicksal – »*rot vom Wald niedersteigt*«. Auf der Dialektik des Jagens und Gejagtwerdens, die den Inzest und die daraus resultierenden Schuldgefühle verarbeitet, stilisiert Trakl die eigene Existenz zur Leidensgeschichte mit umgekehrten Vorzeichen, zu einer Passion unter dem Kreuz des Lustvoll-Bösen; der Märtyrer Sebastian wird zur Inkarnation des *poète maudit*.
Der masochistisch genossene Todestrieb – »*O die Wollust des Todes*« – ist jedoch nicht allein das Resultat eines individuellen Konflikts. »*Auf dem Knaben lastete der Fluch des entarteten Geschlechts*« – im doppelten Sinne. Nicht zufällig haben zwei Gedichte das Wort »Abendland« im Titel. Ontogenese und Phylogenese werden eins, Familien- und Gesellschaftsgeschichte kommen zur Deckung. Der Tod, der als pränatale Größe von vornherein alles Leben unter seinem Medusenblick erstarren läßt, ist der ideologische Ausdruck einer Gesellschaft, die narzißtisch immer nur das eigene Spiegelbild vor Augen hat, die sich und ihre leeren Formen und Riten beständig reproduziert und die Vision ihres Untergangs als Apokalypse inszeniert. Die rückwärts gewandte Perspektive, der Mythos der ewigen Wiederkehr, der sich sprachlich manifestiert in der Bevorzugung der Adjektive gegenüber den Verben wie im häufigen Gebrauch des Wortes »immer« und synonymer Wendungen, verleiht Trakls Gedichten ihren statischen Charakter.
Freilich geht diese Lyrik nicht auf in ideologischer Verdoppelung und Verbrämung; sie sprengt diese

Fesseln und wird gesellschaftskritisch, indem sie das Kommunikationsproblem in radikaler Weise stellt. Fremdheit und Kommunikationslosigkeit prägen Trakls lyrische Sprechweise. Die Dinge und die Bilder stehen unverbunden, scheinbar beziehungslos nebeneinander; Parataxis herrscht vor; oft fehlen die Prädikate. Kommunikation vollzieht sich als Jagd, als Kampf, der aristokratischen Form des Konkurrenzprinzips der bürgerlichen Gesellschaft: Auf Kaspar Hauser wartet der Mörder. Wird hier die Beziehung durch die Gewalt hergestellt, so geschieht das im Falle der Schwester durch eine Liebe, die den Tod bereits in sich trägt. Sexualität und Sprachlosigkeit werden in der Regression identisch: »*Eine schwarze Höhle ist unser Schweigen.*« Als inzestuös dem bürgerlichen Individuum schuldhaft erscheinend, wird das Sprechen über diese Kommunikation zum Chiffrierten, dem Verstehen sich hermetisch Verweigernden. Der Solipsismus, der bei Trakl den Charakter einer Privatsprache annimmt, einer »parole«, die der »langue« die Gefolgschaft aufkündigt, ist die Weigerung des isolierten Warenbesitzers, den Tausch zu akzeptieren. Der Abbruch von Kommunikation, gerade in den Jahren vor und nach der Jahrhundertwende in epischen und dramatischen Gattungen thematisch gemacht, wird im lyrischen Sprechen vollzogen, worin das Paradox eingeschlossen ist, daß Trakls Gedichte, vom Verstummen sprechend und »An die Verstummten« gerichtet, eine Anstrengung gegen das Verstummen bedeuten. Die widerspruchsvolle Erlösung durch das Wort geht einher mit der Erlösung des Wortes aus seinen syntaktisch und semantisch festgelegten Bezügen: Transitive Verben kommen ohne ihr Zielwort aus, ein Meer »nachtet«; die lyrische Sprache geht daran, die arbeitsteilige Entmischung der Bereiche rückgängig zu machen in optisch-akustischen Synästhesien; Farbworte erhalten das Gewicht von Substantiven und umgekehrt.
»*Es ist ein so namenloses Unglück, wenn einem die Welt entzweibricht*«, schreibt Trakl an Ficker. Seine Lyrik macht diesem Zustand den Prozeß. Die Passion verfehlt am Ende den kathartischen Effekt. Ambivalenz schlägt um in Kontradiktion, gefaßt in die für Trakl typische Form des Oxymorons: »*Schwarzer Tau, das letzte Gold verfallener Sterne.*« Der visionäre Ausblick, die Utopie der Eingeschlechtlichkeit, hebt sich selbst auf in ihrer Realisierung: »*Ein strahlender Jüngling erscheint die Schwester in Herbst und schwarzer Verwesung*«; in einem Paradies, das sich darstellt als das, womit Adorno das Paradox spätbürgerlicher Kunst insgesamt bezeichnete, als »*Versprechen des Glücks, das gebrochen wird*«. U. E.

Ausgaben: Innsbruck 1913/14 (in Der Brenner, 4, H. 1, 8/9, 11, 13). – Lpzg. 1915 [recte 1914]. – Bln. 1920 (in *Menschheitsdämmerung*, Hg. K. Pinthus). – Salzburg 1969 (in *Dichtungen u. Briefe*, Hg. W. Killy u. H. Szklenar, 2 Bde., 1; ern. 1970).

Literatur: G. Feilecker, *Die Wirklichkeit des Todes im Werk G. T.s*, Diss. Innsbruck 1947. – E. Vietta, *G. T. Eine Interpretation seines Werkes*, Hbg. 1947. – E. Lachmann, *Kreuz u. Abend. Eine Interpretation der Dichtungen G. T.s*, Salzburg 1954. – C. Heselhaus, *G. T.* »*Gesang des Abgeschiedenen*« (in *Die deutsche Lyrik*, Hg. B. v. Wiese, Bd. 2, Düsseldorf 1956, S. 401–408). – W. Killy, *Über G. T.*, Göttingen 1960; [3]1967. – K. L. Schneider, *Der bildhafte Ausdruck in den Dichtungen Georg Heyms, T.s u. Ernst Stadlers. Studien zum lyrischen Sprachstil des deutschen Expressionismus*, Heidelberg [2]1961 (Diss. Hbg. 1950). – O. Basil, *G. T. in Selbstzeugnissen u. Bilddokumenten*, Reinbek 1965 (rm, 106). – Ch. Eykman, *Die Funktion des Häßlichen in der Lyrik Georg Heyms, G. T.s u. Gottfried Benns. Zur Krise der Wirklichkeitserfahrung im deutschen Expressionismus*, Bonn 1965. – R. D. Schier, *Von der Metapher zur figuralen Sprache. Abgrenzung der Begriffe. Dargestellt an G. T.s* »*Gesang des Abgeschiedenen*« (in Der Deutschunterricht, 20, 1968, S. 49–68). – H. Wetzel, *Klang u. Bild in den Dichtungen G. T.s*, Göttingen 1968 (Palaestra, 248; zugl. Diss. Göttingen). – R. Blass, *Die Dichtung G. T.s. Von der Trivialsprache zum Kunstwerk*, Bln. 1968 (Diss. Köln 1967). – *G. T.*, Mchn. [2]1969 (Text u. Kritik). – R. D. Schier, *Die Sprache G. T.s*, Heidelberg 1970.

KURT TUCHOLSKY
(1890–1935)

EIN PYRENÄENBUCH. Reisebericht von Kurt Tucholsky (1890–1935), erschienen 1927 unter dem Pseudonym Peter Panter. – Eine ingeniöse Mischung aus Reportage und Feuilleton, vermittelt das Buch Eindrücke, die Tucholsky 1925 während einer ausgedehnten Reise durch Südfrankreich und Nordspanien empfangen hatte. Mehr noch als die bizarre Pyrenäenlandschaft schlugen ihn deren Bewohner in Bann, lieferten ihm Kultur und Gesellschaft dieser Völker Reflexionsmaterial. Die Amtshandlung beim Überschreiten der Landesgrenzen, der Besuch eines Stierkampfs in Bayonne (»*...eine Barbarei. Aber wenn sie morgen wieder ist, gehe ich wieder hin*«), die reichen Badegäste in Biarritz, ein Gottesdienst in einem Jesuitenkloster, das baskische Volksleben – Erlebnisse, deren politisch-soziale Symptomatik Tucholskys scharfer Blick für das Wesentliche zum Vorschein bringt. Zum Höhepunkt des Buchs wird eine wissenschaftlich dokumentierende Untersuchung des Phänomens Lourdes, dessen psychologische und soziologische Aspekte (u. a. das Verhältnis Masse–Individuum) im Vordergrund stehen. Abschließend unternimmt Tucholsky eine subtile Würdigung Henri de Toulouse-Lautrecs und berichtet vom Besuch in dessen Geburtsstadt Albi sowie von der Begegnung mit der Mutter des Malers.
Mit dem *Pyrenäenbuch* durchbricht Tucholsky die herkömmlichen Vorstellungen von Reiseliteratur. Wie Heine verzichtet er auf ästhetisierende Unverbindlichkeit, Sensationsmache und Übertreibung. Statt dessen bietet er dezidiert gesellschaftsbezogene, geistreiche Reiseimpressionen, die meist über den unmittelbaren Anlaß hinausweisen und in persönliche Bekenntnisse münden: Die Fahrt durch die Pyrenäen wird zur »*Reise durch mich selbst*«. Die sozialen Zustände im Reiseland werden mit denen in Deutschland verglichen, die Abfertigung an der Grenze führt zu Reflexionen über das Nationalstaatensystem, die Begegnung mit Wallfahrern zu der Frage, wie es mit der christlichen Religion vereinbar sei, daß »*ein frommer Katholik dem andern ein Bajonett in den Leib jagen kann*«. Seiner engagiert humanistischen, internationalistischen und pazifistischen Tendenz wegen hat man das *Pyrenäenbuch* als eine »*Fibel der Völkerverständigung*« apostrophiert. Monty Jacobs nannte es »*das Reisebuch eines Menschenfreundes*«, Carl von Ossietzky be-

scheinigte dem Autor, »*ein virtuoser Beherrscher des kleinen Formats*« zu sein. Tucholsky selbst bezeichnete sein Reiseprotokoll zwei Jahre nach dessen Erscheinen hingegen als »*kein Muster seiner Gattung*«: »*Es ist darin mehr von meiner Welt als von den Pyrenäen die Rede, und nur das Kapitel über Lourdes macht eine Ausnahme*« *(Aus aller Welt).*

H. G. W. - KLL

AUSGABEN: Bln. 1927. - Bln. 1930. - Reinbek 1961 (in *GW*, Hg. M. Gerold-Tucholsky u. F. J. Raddatz, 4 Bde., 1960-1962, 2; ern. 1967).

LITERATUR: A. Lambeck, *Henri de Toulouse-Lautrec und K. T.* (in Das goldene Tor, 4, 1949, S. 207-211). - K. Hoche, *Der Humor und die Bitterkeit. Gedanken über K. T.* (in DRs, 78, 1952, S. 1254 bis 1260). - H. Schröder, *K. T. Polemik und Satire im Kampf um eine Weltanschauung. Ein Beitrag des literarischen Journalismus*, Diss. Wien 1958. H. Prescher, *K. T.*, Bln. 1959. - H. Kesten, *K. T.* (in H. K., *Meine Freunde, die Poeten*, Mchn. 1959, S. 209-228). - F. J. Raddatz, *T. Eine Bildbiographie*, Mchn. 1961. - K.-P. Schulz, *K. T.*, Reinbek 1962 (rm, 31). - H. G. Weise, *K. T. als Literaturkritiker*, Diss. Harvard Univ. 1962. - H. Mayer, *Der pessimistische Aufklärer K. T.* (in Moderna språk, 60, 1966, S. 286-296).

FRITZ VON UNRUH
(1885-1970)

EIN GESCHLECHT. Verstragödie in einem Akt von Fritz von UNRUH (*1885), Uraufführung: Frankfurt/Main, 16. 6. 1918, Schauspielhaus. - Das Werk ist weniger eine Tragödie als ein lyrisch-dramatischer Gewaltakt, der die entmenschlichende Wirkung des Krieges und die Vision einer neuen, besseren Welt an einem Geschlecht von mythischer Zeit- und Namenlosigkeit zu demonstrieren versucht. Die orgiastisch-wilde Handlung dieses für den expressionistischen Bühnenstil bezeichnenden, wenn auch nicht repräsentativen Stücks spielt während einer Nacht »*vor und in einem Kirchhof auf Bergesgipfel*«. Die Mutter, »*ein verhülltes Bild*«, die nicht mehr mit diesem Namen, diesen »*zwei Silben, die mich niederschlagen*«, genannt werden will, steht mit ihrer Tochter und dem jüngsten Sohn am frischen Grab eines ihrer vier Söhne, des »*schlachtgefallenen Lieblings*«. Währenddessen binden Soldaten ihre beiden anderen Söhne an das Kirchhofsgitter. Sie sollen, wegen Feigheit der eine, wegen Schändung der andere, bei Tagesanbruch hingerichtet werden. Um das Geschlecht zu entsühnen, soll der jüngste Sohn das Urteil vollstrecken. Er bringt es nicht über sich, und die Soldaten zwingen ihn, mit in die Schlacht zu ziehen. Allein gelassen mit ihren drei Kindern, erlebt die Mutter, wie der »*Weltvernichtungsgeist*« alle Bande der Moral und der Menschlichkeit zerstört: der älteste Sohn begehrt die Schwester, die seine Leidenschaft erwidert und ihm die Fesseln löst. Beide planen den Mord an der Mutter, die sie als den Ursprung ihres Lebens und Leidens verfluchen. In Raserei reißt der Sohn die Kreuze aus den Gräbern und stürzt sich schließlich von der Kirchhofsmauer in die Tiefe. In diesem Chaos erhebt die Mutter ihre Stimme, und, eben noch in Zorn, Verzweiflung und sich selbst anklagender Liebe »*eine wilde Gottheit*«, kündet sie jetzt visionär von einer neuen Zeit, einer neuen Welt, einem neuen Geschlecht, in dessen Namen sie dem Soldatenführer den Herrscherstab entreißt: »*O Mutterleib, o Leib, so wild verflucht / und aller Greuel tiefster Anlaß erst, / du sollst das Herz im Bau des Weltalls werden / und ein Geschlecht aus deiner Wonne bilden, / das herrlicher als ihr den Stab gebraucht! - / Ihm werf' ich ihn erschauernd so entgegen!*« Der Anführer tötet sie, doch ihr Geist wirkt in dem jüngsten Sohn fort, der die Soldaten der jungen Generation zum Aufstand ruft: »*O Mutterhauch, / von dir geschmolzen rolle die Lawine / auf die Kaserne der Gewalt hinab, / und was sich je zu frech ins Blau gebaut, / fall hin!*«

Ein Geschlecht, der erste Teil einer Trilogie - deren zweiter Teil, *Platz*, 1920 erschien, deren dritter, *Dietrich* (1936), bisher unveröffentlicht blieb -, galt einer ganzen Generation als Fanal eines neuen, engagierten Theaters, das, über alle nationalen Vorurteile hinweg, einen kämpferischen Pazifismus vertreten wollte. Die Schlachten des Ersten Weltkriegs hatten den ehemaligen preußischen Offizier Fritz von Unruh in einen erklärten Feind des Militarismus und der alten monarchistischen Ordnung verwandelt: »*Wie können wir den Wahnsinn weiter dulden, / der diesen Bau der Menschheit, den wir schufen, / sinnlos zerschlägt und in die Gräber schleift!*« Unter dem Druck des Kriegserlebnisses entlud sich eine Spannung, die die realistisch-impressionistische Diktion seiner frühen Dramen (*Offiziere*, 1911, und *Louis Ferdinand, Prinz von Preußen*, 1913) schon angekündigt hatte, mit einer die Grenzen der konventionellen Bühnensprache und manchmal auch der Glaubwürdigkeit sprengenden Gewalt. Als wollte er der übermäßigen Ausdrucksintensität seiner »*mit unendlichen Bildern fieberhaft überfüllten Sprache*« (J. Bab) Zügel anlegen, benutzt der Autor als Versmaß meist fünffüßige Jamben. Besonders die breitangelegten Monologe schreiten gleichsam im Rhythmus einer Sophokles-Übersetzung dahin, doch erdrückt der gewaltsam entfachte Wortrausch häufig die schönen, meist allegorischen Sprachbilder. Aber wenn auch die zeitgenössische Kritik der Kühnheit, mit der Unruh den Sturm empörter Gefühle in Handlung und Sprache umsetzte, keine richtungweisende Bedeutung zugestand - Julius BAB nannte das Drama »*ein aus allen geistigen und künstlerischen Formen gequollenes Produkt*« -, so darf doch sein Einfluß auf die deutsche Dichtung gegen Ende des Ersten Weltkriegs nicht unterschätzt werden. Dramatiker wie HASENCLEVER und KAISER, Lyriker wie RUBINER und WOLFENSTEIN sind die unmittelbaren Nachfahren dieser wild aufbegehrenden Antikriegs- und »O Mensch!«-Dramatik.

W. P. - KLL

AUSGABEN: Lpzg./Mchn. 1917 [Vorzugsausg.]. - Lpzg. 1918.

LITERATUR: J. Petersen, »*Ein Geschlecht*« *von U.* (in LE, 1. 2. 1918). - W. Küchler, »*Opfergang*«. »*Ein Geschlecht*« (in W. K., *R. Rolland, H. Barbusse, F. v. U. Vier Vorträge*, Würzburg 1919, S. 64-74). - K. Viëtor, *Über die Dichtungen F. v. U.s* (in Deutsche Bühne, Jb. der Frankfurter Städt. Bühnen, 1 [1917/18], 1919, S. 130-149). - B. Diebold, *Anarchie im Drama*, Ffm. 1921, S. 436/437. - R. K. Goldschmit, *F. v. U.*, Augsburg 1921. - J. Bab, *Die Chronik des deutschen Dramas*, Bd. 4, Bln. 1922, S. 90-94. - F. Engel, *F. v. U. u. seine Bühnenwerke. Eine Einführung*, Bln./Lpzg. 1922. - W. Geyer, *F. v. U. Versuch einer Deutung*, Rudolstadt 1924. – C. S. Gutkind, R. Ibil u. L. Durtain, *F. v. U. Auseinandersetzung mit dem Werk. Aufsätze*, Ffm. 1927. – H. Cysarz, *Zur Geistesgeschichte des Weltkriegs. Die dichterischen Wandlungen des deutschen Kriegsbildes 1910–1930*, Halle 1931. – W. Beer, *Untersuchungen zur Problematik des expressionistischen Dramas unter besonderer Berücksichtigung der Dramatik G. Kaisers u. F. v. U.s*, Diss. Breslau 1934. – A. Weiss, *Die Wiederkehr des Weltkrieges im deutschen Drama*, Diss. Wien 1937. – A. Kronacher, *F. v. U. A Monograph*, NY 1946 [Einl. A. Einstein]. – W. H. Sokel, *Der literarische Expressionismus*, Mchn. o. J. [1960], S. 226/227. – W. F. Mailand (in *German Men of Letters*, Hg. A. Natan, Bd. 3, Ldn. 1964, S. 153–175).

MARTIN WALSER
(*1927)

EICHE UND ANGORA. Eine deutsche Chronik. Schauspiel in elf Bildern von Martin WALSER (*1927), Uraufführung: Berlin, 23. 9. 1962, Schiller-Theater. – In den Apriltagen des Jahres 1945 bezieht die Kreisleitung des Wehrbezirkskommandos Bretzgenburg im Teutach-Tal vor den anrückenden französischen Truppen eine erhöhte Verteidigungsstellung auf dem Eichkopf. Kreisleiter Gorbach erklimmt die Anhöhe in Begleitung des ehemaligen KZ-Häftlings Alois Grübler, der sich vom terroristischen Kommunisten zum treuen Gefolgsmann des Führers gewandelt hat, über eine Tenorstimme mit großem Höhenregister – als Folge eines operativen Eingriffs im Lager – verfügt und mehr als den Eintritt in die Partei die Aufnahme in den Bretzgenburger »Liederkranz« herbeisehnt. Er ist begeisterter Züchter von Angorahasen, denen er, auf Anraten eines SS-Unterscharführers im KZ, ausschließlich jüdische Vornamen gibt. Unter freiem Himmel, inmitten eines deutschen *»Mischwaldes«*, wird eine provisorische Kommandozentrale eingerichtet, von der aus Gorbach die Schanzarbeiten des Volkssturmes im Teutach-Tal telephonisch leitet. Eine erste Störung tritt auf, als Studienrat Schmidt bei den Ausgrabungen auf vorchristliche alemannische Königsgräber stößt und die Verteidigungsfront weisungswidrig einen halben Kilometer zurückverlegt. Schmidt wird auf den Eichkopf kommandiert und muß sich vor den Partei-Honoratioren verantworten. Es gelingt ihm jedoch, sich mit dem Hinweis auf die historische Parallele der Schlacht bei den Thermopylen aus der Schlinge zu ziehen. Während die Zivilstrategen noch unter *»deutschen Eichen«* ihre Generalstabspläne diskutieren – *»Germanien wurde immer in den Wäldern verteidigt«* –, müssen sie plötzlich erleben, daß die Einwohner Bretzgenburgs kampflos vor dem Feinde kapitulieren, und zwar mit Hilfe weißer, an Fahnenstangen gehißter Angorafelle, die Alois, seinem ersten »Rückfall« erliegend, zu Schleuderpreisen verkauft hat. Er wird, als er wieder auf dem Eichkopf erscheint, wegen Hochverrats zum Tode durch den Strang verurteilt. Die Gewährung seiner Bitte, eine Stimmprobe vor dem Leiter des Bretzgenburger »Liederkranzes«, Oberstudienrat Potz, ablegen zu dürfen, verzögert die Urteilsvollstrekkung, von der auch SS-Amtsarzt Dr. Zerlebeck dringend abrät, da Alois ihm als medizinisches Versuchsobjekt für eine Arbeit über die Psychologie des Häftlings dient und er an ihm die Möglichkeit einer »männlichen Regeneration« prüfen will. Um sich und seinen »Stab« sowohl vor den französischen Truppen als auch den die Verteidigungslinie nach Deserteuren absuchenden SS-Verbänden zu retten, greift Gorbach, auf Anraten Alois', zu einer List: er läßt sich, Schmidt, Potz und Zerlebeck an die nächsten Eichen fesseln, um den Anschein eines Überfalls zu erwecken.

Mit dem sechsten Bild – *April 1950. Veränderungen auf dem Eichkopf* – tritt Walsers *»deutsche Chronik«* in das Nachkriegsstadium. Gorbach, der auf dem Eichkopf ein Höhenrestaurant, »Teutach-Blick«, eröffnet hat und Alois und dessen Frau Anna als Hausmeisterpaar beschäftigt, läßt an seinem Haus eine Gedenktafel anbringen, deren Aufschrift nicht bekannt wird, die offensichtlich aber antimilitaristische Grundsätze so drastisch zum Ausdruck bringt, daß, als wenige Jahre später die allgemeine Wehrpflicht gesetzlich verankert wird, Alois sie wieder abreißen muß, um die jungen Wehrpflichtigen nicht durch zersetzende Parolen zu beunruhigen (der Begriff des »Tafelauswechselns« beginnt im Stück eine leitmotivische Rolle zu spielen). Die »Nachtigall« Alois wird endlich in den »Liederkranz« aufgenommen; er läßt sich jedoch bei seiner Dankrede einen zweiten »Rückfall« zuschulden kommen: als *»einfacher Mensch«*, der aber *»die Idee* [des Nationalsozialismus] *begriffen hat«*, kommt er den neuen Anpassungspflichten nicht pünktlich genug nach – seine Bemerkungen über *»Untermenschentum«* und *»Mitgliedschaft«* (im »Liederkranz«) erregen peinliches Befremden. Es gelingt ihm jedoch, allmählich in die »neuen« politischen Vorstellungen hineinzuwachsen: während Gorbach glaubt, er sei wieder Kommunist geworden, und sich vorsichtig – *»Ich mein, es geht ja nicht immer so weiter, daß die einen mehr haben als die andern«* – bei ihm anbiedert, hat sich Alois, unter dem Einfluß Kaplan Böhringers und eines Aufenthaltes in einem Nervensanatorium, zum entschiedenen Christen gewandelt und läßt sich sogar dazu bestimmen, seine ungeheuer angewachsene Angorazucht, deren Ausdünstungen die Gäste des »Teutach-Blicks« belästigen, abzuschaffen. Als er aber an einem großen lokalen Sängerfest aus Gründen der behutsamen Verschleierung der *»unmenschlichen Jahre«* nicht teilnehmen darf, ereignet sich sein dritter »Rückfall«: er nagelt die weißen Felle seiner Angorahasen an die auf dem Eichkopf flatternden Traditionsfahnen der Sängerbünde der Umgebung, dabei die Geschlechterkataloge des alttestamentarischen Königsbuches *(»... und Daniel zeugte Benjamin ...«)* murmelnd. Die allgemeine Ratlosigkeit darüber, ob diese Aktion *»gegen die Juden oder gegen die Gesangvereine«* gerichtet gewesen sei, kann er selbst nicht beheben. Er vertröstet Gorbach auf die Ergebnisse einer psychoanalytischen Behandlung, der er sich unterziehen muß: *»Ich bin gespannt, was der Professor sagt, wenn ich ihm das erzähl. Er weiß sicher gleich, woher jetzt dieser Rückfall wieder kommt.«* Seinen einzigen überlebenden Angorahasen Daniel im Rucksack mitnehmend, reist Alois ab, in der Hoffnung, im Sanatorium auch Josef Woizele wiederzutreffen, einen jüdischen Blumen- und Gemüsehändler, der, wie er selbst KZ-Häftling, schon am Schluß früherer Szenen auftauchte, den Wald mit irren Schreien nach seinen Kindern absuchend.

Der Autor bedient sich in *Eiche und Angora*, seiner ersten Bühnenarbeit, einer eher epischen, an BRECHT und dessen Bilderbogentechnik erinnernden Folge von »*Stationen*«, die einen Zeitraum von etwa fünfzehn Jahren umfassen (1945–1960). Diese fünfzehn Jahre deutscher Kriegs- und Nachkriegsgeschichte, von Walser vor allem als Phase willenloser Anpassungsbereitschaft an das jeweils herrschende politische System gekennzeichnet, werden in den Lebensläufen mehrerer kleinbürgerlicher »Mitläufer« und ihren Gesinnungswandlungen einzufangen versucht. Walser vermag hier aber kaum die üblichen Klischees zu durchbrechen. Abgesehen davon, daß die beiden Titelsymbole, Eiche und Angora, mit ihren entgegengesetzten Bedeutungsbereichen zu kurz greifen, ist auch ein großer Teil der Dialoge ständig in Gefahr, in kabarettistische Farce abzugleiten (so wenn die an Bäume gebundenen Studienräte Potz und Schmidt in Erwartung der französischen Truppen darüber streiten, wie in der Begrüßungsanrede das »*Wir sind gefesselt worden*« zu übersetzen sei, und ihnen der böhmische Kellner Maschnik mit »*on nous a ligoté*« beispringt). Das ganze Phänomen der »Anpassung« und der bereitwilligen Unterordnung gerade unter politische Autorität wird, obwohl am Ende an die Psychoanalyse überwiesen, im Verlauf des Stückes doch nicht psychologisch motiviert, sondern meist an zu kleindimensionierten Modellen ad absurdum geführt. H. H. H.

Ausgaben: Ffm. 1962. – Ffm. 1963 (ed. suhrkamp, 16).

Literatur: H. Bienek, *Dem Sog ergeben. Ein Werkstattgespräch zwischen M. W. und H. Bienek* (in Der Monat, 14, 1961/62, H. 168, S. 56–61). – H. Ahl *Klima einer Gesellschaft. M. W.* (in H. A., *Literarische Porträts*, Mchn./Wien 1962, S. 15–27). – H. M. Enzensberger, *Ein sanfter Wüterich* (in H. M. E., *Einzelheiten*, Ffm. 1962, S. 240–245). – H. Coubier, *Statt einer Satire* (in Merkur, 17, 1963, S. 309–312).

HALBZEIT. Roman von Martin Walser (*1927), erschienen 1960. – Ähnlich wie in seinem ersten Roman *Ehen in Philippsburg* (1957) schildert der Autor auch in *Halbzeit* den Aufstieg eines Mannes, der nach einem – im Falle von *Halbzeit* allerdings abgebrochenen – Philologie-Studium sich zur »Mimikry«, zum Mitmachen und Sich-Anpassen an die bestehenden gesellschaftlichen Normen und Verhältnisse entschlossen hat und immer wieder entschließt. Ich-Erzähler des Romans ist der alerte, ewig redende und dabei ewig mißmutige fünfunddreißigjährige Vertreter Anselm Kristlein, eine Art bundesrepublikanischer »Jedermann«, ein seiner Familie überdrüssiger Vater von drei Kindern, in mehrere Liebesverhältnisse verstrickt, voller Aufsässigkeit und zugleich trotz seiner Resignation und vieler wegwerfender Redensarten auf sozialen Aufstieg bedacht. In inneren Monologen, Erinnerungen, Gesprächen und ausgedehnten, allerdings mehr obenhin nörgelnden als scharfen Kommentaren läßt der Autor den Ich-Erzähler seinen ganzen Gehirn- und Sprachmüll, das Denken und Fühlen eines weitgehend als »typischer Vertreter« angelegten Menschen, eines »*Herrn der Fünfziger Jahre*«, reproduzieren. Der Leser erhält Einblick in Vertreterbräuche, Weibergeschichten, Geldpumpereien, Ehemuff, Partyklatsch und Sprachmoden einer Gruppe von betont durchschnittlichen Leuten. Die Handlung des Romans umfaßt etwa den Zeitraum eines Jahres, für Kristlein eine fast gleichgültige Phase seines – eher mürrischen als begeisterten – Aufstiegs; was er in diesem Jahr erlebt, ist sozusagen das Übliche: sein Beratungsbüro für Ölfeuerung floriert nicht, dafür findet er einen Posten in der Werbeabteilung eines Lebensmittelkonzerns, ist kurz in Finanzschwierigkeiten, kann sich aber bald einen größeren Wagen leisten, betrügt seine Frau Alissa mit einigen seiner früheren Geliebten, legt sich eine neue zu, verliert sie wieder, steht wegen dieser Affäre einen Ehekrach mit seiner Frau durch und zeigt sich am Ende als das, was er am Anfang war – ein willenloses Opfer seiner unlustig hingenommenen Verhältnisse: morgens aufwachend, fühlt er sich als »*ein Gefangener der Sonne für einen weiteren Tag*«. Weder er noch seine Umwelt haben sich durch seinen Aufstieg wesentlich geändert, auch auf der Ebene des Big Business sind uneheliche Verhältnisse an der Tagesordnung, alte Nazis in wichtigen Positionen, die Parties eine Spur feiner, aber ebenso langweilig, die Gespräche und Umgangsformen etwas soignierter, aber im Grunde ebenso halbgebildet und prätentiös.

»*... so Redensarten streuen alle umher die einem im Magen liegen*«, läßt der Autor seinen Erzähler am Ende notieren. Einzig diese kritische Aufmerksamkeit für die Sprache seiner Umgebung zeigt, daß Anselm Kristlein der Anpassung noch nicht völlig erlegen ist, und auch die Sprache des Romans, die etwas von dem endlosen Redenmüssen des Vertreters hat, läßt an einigen (wenn auch zu wenigen) Stellen erkennen, daß sie dem Autor dazu dient, sowohl Kristleins Durchschnittlichkeit und seine Anpassung an seine Umwelt als auch das wache kritische Bewußtsein seiner Lage und die leise Selbstironie, zu der er immer noch fähig ist, deutlich zu machen: »*Ich bin Don Quixote, nachdem er gelesen hat, was Cervantes über ihn schrieb.*« Walser hat den sprachgewandten Kristlein denn auch in seinem dritten Roman *Das Einhorn* (1966) nicht mehr als Werbetexter, sondern als Schriftsteller auftreten lassen, der er – verkappt – auch schon in *Halbzeit* ist.

Friedrich Sieburgs Kennzeichnung dieses Werks als »*Triumph des Quasselromans*« ist Ausdruck der ambivalenten Reaktion des Lesers auf diese wenig stilisierte, ziemlich direkte und gerade in ihrer nachlässigen Ungeformtheit als Mittel kritischer Charakterisierung eingesetzte sprachliche Reproduktion des Vertretermilieus. Als ebenso saloppe wie scharfsinnige Bestandsaufnahme der Zeit um 1955, die »Halbzeit« der fünfziger Jahre, die »Halbzeit« auch im Leben des Anselm Kristlein, hatte der Roman trotz mancher Vorbehalte der Kritik einen beachtlichen Erfolg. J. Dr.

Ausgabe: Ffm. 1960.

Literatur: G. Blöcker, Rez. (in Die Zeit, 4. 11. 1960). – R. Hartung, Rez. (in Der Monat, Dez. 1960). – F. Sieburg, Rez. (in FAZ, 3. 12. 1960). – W. Berghahn, Rez. (in FH, Febr. 1961) – H. M. Enzensberger, *Einzelheiten*, Ffm. 1962, S. 240 ff. – M. Reich-Ranicki, *Deutsche Literatur in West u. Ost*, Mchn. 1963, S. 200–215.

ROBERT WALSER
(1878–1956)

JAKOB VON GUNTEN. Ein Tagebuch. Roman von Robert Walser (1878–1956), erschienen 1909. – Das Buch ist das bedeutendste der drei größeren

erzählerischen Werke des Autors; nach den Romanen *Die Geschwister Tanner* und *Der Gehülfe* hat Walser mit ihm den Gipfel seines nuancenreichen, untergründig melancholischen Erzählstils erreicht. Schon der erste Satz zeigt jene für den Roman charakteristische Mischung von zarter Trauer und leiser Komik: »*Man lernt hier sehr wenig, es fehlt an Lehrkräften, und wir Knaben vom Institut Benjamenta werden es zu nichts bringen, d. h. wir werden alle etwas sehr Kleines und Untergeordnetes im späteren Leben sein.*«
Jakob, Sohn eines »Großrates« und aus »gutem Hause« (wie er mehrmals betont), der diesen Satz in sein Tagebuch einträgt, ist einer der Zöglinge des obskuren, etwas rätselhaften Berliner Erziehungsinstituts, in dem die Schüler »*wenig, aber gründlich*« lernen. Herr Benjamenta, ein selten sich zeigender, herrischer Mann, und seine Schwester Lisa führen den Unterricht, der hauptsächlich aus dem Auswendiglernen der »*Vorschriften*« und der Lektüre der Schrift »*Was bezweckt Benjamenta's Knabenschule?*« besteht; die andern Lehrer sind geheimnisvoll abwesend oder liegen in totenähnlichem Schlaf. Im übrigen unterhalten sich die Schüler, insbesondere der feinsinnige, durchaus aristokratische Jakob und sein Kamerad Kraus, über ihre Ansichten und ihre berufliche Zukunft und zeigen in diesen Gesprächen eine altkluge und resignierte Lebensphilosophie. Während aber unter den Mitschülern besonders Kraus das Erziehungsziel dienenden Gehorsams exemplarisch verkörpert, macht Jakob, der etwas Künstlerisches, tänzerisch Leichtsinniges an sich hat, eine abweichende Entwicklung durch. Mit Erstaunen bemerkt er in sich Anflüge von zärtlicher Liebe für Kraus, träumt sich in das luxuriöse Leben eines großzügigen Herrn oder eines Obersten, macht einige Erfahrungen bei amourösen Abenteuern, besucht seinen Bruder, einen in der Berliner Gesellschaft angesehenen Maler, und schreibt schließlich mit wachsendem Selbstbewußtsein für Herrn Benjamenta in der steifen, umständlichen Er-Form einen demütigen und zugleich wohlformuliert frechen Lebenslauf, der bei diesem strengen Mann Eindruck zu machen scheint. Er gewinnt auch das Vertrauen von Fräulein Lisa, mit der er einigemale – mit dem Takt und der Diskretion eines jungen Gentleman berichtete – geheime Gespräche führt, und träumt von einem Gang durch die den Schülern meist verschlossenen »*inneren Gemächer*« des Pensionats, wo ihn Lisa zum »*Licht der Freude*«, in den »*Keller der Armut*« und an die »*Sorgenwand*« führt. Bald nach dieser geträumten symbolischen Lebensweihe scheint es abwärts zu gehen mit dem Institut; Neuanmeldungen bleiben aus, die Disziplin läßt nach, und schließlich stirbt Fräulein Benjamenta. Als das Institut aufgelöst wird, sind sich Jakob und Herr Benjamenta einig geworden, daß sie zusammenbleiben wollen: »*Weg jetzt mit dem Gedankenleben! Ich gehe mit Herrn Benjamenta in die Wüste. Will doch sehen, ob es sich in der Wildnis nicht auch leben, atmen, sein, aufrichtig Gutes wollen und tun und nachts schlafen und träumen läßt. Ach was. Jetzt will ich an gar nichts mehr denken ... Nun denn adieu, Institut Benjamenta.*« Die heitere, leicht wahnhafte Hybris dieses letzten Satzes zeigt die Entwicklung des zunächst eher demütigen Jakob zu kecker, windbeuteliger, sich selbst genießender Sicherheit.
Dieser Entwicklung Jakobs ist auch der Stil des Werks angepaßt, der meist zart, scheu und unsicher ist (oft nimmt Jakob in seinen Eintragungen halb wieder zurück, was er kurz vorher gesagt hat) und erst gegen Ende eine pfiffige, fast leichtfertige Sicherheit gewinnt. Zugleich aber gibt es Szenen, die die melancholische Komik der Atmosphäre zu sprengen drohen, so der undurchsichtig bleibende Mordversuch Benjamentas an Jakob, der von diesem ungenau geschildert und leichthin überspielt wird, und vor allem die befremdende, fast surrealistisch anmutende Beschreibung der »*Lehrer, die aus irgendwelchen sonderbaren Gründen tatsächlich totähnlich daliegen und schlummern*«. Es scheint so nicht zufällig, daß KAFKA die Werke Walsers außerordentlich schätzte und eine Zeitlang fast täglich darin las. Die Elemente des Wahnhaft-Bedrohlichen, des Träumens, der bisweilen sprunghaft aussetzenden Realitätskontrolle in den Aufzeichnungen Jakobs deuten wohl auch schon auf das Schicksal Walsers selbst voraus, der die letzten zwanzig Jahre seines Lebens in einer Nervenheilanstalt verbrachte. So meinte Walter BENJAMIN schon früh, das »*Schluchzen*« als die »*Melodie von Walsers Geschwätzigkeit*« zeige an, woher seine Figuren kommen: »*Aus dem Wahnsinn nämlich und nirgendher-sonst.*« J. Dr.

AUSGABEN: Bln. 1909. – Zürich 1950, Hg. C. Seelig. – Mchn. 1964, Hg. ders. (Kindler-Tb., 38).

LITERATUR: O. Zinniker, *R. W., der Poet*, Zürich 1947. – W. Benjamin, *R. W.* (in W. B., *Schriften*, Bd. 2, Ffm. 1955, S. 148–151). – H. Bänziger, *Heimat und Fremde. Ein Kapitel ›tragische Literaturgeschichte‹ in der Schweiz: J. Schaffner, R. W., A. Zollinger*, Bern 1958, S. 79–88. – G. C. Avery, *Focus on Reality in the Novels of R. W.*, Diss. Univ. of Pennsylvania (vgl. Diss. Abstracts, 20, 1959, S. 1778). – J. Greven, *Existenz, Welt und reines Sein im Werk R. W.s*, Diss. Köln 1960. – G. Piniel, *R. W.s Roman »Jakob von Gunten«* (in Schweizer Monatshefte, 43, 1963/64, S. 1175–1186). – R. Mächler, *Das Leben R. W.s. Eine dokumentarische Biographie*, Genf/Hbg. 1966. – W. Wondratschek, *Weder Schrei noch Lächeln. R. W. u. F. Kafka* (in Text u. Kritik, H. 12, 1966, S. 17–21).

JAKOB WASSERMANN
(1873–1934)

DER FALL MAURIZIUS. Roman von Jakob WASSERMANN (1873–1934), erschienen 1928. – Im Jahre 1924 wurde der Rechtsanwalt Karl Hau, der 1906 in einem aufsehenerregenden Indizienprozeß wegen Mordes zum Tode verurteilt und zu lebenslänglicher Zuchthausstrafe begnadigt worden war, nach achtzehnjähriger Haft entlassen. Bald danach beging er Selbstmord. Seine Schuld, die er stets geleugnet hatte, blieb umstritten. Diese Ereignisse wurden zum unmittelbaren äußeren Anlaß für die Entstehung von Wassermanns erfolgreichstem Roman, dem *Fall Maurizius*. Zusammen mit den beiden späteren Werken *Etzel Andergast* (1930) und *Joseph Kerkhovens dritte Existenz* (1934) bildet er einen dreiteiligen Zyklus, dessen innerer Zusammenhang durch die Lebensgeschichte Etzel Andergasts, einer Hauptfigur auch des ersten Romans, gegeben ist.
Im *Fall Maurizius* erzählt Wassermann, wie Etzel, der sechzehnjährige Sohn des Oberstaatsanwalts Freiherr von Andergast, besessen von unerbittlichem Gerechtigkeitswillen, die Unschuld des seit

achtzehn Jahren wegen Mordes im Zuchthaus sitzenden Leonhart Maurizius beweisen will, indem er den Kronzeugen des Prozesses, Gregor Waremme, in Berlin aufspürt, um ihn zum Geständnis eines Meineids zu bewegen. Maurizius, Privatdozent für Kunstgeschichte, war, vierundzwanzigjährig, in einem Sensationsprozeß für schuldig befunden worden, wegen einer ehebrecherischen Beziehung zu seiner Schwägerin Anna Jahn seine um fünfzehn Jahre ältere Frau Elli erschossen zu haben. Waremme, intimer Freund des Angeklagten wie Anna Jahns, hatte behauptet, Augenzeuge des Mordes gewesen zu sein. Etzels Vater hatte in dem Prozeß die Anklage vertreten und mit diesem Fall seine Karriere begründet: das Urteil war hauptsächlich auf Grund seiner überlegenen Beweisführung ergangen. – Der selbstsichere, despotische Andergast läßt nach gescheiterter Ehe – er hat neun Jahre zuvor den Liebhaber seiner Frau zum Meineid gezwungen und dadurch in den Selbstmord getrieben – seinen Sohn, dem jeder Kontakt mit der Mutter verwehrt wird, in der lieblosen Atmosphäre eines minuziös geregelten, jede Spontaneität ausschließenden, allein auf Gesetz und Ordnung gegründeten Familienlebens aufwachsen. Andergast ist von der heimlichen Abreise Etzels nach Berlin und der brieflichen Ankündigung seines Plans zutiefst irritiert; er muß erkennen, daß ihm in seinem Sohn ein selbständiger, verschlossener und willensstarker Gegner erwachsen ist. Nun, da der Vater Etzels Absicht kennt, beginnt auch er, zunächst fast widerwillig, sich mit dem vergessenen Verfahren zu beschäftigen. Während er abermals die alten Prozeßakten studiert, kommen ihm unversehens Zweifel an der Rechtmäßigkeit des damaligen Urteils. Schließlich besucht er den Strafgefangenen Maurizius im Zuchthaus. Mehrere ausführliche, tief in die Vorgeschichte des Falles eindringende Gespräche mit ihm bringen allmählich das ganze, scheinbar so fest gefügte Gebäude der Anklage ins Wanken. In den Erzählungen des Häftlings treten nach und nach jene bis zur Undurchschaubarkeit verflochtenen Beziehungen der Prozeßbeteiligten an den Tag, ein Chaos von Konvention, Leidenschaft, Verlogenheit und Promiskuität, das schließlich auch im juristischen Sinne Unschuldige schuldig werden läßt. Andergast erkennt, daß die Grundlagen allen juristischen Urteilens, Kategorien wie Verantwortung, Gerechtigkeit, Schuld und Bestrafung, die auch die Basis seiner eigenen Existenz sind, in den verworrenen Tiefen dieses Labyrinths ihre Geltung einbüßen, daß die Grenze zwischen Recht und Unrecht verwischt, ja ganz aufgehoben zu werden droht. Im Verlauf seiner Nachforschungen immer unsicherer geworden, sieht er sich innerlich dazu gezwungen, eine Begnadigung zu befürworten; von einer Revision des Urteils allerdings kann nach seiner Überzeugung nicht die Rede sein.

Maurizius wird in der Tat auf dem Gnadenwege aus dem Zuchthaus entlassen. Fast gleichzeitig kehrt Etzel, den Beweis für dessen Unschuld in Händen, nach Haus zurück. Waremme hat ihm den Meineid gestanden: nicht Maurizius, sondern Anna Jahn hat den Mord begangen. Etzel fordert nun von seinem Vater die Wiederaufnahme des Prozesses, damit der Gerechtigkeit Genüge geschehe. Andergast weigert sich. Im Verlauf einer dramatischen Auseinandersetzung sagt sich der durch diese Weigerung bis zur Raserei aufgebrachte Etzel von seinem Vater los. Andergast, durch die Vorgänge um den Fall Maurizius, die Konfrontation mit dem Leben und der Schuld eines anderen, die ihn das eigene Leben und die eigene Schuld erkennen lassen, schon zutiefst erschüttert, bricht nun vollständig zusammen. Dem begnadigten Maurizius gelingt es nicht mehr, eine erträgliche Beziehung zur Umwelt herzustellen. Seelisch zerrüttet, begeht er kurze Zeit nach seiner Entlassung Selbstmord. Etzel kehrt nach dem Zusammenbruch des Vaters zu seiner Mutter zurück.

Wassermann hat diesen äußeren Handlungsverlauf benutzt, um, wie er sagt, »*viel Größeres*« darzustellen: »*Es ist die Idee der Gerechtigkeit, die den Herzpunkt im ›Fall Maurizius‹ bildet.*« Indem der Autor jenen weit zurückliegenden Prozeß aus der Erinnerung der Hauptbeteiligten wiedererstehen läßt, wird sichtbar, wie das Leben beider – des Angeklagten und seines Anklägers – unter dem Einfluß der damaligen verhängnisvollen Ereignisse steht und schließlich daran scheitern muß. Während der unschuldig-schuldige Maurizius im Zuchthaus der unaufhaltsamen Zerstörung seiner Persönlichkeit ausgeliefert ist, vollzieht sich in der Existenz des Staatsanwalts ein Prozeß innerer Depravation, so daß es nur noch eines Anstoßes bedarf, um diese scheinbar so sehr in der Sicherheit einer moralischen Wertordnung ruhende Persönlichkeit in sich zusammenstürzen zu lassen. Der fanatische Wille zur Gerechtigkeit, den Etzel verkörpert, muß vor der unseligen Verquickung menschlicher Leidenschaft und Schuld versagen – einer Konstellation, die in der vieldeutig schillernden Gestalt des meineidigen Zeugen Waremme am deutlichsten wird. Dieser polnische Jude, dessen eigentlicher Name Georg Warschauer ist, wandert, seine Herkunft verleugnend, wie ein moderner Ahasver ruhelos von Europa nach Amerika, bis ihn der Osten, aus dem er gekommen ist, wieder aufnimmt. In dieser ins Dämonische gesteigerten Existenz scheint Wassermann wie in einem Brennspiegel die Heillosigkeit eines ganzen Zeitalters zusammenfassen zu wollen.

Gleichzeitig werden an dieser Gestalt die unzähligen Verzweigungen und Verästelungen deutlich, in die sich der einfache juristische Tatbestand des Falls Maurizius, je tiefer man in ihn eindringt, immer mehr auflöst und verliert. Waremmes thematisch und formal zerfließende Monologe, die auf weite Strecken den äußeren Gegenstand des Romans verdecken, sind symptomatisch für das ganze Buch, von dem Wassermann sagt, er habe es »*bisweilen mit einem in die Erde gebauten Trichter verglichen, dessen schmalste Öffnung oben, dessen weiteste unten liegt*«: Je weiter sich der Roman von der eigentlichen Geschichte des Justizfalles Maurizius entfernt, um so mehr verliert er an Konzentration, und die zu Anfang überraschende Stringenz von Gedanke und Sprache verschwindet immer mehr in den Wucherungen einer ungehemmten erzählerischen Phantasie. R. Rr.

Ausgaben: Bln. 1928. – Bln. 1935. – Zürich 1944. – Bln./Ffm./Mchn. 1947. – Gütersloh 1960 [Nachw. F. Martini].

Literatur: W. v. Einsiedel (in Die Schöne Literatur, 29, 1928, H. 10). – J. Wassermann, *Einige Bemerkungen über den »Fall Maurizius«* (in J. W., *Lebensdienst. Ges. Studien, Erfahrungen u. Reden aus drei Jahrzehnten*, Lpzg./Zürich 1928, S. 336 bis 338). – V. Zuckerkandl, *»Der Fall Maurizius«* (in NRs, 39, 1928, S. 432). – E. Kohn-Bramstedt, *Zur Typenlehre des Epikers. Über Thomas Mann u. J. W.* (in Zs. für Aesthetik, 23, 1929, S. 136 bis 147). – M. Thalmann, *»Der Fall Maurizius«* (in

Deutsches Volkstum, 12, 1930, S. 44–48). – E. Laszczower, *J. W.: »Der Fall Maurizius«*, Diss. Wien 1933. – S. Bing, *J. W. Weg und Werk des Dichters*, Bln. 1933, S. 240–253. – M. Karlweis, *J. W. Bild, Kampf und Werk*, Amsterdam 1935, S. 378ff. – J. C. Blankenagel, *The Writings of J. W.*, Boston 1942, S. 265–286. – R. Richter, *Der Einfluß F. M. Dostojewskijs auf die Werke J. W.s*, Diss. Bonn 1951. – H. Emmel, *Das Gericht in der deutschen Literatur des 20. Jh.s*, Bern/Mchn. 1963, S. 25–29. – H. Regensteiner, *The Obsessive Personality in J. W.'s Novel »Der Fall Maurizius«* (in Literature and Psychology, 14, 1964, S. 106–115).

FRANK WEDEKIND
(1864–1918)

DER ERDGEIST. Tragödie in vier Aufzügen von Frank WEDEKIND (1864–1918), Uraufführung: Leipzig, 25. 2. 1898, Kristallpalast (»Literarische Gesellschaft«). – Seit 1892 arbeitete Wedekind an einem Drama *Die Büchse der Pandora.* Die ersten drei Aufzüge dieses Stücks veröffentlichte er, um einen neu geschriebenen Aufzug erweitert, 1895 als selbständiges Werk unter dem Titel *Der Erdgeist.* Es ist der erste Teil der sogenannten »Lulu-Tragödie«, deren zweiter Teil 1902 ebenfalls selbständig unter dem ursprünglichen Titel *Die Büchse der Pandora* erschien (Uraufführung: Nürnberg, 1. 2. 1904). Erst in einer Ausgabe von 1913 mit dem Titel *Lulu* wurden beide Stücke zusammengefaßt. In dieser meist auch aufgeführten Bearbeitung fehlen der dritte Aufzug des *Erdgeist* und der erste der *Büchse der Pandora.*

Erdgeist zeigt den gesellschaftlichen Aufstieg des faszinierenden, ungehemmt triebhaften Mädchens Lulu, das im von einem Tierbändiger gesprochenen Prolog *»das wahre Tier, das wilde, schöne Tier«* genannt wird. Der reiche Zeitungsverleger Dr. Schön hat Lulu, damals fast noch ein Kind, von der Straße aufgelesen, wo sie sich mit ihrem angeblichen Vater, dem alten Ganoven Schigolch, herumtrieb. Schön hat Lulu erzogen und sie zu seiner Geliebten gemacht, dann aber mit seinem Freund Dr. Goll verheiratet, um sich selbst mit einem vornehmen Mädchen verloben zu können. Im ersten Akt bringt Goll Lulu zu dem jungen Maler Schwarz, der sie porträtiert. Dr. Schön und sein erwachsener Sohn aus erster Ehe, Alwa, überreden Goll, sie zu einer Ballettprobe zu begleiten. Lulu bleibt mit Schwarz allein und verführt ihn. Den zurückkehrenden Goll, der die beiden überrascht, trifft der Schlag. Im zweiten Akt ist Lulu die Gattin von Schwarz, der mit Hilfe Schöns berühmt und reich geworden ist. Aber sie ist immer noch Schöns Geliebte. Er will sich endlich von ihr befreien, um reinen Gewissens heiraten zu können, und offenbart Schwarz ihr zügelloses Leben. Völlig verzweifelt schneidet dieser sich daraufhin die Kehle durch. Lulu, die im dritten Akt als Tänzerin in einer Revue auftritt, bringt Schön zum Bewußtsein, daß er ihr rettungslos verfallen ist, und zwingt ihn, seine Verlobung aufzulösen. Im Schlußakt ist sie mit ihm verheiratet und betrügt ihn mit Freunden und Lakaien. In seiner Abwesenheit empfängt sie Schigolch, Alwa, den Zirkus-Muskelprotz Rodrigo, die hoffnungslos in sie verliebte Gräfin Geschwitz und andere. Schön überrascht die Gesellschaft und will Lulu zwingen, sich das Leben zu nehmen. Doch statt sich selbst erschießt sie ihn.

Die Büchse der Pandora zeigt Lulus Niedergang und Ende. Alwa, Schigolch, Rodrigo und der Gräfin Geschwitz gelingt es, sie aus dem Gefängnis zu befreien. Sie fliehen nach Paris, wo Lulu, die nun Alwa geheiratet hat, ein hochstaplerisch-luxuriöses Leben führt. Unter ihren undurchsichtigen Gästen ist ein Mädchenhändler, Marquis Casti-Piani, der sie in den Orient verkaufen will. Bei der Polizei denunziert, flieht sie nach London. Im Schlußakt hausen Lulu, Schigolch, Alwa und die Gräfin Geschwitz dort völlig verarmt in einer erbärmlichen Dachkammer. Trotz des Protestes der anderen geht Lulu auf die Straße. Ihr erster Kunde ist ein stummer Pilger. Der nächste, ein Negerprinz, erschlägt Alwa, als dieser ihn anfällt. Die Geschwitz versucht vergeblich sich zu erhängen. Lulus vierter Kunde schließlich, Jack the Ripper, tötet die Gräfin und dann Lulu. Schigolch allein überlebt.

Wedekind hat beide Dramen als Tragödien bezeichnet. Tragik entspringt hier jedoch nicht freiem und bewußtem Handeln, sondern entsteht aus der »Natur« des Menschen. Die infantil-animalische Lulu – *»der Dämon des weiblichen Geschlechtstriebes«* (Arthur Kutscher) – verhält sich meist passiv oder handelt völlig unreflektiert, triebhaft, im Grunde unschuldig. Sie geht an ihrer Natur zugrunde: *»Die kann von der Liebe nicht leben, weil ihr Leben die Liebe ist.«* Ein Opfer seiner Natur, nämlich seiner Hörigkeit, ist auch Dr. Schön, nicht anders als die Gräfin Geschwitz, die der Dichter die *»tragische Hauptfigur«* des zweiten Teiles genannt hat, da auf ihr *»das furchtbare Verhängnis der Unnatürlichkeit«* laste. Wedekind zeigt den Menschen als seinen Trieben unausweichlich ausgelieferte Marionette und attackiert so die verkrampft-verlogene Moral der bürgerlichen Welt, die Lulu, amoralisch, buchstäblich über Leichen gehend, durch ihre sich ungehemmt auslebende »Natürlichkeit« zerstört. – Die einzelnen Akte sind in sich abgeschlossene Stationen aus dem Leben Lulus und auf drastische Situationen und Effekte hin angelegt. Ganz bewußt wird die tragische Wirkung durch grotesk-komische Kontrasthandlungen zerstört. Unter anderem durch diese »theatralische« Dramaturgie und durch die unrealistische, schlagkräftig-pointierte Art des Dialogs unterscheiden sich Wedekinds Dramen von denen des Naturalismus und weisen auf den Expressionismus voraus.

Ein Zensurprozeß um die *Büchse der Pandora*, der 1903–1906 in drei Instanzen ausgefochten wurde, endete mit dem Freispruch Wedekinds und dem Verbot des Werks. Darauf beziehen sich polemisch der Einakter *Die Zensur* (1907) und der zur »gereinigten« Fassung der *Büchse der Pandora* (1906) geschriebene *Prolog in der Buchhandlung*, der formal GOETHES *Vorspiel auf dem Theater* parodiert. U. J.

AUSGABEN: Mchn. 1895 *(Der Erdgeist).* – Bln. 1902 (*Die Büchse der Pandora. Tragödie in 3 Aufzügen*, in Die Insel, Juli 1902, H. 10). – Mchn. 1903 (*Lulu. Dramat. Dichtg. in 2 Teilen, 1. Teil: Erdgeist*). – Bln. 1904 *(Die Büchse der Pandora).* – Bln. 1906 (*Die Büchse der Pandora*; neu bearb.). – Mchn./Lpzg. 1911 (*Die Büchse der Pandora*; Bühnenbearb.). – Mchn./Lpzg. 1913 (*Erdgeist u. Die Büchse der Pandora*, in *GW*, 6 Bde., 1912–1914, 3). – Mchn./Lpzg. 1913 (*Lulu*; d. i. *Erdgeist* u. *Die Büchse der Pandora*). – Mchn. 1920 *(Erdgeist).* – Mchn. 1924 (*Erdgeist* u. *Die Büchse der Pandora*, in *AW*, Hg. F. Strich, 5 Bde., 2). – Mchn. 1954 (*Erdgeist* u.

Die Büchse der Pandora, in *Prosa, Dramen, Verse*, Hg. H. Maier, 2 Bde., 1954–1964, 1).

VERTONUNG: A. Berg, *Lulu* (Uraufführung: Essen, 7. 3. 1953; Oper).

LITERATUR: P. Fechter, *F. W., Der Mensch und das Werk*, Jena 1920. – W. Geiger, *»Lulu« von F. W.*, Mchn. 1921. – A. Kutscher, *F. W. Sein Leben und seine Werke*, 3 Bde., Mchn. 1922–1931; ern. Mchn. 1964, Bearb. u. Hg. K. Ude, S. 109–139. – H. M. Elster, *F. W. u. seine besten Bühnenwerke*, Bln. 1922. – K. Kraus, *»Die Büchse der Pandora«* (in Die Fackel, Juli 1925). – F. Hagemann, *W.s »Erdgeist« u. »Büchse der Pandora«*, Diss. Erlangen 1926. – A. Kutscher, *Eine unbekannte franz. Quelle zu F. W.s »Erdgeist« u. »Büchse der Pandora«* (in Das Goldene Tor, 2, 1947, S. 497–505). – D. Mitchell, *The Character of Lulu. W.'s and Berg's Conceptions Compared* (in Music Review, 15, 1954, S. 268–274). – D. u. E. Panofsky, *»Pandora's Box«. The Changing Aspects of a Mythical Symbol*, NY 1954. – W. Emrich, *F. W. Die Lulu-Tragödie* (in *Das dt. Drama*, Hg. B. v. Wiese, Bd. 2, Düsseldorf 1958, S. 207–228; auch in W. E., *Protest und Verheißung*, Ffm. 1960; ²1963, S. 206–222). – K. Wedekind-Biel, *A Scene from an Unpublished Version of F. W.'s Lulu-Tragedy* (in Modern Drama, 4, 1961/62, S. 97–100).

FRÜHLINGS ERWACHEN. Eine Kindertragödie in drei Akten von Frank WEDEKIND (1864-1918), entstanden 1890/91, Uraufführung: Berlin, 20. 11. 1906, Kammerspiele. – Wedekinds erstes großes, seinen Ruhm begründendes Bühnenwerk führt in lockerer Szenenfolge die Pubertätsnöte einer in Schule und Elternhaus verständnislos behandelten bürgerlichen Jugend um 1890 vor. Aus persönlichen Erlebnissen oder denen seiner Schulkameraden schöpfend *(»fast jede Szene entspricht einem wirklichen Vorgang«)*, greift der Autor die unselig ineinander verstrickten Schicksale dreier Kinder heraus: das der vierzehnjährigen Wendla Bergmann, die von ihrer Mutter aus falscher Scham im Zustand kindlicher Unwissenheit über alles Geschlechtliche gehalten wird, und die der ungleichen Schulfreunde Moritz Stiefel und Melchior Gabor. Moritz, selbstquälerisch veranlagt und ängstlich, wird von der Schule und seinen auf strenge Pflichterfüllung pochenden Eltern überfordert, Melchior erscheint gefestigt, sich selbst unproblematisch, von seiner Mutter vernünftig und tolerant erzogen. Realistisch denkend, will er seinen Freund von quälenden Grübeleien und sexuellen Zwangsvorstellungen befreien, indem er ihm eine selbstverfaßte Aufklärungsschrift zusteckt; Moritz aber ist durch die Lektüre eher verstört als beruhigt, so daß er sich nicht aufs Lernen konzentrieren kann: er wird nicht versetzt, denkt in seiner Verzweiflung an Flucht nach Amerika und nimmt sich schließlich das Leben. Unterdessen haben sich Melchiors und Wendlas Wege gekreuzt. Das Mädchen hat den Jungen verwirrt und erregt, indem es sich von ihm schlagen ließ; be' ihrer nächsten, halb zufälligen, halb gewollten Begegnung verführen die beiden einander. Melchior wird nach Moritzens Selbstmord wegen der Aufklärungsschrift, die nach Ansicht der bornierten Lehrer die Verzweiflungstat ausgelöst hat, von der Schule verstoßen und von seinen hilflosen Eltern in eine Erziehungsanstalt gesteckt; Wendla stirbt an einer von ihrer Mutter veranlaßten Abtreibung. In der letzten Szene begegnen sich nachts an Wendlas Grab Melchior, aus der Anstalt entflohen, und der tote Moritz, *»seinen Kopf unter dem Arm«*. Melchior, verzweifelt über Wendlas Ende, an dem er sich schuldig fühlt, denkt an Selbstmord; Moritz unterstützt ihn darin, indem er ihm die Erbärmlichkeit des Lebens ausmalt. Als Melchior gerade die Hand des Toten zustimmend fassen will, erscheint *»der vermummte Herr«*, – dieser Gestalt, Inkarnation des unzerstörbaren Lebens, hat Wedekind seine Tragödie gewidmet –, tritt Moritzens verführerischer Schilderung des Todes heftig entgegen und zieht Melchior mit sich fort.

Die Haupthandlung ist eingebettet in eine Reihe von episodischen Dialogen, die die jugendliche Unreife der Helden und aus ihr geborene Gefühlsverwirrungen deutlich machen: altkluges Backfischgeplauder, Schülerdebatten über Idealismus und Materialismus, verzweifelte Selbstbefriedigung, knabenhafte Homoerotik. All das, mit psychologischem Scharfblick erfaßt, wird nicht naturalistisch ausgemalt, sondern in gedrängten, gelegentlich ins Visionäre gesteigerten Szenen dargestellt. In scharfem Gegensatz zu diesen mit dunkler Naturpoesie durchwobenen Dialogen der Jugendlichen stehen die Auftritte der schrill karikierten Pädagogen, die Namen wie Sonnenstich, Knochenbruch, Fliegentod oder Prokrustes tragen. – Die Pathos und Groteske hart gegeneinander setzende Dramaturgie und der lyrisch-expressive Dialogstil weisen auf die Vorbilder LENZ, GRABBE und BÜCHNER hin. Wedekind verstand sich schon in seiner Frühzeit in künstlerischer wie persönlicher Hinsicht als entschiedener Antipode Gerhart HAUPTMANNS und wurde von den jungen Expressionisten als einer ihrer Vorläufer angesehen. – *Frühlings Erwachen* wurde seit der ersten Buchausgabe (1891) als *»unerhörte Unflätigkeit«* (Wedekind, in *Was ich mir dabei dachte*) von der Zensur verfolgt und erst 1912 – in einer etwas gemilderten Bühnenfassung – durch einen mutigen Entscheid des Berliner Oberverwaltungsgerichts endgültig zur öffentlichen Aufführung freigegeben. U. J.

AUSGABEN: Zürich 1891. – Mchn. 1907. – Mchn. 1911. – Mchn. 1912 (in *GW*, 6 Bde., 1912–1914, 2). – Mchn. 1921. – Mchn. 1924 (in *AW*, Hg. F. Strich, 5 Bde., 1). – Mchn. 1954 (in *Prosa. Dramen. Verse*, Hg. H. Maier, 2 Bde., 1954–1964, 1). – Mchn. 1962 (GGT, 889).

VERTONUNG: M. Ettlinger, *Frühlings Erwachen*, Mchn. 1928 (Oper).

LITERATUR: P. Fechter, *F. W. Der Mensch und das Werk*, Jena 1920. – A. Kutscher, *F. W. Sein Leben und seine Werke*, 3 Bde., Mchn. 1922–1931; ern. 1964, Hg. K. Ude [bearb. Ausg. i. 1 Bd., S. 67–80]. – H. M. Elster, *F. W. und seine besten Bühnenwerke*, Bln. 1922. – O. Riechert, *Studien zur Form des W.schen Dramas*, Diss. Hbg. 1923. – W. Duwe, *Die dramatische Form W.s*, Diss. Bonn 1936. – H. L. Schulte, *Die Struktur der Dramatik F. W.s*, Diss. Göttingen 1954. – J. Jesch, *Stilhaltungen im Drama F. W.s*, Diss. Marburg 1959. – G. Milkereit, *Die Idee der Freiheit im Werke F. W.s*, Diss. Köln 1960. – G. Seehaus, *F. W. und das Theater*, Mchn. 1964, S. 298–336 [m. Bibliogr.]. – K. Völker, *W.*, Velber 1965.

DER MARQUIS VON KEITH. Schauspiel in fünf Akten von Frank WEDEKIND (1864–1918), Uraufführung: Berlin, 11. 10. 1901, Residenztheater. –

Das Stück hat eine komplizierte Entstehungsgeschichte. Es bedurfte mehrerer Fassungen – des unvollendet gebliebenen Dramas *Ein Genußmensch* (1898) und der daraus entstandenen Fassung *Der gefallene Teufel* (1899) – bis es im Vorabdruck unter dem Titel *Münchner Szenen. Nach dem Leben aufgezeichnet* 1900 im ersten Jahrgang der Zeitschrift ›Die Insel‹ erscheinen konnte. Die lange intensive Arbeit am Keith-Stoff bezeugt die besondere Rangstellung, die Wedekind diesem Drama zuerkannte (er nannte es sein »*künstlerisch reifstes und geistig gehaltvollstes Stück*«).

Die Dramaturgie des Werkes ist für Wedekind paradigmatisch: Eine banale Schwindleraffäre gibt den äußeren Handlungsrahmen. Der hochstaplerische »Glücksritter« Keith gewinnt einige Münchener Geldbürger für sein »Feenpalast«-Projekt; unter seiner Leitung soll eine der luxuriösesten und modernsten Kunststätten entstehen. Dank seinen gewandten Manipulierungskünsten gelingt es ihm, das Projekt hochzuspielen, sich selbst die führende Rolle und freie Verfügung über die eingebrachten Gelder zu sichern. Sein Glücksstern sinkt jedoch ebenso rasch wieder, als bekannt wird, daß Keith das Aktienkapital unbedenklich für seine ganz persönlichen Lebensgenüsse verwendet und auch vor Unterschriftenfälschung nicht zurückschreckt. Schließlich wird er aus der Kunstmetropole München ausgewiesen.

In diese äußere Fabel, die bereits in der Motivverflechtung von Kunst und Geschäft auf eine beherrschende thematische Schicht der Gesamtkonzeption weist, sind andere Handlungsstränge eingelagert, die weniger eine handlungstechnische Funktion im alten Sinn haben, als vielmehr Auseinandersetzungen abstrakt-gedanklicher Art darstellen. Die bewußte Banalität der »eigentlichen« Handlung kontrastiert so mit der Bedeutungshaltigkeit der dramatischen Konfrontationen und Dialoge. Strukturbildend ist im *Marquis* das Gegenspielerprinzip: Dem Protagonisten Keith steht sein Jugendfreund Ernst Scholz gegenüber. Der verquälte Moralist Scholz möchte sich bei Keith, dem alles, was die bürgerliche Gesellschaft »Moral« nennt, höchst zweideutig erscheint *(»Das glänzendste Geschäft in dieser Welt ist die Moral«)* und der jede Form von Verantwortlichkeit grundsätzlich ablehnt, zu *»einem Genußmenschen ausbilden«*, zieht sich jedoch schließlich resigniert in eine Irrenanstalt zurück. Scholz' Altruismus ist ebenso unheilbar und einseitig wie der vitalistische Egoismus Keiths. Wedekind bezeichnet die ironisch dargestellte Alternative Keith–Scholz als ein »*Wechselspiel zwischen einem Don Quixote des Lebensgenusses und einem Don Quixote der Moral*«. Hier werden die fließenden Übergänge von hintergründiger Ironie und tragischer Akzentuierung deutlich. Als Höhepunkt der tragischen Groteske erscheint der Freitod der Molly Griesinger. Molly – in der Figurengliederung dem masochistischen Scholz zugeordnet – hat sich in rückhaltloser Aufopferung für ihren Geliebten Keith eingesetzt, der sie fallenläßt, sobald sie ihm nicht mehr von Nutzen sein kann. Die weibliche Kontrastfigur der bürgerlich-naiven Molly ist die Lebedame Gräfin Werdenfels, die ihrerseits ganz im Sinne der pervertierten Ethik Keiths diesen seinem Unglück überläßt. Keith ist der Exponent eben jener bürgerlichen Gesellschaft, die ihn als Ausgestoßenen betrachtet. Wedekind benutzt die Figur des Marquis als Medium satirischer Gesellschaftskritik. So durchleuchtet Keith zum Beispiel den in der kapitalistischen Gesellschaft der Gründerjahre zur Phrase gewordenen Begriff der »höheren Güter«: »*Diese Güter heißen nur deshalb höhere, weil sie aus dem Besitz hervorwachsen* ...« An anderer Stelle desavouiert er mit seiner grotesken Definition des Wortes »Sünde« die Verlogenheit und die Milieubedingtheit der bürgerlichen Moralbegriffe: »*Sünde ist eine mythologische Bezeichnung für schlechte Geschäfte. Gute Geschäfte lassen sich nun einmal nur innerhalb der bestehenden Gesellschaftsordnung machen!*«

Eine tragische Verstrickung kann es in dem dargestellten Gesellschaftsrahmen, in welchem Unglück lediglich bedeutet, kein Geld zu haben, nicht geben. Auch Mollys Unglück, von ihr selbst herbeigesehnt, wird zur tragikomischen Groteske, die den Überlebenden recht zu geben scheint. Der Marquis stellt sich bewußt jenseits von Gut und Böse. Noch das Scheitern, das Unglück ist für ihn »*eine günstige Gelegenheit wie jede andere. Unglück kann jeder Esel haben; die Kunst besteht darin, daß man es richtig auszubeuten versteht!*« »Grinsend« legt er den Revolver wieder fort: »*Das Leben ist eine Rutschbahn* ...« – Der expressionistische Komödienstil Sternheims mit seiner karikaturistisch verschärften Gesellschaftssatire wie auch bestimmte dramatische Verfahrensweisen Brechts sind in Wedekinds Hochstaplerkomödie vorgeprägt.

U. H.

Ausgaben: Bln. 1900 (*Münchner Szenen. Nach dem Leben aufgezeichnet*, in Die Insel, 1, H. 7–9). – Mchn. 1901. – Mchn./Lpzg. 1913 (in *GW*, 6 Bde., 1912–1914, 4). – Mchn. 1924 (u. d. T.: *Ein Genußmensch*; Urfassg). – Mchn. 1924 (in *AW*, Hg. F. Strich, 5 Bde., 3). – Mchn. o. J. [1954] (in *Prosa. Dramen. Verse*, Hg. H. Maier, 2 Bde., [1954]–1964, 1). – Stg. 1964 (RUB, 8901). – Bln. 1965, Hg. W. Hartwig (Komedia, 8).

Literatur: P. Fechter, *F. W. Der Mensch und das Werk*, Jena 1920. – H. M. Elster, *F. W. u. seine besten Bühnenwerke*, Bln./Lpzg. 1922. – O. Riechert, *Studien zur Form des W.schen Dramas*, Diss. Univ. Hbg. 1923. – A. Kutscher, *F. W. Sein Leben und seine Werke*, Bd. 2, Mchn. 1927, S. 56 ff. [ern. Mchn. 1964, Hg. K. Ude; bearb. Ausg. in 1 Bd., S. 164 ff.]. – E. Schweizer, *Das Groteske und das Drama F. W.s*, Diss. Tübingen 1932. – L. Weber, *F. W. »Der Marquis von Keith«. Der Abenteurer in dramatischer Gestaltung*, Diss. Kiel 1934. – W. Duwe, *Die dramatische Form F. W.s in ihrem Verhältnis zur Ausdruckskunst*, Diss. Bonn 1936. - M. Kessel, *W. der Moralist* (in Berliner Hefte, 1, 1964, S. 131–141). – R. Baucken, *Bürgerlichkeit, Animalität u. Existenz im Drama W.s u. des Expressionismus*, Diss. Kiel 1950. – Th. Mann, *Eine Szene von W.* (in Th. M., *Altes u. Neues*, Ffm. 1953, S. 31–38). – H.-L. Schulte, *Die Struktur der Dramatik F. W.s*, Diss. Göttingen 1954. – G. Milkereit, *Die Idee der Freiheit im Werke v. F. W.*, Diss. Köln 1960. – G. Seehaus, *F. W. u. das Theater*, Mchn. 1964 [m. Bibliogr.]. – K. Völker, *F. W.*, Velber 1965. – F. Rothe, *F. W.s Dramen. Jugendstil und Lebensphilosophie*, Stg. 1968.

PETER WEISS
(*1916)

DIE ERMITTLUNG. Oratorium in elf Gesängen von Peter Weiss (*1916), Uraufführung: 19. 10. 1965, gleichzeitig in Altenburg, Berlin (Ost und

West), Cottbus, Dresden, Erfurt, Essen, Gera, Halle, Köln, Leipzig, London, München, Neustrelitz, Potsdam, Rostock und Stuttgart. – Die *Ermittlung* will, einer *Anmerkung* des Autors zufolge, nichts anderes als ein »*Konzentrat*« der Materialien und Aussagen jenes Prozesses sein, der vom Dezember 1963 bis zum August 1965 in Frankfurt gegen achtzehn Angehörige des Aufsichts-, Sanitäts- und Wachmannschaftspersonals des ehemaligen Konzentrationslagers Auschwitz geführt wurde. Das zwischen Gleiwitz und Krakau gelegene Vernichtungslager Auschwitz-Birkenau (polnisch Oświecim-Brzezinka) bestand, zunächst als Schutzhaftlager für politische Häftlinge, vom Sommer 1940 bis zum Januar 1945, und zwar anfangs unter der Leitung des SS-Obersturmbannführers Rudolf Höß, später, seit Dezember 1943, als die Zahl der Häftlinge sich immer mehr vergrößerte, unter drei Kommandanten, und hatte entscheidenden Anteil an der Ausrottung nahezu des gesamten europäischen Judentums und einer großen Zahl sowjetischer Kriegsgefangener. Der Autor stützt seine Darstellung auf eigene, bei der Gerichtsverhandlung und einem Lokaltermin in Auschwitz angefertigte Gedächtnisprotokolle, auf die Prozeßberichte der Tagespresse (vor allem die von Bernd Naumann in der ›Frankfurter Allgemeinen Zeitung‹ veröffentlichten, die 1965 unter dem Titel *Auschwitz* in Buchform erschienen) und auf die dokumentarische Literatur (besonders die biographischen Aufzeichnungen des vom polnischen Obersten Volksgericht verurteilten und am 2. April 1947 in Auschwitz gehenkten Lagerkommandanten Höß, die 1951 und 1956 in polnischer, 1958 auch in deutscher Sprache veröffentlicht wurden). Das Werk, dem die Bezeichnung »Theaterstück« zu geben einer Irreführung gleichkommt, verfolgt keine anderen Absichten als die, zu denen auch der Herausgeber der Höß-Memoiren, Martin Broszat, sich bekennt: »*So kann und soll diese Veröffentlichung, indem sie mit der abgründigsten Unmenschlichkeit konfrontiert, zu jener Katharsis beitragen, welche nach der Epoche des Dritten Reiches Gebot nationaler Selbstachtung ist.*«

In den elf jeweils dreifach unterteilten »Gesängen« – *Gesang von der Rampe, Gesang vom Lager, Gesang von der Schaukel, Gesang von der Möglichkeit des Überlebens, Gesang vom Ende der Lili Tofler, Gesang vom Unterscharführer Stark, Gesang von der Schwarzen Wand, Gesang vom Phenol, Gesang vom Bunkerblock, Gesang vom Zyklon B* und *Gesang von den Feueröfen* – versucht der Autor, aus den Aussagen von Angeklagten und Zeugen, Anklägern, Richtern und Verteidigern in Frage und Antwort jene Realität zu rekonstruieren und durchsichtig zu machen, die nach einer zeitlichen Distanz von genau zwanzig Jahren sich in eben dem Maße dem öffentlichen Bewußtsein zu verschließen scheint, wie die Anstrengungen wachsen, sie zu durchdringen. Mit der Brechung jener Realität am Modell des Strafprozesses, der Gerichtsverhandlung, die einen unklaren Tatbestand aufzuhellen sucht, wird überdies ein repräsentatives Moment der deutschen Nachkriegswirklichkeit festgehalten, das einer der überlebenden Zeugen in der *Ermittlung* so beschreibt: »*Wenn wir mit Menschen / die nicht im Lager gewesen sind / heute über unsere Erfahrungen sprechen / ergibt sich für diese Menschen / immer etwas Unvorstellbares / Und doch sind es die gleichen Menschen / wie sie dort Häftling und Bewacher waren.*«

Die im Stück auftretenden achtzehn Angeklagten entsprechen den authentischen Personen des Frankfurter Prozesses und tragen ihre wirklichen Namen, während der gleichsam anonyme Chor der über dreihundert gehörten Zeugen auf neun (namenlose) Sprecher reduziert ist und Staatsanwaltschaft sowie Verteidigung nur durch je einen Vertreter repräsentiert werden. Obwohl sich der Autor im Zuge der Konzentration auf die pure Faktizität der dargestellten Vorgänge aller Erfindung und literarischen Stilisierung weitgehend und absichtlich enthält, bleibt ihm dennoch ein Rest von Freiheit, der sich in der Gliederung und Strukturierung des Materials, in Anlehnung an die poetische Ausdrucksform des »Gesangs«, der Anordnung und Verteilung der Figuren und der kaum merklichen Steigerung auf die beiden letzten Gesänge hin zeigt. So werden die Funktionen – und vor allem die Funktionsüberschreitungen – aller achtzehn Angeklagten im Rahmen der bürokratischen Vernichtungsmaschinerie hinreichend deutlich, um den Begriff der »*befehlsbestimmten Verantwortung*«, auf den sich alle mit immer denselben stereotypen Formeln (»*Ich hatte nur dafür zu sorgen, daß ...*«, »*Meine Aufgabe war ausschließlich administrativer Art ...*«, »*Ich gehörte nur ...*«, »*Da war ich gar nicht zuständig ...*«) berufen, außer Kraft zu setzen. Am deutlichsten wird die strategische Distanz, auf die der Autor sich zurückzieht, in der Gesamtanlage der elf Gesänge, die den Prozeß der »*Verarbeitung*« der Häftlinge nachvollzieht: von der Ankunft im Lager und der Registrierung bzw. Aussonderung zur sofortigen Tötung – eine Entscheidung, die der Angeklagte 12 (Stark) als den Unterschied von »*Verlegung*« und »*Überstellung*« exakt beschreibt – führt der Weg der arbeitsfähigen Inhaftierten in die überbelegten, hygienisch völlig unzureichend ausgestatteten Lagerblocks, an die Arbeitsplätze in den Industriebetrieben der Umgebung, endlich, wenn Krankheit, Unterernährung, Seuchen, Denunzierungen oder völlige Erschöpfung und Selbstaufgabe ihr Werk getan haben, zu den sadistischen Verhören auf der »*Schaukel*« des Angeklagten Boger, zum Hinrichtungsplatz an der Schwarzen Wand, den Phenol-Injektionen des Angeklagten Klehr und schließlich in die Vergasungskammern.

Um diesen Weg, den alle Überlebenden als Prozeß fortschreitender Entpersönlichung beschreiben, in seiner Totalität in das Stück eingehen zu lassen, ist der Autor zu Umstellungen des Prozeßablaufs gezwungen und muß Brüche hinnehmen. Mit einem der wenigen Einzelschicksale, die er herausgreift, dem eines jungen Mädchens namens Lili Tofler, das erschossen wird, nachdem man einen ihrer an einen Häftling gerichteten Liebesbriefe abgefangen hat, verbindet er – im Mittelteil des *Gesanges vom Ende der Lili Tofler* – einen wichtigen, häufig übersehenen Aspekt: den der unbegrenzten Verfügungsgewalt der Lagerleitung über billige Arbeitskräfte und der zwielichtigen Rolle eines Teiles der deutschen Industrie, die sich ihrer bediente. – Ein wesentliches Symptom wird am Lebenslauf des Angeklagten Stark demonstriert, der, im Alter von neunzehn Jahren nach Auschwitz abkommandiert, mit Hilfe eines längeren Sonderurlaubs das Abitur nachholt und dennoch ohne Einsicht in die Tragweite des ihm befohlenen »Dienstes« bleibt, vielmehr seine geistige Unreife mit der unausgesetzten politischen Schulung entschuldigt. Ins Stück übernommen sind auch längere Rededuelle zwischen den Vertretern der Anklage und Verteidigung, etwa über die angebliche politisch-propagandistische

Beeinflussung des Prozesses oder über die Zulässigkeit ideologisch-qualifizierender Urteile von Zeugen.
Wenn gegen diesen integren Versuch der Durchdringung eines unfaßlich-grauenhaften Geschehens ein Einwand gemacht werden kann, so muß er in der paradoxen Entgegnung bestehen, daß sich ästhetische, d. h. künstlerisch-kritische, Vorbehalte im weitesten Sinne *nicht* vorbringen lassen. Peter Weiss hat alles getan, um die der *Ermittlung* zugrunde liegenden Sachverhalte nicht als ästhetisch-fiktive, sondern als reale, unverstellte Wirklichkeit fortbestehen zu lassen. Aber das einfache Moment der Transsubstantiation, die notwendig immer schon dann eintritt, wenn in einem geschlossenen Bühnenraum Schauspieler Stimme und Körper selbst einem Text leihen, der nichts sein will als unbezweifelbarer Bericht, wendet sich verfälschend gegen das Stück. So berichtet einer der Zeugen: *»Jeden Mittwoch und Freitag waren Erschießungen / Ich habe gesehn wie Boger / am 14. Mai 1943 / 17 Häftlinge tötete / Ich merkte mir das Datum / denn mein Freund Berger war dabei / Er war vorher noch auf der Schaukel zuschanden geschlagen worden / Berger schrie / Ihr Mörder ihr Verbrecher / da hat Boger ihn weggeschossen.«* Die unerbittliche Buchstäblichkeit und Authentizität solcher Sätze verbietet, wenn nicht überhaupt die Transponierung in die Kunst, so doch jede, selbst eine noch so vorsichtige dramatisch-mimetische Stilisierung, die aber schon wirksam wird, wenn ein »anderer« Sprecher (der Schauspieler) für diesen Zeugen eintritt. Grundsätzlich reduziert der Text der *Ermittlung* die Aufgabe des Schauspielers auf eine Funktion und läßt ihm nicht die geringste Freiheit. Die Aufführungskritiken in der Presse schienen zu bestätigen, daß überall da, wo ein Regisseur (wie z. B. Peter Brook in London) auf theatralische Mittel im eigentlichen Sinne verzichtete, die Wirkung des Dargestellten am unmittelbarsten und nachhaltigsten war. H. H. H.

AUSGABEN: Velber 1965 (in Theater heute, Sonderh., 1965, S. 58–87; Ausz.). – Ffm. 1965.

LITERATUR: J. Kaiser, *Plädoyer gegen das Theater-Auschwitz* (in SZ, 4/5. 9. 1965, 212). – G. Rühle, *Der Auschwitz-Prozeß auf der Bühne* (in FAZ, 21. 10. 1965, 245, S. 20). – W. Jens, *Die »Ermittlung« in Westberlin* (in Die Zeit, 29. 10. 1965, 44, S. 22). – H. Naber, *Die »Ermittlung« in der Presse* (ebd., S. 22). – D. E. Zimmer, *Die Lesung in der Volkskammer der DDR* (ebd., S. 21). – H. Karasek, *Die »Ermittlung« in Stuttgart* (ebd., S. 21f.). – G. Schoenberner, *Die »Ermittlung« in München* (ebd., S. 21). – E. Piscator, *Politisches Theater heute* (in Die Zeit, 26. 11. 1965, 48, S. 17/18). – T. v. Vegesack, *Dokumentation zur »Ermittlung«* (in Kürbiskern, 2, 1966, S. 74–83). – L. Marcuse, *Was ermittelte P. W.?* (ebd., S. 84–89). – I. Drexel, *Propaganda als Gottesdienst* (ebd., S. 90–95). – J. Fiebach, *Marginalien zu einem deutschen Oratorium* (ebd., S. 96–99). – E. Piscator, *Nach-Ermittlung* (ebd., S. 100–102). – W. Hädecke, *Zur »Ermittlung« von P. W.* (in NRs, 77, 1966, S. 165–169).

DIE VERFOLGUNG UND ERMORDUNG JEAN PAUL MARATS DARGESTELLT DURCH DIE SCHAUSPIELGRUPPE DES HOSPIZES ZU CHARENTON UNTER ANLEITUNG DES HERRN DE SADE. Drama in zwei Akten von Peter WEISS (*1916). Uraufführung: Berlin, 29. 4. 1964, Schillertheater (Musik: H.-M. Majewski); erschienen 1964, vom Autor revidierte Fassung 1965. – Das Stück ist ein Musterbeispiel für die Wandlung einer ideologisch-dramatischen Konzeption unter dem Einfluß der literarischen Kritik, der Theaterpraxis und vor allem der Gesinnungsänderung seines Verfassers. Der *Marat/Sade*, wie die mittlerweile international eingebürgerte Bezeichnung des Werkes lautet, liegt in fünf Versionen (A – E) vor, denen eine Hörspielfassung vorausging. Überdies autorisierte Peter Weiss die Rostocker Bearbeitung der von ihm *»revidierte[n] Fassung 1965«* (E) durch Hans Anselm PERTENS. Repräsentativ für die gesamte künstlerisch-politische Entwicklung des deutsch-schwedischen Autors, spiegelt die kontinuierliche Modifikation seines ersten deutschsprachigen Dramas seinen Weg von der Position des »dritten Standpunkts« zu der eines entschiedenen Sozialisten marxistischer Prägung.
Diese Polarität verkörpert sich in den Titelhelden des *Marat/Sade*. deren Streitgespräch den Kern des locker gefügten Szenentableaus bildet: Sade, Vertreter des Relativismus und Agnostizismus und hierin dem Weiss vor allem des Romans *Fluchtpunkt* (1962) ähnlich, befindet sich *»zwischen dem sozialistischen und individualistischen Lager«*. Enttäuschter Rousseauist und resignierter Parteigänger der Revolution, glaubt er in extremem Solipsismus nicht mehr an die Ideale der Gerechtigkeit, Gleichheit und Solidarität. Vor dem Nihilismus bewahren den Zyniker allein sein Ästhetizismus des Barbarischen, seine Lust am exquisiten Sterben des einzelnen und der Fetischismus übersteigerter Leiblichkeit. Seiner verbissenen Suche nach der Wahrheit über den Menschen steht die antifaustische Sehnsucht gegenüber, im Tode *»alle Spuren aus[zu]löschen«*. In Erkenntnis der Vergeblichkeit alles Handelns, der Wirkungslosigkeit alles Schreibens und der Vergänglichkeit alles Gedachten überläßt er sich der Imagination und der Indifferenz. – Diese Haltung verurteilt sein Antagonist Marat, der, entscheidungsfreudig und handlungsorientiert, als Vorläufer des Kommunismus *»grundlegende Änderungen in den Verhältnissen«* anstrebt, als Apathie und Dekadenz. Anwalt der proletarischen Revolution, die 1789 und in den anschließenden Richtungskämpfen den Interessen der Bourgeoisie geopfert worden sei, brandmarkt er Sade als Verräter. Im Kampf gegen Unterdrückung, Ausbeutung und Heuchelei der neuen weltlichen und geistlichen Herren will der *»Freund des Volkes«* das Risiko subjektiven Urteilens und pragmatischen Irrtums eingehen. Seiner Zeit *»um ein Jahrhundert voraus«*, entscheidet er mit der Massenguillotinierung seiner Feinde den Konflikt zwischen Verantwortungs- und Gesinnungsethik zugunsten letzterer und nimmt dafür, von Weiss als »Christus novus« stilisiert, Verfolgung und Ermordung durch Girondisten und Aristokraten in Kauf.
Gelten für beide antithetisch aufeinander bezogenen Zentralgestalten, denen in den wichtigsten Nebenfiguren je ein *alter ego* zugeordnet ist, *»nur die äußersten Extreme«*, so besteht dieses Gleichgewicht nur im Verbalen. Das bedingt das Strukturprinzip des Dramas, bleibt doch selbst in der Schlußfassung die Figur Marats in eigentümlicher Dialektik von Sade, dem fiktiven Erfinder und Regisseur des Spiels, abhängig. Indem er seinem Gegenspieler als einer Teilprojektion seiner selbst starke Argumente in den Mund legt und meist das letzte Wort überläßt, frönt der Marquis einer ausgefallenen Form des Wortsadismus. Bereits in der

Exposition des Stückes kennzeichnen die Vertreter der Sansculotten – die der Autor in der Schlußversion etwas gewaltsam von politisch desinteressierten Possenreißern zu klassenbewußten Repräsentanten des vierten Standes umfunktioniert – ihren Protagonisten Marat in bitterer Ironie als Gescheiterten; sie führen ihn ein *»am Vorabend zur Feier der Revolution / später zum Ende geführt durch Kaiser Napoleon«*. So können auch die Textveränderungen zugunsten Marats, vor allem im Epilog des Dramas, sowie nachträgliche Interpretationen des Autors, wie er sie u. a. indirekt in der *»Vorübung zum dreiteiligen Drama divina commedia«* (1965) gibt, den zweiten Helden allenfalls *»als einen Visionär, von dem aus die Linie zu künftigen Revolutionen läuft«* retten. Das Paradoxon, daß der kranke Aktivist an die Wanne fixiert ist, bleibt bestehen. Das Lehrstück ohne Lehrmeinung, als das es die Kritik zunächst sehen mußte, wurde von Weiss nachträglich zum Drama der *»betrogenen Revolution«* erklärt, obwohl Sade *»zu keinem Ende«* der Probleme finden kann.
Konsequenter handhabt der Verfasser die formalen Mittel seines Thesenstückes. Konstruiert er auch keine eigentliche Handlung, die etwa außer der vorgeführten Ermordung Marats auch seine Verfolgung in Szene setzte, so gelingt ihm doch intensive Bühnenwirksamkeit durch die Verwendung vieler Stilmittel im Sinne des »totalen Theaters«: Die bilderbogenartige Collage mit der von Weiss auch in späteren Werken bevorzugten Anzahl von dreiunddreißig Szenen, die sich teils des Aufführungsprinzips des historischen Dramatikers Sade selbst, teils der freien Gestaltung der Geschichte *»im Geist der Revolutionswirren«* bedient, bannt die im Zyklus-Charakter des Geschehens enthaltene Gefahr des Statischen. Sie tut es durch souveräne Mischung von Elementen des Bänkelsangs und des Schaubuden-Gags, des Musik-Theaters und der Oper, des absurden und des surrealen Dramas sowie der antiken Tragödie und des japanischen Kabuki-Spiels. Gemäß den Forderungen des Dokumentartheaters, das sich gegen die politisch-gesellschaftliche Unverbindlichkeit erfundener Parabeln wendet, benutzt der Autor authentische Worte der wirklichen Vorbilder seiner Hauptfiguren. Ironische Kontraste, Pantomimen, Parodien, Totentanz und Visionen steigern sich zusammen mit einer zwischen Knittelversen und rhythmischer Prosa wechselnden Parataxe zu einem theatralisch-ekstatischen Hexenkessel, dessen sinnliche Suggestivität ihre Höhepunkte in den drastischen Anleihen an ARTAUDS »Théâtre de cruauté« besitzt. Sie sind freilich ebenso wie der Schauplatz des Hospizes, das für Weiss Sinnbild der *»Irrenhauswelt«* ist, nicht als kulinarischer Selbstzweck intendiert: In Abkehr von der Dramaturgie BRECHTS, die dennoch in mancher Demonstrationsgebärde virulent bleibt, bekennt sich der Dichter damit zu einem auch emotional ansprechenden Theater, das gerade als solches – gemäß dem von PISCATOR formulierten Junktim – politisch wirken soll. Dem gleichen Zweck dient die Strukturierung der drei Zeitebenen des Stückes – den beiden des »Spiels im Spiel« und der der Gegenwart –, die allerdings mit der Berufung auf die Idee der Vielzeitigkeit in der Relativitätstheorie zu anspruchsvoll fundiert wird. Ein dichtes Beziehungs- und Brechungsgeflecht erlaubt nahezu ständig die Aktualisierung der demonstrierten Zustände und Ereignisse von 1793 nicht nur für das Jahr 1808, sondern auch für die sechziger Jahre des zwanzigsten Jahrhunderts, hätten doch die Restauration Nachkriegsdeutschlands und überhaupt bestimmte Tendenzen in der heutigen westlichen Welt ihre Parallelen in der Napoleonischen Ära.
Vor allem der Beherrschung des Theaterapparates, weniger der nicht völlig eindeutigen und überzeugenden weltanschaulichen Aussage dürfte der Autor den ungewöhnlichen Erfolg des *Marat/Sade* verdanken, der ihn weltbekannt machte: In die meisten Kultursprachen übersetzt, wurde das Drama inzwischen auf fast allen führenden Bühnen des In- und Auslandes gegeben. Die Inszenierungen profilieren bei allgemeiner Beachtung des sozialkritischen Engagements entweder die sprachgetragenen, intellektuell pointierten Disputationen der beiden ideologischen Gegner oder die spielbetonten, oft phantasmagorischen Szenen der übrigen Handlungsstränge stärker heraus. Die Behauptung, es existiere ein westlicher und ein östlicher Aufführungsstil, entspringt indessen politisch fixiertem Wunschdenken. K. Hab.

AUSGABEN: Ffm. 1964 (ed. suhrkamp, 68). – Ffm 1968 (in *Dramen*, 2 Bde., 1).

VERFILMUNG: England 1966 (Regie: P. Brook).

LITERATUR: W. Mittenzwei, *Zwischen Resignation u. Auflehnung. Vom Menschenbild der neuesten westdeutschen Dramatik* (in SuF, 16, 1964, S. 894 bis 908). – E. Wendt, *P. W. zwischen den Ideologien* (in Akzente, 12, 1965, S. 415–425). – M. Haiduk, *P. W.' Drama »Die Verfolgung ...«* (in Beitr., 12, 1966, S. 81–104; 186–209). – J. Milfull, *From Kafka to Brecht: P. W.' Development towards Marxism* (in GLL, 20, 1966/67, S. 61–71). – *Materialien zu P. W.' »Marat/Sade«. Zusammengestellt von K Braun*, Ffm. 1967 (ed. suhrkamp, 232). – H. Rischbieter, *P. W.*, Velber 1967 (Friedrichs Dramatiker des Welttheaters, 45). – W. Buddecke, *Die Moritat des Herrn de Sade. Zur Deutung des »Marat/Sade« von P. W.* (in *Geistesgeschichtliche Perspektiven*, Hg. G. Großklaus, Bonn 1969, S. 309–344). – O. F. Best, *Selbstbefreiung u. Selbstvergewaltigung. Der Weg des P. W.* (in Merkur, 24, 1970, S. 933–948). – P. Weiss, *Über P. W.*, Hg. V. Canaris, Ffm. 1970 (ed. suhrkamp, 408; m. Bibliogr.). – Ch. N. Genno, *P. W.' »Marat/Sade«* (in Modern Drama, 13 1970/71, S. 304–315).

FRANZ WERFEL
(1890–1945)

DER ABITURIENTENTAG. Die Geschichte einer Jugendschuld. Roman von Franz WERFEL (1890 bis 1945), erschienen 1928. – Der Abituriententag, zu dem sich die Schüler eines österreichischen Gymnasiums nach fünfundzwanzig Jahren zusammenfinden, ist nur der Ausgangspunkt für Werfels *Geschichte einer Jugendschuld*. – Am Tag des Klassentreffens vernimmt der Landgerichtsrat Sebastian einen Untersuchungshäftling, in dem er einen früheren Mitschüler, den lange verschollenen Franz Adler, wiederzuerkennen glaubt. Dieser Vorfall und der peinlich belanglose Abend mit den übrigen Klassenkameraden lassen ihm plötzlich die Schülerzeit mit qualvoller Deutlichkeit wieder lebendig werden. Wie unter einem Zwang schreibt Sebastian noch in der gleichen Nacht ein Selbst- und Schuldbekenntnis nieder. Der Richter geht mit sich selbst ins Gericht: *»Meine Aufgabe ist es, mich zu verhören.«*

Die Niederschrift dieser in der Ichform geschriebenen Lebensbeichte bildet das Kernstück des Romans. Sie führt zurück in eine österreichische Kleinstadt der Jahrhundertwende, in eine Schulklasse voll Abenteuerlust, Freiheitsdrang und üblicher Unarten. Nur einer, der Schüler Franz Adler, paßt nicht in dieses Bild. Trotzdem flößt der häßliche, unsportliche, grüblerische Junge den Gleichaltrigen wie den Lehrern einen nahezu ehrfürchtigen Respekt ein. Auch Sebastian kann sich der selbstverständlichen Autorität, die von Adlers »*unbeirrbarer Wahrhaftigkeit*« ausgeht, nicht entziehen. Aber er mißgönnt dem Begabteren, Reiferen die Vorrangstellung. Der Stachel dieser Unterlegenheit läßt ihn ein »*langes geheimnisvolles Vernichtungswerk*« beginnen. Es gipfelt darin, daß er den durch jahrelange Quälereien und Erniedrigungen gebrochenen Adler, »*der nur still sein Haupt dem wachsenden Hohne hinhielt*«, zu einer Flucht aus der Stadt nötigt, um den Verdacht einer Urkundenfälschung von sich auf ihn zu lenken. – Im Verlauf der Rahmenhandlung stellt sich am nächsten Tag die Identifikation des Untersuchungshäftlings mit Adler als Irrtum heraus. Der alternde Landgerichtsrat aber begreift den Fremden als ein von Gott gesandtes »*Substitut der Gerechtigkeit*«.
Der Abituriententag gehört nicht zu den bedeutendsten Werken Werfels. Während Sebastian sehr differenziert und psychologisch überzeugend gezeichnet ist, bleibt die Gestalt Adlers eher abstrakt-schemenhaft und gibt der Erzählung, gerade gegen Ende, etwas Übertriebenes und Unglaubwürdiges. Trotz einiger stilistischer und formaler Inkonsequenzen – Sorglosigkeit in formaler und technischer Hinsicht hat man auch Werfels anderen Romanen immer wieder zum Vorwurf gemacht – hat der *Abituriententag* im ganzen einen sehr einheitlichen und geschlossenen Charakter und ist durch seine bildhafte Sprache ein Werk von großer Eindringlichkeit. C. Bi.

AUSGABEN: Wien 1928. – Ffm. 1958 (FiBü, 268).

DRAMATISIERUNG: L. Bush-Fekete, *Der Abituriententag*, Ffm. 1956 [Bühnenms., a. d. Engl. v. G. Kaus].

LITERATUR: R. Kefer, *Ideengehalt u. Form d. Romane F. W.s*, Diss. Innsbruck 1952. – F. Brunner, *W. als Erzähler*, Diss. Zürich 1955. – A. Bach, *D. Auffassg. v. Gemeinsch. u. Kollektiv im Prosawerk F. W.s* (in ZfdPh 76, 1957, S. 187–202). – F. Brunner, *F. W. als Erzähler*, Diss. Zürich 1955, S. 49ff.

DIE VIERZIG TAGE DES MUSA DAGH. Roman von Franz WERFEL (1890–1945), erschienen 1933. – Die grausame Armenierpolitik der jungtürkischen Staatsregierung in den Jahren 1915/16, von deren schlimmen Folgen noch 1929 Werfel auf einer Nahostreise beeindruckt war, als er die elenden Arbeitsbedingungen armenischer Flüchtlingskinder in Damaskus wahrnehmen mußte, wurde zum Anlaß dieses Romans. Werfel hat in den folgenden Jahren immense Quellenstudien betrieben, bis er ab Juli 1932 das große Werk in knapp neun Monaten niederschrieb.
Die Armenierverfolgung war von den Jungtürken schon eröffnet worden, als der Austreibungsbefehl auch in jener Dörfergemeinde an der syrischen Küste bekannt wurde, die der Autor zum Schauplatz seines Romans gewählt hat. Die Armenier – Bauern und Handwerker – sammelten sich im Hauptort Yoghonoluk westlich von Antiochia in einem Tal des Küstengebirges und beschlossen mit großer Mehrheit, sich nicht kampflos zu fügen. Die etwa 5000 Entschlossenen verproviantierten sich und zogen auf den Musa Dagh (d. i. Berg Mosis), der eine günstige Abwehrfestung darstellte. Zur Überraschung der übermächtigen, auf einen Blitzsieg vertrauenden Türken gelang es den Armeniern wiederholt, sich zu verteidigen. Die hohen Verluste zwangen die Türken zu einem Belagerungskampf; in der sechsten Woche der Belagerung kämpften die Verfolgten tatsächlich auf verlorenem Posten, als ihnen vom Meer her Rettung winkte. Alliierte Kriegsschiffe hielten mit ihren Bordwaffen die Verfolger in Schach, bargen die tödlich Erschöpften aus der Umzingelung und brachten sie nach Ägypten in Sicherheit.
Die epische Fiktionalisierung dieser Ereignisse bewerkstelligte Werfel vor allem durch die Hereinnahme einer fiktiven Hauptfigur, die auch Sinnträger des Themas werden sollte. Beim Ausbruch der Verfolgungen weilt scheinbar zufällig ein in Paris ansässiger Armenier, Gabriel Bagradian, mit seiner französischen Frau Juliette und seinem Sohn Stephan im armenischen Heimatort. Als Mitbetroffener und ausgebildeter Militär hält er seine Landsleute zum Widerstand an und organisiert in Zusammenarbeit mit dem (ebenfalls fiktiven) orthodoxen Oberhaupt der Gemeinde, Ter Haigasun, den Widerstandskampf, dessen leidender und unter schweren Opfern siegreicher Protagonist er wird. Werfel hat diese Hauptfigur aber nicht nur funktional eingebaut, um durch die Individualisierung das Massenschicksal gestalterisch in den Griff zu bekommen und das angestrebte Heldenepos legitimieren zu können, sondern er stattete Bagradian auch mit einer Individualproblematik aus, die im Ablauf der Handlung stetig vorrangiger wird. Bagradian befindet sich auf einem metaphysischen Läuterungsweg, dessen Ablauf in verschiedenen Werken des Dichters charakteristisch wiederkehrt. Eine »*andere Macht*« treibt den in der Fremde zum »*abstrakten*« Menschen verkümmerten Bagradian zurück in die Heimat und spielt ihm ein Führertum zu, das er in hart ringender Selbstfindung als von oben ausgehend erkennt und annimmt. So wird er durch die Rückverwandlung in den Sohn des eigenen Volkes von der Not zum Vater dieses Volkes berufen. Dieser existentielle Prozeß, der den Menschen besonders in Prüfungszeiten zur letztmöglichen Authentizität läutern soll, zwingt Werfel ein hohes Maß an Stilisierung auf und drängt zum Nachteil des Buches die intensive realistische Schilderung von Massen- und Einzelschicksalen zurück, die konkrete gesellschaftspolitische Komponenten transparent zu machen versucht.
Die »*Bagradian-Story*« (Brunner) ist von der Kritik frühzeitig negativ vermerkt worden. Ihre Fiktion ist nicht durch das dokumentarische Rohmaterial fundiert und nicht wie die der übrigen Figuren aus dem Geist der historischen Vorlage entwickelt, die als relative Fiktionen die dem historischen Roman eigentümliche Konzeptionsspannung aushalten. Die Figur des Gabriel Bagradian ist von Werfel relativ spät in seine Romanidee einbezogen worden. Alma MAHLER-WERFEL berichtet, daß Werfel nach einer hitzigen Diskussion um den Begriff Held und Heldentum, in der Alma nachdrücklich den »*wagnerschen Heldentyp des Siegfried*« verfocht, die endgültige Romanfassung verkündigte: »*Er werde einen Helden schildern, wie er ihn sich vorstelle ... den*

türkischen Nationalismus beleuchten und die Geschichte der armenischen Greuel berichten...« Diese thematische Stufung hat Werfel im Roman eingehalten und die spätere Proklamation in einer Art Vorwort zur Erstausgabe (er beabsichtigte, *»das unfaßbare Schicksal des armenischen Volkes dem Totenreich alles Geschehenen zu entreißen«*) klingt apologetisch, als ob der Autor unter dem Eindruck der sich ankündigenden aktuellen Massenverfolgungen durch den Nationalsozialismus die ursprüngliche Intention der Öffentlichkeit gegenüber hätte betonen wollen.

Das Werk ist dann auch in diesem Sinne rezipiert worden. Noch vor der nationalsozialistischen Machtergreifung absolvierte Werfel eine Lesetournee mit dem zeitsymptomatisch-vorausdeutenden fünften Kapitel des ersten Buches, das kurze Zeit später beim Erscheinen des Romans schon von der Wirklichkeit eingeholt wurde. Der Autor wurde von den Nazis aus der Preußischen Dichterakademie »entfernt« und sein neuer Roman zusammen mit dem Großteil des Gesamtwerkes verfemt, aber das Echo auf das ahnungsvolle Werk war weltweit und konnte sich sogar im »Reich« artikulieren, wo es das Schicksalsbuch der zunehmend ghettoisierten Juden wurde und zu ihrer Aufrichtung in der fortschreitenden Leidensperiode beitrug. Die anglo-amerikanischen Übersetzungen begründeten Werfels Weltruhm und beeinflußten wenigstens die materiellen Verhältnisse in der kommenden leidvollen Emigration für ihn günstig. Die dankbarste Anerkennung allerdings spendeten die Armenier in aller Welt. Anfang 1936 wurde der Dichter in New York und Paris von den armenischen Kolonien überschwenglich gefeiert, und noch heute erscheint der Roman in armenischer Übersetzung als Bestseller und wird von der Kritik *»als ein einzigartiges und für uns Armenier wertvolles Werk«* gewürdigt. P. Gl.

AUSGABEN: Wien/Bln. 1933, 2 Bde. – Stockholm/Amsterdam 1939, 2 Bde. – Wien 1947 (u. d. T. *Die Kämpfe der Schwachen*; Ausz.). – Bln. 1955. – Ffm. 1965. – Mchn. 1968 (Knaur Tb., 178).

VERTONUNG: L. Rocca, *Monte Ivnor* (Text: C. Meano; Oper; Urauff.: Rom, 24. 12. 1939, Teatro dell'Opera).

VERFILMUNG: USA 1933/34 (nicht realisiert; von MGM geplant).

LITERATUR: J. R. Frey, *America and F. W.* (in GQ, 19, 1946). – A. Wexler, *Die Romane F. W.s* (in Das Goldene Tor, 3, 1948). – G. Schulz-Behrend, *Sources and Background of W.'s Novel »Die vierzig Tage des Musa Dagh«* (in GR, 26, 1951, Nr. 2). – A. v. Puttkamer, *F. W. Wort u. Antwort*, Würzburg 1952. – F. Brunner, *F. W. als Erzähler*, Diss. Zürich 1955. – E. Keller, *F. W. Sein Bild des Menschen*, Aarau 1958. – W. Braselmann, *F. W.*, Wuppertal 1960. – A. Mahler-Werfel, *Mein Leben*, Ffm. 1960. – G. B. Fischer, *Bedroht – Bewahrt*, Ffm. 1967.

CHRISTA WOLF
(*1929)

DER GETEILTE HIMMEL. Roman von Christa WOLF (*1929), erschienen 1963. – Der zwei Jahre nach der Errichtung der Mauer zwischen den beiden Teilen Berlins in der DDR veröffentlichte Roman versucht korrigierendes Gegenbild eines Buches zu sein, das bisher nur in Westdeutschland verlegt wurde: Uwe JOHNSONS *Mutmaßungen über Jacob* (1960). Christa Wolf setzt ihre Widerlegung in der Hauptsache an einem Punkt an, den Johnson nicht eindeutig klären wollte: Beging sein Held Selbstmord, nachdem er die Geliebte in Westberlin verlassen hatte und in die DDR zurückgekehrt war, oder lag ein Unglücksfall vor? Die Autorin läßt ihre Heldin Rita in gleicher Situation nicht den Tod finden, und so kann das Mädchen die Frage nach Absicht oder Zufall, die sich auch hier stellt, selbst beantworten. Die Suche nach einer Antwort führt Rita weit in die Vergangenheit zurück. Sie erlebt noch einmal die Eintönigkeit ihres mitteldeutschen Heimatdorfes und die unbefriedigende Beschäftigung als Büroangestellte; die zufällige Begegnung mit dem jungen Chemiker Manfred Herrfurth, aus der ihre erste und große Liebe erwächst; die Übersiedlung in die Stadt und das Studium an einem Lehrerbildungsinstitut; ihr Zusammenleben mit Manfred und das Arbeitspraktikum im Waggonwerk (*»Ein Lehrer muß heutzutage einen Großbetrieb kennen!«*); ihre Berührung mit den verschiedensten, gesellschaftlich bedingten politischen Verhaltensweisen in Theorie und Praxis, nicht nur in der Gegenwart, sondern auch – am Modellfall des alten Herrn Herrfurth – in der jüngsten historischen Vergangenheit Deutschlands. Diese intensiven, durchaus widerspruchsvollen Umwelteinflüsse, vor allem aber die in der Produktion und im Arbeitskollektiv gesammelten Erfahrungen bilden Ritas Bewußtsein in einen dialektisch funktionierenden Erkenntnisapparat um, der ihr schließlich die Einsicht vermittelt, daß sie sich nur in der Gesellschaftsordnung verwirklichen kann, die sich auf den Aufbau des Sozialismus gründet. Dieser Gesellschaftsordnung steht Manfred Herrfurth jedoch distanziert gegenüber: er hat seine Erfahrungen in den düsteren Jahren der Stalin-Ära gesammelt, in denen *»man eine Schutzfarbe annehmen mußte, um nicht erkannt und vernichtet zu werden«*. Daß diese Ära trotz des XX. Parteitages noch nicht überwunden ist, könnte Manfred leicht an der Tatsache ablesen, daß der Arbeiter- und Bauernstaat nach wie vor von den alten Machthabern gelenkt wird – ein Argument, dessen sich die Autorin allerdings nicht bedient. Sie läßt Manfred an dem in der Stalin-Ära erstarrten Dogmatismus und Bürokratismus einiger – später in den Westen »desertierender« – Wirtschaftsfunktionäre scheitern, die seine Erfindung einer verbesserten Spinnmaschine ablehnen. Manfred entschließt sich daraufhin zur »Republikflucht«, deren Ursache die Autorin mit Hilfe eines gleichsam psychologisch-ideologischen Koordinatensystems zu ermitteln sucht: einerseits macht die überaus verletzliche Eitelkeit des Intellektuellen Manfred von dem Käufer abhängig, der ihm die größten Erfolgschancen bietet (in diesem Falle der Wirtschaft Westdeutschlands); andererseits hält ihn der Purismus der traditionellen bürgerlichen Wissenschaft von der politischen Wirklichkeit fern. Manfred bleibt – im Gegensatz zu der durch das Kollektiv veränderten Rita – Individualist, dessen Entscheidung die Autorin zwar nicht in Schutz nehmen kann, dessen Argumente sie jedoch zu bedenken gibt, wenn sie ihn in einem Brief an den Freund Martin Jung schreiben läßt: *»Die sechziger Jahre ... Glaubst Du immer noch, sie werden als das große Aufatmen der Menschheit in die Geschichte eingehen? Ich weiß natürlich, daß man sich lange*

Zeit über vieles selbst betrügen kann (und muß, wenn man leben will). Aber das ist doch nicht denkbar, daß Ihr alle nicht wenigstens jetzt, angesichts der neuesten Moskauer Parteitagsenthüllungen, einen Schauder vor der menschlichen Natur bekommt? Was heißt hier Gesellschaftsordnung, wenn der Bodensatz der Geschichte überall das Unglück und die Angst des einzelnen ist.« In Sätzen wie diesen drückt sich ein Erleben der Realität aus, das die Heldin des Romans nicht nachvollziehen kann. Was ihr Martin Jung in seinem Kommentar zu Manfreds Brief schreibt, entspricht auch ihrer naiven Überzeugung von der Veränderbarkeit des Menschen: »*Wenn er hiergeblieben wäre, und sei es durch Zwang: Heute müßte er ja versuchen, mit allem fertig zu werden.*«
Weil die Autorin eindeutig auf seiten ihrer Heldin steht, kann sie mit fast selbstverständlicher, dialektisch unverblümt abgesicherter Offenheit manche Tabus sprengen und neue Maßstäbe setzen, um damit zu zeigen, wie weit in der DDR die Kritik an den bestehenden politischen und wirtschaftlichen Verhältnissen gehen kann. Darin besteht das eigentliche, nicht zu unterschätzende Verdienst des mit dem Heinrich-Mann-Preis ausgezeichneten Romans. – Das Hauptgeschehen des Buches ist aus der Retrospektive erzählt. Dabei bedient sich die Autorin einer Erzähltechnik, die mit dem filmischen Mittel der kurz aufgeblendeten Einzelszene einen äußerst gedrängten dramatischen Effekt erzielt. Daß Christa Wolf mit der russischen Literatur ebenso vertraut ist wie ihre Heldin Rita, zeigen vor allem die Naturbeschreibungen, die die Funktion haben, entscheidende Ereignisse anzukündigen oder eine bestimmte seelische Grundstimmung auszudrücken, ähnlich wie sie sich kunstvoll stilisiert bei TURGENEV, stark romantisiert bei GOR'KIJ finden. Hier wie vor allem auch in der Bildwahl verwischt allerdings die undifferenzierte, Klischees nicht verschmähende, oft Sentiment mit Gefühl verwechselnde Sprache Christa Wolfs fast stets die realistischen Konturen des Erzählten und ersetzt den Ernst des Geschehens durch Sentimentalität. M. Gru.

AUSGABEN: Halle 1963. – Bln. 1964.

VERFILMUNG: Deutschland 1965 (Regie: K. Wolf).

LITERATUR: S. Brandt, Rez. (in FAZ, 8. 10. 1963). – G. Zehm, Rez. (in Die Welt, 29. 7. 1963). – P. Hamm, Rez. (in Die Zeit, 27. 3. 1964). – Ch. Reinig, Rez. (in Der Spiegel, 13. 1. 1965).

CARL ZUCKMAYER
(*1896)

DER FRÖHLICHE WEINBERG. Lustspiel in drei Akten von Carl ZUCKMAYER (*1896), Uraufführung: Berlin, 22. 12. 1925, Theater am Schiffbauerdamm. – Dieses kraftvolle, die irdischen Freuden verherrlichende Volksstück, das in der rheinhessischen Heimat und Mundart Zuckmayers wurzelt, bezeichnet den Bruch des Autors mit den zu Klischees erstarrten Inhalten und Stilmitteln des Spätexpressionismus.
Der vitale, verwitwete Weingutsbesitzer Gunderloch, der sich von der Arbeit zurückziehen möchte, will die eine Hälfte seines Besitzes verkaufen, die andere aber seiner Tochter Klärchen und ihrem zukünftigen Ehemann, dem arroganten und dünkelhaften Assessor Knuzius, vererben. Doch zuvor muß der Mitgiftjäger mit dem schneidigen Gehabe des ehemaligen Couleurstudenten eine Bedingung seines zukünftigen Schwiegervaters erfüllen: schon vor der Hochzeit soll er beweisen, daß er fähig ist, den Fortbestand der Familie Gunderloch zu sichern. Klärchen jedoch liebt in Wahrheit den stämmigen, unverbildeten Rheinschiffer Jochen Most. Ihre Freundin Babettchen dagegen, die nach dem Höheren strebende Wirtstochter, ist einer Verbindung mit Knuzius nicht abgeneigt. In dieser Situation rät Annemarie, Jochens Schwester und geheime Anbeterin ihres Dienstherrn Gunderloch, eine Schwangerschaft Klärchens vorzutäuschen, um weitere Annäherungsversuche des Assessors überflüssig zu machen. Man bezweifelt aber Knuzius' Vaterschaft, worin dieser eine Kränkung seiner Mannesehre sieht. Beim Winzerfest in der »Landskrone« kommt es zu einer zünftigen Prügelei, die Jochen Most Gelegenheit gibt, sich des vermeintlichen Nebenbuhlers nachhaltig anzunehmen. Im Wirtshof, in Heuschobern und Ligusterlauben finden schließlich zu nächtlicher Stunde folgende Paare zusammen: Gunderloch und Annemarie, Klärchen und Jochen, der sich überzeugen läßt, daß sie keineswegs von Knuzius ein Kind erwartet, und der nun seinerseits nur allzu bereitwillig die väterliche Bedingung erfüllt; außerdem Babettchen und Knuzius, der bei Tagesanbruch auf einem Misthaufen als Geprellter erwacht; endlich noch – der dramatischen Symmetrie zuliebe – der jüdische Weinreisende Hahnesand und die Weinhändlerstochter Stenz aus Köln. Gunderloch macht den Verkauf rückgängig, lädt aber die Geschäftsfreunde zur Hochzeit ein, und in einem großen Weinhymnus klingt das Stück aus.
Nach seinen beiden ersten, dem expressionistischen Dramenstil verpflichteten Versuchen, *Der Kreuzweg* (1921) und *Pankraz erwacht oder Die Hinterwäldler* (1925), die beide nur wenig Beachtung fanden, eroberte Zuckmayer mit seinem *Fröhlichen Weinberg*, der ihm 1925 den Kleist-Preis eintrug, im Sturm die Bühne und bahnte damit eine Erneuerung des Volksstücks an. Saftiges, ja drastisches Theater mit oft überdeutlich »sprechenden« Personennamen und einer naiven und derben Wirklichkeitsnähe setzte sich mühelos gegen die stilisierten, blutleeren Schemen des Spätexpressionismus durch. An der auf Versöhnlichkeit gestimmten »Lebensgläubigkeit« des Brecht-Antipoden Zuckmayer mag es liegen, daß er von Anfang an gesellschaftliche Konflikte meistens als Scheinkonflikte dargestellt hat. Daher bleiben auch satirische Ansätze im Äußerlichen stecken, denn seine »Gesellschaftskritik« wird mehr durch die kulturpessimistische Stimmung der Jugendbewegung als durch ein sozialkritisches Bewußtsein gelenkt. Vielleicht ist das einer der Gründe dafür, warum das in der Hitlerzeit verbotene Stück die Bühnen nach dem Zweiten Weltkrieg noch nicht zurückerobern konnte. KLL

AUSGABEN: Bln. 1926. – Ffm. 1950 (in *GW*, 4 Bde., 1947–1952, 3; ern. 1960). – Wien 1964 (in *Dramen*; Nachw. A. Haberkalt). – Ffm. 1966 (in *Meisterdramen*; Nachw. G. F. Hering).

VERFILMUNGEN: Deutschland 1927 (Regie: J. u. L Fleck). – Deutschland 1952 (Regie: E. Engel).

LITERATUR: K. Kraus, Rez. (in Die Fackel, 27, April 1926, S. 107). – A. J. Jacobius, *Das Schauspiel C. Z.s*, Ann Arbor 1956. – M. Greiner, *C. Z.*

als Volksdichter (in Hess. Blätter f. Volkskunde, 49/50, 1958, S. 29–43). – W. Adling, *Die Entwicklung des Dramatikers C. Z.*, Bln. 1959, S. 53 bis 66 (Schriften zur Theaterwiss., 1). – I. Engelsing-Malek, *›Amor Fati‹ in Z.s Dramen*, Konstanz 1960, S. 11–21. – J. Vandenrath, *Drama und Theater in C. Z.s Bühnendichtung*, Diss. Lüttich 1960. – G. Rühle, *So fröhlich war der Weinberg. Eine Z.-Premiere und was sie bedeutete* (in FAZ, 1. 10. 1966, Nr. 228).

DER GESANG IM FEUEROFEN. Drama in drei Akten von Carl ZUCKMAYER (*1896), Uraufführung: Göttingen, 3. 11. 1950, Deutsches Theater. – Das Stück setzt sich mit dem durch die Greuel des Zweiten Weltkriegs ausgelösten Schuld- und Rache-Komplex auseinander. Der Autor bemüht sich um die dichterische Vergegenwärtigung der französischen Résistance gegen die brutale deutsche Besatzungsmacht. Schauplatz ist der kleine Ort Haut-Chaumond am Fuß der savoyischen Alpen in der Zeit vom Dezember 1943 bis zum Kriegsende. Louis Creveaux, Sohn eines deutschen Kriegsgefangenen aus dem Ersten Weltkrieg und der zigeunerhaften »Schnapseule« – schon deshalb ein Außenseiter in seinem Dorf – macht sich in dem von deutschen Truppen besetzten Ort bei Freund und Feind gleichermaßen durch seine Aufschneiderei und Unzuverlässigkeit unbeliebt. Um sich für die ständigen Demütigungen zu rächen – die Dorfmädchen verspotten ihn wegen seiner Angeberei –, spielt er dem stellvertretenden Ortskommandanten, dem Gestapo-Offizier Sprenger, Pläne der französischen Widerstandsbewegung in die Hände. Creveaux' Haß steigert sich, als er sehen muß, wie sich die Gastwirtstochter Sylvaine Castonnier, die ihm anfangs Hoffnungen machte, dem deutschen Funker Sylvester Imwald, einem stillen, charaktervollen Mann, zuwendet. Der Ortskommandant Major Mühlstein, ein Offizier alter Schule, erhält Befehl, alle einsatzfähigen Dorfbewohner zu einer Arbeitskolonne zusammenzustellen, eine Anordnung, die Sprenger in rücksichtsloser Weise ausführt: er schont weder Alte noch Kranke. Creveaux wird beauftragt, zusammen mit dem Ortsgendarmen Neyroud, der dafür seinen des Widerstands verdächtigen Sohn Marcel freibekommt, eine jüdische Familie auf einem Schmugglerweg abzufangen. Mit dem Versprechen, die Flüchtlinge sicher in die Schweiz hinüberzugeleiten, prellt Creveaux sie um ihr gesamtes Geld und liefert sie dann auftragsgemäß dem Gendarmen aus, der aus Mitleid die Alten entkommen läßt. Sein Sohn Marcel, der daraufhin verhaftet werden soll, wird vom Schloßbesitzer und Dorfkaplan Francis Leroy, dem Haupt der Widerstandsbewegung, trotz seines Bekenntnisses zum Atheismus verborgen und sogar mit Leroys Schwester getraut. Sprenger läßt durch Sylvester eine große Menge Benzin anfordern, um das verdächtige Schloß anzuzünden, wenn sich am Heiligen Abend die von Creveaux verratenen Widerstandskämpfer zu einem »Ball« dort zusammenfinden. Sylvester durchschaut den Plan und will Sylvaine warnen. Creveaux hat sie überredet, aufs Schloß zu gehen, ist aber selbst im Dorf geblieben. Die »Aktion Feuerofen« wird ausgelöst. Da die Ausgänge des Schlosses besetzt sind, verbrennen die einen, die andern fallen den Kugeln der Deutschen zum Opfer. Leroy und seine Freunde stimmen das »Te Deum laudamus« an. – Kurz vor der Kapitulation versuchen Sprenger und seine Helfer, sich zur deutschen Truppe durchzuschlagen, und lassen den verachteten Creveaux zurück. Er flieht zu seiner Mutter, die ihn der französischen Gendarmerie ausliefert.

Zuckmayer läßt das Problem der Schuld offen und macht die Verstrickung aller deutlich; seine Sympathie gehört jedoch der Widerstandsbewegung. Das Stück ist auf Grund der disparaten Darstellungsebenen – der Mischung von realistischer Gestaltung und symbolhafter Überhöhung – nicht so geschlossen wie frühere Arbeiten des Autors. Zuckmayers Stärke zeigt sich vornehmlich in der Gestaltung der Charaktere, im Aufbau eines überzeugenden Dialogs und jener Szenerie von elementarem, kraftvollem Realismus, die er seit seinen ersten Stücken virtuos beherrscht. Es ist ihm jedoch nicht völlig gelungen, die Klärung des Schuld- und Sühne-Problems vor einem überirdischen Tribunal – die erste Szene des ersten Aktes zeigt eine Gerichtsverhandlung im Himmel mit Creveaux als Angeklagtem, seinen Opfern als Anklägern und Zeugen zugleich – mit dem realistischen Handlungsablauf zu verschmelzen. Diese Schwäche dürfte auch den verhältnismäßig geringen Erfolg des Stücks erklären. Zuckmayer hat es 1966 durch eine Umarbeitung gestrafft und gekürzt. KLL

AUSGABEN: Ffm. 1950. – Ffm. 1960 (in *GW*, 4 Bde., 4). – Ffm. 1960 (Schulausgaben, Texte moderner Autoren). – Ffm. 1966 (in *Meisterdramen;* Nachw. G. F. Hering; rev. Fassg.).

LITERATUR: K. H. Ruppel, *Justissima tellus* (in Das literarische Deutschland, 1, 1950, Nr. 2). – M. B. Peppard, *Moment of Moral Decision. C. Z.'s Latest Plays* (in MDU, 44, 1952, S. 349–356). – W. Teelen, *Die Gestaltungsgesetze im Bühnenwerk C. Z.s*, Diss. Marburg 1952. – G. Guder, *C. Z.'s Postwar Dramas* (in Modern Languages, 35, 1953/54, S. 54–56). – A. J. Jacobius, *Das Schauspiel C. Z.s. Wesen, Gehalt, Beziehung zu dem Gesamtwerk*, Ann Arbor 1956. – A. Happ, *Dichterisches Theater* (in *Fülle der Zeit. C. Z. und sein Werk*, Ffm. 1956, S. 31–60). – H. Glade, *The Concept of ›Humanität‹ in the Life and Works of C. Z.*, Diss. Univ. of Pennsylvania 1958. – W. Adling, *Die Entwicklung des Dramatikers C. Z.* (in *Schriften zur Theaterwissenschaft*, Bd. 1, Bln. 1959, S. 11–286). – I. Engelsing-Malek, *Amor fati in Z.s Dramen*, Konstanz 1960. S. 119–138. – P. Meinherz, *C. Z. Sein Weg zu einem modernen Schauspiel*, Bern/Mchn. 1960 [zugl. Diss. Zürich]. – J. Vandenrath, *Drama und Theater in C. Z.s Bühnendichtung*, Diss. Lüttich 1960.

DER HAUPTMANN VON KÖPENICK. Ein deutsches Märchen. Schauspiel in drei Akten von Carl ZUCKMAYER (*1896), Uraufführung: Berlin, 5. 3. 1931, Deutsches Theater. – In den Zeitungen der Hauptstadt erschien am 17. Oktober 1906 folgende Meldung: »*Ein als Hauptmann verkleideter Mensch führte gestern eine von Tegel kommende Abteilung Soldaten nach dem Köpenicker Rathaus, ließ den Bürgermeister verhaften, beraubte die Gemeindekasse und fuhr in einer Droschke davon.*« Zuckmayer, der als Jugendlicher den Helden dieses Streichs während des Mainzer Karnevals selbst gesehen hatte, war fasziniert vom Schicksal des Schusters Wilhelm Voigt, der, »*mit einer alten Montur vermählt, ein ganz anderer, Neuer war*«. Und er sagt über sein Stück: »*Weshalb gerade er, der Wilhelm Voigt, etwas gemerkt hatte, was sechzig*

Millionen guter Deutscher auch wußten, ohne etwas zu merken: ... das versucht das Schauspiel ... im Ablauf weniger Stunden zu zeigen.«

Zuckmayer läßt die 1896 und 1906 in Berlin und Umgebung spielenden Ereignisse in Form einer szenischen Reportage ablaufen, wobei es ihm weniger um historische Treue geht als um die Ausdeutung der Umstände und Motive, die den Schuster zu seinem Husarenstück veranlaßten. Voigt hat bereits insgesamt sechzehneinviertel Jahre im Gefängnis gesessen, einmal wegen »*Posturkundenfälschung*«, dann wegen »*Melde- und Paßvergehen, Irreführung der Behörden und versuchter Urkundenfälschung*«, als der nunmehr Sechsundvierzigjährige – gerade entlassen – auf der Arbeitssuche erneut in die Mühlen der Bürokratie gerät. Denn ohne Aufenthaltsgenehmigung bekommt er keine Arbeit und ohne Arbeitsnachweis keine Aufenthaltsgenehmigung; einen Paß verweigert ihm der Beamte wegen »Nichtzuständigkeit«, so daß sich Voigt die verstörte Bemerkung erlaubt: »*Aber't muß ja nu'n Platz geben, wo der Mensch hingehört! ... Ick kann ja nun mit de Füße nich in de Luft baumeln, det kann ja nur'n Erhenkter!*« Kurz entschlossen bricht er ins Potsdamer Polizeirevier ein, um sich einen Paß zu verschaffen; er wird ertappt und wandert für weitere zehn Jahre ins Zuchthaus Plötzensee. Doch nach seiner Entlassung hat Voigt dazugelernt. Da die Behörden ihm auch jetzt weder eine Aufenthaltsgenehmigung noch einen Paß bewilligen, ihn vielmehr sogar ausweisen, beschließt der Schuster, sich die Magie der Uniform (»*Es geht ein gewisser Zauber von ihr aus* –«, sagt beim Uniformschneider der spätere Bürgermeister von Köpenick) und das in Plötzensee erworbene militärische Wissen zunutze zu machen; hatte doch der Zuchthausdirektor zur Feier der Sedan-Schlacht geäußert: »*Manch einer ... verläßt die Anstalt als ein ... mit dem Wesen und der Disziplin unserer deutschen Armee hinlänglich vertrauter Mann. Und das wird ihn befähigen, auch im zivilen Leben ... wieder seinen Mann zu stellen.*« Dieser Lehren eingedenk, ersteht Voigt beim Trödler eine Hauptmannsuniform, zieht sie auf der Toilette des Schlesischen Bahnhofs an und genießt sogleich auf dem Bahnsteig den Respekt der Beamten. Er unterstellt sich ein Wachkommando, besetzt das Rathaus von Köpenick, verhaftet den Bürgermeister und beschlagnahmt die Gemeindekasse. Leider verfehlt er auch diesmal sein eigentliches Ziel, denn in Köpenick gibt es keine Paßabteilung. Enttäuscht befiehlt er den Soldaten heimzukehren. In Windeseile verbreitet sich die Nachricht von dem erstaunlichen Handstreich, dessen Urheber die Lacher auf seiner Seite weiß; sogar der Kaiser äußert schmunzelnd: »*Da kann man sehen, was Disziplin heißt! Kein Volk der Erde macht uns das nach!*« Die Polizei fahndet einige Tage lang vergeblich unter ehemaligen Soldaten nach dem Täter, als Voigt – wieder in Zivil – in der Paßabteilung des Berliner Polizeipräsidiums auftaucht und sich als der Gesuchte zu erkennen gibt, nachdem ihm der zuständige Beamte einen Paß zur Belohnung versprochen hat. Auf die Frage der Polizeioffiziere, wie ihm als »Ungedientem« der Streich überhaupt habe gelingen können, antwortet er: »*Sone Uniform, die macht det meiste janz von alleene.*« Als Voigt auf Bitten der Polizisten die Montur noch einmal anlegt und sich im Spiegel erblickt, überkommt ihn ein Lachanfall. »*Aus diesem Lachen formt sich ein Wort ... in neuem, großem, befreitem und mächtigem Gelächter alles zusammenfassend ›Unmöglich!‹!*«

Zuckmayer, der bereits 1925 mit dem Lustspiel *Der fröhliche Weinberg* die Wende vom expressionistischen Dramatiker zum Volksstückautor vollzogen hatte, schrieb mit dem *Hauptmann von Köpenick* sein erfolgreichstes Stück. Als Menschengestalter ist er hier allein Gerhart HAUPTMANN vergleichbar, den er auch an Treffsicherheit in der Darstellung des (Wilhelminischen) Milieus erreicht. In den 21 Szenen der nach der Bilderbogen-Dramaturgie gebauten Moritat läßt der Autor typische Vertreter aller Stände jener Zeit zu Wort kommen, jeweils in ihrem charakteristischen Sprechton (dem Kasinojargon der Offiziere, dem Jiddisch der Händler und dem Berlinerisch der einfachen Leute). Trotz aller Typisierung erhalten die Personen der Satire lebendige individuelle Züge, vor allem der Held Voigt, dessen Ahnherr Eulenspiegel heißt und der keineswegs ein Hochstapler und Krimineller, sondern ein melancholisch-verschmitzter Unglücksrabe ist, den eine unmenschlich geahndete Jugendsünde zwingt, die preußische Obrigkeit mit ihren eigenen Waffen zu schlagen. »*Es ist ja auch nichts Neues, was es* [das Stück] *erzählt, sondern es ist ein deutsches Märchen, längst vorbei – vielleicht überhaupt nicht wahr? – und nur ein Gleichnis für das, was nicht vorbei ist!*« (Zuckmayer) E. N.

AUSGABEN: Bln. 1930. – Ffm. 1960 (in *GW*, 4 Bde., 3). – Ffm. 1961 (in *Europäische Dramen von Ibsen bis Z.*, Hg. L. Büttner; Vorw. P. Riegel). – Wien 1964 (in *Dramen*; Nachw. A. Haberkalt). – Ffm. 1966 (in *Meisterdramen*; Nachw. G. F. Hering).

VERFILMUNGEN: Deutschland 1926 (Regie: S. Dessauer). – Deutschland 1931 (Regie: R. Oswald). – Deutschland 1956 (Regie: H. Käutner).

LITERATUR: P. Rilla, *Z. u. die Uniform* (in P. R., *Literatur*, Bln. 1950, S. 7–27). – W. Teelen, *Die Gestaltungsgesetze im Bühnenwerk Z.s*, Diss. Marburg 1952. – S. Werner, »*Der Hauptmann von Köpenick*«. *Wirklichkeit u. Dichtung am Beispiel des Dramas von C. Z.*, Diss. Univ. of Maryland 1954. – A. Happ, *Dichterisches Theater. Zum dramatischen Werk C. Z.s* (in A. H., *Fülle der Zeit. C. Z. u. sein Werk*, Ffm. 1956, S. 31–60). – M. Greiner, *C. Z. als Volksdichter* (in Hessische Blätter f. Volkskunde, 49/50, 1958). – W. Adling, *Die Entwicklung des Dramatikers C. Z.*, Diss. Lpzg. 1957 (ern. in *Schriften zur Theaterwissenschaft*, Bd. 1, Bln. 1959, S. 11–286). – I. Engelsing-Malek, *Amor fati in Z.s Dramen*, Konstanz 1960. – P. Meinherz, *C. Z. Sein Weg zu einem modernen Schauspiel*, Bern/Mchn. 1960 [zugl. Diss. Zürich]. – J. Vandenrath, *Drama u. Theater in C. Z.s Bühnendichtung*, Diss. Lüttich 1960.

DES TEUFELS GENERAL. Drama in drei Akten von Carl ZUCKMAYER (*1896), Uraufführung: Zürich, 12. 12. 1946, Schauspielhaus. – Der durchschlagende Erfolg des fast gleichzeitig mit den dargestellten Ereignissen, aber in der Sicherheit des amerikanischen Exils entstandenen Dramas auf den deutschsprachigen Bühnen der Nachkriegszeit ist aus heutiger Sicht ein schwer zu erklärendes Phänomen: Während die Zuschauer der Uraufführung, Überlebende der deutschen Katastrophe, der vermeintlichen Tragödie eines zu später Einsicht in die wahren Zusammenhänge gelangenden Mitläufers zujubelten, erweist sich das zur Kolportage verkommene idealistische Heldendrama ein

Vierteljahrhundert später als Verharmlosung, ja als fatal unbewußte Glorifizierung der nationalsozialistischen Schreckensherrschaft.
Im »*Spätjahr 1941, kurz vor dem Eintritt Amerikas in den Krieg*«, treffen sich in »Ottos Restaurant«, einem exklusiven Berliner Nachtlokal der Nazi-Prominenz, die scheinbar exemplarisch, im Grunde aber klischiert gezeichneten Gestalten der Zeit auf einer ausgelassenen Party des Generals Harras: der doktrinär linientreue »Kulturleiter« Dr. Schmidt-Lausitz, der naiv gläubige Nationalsozialist Oberst Eilers, dessen »*fünfzigster Luftsieg*« gefeiert wird, der opportunistische aristokratische Waffenlieferant von Morungen, dessen Tochter, das kesse BDM-Mädchen »Pützchen«, die gefeierte Operettendiva Olivia Geiß, die heimlich ihren jüdischen Freunden zur Flucht ins Ausland verhilft, mehr oder weniger plastisch gezeichnete tapfere Offiziere wie etwa Pfundtmayer, »*Typus bayerischer Kraftlackel*« – schließlich der verehrte und gefürchtete, geliebte und gehaßte Hauptheld General Harras, stilisiertes Nachbild des Fliegergenerals Udet. Mit kalauernder *(»Das walte Himmler«)*, kaltschnäuziger Schnoddrigkeit schwadroniert er unbekümmert vor seinen entsetzten, heimlich entzückten oder rachsüchtig intrigierenden und spitzelnden Zuhörern über die »miesen Typen« des Regimes, dem er doch seine militärische Karriere verdankt. Aus Sentimentalität, um der »alten Mutter« den Spaß an seinen Orden und Heldentaten nicht zu verderben, und aus Begeisterung für das Fliegen hat er sich dem »Teufel« Hitler verschrieben – ohne Skrupel über die sich daraus ergebenden politischen und moralischen Konsequenzen: »*Sie haben mich gebraucht – und sie brauchen mich jetzt erst recht. Außerdem – ist es mir wurscht.*« Ganz so »wurscht« scheint es ihm indes doch nicht zu sein: Er weigert sich, in »die Partei« einzutreten und hilft seiner Freundin Olivia und deren in zarter Liebe zu ihm entflammten Nichte Diddo zuliebe einem jüdischen Chefarzt (!) über die Grenze. Wegen seiner militärischen Erfolge genießt er weitgehend Narrenfreiheit, bis ihm die unerklärliche Kette der durch Materialschäden verursachten Abstürze seiner Kampfmaschinen zum Verhängnis wird. Von der Gestapo ultimativ zur Aufklärung dieser »Unfälle« gezwungen, entdeckt er schließlich in seinem besten Freund, dem verantwortlichen Chefingenieur Oderbruch, den Haupttäter. Oderbruch, ein idealistischer Widerstandskämpfer, der auch in der überarbeiteten Schlußfassung von 1966 nicht zu einer klar umrissenen Gestalt wurde, sucht Harras von der Notwendigkeit der Sabotageakte zu überzeugen und zur Mitarbeit in seiner Organisation zu bewegen. Doch für den ist es zu spät: »*Wer auf Erden des Teufels General wurde und ihm die Bahn gebombt hat – der muß ihm auch Quartier in der Hölle machen*«, verabschiedet sich Harras, besteigt eine der defekten Maschinen und stürzt kurz nach dem Start in den Heldentod.
Die Fragwürdigkeit des Stücks beruht nicht allein auf der politischen Ahnungslosigkeit und moralischen Skrupellosigkeit, mit der sich der überaus sympathisch gezeichnete Held einem Regime verschreibt, dessen Unmenschlichkeit durch die Verteufelung nur oberflächlich erfaßt wird, sondern vor allem auf Zuckmayers dramatischer Konzeption: Um auch in einem Stück über das Dritte Reich die potente Kraftnatur seines stereotypen Dramenhelden, dessen Schnoddrigkeit seine eigentliche Herzenswärme kaschieren soll, recht in Szene zu setzen, reduziert er das politische Hintergrundsgeschehen zur bloßen Staffage, die jeder zeitkritischen Signifikanz enträt. M. Schm.

AUSGABEN: Stockholm 1946. – Stockholm 1947 (in *Die deutschen Dramen*). – Ffm. 1960 (in *GW*, 4 Bde., 3). – Ffm. 1966 (in *Meisterdramen*).

VERFILMUNG: Deutschland 1954 (Regie: H. Käutner).

LITERATUR: C. Zuckmayer, *Persönliche Notizen zu meinem Stück »Des Teufels General«* (in Wandlung, 3, 1948, S. 331–333). – P. Rilla, *Z. u. die Uniform* (in P. R., *Literatur*, Bln. 1950, S. 7–27). – A. Happ, *Dichterisches Theater. Zum dramatischen Werk C. Z.s* (in *Fülle der Zeit. C. Z. u. sein Werk*, Ffm. 1956, S. 31–60). – W. Adling, *Die Entwicklung des Dramatikers C. Z.*, Diss. Lpzg. 1957. – I. Engelsing-Malek, *Amor fati in Z.s Dramen*, Konstanz 1960, S. 81–103. – H. Glade, *The Concept of ›Humanität‹ in the Life and Works of C. Z.*, Diss. Univ. of Pennsylvania 1958. – A. Schröder, *La réaction du public allemand devant les œuvres littéraires de caractère politique pendant la période 1945–1950*, Genf 1964. – H. Glade, *C. Z.'s »The Devil's General« as Autobiography* (in Modern Drama, 9, 1966/67, S. 54–61).

ARNOLD ZWEIG
(1887–1968)

DER STREIT UM DEN SERGEANTEN GRISCHA. Roman von Arnold ZWEIG (1887–1968), erschienen 1927. – Zweigs berühmter Roman, 1917 konzipiert und 1921 zunächst als Drama niedergeschrieben (*Das Spiel um den Sergeanten Grischa*; Urauff.: Berlin, 31. 3. 1930, Theater am Nollendorfplatz), war ursprünglich als Mittelstück einer »*Trilogie des Übergangs*« vorgesehen und wurde später mit anderen, zeitlich und handlungsmäßig im Ersten Weltkrieg spielenden Romanen des Autors (*Junge Frau von 1914*, 1931; *Erziehung vor Verdun*, 1935; *Einsetzung eines Königs*, 1937; *Die Feuerpause*, 1954; *Die Zeit ist reif*, 1958) dem unvollendeten Romanzyklus *Der große Krieg der weißen Männer* zugeordnet.
Die Handlung des Romans entwickelt sich aus einem novellistischen Kern, einer extremen Konfliktsituation zwischen Individuum und Staat. Unstillbares Heimweh treibt den Sergeanten Grigorij Iljitsch Paprotkin, genannt Grischa, zur Flucht aus einem deutschen Gefangenenlager, die jedoch mißlingt. Der Rat seiner Geliebten, der Partisanenführerin Babka, er solle sich als Überläufer Bjuschew ausgeben, erweist sich bei der erneuten Gefangennahme Grischas als verhängnisvoll: Nun verdächtigen ihn die deutschen Militärbehörden als russischen Spion und verurteilen Paprotkin alias Bjuschew zum Tode. Es hilft ihm nichts mehr, daß er seine wahre Identität überzeugend beweisen kann und daß das zuständige Kriegsgericht das Todesurteil revidiert. Der vorgesetzte Generalquartiermeister ignoriert die juristische Zuständigkeit des Divisionskommandanten und läßt das Urteil vollstrecken.
Aber nicht primär um die Person Grischas geht es in diesem Roman, sondern um die politische Moral, an der dieser exemplarische Konflikt sich entzündet. »*Um Deutschland geht es uns ...; daß in dem Land, dessen Rock wir tragen, und für dessen Sache wir in Dreck und Elend zu verrecken bereit sind, Recht richtig und Gerechtigkeit der Ordnung nach gewogen*

werde. Daß dies geliebte Land nicht verkomme, während es zu steigen glaubt. Daß unsere Mutter Deutschland nicht auf die falsche Seite der Welt gerate. Denn wer das Recht verläßt, der ist erledigt.« Trauer und Resignation sprechen aus diesem Bekenntnis einer Romanfigur, das zugleich ein Credo des Schriftstellers Arnold Zweig sein könnte. Nicht um Kompetenzfragen allein entbrennt der Streit, sondern um der *»moralischen Existenz«* des preußischen Staates willen, die der General von Lychow und die Männer seiner Division gegen den unrechtmäßigen Übergriff des Generalmajors Schieffenzahn zu verteidigen suchen. Die Frage, wieviel das Ethos eines Staates noch gilt, eines Staates, der Unrecht duldet und im Namen der Justiz sogar Unrecht verübt, bewegt in diesem *»Roman über die deutsch-jüdische Symbiose«* (M. Reich-Ranicki) den General von Lychow und seinen Neffen und Adjutanten, Oberleutnant Winfried, mit gleicher Vehemenz wie den jüdischen Kriegsgerichtsrat Posniaski und den jüdischen Literaten Bertin. Denn der autoritäre Pragmatiker Schieffenzahn, das kaum verhüllte Konterfei Ludendorffs, fordert Grischas Kopf: *»Der Staat schafft das Recht, der einzelne ist eine Laus.«* In einer »Revolution von oben« bekämpft Lychow, der altpreußisch fühlende Nachkomme des Prinzen von Homburg, diesen inhumanen Standpunkt: *»Entweder bestand Deutschland auf Rechttun nach der Einsicht seiner Träger, und lediglich das Gewissen des Verantwortlichen, das Rechtsgefühl in der Brust eines sachlichen Menschen verbürgte unumschränkt entscheidend die Richtigkeit seines Rechts – oder Dreinreden jeder Art war möglich...«* Doch des Generals *»politische Theologie«* geht im seelenlosen Getriebe der modernen Kriegsmaschinerie ebenso zugrunde wie der unschuldige Russe; der ethische Verfall des altpreußischen Staatsgedankens läßt sich nicht mehr aufhalten: *»Deutschland als Macht geht auf wie ein Napfkuchen, Deutschland als Sittlichkeit schrumpft ein zur Fadendünne.«* Die Strategen des imperialistischen Machtwahns nehmen auf die Kategorien von Moral und Recht genausowenig Rücksicht wie auf ein Menschenleben. Der vergebliche Kampf preußischer Militärs und jüdischer Intellektueller läßt die kommende Katastrophe schon vorausahnen.

Unbewußt, und ohne es zu wollen, setzt Grischa mit seinem nebensächlich privaten Präzedenzfall einen epischen Prozeß in Gang, den der Erzähler mit souveränem Einblick in dialektische Strukturen analysiert, um hinter dem erzählten Geschehen aus pazifistischer Sicht – rational gestaltet und jederzeit transparent – die übergeordneten soziopolitischen Voraussetzungen einer pathologischen Erschütterung des gesellschaftlichen Bewußtseins zu diagnostizieren. Er ordnet Ereignisse und Vorgänge, Ursachen und Wirkungen, Handelnde und Betroffene zueinander und gegeneinander in dem Bewußtsein, *»daß jedes Geschehen auf anderes Geschehen Einfluß nehmen konnte«*. Wie seine Vorbilder, allen voran FONTANE und die russischen Realisten des 19. Jh.s, hegt Zweig keinerlei Zweifel an der Erzählbarkeit dieser Welt und entwirft mit virtuosem Kunstverstand auf dem Grundriß einer streng geführten Fabel sein episches Spektrum, in dem trotz kritischer Ansätze und vereinzelter Hinweise jenes sozialistische Bewußtsein gerade nicht dominiert, das die sozialistische Literaturkritik für Zweigs Gesamtwerk beanspruchen möchte. M. Ke.

AUSGABEN: Potsdam/Bln. 1927. – Bln. 1950 (in *Grischa-Zyklus*, 4 Bde., 1950/51, 3). Bln. [7]1956; ern. 1960. – Bln. [13]1966.

VERFILMUNG: *The Case of Sergeant Grischa*, USA 1930 (Regie: H. Brenon).

LITERATUR: P. Panter [d. i. K. Tucholsky], *»Der Streit um den Sergeanten Grischa«* (in Die Weltbühne, 23, 1927, H. 50, S. 892–899). – G. Lukács, *A. Z.s Romanzyklus über den imperialistischen Krieg 1914–1918* (in Internationale Lit., 9, 1939, H. 3, S. 112–131; ern. in G. L., *Schicksalswende*, Bln. 1948, S. 273–313; [2]1956, S. 162–198). – S. Fishman, *War Novels of A. Z.* (in Sewanee Review, 49, 1941, S. 433–451). – L. Feuchtwanger, *Der Erzähler A. Z.*, Bln. 1947. – H. G. Cwojdrak, *A. Z.s Romanzyklus* (in Ost u. West, 3, 1949, H. 7, S. 41 bis 45). – H. Römer, W. Heidrich u. I. Lange, *A. Z.-Bibliographie* (in SuF, 1952, Sonderh.: *A. Z.*, S. 280–301). – P. Rilla, *Heimatliteratur oder Nationalliteratur* (ebd., S. 123–145). – H. Preiser, *Das Bild des bürgerlichen Intellektuellen im Werk A. Z.s*, Diss. Bln. 1953. – H. Mayer, *A. Z.s Grischa-Zyklus* (in H. M., *Deutsche Literatur u. Weltliteratur*, Bln. 1957, S. 590-607). – J. Rühle, *Literatur u. Revolution*, Köln 1960, S. 263–274. – P. Huys, *A. Z. Der Mensch, der Jude, der Epiker*, Diss. Gent 1959. – H. Nitsche, *Die Bedeutung des Grischazyklus von A. Z.*, Diss. Lpzg. 1959. – H. J. Bernhard, *Der Weltkrieg 1914–1918 im Werk Ernst Jüngers, Erich Maria Remarques u. A. Z.s*, Diss. Rostock 1959. – M. Reich-Ranicki, *Deutsche Literatur in West u. Ost*, Mchn. 1963, S. 305–342. – E. Kaufmann, *A. Z.s Weg zum Roman. Vorgeschichte u. Analyse des Grischaromans*, Bln. 1967 (Germanistische Studien). – A. Voigtländer, *Welt u. Wirkung eines Romans. Zu A. Z.s »Der Streit um den Sergeanten Grischa«*, Bln. 1967. – H.-A. Walter, *Auf dem Wege zum Staatsroman. A. Z.s Grischa-Zyklus* (in FH, 23, 1968, S. 564–574).

STEFAN ZWEIG
(1881–1942)

SCHACHNOVELLE. Novelle von Stefan ZWEIG (1881–1942), erschienen 1941. – Noch vor seinem Selbstmord im Exil erschien Zweigs letzte abgeschlossene Prosadichtung. Sie prangert auf dem Hintergrund des Zweiten Weltkriegs die Brutalität der faschistischen Regime an und entlarvt im Geist bürgerlicher Humanität die nationalsozialistischen Terrormethoden. – Formal erfüllt Zweig exemplarisch GOETHES klassische Novellentheorie, deren Grunderfordernis – die künstlerische Gestaltung einer »unerhörten Begebenheit« – sich in der Konfrontation zweier genialer Schachspieler an Bord eines Passagierdampfers ereignet, der von New York nach Buenos Aires ausläuft.

Ein als Schachspieler mäßig dilettierender Ich-Erzähler berichtet von seiner Begegnung mit dem Weltschachmeister Mirko Czentovic, den ein selbstgefälliger Millionär gegen Honorar zu einer Simultanpartie herausfordert. Der primitive und zugleich arrogante Czentovic, ein *»Spezimen intellektueller Eingleisigkeit«*, beherrscht fast automatisch die kalte Logik des königlichen Spiels; er tritt als halb analphabetischer Roboter auf, der *»Phlegma und Imbezilität«* mit *»ordinärer Habgier«* überspielt. Ein fremder Herr, der österreichische Emigrant Dr. B., greift beratend in die hoffnungslos verfahrene Partie ein und rettet gegen den eiskalt operierenden Weltmeister ein schmeichelhaftes Remis. Dr. B., als Vermögensverwalter großer Klöster von der Gestapo verhaftet, hatte sich – in einem Hotelzimmer hermetisch von der Außenwelt abgeschnitten – vor nervlicher Zermürbung und geistiger Aushöhlung bewahrt, indem er Monate lang eine Sammlung von 150 Meisterpartien blind durchspielte und mit diesen intellektuellen Exerzitien jene Widerstandskraft zurückgewann, die ihm die täglichen Verhöre abverlangten. Später dachte er sich zu den alten Partien neue aus und überwand so die *»völlig raumlose und zeitlose Leere«*; schließlich, *»um nicht erdrückt zu werden von dem grauen Nichts um mich«*, verfiel er der geistigen Schizophrenie, gegen sich selbst zu spielen, eine *»solche Paradoxie, wie über seinen eigenen Schatten zu springen«*. Diese *»Schachvergiftung«* verursachte ein Nervenfieber, das seine Entlassung herbeiführte. Zum ersten Mal nach seiner Haft spielt nun Dr. B. auf einem richtigen Schachbrett gegen einen kongenialen Gegner. Sein Motiv ist *»einzig die posthume Neugier, festzustellen, ob das in der Zelle damals noch Schachspiel oder schon Wahnsinn gewesen«*. In der ersten Partie schlägt er den Weltmeister souverän; gegen seinen Willen läßt er sich auf eine Revanche ein und verfällt in eben jenes Nervenfieber, das damals seinen Zusammenbruch herbeigeführt hatte: die *»sichtbare Exaltiertheit«* artet in unsinnige Züge aus – Dr. B. bricht die Partie ab und entfernt sich, um nie wieder ein Schachbrett zu berühren. Sensibilität und differenzierte Intelligenz unterliegen dem brutalen Ungeist.

Mit dem resignativen Schlußakkord der Novelle will Zweig gleichsam metaphorisch auf die Gefährdung der abendländischen Kultur durch die faschistische Gewaltpraxis hindeuten. Im Schicksal des exilierten, ehemaligen Gestapohäftlings leuchtet schlaglichtartig ein größeres Schicksal auf, unter dem zur Entstehungszeit der *Schachnovelle* Millionen von Verfolgten in den Konzentrationslagern des Hitlerregimes zu leiden gezwungen waren. Verselbständigt sich Zweigs Kunst der psychologischen Analyse und der effektvollen, auf spannende Höhepunkte berechneten Handlungsführung in zahlreichen anderen Novellen, so steht sie hier im Dienst einer politischen Anklage. Deren Hilflosigkeit ist freilich schon in der von Zweig vertretenen bürgerlich-ästhetischen Humanität begründet, die durch ihren unpolitischen Charakter notwendig Opfer des Faschismus werden mußte. M. Ke.

AUSGABEN: Stockholm 1941. – Stockholm 1943; ern. 1945. – Ffm. 1957. – Ffm. 1967.

VERFILMUNG: Deutschland 1960 (Regie: G. Oswald).

LITERATUR: Anon., Rez. (in The New Yorker, 20, 15. 4. 1944, S. 83). – M. Gschiel, *Das dichterische Werk S. Z.s*, Diss. Wien 1953. – I. Lent, *Das Novellenwerk S. Z.s. Eine Stil- u. Typenuntersuchung*, Diss. Mchn. 1957. – M. L. Welter, *Typus u. Eros. Eine Untersuchung des Menschenbildes in den Novellen S. Z.s*, Diss. Freiburg i. B. 1957. – R. J. Klawiter, *Z.'s Novellen. An Analysis*, Diss. Univ. of Michigan 1961 (vgl. Diss. Abstracts, 22, 1961, S. 574). – Ders., *S. Z. A Bibliography*, Chapel Hill 1964 (Univ. of North Carolina Studies in the Germanic Languages and Literatures, 50). – H. Vogelsang, *S. Z. Psychologe aus Leidenschaft. Deuter menschlichen Schicksals* (in Österreich in Gesch. u. Lit., 11, 1967, S. 93–102)

Die Verfasser der Beiträge

A. Ge. Dr. Anneliese Gerecke
A. Hd. Dr. Alexander Hildebrand
A. Roe. Anke Roeder
A. Sch. Dr. Arthur Scherle
A. U. Dr. Alfons Uhl
B. B. Bastian Brant
B. D. U. Bianca Dettore Ugo
C. Ba. Christa Balzer
C. Bi. Christa Bianchi
C. Bu. Christoph Buggert
C. Cob. Dr. Christoph Cobet
C. G. Dr. Curt Grützmacher
C. Gu. Cordelia Gundolf
C. P. Christine Privat
C. P. S. Claus P. Schmid
C. St. Christoph Stoll
D. Ba. Dr. Dieter Baacke
D. Bar. Dieter Barber
D. Be. Dr. Diane Behler
D. Bo. Dieter Borchmeyer
D. Ge. Dr. Dietfried Gerhardus
D. Pl. Dagmar Ploetz
E. Be. Prof. Dr. Ernst Behler
E. Ho. Eginhard Hora
E. H. P. Prof. Dr. Eberhard H. Pältz
E. H. V. Eike H. Vollmuth
E. Ke. Edith Kempf
E. Kön. Ernst Kölnsperger
E. O. G. Dr. Ernst-O. Gerke
E. N. Dr. Eckehart Nölle
E. Ri. Dr. Ernst Ribbat
E. Sch. Dr. Egidius Schmalzriedt
E. Schl. Erdmuthe Schlottke
F. J. Dr. Friedrich Jenaczek
G. E. Dr. Günther Erken
G. F. A. Dr. Giovanna Federici-Ajroldi
G. Gb. Prof. Giuseppe Gabetti
G. H. Dr. Gert ud Herding
G. He. Gisela Hesse
G. Hü. Gerbert Hübner
G. Le. Günther Leitzgen
G. N. Dr. Guido Noulian
G. O. Gert Oberembt
G. R. Dr. Gunter Reiß
G. Ra. Dr. Georg Ramseger
G. Sa. Dr. Gert Sautermeister
G. Schi. Dr. Gerhard Schindele
G. Ue. Dr. Gisela Uellenberg
G. W. Dr. Gotthart Wunberg
G. Wit. Gunther Witting
H. B. Prof. Dr. Helmut Brackert
H. De. Hanna Dehio
H. D. S. Dr. Horst D. Schlosser
H. D. W. Dr. Heinz-Dieter Weber
H. E. Hermann Ebeling
H. Ei. Heiderose Eilert M. A.

H. Es. Hans Esselborn
H. Fl. Holger Fließbach
H. Frü. Dr. Hella Frühmorgen
H. Gl. Dr. Heinz Gockel
H.G.W. Dr. Horst G. Weise
H. Her. Dr. Hubert Herkommer
H. H. H. Hans H. Henschen
H. Hon. Dr. Helga Honold
H. J. B. Dr. Hans J. Ballschmieter
H. Ka. Heide Kalmbach
H. Kl. Hellmut Klocke
H.Koo. Prof. Dr. Helmut Koopmann
H. L. Harald Landry
H. Lk. Dr. Hannelore Link
H. Mon. Dr. Hiltgunt Monecke
H. O. Dr. Helmut Olles
H. P. Helga Probst
H. Sch. Hartmut Scheible
H. St. Dr. Horst Steinmetz
H. Str. Horst Strittmatter
H. V. Dr. Hartmut Vinçon
H. W. Herbert Wiesner
H.W. J. Dr. Hans-W. Jäger
I. Am. Dr. Irmgard Ackermann
I. F.W. Ingo F. Walther
I. Ž. Dr. Irene Živsa
J. Dr. Dr. Jörg Drews
J. F. Johannes Feest
J. K Johannes Krogoll
J. Ka. Dr. Joachim Kaiser
J. N. F. Dr. Jutta Neuendorff-Fürstenau
J. P. S. Prof. Dr. Josef P. Stern
J. Sch. Joachim Schickel
J. Schö. Dr. Jörg Schönert
J. T. Dr. Josef Tewes
J. W. St. Dr. Joachim W. Storck
K. B. Prof. Dr. Klaus Baumgärtner
K. E. Dr. Klaus Ensslen
K. Fr. Dr. Konrad Franke
K. Hab. Dr. Klaus Haberkamm
K. Hä. Dr. Hiltrud Häntzschel
K. Je. Dr. Klaus Jeziorkowski
KLL Redaktion Kindlers Literatur Lexikon
K. N. Knut Nievers
K. P. Klaus Podak
K. Re. Dr. Karl Reichert
K. U. Klaus Uhde
Laff. Red. Laffont, Dictionaire des œvres
L. D. Dr. Ludwig Dietz
L. R. Prof. Dr. Dr. Lieselotte Richter
M. Be. Dr. Marianne Bernhard
M. Br. Dr. Manfred Brauneck
M. Fru. Michael Fruth
M. Gl. Dr. Martin Glaubrecht
M. Gru. Manfred Grunert
M. Ke. Manfred Kluge
M. M. Dr. Margarethe Merkel
M. Ni. Martin Nickisch
M. Pe. Prof. Mario Pensa
M. Pf. Manfred Pfister
M.Schm. Dr. Michael Schmidt
M. Se. Martin Selge
M. T. Michael Titzmann
M. Th. Manuel Thomas
M.Wün. Marianne Wünsch
M. Ze. Dr. Michaela Zelzer
N. Oe. Dr. Norbert Oellers
O. F. B. Prof. Dr. Otto F. Best
P. Gl. Peter Glaser
P. Ko. Peter Kobbe
P. L. Peter Laemmle
P. Sch. Dr. Peter Schraud
P.W.W. Dr. Paul W. Wührl
R. Br. Renate Briesemeister
R. Bü. Dr. Robert Büchner
R. E. Dr. Rolf Eckart
R. Go. Rüdiger Gollnick
R. Lo. Raimund Lorenzer
R. M. Richard Mellein M. A.
R. Ra. Roland Rall
R. Rr. Rudolf Radler
R. Sch. Dr. Rolf Schröder
S. A. Sabine Awiszus
S. E. Steffen Ewig
S. Re. Stephan Reinhardt
S. Schu. Sabine Schultz
S.v. G. Sibylle von Gültlingen
T. Be. Dr. Thomas Beckermann
T. Koe. Dr. Thomas Koebner
T. V. Dr. Theodor Verweyen
U. A. Ute Arnold
U. Ba. Ulrike Backofen
U. Di. Dr. Ulrich Dittmann
U. E. Ulf Eisele
U. H. Dr. Ulrich Hubert
U. J. Urs Jenny
U. S. Uta Smail
V. H. Dr. Valentin Herzog M. A.
V. Ho. Volker Hoffmann
W. D. Wilfried Dittmar
W. Fl. Dr. Walter Flemmer
W. Fr. Dr. Wolfgang Frühwald
W. F. S. Dr. Wilfried F. Schoeller
W. Hn. Winfried Hellmann
W. L. Dr. Wolfgang Lindow
W. P. Dr. Wulf Piper
W. R. L. Prof. Dr. Werner R. Lehmann
W. V. Prof. Dr. Werner Vordtriede
W. v. S. Werner von Stegmann
W. We. Walter Weidner

Abkürzungsverzeichnis

AA Johann Wolfgang v. Goethe, *Gedenkausgabe der Werke, Briefe und Gespräche. 28. August 1949,* Hg. E. Beutler, 24 Bde., Zürich/Stuttgart 1948–1954 (Artemis-Ausgabe)
ADB *Allgemeine Deutsche Biographie,* Hg. Historische Commission bei der kgl. Akademie der Wissenschaften, 56 Bde., Leipzig 1875–1912
AfGPh Archiv für Geschichte der Philosphie
AFNF Arkiv för Nordisk Filologi
AlH Ausgabe letzter Hand
APAW Abhandlungen der Preußischen Akademie der Wissenschaften
ARG Archiv für Reformationsgeschichte
ASSL Archiv für das Studium der neuen Sprachen (und Literaturen)
ATB Altdeutsche Textbibliothek
AWA Anzeiger der philologisch-historischen Klasse der Akademie der Wissenschaften in Wien
BdtLw Beiträge zur deutschen Literaturwissenschaft

BLV Bibliothek des literarischen Vereins in Stuttgart
CL Comparative Literature
DA Deutsches Archiv für Geschichte (Erforschung) des Mittelalters
DD Das Deutsche Drama. Zeitschrift für Freunde dramatischer Kunst
De Boor H. de Boor u. R. Newald, *Geschichte der deutschen Literatur von den Anfängen bis zur Gegenwart* München 1949 ff.
DL Deutsche Literatur. Sammlung literarischer Kunst- und Kulturdenkmäler in Entwicklungsreihen
DLD Deutsche Literaturdenkmale des 18. und 19. Jahrhunderts in Neudrucken
DLz Deutsche Literaturzeitung für Kritik der internationalen Wissenschaft
DNL Deutsche National Literatur
DPhA *Deutsche Philologie im Aufriß*, Hg. W. Stammler, 3 Bde., Berlin² 1957–1962
dtv Deutscher Taschenbuch Verlag
DRs Deutsche Rundschau
DuV Dichtung und Volkstum
DUZ Deutsche Universitäts-Zeitung
DVLG (DVjS) Deutsche Vierteljahrsschrift für Literaturwissenschaft und Geistesgeschichte
EC Exempla Classica
EG Études Germaniques
Ehrismann G. Ehrismann, *Geschichte der deutschen Literatur bis zum Ausgang des Mittelalters*, 4 Bde., München 1918–1935
Euph Euphorion. Zeitschrift für Literaturgeschichte
FAZ Frankfurter Allgemeine Zeitung für Deutschland
FDH Jahrbuch des Freien Deutschen Hochstifts
FH Frankfurter Hefte
FiBü Fischer Bücherei
GGA Göttingische Gelehrte Anzeigen
GGT Goldmanns Gelbe Taschenbücher
GJb Goethe-Jahrbuch
GLL German Life and Letters
GQ The German Quarterly
GR The Germanic Review
GRM Germanisch-Romanische Monatsschrift
HA Johann Wolfgang v. Goethe, *Werke*, Hg. E. Trunz, 14 Bde., Hamburg 1948–1960 (Hamburger-Ausgabe)
HZ Historische Zeitschrift
IB Insel Bücherei
JbGG Jahrbuch der Goethe-Gesellschaft
JbNd Jahrbuch des Vereins für niederdeutsche Sprachforschung
JC Johann Wolfgang v. Goethe, *Sämtliche Werke*, Hg. E.v.d. Hellen, 40 Bde., Stuttgart 1902–1912 (Jubiläums-Ausgabe, Cotta)
JEGPh The Journal of English and Germanic Philology
LangMod Les Langues Modernes
LE Das literarische Echo. Halbmonatsschrift für Literaturfreunde
LJb Literaturwissenschaftliches Jahrbuch der Görres-Gesellschaft
LLD Lateinische Literaturdenkmäler des XV. und XVI. Jahrhunderts
MA Le Moyen-Age, Revue d'Histoire et de Philologie
MdF Mercure de France
MDU Monatshefte für deutschen Unterricht, deutsche Sprache und Literatur
MGH Monumenta Germaniae Historica
MLN Modern Language Notes
MIÖG Mitteilungen des Instituts für Österreichische Geschichtsforschung
MLQ Modern Language Quarterly
MLR The Modern Language Review
Neoph Neophilologus. Driemaandeliks tijdschrift voor de wetenschappelike beoefening van levende vreemde talen en van haar letterkunde
NDB *Neue Deutsche Biographie*, Hg. Historische Kommission bei der Bayerischen Akademie der Wissenschaften, Berlin 1951 ff.
NDF Neue Deutsche Forschung
NDH Neue deutsche Hefte. Beiträge zur europäischen Gegenwart
NdL Neudrucke deutscher Literaturwerke (des 16. und 17. Jahrhunderts)
NdJb Niederdeutsches Jahrbuch
NGG Nachrichten von der Gesellschaft der Wissenschaften in Göttingen
NHJb Neue Heidelberger Jahrbücher
NJb Neue Jahrbücher für Philologie und Pädagogik
NNRF La Nouvelle Nouvelle Revue Française
NphM Neuphilologische Mitteilungen
NQ Notes and Queries for Readers and Writers, Collectors and Librarians
NRs Die Neue Rundschau
NSRs Neue Schweizer Rundschau
NZZ Neue Zürcher Zeitung
OL Orbis Litterarum. Revue internationale d'études littéraires
Phil Philologus. Zeitschrift für das klassische Altertum
PhJb Philosophisches Jahrbuch. Auf Veranlassung und Unterstützung der Görresgesellschaft
PJb Preußische Jahrbücher
PMLA Publications of the Modern Language Association of America
PQ The Philological Quarterly. A Journal Devoted to Scholarly Investigation in the Classical and Modern Languages and Literatures
QFgV Quellen und Forschungen zur Sprach- und Culturgeschichte der Germanischen Völker
RF Romanische Forschungen. Vierteljahresschrift für romanische Sprachen und Literaturen
RGA *Reallexikon der germanischen Altertumskunde*, Hg. J. Hoops, 4 Bde., Strassburg 1911 bis 1919
RGerm Revue Germanique. Allemagne – Angleterre États Unis – Pays-Bas – Scandinavie
RGG *Die Religion in Geschichte und Gegenwart. Handwörterbuch für Theologie und Religionswissenschaft*, Hg. K. Galling u. H. Frh. von Campenhausen, 6 Bde., Tübingen³ 1957–1962
RJb Romanistisches Jahrbuch
RKl Rowohlts Klassiker
RL P. Merker u. W. Stammler, *Reallexikon der deutschen Literaturgeschichte*, 4 Bde., Berlin 1925–1931, 1958² ff., Hg. W. Kohlschmidt u. W. Mohr
RLC Revue de la Littérature Comparée
rororo Rowohlts Rotations Romane
RUB Reclams Universal Bibliothek
SAWH Sitzungsberichte der Heidelberger Akademie der Wissenschaften

SchwRs Schweizer(ische) Rundschau
SBAW Sitzungsberichte der (Kgl.) Bayerischen Akademie der Wissenschaften
SG Sammlung Göschen
SPAW Sitzungsberichte der (Kgl.) Preußischen Akademie der Wissenschaften
Staiger E. Staiger, *Goethe*, 3 Bde., Zürich 1952–1959
StPh Studies in Philology
StvLg Studien zur vergleichenden Literaturgeschichte
SuF Sinn und Form. Beiträge zur Literatur
SWAW Sitzungsberichte der Wiener Akademie der Wissenschaften
SZ Süddeutsche Zeitung
VL *Die deutsche Literatur des Mittelalters. Verfasserlexikon*, Hg. W. Stammler u. K. Langosch, 5 Bde., Berlin/Leipzig 1933–1955
WA Johann Wolfgang v. Goethe, *Werke*, hg. im Auftrag der Großherzogin Sophie von Weimar, 4 Abt., 133 Bde., Weimar 1887–1912 (Weimarer Ausgabe)
WdL Die Welt der Literatur
WM Westermanns (illustrierte deutsche) Monatshefte
WW Wirkendes Wort. Deutsches Sprachschaffen in Lehre und Leben
ZBLG Züricher Beiträge zur deutschen Literatur- und Geistesgeschichte
ZDLG Zeitschrift für deutsche Literaturgeschichte
ZfÄsth Zeitschrift für Ästhetik und allgemeine Kunstwissenschaft
ZfdA Zeitschrift für Deutsches Altertum (und Literatur)
ZfdGw Zeitschrift für deutsche Geisteswissenschaft
ZfÖG Zeitschrift für die österreichischen Gymnasien
ZfdPh Zeitschrift für deutsche Philologie
ZfdU Zeitschrift für den Deutschen Unterricht
ZRG Zeitschrift für Religions- und Geistesgeschichte
ZsTh Zeitschrift für systematische Theologie
ZvLg Zeitschrift für vergleichende Literaturgeschichte

Register der Autoren und Werke